A CONCORDANCE OF LUCAN

A CONCORDANCE OF LUCAN

By

ROY J. DEFERRARI, Ph. D.
of The Catholic University of America

SISTER MARIA WALBURG FANNING, S. S. J., Ph. D.
of the College of Chestnut Hill

SISTER ANNE STANISLAUS SULLIVAN, S. S. J., Ph. D.
of the College of Chestnut Hill

WASHINGTON
THE CATHOLIC UNIVERSITY OF AMERICA PRESS
1940

Printed in u.s.a.
Lithoprinted by Edwards Brothers, Inc., Lithoprinters
Ann Arbor, Michigan, 1940

TO
SISTER MARIA KOSTKA, S. S. J.
DEAN OF THE COLLEGE OF CHESTNUT HILL
CHESTNUT HILL, PHILADELPHIA

PREFACE

This Concordance of Lucan is based on the text of A.E. Housman,(Oxford, Blackwell, 1927). The general arrangement is that followed in the Concordance of Ovid, recently published. The words with their contexts are presented in alphabetical order, and under each word citations appear in the order of their occurrence in the Pharsalia. It will be noted that very few words appear in the form of an index verborum. These are words which are quite unimportant in matters of style or as to meaning. The apparatus criticus of Housman's text has been examined for all variant readings which might possess some importance in the establishment of a new text, and these have been included in the Concordance.

In Hermathena for 1927 (pp. 5 - 310) George W. Mooney published an Index to the Pharsalia of Lucan based on the text of Heitland in the Corpus Poetarum Latinorum (Vol. II, 1900, ed.Postgate). The compilers of this Concordance wish to acknowledge the great help which they obtained from that work. It is believed, however, that the present Concordance will supercede the Index, since it has not only been based on a more recent text but has been able to correct many errors which naturally creep into a first work of this kind.

As in the case of the Concordance of Ovid, the authors are deeply indebted to Miss Catherine Rich for a master copy of the text which has made the lithoprinting of this work feasible.

Roy J. Deferrari
Sister Maria Walburg Fanning, S.S.J.
Sister Anne Stanislaus Sullivan, S.S.J.

A

A(interiect.). 5.615;6.328;6.724;7.555
A(praep.). 1.59;1.482;1.483;1.499;1.592;2.102;
2.397;2.649;3.39;3.140;3.339;3.353;3.375;
3.384;3.391;3.668;3.743;4.9;4.87;4.153;
4.242;4.673;4.721;4.812;5.200;5.219;5.262;
5.308;5.586;5.619;5.726;5.745;5.783;6.70;
6.104;6.229;6.532;6.554;6.611;6.642;6.770;
7.74;7.81;7.299;7.389;7.441;7.503;7.602;
7.678;7.692;7.746;7.771;8.22;8.79;8.94;
8.204;8.214;8.297;8.343;8.392;8.497;8.580;
8.588;8.643;8.741;8.742;8.847;9.121;9.189;
9.322;9.414;9.459;9.466;9.477;9.606;9.664;
9.892;9.986;9.1056;9.1079;9.1100;10.7;
10.40;10.53;10.132;10.218;10.335;10.370;
10.420;10.434;10.436;10.520
AB. 1.50;1.216;1.412;1.428;1.451;1.514;1.549;
2.51;2.86;2.112;2.207;2.372;2.493;2.553;
2.570;3.4;3.156;3.209;3.234;3.237;3.253;
3.294;3.399;3.504;3.524;3.585;4.94;4.126;
4.315;4.409;4.452;4.540;4.657;4.672;4.719;
5.19;5.86;5.103;5.523;5.598;5.671;5.673;
5.769;6.75;6.113;6.208;6.242;6.396;6.771;
6.778;7.165;7.214;7.311;7.447;7.638;7.808;
7.839;7.860;8.179;8.188;8.203;8.228;8.343;
8.358;8.418;8.501;8.503;8.623;8.690;8.716;
8.813;9.61;9.103;9.271;9.284;9.306;9.339;
9.354;9.430;9.521;9.585;9.812;9.831;9.958;
9.1064;10.242;10.250;10.255;10.287;10.504
ABATOS. hinc, Abaton quam nostra uocat
    ueneranda uetustas,/ terra potens   10.323
ABDO,-ERE. exul limosa Marius caput abdidit
    ulua. 2.70
    sic fremit in paruis fera nobilis abdita
    claustris 10.445
ABDUCO,-ERE. protinus abducto patuerunt
    templa Metello. 3.153
    abducet superos alienis Thessalis aris.
                                        6.451
    di, quorum curas abduxit ab aethere tellus
    /Romanusque labor, uincat . . .   7.311
    hoc potuit caelo pelagoque minari/
    torporem insolitum mundoque obducere
    (abducere) terram var.9.648
    hic ille recumbat/ sordidus Etruscis
    abductus consul aratris: 10.153
ABEO,-IRE. plenus abit uisu: ruit inreuocabile
    uolgus. 1.509
    in nubes abiere Ceraunia 2.626
    cetera classis abit summis spoliata
    carinis: 2.714
    spes uictis telluris abit, ...   3.509
    huc abeunt fluctus, illo mare, sic, ubi
    puppes/ sulcato uarios duxerunt gurgite
    tractus, ...   3.550
    in medium mors omnis abit, perit obruta
    uirtus: 4.491
    in inmensas cineres abiere cauernas
                                        5.135
    usus abit uitae, bellis consumpsimus
    aeuum: 5.276
    caelo languente fretoque/ naufragii spes
    omnis abit. 5.455
    igneaque in uoltus.../ pestis abit,   6.97
    quo tibi feruor abit aut quo fiducia
    fati? 7.75

ABSCIDO
    iam pondere fati/ deposito securus abis;
                                        7.687
    non omnis populus.../ inque feras
    discerptus abit; 7.842
    quas magis in terras nostrum felicibus
    actis/ nomen abit, ...   8.321
    'quo sine me crudelis abis? 8.584
    sed maior in unam/ orbis abit Asiam.   9.417
ABIGO,-ERE. expellam tumulis, abigam uos
    omnibus urnis. 6.735
ABLUO,-ERE. taboque medullas/ abluit   6.669
    quem Thybridis adluat (abluat) unda/
    quaeritur, ...   var.6.810
ABNEGO,-ARE. fonte nouo flumen pelagi non
    abnegat undis. 3.263
ABRADO,-ERE. quaeque per abrasas utero
    hemittere fauces,/ .../ diripiens miles
    saturum tamen obsidet hostem. . .   6.115
    abrasitque cruces 6.545
ABRIPIO,-ERE. nunc desuper Alpis/ nubiferae
    colles atque aeriam Pyrenen/ abripimur.
                                        1.690
ABROTONUS v. HABROTONUS.
ABRUMPO,-ERE. denso tamen aggere firmant/
    moenia et abrupto circumdant undique
    uallo, ...   2.450
    par animi laus est et, quos speraueris,
    annos/ perdere et extremae momentum
    abrumpere lucis, ...   4.483
    super ardua ducit/ saxa, super cautes,
    abrupto limite signa; 4.740
    licet ingentis abruperit actus/ festinata
    dies fatis, sat magna peregi. . .   5.659
    licet ingentis abruperit (abrumperet)
    actus/ festinata dies fati, sat magna
    peregi. var.5.659
    tot potuere manus.../ aut Pelopis latis
    Ephyren abrumpere regnis 6.57
    et tremulo medios abrumpit poplite gyros.
                                        6.87
    ergo abrupta palus multos discessit in
    amnes. 6.360
    uiperei coeunt abrupto corpore nodi,   6.490
    quamuis fecerit omnis/ stella senem,
    medios herbis abrumpimus annos. .   6.610
    abruptis Catilina minax fractisque catenis
    / exultat 6.793
    abruptaque saxa / asperat 6.800
    multis... uisus.../ ... abruptis mergi
    conuallibus Haemus, ...   7.174
    tenebrisque remotis/ rupis in abruptae
    scopulos extremaque curris/ litora;   8.46
    et abruptum est nostro mare discolor unda/
    Oceanusque suus. 8.293
    aequora fracta uadis abruptaque terra
    profundo, ...   9.308
    hinc torrente plaga, dubiis hinc Syrtibus
    orbem/ abrumpens medio posuisti limite
    mortes. 9.862
    sed, cum lapsus abrupta uiarum/ excepere
    tuos.../... spuma tunc astra lacessis,
                                        10.317
ABSCIDO,-ERE. abscidis frustra ferro tua
    pignora: 3.33
    haec quoque cum toto manus est abscisa
    lacerto. 3.617
    abscidit nostrae multum fors inuida
    laudi, ...   4.503
    de rupe pependit/ abscisa fixus torrens,
                                        6.473
    illa comam laeua morienti abscidit

1

ABSCIDO
    ephebo. 6.563
    pudet.../ quaerere.../...quis.../ abscisum
    longe mittat caput, ... 7.628
    at, postquam trunco ceruix abscisa recessit,
    / uindicat hoc Pharius, dextra gestare,
    satelles. 8.674
ABSCINDO,-ERE. qualis rupes quam uertice montis
    / abscidit inpulsu uentorum adiuta
    uetustas, ... 3.471
ABSCONDO,-ERE. abscondat Fortuna nefas, 2.735
    absconditque fretum classes, et litore
    solus 3.47
    huc fractas Aquilone rates summersaque
    pontus/ corpora saepe tulit caecisque
    abscondit in antris; 4.458
    nec quibus abscondit nec siquibus exerit
    orbem/ totus erat. 8.160
    non aliter manifesta potens abscondere
    mentis/ gaudia quam lacrimis, . . . 9.1040
    abscondunt gemitus et pectora laeta/
    fronte tegunt, ... 9.1106
    crassumque trabes absconderat aurum. 10.113
ABSOLUO,-ERE. placuit.../cladibus inmixtum
    ciuile absoluere bellum? 2.250
    quid totum premitis, quid totum absoluitis
    orbem? 7.870
ABSORBEO,-ERE. at Tigrim subito tellus absorbet
    hiatu 3.261
    absorpsit penitus rupes ac tecta ferarum/
    detulit 4.100
ABSTERREO,-ERE. absterrere ducem noscendi
    ardore futura/ cassa fraude parat. 5.129
    nullis absterrita fatis/ uictum, ... recepi.
    8.649
ABSTINEO,-ERE. feruet et a trepido uix
    abstinet ira magistro. 4.242
    non tamen abstinuit uenturos prodere casus
    / per uarias Fortuna notas. 7.151
    dubiis ueritus se credere regnis/abstinuit
    tellure rates. 9.1010
ABSTRAHO,-ERE. maior cura duces miscendis
    abstrahit armis: 6.80
ABSTRUDO,-ERE. occultos latices abstrusaque
    flumina quaerunt; 4.293
    et abstrusas penitus uada fecit harenas,
    5.604
    cauumque/ pectus et abstrusum fibris
    uitalibus omne/ morte patet. . . . 9.778
    nullique aspecta uirorum/ Pallas, in
    abstruso pignus memorabile templo, 9.994
ABSUM,-ESSE. sollicitus menti quod abest
    fauor: 4.399
    metus omnis abest. 4.487
    'qui modo in absentem uoltu dextraque
    furebas, ... 5.319
    qua, sibi ne ferri ius ullum, Caesar,
    abesset,/ Ausonias uoluit gladiis miscere
    secures 5.387
    nulla meis aberit titulis Romana potestas,
    5.664
    fulminibus me, saeue, iubes tantaeque
    ruinae/ absentem praestare caput? 5.771
    camporum limite paruo/ absumus a uotis.
    7.299
    capuloque manus absente mouentur. 7.767
    extremo sed abest a munere busti/ infelix
    coniunx 8.741
    nec enim plus litora Nili/ quam Scythicus
    Tanais primis a Gadibus absunt, . . 9.414
    temperies uitalis abest, et nulla sub illa
    /cura Iouis terra est; 9.435

    absenti bellum ciuile peractum est:
    9.1018
    procul hoc auertite, fata/ crimen, ut
    haec Bruto ceruix absente secetur. 10.342
    missusque satelles/ regius, ut saeuos
    absentis uoce tyranni/ corriperet famulos,
    10.469
    procul absit ut ista/ uindictae sit summa
    tuae. 10.525
ABSYRTOS. Colchis et Hadriaca spumans Apsyrtos
    in unda; 3.190
ABUTOR,-I. potuit uestro Pompeius abuti/
    sanguine: 9.263
ABYDOS. Europamque Asiae Sestonque admouit
    Abydo 2.674
    tot potuere manus aut iungere Seston
    Abydo 6.55
AC. 1.17;1.319;3.659;4.5;4.100;4.141;4.252;
    4.464;4.778;5.9;5.90;5.324;5.499;5.800;
    6.73;6.143;6.177;6.203;6.253;6.256;6.301;
    6.324;6.560;6.574;6.650;6.782;7.51;7.53;
    7.197;7.347;7.381;7.434;7.487;7.494;7.532;
    7.574;7.604;7.618;7.653;7.690;7.727;7.797;
    7.866;8.35;8.393;8.439;8.552;8.669;9.16;
    9.32;9.40;9.247;9.968;9.1009;9.1013;
    10.319;10.321;var.10.514;10.531
ACCEDO,-ERE. labores/ accedant fatis et quas
    premit aspera classes 1.42
    uana quoque ad ueros accessit fama
    timores 1.469
    Sulla quoque inmensis accessit cladibus
    ultor. 2.139
    tellus/ altius intumuit propiusque
    accessit Olympo. 2.398
    te quoque si superi titulis accedere
    nostris/iusserunt, ... 2.555
    fatisque per illam/accessit mors una
    ratem. 3.197
    accedunt Syriae populi; 3.214
    accessit Magni iugulus, regnumque sorori/
    ereptum est et soceroque nefas. . . 5.63
    adiuuit, regnoque accessit terra secundo,
    5.622
    his rura colonis/ accedunt donante Pado.
    6.278
    non sic moderator equorum,/.../ cogit
    inoffensae currus accedere metae. 8.201
    qua rapidus Ganges et qua Nysaeus
    Hydaspes/ accedunt pelago, Phoebi
    surgentis ab igne/ iam propior quam
    Persis eram: 8.228
    fatis accede deisque. 8.486
    ante aciem Emathiam nullis accessimus
    armis: 8.531
    accessit morti Libye, ... 9.753
ACCENDO,-ERE. accenditque ducem, quantum
    clamore iuuatur 1.293
    summo si frigida caelo/ stella nocens
    nigros Saturni accenderet ignis, 1.652
    imago/ uisa caput maestum per hiantis
    Iulia terras/ tollere et accenso furialis
    stare sepulchro. 3.11
    his magnam uictor in iram/ uocibus
    accensus 'uanam spem mortis honestae/
    concipis: 3.134
    accensisque rogis miseri de corpore trunco
    / certauere patres. 3.760
    accendit pax ipsa loci, ... 6.282
    funereas aris inponere flammas/ gaudet
    et accenso rapuit quae tura sepulchro.
    6.526

ACCENDO
      accensa iuuenem positum strue liquit
      Erictho 6.826
      magnoque accensa tumultu/ mortis uicinae
      properantis admouet horas. . . . 7.49
      'ergo indigna fui,' dixit 'Fortuna, marito/
      accendisse rogum 9.56
      spumeus accenso non sic exundat aeno/
      undarum cumulus, ... 9.798
ACCENSOR. 'iam Magni deseris arma/ successor
      (accensor) Domiti, ... var.7.607
ACCERSO(ARCESSO),-ERE. paupertas fugitur
      totoque accersitur orbe 1.166
      accersas dum fata manu: 4.484
      nil opus est uotis, iam fatum accersite
      ferro. 7.252
      prohibent accersere mortem; . . . 8.660
ACCESSUS. obtulit hospita tellus/ puppibus
      accessus faciles; 3.44
      pauet ipse sacerdos/ accessus . . 3.425
ACCIO,-IRI. haec propter placuit Tuscos de
      more uetusto/ acciri uates.
      . . . . 1.585
ACCIPIO,-ERE. nec, si te pectore uates/
      accipio, ... 1.64
      Caesar, ut acceptum tam prono milite
      bellum/ fataque ferre uidet, . . 1.392
      accipimus, siluisque feras sub nocte
      relictis/ audaces media posuisse cubilia
      Roma 1.559
      accipient alios, facient te bella
      nocentem. 2.259
      imaque telluris uentos tractusque
      coruscos/ flammarum accipiunt; . . 2.271
      quam laetae Caesaris aures/ accipient
      tantum uenisse in proelia ciuem! . 2.274
      non me laetorum sociam rebusque secundis/
      accipis: 2.347
      Hister casuros in quaelibet aequora
      fontes/ accipit et Scythicas exit non
      solus in undas. 2.420
      haec ubi dicta, leuis totas accepit
      habenas 2.500
      acciperet felix ne non semel omnia Caesar,
               3.296
      accipe deuotas externa in proelia dextras.
               3.311
      geminasque aequantis moenia turris/
      accipit; 3.457
      accepit non sola uiros, quae stabat in
      undis,/classis: 3.519
      multoque cruore/ plena per obliquum
      crebros latus accipit ictus . . . 3.628
      exclusit Borean flammasque accepit in
      Euro. 4.61
      tam largas alueus omnis/ a ripis accepit
      aquas. 4.87
      sponte cadit maiorque accepto robore
      surgit. 4.642
      saeuum in populos puer accipis ensem, 5.61
      accipit et frenos, nec tantum prodere
      uati / quantum scire licet. . . . 5.176
      deprimitur, fluctusque in nubibus accipit
      imbrem. 5.629
      intrepidus quamcumque datis mihi, numina,
      mortem/ accipiam. 5.659
      accipit Asopos cursus Phoenixque Melasque
               6.374
      testor, Roma, tamen Magnum quo cuncta
      perirent/ accepisse diem. . . . 7.92
      accipe maiores et caeco in Marte tuere.
               7.111

      nunc accipe poenas, ... 8.97
      accipe templorum cultus aurumque
      deorum; 8.121
      accipe, si terris, si puppibus ista
      iuuentus/ aptior est; 8.122
      accipe: ne Caesar rapiat, tu uictus habeto
            in marg.8.124
      accipe.../... uotorum extrema meorum:
               8.142
      admotus Magnum, non subditus, accipit
      ignis. 8.758
      exiguam, quantum potes, accipe flammam
               8.766
      sed te Cornelia, Magne/ accipiet nostraque
      manu transfundet in urnam. . . . 8.770
      quam metuis, demens, isto pro crimine
      poenam/ quo te fama loquax omnis accepit
      in annos? 8.782
      nos in templa tuam Romana accepimus Isim
               8.831
      prima ratem Cypros spumantibus accipit
      undis; 9.117
      accipit omnis/ exemplum pietas. . 9.179
      (nam neque subsedit penitus, quo stagna
      profundi/ acciperet, nec se defendit ab
      aequore tellus, ... 9.306
      Arctoos raris Aquilonibus imbres/ accipit
               9.423
      nam litore sicco / quam pelago, Syrtis
      uiolentius excipit (accipit) Austrum,
            var.9.448
      feruida tellus/ accipit Oceanum demisso
      sole calentem, ... 9.625
      nunc redit ad Syrtes et fluctus accipit
      ore, ... 9.756
      subita caligine mortem/ accipis . . 9.818
      accipe poenas/ tu, quisquis superum
      commercia nostra perosus 9.859
      incerto turbatas murmure uoces/ accipit,
               9.1009
      accipe regna Phari nullo quaesita cruore,
               9.1022
      accipe Niliaci ius gurgitis, accipe
      quidquid/ pro Magni ceruice dares;
            9.1023(bis)
      accipiunt sertas nardo florente coronas
               10.164
ACCURRO,-ERE. cessas accurrere solus/ ad
      dominae thalamos? 10.356
ACER,-CRIS,-CRE. acer et indomitus, quo spes
      quoque ira uocasset, ... 1.146
      sic fatur, et acris/ irarum mouit stimulos
               2.323
      acrior ira subit: saeuos circumspicit
      enses 3.142
ACERUUS. sidentis in tabem spectat aceruos
               7.791
      non acie fusa nec magnae stragis aceruis
      / uincendus tum Caesar erat . . 10.540
ACHAEMENIUS. Achaemeniis decurrant Medica
      Susis/ agmina, ... 2.49
      passus Achaemeniis late decurrere campis/
      in tutam trepidos numquam Babylona coegi.
               8.224
ACHAEUS. sanguis ibi fluxit Achaeus,/ Ponticus,
      Assyrius; 7.635
ACHATES. stabatque sibi non segnis achates/
      purpureusque lapis, ... 10.115
ACHERON. praeparat innumeras puppes
      Acherontis adusti/ portitor; . . . 3.16
ACHILLAS. sceleri delectus Achillas,/ .../

ACHILLAS

exiguam sociis...carinam/instruit.   8.538
sed, postquam mucrone latus funestus
Achillas / perfodit, nullo gemitu
consensit ad ictum 8.618
haec dicta monet famulos perferre fideles
/ad Pompeianae socium sibi caedis
Achillam, ...   10.350
non lentus Achillas/ suadenti parere
nefas 10.398
et in partem Romani uenit Achillas; 10.419
terribilem iusto transegit Achillea ferro.
   10.523

ACHILLES. Emathis aequorei regnum Pharsalos
Achillis/ eminet .   6.350

ACIES. canimus, .../ cognatasque acies, et
rupto foedere regni 1.4
plus illa uobis acie, quam creditis,
actum est, ...   1.107
Romanae miscent acies bellumque sine hoste
est. 1.682
dubiam super aequora Syrtim/ arentemque
feror Lybyen, quo tristis Enyo/ transtulit
Emathias acies. 1.688
me geminae figant acies,   2.309
deuertitque acies, solusque ex agmine
tanto 2.470
ardentisque acies percussis sole corusco/
conspexit telis, ...   2.482
hinc acies statura ducum est. . . . 2.566
ueniam te bella gerente/ in medias acies.
   3.31
inter Caesareas acies diuersaque signa
   3.264
at, si funestas acies, si dira paratis/
proelia discordes, ...   3.312
uersus ad Hispanas acies extremaque mundi
/iussit bella geri. 3.454
ultro acies inferre parant, ... 3.498
Brutus ait 'paterisne acies errare
profundo 3.559
his praeter Latias acies erat inpiger
Astur 4.8
dum primae perstant acies, hostemque
fefellit 4.30
aduersoque acies in monte supina/ haeret
et in tergum casura umbone sequentis/
erigitur. 4.38
Magne, paras acies mundique extrema
tenentis 4.233
tot dubiae restant acies, tot in orbe
labores; 4.389
aut cum permixtas acies sua tela
tenebris/ inuoluent. 4.489
sic fatus apertis/ instruxit campis acies;
   4.711
effusam patulis aciem committeret aruis.
   4.743
ut uictor, mersos aciem deiecit in agros.
   4.745
ergo acies tantae paruum spissantur in
orbem, ...   4.777
quantum pede prima relato/ constrinxit
gyros acies. 4.781
Curio fusas/ ut uidit campis acies   4.794
inpulerint acies, maneat pars optima
Magni, ...   5.757
effuditque acies obsaeptum Magnus in
hostem. 6.292
miles glomerato puluere uictus/ ante aciem
caeci trepidus sub nube timoris/hostibus
occurrit fugiens 6.297

Hesperiam potui ... tenere/ si uellem
patriis aciem committere templis   6.323
si tollere totas/ temptasset campis acies
et reddere bello, / cessissent leges
Erebi, ...   6.634
undique funestas acies feret, undique
bellum. 7.27
ipsae tua signa reuellent/ prosilientque
acies 7.78
stetit ordine certo/ infelix acies.   7.217
haec acies uictum factura nocentem est.
   7.260
fossasque inplete ruina / exeat ut plenis
acies non sparsa maniplis. 7.327
uallo tendetis in illo/ unde acies
peritura uenit.' 7.329
Pompei densis acies stipata cateruis/
iunxerat... arma, ...   7.492
ciuilia bella/ una acies patitur, gerit
altera 7.502
nec ualet haec acies tantum prosternere
quantum/ inde perire potest. . . .   7.534
quidquid in hac acie gessisti, Roma,
tacebo. 7.556
promouet ipse acies, inpellit terga
suorum, ...   7.576
maius ab hac acie quam quod sua saecula
ferrent/ uolnus habent populi; . .   7.638
ante nouae uenient acies, scelerique
secundo/ praestabis... campos. . .   7.853
nam neque deiecto fatis acieque fugato
/abstulerat Magno reges fortuna
ministros: 8.206
ante aciem Emathiam nullis accessimus
armis: 8.531
iratamque deis faciem (aciem), nil.../
... mutasse fatentur/ qui lacerum uidere
caput. var.8.665
Thessaliae subducta acies in litore Nili/
more furit patrio. 10.412
cum procul a muris acies non sparsa
maniplis/ nec uaga conspicitur, .   10.436
Hesperiae cunctos proceres aciemque
senatus/ ... / non timuit . . .   10.450
non acie fusa nec magnae stragis aceruis/
uincendus tum Caesar erat . . .   10.540

ACONITUM. infundas aconita palam, .   4.323

ACOREUS. quos inter Acoreus/ iam placidus
senio fractisque modestior annis   8.475
linigerum placidis conpellat Acorea
dictis. 10.175
finierat, contraque sacer sic orsus
Acoreus: 10.193

ACTUS(subst.). sanguinis inuisi, primo qui
caedis in actu/ deriguit ferrumque manu
torpente remisit. 2.77
nullosque Catonis in actus/ subrepsit
partemque tulit sibi nata uoluptas. 2.390
at saxum quotiens ingenti uerberis actu/
excutitur, ...   3.469
licet ingentis abruperit actus/ festinata
dies fatis, sat magna peregi. . . .   5.659
pronum erat, o iuuenis, quos uelles'
inquit 'in actus/ inuitos praebere deos.
   6.606
nam saeuus in ipso/Septimius sceleris
maius scelus inuenit actu, . . .   8.668
adde actus tantos monimentaque maxuma
rerum, ...   8.807
quas ne per litora fusas/ colligeret
rapido uictoria Caesaris actu,/Corcyrae

ACTUS
    secreta petit 9.31
    iamque actu belli non doctas ferre
    quietem/ constituit mentes...agitare 9.294
    scuta uirorum/ pilaque contorsit
    uiolento spiritus actu 9.472
ACUO,-ERE. quos aere recuruo/ stridentes
    acuere tubae; 1.432
ACUS. perlucent pectora filo,/quod Nilotis
    acus conpressum pectine Serum/ soluit
                      10.142
AD. 1.66;1.113;.1.185;1.296;1.310;1.387;1.388;
    1.401;1.416;1.469;1.561;1.582;2.24;2.55;
    2.58;2.189;2.214;2.299;2.314;2.476;2.484;
    2.504;2.546;2.558;2.582;2.585;2.629;2.690;
    3.6;3.13;3.87;3.132;3.218;3.295;3.359;
    3.372;3.384;3.453;3.454;3.479;3.630;3.655;
    3.663;3.732;3.740;4.58;4.81;4.114;4.167;
    4.207;4.217;4.261;4.272;4.296;4.366;4.436;
    4.447;4.454;4.536;4.603;4.763;4.798;5.122;
    5.162;5.207;5.220;5.223;5.236;5.277;5.284;
    5.320;5.325;5.369;5.419;5.476;5.493;5.561;
    5.605;5.667;5.696;5.728;5.766;5.774;5.800;
    6.11;6.14;6.81;var.6.128;6.137;6.147;
    6.244;6.409;6.418;6.446;6.569;6.617;6.705;
    6.716;6.736;6.825;6.827;7.11;7.20;7.98;
    7.164;7.236;7.254;7.439;7.500;7.545;7.612;
    7.825;7.833;7.841;8.50;8.159;8.171;8.259;
    8.365;8.429;8.435;8.570;8.593;8.619;8.715;
    8.720;8.728;8.730;8.753;8.775;8.851;9.68;
    9.76;9.106;9.114;9.124;9.186;9.216;9.275;
    9.360;9.381;9.385;9.394;9.511;9.557;9.667;
    9.733;9.756;9.818;9.903;10.24;10.145;
    10.184;10.195;10.276;10.280;10.350;10.357;
    10.384;10.392;10.422;10.437;var.10.512;
    10.520;10.545
ADAMAS. abruptaque saxa/ asperat et durum
    uinclis adamanta, ... 6.801
ADCLINIS,-E. gradibusque adclinis eburnis/
    stat torus 2.356
ADDICO,-ERE. carmine Thessalidum dura in
    praecordia fluxit/ non fatis adductus
    (addictus) amor, ... var.6.453
ADDO,-ERE. faces belli .../ urguentes addunt
    stimulos cunctasque pudoris . . . 1.263
    in bellum prono tantum tamen addidit irae
                      1.292
    spes saltem trepidas mentes leuet addita
    fati / peioris manifesta fides, 1.523
    cur hanc tibi, rector Olympi,/ sollicitis
    uisum mortalibus addere curam, . . 2.5
    sollicitant proceresque alii; quibus
    adde Catonem 2.279
    adde quod innumerae concurrunt undique
    gentes, ... 3.321
    tantum terroribus addit, ... 3.416
    at Brutus in aequore uictor/ primus
    Caesareis pelagi decus addidit armis.
                      3.762
    addidit ira ferox moturas proelia uoces.
                      4.211
    gradum.../ nec quamuis crebris iussi
    calcaribus addunt: 4.760
    adde quod ingrato meritorum iudice uirtus
    / nostra perit: 5.291
    addidit et fasces aquilis 5.389
    adde quod adsuescis fatis tantumque
    dolorem,/ crudelis, me ferre doces. 5.776
    herbas/ addidit et quidquid mundo dedit
    ipsa ueneni. 6.684
    addidit et carmen, quo, quidquid consulit,
    umbram / scire dedit. 6.775

ADFICIO
    hoc placet, o superi.../ ... nostris
    erroribus addere crimen? 7.59
    addidit inualidae robur facundia causae.
                      7.67
    Caesar.../ ... agmina circum/ it uagus
    atque ignes animis flagrantibus addit.
                      7.559
    adde actus tantos monimentaque maxuma
    rerum, ... 8.807
    adde trucis Lepidi motus Alpinaque bella
                      8.808
    adde subactam/ barbariem gentesque
    uagas 8.811
    adde quod omne caput fluuii, .../ ...
    ingresso uere tumescit 10.223
ADDUCO,-ERE. adductum quotiens non senserat
    anchora funem. 3.700
    ossaque nondum/ adduxere cutem: . . 4.288
    sed tertia moles/haesit et ad cautes
    adducto fune secuta est. 4.454
    confugit ad tripodas uastisque adducta
    cauernis / haesit 5.162
    dura in praecordia fluxit/ non fatis
    adductus amor, ... 6.453
ADEDO,-ESSE. latus alti/ montis adest 6.267
ADEO,-IRE. Marsya ripis/ errantem Maeandron
    adit mixtusque refertur, ... 3.208
    certus discedat.../ quisquis...duraeque
    oracula mortis/ fortis adit. . . 6.773
    uigiles Pompei pectore curae/ nunc socias
    adeunt Romani foederis urbes . . 8.162
    solusque e numero regum telluris Eoae/ ex
    aequo me Parthus adit. 8.232
    te primum, parua Phaseli/ Magnus adit;
                      8.252
    nautasque loci sortita peritos/torpentem
    Tritonos adit inlaesa paludem. . 9.347
    quem formae confisa suae Cleopatra sine
    ullis/ tristis adit lacrimis, . . 10.83
ADEO(adu.). usque adeo miserum est ciuili
    uincere bello? 1.366
    (usque adeo solus ferrum mortemque timere/
    auri nescit amor, ... 3.118
    non usque adeo permiscuit imis/ longus
    summa dies ut non, si uoce Metelli /
    seruantur leges, malint a Caesare tolli.'
                      3.138
    usque adeone times quem tu facis ipse
    timendum? 4.185
    usque adeo soli ciuilibus armis/ nescimus,
    cuius sceleris sit maxima merces? 5.285
    adeone molesta / totum cura fuit socero
    seruare cadauer? 8.699
    usque adeo mollis primisque caloribus
    inpar/ sum uisus? 9.507
ADFECTUS(subst.). tenuit nostros hac obside
    Lesbos/ adfectus; 8.132
    caruere deis mea uota secundis/ ut.../
    adfectus a te ueteres uitamque rogarem,/
    Magne, tuam 9.1100
    sed habet sub iure Pothini/ adfectus
    ensesque suos. 10.96
ADFERO,-FERRE. adferat, et qua Nar Tiberino
    inlabitur amni 1.475
    adtuleratque in castra nefas. . . 2.98
    credite qui nunc est populus populumque
    futurum/ permixtas adferre preces: 7.375
    ius tibi .../ ... hiemes adferre tuas,
                      10.300
ADFICIO,-ERE. sed me nec sanguis nec tantum
    uolnera nostri/ adfecere senis, quantum

gestata per urbem/ ora ducis, . . 9.137
ADFIGO,-ERE. deripuit sacris adfixa penatibus
arma 1.240
hae pectora duro/ adflixere (adfixere)
solo, ... var.2.31
adfixusque rati telo retinente pependit.
3.602
ferrea dum puppi rapidos manus inserit
uncos/ adfixit Lycidan. 3.636
nam pinguibus ignis/ adfixus taedis et
tecto sulpure uiuax / spargitur; . . 3.682
et nimis adfixos unci conuellere morsus,
3.699
multus sua uolnera puppi/ adfixit moriens
et rostris abstulit ictus. 3.708
uincula rumpit/ adfixam uellens oculo
pendente sagittam/ intrepidus, . . . 6.218
pudet.../ quaerere.../ ... quos campis
adfixerit hasta, ... 7.624
quem flexo dente tenacem/ auolsitque manu
piloque adfixit harenis. 9.765
ADFINIS,-E. hinc Lacedaemonii, moto gens
aspera freno,/ Heniochi saeuisque adfinis
Sarmata Moschis; 3.270
ADFLIGO,-ERE. uelut unica rebus/ spes foret
adflictis patrios excedere muros, 1.497
hae pectora duro adflixere solo,
lacerasque in limine sacro/ attonitae
fudere comas uotisque uocari . . . 2.31
non tulit adflictis animam producere
rebus 4.796
arma / signaque et adflictas omni iam
parte cateruas/ circumit 7.667
ADFLO,-ARE. humanoque cadit serpens adflata
ueneno. 6.491
ADFOR,-ARI. tum subole e tanta natum cui
firmior aetas/ adfatur. 2.632
quam prior adfatur Pompei ignaua propago.
6.589
tunc Mytilenaeum pleno iam litore uolgus
/ adfatur Magnum.. . . . . 8.110
ADFUNDO,-ERE. adfusi uinci socerum patiare
rogamus. 7.71
alligat et stantis adfusae magnus harenae
/agger, ... 9.488
ADGREDIOR,-IRI. tum quoque Romanum solito
uiolentior agmen/ adgreditur, . . 9.464
ADHAEREO,-ERE. ut dextrae iusti gladius
dissuasor adhaesit. 4.248
ADHUC. instat atrox et adhuc, quamuis
possederit omnem/ Italiam, ... 2.658
uadis adhuc ingens populis comitantibus
exul. 2.730
sciret adhuc caelo solum regnare Tonantem.
3.320
semianimisque iaces et adhuc potes esse
superstes.' 3.747
nec feruida pestis/ cedit adhuc, . . 4.371
ultor ibi expulsae, premeret cum uiscera
partus,/ matris adhuc rudibus Paean
Pythona sagittis 5.80
et adhuc dubitantibus astris/ Pompei
damnare caput tot fata tenentur? 5.204
illa feroces/ torquet adhuc oculos
totoque uagantia caelo/ lumina, . . 5.212
uiuentis animas et adhuc sua membra
regentis/ infodit busto, ... 6.529
defuit.../ non.../ aut uiuentis adhuc
Libyci membrana cerastae 6.679
primo pallentis hiatu/ haeret adhuc Orci,
6.715

plaudente senatu/ sedit adhuc Romanus
eques; 7.19
legent et adhuc tibi, Magne, fauebunt.
7.213
tu, Caesar, in alto/ caedis adhuc cumulo
patriae per uiscera uadis, ... 7.722
seque... tantae mercedis habere/ credit
adhuc iugulum, quantam pro Caesaris ipse
/auolsa ceruice daret. 8.11
cuius adhuc remis quatitur Corcyra
sinusque /Leucadii .../ exiguam uector
pauidus correpsit in alnum. . . . 8.37
deformis adhuc uiuente marito/ summus et
augeri uetitus dolor: 8.81
accipe, numen/ siquod adhuc mecum es,
uotorum extrema meorum: . . . 8.143
stantis adhuc fati uixit quasi coniuge
uicto. 8.158
superest, fidissime regum/ Eoam temptare
fidem populosque bibentis/ Euphraten et
adhuc securum a Caesare Tigrim. . . 8.214
nec se committere muris/ ausus adhuc
ullis te primum, parua Phaseli,/ Magnus
adit; 8.251
nec Phoebus adhuc nec carbasa languent.
8.471
uiuis adhuc, coniunx, et iam Cornelia non
est/ iuris, Magne, sui: 8.659
infelix coniunx nec adhuc a litore longe
est.' 8.742
exul adhuc iacet umbra ducis. . . . 8.837
ignis adhuc aliquid Phario de litore
surgens/ ostendit mihi, Magne, tui. 9.74
et nunc pontus adhuc Phoebo siccante
repugnat, ... 9.315
pauper adhuc deus est, ... 9.519
uiuit adhuc aliquid. 9.871
Aeneaeque mei.../ ... quorum lucet in
aris / ignis adhuc Phrygius, . . . 9.993
Romanae maxime gentis/ et, quod adhuc
nescis, genero secure perempto, . . 9.1015
sed uincit adhuc natura latendi. 10.271
mittet ad umbras/ quod debetur adhuc
mundo caput. 10.393
ADIACEO,-ERE. Tyriis qui Gadibus hospes/
adiacet Armeniumque bibit Romanus Araxen,
7.188
ADIGO,-ERE. si conscius ensis adacti/ stat
uictor 4.288
nec uolnus adactis/ debetur gladiis: 4.560
quo uos pauor'inquit 'adegit . . . 6.150
ADIMO,-ERE. Pompeio rebus adempto /nunc et
ficta perit. 9.205
ADITUS(subst.). nec peruia Tempe/ dant aditus
pelagi, ... 6.346
si praenoscere casus/ contentus,
facilesque aditus multique patebunt/ ad
uerum: 6.616
habes aditum mansurae in saecula famae.
8.74
Caesar et hos aditus gladiis, hos ignibus
arcet, ...10.489
et auxiliis ut uidit (aditus ac) libera
ponti / ostia, ... var.10.514
ADIUNGO,-ERE. tot potuere manus aut iungere
(adiungere) Seston Abydo . . . var.6.55
ADIUUO,-ARE. haerentis adiuuit aquas; 2.217
abscidit inpulsu uentorum adiuta
uetustas, ... 3.471
adiuuitque suo procumbens pondere ferrum.
3.725

ADIUUO
    sic rector Olympi/.../adiuuit, . .   5.622
    uanum saeuumque furorem/ adiuuat ipse
    locus 6.435
    concipiunt...de sanguine rores/ quos calor
    adiuuit putrique incoxit harenae.   9.699
    fatique minorem/ famam dipsas habet terris
    adiuta perustis. 9.754
ADLICIO,-ERE. calidoque uapore/ adliciunt
    gelidas nocturno frigore pestes, . .   9.844
ADLIGO(ALL-),-ARE. Massageten Scythicus
    non adliget Hister, ...   2.50
    tum frigidus artus/ alligat atque animum
    subducto robore torpor, ...4.290
    iam terga uiri cedentia uictor/ alligat et
    medium conpressis ilibus artat . .   4.627
    quos non concordia mixti/ alligat ulla
    tori blandaeque potentia formae . .   6.459
    alligat et stantis adfusae magnus harenae
    /agger, ...   9.488
    siluarum fons causa loco, qui putria
    terrae/ alligat 9.527
    Nilus.../ ... nec ripis alligat
    amnem / ante parem nocti ... Phoebum.
                           10.226
    rumor ab Oceano, qui terras alligat omnes,
    / ... erumpere Nilum 10.255
ADLOQUIUM. longis Caesar producere noctem/
    inchoat adloquiis, ...   10.174
ADLOQUOR,-I. adloquitur tacitas ueneranda uoce
    cohortes. 2.530
    ductor, ut aspexit perituros fonte
    relicto/ adloquitur. 9.612
ADLUO,-ERE. sparsamque profundo/ multifidi
    Peucen unum caput adluit Histri, .   3.202
    quem tumulum Nili, quem Thybridis adluat
    unda/ quaeritur, ...   6.810
ADMISCEO,-ERE. nunc furor incubuit nec
    iuncto Sarmata uelox/ Pannonio Dacisque
    Getes admixtus: 3.95
    noxia serpentum est admixto sanguine
    pestis; 9.614
ADMITTO,-ERE. molliter admissum claudit
    Tarbellicus aequor, ...   1.421
    foedera sola tamen uanaque carentia pompa/
    iura placent sacrisque deos admittere
    testes. 2.353
    duroque admisit gaudia uoltu . .   2.373
    Oceanumque negant solas admittere Gadis;
                           3.279
    excludique sinas admisso Caesare bellum.
                          3.332
    tum primum posuere comas et fronde
    carentes/ admisere diem, ...   3.444
    et non admissae dirimit suffragia plebis
                          5.393
    uolsit et incoctas admisso sole medullas.
                          6.546
    non Taenariis sic faucibus aer/ sedit
    iners.../... quo non metuant admittere
    manes/ Tartarei reges. 6.650
    nimium felix aeterno nomine Lesbos/siue
    doces populos regesque admittere Magnum,
                          8.140
    solacia tanti/ perdit Roma mali, nullos
    admittere reges/ sed ciui seruire suo?
                         8.355
    ullusne in cladibus istis/ est locus
    Aegypto Phariusque admittitur ensis? 8.546
    ipse cruor tutus nullumque admittere uirus
                          9.894
    adulter/ admisit Venerem curis, et miscuit

    armis/ inlicitosque toros . . .   10.75
ADMONEO,-ERE. relinquas/ admoneo nec tu
    populos utraque uagantis/ Armenia   2.638
    admonet hunc studiis consors puerilibus
    aetas: 4.178
    admonitaeque tument gustato sanguine
    fauces. 4.241
ADMOUEO,-ERE. sacris tunc admouet aris/ electa
    ceruice marem. 1.608
    Varus, ut admotae pulsarunt Auximon alae,
                          2.466
    Europamque Asiae Sestonque admouit
    Abydo 2.674
    nec gloria leti/ inferior, iuuenes, admoto
    occurrere fato. 4.480
    fuit spes inrita .../ posse duces parua
    campi statione diremptos/ admotum damnare
    nefas; 5.471
    postquam castra duces.../ inposuere iugis
    admotaque comminus arma 6.2
    cumulo crescente cadauera murum/admouere
    solo, ...   6.181
    magnoque accensa tumultu/ mortis uicinae
    properantis admouet horas. . . .   7.50
    admotus superis discussa fugit ab ara/
    taurus 7.165
    nec tibi fatales admoueris ante Philippos,
                          7.591
    admotus Magnum, non subditus, accipit
    ignis. 8.758
    excitat inualidas admoto fomite flammas.
                          8.776
    mox, ubi damnosum radios admouerit aeuum,/
    tellus Syrtis erit; 9.316
ADOPERIO,-IRE. tunc adoperta leui procedit
    uinea terra, ...   3.487
ADORO,-ARE. pacem gladio si quaerit ab isto/
    Magnus, adorato summittat Caesare signa.
                          6.243
    et uiuam magnae speciem Virtutis adorant;
                          6.254
    tam mala Pompei quam prospera mundus
    adoret. 7.708
    fac, Magne, locum.../ ... quem ueniens
    hospes Romanus adoret. 8.115
    stetit anxia classis/... metuens.../ sed ne
    summissis precibus Pompeius adoret/
    sceptra sua donata manu. 8.594
    summus Alexander regum, quem Memphis
    adorat,/ inuidit Nilo, ...   10.272
ADPELLO v. APPELLO.
ADQUIRO,-ERE. inde per arua/ Graiorum
    Macetumque nouas adquirite uires   2.647
    sperat...auertere.../ ossaque nobilium
    tantosque adquirere manes. . . .   6.586
    quod orbem/ adquiris nulli, .../ bella
    fugis 9.260
    adquiritque fidem simulati fronte doloris:
                          9.1063

ADRIA v. HADRIA.
ADSENTIO,-IRE. his cunctae simul adsensere
    cohortes 1.386
    adsensere omnes sceleri. 8.536
ADSEQUOR,-I. adsequitur generique premit
    uestigia Caesar. 2.652
    sparsus ab Emathia fugit quicumque
    procella/ adsequitur Magnum; . .   8.204
ADSERO,-ERE. audaces ruere in certamina
    turmas/ adferat (asserat),   var.1.475
    namque adserit urbes/ sola fames,   3.56
ADSERTOR. adsertor uicto redeas ut Caesare?

ADSERTOR
4.214

ADSICCO,-ARE. raptoque cerebro/ adsiccata
cutis, ... 8.690

ADSIDUO(adu.). adsiduo feriunt coguntque
resistere fluctu: 10.245

ADSTO(ASTO),-ARE. caesarie lacera nudisque
adstare lacertis 1.189
aspicit astantem proiecti corporis
umbram, ... 6.720

ADSUESCO,-ERE. uotisque uocari/ adsuetas
crebris feriunt ululatibus aures. 2.33
terga ferae praebere cubile/ adsuerunt,
4.604

nil magis adsuetas sceleri quam perdere
mentis/ atque perire tenet. 5.371
adde quod adsuescis fatis tantumque
dolorem,/ crudelis, me ferre doces. 5.776
non in Tartareo latitantem poscimus antro/
adsuetamque diu tenebris, . . . 6.713
nil pudet adsuetos sceptris: . . 8.452

ADSUM,-ESSE. en, adsum uictor terraque
marique 1.201
praetor adest, uacuaeque loco cessere
curules. 3.107
priuatae curia uocis/ testis adest. 3.109
adest scelerum,si non committitis ullis/
arma quibus fas est. 3.328
iamque comes semper magnorum prima
malorum/ saeua fames aderat, . . 4.94
nunc ades, aeterno conplectens omnia nexu,
4.189

en, sibi uilis adest inuisa luce iuuentus
4.276

distulimus; iam totus adest in proelia
Caesar. 5.742
praecipites aderunt casus: . . . 5.746
Caesareas puluis testatur adesse cohortes.
6.247

miles, adest totiens optatae copia
pugnae. 7.251
Grais delecta iuuentus/ gymnasiis aderit
studioque ignaua palaestrae . . . 7.271
finis ciuilibus armis,/quem quaesistis,
adest. 7.344
umbra perempti/ ciuis adest; . . 7.773
grauis est Magno quicumque malorum/ testis
adest. 8.19
nisi summa dies cum fine bonorum/ adfuit
8.30

uictus adest coniunx. 8.53
nostros ulta toros, ades huc atque exige
poenas,/ Iulia crudelis, ... 8.103
omnibus unus adest fatis; 9.884
contraque nocentia monstra/ Psyllus adest
populis. 9.911
tu gentibus aequum/ sidus ades nostris.
10.90

uoltus adest precibus faciesque incesta
perorat. 10.105
Nilus fonte soluto/ .../ iussus adest,
10.217

neu terras dissipet ignis/ Nilus adest
mundo 10.233
Cancroque suam torrente Syenen/inploratus
adest, ... 10.235
perque ictum sanguine Magni/ foedus, ades;
10.372

aderat maturus uterque, ... 10.421
sed adest defensor ubique / Caesar 10.488

ADUEHO,-ERE. aduectos cum plena ferant
praesepia culmos, ... 6.85

terris hospita Colchis/ legit in
Haemoniis quas non aduexerat herbas.
6.442

multumque madenti/ infudere comae.../
aduectumque recens uicinae messis amomon.
10.168

ADUENA. haud procul est ima Pompei nomen
harena/ depressum tumulo, quod non legat
aduena rectus, ... 8.821

ADUENIO,-IRE. aduenisse diem qui fatum rebus
in aeuum/ conderet humanis,.../...palam
est. 7.131

ADUENTO,-ARE. summique grauem discriminis
horam/ aduentare palam est, . . .6.416
discrimina.../ aduentare ducum supremaque
proelia uidit 7.243

ADUENTUS. hostis ad aduentum rumpamus foedera
taedae, ... 5.766
hospitis aduentu pauidam conpleuerat
aulam. 8.473
sentiat aduentum soceri uocesque querentis
/audiat umbra pias. 9.1094

ADUERTO,-ERE. Caesar, ut aduersam superato
gurgite ripam/ attigit, ... 1.223
Marte sub aduerso ruerentque in terga
feroces 1.308
exul in aduersis explorat cornua truncis
2.603

audet et aduersum fluctus inpellit in
Eurum, ... 3.232
pronus in aduersos ictus, nullique
perempti/ in ratibus cecidere suis. 3.571
creuit in aduersis uirtus: 3.614
aduersoque acies in monte supina/ haeret
et in tergum casura umbone sequentis
/erigitur. 4.38
ut primum aduersae socios in litore terrae
/et Basilum uidere ducem, ... 4.415
in Macetum terras miscens aduersa
secundis/ seruauit fortuna pares, 5.2
excipit aduersos Zephyros et Iapyga
Pindus 6.339
aether/.../ aduersasque faces inmensoque
igne columnas/.../ detulit . . . 7.155
miles, ut aduerso Phoebi radiatus ab ac
ictu/ descendens totos perfudit lumine
colles, ... 7.214
tibi, numine pugnax/ aduerso Domiti,
dextri frons tradita Martis. . . . 7.220
uincat.../ quique suos ciues, quod signa
aduersa tulerunt,/ non credit fecisse
nefas. 7.314
dum tela micant,non uos.../...aduersa
conspecti fronte parentes/ commoueant;
7.321

uultus.../...uidere parentum/ frontibus
aduersis fraternaque comminus arma, 7.465
aduersosque iubet ferro confundere uoltus,
7.575

pudet.../ quaerere.../ore quis aduerso
demissum faucibus ensem/ expulerit moriens
anima, ... 7.621
te.../... nec fractum aduersa uidebunt; 7.684
Fortuna.../...tanto pondere famae/res
premit aduersas fatisque prioribus urguet.
8.23

tali pietate uirorum/ laetus in aduersis
.../ ...hullum...dixit.../ gratius esse
solum ...uobis/ostendi: 8.128
aduersis non desse decet, sed laeta
secutos: 8.534

litusque malignum/ incusat bimaremque
...aestum/ qui uetet externas terris
adpellere (aduertere) classes.   var.8.567
ignorant populi.../ an scieris aduersa
pati. 8.627
classis in aduersos erumpat remige uentos.
9.149
non montibus ortum/ aduersis frangit Libye
9.450
surgunt aduersa subrectae fronte colubrae
9.634
imus in aduersos axes, euoluimur orbe,
9.876
ille mora cursus aduersique obice ponti
/aestuat in campos. 10.246

ADULTER. sanguine Thessalicae cladis perfusus
adulter/ admisit Venerem curis,   10.74
rex hinc coniunx, hinc Caesar adulter.
10.367

ADUNCUS,-A,-UM. hic aures, alius spiramina
naris aduncae/ amputat, ... 2.183

ADUOLO,-ARE. quocumque uocatus/ aduolat 9.885

ADURO,-ERE. praeparat innumeras puppes
Acherontis adusti/ portitor; . .   3.16
et sudibus crebris et adusti roboris ictu/
percussae cedunt crates, ... 3.494

ADYTUM. incubuitque adyto uates ibi factus
Apollo. 5.85
illa pauens adyti penetrale remoti/
fatidicum prima templorum in parte
resistit 5.146
non ego Pellaeas arces adytisque retectum/
corpus Alexandri pigra Mareotide mergam?
9.153
effudit dignas adytis e pectore uoces.
9.565
sacratis totum spargenda per orbem/ membra
uiri posuere adytis; 10.23
quodcumque uetustis/ insculptum est
adytis profer, ... 10.180

AEAS. purus in occasus, parui sed gurgitis,
Aeas/ Ionio fluit inde mari, . . 6.361

AEDES. ante fores nondum reseratae constitit
aedis 3.117

AEGAE. Mallos et extremae resonant naualibus
Aegae, ... 3.227

AEGAEUS,-A,-UM. Ionium Aegaeo frangat mare,
1.103
maris Aeolii (Aegaei) medias si celsus
in undas/ depellatur Eryx, . . var.2.665
Aegaeas transit in undas/Tyrrhenum, 5.613

AEGER,-GRA,-GRUM. pars aegra et marcida
pendet, ... 1.628
non erigit aegros/ nobilis ignoto diffusus
consule Bacchus, ... 4.378
inpatiensque morae uenturisque omnibus
aeger, ... 6.424
aeger quippe morae flagransque cupidine
regni/ coeperat...ciuilia bella/...
damnare 7.240
uocibus his correpta uiri uix aegra
leuauit/ membra solo 8.86
non maesti iura Catonis/ ardentem tenuere
uirum, ne.../...totisque furens
exquireret aruis (agris)/...aquas
var.9.749

AEGIS. Pallas Gorgoneos diffudit in aegida
crines, ... 7.149
quacumque uagatur/...ueluti.../Bistonas
aut Mauors agitans si uerbere saeuo/
Palladia stimulet turbatos aegide currus,/

nox ingens scelerum est;   7.570

AEGOCEROS. et idem, quod Carcinos ardens/
umidus Aegoceros nec plus Leo tollitur
Vrna. 9.537
uarii mutator circulus anni/ Aegoceron
Cancrumque tenet, ... 10.213

AEGYPTIUS,-A,-UM. secretaque caeli/ nosse fuit,
quem non stellarum Aegyptia Memphis/
aequaret uisu 1.640
et uada testantur iunctas Aegyptia Syrtes,
8.540
noxia ciuili tellus Aegyptia fato, 8.823
manus hoc Aegyptia forsan/ obtulit
officium graue manibus. 9.63
septima nox.../ ostendit Phariis
Aegyptia litora flammis 9.1005
dirimunt Arabum populis Aegyptia rura/
regni claustra Philae. 10.312

AEGYPTUS(-OS). Aegypti Libycas Nilus stagnaret
harenas; 2.417
calida medius mihi cognitus axis/
Aegypto atque umbras nusquam flectente
Syene, ... 2.587
aspice...donataque regna/ Aegypton
Libyamque, et terras elige morti.   7.711
Syrtibus hinc Libycis tuta est Aegyptos,
8.444
infimaque Aegypti pugnaci litora uelo/
uix tetigit, ... 8.464
Aegypton certe Latiis tueamur ab armis
8.501
ullusne in cladibus istis/ est locus
Aegypto Phariusque admittitur ensis?
8.546
quare/ unus in Aegypto Magni lapis? 8.802
tu nostros, Aegypte, tenes in puluere
manes. 8.834
atque erit Aegyptus populis fortasse
nepotum/ tam mendax Magni tumulo quam
Creta Tonantis. 8.871
soluaque tenebis/ Aegypton, genitor,
populis superisque fugatis.' . . 9.164
pugnauit fortuna ducis fatumque nocentis/
Aegypti, ... 10.4
Cleopatra.../.../ dedecus Aegypti, Latii
feralis Erinys, ... 10.59
multas uolucresque ferasque/ Aegypti
posuere deos, ... 10.159
interque maritos/ discurrens Aegypton
habet Romamque meretur. 10.359
Lucifer...diemque/ misit in Aegypton
primo quoque sole calentem, . . . 10.435
tot monstris Aegypte nocens? . . . 10.474

AEMULUS. stimulos dedit aemula uirtus.   1.120
fatis nimis aemula nostris/ fata mouent
Medos, ... 8.307

AENEAS. Aeneaeque mei, quos nunc Lauinia
sedes/ seruat et Alba, lares, . . 9.991

AENUM. spumeus accenso non sic exundat aeno/
undarum cumulus, ... 9.798
Tyrio cuius pars maxima fuco/ cocta diu
uirus non uno duxit aeno, ... 10.124

AEOLIDES. Aeolidae Dolopesque solum fregere
coloni 6.384

AEOLIUS,-A,-UM. si rursus tellus pulsu laxata
tridentis/ Aeolii tumidis inmittat
fluctibus Eurum, ... 2.457
ut,maris Aeolii medias si celsus in undas
/depellatur Eryx, ... 2.665
Aeolii iacuisse Notum sub carcere saxi
5.609

AEOLIUS
    liberque meatu/ Aeoliam rabiem totis
    exercet harenis, ...   9.454
AEQUO,-ARE. quem non stellarum Aegyptia
    Memphis/ aequaret uisu numerisque
    sequentibus astra, ...   1.641
    cum laceros artus aequataque uolnera
    membris/ uidimus 2.177
    erigitur geminasque aequantis moenia
    turris/ accipit, ...   3.456
    atque iterum aequatis ad iustae pondera
    Librae/ temporibus uicere dies.   4.58
    mixti Garamante perusto/ Marmaridae
    uolucres, aequaturusque sagittas/
    Medorum, ...   4.680
    dux erat, hic socius; facinus quos
    inquinat aequat. 5.290
    cernit.../... excelsos cumulis aequantia
    colles/ corpora, ...   7.790
AEQUOR. molliter admissum claudit Tarbellicus
    aequor, ...   1.421
    turbidus Auster/ reppulit a Libycis
    inmensum Syrtibus aequor 1.499
    totaque diffuso latuisset in aequore
    tellus. 1.654
    dubiam super aequora Syrtim/arentemque
    feror Libyen, quo tristis Enyo/ transtulit
    Emathias acies. 1.686
    interruptus aquae fluxit prior amnis in
    aequor, ...   2.213
    tandem Tyrrhenas uix eluctatus in undas/
    sanguine caeruleum torrenti diuidit
    aequor. 2.220
    collesque coercent/ hinc Tyrrhena uado
    frangentes aequora Pisae, ...   2.401
    Eridanus fractas deuoluit in aequora
    siluas 2.409
    Hister casuros in quaelibet aequora
    fontes/ accipit 2.419
    nullasque uado qui Macra moratus/ alnos
    uicinae procurrit in aequora Lunae).
    . . . .   2.427
    solueret incumbens terrasque repelleret
    aequor, ...   2.436
    ut, cum mare possidet Auster/ flatibus
    horrisonis, hunc aequora tota secuntur,
    . . . .   2.455
    quamuis icta nouo, uentum tenuere
    priorem/ aequora, nubiferoque polus cum
    cesserit Euro 2.459
    quos Creta profugos uexere per aequora
    puppes/ Cecropiae 2.611
    hinc latus angustum iam se cogentis in
    artum/ Hesperiae tenuem producit in
    aequora linguam, ...   2.614
    nec tamen hoc artis inmissum faucibus
    aequor/ portus erat, ...   2.616
    spumoso Calaber perfunditur aequore Sason.
    . . . .   2.627
    relinquas/ admoneo .../ Riphaeasque manus
    et quas tenet aequore denso/ pigra palus
    Scythici patiens Maeotia plaustri.   2.640
    obstruit et latum deiectis rupibus aequor.
    . . . .   2.662
    nullae tamen aequore rupes/ emineant,
    . . . .   2.666
    talis fama canit tumidum super aequora
    Persen/ construxisse uias, . . .   2.672
    surgit opus longaeque tremunt super
    aequora turres. 2.679
    ut reseret pelagus spargatque per aequora
    bellum. 2.682

    neu tuba praemonitos perducat ad
    aequora nautas 2.690
    totque carinarum permixtis aequora sulcis/
    eruta 2.703
    angustus puppes mittebat in aequora limes
    . . . .   2.709
    Cyaneas tellus emisit in aequora cautes;
    . . . .   2.716
    pelagus iam, Magne, tenebas/ non ea fata
    ferens quae cum super aequora toto/
    praedonem sequerere mari: 2.726
    haereat illa tuis per bella per aequora
    signis, ...   3.24
    queritur quod tuta per aequor/ terga
    ferant hostes. 3.49
    laborant/ aequora ne rupti repetant
    confinia montes. 3.63
    quod Cato longinqua uexit super aequora
    Cypro. 3.164
    Piseaeque manus populisque per aequora
    mittens/ Sicaniis Alpheos aquas.   3.176
    hic ubi Pellaeus post Tethyos aequora
    ductor/ constitit 3.233
    aequora cum tantis percussit classibus,
    . . . .   3.287
    a summis perduxit ad aequora castris/
    longum Caesar opus, ...   3.384
    ut matutinos spargens super aequora
    Phoebus/ fregit aquis radios   3.521
    et plures quae mergunt aequore pinus
    . . . .   3.531
    molemque profundo/ inuehit et summis
    longe petit aequora remis. 3.537
    quod tulit illa ratis remis, haec
    rettulit aequor. 3.552
    seque tenent remis: tecto stetit aequore
    bellum. 3.566
    rapturusque suam procumbit in aequora
    dextram. 3.616
    aequora discedunt mersa diducta carina
    . . . .   3.632
    nulla tamen plures hoc edidit aequore
    clades/ quam pelago diuersa lues.   3.680
    nec flammas superant undae, sparsisque per
    aequor/ iam ratibus fragmenta ferus sibi
    uindicat ignis. 3.685
    hic recipit fluctus, extinguat ut aequore
    flammas, ...   3.687
    puppibus occurrit tandemque sub aequore
    mansit. 3.704
    tamen alta sub aequora tendit/praecipiti
    saltu: 3.749
    at Brutus in aequore uictor/ primus
    Caesareis pelagi decus addidit armis.
    . . . .   3.761
    et caelo defusum reddidit aequor.   4.82
    non sonipes in bella ferox, non iret in
    aequor 4.225
    Massiliae, Phario nec tantum est aequore
    gestum, ...   4.257
    et Basilum uidere ducem, noua furta per
    aequor/ exquisita fugae. 4.416
    sed, quod trabibus circumdedit aequor,
    . . . .   4.424
    et temere ingressos repetendum inuitat ad
    aequor/pace maris. 4.436
    stat, mirum, moles et siluis aequor
    inumbrat. 4.456
    praebebunt aequora testes, ...   4.493
    primaque castra locat cano procul
    aequore, ...   4.587

    pereunt quos appulit aequor;   4.606
tandem uolgata cruenti/ fama mali terras
monstris aequorque leuantem/ magnanimum
Alciden Libycas exciuit in oras.   4.610
tu quoque uix summam, seductus ab
aequore, rupem/ extuleras, ... 5.77
non magis ablatis umquam descenderit
aequor,/ quam nunc crescit, aquis. 5.338
nunc transfuga uilis/ cum duce praelato
terras atque aequora lustrat. . . . 5.347
turpe duci uisum.../... portu...teneri/
dum pateat tutum uel non felicibus
aequor. 5.411
aequora lenta iacent, ... 5.434
nec peruia uelis/ aequora frangit eques,
                       5.440
ueluti deserta regente/ aequora natura
cessant, ... 5.444
illinc infestae classes et inertia tonsis
/aequora moturae, ... 5.449
coepere... aequora classem/ curua sequi,
                       5.458
ne retine dubium cupientis ire per aequor:
                       5.492
nam sol non rutilas deduxit in aequora
nubes 5.541
nec placet incertus qui prouocat aequora
delphin, ... 5.552
turbida testantur conceptos aequora
uentos, ... 5.567
et dubium pendet, uento cui concidat,
aequor. 5.602
motaque possunt/ aequora subductis etiam
concurrere uentis. 5.607
nam priua procellis/ aequora rapta ferunt;
                       5.613
a quotiens frustra pulsatos aequore
montis/ obruit ille dies! 5.615
rursus hiant undae uix eminet aequore
malus. 5.641
nec non Hesperii lassatum fluctibus aequor
/ut uidere duces, ... 5.703
quas uentus.../permixtas habuere diu,
latumque per aequor, ... 5.707
nam clausa profundo/ ...scopulisque
uomentibus aequor 6.24
uentis cessantibus aequor /intumuit, 6.469
nobis.../ aequoraque et campi Rhodopaeaque
saxa loquentur. 6.618
defuit.../ non... innataque rubris/
aequoribus custos pretiosae uipera conchae
                       6.678
abstulimus terras, exclusimus aequore
toto, ... 7.97
quis summis cernens in montibus aequor/
.../ tot rerum finem, timeat sibi? 7.135
Thessalicam uideat Pompeius ab aequore
flammam. 7.808
Peneius amnis/ Emathia iam clade rubens
exibat in aequor. 8.34
quo sit tibi mollius aequor,/.../sparge
mari comitem. 8.98
consulit.../... quae sit mensura secandi/
aequoris in caelo, ... 8.169
in medio tanget ratis aequore Syrtim.
                       8.184
'hoc solum toto' respondit 'in aequore
serua,/ ut sit ab Emathiis semper tua
longius oris/ puppis 8.187
aequora senserunt motus 8.197
augustius aris/ uictoris Libyco pulsatur

in aequore saxum. 8.862
super...signa cruenti/ Caesaris ac
sparsas uolitauit in aequore classes, 9.16
(neque enim aequore tantum/ Ausonio
monimenta tenes, ... 9.42
Cornelia nautas/ priuignique fugam
tenuit, ne forte repulsus/ litoribus
Phariis remearet in aequora truncus, 9.53
omnes/ haud aliter medio reuocauit ab
aequore puppes 9.284
nec se defendit ab aequore tellus, 9.306
aequora fracta uadis abruptaque terra
profundo, ... 9.308
rapidus Titan.../ aequora subduxit zonae
uicina perustae; 9.314
et late periturum deficit aequor. 9.318
mille meae Graio uoluuntur in aequore
puppes, ... 8.272
e latebris pauidus decurrit ad aequora
Cordus. 8.715
cano sed discolor aequore truncus/
conspicitur. 8.722
temptatum classibus aequor/ turbine
defendit 9.321
sic partem intercipit aequor, . . 9.344
hoc eadem suadebat hiemps quae clauserat
aequor; 9.374
[ulla nisi aetheriae medio uelut aequore
flammae]/ sideribus nouere uiam; 9.494
legit... amore notatum/ aequor et Heroas
lacrimoso litore turres, ... 9.955
sed dira satelles/ regis dona ferens
medium prouectus in aequor . . . 9.1011
scilicet hoc animo terras atque aequora
lustras, ... 9.1057
iam prope semustae merguntur in aequora
classes, ... 10.496
abstulit excursus et fauces aequoris
hosti / Caesar 10.513
AEQUOREUS,-A,-UM. famae maioris in amnem/
lapsus ad aequoreas nomen non pertulit
undas. 1.401
aequorei rector, facias, Neptune
tridentis, ... 4.111
fertur ad aequoreas, ac se prosternit,
harenas, ... 5.800
hoc iter aequoreo praecepit limite Magnus,
                       6.15
Emathis aequorei regnum Pharsalos Achillis
/eminet 6.350
primus ab aequorea percussis cuspide saxis
/Thessalicus sonipes.../exiluit, 6.396
polluit aequoreos Siculus pirata
triumphos. 6.422
ossa... inustis plena medullis/ aequorea
restinguit aqua 8.788
iterumne rapinas/ uadis in aequoreas?
                       9.223
secura iuuentus/ uentorum .../ aequoreos
est passa metus. 9.447
aequoreusque placet, sed non et sufficit,
umor. 9.757
rumor ab Oceano.../... erumpere Nilum/
aequoreosque sales longo mitescere tractu.
                       10.257
AEQUUS,-A,-UM. tuetur/ aequo Marte latus;
                       3.585
concordia duxit in aequas/ imperium
commune uices, ... 4.5
quod pro causa pugnantibus aequa/ et
ueniam sperare licet. 4.230

AEQUUS

    sollicitatque feros non aequis uiribus
    hostis. 4.665
    campum miles descendat in aequum   4.703
    haud aeque laesura ducem cui falsa canebat
    /quam tripodas Phoebique fidem.   5.151
    non ex aequo diuisimus orbem;   5.495
    heu, quantum mentes dominatur in aequas/
    iusta Venus! 5.727
    pura uenerabilis aeque /quam currus
    ornante toga, plaudente senatu/ sedit
    adhuc Romanus eques; 7.17
    iusto uela modo pendentia cornibus aequis/
    torsit 8.193
    solusque e numero regum telluris Eoae/
    ex aequo me Parthus adit. 8.232
    Libra pares examinat horas,/non uno plus
    aequa die, ...   8.468
    tu gentibus aequum / sidus ades nostris.
                                         10.89
    nunc Arabum populis, Libycis nunc aequus
    harenis), ...   10.291

AER. dum terra fretum terramque leuabit/
    aer et longi uoluent Titana labores   1.90
    nudosque per aera ramos/ effundens trunco,
    non frondibus, efficit umbram,   1.139
    et uarias ignis denso dedit aere formas,
                                         1.531
    fibrarum et monitus errantis in aere
    pinnae, ...   1.588
    subsidentque urbes, an tollet feruidus
    aer/ temperiem? 1.646
    auolsae cecidere manus exsectaque lingua/
    palpitat et muto uacuum ferit aera motu.
                                         2.182
    fulminibus propior terrae succenditur aer,
                                         2.269
    longior educto qua surgit in aera dorso,
                                         2.428
    obscurum cingens conexis aera ramis 3.400
    emissaque tela/ aera texerunt uacuumque
    cadentia pontum. 3.546
    cetera bello/ fata dedit uariis incertus
    motibus aer. 4.49
    et Notos, in solam Calpen fluit umidus aer.
                                         4.71
    congestumque aeris atri/ uix recipit
    spatium quod separat aethere terram.
                                         4.74
    hinc inperfecto conplectitur aera gyro/
    arcus 4.79
    tu perpetuis inpendas aera nimbis,   4.112
    iam rarior aer, ...   4.123
    aeris alternos angustat pulmo meatus,
                                         4.327
    pandunt ora tamen nociturumque aera
    captant. 4.329
    aera non passus uacuis discurrere uenis
                                         4.369
    formidine ceruos/ claudat odoratae
    metuentis aera pinnae 4.438
    puluis/ aera nube sua texit traxitque
    tenebras. 4.768
    aere libratum uacuo quae sustinet orbem,
                                         5.94
    resoluit/ aera tabificum. 5.111
    lapsa per altum/ aera dispersos traxere
    cadentia sulcos/ sidera, ... 5.562
    latet obsitus aer/ infernae pallore domus
                                         5.627
    clara, sed obscurum nimbosus dissilit aer.
                                         5.631

    cum primum redeunte die uiolentior aer
    /puppibus incubuit 5.717
    Nesis/ emittit Stygium nebulosis aera
    saxis 6.91
    tamen hos minuere labores/ a tergo
    pelagus pulsusque Aquilonibus aer   6.104
    hostis/ aere non pigro nec inertibus
    angitur undis, ...   6.107
    nec rore madentem/ aera nec tenues uentos
    suspirat Anauros, ...   6.370
    non Taenariis sic faucibus aer/ sedit
    iners, ...   6.648
    aera pestiferum tractu morbosque fluentis
    .../ hi possunt explere uiri, . . . 7.412
    tum stridulus aer/ elisus lituis
    conceptaque classica cornu, . . .   7.475
    saxa uolant spatioque solutae/ aeris et
    calido liquefactae pondere glandes; 7.513
    sed petitur solus qui campis inminet aer;
                                         7.516
    pudet.../ quaerere.../ quis cruor
    emissis perruperit aera uenis . . . 7.625
    putem.../... infectumque aera totum/
    manibus 7.769
    tecta domosque/ deseruere... quidquid nare
    sagaci/ aera non sanum motumque cadauere
    sentit. 7.830
    numquam.../... plures presserunt aera
    pinnae. 7.835
    qua niger astriferis conectitur axibus
    aer/.../semidei manes habitant, . . 9.5
    tantus tenet aera puluis. 9.462
    utque calor soluit quem torserat aera
    uentus,/ ... manant sudoribus artus, 9.498
    estque dei sedes nisi terra et pontus et
    aer/ et caelum et uirtus?   9.578
    cur Libycus tantis exundet pestibus
    aer/ fertilis in mortes, ...   9.619
    pensabat iter propiusque secabat/aera,
    si medias Europae scinderet urbes: 9.686
    ducitis altum/ aera cum pinnis, . . 9.730
    deprensum est.../ quam segnis Scythicae
    strideret harundinis aer. 9.827
    infudere epulas auro, quod terra, quod
    aer,/ ... dedit, ...   10.155
    nondum euanuit aura/ cinnamon externa nec
    perdidit aera terrae, ...   10.167
    sub Ioue temperies et numquam turbidus
    aer; 10.207
    stata tempora flatus/ continuique dies et
    in aera longa potestas, ...   10.241
    undae plus quam quod digerat aer/tollitur;
                                        10.260
    solet aetherio lampas decurrere sulco/
    materiaque carens atque ardens aere solo.
                                        10.503

AERIUS,-A,-UM. nunc desuper Alpis/ nubiferae
    colles atque aeriam Pyrenen/ abripimur.
                                         1.689
    ausus et aeriam ferro proscindere quercum
                                         3.434

AES. Vangiones, Batauique truces,
    quos aere recuruo/ stridentes acuere
    tubae; 1.431
    quo minus aera sonent; 3.657
    inmensis coxit fornacibus aera. . . 6.405
    nec quaesisse libet primis quid frugibus
    altrix/ aere Iouis Dodona sonet,   6.427
    Phrygii sonus increpat aeris, . . . 9.288
    non aere nec auro/ excoquitur, . .   9.424
    et clipeum laeuae fuluo dedit aere

AES

nitentem 9.669
aere merent paruo, iugulumque in Caesaris
ire/ non sibi dant. 10.409

AESTAS. puniceus Rubicon, cum feruida canduit
aestas, ... 1.214
cum per summa poli Phoebum trahit altior
aestas, ... 6.335
Nilum non extulit aestas, ... 6.474
cautum, ne Nili Pelusia tangeret ora/
Hesperius miles ripasque aestate tumentis.
8.826
mediis aestatibus exit/ sub torrente
plaga, ... 10.231
aestatem nulla sibi mitigat umbra, 10.305

AESTIFER,-A,-UM. squalentibus aruis/
aestiferae Libyes uiso leo comminus hoste
1.206

AESTIMO,-ARE. quamquam quis talia facta/
aestimat in numero scelerum ponenda
tuorum, ... 10.473

AESTIUUS,-A,-UM. nec.../ exiget aestiuum
calido sub puluere solem. 8.376
auctusque suos non ante coartat/ quam nox
aestiuas a sole receperit horas. 10.218

AESTUO,-ARE. quaque dies medius flagrantibus
aestuat horis 1.16
Tethyos unda uagae lunaribus aestuet horis,
1.414
longo per multa uolumina tractu/aestuat
unda minax, ... 5.566
aestuat angusta rabies ciuilis harena.
6.63
uiderit...umbras nemorum quicumque
petentem/ aestuet, ... 9.400
ille mora cursus aduersique obice ponti/
aestuat in campos. 10.247

AESTUS. ut, quotiens aestus Zephyris Eurisque
repugnat, ... 3.549
atque ipsas hausit, subitisque frementis
/uerticibus contorsit aquas et reppulit
aestus 4.102
tu remeare uetes quoscumque emiseris
aestus. 4.113
dum se declinibus undis/ aestus agat
refluoque mari nudentur harenae. 4.428
pontusque uetustas/ oblitus seruare uices
non commeat aestu, ... 5.445
non rupta uadosis/ Syrtibus incerto Libye
nos diuidit aestu. 5.485
primus ab oceano caput exeris Atlanteo,/
Core, mouens aestus. 5.599
saepe labor maestus curarum.../ proiecit
fessos incerti pectoris aestus, 8.166
inde maris uasti transuerso uertitur
aestu; 8.462
litusque malignum/ incusat bimaremque
uadis frangentibus aestum, ... 8.566
abstulit has liber uentis contraria
uoluens/ aestus 9.334

AETAS. nulli sua profuit aetas: . . . 2.104
defectumque uocet, ne uos mea terreat
aetas: 2.560
multisne rebellis/ Gallia iam lustris
aetasque inpensa labori/ dant animos?
2.569
tum subole e tanta natum cui
firmior aetas/ adfatur. 2.631
conprensa est Latiis quaecumque
annalibus aetas. 3.309
admonet hunc studiis consors puerilibus
aetas: 4.178

AETURNUS

uenit aetas omnis in unam/ congeriem,
5.177
haec primum repperit aetas 5.386
qualis erat populi facies.../ olim, cum
iuuenis primique aetate triumphi,/ ...
plaudente senatu/ sedit adhuc Romanus
eques; 7.14
credite grandaeuum uetitumque aetate
senatum/ arma sequi sacros pedibus
prosternere canos 7.371
hae facient dextrae, quidquid nona
explicat aetas, ... 7.387
non aetas haec carpsit edax monimentaque
rerum/ putria destituit: 7.397
nullaque tantorum discat me uate
malorum/ quam multum bellis liceat
ciuilibus, aetas. 7.554
uincitur his gladiis omnis quae seruiet
aetas. 7.641
aetas Niliaci nobis suspecta tyranni est,
8.281
innocua est aetas. 8.450
ueniet felicior aetas 8.869
an sit uita nihil sed longa an differat
aetas? 9.568
ipse locus templi, quod uix corruptior
aetas/ extruat, instar erat, . . 10.111
discolor hos sanguis, alios distinxerat
aetas; 10.128
stat contra fortior aetas / uix ulla
fuscante tamen lanugine malas. 10.134
'o sacris deuote senex, quodque arguit
aetas/ non neclecte deis, Phariae
primordia gentis/ ... edissere 10.176
nullaque non aetas uoluit conferre
futuris/ notitiam; 10.270

AETURNUS,-A,-UM. inuenere uiam magnoque
aeterna parantur/ regna deis . . 1.34
fixit in aeternum causas, qua cuncta
coercet/ se quoque lege tenens, 2.9
iam satis hac Graiae memorandum contigit
urbi/ aeternumque decus, ...3.389
unumque relictum / agnorunt miseri sublato
errore parentes,/ aeternis causam lacrimis;
3.607
nunc ades, aeterno conplectens omnia
nexu, ... 4.189
omnia cursus/ aeterni secreta tenens
5.89
Campana fremens ceu saxa uaporat/ conditus
Inarimes aeterna mole Typhoeus. 5.101
inpiaque infernam (aeternam) ruperunt
(rapuerunt) arma quietem; . . .var.6.781
aeternis chalybis nodis et carcere Ditis/
constrictae plausere manus, . . . 6.797
segnior, Oceano quam lex aeterna uocabat,
/luctificus Titan numquam magis aethera
contra /egit equos 7.1
heu nimium felix aeterno nomine Lesbos,
8.139
uos, o Parthi, cum.../ et sequerer duros
aeterni Martis Alanos, / passus
Achaemeniis late decurrere campis 8.223
quod nisi ... intentaque iussu/ ordinis
aeterni miserae uicinia mortis/ damnatum
leto traherent ad litora Magnum,/ non ulli
comitum sceleris praesagia derant: 8.569
continuitque animam, nequas effundere
uoces/ uellet et aeternam fletu corrumpere
famam. 8.617
aeternos animam collegit in orbes: 9.9

AETERNUS

    quam sopor aeternam tracturus morte
    quietem/ obruit haud totam: . . .   9.671
    exul in aeternum sceptris depulsa
    paternis, ...   10.87

AETHER. aetheris inmensi partem si presseris
    unam, ...   1.56
    pars aetheris illa sereni/ tota uacet
                          1.58

    aetheris inpulsi sonitu mundique fragore
                          1.152
    it tantus ad aethera clamor, . . . 1.388
    curuato robore pressae/ fit sonus aut
    rursus redeuntis in aethera siluae. 1.391
    prodigiis terras inplerunt, aethera,
    pontum. 1.525
    succensusque tuis flagrasset curribus
    aether. 1.657
    'quo feror, o Paean? qua me super aethera
    raptam/ constituis terra? 1.678
    plurimus ad terram per fulmina decidat
    aether. 2.58
    quis, cum ruat arduus aether, . . 2.290
    succendit Phaethon flagrantibus aethera
    loris, ...   2.413
    non idem Eoi color aetheris, albaque
    nondum/ lux rubet 2.720
    aethera tangentis siluas liquere Choatrae.
                          3.246

    aether non totam mergi tamen aspicit
    Arcton 3.251
    fregit aquis radios et liber nubibus
    aether 3.522
    innumerae uasto miscentur in aether uoces,
                         3.540

    pigro bruma gelu siccisque Aquilonibus
    haerens/ aethere constricto pluuias in
    nube tenebat. 4.51
    congestumque aeris atri/ uix recipit
    spatium quod separat aethere terram. 4.75
    Hesperio tantum quantum summotus Eoo/
    cardine Parnasos gemino petit aethera
    colle, ...   5.72
    quod numen ab aethere pressum/ dignatur
    caecas inclusum habitare cauernas? 5.86
    laetus fragor aethera pulsat/ uictorum:
                         6.225
    legi non paruit aether, ... 6.462
    tellus nobis aetherque chaosque/...
    loquentur. 6.617
    luctificus Titan numquam magis aethera
    contra/ egit equos 7.2
    quis...cernens.../ aetheraque in terras
    deiecto sole cadentem,/ tot rerum finem,
    timeat sibi? 7.136
    nam,Thessala rura/ cum peterent, totus
    uenientibus obstitit aether . . . 7.153
    aethera seu totum discordi obsistere
    caelo/ perspexitque polos, ... 7.198
    seu numen in aethere maestum/ solis in
    obscuro pugnam pallore notauit. . 7.199
    di, quorum curas abduxit ab aethere tellus
    /Romanusque labor, uincat 7.311
    haud multum terrae spatium restabat Eoae/
    ut tibi nox, tibi tota dies, tibi
    curreret aether, ... 7.424
    spectabit ab alto/ aethere Thessalicas,
    teneat cum fulmina, caedes? . . . 7.448
    tunc ausae dare signa tubae, tunc aethera
    tendit/ ... fragor 7.477
    ferro subtexitur aether 7.519
    aut cruor aut alto defluxit ab aethere

AEUUM

    tabes 7.839
    infestae tendentur in aethera dextrae.
                         8.149
    miserandis aethera conplet/ uocibus. 8.638
    quos ignea uirtus/ innocuos uita
    patientes aetheris imi / fecit . . .   9.8
    litoribus sonuit percussus planctibus
    aether, ...   9.168
    ora/... uicina perusti/ aetheris,
    exurit messes et puluere Bacchum/ enecat
                         9.433

    quis enim non praepete tanto/ aethera
    respiceret? 9.689

AETHERIUS,-A,-UM. et aetherio trahitur conexa
    Tonanti. 5.96
    una per aetherios exit uox illa recessus
                         6.445

    aetherioque nocens fumauit sulpure
    ferrum; 7.160
    me calor aetherius feriat, ... 9.396
    [ulla nisi aetheriae medio uelut aequore
    flammae] sideribus nouere uiam; . . 9.494
    iuuat aetheriis ascribere causis/ quod
    peream, ...   9.853
    flamma/ ...non alio motu per tecta
    cucurrit/ quam solet aetherio lampas
    decurrere sulco. 10.502

AETHIOPS. Aethiopumque solum, quod non
    premeretur ab ulla/signiferi regione
    poli, ... 3.253
    totaque in Aethiopum putres soluaris
    harenas. 8.830
    quamuis Aethiopum populis Arabumque
    beatis/ gentibus...unus sit Iuppiter
    Hammon,/ pauper adhuc deus est, . . 9.517
    uicina colentes/ Aethiopum totae riguerunt
    marmore gentes. 9.651
    uana fides ueterum, Nilo, quod crescat in
    arua / Aethiopum prodesse niues. 10.220
    misitque per ultima terrae/ Aethiopum
    lectos: 10.274
    Aethiopumque feris alieno gurgite campos,
                        10.293

AETNA. ardenti seruilia bella sub Aetna,
                         1.43
    ora ferox Siculae laxauit Mulciber
    Aetnae, ... 1.545
    ceu Siculus flammis urguentibus Aetnam/
    undat apex, ... 5.99
    torrens in campos defluit Aetna,   6.295
    non secus in Siculis fureret tua flamma
    cauernis/ obstrueret summam siquis tibi,
    Mulciber, Aetnam. 10.448

AETNAEUS,-A,-UM. non sic Hennaeis (Aetnaeis)
    habitans in uallibus horret   var.6.293

AEUUM. uos quoque, qui fortes animas
    belloque peremptas/ laudibus in longum
    uates dimittitis aeuum, ... 1.448
    nullum iam languidus aeuo/ eualuit
    reuocare parens 1.504
    quorum qui maximus aeuo /Arruns incoluit
    desertae moenia Lucae, ... 1.585
    'aut hic errat' ait ' nulla cum lege
    per aeuum/ mundus 1.642
    debet multas hic legibus aeui/ ante suam
    mortes: 2.82
    nedum breue dedecus aeui / et uitam
    dum Sulla redit. 2.117
    quid tot durare per annos/ profuit
    inmunem corrupti moribus aeui? . . 2.257
    Marcia', nec dubium longo

quaeratur in aeuo 2.344
et nihil esse meo discetis tutius aeuo
/quam duce me bellum'. 3.371
lucus erat longo numquam uiolatus ab aeuo
3.399
uictum, aeuo robur cecidit, ... 3.729
quaecumque per aeuum/ exhibuit monimenta
fides 4.497
hinc, aeui ueteris custos, famosa
uetustas,/ miratrixque sui, signauit
nomine terras. 4.654
a quibus omne aeui senium sua fama
repellit, ... 4.812
ora quibus soluat, nostro non inuenit
aeuo.' 5.140

usus abit uitae, bellis consumpsimus
aeuum: 5.276
nam uera locutum/ inmunem toto mundi
praestabimus aeuo/ artibus Haemoniis:
6.764
aduenisse diem qui fatum **rebus** in aeuum/
conderet humanis,.../ ... palam est. 7.131
Mars iste.../ ... populos aeui uenientis
in orbem / erepto natale feret. 7.390
Fortuna... dum munera longi/ explicat
eripiens aeui populosque ducesque/
constituit campis, ... 7.417
in totum mundi prosternimur aeuum. 7.640
quod sufficit aeuum/ inmemor ut donet
belli tibi damna uetustas? . . . 7.849
sic longius aeuum/ destruit ingentis
animos 8.27
quanto igitur mundi dominis securius
aeuum/ uerus pauper agit! . . . 8.242
aeuumque sequens speculatur ab omni/
orbe ratem Phariamque fidem: . . 8.623
exemploque carens et nulli cognitus
aeuo/ luctus erat, ... 9.169
ciuis obit... multum maioribus inpar/
nosse modum iuris, sed in hoc tamen
utilis aeuo, ... 9.191
mox, ubi damnosum radios admouerit aeuum,
/tellus Syrtis erit; 9.316
inuidus, annoso qui famam derogat aeuo,
9.359
pauper adhuc deus est, nullis uiolata per
aeuum/ diuitiis delubra tenens, . . 9.519
numina, de fama tam longi iudicet aeui.
9.548

omnia fato/ eripis et populis donas
mortalibus aeuum. 9.981
Pharsalia nostra/ uiuet, et a nullo
tenebris damnabimur aeuo. . . . 9.986
pone duces priscos et nomina pauperis
aeui 10.151
'fas mihi...secreta parentum/ edere ad hoc
aeui populis ignota profanis. . . 10.195
sol tempora diuidit aeui, ... 10.201
uaesanus in ortus/ Cambyses longi populos
peruenit ad aeui, ... 10.280

AFER. et solitus uacuis errare mapalibus Afer
4.684
at, uagus Afer equos ut primum emisit in
agmen, ... 4.765

AFFECTUS, etc., **v.** ADF-.

AFRANIUS. iure pari rector castris Afranius
illis/ ac Petreius erat; 4.4
pacisque petendae/ auctor damnatis supplex
Afranius armis/ semianimes in castra
trahens hostilia turmas uictoris stetit

ante pedes. 4.338

AFRICA. omnis Romanis quae cesserat Africa
signis/ tum Vari sub iure fuit; 4.666
Africa nos potius uincat sibi. 4.793
ceu flebilis Africa damnis/ .../ sic et
Thessalicae post te pars maxima pugnae/
.../ libertas et Caesar, erit; 7.691
dracones/ letiferos ardens facit Africa:
9.729
se robore trunci/ torsit et inmisit
(iaculum uocat Africa) serpens 9.823
nil, Africa, de te/ nec de te, natura,
queror: 9.854
qua te parte poli, qua te tellure reliqui/
Africa? 9.874

AGAUE. excutiens.../ stridentisque comas,
Thebanam qualis Agauen/ inpulit.../
Eumenis, 1.574
questa quod hoc solum nato rapuisset
Agaue. 6.359
nec magis attonitos animi sensere
tumultus/ cum fureret, Pentheus aut,
cum desisset, ... 7.780

AGER. qualis frugifero quercus sublimis in
agro 1.136
tum longos iungere fines/ agrorum, et
quondam duro sulcata Camilli . . . 1.168
Hesperios audax ueniam metator in agros.
1.382
quique colunt iunctos extremis moenibus
agros/ diffugiunt: 1.571
Hesperiae fines uacuosque inrumpat in
agros 2.441
ardent Hesperii saeuis populatibus agri,
2.534
siluarum secreta petit uacuosque per
agros 2.602
sed sparsus in agros/ fertilis Euphrates
Phariae uice fungitur undae; . . . 3.259
utque satis caesi nemoris, quaesita per
agros/ plaustra ferunt, ... 3.450
fallitur occultis sparsus populator in
agris 4.92
medios pontem distendit in agros. . 4.140
ut uictor, mersos aciem deiecit in agros.
4.745
defessus Caesar mediis intermanet agris.
6.47
ac tantum saepti uallo sibi uindicat agri,
6.73
Padus... tumens.../ excurrit ripas et
totos concutit agros; 6.273
perpetuis quondam latuere paludibus
agri, ... 6.344
taurus et Emathios praeceps se iecit in
agros, ... 7.166
toto populi qui nascimur orbe/ nec muros
inplere uiris nec possumus agros: 7.401
hic numerus totos tibi uestiat ossibus
agros. 7.538
quod totos errore uago perfuderat agros/
constitit hic bellum. 7.546
quid fugis hanc cladem? quid olentis
deseris agros? 7.821
et steriles egeant hibernis imbribus
agri, ... 8.829
linquam uacuos cultoribus agros, 9.162
Nasidium Marsi cultorem torridus agri/
percussit prester. 9.790
totisque furens exquireret aruis (agris)
var.9.749

AGGER. et subitus rapti munimine caespitis
agger/ praebet securos intra tentoria
sonnos: 1.517
iuuat ignibus atris/ inseruisse manus
constructoque aggere busti/ ipsum atras
tenuisse faces, ... 2.300
tunc urbes Latii dubiae uarioque fauore
ancipites, quamquam primo terrore ruentis
/cessurae belli, denso tamen aggere
firmant/ moenia 2.449
tunc aggere multo/ surgit opus   2.678
tunc res inmenso placuit statura labore,
/aggere diuersos uasto committere colles.
3.382
artet humum, pressus ne cedat turribus
agger. 3.398
stellatis axibus agger/ erigitur . . 3.455
procubuit maiorque iacens apparuit agger.
3.508
stetit aggere fulti/ caespitis . . 5.316
sic fatus ab alto/ aggere iam tepidae
sublato fune fauillae/ scintillam tenuem
commotos pauit in ignes, ... 5.524
aggere deiecit pelagi sed pertulit unda
5.674
ut...hostem/ cingeret ignarum ducto
procul aggere ualli. 6.31
castraque Caesareo circumdatus aggere
mutat: 6.44
ut primum uasto saeptas uidet aggere
terras, ... 6.69
roboris inpacti crebros gemit agger ad
ictus. 6.137
ille ruenti/ aggere consistit, . . 6.170
sic pleno Padus ore tumens super aggere
tutas/ excurrit ripas 6.272
'tristia non equidem Parcarum stamina'
dixit/ 'aspexi tacitae reuocatus ab
aggere ripae; 6.778
iacet aggere magno /patricium campis non
mixta plebe cadauer. 7.597
stetit aggere campi, ... 7.649
quae fossa, quis agger /sustineat pretium
belli scelerumque petentis? . . . 7.749
eminet in tergo pelagi.../ inuiolatus aqua
sicci iam pulueris agger; 9.342
alligat et stantis adfusae magnus harenae/
agger, ... 9.489
AGGREDIOR,-I, v. ADGREDIOR.
AGITO,-ARE. Phoebe/ ibit et obliquum bigas
agitare per orbem/ indignata diem poscet
sibi, ... 1.78
quaerite, quos agitat mundi labor; 1.417
quamquam agitant grauiora metus,   2.225
bella feres totoque urbes agitabis in
orbe 2.643
iam dilecta Ioui centenis uenit in
arma/ Creta uetus populis Cnososque
agitare pharetras 3.185
cunctos belli praesaga futuri/ mens
agitat, ... 6.415
effera Romanos agitat discordia manes
6.780
quacumque uagatur/... ueluti.../ Bistonas
aut Mauors agitans .../.../nox ingens
scelerum est; 7.569
quos agitat uaesana quies, . . . 7.764
armaque tota/ mente agitant, . . 7.767
hunc agitant totis fraterna cadauera
somnis, ... 7.775
fata mihi totum mea sunt agitanda per

orbem. . . . .
8.138
actu belli non doctas ferre quietem/
constituit mentes serieque agitare
laborum. 9.295
AGMEN. sic fatus noctis tenebris rapit
agmina ductor 1.228
signa/ et celsus medio conspectus in
agmine Caesar,/ deriguere metu,   1.245
agmina non uno densisque incedere castris.
1.478
urguent/ praecipitem populum, serieque
haerentia longa/ agmina prorumpunt 1.493
Achaemeniis decurrant Medica Susis/
agmina, Massageten Scythicus non adliget
Hister, ... 2.50
seruilia soluit/ agmina, ... 2.95
densi uix agmina uolgi/ inter et exangues
inmissa morte cateruas/uictores mouere
manus; 2.201
interea trepido discedens agmine Magnus
2.392
deuertitque acies, solusque ex agmine
tanto 2.470
deuoluit rapidum nequiquam moenibus
agmen. 2.491
ecce, nefas belli, reseratis agmina
portis/captiuum traxere ducem, . . 2.507
iam uictum fama non uisi Caesaris agmen.
2.600
quoslibet in saltus comitantibus agmina
tauris/ inuito pastore trahit. . . 2.606
haec ubi sunt prouisa duci, tunc agmina
uictor/ non armata trahens . . . 3.71
mole, rapit gressus et Caesaris agmina
rumpens 3.116
non, cum Memnoniis deducens agmina regnis
3.284
agmine nubiferam rapto super euolat
Alpem; 3.299
prono cum Caesar Olympo/ in noctem subita
circumdedit agmina fossa, ... 4.29
et rapto tumulum prior agmine cepit. 4.35
uidit lapsura ruina/ agmina dux   4.44
iamque agmina summa/ carpit eques, 4.155
polluta nefanda/ agmina caede duces
iunctis committere castris/ non audent,
4.260
campis prostrata iacere/ agmina nostra
putes; 4.359
laetus quod gloria belli/ sit rebus
seruata suis, rapit agmina furtim, 4.717
undique conpletis clauserunt montibus
agmen, ... 4.747
at, uagus Afer equos ut primum emisit in
agmen, ... 4.765
ac, siquis metuens medium correpsit in
agmen, ... 4.778
ut terrestre, coit consertis puppibus
agmen. 5.708
ipse quoque a tuta deducens agmina Petra/
diuersis spargit tumulis, ... 6.70
hic puluere nullo / proditus agmen
agit 6.128
agminaque interius muro breuiore recepit,
6.288
Caesar et Emathias lacero petit agmine
terras. 6.315
ad praematuras segetum ieiuna rapinas/
agmina conpulimus, ... 7.99
at medii robur belli fortissima densant/
agmina, quae Cilicum terris deducta

tenebat/ Scipio, ... 7.222
barbaries, non illa tubas, non agmine moto
/clamorem latura suum. 7.273
Pompeius in arto/ agmina uestra loco
uetita uirtute moueri/ cum tenuit, quanto
satiauit sanguine ferrum! 7.316
premit inde metus, totumque per agmen/
sublimi praeuectus equo 7.341
ergo utrimque pari procurrunt agmina
motu/ irarum; 7.385
praecipiti cursu uaesanum Caesaris agmen
/in densos agitur cuneos, ... 7.496
emittit subitum non motis cornibus agmen.
                                     7.524
glomerataque nubes/ in sua conuersis
praeceps ruit agmina frenis. . . . 7.531
Caesar.../ nequa parte sui pereat scelus,
agmina circum/ it uagus 7.558
uiles animas perituraque frustra/ agmina
permisit uitae. 7.731
quis ratibus tantis fugientia crederet ire
/agmina, ... 9.35
audet in ignotas agmen committere gentes
                                     9.372
tum quoque Romanum solito uiolentior
agmen/ adgreditur, ... 9.463
et nusquam totis incursat uiribus agmen.
                                     10.484
dubiusque timeret/ optaretne mori respexit
in agmine denso/ Scaeuam 10.543

AGNOSCO,-ERE. hunc ego, fluminea deformis
truncus harena/ qui iacet, agnosco. 1.686
agnoscendus erat. 2.193
unumque relictum/ agnorunt miseri sublato
errore parentes, ... 3.606
et miserum cernens agnoscere desinit
Argum. 3.736
nec Romanus erat, qui non agnouerat
hostem. 4.179
agnouere suos. 4.194
tu Caesar, quamuis spoliatus milite
multo,/ agnoscis superos; 4.255
agnoscere solis/ permissum,.../felix esse
mori.' 4.517
cuius non militis ensem/ agnoscam? 7.288
epulisque paratur/ ille locus, uoltus
ex quo faciesque iacentum/ agnoscat. 7.794

AGO,-ERE. quod tibi res acta est. . . 1.45
plus illa uobis acie, quam creditis,
actum est, ... 1.107
tu, noua ne ueteres obscurent acta
triumphos 1.121
uolneraque et mortes hiemesque sub
Alpibus actae? 1.302
terraque marique/ iussus Caesar agi. 1.307
mecum rebus agat superique ad summa
uocantes,/ temptamur. 1.310
duc age per Scythiae populos, per
inhospita Syrtis/ litora, ... 1.367
his aries actus disperget saxa lacertis,
                                     1.384
hostilem in terram uacuisque mapalibus
actus 2.89
nullum furor egit in arma; 2.254
melius tranquilla sine armis/ otia solus
ages, ... : 2.267
otia solus agam? 2.295
primus in Epirum Boreas agat; . . 2.646
nil actum credens cum quid superesset
agendum, ... 2.657
saepe Noto plenae tensisque rudentibus

actae / ... rates 2.683
curas/ expulit armorum pacique intentus
agebat 3.53
ignis agit uires, ... 3.504
uerberibus senis agitur molemque profundo
/inuehit 3.536
nauali plurima bello/ ensis agit. 3.570
Martem saeuus agit non multa caede
nocentem 4.2
non hoc ciuilia bella,/ ut uiuamus,
agunt. 4.222
non partis studiis agimur nec sumpsimus
arma 4.348
dum se declinibus undis/ aestus agat
refluoque mari nudentur harenae. 4.428
mortis agor stimulis: furor est. 4.517
qua se/ Bagrada lentus agit siccae
sulcator harenae. 4.588
nil actum est bellis, ... 5.287
sunt cetera cursu/ acta meo, . . . 5.483
mundumque coercens/ monstriferos agit
unda sinus. 5.620
iam magis atque magis praeceps agit
omnia fatum, ... 6.98
hic puluere nullo/ proditus agmen agit
                                    6.128
nimbus agens tot tela peribat. . . 6.134
perque cauas terrae, quas egit carmine,
rimas/ manibus inlatrat 6.728
non agitis saeuis Erebi per inane
flagellis/ infelicem animam? . . . 6.731
aspexi tacitae (actae) reuocatus ab
aggere ripae; var.6.778
luctificus Titan numquam magis aethera
contra/ egit equos cursumque polo
rapiente retorsit, ... 7.3
dissimilem certe cunctis quos explicat
egit/ Thessalicum natura diem: . . 7.201
non mihi res agitur, sed, uos ut libera
sitis / turba, ... 7.264
quid tempora legum/ egimus aut annos a
consule nomen habentis? 7.441
Pindus agit fremitus Pangaeaque saxa
resultant 7.482
uaesanum Caesaris agmen/ in densos
agitur cuneos, ... 7.497
inque latus belli, qua se uagus hostis
agebat, /emittit subitum...agmen. 7.523
nil agis hac ira: tabesne cadauera soluat
                                    7.809
cornipedem.../ Magnus agens incerta
fugae uestigia turbat 8.4
actaque lauriferae damnat Sullana
iuuentae, ... 8.25
quanto igitur mundi dominis securius
aeuum/ uerus pauper agit! 8.243
quare agite Eoum, comites, properemus in
orbem. 8.289
quas magis in terras nostrum felicibus
actis/ nomen abit, ... 8.320
quae te nostri fiducia regni/ huc agit,
infelix? 8.525
adde.../ et currus quos egit eques,
                                    8.810
dic.../... ter curribus actis/ contentum
multos patriae donasse triumphos. 8.814
Eurus/ in Libycas egit sedes et castra
Catonis. 9.119
actum Romanis fuerat de rebus, 9.253
quin agite et magna meritum cum caede
parate: 9.282

ut primum remis actum mare propulit omne
/classis onus, densis fremuit niger
imbribus Auster. 9.319
longeque a Syrtibus undas/ egit   9.323
nubem/in flexum uiolentus agit: 9.456
temploque tacente/ nil facimus (agimus)
non sponte dei;   var.9.574
nil ibi uirus agit:rapuit cum uolnere
fatum.   9.825
perque Asiae populos fatis urguentibus
actus/ humana cum strage ruit . . 10.30
non id agente deo, ...10.265
et Pharios currus regum ceruicibus egit;
                          10.277
mox te deserta secantem/.../ mollis lapsus
agit.   10.315

AGRICOLA. agricolae fracto Marium fugere
sepulchro. 1.583
agricolae raptis annum fleuere iuuencis.
                          3.452

AIO. mox ait 'o magnae qui moenia prospicis
urbis 1.195
'hic' ait 'hic pacem temerataque iura
relinquo; 1.225
Caesar,' ait 'partes, quamuis nolente
senatu/ traximus imperium, ... 1.274
pericula Martis/ mecum' ait 'experti
decimo iam uincitis anno, ... 1.300
'aut hic errat' ait 'nulla cum lege per
aeuum/ mundus 1.642
haec ait, et lasso iacuit deserta furore.
                          1.695
'nunc', ait 'o miserae, contundite pectora,
matres, ...   2.38
et 'quid' ait 'uani terremur imagine
uisus? 3.38
Brutus ait 'paterisne acies errare
profundo 3.559
'uos', ait 'o socii, sicut tormenta
soletis, ... 3.716
ait 'raptumque fuga conuertite bellum
                          4.163
'tela tene iam, miles', ait . . . 4.273
'ecquis' ait 'iuuenum est cuius sit dextra
cruore/ digna meo 4.542
'quid spes' ait 'inproba ueri /te,Romane,
trahit? 5.130
et superis, quos fingis,' ait 'nisi
mergeris antris 5.159
dux ait ' expecta uotis maiora modestis
                          5.532
'parcite', ait 'ciues; procul hinc
auertite ferrum. 6.230
'soluat' ait 'poenas, Scaeuam quicumque
subactum sperauit 6.241
'ponite' ait 'trepida conceptos mente
timores: 6.659
'parcite,' ait 'superi, cunctas
prosternere gentes. 7.659
'quando' ait 'Emathiis amissus cladibus
orbis,/ qua Romanus erat, superest...
Eram temptare fidem 8.211
'quaecumque es,' ait 'neclecta nec ulli/
cara tuo.../ da ueniam: 8.746
'Herceas' monstrator ait 'non respicis
aras?' 9.979

ALA. barbaricas saeui discurrere Caesaris
alas; 1.476
Varus, ut admotae pulsarunt Auximon alae,
                          2.466
mox, ubi percussit tensas Notus altior

alas, ...   5.714
atque oblita faui non miscent nexibus
alas 9.286
ALANUS. uos, o Parthi, cum.../ et sequerer
duros aeterni Martis Alanos, /passus
Achaemeniis late decurrere campis 8.223
quem non uiolasset Alanus/ .../ quaerit
tuta domus; 10.454
ALBA. et residens celsa Latiaris Iuppiter
Alba 1.198
quaque iter est Latiis ad summam fascibus
Albam; 3.87
nec non Iliacae numen quod praesidet
Albae,/.../ uidit flammifera confectas
nocte Latinas 5.400
Aeneaeque mei, quos nunc Lauinia sedes/
seruat et Alba, lares, ... 9.992
ALBANUS. puluere uix tectae poterunt
monstrare ruinae/ Albanosque lares
Laurentinosque penates, ...   7.394
ALBESCO,-ERE. multo murmure montis/ spumeus
inuitis canescit (albescit) fluctibus
amnis var.10.322
ALBIS. hunc inter Rhenum populos Albimque
iacentes 1.481
fundat ab extremo flauos Aquilone
Suebos/ Albis et indomitum Rheni caput;
                          2.52
ALBUS. non idem Eoi color aetheris, albaque
nondum/ lux rubet 2.720
ALCIDES. Eumenis,.../ horruit Alcides uiso
iam Dite Megaeram. 1.577
tandem uolgata cruenti/ fama mali
terras monstris aequorque leuantem/
magnanimum Alciden Libycas exciuit in
oras. 4.611
Alcides primo uoluit certamine totis,
                          4.621
constitit Alcides stupefactus robore
tanto, ... 4.633
ut tandem auxilium tactae prodesse
parentis/ Alcides sensit, 'standum est
tibi,' dixit 4.646
Alcides medio tenuit iam pectora pigro
/stricta gelu 4.652
hospes et Alcidae magni Phole, . . 6.391
abstulit arboribus pretium nemorique
laborem/ Alcides, passusque inopes sine
pondere ramos 9.366
ALEA. placet alea fati/ alterutrum mensura
caput. 6.7
dignum, quod quaerere cures/ uel tibi,
quo tanti praeponderet alea fati.' 6.603
ALES. defuit.../ non.../ quaeque sonant
feta tepefacta sub alite saxa, . . 6.676
omnisque cruenta/ alite sanguineis
stillauit roribus arbor. 7.837
membraque deiecit iam lassis unguibus
ales. 7.840
Zephyro conuertitur ales/ itque super
Libyen, ...   9.689
ALEXANDER. corpus Alexandri pigra Mareotide
mergam? 9.154
summus Alexander regum, quem Memphis
adorat,/ inuidit Nilo, ... 10.272
ALGA. molli consurgit Amyclas/ quem dabat
alga toro. 5.521
ALIENUS,-A,-UM. quis nolet in isto/ ense
mori, quamuis alieno uolnere labens,
/et scelus esse tuum? 2.265
tempora quamquam/ sint aliena toris iam

ALIENUS
    fato in bella uocante, ... 2.351
    moenibus exiguis alieno in litore tuti,
                                3.341
    bacchatur demens aliena per antrum/
    colla ferens, ... 5.169
    prior ipse per hostes/ percussi medios
    alieni iuris harenas: 5.489
    abducet superos alienis Thessalis aris.
                                6.451
    alieni poena timoris/ in nostra ceruice
    sedet. 7.644
    auersosque polos alienaque sidera quaeris,
                                8.337
    et mihi, si fatis aliena in iura uenimus,
    /fac talem, Fortuna, Iubam; . . . 9.212
    casus alieno in pectore uincit . 9.888
    Aethiopumque feris alieno gurgite
    campos, ... 10.293
    ius tibi ... aliena crescere bruma 10.299
ALIGER,-A,-UM. aliger in caelum sic rapta
    Gorgone fugit. 9.684
ALIMENTUM. at faciles praebere alimenta
    carinae 3.683
ALIQUI, ALIQUA, ALIQUOD. sit praeter gladios
    aliquod sub Caesare fatum. . . . 5.283
    tot potuere manus.../ aut aliquem mundi,
    .../ in melius mutare locum. . . 6.59
ALIQUIS, ALIQUID. atque aliquis magno
    quaerens exempla timori 2.67
    non eadem belli totum fortuna per orbem/
    constitit, in partes aliquid sed
    Caesaris ausa est. 4.403
    credisne aliquid mihi tutius esse/ quam
    tibi? 5.768
    haec.../ siue aliquid magnis nostri quoque
    cura laboris/ nominibus prodesse potest
    .../ spesque metusque...mouebunt, 7.209
    aut aliquis Magno dignus comes exigat
    ensem. 8.656
    ignis adhuc aliquid Phario de litore
    surgens/ ostendit mihi, Magne, tui. 9.74
    nec umquam/ dum terris aliquis nostra de
    stirpe manebit,/ Caesaribus regnare uacet.
                                9.89
    uiuit adhuc aliquid. 9.871
ALITER, u. ALIUS.
ALIUS,-A,-UM. quod si non aliam uenturo fata
    Neroni/ inuenere uiam 1.33
    regit idem spiritus artus/ orbe alio;
                               1.457
    'non alios' inquit 'motus tum fata parabant
                                2.68
    hic aures, alius spiramina naris aduncae
    /amputat, ... 2.183
    hos alio, Fortuna, uocas, olimque
    potentes/ concurrunt. 2.230
    namque alii Magnum uel Caesaris arma
    sequantur, ... 2.246
    accipient alios, facient te bella
    nocentem. 2.259
    sollicitant proceresque alii; . . 2.279
    diductique fretis alio sub sidere reges,
                                 2.294
    alios fecunda penates/ impletura datur
    geminas et sanguine matris /permixtura
    domos; 2.331
    non aliter placitura uiro, sic maesta
    profatur: 2.337
    sufficerent aliis primo tot moenia cursu/
    rapta, ... 2.653
    cumque alii famae populi terrore pauerent

                                3.300
    fata, nec haec alius committat proelia
    miles. 3.325
    ast alias manicaeque ligant teretesque
    catenae, ... 3.565
    semianimes alii uastum subiere profundum
                                3.576
    ast aliae mutato remige puppes/ uictores
    uexere suos; 3.754
    alii rupes ac litora conplent. 4.464
    concurrunt alii totumque in partibus
    unis/ bellorum fecere nefas. . . 4.548
    haut alium tanta ciuem tulit indole Roma
                                4.814
    uictrices aquilas alium laturus in orbem,
                                5.238
    alioque ex orbe uoluti/ a magno uenere
    mari, ... 5.618
    placet alea (alia) fati/ alterutrum
    mersura caput. var.6.7
    Pannonis haud aliter post ictum saeuior
    ursa,/ se rotat in uolnus . . . 6.220
    Phoebeque serena/ non aliter diris
    uerborum obsessa uenenis/ palluit 6.501
    namque timens, ne Mars alium uagus iret
    in orbem/ .../ ...uetuit transmittere
    bella Philippos, ... 6.579
    teque deis, ad quos alio procedere uoltu
    /ficta soles.../ ostendam . . . 6.736
    Elysias Latii (alii) sedes ac Tartara
    maesta/ diuersi liquere duces. var.6.782
    non aliter Phlegra rabidos tollente
    gigantas/ Martius incaluit Siculis
    incudibus ensis 7.145
    non alio mutentur sanguine fontes; 7.537
    non istas habuit pugnae Pharsalia partes/
    quas aliae clades: 7.633
    haud alios nondum Scythica purgatus in ara
    /Eumenidum uidit uoltus Pelopeus Orestes
                                7.777
    aequora senserunt motus aliterque secante
    /iam pelagus rostro.../ mutauere sonum.
                                8.197
    effundam populos alia tellure reuolsos
                                8.309
    sat magna feram solacia mortis/ orbe
    iacens alio, ... 8.315
    poteras non flectere puppem,/ cum fugeres
    alto(alio), ... var.8.587
    nam cui ius alii sceleris? . . 8.642
    'o felix, quem sors alias dispersit in
    oras 9.126
    Amasis/ atque alii reges Nilo torrente
    natabunt? 9.156
    omnes/ haud aliter medio reuocauit ab
    aequore puppes 9.284
    patriae non arua requiro/ Europamque
    alios soles Asiamque uidentem: . . 9.872
    non aliter manifesta potens abscondere
    mentis/ gaudia quam lacrimis, . 9.1040
    captique in uiscera Magni/ hoc alii
    licuisse doles, ... 9.1053
    discolor hos sanguis, alios distinxerat
    aetas; 10.128
    sit pietas aliis miracula tanta silere;
                                10.196
    inde etiam leges aliarum nescit
    aquarum, ... 10.228
    percussaque flamma/ turbine non alio
    motu per tecta cucurrit/ quam solet ...
    lampas decurrere 10.501

ALLIA

ALLIA. cedant feralia nomina Cannae/ et
damnata diu Romanis Allia fastis.   7.409
ALMO. et lotam paruo reuocant Almone
Cybeben, ...   1.600
ALNUS. nullasque uado qui Macra moratus/
alnos uicinae procurrit in aequora Lunae).
                                     2.427

atque omnis trahe, gurges, aquas, ut
spumeus alnas/ discussa compage feras.
                                     2.486

siluaque Dodones et fluctibus aptior
alnus/.../ tum primum posuere comas 3.441
et emeritas repetunt naualibus alnos.
                                     3.520

paruit, obliquas et praebuit hostibus
alnos. 3.562
hic Latiae rostro conpagem ruperat alni,
                                     3.597

porrectis series constricta catenis/
ordinibus geminis obliquas excipit alnos;
                                     4.422
sonuit uictis conpagibus alnus.   5.596
exiguam uector pauidus correpsit in alnum.
                                     8.39

Phariamque ablatus in alnum/ perdiderat
iam iura sui. 8.611
ALO,-ERE. flammiger an Titan, ut alentes
hauriat undas, ...   1.415
cum segne potentes/ uolgus alunt: nescit
plebes ieiuna timere. 3.58
quos alit Hadriaco tellus circumflua
ponto, ...   4.407
hic alitur sanguis terras fluxurus in
omnis, ...   6.61
quem mundi barbara damnis/ Syrtis alit.
                                     9.441
ALOEUS. inpius hinc prolem superis inmisit
Aloeus, ...   6.410
ALPHEOS. Pisaeaeque manus populisque per
aequora mittens/ Sicaniis Alpheos aquas.
                                     3.177

ALPINUS,-A,-UM. adde trucis Lepidi motus
Alpinaque bella 8.808
ALPIS. iam gelidas Caesar cursu superauerat
Alpes 1.183
auxerat undas/.../ et madidis Euri
resolutae flatibus Alpes. 1.219
uolneraque et mortes hiemesque sub
Alpibus actae? 1.302
non secus ingenti bellorum Roma tumultu/
concutitur, quam si Poenus transcenderit
Alpes 1.304
hunc inter Rhenum populos Albimque
(Alpem) iacentes var.1.481
ueteremque iugis nutantibus Alpes/
discussere niuem. 1.553
nunc desuper Alpis/ nubiferae colles
atque aeriam Pyrenen/ abripimur.   1.688
Gallica rura uidet deuexasque excipit
Alpes. 2.429
Gallica per gelidas rabies ecfunditur
Alpes, ...   2.535
cum mediae iaceant inmensis tractibus
Alpes, ...   2.630
agmine nubiferam rapto super euolat
Alpem; 3.299
ALTARE. placatur sanguine diro/ Teutates
horrensque feris altaribus Esus   1.445
structae diris altaribus arae/omnisque
humanis lustrata cruoribus arbor.   3.404
ALTER,-A,-UM. alter uergentibus annis/ in

senium longoque togae tranquillior
usu/dedidicit iam pace ducem, . .   1.129
ecce, uidet capiti fibrarum increscere
molem/ alterius capitis. 1.628
dum pendet fortuna ducum: cum uicerit
alter/ gaudendum est.' 2.41
hinc Dacus, premat inde Getes; occurat
Hiberis/ alter, ...   2.55
quorum alter mixtis obliquo pectine remis/
ausus.../ iniectare manum; 3.609
remum contorsit in hostem/ alter.   3.672
Noton altera Phoebi,/ altera pars Borean
diducta luce uocabat. 5.542
Noton altera Phoebi/ altera pars Borean
diducta luce uocabat. 5.543
cum iam non poterit puppi nostraeque
saluti/ altera terra dari. . . .   5.591
alterius flamma crinesque genasque/
succendit, ...   6.178
solus, in alterius nomen cum uenerit
undae/ defendit Titaresos aquas   6.375
ciuilia bella/ una acies patitur, gerit
altera; 7.502
et polus Assyrias alter noctesque
diesque/ uertit 8.292
pars altera pendet in undis. . . .   9.337
sustulit.../ harpen alterius monstri iam
caede rubentem 9.663
frustra ciuilibus armis/ miscuimus gentes,
siqua est hoc orbe potestas/ altera
quam Caesar, ...   9.1078
haec Libycos, pars tam flauos gerit altera
crines 10.129
en, altera uenit/ uictima nobilior. 10.385
altera, Magne, tuis iam uictima mittitur
umbris; 10.524
ALTERNUS,-A,-UM. quod terra fretumque/
uindicat alternis uicibus, cum funditur
ingens/ Oceanus 1.410
unumque relictum/ agnorunt miseri sublato
errore parentes,/ aeternis (alternis)
causam lacrimis; var.3.607
peruigil alterno paret custodia signo.
                                     4.7

aeris alternos angustat pulmo meatus,
                                     4.327

sic alterna duces bellorum uolnera passos
                                     5.1

ALTERUTER,-RA,-RUM. placet alea fati/
alterutrum mersura caput. 6.8
ALTRIX. nec quaesisse libet primis quid
frugibus altris/ aere Iouis Dodona sonet,
                                     6.426

ALTUS,-A,-UM. contigit; alta sedent ciuilis
uolnera dextrae. 1.32
pax alta per omnes/ et tranquilla
quies populos: 1.249
altus caesorum pauit cruor armentorum,
                                     1.329
elatasque alte, quaecumque ad bella
uocaret,/ promisere manus. . . .   1.387
nemora alta remotis/ incolitis lucis;
                                     1.453
nam mitis in alto/ Iuppiter occasu
premitur, ...   1.660
intrepidus tanti sedit securus ab alto
                                     2.207
iam sanguinis alti/ uis sibi fecit iter
                                     2.214
tellus/ altius intumuit propiusque
accessit Olympo. 2.398

saxorumque orbes et quae super eminus
hostem/ tela petant altis murorum
turribus aptant. 2.452
uoltu tamen alta minaci/ nobilitas recta
ferrum ceruice poposcit. 2.509
tunc qui Dardaniam tenet Oricon et uagus
altis/ dispersus siluis Athaman   3.187
haut procul a muris tumulus surgentis in
altum /telluris paruum diffuso uertice
campum/ explicat: 3.375
obscurum cingens conexis aera ramis/
et gelidas alte summotis solibus umbras.
                                    3.401
cruor altus in unda/ spumat, . . . 3.572
cuius dum pugnat ab alta/ puppe Catus
                                    3.585
robora cum uetitis prensarent altius ulnis
                                    3.664
tamen alta sub aequora tendit/praecipiti
saltu: 3.749
colle tumet modico lenique excreuit in
altum/ pingue solum tumulo; 4.11
miles rupes oneratus in altas/ nititur,
                                    4.37
alto restagnant flumina uallo. . . . 4.89
altaeque ad moenia rursus Ilerdae/
intendere fugam. 4.261
uicino cum lux altissima Cancro est;
                                    4.527
haec illi spelunca domus; latuisse sub
alta/ rupe ferunt, ... 4.601
sic fatus sustulit alte/ nitentem in
terras iuuenem. 4.649
alto torpore ligatae/ pigrius inmotis
haesere paludibus undae. 5.434
sic fatus ab alto/ aggere iam tepidae
sublato fune fauillae/ scintillam tenuem
commotos pauit in ignes. 5.523
lapsa per altum/ aera dispersos traxere
cadentia sulcos/ sidera, ... 5.561
nec rursus ab alto/ aggere deiecit pelagi
                                    5.673
mox ubi percussit tensas Notus altior
alas, ...   5.714
nondum turgentibus altam/ in segetem
culmis cernit miserabile uolgus/ in
pecudum cecidisse cibos 6.109
ille tegens alta suppressum mente
furorem,/.../ 'parcite', ait, 'ciues;
                                    6.228
simul haec effatur, et altus/ Caesareas
puluis testatur adesse cohortes.   6.246
latus alti/ montis adest 6.266
cum per summa poli Phoebum trahit altior
aestas, ...   6.335
hanc ut fama loci Pompeio prodidit, alta
/nocte poli.../... deserta per arua/
carpit iter. 6.570
montisque caui, quem tristis Erictho/
damnarat sacris, alta sub rupe locatur.
                                    6.641
spectabit ab alto/ aethere Thessalicas...
caedes? 7.447
tu, Caesar, in alto/ caedis adhuc cumulo
patriae per uiscera uadis, ... 7.721
non altius ibis in auras, ...   7.816
aut cruor aut alto defluxit ab aethere
tabes 7.839
inde ratis trepidum.../ flumineis uix
tuta uadis, euexit in altum. . .   8.36
hic cum mihi semper in altum/ surget.../

Bosporon.../ spectamus. 8.176
poteras non flectere puppem/ cum fugeres
alto, latebrisque relinquere Lesbi, 8.587
Phariamque ablatus in alnum (altum)/
perdiderat iam iura sui. var.8.611
putrisque effluxit ab alto/ umor,   8.690
solitumque legi super alta deorum/
culmina.../ haud procul est ima Pompei
nomen harena/ depressum tumulo,   8.818
et hinc placidis alto delabitur auris/
in litus, Palinure, tuum 9.41
cum procul ex alto tendentes uela carinae
/ancipites tenuere animos, ... 9.45
non alta terens Capitolia currus/gratior;
                                    9.79
saeuumque arte(alte) conplexa dolorem/
perfruitur lacrimis var.9.111
uel plenior alto/ olim Syrtis erat
pelago 9.311
sors melior classi quae fluctibus incidit
altis 9.330
non altius ignis/ rapta uehit; . . 9.460
circulus alti/ solstitii medium signorum
percutit orbem. 9.531
scimus, et hoc nobis non altius inseret
Hammon. 9.572
ducitis altum/ aera cum pennis, . . 9.729
securus in alto/ gramine ponebat gressus:
                                    9.975
quos inter in alta/ it conualle tacens iam
moribus unda receptis. 10.328
ALUEUS. nec iam alueus amnem/ nec retinent
ripae, ...   2.217
non habet unda uias, tam largas alueus
omnis/ a ripis accepit aquas. . . . 4.86
rursus multifidas reuocat piger alueus
undas, ...   10.311
ALUUS. pluribus ille notis uariatam
tinguitur aluum/ quam...Thebanus ophites.
                                    9.713
AMANUS. uenere feroces/ Cappadoces, duri
populus non cultor Amani, ...   3.244
AMARUS,-A,-UM. sed sibi quaeque uolat nec
iam degustat amarum/ desidiosa thymum,
                                    9.287
AMASIS. non mihi pyramidum tumulis euolsus
Amasis/ atque alii reges Nilo torrente
natabunt? 9.155
AMATOR. omnis, in Arctois populus quicumque
pruinis/ nascitur, indomitus bellis et
mortis amator: 8.364
durae saltem uirtutis amator/quaere quid
est uirtus 9.562
AMBAGES. inuoluens multaque tegens ambage
canebat. 1.638
siue per ambages solitas contraria uisis/
uaticinata quies magni tulit omina
planctus, ...   7.21
AMBIGUUS,-A,-UM. nec te uicinia leti/
territat ambiguis frustratum sortibus,
Appi; 5.225
ambigua sed lege loci iacet inuia sedes,
                                    9.307
natus et ambiguae coleret qui Syrtidos
arua/ chersydros, ...   9.710
AMBIO,-IRE. iubet .../ ambiri et festo
purgantes moenia lustro/ longa per
extremos pomeria cingere fines   1.593
Boeoti colere duces, quos inpiger ambit
/fatidica Cephisos aqua Cadmeaque Dirce,
                                    3.174

AMBIO

en, quantum Tigris, quantum celer ambit
Orontes, ... 6.51
cum iuuenis primique aetate triumphi/ post
domitas gentes quas torrens ambit Hiberus/
...plaudente senatu/ sedit adhuc Romanus
eques; 7.15
quam pectore Magnus/ ambit . . . 8.67
non...petit.../ Pompeius.../... totus ut
ignes/ proiectis maerens exercitus ambiat
armis. 8.735
ambissetque polos Nilumque a fonte
bibisset: 10.40
ambitur nigris Meroe fecunda colonis,
. . . . 10.303
sed caeca iuuentus/ consilii uastos ambit
diuisa penates, ... 10.483

AMBITIO. pro caecus et amens/ ambitione furor,
ciuilia bella gerenti/ diuitias aperire
suas, ... 10.147
infudere epulas auro.../ ...quod luxus
inani/ ambitione furens toto quaesiuit in
orbe 10.157

AMBITIOSUS,-A,-UM. et quaesitorum terra
pelagoque ciborum/ambitiosa fames et
lautae gloria mensae,/discite quam paruo
liceat producere uitam 4.376
se/ protulit in medios audaci margine
fluctus/ luxuriosa (ambitiosa) domus.
var.10.488

AMBITUS(subst.). letalisque ambitus urbi/
annua uenali referens certamina Campo;
1.179
postquam/ ambitus et luxus et opum
metuenda facultas/ transuerso mentem
dubiam torrente tulerunt, . . . 4.817

AMBRACIUS,-A,-UM. oraeque malignos/Ambraciae
portus, scopulosa Ceraunia nautae/summa
timent. 5.652

AMENS. necdum est ille dolor nec iam metus:
incubat amens/ miraturque malum. 2.27
deserat hic feruor mentes, cadat impetus
amens, ... 4.279
sic fata relictis/ exiluit stratis amens
tormentaque nulla/uult differre mora.
5.791
inpulit amentes aurique cupidine caecos/
ire super gladios supraque cadauera
patrum 7.747
tendebat geminas amens Cornelia palmas.
8.583
pro caecus et amens/ ambitione furor,
ciuilia bella gerenti/ diuitias aperire
suas, ... 10.146

AMICTUS(subst.). latuit plebeio tectus amictu/
omnis honos, ... 2.18
balteus aut fluxos gemmis astrinxit
amictus, ... 2.362
sic fatur, quamquam plebeio tectus amictu,
/indocilis priuata loqui. . . . 5.538
discolor et uario furialis cultus amictu/
induitur, ... 6.654
positisque insignibus aulae/egreditur
famulo raptos indutus amictus. . 8.240
sic ubi fata, caput feriali obduxit
amictu 9.109
constrinxit amictus/ inseruitque manus
terrae 9.482

AMICUS. nulla fides umquam miseros elegit
amicos.' 8.535

AMITTO,-ERE. amisere notes, miserorum dextra
parentum/ colligit 2.167

amissae leges set, pars uilissima rerum,
3.120
uentus ut amittit uires, nisi robore
densae/ occurrunt siluae, ... 3.362
tenet ille dolorem/ semper et amissum
fratrem lugentibus offert, ... 3.608
Caesar ut amissis inter tot milia paucis/
hoc damnum clademque uocet. . . . 4.513
'quando' ait 'Emathiis amissus cladibus
orbis,/ qua Romanus erat, superest.../
Eoan temptare fidem 8.211

AMMENTO -ARE. cum iaculum parua Libys
ammentauit habena, ... 6.221

AMMODYTES v. HAMMODYTES.

AMNIS. inde moras soluit belli tumidumque
per amnem/ signa tulit propere: 1.204
primus in obliquum sonipes opponitur
amnem 1.220
per tam multa suo, famae maioris in amnem
/lapsus 1.400
et qua Nar Tiberino inlabitur amni 1.475
interruptus aquae fluxit prior amnis in
aequor, ... 2.213
nec iam alueus amnem/ nec retinent ripae,
2.217
fontibus hic uastis inmensos concipit
amnes 2.403
quoque magis nullum tellus se soluit in
amnem 2.408
nam prior e campis ut conspicit amne
soluto/ rumpi Caesar iter calida proclamat
ab ira 2.492
Euphrates quos non diuersis fontibus
edit/ Persis, et incertum, tellus si
misceat amnes, ... 3.258
placidis praelabitur undis/Hesperios inter
Sicoris non ultimus amnis, . . . 4.14
tam largas alueus omnis(amnis)/a ripis
accepit aquas. var.4.86
non habeant amnes decliuem ad litora
cursum 4.114
uectoris patiens tumidum super emicat
amnem. 4.133
non tamen aut tectis sonuerunt cursibus
amnes 4.299
spectat uicinos sitiens exercitus amnes.
4.336
incustoditos decurrit miles ad amnes,
4.366
quoque modo... Thybris/ in mare descendit,
si nusquam torqueat amnem. . . . 6.77
ergo abrupta palus multos discessit in
amnes. 6.360
ferit amne citato/ Maliacas Spercheos
aquas, ... 6.366
et quisquis pelago per se non cognitus
amnis/ Peneo donauit aquas: . . . 6.371
hunc fama est Stygiis manare paludibus
amnem 6.378
ut primum emissis patuerunt amnibus arua,
6.381
teque, per amnem/ inprobe Lernaeas uector
passure sagittas, ... 6.391
amnisque cucurrit/ non qua pronus erat.
6.473
respice, turbatos incursu sanguinis
amnes, ... 7.700
litora contigerat per quae Peneius amnis/
...exibat in aequor. 8.33
nec franget nando uiolenti uerticis
amnem, ... 8.374

gurgite septeno rapidus mare summouet
amnis. 8.445
in uada decurrit Pelusia septimus amnis.
8.466
quam iuxta Lethon tacitus praelabitur
amnis, ... 9.355
ignotos miscuit amnes/ Persarum Euphraten,
Indorum sanguine Gangen, ... 10.32
Nilus.../... nec ripis alligat amnem/
ante parem nocti...Phoebum . . . 10.226
ante tamen uestros amnes, Rhodanumque
Padumque,/ quam Nilum de fonte bibit.
10.278
nunc omnes unum uires collectus in amnem,
10.309
spumeus inuitis canescit fluctibus amnis.
10.322

AMO,-ARE. inque uicem gens omnis amet; 1.61
ne limine quisquam/ haesit et extremo
tunc forsitan urbis amatae/ plenus abit
uisu: 1.508
gaudet tamen esse timori/ tam magno
populis et se non mallet amari. 3.83
concidet et Caesar generum priuatus
amabit. 4.188
uult praemia Martis amari; . . . 5.308
nec placet.../ aut siccum quod mergus
amat, ... 5.553
cum turgentia suco/ frontis amaturae
subducunt pignora fetae: . . . 6.456
eloquar.../... Hennaea...quo foedere
maestum/ regem noctis ames, . . 6.741
felix se nescit amari. 7.727
ipsum/ quod sum uictus ama. . . . 8.78
quod defles, illud amasti.' . . . 8.85
sed me... tueri/ ... potest.../ et nomen
quod mundus amat. 8.276
gnatus coniunxque peremptum/ si mirantur,
amant.' 8.635
et amat pro coniuge luctum . . . 9.112
praetulit arma togae, sed pacem armatus
amauit. 9.199
hanc et Pallas amat, ... 9.350
credis apud populos Pompei nomen amantis/
hoc castris prodesse tuis? . . . 9.1050
tui socerum rapuere a sanguine manes/
ne populus post te Nilum Romanus amaret.
10.8
puer ipse sororem / sit modo liber,
amat; 10.95
iugulus mihi Caesaris haustus/ hoc
praestare potest, Pompei caede nocentis/
ut populus Romanus amet. . . . 10.389

AMOLIOR,-IRI. heu, quantum Fortuna umeris iam
pondere fessis/ amolitur onus! . . 5.355

AMOMON. multumque madenti/ infudere comae.../
aduectumque recens uicinae messis
amomon. 10.168

AMOR. tum, si tantus amor belli tibi, Roma,
nefandi, ... 1.21
sed diro ferri reuocantur amore 1.355
excitat in nimios belli ciuilis amores.
2.325
iusto quoque robur amori/ restitit. 2.379
et nullum uestro uacuum sit tempus amori
3.26
quoque modo uanos populi conciret amores,
3.54
(usque adeo solus ferrum mortemque timere/
auri nescit amor, ... 3.119
effusis numerato milite telis/descendit

Perses, ... 3.286
indomitos quaerit populos et semper in
arma/ mortis amore feros et tendit in
ultima mundi. 4.147
ut stimilis maioribus ardens/ rupit amor
leges, ... 4.175
o rerum mixtique salus Concordia mundi/
et sacer orbis amor: 4.191
omne futurum/ creuit amore nefas. 4.205
sic fatur et omnis/ concussit mentes
scelerumque reduxit amorem. . . 4.236
sed non maiora supersunt/obsessis tanti
quae pignora demus amoris. . . 4.502
dubium trepidumque ad proelia, Magne,/
te quoque fecit amor; 5.729
meque tuus decepit amor, ciuilia bella/
si spectare potes. 5.748
nostros non rumpit funus amores 5.763
extremusque perit tam longi fructus amoris,
5.794
Pompei uobis minor est causaeque senatus/
quam mihi mortis amor.' 6.246
dura in praecordia fluxit/ non fatis
adductus amor, ... 6.453
donassent utinam superi.../ unum, Magne,
diem, quo.../ extremum tanti fructum
raperetis amoris. 7.32
tanto deuinxit amore/ hos pudor, 8.155
quid causa obtenditur armis/ libertatis
amor? 8.340
nos...Pompei duxit in arma/ non belli
ciuilis amor, ... 9.228
studiumque laboris/ floriferi repetunt
et sparsi mellis amorem: 9.290
durum iter ad leges patriaeque ruentis
amorem. 9.385
ille pauentis/ incendit uirtute animos
et amore laborum, ... 9.407
Threiciasque legit fauces et amore
notatum/ aequor 9.954
quis tibi uaesani ueniam non donet amoris,
/Antoni, ... 10.70
tempora Niliaco turpis dependit amori,
10.80
cum...meo uiuat sub pectore.../ tantus
amor ueri, nihil est quod noscere malim/
quam fluuii causas 10.189
hauserit obscaenum titulo pietatis
amorem, ... 10.363

AMOVEO,-ERE. signa mouet, gaudetque amoto
Santonus hoste 1.422
amouitque sinus 10.297

AMPHISA. Phocaicas Amphissa manus scopulosaque
Cirrha/ Parnasosque iugo misit desertus
utroque. 3.172

AMPHISBAENA. et grauis in geminum uergens
caput amphisbaena, ... 9.719

AMPHITRYONIADES. Amphitryoniades uidit, cum
uinceret, hydram 9.644

AMPHRYSOS. flumine puro/ inrigat Amphrysos
famulantis pascua Phoebi. . . . 6.368

AMPLECTOR,-I. quoque modo natos hoc est
amplexa maritum. 2.366
uomere, piniferis amplexus rupibus omnis
/indigenas Latii populos, . . . 2.431
fontesque et pabula campi/ amplexus fossa
3.386
iam fama ferebat/...roboraque amplexos
circum fluxisse dracones. 3.421
credidit ora uiri Romanum amplexa cadauer,
3.759

AMPLECTOR
saxeus ingenti quem pons amplectitur
arcu 4.15
amplexus fines saltus nemorosaque tesqua/
...feras indagine claudit. . . . 6.41
rumpitis ingentes amplexi uerbere tauros;
9.731

AMPLEXUS(subst.). refugit/ umbra per amplexus
trepidi dilapsa mariti. 3.35
Arge, quod amplexus, extrema quod oscula
fugi. 3.745
audet transcendere uallum/ miles, in
amplexus effusas tendere palmas. 4.176
iunctosque amplexibus ense/ separat 4.209
dum fouet amplexu grauidum Cornelia curis
5.735
sustinet amplexu dulci, non colla tenere,
5.793
et semel amplexus incesto pectore passus
/...:/ meque tuumque caput...illi/ ...
donabit. 10.362

AMPLIO,-ARE. nunc hunc nunc illum, qua
flectitur, ampliat orbem; 3.276

AMPLUS,-A,-UM. atria cognati pulsat non ampla
Catonis. 2.238
non amplius undae/ sustinuere graues in
summo gurgite truncos. 3.668
inclinant iam fata ducum, nec iam amplius
anceps/ belli casus erat. 3.752

AMPUTO,-ARE. hic aures, alius spiramina
naris aduncae/ amputat, ... 2.184
sed eam grauis insuper ictus/ amputat;
3.612
ualli summa tenentis/ amputat ense manus;
6.176

AMYCLAS. molli consurgit Amyclas/ quem
dabat alga toro. 5.520
tum pauper Amyclas/'multa quidem
prohibent nocturno credere ponto. 5.539

AN. 1.346;1.413;1.415;1.646;1.648;2.249;2.345;
2.573;3.113;5.203;5.206;5.328;5.335;5.339;
5.569;6.169;6.244;6.495;6.496;6.497;6.653;
6.744;7.85;7.810;8.269;8.523;8.589;8.627;
9.47;9.124;9.142;9.402;9.561;9.566;9.568
(bis);9.569;10.5;10.67

ANAUROS. nec rore madentem/ aera nec tenues
uentos suspirat Anauros, ... 6.370

ANCEPS. expulit ancipiti discordes urbe
tribunos 1.266
tunc urbes Latii dubiae uarioque fauore/
ancipites, quamquam primo terrore ruentis/
cessurae belli, ... 2.448
inclinant iam fata ducum, nec iam amplius
anceps/ belli casus erat. 3.752
ut numquam fortuna labet successibus
anceps, ... 4.390
ancipites steterunt casus, ... 4.771
solus in ancipites metuit descendere
Martis 5.67
ancipiti ceruice rotat spargitque uaganti/
obstantis tripodas 5.172
hinc anceps dubii terret sollertia Mauri;
8.283
procul ex alto tendentes uela carinae/
ancipites tenuere animos, ... 9.46
sortilegis egeant dubii semperque futuris/
casibus ancipites: 9.582
discordia sensit/ pectora et ancipites
animos, ... 10.13

ANCHISES. aspicit Hesiones scopulos siluaque
latentis/ Anchisae thalamos; . . 9.971

ANCHORA. non anchora uoces/ mouit, . 2.693

adductum quotiens non senserat anchora
funem. 3.700

ANCILE. et Salius laeto portans ancilia collo
1.603
spoliauerat Auster/ aut Boreas populos
ancilia nostra ferentes. 9.480

ANCON. illinc Dalmaticis obnoxia fluctibus
Ancon. 2.402

ANFRACTUS. dumque illi effusam longis
anfractibus urbem/ circumeunt . . 1.605
tutae quos inter opaco/ anfractu latuere
uiae; 4.160
nec maris anfractus lustrandaque litora
nobis, ... 5.416

ANGO,-ERE. at miseros angit sua cura
parentes, ... 2.64
Pompeius tellure noua conpressa profundi/
ora uidens curis animum mordacibus angit,
2.681
hostis/ aere non pigro nec inertibus
angitur undis, ... 6.107
fortasse tyranni/tangeris(angeris)
inuidia, ... var.9.1052

ANGUIS. desectam timuit reparatis anguibus
hydram. 4.635
quod strident ululantque ferae, quod
sibilat anguis; 6.690
illis e faucibus angues/ stridula fuderunt
uibratis sibila linguis. 9.630
ipsique retrorsum/ effusi faciem uitabant
Gorgonos angues. 9.653
sic pignora gentis /Psyllus habet, siquis
tactos non horruit angues, . . . 9.907
harenas/ expurgat cantu uerbisque
fugantibus angues. 9.914
et cuius morsus superauerit anguis/ iam
proptum Psyllis uel gustu nosse ueneni.
9.936

ANGUSTO,-ARE. aeris alternos angustat pulmo
meatus, ... 4.327
qua maris angustat fauces saxosa
Carystos 5.232

ANGUSTUS,-A,-UM. temporis angusti mansit
concordia discors 1.98
suppara nudatos cingunt angusta lacertos.
2.364
angustaque domum terrarum in sede
poposcit. 2.579
hinc latus angustum iam se cogentis in
artum/ Hesperiae tenuem producit in
aequora linguam, ... 2.613
angustus puppes mittebat in aequora limes
2.709
consulite extremis angusto in tempore
rebus. 4.477
o uitae tuta facultas/ pauperis angustique
lares! 5.528
ne cessa praebere deo tua fata uolenti/
angustos opibus subitis inplere penates!
5.537
scruposisque angusta uacant ubi litora
saxis 5.675
aestuat angusta rabies ciuilis harena.
6.63

ANHELITUS. quod creber anhelitus illi/
prodidit et gelidus fesso de corpore
sudor. 4.622
pectora rauca gemunt, quae creber
anhelitus urguet, ... 4.756

ANHELO,-ARE. antraque letiferi rabiem
Typhonis anhelant. 6.92

ANHELUS,-A,-UM. pulmonis anheli/ fibra latet,
1.622

 et gemitus et anhelo clara meatu/murmura,
5.191

 praecedit anheli/ militis ora pedes, 9.587

ANIMA. uos quoque, qui fortes animas belloque
peremptas/.../ plurima securi fudistis
carmina, Bardi. 1.447
inde ruendi/ in ferrum mens prona uiris
animaeque capaces/ mortis 1.461
uidimus et toto quamuis in corpore caeso/
nil animae letale datum, ... 2.179
hi luctantem animam lenta cum morte
trahentes 3.578
diuisitque animam sparsitque in uolnera
letum. 3.591
tum uolnere multo/ effugientem animam
lassos collegit in artus 3.623
discursusque animae diuersa in membra
meantis/ interceptus aquis. . . 3.640
eximius Phoceus animam seruare sub undis
3.697
egere quod superest animae, Tyrrhene, per
omnis/ bellorum casus. 3.718
letum praecedere nati/ festinantem animam
morti non credidit uni. 3.751
artauit clausitque animam; . . 4.370
non tulit adflictis animam producere rebus
4.796
humanam feriens animam sonat oraque uatis/
soluit, ... 5.98
pulsusque deorum/ concutiunt fragiles
animas. 5.120
animasque effundere uiles/ quolibet hoste
paras; 5.263
non...liceat.../ non anima galeam fugiente
ferire 5.279
detegit inbelles animas nil fortiter ausa
/seditio tantumque fugam meditata iuuentus
5.322
aut quae nos uiles animas in fata
relinquens/ inuitis spargenda dabas tua
membra procellis? 5.683
cum tot in hac anima populorum uita
salusque/ pendeat 5.685
uiuentis animas et adhuc sua membra
regentis/ infodit busto, . . . 6.529
poscimus.../... modo luce fugata/
descendentem animam; 6.714
non agitis saeuis Erebi per inane
flagellis/ infelicem animam? . . 6.732
uidi Decios natumque patremque/lustrales
bellis animas, ... 6.786
ut cadat, et nequeunt animam sibi reddere
fata/ consumpto iam iure semel. 6.823
pudet.../ quaerere.../...quis...demissum
faucibus ensem/ expulerit moriens anima,
7.622
uiles animas perituraque frustra/ agmina
permisit uitae. 7.730
putem...terramque nocentem/ inspirasse
animas, ... 7.769
quocumque tuam fortuna uocabit/ hae
quoque sunt animae: 7.816
animam clausit dolor; 8.59
tum lumina pressit/ continuitque animam,
8.616
Pharioque ueruto/ dum...os in murmura
pulsant/ singultus animae, .../ suffixum
caput est, ... 8.683
si funere nullo/ tristior iste rogus,

manes animamque potentem/officiis auerte
meis: 8.762
aeternos animam collegit in orbes: 9.9
poenas animae uiuacis ab ipsa/ ante feram.
9.103
qui sponsore salutis/ miles eget
capiturque animae dulcedine, uadat/ad
dominum meliore uia. 9.393
anima periere retenta/ membra, . . 9.640
eripiunt omnes animam, tu sola cadauer.
9.788

ANIMAL. sculptaque seruabant magicas
animalia linguas.) 3.224
omne potens animal leti genitumque nocere
/et pauet Haemonias...artes. . . . 6.485
nullum animal uisus patiens, . . . 9.652

ANIMUS. fert animus causas tantarum expromere
rerum, ... 1.67
ingentisque animo motus bellumque futurum
/ceperat. 1.184
pietas patriique penates/ quamquam caede
feras mentes animosque tumentes/frangunt;
1.354
inrupitque animos populi clademque
futuram/ intulit 1.470
multisne rebellis/ Gallia iam lustris
aetasque inpensa labori/ dant animos?
2.570
Pompeius tellure noua conpressa profundi/
ora uidens curis animum mordacibus angit,
2.681
aut nihil est sensus animis a morte
relictum 3.39
dum feriunt, odere suos, animosque
labantis/ confirmant ictu. . . . 4.249
saucia maiores animos ut pectora gestant,
4.285
tum frigidus artus/ alligat atque animum
subducto robore torpor, ...4.290
par animi laus est et, quos speraueris,
annos/ perdere 4.482
timeatque furentis/ et morti faciles
animos et gaudeat hostis 4.506
idem, cum fortes animos praecepta
subissent, ... 4.524
si sanguine prisco/ robur inest animis,
non qua tellure coacti 5.18
fortunaque tantos/ det uobis animos
quantos fugientibus hostem/ causa dabat.
5.43
expertis animos pelagi sic robore conplet:
5.412
degeneres trepidant animi peioraque
uersant; 6.417
properate mori,magnoque superbi/ quamuis
e paruis animo descendite bustis 6.808
animique truces sua pectora pulsant/
ictibus incertis. 7.128
maeret et ignorat causas animumque
dolentem/ corripit, ... 7.190
tam maesta locuti/ uoce ducis flagrant
animi, ... 7.383
Caesar.../... agmina circum/ it uagus
atque ignes animis flagrantibus addit.
7.559
tum Magnum concitus aufert /a bello
sonipes.../ ingentisque animos extrema in
fata ferentem. 7.679
nec magis attonitos animi sensere tumultus,
/...Pentheus aut...Agaue. 7.779
longius aeuum/ destruit ingentis animos

ANIMUS
    et uita superstes/ imperio. 8.28
    animam (animum) clausit dolor; . .var.8.59
    tanto deuinxit amore /hos.../ quod
    summissa animis, nulli grauis hospita
    turbae,/ stantis adhuc fati uixit quasi
    coniuge uicto. 8.157
    ingentis praestate animos. 8.266
    rex tolletque animos Latium uaesanus in
    orbem 8.345
    nil animis fatisque tuis effabere dignum:
                  8.347
    non plura locutus/ inpulit huc animos.
                  8.454
    o superi, Nilusne et barbara Memphis/
    .../ hos animos? 8.544
    ius hoc animi morientis habebat.. . 8.636
    procul ex alto tendentes uela carinae/
    ancipites tenuere animos, ... 9.46
    tantum indomitos memoresque paterni/ iuris
    habete animos. 9.96
    neque enim mihi fallere quemquam/ est
    animus 9.389
    ille pauentis/ incendit uirtute animos et
    amore laborum, ... 9.407
    scilicet hoc animo terras atque aequora
    lustras, ... 9.1057
    discordia sensit/ pectora et ancipites
    animos, ... 10.13
    hoc animi nox illa dedit quae prima
    cubili/ miscuit incestam ducibus
    Ptolemaida nostris. 10.68
    tantum animi delicta dabant, ut colla
    ferire/ Caesaris...iuberet; . . . 10.347
    tangunt animos iraeque metusque, 10.443
ANIO. tollentemque caput gelidas Anienis ad
    undas 1.582
ANNALES. conprensa est Latiis quaecumque
    annalibus aetas. 3.309
ANNONA. gnarus et irarum causas et summa
    fauoris/ annona momenta trahi. . . 3.56
ANNOSUS,-A,-UM. inuidus, annoso qui famam
    derogat aeuo, ... 9.359
    nec ruit in siluas annosaque robora
    torquens/ lassatur: 9.452
ANNUS. horrida quod dumis multosque inarata
    per annos 1.28
    alter uergentibus annis/ in senium
    longoque togae tranquillior usu/ dededicit
    iam pace ducem, ... 1.129
    pericula Martis/ mecum' ait 'experti
    decimo iam uincitis anno, ... 1.300
    ille reget currus nondum patientibus
    annis, ... 1.316
    multosque exibit in annos/ hic furor.
                  1.668
    oderuntque/...seruatosque iterum bellis
    ciuilibus annos. 2.66
    non senis extremum piguit uergentibus
    annis/ praecepisse diem, ... 2.105
    septimus haec sequitur repetitis
    fascibus annus. 2.130
    quid tot durare per annos/ profuit inmunem
    corrupti moribus aeui? 2.256
    effusis magnum Libye tulit imbribus
    annum. 3.70
    tum conditus imo/ eruitur templo multis
    non tactus ab annis 3.156
    agricolae raptis annum fleuere iuuencis.
                  3.452
    par animi laus est et, quos speraueris,
    annos/ perdere 4.482

    hunc quoque quo superos humanaque
    polluit anno 4.689
    nostrum exhausto ius clauditur anno: 5.44
    multosque obducta per annos/ Delphica
    fatidici reserat penetralia Phoebi. 5.69
    nam quo melius Pharsalicus annus/ consule
    notus erit? 5.391
    multosque per annos/ dilectus tibi, Magne,
    socer .../...te...propius non uidit 5.472
    humanusque labor facilis.../ cedere uel
    bellis uel cuncta mouentibus annis, 6.21
    fatis debentibus annos/ mors inuita subit;
                  6.530
    quamuis fecerit omnis/ stella senem,
    medios herbis abrumpimus annos. 6.610
    ultima fata/ deprecor ac turpes extremi
    cardinis annos, ... 7.381
    [ulla nec humanum reparet genus omnibus
    annis] 7.388
    omnibus annis/ te geminum Titan procedere
    uidit in axem; 7.421
    sed retro tua fata tulit par omnibus
    annis/ Emathiae funesta dies. . . 7.426
    quid tempora legum/ egimus aut annos a
    consule nomen habentis? 7.441
    ardua quippe fides robustos exigit annos.
                  8.282
    quos inter Acoreus/ iam placidus senio
    fractisque modestior annis . . . 8.476
    non inpune tuos Magnus contempserit annos,
                  8.496
    cladesque omnis exegit in uno/ saeua die
    quibus inmunes tot praestitit annos, 8.704
    quam metuis, demens, isto pro crimine
    poenam/ quo te fama loquax omnis
    accepit in annos? 8.782
    uiam... saeuam/ inde polo Libyes, hinc
    bruma temperet annus. 9.377
    natura deside torpet/ orbis et inmotis
    annum non sentit harenis. 9.437
    exiguane uia legem conuertimus anni? 9.875
    sed parcimus annis/ donamusque nefas.
                  9.1087
    gemmaeque capaces/ excepere merum.../
    nobile sed paucis senium cui contulit
    annis/ indomitum Meroe cogens spumare
    Falernum. 10.162
    nec meus Eudoxi uincetur fastibus annus.
                  10.187
    et uarii mutator circulus anni/ Aegoceron
    Cancrumque tenet, ... 10.212
ANNUUS,-A,-UM. ambitus urbi/ annua uenali
    referens certamina Campo; . . . 1.180
ANTAEUS. postibus Antaei Libye, nec Graecia
    maerens/ tot eaceros artus Pisaea fleuit
    in aula. 2.164
    Antaei quas regna uocat non uana
    uetustas. 4.590
    quod non Phlegraeis Antaeum sustulit aruis.
                  4.597
    ille Cleonaei proiecit terga leonis,/
    Antaeus Libyci; 4.613
    non expectatis Antaeus uiribus hostis/
    sponte cadit maiorque accepto robore
    surgit. 4.641
    huc, Antaee, cades.' 4.649
ANTE(praep.). 2.83;2.127;2.509;3.117;4.340;
    4.522;6.116;6.145;6.297;6.551;7.180;7.379;
    8.531;9.544;9.725;9.763;10.226;10.227
ANTE(adu.). 2.75;2.301;2.432;2.577;3.303;4.803;
    5.311;7.591;7.853;8.134;8.350;8.647;8.712;

ANTE
    9.104;var.9.111;10.217;10.278
ANTEMNA. omnia siquis/ prouidus antemnae
    suffixit lintea summae, ... 9.328
ANTENOREUS. atque Antenorei dispergitur unda
    Timaui, ... 7.194
ANTIQUUS,-A,-UM. rarus et antiquis habitator
    in urbibus errat, ... 1.27
    antiquum repetens iterum chaos, . 1.74
    uomere et antiquos Curiorum passa ligones
                       1.169
    fraudes innectere ponto/ antiqua parat
    arte Cilix, ... 4.449
    nominis antiqui cupientem noscere causas
    /cognita per multos docuit rudis incola
    patres, ... 4.591
    iubet.../ et cunctas reuocare rates,.../
    antiquosque Taras secretaque litora
    Leucae,/ quas recipit 5.376
    aspicit... umbram/... inuisa...claustra
    timentem/ carceris antiqui. . . . 6.722
    subiere pericula clari/ sponte uiri
    sacraque antiquus imagine miles. 7.357
    templa uetusti/ numinis antiquas Macetum
    testantia uires/ circumit, . . . 10.16
ANTISTES. iussus.../ antistes pauidamque deis
    inmittere uatem 5.124
ANTONIUS(M., TRIUMUIRI AUUS). Antoni, cuius
    laceris pendentia canis/ ora ferens miles
    festae rorantia mensae/ inposuit. 2.122
ANTONIUS(M.,TRIUMUIR). ductor erat cunctis
    audax Antonius armis 5.478
    quis tibi uaesani ueniam non donet
    amoris/ Antoni, ... 10.71
ANTONIUS(C.,TRIUMUIRI FRATER). clauditur
    extrema residens Antonius ora . 4.408
ANTRUM. deseritur.../ Coryciumque patens
    exesis rupibus antrum; 3.226
    antra nec exiguo stillant sudantia rore
                       4.301
    huc fractas Aquilone rates summersaque
    pontus/ corpora saepe tulit caecisque
    abscondit in antris; 4.458
    terribilem Libycis partum concepit in
    antris. 4.594
    ut uicit Paean.../ exhalare solum, sacris
    se condidit antris, ... 5.84
    totius pars magna Iouis Cirrhaea per
    antra/ exit 5.95
    non rupta trementi/ uerba sono nec uox
    antri conplere capacis/ sufficiens 5.153
    et nobis meritas dabis, impia, poenas/
    et superis, quos fingis,' ait 'nisi
    mergeris antris 5.159
    bacchatur demens aliena per antrum/
    colla ferens, ... 5.169
    tum maestus uastis ululatus in antris
                       5.192
    antraque letiferi rabiem Typhonis
    anhelant. 6.92
    Ixionidas Centauros/ feta Pelethroniis
    nubes effudit in antris: 6.387
    hinc maxima serpens/ descendit Python
    Cirrhaeaque fluxit in arua(antra),
                     var.6.408
    non tripodas Deli, non Pythia consulit
    antra, ... 6.425
    marcentes intus tenebrae pallensque sub
    antris/ longa nocte situs numquam nisi
    carmine factum/ lumen habet. . . 6.646
    non in Tartareo latitantem poscimus antro/
    ... animam; 6.712

    cum tibi sacrato Macedon seruetur in
    antro/.../ litora Pompeium feriunt, 8.694
    aspicit.../... quo iudex sederit antro,
                       9.971
    effossum tumulis cupide descendit in
    antrum. 10.19
ANXIUS,-A,-UM. seu fine bonorum/ anxia mens
    curis ad tempora laeta refugit, . . 7.20
    prima pendet tamen anxia puppe, . . 8.590
    stetit anxia classis/ ad ducis euentum,
                       8.592
ANXUR. iamque et praecipitis superauerat
    Anxuris arces, ... 3.84
APERIO,-IRE. inmensumque aperitur opus, 1.68
    deseritis ripas et apertum gentibus
    orbem. 1.465
    hinc illinc montes scopulosae rupis
    aperto/ opposuit natura mari flatusque
    remouit, ... 2.619
    nec rursus aperto/ uult hostes errare
    freto, ... 2.660
    hoc robur aperto/ oppositum pelago: 3.532
    tradimus Hesperias gentes, aperimus Eoas,
                     4.352
    quod nec uela ferat nec apertas uerberet
    undas. 4.426
    sic fatus apertis/ instruxit campis acies;
                     4.710
    et tot in Hesperio conlapsas sanguine
    gentis/ cur aperire times? 5.203
    ignotos operit (aperit) sibi gurgite
    campos: var.6.276
    terraeque secutus/ deuia, qua uastos
    aperit Candauia saltus,/ contigit
    Emathiam, ... 6.331
    nec cessant a caede manus, si sanguine
    uiuo/ est opus, erumpat iugulo qui
    primus aperto, ... 6.555
    uoltusque aperitur crine remoto, . 6.655
    pauet ire in pectus apertum . . . 6.722
    conpellandus erit.../... qui Gorgona
    cernit apertam 6.746
    regni possessor inertis/ pallentis aperit
    sedes, ... 6.800
    inuoluit uoltus atque, indignatus apertum
    /fortunae praebere, caput; . . . 8.614
    Dorida tum Malean et apertam Taenaron
    umbris,/...petit, ... 9.36
    quorum unus aperta/ mente fugae tali
    conpellat uoce regentem: 9.225
    ferroque aperire tumentis/sustinuit uenas
                     9.759
    quidquid homo est, aperit pestis natura
    profana: 9.779
    pro caecus et amens/ ambitione furor,
    ciuilia bella gerenti/ diuitias aperire
    suas, ... 10.148
    prima tibi campos permittit apertaque
    Memphis/ rura 10.330
    seruatur poenas in aperta luce daturus;
                     10.431
    solus apertis/ obsedit muris calcantem
    moenia Magnum. 10.545
APEX. et tollens apicem generoso uertice
    flamen. 1.604
    ceu Siculus flammis urguentibus Aetnam/
    undat apex, ... 5.100
APIDANOS. it gurgite rapto/ Apidanos 6.373
APIS. illo cultore deorum/ lustra suae
    Phoebes non unus uixerat Apis) . . 8.479
    [et sacer in Magni cineres mactabitur

APIS.
    Apis] 9.160
APLUSTRE. puppe Catus Graiumque audax aplustre
    retentat, ... 3.586
    at hi totum ualidis aplustre lacertis/
    auolsasque rotant expulso remige sedes.
        3.672
APOLLO. incubuitque adyto uates ibi factus
    Apollo. 5.85
    cetera suppressit faucesque obstruxit
    Apollo. 5.197
APONUS. Euganeo... augur/ colle sedens,
    Aponus terris ubi fumifer exit/.../ 'venit
    summa dies...dixit 7.193
APPAREO,-ERE. quodque nefas nullis inpune
    apparuit extis, ... 1.626
    procubuit maiorque iacens apparuit agger.
        3.508
APPELLO,-ERE. pereunt quos appulit aequor;
        4.606
    quem contra non longa uecta biremi/
    appulerat scelerata manus, ... 8.563
    incusat bimaremque uadis frangentibus
    aestum/ qui uetet externas terris
    adpellere classes. 8.567
APPENNINUS. umbrosis mediam qua collibus
    Appenninus/ erigit Italiam . . . 2.396
APPIUS. Appius euentus, finemque expromere
    rerum/ sollicitat superos 5.68
    silentia rupis/ Appius Hesperii scrutator
    ad ultima fati/ sollicitat. . . . 5.122
    Appius 'et nobis meritas dabis, impia,
    poenas 5.158
    dum te, consultor operti/ Castalia
    tellure dei, uix inuenit, Appi, . 5.188
    nec te uicinia leti/ territat ambiguis
    frustratum sortibus, Appi, . . 5.225
APSENS. sed tu quoque, coniunx/causa fugae...
    fatisque negatum/parte apsente mori. 7.677
APSUS v. HAPSUS.
APTO,-ARE. saxorumque orbes et quae super
    eminus hostem/ tela petant altis murorum
    turribus aptant. 2.452
    aut laqueum collo tortosque aptare
    rudentes, ... 8.655
APTUS,-A,-UM. haec patiens longo munimine
    cingi/ uisa duci rupes tutisque aptissima
    castris. 3.378
    siluaque Dodones et fluctibus aptior
    alnus/.../ tum primum posuere comas 3.441
    accipe... si puppibus ista iuuentus/aptior
    est; 8.123
APUD. 2.134;7.113;7.207;8.319;8.406;8.420;
    9.1050
APULUS,-A,-UM. tradidit Hesperiam profugusque
    per Apula rura 2.608
    Apulus Hadriacas exit Garganus in undas.
        5.380
    quae piger Apulus arua /deseruit rastris
    .../... transcurrit, ... 5.403
    et renouare parans hibernas Apulus herbas
    /igne fouet terras, ... 9.183
AQUA. primus in obliquum sonipes opponitur
    amnen/ excepturus aquas; 1.221
    interruptus aquae fluxit prior amnis in
    aequor, ... 2.213
    haerentis adiuuit aquas; 2.217
    Eridanus fractas deuoluit in aequora
    siluas/ Hesperiamque exhaurit aquis. 2.410
    delabitur inde... Liris per regna Maricae
    /Vestinis inpulsus aquis radensque
    Salerni/tesca Siler 2.425

atque omnis trahe, gurges, aquas, ut
supmeus alnos/ discussa conpage feras.
        2.486
stabit iam flumine Caesar in ullo/ post
Rubiconis aquas. 2.498
quos impiger ambit/ fatidica Cephisos
aqua Cadmeaque Dirce, ... 3.175
Pisaeaeque manus populisque per aequora
mittens/ Sicaniis Alpheos aquas. 3.177
et barbara Cone,/ Sarmaticas ubi perdit
aquas sparsamque profundo . . . 3.201
uastis Indus aquis mixtum non sentit
Hydaspen; 3.236
quod potius sit nomen aquis. . . 3.259
fregit aquis radios et liber nubibus
aether 3.522
discursusque animae diuersa in membra
meantis/ interceptus aquis. . . 3.641
deiectum in pelagus perfosso pectore
corpus/ uolneribus transmisit aquas.
        3.661
saxeus ingenti quem pons amplectitur
arcu/ hibernas passurus aquas. . 4.16
tam largas alueus omnis/ a ripis accepit
aquas. 4.87
atque ipsas hausit, subitisque frementis/
uerticibus contorsit aquas et reppulit
aestus 4.102
sed pelagi referantur aquis, . . 4.115
et par Phoebus aquis densas in uellera
nubes/ sparserat, ... 4.124
umor, et ima petit quidquid pendebat
aquarum. 4.127
dat poenas maioris aquae. . . . 4.143
quoque minus possent siccos tolerare
uapores/ quaesitae fecistis aquae. 4.306
quas nollet uicturus aquas; . . 4.313
continuus multis subitarum tractus aquarum
/aera non passus uacuis discurrere uenis/
artauit 4.368
sed morbus egens iam gurgite plenis/
uisceribus sibi poscit aquas. . . 4.372
non magis ablatis umquam descenderit
aequor,/ quam nunc crescit, aquis. 5.339
maestoque ignaua profundo/ stagna iacentis
aquae; 5.443
artis opem uicere metus, nescitque
magister / quam frangat, cui cedat aquae.
        5.646
subitaeque ruinam/ sensit aquae Nereus,
        6.349
ferit amne citato/ Maliacas Spercheos
aquas, ... 6.367
quisquis pelago per se non cognitus amnis
/Peneo donauit aquas; 6.372
solus.../ defendit Titaresos aquas
        6.376
Maeander derexit aquas, ... 6.475
defuit.../ non puppem retinens.../ in
mediis echenais aquis 6.675
aether/.../ et trabibus mixtis auidos
typhonas aquarum/ detulit . . . 7.156
has trahe, Caesar, aquas, hoc, si potes,
utere caelo. 7.822
truncusque uadosis/ huc illuc iactatur
aquis. 8.699
ossa... inustis plena medullis/aequorea
restinguit aqua 8.788
uertat aquas Nilus quo nascitur orbe
retentus, ... 8.828
eminet in tergo pelagi.../inuiolatus aqua

AQUA

    sicci iam pulueris agger; 9.342
    stagnique quieta/ uoltus uidit aqua
                            9.353

    ultimus haustor aquae quam, tandem fonte
    reperto,/ indiga cogatur laticis spectare
    iuuentus, ... 9.591
    inuentus mediis fons unus harenis/largus
    aquae, sed quem serpentum turba tenebat
                            9.608

    hoc monstrum timuit genitor numenque
    secundum/ Phorcys aquis 9.646
    et natrix uiolator aquae, iaculique
    uolucres, ... 9.720
    furens exquireret aruis/ quas poscebat
    aquas sitiens in corde uenenum. . . 9.750
    non Asiam breuioris aquae disterminat
    usquam/ fluctus ab Europa, . . . 9.957
    petit famae mirator.../ et Simoentis aquas
    et Graio nobile busto/Rhoetion . . 9.962
    sed prius orta dies nocturnam lampada
    texit/ quam tutas intraret aquas. 9.1007
    manibusque ministrat/ Niliacas crystallos
    aquas, ... 10.160
    quae cum dominus percussit aquarum/igne
    superiecto, tunc Nilus fonte soluto/.../
    iussus adest, ... 10.214
    inde etiam leges aliarum nescit aquarum,
                            10.228

    zephyros quoque uana uetustas/ his
    ascripsit aquis, ... 10.240
    aquas totiens rumpentis litora Nili/
    adsidio feriunt coguntque resistere
    fluctu: 10.244
    tellusque perusta/ illuc duxit aquas;
                             10.252
    quasdam, Caesar, aquas post mundi sera
    peracti/ saecula concussis terrarum
    erumpere uenis/...reor, ... 10.263
    in Borean is rectus aquis mediumque
    Booten 10.289
    hic quaeritur ortus/ illic finis aquae.
                             10.302
    inde plagas Phoebi damnum non passus
    aquarum/ praeueheris 10.307
    ac nusquam uetitis ullas obsistere cautes/
    indignaris aquis, ... 10.320

AQUARIUS. Deucalioneos fudisset Aquarius
    imbres 1.653

AQUILA. signa, pares aquilas et pila minantia
    pilis. 1.7
    ut notae fulsere aquilae Romanaque signa/
    ...deriguere metu, ... 1.244
    quod non uictrices aquilas deponere
    iussus/ paruerim? 1.339
    ipsum omnes aquilas conlataque signa
    ferentem 1.477
    terribilis aquilas infestaque signa
    relinquas 3.330
    uictrices aquilas alium laturus in orbem,
                            5.238
    addidit et fasces aquilis . . . 5.389
    Pompeianae celsi super ardua ualli/
    exierant aquilae, ... 6.139

AQUILO. fundat ab extremo flauos Aquilone
    Suebos/ Albis et indomitum Rheni caput;
                             2.51
    pigro bruma gelu siccisque Aquilonibus
    haerens/aethere constricto pluuias in
    nube tenebat 4.50
    huc fractas Aquilone rates summersaque
    pontus/ corpora saepe tulit caecisque

    abscondit in antris; 4.457
    nec forti uelis Aquilone recepto 4.584
    sed recti fluctus soloque Aquilone
    secandi. 5.417
    sed Scythici uicit rabies Aquilonis et
    undas/ torsit 5.603
    Nymphaeumque tenent: nudas Aquilonibus
    undas/ succedens Boreae iam portum
    fecerat Auster. 5.720
    tamen hos minuere labores/ a tergo pelagus
    pulsusque Aquilonibus aer . . . 6.104
    Arctoos raris Aquilonibus imbres/ accipit
                             9.422

ARA. placatur sanguine diro/...et Taranis
    Scythicae non mitior ara Dianae. 1.446
    Vestali raptus ab ara/ ignis, . . 1.549
    sacris tunc admouet aris/ electa ceruice
    marem. 1.608
    diuisere deos, et nullis defuit aris/
    inuidiam factura parens. 2.35
    structae diris altaribus arae/ omnisque
    humanis lustrata cruoribus arbor. 3.404
    nouerat et tristis sacris feralibus aras,
                            6.432
    abducet superos alienis Thessalis aris.
                            6.451
    funereas aris inponere flammas/ gaudet
                            6.525
    uolnere sic uentris.../ extrahitur partus
    calidis ponendus in aris; . . . 6.559
    defuit.../ non.../ aut cinis Eoa positi
    phoenicis in ara. 6.680
    admotus superis discussa fugit ab ara/
    taurus 7.165
    haud alios nondum Scythica purgatus in
    ara /Eumenidum uidit uoltus Pelopeus
    Orestes, ... 7.777
    Cyproque citatas/ inmisere rates, nullas
    cui praetulit aras/ undae diua memor
    Paphiae, ... 8.457
    augustius aris/ uictoris Libyco pulsatur
    in aequore saxum. 8.861
    seruataque fide templi discedit ab aris
                            9.585
    ecce parens uerus patriae, dignissimus
    aris,/ Roma, tuis, ... 9.601
    'Herceas' monstrator ait ' non respicis
    aras?' 9.979
    erexit subitas congestu caespitis aras
                           9.988
    Aeneaeque mei.../... quorum lucet in aris/
    ignis adhuc Phrygius, ... 9.992
    gentis Iuleae uestris clarissimus aris/
    dat pia tura nepos 9.995

ARABS. me domitus cognouit Arabs, . . 2.590
    ignotum uobis, Arabes, uenistis in orbem
                            3.247
    et quas sentit Arabs et quas Gangetica
    tellus/ exhalat nebulas, ... 4.64
    defuit.../ non Arabum uolucer serpens
                            6.677
    felices Arabes Medique Eoaque tellus,
                            7.442
    tunc et Ityraei Medique Arabesque soluti,/
    ...nusquam rexere sagittas, . . . 7.514
    aut Arabum portus mercis mutator Eoae,
    /... petet, ... 8.854
    quamuis Aethiopum populis Arabumque
    beatis/ gentibus... unus sit Iuppiter
    Hammon,/ pauper adhuc deus est, 9.517
    nunc Arabum populis, Libycis nunc aequus

```
          harenis),  . . . . . . . . . .   10.291
          dirimunt Arabum populis Aegyptia rura/
          regni claustra Philae.  . . . .   10.312
ARAR.  in mare fert Ararim, qua montibus ardua
       summis . . . . . . . . . . . .   1.434
       Rhodanumque morantem/ praecipitauit Arar.
                                          6.476
ARATOR.  nec terram quisquam mouisset arator,
       /Romani bustum populi, . . . . .   7.861
ARATRUM.  curuoque soli cessantis aratro/
       agricolae raptis annum fleuere iuuencis.
                                          3.451
       mox Lelegum dextra pressum descendit
       aratrum, . . . . . . . . . . .   6.383
       hac luce cruenta /effectum, ut... non...
       /... Sarmaticumque premat succinctus
       consul aratrum, . . . . . . . .   7.430
       hic ille recumbat / sordidus Etruscis
       abductus consul aratris:  . . . .  10.153
ARAXES.  sub iuga iam Seres, iam barbarus
       isset Araxes . . . . . . . . .   1.19
       Armeniumque bibit Romanus Araxen,    7.188
       non tibi, cum primum gelidum transibis
       Araxen,/ umbra senis maesti.../ ingeret
       has uoces? . . . . . . . . . .   8.431
ARBITER.  tibi, pessime mundi/ arbiter,
       inmittam ruptis Titana cauernis,    6.743
       inmensae Cyllenius arbiter undaest.
                                         10.209
ARBITRIUM.  o bene rapta /arbitrio mors ista
       tuo! . . . . . . . . . . . .   9.1059
ARBOR.  omnisque humanis lustrata
       cruoribus arbor. . . . . . . .   3.405
       non ulli frondem praebentibus aurae/
       arboribus suus horror inest. . .   3.411
       sed rudis et qualis procumbit montibus
       arbor/ conseritur, . . . . . .   3.512
       siquos palmite crudo/ arboris aut tenera
       sucos pressere medulla. . . . .   4.318
       confraga densis/ arboribus dumeta tegunt.
                                          6.127
       omnisque cruenta/ alite sanguineis
       stillauit roribus arbor. . . . .   7.837
       quidquid descendet ab arbore summa/
       Arctophylax.../ in Syriae portus tendit
       ratis. . . . . . . . . . . .   8.179
       quaecumque leuatae/ arboribus caesis
       flatum effudere prementem,/ abstulit has
       .../aestus . . . . . . . . .   9.332
       abstulit arboribus pretium nemorique
       laborem/ Alcides, . . . . . .   9.365
       truncum uix protegit arbor, . .   9.529
       quae quamuis arbore multa/frondeat,
       aestatem nulla sibi mitigat umbra,  10.304
ARBUSTUM.  desertus Orontes/.../ Gazaque et
       arbusto palmarum diues Idume  . . .3.216
ARCA.  da uilem Magno plebei funeris arcam
                                          8.736
ARCANUS,-A,-UM.  at illi /arcano sacras
       reddit Cato pectore uoces. . . .   2.285
       Cirrha silet farique sat est arcana
       futuri/ carmina longaeuae uobis conmissa
       Sibyllae, . . . . . . . . . .   5.137
       custodes tripodes fatorum arcanaque mundi
       /... suprema ruentis/ imperii ... cur
       aperire times? . . . . . . . .   5.198
       ille supernis/ detestanda deis saeuorum
       arcana magorum/ nouerat  . . . .   6.431
       sensuraque saxa canentes/ arcanum ferale
       magos. . . . . . . . . . . .   6.440
       nosse domos Stygias arcanaque Ditis operti
```

```
       /non superi, non uita uetat.  . .   6.514
       arcanumque nefas Stygias mandauit ad
       umbras. . . . . . . . . . . .   6.569
       ast ego curarum uobis arcana mearum/
       expromam . . . . . . . . . .   8.279
       nam cui crediderim superos arcana
       daturos/ quam sancto...Catoni? . .   9.554
       et arcani miles tibi conscius orbis/
       claustra ferit mundi. . . . . .   9.864
       arcanum natura caput non prodidit ulli,
                                         10.295
ARCAS.  tum Maenala liquit/ Arcas et Herculeam
       miles Trachinius Oeten. . . . .   3.178
       Parrhasiae uexerunt Persea pinnae/Arcados
       auctoris citharae liquidaeque palaestrae,
                                          9.661
ARCEO,-ERE.  et uos, crinigeros Belgis arcere
       Caycos/ oppositi, . . . . . .   1.463
       procul hunc arcete furorem,  . .   2.295
       obstruitis campos fluuiisque arcere
       paratis, . . . . . . . . . .   2.495
       seu Paean solitus templis arcere nocentis,
                                          5.139
       quid mundi gladios a sanguine Caesaris
       arces? . . . . . . . . . . .   7.81
       qui te nec uictos arcere a litore nostro/
       posse putat. . . . . . . . .   8.497
       poteras.../... latebrisque relinquere
       Lesbi/ omnibus a terris si nos arcere
       parabas. . . . . . . . . . .   8.588
       et nisi fata manus a sanguine Caesaris
       arcent/ hae uincent partes. . .  10.420
       Caesar et hos aditus gladiis, hos ignibus
       arcet, . . . . . . . . . . .  10.489
ARCESSO u. ACCERSO.
ARCTOPHYLAX.  quidquid descendet ab arbore
       summa/ Arctophylax propiorque mari
       Cynosura feretur,/ in Syriae portus
       tendit ratis. . . . . . . . .   8.180
ARCTOS.  melius, Fortuna, dedisses/ orbe sub
       Eoo sedem gelidaque sub Arcto/ errantisque
       domos, . . . . . . . . . . .   1.252
       certe populi quos despicit Arctos/ felices
       errore suo, . . . . . . . . .   1.458
       hinc me uictorem gelidas ad Phasidos
       undas/ Arctos habet, . . . . .   2.586
       pro, si remeasset in urbem / Gallorum
       tantum populis Arctoque subacta,    3.74
       aether non totam mergi tamen aspicit
       Arcton . . . . . . . . . . .   3.251
       uacat imbribus Arctos/ et Notos,    4.70
       lucentem totis ignorat noctibus Arcton.
                                          6.342
       qui non mergitur undis/ axis inocciduus
       gemina clarissimus Arcto,/ ille regit
       puppes. . . . . . . . . . . .   8.175
       at tibi.../ in Noton umbra cadit, quae
       nobis exit in Arcton. . . . . .   9.539
       licet usque sub Arcton/ regnemus Zephrique
       domos . . . . . . . . . . . .  10.48
       non Arctos in illis/ montibus aut Boreas.
                                         10.220
ARCTOUS,-A,-UM.  sed neque in Arctoo sedem
       tibi legeris orbe . . . . . . .   1.53
       hoc cruor Arctois meruit diffusus in
       aruis . . . . . . . . . . .   1.301
       fregit et Arctoo spumantem uertice
       Rhenum: . . . . . . . . . .   1.371
       finibus Arctois patriaque a sede
       reuolsos . . . . . . . . . .   1.482
       fulmen et Arctois rapiens de partibus
```

ignem 1.534
conspicit urbem/ Arctoi toto non uisam
tempore belli 3.89
terris fudisse cruorem/ quid iuuat Arctois
Rhodano Rhenoque subactis? . . . 5.268
orbis Hiberi/ horror et Arctoi nostro sub
nomine miles/ Pompeio certe fugeres
duce. 5.344
Arctoas domui gentes, inimica subegi/
arma metu. 5.661
omnis, in Arctois populus quicumque
pruinis/ nascitur, indomitus bellis 8.363
debuerant... nequa uacarent/ arma, uel
Arctoum Dacis Rhenique cateruis/ imperii
nudare latus, ... 8.424
Arctoos raris Aquilonibus imbres/accipit
9.422
commeat hac... unda/ frigore ab Arctoo
medium reuocata sub axem, . . . 10.250

ARCUS. non hasta uiris, non letifer arcus,
/telum flamma fuit, ... 3.500
saxeus ingenti quem pons amplectitur arcu
4.15
arcus uix ulla uariatus luce colorem
4.80
inpetis Haemonio maiorem Scorpion arcu.
6.394
tendunt neruis melioribus arcus, 7.141
Medique Arabes.../ arcu turba minax,
nusquam rexere sagittas, ... 7.515
Armeniosque arcus Geticis intendite
neruis, ... 8.221
celsior in campo sonipes et fortior arcus,
8.295
primi Pallaeas arcu fregere sarisas 8.298
nec per opacas/ bella geret tenebras
incerto debilis arcu, ... 8.373
solitumque legi super.../... extructos
spoliis hostilibus arcus/ haud procul est
ima Pompei nomen harena/ depressum tumulo,
8.819
pudeat: plus regia Nili/ contulit in
leges et Parthi militis arcus. . . 9.267

ARDEA. quodque ausa uolare/ ardea sublimis
pinnae confisa natanti, ... 5.554

ARDEO,-ERE. et ardenti seruilia bella sub
Aetna, ... 1.43
uiderunt.../ ardentemque polum flammis
caeloque uolantes 1.527
condidit ardentis atra caligine currus
1.541
ardentisque acies percussis sole corusco
/conspexit,telis, ... 2.482
ardent Hesperii saeuis populatibus agri,
2.534
arsuras in tecta faces sociusque furoris
2.542
iam fama ferebat/.../ et non ardentis
fulgere incendia siluae, ... 3.420
hi, ne mergantur, tabulis ardentibus
haerent. 3.688
mox, ut stimulis maioribus ardens/ rupit
amor leges, ... 4.174
barbarica cum lampade Python/arsit, in
inmensas cineres abiere cauernas 5.135
quibus haec rabies auctoribus arsit, 5.359
strident oculis ardentibus ignes. 6.179
extremum Scythici transcendam frigoris
orbem/ ardentisque plagas. . . . 6.326
flammisque seueri/ inlicitis arsere senes.
6.454

Phoebeque serena/.../ palluit et nigris
terrenisque ignibus arsit, . . . 6.502
fumantis iuuenum cineres ardentiaque ossa
/e mediis rapit illa rogis . . . 6.533
sic fatus plenusque sinus ardente fauilla/
peruolat ad truncum, ... 8.752
sine funeris ullo/ ardet honore rogus;
9.63
quidquid puluere sicco/ separat ardentem
tepida Berenicida Lepti/ ignorat frondes:
9.524
et idem, quod Carcinos ardens,/ umidus
Aegoceros...tollitur 9.536
dracones/ letiferos ardens facit Africa:
9.729
non maesti iura Catonis/ ardentem
tenuere uirum, ... 9.748
arderet Nilumque bibens per rura uagantem.
9.752
ausus in ardentem ripas attollere Cancrum
10.288
tempore eodem/ transtraque nautarum
summique arsere ceruchi 10.495
solet aetherio lampas decurrere sulco/
materiaque carens atque ardens aere solo.
10.503

ARDOR. sic cunctas sustulit ardor/ mobilium
mentes iuuenum. 4.520
absterrere ducem noscendi ardore futura/
cassa fraude parat. 5.129
hic ardor solusque labor, quid corpore
Magni/ proiecto rapiat, ... 6.587
serpens, sitis, ardor harenae/ dulcia
uirtuti; 9.402

ARDUUS,-A,-UM. castraque quae Vosegi curuam
super ardua ripam/ pugnaces pictis
cohibebant Lingones armis. . . . 1.397
in mare fert Ararim, qua montibus ardua
summis/ gens habitat cana pendentes
rupa Cebennas. 1.434
quis, cum ruat arduus aether, . . 2.290
dum iuga curuantur mali dumque ardua
pinus/ erigitur, ... 2.695
tellus hinc ardua celsos/ continuat
colles, ... 4.158
cunctas super ardua turris/ eminet 4.431
non tamen ignauae post haec exempla
uirorum/ percipient gentes quam sit non
ardua uirtus/ seruitium fugisse manu,
4.576
super ardua ducit/ saxa, super
cautes, abrupto limite signa; . . 4.739
tum superum conuexa tremunt atque arduus
axis/ intonuit 5.632
erigit, atque omni surgit ratis ardua
uento. 5.649
humanusque labor facilis, licet ardua
tollat,/ cedere uel bellis . . 6.20
planumque per ardua Caesar/ ducit opus;
6.38
iam Pompeianae celsi super ardua ualli/
exierant aquilae, ... 6.138
regem parere iubenti/ ardua non piguit,
8.239
ardua quippe fides robustos exigit annos.
8.282
quod non mansura futuris/ ardua marmoreo
surrexit pondere moles. 8.866

AREA. conseritur, stabilis naualibus area
bellis. 3.513
coit area belli: 6.60

ARENA

ARENA v. HARENA.

AREO(-ESCO),-ERE. dubiam super aequora
    Syrtim/ arentemque feror Libyen,   1.687
    atque omnis propior mergenti sidera caelo
    /aruerat tellus hiberno dura sereno.
                             4.55
    non super arentem Meroen Cancrique sub
    axe. 4.333
    oraque proiecta squalent
    arentia lingua, ... 4.755
    arent ora siti. 9.500

ARGENTUM. fudit et argentum flammis   6.404

ARGO. rapta puppe minor subducta est montibus
    Argo 2.717
    inde lacessitum primo mare, cum rudis
    Argo/ miscuit ignotas temerato litore
    gentes 3.193

ARGOLICUS,-A,-UM. rettulit Argolico fulgentia
    poma tyranno. 9.367

ARGOS. ubi nobile quondam/ nunc super Argos
    arant, ... 6.356
    astra Thyestae/ intulit et subitis
    damnauit noctibus Argos: 7.452
    quantum inpulit Argos/ Iliacasque domos
    facie Spartana nocenti, ... 10.60

ARGUMENTUM. mortisque peribunt/ argumenta
    tuae. 8.869

ARGUO,-ERE. 'o sacris deuote senex, quodque
    arguit aetas/ non neclecte deis, 10.176

ARGUS. excipit haec iuuenis generosi
    sanguinis Argus 3.723
    stabat diuersa uictae iam parte carinae/
    infelix Argi genitor, ... 3.727
    et miserum cernens agnoscere desinit
    Argum. 3.736
    Arge, quod amplexus, extrema quod oscula
    fugi. 3.745

ARICIA. quantum.../distat ab excelsa
    nemoralis Aricia Roma,   6.75

ARIDUS,-A,-UM. quidquid ab occiduis Libye
    patet arida Mauris 3.294
    rapit arida tellus/ sudorem;
                            4.629

ARIES. aut Aries donat sua tempora Librae
                            9.534

ARIES. his aries actus disperget saxa
    lacertis, ... 1.384
    nunc aries suspenso fortior ictu   3.490
    extruitur quod non aries inpellere
    saeuus, .../queat 6.36
    hunc aries ferro ballistaque limine
    portae/ promoueat. 6.200
    non aries illis, non ulla est machina
    belli 8.377
    non aries uno moturus limina pulsu 10.480

ARIMASPUS. hinc Essedoniae gentes auroque
    ligates/substringens Arimaspe comas;
                            3.281
    quod legit diues summis Arimaspus harenis,
    / ut rapiant, paruo scelus hoc uenisse
    putabunt. 7.756

ARIMINUM. uicinumque minax inuadit Ariminum,
                            1.231

ARISBE. et gelido tellus perfusa Caico/Idalis
    et nimium glaebis exilis Arisbe   3.204

ARIUS. hinc fortis Arius/ longaque Sarmatici
    soluens ieiunia belli/ Massagetes,   3.281

ARMA. multum Roma tamen debet ciuilibus
    armis 1.44
    tum genus humanum positis sibi consulat
    armis 1.60

quid in arma furentem/ inpulerit populum,
                            1.68
arma ducum dirimens miserando funere
    Crassus 1.104
quis iustius induit arma 1.126
quem sua libertas inmotis pasceret armis.
                            1.172
non te furialibus armis/ persequor: 1.200
deripuit sacris adfixa penatibus arma
                            1.240
iustos Fortuna laborat/ esse ducis motus
    et causas inuenit armis. 1.265
bella nefanda parat suetus ciuilibus
    armis 1.325
arma tenenti/ omnia dat, qui iusta
    negat. 1.348
nam neque praeda meis neque regnum
    quaeritur armis: 1.350
castraque.../ pugnaces pictis cohibebant
    Lingonas armis. 1.398
gaudetque.../ et Biturix longisque
    leues Suessones in armis, ... 1.423
et uos barbaricos ritus moremque
    sinistrum/ sacrorum, Dryadae, positis
    repetistis ab armis. 1.451
tum fragor armorum magnaeque per auia
    uoces/ auditae nemorum 1.569
inminet armorum rabies, ... 1.666
coniuret in arma/ mundus, ... 2.48
hic stabit ciuilibus exitus armis. .2.224
namque alii Magnum uel Caesaris arma
    sequantur, ... 2.246
nullum furor egit in arma; 2.254
ne tantum, o superi, liceat feralibus
    armis,/ has etiam mouisse manus. 2.260
melius tranquilla sine armis/ otia solus
    ages, ... 2.266
quod si pro legibus arma/ ferre iuuat
                              2.281
(ut primum tolli feralia uiderat arma,
                            2.374
Caesar in arma furens nullas nisi
    sanguine fuso/ gaudet habere uias, 2.439
quamquam firmissima pubes/ his sedeat
    castris, iam pridem Caesaris armis/
    Parthorum seducta metu,   2.474
uel, si libet, arma retempta, / et
    nihil hac uenia, si uiceris, ipse
    paciscor.' 2.514
nescius interea capti ducis arma parabat
                            2.526
o uere Romana manus, quibus arma senatus
    /non priuata dedit, ... 2.532
nec Pharnacis arma relinquas/ admoneo
                            2.637
at numquam patiens pacis longaeque
    quietis/ armorum, nequid fatis mutare
    liceret, ... 2.651
Eumenidas quaterent quas uestris
    lampadas armis; 3.15
maior in arma ruit certa cum mente
    malorum, ... 3.37
curas/ expulit armorum pacique intentus
    agebat 3.53
iam dilecta Ioui centenis uenit in arma
    /Creta uetus populis 3.184
non corniger Hammon/ mittere Marmaricas
    cessauit in arma cateruas, ... 3.293
lacrimas ciuilibus armis/ secretumque
    damus. 3.313
si caelicolis furor arma dedisset   3.315

non tamen auderet pietas humana uel armis/
uel uotis prodesse Iovi, . . . 3.317
finis adest scelerum, si non committitis
ullis/ arma quibus fas est. . . . 3.329
numquam felicibus armis/ usa manus, 3.338
damnumque putamus/ armorum, nisi qui uinci
potuere rebellant. 3.366
sed, si solus eam dimissis degener armis,
3.367
sed pandens perque arma uiam perque ossa
relicta/ morte fugit: 3.467
armisque innexa priores/ arma ferunt,
3.475
arma ferunt, galeamque extensus protegit
umbo, ... 3.476
dum fuit armorum series, ut grandine
tecta/ innocus percussa sonant, . . 3.482
singula continuis cesserunt ictibus arma.
3.486
ultro acies inferre parant, armisque
coruscas/ nocturni texere faces, 3.498
fraternaque pectore nudo/ arma tegens,
crebra confixus cuspide perstat 3.620
iamque omni fusis nudato milite telis/
inuenit arma furor: 3.671
non ille iuuentae/ tempore Phocaicis ulli
cessurus in armis: 3.728
at Brutus in aequore uictor/ primus
Caesareis pelagi decus addidit armis.
3.762
piguit sceleris; pudor arma furentum/
continuit, ... 4.26
hactenus armorum discrimina: . . 4.48
iam naufraga campo/ Caesaris arma natant,
4.88
indomitos quaerit populos et semper in
arma/ mortis amore feros 4.146
capere arma iubet nec quaerere pontem
4.149
mox uda receptis/ membra fouent armis
4.153
arma rigant lacrimis, singultibus
oscula rumpunt, ... 4.180
pacisque petendae/ auctor damnatis supplex
Afranius armis/ semianimes in castra
trahens hostilia turmas/ uictoris stetit
ante pedes. 4.338
non partis studiis agimur nec sumpsimus
arma/ consiliis inimica tuis. . . 4.348
nec enim felicibus armis/ misceri damnata
decet, ... 4.359
tunc arma relinquens/ uictori miles
spoliato pectore tutus/ innocuusque suas
curarum liber in urbes/ spargitur. 4.382
ob ferrum et saeuis libertas uritur armis,
4.578
nec solum studiis ciuilibus arma parabat
4.687
'audendo magnus tegitur timor; arma
capessam/ ipse prior. 4.702
non arma mouendi/ iam locus est pressis,
4.781
unde tribunicia plebeius signifer arce/
arma dabas populis? 4.801
luitis iugulo sic arma, ... 4.806
tum Sadalam fortemque Cotyn fidumque
per arma/ Deiotarum.../conlaudant, 5.54
iam turba soluto/ arma petit coetu; 5.65
finis quis quaeritur armis? . . 5.273
usque adeo soli ciuilibus armis/ nescimus
cuius sceleris sit maxima merces? 5.285

lassare et disce sine armis/posse pati;
5.313
inuenient haec arma manus, . . . 5.326
fortis in armis/ Caesareis Labienus erat:
5.345
non Pompeianis tradit sua partibus arma,
5.350
ductor erat cunctis audax Antonius armis.
5.478
numquid inexperto tua credimus arma
profundo 5.486
ad Caesaris arma iuuentus /naufragio
uenisse uolet. 5.493
soluerat armorum fessas nox languida
curas, ... 5.504
praedam ciuilibus armis/ scit non esse
casas. 5.526
inimica subegi/ arma metu, uidit Magnum
mihi Roma secundum, ... 5.662
undique conlatis in robur Caesaris armis
5.722
uereor ciuilibus armis/ Pompeium nullo
tristem committere damno. 5.752
si nil tibi uicta relinquent/ tutius arma
fuga, ... 5.788
portusque reliquit/ Hesperios, saeui
premerent cum Caesaris arma. . . . 5.803
postquam castra.../ inposuere
iugis admotaque comminus arma . . 6.2
agmina.../ diuersis spargit tumulis, ut
Caesaris arma/ laxet 6.71
maior cura duces miscendis abstrahit armis:
6.80
et raptum furto soceri cessantibus
armis/ dedignatur iter: 6.121
seque arma tenente/... Magnum uicisse
negauit. 6.142
qui nesciret in armis/ quam magnum uirtus
crimen ciuilibus esset. 6.147
'quo uos pauor'...'adegit/ inpius et
cunctis ignotus Caesaris armis? 6.151
illum/ saltus et in medias iecit super
arma cateruas, ... 6.182
iam pectora non tegit armis, . . 6.202
sic Libycus densis elephans oppressus ab
armis/ omne...missile.../frangit . 6.208
membraque captiui pariter laturus et
arma/ fulmineum mediis excepit faucibus
ensem. 6.238
exornantque deos.../ armis,
Scaeua, tuis: 6.257
felix, hoc nomine famae,/... si tibi terga
dedisset/ Cantaber exiguis aut longis
Teutonus armis. 6.259
armaque late /spargit 6.269
Torquato ruit inde minax, qui Caesaris
arma/ segnius haud uidit, ... 6.285
agmina... muro breuiore recepit/ densius
ut parua disponeret arma corona. . 6.289
transierat...Caesar munimina.../ cum
super e totis immisit collibus arma 6.291
totus mitti ciuilibus armis/...potuit
cruor: 6.299
arma secuturum soceri, .../ temptauere...
comites diuertere Magnum 6.316
illic, quod populos scelerata inpegit in
arma,/ diuitias numerare datum est. 6.406
inpiaque infernam ruperunt arma quietem;
6.781
post domitas gentes quas torrens ambit
Hiberus/ et quaecumque fugax Sertorius

inpulit arma,/...plaudente senatu/ sedit
adhuc Romanus eques; 7.16
cladibus inruimus nocituraque poscimus
arma; 7.60
sic fatur et arma/permittit populis 7.123
'inpia concurrunt Pompei et Caesaris arma'.
7.196
haec est illa dies mihi quam Rubiconis ad
undas/ promissam memini, cuius spe
mouimus arma, ... 7.255
haec, fato quae teste probet, quis iustius
arma/ sumpserit; 7.259
Grais delecta iuuentus /gymnasiis aderit
studioque ignaua palaestrae/ et uix arma
ferens, ... 7.272
armaque raptim/ sumpta Ceresque uiris.
7.330
tantoque duci sic arma timere/ omen
erat. 7.340
finis ciuilibus armis/ quem quaesistis,
adest. 7.343
quidquid.../ sub Noton et Borean hominum
sumus, arma mouemus. 7.364
Caesar nostris non sufficit armis. 7.368
credite grandaeuum uetitumque aetate
senatum/ arma sequi sacros pedibus
prosternere canos 7.372
omnibus annis (armis)/ te geminum Titan
procedere uidit in axem; . . . var.7.421
uultus.../ ... uidere parentum/ frontibus
aduersis fraternaque comminus arma, 7.465
Pompei...acies.../ iunxerat in seriem
nexis umbonibus arma, ... 7.493
perque arma, per hostem/ quaerit iter.
7.497
totque per arma/ extremum est quod quisque
ferit. 7.500
pondere lapsi/ pectoris arma sonant
7.573
Caesar, et increpitans 'iam Magni deseris
arma,/ successor Domiti; 7.606
pudet.../quaerere.../ quis cruor...
perruperit aera.../inque hostis cadat
arma sui, ... 7.626
pauide num gessimus arma/ teximus aut
iugulos? 7.643
sic fatur et arma/ signaque.../circumit
7.666
ac testare deos nullum, qui perstet in
armis,/ iam tibi, Magne, mori. . 7.690
cunctas inpellere gentes/ rursus in arma
potes 7.719
armaque tota/ mente agitant, . . 7.766
et nunc tibi summa pauoris/
nuntius armorum tristis rumorque sinister.
8.52
laudis in hoc sexu non legum iura nec
arma, ... 8.75
mallem felicibus armis/ dependisse caput:
8.100
ubicumque iaces ciuilibus armis/nostros
ulta toros, ades huc 8.102
saeui cum Caesaris iram (arma)/ iam
scirem meritam seruata coniuge Lesbon,/
non ueritus tantam ueniae committere uobis
/materiam. var.8.134
quamuis.../ in Cilicum terra, nullis
circumdatus armis/ consultem.../ingentis
praestate animos. 8.264
cum Caesaris arma/ concurrent Medis, aut
me fortuna necesse est /uindicet aut

Crassos.' 8.325
quid causa obtenditur armis/ libertatis
amor? 8.339
ciuilibus armis/ elegit te nempe ducem:
8.351
quod...crimen.../ maius erit, quam quod
uobis miscentibus arma/Crassorum uindicta
perit? 8.421
debuerant... nequa uacarent/ arma, uel
Arctoum Dacis Rhenique cateruis/imperii
nudare latus, ... 8.424
Aegypton certe Latiis tueamur ab armis.
8.501
rapitur ciuilibus umbris (armis).
var.8.505
nec soceri tantum arma fugit: fugit ora
senatus 8.506
uotis tua fouimus arma. 8.519
ante aciem Emathiam nullis accessimus
armis: 8.531
cecidit ciuilibus armis/ qui tibi regna
dedit. 8.559
stetit anxia classis/... metuens non
arma nefasque 8.593
arma satelles/ regia gestabat . . 8.597
Pompeio praestare potest quod Caesaris
armis/ inputet. 8.657
non...petit.../ Pompeius.../ ...totus ut
ignes/proiectis maerens exercitus ambiat
armis. 8.735
adde.../ armaque Sertori reuocato consule
uicta 8.809
dic semper ab armis/ ciuilem repetisse
togam, ... 8.813
oderat et Magnum, quamuis comes esset in
arma 9.21
nil causa fecit in armis /ille sua: 9.28
has uobis partes, haec arma relinquo.
9.92
non Caesaris armis /occubuit . . 9.128
(nusquam ciuilibus armis/ tanta fuit merces)
9.150
collegit.../ armaque et inpressas auro,
quas gesserat olim. 9.176
praetulit arma togae, sed pacem armatus
amauit. 9.199
'nos, Cato, da ueniam, Pompei duxit in
arma,/... amor, ... 9.227
ite, o degeneres, Ptolemaei munus et arma
/spernite. 9.268
meruistis iudice uitam/ Caesare non armis,
non obsidione subacti. 9.273
audet in ignotas agmen committere gentes/
armorum fidens et terra cingere Syrtim.
9.373
delapsaque caelo/ arma timent gentes
9.476
an liber in armis/ occubuisse uelim potius
quam regna uidere? 9.566
'reddite, di', clamant 'miseris quae
fugimus arma, ... 9.848
et Emathiis quod solum defuit armis/
exhibet. 9.1017
secreta quid arma/ mouit et inseruit
nostro sua tela labori? 9.1071
frustra ciuilibus armis/miscuimus gentes,
siqua est hoc orbe potestas/ altera quam
Caesar, ... 9.1076
maiore profecto/ quam metui poterat
discrimine gessimus arma: . . . 9.1085
caruere deis mea uota secundis/ ut te

conplexus positis felicibus armis   9.1099
pugnauit fortuna ducis fatumque nocentis/
Aegypti, regnum Lagi Romana sub arma/
iret, an eriperet mundo Memphiticus ensis
/uictoris uictique caput. 10.4
adulter/ admisit Venerem curis, et miscuit
armis/ inlicitosque toros 10.75
remoue funesta satellitis arma .   10.98
quem puer inbellis cunctis praefecerat
armis 10.351
nec prodidit arma/ ullius clangore tubae:
                                    10.400
passuri comminus arma/ laturique ruunt.
                                    10.438
minima collegerat arma /parte domus.
                                    10.442
nam rursus in arma/ auspiciis Ganymedis
eunt 10.530
molis in exiguae spatio stipantibus armis/
... dux Latius...subitus.../ cingitur:
                                    10.534
ARMAMENTUM. uincitur et nudis auertitur
armamentis. 9.329
ARMATURA(subst.). sparsa per extremos leuis
armatura maniplos/ insequitur . .   7.508
ARMENIA. relinquas /admoneo nec tu populos
utraque uagantis/ Armenia Pontique feras
per litora gentis 2.639
ARMENIUS,-A,-UM. Armeniumque bibit Romanus
Araxen, ...   7.188
Armeniosque arcus Geticis intendite
neruis, ...   8.221
non Armenium mihi saeua minatur/aut
Scythicum fortuna iugum: . . .   9.237
ARMENIUS(subst.). Armenios Cilicasque feros
Taurumque subegi: 2.594
Armeniusque tenens uoluentem saxa
Niphaten. 3.245
Armeniosne mouet Romana potentia
cuius /sit ducis 7.281
uiuant.../ Armenii, Cilices; . .   7.542
ARMENTUM. altus caesorum pauit cruor
armentorum, ...   1.329
pulsus et armentis primo certamine taurus
                                    2.601
armentaque tota secuti/ rumpitis ingentes
amplexi uerbere tauros; 9.730
ARMO,-ARE. poteras.../ armatasque manus
excusso iungere ferro, ...   1.117
ausus et armatos plebi miscere potentes.
                                    1.271
conuocat armatos extemplo ad signa
maniplos, ...   1.296
expulit armatam patriis e sedibus
urbem? 2.574
agmina uictor/ non armata trahens sed
pacis habentia uoltum 3.72
grandaeuosque senes mixtis armauit ephebis
                                    3.518
frangitur armatum conliso pectore pectus.
                                    4.783
praetulit arma togae, sed pacem armatus
amauit. 9.199
pro caecus et amens /ambitione furor.../
...incendere mentem/ hospitis armati.
                                    10.149
ARMUS. quam protinus ille retecto/
ense ferit totoque semel demittit ab armo,
                                    9.831
ARO,-ARE. quae noster ueteranus aret, quae
moenia fessis? 1.345

qua nudi Garamantes arant, sedere, sed
inter/ stagnantem Sicorim et rapidum
deprensus Hiberum 4.334
ubi nobile quondam /nunc super Argos
arant, ...   6.356
plus cinerum Haemoniae sulcis telluris
aratur 7.858
ARRUNS. Arruns incoluit desertae moenia Lucae,
                                    1.586
Arruns dispersos fulminis ignes/colligit
                                    1.606
palluit attonitus sacris feralibus
Arruns 1.616
ARS. sed conditor artis/ finxerit ista
Tages.' 1.636
similacraque maesta deorum/ arte carent
caesisque extant informia truncis.   3.413
artibus et certas pelagi? 3.560
fraudes innectere ponto/ antiqua parat
arte Cilix, ...   4.449
ille fugam credens simulatae nescius
artis, ...   4.744
artis opem uicere metus, nescitque
magister/ quam frangat, cui cedat aquae.
                                    5.645
uicinaque moenia castris/ Haemonidum...
/... quarum quidquid non creditur ars
est. 6.437
omne potens animal leti.../ et pauet
Haemonias et mortibus instruit artes.
                                    6.486
inque nouos ritus pollutam duxerat artem.
                                    6.509
conceditur arti,/ unam cum radiis
presserunt sidera mortem/ inseruisse
moras; 6.607
dixerat, et noctis geminatis arte
tenebris /maestum tecta caput squalenti
nube pererrat/ corpora 6.624
nam uera locutum /inmunem toto mundi
praestabimus aeuo/ artibus Haemoniis;
                                    6.765
uictus uiolento nauita Coro/ dat regimen
uentis ignauumque arte relicta/ puppis
onus trahitur. 7.126
stant ordine nullo/ arte ducis nulla,
                                    7.333
nondum artis erat caput ense rotare.
                                    8.673
tunc arte nefanda/ summota est capiti
tabes, ...   8.688
saeuumque arte conplexa dolorem/
perfruitur lacrimis 9.111
ARSACIDES. plus illa uobis acie, quam
creditis, actum est,/ Arsacidae: bellum
uictis ciuile dedistis. 1.108
ne pigeat.../ totum mutare diem, uocesque
superbo/ Arsacidae perferre meas: 8.218
nec munere Magni/ stant semel Arsacidae;
                                    8.233
o utinam non tanta mihi fiducia saeuis/
esset in Arsacidis! 8.307
Parthorum dominus quotiens sec sanguine
mixto/ nascitur Arsacides! . . .   8.409
cedemus in ortus/ Arsacidum domino.   10.51
ARSINOE. subrepta.../ a famulo Ganymede dolis
peruenit ad hostis/ Caesaris Arsinoe;
                                    10.521
ARTO,-ARE. sic ora profundi/ artantur casu
nemorum; 2.678
artet humum, pressus ne cedat turribus

ARTO

agger. 3.398
artauit clausitque animam; . . . 4.370
et medium conpressis ilibus artat 4.627
artatus rapido feruet qua gurgite pontus
                                  5.234
auget eques stimulos frenorumque artat
habenas. 7.143
mihi...permittite.../...laqueum collo
rotosque aptare(artare) rudentes,
                               var.8.655
quis...fugientia crederet ire/ agmina,
quis pelagus uictas artasse carinas? 9.35

ARTUS(adi.). hinc latus angustum iam se
cogentis in artum/Hesperiae tenuem
producit in aequora linguam, . . . 2.613
nec tamen hoc artis inmissum faucibus
aequor/ portus erat, ... 2.616
artior Euboica, qua Chalcida uerberat,
unda. 2.710
iam riget arta cutis distentaque lumina
rumpit, ... 6.95
sed patitur saeuam, ueluti circumdatus
arta/ opsidione, famem. 6.108
Pompeius in arto /agmina uestra loco.../
cum tenuit, quanto satiauit sanguine
ferrum! 7.315
tenet ille ducem conplexibus artis/
eripiente mari; 8.723
quamuis Byzantion arto/ Pontus et
ostriferam dirimat Calchedona cursu, 9.958

ARTUS(subst.). deriguere metu, gelidos
pauor occupat artus, ... 1.246
regit idem spiritus artus/ orbe alio;
                                  1.456
nec Graecia maerens/ tot laceros artus
Pisaea fleuit in aula. 2.165
cum laceros artus aequataque uolnera
membris/ uidimus 2.177
exanimat, totos cum sanguine dissipat
artus. 3.473
tum uolnere multo/ effugientem animam
lassos collegit in artus 3.623
tradidit in letum uacuos uitalibus artus;
                                  3.643
nec prohibere ualent obtritis ossibus
artus. 3.656
peruenit ad puppim spirantisque inuenit
artus. 3.732
restituunt artus, donec decresceret
umbra 4.154
stat uictor tenuitque manus, tum frigidus
artus/ alligat atque animum subducto
robore torpor, ... 4.289
intumuere tori, totosque induruit artus
                                  4.631
uidet exhaustos sudoribus artus/
ceruicemque uiri, ... 4.638
quisquis inest terris in fessos spiritus
artus/egeritur, ... 4.643
morientis in artus/ non potuit nati
Tellus permittere uires: 4.650
fessa iacet ceruix, fumant sudoribus
artus 4.754
pectore Cirrhaeo non umquam plenior artus
/Phoebados inrupit Paean 5.166
corpora dum soluit tabes et digerit
artus, ... 6.88
tunc omnis auide desaeuit in artus 6.540
insertum manibus chalybem nigramque per
artus/stillantis tabi saniem.../sustulit
                                  6.547

ARUUM

morsusque luporum/ expectat siccis
raptura e faucibus artus. 6.553
hic ardor solusque labor.../... quos
Caesaris inuolet artus. 6.588
aspicit astantem...umbram/ exanimis artus
inuisaque claustra timentem/carceris
antiqui. 6.721
tunc omnis palpitat artus, ... 6.754
degustant artus. 7.844
astrictos refouet conplexibus artus
                                  8.67
'ergo indigna fui'.../...gelidosque
effusa per artus/ incubuisse uiro, 9.56
quaecumque iniuria fati/ abstulit hos
artus, superis haec crimina dono: 9.144
incensusque dies, manant sudoribus artus,
                                  9.499
defessos iret qui sudor in artus/ non
fuit, ... 9.745
tumidos iam non capit artus/ informis
globus 9.800
pallentia uolnera lambit/ ore uenena
trahens et siccat dentibus artus, 9.934

ARUNDO v. HARUNDO.

ARUUM. Hesperia est desuntque manus
poscentibus aruis, ... 1.29
sicut squalentibus aruis/ aestiferae
Libyes uiso leo comminus hoste/subsedit
dubius, ... 1.205
et Gallica certus/ limes ab Ausoniis
disterminat arua colonis. 1.216
Hesperiae uetitis et constitit aruis,
                                  1.224
hoc cruor Arctois meruit diffusus in aruis
                                  1.301
nec tam patiente colono/ arua premi
quam si ferro populetur et igni. 2.445
et Scythicis Crassus uictor remeasset ab
oris(aruis), ... var.2.553
inde per arua/ Graiorum Macetumque
nouas adquirite uires 2.646
utraque frugiferis est insula nobilis
aruis, ... 3.65
mediisque sedent conuallibus arua. 3.380
uenerat in fluctus Rhodani cum gurgite
classis/ Stoechados arua tenens. 3.516
neque enim tibi maior in aruis/
Emathiis fortuna fuit 4.255
nec solum rastris durisque ligonibus
arua/ sed gladiis fodere suis, 4.294
si mollius aruum/ prodidit umorem. 4.308
miles et attonso miseris iam dentibus
aruo/ castrorum siccas de caespite
uolserat herbas. 4.413
Marte fuit, qui tum Libycis exarsit in
aruis. 4.582
quod non Phlegraeis Antaeum sustulit
aruis. 4.597
periere coloni/ aruorum Libyae, 4.606
nec sic Inachiis... in undis (aruis)/
desectam timuit reparatis anguibus
hydram. var.4.634
effusam patulis aciem committeret aruis.
                                  4.743
Libyae squalentibus aruis/ Curio Caesarei
cecidit pars magna senatus. . . . 5.39
quae piger Apulus arua/ deseruit rastris
.../ transcurrit, ... 5.403
signa mouet tectusque uia dumosa per arua/
... tendit 6.13
ueluti mediae qui tutus in aruis/Sicaniae

ARUUM	ASINA

rabidum nescit latrare Pelorum,   6.65
belliger attonsis sonipes defessus in
aruis,/.../ ore novas poscens moribundus
labitur herbas 6.84
lapsusque superne/ gurgite Penei pro
siccis utitur aruis. 6.377
ut primum emissis patuerunt amnibus arua,
    6.381
hinc maxima serpens/ descendit Python
Cirrhaeaque fluxit in arua, . . . 6.408
inque pruinoso coluber distenditur aruo;
    6.489
deserta per arua /carpit iter. . . 6.572
ipse canet Siculis genitor Pompeius in
aruis, ... 6.814
animumque dolentem/ corripit, Emathiis
quid perdat nescius aruis. 7.191
Caesar, ut Hesperio uidit satis arua
natare/ sanguine, parcendum ferro
manibusque suorum /iam ratus . . . 7.728
nulla loci facies reuocat feralibus aruis/
haerentis oculos. 7.788
quam sol nimbique diesque/ longior
Emathiis resolutam miscuit aruis. 7.846
uigiles Pompei pectore curae/... adeunt...
/... inuia mundi/ arua super nimios
soles Austrumque iacentis. 8.164
arua super Cyri Chaldaeique ultima regni,
/... eram: 8.226
non omnis in aruis/ Emathiis cecidi, 8.266
Parthus.../ Sarmaticos inter campos
effusaque plano/ Tigridis arua solo, nulli
superabilis hosti est 8.370
si regna times proiecta sub Austro/
infidumque Iubam, petimus Pharon aruaque
Lagi. 8.443
(hunc genuit custos Nili crescentis in
arua/ Memphis uana sacris; . . . 8.477
quid.../... aruaque nostra/ uictori
suspecta facis? 8.514
populum non cernis inermem/ aruaque uix
refugo fodientem mollia Nilo? . . 8.526
omnia Lagi/ arua tenere potest, 8.803
simul et Garganus et arua /Uolturis...
lucent 9.184
eminet in tergo pelagi procul omnibus
aruis/... sicci iam pulueris agger; 9.341
siccaque letiferis squalent serpentibus
arua. 9.384
squalebant late Phorcynidos arua Medusae,
    9.626
fecundaque nulli/ arua bono uirus
stillantis tabe Medusae/ concipiunt 9.697
natus et ambiguae coleret qui Syrtidos
arua/ chersydros,   '9.710
totisque furens exquireret aruis/ quas
poscebat aquas sitiens in corde uenenum.
    9.749
patriae non arua requiro/ Europamque alios
soles Asiamque uidentem: 9.871
hoc igitur tandem leuior Romana iuuentus
/auxilio late squalentibus errat in aruis.
    9.939
ergo in Thessalicis Pellaeo fecimus aruis
/ius gladio? 9.1073
pars tam flauos gerit... crines/ ut nullis
Caesar Rheni se dicat in aruis/ tam
rutilas uidisse comas; 10.130
uana fides ueterum, Nilo, quod crescat in
arua,/ Aethiopum prodesse niues. 10.219

ARX. depellitur arce/ Lentulus Asculea; 2.468

tu quoque nudatam commissae deseris
arcem,/ Scipio, Nuceriae, ... 2.472
Caesar, et ad tutas hostis conpellitur
arces. 2.504
Brundisii tutas concessit Magnus in arces.
    2.609
sufficerent aliis.../ ...tot oppressae
depulsis hostibus arces, . . . 2.654
iamque et praecipitis superauerat Anxuris
arces,   3.84
et post translatas exustae Phocidos arces
/moenibus exiguis alieno in litore tuti,
    3.340
proxima pars urbis celsam consurgit in
arcem/ par tumulo, ... 3.379
illinc tela cadunt excelsas urbis in
arces. 3.462
inter semirutas magnae Carthaginis arces
/et Clipeam tenuit stationis litora notae,
    4.585
Poenum qui Latiis reuocauit ab arcibus
hostem 4.657
nec Rheni miles in undis/ exploratus
erat, Corfini captus in arce, . . 4.697
unde tribunicia plebeius signifer arce/
arma dabas populis? 4.800
per arua/ Dyrrachii praeceps rapiendas
tendit ad arcis.   6.14
ueniet qui uindicet arces 6.164
nondum attigit arcem,/ iuris et humani
columen, ... 7.593
cum sibi Tarpeias uictor desponderit
arces,/... decipitur quod castra rapit.
    7.758
euertitque arces respectus honesti. 8.490
non ego Pellaeas arces adytisque
retectum/ corpus Alexandri pigra
Mareotide mergam? 9.153
ASCENDO. ite simul pedites, ruiturum
ascendite pontem.' 2.499
ascendi, supraque nihil nisi regna
reliqui. 2.563
ASCRIBO,-ERE. fabula muros/ ascribatque deis;
    6.49
iuuat aetheriis ascribere causis/ quod
peream, ... 9.853
Zephyros quoque uana uetustas/ his
ascripsit aquis, ... 10.240
ASCULEUS,-A,-UM. depellitur arce/ Lentulus
Asculea; 2.469
ASIA. Europamque Asiae Sestonque admouit
Abydo 2.674
quod dites Asiae populi misere tributum
    3.162
qua uertice lapsus /Riphaeo Tanais
diuersi nomina mundi/ inposuit ripis
Asiaeque 3.274
Europam, miseri, Libyamque Asiamque
timete: 6.817
sed maior in unam/ orbis abit Asiam.
    9.417
patriae non arua requiro/ Europamque
alios soles Asiamque uidentem: 9.872
non Asiam breuioris aquae disterminat
usquam/ fluctus ab Europa, . . . 9.957
Asiamque potentem/. praeuehitur 9.1002
perque Asiae populos fatis urguentibus
actus/ humana cum strage ruit 10.30
ASINA. utque secaret/ quas Asinae cautes et
quas Chios asperat undas/hoc dedit in
proram,...rudentes. 8.195

ASOPOS

ASOPOS. accipit Asopos cursus Phoenixque
   Melasque 6.374
ASPECTUS(subst.). 'aufer ab aspectu nostro
   funesta, satelles,/ regis dona tui. 9.1064
ASPER,-A,-UM. quas premit aspera classes/
   Leucas 1.42
   hinc Lacedaemonii, moto gens aspera freno,
                 3.269
   oraque sicca rigent squamosis aspera
   linguis; 4.325
   iamque hebes et crasso non asper sanguine
   mucro/.../ perdidit ensis opus,   6.186
   Centauros/ feta...nubes effudit.../
   aspera te Pholoes frangentem, Monyche,
   saxa, ... 6.388
   nec gladiis habuere fidem, nisi cautibus
   asper/ exarsit mucro; 7.139
   sed non, ubi terra tumebit/ aspera
   conscendet montis iuga, ... 8.372
   squalebant... arua Medusae/.../ sed
   dominae uoltu conspectis aspera saxis.
                 9.628
   inpressit dentes haemorrhois aspera Tullo,
                 9.806
ASPERGO,-ERE. plurimus asperso uariabat
   sanguine liuor. 1.620
ASPERNOR,-ARI. mensasque priores/aspernata
   fames; 1.164
ASPERO,-ARE. abruptaque saxa/asperat 6.801
   utque secaret/ quas Asinae cautes et quas
   Chios asperat undas/ hos dedit in proram,
   ...rudentes. 8.195
ASPICIO,-ERE. Gallica rura uidet deuexasque
   excipit (aspicit) Alpes. . . . var.2.429
   aether non totam mergi tamen aspicit
   Arcton 3.251
   cum sidera caeli/.../ aspicerent flexoque
   Vrsae temone pauerent, ... 4.523
   tum rector trepidae fatur ratis 'aspice
   saeuum/ quanta paret pelagus: . . 5.568
   dubium est, quod traxerit illuc/aspiciat
   Stygias an quod descenderit umbras. 6.653
   aspicit astantem proiecti corporis umbram,
                 6.720
   'tristia non equidem Parcarum stamina'
   dixit / 'aspexi tacitae reuocatus ab
   aggere ripae; 6.778
   te.../ dubium fati.../ aspiciens Stygias
   Magno duce liber ad umbras/... eo: 7.612
   stetit aggere campi/ eminus unde.../
   aspiceret clades, quae bello obstante
   latebant. 7.651
   non inpare uoltu/ aspicis Emathiam:
                 7.683
   aspice securus uoltu non supplice reges.
                 7.709
   aspice possessas urbes donataque regna,
   /Aegypton Libyamque, ... 7.710
   sic fatus paruos iuuenis procul aspicit
   ignes 8.743
   aspexit patrios comites a litore Magnus/
   et fratrem; 9.121
   ductor, ut aspexit perituros fonte
   relicto,/ adloquitur. 9.611
   aspicit Hesiones scopulos siluaque
   latentis/ Anchisae thalamos; . . 9.970
   nullique aspecta uirorum/ Pallas, 9.993
   aspice litus /spem nostri sceleris; 10.378
   tumulum.../ aspice Pompei non omnia membra
   tegentem. 10.381
  ASPIS. aspidas ut Pharias cauda sollertior

hostis/ ludit 4.724
stabant in margine siccae/ aspides. 9.610
tabes/ aspida somniferam tumida ceruice
   leuauit. 9.701
inde petuntur/ huc Libycae mortes et
   fecimus aspida mercem. 9.707
letifica dubios explorant aspide partus.
                 9.901
ASSARACUS. putres robore trunci/ Assaraci
   pressere domos 9.967
ASSENTIO,etc. u. ADS-.
ASSYRIUS,-A,-UM. Assyrias Latio maculauit
   sanguine Carrhas, ... 1.105
   Assyriis quantum populis telluris
   Eoae/ sufficit in regnum, ... 6.52
   nec quaesisse libet.../... quis...
   Assyria scrutetur sidera cura, . . 6.429
   sanguis ibi fluxit Achaeus/ Ponticus,
   Assyrius; 7.636
   Assyrios in castra tuli ciuilia casus,
                 8.92
   quis enim post uolnera cladis/ Assyriae
   iustas Latii conpescuit iras?   8.234
   et polus Assyrias alter noctesque diesque
   /uertit, ... 8.292
   arcu fregere.../ Bactraque Medorum sedem
   murisque superbam/ Assyrias Babylona
   domos. 8.300
   ceu pridem debita fatis/ Assyriis
   trahitur cladis captiua uetustae. 8.416
   Assyriae paci finem, Fortuna, precamur;
                 8.427
AST. 3.565.3.754;6.538;7.608;8.151;8.279;
   9.49;10.197;10.262
ASTRAEA. aut Astraea iubet lentos descendere
   Pisces. 9.535
ASTRIFER,-A,-UM. qua niger astriferis
   conectitur axibus aer/.../ semidei manes
   habitant, ... 9.5
ASTRINGO,-ERE. astringit Scythico glacialem
   frigore pontum! 1.18
   balteus aut fluxos gemmis astrinxit
   amictus, ... 2.362
   fatur et astrictis laxari uincula palmis/
   imperat. 2.516
   fluxa coloratis astringunt carbasa
   gemmis, ... 3.239
   postquam sicca rigens astrinxit uolnera
   sanguis. 4.291
   sic stat iners Scythicas astringens
   Bosporos undas, ... 5.436
   protinus astrictus caluit cruor atraque
   fouit / uolnera 6.750
   set murmure nullo/ ora astricta sonant;
                 6.761
   astrictos refouet conplexibus artus. 8.67
   si foedera nobis /prisca manent .../
   per uestros astricta magos, inplete
   pharetras 8.220
ASTRUM. astra petes serus, ... 1.46
   ignea pontum/ astra petent, . . . 1.76
   solis Lucifero fugiebant astra relicto.
                 1.232
   aequaret uisi numerisque sequentibus
   astra, ... 1.641
   lux rubet et flammas proprioribus
   eripit astris, ... 2.721
   aut si terrigenae temptarent astra
   gigantes, ... 3.316
   seruatoque loco rerum discessit ab
   astris/ umor, ... 4.126

nec segnis uergere ponto/ tunc erat astra
polus; 4.526
eminuit pontoque fuit discrimen et astris.
 5.76
et adhuc dubitantibus astris/ Pompei
damnare caput tot fata tenentur? 5.204
summis etiam quae fixa tenentur/ astra
polis sunt uisa quati. 5.564
tum quoque tanta maris moles creuisset in
astra 5.625
inseruit celsis prope se cum Pelion astris
 6.411
uicerat astra iubar, cum mixto murmure
turba /castrorum fremuit 7.45
astra Thyestae/ intulit 7.451
fulminibus manes radiisque ornabit et
astris 7.458
communis mundo superest rogus ossibus
astra/ mixturus. 7.814
rectoremque ratis de cunctis consulit
astris, ... 8.167
petit.../ Pompeius, Fortuna, tuus, non
pinguis ad astra/ ut ferat...Eoos fumus
odores, ... 8.730
sed iam percusserat astra /aurorae
praemissa dies. 8.778
stellasque uagas miratus et astra /fixa
polis, ... 9.12
radiisque potentibus astra/ ire uetat
 10.202
spuma tunc astra lacessis, ... 10.320
ASTUR. his praeter Latias acies erat inpiger
Astur 4.8
ASTURIUS. tam longe luce relicta/merserit
Astyrici (Asturii) scrutator pallidus
auri. var.4.298
ASTYRICUS. se.../ merserit Astyrici scrutator
pallidus auri. 4.298
ASYLUM. exiguum dominos commisit asylum. 1.97
AT. 1.24;1.277;1.352;1.417;1.639;2.64;2.234;
2.284;2.437;2.478;2.645;2.650;3.261;3.312;
3.369;3.469;3.484;3.535;3.556;3.644;3.663;
3.672;3.683;3.715;3.761;4.1;4.16;4.36;
4.229;4.346;4.363;4.448;4.674;4.765;4.811;
5.359;5.465;6.106;6.337;6.611;7.7;7.168;
7.221;7.224;7.367;7.723;8.192;8.396;8.444;
8.637;8.663;8.674;9.1;9.23;9.371;9.392;
9.412;9.431;9.538;9.708;9.815;9.922;10.208;
10.439;10.511
ATAX. mitis Atax Latias gaudet non ferre
carinas 1.403
ATER,-TRA,-TRUM. condidit ardentis atra
caligine currus 1.541
atra Charybdis/ sanguineum fundo torsit
mare; 1.547
tantum nox atra silentibus auris/edidit.
 1.579
quarum una madentis/ scissa genas,
planctu liuentis atra lacertos, 2.37
iuuat ignibus atris/ inseruisse manus
constructoque aggere busti/ ipsum atras
tenuisse faces, ... 2.299
iuuat ignibus atris/ inseruisse manus
constructoque aggere busti/ipsum atras
tenuisse faces, ... 2.301
namque ignibus atris/ creditur, ut captae,
rapturus moenia Romae/ sparsurusque deos.
 3.98
nec uentus in illas/ incubuit siluas
excussaque nubibus atris/ fulgura: 3.409
aut caelum nox atra tenet, pauet ipse

sacerdos 3.424
congestumque aeris atri/ uix recipit
spatium quod separat aethere terram. 4.74
non Euri cessasse minas, non imbribus
atrum/ Aeolii iacuisse Notum sub carcere
saxi/ crediderim; 5.608
iam riget arta (atra) cutis . . .var.6.95
si nimbus et atrae /sidera subducunt
nubes, tunc Thessala nudis/egreditur
bustis 6.518
protinus astrictus caluit cruor atraque
fouit/uolnera 6.750
notauit/... uoltusque prementem/ canitiem
atque atro squalentis puluere uestes.
 8.57
sic nec clara dies nec nox dabat atra
quietem 9.839
ATERIUS,-A,-UM. percussaque flamma/turbine non
alio motu per tecta cucurrit /quam solet
aetherio (aterio) lampas decurrere sulco
 var.10.502
ATHAMAS. dispersus siluis Athaman et nomine
prisco/ Encheliae uersi testantes funera
Cadmi. 3.188
ATHENAE. exhausit totas quamuis dilectus
Athenas, ... 3.181
Taygeti, fama ueteres laudantur Athenae,
 5.52
uictasque patri despexit Athenas, 10.29
ATHOS. in medium deferret Athon. . . . 2.677
ATLANTEUS. primus ab oceano caput exeris
Atlanteo, ... 5.598
ATLANTIS(adi.). dentibus hic niueis sectos
Atlantide silua/ inposuere orbes, 10.144
ATLANTIS(=PLEIAS). iam sparserat Haemo/bruma
niues gelidoque cadens Atlantis Olympo,
 5.4
ATLAS. Tethys maioribus undis/Hesperiam Calpen
summumque inpleuit Atlanta. . . . 1.555
regna/ cardine ab occiduo uicinus Gadibus
Atlans/ terminat, ... 4.672
in cautes Atlanta dedit; 9.655
ATQUE. 1.116;1.217;1.282;1.322;1.617;1.689;
2.67;2.132;2.442;2.486;2.587;3.543;3.735;
4.42;4.54;4.58;4.101;4.204;4.208;4.239;
4.290;4.364;4.802;5.62;5.148;5.168;5.179;
5.280;5.318;5.347;5.372;5.458;5.632;5.649;
5.807;5.810;6.98;6.167;6.192;6.216;6.240;
6.252;6.318;6.355;6.565;6.612;7.157;7.184;
7.194;7.228;7.373;7.488;7.559;7.867;8.57;
8.59;8.103;8.263;8.277;8.614;8.621;8.645;
8.676;8.682;8.871;9.156;9.286;9.327;9.335;
9.357;9.378;9.386;9.486;9.518;9.715;9.746;
9.760;9.852;9.858;9.883;9.885;9.942;9.
1057;9.1093;10.134;10.260;10.267;10.300;
10.349;10.503
ATRIUM. atria cognati pulsat non ampla
Catonis. 2.238
ebur atria uestit, ... 10.119
et incerto lustrat uagus atria cursu,
 10.460
ATROX. instat atrox et adhuc, quamuis
possederit omnem/ Italiam, . . . 2.658
Septimius.../ inmanis uiolentus atrox
nullaque ferarum/ mitior in caedes. 8.599
ATTENDO,-ERE. 'saecula Romanos numquam
tacitura labores/attendunt, . . . 8.623
ATTINGO,-ERE. Caesar, ut aduersam superato
gurgite ripam/ attigit, ... 1.224
et, desit si larga Ceres, tunc horrida
cerni/ foedaque contingi maculato

attingere morsu. 3.348
Brundisium decumis iubet hanc attingere
castris 5.374
nondum attigit arcem,/ iuris et humani
columen, ...   7.593
eiectaque classis/ Syrtibus haut ultra
Garamantidas attigit undas, . .   9.369
ut primum terras.../ attigit et diras
calcauit Caesar harenas,/pugnauit fortuna
ducis fatumque nocentis/Aegypti, . . 10.2

ATTOLLO,-ERE. an tollet (attollet)feruidus
aer/ temperiem? var.1.646
attollunt campo geminae iuga saxea rupes
/ualle caua media; 4.157
aut dum dispositis attollat retia uaris,
4.439
nec caespite tantum/ contentus fragili
subitos attollere muros 6.33
nunc uetus Iliacos attollat fabula muros
6.48
Thessaliam, qua parte diem brumalibus
horis/ attollit Titan, rupes Ossaea
coercet; 6.334
pronum.../ Emathiis unum campis attollere
corpus, ...   6.620
uisus sibi .../ attollique suum laetis
ad sidera nomen /uocibus 7.11
frustraque attollere terra/ semianimem
conantur eram; 8.65
ausus in ardentem ripas attollere Cancrum
10.288

ATTONDEO,-ERE. miles et attonso miseris iam
dentibus aruo/ castrorum siccas de caespite
uolserat herbas. 4.413
belliger attonsis sonipes defessus in
aruis,/.../ore novas poscens moribundus
labitur herbas 6.84

ATTONO,-ERE. palluit attonitus sacris
feralibus Arruns 1.616
talis et attonitam rapitur matrona per
urbem 1.676
attonitae tacuere domus, ...   2.22
lacerasque in limine sacro/ attonitae
fudere comas 2.32
sic fatur et urbem/ attonitam terrore
subit. 3.98
ipse situs putrique facit iam robore
pallor/ attonitos; 3.415
attonitus mortisque illas putat esse
tenebras. 3.714
tum sic attonitam uenturaque fata pauentem
/rexit magnanima Vulteius uoce cohortem:
4.474
Caesaris attonitam miscenda ad proelia
mentem/ ferre moras scelerum partes
iussere relictae. 5.476
et attonito cesserunt pectore sensus.
5.760
pauor attonitos confecerat hostes.   6.131
sua quisque pericula nescit/attonitus.
maiore metu. 7.134
attonitique omnes ueluti uenientia fata,
/non transmissa, legent 7.212
Pompeius.../... stat corde gelato/
attonitus; 7.340
nec magis attonitos animi sensere tumultus,
/...Pentheus aut... Agaue. . . .   7.779
occursu stupuere ducis uertigine rerum/
attoniti, ...   8.17
attonitoque metu nec quoquam auertere
uisus/nec Magnum spectare potest.   8.591

ille ordine rupto/funeris attonitus
latebras in litore quaerit. . .   8.780
attonitae posuere fugam 9.289
ATTRAHO,-ERE. attraxit nubes, non pabula
flammis 7.5
attrahit illos/ in nostras fortuna manus:
10.384
ATURUS. tum rura Nemetis/ qui tenet et ripas
Atyri, ...   1.420
AUCTOR. non tu, Pyrrhe ferox, nec tantis
cladibus auctor 1.30
uobis auctoribus umbrae /.../ pallida regna
petunt: 1.454
nulloque auctore malorum /quae finere
timent. 1.485
pacisque petendae/ auctor damnatis
supplex Afranius armis/semianimes in
castra trahens hostilia turmas/uictoris
stetit ante pedes. 4.338
ille salutis/ est auctor, dux ille fuit.
4.400
bellumque trahebat/ auctorem ciuile suum.
4.739
Libyamque iubent auctore senatu/
sceptrifero parere Iubae. . . .   5.56
quibus haec rabies auctoribus arsit, 5.359
Italiam si caelo auctore recusas/me pete.
5.579
cunctorum uoces Romani maximus auctor/
Tullius eloquii .../pertulit iratus bellis,
7.62
cladisque suae uix ipse fidelis/auctor
erat. 8.18
si regia Magno/ sceptrorum auctori uera
pietate pateret,/ uenturum tota Pharium
cum classe tyrannum. 8.573
ne cede pudori/ auctoremque dole fati:
8.628
non Caesaris armis/ occubuit dignoque
perit auctore ruinae: 9.129
dixitque semel nascentibus auctor/
quidquid scire licet. 9.575
Parrhasiae uexerunt Persea pinnae/Arcados
auctoris citharae liquidaeque palaestrae,
9.661
missusque satelles/... ut... absentis uoce
tyranni/ corriperet famulos, quo bellum
auctore mouerent. 10.470
sed non auctore furoris/sublato cecidit
rabies; 10.529
AUCTUS(subst.). nec lorica tenet distenti
pectoris auctum. 9.797
auctusque suos non ante coartat/ quam
nox aestiuas a sole receperit horas.
10.217
AUDAX. audax uenali comitatur Curio lingua,
1.269
Hesperios audax ueniam metator in agros.
1.382
explicat audaces ruere in certamina turmas
1.474
accipimus, siluisque feras sub nocte
relictis/audaces media posuisse cubilia
Roma. 1.560
cum Cotta Metellum/ conpulit audaci nimium
desistere coepto. 3.144
audaxque iuuentus/erupit. . . .   3.499
puppe Catus Graiumque audax aplustre
retentat, ...   3.586
namque rates audax Lilybaeo litore soluit
4.583

quippe ipsa metus exsoluerat audax/
turba suos: 5.259
ductor erat cunctis audax Antonius armis
         5.478
casus audax spondere secundos/ mens stetit
in dubio, ... 7.246
hanc audax sperat sibi cedere uirtus. 9.302
struit audax inrita fatis/ nec parat
occultae caedem committere fraudi   10.344
audax Thessalici nuper qui rupe sub Haemi/
Hesperiae cunctos proceres.../ non timuit
.../ expauit seruile nefas, . .   10.449
se/ protulit in medios audaci margine
fluctus/ luxuriosa domus. 10.487

AUDEO,-ERE. non ausus timuisse palam: 1.258
ausus et armatos plebi miscere potentes.
         1.271
atque auso medias perrumpere milite leges
         1.322
ausi Latio se fingere fratres/ sanguine ab
Iliaco populi, ... 1.427
ut inmensae conlecto robore uires/audendi
maiora fidem fecere, ... 1.467
multum cum pontibus ausis/ Europamque Asiae
Sestonque admouit Abydo 2.673
(Phoenices primi, famae si creditur, ausi
         3.220
ostia nascenti contraria soluere Phoebo/
audet et aduersum fluctus inpellit in
Eurum,   3.232
Phocais in dubiis ausa est seruare iuuentus
/non Graia leuitate fidem signataque iura,
         3.301
non tamen auderet pietas humana uel armis
/uel uotis prodesse Ioui, ... 3.317
ausus et aeriam ferro proscindere quercum
         3.434
ausus Romanae Graia de puppe carinae/
iniectare manum; 3.610
ac, nequid Sicoris repetitis audeat undis,
         4.141
rupit amor leges, audet transcendere
uallum 4.175
polluta nefanda /agmina caede duces iunctis
committere castris/ non audent, . 4.261
non eadem belli totum fortuna per orbem/
constitit, in partes aliquid sed Caesaris
ausa est. 4.403
'audendo magnus tegitur timor; . . 4.702
nec fas nec uincula iuris/ hoc audere
uetant: 5.289
detegit inbelles animas nil fortiter ausa
/seditio tantumque fugam meditata iuuentus
         5.322
sponte per incautas audet temptare tenebras
         5.500
Caesar.../ uix famulis audenda parat,
         5.509
nec placet.../... quodque ausa uolare/
ardea sublimis pinnae confisa natanti,
         5.553
uolnere non audet flentem deprendere
Magnum. 5.738
nec uerba nec herbae/ audebunt longae
somnum tibi soluere Lethes . . . 6.769
uidi ego laetantis... Drusos/ legibus
inmodicos ausosque ingentia Gracchos; 6.796
tunc ausae dare signa tubae, . . 7.477
nullusque auderet pecori permittere pastor/
uellere... herbam, ... 7.864
quisquamne secundis/ tradere se fatis audet

nisi morte parata? 8.32
quaerere nec quicquam de fato coniugis
audes. 8.49
nec se committere muris/ ausus adhuc ullis
te primum, parua Phaseli,/ Magnus adit;
         8.251
audentque in bella uenire 8.301
nec Martem comminus usquam/ ausa pati
uirtus, sed longe tendere neruos 8.383
regia non ullis exceptos legibus audet
/concubitus: 8.402
ausus Pompeium leto damnare Pothinus
         8.483
bustum cineresque mouere/ Thessalicos
audes bellumque in regna uocare? 8.530
caeloque tonante profanas/ inseruisse
manus, inpure ac semiuir, audes? 8.552
ille per umbras/ ausus ferre gradum 8.718
ne fera, ne .olucres, ne saeui Caesaris
ira/ audeat, exiguam, quantum potes,
accipe flammam 8.766
tunc ausum classi praecludere portus/
inpulit... Phycunta 9.39
non... gratius.../ omne quod in superos
audet conuicia uolgus/... quam pauca
Catonis/ uerba 9.187
frustraque rudentibus ausis/ uela
negare Noto spatium uicere carinae, 9.325
audet in ignotas agmen committere gentes
         9.372
non maesti iura Catonis/ ardentem tenuere
uirum ne spargere signa/auderet 9.749
non ausi tradere busto/ nondum stante modo
crescens fugere cadauer. 9.803
uni tibi, Magne, negare/ non audet gemitus
         9.1046
nec non his fallere uocibus audet 9.1062
hilaresque nefas spectare cruentum/ o bona
libertas, cum Caesar lugeat, audent.
         9.1108
non fabula mendax/ ausa loqui de fonte
tuo est. 10.283
ausus in ardentem ripas
attollere Cancrum 10.288
nec nos deterreat ausis/ Hesperii
fortuna ducis, ... 10.375
aude, superi tot uota Catonum /Brutorumque
tibi tribuent.' 10.397
quid plus te, Magne, recepto/ ausa foret
Lagea domus? 10.414
non.../... gelido circumfluus orbis
Hibero/ tantum ausus scelerum, non
Syrtis barbara, ... 10.477

AUDIO,-IRE. nec ciuis meus est, in quem
tua classica, Caesar/ audiero. 1.374
tu tantum audito bellorum nomine, Roma,
/desereris; 1.519
magnaeque per auia uoces/ auditae
nemorum et uenientes comminus umbrae.
         1.570
audieratque pauens 'fas haec contingere
non est/ colla tibi; 2.81
Caesaris audito conuersus nomine Sulla.
         2.465
nec ullae/ audiri potuere tubae. 3.542
nullam melius pelago turbante carinae/
audiuere manum, ... 3.594
tristia sed postquam superati proelia
Vari/ sunt audita Iubae, ... 4.716
hospes in externis audiuit curia tectis.
         5.11

AUDIO

    nam cernere uoltus/ et uoces audire datur,
        5.472
    satis est audisse pericula Magni;   5.747
    deisque/ audior, euentus rerum sciet ultima
    coniunx. 5.779
    nec soluent audita metus mihi prospera
    belli, ... 5.782
    torpuit et praeceps audito carmine mundus,
        6.463
    coetus audire silentum,/.../non superi,
    non uita uetat. 6.513
    carmenque timent audire secundum. 6.528
    iam uera reddetur uita figura/ ut quamuis
    pauidi possint audire loquentem. 6.661
    nunc tantas ille lacesset/ auditi uictoris
    opes 8.361
    'o felix, quem sors alias dispersit in
    oras/ quique nefas audis: 9.127
    cum talia Magnus/ audisset, non in gemitus
    lacrimasque dolorem/ effudit, . . 9.146
    interea totis audito funere Magni/
    litoribus sonuit percussus planctibus
    aether, ... 9.167
    deus, quem toto litore pontus/ audit
    uentosa perflantem marmora concha, 9.349
    sed, siquod tardius audit/ uirus.../
    tum... pallentia uolnera lambit 9.931
    uocesque querentis/ audita umbra pias.
        9.1095
AUDITUS(subst.). te, quem Romana regentem/
    horruit auditu, .../ ... humilem fractumque
    uidebit/ rex 8.342
    quis dignior umquam/ hoc fuit auditu
    mundique capacior hospes? 10.183
AUEHO,-ERE. nec fortior undis/ labitur
    auectae pater Isidis, ... 6.363
    auehit inde/ Pompeium sonipes; . . 7.723
AUELLO,-ERE. auolsae cecidere manus
    exsectaque lingua/ palpitat et muto
    uacuum ferit aera motu. 2.181
    dum spissis auellitur uncus harenis; 2.694
    scinditur auolsus, nec, sicut uolnere,
    sanguis/ emicuit lentus: 3.638
  • auolsasque rotant expulso remige sedes.
        3.673
    auolsi⁺ laceros percussa puppe rudentis
        5.594
    ingentis cautes auolsaque saxa metallis/
    ... transfert 6.34
    seque... tantae mercedis habere /credit
    adhuc iugulum, quantam pro Caesaris ipse/
    auolsa ceruice daret. 8.12
    quem flexo dente tenacem/ auolsitque manu
    piloque adfixit harenis. 9.765
AUEO,-ERE. Caesar auet nec castra pati
    contingere ripas 4.265
    scire senatus auet, miles te, Magne,
    sequatur /an comes.' 7.84
AUERNUS. Aruernique, ausi Latio se fingere
    fratres/ sanguine ab Iliaco populi, 1.427
    si conuolso uertice Gaurus/ decidat in
    fundum penitus stagnantis Auerni. 2.668
    monstroque potenti/extractus Stygio
    populus pugnasset Auerno. 6.636
AUERRO,-ERE. sperat et Hesperiae cineres
    auertere (auerrere) gentis . . . var.6.585
AUERTO,-ERE. nec polus auersi calidus qua
    uergitur Austri, ... 1.54
    uelim.../ sollicitare deum Bacchumque
    auertere Nysa: 1.65
    ciuile auertite bellum. 2.53

    ocius auertat diri mala semina belli.
        3.150
    parati,/ undarum raptos auersis fontibus
    haustus/ quaerere 3.345
    auertitque ratem morientis dextra
    magistri. 3.599
    cum prope fatorum tantos per prospera
    cursus/ auertere dei. 5.240
    pectus et auersi petit oscula grata
    mariti, ... 5.736
    'parcite'/ ait 'ciues; procul hinc
    auertite ferrum. 6.230
    deserit auerso possessam numine sedem/
    Caesar 6.314
    sperat et Hesperiae cineres auertere
    gentis 6.585
    auersosque polos alienaque sidera quaeris,
        8.337
    attonitoque metu nec quoquam auertere
    uisus/ nec Magnum spectare potest. 8.591
    manes animamque potentem/ officiis auerte
    meis: 8.763
    quem non tumuli... saxum /et cinis.../
    auertet manesque tuos placare iubebit/
    et Casio praeferre Ioui? 8.857
    uincitur et nudis auertitur armamentis.
        9.329
    Persea Phoebeos conuerti iussit ad ortus/
    Gorgonos auerso sulcantem regna uolatu,
        9.668
    dextraque trementem/ Perseos auersi
    Cyllenida derigit harpen 9.676
    uoltusque gelassent/ Perseos auersi, 9.682
    non primo Caesar damnauit munera uisu/
    auertitque oculos; 9.1036
    iam tibi, sed procul hoc auertant fata,
    minatur. 10.101
    procul hoc auertite, fata, /crimen, 10.341
AUFERO,-FERRE. ferales omine taedas/abstulit
    ad manes Parcarum Iulia saeua . . 1.113
    Oceanus uel cum refugis se fluctibus
    aufert. 1.411
    Pontus, et Herculeis aufertur gloria
    metis, ... 3.278
    multus sua uolnera puppi/ adfixit
    moriens et rostris abstulit ictus. 3.708
    qui praestat terris aufert tibi nomen
    Hiberus. 4.23
    campos eques obuius omnis/ abstulit et
    siccis inclusit collibus hostem. 4.263
    indulsit castris et collibus abstulit
    omen 4.664
    Curio temptarat, Libyamque auferre tyranno
    /dum regnum te, Roma, facit. . . 4.691
    nobis uictoria turbam/ non dabit, inpulsi
    tantum quae praemia belli/auferat et
    uestri rapta mercede laboris . . 5.331
    non magis ablatis umquam descenderit
    aequor,/ quam nunc crescit, aquis. 5.338
    quem non.../ auferret Fortuna locum
    uictoribus unus/ eripuit 6.141
    sideribusque uias incurrens abstulit Ossa.
        6.412
    abstulimus terras, exclusimus aequore
    toto, ... 7.97
    Fortuna.../ abstulit ingentis fato
    torrente ruinas. 7.505
    tum Magnum concitus aufert/ a bello
    sonipes 7.677
    obuia nox miserae caelum lucemque
    tenebris/ abstulit 8.59

neque.../ abstulerat Magno reges fortuna
ministros. 8.207
Phariamque ablatus in alnum/perdiderat iam
iura sui. 8.611
sum tamen, o superi, felix, nullique
potestas/ hoc auferre deo. 8.631
ne leuis aura retectos/ auferret cineres,
saxo conpressit harenam, ...   8.790
abstulit Emathiae secum fragmenta ruinae.
                                     9.33
deceptaque uixi/ ne mihi commissas auferrem
perfida uoces. 9.100
an occidimus Romanaque Magnus ad umbras/
abstulit?' 9.125
quaecumque iniuria fati/ abstulit hos
artus, superis haec crimina dono: 9.144
abstulit has liber uentis contraria uoluens
/aestus 9.333
abstulit arboribus pretium nemorique
laborem/ Alcides, ...   9.365
solus nemus abstulit Hammon. . . .   9.525
hoc et flamma potest; sed quis rogus
abstulit ossa? 9.784
tot monstra ferentem/ gentibus ablatum
dederas serpentibus orbem, ...   9.856
legit.../ ... Heroas...turres/ qua pelago
nomen Nepheleias abstulit Helle. .   9.956
'aufer ab aspectu nostro funesta, satelles,
/regis dona tui. 9.1064
quo totum ceperat orbem/ abstulit
imperium, ...   10.44
abstulit excursus et fauces aequoris hosti/
Caesar 10.513
AUFIDUS. Senaque et Hadriacas qui uerberat
Aufidus undas; 2.407
AUGEO,-ERE. tum uires praebebat hiemps atque
auxerat undas 1.217
pro numine fata sinistro/ exigua requie
tantas augentia clades! 4.195
turbaque cadentum/ aucta lues, . .   6.101
auget eques stimulos frenorumque artat
habenas. 7.143
deformis adhuc uiuente marito/summus
et augeri uetitus dolor: 8.82
Hesperios auxit tantum Cleopatra furores.
                                     10.62
AUGUR. et doctus uolucres augur seruare
sinistras 1.601
tonat augure surdo, ...   5.395
Euganeo, si uera fides memorantibus, augur
/colle sedens.../... /'uenit summa dies'
...dixit 7.192
si cuncta perito/ augure mens hominum caeli
noua signa notasset,/ spectari toto potuit
Pharsalia mundo. 7.203
AUGUSTUS,-A,-UM. augustius aris/ uictoris
Libyco pulsatur in aequore saxum.   8.861
AUIDUS,-A,-UM. hinc usura uorax auidumque in
tempora fenus 1.181
stagna auidi texere soli laxaeque paludes/
depositum, Fortuna, tuum; 2.71
nec mora, conplentur moles, auideque
petitis/ insula deseritur ratibus,   4.445
hic auidam belli rapuit spes inproba mentem
                                     6.29
mirantesque uirum atque auidi spectare
secuntur 6.167
has auidae tigres et nobilis ira leonum/
ore fouent blando; 6.487
tunc omnis auide desaeuit in artus   6.540
et Chaos innumeros auidum confundere mundos

/.../ exaudite preces. 6.696
aether/.../et trabibus mixtis auidos
typhonas aquarum/ detulit . . .   7.156
non intima curant/ uiscera nec totas
auidae sorbere medullas: 7.843
nam corpus Phariaene canes auidaeque
uolucres/ distulerint, an furtiuus...
ignis/ soluerit, ignoro. 9.141
oraque distendens auidus fumantia prester,
                                     9.722
auidusque urguente procella/ Iliacus
pensare moras 9.1001
non cruce, non flammis rapuit (auido) non
dente ferarum: var.10.517
AUIS. Bistonias consuetus aues . .   3.200
pascit aues nullo contectus Curio busto.
                                     4.810
et laetae iurantur aues bubone sinistro.
                                     5.396
nec quaesisse libet.../ ... quis prodat
aues, ...   6.428
ad mollem serius Austrum/ istis, aues.
                                     7.834
AUITUS,-A,-UM. stat tectis putris auitis/
in nullos ruitura domus, ...   7.403
hospes auitus erat, depulso sceptra
parenti/ reddiderat. 9.1028
AUIUS,-A,-UM. tum fragor armorum magnaeque per
auia uoces/ auditae 1.569
iubet.../ et cunctas reuocare rates quas
auius Hydrus/... recipit 5.375
letiferae tibi causa morae fuit auia
Lesbos, ...   8.640
AULA. nec Graecia maerens/ tot laceros artus
Pisaea fleuit in aula. 2.165
positisque insignibus aulae/ egreditur
famulo raptos indutus amictus. .   8.239
ne iura fidemque/ respectumque deum
ueteri speraueris aula; 8.451
hospitis aduentu pauidam conpleuerat
aulam. 8.473
exeat aula/ qui uolt esse pius.   8.493
obside quo pacis Pellaea tutus in aula/
Caesar erat, ...   10.55
et Pompeianis habitata manibus aula/...
adulter/ admisit Venerem curis,   10.73
totaque effusus in aula/ calcabatur
onyx; 10.116
et districta epulis ad cunctas aula
patebat/ insidias, ...   10.422
at Caesar moenibus urbis/ diffisus foribus
clausae se protegit aulae . . .   10.440
illa lues paulum clausa reuocauit ab aula
/... populos. 10.504
AULIS. Euripusque trahit,/ Chalcidicas puppes
ad iniquam classibus Aulin. . .   5.236
AULUS(miles Pompei). credidit infelix
simulatis uocibus Aulus 6.236
AULUS(miles Catonis). signiferum iuuenem
Tyrrheni sanguinis Aulum/... dipsas
calcata momordit. 9.737
AUOCO,-ARE. numen/ ... non cura poli caelique
uolubilis umquam/ auocat. . . .   6.448
AURA. multa dare in uolgus, totus popularibus
auris/ inpelli 1.132
tantum nox atra silentibus auris/edidit.
                                     1.579
delabitur inde/ Vulturnusque celer
nocturnaeque editor aurae/ Sarnus   2.423
nec quatiunt ualidos, ne sibilet aura,
rudentes. 2.698

AURA

    non ulli frondem praebentibus aurae/
    arboribus suus horror inest.   3.410
    obliquusque caput uanas serpentis in
    auras/ effusae tuto conprendit guttura
    morsu/ letiferam citra saniem;   4.726
    summaque pandens/ sipara uelorum perituras
    colligit auras. 5.429
    non ualet ipsa sequi puppes quae uexerat
    aura. 5.433
    et non letiferas spirando perdidit auras.
                      6.522
    non altius ibis in auras, ... 7.816
    spirat de litore Coo/ aura fluens; 8.247
    tunc, ne leuis aura retectos/auferret
    cineres, saxo conpressit harenam, 8.789
    et hinc placidis alto delabitur auris/
    in litus, Palinure, tuum 9.41
    et liquidas e turbine soluit in auras,
                      9.451
    multumque madenti/ infudere comae
    quod nondum euanuit aura/ cinnamon externa
                    10.166

AURATUS,-A,-UM.   cunctis innoxia numina
    terris/ serpitis, aurato nitidi fulgore
    dracones, ... 9.728
AUREUS,-A,-UM.   fuit aurea silua . . 9.360
AURIFER,-A,-UM.   passaque ab auriferis tellus
    exire metallis/ Pactolon,   . . . 3.209
AURIS.   uotisque uocari/ adsuetas crebris
    feriunt ululatibus aures.   . . .   2.33
    hic aures, alius spiramina naris aduncae
    /amputat, ... 2.183
    quam laetae Caesaris aures/ accipient
    tantum uenisse in proelia ciuem! 2.273
    ora terens spargitque iubas et subrigit
    auris 4.752
    securasque fragor concussit Caesaris
    aures. 6.163
    inpia tot populis, tot surdas gentibus
    aures/caelicolum dirae conuertunt carmina
    gentis. 6.443
    nec membris sole perustis/ auribus
    incertum feralis strideat umbra.' 6.623
    castrorum uigiles, nullas tuba uerberet
    aures. 7.25
    nequiquam duras temptasset Caesaris aures:
                    10.104
AURORA.   ipse sub aurorae primos excedere
    motus/ signa iubet castris,   . . . 4.734
    sed iam percusserat astra/aurorae
    praemissa dies: 8.779
AURUM.   non auro tectisue modus, mensasque
    priores 1.163
    et picto uestes discriminat auro, 2.357
    (usque adeo solus ferrum mortemque
    timere/ auri nescit amor, ... 3.119
    quo te Fabricius regi non uendidit auro,
                    3.160
    hinc Essedoniae gentes auroque ligatas/
    substringens Arimaspe comas; . . . 3.280
    non dest prolato ieiunus uenditor auro.
                    4.97
    se.../ merserit Astyrici scrutator
    pallidus auri. 4.298
    non auro murraque bibunt, sed gurgite
    puro/ uita redit. 4.380
    Gallorum captus spoliis et Caesaris auro.
                    4.820
    aurumque moneta/ fregit 6.404
    raptum Hesperiis e gentibus aurum/ hic
    iacet 7.741

    inpulit amentes aurique cupidine caecos/
    ire super gladios supraque cadauera
    patrum 7.747
    quidquid fodit Hiber, quidquid Tagus
    expulit auri,/.../ ut rapiant, paruo
    scelus hoc uenisse putabunt. . . 7.755
    accipe templorum cultus aurumque deorum;
                    8.121
    templis auroque sepultus/ uilior umbra
    fores. 8.859
    non illuc auro positi nec ture sepulti/
    perueniunt. 9.10
    collegit.../ armaque et inpressas auro,
    quas gesserat olim. 9.176
    non aere nec auro/ excoquitur, . . 9.424
    numen Romano templum defendit ab auro.
                    9.521
    captus.../ non auro cultuque deum, non
    moenibus urbis,/ effossum tumulis cupide
    descendit in antrum. 10.18
    crassumque trabes absconderat aurum.
                    10.113
    pars auro plumata nitet, pars ignea cocco,
                    10.125
    infudere epulas auro, quod terra, quod
    aer,/ ...dedit, ... 10.155
AUSONIA.   Ausonium tu solus habes.' . . 5.497
    patrias sedes atque hoste carentem/
    Ausoniam peteret. 6.319
    libertas.../... uagatur/... nec respicit
    ultra/ Ausoniam, uellem populis incognita
    nostris. 7.436
    satis o nimiumque beatus/ si mihi
    contingat manes transferre reuolsos
    Ausoniam, ... 8.845
AUSONIDES.   grata uice moenia reddent/Ausonidae
    Phrygibus, ... 9.999
AUSONIUS.   spolianda tropaeis/ Ausoniis
    umbraque erraret Crassus inulta   1.11
    Gallica certus/ limes ab Ausoniis
    disterminat arua colonis. . . . 1.216
    Ausoniam qua torquens frugifer oram 5.378
    Ausonias uoluit gladiis miscere secures
                    5.388
    tu uelut Ausonia uadis moriturus in urbe,
                    7.33
    (neque enim aequore tantum/Ausonio
    monimenta tenes, ... 9.43
AUSPEX.   iunguntur taciti contentique auspice
    Bruto. 2.371
AUSPICIUM.   nec gerit auspiciis ciuilia bella
    paternis 2.464
    oderat et Magnum, quamuis comes isset
    in arma/ auspiciis raptus patriae ductuque
    senatus; 9.22
    nam rursus in arma/ auspiciis Ganymedis
    eunt 10.531
AUSTER.   nec polus auersi calidus qua uergitur
    Austri, ... 1.54
    sed sponte deum, seu turbidus Auster/
    inpulerat, ... 1.234
    qualis, cum turbidus Auster/reppulit
    a Libycis inmensum Syrtibus aequor 1.498
    pugnatque minaci /cum terrore fides, ut,
    cum mare possidet Auster 2.454
    propulit ut classem uelis cedentibus
    Auster/incumbens 3.1
    ubere uix glaebae superat, cessantibus
    Austris/... Libye 3.68
    Carmanosque duces, quorum iam flexus in
    Austrum/ aether non totam mergi tamen

AUSTER
    aspicit Arcton 3.250
    et posito Borea pacemque tenentibus
    Austris/ seruatum bello iacuit mare,
                             3.523
    Ausoniam qua torquens frugifer oram/
    Delmatico Boreae Calabroque obnoxius
    Austro/Apulus Hadriacas exit Garganus in
    undas. 5.379
    Zephyros intendat an Austros/incet
    incertum est; 5.569
    nudas Aquilonibus undas/succedens Boreae
    iam portum fecerat Auster. . . . 5.721
    Ioniumque furens, rapido cum tollitur
    Austro, ... 6.27
    ad mollem serius Austrum/istis, aues.
                             7.833
    uigiles Pompei pectore curae/... adeunt
    .../ ...inuia mundi/ arua super nimios
    soles Austrumque iacentis. . . 8.164
    si regna times proiecta sub Austro/...
    petimus Pharon 8.442
    emensus Cypri scopulos quibus exit in
    Austrum 8.461
    cum poscere finem/ a superis aut Roma
    uolet feralibus Austris/... consilio
    iussuque deum transibis in urbe, 8.847
    densis fremuit niger imbribus Auster.
                             9.320
    obnixum uictor detrusit in Austrum.
                             9.334
    quamuis elisus ab Austro,/ saepe tamen
    cumulos fluctus non uincit harenae. 9.339
    sed citri contenta comis uiuebat et
    umbra(Austro). var.9.428
    nam litore sicco/ quam pelago, Syrtis
    uiolentius excipit Austrum, . . . 9.448
    concuteret terras.../si...Libye.../
    clauderet exesis Austrum scopulosa
    cauernis; 9.468
    spoliauerat Auster/ aut Boreas populos
    ancilia nostra ferentes. . . 9.479
    nec pondere solo/ sed nisu iacuit, uix
    sic inmobilis Austro; 9.484
    calido non ocius Austro/ nix resoluta
    cadit 9.781
    testis tibi sole perusti/ ipse color
    populi calidique uaporibus Austri. 10.222
AUSTRALIS. inde Canopos/ excipit, Australi
    caelo contenta uagari/stella,   8.182
AUT. 1.211;1.287;1.391;1.407;1.453;1.493;
    1.494;1.506;1.575;1.576;1.642;1.644;
    2.121;2.135;2.200(bis);2.362;3.39;3.40;
    3.60;3.61;3.316;3.424;3.479;4.266;4.299;
    4.300;4.302;4.318;4.439;4.489;4.596;
    4.797;4.815;5.117;5.118;5.522;5.530;
    5.547;5.553;5.683;6.55;6.57;6.59;6.67;
    6.198;6.199;6.204;6.258;6.259;6.266;
    6.430;6.455;6.511;6.679;6.680;7.75;7.120;
    7.121;7.272;7.282;7.303(bis);7.441;7.463;
    7.539;7.569;7.624;7.642;7.644;var.7.671;
    7.673;7.720;7.735;7.780;7.781;7.782;7.
    806;7.835;7.839(bis);8.170;8.296;8.321;
    8.326;8.327;8.361;8.378;8.447;8.459;
    8.654;8.655;8.656;8.846;8.847;8.848(bis);
    8.854;9.69;9.107(bis);9.238;9.399;9.400;
    9.480;9.513;9.514;9.534;9.535;9.620;9.695
    9.695;9.739;9.834;9.929;10.221
AUTOLOLES. Autololes Numidaeque uagi
    semperque paratus/ inculto Gaetulus equo,
                             4.677
AUTUMNUS. nec campos liberat undis/donec in

AXIS
    autumnum declinet Phoebus 10.236
AUUS. quidquid parcorum mores seruastis
    aurorum, ... 3.161
    hunc quoque.../ lege tribunicia solio
    depellere auorum 4.690
    'nobile cur robur fortunae uolnere primo/
    femina tantorum titulis insignis
    auorum/ frangis? 8.73
    multusque in pectore uano est /Hannibal,
    ...qui.../ et Numidas contingit auos.
                             8.287
AUXILIARIS,-E. nec cantu supplice numen/
    auxiliare uocat 6.524
AUXILIUM. puppis ad auxilium sociae concurrit;
                             3.663
    miles non utile clausis/ auxilium
    mactauit equos, ... 4.269
    mensasque perosi/ auxilium fecere famem.
                             4.308
    auxilioque diu uirtus non usa
    cadendi/ terrae spernit opes: . . 4.607
    auxilium membris calidas infudit harenas.
                             4.616
    ut tandem auxilium tactae prodesse
    parentis/ Alcides sensit, ... 4.645
    quem nostrae fortuna coegit/ auxilium
    sperare casae?' 5.523
    non illic regum auxiliis collecta
    iuuentus/ bella gerit 7.548
    iacet omne cruenti/ uolneris auxilium?
                             8.334
    temptare pudendum/ auxilium tanti est,
                             8.391
    non solum auxilium funesto ab rege
    petisse/... pudebit. 8.418
    Magnus et auxilio remorum infanda petebat
    /litora; 8.561
    auxilium uolucri Pallas tulit innuba
    fratri 9.665
    miseris serum.../ auxilium Fortuna dedit.
                             9.891
    hoc igitur tandem leuior Romana iuuentus/
    auxilio late squalentibus errat in aruis.
                             9.939
    hebenus Mareotica.../... stat pro robore
    uili/ auxilium non forma domus. 10.119
    nil undique restat/ auxilii: . . 10.367
    illa lues... reuocauit ab aula/ urbis in
    auxilium populos. 10.505
    Caesar et auxiliis ut uidit libera
    ponti/ ostia, non fatum... Pothini/
    distulit ulterius. 10.514
AUXIMON. Varus, ut admotae pulsarunt
    Auximon alae, ... 2.466
AXIS. sentiet axis onus. 1.57
    uentus ab extremo pelagus sic axe
    uolutet 1.412
    set nocte sopora,/ Parrhasis obliquos
    Helice cum uerteret axes, . . . 2.237
    calida medius mihi cognitus axis/ Aegypto
    atque umbras nusquam flectente Syene,
                             2.586
    cum medium nubes Borea cogente sub axem/
    effusis magnum Libye tulit imbribus annum.
                             3.69
    quamuis Hesperium mundi properemus ad
    axem/ Massiliam delere uacat. . . . 3.359
    medio cum Phoebus in axe est . . . 3.423
    stellatis axibus agger/ erigitur 3.455
    ille suo nubes quascumque inuenit in axe
                             4.62

non super arentem Meroen Cancrique
    sub axe, ...   4.333
uel plaga qua torrens claususque
    uaporibus axis/ nec patitur noctes nec
    iniquos crescere soles, ...   5.24
tum superum conuexa tremunt atque arduus
    axis/ intonuit 5.632
axibus et rapidis inpulsos Iuppiter
    urguens/ miratur non ire polos.   6.464
terra quoque inmoti concussit ponderis
    axes, ...   6.481
omnibus annis/ te geminum Titan procedere
    uidit in axem; 7.422
qui non mergitus undis/ axis inocciduus
    gemina clarissimus Arcto,/ ille regit
    puppes. 8.175
non sic moderator equorum/ dexteriore
    rota laeuum cum circumit axem,/ cogit
    inoffensae currus accedere metae.   8.200
qua niger astriferis conectitur axibus
    aer/... semidei manes habitant,   9.5
procul axis uterque est, ...   9.542
ire libet qua zona rubens atque axis
    inustus/ solis equis; 9.852
imus in aduersos axes, euoluimur orbe,
                                        9.876
commeat hac...unda/ frigore ab Arctoo
    medium reuocata sub axem, . . .   10.250
medio consurgis ab axe; 10.287

                    B

BABYLON. cumque superba foret Babylon
    spolianda tropaeis 1.10
tum, Babylon Persea licet secretaque
    Memphis/ omne ... soluat penetrale
    magorum/ abducet superos alienis
    Thessalis aris. 6.449
in tutam trepidos numquam Babylona coegi.
                                        8.225
arcu fregere.../ Bactraque Medorum
    sedem murisque superbam/Assyrias Babylona
    domos. 8.300
debuerant.../ imperii nudare latus, dum
    perfida Susa/ in tumulos prolapsa ducum
    Babylonque iaceret. 8.426
sed cecidit Babylone sua Parthoque
    uerendus. 10.46
BABYLONIUS,-A,-UM. moenia mirentur
    refugi Babylonia Parthi. . . .   6.50
BACCHAE. Delphica Thebanae referunt
    trieterica Bacchae. 5.74
BACCHOR,-ARI. bacchatur demens aliena per
    antrum/ colla ferens, ...   5.169
BACCHUS. uelim.../ sollicitare deum
    Bacchumque auertere Nysa: . . .   1.65
iam fundere Bacchum/ coeperat . .   1.609
duro concordes caespite mensas/
    instituunt et permixto libamina Baccho;
                                        4.198
non erigit aegros/ nobilis ignoto
    diffusus consule Bacchus, ...   4.379
exurit messes et puluere Bacchum/
    enecat 9.433
postquam epulis Bacchoque modum lassata
    uoluptas/ inposuit, longis Caesar
    producere noctem/ inchoat adloquiis,
                                        10.172

BACTRA. arcu fregere.../ Bactraque Medorum
    sedem murisque superbam/ Assyrias Babylona
    domos. 8.299
incurrere cuncti/ debuerant in Bactra
    duces · 8.423
BACTROS. tinxere sagittas/ errantes Scythiae
    populi, quos gurgite Bactros/ includit
    gelido uastisque Hyrcania siluis;   3.267
BAEBIUS. uix te sparsum per uiscera, Baebi,
                                        2.119
BAETIS. qui ferit Hesperius post omnia
    flumina Baetis, ...   2.589
BAGRADA. qua se/ Bagrada lentus agit siccae
    sulcator harenae. 4.588
BALEARIS,-E. inpiger, et torto Balearis
    uerbere fundae/ ocior 1.229
Lygdamus excussa Balearis tortor habenae/
    glande petens solido fregit caua
    tempora plumbo. 3.710
BALLISTA. tortaque per tenebras ualidis
    ballista lacertis 2.686
lancea, sed tenso ballistae turbine
    rapta, ...   3.465
hunc aries ferro ballistaque limine
    portae/ promoueat. 6.200
BALTEUS. balteus aut fluxos gemmis
    astrinxit amictus, ...   2.362
BARBA. passus erat maestamque genis increscere
    barbam; 2.376
BARBARICUS,-A,-UM. post Cilicasne uagos et
    lassi Pontica regis/ proelia barbarico uix
    consummata ueneno/ ultima Pompeio dabitur
    prouincia Caesar, ...   1.337
et uos barbaricos ritus moremque sinistrum
    /sacrorum, Dryadae, positis repetistis ab
    armis. 1.450
barbaricas saeui discurrere Caesaris
    alas; 1.476
seu, barbarica cum lampade Python/arsit,
                                        5.134
fecere palam ciuilia bella/ non bene
    barbaricis umquam commissa cateruis.
                                        7.527
proles tam clara Metelli/ stabit barbarico
    coniunx millesima lecto. 8.411
BARBARIES. barbaries, non illa tubas, non
    agmine moto/ clamorem latura suum.   7.273
adde subactam/ barbariem gentesque
    uagas 8.812
BARBARUS,-A,-UM. sub iuga iam Seres, iam
    barbarus isset Araxes 1.19
me barbara telis/ Rheni turba petat,
                                        2.309
barbara Cone,/ Sarmaticas ubi perdit
    aquas 3.200
hunc.../ Siluani Nymphaeque tenent, sed
    barbara ritu/ sacra deum; 3.403
o fortunati, fugiens quos barbarus hostis
    /fontibus inmixto strauit per rura ueneno
                                        4.319
emptum minimo uolt sanguine quisquam/
    barbarus Hesperiis Magnum praeponere
    rebus? 7.283
utinam, Pharsalia, campis/ sufficiat
    cruor iste tuis, quem barbara fundunt/
    pectora; 7.536
quod si nos Eoa fides et barbara fallent/
    foedera, uolgati supra commercia mundi/
    naufragium fortuna ferat: 8.311
quid.../ auersosque polos alienaque
    sidera quaeris/ Chaldaeos culture focos

BARBARUS
 et barbara sacra/Parthorum famulus?
          8.338
 temptare pudendum/ auxilium tanti
 est... ut.../... tibi barbara tellus/
 incumbat, ... 8.392
 num barbara nobis/ est ignota Venus
          8.397
 o superi, Nilusne et barbara Memphis/
 .../ hos animos? 8.542
 non barbara uictos/ regna manent, 9.236
 quem mundi barbara damnis/ Syrtis alit.
          9.440
 sic barbara Colchis/ creditur ultorem
 metuens.../.../ expectasse patrem. 10.464
 non Pontus.../ tantum ausus scelerum, non
 Syrtis barbara, ... 10.477
BARDUS. plurima securi fudistis carmina,
 Bardi. 1.449
BASILISCUS,-A,-UM. et in uacua regnat
 basiliscus harena. 9.726
 quid prodest miseri basiliscus cuspide
 Murri/ transactus? 9.828
BASILUS. et Basilum uidere ducem, noua furta
 per aequor/ exquisita fugae. . . 4.416
BATAUUS. Vangiones, Batauique truces, quos
 aere recuruo/ stridentes acuere tubae;
          1.431
BEATUS,-A,-UM. felix Roma quidem ciuisque
 habitura beatos, ... 4.807
 unde pares somnos populis noctemque
 beatam? 7.28
 satis o nimiumque beatus,/ si mihi
 contingat manes transferre reuolsos/
 Ausoniam, ... 8.843
 quamuis Aethiopum populis Arabumque
 beatis/ gentibus ... unus sit Iuppiter
 Hammon/ pauper adhuc deus est, . . 9.517
BEBRYCIUS,-A,-UM. pinguis Bebrycio discessit
 uomere sulcus; 6.382
BELGA. gaudetque.../ et docilis rector
 monstrati Belga couinni, ... 1.426
 et uos, crinigeros Belgis arcere Caycos
          1.463
BELLAX. illic bellaci confisus gente
 Curictum, ... 4.406
BELLICUS,-A,-UM. tot simul infesto iuuenes
 occumbere leto/ aut terrae
 caelique lues aut bellica clades, 2.200
BELLIGER,-A,-UM. pax missa per orbem/ ferrea
 belligeri conpescat limina Iani. 1.62
 belliger attonsis sonipes defessus in
 aruis,/.../ore nouas poscens moribundus
 labitur herbas 6.84
BELLO,-ARE. bellantem geminis tenuit te
 Gallia lustris, ... 1.283
 at Romana ratis stabilem praebere
 carinam/ certior et terrae similem
 bellantibus usum. 3.557
BELLONA. tum, quos sectis Bellona lacertis/
 saeua mouet, ... 1.565
 quacumque uagatur,/ sanguineum ueluti
 quatiens Bellona flagellum/.../ nox
 ingens scelerum est; 7.568
BELLUM. bella per Emathios plus quam
 ciuilia campos/ ... canimus, . . 1.1
 bella geri placuit nullos habitura
 triumphos? 1.12
 tum, si tantus amor belli tibi, Roma,
 nefandi, ... 1.21
 non nisi saeuorum potuit post bella
 gigantum, ... 1.36

BELLUM
ardenti seruilia bella sub Aetna, 1.43
Crassus erat belli medius mora. 1.100
Arsacidae: bellum uictis ciuile dedistis.
         1.108
morte tua discussa fides bellumque mouere
 /permissum ducibus. 1.119
stare loco, solusque pudor non uincere
 bello. 1.145
suberant sed publica belli/ semina, 1.158
hinc.../ et concussa fides et
 multis utile bellum. 1.182
ingentisque animo motus bellumque futurum
 /ceperat. 1.184
inde moras soluit belli tumidumque per
 amnem 1.204
credidimus satis his, utendum est iudice
 bello.' 1.227
iamque dies primos belli uisura tumultus/
 exoritur; 1.233
hac iter est bellis.' 1.257
ecce, faces belli dubiaeque in proelia
 menti/ urguentes addunt stimulos 1.262
at postquam leges bello siluere coactae
         1.277
in bellum prono tantum tamen addidit irae
         1.292

'bellorum o socii, qui mille pericula
 Martis/ mecum' ait 'experti . . . 1.299
non secus ingenti bellorum Roma tumultu/
 concutitur, ... 1.303
milite cum subito partesque in bella
 togatae 1.312
bella nefanda parat suetus ciuilibus
 armis 1.325
his saltem longi non cum duce praemia
 belli/ reddantur; 1.341
conferet exanguis quo se post bella
 senectus? 1.343
usque adeo miserum est ciuili uincere
 bello? 1.366
elatasque alte, quaecumque ad bella
 uocaret,/ promisere manus. . . . 1.387
Caesar, ut acceptum tam prono milite
 bellum/ fataque ferre uidet, . . 1.392
uos quoque, qui fortes animas belloque
 peremptas/.../ plurima securi fudistis
 carmina, Bardi. 1.447
et uos, crinigeros Belgis (bellis)arcere
 Caycos/ oppositi, petitis Romam var.1.463
clademque futuram/ intulit et uelox
 properantis nuntia belli/ innumeras soluit
 falsa in praeconia linguas. . . 1.471
sedibus exiluere patres, inuisaque
 belli/ consulibus fugiens mandat decreta
 senatus. 1.488
sic urbe relicta/ in bellum fugitur. 1.504
tu tantum audito bellorum nomine, Roma,
 /desereris; 1.519
extrahe ciuili tantum iam libera bello.'
         1.672
Romanae miscent acies bellumque sine
 hoste est. 1.682
inpiaque in medio peraguntur bella senatu.
         1.691
iamque irae patuere deum manifestaque
 belli/ signa dedit mundus . . . 2.1
nec non bella uiri diuersaque castra
 petentes/ effundunt iustas in numina
 saeua querellas. 2.43
ciuile auertite bellum. . . . . : 2.53
uix tanti fuerat ciuilia bella mouere/

ut neuter.' 2.62
oderuntque.../ seruatosque iterum bellis
ciuilibus annos. 2.66
haec rursus patienda manent, hoc ordine
belli/ ibitur, ... 2.223
exulibus Mariis bellorum maxima merces/
Roma recepta fuit, ... 2.227
neuter ciuilia bella moueret . . 2.231
placuit... / cladibus inmixtum ciuile
absoluere bellum? 2.250
tibi uni/ per se bella placent? 2.256
accipient alios, facient te bella
nocentem. 2.259
ne tanta in cassum uirtus eat, ingeret
omnis/ se belli fortuna tibi. . . 2.264
si bellum ciuile placet. 2.277
nunc neque Pompei Brutum neque Caesaris
hostem,/ post bellum uictoris habes.'
. . . . 2.284
'summum, Brute, nefas ciuilia bella
fatemur, ... 2.286
gentesne furorem/ Hesperium ignotae
Romanaque bella sequentur 2.293
inmites Romana piacula diui/ plena ferant,
nullo fraudemus sanguine bellum. 2.305
excipiam medius totius uolnera belli.
. . . . 2.311
post me regnare uolenti/ non opus est
bello. 2.319
excitat in nimios belli ciuilis amores.
. . . . 2.325
et sit ciuili propior Cornelia bello?'
. . . . 2.349
tempora quamquam/ sint aliena toris iam
fato in bella uocante, ... 2.351
haec placuit belli sedes, . . . 2.394
atque ipsum non perdat iter consertaque
bellis/ bella gerat. 2.442
consertaque bellis/ bella gerat. 2.443
tunc urbes Latii dubiae uarioque fauore/
ancipites, quamquam primo terrore
ruentis/ cessurae belli, ... 2.449
nec gerit auspiciis ciuilia bella
paternis 2.464
dumque ipse ad bella uocaret . . 2.476
hoc limite bellum/ haereat, . . 2.487
ecce, nefas belli, reseratis agmina
portis/ captiuum traxere ducem, 2.507
in medios belli non ire furores/ iam
dudum moriture paras? 2.523
di melius, belli tulimus quod damna
priores: 2.537
nec magis hoc bellum est, quam quom
Catilina parauit 2.541
disces non esse ad bella fugaces 2.558
quod socero bellum praeter ciuile
reliqui?' 2.595
bella feres totoque urbes agitabis in
orbe 2.643
sufficerent aliis.../ ipsa, caput mundi,
bellorum maxima merces, ... 2.655
ut reseret pelagus spargatque per
aequora bellum. 2.682
classique parati/ excepere manus,
tractoque in litora bello . . . 2.712
et natis totosque trahens in bella
penates 2.729
ad Stygias.../ post bellum ciuile trahor.
. . . . 3.14
haereat illa tuis per bella per aequora
signis, ... 3.24

ueniam te bella gerente/ in medias acies.
. . . . 3.30
abscidis frustra ferro tua pignora:
bellum/ te faciet ciuile meum? . . 3.33
nec uincere tanti,/ ut bellum differret,
erat. 3.52
bellaque Sardoas etiam sparguntur in oras.
. . . . 3.64
quas potuit belli facies! 3.76
conspicit urbem/ Arctoi toto non uisam
tempore belli 3.89
quod bellum ciuile fuit.' 3.97
Crassumque in bella secutae/ saeua
tribuniciae uouerunt proelia dirae. 3.126
bellum, Caesar, habes.' 3.133
ocius auertat diri mala semina belli.
. . . . 3.150
tum conditus imo/ eruitur templo multis
non tactus ab annis/ Romani census populi,
quem Punica bella,/ quem dederat Perses,
. . . . 3.157
proxima uicino uires dat Graecia bello.
. . . . 3.171
has ad bella rates non flexo limite ponti
/certior haud ullis dixit Cynosura
carinis. 3.218
mouit et Eoos bellorum fama recessus,
. . . . 3.229
longaque Sarmatici soluens ieiunia belli/
Massagetes, ... 3.282
Massiliam bellis testatur fata tulisse
. . . . 3.308
ut gladiis egeant ciuilia bella coactis.
. . . . 3.323
excludique sinas admisso Caesare bellum.
. . . . 3.332
uolnera miscebunt fratres bellumque coacti
/hoc potius ciuile gerent.' 3.354
obuia praebentur fatorum munere bella.
. . . . 3.361
at enim contagia belli/ dira fugant.
. . . . 3.369
et nihil esse meo discetis tutius aeuo/
quam duce me bellum.' 3.372
strata metu tenuit flagrantis in omnia
belli/ praecipitem cursum, . . . 3.390
nam uicina operi belloque intacta priore/
inter nudatos stabat densissima montis.
. . . . 3.427
extremaque mundi/ iussit bella geri.
. . . . 3.455
conseritur, stabilis naualibus area
bellis. 3.513
seruatum bello iacuit mare, . . . 3.524
iam consere bellum,/ Phocaicis medias
rostris oppone carinas'. 3.560
seque tenent remis: tecto stetit aequore
bellum. 3.566
nauali plurima bello/ ensis agit. 3.569
egere quod superest animae, Tyrrhene,
per omnis/ bellorum casus. . . . 3.719
nec iam amplius anceps belli casus erat.
. . . . 3.753
prima dies belli cessauit Marte cruento
. . . . 4.24
dux equitemque iubet succedere bello 4.44
cetera bello/ fata dedit uariis incertus
motibus aer. 4.48
et miseras bellis ciuilibus eripe terras.
. . . . 4.120
ait 'raptumque fuga conuertite bellum

BELLUM

classica   det bello, saeuos tu neclege
cantus; 4.163
extrahit insomnis bellorum fabula noctes,
4.186
non hoc ciuilia bella,/ ut uiuamus, agunt.
4.200
non sonipes in bella ferox, non iret in
aequor 4.221
quae fortuna deorum/ inuidia caeca
bellorum in nocte tulisset,   . .   4.225
hoc siquidem solo ciuilis crimine belli/
dux causae melioris eris. 4.244
non ullo constet mihi sanguine bellum.
4.258

sic deflagrare minaces/ in cassum et
uetito passus languescere bello,   4.274
nos denique bellum/ inuenit ciuile duces,
4.281

nec cruor effusus campis tibi bella
peregit 4.349
atque usus belli poenamque remittit. 4.354
heu miseri qui bella gerunt!   . .   4.364
paenituit, tolerasse sitim frustraque
rogasse/ prospera bella deos!   . .   4.382
non eadem belli totum fortuna per orbem/
constitit, ...   4.388
cautus ab incursu belli, si sola recedat,
/expugnat quae tuta, fames.   . . .   4.402
poscit spe proelia nulla/ incertus qua
terga daret, qua pectora bello.   4.409
non tamen in caeca bellorum nube cadendum
est 4.468
temptauere prius suspenso uincere bello/
foederibus, ...   4.488
utque satis bello uisum est fluxisse
cruoris 4.531
concurrunt alii totumque in partibus unis
/bellorum fecere nefas.   . . .   4.539
bella gerat seruetque ducum sibi fata
priorum, ...   4.549
priuatae sed bella dabat Iuba concitus
irae. 4.662
hoc bellum sceptri fructum putat esse
retenti. 4.688
quem blanda futuris/ deceptura malis
belli fortuna recepit. 4.693
sunt audita Iubae, laetus quod gloria
belli/ sit rebus seruata suis,   4.712
mittitur, .../ ut sibi commissi simulator
Sabbura belli; 4.716
multum frustraque rogatus/ ut Libycas
metuat fraudes infectaque semper/ Punica
bella dolis. 4.722
bellumque trahebat/ auctorem ciuile suum.
4.737

ut uero in pedites fatum miserabile belli
/incubuit, ...   4.738
quid prodita iura senatus/ et gener atque
socer bello concurrere iussi?   . .   4.769
spectandumque tibi bellum ciuile negatum
est. 4.802
sic alterna duces bellorum uolnera passos
4.804

consul uterque uagos belli per munia
patres/ elicit Epirum 5.1
in pace quietos/ bellorum primus sparsit
furor: 5.8
dedit ille minas inpellere belli,   5.36
'effugis ingentes,.../bellorum, Romane,
minas, ...   5.108

BELLUM

heu demens, nullum belli sentire fragorem,
/tot mundi caruisse malis, praestare
deorum/ excepta quis Morte potest?   5.195
per tot bella manus satiatae sanguine
tandem/ destituere ducem, ...   5.228
frigidus ensis/ expulerat belli furias,
5.243
qui tot gentis in bella trahebat,   5.246
eripuit, partem duris Hispania bellis,
5.253
tot mihi pro bellis bellum ciuile dedisti.
5.265

usus abit uitae, bellis consumpsimus
aeuum: 5.269
nil actum est bellis, ...   5.276
finem ciuili faciat discordia bello. 5.287
non pudet, heu, Caesar, soli tibi bella
placere 5.299
bellum te ciuile fugit. 5.310
hic fuge, si belli finis placet, ense
relicto. 5.316
uadite meque meis ad bella relinquite
fatis. 5.321
nobis uictoria turbam/ non dabit, inpulsi
tantum quae praemia belli/ auferat   5.325
nec melior mihi uestra fides. si bella
nec hoste/ nec duce me geritis. . .   5.330
qui me committere tantis/ non nisi
mutato uoluerunt milite bellis.   5.348
iam certe mihi bella geram.   . . .   5.353
turpe duci uisum rapiendi tempora belli/
in segnes exisse moras, ...   5.357
iam tum ciuili meditatus Leucada bello.
5.409

summam rapti per prospera belli/ te
poscit fortuna manum. 5.479
scintillam tenuem commotos pauit in
ignes/ securus belli: 5.483
si gloria leti/ est pelago donata mei
bellisque negamur, ...   5.526
iussa plebe tuli fasces per bella negatos;
5.657

sufficit ad fatum belli fauor iste
laborque/ Fortunae, ...   5.663
Lesboque remota /te procul a saeui
strepitu, Cornelia, belli 5.696
cedendum est bellis, quorum tibi tuta
latebra/ Lesbos erit. 5.726
ciuilia bella/ si spectare potes.   5.743
nec soluent audita metus mihi prospera
belli, ...   5.748
humanusque labor facilis,.../cedere uel
bellis uel cuncta mouentibus annis,   5.782
hic auidam belli rapuit spes inproba
mentem 6.21
extruitur... inpellere.../ quod non ulla
queat uiolenti machina belli.   . .   6.29
subitum bellique tumultu/ raptum clausit
opus. 6.37
coit area belli: 6.53
omni/ uallatus bello uincit, quem
respicit, hostem. 6.60
parque nouum Fortuna uidet concurrere,
bellum/ atque uirum. 6.185
ueritus credi.../ aut culpa uixisse sua
tot uolnera belli/ solus obit   . .   6.191
dedecus hic belli Magno crimenque remisit,
6.204

non tu bellorum spoliis ornare Tonantis/
templa potes, ...   6.248
dum bella relegem,/ extremum Scythici

BELLUM

transcendam frigoris orbem/ ardentisque
plagas.   6.324
a potius, nequid bello patiaris in isto,
/te Caesar putet esse suam.'   . .   6.328
contigit Emathiam, bello quam fata
parabant.   6.332
primus... saxis / Thessalicus sonipes,
bellis feralibus omen, /exiluit,   6.397
cunctos belli praesaga futuri /mens
agitat,   6.414
dirisque uenefica sucis/ conspersos uetuit
transmittere bella Philippos,   . . .   6.582
te precor ut certum liceat mihi noscere
finem/ quem belli fortuna paret.   6.593
si tollere totas/ temptasset campis acies
et reddere bello,/ cessissent leges
Erebi,   6.634
si bene de uobis ciuilia bella merentur.'
              6.718

uidi Decios natumque patremque/lustrales
bellis animas,   6.786
undique funestas acies feret, undique
bellum   7.27
reges populique queruntur Eoi/ bella trahi
patriaque procul tellure teneri.   7.57
cunctorum uoces Romani maximus auctor/
Tullius eloquii.../ pertulit iratus bellis,
              7.65
humani generis tam longo tempore bellum/
Caesar erit?   7.72
si duce te iusso, si nobis bella geruntur,
/sit iuris, quocumque uelint, concurrere
campo.   7.79
potuit tibi uolnere nullo/ stare labor
belli;   7.93
ciuilia bella/ gesturi metuunt ne non cum
sanguine uincant   7.95
belli pars magna peracta est/ his,   7.101
Pompei nec crimen erit nec gloria
bellum.   7.112
prima uelim caput hoc funesti lancea
belli,/.../ ... feriat;   . . .   7.117
Stygii quae numina regni/.../ inpia tam
saeue gesturus bella litasti?) . .   7.171
multis... uisus.../ edere nocturnas belli
Pharsalia uoces,   7.175
haec.../... cum bella legentur,/ spesque
metusque simul... mouebunt,   . . .   7.210
cornus tibi cura sinistri/ Lentule, cum
prima, quae tum fuit optima bello,/ et
quarta legione datur.   7.218
at medii robur belli fortissima densant/
agmina,   7.221
coeperat exiguo tractu ciuilia bella/
...damnare   7.241
nulla manus, belli mutato iudice, pura
est.   7.263
ciuilia paucae/ bella manus facient;   7.275
me Gallia testem/ tot fecit bellis.   7.287
ueniam date bella trahenti: . . .   7.296
aut merces hodie bellorum aut poena parate.
              7.303
cum duce Sullano gerimus ciuilia bella.
              7.307

capiunt praesagia belli/ calcatisque
ruunt castris;   7.331
uidit ut hostiles...cateruas/ Pompeius
nullasque moras permittere bello/ ...stat
.../ attonitus;   7.338
at plures tantum clamore cateruae,' bella
gerent: 7.368

Romam... mundi faece repletam/ cladis
eo dedimus, ne tanto in corpore bellum/
iam possit ciuile geri. 7.406
omne tibi bellum gentis dedit,   7.421
bella pares superis facient ciuilia
diuos,   7.457
cuius torta manu commisit lancea bellum
              7.472
ciuilia bella/ una acies patitur, gerit
altera;   7.501
ut primum... diduxit cornua.../ Pompeianus
eques bellique per ultima fudit, /...
leuis armatura.../ insequitur   7.507
inque latus belli, qua se uagus hostis
agebat,/ emittit subitum...agmen.   7.523
praecipites fecere palam ciuilia bella/
non bene barbaricis umquam commissa
cateruis.   . . .   7.526
nulla secutast/ pugna, sed hinc iugulis,
hinc ferro bella geruntur;   . . .   7.533
nam post ciuilia bella /hic
populus Romanus erit.   7.542
quod totos errore uago perfuderat agros/
constitit hic bellum,   7.547
non illic regum auxiliis collecta
iuuentus/ bella gerit   7.549
hanc fuge, mens, partem belli tenebrisque
relinque,   7.552
nullaque tantorum discat me uate malorum/
quam multum bellis liceat ciuilibus,
aetas.   7.554
inspicit.../ quis contenta ferat, quis
praestet bella iubenti, ...   7.563
sine te iam bella geruntur' /dixerat.
              7.607

post proelia natis/ si dominum, Fortuna,
dabas, et bella dedisses. 7.646
stetit aggere campi /eminus unde.../
aspiceret clades, quae bello obstante
latebant   7.651
ciuiline parum est bello, si meque
meosque /obruit?   . . .   7.663
tum Magnum concitus aufert/ a bello
sonipes non tergo tela pauentem   7.678
nec te uidere superbum/ prospera bellorum
              7.684

post te pars maxima pugnae/ .../ nec
studium belli, sed par quod semper
habemus,/ libertas et Caesar, erit;   7.695
nonne iuuat pulsum bellis cessisse   7.698
quae fossa, quis agger/ sustineat
pretium belli scelerumque petentis?   7.750
inuenere quidem... plurima.../ bellorum
in sumptus congestae pondera massae,   7.753
non solum Haemonii funesta ad pabula
belli/ Bistonii uenere lupi   . . .   7.825
quod sufficit aeuum/ inmemor ut donet
belli tibi damna uetustas? 7.850
nuda atque ignota iaceres/ si non prima
nefas belli sed sola tulisses.   . .   7.868
tu nulla tulisti/ bello damna meo: 8.84
ast illam, quam toto tempore belli/ ut
ciuem uidere suam, discedere cernens/
ingemuit populus; 8.151
'comites bellique fugaeque/.../ ingentis
praestate animos.   8.262
audentque in bella uenire   . . .   8.301
quid enim tibi laetius umquam/
praestiterint superi, quam, si ciuilia
Partho/ milite bella geras,   . . .   8.324
omnis, in Arctois populus quicumque

pruinis/ nascitur, indomitus bellis et
mortis amator: 8.364
nec per opacas/ bella geret tenebras
incerto debilis arcu, ... 8.373
non aries illis, non ulla est machina
belli 8.377
pugna leuis bellumque fugax turmaeque
uagantes, ... 8.380
gens quaecumque uirorum est/ bella
gerit gladiis. 8.386
credis, Magne, uiros, quos in discrimina
belli/ cum ferro misisse parum est? 8.389
sed gessisse prius bellum ciuile pudebit.
8.419
et, si Thessalia bellum ciuile peractum
est, /ad Parthos qui uicit eat. 8.428
quidquid non fuerit Magni dum bella
geruntur,/ nec uictoris erit. . . 8.502
quid sepositam semperque quietam/crimine
bellorum maculas Pharon, ... 8.514
bustum cineresque mouere/ Thessalicos
audes bellumque in regna uocare? 8.530
hanc certe seruate fidem, ciuilia bella:
8.547
quis non, Fortuna, putasset/ parcere te
populis, quod bello haec dextra uacaret
8.601
haud ego culpa/ libera bellorum, 8.648
Pharioque ueruto/.../ suffixum caput est,
quo numquam bella iubente/ pax fuit;
8.684
adde trucis Lepidi motus Alpinaque bella
8.808
dubiumque manebat/ quem dominum mundi
facerent ciuilia bella, ... 9.20
nec regnum cupiens gessit ciuilia bella
9.27
tu pete bellorum casus 9.84
excipite, o nati, bellum ciuile, 9.88
noster nullis non gentibus heres/ bella
dabit: 9.95
nil belli iure poposcit, ... 9.195
castrorum bellique piget post funera
Magni; 9.218
'nos... Pompei duxit in arma/ non belli
ciuilis amor, ... 9.228
bellum ciuile sepulchra/ uix ducibus
praestare potest. 9.235
te solum in bella secutus/ post te fata
sequar; 9.242
Pompeio scelus est bellum ciuile perempto,
9.248
'ergo pari uoto gessisti bella, iuuentus,
9.256
bella fugis quaerisque iugum ceruice
uacanti 9.261
iamque actu belli non doctas ferre
quietem/ constituit mentes...agitare 9.294
possumus.../... bellisque datos
cognoscere casus. 9.553
an bellum ciuile perit? 9.561
bellumque inmane deorum/ Pallados e medio
confecit pectore Gorgon. 9.657
peragunt ciuilia bella cerastae. 9.851
per secreta tui bellum ciuile recessus/
uadit, ... 9.863
rex tibi Pellaeus belli pelagique labores
/donat 9.1016
absenti bellum ciuile peractum est: 9.1018
quererisque perisse/ uindictam belli
9.1054

unica belli/ praemia ciuilis uictis,
donare salutem,/ perdidimus. . . 9.1066
ciuilia bella gerenti/ diuitias aperire
suas, ... 10.147
gessisse pudet genero cum paupere bellum
10.170
spes sit mihi certa uidendi/ Niliacos
fontes, bellum ciuile relinquam.' 10.192
poenaque ciuilis belli, uindicta senatus
/paene data est famulo. . . . 10.340
subito bellum molire tumultu,/ inrue;
10.372
nox haec peraget ciuilia bella 10.391
temere omnia saeui/ instrumenta rapit
belli. 10.402
pro fas! ubi non ciuilia bella/ inuenit
imperii fatum miserabile nostri? 10.410
ciuilia bella satelles/ mouit, 10.418
sed metuunt belli trepidos in nocte
tumultus, ... 10.425
missusque satelles/... ut ... absentis
uoce tyranni/ corriperet famulos,
quo bellum auctore mouerent. 10.470
premit undique bellum, ... 10.478
fracturusque domum, non ulla est machina
belli, ... 10.481
piceo iubet unguine tinctas/lampadas
inmitti iunctis in uela (bella)
carinis; var.10.492
Caesar semper feliciter usus/praecipiti
cursu bellorum, ... 10.508
illa duci geminos bellorum praestitit usus.
10.512
dux Latius tota subitus formidine belli/
cingitur: 10.536
BELUA. [par pelagi monstris Libycae sic
belua terrae] 6.207
ne ponti belua quicquam,/ ne fera.../
audeat, exiguam...accipe flammam 8.764
BENE. non bene conpertum est: . . . 2.322
si bene libertas umquam pro pace daretur.
4.227
si bene nota mihi est, ad Caesaris arma
iuuentus/ naufragio uenisse uolet. 5.493
si bene de uobis ciuilia bella merentur.'
6.718
fecere palam ciuilia bella/ non bene
barbaricis umquam commissa cateruis.
7.527
hoc solum crimen meritae bene detrahe
terrae, ... 8.125
quotus in Plaustro Libyam bene derigat
ignis. 8.170
o bene nudi/ Crassorum cineres: 9.64
sciat ista iuuentus/ ceruicis pretio bene
se mea signa secutam. 9.281
o bene rapta /arbitrio mors ista tuo!
9.1058
BENIGNUS,-A,-UM. iustisque benignus/ saepe
dedit sedem totas mutantibus urbes, 5.106
BERENICIS. quidquid puluere sicco/ separat
ardentem tepida Berenicida Lepti/ ignorat
frondes: 9.524
BESSUS. orbita migrantis scindit Maeotida
Bessi. 5.441
BIBLUS. nondum flumineas Memphis contexere
biblos/ nouerat, ... 3.222
BIBO,-ERE. quique bibunt tenera dulcis ab
harundine sucos, ... 3.237
Oceanumque bibit raptosque ad nubila
fluctus/ pertulit 4.81

BIBO	**BOREAS**

BIBO
 Romana iuuentus/ non decepta bibet. 4.324
 non auro murraque bibunt, sed gurgite
 puro/ uita redit. 4.380
 Armeniumque bibit Romanus Araxen, 7.188
 superest, fidissime regum/ Eoam temptare
 fidem populosque bibentis/ Euphraten 8.213
 sitiat quicumque bibentem/ uiderit, 9.398
 quanto poena tu dignior ista es/ qui
 populo sitiente bibas!' 9.509
 stat dum lixa bibat. 9.593
 arderet Nilumque bibens per rura uagantem.
       9.752

 ambissetque polos Nilumque a fonte
 bibisset: 10.40
 ante tamen uestros amnes.../ quam Nilum de
 fonte bibit. 10.279
BIBULUS,-A,-UM. conseritur bibula Memphitis
 cumba papyro. 4.136
BIFORMIS,-E. tum linquitur Haemus/ Thracius et
 populum Pholoe mentita biformem. 3.198
BIGAE. ibit et obliquum bigas agitare per
 orbem 1.78
BIMARIS,-E. litusque malignum/ incusat
 bimaremque uadis frangentibus aestum,
       8.566
BIPENNIS,-E. ut uidit, primus raptam librare
 bipennem/ ausus et aeriam ferro
 proscindere quercum 3.433
BIREMIS,-E. quem contra non longa uecta
 biremi/ appulerat scelerata manus, 8.562
 Pellaea tutus in aula/ Caesar erat, cum
 se parua Cleopatra biremi/... intulit
 Emathiis... tectis, ... 10.56
BIS. ante bis exactum quam Cynthia conderet
 orbem, ... 2.577
 haec Caesar bis terque manu quassantia
 tectum/ limina commouit. 5.519
 bis nocui mundo: 8.90
 bis positis Phoebe flammis, bis luce
 recepta/ uidit hareniuagum...Catonem
      9.940(bis)
BISTONES. quacumque uagatur/...ueluti.../
 Bistonas aut Mauors agitans .../ nox
 ingens scelerum est; 7.569
BISTONIUS,-A,-UM. scelerum non Thracia tantum
 /uidit Bistonii stabulis pendere tyranni,
       2.163
 deseritur Strymon tepido committere Nilo/
 Bistonias consuetus aues 3.200
 quantus Bistonio torquetur turbine, 4.767
 funesta ad pabula belli/ Bistonii uenere
 lupi 7.826
BITURIX. gaudetque.../ et Biturix longisque
 leues Suessones in armis, ... 1.423
BLANDUS,-A,-UM. placidis (blandis) praelabitur
 undis/ Hesperios inter Sicoris non ultimus
 amnis, ... var.4.13
 quem blanda futuris/ deceptura malis
 belli fortuna recepit. 4.711
 blandaeque iuuat uentura trahentem 5.732
 quos non concordia mixti/ alligat ulla
 tori blandaeque potentia formae 6.459
 has auidae tigres et nobilis ira leonum/
 ore fouent blando; 6.488
BOEBEIS. multis.../uisus.../ ire per Ossaeam
 rapidus Boebeida sanguis; 7.176
BOEOTUS. Boeoti coiere duces, ... 3.174
BONUM(subst.). seu fine bonorum /anxia mens
 curis ad tempora laeta refugit, 7.19
 libertas .../... uagatur/ Germanum
 Scythicumque bonum, nec respicit ultra

/Ausoniam, ... 7.435
nisi summa dies cum fine bonorum/adfuit
.../ dedecori est fortuna prior. 8.29
terra suis contenta bonis, non indiga
mercis/ aut Iouis: 8.446
si ueris magna paratur/ fama bonis .../...
quidquid laudamus in ullo/ maiorum,
fortuna fuit. 9.594
fecundaque nulli/ arua bono uirus
stillantis tabe Medusae/ concipiunt 9.697
BONUS,-A,-UM. rigidi seruator honesti,/
in commune bonus; 2.390
uictis iam spes bona partibus esto/
exemplumque mei. 2.513
an noceat uis nulla bono fortunaque
perdat/ opposita uirtute minas, 9.569
tutumque putauit/ iam bonus esse socer,
      9.1038

hilaresque nefas spectare cruentum/
o bona libertas, cum Caesar lugeat,
audent. 9.1108
BOOTES. et iam Plias hebet, flexi iam
plaustra Bootae/ in faciem puri redeunt
languentia caeli, ... 2.722
lucet et exigua uelox ibi nocte Bootes,
      3.252

in Borean is rectus aquis mediumque
Booten 10.289
BOREAS. quantus, piniferae Boreas cum
Thracius Ossae/ rupibus incubuit, 1.389
primus in Epirum Boreas agat; . . 2.646
cum medium nubes Borea cogente sub axem
/effusis magnum Libye tulit imbribus
annum. 3.69
et posito Borea pacemque tenentibus
Austris/ seruatum bello iacuit mare,
      3.523

exclusit Borean flammasque accepit in
Euro. 4.61
sed, ut tumidus Boreae post flamina pontus
/rauca gemit, ... 5.217
ausoniam qua torquens frugifer oram/
Delmatico Boreae Calabroque obnoxius
Austro/ Apulus Hadriacas exit Garganus in
undas. 5.379
Noton altera Phoebi/ altera pars Borean
diducta luce uocabat. 5.543
occurrit gelidus Boreas pelagusque
retundit, ... 5.601
nec perfert pontum Boreas ad saxa, 5.605
ut uidere duces, purumque insurgere caelo/
fracturum pelagus Borean, soluere carinas.
      5.705

nudas Aquilonibus undas/ succedens Boreae
iam portum fecerat Auster. 5.721
nec metuens imi Borean habitator Olympi/
...ignorat... Arcton. 6.341
te...torquentem...uolsas,/ Rhoece ferox,
quas uix Boreas inuerteret ornos, 6.390
quidquid.../ sub Noton et Borean hominum
sumus, arma mouemus. 7.364
inde Canopos/ excipit,.../stella, timens
Borean: 8.183
adde.../... quidquid in Euro/ regnorum
Boreaque iacet. 8.813
Boreaque urgente carinas/Graia fugit,
      9.37

Boreae latus illa sinistrum/ contingens
dextrumque Noti discedit in ortus 9.418
spoliauerat Auster/ aut Boreas populos
ancilia nostra ferentes. 9.480

BOREAS
    nec in Borean aut in Noton effugit
    umbram. 9.695
    non Arctos in illis/ montibus aut Boreas.
                        10.221
    in Borean is rectus aquis mediumque
    Booten 10.289
BOSPOROS. sic stat iners Scythicas astringens
    Bosporos undas, ... 5.436
    Bosporon et Scythiae curuantem litora
    Pontum/ spectamus. 8.178
BRACAE. et qui te laxis imitantur, Sarmata,
    bracis/ Vangiones, ... 1.430
BRACCHIUM. nec mater crine soluto/ exigit
    ad saeuos famularum bracchia planctus,
                        2.24
    caespitibus crudaque extruxit bracchia
    terra. 3.387
    bracchia nec licuit uasto iactare profundo
                      3.651
    bracchia linquentes Graia pendentia
    puppe/ a manibus cecidere suis: 3.667
    hi super hostiles iecerunt bracchia remos
                      3.705
    aut circum largos curuari bracchia fontes.
                      4.266
    conseruere manus et multo bracchia nexu;
                      4.617
    utque iterum fessis iniecit bracchia
    membris 4.640
    hunc, calidi tetigit cum bracchia Cancri,
    /sol rapit, ... 10.259
BREUIS,-E. nedum breue dedecus aeui /et uitam
    dum Sulla redit. 2.117
    uita breuis nulli superest qui tempus in
    illa/ quaerendae sibi mortis habet; 4.478
    agminaque interius muro breuiore recepit,
                      6.288
    nam iam breuis unda superne/innatat 9.317
    tum magis inpactis breuius mare terraque
    saepe/ obuia consurgens: . . . 9.338
    tam breuis in medium radiis conpellitur
    umbra. 9.530
    non Asiam breuioris aquae disterminat
    usquam/ fluctus ab Europa, . . 9.957
BRIAREUS. nec tam iusta fuit terrarum gloria
    Typhon/aut Tityos Briareusque ferox;
                      4.596
BRITANNUS. territa quaesitis ostendit terga
    Britannis? 2.572
    nobilis et flauis sequeretur mixta
    Britannis. 3.78
    sic Venetus stagnante Pado fusoque
    Britannus/ nauigat Oceano; . . 4.134
    unda Caledonios fallit turbata Britannos.
                      6.68
BROMIUS. mons Phoebo Bromioque sacer, cui
    numine mixto/ Delphica Thebanae referunt
    trieterica Bacchae. 5.73
    si.../et iuga tota uacant Bromio Nyseia,
    quare/ unus in Aegypto Magni lapis? 8.801
BRUMA. et qua bruma rigens ac nescia uere
    remitti 1.17
    uox nulla dolori/ credita, sed quantum,
    uolucres cum bruma coercet, . 1.259
    pigro bruma gelu siccisque Aquilonibus
    haerens/ aethere constricto pluuias in
    nube tenebat. 4.50
    iam sparserat Haemo/ bruma niues gelidoque
    cadens Atlantis Olympo, . . . 5.4
    Strymona sic gelidum bruma pellente
    relinquunt 5.711

    solibus et nullis Scythicae, cum bruma
    rigeret,/ dimaduere niues. . . . 6.478
    uiam...saeuam/ inde polo Libyes, hinc
    bruma temperet annus. 9.377
    Cyrenis etiamnunc bruma rigebat: . 9.874
    ius tibi... aliena crescere bruma 10.299
BRUMALIS,-E. Brundisii clausas uentis
    brumalibus undas/ inuenit . . . 5.407
    Thessaliam, qua parte diem brumalibus
    horis/ attollit Titan, rupes Ossaea
    coercet; 6.333
BRUNDISIUM. Brundisii tutas concessit Magnus
    in arces. 2.609
    Brundisium decumis iubet hanc attingere
    castris 5.374
    Brundisii clausas uentis brumalibus undas
    /inuenit 5.407
BRUTUS(D.Iunius). et iam turrigeram Bruti
    comitata carinam/ uenerat... classis 3.514
    celsior at cunctis Bruti praetoria puppis/
    uerberibus senis agitur 3.535
    Brutus ait 'paterisne acies errare
    profundo 3.559
    tum quaecumque ratis temptauit robora
    Bruti 3.563
    at Brutus in aequore uictor/ primus
    Caesareis pelagi decus addidit armis.
                      3.761
BRUTUS(L.Iunius). solum te,.../Brute, pias
    inter gaudentem uidimus umbras. 6.792
    lacerasset crine soluto /pectora femineum
    ceu Bruti funere uolgus. 7.39
BRUTUS(M.Iunius). at non magnanimi percussit
    pectora Bruti/terror 2.234
    dux Bruto Cato solus erit. . . 2.247
    nunc neque Pompei Brutum neque Caesaris
    hostem,/ post bellum uictoris habes.'
                      2.283
    'summum, Brute, nefas ciuilia bella
    fatemur, ... 2.286
    iunguntur taciti contentique auspice
    Bruto. 2.371
    ignotusque hosti quod ferrum, Brute,
    tenebas! 7.587
    uiuat et, ut Bruti procumbat uictima,
    regnet. 7.596
    scelus hoc quo nomine dicent/ qui Bruti
    dixere nefas? 8.610
    et scelerum uindex in sancto pectore
    Bruti/ sedit 9.17
    procul hoc auertite, fata/ crimen, ut haec
    Bruto ceruix absente secetur. . 10.342
BRUTI. regnaque ad ultores iterum redeuntia
    Brutos, /ut peragat fortuna, taces? 5.207
    de Brutis, Fortuna, queror. . . 7.440
    aude, superi tot uota Catonum/ Brutorumque
    tibi tribuent.' 10.398
BUBO. et laetae iurantur aues bubone sinistro.
                      5.396
    habet illa.../ quod trepidus bubo, quod
    strix nocturna queruntur, . . . 6.689
BUCETUM. arua/ Volturis et calidi lucent
    buceta Matini. 9.185
BUCINA. ne litora clamor/ nauticus exagitet
    neu bucina diuidat horas. . . . 2.689
BUSTUM. busta repleta fuga, permixtaque uiua
    sepultis/ corpora, ... 2.152
    hic robora busti/exstruit ipse sui 2.157
    cum uictima tristis /inferias Marius
    forsan nolentibus umbris/pendit inexpleto
    non fanda piacula busto, . . . 2.176

BUSTUM

iuuat ignibus atris/ inseruisse manus
constructoque aggere busti/ ipsum atras
tenuisse faces, ... 2.300
quas sancta relicto/ Hórtensi maerens
inrupit Marcia busto. 2.328
maluerint Phariae busto damnantur harenae:
2.733
innupsit tepido paelex Cornelia busto.
3.23
bustisque remittunt/ corpora uictores,
4.571
Libycas, en, nobile corpus,/ pascit
aues nullo contectus Curio busto. 4.810
secreta tenebis /litoris Euboici
memorando condite busto, ... 5.231
fluctibus in mediis, desint mihi busta
rogusque, ... 5.670
cumulo uos desse uirorum/ non pudet et
bustis interque cadauera quaeri? 6.154
desertaque busta/ incolit 6.511
tunc Thessala nudis/ egreditur bustis
nocturnaque fulmina captat. . . . 6.520
uiuentis animas et adhuc sua membra
regentis/ infodit busto, ... 6.530
effractos circum tumulos ac busta uagati/
conspexere procul praerupta in caute
sedentem, ... 6.574
per busta sequar per funera custos, 6.734
properate mori, magnoque superbi/quamuis
e paruis animo descendite bustis 6.808
petimus non singula busta/ discretosque
rogos: 7.803
omnia maiorum uertamus busta licebit,
7.855
nec terram quisquam mouisset arator/
Romani bustum populi, ... 7.862
temptare pudendum/ auxilium tanti est...
ut... /... te parua tegant ac uilia
busta, ... 8.393
bustum cineresque mouere/Thessalicos
audes 8.529
extremo sed abest a munere busti/infelix
coniunx 8.741
quod iam conpositum uiolat manus hospita
bustum,/ da ueniam: 8.748
paruo signemus litora saxo,/ ut nota sit
busti; 8.772
lentum Magnus destillat in ignem/ tabe
fouens bustum. 8.778
nautaque ne bustum religato fune moueret/
inscripsit sacrum semusto stipite nomen:
8.791
surgit miserabile bustum 8.816
quis busta timebit? 8.840
summusque feret tua busta sacerdos. 8.850
nil ista nocebunt/ famae busta tuae: 8.859
bustumque cadet, mortisque peribunt/
argumenta tuae. 8.868
prosiluit busto semustaque membra
relinquens 9.3
quidquid ab exstincto licuisset tollere
busto/ in templis sparsura deum. 9.61
numquam dare iusta (busta) licebit/
coniugibus? var.9.67
euoluam busto iam numen gentibus Isim
9.158
et toto litore busta/ surgunt Thessalicis
reddentia manibus ignem. . . . 9.180
non ausi tradere busto/ nondum stante modo
crescens fugere caduaer. 9.803
petit famae mirator.../... Graio nobile

CADAUER

busto/ Rhoetion 9.962
uos condite busto/ tanti colla ducis,
9.1089
BYZANTION. quamuis Byzantion arto/ Pontus et
ostriferam dirimat Calchedona cursu,
9.958

C

CACUMEN. ostendens confectas flamma
Latinas/ scinditur in partes geminoque
cacumine surgit 1.551
ad uisus reditura suos tectumque cacumen
3.6
hoc solum fluctu terras mergente cacumen
/eminuit 5.75
nec duxit recto tenuata cacumina cornu,
5.548
quam celsa cacumina pessum/ tellus uicta
dedit! 5.616
CADAUER. iam quot apud Sacri cecidere cadauera
Portum 2.134
memini.../ omnia Sullanae lustrasse
cadauera pacis 2.171
magna premit strages peraguntque cadauera
partem/ caedis: 2.205
congesta recepit/ omnia Tyrrhenus
Sullana cadauera gurges. 2.210
nec retinent ripae, redditque cadauera
campo. 2.218
has prohibent iungi conferta cadauera
puppes. 3.575
corpora caesa tenent spoliantque cadauera
ferro. 3.675
ingentem militis usum/ hoc habet ex
magna defunctum parte cadauer: . . 3.720
credidit ora uiri Romanum amplexa cadauer,
3.759
compressum turba stetit omne cadauer.
4.787
lacerum retinete cadauer 5.669
cumulo uos desse uirorum/ non pudet et
bustis interque cadauera quaeri? 6.154
primumque cadauera plenis/ turribus
euoluit 6.170
ut primum cumulo crescente cadauera murum
/admouere solo, ... 6.180
non... Nilus/ nobilius Phario gestasset
rege cadauer, ... 6.308
peruersa funera pompa/rettulit a tumulis,
fugere cadauera letum. 6.532
et, quodcumque iacet nuda tellure cadauer,
/ante feras uolucresque sedet; . . 6.550
caesorum truncare cadauera regum/sperat
6.584
ut modo defuncti tepidique cadaueris ora/
plena uoce sonent, ... 6.621
per scopulos miserum trahitur per saxa
cadauer 6.639
irataque morti/ uerberat inmotum uiuo
serpente cadauer, ... 6.727
nec se tellure cadauer/ paulatim per
membra leuat, ... 6.755
maestum fletu manante cadauer/ 'tristia
non equidem Parcarum stamina' dixit/
'aspexi 6.776
carminibus magicis opus est herbisque,

cadauer/ ut cadat, ... 6.822
obit latis proiecta cadauera campis; 7.565
iacet aggere magno/ patricium campis non
mixta plebe cadauer. 7.598
pudet.../ quaerere.../ ... quis.../...
ut notum possit spoliare cadauer,/
abscisum longe mittat caput, . . . 7.627
inpulit amentes.../ ire super gladios
supraque cadauera patrum 7.748
hunc agitant totis fraterna cadauera
somnis, ... 7.775
tabesne cadauera soluat/ an rogus, haud
refert; 7.809
tecta domosque /deseruere...quidquid
nare sagaci/ aera non sanum motumque
cadauere sentit. 7.830
et nostra cadauera Tigris/ detulit in
terras ac reddidit. 8.438
adeone molesta/totum cura fuit socero
seruare cadauer? 8.700
pelagoque iuuante cadauer/inpellit. 8.725
eripiunt omnes animam, tu sola cadauer.
9.788
nondum stante modo crescens fugere
cadauer. 9.804

CADMEUS,-A,-UM. quos impiger ambit/fatidica
Cephisos aqua Cadmeaque Dirce, . . 3.175

CADMUS. dispersus siluis Athaman et nomine
prisco/ Encheliae uersi testantes funera
Cadmi, ... 3.189
sic semine Cadmi/ emicuit Dircaea cohors
4.549

CADO,-ERE. et quamuis primo nutet casura sub
Euro, ... 1.141
materia magnamque cadens magnamque
reuertens 1.156
fonte cadit modico paruisque
inpellitur undis 1.213
in classem cadit omne nemus, . . 1.306
sed uertice prono/ ignis in Hesperium
cecidit latus. 1.547
iam quot apud Sacri cecidere cadauera
Portum 2.134
in fratrum ceciderunt praemia fratres.
2.151
auolsae cecidere manus exsectaque lingua/
palpitat et muto uacuum ferit aera motu.
2.181
in fluuium primi cecidere, in corpora
summi. 2.211
sidera quis mundumque uelit spectare
cadentem 2.289
securo me Roma cadat. 2.297
(in laeuum cecidere latus ueloxque
Metaurus 2.405
Hister casuros in quaelibet aequora
fontes/ accipit 2.419
ut simili causa caderes, quoi Spartacus,
hosti. 2.554
interea totum Magni fortuna per orbem/
secum casuras in proelia mouerat urbes.
3.170
tum plurima nigris/fontibus unda cadit,
3.412
sustinuit se silua cadens. . . . 3.445
illinc tela cadunt excelsas urbis in
arces. 3.462
iam post terga cadunt. 3.478
atque in transtra cadunt et remis pectora
pulsant. 3.543
emissaque tela/ aera texerunt uacuumque

cadentia pontum. 3.546
nec longinqua cadunt iaculato
uolnera ferro, ... 3.568
in ratibus cecidere suis. . . . 3.572
et quodcumque cadit frustrato pondere
ferrum 3.581
telaque multorum leto casura suorum/
emerita iam morte tenet. 3.621
inque locum puppis cecidit mare. 3.633
ruptis cadit undique uenis, . . 3.639
a manibus cecidere suis: 3.668
uictum aeuo robur cecidit, . . . 3.729
saepe cadens longae senior per transtra
carinae/peruenit ad puppim . . 3.731
non lacrimae cecidere genis, non pectora
tundit, ... 3.733
aduersoque acies in monte supina/haeret
et in tergum casura umbone sequentis/
erigitur. 4.39
spe posita damnare fugam casurus in
hostes 4.270
deserat hic feruor mentes, cadat impetus
amens, ... 4.279
paulatim cadit ira ferox mentesque
tepescunt, ... 4.284
conluuies inmota iacet, cadit omnis in
haustus/ certatim obscaenos miles 4.311
non tamen in caeca bellorum nube
cadendum est 4.488
emicuit Dircaea cohors ceciditque suorum/
uolneribus, ... 4.550
sic mutua pacti/fata cadunt iuuenes, 4.557
pariter sternuntque caduntque uolnere
letali, ... 4.558
auxilioque diu uirtus non usa cadendi/
terrae spernit opes: 4.607
sponte cadit maiorque accepto robore
surgit. 4.642
huc, Antae, cades.' 4.649
non tulit.../ aut sperare fugam,
ceciditque in strage suorum, . . 4.797
iam sparserat Haemo/ bruma niues gelidoque
cadens Atlantis Olympo, ... 5.4
Libyae squalentibus aruis/ Curio Caesarei
cecidit pars magna senatus. . . 5.40
uixque refecta cadit. 5.224
lintea.../... reddita malo/ in mediam
cecidere ratem, ... 5.432
lapsa per altum/ aera dispersos
traxere cadentia sulcos/ sidera, 5.562
properante ruina/ summa cadunt. 5.747
turbaque cadentum/ aucta lues, 6.100
cernit miserabile uolgus/ in pecudum
cecidisse cibos 6.111
Pompeio laudante cadam. 6.160
iam gradibus fessis, in quem cadat,
eligit hostem. 6.206
humanoque cadit serpens adflata ueneno.
6.491
carminibus magicis opus est herbisque,
cadauer/ ut cadat, ... 6.823
prima uelim caput hoc funesti lancea belli
/si sine momento rerum.../ casurum est,
feriat; 7.119
quis... cernens.../ aetheraque in terras
deiecto sole cadentem,/ tot rerum finem,
timeat sibi? 7.136
uidit/ casuram et fatis sensit nutare
ruinam, ... 7.244
per quos tibi, Roma, ruenti/ ostendat
quam magna cadas. 7.419

quo sua pila cadant aut quam sibi fata
minentur/ inde manum, spectant.   7.463
inde cadunt mortes. 7.517
pudet.../ quaerere.../ quis steterit dum
membra cadunt, ... 7.623
quis cruor emissis perruperit aera uenis
/inque hostis cadat arma sui, . . 7.626
iam Taurum Tauroque uidet Dipsunta
cadentem. 8.255
non omnis in aruis/ Emathiis cecidi, 8.267
quaerit/ cum qua gente cadat. . . 8.505
cur sola cadenti/ haec placuit tellus,
                      8.515
cecidit ciuilibus armis/ qui tibi regna
dedit. 8.559
bustumque cadet, mortisque peribunt/
argumenta tuae. 8.868
cecidit donati uictima regni. . . 9.132
sic illa profecto/ sacrifico cecidere
Numae, quae lecta iuuentus/patricia
ceruice mouet: 9.478
at tibi,.../ in Noton umbra cadit, quae
nobis exit in Arcton. 9.539
pauido fortique cadendum est: . . 9.583
feruida tellus/ accipit Oceanum demisso
sole calentem (cadentem), . . . var.9.625
nec terra celsior ulla/ nox cadit in
caelum lunaeque meatibus obstat, 9.693
calido non ocius Austro/ nix resoluta
cadit nec solem cera sequetur. . 9.782
lacrimas non sponte cadentis/ effudit
                  9.1038
sed cecidit Babylone sua Parthoque
uerendus. 10.46
neque ius mundi ualuit nec foedere sancta/
gentibus,.../quin caderet ferro. 10.472a
inque domum iam tela cadunt quassantque
penates. 10.479
sed non auctore furoris/ sublato cecidit
rabies; 10.530
CAECUS,-A,-UM. o male concordes nimiaque
cupidine caeci, ... 1.87
sit caeca futuri/ mens hominum fati;
                  2.14
nec pila lacertis/ missa tuis caeca
telorum in nube ferentur: 2.262
non tam caeco trahis omnia cursu/teque
nihil, Fortuna, pudet. 2.567
caeca tela manu sed non tamen inrita
mittit. 3.722
quae fortuna deorum/ inuidia caeca
bellorum in nocte tulisset, . . . 4.244
huc fractas Aquilone rates summersaque
pontus/ corpora saepe tulit caecisque
abscondit in antris; 4.458
non tamen in caeca bellorum nube cadendum
est 4.488
casibus incertis et caeca sorte pararent,
                  5.66
quod numen ab aethere pressum/ dignatur
caecas inclusum habitare cauernas? 5.87
umentis mirata genas percussaque caeco/
uolnere non audet flentem deprehendere
Magnum. 5.737
miles.../ ...caeci trepidus sub nube
timoris/ hostibus occurrit fugiens 6.297
hoc casibus eripe iuris/ ne subiti
caecique ruant. 6.598
haud procul a Ditis caecis depressa
cauernis/ in praeceps subsedit humus,
                  6.642

quis furor, o caeci, scelerum?   7.95
accipe maiores et caeco in Marte tuere.
                  7.111
cum caeco rapiantur saecula casu,/
mentimur regnare Iouem. 7.446
inpulit amentes aurique cupidine caecos/
ire super gladios supraque cadauera
patrum 7.747
num barbara nobis/ est ignota Venus,
quae ritu caeca ferarum/ polluit innumeris
leges et foedera taedae/ coniugibus 8.398
pro caecus et amens/ ambitione furor,
ciuilia bella gerenti/ diuitias aperire
suas, ... 10.146
sed caeca iuuentus/ consilii uastos ambit
diuisa penates, ... 10.482
sed caeca nocte carinis/ insiluit Caesar
                  10.506
CAEDES. pietas patriique penates/ quamquam
caede feras mentes animosque tumentes/
frangunt; 1.354
primo qui caedis in actu/ deriguit
ferrumque manu torpente remisit. 2.77
stat cruor in templis multaque rubentia
caede/ lubrica saxa madent. . . 2.103
crimine quo parui caedem potuere mereri?
                  2.108
ut scelus hoc Sullae caedesque ostensa
placeret 2.192
uix caede peracta/ procumbunt, . 2.203
magna premit strages peraguntque
cadauera partem/ caedis: 2.206
hac caede luatur/ quidquid Romani
meruerunt pendere mores. 2.312
heu, quanto melius uel caede peracta
/parcere Romano potuit fortuna pudori!
                  2.517
inrita tela suas peragunt in gurgite
caedes, ... 3.580
Martem saeuus agit non multa caede
nocentem 4.2
polluta nefanda/ agmina caede duces
iunctis committere castris/ non audent,
                  4.260
quaerit,.../perque omnis gladios et qua
uia caede paranda est. 6.124
incaluit uirtus, atque una caede refectus/
'soluat' ait 'poenas, ... 6.240
nec cessant a caede manus, . . . 6.554
[nec refugit caedes, uiuum si sacra
cruorem] 6.556
timens, ne.../ Emathis et tellus tam multa
caede careret,/.../... uetuit transmittere
bella Philippos, ... 6.580
potui sine caede subactum/ captiuumque
ducem uiolatae tradere paci. . . 7.93
uideor...spectare.../... inmensa populos
in caede natantis. 7.294
spectabit ab alto/ aethere Thessalicas,
teneat cum fulmina, caedes?   7.448
perdidit inde modum caedes, . . 7.532
caedes oriuntur et instar/ inmensae uocis
gemitus, ... 7.571
spumantes caede cateruas/ respice, 7.699
tu, Caesar, in alto / caedis adhuc
cumulo patriae per uiscera uadis, 7.722
sed meminit nondum satiata
caedibus ira/ ciues esse suos.   7.802
tabemque cruentae/ caedis odorati Pholoen
liquere leones. 7.827
Septimius.../ ... inmanis uiolentus atrox

CAEDES

nullaque ferarum/ mitior in caedes. 8.600
uidet hanc Cornelia caedem/ Pompeiusque
meus: 8.632
quis uestras ulla putet esse nocentes/
caede manus? 9.270
quin agite et magna meritum cum caede
parate: 9.282
sustulit.../harpen alterius monstri iam
caede rubentem 9.663
nec uile putaris/ hoc meritum, facili
nobis quod caede peractum est. . . .9.1027
sciat hac pro caede tyrannus/ nil uenia
plus posse dari. 9.1088
defectusque epulis et pastus caede suorum/
ignoto te, Nile, redit. 10.281
non uaesana Pothini/ mens inbuta semel
sacra iam caede uacabat/ a scelerum motu:
10.334
nec parat occultae caedem committere
fraudi 10.345
haec dicta monet famulos perferre
fideles/ ad Pompeianae socium sibi caedis
Achillam, ... 10.350
placemus caede secunda /Hesperias gentes:
10.386
iugulus mihi Caesaris haustus/ hoc
praestare potest, Pompei caede nocentis/
ut populus Romanus amet. 10.388
metuunt.../ ne caedes confusa manu
permissaque fatis/ te, Ptolemaee, trahat.
10.426

CAEDO,-ERE. altus caesorum pauit cruor
armentorum, ... 1.329
gaudetque.../ Neruius et caesi pollutus
foedere Cottae, ... 1.429
caesique in pectora tauri/ inferni uenere
dei. 1.633
certatum est cui ceruix caesa parentis/
cederet, ... 2.150
meque ipsum memini, caesi deformia fratris
/ora rogo cupidum uetitisque inponere
flammis, ... 2.169
uidimus et toto quamuis in corpore caeso
/nil animae letale datum, moremque
nefandae/ dirum saeuitiae,
pereuntis parcere morti. . . . 2.178
tunc placuit caesis innectere uincula
siluis 2.670
simulacra maesta deorum/ arte carent
caesisque extant informia truncis. 3.413
utque satis caesi nemoris, quaesita per
agros/ plaustra ferunt, ... 3.450
corpora caesa tenent spoliantque cadauera
ferro. 3.675
dum scopulos stirpesque tenent atque
hoste relicto/ caedunt ense uiam. 4.43
primum cana salix madefacto uimine
paruam/ texitur in puppem caesoque inducta
iuuenco 4.132
quae modo conplexu fouerunt pectora
caedunt; 4.246
nudataque foeda/ terga fuga,donec
ueterunt castra, cecidit. . . . 4.714
caesosque duces et funera regum/ ... cur
aperire times? 5.201
caesorum truncare cadauera regum/ sperat
6.584
pererrat/ corpora caesorum tumulis
proiecta negatis. 6.626
uos tamen hoc oro, iuuenes, ne caedere
quisquam/ hostis terga uelit: . . .7.318

caedunt Lepidos caeduntque Metellos
7.583
pudet.../ quaerere.../ ... quis pectora
fratris/ caedat 7.627
inpulit amentes.../ ire super gladios.../
et caesos calcare duces.] 7.749
stratum (caesum)-que cubile /regibus
infandus miles premit, ...var.7.761
Iulia crudelis, placataque paelice caesa/
Magno parce tuo.' 8.104
quaecumque leuatae/ arboribus caesis
flatum effudere prementem,/ abstulit has
.../ aestus 9.332
quos habuit uoltus... uolnere ferri/ caesa
caput Gorgon! 9.679
[heu facinus gladio ceruix male caesa
pependit] 10.518
CAELESTIS,-E. sicut caelestia semper/
inconcussa suo uoluuntur sidera lapsu.
2.267
insereretque suas flammis caelestibus
umbras; 6.504
CAELICOLA. si caelicolis furor arma dedisset
3.315
tot surdas gentibus aures/ caelicolum
dirae conuertunt carmina gentis. 6.444
sustinuit dignos etiamnunc credere uotis/
caelicolas, ... 7.658
ast ego caelicolis gratum reor ire per
omnis/ hoc opus 10.197
CAELUM. regna deis caelumque suo seruire
Tonanti/ ... potuit ! 1.35
te,.../...praelati regia caeli/ excipiet
gaudente polo: 1.46
librati pondera caeli/ orbe tene medio;
1.57
noxque diem caelo totidem per signa
sequetur, ... 1.91
solis nosse deos et caeli numina uobis/
aut solis nescire datum; 1.452
uiderunt.../ ardentemque polum flammis
caeloque uolantes 1.527
emicuit caelo tacitum sine nubibus ullis
1.533
nec tulit in caelum flammas . . . 1.546
at Figulus, cui cura deos secretaque
caeli/ nosse fuit, ... 1.639
summo si frigida caelo/ stella nocens
nigros Saturni accenderet ignis, 1.651
et caelum Mars solus habet. . . . 1.663
tot simul infesto iuuenes occumbere leto
.../aut terrae caelique lues aut bellica
clades, ... 2.200
o utinam caelique deis Erebique liceret
2.306
flexi iam plaustra Bootae/ in faciem puri
redeunt languentia caeli, ... 2.723
sciret adhuc caelo solum regnare Tonantem.
3.320
aut caelum nox atra tenet, pauet ipse
sacerdos 3.424
atque omnis propior mergenti sidera caelo/
aruerat tellus hiberno dura sereno. 4.54
quidquid caeli fuscator Eoi/ inpulerat
Corus, ... 4.66
et caelo defusum reddidit aequor. 4.82
rerum discrimina miscet/ deformis caeli
facies iunctaeque tenebrae. . . . 4.105
non sidera caelo/ ulla uidet, . . 4.107
cum sidera caeli/ ante ducis uoces oculis
umentibus omnes /aspicerent. . . . 4.521

CAELUM

caeloque pepercit/ quod non Phlegraeis
Antaeum sustulit aruis. 4.596
quis terram caeli patitur deus, . . 5.88
illa feroces/ torquet adhuc oculos
totoque uagantia caelo/ lumina, . . 5.212
nec caelum seruare licet: 5.395
arua/.../ ocior et caeli flammis et
tigride feta /transcurrit, . . . 5.405
'fortius hiberni flatus caelumque fretumque,
/cum cepere tenent, ... 5.413
caelo languente fretoque/ naufragii
spes omnis abit. 5.454
nubibus et caelo Notus est; 5.571
Italiam si caelo auctore recusas/ me pete.
5.579
caeli iste fretique, non puppis nostrae
labor est: 5.584
quaerit pelagi caelique tumultu/ quod
praestet Fortuna mihi.' 5.592
cum litora Tethys/ noluit ulla pati caelo
contenta teneri. 5.624
non caeli nox illa fuit: latet obsitus aer
5.627
ut uidere duces, purumque insurgere
caelo/ fracturum pelagus Borean,
soluere carinas. 5.704
traxit iners caelum fluuidae contagia
pestis/ obscuram in nubem. . . . 6.89
caeloque paratior unda/ omne pati uirus
durauit uiscera caeno. 6.93
at medios ignes caeli.../ ...nemorosus
summouet Othrys. 6.337
nec quaesisse libet.../... quis fulgura
caeli/ seruet 6.428
uerbaque ad inuitum perfert cogentia
numen/ quod non cura poli caelique
uolubilis umquam/ auocat. 6.447
et tonat ignaro caelum Ioue: . . 6.467
et patitur tantos cantu(caelo) depressa
labores var.6.505
caeloque ignota sereno/terribilis Stygio
facies pallore grauatur 6.516
nullo uertice caelum/suspiciens Phoebo
non peruia taxus opacat. 6.644
caelum matremque perosa/ Persephone,.../
exaudite preces. 6.699
caelo lucis ducente colorem/ .../ iussa
tenere diem densas nox praestitit umbras.
6.828
aethera seu totum discordi obsistere
caelo/ perspexitque polos, ... 7.198
si cuncta perito/ augure mens hominum
caeli noua signa notasset,/ spectari
toto potuit Pharsalia mundo. . . 7.203
o summos hominum.../... quorum fatis
caelum omne uacauit.' 7.206
caelumque tremens cum lancea transit/
dicere non fallar quo sit uibrata lacerto.
7.288
quone poli motu, quo caeli sidere uerso
/Thessalicae tantum, superi, permittitis
orae? 7.301
quidquid signiferi conprensum limite
caeli/ sub Noton et Borean hominum sumus,
arma mouemus. 7.363
caeloque nocenti/ ingerit Emathiam. 7.798
caelo tegitur qui non habet urnam. 7.819
has trahe, Caesar, aquas, hoc, si potes,
utere caelo. 7.822
numquam tanto se uolture caelum/induit
7.834

CAESAR

obuia nox miserae caelum lucemque
tenebris/ abstulit 8.58
consulit.../... quae sit mensura secandi/
aequoris in caelo, ... 8.169
'signifero quaecumque fluunt labentia
caelo,/ ...fallentia nautas/sidera non
sequimur, ... 8.172
inde Canopos/ excipit, Australi caelo
contenta uagari/stella, ... 8.182
'hoc solum...serua/ ut.../... Hesperiam
pelago caeloque relinquas: . . . 8.189
quid transfuga mundi/terrarum totos
tractus caelumque perosus,/ auersosque
polos alienaque sidera quaeris, 8.336
quidquid ad Eoos tractus.../ ibitur,
emollit gentes clementia caeli. 8.366
caeloque tonante profanas/inseruisse
manus,...audes? 8.551
(nam proxima caelo est,/ ut probat ipse
calor) 9.351
at, si uentos caelumque sequaris,/ pars
erit Europae. 9.412
intentusque tulit magni per inania
caeli. 9.473
delapsaque caelo/ arma timent gentes
9.475
et fuga signorum medio rapit omnia caelo.
9.543
estque dei sedes nisi terra.../ et caelum
et uirtus? 9.579
hoc potuit caelo pelagoque minari/torporem
insolitum 9.647
e caelo uolucres subito cum pondere
lapsae, ... 9.649
caeloque timente/ olim Phlegraeo stantis
serpente gigantas/erexit montes, 9.655
aliger in caelum sic rapta Gorgone fugit.
9.684
nec terra celsior ulla/ nox cadit in
caelum lunaeque meatibus obstat, 9.693
recto uerbere saeuos/ teste tulit caelo
uicti decus Orionis. 9.836
nec quae mensura uiarum/ quisue modus,
norunt caelo duce: 9.847
iuuat aetheriis ascribere causis/ quod
peream, caeloque mori. 9.854
habet hoc solacia caelum: 9.870
caeli seruantur in usus; 9.905
aspicit.../ unde puer raptus caelo, 9.972
stellarum caelique plagis superisque
uacaui, ... 10.186
hunc ubi pars caeli tenuit, qua mixta
Leonis/ sidera sunt Cancro,.../... tunc
Nilus fonte soluto,/.../ iussus adest,
10.210
dare iussus iniquo/ temperiem caelo
mediis aestatibus exit 10.231
ab occiduo depellunt nubila caelo/ trans
Noton 10.242
CAENUM. caeloque paratior unda/ omne pati
uirus durauit uiscera caeno. . . 6.94
CAERULEUS,-A,-UM. tandem Tyrrhenas uix
eluctatus in undas/sanguine caeruleum
torrenti diuidit aequor. 2.220
CAERULUS,-A,-UM. tum caerula uerrunt/atque
in transtra cadunt 3.542
CAESAR(C.Iulius). his, Caesar, Perusina fames
Matinaeque labores/accedant fatis 1.41
nec quemquam iam ferre potest Caesarue
priorem 1.125
sed non in Caesare tantum/ nomen erat nec

CAESAR

fama ducis, ... 1.143
iam gelidas Caesar cursu superauerat
Alpes 1.183
en, adsum uictor terraque marique/Caesar,
ubique tuus (liceat modo, nunc quoque)
miles. 1.202
Caesar, ut aduersam superato gurgite
ripam/attigit, ... 1.223
signa/ et celsus medio conspectus in
agmine Caesar,/ deriguere metu, 1.245
Caesar,' ait 'partes, quamuis nolente
senatu/ traximus imperium, 1.274
terraque marique/ iussus Caesar agi.
1.307
ultima Pompeio dabitur prouincia Caesar,
1.338
nec ciuis meus est, in quem tua classica,
Caesar,/ audiero. 1.373
Caesar, ut acceptum tam prono milite
bellum/ fataque ferre uidet, . . 1.392
Caesar, ut inmensae conlecto robore
uires/ audendi maiora fidem fecere, 1.466
barbaricas saeui discurrere Caesaris alas;
1.476
humani facilem uenturo Caesare praedam
1.513
namque alii Magnum uel Caesaris arma
sequantur, ... 2.246
quam laetae Caesaris aures/accipient
tantum uenisse in proelia ciuem! 2.273
solus Caesar erit. 2.281
nunc neque Pompei Brutum neque Caesaris
hostem,/ post bellum uictoris habes.'
2.283
Caesar in arma furens nullas nisi sanguine
fuso/ gaudet habere uias, . . . 2.439
Caesaris audito conuersus nomine Sulla.
2.465
quamquam firmissima pubes/ his sedeat
castris, iam pridem Caesaris armis/
Parthorum seducta metu, ... 2.474
uictoria nobis /hic primum stans Caesar
erit.' 2.490
nam prior e campis ut conspicit amne
soluto/ rumpi Caesar iter calida proclamat
ab ira 2.493
non,si tumido me gurgite Ganges/summoueat,
stabit iam flumine Caesar in ullo 2.497
Caesar, et ad tutas hostis conpellitur
arces. 2.504
scit Caesar poenamque peti ueniamque
timeri. 2.511
lucis rumpe moras et Caesaris effuge
munus' 2.525
iam tetigit sanguis pollutos Caesaris
enses. 2.536
te, Caesar, magnisque uelint miscere
Metellis, ... 2.545
quamquam, siqua fides, his te quoque
iungere, Caesar,/ inuideo . . . 2.550
Caesarne senatus/ uictor erit? . . 2.566
iam uictum fama non uisi Caesaris agmen.
2.600
adsequitur generique premit uestigia
Caesar. 2.652
sed Caesar in omnia praeceps, . . 2.656
sed teneat Caesarque dies et Iulia noctes.
3.27
Caesar, ut emissas uenti rapuere carinas,
/absconditque fretum classes, . . 3.46
omnia Caesar erat: 3.108

CAESAR

mole, rapit gressus et Caesaris agmina
rumpens 3.116
bellum, Caesar, habes.' 3.133
dignum te Caesaris ira /nullus honor
faciet. 3.136
non usque adeo permiscuit imis/longa
summa dies ut non, si uoce Metelli/
seruantur leges, malint a Caesare tolli.'
3.140
pauperiorque fuit tum primum Caesare
Roma. 3.168
nec fabula Troiae/ continuit Phrygiique
ferens se Caesar Iuli. 3.213
acciperet felix ne non semel omnia
Caesar, ... 3.296
excludique sinas admisso Caesare bellum.
3.332
a summis perduxit ad aequora castris/
longum Caesar opus, ... 3.385
raptisque a Caesare cunctis/uincitur
una mora 3.391
inplicitas magno Caesar torpore cohortes/
ut uidit, ... 3.432
tum paruit omnis /imperiis non sublato
secura pauore/ turba, sed expensa
superorum et Caesaris ira. . . . 3.439
Caesaris hinc puppes, hinc Graio remige
classis/ tollitur: 3.526
at procul extremis terrarum Caesar in
oris/ Martem saeuus agit non multa
caede nocentem 4.1
nec Caesar colle minore/ castra leuat;
4.17
donauere diem; prono cum Caesar Olympo/
in noctem subita circumdedit agmina
fossa, ... 4.28
Caesaris arma natant, inpulsaque gurgite
multo/ castra labant; 4.88
postquam omnia fatis/ Caesaris ire
uidet, ... 4.144
nudatos Caesar colles desertaque castra
/conspiciens 4.148
quibus hoste potito /faucibus emitti
terrarum in deuia Martem/ inque feras
gentes Caesar uidet. 4.162
et Caesar generum priuatus amabit. 4.188
adsertor uicto redeas ut Caesar? 4.214
utque habeat famulos nullo discrimine
Caesar/ exorandus erit? 4.218
tu, Caesar, quamuis spoliatus milite
multo,/ agnoscis superos; . . . 4.254
Caesar auet nec castra pati contingere
ripas 4.265
ut effuso Caesar decurrere passu/ uidit
4.271
pallida Dictaeis, Caesar, nascentia saxis
/infundas aconita palam, ... 4.322
at nunc causa mihi est orandae sola
salutis/ dignum donanda, Caesar, te
credere uita. 4.347
dixerat; at Caesar facilis uoltuque
serenus /flectitur 4.363
terras fundendus in omnis/ est cruor et
Caesar per tot sua fata sequendus. 4.392
in partes aliquid sed Caesaris ausa est.
4.403
namque suis pro te gladiis incumbere,
Caesar,/ esse parum scimus; . . 4.500
Caesar ut amissis inter tot milia paucis/
hoc damnum clademque uocet. . . 4.513
Gallorum captus spoliis et Caesaris

auro. 4.820
Caesar habet uacuasque domos legesque
silentis 5.31
interea domitis Caesar remeabat Hiberis
5.237
haud magis expertus discrimine Caesar in
ullo est 5.249
'liceat discedere, Caesar, /a rabie
scelerum. 5.261
sit praeter gladios aliquod sub Caesare
fatum. 5.283
Rheni mihi Caesar in undis/ dux erat,
5.289
licet omne deorum/ obsequium speres,irato
milite, Caesar, /pax erit.' 5.294
fata sed in praeceps solitus demittere
Caesar 5.301
non pudet, heu, Caesar, soli tibi bella
placere 5.310
Caesaris an cursus uestrae sentire
putatis/damnum posse fugae? 5.335
at paucos, quibus haec rabies auctoribus
arsit,/ non Caesar sed poena tenet. 5.360
ipse pauet ne tela dextraeque negentur/
ad scelus hoc Caesar: 5.369
qua, sibi ne ferri ius ullum, Caesar,
abesset/ Ausonias uoluit gladiis miscere
secures 5.387
Caesaris attonitam miscenda ad proelia
mentem/ ferre moras scelerum partes
iussere relictae. 5.476
illum saepe minis Caesar precibusque
morantem/ euocat. 5.480
ignaue, uenire/ te Caesar, non ire iubet.
5.488
ad Caesaris arma iuuentus/ naufragio
uenisse uolet. 5.493
Epirum Caesarque tenet totusque senatus,
5.496
Caesar sollicito per uasta silentia gressu
/uix famulis audenda parat, ... 5.508
haec Caesar bis terque manu quassantia
tectum/ limina commouit. 5.519
fisus cuncta sibi cessura pericula Caesar
5.577
non puppis nostrae labor est: hanc Caesare
pressam/ a fluctu defendet onus. 5.585
credit iam digna pericula Caesar/fatis
esse suis. 5.653
sed non tam remeans Caesar iam luce
propinqua/ quam tacita sua castra fuga
comitesque fefellit. 5.678
'quo te, dure, tulit uirtus temeraria,
Caesar, ... 5.682
undique conlatis in robur Caesaris armis
5.722
distulimus; iam totus adest in proelia
Caesar 5.742
cum uacuis proiecta locis a Caesare possim
/uel fugiente capi. 5.783
portusque reliquit/ Hesperios, saeui
premerent cum Caesaris arma. . . . 5.803
capere omnia Caesar/ moenia Graiorum
spernit 6.3
belli rapuit spes inproba mentem/ Caesaris,
6.30
planumque per ardua Caesar/ ducit opus;
6.38
defessus Caesar mediis intermanet agris.
6.47
agmina.../ diuersis spargit tumulis, ut

Caesaris arma/ laxet 6.71
quem non mille simul turmis nec Caesare
toto/auferret Fortuna locum . . . 6.140
quo uos pauor'...'adegit/ inpius et
cunctis ignotus Caesaris armis? . . 6.151
peterem felicior umbras/Caesaris
in uoltu: 6.159
securasque fragor concussit Caesaris
aures. 6.163
stat non fragilis pro Caesare murus 6.201
maiora uiris.../ gaudia non faceret
conspectum in Caesare uolnus. . . . 6.227
sit Scaeua relicti/ Caesaris exemplum
potius quam mortis honestae.' . . . 6.235
pacem gladio si quaerit ab isto/Magnus,
adorato summittat Caesare signa. 6.243
uix proelia Caesar/ senserat, . . 6.278
mouitque furorem/ Pompeiana quies et
uicto Caesare somnus. 6.283
Torquato ruit inde minax, qui Caesaris
arma/ segnius haud uidit, ... 6.285
transierat primi Caesar munimina ualli,
6.290
non sic ...horret/ Enceladum...
/Caesaris ut miles glomerato puluere
uictus/ ante aciem.../ hostibus occurrit
fugiens 6.296
semperque dolebit/ quod scelerum, Caesar,
prodest tibi summa tuorum, . . . 6.304
deserit auerso possessam numine sedem/
Caesar et Emathias lacero petit agmine
terras. 6.315
'numquam me Caesaris' inquit/ 'exemplo
reddam patriae, ... 6.319
nequid bello patiaris in isto,/ te
Caesar putet esse suam.' 6.329
hic ardor solusque labor,.../... quos
Caesaris inuolet artus. 6.588
nuntiet ipse licet Caesar tua funera,
flebunt, ... 7.41
humani generis tam longo tempore bellum/
Caesar erit? 7.73
quid mundi gladios a sanguine Caesaris
arces? 7.81
uincis apud superos uotis me, Caesar,
iniquis:/ pugnatur. 7.113
(at tu quos scelerum superos, quas rite
uocasti/ Eumenidas, Caesar? . . . 7.169
'inpia concurrunt Pompei et Caesaris arma',
7.196
illo forte die Caesar statione relicta/
.../ conspicit in planos hostem descendere
campos, ... 7.235
in manibus uestris, quantus sit Caesar,
habetis. 7.253
uix cuncta locuto/ Caesare quemque suum
munus trahit, ... 7.330
ipsi tela regent per uiscera Caesaris,
7.350
Caesar nostris non sufficit armis. 7.368
cum Caesar tela teneret,/ inuenta est
prior ulla manus? 7.474
praecipiti cursu uaesanum Caesaris agmen/
in densos agitur cuneos, ... 7.496
frigidus inde/ stat gladius, calet omne
nocens a Caesare ferrum. 7.503
cum Caesar, metuens ne frons sibi prima
labaret/ incursu, tenet obliquas post
signa cohortes, ... 7.521
fatis datus est pro Caesare cursus. 7.544
constitit hic bellum, fortunaque Caesaris

haesit. 7.547
hic furor, hic rabies, hic sunt tua
crimina, Caesar. 7.551
hic Caesar, rabies populis stimulusque
furorum, ... agmina circum/ it uagus 7.557
nil proficis istic/ Caesaris intentus
iugulo: 7.593
uictus totiens a Caesare salua/ libertate
perit: 7.602
Caesar, et increpitans 'iam Magni deseris
arma,/ successor Domiti: 7.606
te.../ sed dubium fati, Caesar, generoque
minorem/ aspiciens... liber ad umbras/
...eo: 7.611
Caesaris aut oculis uoluit subducere
mortem. 7.673
sic et Thessalicae post te pars maxima
pugnae/... libertas et Caesar, erit;
                                    7.696
tu, Caesar, in alto /caedis adhuc cumulo
patriae per uiscera uadis, . . . 7.721
Caesar, ut Hesperio uidit satis arua
natare/ sanguine, parcendum ferro
manibusque suorum/ iam ratus . . 7.728
pectore in hoc pater est, omnes in Caesare
manes. 7.776
hos, Caesar, populos si nunc non usserit
ignis,/ uret cum terris, ... 7.812
has trahe, Caesar, aquas, hoc, si potes,
utere caelo. 7.822
seque... tantae mercedis habere/credit
adhuc iugulum, quantam pro Caesaris ipse
/auolsa ceruice daret. 8.11
'o utinam in thalamos inuisi Caesaris
issem/ infelix coniunx 8.88
quid, quod iacet insula ponto/ Caesar
eget ratibus? 8.119
accipe: ne Caesar rapiat, tu uictus habeto
                              marg.8.124
saeui cum Caesaris iram/ iam scirem
meritam... Lesbon/ non ueritus
tantam ueniae committere uobis/materiam.
                                    8.134
da similis Lesbo populos, qui Marte
subactum/ non intrare suos infesto
Caesare portus,/... uetent.' . . 8.145
superest, fidissime regum / Eoam temptare
fidem populosque bibentis/ Euphraten et
adhuc securum a Caesare Tigrim. . . 8.214
cum Caesaris arma/concurrent Medis, aut
me fortuna necesse est/ uindicet aut
Crassos.' 8.325
externaque monstra /pellite, si meruit
tam claro nomine Magnus/ Caesaris esse
nefas. 8.550
et prior in Nili peruenit litora Caesar.
                                    8.641
quisquis,in istud/ a superis inmisse caput,
uel Caesaris irae/ uel tibi
prospiciens, nescis...ubi ipsa/ uiscera
sint Magni: 8.643
Pompeio praestare potest quod Caesaris
armis/ inputet. 8.657
ne fera, ne uolucres, ne saeui Caesaris
ira/ audeat, exiguam...accipe flammam
                                    8.765
super... signa cruenti/Caesaris ac
sparsas uolitauit in aequore classes,
                                    9.16
quas ne per litora fusas/colligeret rapido
uictoria Caesaris actu,/ Corcyrae secreta

petit 9.31
non Caesaris armis/occubuit . . 9.128
fortuna cuncta tenentur/Caesaris, 9.245
meruistis iudice uitam/Caesare non armis,
non obsidione subacti. 9.273
inquire in fata nefandi/Caesaris 9.559
pro Caesare pugnant/dipsades . . 9.850
ueniant hostes, Caesarque sequatur/ qua
fugimus.' 9.879
Caesar, ut Emathia satiatus clade
recessit,/cetera curarum proiecit
pondera 9.950
inuidia sacrae, Caesar, ne tangere famae;
                                    9.982
tanto te pignore, Caesar,/ emimus;
                                    9.1020
non primo Caesar damnauit munera uisu
                                    9.1035
huncine tu, Caesar, scelerato Marte
petisti/ qui tibi flendus erat? 9.1047
peius de Caesare uestrum/ quam de Pompeio
meruit scelus; 9.1065
frustra ciuilibus armis/miscuimus gentes,
siqua est hoc orbe potestas/ altera
quam Caesar, ... 9.1078
hilaresque nefas spectare cruentum/
o bona libertas, cum Caesar lugeat, audent.
                                    9.1108
diras calcauit Caesar harenas, 10.2
obside quo pacis Pellaea tutus in aula/
Caesar erat, ... 10.56
se... Cleopatra.../ intulit Emathiis
ignaro Caesare tectis, ... 10.58
Cleopatra.../ Caesare captiuo Pharios
ductura triumphos: 10.65
quis tibi uaesani ueniam non donet amoris/
Antoni, durum cum Caesaris hauserit
ignis/pectus? 10.71
'siqua est, o maxime Caesar,/ nobilitas,
Pharii proles clarissima Lagi, . . 10.85
sat fuit indignum, Caesar, mundoque
tibique 10.102
nequiquam duras temptasset Caesaris aures:
                                    10.104
exigit infandam corrupto iudice (Caesare)
noctem. var.10.106
pars tam flauos gerit... crines/ ut
nullis Caesar Rheni se dicat in aruis/
tam rutilas uidisse comas; . . . 10.130
discubere illic reges maiorque potestas/
Caesar; 10.137
inposuere orbes, quales ad Caesaris ora/
nec capto uenere Iuba. 10.145
discit opes Caesar spoliati perdere mundi
                                    10.169
inposuit, longis Caesar producere noctem/
inchoat adloquiis, ... 10.173
'fas mihi magnorum, Caesar, secreta
parentum/edere 10.194
quasdam, Caesar, aquas post mundi sera
peracti/saecula concussis terrarum
erumpere uenis/... reor, ... 10.263
tantum animi delicta dabant, ut colla
ferire/ Caesaris et socerum iungi tibi,
Magne, iuberet; 10.348
rex hinc coniunx, hinc Caesar adulter.
                                    10.367
iugulus mihi Caesaris haustus/ hoc
praestare potest, ... 10.387
ite feroces/ Caesaris in iugulum; 10.394
aere merent paruo, iugulumque in Caesaris

CAESAR

    ire/ non sibi dant. 10.409
    et nisi fata manus a sanguine Caesaris
    arcent / hae uincent partes. . . 10.420
    uisum famulis reparabile damnum/ illam
    mactandi dimittere Caesaris horam. 10.430
    uixitque Pothini/ munere Phoebeos Caesar
    dilatus in ortus. 10.433
    at Caesar moenibus urbis/diffisus foribus
    clausae se protegit aulae/ degeneras
    passus latebras. 10.439
    Caesar et hos aditus gladiis, hos ignibus
    arcet, ... 10.489
    carinis/ insiluit Caesar semper feliciter
    usus/praecipiti cursu bellorum, 10.507
    abstulit excursus et fauces aequoris
    hosti/ Caesar 10.514
    subrepta.../ a famulo Ganymede dolis
    peruenit ad hostis/Caesaris Arsinoe;
                                     10.521
    dum patrii ueniant in uiscera Caesaris
    enses/ Magnus inultus erit. . . 10.528
    potuit discrimine summo/ Caesaris una
    dies in famam et saecula mitti. . 10.533
    uincendus tum Caesar erat sed sanguine
    nullo. 10.541
CAESAR(Nero). his, ... Perusina fames
    Mutinaeque labores/accedant fatis   1.41
    tota uacet nullaeque obstent a Caesare
    nubes. 1.59
CAESARES. nec umquam/.../ Caesaribus regnare
    uacet. 9.90
CAESAREUS,-A,-UM. inter Caesareas acies
    diuersaque signa 3.264
    at Brutus in aequore uictor/primus
    Caesareis pelagi decus addidit armis.
                                     3.762
    et quod Caesareis numquam deuota iuuentus
    /illa nimis castris 4.695
    ius licet iugulos nostros sibi fecerit
    ensis/.../ Caesareaeque domus series,
                                     4.823
    Libyae squalentibus aruis/ Curio Caesarei
    cecidit pars magna senatus. . . . 5.40
    fortis in armis/ Caesareis Labienus erat:
                                     5.346
    quibus hoc contingere.../... potuit
    muris, nullo trepidare tumultu/ Caesarea
    pulsante manu? 5.531
    castraque Caesareo circumdatus aggere
    mutat 6.44
    Caesareas puluis testatur adesse cohortes.
                                     6.247
    Caesareas spectate cruces, spectate
    catenas, ... 7.304
    gens unica mundi est/ de qua Caesareis
    possim gaudere triumphis. 8.430
    poteratque cruor per regia fundi/pocula
    Caesareus 10.424
CAESARIES. imago.../ caesarie lacera nudisque
    adstare lacertis 1.189
    ille nec horrificam sancto dimouit ab ore/
    caesariem 2.373
    generosa fronte decora/caesaries conprensa
    manu est, ... 8.681
CAESPES. et subitus rapti munimine caespitis
    agger/ praebet securos intra tentoria
    somnos: 1.517
    caespitibus crudaque extruxit bracchia
    terra. 3.387
    duro concordes caespite mensas/instituunt
                                     4.197

    miles et attonso miseris iam dentibus
    aruo/ castrorum siccas de caespite
    uolserat herbas. 4.414
    non duro liceat morientia caespite membra
    /ponere, ... 5.278
    stetit aggere fulti/ caespitis intrepidus
    uoltu meruitque timeri 5.317
    nec caespite tantum/ contentus fragili
    subitos tollere muros 6.32
    capit inpia plebes/ caespite patricio
    somnos, ... 7.761
    omnia Lagi/ arua tenere potest, si nullo
    caespite nomen/ haerit. 8.803
    inclusum Tusco uenerantur caespite fulmen.
                                     8.864
    erexit subitas congestu caespitis aras
                                     9.988
CAETRA. illic pugnaces commouit Hiberia
    caetras. 7.232
CAICUS. deseritur.../ Mysiaque et gelido
    tellus perfusa Caico 3.203
CALABER. spumoso Calaber perfunditur aequore
    Sason. 2.627
    Ausoniam qua torquens frugifer oram/
    Delmatico Boreae Calabroque obnoxius
    Austro/ Apulus Hadriacas exit Garganus in
    undas. 5.379
    tum Calabro portu te crede potitum 5.589
CALCAR. gradum .../ nec quamuis crebris iussi
    calcaribus addunt: 4.760
CALCEDON. quamuis Byzantion arto/ Pontus et
    ostriferam dirimat Calchedona cursu,
                                     9.959
CALCO,-ARE. telumque suo cum lumine calcat.
                                     6.219
    semina fecundae segetis calcata perussit
                                     6.521
    et Romanorum manes calcate deorum. 6.809
    uideor... spectare.../ calcatosque simul
    reges sparsumque senatus/corpus   7.293
    capiunt praesagia belli/ calcatisque
    ruunt castris; 7.332
    sonipes.../ in caput effusi calcauit
    membra regentis, ... 7.529
    pudet.../ quaerere.../ ... quis fusa
    solo uitalia calcet, ... 7.620
    inpulit amentes.../ ire super gladios.../
    et caesos calcare duces.] . . . 7.749
    erremus populi cinerumque tuorum/Magne,
    metu nullas Nili calcemus harenas. 8.805
    nullisque potest consistere miles/
    instabilis, raptis etiam quas calcat,
    harenis. 9.465
    plaga, quam nullam superi mortalibus
    ultra/ a medio fecere die, calcatur 9.606
    Aulum/ torta caput retro dipsas calcata
    momordit. 9.738
    quis calcare tuas metuat, salpuga,
    latebras? 9.837
    Phryx incola manes/ Hectoreos calcare
    uetat. 9.977
    qui duro membra senatus/ calcarat uoltu,
    .../ ... uni tibi, Magne, negare/ non
    audet gemitus. 9.1044
    ut primum.../... diras calcauit Caesar
    harenas,/ pugnauit fortuna ducis fatumque
    nocentis/ Aegypti, ... 10.2
    totaque effusus in aula/ calcabatur onyx;
                                     10.117
    solus apertis/ obsedit muris calcantem
    moenia Magnum. 10.546

CALEDONIUS. unda Caledonios fallit turbata
    Britannos. 6.68
CALEO(-ESCO);-ERE. fulminis edoctus motus
    uenasque calentis/fibrarum 1.587
    ante ipsum penetrale deae semperque
    calentis 2.127
    quique suas struxere pyras uiuique
    calentis/conscendere rogos 3.240
    distinet Oceanum zonaeque exusta calentis.
                           4.675
    protinus astrictus caluit cruor atraque
    fouit/ uolnera 6.750
    frigidus inde/ stat gladius, calet omne
    nocens a Caesare ferrum. 7.503
    protinus hostili statuit succedere uallo/
    dum fortuna calet, ... 7.734
    sic ille pauentis (calentis)/ incendit
    uirtute animos et amore laborum, var.9.406
    feruida tellus/accipit Oceanum demisso
    sole calentem, ... 9.625
    Nilum uidere calentem. 10.275
    Lucifer... diemque/ misit in Aegypton
    primo quoque sole calentem, ...10.435
CALIDUS,-A,-UM. nec polus auersi calidus qua
    uergitur Austri, ... 1.54
    dum mouet haec calidus spirantia corpora
    sanguis 1.363
    per calidas Libyae sitientis harenas:
                           1.368
    nam prior e campis ut conspicit amne
    soluto/ rumpi Caesar iter calida
    proclamat ab ira 2.493
    calida medius mihi cognitus axis/Aegypto
    atque umbras nusquam flectente Syene,
                           2.586
    maioresque latent stellae, calidumque
    refugit/ Lucifer ipse diem. . . . 2.724
    nondum destituit calidus tua uolnera
    sanguis, ... 3.746
    sed postquam uernus calidum Titana recepit
                           4.56
    mobile neruis/ conamen calidus praebet
    cruor 4.287
    cum calido fodiemus uiscera ferro, 4.511
    auxilium membris calidas infudit harenas.
                           4.616
    calido conplentur sanguine uenae, 4.630
    primus Thessalicae rector telluris Ionos/
    in formam calidae percussit pondera
    massae 6.403
    calido praeducunt nubila Phoebo, . . 6.466
    uolnere sic uentris..:/ extrahitur partus
    calidis ponendus in aris; 6.559
    si pectora plena/ saepe deo laui calido
    prosecta cerebro,/... parete precanti.
                           6.709
    saxa uolant spatioque solutae/ aeris et
    calido liquefactae pondere glandes; 7.513
    nec.../ exiget aestiuum calido sub puluere
    solem. 8.376
    arua/ Volturis et calidi lucent buceta
    Matini. 9.185
    carpitque medullas/ ignis edax calidaque
    incendit uiscera tabe. 9.742
    calido non ocius Austro/ nix resoluta
    cadit 9.781
    calidoque uapore/ adliciunt gelidas
    nocturno frigore pestes, ... 9.843
    Iouis uolucer, calido cum protulit ouo/
    inplumis natos, solis conuertit ad ortus:
                           9.902

    testis tibi sole perusti/ ipse color
    populi calidique uaporibus Austri. 10.222
    hunc, calidi tetigit cum bracchia Cancri,/
    sol rapit, ... 10.259
CALIGO. condidit ardentis atra caligine
    currus 1.541
    nulloque dolore/ testatus morsus subita
    caligine mortem/accipis 9.817
CALOR. irarum mouit stimulos iuuenisque
    calorem 2.324
    belli pars magna peracta est/.../ si modo
    uirtutis stimulis iraeque calore/signa
    petunt. 7.103
    (nam proxima caelo est/ ut probat ipse
    calor) 9.352
    me calor aetherius feriat, . . . 9.396
    utque calor soluit quem torserat aera
    uentus,/ ... manant sudoribus artus, 9.498
    usque adeo mollis primisque caloribus
    inpar/ sum uisus? 9.507
    quos calor adiuuit putrique incoxit
    harenae. 9.699
    ipsa caloris egens gelidum non transit in
    orbem 9.704
CALPE. Tethys maioribus undis/ Hesperiam
    Calpen summumque inpleuit Atlanta. 1.555
    et Notos, in solam Calpen fluit umidus
    aer. 4.71
CALYDON. et Meleagram maculatus sanguine
    Nessi/ Euhenos Calydona secat. . . 6.366
CAMBYSES. uaesanus in ortus/ Cambyses longi
    populos peruenit ad aeui, ... 10.280
CAMILLUS. et quondam duro sulcata Camilli/
    uomere 1.168
    cum fata Camillis/ te Caesar, magnisque
    uelint miscere Metellis, ... 2.544
    Tarpeia sede perusta/ Gallorum facibus
    Veiosque habitante Camillo/ illic Roma
    fuit. 5.28
    uidi.../... flentemque Camillum 6.786
    si Curios his fata darent reducesque
    Camillos/ temporibus.../ hinc starent.
                           7.358
CAMPANUS. moenia Dardanii tenuit Campana
    coloni. 2.393
    undat apex, Campana fremens ceu saxa
    uaporat/ conditus Inarimes aeterna mole
    Typhoeus. 5.100
CAMPUS. bella per Emathios plus quam ciuilia
    campos 1.1
    diros Pharsalia campos/ impleat . . 1.38
    est qui tauriferis ubi se Meuania campis/
    explicat 1.473
    uis sibi fecit iter campumque effusa per
    omnem 2.215
    nec retinent ripae, redditque cadauera
    campo. 2.218
    ut procul inmensam campo consurgere nubem
    /... conspexit 2.481
    nam prior e campis ut conspicit amne
    soluto/ rumpi Caesar iter calida
    proclamat ab ira 2.492
    obstruitis campos fluuiisque arcere
    paratis, ... 2.495
    leuis totas accepit habenas/ in campum
    sonipes, ... 2.501
    'sedibus Elysiis campoque expulsa piorum
                           3.12
    haut procul a muris tumulus surgentis in
    altum/ telluris paruum diffuso uertice
    campum/ explicat: 3.376

fontesque et pabula campi/ amplexus fossa
            3.385

explicat hinc tellus campos effusa
patentis 4.19
camposque coerces,/ Cinga rapax, 4.20
urebant montana niues camposque iacentis/
non duraturae conspecto sole pruinae, 4.52
iam naufraga campo/ Caesaris arma natant,
            4.87
hos campos Rhenus inundet, ... 4.116
utque habuit ripas Sicoris camposque
reliquit 4.130
attollunt campo geminae iuga saxea rupes/
ualle caua media; 4.157
quo primum steterint campo, qua lancea
dextra/ exierit. 4.201
campos eques obuius omnis/ abstulit 4.262
puteusque cauati/ montis ad inrigui
premitur fastigia campi. 4.296
nec cruor effusus campis tibi bella
peregit 4.354
campis prostrata iacere/ agmina nostra
putes; 4.358
spoliarat gramine campum/ miles . . 4.412
conferta iacent cum corpora campo, 4.490
Phasidos et campis insomni dente creati/
terrigenae 4.552
Romana hos primum tenuit uictoria campos.'
            4.660
campum miles descendat in aequum 4.703
sic fatus apertis /instruxit campis acies;
            4.711
nam pepulit Varum campo 4.713
cogit/ ignotisque equitem late decurrere
campis 4.733
tum campi tremuere sono, terraque soluta,
            4.766
Curio,fusas/ ut uidit campis acies 4.794
fuit spes inrita.../ posse duces parua
campi statione diremptos/ admotum
damnare nefas; 5.470
non desunt campi, non desunt pabula Magno,
            6.43
ungula frondentem discussit cornea campum.
            6.83
tot simul e campis Latiae fulsere uolucres,
            6.129
effuso laxat tentoria campo, . . . 6.270
transit et ignotos operit sibi gurgite
campos: 6.276
torrens in campos defluit Aetna, . . 6.295
flumina dum campi retinent nec peruia
Tempe/ dant aditus pelagi, . . . 6.345
nobis.../ aequoraque et campi Rhodopaeaque
saxa loquentur. 6.618
Emathiis unum campis attollere corpus,
            6.620
si tollere totas/ temptasset campis acies
et reddere bello,/ cessissent leges
Erebi, ... 6.634
camposque piorum/ poscit turba nocens.
            6.798
sit iuris, quocumque uelint, concurrere
campo 7.80
miles.../ descendens totos perfudit lumine
colles/ non temere inmissus campis: 7.216
sicci sed plurima campi/tetrarchae
regesque tenent 7.226
conspicit in planos hostem descendere
campos, ... 7.237
camporum limite paruo/ absumus a uotis.
            7.298

medio posuit deus omnia campo. 7.348
Fortuna.../... populosque ducesque/
constituit campis, ... 7.418
ut primum toto diduxit cornua campo/
Pompeianus eques.../ ...leuis armatura.../
insequitur 7.506
sed petitur solus qui campis inminet aer;
            7.516
noxque super campos telis conserta
pependit. 7.520
omnis eques cessit campis, . . . 7.530
utinam, Pharsalia, campis/sufficiat cruor
iste tuis, ... 7.535
obit latis proiecta cadauera campis; 7.565
iacet aggere magno/ patricium campis non
mixta plebe cadauer. 7.598
pudet.../ quaerere.../... quos campis
adfixerit hasta, ... 7.624
cunctos haerere cruores/ Romanus
campisque uetat consistere torrens. 7.637
stetit aggere campi, ... 7.649
quo pectore Romam/ intrabit factus campis
felicior istis? 7.702
ingemuisse putem campos, ... 7.768
iuuat.../ et lustrare oculis campos sub
clade latentes. 7.795
camposque tenent uictore fugato. 7.824
scelerique secundo/ praestabis nondum
siccos hoc sanguine campos. . . . 7.854
fugerentque coloni/ umbrarum campos,
            7.863
qua tunc tellure latebas/ maestior, in
mediis quam si, Cornelia, campis/Emathiae
stares. 8.42
passus Achaemeniis late decurrere campis
/ in tutam trepidos numquam Babylona
coegi. 8.224
celsior in campo sonipes et fortior
arcus, ... 8.295
Parthus.../ Sarmaticos inter campos
effusaque planc /Tigridis arua solo,
nulli superabilis hosti est/
libertate fugae; 8.369
hinc super Emathiae campos et signa
cruenti/ Caesaris ... uolitauit . 9.15
sic, ubi depastis summittere gramina
campis/... parans ...Apulus.../igne fouet
terras, simul et Garganus et arua/
Volturis... lucent 9.182
uadimus in campos steriles exustaque mundi,
            9.382
qui sicco lumine campos/ uiderat Emathios,
uni tibi, Magne, negare/ non audet gemitus.
            9.1044
nec campos liberat undis/ donec in
autumnum declinet Phoebus 10.235
ille mora cursus aduersique obice ponto/
aestuat in campos. 10.247
Aethiopumque feris alieno gurgite campos,
            10.293
prima tibi campos permittit apertaque
Memphis/ rura 10.330
respexit.../ Scaeuam perpetuae meritum iam
nomina famae/ ad campos, Epidamne, tuos,
            10.545

CAMPUS(Martius). ambitus urbi/annua uenali
referens certamina Campo; 1.180
e medio uisi consurgere Campo/ tristia
Sullani cecinere oracula manes, 1.580
his meruit tumulum medio sibi tollere

CAMPUS

CAMPUS
    Campo? 2.222
    fingit sollemnia Campus 5.392
    spectate.../ Saeptorumque nefas et clausi
    proelia Campi. 7.306
    hoc leges Campumque et rostra mouebat,
                        8.685

CANCER. non super arentem Meroen Cancrique
    sub axe, ... 4.333
    uicino cum lux altissima Cancro est; 4.527
    nam quis ad exustam Cancro torrente
    Syenen/ ibit 8.851
    hunc ubi pars caeli tenuit, qua mixta
    Leonis/ sidera sunt Cancro, .../... tunc
    Nilus fonte soluto/... /iussus adest,
                        10.211
    uarii mutator circulus anni/ Aegoceron
    Cancrumque tenet, ... 10.213
    Cancroque suam torrente Syenen/inploratus
    adest, ... 10.234
    hunc, calidi tetigit cum bracchia Cancri,
    /sol rapit, ... 10.259
    ausus in ardentem ripas attollere Cancrum
                        10.288

CANDAUIA. terraeque secutus/ deuia, qua
    uastos aperit Candauia saltus,/ contigit
    Emathiam, ... 6.331
CANDEO(-ESCO),-ERE. puniceus Rubicon, cum
    feruida canduit aestas, ... 1.214
CANDIDUS,-A,-UM. infulaque in geminos
    discurrit candida postes, . . . 2.355
    crinesque in terga solutos/ candida
    Phocaica conplectitur infula lauro. 5.144
    candida Sidonio perlucent pectora filo,
                        10.141
CANESCO,-ERE. spumeus inuitis canescit
    fluctibus amnis. 10.322
CANIS. flebile saeui/ latrauere canes. 1.549
    nec creditur ulli/ silua cani, . . 4.442
    non spuma canum quibus unda timori est,/
    .../ defuit 6.671
    latratus habet illa canum gemitusque
    luporum, ... 6.688
    ianitor... qui uiscera saeuo/ spargis
    nostra cani, .../ exaudite preces. 6.703
    Stygiasque canes in luce superna/
    destituam; 6.733
    obscaeni tecta domosque /deseruere canes,
                       7.829
    nos in templa...Romana accepimus.../
    semideosque canes et sistra iubentia
    luctus 8.832
    nam corpus Phariaene canes auidaeque
    uolucres/distulerint, an furtiuus...ignis/
    soluerit, ignoro. 9.141
CANIS(=Sirius). Nilus neque suscitat undas/
    ante Canis radios 10.226
CANITIES. notauit/... uoltusque prementem/
    canitiem atque atro squalentis puluere
    uestes. 8.57
CANNA. haud procul inde domus,.../... sterili
    iunco cannaque intexta palustri 5.517
CANNAE. 'o miserae sortis, quod non Punica
    nati/ tempora Cannarum fuimus Trebiaeque
    iuuentus. 2.46
    cedant feralia nomina Cannae/ et damnata
    diu Romanis Allia fastis. . . . 7.408
    non illum Poenus humator/ consulis et
    Libyca succensae lampade Cannae/conpellunt
    hominum ritus ut seruet in hoste, 7.800
CANO,-ERE. iusque datum sceleri canimus, 1.2
    longae, canitis si cognita, uitae/ mors

CANUS

CANUS
    media est. 1.457
    cecinere deos, crinemque rotantes/
    sanguineum populis ulularunt tristia
    Galli. 1.566
    tristia Sullani cecinere oracula manes,
                        1.581
    inuoluens multaque tegens ambage canebat.
                        1.638
    talis fama canit tumidum super aequora
    Persen/ construxisse uias, ... 2.672
    siue canit fatum seu, quod iubet ille
    canendo, ... 5.92(bis)
    nam fixa canens mutandaque nulli/
    mortales optare uetat; 5.105
    haud aeque laesura ducem cui falsa
    canebat/ quam tripodas Phoebique fidem.
                        5.151
    tot cecinere tubae. 6.130
    sensuraque saxa canentes/arcanum ferale
    magos. 6.439
    si numquam haec carmina fibris/humanis
    ieiuna cano, .../ ... parete precanti.
                        6.708
    ducis omnia nato/ Pompeiana canat nostri
    modo militis umbra, ... 6.717
    omnia uates/ ipse canet Siculis genitor
    Pompeius in aruis, ... 6.814
    sterilesne elegit harenas/ ut caneret
    paucis, ... 9.577
CANOPOS(oppidum). o superi, Nilusne.../ et
    Pelusiaci tam mollis turba Canopi/ hos
    animos? 8.543
    et Romana petit inbelli signa Canopo
                        10.64
CANOPOS(stella). inde Canopos/excipit, 8.181
CANTABER. si tibi terga dedisset/Cantaber
    exiguis aut longis Teutonus armis. 6.259
CANTO,-ARE. ut nullos cantata magos exaudiat
    umbra. 6.767
CANTUS. classica det bello, saeuos tu
    neclege cantus; 4.186
    terrigenae missa magicis e cantibus ira
                        4.553
    mouit tantum uox illa furorem/quantum
    non primo succendunt classica cantu,
                        6.166
    quis labor hic superis cantus herbasque
    sequendi 6.492
    et patitur tantos cantu depressa labores
                        6.505
    nec superos orat nec cantu supplice numen
    /auxiliare uocat 6.523
    pollutos cantu dirisque uenefica sucis/
    conspersos uetuit transmittere bella
    Philippos, ... 6.581
    mox cetera cantu/ explicat Haemonio 6.693
    non... petit.../ Pompeius.../ ut resonent
    tristi cantu fora, ... 8.734
    Cerberos Orpheo leniuit sibila cantu,
                        9.643
    ipse cruor tutus nullumque admittere
    uirus/ uel cantu cessante potens. 9.895
    harenas/ expurgat cantu uerbisque
    fugantibus angues. 9.914
CANUS,-A,-UM. turrigero canos effundens
    uertice crines 1.188
    gens habitat cana pendentes rupe
    Cebennas. 1.435
    uideo Pangaea niuosis/ cana iugis latosque
    Haemi sub rupe Philippos. 1.680
    Antoni, cuius laceris pendentia canis/

CANUS

ora ferens miles festae rorantia mensae/
inposuit. 2.122
intonsos rigidam in frontem descendere
canos/passus erat 2.375
primum cana salix madefacto uimine paruam
/texitur in puppem 4.131
primaque castra locat cano procul aequore,
4.587
iam respice canos/inualidasque manus 5.274
credite grandaeuum uetitumque aetate
senatum/ arma sequi sacros pedibus
prosternere canos 7.372
cano sed discolor aequore truncus/
conspicitur. 8.722

CAPAX. inde ruendi/in ferrum mens prona uiris
animaeque capaces/mortis, ... 1.461
gentibus et generis, coeat si turba,
capacem 1.512
(in laeuum cecidere latus.../ Crustumiumque
rapax(capax) var.2.406
non rupta trementi/ uerba sono nec uox
antri conplere capacis/sufficiens   5.153
gemmaeque capaces/ excepere merum, 10.160
quis dignior umquam/ hoc fuit auditu
mundique capacior hospes? 10.183

CAPESSO,-ERE. sed Grais habiles pugnamque
lacessere (capessere) pinus /et temptare
fugam var.3.553
'audendo magnus tegitur timor;arma
capessam/ ipse prior. 4.702

CAPILLUS. qua decuit, ueluti laceros
dispersa capillos, ... 10.84
pars sanguinis usti/ torta caput
refugosque gerens a fronte capillos;
10.132

CAPIO,-ERE. non cepit fortuna duos. 1.111
bellumque futurum/ ceperat. . . . 1.185
constitit ut capto iussus deponere miles
/signa foro, ... 1.236
nec populum latebrae cepere ferarum.
2.153
uix erit ulla fides tam saeui criminis,
unum/ tot poenas cepisse caput.   2.187
nescius interea capti ducis arma parabat
2.526
sufficerent aliis.../ Roma capi facilis;
2.656
namque ignibus atris/creditur, ut captae,
rapturus moenia Romae/ sparsurusque deos.
3.99
tunc Orientis opes captorumque ultima
regum/ quae Pompeianis praelata est
gaza triumphis/egeritur; 3.165
ictu uicta suo percussae capta cohaesit;
3.564
et rapto tumulum prior agmine cepit. 4.35
capere arma iubet nec quaerere pontem
4.149
non derat fortis rapiendo (capiendo)
dextera leto; var.4.345
decet, partemque triumphi/ captos ferre
tui: 4.361
sed morbus egens iam gurgite plenis/
uisceribus sibi poscit (cepit) aquas.
var.4.372
inter tot milia captae/circumfusa rati et
plenam uix inde cohortem /pugna fuit,
4.470
quod non cum senibus capti natisque
tenemur. 4.504
fieret captis si dulcior ipsa/mortis uita

CAPITOLIUM

mora. 4.532
nec Rheni miles in undis/exploratus erat,
Corfini captus in arce, ... 4.697
Gallorum captus spoliis et Caesaris auro.
4.820
peregrina ac sordida sedes/Romanos cepit
proceres, secretaque rerum . . . 5.10
quamque procul tectis captae sedeamus ab
urbis/cernite, ... 5.19
cepimus expulso patriae cum tecta senatu,
5.270
cum cepere, tenent, quam quos incumbere
certos 5.414
securos cepisse pudet cum coniuge somnos,
5.750
et attonito cesserunt (ceperunt)pectore
sensus. var.5.760
uix tantum infirma dolorem/ cepit, et
attonito cesserunt pectore sensus. 5.760
cum uacuis proiecta locis a Caesare
possim/ uel fugiente capi. . . . 5.784
capere omnia Caesar/ moenia
Graiorum spernit 6.3
locum uictoribus unus/ eripuit uetuitque
capi, ... 6.142
donassent utinam.../... diem, quo fati
certus uterque/ extremum tanti fructum
raperetis (caperetis) amoris. . . var.7.32
capiunt praesagia belli/ calcatisque
ruunt castris; 7.331
urbs nos una capit. 7.402
capit inpia plebes/ caespite patricio
somnos, ... 7.760
capit omnia tellus/ quae genuit;   7.818
quem captos ducere reges/ uidit ab
Hyrcanis, ... 8.342
iuuat ire per orbem/.../ signaque ab
Euphrate cum Crassis capta sequentem?
8.358
quis capit haec tumulus? 8.816
qui sponsore salutis/ miles eget
capiturque animae dulcedine,   9.393
quem serpentum turba tenebat/ uix
capiente loco; 9.609
tumidos iam non capit artus/ informis
globus 9.800
captique in uiscera Magni/ hoc alii
licuisse doles, ... 9.1052
et nulla captus dulcedine rerum,   10.17
qui secum inuidia, quo totum ceperat
orbem,/ abstulit imperium, . . . 10.43
inposuere orbes, quales ad Caesaris ora/
nec capto uenere Iuba. 10.146
tanta obiuio mentis/ cepit in externos
corrupto milite mores /ut duce sub
famulo... irent 10.404
ceu puer inbellis uel captis femina muris,
/quaerit tuta domus; 10.458
nunc claustrum pelagi cepit Pharon. 10.509
captus sorte loci pendet; 10.542

CAPITOLIUM. excipit aut sacras poscunt
Capitolia laurus: 1.287
non domitor mundi nec ter Capitolia curru
/inuectus .../... Romanus erat: . . 8.553
non alta terens Capitolia currus/gratior;
9.79
hunc ego per Syrtes...triumphum/ ducere
maluerim, quam ter Capitolia curru/
scandere Pompei, ... 9.599
terruit illa suo, si fas, Capitolia sistro
10.63

CAPPADOX. Cappadoces mea signa timent et
dedita sacris 2.592
uenere feroces/Cappadoces, duri populus
non cultor Amani, ... 3.244
at iuxta fluuios...Enipei/Cappadocum
montana cohors et largus habenae/Ponticus
ibat eques. 7.225
uiuant.../ Cappadoces Gallique extremique
orbis Hiberi, ... 7.541

CAPTIUUS,-A,-UM. reseratis agmina portis/
captiuum traxere ducem, ... 2.508
membraque captiui pariter laturus et
arma/ fulmineum mediis excepit faucibus
ensem. 6.238
potui sine caede subactum/captiuumque
ducem uiolatae tradere paci. . . . 7.94
ceu pridem debita fatis/Assyriis trahitur
cladis captiua uetustae. 8.416
Cleopatra.../ Caesare captiuo Pharios
ductura triumphos; 10.65

CAPTO,-ARE. pandunt ora tamen nociturumque
aera captant. 4.329
tunc Thessala nudis/ egreditur bustis
nocturnaque fulmina captat. . . . 6.520

CAPULUS. sic fatus, quamuis capulum per
uiscera missi /polluerit gladii, 3.748
capulosque solutis/perfudit gladiis 7.158
capuloque manus absente mouentur. 7.767

CAPUT. fulmen et Arctois rapiens de partibus
ignem/percussit Latiare caput, 1.535
ipse caput medio Titan cum ferret Olympo
1.540
tollentemque caput gelidas Anienis ad
undas 1.582
ecce, uidet capiti fibrarum increscere
molem 1.627
ecce,uidet capiti fibrarum increscere
molem/alterius capitis. 1.628
fundat ab extremo flauos Aquilone
Suebos/Albis et indomitum Rheni caput;
2.52
exul limosa Marius caput abdidit ulua.
2.70
tum cum paene caput mundi rerumque
potestas/mutauit translata locum, 2.136
cum qua ceruice recisum/conueniat,
quaesisse, caput. 2.173
uix erit ulla fides tam saeui criminis,
unum/ tot poenas cepisse caput. 2.187
utinam... liceret/ hoc caput in cunctas
damnatum exponere poenas! . . . 2.307
sufficerent aliis.../ ipsa, caput mundi,
bellorum maxima merces, ... 2.655
uisa caput maestum per hiantis Iulia
terras 3.10
sparsamque profundo/multifidi Peucen unum
caput adluit Histri, ... 3.202
quaque caput rapido tollit cum Tigride
magnus/Euphrates, ... 3.256
ille caput labens et iam languentia colla/
uiso patre leuat; 3.737
inmotumque caput fixa cum fronte tenetur,
4.619
obliquusque caput uanas serpentis in auras
/effusae tuto conprendit guttura morsu/
letiferam citra saniem; 4.726
et adhuc dubitantibus astris/ Pompei
damnare caput tot fata tenentur? 5.205
infidumque caput feriendaque tendite
colla. 5.361
unumque caput tam magna iuuentus/priuatum

factura timet, ... 5.365
nec placet.../ quodque caput spargens
undis, uelut occupet imbrem,/instabili
gressu metitur litora cornix. 5.555
primus ab oceano caput exeris Atlanteo,
5.598
et tantus caput hoc sibi fecerit orbis
5.686
fulminibus me, saeue, iubes tantaeque
ruinae/absentem praestare caput? 5.771
placet alea fati/alterutrum mersura
caput. 6.8
fessumque caput se ferre recusat. 6.97
caput obterit ossaque saxo . . . 6.176
Gortynis harundo/.../ in caput atque
oculi laeuom descendit in orbem. 6.216
rapidique Leonis/solstitiale caput
nemorosus summouet Othrys. . . . 6.338
ubi quondam Pentheos exul/colla caputque
ferens supremo tradidit igni/... Agaue.
6.358
fama est... amnem/et capitis memorem
fluuii contagia uilis/nolle pati. 6.379
illi namque nefas urbis summittere tecto/
aut laribus ferale caput, ... 6.511
oscula figens/ truncauitque caput 6.566
maestum tecta caput squalenti nube
pererrat/corpora 6.625
si quisquis uestris caput extaque
lancibus infans/ inposuit uicturus erat,
parete precanti. 6.710
haec ubi fata caput spumantiaque ora
leuauit, /aspicit astantem...umbram, 6.719
prima uelim caput hoc funesti lancea
belli/.../... feriat; 7.117
maiori pondere pressum/ signiferi mersere
caput rorantia fletu/... signa. 7.163
spectate.../ et caput hoc positum
rostris effusaque membra 7.305
si Curios his fata darent.../temporibus
Deciosque caput fatale uouentis,/ hinc
starent. 7.359
Cassius hoc potius feriet caput? 7.451
sonipes.../ in caput effusi calcauit
membra regentis, ... 7.529
abscisum longe mittat caput, 7.628
socero spectare uolenti/praestandum est
ubicumque caput. 7.675
uidit prima... Larisa.../ nobile nec
uictum fatis caput. 7.713
hoc iuris habebat/in tantum fortuna caput?
8.96
mallem felicibus armis/dependisse caput:
8.101
non sic mea fata premuntur/ut nequeam
releuare caput 8.268
inuoluit uoltus atque, indignatus apertum
/fortunae praebere, caput; 8.615
quisquis,in istud/ a superis inmisse
caput, uel Caesaris irae/uel tibi
prospiciens, nescis, ... 8.643
poenas non morte minores/pendat et ante
meum uideat caput. 8.647
nil ultima mortis/ex habitu uoltuque
uiri mutasse fatentur/qui lacerum uidere
caput. 8.667
nondum artis erat caput ense rotare.
8.673
Pompei diro sacrum caput ense recidis,
8.677
Pharioque ueruto/.../suffixum caput est,

8.684
    tunc arte nefanda/summota est capiti
    tabes, ... 8.689
    nullaque manente figura/una nota est Magno
    capitis iactura reuolsi. 8.711
    norit harenas/ad quas, Magne, tuum referat
    caput.' 8.775
    fassusque sepulchrum/posce caput. 8.785
    sic ubi fata, caput ferali obduxit amictu
    . . . . 9.109
    stat summa caputque/orbis, . . . 9.123
    suppositisque deis uram caput. . . 9.161
    auxilium uolucri Pallas tulit innuba
    fratri/pacta caput monstri, . . . 9.666
    defenduntque caput protenti crinibus
    hydri, ... 9.673
    quos habuit uoltus... uolnere ferri/caesa
    caput Gorgon! 9.679
    hic quae prima caput mouit de puluere
    tabes/aspida ... leuauit. . . . 9.700
    et grauis in geminum uergens caput
    amphisbaena, ... 9.719
    Aulum/ torta caput retro dipsas calcata
    momordit. 9.738
    colla caputque fluunt: 9.781
    perque caput Pauli transactaque tempora
    fugit. 9.824
    sic fatus opertum/detexit tenuitque
    caput. 9.1033
    generi mauolt lugere reuolsum/quam debere
    caput. 9.1043
    capti (capiti)-que in uiscera Magni/hoc
    alii licuisse doles, ... var.9.1052
    fratrique tuum pro munere tali/misissem,
    Cleopatra, caput. 9.1071
    et placate caput cineresque in litore
    fusos/colligite 9.1092
    an eriperet mundo Memphiticus ensis/
    uictoris uictique caput. . . . 10.6
    pars sanguinis usti/torta caput
    refugosque gerens a fronte capillos;
    . . . . 10.132
    nihil est quod noscere malim/ quam fluuii
    causas.../ ignotumque caput: . . 10.191
    adde quod omne caput fluuii, .../...
    ingresso uere tumescit/prima tabe niuis:
    . . . . 10.223
    arcanum natura caput non prodidit ulli,
    . . . . 10.295
    meque tuumque caput per singula forsitan
    illi/oscula donabit. 10.364
    mittet ad umbras/ quod debetur adhuc
    mundo caput. 10.393
    missurusque tuum, si non sint tela nec
    ignes/ in famulos, Ptolemaee, caput.
    . . . . 10.464
CARBASUS,-A,-UM. strictaque pendentes deducunt
    carbasa nautae 2.697
    fluxa coloratis astringunt carbasa gemmis,
    . . . . 3.239
    semper uenturis conponere carbasa uentis.
    . . . . 3.596
    Graia ad moenia perflet/ne Pompeiani.../
    languida iactatis conprendant carbasa
    remis. 5.421
    flexo nauita cornu/obliquat laeuo pede
    carbasa 5.428
    haec fatur, soluensque ratem dat carbasa
    uentis; 5.560
    en ratis, ad uestros quae tendit carbasa
    portus! 8.50

    sed quo uela dari, quo nunc pede carbasa
    tendi/ nostra iubes?' 8.185
    tendens hinc carbasa rursus/iam Taurum
    ... uidet 8.254
    nec Phoebus adhuc nec carbasa languent.
    . . . . 8.471
    et inuisi tendunt mihi carbasa uenti.
    . . . . 9.77
    tum, quarum recto deprendit carbasa malo,
    eripuit nautis, ... 9.324
    nec tantos carbasa Coro/curuauere sinus.
    . . . . 9.799
CARBO. passus Sicanio tegitur qui Carbo
    sepulchro, ... 2.548
CARCER. Eleus sonipes, quamuis iam carcere
    clauso 1.294
    uincula ferri/ exedere senem longusque
    in carcere paedor. 2.73
    uiderat inmensam tenebroso in carcere
    lucem 2.79
    sic, ubi desuetae siluis in carcere
    clauso/mansueuere ferae 4.237
    Aeolii iacuisse Notum sub carcere saxi
    . . . . 5.609
    aspicit...umbram/ ...inuisaque claustra
    timentem/carceris antiqui. . . 6.722
    aeternis chalybis nodis et carcere
    Ditis/ constrictae plausere manus, 6.797
    et frangit rabidos praemorso carcere
    dentes, ... 10.446
CARCHESIUM. hic utinam summi curuet carchesia
    mali 5.418
CARCINOS. et idem, quod Carcinos ardens,
    /umidus Aegoceros... tollitur . 9.536
CARDO. tum cardine tellus/subsedit, . . 1.552
    et summus Olympi/ cardo tenet Tethyn, 4.73
    regna/ cardine ab occiduo uicinus Gadibus
    Atlans/terminat, ... 4.672
    Hesperio tantum quantum summotus Eoo/
    cardine Parnasos gemino petit aethera
    colle, ... 5.72
    ultima fata/deprecor ac turpes extremi
    cardinis annos, ... 7.381
    hic quoque nil obstat Phoebo, cum cardine
    summo/ stat librata dies; . . . 9.528
CAREO,-ERE. foedera sola tamen uanaque
    carentia pompa/uira placent sacrisque deos
    admittere testes. 2.352
    uni quippe uacat studiis odiisque carenti/
    humanum lugere genus), ... 2.377
    simulacraque maesta deorum/ arte carent
    caesisque extant informia truncis. 3.413
    tum primum posuere comas et fronde
    carentes/admisere diem, ... 3.443
    iam clipeo telisque carens, . . . 3.618
    uacuamque relinquit/ qua caret hoste,
    ratem, ... 3.649
    ut torpore senex caruit uiresque cruentus
    /coepit habere dolor, ... 3.741
    non ullo saecula dono/ nostra carent
    maiore deum, quam Delphica sedes 5.112
    tot mundi caruisse malis, praestare
    deorum/excepta quis Morte potest? 5.229
    tantum careat ne nomine tempus/ menstruus
    in fastos distinguit saecula consul. 5.398
    sed sorte frequenti/plebeiaque nimis
    careo dimissa marito. 5.765
    caruisse timebat/ Pompeio; . . . 5.813
    nec sancto caruisset uita Catone. 6.311
    patrias sedes atque hoste carentem/
    Ausoniam peteret. 6.318

ne Mars alium uagus iret in orbem/Emathis
et tellus tam multa caede careret, 6.580
uenia gaudet caruisse secunda. . . 7.604
gregibus dumeta carerent, ... 7.863
uictoribus ipsis/ dedecus et
numquam superum caritura pudore/fabula,
Romanus regi sic paruit ensis, . . 8.605
placet hoc, Fortuna, sepulchrum/dicere
Pompei, quo condi maluit illum/ quam
terra caruisse socer? 8.795
patriam tutore carentem/excepit, 9.24
exemploque carens et nulli cognitus aeuo/
luctus erat, ... 9.169
casta domus luxuque carens corruptaque
numquam/fortuna domini. 9.201
pocula morte carent.' 9.616
ipsaque leti/ frons caret inuidia nec
quicquam plaga minatur. 9.740
proxima Leptis erat, cuius statione
quieta/exegere hiemem nimbis flammisque
carentem. 9.949
caruere deis mea uota secundis, 9.1098
nec tumet hibernus, cum longe sole remoto/
officiis caret unda suis: 10.230
solet aetherio lampas decurrere sulco/
materiaque carens atque ardens aere solo.
10.503
quae castra carentia rege/ut proles Lagea
tenet, famulumque tyranni/... transegit
Achillea ferro. 10.521

CARINA. mitis Atax Latias gaudet non ferre
carinas 1.403
et nondum sparsa conpage carinae/
naufragium sibi quisque facit, . . 1.502
ut tremulo starent contentae fune carinae.
2.621
discussere salo spatiumque dedere carinis
2.685
totque carinarum permixtis aequora sulcis
/eruta feruescunt 2.703
cetera classis abit summis spoliata
carinis: 2.714
Caesar, ut emissas uenti rapuere carinas,/
absconditque fretum classes, . . . 3.46
tresque petunt ueram credi Salamina
carinae. 3.183
has ad bella rates non flexo limite
ponti/certior haud ullis duxit Cynosura
carinis. 3.219
itque Cilix iusta iam non pirata carina.
3.228
non robore picto/ornatas decuit fulgens
tutela carinas, ... 3.511
et iam turrigeram Bruti comitata carinam/
uenerat... classis 3.514
inpulsae tonsis tremuere carinae 3.527
at Romana ratis stabilem praebere carinam
3.556
Phocaicis medias rostris oppone carinas.'
3.561
Phocaicis Romana ratis uallata carinis/
robore diducto dextrum laeuumque tuetur
3.583
qua nullam melius pelago turbante carinae
/audiuere manum, ... 3.593
ausus Romanae Graia de puppe carinae/
iniectare manum; 3.610
aequora discedunt mersa diducta carina
3.632
dum nimium pugnax unius turba carinae/
incumbit prono lateri 3.647

uersa caua texit pelagus nautasque
carina, ... 3.650
diuersae rostris iuuenem fixere carinae.
3.654
at faciles praebere alimenta carinae 3.683
stabat diuersa uictae iam parte carinae/
infelix Argi genitor, ... 3.726
saepe cadens longae senior per transtra
carinae/peruenit ad puppim . . . 3.731
turrigeras classis pelago sparsura
carinas, ... 4.226
neque enim de more carinas/extendunt
puppesque leuant, ... 4.417
celeresque carinas/continuit, . . 4.434
nos in conspicua sociis hostique carina/
constituere dei; 4.492
primus dux ipse carinae/Vulteius iugulo
poscens iam fata rectecto 4.540
casibus innumeris fixae patuere carinae.
5.447
Hapso gestare carinas/causa palus, 5.463
fluctusque uerendos/classibus exigua
sperat superare carina. 5.503
primisque inuenit in undis/rupibus exesis
haerentem fune carinam. 5.514
non ultra cuncta carinae/debebis
manibusque 5.534
nubila tanguntur uelis et terra carina.
5.642
ut uidere duces, purumque insurgere caelo
/fracturum pelagus Borean, soluere
carinas 5.705
quolibet infaustam potius deflecte
carinam: 5.789
litoraque ipsa tenet, tandemque inlata
carinaest. 5.801
tamen hos minuere labores/.../ litoraque
et plenae peregrina messe carinae. 6.105
semper prima uides uenientis uela
carinae, ... 8.48
dixit, maestamque carinae/inposuit
comitem. 8.146
aequora senserunt motus.../... nec idem
spectante carina/mutauere sonum. 8.198
exhaustaeque domus populis, maiorque
carinae/ quam tua turba fuit. 8.253
exiguam sociis monstri gladiisque
carinam/instruit. 8.541
Magnoque patere /fingens regna Phari
celsae de puppe carinae/ in paruam iubet
ire ratem, ... 8.564
sic fata interque suorum/lapsa manus
rapitur trepida fugiente carina. 8.662
et collecta procul lacerae fragmenta
carinae/exigua trepidus posuit scrobe.
8.755
mille carinis/abstulit Emathiae secum
fragmenta ruinae. 9.32
quis... fugientia crederet ire/agmina,
quis pelagus uictas artasse carinas? 9.35
Boreaque urguente carinas/ Graia fugit,
9.37
cum procul ex alto tendentes uela carinae
/ancipites tenuere animos, . . . 9.45
et in nulla non creditur esse carina.
9.48
frustraque rudentibus ausis/ uela negare
Noto spatium uicere carinae, . . 9.326
terraeque haerente carina/litora nulla
uident. 9.343
et nulla portus tangente carina/nouit

CARINA
    opes: 9.442
    iubet.../ lampadas inmitti iunctis in uela
    carinis; 10.492
    sed caeca nocte carinis/insiluit Caesar
                  10.506
    dum parat in uacuas Martem transferre
    carinas,/ dux Latius... subitus.../
    cingitur: 10.535
CARMANUS. tum furor extremos mouit Romanus
    Orestas/Carmanosque duces, . 3.250
CARMEN. tu satis ad uires Romana in carmina
    dandas. 1.66
    plurima securi fudistis carmina, Bardi.
                  1.449
    diraque per populum Cumanae carmina uatis
    /uolgantur. 1.564
    tum, qui fata deum secretaque carmina
    seruant 1.599
    Cirrha silet farique sat est arcana
    futuri/ carmina longaeuae uobis conmissa
    Sibyllae, ... 5.138
    tot surdas gentibus aures/caelicolum dirae
    conuertunt carmina gentis. . . 6.444
    carmine Thessalidum dura in praecordia
    fluxit/ non fatis adductus amor, 6.452
    torpuit et praeceps audito carmine mundus,
                  6.463
    inpulsam sidere Tethyn/reppulit Haemonium
    defenso litore carmen. 6.480
    an habent haec carmina certum/imperiosa
    deum, ... 6.497
    haec dirae crimina (carmina) gentis/
    effera damnarat nimiae pietatis Erictho
               var.6.507
    carmenque timent audire secundum. 6.528
    carmenque nouos fingebat in usus. 6.578
    numquam nisi carmine factum/lumen habet.
                  6.647
    infando saturatas carmine frondis/.../
    addidit 6.682
    si numquam haec carmina fibris/humanis
    ieiuna cano.../... parete precanti. 6.707
    perque cauas terrae, quas egit carmine,
    rimas/manibus inlatrat . . . 6.728
    tali tua membra sepulchro/talibus
    exuram Stygio cum carmine siluis, 6.766
    addidit et carmen, quo, quidquid consulit,
    umbram/scire dedit. 6.775
    carminibus magicis opus est herbisque,
    cadauer/ ut cadat, ... 6.822
    haud equidem inmerito Cumanae carmine
    uatis/ cautum, ne Nili Pelusia tangeret
    ora/ Hesperius miles 8.824
    plurima tunc uoluit spumanti carmina
    lingua/ murmure continuo, . . . 9.927
CARPENTUM. nulla uehitur ceruice supinus/
    carpentoque sedens; 9.590
CARPO,-ERE. uix te sparsum per uiscera, Baebi,
    /innumeras inter carpentis membra coronae
    /discessisse manus, ... 2.120
    iamque agmina summa/ carpit eques,
    dubiique fugae pugnaeque tenentur. 4.156
    cernit miserabile uolgus/ in pecudum
    cecidisse cibos et carpere dumos 6.111
    pendentia corpora carpsit . . 6.544
    nec carpere membra/ uolt ferro manibusque
    suis, ... 6.551
    deserta per arua/ carpit iter. 6.573
    non aetas haec carpsit edax monimentaque
    rerum/ putria destituit: . . . 7.397
    carpitur in scopulis hausto per uolnera

    fluctu, ... 8.709
    carpitur et lentum Magnus destillat in
    ignem 8.777
    inreducemque uiam deserto limite
    carpit; 9.408
    carpitque medullas/ ignis edax 9.741
    toxica fatilegi carpunt matura Saitae.
                  9.821
CARRHAE. Assyrias Latio maculauit sanguine
    Carrhas, ... 1.105
CARTHAGO. Carthago Mariusque tulit, pariterque
    iacentes/ignouere deis. 2.92
    inter semirutas magnae Carthaginis arces
    /et Clipeam tenuit stationis litora notae,
                  4.585
    excitet inuisas dirae Carthaginis umbras
    /inferiis Fortuna nouis, . . . 4.788
    maior Carthaginis hostis/ non seruituri
    maeret Cato fata nepotis: . . 6.789
    namque memor generis Carthaginis inpia
    proles/ inminet Hesperiae, . . 8.284
CARUS,-A,-UM. uxor et a caro poscet sibi
    fata marito, ... 3.353
    saepe etiam caris cognato in funere dira
    /Thessalis incubuit membris . . 6.564
    quisquis patriam carosque penates,/...
    quaerit,/ ense petat: 7.346
    hic sacra domus carique penates,/ hic
    mihi Roma fuit. 8.132
    quaecumque es... nec ulli/ cara tuo sed
    Pompeio felicior umbra,/.../ da ueniam:
                  8.747
CARYSTOS. qua maris angustat fauces saxosa
    Carystos 5.232
CASA. quem nostrae fortuna coegit/
    auxilium sperare casae?' . . . 5.523
    praedam ciuilibus armis/ scit non esse
    casas. 5.527
    gaudet in Hyblaeo securus gramine pastor
    /diuitias seruasse casae. . . . 9.292
    uolitantque a culmine raptae/detecto
    Garamante casae. 9.460
CASIUS. conperit ut regem Casio se monte
    tenere, /flectit iter; 8.470
    perfida qua tellus Casiis excurrit
    harenis/ ... exiguam sociis...carinam/
    instruit. 8.539
    quem non tumuli...saxum/ et cinis...
    /auertet manesque tuos placare iubebit/
    et Casio praeferre Ioui? . . . 8.858
    Lucifer a Casia prospexit rupe 10.434
CASPIUS. si uos, o Parthi, peterem cum Caspia
    claustra/.../ passus Achaemeniis late
    decurrere campis 8.222
    Caspiaque inmensos seducunt claustra
    recessus, ... 8.291
CASSIS. illic plebeia contectus casside uoltus
    /...quod ferrum, Brute, tenebas! 7.586
CASSIUS. Cassius hoc potius feriet caput?
                  7.451
CASSUS. ne tanta in cassum uirtus eat,
    ingeret omnis/ se belli fortuna tibi.
                  2.263
    cedit in inmensum cassus labor; 2.663
    sic deflagrare minaces/ in cassum et
    uetito passus languescere bello, 4.281
    absterrere ducem noscendi ardore futura/
    cassa fraude parat. 5.130
CASTALIUS. Castalios circum latices nemorumque
    recessus/ Phemonoen errore uagam curisque
    uacantem/ corripuit 5.125

CASTALIUS

    dum te, consultor operti/Castalia
    tellure dei, uix inuenit, Appi,   5.188

CASTELLUM. disponit castella iugis   6.40
    opportuna... ualli pars uisa.../ qua
    Minici castella uacant, ... 6.126
    hinc uicina petens placido castella
    profundo/ incursu gemini Martis rapit,
                         6.268

CASTIGO,-ARE. uerberibusque suis trepidam
    castigat Erinyn, ... 6.747
    Magnus et inmodicos castigat uoce dolores.
                      8.71

CASTRA. nos praeda furentum/ primaque castra
    sumus. 1.251
    quis castra timenti/ nescit mixta foro,
                      1.319
    per signa decem felicia castris/... iuro
                      1.374
    castra super Tusci si ponere Thybridis
    undas, ... 1.381
    deseruere/ castraque quae Vosegi curuam
    super ardua ripam 1.397
    agmine non uno densisque incedere castris.
                      1.478
    nec non bella uiri diuersaque castra
    petentes/ effundunt iustas in numina
    saeua querellas. 2.43
    adtuleratque in castra nefas. . . 2.98
    castra petunt magna uicti mercede: 2.255
    nam praelata suis numquam diuersa dolebit/
    castra ducis Magni. 2.276
    da mihi castra sequi: cur tuta in pace
    relinquar 2.348
    quamquam firmissima pubes/ his sedeat
    castris, ... 2.474
    quod castra secutus /sit patriae Magnumque
    ducem totumque senatum, ... 2.519
    dux sit in his castris senior, dum miles
    in illis. 2.561
    omnes redeant in castra triumphi. 2.644
    Iliacae quoque signa manus perituraque
    castra/ ominibus petiere suis, 3.211
    haec patiens longo munimine cingi/ uisa
    duci rupes tutisque aptissima
    castris.   3.378
    a summis perduxit ad aequora castris/
    longum Caesar opus, ... 3.384
    iure pari rector castris Afranius illis/
    ac Petreius erat; 4.4
    nec Caesar colle minore/ castra leuat;
                      4.18
    et prope consertis obduxit castra
    maniplis. 4.31
    qui medius tutam castris dirimebat
    Ilerdam, ... 4.33
    inpulsaque gurgite multo /castra labant;
    alto restagnant flumina uallo. 4.89
    nudatos Caesar colles desertaque castra/
    conspiciens 4.148
    illic exiguo paulum distantia uallo/
    castra locant. 4.169
    pax erat, et castris miles permixtus
    utrisque/errabat; 4.196
    seque et sua tradita uenum/ castra uidet,
                      4.207
    atque hostis turba stipatus inermis/
    praecipitat castris 4.209
    feruent iam castra tumultu, ... 4.250
    polluta nefanda/agmina caede duces
    iunctis committere castris/non audent,/
                      4.260

    Caesar auet nec castra pati contingere
    ripas 4.265
    Afranius.../ semianimes in castra trahens
    hostilia turmas/ uictoris stetit ante
    pedes. 4.339
    miles et attonso miseris iam dentibus
    aruo/ castrorum siccas de caespite
    uolserat herbas. 4.414
    primaque castra locat cano procul aequore,
                      4.587
    indulsit castris et collibus abstulit
    omen 4.664
    sufficiunt spatio populi: tot castra
    secuntur, ... 4.676
    et quod Caesareis numquam deuota iuuentus
    /illa nimis castris 4.696
    nudataque foeda/ terga fuga, donec
    uetuerunt castra, cecidit. 4.714
    Curio nocturnum castris erumpere cogit
                      4.732
    ipse sub aurorae primos excedere motus/
    signa iubet castris, ... 4.735
    nam quis castra uocet tot strictas iure
    ·securis,/ tot fasces? 5.12
    intra castrorum timuit tentoria ductor/
    perdere successus scelerum, . . . 5.241
    haec fatus totis discurrere castris/
    coeperat 5.295
    sunt ista profecto/ curae castra
    deis, ... ·. 5.352
    discedite castris,/ tradite nostra uiris
    ignaui signa Quirites. 5.357
    et tu, quo solo stabunt iam robore castra,
                      5.362
    Brundisium decumis iubet hanc attingere
    castris 5.374
    prima duces iunctis uidit consistere
    castris/tellus, ... 5.461
    tu mea castra times? 5.490
    iam castra silebant, ... 5.506
    sed non tam remeans Caesar iam luce
    propinqua/ quam tacita sua castra fuga
    comitesque fefellit. 5.679
    iam castris instare suis seponere tutum/
    coniugii decreuit onus 5.724
    postquam castra duces pugnae iam mente
    propinquis/inposuere iugis 6.1
    collem... Petram/ insedit castris
    Ephyraeaque moenia seruat . . . 6.17
    castraque Caesareo circumdatus aggere
    mutat: 6.44
    ut primum libuit ruptis euadere claustris
    (castris)/ Pompeio.../ non obscura petit
    latebrosae tempora noctis, . . .var.6.118
    castrorum in plebe merebat/ ante feras
    Rhodani gentes; 6.144
    tollite et in Magni uiuentem ponite
    castris. 6.233
    nec magis hac Magnus castrorum parte
    repulsus/... quieuit, ... 6.263
    hac ubi damnata fatis tellure locarunt/
    castra duces, ... 6.414
    uicinaque moenia castris/ Haemonidum,
                      6.435
    Sextoque ad castra parentis/ it comes;
                      6.827
    castrorum uigiles, nullas tuba uerberet
    aures. 7.25
    turba/ castrorum fremuit fatisque
    trahentibus orbem/ signa petit pugnae.
                      7.46

CASTRA

 in Pompeianis uotum est Pharsalia castris.   7.61

 proceresque tuorum/castrorum regesque tui
cum supplice mundo/ adfusi uinci socerum
patiare rogamus. 7.70

 trepido confusa tumultu/ castra
fremunt,   7.128

 parcite ne castris: 7.328

 capiunt praesagia belli/ calcatisque
ruunt castris;   7.332

 sed, castra fugatos/ ne reuocent.../
protinus hostili statuit succedere uallo,   7.731

 cunctis, en, plena metallis/ castra
patent; 7.741

 decipitur quod castra rapit. . .   7.760

 iamque diu uolucres ciuilia castra
secutae/ conueniunt. 7.831

 multi, Pharsalica castra/ cum peterent...
/occursu stupuere ducis 8.14

 Assyrios in castra tuli ciuilia casus,   8.92

 quam uix, si castra mariti/uictoris
peteret, siccis dimittere matres/iam
poterant oculis: 8.153

 Pompei nunc castra placent, quae deserit
orbis? 8.532

 haud ego culpa /libera bellorum, quae
matrum sola per undas/ et per castra
comes 8.649

 Eurus/ in Libycas egit sedes et castra
Catonis.   9.119

 castrorum bellique piget post funera
Magni; 9.218

 'o quibus una salus placuit mea castra
secutis/indomita ceruice mori,   9.379

 ultima castrorum medicatus circumit
ignis. 9.915

 dignumque clientem/ castris crede tuis
cui tantum fata licere/in generum
uoluere tuum. 9.1025

 credis.../ hoc castris prodesse tuis?   9.1051

 haud clara mouendis/ ut mos, signa dedit
castris 10.400

 nulla fides pietasque uiris qui castra
secuntur, ...   10.407

 quae castra carentia rege/ ut proles
Lagea tenet, famulumque tyranni/...
transegit Achillea ferro. 10.521

CASTRENSIS,-E. numina miscebit castrensis
flamma monetae;   1.380

CASTUS,-A,-UM. tanto deuinxit amore/ hos
pudor, hos probitas castique modestia
uoltus, ...   8.156

 casta domus luxuque carens corruptaque
numquam/ fortuna domini. . . .   9.201

 Cleopatra.../... Latii feralis Erinys/
Romano non casta malo. 10.60

 quem non e nobis credit Cleopatra
nocentem/a quo casta fuit? . . .   10.370

CASUS. fertque refertque uices et habet
mortalia casus,   2.13

 inuenit.../ fata uirum casusque urbis
cunctisque timentem 2.240

 sic ora profundi/ artantur casu nemorum;   2.678

 egere quod superest animae, Tyrrhene, per
omnis/bellorum casus. 3.719

 nec iam amplius anceps/belli casus erat.   3.753

CATENA

 interque priorem/ fortunam casusque
nouos gerit omnia uicti,/sed ducis,   4.342

 hoc tamen in casu quantum deprensa
ualebat/effecit uirtus: 4.469

 ancipites steterunt casus, ...   4.771

 casibus incertis et caeca sorte pararent,   5.66

 casibus innumeris fixae patuere carinae.   5.447

 inque nouos traheris casus? . . .   5.487

 sors ultima rerum/ in dubios casus et
prona pericula morti/praecipitare solet: 5.693

 effingunt uarias casu monstrante figuras;   5.713

 praecipites aderunt casus: . . .   5.746

 non olim casu pendemus ab uno? . .   5.769

 petit... horam/ in casum quae cuncta
ferat;   6.7

 ad dubios pauci presumpto robore casus/
spemque metumque ferunt.   6.418

 hoc casibus eripe iuris,/ ne subiti
caecique ruant.   6.597

 sed, si praenoscere casus/contentus,
facilesque aditus multique patebunt/ad
uerum: 6.615

 non tamen abstinuit uenturos prodere
casus/ per uarias Fortuna notas.   7.151

 oblatumque uidet uotis sibi mille
petitum/ tempus, in extremos quo mitteret
omnia casus. 7.239

 casus audax spondere secundos/ mens stetit
in dubio, ...   7.246

 cum caeco rapiantur saecula casu, /
mentimur regnare Iouem. . . .   7.446

 rapit omnia casus/atque incerta facit   7.487

 uouitque, sui solacia casus. . .   7.658

 Assyrios in castra tuli ciuilia casus,   8.92

 longeque a litore casus/expectate meos   8.580

 ille, ubi pendebant casus.../ ... oderat
et Magnum, ...   9.19

 tu pete bellorum casus 9.84

 possumus.../... bellisque datos cognoscere
casus. 9.553

 sortilegis egeant dubii semperque
futuris/ casibus ancipites: . . .   9.582

 casus alieno in pectore uincit   9.888

 Leucadioque fuit dubius sub gurgite
casus, ...   10.66

CATARACTA. cum lapsus abrupta uiarum/ excepere
tuos et praecipites cataractae/... spuma
tunc astra lacessis, ...   10.318

CATENA. placuit.../ roboraque inmensis late
religare catenis. 2.671

 ast alias manicaeque ligant teretesque
catenae, ...   3.565

 quarum porrectis series constricta catenis
/ordinibus geminis obliquas excipit alnos;   4.421

 et laxe fluitare sinit, religatque
catenas   4.451

 abruptis Catilina minax fractisque catenis
/exultat 6.793

 Caesareas spectate cruces, spectate
catenas, ...   7.304

 qua terta graues lorica catenas/opponit
.../hac quoque peruentum est ad uiscera,   7.498

CATENA

se... Cleopatra.../ corrupto custode
Phari laxare catenas/ intulit Emathiis...
tectis, ...   10.57

CATERUA. cultus matrona priores/
deposuit maestaeque tenent delubra
cateruae: 2.29
aut Collina tulit stratas quot porta
cateruas, ...   2.135
densi uix agmina uolgi/ inter et exangues
inmissa morte cateruas/uictores mouere
manus; 2.202
deuotum hostiles Decium pressere cateruae:
2.308
equitum properate cateruae,/ ite simul
pedites, ...   2.498
non corniger Hammon/mittere Marmaricas
cessauit in arma cateruas,   . . .   3.293
illum/ saltus et in medias iecit super
arma cateruas, ...   6.182
ne solum totae fugerent te, Scaeua,
cateruae. 6.249
uidit ut hostiles in rectum exire
cateruas/ Pompeius.../... stat.../
attonitus; 7.337
at plures tantum clamore cateruae/bella
gerent: 7.367
Pompei densis acies stipata cateruis/
iunxerat ...arma, ...   7.492
fecere palam ciuilia bella/ non bene
barbaricis umquam commissa cateruis. 7.527
uentum erat ad robur Magni mediasque
cateruas. 7.545
arma /signaque et adflictas omni iam parte
cạteruas/circumit 7.667
spumantes caede cateruas/respice,   7.699
debuerant... nequa uacarent/arma, uel
Arctoum Dacis Rhenique cateruis/ imperii
nudare latus, ...   8.424

CATILINA. nec magis hoc bellum est, quam quom
Catilina parauit/ arsuras in tecta faces
2.541
abruptis Catilina minax fractisque
catenis/exultat 6.793
pacificas saeuos tremuit Catilina securis,
7.64

CATO(Censorius). maior Carthaginis hostis/
non seruituri maeret Cato fata nepotis:
6.790

CATO(Uticensis). uictrix causa deis placuit
sed uicta Catoni. 1.128
atria cognati pulsat non ampla
Catonis. 2.238
dux Bruto Cato solus erit.   . . .   2.247
nimium placet ipse Catoni,   . . .   2.276
quibus adde Catonem/ sub iuga Pompei,
2.279
at illi/ arcano sacras reddit Cato pectore
uoces. 2.285
peregi/ iussa, Cato, et geminos excepi
feta maritos: 2.339
liceat tumulo scripsisse 'Catonis
Marcia', ...   2.343
hi mores, haec duri inmota Catonis/secta
fuit, ...   2.380
nullosque Catonis in actus/subrepsit
partemque tulit sibi nata uoluptas. 2.390
quod Cato longinqua uexit super aequora
Cypro. 3.164
nec sancto caruisset uita Catone.   6.311
inuicti posuit se mente Catonis.   9.18
puppes luctus... ferebant/ et mala uel

duri lacrimas motura Catonis.   9.50
uni parere decebit/ si faciet partes
pro libertate, Catoni.' 9.97
Eurus/ in Libycas egit sedes et castra
Catonis. 9.119
sed Cato laudatam iuuenis conpescuit iram.
9.166
non tamen ad Magni peruenit gratius umbras
/omne.../... quam pauca Catonis/uerba
9.188
castrorum bellique piget.../ cum
Tarcondimotus linquendi signa Catonis/
sustulit. 9.219
hunc... secutus/ litus in extremum tali
Cato uoce notauit: 9.221
'nos, Cato, da ueniam, Pompei duxit in
arma,/... amor, ...   9.227
si semper sequeris patriam, Cato, signa
petamus/ Romanus quae consul habet.' 9.250
sic uoce Catonis/ inculcata iuris iusti
patientia Martis. 9.292
poenaque de uictis sola est uicisse
Catoni. 9.299
at inpatiens uirtus haerere Catonis/audet
in ignotas agmen committere gentes   9.371
inuasit Libye securi fata Catonis.   9.410
hac ire Catonem/ dura iubet uirtus.   9.444
comitesque Catonem/orant exploret...
/numina, ...   9.546
cui crediderim superos arcana daturos/
dicturosque magis, quam sancto, uera,
Catoni? 9.555
has inter pestes duro Cato milite siccum/
emetitur iter, ...   9.734
non decus imperii, non maesti iura
Catonis/ ardentem tenuere uirum,   9.747
iussit signa rapi propere Cato: 9.761
inpressit dentes haemorrhois... Tullo/
magnanimo iuueni miratorique Catonis.
9.807
uidit hareniuagum surgens fugiensque
Catonem. 9.941

CATONES. Marcellusque loquax et nomina uana
Catones. 1.313
aude, superi tot uota Catonum/Brutorumque
tibi tribuent.' 10.397

CATULUS(Q. Lutatius, victor Cimbrorum). quid
sanguine manes/placatos Catuli referam?
2.174

CATULUS(eius filius). ut Catulo iacuit
Lepidus, nostrasque securis/passus   2.547

CATUS. Catus Graiumque audax aplustre
retentat, ...   3.586

CAUDA. mox, ubi se saevae stimulauit uerbere
caudae 1.208
Scorpion incendis cauda chelasque peruis,
/quid tantum, Gradiue, paras?   1.659
aspidas ut Pharias cauda sollertior hostis
/ ludit 4.724
et contentus iter cauda sulcare parias,
9.721

CAUDINUS,-A,-UM. ultra Caudinas sperauit
uolnera Furcas! 2.138

CAUEO,-ERE. cautus ab incursu belli,
si sola recedat,/ expugnat quae tuta,
fames. 4.409
cautum, ne Nili Pelusia tangeret ora/
Hesperius miles 8.825

CAUERNA. iam fama ferebat/saepe cauas motu
terrae mugire cauernas, ...   3.418
cumque cauernae/euomuere fretum   4.459

CAUTES

quod numen ab aethere pressum/dignatur
caecas inclusum habitare cauernas?   5.87
in inmensas cineres abiere cauernas 5.135
confugit ad tripodas uastisque adducta
cauernis/ haesit 5.162
non sic Hennaeis habitans in uallibus
horret/ Enceladum spirante Noto, cum
tota cauernas/egerit... Aetna, . . 6.294
haud procul a Ditis caecis depressa
cauernis/ in praeceps subsedit humus,
                                     6.642
tibi, pessime mundi/ arbiter, inmittam
ruptis Titana cauernis, ...   6.743
Peliacisque dedit rursus geminare
cauernis, ...   7.481
decreuitque pati tenebras puppisque
cauernis /delituit, ...   9.110
concuteret terras.../ si... Libye.../
clauderet exesis Austrum scopulosa
cauernis; 9.468
nec secus in Siculis fureret tua flamma
cauernis, ... 10.447

CAUO,-ARE. sed gladiis fodere suis, puteusque
cauati/ montis ad inrigui premitur
fastigia campi. 4.295

CAUSA. fert animus causas tantarum expromere
rerum, ...   1.67
tu causa malorum/... Roma,   1.84
uictrix causa deis placuit sed uicta
Catoni. 1.128
hae ducibus causae; suberant sed publica
belli 1.158
iustos Fortuna laborat/ esse ducis motus
et causas inuenit armis. 1.265
tu, quaecumque moues tam crebros causa
meatus, ...   1.418
fixit in aeternum causas, qua cuncta
coercet/ se quoque lege tenens,   2.9
quemque suae rapiunt scelerata in
proelia causae: 2.251
ut simili causa caderes, quoi Spartacus,
hosti. 2.554
gnarus et irarum causas et summa fauoris
/annona momenta trahi. 3.55
ausa est.../ et causas, non fata, sequi.
                                     3.303
sed per iter longum causa repsere latenti.
                                     3.458
unumque relictum/agnorunt miseri sublato
errore parentes,/ aeternis causam
lacrimis; 3.607
non potes hoc causae, miles, praestare,
senatus/ adsertor uicto redeas ut Caesare?
                                     4.213
quod pro causa pugnantibus aequa/ et
ueniam sperare licet. 4.230
dux causae melioris eris. . . .   4.259
at nunc causa mihi est orandae sola
salutis/ dignum donanda, Caesar, te
credere uita. 4.346
causaeque priori, /dum potuit, seruata
fides. 4.350
nominis antiqui cupientem noscere causas
/cognita per multos docuit rudis incola
patres. 4.591
quis conferre duces meminit, quis pendere
causas? 4.707
fortunaque tantos/ det uobis animos
quantos fugientibus hostem/causa dabat.
                                     5.44
damnat causamque ducemque/et scelere

inbutos etiamnunc uenditat enses.   5.247
nam quae dubias constringere mentes/
causa solet, dum quisque pauet, quibus
ipse timori est, ...   5.257
Hapso gestare carinas/ causa palus, leni
quam fallens egerit unda; . . .   5.464
'o mundi tantorum causa laborum,   5.481
sola tibi causa est haec iusta timoris,
                                     5.580
pudet, heu! tibi causa petendae/ huc
fuit Hesperiae, ...   5.690
Pompei uobis minor est causaeque senatus/
quam mihi mortis amor.' 6.245
simul a prima descendit origine mundi/
causarum series, ...   6.612
addidit inualidae robur facundia causae.
                                     7.67
causamque senatus/credere dis dubitas?
                                     7.76
maeret et ignorat causas animumque
dolentem/ corripit, ...   7.190
causa iubet melior superos sperare
secundos: 7.349
Pharsalia tanti/ causa mali. . .   7.408
sed tu quoque, coniunx/ causa fugae
uoltusque tui 7.676
cunctosque fugaui/ a causa meliore deos.
                                     8.94
quid causa obtenditur armis/libertatis
amor? 8.339
iustior in Magnum nobis, Ptolemaee,
querellae/ causa data est. . . .   8.513
letiferae tibi causa morae fuit auia
Lesbos, ...   8.640
nil causa fecit in armis/ ille sua: 9.28
causaque nostra perit: 9.230
nunc causa pericli/digna uiris. . . 9.262
siluarum fons causa loco, qui putria
terrae/ alligat 9.526
nisi quod uolgata per orbem/fabula pro
uera decepit saecula causa. . . .   9.623
iuuat aetheriis ascribere causis/ quod
pereant, ...   9.853
et causas Martis Phariis cum gentibus
optat. 10.171
nihil est quod noscere malim/ quam
fluuii causas per saecula tanta latentis
                                    10.190
quis causas reddere possit? . . . 10.237
Pompeiumque ducem causa sperare uetante/
non timuit 10.451

CAUTES. Cyaneas tellus emisit in aequora
cautes; 2.716
et crudae putri fluxerunt puluere cautes.
                                     3.507
sed tertia moles/ haesit et ad
cautes adducto fune secuta est.   4.454
super ardua ducit/ saxa, super cautes,
abrupto limite signa; 4.740
terribiles ratibus sustentant moenia
cautes, ...   6.26
ingentis cautes auolsaque saxa metallis/
...transfert. 6.34
conspexere procul praerupta in caute
sedentem, ...   6.575
exprimit et planctus inlisae cautibus
undae 6.691
nec gladiis habuere fidem, nisi cautibus
asper/exarsit mucro; 7.139
utque secaret/ quas Asinae cautes et
quas Chios asperat undas/hos dedit in

CAUTES

proram,... rudentes. 8.195
in cautes Atlanta dedit; . . . 9.655
ac nusquam uetitis ullas obsistere
cautes/ indignaris aquis, . . . 10.319

CAUTUS v. CAUEO.

CAUUS,-A,-UM. deseruere cauo tentoria xa
Lemanno 1.396
urguet rupe caua pelagus: 1.406
ille cauis euoluit sedibus orbes 2.184
dexteriora petens montis decliuia
Thybrim/ unda facit Rutubamque cauum.
                                   2.422
iussa gerunt soluuntque cauas a litore
puppes. 2.649
iam fama ferebat/ saepe cauas motu terrae
mugire cauernas, ... 3.418
congesto pondere puppis/ uersa caua texit
pelagus nautasque carina, . . 3.650
glande petens solido fregit caua tempora
plumbo. 3.711
attollunt campo geminae iuga saxea rupes/
ualle caua media; 4.158
inpendent caua saxa mari, . . . 4.455
ipse caua regni uires in ualle retentat:
                                   4.723
et galeae fragmenta cauae conpressa
perurunt /tempora, ... 6.193
montisque caui, quem tristis Erictho/
damnarat sacris, alta sub rupe locatur.
                                   6.640
perque cauas terrae, quas egit carmine,
rimas/ manibus inlatrat 6.728
uincula neruorum et laterum textura
cauumque /pectus .../ morte patet. 9.777
sunt qui spiramina terris/ esse putent
magnosque cauae conpagis hiatus. 10.248

CAYCUS. et uos, crinigeros Belgis arcere
Caycos /oppositi, ... 1.463

CEBENNAE. gens habitat cana pendentes rupe
Cebennas 1.435

CECROPIUS,-A,-UM. quos Creta profugos uenere
per aequora puppes/Cecropiae uictum
mentitis Thesea uelis. 2.612
hostemque propinquum / orant Cecropiae
praelata fronde Mineruae. . . . 3.306
si Cecropium sua sacra Platona/ maiores
docuere tui, quis dignior umquam/ hoc
fuit auditu 10.181

CEDO,-ERE. tibi numine ab omni/cedetur, 1.51
ne... / et uictis cedat piratica laurea
Gallis, ... 1.122
intulit et rebus mores cessere secundis
                                   1.161
materiamque rudem flamma cedente recepit,
                                   2.8
certatum est cui ceruix caesa parentis/
cederet, in fratrum ceciderunt praemia
fratres. 2.151
extremi colles Siculo cessere Peloro.
                                   2.438
tunc urbes Latii dubiae uarioque fauore
/ancipites quamquam primo terrore ruentis
/cessurae belli, ... 2.449
nubiferoque polus cum cesserit Euro/
uindicat unda Notum. 2.459
uictor cedentibus instat/deuertitque
acies, ... 2.469
cedit in inmensum cassus labor; 2.663
propulit ut classem uelis cedentibus
Auster/ incumbens 3.1
inde soporifero cesserunt languida somno/

membra ducis; 3.8
praetor adest, uacuaeque loco cessere
curules. 3.107
dixerat, et nondum foribus cedente
tribuno/acrior ira subit: 3.141
artet humum, pressus ne cedat turribus
agger. 3.398
non illum cultu populi propiore
frequentant/ sed cessere deis. 3.423
singula continuis cesserunt ictibus
arma. 3.486
adusti roboris ictu/ percussae cedunt
crates, ... 3.495
habiles.../et temptare.../ cursum nec
tarde flectenti cedere clauo; . . . 3.555
non ille iuuentae /tempore Phocaicis ulli
cessurus in armis: 3.728
iam domiti cessere duces, ... 4.337
nec feruida pestis/ cedit adhuc, 4.371
iam terga uiri cedentia uictor/alligat
                                   4.626
omnis Romanis quae cesserat Africa signis/
tum Vari sub iure fuit; 4.666
cum procul e summis conspecti collibus
hostes/ fraude sua cessere parum, 4.742
mentemque priorem/ expulit atque hominem
toto sibi cedere iussit/ pectore. 5.168
inpactae cessere fores, expulsaque
templis/ prosiluit; 5.209
temeraria prono/ expertus cessisse deo,
                                   5.502
tentoria postquam /egressus uigilum somno
cedentia membra /transsiluit questus
tacite, ... 5.511
fisus cuncta sibi cessura
pericula Caesar 5.577
artis opem uicere metus, nescitque
magister/ quam frangat, cui cedat aquae.
                                   5 646
cedendum est bellis, quorum tibi tuta
latebra/ Lesbos erit. 5.743
et attonito cesserunt pectore sensus.
                                   5.760
humanusque labor facilis, .../ cedere uel
bellis uel cuncta mouentibus annis, 6.21
si tollere totas /temptasset campis acies
.../ cessissent leges Erebi, . . . 6.635
cedant feralia nomina Cannae/ et damnata
diu Romanis Allia fastis. . . . 7.408
omnis eques cessit campis, . . . 7.530
nonne iuuat pulsum bellis cessisse 7.698
et melior cessisse loco quam pellere
miles; 8.381
sed cedit fatis classemque relinquere
iussus/ obsequitur, ... 8.575
ne cede pudori/ auctoremque dole fati:
                                   8.627
degener incestae sceptris cessure sorori,
/.../ litora Pompeium feriunt, . . 8.693
cedis et ipsa rogo paterisque haec damna
sepulchri, ... 8.750
Dictaea legit cedentibus undis/litora.
                                   9.38
hanc audax sperat sibi cedere uirtus.
                                   9.302
sed Latio cessere duci, ... 9.546
qui Phoebo cessere, iacent: . . . 9.906
cedemus in ortus/ Arsacidum domino. 10.50
frigida Saturno glacies et zona niualis/
cessit; 10.206
nunc uagus et spargens facilem tibi

CEDO

    cedere ripam. 10.310

CELAENAE. lugent damnatae Phoebo uictore
    Celaenae, ... 3.206

CELATOR. tua flumina prodam, /qua deus
    undarum celator, Nile, tuarum/ te mihi
    nosse dedit. 10.286

CELER,-A,-UM. pars micat et celeri uenas
    mouet inproba pulsu. 1.629
    Venerisque salubre/ sidus hebet, motuque
    celer Cyllenius haeret, ... 1.662
    delabitur inde/ Vulturnusque celer
    nocturnaeque editor aurae/ Sarnus 2.423
    qua celer et rectis descendens Marsya
    ripis 3.207
    per Romana tulit celeri munimina cursu.
        3.502
    celeresque carinas/ continuit, 4.434
    en, quantum Tigris, quantum celer ambit
    Orontes, ... 6.51
    illum /saltus... iecit super arma.../quam
    per summa rapit celerem uenabula pardum.
        6.183
    numquamque celer nisi mixtus Enipeus;
        6.373
    nisi summa dies.../... celeri praeuertit
    tristia leto,/ dedecori est fortuna prior.
        8.30

CELO,-ARE. obsita funerea celatur purpura
    lana, ... 2.367
    uicturosque dei celant, ut uiuere durent,
        4.519
    tuque,potens ueri Paean nullumque futuri/
    a superis celate diem, ... 5.200
    nam pelagus, qua parte sedet, non celat
    harenas/ exhaustum in cumulos, ... 5.643
    non patitur tutis fatum celare latebris/
    clara uiri facies. 8.13
    qui solus regum fato celante fauorem/
    defuit Emathiae, ... 8.359
    multaque deuexo terrarum margine celat.
        9.497
    tum uoltu semper celante pauorem/
    intrepidus superum sedes.../ circumit,
        10.14

CELSUS,-A,-UM. et residens celsa Latiaris
    Iuppiter Alba 1.198
    signa/ et celsus medio conspectus in
    agmine Caesar,/ deriguere metu, . . 1.245
    ut, maris Aeolii medias si celsus in
    undas/ depellatur Eryx, ... 2.665
    celsos ut Gallia currus/nobilis et
    flauis sequeretur mixta Britannis. 3.77
    proxima pars urbis celsam consurgit in
    arcem 3.379
    celsior at cunctis Bruti praetoria puppis/
    uerberibus senis agitur 3.535
    postquam omnia fatis/Caesaris ire uidet,
    celsam Petreius Ilerdam/ deserit 4.144
    tellus hinc ardua celsos /continuat
    colles, ... 4.158
    Lentulus e celsa sublimis sede profatur.
        5.16
    quam celsa cacumina pessum/ tellus uicta
    dedit! 5.616
    iam Pompeianae celsi super ardua ualli/
    exierant aquilae, ... 6.138
    inseruit celsis prope se cum Pelion astris
        6.411
    celsior in campo sonipes et fortior
    arcus, ... 8.295
    Magnoque patere/ fingens regna Phari

CERNO

    celsae de puppe carinae/ in paruam iubet
    ire ratem, ... 8.564
    nec terra celsior ulla/ nox cadit in
    caelum 9.692

CELTAE. erat inpiger Astur /Vettonesque leues
    profugique a gente uetusta/Gallorum
    Celtae miscentes nomen Hiberis. 4.10

CENCHRIS. et semper recto lapsurus limite
    cenchris: 9.712

CENSEO,-ERE. sedere patres censere parati,
        3.109

CENSUS(subst.). tum conditus imo/ eruitur
    templo multis non tactus ab annis/ Romani
    census populi, ... 3.157
    miles eget: toto censu non prodigus emit/
    exiguam Cererem. 4.95

CENTAUREA. et panacea potens et Thessala
    centaurea/... sonant flammis . . 9.918

CENTAURUS. illic semiferos Ixionidas
    Centauros/ feta... nubes effudit 6.386

CENTENUS,-A,-UM. iam dilecta Ioui centenis
    uenit in arma/ Creta uetus populis 3.184

CEPHISOS. quos impiger ambit/ fatidica
    Cephisos aqua Cadmeaque Dirce, 3.175

CERA. nunc pice, nunc liquida rapuere
    incendia cera. 3.684
    simul effetas linquunt examina ceras
        9.285
    calido non ocius Austro/ nix resoluta
    cadit nec solem cera sequetur. 9.782
    nec piger ignis erat... perque /manantis
    cera tabulas, ... 10.494

CERESTES. aut uiuentis adhuc Libyci membrana
    cerastae 6.679
    spinaque uagi torquente cerastae, 9.716
    et peragunt ciuilia bella cerastae. 9.851

CERAUNIA. et in nubes abiere Ceraunia 2.626
    imaque sensim /concussit pelagi mouitque
    Ceraunia nautis. 5.457
    oraeque malignos/ Ambraciae portus
    scopulosa Ceraunia nautae/ summa timent.
        5.652

CERBERUS. uillosaque colla colubris/
    Cerberus excutiens et uincti terga
    gigantes, ... 6.665
    Cerberos Orpheo leniuit sibila cantu,
        9.643

CEREBRUM. ac male defensum fragili conpage
    cerebrum /dissipat; 6.177
    si pectora plena /saepe deo laui calido
    prosecta cerebro,/...parete precanti.
        6.709
    raptoque cerebro/ adsiccata cutis, 8.689

CERAS. et, desit si larga Ceres, tunc horrida
    cerni/ foedaque contingi maculato
    attingere morsu. 3.347
    toto censu non prodigus emit/exiguam
    Cererem. 4.96
    satis est populis fluuiusque Ceresque.
        4.381
    non proserit ullam /flaua Ceres segetem;
        4.412
    quae te contagia passam/noluerit
    reuocare Ceres. 6.742
    armaque raptim /sumpta Ceresque uiris.
        7.331
    inpatiensque solum Cereris cultore negato/
    damnasti 9.857

CERNO,-ERE. cernit tabe iecur madidum, 1.621
    noua da mihi cernere litora ponti/
    telluremque nouam: 1.693

'uiue, licet nolis, et nostro munere'
dixit/ 'cerne diem. 2.513
nubibus et dubios cernit uanescere montis.
        3.7
desit si larga Ceres, tunc horrida cerni/
foedaque contingi maculato attingere morsu.
        3.347
et miserum cernens agnoscere desinit
Argum. 3.736
despectam cernere lucem...iuuat. 4.568
en, ueteris cernis uestigia ualli. 4.659
sed, postquam languida segni/ cernit
cuncta metu nocturnaque munera ualli.
        4.700
et cernere tantas/permisit clades
conpressus sanguine puluis, . . . 4.794
quamque procul tectis captae sedeamus ab
urbis/ cernite, sed uestrae faciem
cognoscite turbae, ... 5.20
iam respice canos/ inualidasque manus et
inanis cerne lacertos. 5.275
uos despecta senes exhaustaque sanguine
turba/ cernetis nostros iam plebs Romana
triumphos. 5.334
nam cernere uoltus/ et uoces audire
datur, ... 5.471
cernit miserabile uolgus/ in pecudum
cecidisse cibos 6.110
hic ubi quaerentis socios.../ tuta fugae
cernit, ... 6.150
quis timor, ignaui, metuentis cernere
manes?' 6.666
qui Gorgona cernit apertam . . . 6.746
uisus sibi.../ innumeram effigiem Romanae
cernere plebis 7.10
seu uetito patrias ultra tibi cernere
sedes/ sic Romam Fortuna dedit. . 7.23
quis summis cernens in montibus aequor/
.../ tot rerum finem, timeat sibi? 7.135
fodientem uiscera cernet/ me mea qui
nondum uicto respexerit hoste. . . 7.309
cernit propulsa cruore/flumina . . 7.789
iuuat Emathiam non cernere terram 7.794
fortunam superosque suos in sanguine
cernit. 7.796
discedere cernens/ingemuit populus; 8.152
populum non cernis inermem/ aruaque uix
refugo fodientem mollia Nilo? . . 8.525
at non tam patiens Cornelia cernere
saeuum, / quam perferre, nefas 8.637
potuit cernens tua funera, Magne,/ non
fugere in mortem: 9.104
CERTAMEN. hinc rapti fasces pretio sectorque
fauoris/ipse sui populus letalisque
ambitus urbi/annua uenali referens
certamina Campo; 1.180
explicat audaces ruere in certamina
turmas 1.474
pulsus ut armentis primo certamine taurus
        2.601
pars uilissima rerum,/ certamen mouistis,
opes), ... 3.121
Alcides primo uoluit certamine totis,
        4.621
CERTATIM. cadit omnis in haustus/certatim
obscaenos miles 4.312
CERTE v. CERTUS.
CERTO, -ARE. canimus,.../ certatum totis
concussi uiribus orbis 1.5
certatum est cui ceruix caesa parentis/
cederet, ... 2.150

'paterisne acies errare profundo/artibus
et certas pelagi? 3.560
accensisque rogis miseri de corpore trunco
/certauere patres. 3.761
telaque confixis certant euellere
membris, ... 6.255
uisus sibi ... /attollique suum laetis ad
sidera nomen/ uocibus et plausu cuneos
certare sonantes; 7.12
indiga cogatur laticis spectare (certare)
iuuentus, ... var.9.592
CERTUS,-A,-UM. Gallica certus/ limes ab
Ausoniis disterminat arua colonis. 1.215
certe populi quos despicit Arctos/
felices errore suo, ... 1.458
derige me, dubium certo tu robore firma.
        2.245
rue certus et omnis/lucis rumpe moras
        2.524
maior in arma ruit certa cum mente
malorum, ... 3.37
certe uiolata potestas/inuenit ista deos;
        3.125
has ad bella rates non flexo limite ponti
/certior haud ullis duxit Cynosura
carinis. 3.219
at Romana ratis stabilem praebere
carinam/certior et terrae similem
bellantibus usum. 3.557
certe,/ ut uincare, potes. 4.214
uidit et ad certam deuotos tendere mortem,
        4.272
certos non rumpunt classica somnos. 4.395
'ecquis' ait .../ ... certaque fide per
uolnera nostra/testetur se uelle mori?'
        4.543
uult omnia certe/a se saeua peti, 5.307
Pompeio certe fugeres duce. 5.345
iam certe mihi bella geram. 5.357
quam quos incumbere certos/perfida
nubiferi uetat inconstantia ueris. 5.414
nulla fuit non certa manus, non lancea
felix; 6.190
Gortynis harundo/tenditur in Scaeuam,
quae uoto certior omni/ in caput...
descendit 6.215
an habent haec carmina certum/imperiosa
deum, ... 6.497
te precor ut certum liceat mihi noscere
finem 6.592
mens... parata est/ certos ferre metus:
        6.597
certus discedat, ab umbris/ quisquis uera
petit 6.771
tibi certior omnia uates/ipse canet
Siculis genitor Pompeius in aruis, 6.813
donassent utinam superi patriaeque tibique
/unum, Magne, diem, quo fati certus
uterque/ extremum tanti fructum
raperetis amoris. 7.31
dissimilem certe cunctis quos explicat
egit/Thessalicum natura diem: 7.201
stetit ordine certo/ infelix acies. 7.216
quo sit tibi.../ certa fides regum
totusque paratior orbis,/ sparge mari
comitem. 8.99
procerum pars magna coibit/ certa loci;
        8.120
nam quaerere certum est/ fas quibus in
terris, ubi sit scelus. 8.141
tum certus eram quae litora uellem, 8.191

CERTUS

    Aegypton certe Latiis tueamur ab armis.
                                  8.501
    hanc certe seruate fidem, ciuilia bella:
                                  8.547
    sors melior classi quae fluctibus incidit
    altis/ et certo iactata mari.   9.331
    certe uita tibi semper derecta supernas/
    ad leges, ... 9.556
    me non oracula certum/ sed mors certa
    facit. 9.582
    me non oracula certum/ sed mors certa
    facit. 9.583
    spes sit mihi certa uidendi/ Niliacos
    fontes, bellum ciuile relinquam.' 10.191
    quas ille creator/ atque opifex rerum
    certo sub iure coercet. 10.267

CERUCHUS. hic cum mihi semper in altum/ surget
    et instabit summis minor Vrsa ceruchis,
    /Bosporon.../ spectamus. 8.177
    tempore eodem/ transtraque nautarum
    summique arsere ceruchi. 10.495

CERUIX. sacris tunc admouet aris/electa
    ceruice marem. 1.609
    rapuitque cruentus/uictor ab ignota uoltus
    ceruice recisos 2.112
    certatum est cui ceruix caesa parentis/
    cederet, ... 2.150
    memini.../ perque omnis·truncos, cum qua
    ceruice recisum/ conueniat, quaesisse,
    caput. 2.172
    uix caede peracta / procumbunt, dubiaque
    labant ceruice; 2.204
    uoltu tamen alta minaci/nobilitas recta
    ferrum ceruice poposcit. 2.510
    nec redit in pastus, nisi cum ceruice
    recepta/ excussi placuere tori,   2.604
    tum ceruix lassata quati, tum pectore
    pectus/ urgueri, ... 4.624
    uidet exhaustos sudoribus artus/
    ceruicemque uiri, siccam cum ferret
    Olympum. 4.639
    fessa iacet ceruix, fumant sudoribus artus
                                4.754
    ancipiti ceruice rotat spargitque uaganti/
    obstantis tripodas 5.172
    alieni poena timoris/ in nostra ceruice
    sedet. 7.645
    seque,...tantae mercedis habere/credit
    adhuc iugulum, quantam pro Caesaris ipse
    /auolsa ceruice daret. 8.12
    quae moenia trunci/lustrarunt ceruice
    duces, ... 8.437
    in hac ceruice tyranni/ explorate fidem'
    dixit. 8.581
    at, postquam trunco ceruix abscisa
    recessit,/ uindicat hoc Pharius, dextra
    gestare, satelles. 8.674
    non deprecor hosti/ seruari, dum me seruet
    ceruice recisa.' 9.214
    bella fugis quaerisque iugum ceruice
    uacanti 9.261
    sciat ista iuuentus/ceruicis pretio bene
    se mea signa secutam. 9.281
    'a quibus una salus placuit mea castra
    secutis/ indomita ceruice mori, 9.380
    sic illa profecto/sacrifico cecidere
    Numae, quae lecta iuuentus/patricia
    ceruice mouet: 9.479
    nulla uehitur ceruice supinus/carpentoque
    sedens; 9.589
    et quem, si steteris umquam ceruice

    soluta,/ nunc, olim factura deum es.
                                    9.603
    tabes/ aspida somniferam tumida ceruice
    leuauit. 9.701
    accipe quidquid/pro Magni ceruice dares;
                                    9.1024
    Magni ceruice reuolsa iam tibi, ...
    minatur. 10.100
    et Pharios currus regum ceruicibus egit;
                                    10.277
    hoc procul auertite, fata,/ crimen, ut
    haec Bruto ceruix absente secetur. 10.342
    poterat.../... mensaeque incumbere ceruix.
                                    10.424
    sic barbara Colchis/creditur.../ ense
    suo fratrisque simul ceruice parata/
    expectasse patrem. 10.466
    [heu facinus,gladio ceruix male caesa
    pependit] 10.518

CERUUS. sic, dum pauidos formidine ceruos/
    claudat odoratae metuentis aera pinnae
                                    4.437
    non.../ defuit et cerui pastae serpente
    medullae, ... 6.673
    urunt/ habrotonum et longe nascentis
    cornua cerui. 9.921

CESSO,-ARE. hi cessant ignes. . . . 1.658
    ubere uix glaebae superat, cessantibus
    Austris/ ... Libye   3.68
    non corniger Hammon/ mittere Marmaricas
    cessauit in arma cateruas, . . . 3.293
    curuoque soli cessantis aratro/ agricolae
    raptis annum fleuere iuuencis. . . 3.451
    nec cessat naufraga uirtus: 3.690
    prima dies belli cessauit Marte cruento
                                     4.24
    signa ferat, cessa: 4.187
    sensit tripodas cessare furensque/Appius
                                    5.157
    ueluti deserta regente/aequora natura
    cessant, ... 5.444
    his terque quaterque/uocibus excitum
    postquam cessare uidebat, ... 5.498
    ne cessa praebere deo tua fata uolenti
                                    5.536
    non Euri cessasse minas, .../ ...
    crediderim; 5.608
    attonito cesserunt(cessarunt) pectore
    sensus. var.5.760
    et raptum furto soceri cessantibus armis/
    dedignatur iter: 6.121
    cessauere uices rerum, ... 6.461
    uentis cessantibus aequor/ intumuit, 6.469
    nec cessant a caede manus, . . . 6.554
    uerbere conuersae cessantis excitat hastae,
                                    7.577
    ipse cruor tutus nullumque admittere uirus
    /uel cantu cessante potens. . . 9.895
    cessas accurrere solus/ ad dominae
    thalamos? 10.356

CETERUS,-A,-UM. molli tum cetera rumpit/turba
    uado faciles iam fracti fluminis undas.
                                    1.221
    cetera classis abit summis spoliata
    carinis: 2.714
    cetera bello /fata dedit uariis incertus
    motibus aer. 4.48
    cetera suppressit faucesque obstruxit
    Apollo. 5.197
    sunt cetera cursu/ acta meo, . . . 5.482
    nam cetera damna/ durata iam mente malis

firmaque tulerunt. 5.797
mox cetera cantu/explicat Haemonio 6.693
cetera da uentis. 8.190
Caesar,.../ cetera curarum proiecit
pondera soli/ intentus genero;   9.951
date felices in cetera cursus, . . 9.997

CETHEGUS. Lentulus exertique manus uaesana
Cethegi. 2.543
Catilina minax.../ exultat Mariique truces
nudique Cethegi; 6.794

CETO. hoc monstrum timuit genitor.../...
Cetoque parens ipsaeque sorores/Gorgones;
9.646

CETRA v.CAETRA.

CEU. ceu morte parentem/natorum arbatum
longum producere funus/ad tumulos iubet
ipse dolor, ... 2.297
ceu Siculus flammis urguentibus Aetnam/
undat apex, ... 5.99
undat apex, Campana fremens ceu saxa
uaporat /conditus Inarimes aeterna mole
Typhoeus. 5.100
lacerasset crine soluto /pectora femineum
ceu Bruti funere uolgus. 7.39
ceu flebilis Africa damnis/.../ sic et
Thessalicae post te pars maxima pugnae/
.../ libertas et Caesar, erit; . . 7.691
et ceu Munda nocens Pharioque a gurgite
clades,/ sic et Thessalicae post te pars
maxima pugnae/.../ libertas et Caesar,
erit; 7.692
omnibus illa/ ciuibus effudit totas per
moenia uires/ obuia ceu laeto: . . 7.715
ceu pridem debita fatis/ Assyriis trahitur
cladis captiua uetustae. 8.415
ceu puer inbellis uel captis femina muris,
quaerit tuta domus; 10.458
ceu puer inbellis uel (ceu) captis
femina muris, /quaerit tuta domus;
var.10.458

CHALCIDICUS,-A,-UM. Euripus trahit,.../
Chalcidicas puppes ad iniquam classibus
Aulin. 5.236

CHALCIS. artior Euboica, qua Chalcida uerberat,
unda. 2.710
iure sed incerto mundi subsidere regnum/
Chalcidos Euboicae uana spe rapte parabas.
5.227

CHALDAEUS,-A,-UM. arua super Cyri Chaldaeique
ultima regni,/... eram: 8.226
quid.../ auersosque polos alienaque sidera
quaeris,/ Chaldaeos culture focos et
barbara sacra /Parthorum famulus? 8.338

CHALYBS. non chalybem gentes penitus fugiente
metallo/ eruerent, ... 4.223
Thessalicus sonipes,.../ exiluit, primus
chalybem frenosque momordit . . 6.398
insertum manibus chalybem.../ sustulit
6.547
aeternis chalybis nodis et carcere Ditis/
constrictae plausere manus, . . 6.797
sceleris sed crimine nullo/externum
maculant chalybem: 7.518

CHAONIUS,-A,-UM. quercusque silentis/Chaonio
ueteres liquerunt uertice Selloe. 3.180

CHAOS. antiquum repetens iterum chaos, 1.74
extimuit natura chaos; 5.634
tellus nobis aetherque chaosque/...
loquentur. 6.617
iam nunc te per inane chaos, per Tartara,
coniunx,/ ...sequar, ... 9.101

CHAOS. et Chaos innumeros auidum confundere
mundos/.../ exaudite preces. . . 6.696

CHAOTRAE. aethera tangentis siluas liquere
Choatrae. 3.246

CHARYBDIS. atra Charybdis/ sanguineum fundo
torsit mare; 1.547
cumque cauernae/ euomuere fretum contorti
uerticis undae/ Tauromenitanam uincunt
feruore Charybdim. 4.461

CHELAE. Scorpion incendis cauda chelasque
peruris,/ quid tantum, Gradiue, paras?
1.659
iam coeperat ultima Virgo/ Phoebum laturas
ortu praecedere Chelas, ... 2.692

CHALYDROS. tractique uia fumante chelydri,
9.711

CHERSYDROS. natus et ambiguae coleret qui
Syrtidos arua/ chersydros, . . . 9.711

CHIOS. utque secaret/ quas Asinae cautes et
quas Chios asperat undas/hos dedit in
proram,...rudentes. 8.195

CHIRON. teque, senex Chiron, gelido qui
sidere fulgens/ inpetis Haemonio maiorem
Scorpion arcu. 6.393
par Geminis Chiron, et idem, quod Carcinos
ardens, /umidus Aegoceros...tollitur.
9.536

CHORUS. Vestalemque chorum ducit uittata
sacerdos 1.597
fuit.../ uirgineusque chorus, nitidi
custodia luci, ... 9.362

CIBUS. o prodiga rerum /luxuries numquam
paruo contenta paratis/et quaesitorum
terra pelagoque ciborum/ambitiosa fames
4.375
cernit miserabile uolgus/ in pecudum
cecidisse cibos 6.111

CIEO,-ERE. hospitis ille ciet nomen, uocat
ille propinquum, ... 4.177

CILIX. post Cilicasne uagos et lassi Pontica
regis/ proelia barbarico uix consummata
ueneno/ ultima Pompeio dabitur prouincia
Caesar, ... 1.336
Armenios Cilicasque feros Taurumque
subegi: 2.594
sparsos per rura colonos/redde mari
Cilicas; 2.636
itque Cilix iusta iam non pirata carina.
3.228
fraudes innectere ponto/ antiqua parat
arte Cilix, ... 4.449
at medii robur belli fortissima densant/
agmina, quae Cilicum terris deducta
tenebat/ Scipio, ... 7.222
uiuant.../ Armenii, Cilices; . . . 7.542
Cilicum dominus terraeque Liburnae/exiguam
uector pauidus correpsit in alnum. 8.38
Cilicum per litora tutus /parua puppe
fugit. 8.257
quamuis.../ in Cilicum terra, nullis
circumdatus armis/consultem.../ingentis
praestate animos. 8.264
tum Cilicum liquere solum 8.456
adde.../... pauidos Cilicas maris, 8.811
'o numquam pacate Cilix, iterumne rapinas
/uadis in aequoreas? 9.222

CIMBER. nos primi Senonum motus Cimbrumque
ruentem/uidimus 1.254
hunc, Cimbri, seruate senem. . . . 2.85

CINGA. gaudetque.../... qua Cinga pererrat/
gurgite, ... 1.432

CINGA

    camposque coerces,/ Cinga rapax,   4.21

CINGO,-ERE. iudicium insolita trepidum

    cinxere corona 1.321

    ingens urbem cingebat Erinys . . 1.572

    iubet.../ longa per extremos pomeria

    cingere fines 1.594

    suppara nudatos cingunt angusta lacertos.

        2.364

    haec patiens longo munimine cingi/

    uisa duci rupes tutisque aptissima castris.

        3.377

    sed prius, ut totam, qua terra cingitur,

    urbem/clauderet, ... 3.383

    obscurum cingens conexis aera ramis 3.400

    multiplices cinxere rates. 3.532

    tunc inopes undae praerupta cingere fossa/

    Caesar auet 4.264

    cingere Pellaeo pressos diademate crinis/

    permissum. 5.60

    ut...hostem/ cingeret ignarum ducto procul

    aggere ualli. 6.31

    audet in ignotas agmen committere gentes/

    armorum fidens et terra cingere Syrtim.

        9.373

    dux Latius tota subitus formidine belli/

    cingitur: 10.537

CINIS. et Poenos pressit cineres. . . 2.91

    postquam condidit urna/supremos cineres,

    miserando concita uoltu, ... 2.334

    uerberibus crebris cineresque ingesta

    sepulchri, ... 2.336

    in inmensas cineres abiere cauernas 5.135

    fumantis iuuenum cineres ardentiaque ossa

    /e mediis rapit illa rogis 6.533

    uestesque fluentis/ colligit in cineres

    et olentis membra fauillas. . . . 6.537

    sperat et Hesperiae cineres auertere

    gentis. 6.585

    defuit... non.../ aut cinis Eoa positi

    phoenicis in ara. 6.680

    plus cinerum Haemoniae sulcis telluris

    aratur 7.858

    'tu quem.../ ultorem cinerum nudae

    sperauimus umbrae,/ ad foedus pacemque

    uenis?' 8.434

    bustum cineresque mouere/Thessalicos

    audes 8.529

    et regum cineres extructo monte quiescant,

        8.695

    non hac in sede quiescent/ tam sacri

    cineres, ... 8.769

    inueniat trunci cineres et norit harenas/

    ad quas, Magne, tuum referat caput.' 8.774

    ne leuis aura retectos /auferret cineres,

    saxo conpressit harenam, ... 8.790

    erremus populi cinerumque tuorum,/Magne,

    metu nullas Nili calcemus harenas. 8.804

    nondum Pompei cineres, o Roma, petisti;

        8.836

    quen non tumuli... saxum /et cinis in

    summis forsan turbatus harenis/auertet

    manesque tuos placare iubebit 8.856

    nec cinis exiguus tantam conpescuit

    umbram; 9.2

    o bene nudi /Crassorum cineres: . 9.65

    quaerat cineres uictura superstes. 9.72

    [et sacer in Magni cineres mactabitur Apis]

        9.160

    ille fuit miserae Magni cinis. 9.179

    'di cinerum, Phrygias colitis quicumque

    ruinas, ... 9.990

    et placate caput cineresque in litore

    fusos/ colligite 9.1092

CINNA. ad Cinnas Mariosque uenis. 2.546

    ius licet in iugulos nostros sibi fecerit

    ensis/Sulla potens Mariusque ferox et

    Cinna cruentus 4.822

CINNAMON. multumque madenti/infudere comae

    /cinnamon 10.167

CINYPHIUS. Cinyphias inter pestes tibi palma

    nocendi est: 9.787

CINYREUS. quaestor ab Icario Cinyreae litore

    Cypri /infaustus Magni fuerat comes. 8.716

CIRCA(praep.). feruidus haec iterum circa

    praecordia sanguis/incaluit; . . . 2.557

    stetit omne coactum/circa pila nefas.

        7.519

CIRCAEUS,-A,-UM. omnia subducit Circaeae uela

    procellae; 6.287

CIRCIUS. Circius et tuta prohibet statione

    Monoeci: 1.408

CIRCUEO,-ERE v. CIRCUMEO.

CIRCULUS. nec sidera tota/ostendit Libycae

    finitor circulus orae, ... 9.496

    circulus alti/solstitii medium signorum

    percutit orbem. 9.531

    uarii mutator circulus anni/Aegoceron

    Cancrumque tenet, ... 10.212

CIRCUM(praep.). iam fama ferebat/ roboraque

    amplexos circum fluxisse dracones. 3.421

    aut circum largos curuari bracchia fontes.

        4.266

    Castalios circum latices nemorumque

    recessus/ Phemonoen errore uagam curisque

    uacantem corripuit. 5.125

    effractos circum tumulos ac busta uagati/

    conspexere procul praerupta in caute

    sedentem, ... 6.574

    miseri pars maxima uolgi /non totum uisura

    diem tentoria circum/ ipsa ducis queritur

        7.48

    Caesar,.../ nequa parte sui pereat scelus,

    agmina circum/ it uagus 7.558

    ebibit umorem circum uitalia fusum/

    pestis 9.743

CIRCUM(adv.). tot circum siluae firmo se

    robore tollant, ... 1.142

    perspectumque dedit circum labentis Olympi.

        6.484

    nam plagae proxima circum/ fugit rupta

    cutis 9.767

CIRCUMDO,-ARE. denso tamen aggere firmant/

    moenia et abrupto circumdant undique

    uallo, ... 2.450

    at te Corfini ualidis circumdata muris/

    tecta tenent, pugnax Domiti; . . . 2.478

    prono cum Caesar Olympo/ in noctem subita

    circumdedit agmina fossa, ... 4.29

    sed, quod trabibus circumdedit aequor,

        4.424

    castraque Caesareo circumdatus aggere

    mutat: 6.44

    fragili circumdata testa/ moenia mirentur

    refugi Babylonia Parthi. 6.49

    sed patitur saeuam, ueluti circumdatus

    arta/ opsidione, famem. 6.108

    nullis circumdatus armis/consultem

    rebusque nouis exordia quaeram, . . 8.264

    hinc montes nautra uagis circumdedit

    undis, ... 10.327

CIRCUMEO,-IRE. dumque illi effusam longis an-

    fractibus urbem/circumeunt 1.606

CIRCUMEO

 hanc omni puppes statione solutae/
 circumeunt, ... 4.464
 tellus, quam uolucer Genusus, quam mollior
 Hapsus/circumeunt ripis. 5.463
 ursa/... secum fugientem circumit hastam.
            6.223
 arma/signaque et... cateruas/circumit et
 reuocat matura in fata ruentis . 7.668
 dexteriore rota laeuum cum circumit axem,
            8.200
 circulus alti /solstitii medium signorum
 percutit (circumit) orbem. . . var.9.532
 ultima castrorum medicatus circumit ignis.
            9.915
 circumit exustae nomen memorabile Troiae
            9.964
 templa uetusti/ numinis antiquas Macetum
 testantia uires/ circumit, . . . 10.17
CIRCUMFLUO,-ERE. roboraque amplexos circum
 fluxisse dracones. 3.421
CIRCUMFLUUS,-A,-UM. quos alit Hadriaco tellus
 circumflua ponto, ... 4.407
 non Pontus et inpia signa/Pharnacis et
 gelido circumfluus orbis Hibero/ tantum
 ausus scelerum, ... 10.476
CIRCUMFUNDO,-ERE. inter tot milia captae/
 circumfusa rati et plenam uix inde
 cohortem/pugna fuit, ... 4.471
 circumfusa duci fleuit gemituque suorum/
 et non ingratis incessit turba querellis.
            5.680
CIRCUMLABOR,-I. perspectumque dedit circum
 labentis Olympi. 6.484
CIRCUMSPICIO,-ERE. saeuos circumspicit enses/
 oblitus simulare togam; 3.142
CIRRHA. Phocaicas Amphissa manus scopulosaque
 Cirrha/Parnasosque iugo misit desertus
 utroque. 3.172
 Cirrha silet farique sat est arcana futuri
 /carmina longaeuae uobis conmisa Sibyllae,
            5.137
CIRRHAEUS,-A,-UM. Cirrhaea uelim secreta
 mouentem/sollicitare deum 1.64
 totius pars magna Iouis Cirrhaea per
 antra/ exit 5.95
 nec uoce negata /Cirrhaeae maerent
 uates, ... 5.115
 pectore Cirrhaeo non umquam plenior artus
 /Phoebados inrupit Paean . . . 5.166
 hinc maxima serpens /descendit Python
 Cirrhaeaque fluxit in arua, . . . 6.408
CITHARA. Parrhasiae uexerunt Persea pinnae/
 Arcados auctoris citharae liquidaeque
 palaestrae, ... 9.661
CITO,-ARE. gradibusque citatis/ ungula
 frondentem discussit cornea campum. 6.82
 ferit amne citato /Maliacas Spercheos
 aquas, ... 6.366
 tum Cilicum liquere solum Cyproque citatas
 /inmisere rates, ... 8.456
CITO(adv.). quae latius orbem/possedit, citius
 per prospera fata cucurrit? . . . 7.420
CITRA(praep.). obliquusque caput uanas
 serpentis in auras/ effusae tuto
 conprendit guttura morsu/letiferam citra
 saniem; 4.728
 citraque cruorem/ confixae stant tela
 ferae: 6.211
CITRUS. sed citri contenta comis uiuebat et
 umbra. 9.428
CIUILIS,-E. Bella per Emathios plus quam

CIUILIS

ciuilia campos/... canimus, ... 1.1
hoc quem ciuiles hauserunt sanguine
dextrae, ... 1.14
alta sedent ciuilis uolnera dextrae. 1.32
multum Roma tamen debet ciuilibus armis
            1.44
bellum uictis ciuile dedistis. . . 1.108
bella nefanda parat suetus ciuilibus armis
            1.325
usque adeo miserum est ciuili uincere
bello? 1.366
extrahe ciuili tantum iam libera bello.'
            1.672
ciuile auertite bellum. 2.53
uix tanti fuerat ciuilia bella mouere/
ut neuter.' 2.62
oderuntque.../ seruatosque iterum bellis
ciuilibus annos. 2.66
hic stabit ciuilibus exitus armis. 2.224
neuter ciuilia bella moueret . . . 2.231
cladibus inmixtum ciuile absoluere bellum?
            2.250
si bellum ciuile placet. 2.277
'summum, Brute, nefas ciuilia bella
fatemur, ... 2.286
excitat in nimios belli ciuilis amores.
            2.325
et sit ciuili propior Cornelia bello?'
            2.349
nec gerit auspiciis ciuilia bella paternis
            2.464
quod socero bellum praeter ciuile
reliqui?' 2.595
hic primum rubuit ciuili sanguine
Nereus, ... 2.713
ad Stygias' inquit 'tenebras manesque
nocentis/post bellum ciuile trahor. 3.14
te faciet ciuile meum.' 3.34
quod bellum ciuile fuit.' . . . 3.97
lacrimas ciuilibus armis/secretumque
damus. 3.313
ut gladiis egeant ciuilia bella coactis.
            3.323
uolnera miscebunt fratres bellumque coacti
/hoc potius ciuile gerent.' . . 3.355
et miseras bellis ciuilibus eripe terras.
            4.120
deprensum est ciuile nefas. . . 4.172
iam iam ciuilis Erinys/concidet 4.187
non hoc ciuilia bella, /ut uiuamus, agunt.
            4.221
hoc siquidem solo ciuilis crimine belli/
dux causae melioris eris. 4.258
nos denique bellum/inuenit ciuile
duces, ... 4.350
sic proelia soli/ felices nullo spectant
ciuilia uoto. 4.401
nec solum studiis ciuilibus arma parabat
            4.687
bellumque trahebat/ auctorem ciuile suum.
            4.739
spectandumque tibi bellum ciuile negatum
est. 4.804
tot mihi pro bellis bellum ciuile
dedisti. 5.269
usque adeo soli ciuilibus armis/nescimus
cuius sceleris sit maxima merces? 5.285
finem ciuili faciat discordia bello.
            5.299
bellum te ciuile fugit. 5.316
iam tum ciuili meditatus Leucada bello.

CIUILIS

praedam ciuilibus armis/scit non esse
casas. 5.479

meque tuus decepit amor, ciuilia bella/
si spectare potes. 5.526

uereor ciuilibus armis/Pompeium nullo
tristem committere damno. 5.748

aestuat angusta rabies ciuilis harena. 5.752

qui nesciret in armis/quam magnum uirtus
crimen ciuilibus esset. 6.63

totus mitti ciuilibus armis/... potuit
cruor: 6.148

si bene de uobis ciuilia bella merentur.' 6.299

ciuilia bella /gesturi metuunt ne non cum
sanguine uincant. 6.718

coeperat exiguo tractu ciuilia bella/
...damnare 7.95

ciuilia paucae/bella manus facient: 7.241

cum duce Sullano gerimus ciuilia
bella 7.274

finis ciuilibus armis, /quem quaesistis,
adest. 7.307

crimen ciuile uidemus /tot uacuas urbes. 7.343

cladis eo dedimus, ne tanto in corpore
bellum /iam possit ciuile geri. 7.398

fugiens ciuile nefas redituraque numquam/
libertas ultra Tigrim Rhenumque recessit 7.407

bella pares superis facient ciuilia diuos, 7.432

odiis solus ciuilibus ensis/sufficit, 7.457

ciuilia bella/ una acies patitur, gerit
altera; 7.490

praecipites fecere palam ciuilia bella/
non bene barbaricis umquam commissa
cateruis. 7.501

nam post ciuilia bella /hic populus
Romanus erit. 7.526

nullaque tantorum discat me uate malorum/
quam multum bellis liceat ciuilibus,
aetas. 7.542

ciuiline parum est bello, si meque meosque
/obruit? 7.554

iamque diu uolucres ciuilia castra secutae
/conueniunt. 7.663

Assyrios in castra tuli ciuilia casus, 7.831

ubicumque iaces ciuilibus armis/nostros
ulta toros, ades huc 8.92

quid enim tibi laetius umquam/
praestiterint superi, quam, si ciuilia
Partho/milite bella geras, tantam
consumere gentem 8.102

ciuilibus armis/ elegit te nempe ducem: 8.323

sed gessisse prius bellum ciuile pudebit. 8.351

et, si Thessalia bellum ciuile peractum
est,/ ad Parthos qui uicit eat. 8.419

rapitur ciuilibus umbris. . . . 8.428

sic fata premunt ciuilia mundum? . 8.505

hanc certe seruate fidem, ciuilia bella: 8.544

cecidit ciuilibus armis/ qui tibi regna
dedit. 8.547

disponis gladios, neque non fiat in orbe,/
heu, facinus ciuile tibi. . . . 8.559

CIUIS

dic semper ab armis / ciuilem repetisse
togam, ... 8.814

noxia ciuili tellus Aegyptia fato, 8.823

dubiumque manebat /quem dominum mundi
facerent ciuilia bella, ... 9.20

nec regnum cupiens gessit ciuilia bella 9.27

excipite, o nati, bellum ciuile, 9.88

(nusquam ciuilibus armis/tanta fuit merces) 9.150

nos... Pompei duxit in arma/ non belli
ciuilis amor, ... 9.228

bellum ciuile sepulchra/uix ducibus
praestare potest. 9.235

Pompeio scelus est bellum ciuile perempto, 9.248

an bellum ciuile perit? 9.561

et peragunt ciuilia bella cerastae. 9.851

per secreta tui bellum ciuile recessus
/uadit, ... 9.863

absenti bellum ciuile peractum est: 9.1018

unica belli/ praemia ciuilis, uictis
donare salutem,/perdidimus. . . 9.1067

frustra ciuilibus armis/miscuimus gentes
siqua est hoc orbe potestas /altera quam
Caesar, 9.1076

pro caecus et amens/ambitione furor,
ciuilia bella gerenti/diuitias aperire
suas, ... 10.147

spes sit mihi certa uidendi/Niliacos
fontes, bellum ciuile relinquam.' 10.192

poenaque ciuilis belli, uindicta senatus/
paene data est famulo. 10.340

nox haec peraget ciuilia bella . 10.391

pro fas! ubi non ciuilia bella/inuenit
imperii fatum miserabile nostri? 10.410

ciuilia bella satelles/ mouit, 10.418

CIUIS. quis furor, o ciues, quae tanta
licentia ferri 1.8

si ciues, huc usque licet.' . . 1.192

tua nos faciet uictoria ciues. . 1.279

seruati ciuis referentem praemia quercum, 1.358

nec ciuis meus est, in quem tua classica,
Caesar,/ audiero. 1.373

mox iubet et totam pauidis a ciuibus
urbem/ ambiri 1.592

quam laetae Caesaris aures/accipient
tantum uenisse in proelia ciuem! 2.274

concessa pudet ira uia ciuemque uideri. 2.446

ciuisque superbi/constitit ante pedes. 2.508

poenarum extremum ciui, quod castra
secutus /sit patriae Magnumque ducem
totumque senatum, ... 2.519

quo potuit ciuem populus perducere liber 2.562

stant undique nostris/intenti ciues
iugulis: 4.486

felix Roma quidem ciuisque habitura
beatos, ... 4.807

haut alium tanta ciuem tulit indole Roma 4.814

nam miseros ultra tentoria ciues/spargere
funus erat. 6.102

'parcite', ait 'ciues; procul hinc
auertite ferrum. 6.230

ipse ego...cupidus.../ plebeiaque toga
modicum conponere ciuem, . . . 7.267

uincat.../ quique suos ciues, quod signa

CIUIS

aduersa tulerunt,/ non credit fecisse
nefas. 7.314
ciuis qui fugerit esto. 7.319
nulloque frequentem/ ciue suo Romam
sed mundi faece repletam /cladis eo
dedimus, ... 7.405
inspicit.../ quem pugnare iuuet, quis
uoltum ciue perempto/mutet; . . . 7.564
omnibus illa/ ciuibus effudit totas per
moenia uires/obuia ceu laeto: . . 7.714
umbra perempti/ ciuis adest; . . 7.773
sed meminit nondum satiata caedibus ira/
ciues esse suos. 7.803
ast illam quam toto tempore belli/ ut
ciuem uidere suam, discedere cernens/
ingemuit populus; 8.152
solacia tanti /perdit Roma mali, nullos
admittere reges/ sed ciui seruire suo?
8.356
'ciuis obit' inquit 'multum maioribus inpar/
nosse modum iuris, ... 9.190
sub iura togati/ ciuis eo. 9.239

CLADES. non tu, Pyrrhe ferox, nec tantis
cladibus auctor 1.30
inrupitque animos populi clademque
futuram/ intulit 1.470
quod cladis genus, o superi, qua peste
paratis/ saeuitiam? 1.649
duc, Roma, malorum/ continuam seriem
clademque in tempora multa . . . 1.671
noscant uenturas ut dira per omina clades?
2.6
ergo, ubi concipiunt quantis sit cladibus
orbi/ constatura fides superum, . . 2.16
Sulla quoque inmensis accessit cladibus
ultor. 2.139
tot simul infesto iuuenes occumbere leto/
.../ aut terrae caelique lues aut bellica
clades, ... 2.200
placuit... /cladibus inmixtum ciuile
absoluere bellum? 2.250
o superi, motura Dahas ut clade Getasque
/securo me Roma cadat. 2.296
hac caede luatur(clade leuatur)/quidquid
Romani meruerunt pendere mores. var.2.312
detrahere in cladem fato damnata maritos
3.22
ille, dei quamuis cladem manesque
minentur, ... 3.36
nulla tamen plures hoc edidit aequore
clades/ quam pelago diuersa lues. 3.680
pro numine fata sinistro/exigua requie
tantas augentia clades! 4.195
hoc damnum clademque uocet. . . . 4.514
et cernere tantas/permisit clades
conpressus sanguine puluis, . . . 4.795
hic et Thessalicae clades Libycaeque
tenentur; 6.62
ire uel in clades properat dum gaudia
turbet. 6.284
non Vticae Libye clades, Hispania Mundae/
flesset 6.306
cladibus inruimus nocituraque poscimus
arma; 7.60
aut populis inuisum hac clade peracta/
... nomen. 7.120
Romam... mundi faece repletam/ cladis eo
dedimus, ne tanto in corpore bellum/ iam
possit ciuile geri. 7.406
cladis tamen huius habemus/
uindictam, ... 7.455

set quota pars cladis iaculis ferroque
uolanti/ exacta est! 7.489
mors tamen eminuit.../ pugnacis Domiti,
quem clades fata per omnis/
ducebant: 7.600
non istas habuit pugnae Pharsalia partes/
quas aliae clades: 7.633
tota uix clade coactus/ fortunam damnare
suam. 7.648
stetit aggere campi,/ eminus unde.../
aspiceret clades, quae bello obstante
latebant. 7.651
exiguae clades sumus orbe remoto? 7.664
et ceu Munda nocens Pharioque a gurgite
clades,/ sic et Thessalicae post te pars
maxima pugnae/.../ libertas et Caesar erit;
7.692
pandunt templa, domos, socios se cladibus
optant. 7.716
iuuat.../ et lustrare oculis campos sub
clade latentes. 7.795
quid fugis hanc cladem? quid olentis
deseris agros? 7.821
Hesperiae clades et flebilis unda Pachyni
/... puros fecere Philippos. . . 7.871
cladisque suae uix ipse fidelis/auctor
erat. 8.17
Peneius amnis /Emathia iam clade rubens
exibat in aequor. 8.34
nunc clades denique lustra,/Magne, tuas.
8.101
'quando' ait 'Emathiis amissus cladibus
orbis,/ qua Romanus erat, superest.../
Eoam temptare fidem 8.211
quis enim post uolnera cladis/Assyriae
iustas Latii conpescuit iras? . . 8.233
non sic mea fata premuntur/ ut nequeam
releuare caput cladesque receptas/
excutere. 8.268
patimurne pudoris/ hoc uolnus, clades
ut Parthia uindicet ante/Hesperias,
quam Roma suas? 8.350
quid uolnera nostra/ in Scythicos spargis
populos cladesque latentis? . . . 8.353
ceu pridem debita fatis/Assyriis trahitur
cladis captiua uetustae. 8.416
tum plurima cladis/occurrent monimenta
tibi: 8.435
ullusne in cladibus istis/est locus
Aegypto? 8.545
ibat in hostilem praeceps Cornelia puppem,
/.../ quod metuit clades. 8.579
cladesque omnis exegit in uno/ saeua die
quibus inmunes tot praestitit annos,
8.703
at post Thessalicas clades iam pectore
toto/ Pompeianus erat. 9.23
dominum, quem clades cogit, habebo,/
nullum Magne ducem: 9.241
Caesar, ut Emathia satiatus clade recessit,
/cetera curarum proiecit pondera   9.950
sanguine Thessalicae cladis perfusus
adulter/ admisit Venerem curis,   10.74
et cladem fouere Noti, ... 10.500
nec tempora cladis/perdidit in somnos,
10.505

CLAMO,-ARE. 'reddite, di,' clamant 'miseris
quae fugimus arma, ... 9.848
CLAMOR. it tantus ad aethera clamor, 1.388
insonuere tubae et, quanto clamore
cohortes/miscentur, ... 1.578

CLAMOR
```
        uerba ducis nullo partes clamore secuntur
                                            2.596
        ne litora clamor/nauticus exagitet  2.688
        remorumque sonus premitur clamore,  3.541
        laeto nomen clamore senatus/excipit 5.47
        qualis erat populi facies clamorque
        fauentis/ olim, . . . . . . . . .   7.13
        barbaries, non illa tubas, non agmine
        moto/ clamorem latura suum. . . .   7.274
        at plures tantum clamore cateruae /bella
        gerent: . . . . . . . . . . . .     7.367
        excepit resonis clamorem uallibus Haemus
                                            7.480
        illam non.../ mouit et exurgens ad summa
        pericula clamor, . . . . . . . .    9.114
CLAMOSUS,-A,-UM.  uenator tenet ora leuis
        clamosa Molossi, . . . . . . . .    4.440
CLANGOR.  stridor lituum clangorque tubarum/
        non pia concinuit cum rauco classica
        cornu. . . . . . . . . . . . . .    1.237
        quippe ubi non sonipes motus clangore
        tubarum . . . . . . . . . . . .     4.750
        nec prodidit arma/ ullius clangore tubae:
                                            10.401
CLARUS,-A,-UM.  imago/ clara per obscuram
        uoltu maestissima noctem . . . .    1.187
        dixerat; at dubium non claro murmure
        uolgus/ secum incerta fremit. . .   1.352
        uictorem clara testatur uoce tribunus.
                                            3.122
        effluit et gemitus et anhelo clara meatu/
        murmura, . . . . . . . . . . . .    5.191
        clara, sed obscurum nimbosus dissilit aer.
                                            5.631
        notescent litora clari /nominis exilio,
        positaque ibi coniuge Magni/ quis
        Mytilenaeas poterit nescire latebras?
                                            5.784
        non ultima turbae/ pars ego Romanae,
        Magni clarissima proles, . . . .    6.594
        subiere pericula clari/ sponte uiri 7.356
        mors tamen eminuit clarorum in strage
        uirorum/ pugnacis Domiti, . . . .   7.599
        postquam clara dies Pharsalica damna
        retexit, /nulla loci facies reuocat
        feralibus aruis/haerentis oculos.   7.787
        non patitur tutis fatum celare latebris/
        clara uiri facies. . . . . . . .    8.14
        qui non mergitur undis/axis inocciduus
        gemina clarissimus Arcto,/ ille regit
        puppes. . . . . . . . . . . . .     8.175
        Cnidon inde fugit claramque relinquit/sole
        Rhodon . . . . . . . . . . . . .    8.247
        proles tam clara Metelli /stabit
        barbarico coniunx millesima lecto.  8.410
        externaque monstra /pellite, si meruit
        tam claro nomine Magnus/Caesaris esse
        nefas. . . . . . . . . . . . . .    8.549
        clarum et uenerabile nomen/gentibus 9.202
        sic nec clara dies nec nox dabat atra
        quietem . . . . . . . . . . . .     9.839
        gentis Iuleae uestris clarissimus aris/
        dat pia tura nepos . . . . . . .    9.995
        'siqua est, O maxime Caesar/nobilitas,
        Pharii proles clarissima Lagi, . .  10.86
        non sanguine clari/... nec opes populorum
        et regna mouemus: . . . . . . .     10.382
        haud clara mouendis, /ut mos, signa dedit
        castris                              10.399
CLASSICUM.  non pia concinuit cum rauco
        classica cornu. . . . . . . . .     1.238
```

```
        nec ciuis meus est, in quem tua classica,
        Caesar,/ audiero. . . . . . . .     1.373
        tua classica seruat/ oppositus quondam
        polluto tiro Miloni. . . . . . .    2.479
        iamque secuturo iussurus classica Phoebo
                                            2.528
        nec matura petunt promissae classica
        pugnae. . . . . . . . . . . . .     2.597
        classica det bello, saeuos tu neclege
        cantus; . . . . . . . . . . . .     4.186
        certos non rumpunt classica somnos. 4.395
        seu maesto classica paulum/intermissa
        sono . . . . . . . . . . . . . .    5.244
        pudet.../ eque tuo, quatiunt miserum
        cum classica mundum,/ surrexisse sinu.
                                            5.751
        classica nulla sonant . . . . . .   6.78
        mouit tantum uox illa furorem,/ quantum
        non primo succendunt classica cantu,
                                            6.166
        propera, ne te tua classica linquant.
                                            7.83
        tum stridulus aer/ elisus lituis
        conceptaque classica cornu, . . .   7.476
CLASSIS.  quas premit aspera classes . .   1.42
        in classem cadit omne nemus, . .    1.306
        pauidi classis siluere magistri,    2.696
        ora petunt pelagusque dolent contingere
        classi. . . . . . . . . . . . .     2.707
        hic haesere rates geminae, classique
        paratae/excepere manus, . . . .     2.711
        cetera classis abit summis spoliata
        carinis: . . . . . . . . . . . .    2.714
        propulit ut classem uelis cedentibus
        Auster/ incumbens . . . . . . .     3.1
        absconditque fretum classes, . .    3.47
        aequora cum tantis percussit classibus,
                                            3.287
        uenerat in fluctus Rhodani cum gurgite
        classis . . . . . . . . . . . .     3.515
        accepit non sola uiros, quae stabat in
        undis,/ classis: . . . . . . . .    3.520
        Caesaris hinc puppes, hinc Graio remige
        classis/ tollitur: . . . . . . .    3.526
        cornua Romanae classis ualidaeque
        triremes/ quasque quater surgens extructi
        remigis ordo/commouet . . . . .     3.529
        lunata classe recedunt/ordine contentae
        gemino creuisse Liburnae. . . .     3.533
        ut tantum medii fuerat maris, utraque
        classis/ quod semel excussis posset
        transcurrere tonsis, . . . . . .    3.538
        diuersaeque rates laxata classe receptae.
                                            3.548
        Graiae pars maxima classis/mergitur,
                                            3.753
        turrigeras classis pelago sparsura carinas,
                                            4.226
        detegit orta dies stantis in rupibus
        Histros/pugnacesque mari Graia cum classe
        Liburnos. . . . . . . . . . . .     4.530
        Euripusque trahit, /Chalcidicas puppes ad
        iniquam classibus Aulin. . . . .    5.236
        anne fugam Magni tanta cum classe secuntur
        /Hesperiae gentes, . . . . . . .    5.328
        inuenit et pauidas hiberno sidere
        classes. . . . . . . . . . . . .    5.408
        illinc infestae classes et inertia tonsis
        /aequora moturae, . . . . . . .     5.448
        inde rapi coepere rates atque aequora
        classem/ curua sequi, . . . . .     5.458
```

fluctusque uerendos/classibus exigua
sperat superare carina. 5.503
nunc et Corycias classes et Pontica signa/
deiectum meminisse piget. 8.26
incusat bimaremque uadis frangentibus
aestum,/ qui uetet externas terris
adpellere classes. 8.567
uenturum tota Pharium cum classe tyrannum.
8.574
sed cedit fatis classemque relinquere
iussus/ obsequitur, ... 8.575
stetit anxia classis/ ad ducis euentum,
8.592
super... signa cruenti/ Caesaris ac
sparsas uolitauit in aequore classes, 9.16
tunc ausum classi praecludere portus/
inpulit... Phycunta 9.39
inueniet classes quisquis Pompeius in
undas/ uenerit, ... 9.93
classis in aduersos erumpat remige uentos.
9.149
dixerat, et classem saeuus rapiebat in
undas; 9.165
hunc rapta fugientem classe secutus/
litus in extremum tali Cato uoce notauit:
9.220
remis actum mare propulit omne/ classis
onus, ... 9.320
in sua regna furens temptatum classibus
aequor/turbine defendit 9.321
sors melior classi quae fluctibus incidit
altis 9.330
his igitur depulsa locis eiectaque classis
/Syrtibus haut ultra Garamantidas attigit
undas, ... 9.368
sic fatus repetit classes 9.1000
Oceano classes inferre parabat/exteriore
mari. 10.36
iam prope semustae merguntur in aequora
classes, ... 10.496
hinc densae praetexunt litora classes,
10.537

CLAUDO,-ERE. Eleus sonipes, quamuis iam
carcere clauso/inmineat foribus 1.294
Pompeiana reum clauserunt signa Milonem?
1.323
molliter admissum claudit Tarbellicus
aequor, ... 1.421
clauditur externis miles Romanus in oris,
1.515
non deserit ante/ Hesperiam, quam cum
Scyllaeis clauditur undis, . . . 2.433
Hadriacas flexis claudit quae cornibus
undas. 2.615
si claudere muros/obsidione paras et
ui perfringere portas, ... 3.342
cum moenia clausa/conspicit et densa
iuuenum uallata corona. 3.373
sed prius, ut totam, qua terra cingitur,
urbem/ clauderet, ... 3.384
muris sed clausa iuuentus/exultat; 3.446
sed clauso periere mari. 3.652
inuitatque patris claudenda ad lumina
dextram. 3.740
sic, ubi desuetae siluis in carcere clauso
/mansueuere ferae 4.237
miles non utile clausis/auxilium mactauit
equos, ... 4.268
artauit clausitque animam; 4.370
clauditur extrema residens Antonius ora
4.408

formidine ceruos/ claudat odoratae
metuentis aera pinnae 4.438
undique conpletis clauserunt montibus
agmen, ... 4.747
uel plaga qua torrens claususque uaporibus
axis/ nec patitur noctes nec iniquos
crescere soles, ... 5.24
Caesar habet.../ clausaque iustitio
tristi fora; 5.32
nostrum exhausto ius clauditur anno: 5.44
seu maesto classica paulum /intermissa
sono claususque et frigidus ensis/
expulerat belli furias, ... 5.245
non... liceat .../ atque oculos morti
clausuram quaerere dextram, . . . 5.280
Brundisii clausas uentis brumalibus undas
/inuenit 5.407
ut uidet.../ ... generum sed clauso fidere
uallo, ... 6.12
nam clausa profundo/undique praecipiti
6.23
feras indagine claudit. 6.42
subitum bellique tumultu/ raptum clausit
opus. 6.54
agmina.../... spargit... ut Caesaris
arma/ laxet et effuso claudentem milite
tendat; 6.72
oculos ingesto fulgure clausit; . . 7.157
spectate.../ Saeptorumque nefas et clausi
proelia Campi. 7.306
animam clausit dolor; 8.59
tanto patientius oro /claude, dolor,
gemitus: 8.634
cum Ptolemaeorum manes.../ pyramides
claudant indignaque Mausolea, /litora
Pompeium feriunt, ... 8.697
ossa.../... congestaque in unum/ parua
clausit humo. 8.789
clausa fides miseris, et toto solus in
orbe est/ qui uelit ac possit uictis
praestare salutem. 9.246
hoc eadem suadebat hiemps quae clauserat
aequor; 9.374
et sacrum paruo nomen clausura sepulchro
/inuasit Libye securi fata Catonis. 9.409
concuteret terras.../ si... Libye.../
clauderet exesis Austrum scopulosa
cauernis; 9.468
pars... oculis... tenebras/ offundit
clausis et somni duplicat umbras. 9.674a
at Caesar moenibus urbis/ diffisus foribus
clausae se protegit aulae 10.440
spem uitae in limine clauso /ponit, 10.459
illa lues paulum clausa reuocauit ab aula
/...populos. 10.504

CLAUSTRUM. melius, Fortuna, dedisses / .../
errantisque domos, Latii quam claustra
tueri. 1.253
ipsa maris per claustra rates fastigia
molis/ discussere 2.684
ut primum libuit ruptis euadere claustris/
Pompeio 6.118
nec.../ intra claustra piger dilato
Marte quieuit, ... 6.264
aspicit astantem... umbram,/ exanimis
artus inuisaque claustra timentem/carceris
antiqui. 6.721
si uos, o Parthi, peterem cum Caspia
claustra/.../ passus Achaemeniis late
decurrere campis 8.222
nunc Parthia ruptis/ excedat claustris

CLAUSTRUM
    uetitam per saecula ripam 8.236
    Caspiaque inmensos seducunt claustra
    recessus, ... 8.291
    arcani miles tibi conscius orbis/claustra
    ferit mundi. 9.865
    dirimunt Arabum populis Aegyptia rura/
    regni claustra Philae. 10.313
    sic fremit in paruis fera nobilis abdita
    claustris 10.445
    nunc claustrum pelagi cepit Pharon. 10.509
CLAUUS. habiles.../et temptare.../ cursum nec
    tarde flectenti cedere clauo; . . 3.555
    pars ratium maior regimen clauumque secuta
    est/ tuta fuga, ... 9.345
CLEMENTIA(subst.). quidquid ad Eoos
    tractus.../ ibitur, emollit gentes
    clementia caeli. 8.366
CLEONAEUS,-A,-UM. ille Cleonaei proiecit terga
    leonis,/ Antaeus Libyci; 4.612
CLEOPATRA. fratrique tuum pro munere tali/
    misissem, Cleopatra, caput. . . . 9.1071
    Pellaea tutus in aula/ Caesar erat, cum
    se parua Cleopatra biremi/... intulit
    Emathiis... tectis, ... 10.56
    Hesperios auxit tantum Cleopatra furores.
    10.62
    quem formae confisa suae Cleopatra sine
    ullis/ tristis adit lacrimis, . . 10.82
    explicuitque suos magno Cleopatra tumultu/
    ... luxus. 10.109
    diuitias Cleopatra gerit cultuque laborat.
    10.140
    inuasit Cleopatra domum, ... 10.355
    expugnare senem potuit Cleopatra uenenis:
    10.360
    quem non e nobis credit Cleopatra nocentem
    /a quo casta fuit? 10.369
CLIENS. scilicet extremi Pompeium emptique
    clientes/ continuo per tot satiabunt
    tempora regno? 1.314
    dignumque clientem/ castris crede tuis
    9.1024
    dum uitam Phario mauolt debere
    clienti,/ laeta dies rapta est populis,
    9.1096
CLIPEA. inter semirutas magnae Carthaginis
    arces/ et Clipeam tenuit stationis
    litora notae, ... 4.586
CLIPEUS. inuadunt clipeos curuataque cuspide
    pila 1.242
    iam clipeo telisque carens, . . . 3.618
    ac ueritus credi clipeo laeuaque uacasse
    /... tot uolnera belli/ solus obit 6.203
    et clipeum laeuae fuluo dedit aere
    nitentem 9.669
CNIDOS. Cnidon inde fugit claramque relinquit
    /sole Rhodon 8.247
CNOSOS. iam dilecta Ioui centenis uenit in
    arma/ Creta uetus populis Cnososque
    agitare pharetras 3.185
COALESCO,-ERE. partesque fugatas/ passus in
    extremis Libyae coalescere regnis 10.79
COARTO,-ARE. auctusque suos non ante coartat/
    quam nox aestiuas a sole receperit horas.
    10.217
COCCUM. pars auro plumata nitet, pars ignea
    cocco, ... 10.125
COEO,-IRE. nec coiere pares. 1.129
    utque satis trepidum turba coeunte
    tumultum/ conposuit uoltu . . . 1.297
    gentibus et generis, coeat si turba,

    capacem, ... 1.512
    quamquam agitant grauiora metus, multumque
    coitur 2.225
    terra labet mixto coeuntis pondere mundi,
    2.291
    pignora nulla domus, nulli coiere
    propinqui: 2.370
    Boeoti coiere duces, ... 3.174
    tot reges habuere ducem, coiere nec umquam
    3.288
    ut terrestre, coit consertis puppibus
    agmen. 5.708
    coit area belli: 6.60
    uiperei coeunt abrupto corpore nodi, 6.490
    gelidusque in uiscera sanguis/ percussa
    pietate coit, ... 7.468
    procerum pars magna coibit /certa loci;
    8.119
    tamen omnia monstra/ Pellaeae coiere
    domus, ... 8.475
    uirtus et summa potestas/ non coeunt;
    8.495
    coeunt ignes stridentibus undis 9.866
COEPI,-ISSE. Roma, faue coeptis. 1.200
    coeperat obliquoque molas inducere
    cultro, ... 1.610
    coeperit inde nefas, iam iam me praeside
    Roma/ supplicium poenamque petat. 2.538
    iam coeperat ultima Virgo/ Phoebum
    laturas ortu praecedere Chelas, 2.691
    cum Cotta Metellum/ conpulit audaci
    nimium desistere coepto. . . . 3.144
    qua coepere mori. 3.690
    uiresque cruentus/ coepit habere dolor,
    'non perdam tempora' dixit . . . 3.742
    coeperat infestoque ducem deposcere uoltu.
    5.296
    'fortius hiberni flatus caelumque
    fretumque,/ cum cepere (coepere), tenent,
    var.5.414
    inde rapi coepere rates 5.458
    coeperat exiguo tractu ciuilia bella/
    ... damnare 7.241
    coeperat in summum reuocato sanguine
    corpus/ Pompei sentire manus . . 8.68
    Roma, faue coeptis; 8.322
    si numina nasci/ credimus aut quemquam
    fas est coepisse deorum. . . . 8.459
    in sicco linguam torrere palato/coepit;
    9.745
    iamque illi magis atque magis durescere
    puluis/ coepit 9.943
    quasdam conpage sub ipsa/ cum toto
    coepisse reor, ... 10.266
    sed tanta obliuio mentis/ cepit (coepit)
    in externos corrupto milite mores
    var.10.404
COERCEO,-ERE. membra ducis, riguere comae
    gressumque coercens 1.193
    uox nulla dolori /credita, sed quantum,
    uolucres cum bruma coercet, . . 1.259
    fixit in aeternum causas, qua cuncta
    coercet/ se quoque lege tenens, 2.9
    collesque coercent /hinc Tyrrhena uado
    frangentes aequora Pisae, . . . 2.400
    'libertas' inquit 'populi quem regna
    coercet/ libertate perit; . . . 3.145
    camposque coerces/ Cinga rapax, . 4.20
    a magno uenere mari, mundumque coercens
    5.619
    Thessaliam.../ rupes Ossaea coercet; 6.334

COERCEO
    quas ille creator/ atque opifex rerum
    certo sub iure coercet. 10.267
COETUS. non illum laetis uadentem coetibus
    urbes /sed tacitae uidere metu,   3.80
    ut primum maestum tenuere silentia coetum,
                    5.15
    iam turba soluto/arma petit coetu; 5.65
    coetus audire silentum,/.../ non superi,
    non uita uetat. 6.513
    in procerum coetu tandem maesta ora
    resoluit/ uocibus his Magnus: 8.261
    tum respicit omnis /in coetu motuque
    uiros; 9.225
COGNATUS,-A,-UM. canimus,.../ cognatasque
    acies, et rupto foedere regni   1.4
    atria cognati pulsat non ampla Catonis.
                    2.238
    cognato tantos inplerunt sanguine sulcos,
                    4.554
    saepe etiam caris cognato in funere dira/
    Thessalis incubuit membris   6.564
    siue quis infesto cognata in pectora ferro
    /ibit, ... /ignoti iugulum... inputet
    hostis. 7.323
    cognatas praestate manus externaque
    monstra/ pellite, ... 8.548
COGNOMEN. sed maiora dedit cognomina collibus
    istis 4.656
COGNOSCO,-ERE. longae, canitis si cognita,
    uitae/mors media est. 1.457
    cognoscitur illic/ quidquid ubique iacet.
                    2.161
    colligit et pauido subducit cognita
    furto. 2.168
    Arctos habet, calida medius mihi cognitus
    axis/ Aegypto atque umbras nusquam
    flectente Syene, ... 2.586
    me domitus cognouit Arabs, . . . 2.590
    nam postquam foedera pacis/ cognita
    Petreio, ... 4.206
    cognita per multos docuit rudis incola
    patres. 4.592
    cernite, sed uestrae faciem cognoscite
    turbae, ... 5.20
    sic est tibi cognita, Magne,/ nostra
    fides? 5.767
    et quisquis pelago per se non cognitus
    amnis/ Peneo donauit aquas: . . . 6.371
    solum fregere coloni /et Magnetes equis,
    Minyae gens cognita remis . . . 6.385
    cognoscere Parcae/ me reticente dabunt;
                    6.812
    nunc uictoris opes et cognita fata
    lacessis? 8.533
    exemploque carens et nulli cognitus
    aeuo/ luctus erat, ... 9.169
    possumus.../... bellisque datos
    cognoscere casus. 9.553
    set longius istac/ nulla iacet tellus,
    quam fama cognita nobis/ tristia regna
    Iubae. 9.868
COGO,-ERE. saecula tot mundi suprema
    coegerit hora 1.73
    uis erat: hinc leges et plebis scita
    coactae 1.176
    at postquam leges bello siluere coactae
                    1.277
    in medium uenere diem, cornuque coacto
    /iam Phoebe toto fratrem cum redderet
    orbe 1.537
    inuoluitque orbem tenebris gentesque

COGO
    coegit/ desperare diem; 1.542
    ad mortem Sulla felicior ire coegi. 2.582
    hinc latus angustum iam se cogentis
    in artum/Hesperiae tenuem producit in
    aequora linguam, ... 2.613
    cum medium nubes Borea cogente sub axem/
    effusis magnum Libye tulit imbribus
    annum. 3.69
    'tene, deum sedes, non ullo Marte coacti/
    deseruere uiri? 3.91
    Phoebea Palatia complet/ turba patrum
    nullo cogendi iure senatus . . 3.104
    pacis ad exutae spolium non cogit egestas:
                    3.132
    ut gladiis egeant ciuilia bella coactis.
                    3.323
    uolnera miscebunt fratres bellumque
    coacti/ hoc potius ciuile gerent.' 3.354
    tandemque coactus/ spe posita damnare
    fugam casurus in hostes /fertur. 4.269
    hoc petimus, uictos ne tecum uincere
    cogas.' 4.362
    non cogitur ullus /uelle mori.   4.484
    ueluti fatalis harenae/ muneribus non
    ira uetus concurrere cogit . . . 4.709
    Curio nocturnum castris erumpere cogit
                    4.732
    iamque gradum neque uerberibus stimulisque
    coacti/ ... addunt: 4.759
    uolneribus coguntur equi; . . . 4.761
    ceciditque in strage suorum/ inpiger ad
    letum et fortis uirtute coacta. 4.798
    non qua tellure coacti/ quamque procul
    tectis captae sedeamus ab urbis/ cernite,
                    5.18
    Phemonoen.../ corripuit cogitque fores
    inrumpere templi. 5.127
    aut quem nostrae fortuna coegit/
    auxilium sperare casae?' . . . 5.522
    uerbaque ad inuitum perfert
    cogentia numen, ... 6.446
    an habent haec carmina certum /imperiosa
    deum, qui mundum cogere quidquid/cogitur
    ipse potest? 6.498
    an habent haec carmina certum/imperiosa
    deum qui mundum cogere quidquid/cogitur
    ipse potest? 6.499
    nigramque per artus/stillantis tabi saniem
    uirusque coactum/sustulit 6.548
    quos petat e nobis, Mortem mihi coge
    fateri. 6.601
    pudeat uicisse coactum. 7.78
    primo gentes oriente coactae/innumeraeque
    urbes,.../ exciuere manus. . . 7.360
    rus uacuum, quod non habitet nisi nocte
    coacta/ inuitus... senator. . . 7.395
    stetit omne coactum/ circa pila nefas.
                    7.518
    tota uix clade coactus/fortunam damnare
    suam. 7.648
    tot regum fortuna simul Magnique coacta/
    expectat dominos: 7.743
    non sic moderator equorum, /.../ cogit
    inoffensae currus accedere metae. 8.201
    in tutam trepidos numquam Babylona coegi.
                    8.225
    cogit pietas inponere finem/officio. 8.785
    scire mori sors prima iuris, set proxima
    cogi. 9.211
    dominum,quem clades cogit, habebo,/
    nullum, Magne, ducem: 9.241

COGO

ultimus haustor aquae quam,.../ indiga
cogatur laticis spectare iuuentus, 9.592
in nulla plus est serpente coactum. 9.703
cogit tantos tolerare labores/ summa
ducis uirtus, ... 9.881
quisquis te flere coegit/ impetus,a uera
longe pietate recessit. . . 9.1055
gemmaeque capaces/excepere merum.../
nobile ... paucis senium cui contulit
annis/ indomitum Meroe cogens spumare
Falernum. 10.163
et fluuio cogunt incumbere nimbos, 10.243
adsiduo feriunt coguntque resistere
fluctu: 10.245
cogunt tamen ultima rerum/ spem pacis
temptare ducem, ... 10.467
COHAEREO,-ERE. ictu uicta suo percussae capta
cohaesit; 3.564
COHIBEO,-ERE. castraque.../ pugnaces pictis
cohibebant Lingonas armis. . . . 1.398
praecipitem cohibete ducem: . . . 2.489
quae cohibet uirus retinetque in uolnere
pestem; 9.926
COHORS. Hannibal: inplentur ualidae tirone
cohortes, ... 1.305
his cunctae simul adsensere cohortes
1.386
fortunam, sparsas per Gallica rura
cohortes/ euocat 1.394
insonuere tubae et, quanto clamore
cohortes/miscentur, ... 1.578
dux fugit et nullas ducentia signa
cohortes. 2.471
adloquitur tacitas ueneranda uoce
cohortes. 2.530
gaudete, cohortes: 3.360
inplicitas magno Caesar torpore cohortes/
ut uidit, ... 3.432
inter tot milia captae/circumfusa rati
et plenam uix inde cohortem/ pugna fuit,
4.471
rexit magnanima Vulteius uoce cohortem:
4.475
emicuit Dircaea cohors ceciditque suorum
/uolneribus, ... 4.550
Caesareas puluis testatur adesse cohortes.
6.247
at iuxta fluuios...Enipei/ Cappadocum
montana cohors et largus habenae/Ponticus
ibat eques. 7.225
totaeque cohortes/ pila parata diu
tensis tenuere lacertis. . . . 7.468
tenet obliquas post signa cohortes, 7.522
COLCHIS. Colchis et Hadriaca spumans
Apsyrtos in unda; 3.190
COLCHIS(Medea). terris hospita Colchis/ legit
in Haemoniis... herbas. . . . 6.441
sic barbara Colchis/ creditur ultorem
metuens.../... expectasse patrem. 10.464
COLCHUS. me domitus cognouit Arabs, me Marte
feroces/ Heniochi notique erepto uellere
Colchi, ... 2.591
Colchorum qua rura secat ditissima
Phasis, ... 3.271
COLLABOR, COLLANDO, COLLIDO v. CON-.
COLLIGO,-ERE. subsedit dubius, totam dum
colligit iram; 1.207
Caesar, ut inmensae conlecto robore uires
/audendi maiora fidem fecere, . . 1.466
Arruns dispersos fulminis ignes/colligit
et terrae maesto cum murmure condit/

COLLIS

datque locis numen; 1.607
Libycas ibi colligit iras. . . . 2.93
colligit et pauido subducit cognita
furto. 2.168
tum uolnere multo /effugientem animam
lassos colligit in artus . . 3.623
nisi qui presso uestigia rostro/colligit
et praeda nescit latrare reperta 4.443
summaque pandens/ sipara uelorum
perituras colligit auras. . . . 5.429
uestesque fluentis/colligit in cineres
et lentis membra fauillas. . . . 6.537
nonne superfusis collectum cornibus
hostem/ in medium dabimus? . . . 7.365
non illic regum auxiliis collecta
iuuentus/bella gerit 7.548
sequitur pars magna senatus/ad profugum
collecta ducem; 8.259
et collecta procul lacerae fragmenta
carinae/ exigua trepidus posuit scrobe.
8.755
aeternos animam collegit in orbes: 9.9
quasne per litora fusas/colligeret rapido
uictoria Caesaris actu,/ Corcyrae secreta
petit 9.31
collegit uestes miserique insignia Magni
9.175
cineresque in litore fusos/colligite
atque unam sparsis date manibus urnam.
9.1093
nunc omnes unum uires collectus in amnem,
10.309
minima collegerat arma/ parte domus.
10.442
COLLINA (porta). aut Collina tulit stratas
quot porta cateruas, ... 2.135
COLLIS. nunc desuper Alpis/ nubiferae colles
atque aeriam Pyrenen /abripimur. 1.689
umbrosis mediam qua collibus Appenninus
/erigit Italiam 2.396
collesque coercent/ hinc Tyrrhena uado
frangentes aequora Pisae, . . . 2.400
extremi colles Siculo cessere Peloro.
2.438
tunc res inmenso placuit statura labore,/
aggere diuersos uasto committere colles.
3.382
colle tumet modico lenique excreuit in
altum/ pingue solum tumulo; . . . 4.11
nec Caesar colle minore/ castra leuat;
4.17
luce noua collem subito conscendere cursu,
/... imperat. 4.32
iam tumuli collesque latent, iam flumina
cuncta 4.98
tollere silua comas, stagnis emergere
colles/ incipiunt 4.128
nudatos Caesar colles desertaque castra
/conspiciens 4.148
tellus hinc ardua celsos/continuat colles,
4.159
et siccis inclusit collibus hostem. 4.263
sed maiora dedit cognomina collibus istis
4.656
indulsit castris et collibus abstulit
omen 4.664
cum procul e summis conspecti collibus
hostes 4.741
dum colle relicto /effusam patulis aciem
committeret aruis. 4.742
Hesperio tantum quantum summotus Eoo/

COLLIS

   cardine Parnasos gemino petit aethera
   colle, ... 5.72
   ter collibus omnis/explicuit turmas 6.8
   quemque uocat collem Taulantius incola
   Petram/insedit castris 6.16
   exiguo debet, quod non est insula, colli.
                         6.25

   ut uastis diffusum collibus hostem/
   cingeret 6.30
   at liber terrae spatiosis collibus hostis/
   aere non pigro... angitur 6.106
   transierat... Caesar munimina.../ cum
   super e totis immisit collibus arma 6.291
   Euganeo... augur/colle sedens, Aponus
   terris ubi fumifer exit/.../ 'uenit summa
   dies' ... dixit 7.193
   descendens totos perfudit lumine colles,
                       7.215
   cernit.../... exclesos cumulis aequantia
   colles/corpora, ... 7.790

COLLUM. et nunc tonse Ligur, quondam per
   colla decore /crinibus effusis toti
   praelate Comatae, ... 1.442
   et Salius laeto portans ancilia collo
                       1.603

   deposito uictum praebebat poplite collum.
                       1.613

   'fas haec contingere non est/colla tibi;
                       2.82

   colla ducum pilo trepidam gestata per
   urbem 2.160
   colla monile decens umerisque haerentia
   primis 2.363
   ille caput labens et iam languentia colla
   /uiso patre leuat; 3.737
   colla diu grauibus frustra temptata
   lacertis, ... 4.618
   bacchatur demens aliena per antrum/
   colla ferens, ... 5.170
   infidumque caput feriendaque tendite
   colla. 5.361
   sustinet amplexu dulci, non colla tenere,
                       5.793
   ubi quondam Pentheos exul/colla caputque
   ferens supremo tradidit igni/... Agaue.
                       6.358
   si me praebente uideri/Eumenides possint
   uillosaque colla colubris/Cerberus
   excutiens... /quis timor, ignaui,
   metuentis cernere manes?' . . . 6.664
   Pellaeusque puer gladio tibi colla
   recidit,/ Magne, tuo. 8.607
   mihi... permittite saltum/aut laqueum
   collo tortosque aptare rudentes, 8.655
   collaque in obliquo ponit languentia
   transtro. 8.671
   non... petit.../ Pompeius.../ ut Romana
   suum gestent pia colla parentem, 8.732
   hunc ego per Syrtes... triumphum/ducere
   maluerim.../... quam frangere colla
   Iugurthae. 9.600
   ipsa flagellabant gaudentis colla Medusae,
                       9.633
   dextra.../... derigit harpen/ lata
   colubriferi rumpens confinia colli. 9.677
   colla caputque fluunt: 9.781
   colla gerit Magni Phario uelamine tecta
                       9.1012
   ne sic mea colla gerantur/Thessaliae
   fortuna facit. 9.1083
   uos condite busto/tanti colla ducis,9.1090

---

   ut primum terras Pompei colla secutus/
   attigit.../ pugnauit fortuna ducis
   fatumque nocentis/ Aegypti, . . 10.1
   colloque comisque/diuitias Cleopatra
   gerit 10.139
   tantum animi delicta dabant, ut colla
   ferire/Caesaris...iuberet; . . . 10.347
COLLUUIES v. CON-.
COLO,-ERE. sola tamen colitur. . . . 1.143
   quique colunt iunctos extremis moenibus
   agros/diffugiunt: 1.571
   delabitur inde/... radensque Salerni/
   tesca (culta) Siler var.2.426
   Penei qui rura colunt, ... 3.191
   quique colunt Pitanen, et quae tua munera,
   Pallas, ... 3.205
   Pactolon, qua culta secat non uilior
   Hermus. 3.210
   qua colitur Ganges, toto qui solus in
   orbe 3.230
   quique colit primus ducentem tempora
   Ianum. 5.6
   et, tumidis infesta colit quae numina,
   Rhamnus, ... 5.233
   uincto fossore coluntur/ Hesperiae
   segetes, ... 7.402
   quid.../ auersosque polos alienaque
   sidera quaeris/ Chaldaeos culture focos
   et barbara sacra /Parthorum famulus?
                       8.338
   et cole felices, miseros fuge. 8.487
   uicina colentes/ Aethiopum totae
   riguerunt marmore gentes. . . . 9.650
   natus et ambiguae coleret qui Syrtidos
   arua/ chersydros, ... 9.710
   surgere congesto non culta mapalia culmo.
                       9.945

   'di cinerum, Phrygias colitis quicumque
   ruinas,/.../ gentis Iuleae uestris
   clarissimus aris/ dat pia tura nepos 9.990
COLONUS. longa sub ignotis extendere rura
   colonis. 1.170
   et Gallica certus/ limes ab Ausoniis
   disterminat arua colonis. . . . 1.216
   an melius fient piratae, Magne, coloni?
                       1.346
   uidit Fortuna colonos 2.193
   moenia Dardanii tenuit Campana coloni.
                       2.393
   nec tam patiente colono/ arua premi quam
   si ferro populetur et igni. . . . 2.444
   urbs est Dictaeis olim possessa colonis,
                       2.610
   sparsos per rura colonos/redde mari
   Cilicas; 2.635
   et non deductos recipit sua terra colonos.
                       4.397
   hic Opiterginis moles onerata colonis/
   constitit. 4.462
   periere coloni /aruorum Libyae, . 4.605
   his rura colonis/accedunt donante Pado.
                       6.277
   Aeolidae Dolopesque solum fregere coloni
                       6.384
   [haec eadem est hodie quae.../ ... emerito
   faciat uos Marte colonos] . . . 7.258
   fugerentque coloni/ umbrarum campos, 7.862
   ambitur nigris Meroe fecunda colonis,
                       10.303
COLOPHON. ipse... Ephesonque relinquens/ et
   placidi Colophona maris, spumantia paruae

COLOPHON
/radit saxa Sami; 8.245
COLOR. terruit ipse color uatem; . . 1.618
non idem Eoi color aetheris, albaque
nondum/ lux rubet 2.720
arcus uix ulla uariatus luce colorem . 4.80
et caelo lucis ducente colorem,/.../ iussa
tenere diem densas nox praestitiit umbras.
6.828
nec color imperii nec frons erit ulla
senatus. 9.207
testis tibi sole perusti/ ipse color
populi calidique uaporibus Austri. 10.222
COLORO,-ARE. fluxa coloratis astringunt
carbasa gemmis, ... 3.239
COLUBER. inque pruinoso coluber distenditur
aruo; 6.489
COLUBRA. si me praebente uideri/ Eumenides
possint uillosaque colla colubris/Cerberus
excutiens.../ quis timor, ignaui,
metuentis cernere manes?' 6.664
surgunt aduersa subrectae fronte colubrae
9.634
uoltusque gelassent /Perseos auersi, si
non Tritonia densos/ sparsisset crines
texissetque ora colubris. 9.683
COLUBRIFER. dextra.../ ... derigit harpen/
lata colubriferi rumpens confinia colli.
9.677
COLUMEN. nondum attigit arcem/iuris et humani
columen, quo cuncta premuntur, 7.594
COLUMNA. aether/.../ aduersasque faces
inmensoque igne columnas/.../detulit 7.155
illa sub Hesperiis stantem Titana columnis
/in cautes Atlanta dedit; 9.654
COMA. membra ducis, riguere comae gressumque
coercens 1.193
excutiens.../ stridentisque comas,
Thebanam qualis Agauen/ inpulit 1.574
lacerasque in limine sacro/attonitae
fudere comas 2.32
nunc laniate comas neue hunc differte
dolorem 2.39
effusas laniata comas contusaque pectus
2.335
hinc Essedoniae gentes auroque ligatas/
substringens Arimaspe comas; . . 3.281
tum primum posuere comas et fronde
carentes/admisere diem, ... 3.443
tollere silua comas, stagnis emergere
colles/incipiunt 4.128
tum torta priores/stringit uitta comas,
5.143
sufficiens spatium nulloque horrore
comarum/excussae laurus 5.154
Phoebeaque serta /erectis discussa comis
5.171
nimbosque solutis/ excussere comis. 6.469
terribilis Stygio facies pallore grauatur
/inpexis onerata comis: 6.518
illa comam laeua morienti abscidit ephebo.
6.563
in praeceps subsedit humus, quam pallida
pronis/ urguet silua comis . . . 6.644
et coma uipereis substringitur horrida
sertis. 6.656
uerenda / regibus hirta coma et generosa
fronte decora/ caesaries conprensa manu
est, ... 8.680
ut uisa est... solutas/ in uoltus effusa
comas, Cornelia puppe /egrediens, rursus
geminato uerbere plangunt. . . . 9.172

sed citri contenta comis uiuebat et
umbra. 9.428
squalebant... arua Medusae,/ non
nemorum protecta coma, non mollia sulco,
9.627
femineae cui more comae per terga
solutae/ surgunt aduersa subrectae fronte
colubrae 9.632
uigilat pars magna comarum . . . 9.672
et tamarix non laeta comas Eoaque costos/
... sonant flammis 9.917
pars tam flauos gerit... crines /ut
nullis Caesar Rheni se dicat in aruis/tam
rutilas uidisse comas; 10.131
colloque comisque /diuitias Cleopatra
gerit 10.139
multumque madenti/ infudere comae quod
nondum euanuit aura/ cinnamon externa
10.166
Meroe.../ laeta comis hebeni, 10.304
COMATA (Gallia). et nunc tonse Ligur, quondam
per colle decore/crinibus effusis toti
praelate Comatae, ... 1.443
COMES. non me laetorum sociam (comitem)
rebusque secundis/accipis: . . .var.2.346
tot inmensae comites missura ruinae/
exciuit populos et dignas funere Magni/
exequias Fortuna dedit. 3.290
iamque comes semper magnorum prima malorum
/saeua fames aderat, ... 4.93
missa ratis prono defertur lapsa profundo
/et geminae comites. 4.431
proieci uitam, comites, totusque futurae/
mortis agor stimulis: 4.516
rerum nos summa sequetur/ imperiumque
comes. 5.27
cunctisque relictis/ sola placet Fortuna
comes. 5.510
sed non tam remeans Caesar iam luce
propinqua/ quam tacita sua castra fuga
comitesque fefellit. 5.679
nullusne tuorum/emeruit comitum fatis non
posse superstes 5.688
fida comes Magni uadit duce sola relicto/
Pompeiumque fugit. 5.804
arma secuturum soceri,.../ temptauere suo
comites deuertere Magnum/hortatu, 6.317
ut pauidos iuuenis comites ipsumque
trementem/conspicit.../ 'ponite' ait ...
'timores: 6.657
Sextoque ad castra parentis/ it comes
6.828
scire senatus auet, miles te, Magne,
sequatur/ an comes'. 7.85
comitumque suorum/ qui post terga redit
trepidum laterique timentem/exanimat.
8.6
quo sit tibi mollius aequor/.../ sparge
mari comitem. 8.100
dixit, maestamque carinae/ inposuit
comitem. 8.147
comitem pignusque recepi/ depositum: 8.190
terrarum dominos.../ exul habet comites.
8.209
'comites bellique fugaeque/.../ingentis
praestate animos. 8.262
quare agite Eoum, comites, properemus
in orbem. 8.289
non ulli comitum sceleris praesagia
derant: 8.571
an tantum in fluctus placeo comes?' 8.589

COMES

    haud ego culpa /libera bellorum, quae
    matrum sola per undas/ et per castra
    comes 8.649
    aut aliquis Magno dignus comes exigat
    ensem. 8.656
    infaustus Magni fuerat comes. . . 8.717
    oderat et Magnum, quamuis comes isset in
    arma 9.21
    aspexit patrios comites a litore Magnus/
    et fratrem; 9.121
    hi mihi sint comites, quos ipsa
    pericula ducent, ... 9.390
    comitesque Catonem/ orant exploret.../
    numina, ... 9.546
    nec talia fatus/ inuenit fletus comitem
                       9.1105

COMETES. uiderunt.../... crinemque
    timendi/ sideris et terris mutantem regna
    cometen. 1.529

COMITOR,-ARI. audax uenali comitatur Curio
    lingua, ... 1.269
    nullos comitata est purpura fasces. 2.19
    quoslibet in saltus comitantibus agmina
    tauris/ inuito pastore trahit, . . 2.606
    uadis adhuc ingens populis comitantibus
    exul. 2.730
    et iam turrigeram Bruti comitata carinam/
    uenerat... classis 3.514
    exciuit, Libycas gentis, extremaque mundi/
    signa suum comitat Iubam. 4.670
    nobis uictoria turbam/... quae.../
    lauriferos nullo comitetur uolnere
    currus? 5.332
    insiluit puppi iuuenum comitante tumultu.
                      9.252

COMMENDO,-ARE. crimen commendat harenas. 9.82
    ac prius infanda commendat crimina uoce.
                      9.1013

COMMEO,-ARE. pontusque uetustas/oblitus
    seruare uices non commeat aestu, 5.445
    commeat hac penitus tacitis discursibus
    unda 10.249

COMMERCIUM. cuius commercia pacti/obstrictos
    habuere deos? 6.493
    Hecates... per quam/ manibus et mihi sunt
    tacitae commercia linguae,/.../exaudite
    preces. 6.701
    uolgati supra commercia mundi/ naufragium
    fortuna ferat: 8.312
    exiget ignorans Latiae commercia linguae/
    ut lacrimis se, Magne, roges. . . 8.348
    adde.../... commercia tuta/gentibus 8.810
    sic cum toto commercia mundo/naufragiis
    Nasamones habent. 9.443
    accipe poenas/ tu, quisquis superum
    commercia nostra perosus 9.860
    mox te deserta secantem,/ qua iungunt
    nostrum rubro commercia ponto,/ mollis
    lapsus agit. 10.314

COMMINUS. aestiferae Libyes uiso leo comminus
    hoste 1.206
    magnaeque per auia uoces/auditae nemorum
    et uenientes comminus umbrae. . . 1.570
    iuuentus/comminus obliquis et rectis
    eminus hastis/obruitur, ... 4.774
    postquam castra.../ inposuere iugis
    admotaque comminus arma 6.2
    fortissimus ille est/ qui, promptus
    metuenda pati, si comminus instent,/ et
    differre potest. 7.106
    uultus.../... uidere parentum/frontibus

COMMOUEO

    aduersis fraternaque comminus arma, 7.465
    nec Martem comminus usquam/ausa pati
    uirtus, ... 8.382
    ut uidit comminus ensis,/ inuoluit uoltus
    atque,.../... caput; 8.613
    passuri comminus arma/laturique ruunt.
                      10.438

COMMISCEO,-ERE. uicerat astra iubar, cum mixto
    (commixto) murmure turba/ castrorum
    fremuit var.7.45
    iacet aggere magno /patricium campis non
    mixta (commixta) plebe cadauer. var.7.598

COMMITTO,-ERE. exiguum dominos commisit
    asylum. 1.97
    tu quoque nudatam commissae deseris
    arcem,/ Scipio, Nuceriae, . . . 2.472
    deseritur Strymon tepido committere Nilo
    /Bistonias consuetus aues . . . 3.199
    fata, nec haec alius committat proelia
    miles. 3.325
    finis adest scelerum, si non committitis
    ullis/ arma quibus fas est. . . . 3.328
    tunc res inmenso placuit statura labore,/
    aggere diuersos uasto committere colles.
                      3.382
    omne suum fatis uoluit committere robur
                      3.517
    polluta nefanda/agmina caede duces
    iunctis committere castris/non audent,
                      4.260
    mittitur,.../ ut sibi commissi simulator
    Sabbura belli; 4.722
    effusam patulis aciem committeret aruis.
                      4.743
    Cirrha silet farique sat est arcana
    futuri/ carmina longaeuae uobis conmissa
    Sibyllae, ... 5.138
    qui me committere tantis/ non nisi
    mutato uoluerunt milite bellis. 5.352
    uisum est quod mittere (committere)
    quemquam/ tam saeuo crudele mari.
                var.5.691
    uereor ciuilibus armis/Pompeium nullo
    tristem committere damno. . . . 5.753
    cum te commiseris undis, ... 5.788
    Hesperiam potui... tenere,/ si uellem
    patriis aciem committere templis 6.323
    sed me fortuna meorum/commisit manibus,
                      7.286
    cuius torta manu commisit lancea bellum
                      7.472
    fecere palam ciuilia bella/non bene
    barbaricis umquam commissa cateruis. 7.527
    non ueritus tantam ueniae committere uobis
    /materiam. 8.136
    nec se committere muris/ausus adhuc ullis
    te primum, parua Phaseli,/ Magnus adit;
                      8.250
    sceptra puer... habet tibi debita, Magne,
    /tutelae commissa tuae. 8.449
    deceptaque uixi/ ne mihi commissas
    auferrem perfida uoces. 9.100
    audet in ignotas agmen committere gentes
                      9.372
    nec parat occultae caedem committere
    fraudi 10.345

COMMODO,-ARE. commodat in populum terrae
    pelagique potentem/ inuidiam Fortuna suam.
                      1.83

COMMOUEO,-ERE. quater surgens extructi
    remigis ordo/commouet et plures quae

COMMOUEO

    mergunt aequore pinus 3.531

    tertia iam uigiles commouerat hora

    secundos: 5.507

    haec Caesar bis terque manu quassantia

    tectum/ limina commouit. 5.520

    scintillam tenuem commotos pauit in ignes,

    /securus belli: 5.525

    illic pugnaces commouit Hiberia caetras.

                              7.232

    dum tela micant, non uos.../... aduersa

    conspecti fronte parentes/commoueant;

                              7.322

COMMUNIS,-E. in commune nefas, infestisque

    obuia signis 1.6

    facta tribus dominis communis, Roma, nec

    umquam 1.85

    rigidi seruator honesti,/ in commune

    bonus; 2.390

    communem tamen esse dolet; 2.660

    'semper in externis populo communia uestro

    /Massiliam bellis testatur fata tulisse

                              3.307

    concordia duxit in aequas/imperium commune

    uices, ... 4.6

    communis mundo superest rogus ossibus

    astra/ mixturus 7.814

    lege summa perempti/ uerba patris, qui

    iura mihi communia regni/... dedit. 10.93

    communis gloria nobis, ...10.377

COMMUNITER. nam, cum communiter istae/

    effundant Zephyrum,.../... discedit in

    ortus /Eurum sola tenens. 9.417

COMO,-ERE. quem ... Cleopatra sine ullis/

    tristis adit lacrimis, simulatum compta

    dolorem/ qua decuit, ... 10.83

COMPAGES, COMPELLO etc. v. CON-.

COMPLODO,-ERE. uelit... quis.../ complossas

    tenuisse manus? 2.292

COMPONO,-ERE. hinc illinc montes scopulosae

    rupis aperto/opposuit (composuit) natura

    mari var.2.620

COMPRIMO,-ERE. quis, cum ruat arquus aether,/

    terra labet mixto coeuntis pondere mundi,

    /complossas (compressas) tenuisse manus?

                           var.2.292

CONAMEN. mobile neruis/ conamen calidus

    praebet cruor 4.287

CONCEDO,-ERE. frustraque hosti concessa

    potestas/ sanguinis inuisi, . . . 2.76

    concessa pudet ire uia ciuemque uideri.

                             2.446

    nubiferoque polus cum cesserit

    (concesserit) Euro/ uindicat unda Notum.

                          var.2.459

    Brundisii tutas concessit Magnus in arces.

                          2.609

    ueniam misero concede parenti, 3.744

    cui tanta potestas/concessa est? 4.824

    omne nefas superi prima iam uoce precantis

    /concedunt 5.528

    conceditur arti, /unam cum radiis

    presserunt sidera mortem,/ inseruisse

    moras; 6.607

    solique uagari/concessum per utrosque

    polos. 10.301

CONCHA. defuit.../ non... innataque rubris/

    aequoribus custos pretiosae uipera

    conchae. 6.678

    deus, quem toto litore pontus/audit

    uentosa perflantem marmora concha, 9.349

CONCIDO,-ERE. concidit et miserae maculauit

    ouilia Romae. 2.197

    iam iam ciuilis Erinys/concidet et Caesar

    generum priuatus amabit. 4.188

    et dubium pendet, uento cui concidat,

    aequor. 5.602

CONCIEO,-IRE. postquam condidit urna/supremos

    cineres, miserando concita uoltu, 2.334

    priuatae sed bella dabat Iuba concitus

    irae. 4.688

    uiolentior aer/puppibus incubuit Phoebeo

    concitus ortu, ... 5.718

    tum Magnum concitus aufert/ a bello

    sonipes 7.677

    sic concitus ira/ excussit galeam, 9.509

CONCINO,-ERE. non pia concinuit cum rauco

    classica cornu. 1.238

CONCIO,-IRE. quoque modo uanos populi concires

    amores, ... 3.54

    inde ruunt toto concita pericula mundo.

                              5.597

CONCIPIO,-ERE. aut patrii, dubiae dum uota

    salutis/conciperent, tenuere lares; 1.507

    his ubi concepit magnorum fata malorum

                              1.630

    ergo, ubi concipiunt quantis sit cladibus

    orbi/constatura fides superum, 2.16

    fontibus hic uastis inmensos concipit

    amnes 2.403

    'uanam spem mortis honestae/concipis: 3.135

    terribilem Libycis partum concepit in

    antris. 4.594

    hoc ubi uirgineo conceptum est pectore

    numen, ... 5.97

    haud illic tacito mala uota susurro/

    concipiunt, ... 5.105

    haesit et insueto concepit pectore numen,

                              5.163

    turbida testantur conceptos aequora uentos.

                              5.567

    'ponite' ait 'trepida conceptos mente

    timores: 6.659

    tum stridulus aer/ elisus lituis

    conceptaque classica cornu, . . . 7.476

    uirus stillantis tabe Medusae/concipiunt

    dirosque fero de sanguine rores, 9.698

CONCLAMO,-ARE. cum corpora nondum/conclamata

    iacent nec mater crine soluto/exigit 2.23

CONCOLOR. inculto Gaetulus equo, tum concolor

    Indo,/ Maurus, ... 4.678

    concolor exustis atque indiscretus harenis

    /hammodytes, ... 9.715

CONCORDIA. temporis angusti mansit concordia

    discors 1.98

    concordia duxit in aequas/imperium commune

    uices, ... 4.5

    o rerum mixtique salus Concordia mundi

                              4.190

    quos non concordia mixti/alligat ulla tori

                              6.458

    concordia mundo/nostra perit. 9.1097

CONCORS. o male concordes nimiaque cupidine

    caeci, ... 1.87

    duro concordes caespite mensas/instituunt

                             4.197

    concordesque tulit radios: 5.542

    rupuisse uidentur/ concordes elementa

    moras rursusque redire/ nox . . . 5.635

CONCRESCO,-ERE. spumat, et obducti concreto

    sanguine fluctus. 3.573

    quidquid concrescere primus/sol patitur,

                             4.65

CONCUBITUS
CONCUBITUS. regia non ullis exceptos legibus
   audet/concubitus: 8.403
CONCURRO,-ERE. ultima funesta concurrant
   proelia Munda, ... 1.40
   [omnis mixtis/sidera sideribus concurrent,]
                      1.75
   hos alio, Fortuna, uocas, olimque potentes
   /concurrunt. 2.231
   adde quod innumerae concurrunt undique
   gentes, ... 3.321
   transigitur: medio concurrit corpore
   ferrum, ... 3.588
   puppis ad auxilium sociae concurrit; 3.663
   concurrunt alii totumque in partibus unis
   /bellorum fecere nefas. . . . 4.549
   ueluti fatalis harenae/muneribus non ira
   uetus concurrere cogit . . . 4.709
   quid prodita iura senatus/et gener atque
   socer bello concurrere iussi? . . 4.802
   motaque possunt/aequora subductis etiam
   concurrere uentis. 5.607
   parque nouum Fortuna uidet concurrere,
   bellum/ atque uirum. 6.191
   sit iuris, quocumque uelint, concurrere,
   campo. 7.80
   multis concurrere uisus Olympo/Pindus
                     7.173
   'inpia concurrunt Pompei et Caesaris arma',
                     7.196
   cum Caesaris arma/concurrent Medis, aut
   me fortuna necesse est/ uindicet aut
   Crassos'. 8.326
CONCUTIO,-ERE. certatum totis concussi uiribus
   orbis 1.5
   hinc.../ et concussa fides et multis
   utile bellum. 1.182
   non secus ingenti bellorum Roma tumultu/
   concutitur, quam si Poenus transcenderit
   Alpes 1.304
   redde mari Cilicas; Pharios hinc concute
   reges 2.636
   telluris inanis/concussisse sinus
   quaerentem erumpere uentum/credidit 3.460
   concussaque tellus/laxet iter fluuiis:
                     4.115
   sic fatur et omnis/concussit mentes
   scelerumque reduxit amorem. . . 4.236
   pulsusque deorum/concutiunt fragiles
   animas. 5.120
   imaque sensim/concussit pelagi mouitque
   Ceraunia nautis. 5.457
   securasque fragor concussit Caesaris aures.
                     6.163
   Padus... tumens.../excurrit ripas et
   totos concutit agros; 6.273
   terra quoque inmoti concussit ponderis
   axes, ... 6.481
   compellandus erit, quo numquam terra
   uocato/ non concussa tremit, . . 6.746
   concuteret terras orbemque a sede moueret,
   /si ... Libye.../clauderet...Austrum
                     9.466
   quasdam... aquas.../... concussis
   terrarum erumpere uenis/ ... reor, 10.264
CONDICO,-ERE. sic fatus in ortus/Phoebeos
   condixit iter, ... 6.330
CONDITOR. et fibris sit nulla fides, sed
   conditor artis/finxerit ista Tages.' 1.636
CONDO,-ERE. unde uenit Titan et nox ubi sidera
   condit 1.15
   'o male uicinis haec moenia condita Gallis,

CONFERO
                   1.248
   gladium.../ condere me iubeas plenaeque in
   uiscera partu 1.377
   condidit ardentis atra caligine currus
                   1.541
   Arruns dispersos fulminis ignes/colligit
   et terrae maesto cum murmure condit/
   datque locis numen; 1.607
   sed, postquam condidit urna/supremos
   cineres, ... 2.333
   ante bis exactum quam Cynthia conderet
   orbem, ... 2.577
   tum conditus imo/ eruitur templo... Romani
   census populi, ... 3.155
   non conditus ima/ puppe sed expositus
                   3.618
   iam flumina cuncta /condidit una palus
   uastaque uoragine mersit, . . . 4.99
   nam condidit umbra/ nox lucem dubiam
                   4.472
   ut uidit Paean.../ exhalare solum, sacris
   se condidit antris, ... 5.84
   Campana fremens ceu saxa uaporat/conditus
   Inarimes aeterna mole Typhoeus. . . 5.101
   secreta tenebis/litoris Euboici memorando
   condite busto, ... 5.231
   adeuenere diem qui fatum rebus in aeuum/
   conderet humanis, .../... palam est. 7.132
   condita laudabit Magni socer inpius
   ossa: 8.783
   placet hoc, Fortuna, sepulchrum/dicere
   Pompei, quo condi maluit illum/ quam
   terra caruisse socer? 8.794
   haec mandata reliquit/Pompeius uobis in
   nostra condita cura: 9.86
   ite, duces, mecum.../... inhumatos condere
   manes, ... 9.151
   uos condite busto/tanti colla ducis,
                  9.1089
CONDUCO,-ERE. sic fatus in ortus/Phoebeos
   condixit (conduxit) iter var.6.330
CONE. et barbara Cone,/ Sarmaticas ubi
   perdit aquas 3.200
CONECTO,-ERE. obscurum cingens conexis aera
   ramis 3.400
   et aetherio trahitur conexa Tonanti. 5.96
   qua niger astriferis conectitur axibus
   aer/.../semidei manes habitant, . 9.5
   et domitas unda conectit harenas. 9.527
CONFERCIO,-ERE. has prohibent iungi conferta
   cadauera puppes. 3.575
   conferta iacent cum corpora campo, 4.490
CONFERO,-FERRE. nec patitur conferre fretum,
   si terra recedat, ... 1.102
   conferet exanguis quo se post bella
   senectus? 1.343
   ipsum omnes aquilas conlataque signa
   ferentem 1.477
   perdere nomen/ si placet Hesperium, superi,
   conlatus in ignes/plurimus ad terram per
   fulmina decidat aether. 2.57
   quis conferre duces meminit, quis pendere
   causas? 4.707
   ante iaces quam dira duces Pharsalia
   confert, ... 4.803
   undique conlatis in robur Caesaris armis
                   5.722
   conlatura meae nil sunt iam uolnera morti
                   6.231
   postquam uiles et habentis nomina pestis/
   contulit, infando saturatas carmine

CONFERO
    frondis/.../addidit 6.682
    si liceat superis hominum conferre labores,
                     7.144
    quae uincere possent/omnia contulimus.
                     7.356
    cur sola cadenti/haec placuit tellus, in
    quam Pharsalica fata/conferres poenasque
    tuas? 8.517
    pudeat: plus regia Nili/contulit in leges
    et Parthi militis arcus. 9.267
    ingens meritum maiusque salute/contulit,
    in letum uires; 9.886
    gemmaeque capaces/excepere merum,.../
    nobile sed paucis senium cui contulit
    annis/ indomitum Meroe cogens spumare
    Falernum. 10.162
    nullaque non aetas uoluit conferre futuris
    /notitiam; 10.270
CONFESTIM. noluit Illyricae custos Octauius
    undae/confestim temptare ratem, 4.434.
CONFICIO,-ERE. ostendens confectas flamma
    Latinas/scinditur 1.550
    uidit flammifera confectas nocte Latinas.
                     5.402
    pauor attonitos confecerat hostes. 6.131
    protinus hostili statuit succedere uallo/
    ... dum conficit omnia terror, 7.734
    bellumque inmane deorum/Pallados e medio
    confecit pectore Gorgon. 9.658
CONFIDO,-ERE. illic bellaci confisus gente
    Curictum, ... 4.406
    confisus Latio regis tamen undique uires
                     4.668
    ausa uolare/ardea sublimis pinnae confisa
    natanti, ... 5.554
    protinus hostili statuit succedere uallo,
    /... dum conficit (confidit) omnia terror,
                  var.7.734
    quem formae confisa suae Cleopatra sine
    ullis/tristis adit lacrimis, . . 10.82
CONFIGO,-ERE. arma tegens, crebra confixus
    cuspide perstat 3.620
    uento fluctuque secundo/lapsa Palaestinas
    uncis confixit harenas. 5.460
    citraque cruorem/confixae stant tela ferae:
                     6.212
    telaque confixis certant euellere membris,
                     6.255
    non tibi.../ umbra senis maesti Scythicis
    confixa sagittis/ ingeret has uoces? 8.432
CONFINIS,-E. longior Italia, donec confinia
    pontus/solueret incumbens terrasque
    repelleret aequor, ... 2.435
    laborant/ aequora ne rupti repetant
    confinia montes. 3.63
    et terminus idem/ Europae, mediae dirimens
    confinia terrae, ... 3.275
    regna/.../terminat, a medio confinis
    Syrtibus Hammon; 4.673
    non Taenariis sic faucibus aer/ sedit
    iners, maestum mundi confine latentis/ ac
    nostri, ... 6.649
    dextra.../... derigit harpen/ lata
    colubriferi rumpens confinia colli. 9.677
CONFIRMO,-ARE. dum feriunt, odere suos,
    animosque labantis/confirmant ictu. 4.250
CONFLIGO,-ERE. conflixere pares, Telluris
    uiribus ille,/ ille suis. . . . 4.636
CONFLO,-ARE. conflato saeuas ergastula ferro/
    exeruere manus. 2.95
CONFODIO,-ERE. 'non perdam tempora' dixit/

CONIUGIUM
    'a saeuis permissa deis, iugulumque
    senilem /confodiam 3.744
CONFRAGUS,-A,-UM. et confraga densis/arboribus
    dumeta tegunt. 6.126
CONFRINGO,-ERE. quaerit, et inpulso turres
    confringere uallo, ... 6.123
    confringite tela/ pectoris inpulsu. 6.160
    pondere lapsi/pectoris arma sonant
    confractique ensibus enses. . . 7.573
    et inlato confregit litore pontum. 9.323
CONFUGIO,-ERE. confugit ad tripodas uastisque
    adducta cauernis/haesit 5.162
CONFUNDO,-ERE. ferrique potestas/confundet ius
    omne manu, ... 1.667
    cum iam tabe fluunt confusaque tempore
    multo 2.166
    quid perdere fructum/ iuuit et, ut uilem,
    Marii confundere uoltum? . . . 2.191
    coniunx saepe sui confusis uoltibus unda/
    credidit ora uiri Romanum amplexa cadauer,
                     3.758
    uerba refert, nullo confusae murmure uocis
                     5.149
    confusos temere inmixtae glomerantur in
    .orbes, ... 5.715
    tum uox.../... confundit murmura primum/
    dissona 6.686
    et Chaos innumeros auidum confundere
    mundos/.../ exaudite preces . . 6.696
    trepido confusa tumultu/castra fremunt,
                     7.127
    aduersosque iubet ferro confundere uoltus,
                     7.575
    siccaque Thessalia confudit lumina Lesbos.
                     8.108
    corripiens patulum galeae confudit in
    orbem 9.502
    tumidos iam non capit artus/informis
    globus et confuso pondere truncus. 9.801
    metuunt.../ ne caedes confusa manu
    permissaque fatis/te, Ptolemaee, trahat.
                    10.426
CONGERIES. uenit aetas omnis in unam/
    congeriem, ... 5.178
    pulueris exigui sparget non longa
    uetustas/congeriem, ... 8.868
CONGERO,-ERE. et medio congesta foro: 2.161
    congesta recepit/ omnia Tyrrhenus Sullana
    cadauera gurges. 2.209
    congesto pondere puppis/ uersa caua texit
    pelagus nautasque carina, . . . 3.649
    inuenere quidem... plurima.../ bellorum
    in sumptus congestae pondera massae, 7.753
    erige congestas Oetaeo robore siluas,
                     7.807
    ossa.../... congestaque in unum/parua
    clausit humo. 8.788
    ipse latet penitus congesto corpore
    mersus, ... 9.796
    nam neque congestae struxere cubilia
    frondes 9.844
    coepit.../.../ surgere congesto non culta
    mapalia culmo. 9.945
CONGESTUS(subst.). congestumque aeris atri/
    uix recipit spatium quod separat aethere
    terram. 4.74
    uix tollere miles/membra ualet multo
    congestu pulueris haerens. . . . 9.487
    erexit subitas congestu caespitis aras
                     9.988
CONIUGIUM. iam castris instare suis seponere

CONIUGIUM
    tutum/ coniugii decreuit onus   5.725
CONIUNX. gladium.../ condere me iubeas
    plenaeque in uiscera partu/ coniugis,
                           1.378
    eualuit reuocare parens coniunxue maritum
                           1.505
    cum coniuge pulsus/ et natis totosque
    trahens in bella penates . . . 2.728
    coniuge me laetos duxisti, Magne,
    triumphos: 3.20
    me non Lethaeae, coniunx, obliuia ripae/
    inmemorem fecere tui, ... 3.28
    coniunx saepe sui confusis uoltibus unda/
    credidit ora uiri Romanum amplexa cadauer,
                           3.758
    iam coniunx natique rudes et sordida tecta
    /et non deductos recipit sua terra
    colonos. 4.396
    coniugis inlabi lacrimis, unique paratum
    /scire rogum; liceat 5.281
    coniunx sola fuit. 5.731
    'cum taedet uitae, laeto sed tempore,
    coniunx, ... 5.740
    securos cepisse pudet cum coniuge somnos,
                           5.750
    euentus rerum sciet ultima coniunx. 5.779
    notescent litora clari/ nominis exilio,
    positaque ibi coniuge Magni/ quis
    Mytilenaeas poterit nescire latebras?
                           5.785
    siquis post pignora tanta/Pompeio locus
    est, cum prole et coniuge supplex,/...
    /.../ uoluerer ante pedes. . . . 7.377
    si plura iuuant mea uolnera, coniunx/ est
    mihi, sunt nati: 7.661
    sed tu quoque, coniunx,/ causa fugae 7.675
    quaerere nec quicquam de fato coniugis
    audes. 8.49
    uictus adest coniunx. 8.53
    unica materia est coniunx miser. . . 8.76
    utinam in thalamos inuisi Caesaris issem/
    infelix coniunx et nulli laeta marito.
                           8.89
    o maxime coniunx,/... hoc uiris habebat/
    in tantum fortuna caput? 8.94
    iterumque refusa/ coniugis in gremium
    cunctorum lumina soluit/ in lacrimas.
                          8.106
    saeui cum Caesaris iram/ iam scirem
    meritam seruata coniuge Lesbon,/ non
    ueritus tantam ueniae committere uobis/
    materiam. 8.135
    stantis adhuc fati uixit quasi coniuge
    uicto. 8.158
    barbara.../... Venus.../ polluit
    innumeris leges et foedera taedae /
    coniugibus thalamique patent secreta
    nefandi. 8.400
    proles tam clara Metelli/ stabit barbarico
    coniunx millesima lecto. . . . 8.411
    'remane, temeraria coniunx, . . . 8.579
    gnatus coniunxque peremptum,/ si mirantur,
    amant.' 8.634
    'o coniunx, ego te scelerata peremi: 8.639
    hoc merui, coniunx, in tuta puppe
    relinqui? 8.651
    uiuis adhuc, coniunx, et iam Cornelia
    non est/ iuris, Magne, sui: . . . 8.659
    infelix coniunx nec adhuc a litore longe
    est.' 8.742
    numquam dare iusta licebit/coniugibus?

                           9.68
    iam nunc te per inane chaos, per Tartara,
    coniunx,/... sequar, ... 9.101
    et amat pro coniuge luctum. . . . 9.112
    rapiatur in undas/infelix coniunx Magni
    prolesque Metelli, ... 9.277
    adulter.../... miscuit armis/inlicitosque
    toros et non ex coniuge partus. 10.76
    rex hinc coniunx, hinc Caesar adulter.
                          10.367
CONIURGO,-ARE. coniuret (coniurget) in arma/
    mundus, ... var.2.48
CONIURO,-ARE. nunc urbes excite feras;
    coniuret in arma mundus, ... 2.48
CONLABOR,-I. conlatus (collapsus) in ignes/
    plurimus ad terram per fulmina decidat
    aether. var.2.57
    et tot in Hesperio conlapsas sanguine
    gentis/ cur aperire times? 5.202
CONLAUDO,-ARE. conlaudat cunctos, . . . 4.546
    dominum Rhascypolin orae/ conlaudant,
                         5.56
CONLIDO,-ERE. frangitur armatum conliso
    pectore pectus. 4.783
CONLUUIES. nigro si turbida limo/conluuies
    inmota iacet, ... 4.311
CONNECTO v. CONECTO.
CONNUBIUM v. CONUBIUM.
CONOR,-ARI. frustra qui uincula ferro/rumpere
    conatus poscit spe proelia nulla/incertus
    qua terga daret, ... 4.467
    frustraque attollere terra/semianimem
    conantur eram; 8.66
    tandem fonte reperto,/ indiga cogatur
    (conatur) laticis spectare iuuentus,
                      var.9.592
CONPAGES. sic, cum conpage soluta   1.72
    et nondum sparsa conpage carinae/
    naufragium sibi quisque facit,   1.502
    atque omnis trahe, gurges, aquas, ut
    spumeus alnos/discussa conpage feras.
                         2.487
    suspendant, structa laterum conpage
    ligatam/artet humum, ... 3.397
    aries.../ incussus densi conpagem soluere
    muri/temptat 3.491
    hic Latiae rostro conpagem ruperat alni,
                          3.597
    et, postquam ruptis pelagus conpagibus
    hausit, ... 3.629
    conpages humana labat, ... 5.119
    sonuit uictis conpagibus alnus. . . 5.596
    intonuit motaque poli conpage laborant.
                          5.633
    ac male defensum fragili conpage
    cerebrum/ dissipat; 6.177
    effudere suas uictis conpagibus urnas,
                           7.857
    concuteret terras.../ si solida Libye
    conpage et pondere duro/clauderet...
    Austrum 9.467
    sunt qui spiramina terris/esse putent
    magnosque cauae conpagis hiatus. 10.248
    quasdam conpage sub ipsa/cum toto coepisse
    reor, ... 10.265
CONPELLO,-ARE. paretis, an ille/conpellandus
    erit, ... 6.745
    quorum unus aperta/mente fugae tali
    conpellat uoce regentem: 9.226
    linigerum placidis conpellat Acorea dictis.
                          10.175

CONPELLO,-ERE. Caesar, et ad tutas hostis
    conpellitur arces. 2.504
    cum Cotta Metellum/ conpulit audaci nimium
    desistere coepto. 3.144
    ad praematuras segetem ieiuna rapinas/
    agmina conpulimus, ... 7.99
    non illum.../.../ conpellunt hominum ritus
    ut seruet in hoste, ... 7.801
    uictum pietate timorem/conpulit ut mediis
    quaesitum corpus in undis/duceret ad
    terram 8.719
    tam breuis in medium radiis conpellitur
    umbra. 9.530
CONPENSO,-ARE. magnosque sinus Telmessidos
    undae/conpen&at medio pelagi. . . 8.249
CONPARIO,-ERE. non bene conpertum est: 2.322
    nil actum est bellis, si nondum conperit
    istas/ omnia posse manus. . . . 5.287
    conperit ut regem Casio se monte tenere,/
    flectit iter; 8.470
CONPESCO,-ERE. pax missa per orbem/ferrea
    belligeri conpescat limina Iani. 1.62
    haec manus.../ Oceani tumidas remo
    conpescuit undas 1.370
    quis enim post uolnera cladis/Assyriae
    iustas Latii conpescuit iras? . . 8.234
    nec cinis exiguus tantam conpescuit
    umbram; 9.2
    sed Cato laudatam iuuenis conpescuit iram.
    9.166
CONPLECTOR,-I. non ante reuellar/exanimem quam
    te conplectar, Roma; tuumque . . . 2.302
    saeuus conplectitur hostem/hostis, 3.694
    hinc inperfecto conplectitur aera gyro/
    arcus 4.79
    nunc ades, aeterno conplectens omnia nexu.
    4.189
    crinesque in terga solutos/candida
    Phocaica conplectitur infula lauro. 5.144
    somno quam saepe grauata/deceptis uacuum
    manibus conplexa cubile est . . . 5.809
    subicique facem conplexa maritum/imperat,
    8.740
    saeuumque arte conplexa dolorem/
    perfruitur lacrimis 9.111
    fuit.../... serpens/robora conplexus
    rutilo curuata metallo. 9.364
    at, quaecumque uagam Syrtim conplectitur
    ora/... exurit messes 9.431
    caruere deis mea uota secundis/ut te
    conplexus positis felicibus armis 9.1099
    conplector regina pedes. 10.89
CONPLEO,-ERE. per omnem/ spargitur Italiam
    uicinaque moenia conplet. 1.468
    nec Romana magis conplerunt horrea terrae.
    3.67
    Phoebea Palatia conplet/turba patrum
    nullo cogendi iure senatus . . . 3.103
    nec mora, conplentur moles, auideque
    petitis/ insula deseritur ratibus, 4.445
    alii rupes ac litora conplent. . . 4.464
    calido conplentur sanguine uenae, 4.630
    undique conpletis clauserunt montibus
    agmen, ... 4.747
    non rupta trementi/ uerba sono nec uox
    antri conplere capacis/sufficiens 5.153
    expertis animos pelagi sic robore conplet:
    5.412
    nunc omnia conplent/imbribus . . . 6.465
    Romulus infami conpleuit moenia luco,
    7.438

    aut, si Romano conpleri sanguine mauis,
    /istis parce precor; 7.539
    hospitis aduentu pauidam conpleuerat
    aulam. 8.473
    miserandis aethera conplet/uocibus. 8.638
CONPLEXUS(subst.). quae modo conplexu
    fouerunt pectora caedunt; . . . 4.246
    astrictos refouet conplexibus artus. 8.67
    tot femineis conplexibus unum/ non lassat
    nox tota marem. 8.403
    tenet ille ducem conplexibus artis/
    eripiente mari; 8.723
CONPLODO,-ERE v. COMPLODO,-ERE.
CONPONO,-ERE. tumultum/ conposuit uoltu
    dextraque silentia iussit . . . 1.298
    conpositis plenae gemuerunt ossibus urnae.
    1.568
    primaque cum uentis pelagique furentibus
    undis/conposuit mortale genus, 3.196
    semper uenturis conponere carbasa uentis.
    3.596
    me quoque mittendis rectum conponite telis.
    3.717
    hoc fortuna loco tantae duo nomina famae/
    conposuit, ... 5.469
    fessumque tumentis/conposuit pelagus
    uentis patientibus undas. . . . 5.702
    ipse ego... cupidus .../ plebeiaque toga
    modicum conpenere ciuem, ... 7.267
    quod iam conpositum uiolat manus hospita
    bustum,/ da ueniam: 8.748
    'ergo indigna fui' .../.../ membraque
    dispersi pelago conponere Magni, 9.58
    conposita in mortem iacuit fauitque
    procellis. 9.116
    conponite mentes/ ad magnum uirtutis opus
    9.380
CONPRENDO,-ERE. conprensa est Latiis
    quaecumque annalibus aetas. . . . 3.309
    hic, ubi conprensum penitus deduxerat
    hostem, ... 3.701
    obliquusque caput uanas serpentis in
    auras/effusae tuto conprendit guttura
    morsu/ letiferam citra saniem; . . 4.727
    Graia ad moenia perflet /ne Pompeiani.../
    languida iactatis conprendant carbasa
    remis. 5.421
    quidquid signiferi conprensum limite
    caeli/ sub Noton et Borean hominum sumus,
    arma mouemus. 7.363
    generosa fronte decora/caesaries conprensa
    manu est, ... 8.681
    primum, quas ualli spatium conprendit,
    harenas/ expurgat cantu 9.913
CONPRIMO,-ERE. Pompeius tellure noua conpressa
    profundi/ ora uidens curis animum
    mordacibus angit, ... 2.680
    hic, ubi conprensum (conpressum) penitus
    deduxerat hostem, ... var.3.701
    et medium conpressis ilibus artat 4.627
    conpressum turba stetit omne caduaer.
    4.787
    et cernere tantas/permisit clades
    conpressus sanguine puluis, . . 4.795
    conprimit unda/deprendit quascumque rates,
    5.438
    tunc densos inter cuneos conpressus .../
    ... uincit... hostem. 6.184
    et galeae fragmenta cauae conpressa
    perurunt/tempora, ... 6.193
    conpressaque dentibus ora/laxauit 6.566

CONPRIMO

    quidquid signiferi conprensum(conpressum)
    limite caeli/ sub Noton et Borean hominum
    sumus, arma mouemus. var.7.363
    gladiosque suos conpressa timebat. 7.495
    ne leuis aura retectos/auferret cineres,
    saxo conpressit harenam, ... 8.790
    perlucent pectora filo/ quod Nilotis acus
    conpressum pectine Serum/ soluit 10.142
    nec tota uacabat/ regia conpresso: 1C.442

CONQUEROR,-I. quod tam lenta tuas tenuit
    patientia uires/ conquerimur. 1.362
    pereuntia tempora fati/conqueror, 5.491

CONSCENDO,-ERE. seu te flammigeros Phoebi
    conscendere currus/... iuuet, .. 1.48
    profugusque per Apula rura/ Brundisii
    tutas concessit (conscendit) Magnus in
    arces. var.2.609
    quique suas struxere pyras uiuique
    calentis/ conscendere rogos. 3.241
    proxima pars urbis celsam consurgit
    (conscendit) in arcem /par tumulo,
    . . . . var.3.379
    luce noua collem subito conscendere cursu,
    /imperat. 4.32
    sed non, ubi terra tumebit/ aspera
    conscendet montis iuga, ... 8.372

CONSCIUS,-A,-UM. et gens siqua iacet nascenti
    conscia Nilo. 1.20
    si conscius ensis adacti/ stat uictor
    . . . . 4.288
    mundoque futuri/ conscius, ac populis
    sese proferre paratus 5.90
    conscia uotorum es, ... 5.666
    illa rati semper de te sibi conscia uoti
    / hoc scelus haud umquam fatis haerere
    putauit, ... 7.34
    hoc solamen erat, quod uoti turba nefandi/
    conscia, quae patrum iugulos, quae
    pectora fratrum/sperabat, gaudet monstris,
    . . . . 7.182
    et quantum poenae misero mens conscia
    donat,/ quod Styga,.../ Pompeio uiuente
    uidit! 7.784
    conscia curarum secretae in litora Lesbi/
    flectere uela iubet, ... 8.40
    et arcani miles tibi conscius orbis/
    claustra ferit mundi. 9.864

CONSENTIO,-IRE. nullo gemitu consensit ad
    ictum 8.619

CONSEQUOR,-I. consequitur nigri spatiosa
    uolumina fumi, ... 3.505

CONSERO,-ERE.(1) itque super Libyen, quae
    nullo consita cultu/ sideribus Phoeboque
    uacat: 9.690

CONSERO,-ERE.(2) atque ipsum non perdat iter
    consertaque bellis/bella gerat. 2.442
    sed rudis et qualis procumbit montibus
    arbor/ conseritur, ... 3.513
    iam consere bellum,/ Phocaicis medias
    rostris oppone carinas.' 3.560
    has prohibent iungi conferta (conserta)
    cadauera puppes. var.3.575
    et prope consertis obduxit castra
    maniplis. 4.31
    conseritur bibula Memphitis cumba
    papyro. 4.136
    conferta(conserta) iacent cum corpora
    campo,/ in medium mors omnis abit,
    . . . . var.4.490
    conseruere manus et multo bracchia nexu;
    . . . . 4.617

    ut terrestre, coit consertis puppibus
    agmen. 5.708
    noxque super campos telis conserta
    pependit. 7.520

CONSILIUM. nec sumpsimus arma/consiliis
    inimica tuis. 4.349
    eripe consilium pugna: 4.705
    sic fatus murmure sensit/consilium
    damnasse uiros; 8.328
    consilii uix tempus erat; 8.474
    consilii uox prima fuit, ... 8.480
    consilio iussuque deum transibis in
    urbem, ... 8.849
    'sors obtulit'.../et fortuna uiae tam
    magni numinis ora/ consiliumque dei: 9.552
    sed caeca iuuentus/ consilii uastos
    ambit diuisa penates, ... 10.483

CONSISTO,-ERE. attigit, Hesperiae uetitis et
    constitit aruis, ... 1.224
    constitit ut capto iussus deponere miles/
    signa foro, ... 1.236
    ciuisque superbi/ constitit ante pedes.
    . . . . 2.509
    urbes/ sed tacitae uidere metu, nec
    constitit usquam/ obuia turba duci. 3.81
    ante fores nondum reseratae constitit
    aedis 3.117
    constitit et magno uinci se fassus ab orbe
    est; 3.234
    non eadem belli totum fortuna per orbem/
    constitit, in partes aliquid sed Caesaris
    ausa est. 4.403
    hic Opiterginis moles onerata colonis/
    constitit; 4.463
    constitit Alcides stupefactus robore
    tanto, ... 4.633
    limine terrifico metuens consistere
    Phoebas 5.128
    prima duces iunctis uidit consistere
    castris/ tellus, ... 5.461
    ille ruenti/ aggere consistit, .. 6.170
    uixque habitura locum dextras ac tela
    mouendi/ constiterat 7.495
    quod totos errore uago perfuderat agros/
    constitit hic bellum, ... 7.547
    cunctos haerere cruores/ Romanus campisque
    uetat consistere torrens. 7.637
    nullisque potest consistere miles/
    instabilis,... harenis. 9.464

CONSORS. omnisque potestas/ inpatiens
    consortis erit. 1.93
    admonet hunc studiis consors puerilibus
    aetas; 4.178

CONSPERGO,-ERE. dirisque uenefica sucis/
    conspersos uetuit transmittere bella
    Philippos, ... 6.582

CONSPICIO,-ERE. signa/ et celsus medio
    conspectus in agmine Caesar,/ deriguere
    metu, ... 1.245
    ducem uarias uoluentem pectore curas/
    conspexit 'dum uoce tuae potuere iuuari,
    . . . . 1.273
    ardentisque acies percussis sole corusco/
    conspexit telis, 'socii, decurrite' dixit
    . . . . 2.483
    nam prior e campis ut conspicit amne
    soluto/ rumpi Caesar iter calida proclamat
    ab ira 2.492
    excelsa de rupe procul iam conspicit urbem
    . . . . 3.88
    cui non conspecto languebit dextra parente

3.326

cum moenia clausa/ conspicit et densa
iuuenum uallata corona. 3.374
conspecta est leti facies, . . . 3.653
urebant montana niues camposque iacentis/
non duraturae conspecto sole pruinae,

4.53

desertaque castra/ conspiciens capere
arma iubet nec quaerere pontem 4.149
iam strage cruenta/ conspicitur cumulata
ratis, ... 4.571
cum procul e summis conspecti collibus
hostes 4.741
maiora uiris.../ gaudia non faceret
conspectum in Caesare uolnus. . . 6.227
conspexere procul praerupta in caute
sedentem, ... 6.575
ut... ipsumque trementem/ conspicit
exanimi defixum lumina uoltu,/ 'ponite'
ait... timores: 6.658
conspicit in planos hostem descendere
campos, ... 7.237
quod si,.../conspicio faciesque truces
oculosque minaces, /uicistis, . . 7.291
dum tela micant, non uos.../... aduersa
conspecti fronte parentes/commoueant;

7.321

quantus apud Tanain toto conspectus in
ortu! 8.319
cano sed discolor aequore truncus/
conspicitur. 8.723
collegit.../... uelamina summo/ter
cõnspecta Ioui, funestoque intulit igni.

9.178

conspecta est parua maligna/ unde procul
uena, ... 9.500
squalebant... arua Medusae/ sed dominae
uoltu conspectis aspera saxis. 9.628
acies non sparsa maniplis/ nec uaga
conspicitur, sed iustos qualis ad hostes/
recta fronte uenit: 10.437
CONSPICUUS,-A,-UM. mutua conspicuos
habuerunt lumina uoltus, ... 4.170
nos in conspicua sociis hostique carina
/constituere dei; 4.492
CONSTANTIA(subst.). obsessusque gerit, tanta
est constantia mentis,/ expugnantis opus.

10.490

CONSTITUO,-ERE. qua me super aethera raptam/
constituis terra? 1.679
nos in conspicua sociis hostique carina/
constituere dei; 4.493
Fortuna.../... populosque ducesque/
constituit campis, ... 7.418
actu belli non doctas ferre quietem/
constituit mentes serieque agitare laborum.

9.295

CONSTO,-ARE. ubi concipiunt quantis sit
cladibus orbi/constatura fides superum,
ferale per urbem/iustitium; . . . 2.17
at postquam membris sensit constare
uigorem 3.715
non ullo constet mihi sanguine bellum.

4.274

laetius est, quotiens magno sibi constat,
honestum. 9.404
CONSTRINGO,-ERE. pigro bruma gelu siccisque
Aquilonibus haerens,/ aethere constricto
pluuias in nube tenebat. 4.51
quarum porrectis series constricta catenis
/ordinibus geminis obliquas excipit alnos;

4.421

quantum pede prima relato/constrinxit
gyros acies. 4.781
nam quae dubias constringere mentes/
causa solet, ... 5.256
nodis et carcere Ditis/ constrictae
plausere manus, ... 6.798
tamen omnia torpor/pectora constrinxit,

7.467

constrinxit amictus 9.482
CONSTRUO,-ERE. iuuat ignibus atris/inseruisse
manus constructoque aggere busti/ipsum
atras tenuisse faces, ...2.300
talis fama canit tumidum super aequora
Persen/construxisse uias, ... 2.673
CONSUESCO,-ERE. deseritur Strymon tepido
committere Nilo/ Bistonias consuetus aues

3.200

CONSUL. et cum consulibus turbantes iura
tribuni; 1.177
consulibus fugiens mandat decreta
senatus. 1.489
consul et euersa felix moriturus in urbe/
poenas ante dabat scelerum. . . 2.74
et duce priuato gesturus proelia consul
/sollicitant proceresque alii; . . 2.278
hinc consul uterque,/ hinc acies statura
ducum est. 2.565
non consule sacrae/ fulserunt sedes, 3.105
non erigit aegros/nobilis ignoto diffusus
consule Bacchus, ... 4.379
consul uterque uagos belli per munia
patres/elicit Epirum. 5.8
et laetos fecit se consule fastos. 5.384
nam quo melius Pharsalicus annus/consule
notus erit? 5.392
menstruus in fastos distinguit saecula
consul. 5.399
conscia uotorum es, me, quamuis plenus
honorum/ et dictator eam Stygias et consul
ad umbras,/ priuatum, Fortuna, mori, 5.667
solum te, consul depulsis prime tyrannis/
Brute, pias inter gaudentem uidimus
umbras. 6.791
hac luce cruenta /effectum, ut... non.../
.../ Sarmaticumque premat succinctus
consul aratrum, ... 7.430
quid tempora legum/ egimus aut annos a
consule nomen habentis? 7.441
non illum Poenus humator/consulis et
Libyca succensae lampade Cannae/conpellunt
hominum ritus ut seruet in hoste, 7.800
dignasque tulit modo consule uoces. 8.330
adde.../ armaque Sertori reuocato consule
uicta 8.809
signa petamus/ Romanus quae consul habet.'

9.251

hic ille recumbat/ sordidus Etruscis
abductus consul aratris: 10.153
CONSULO,-ERE. tum genus humanum positis sibi
consulat armis 1.60
tutus, ut, inuictae fatum si consulat
urbi, ... 3.334
consulite extremis angusto in tempore
rebus. 4.477
consulite in medium, patres, Magnumque
iubete/esse ducem.' 5.46
deque orbis trepidi tanto consulta tumultu
/desinis ipsa loqui.' 5.160
si murmura ponti/consulimus, Cori ueniet
mare. 5.572

CONSULO
    non tripodas Deli, non Pythia consulit
    antra, ... 6.425
    addidit et carmen, quo, quidquid consulit,
    umbram/scire dedit. 6.775
    rectoremque ratis de cunctis consulit
    astris, ... 8.167
    crederet hoc Magnus, pacem cum praestitit
    undis/ et sibi consultum? 8.257
    nunc consule famae. 8.624
    uel famam consule mundi. 9.1030
    pollutos consule fluctus/ quid liceat
    nobis, ... 10.379
CONSULTO,-ARE. quamuis in litore nudo/...
    nullis circumdatus armis/consultem
    rebusque nouis exordia quaeram,/ingentis
    praestate animos. 8.265
CONSULTOR(subst.). Phemonoe Phoebo, dum te,
    consultor operti/Castalia tellure dei,
    uix inuenit, Appi, ... 5.187
CONSUMMO,-ARE. post Cilicasne uagos et lassi
    Pontica regis/proelia barbarico uix
    consummata ueneno/ ultima Pompeio dabitur
    prouincia Caesar, ... 1.337
CONSUMO,-ERE. usus abit uitae, bellis
    consumpsimus aeuum: 5.276
    nequeunt animam sibi reddere fata/
    consumpto iam iure semel. . . . 6.824
    sanguine mundi/ fuso, Magne, semel totos
    consume triumphos. 7.234
    rapido cursu fati suprema morantem
    /consumpsere locum, parua tellure dirempti,
    7.461
    quid enim tibi laetius umquam/
    praestiterint superi, quam.../... tantam
    consumere gentem 8.324
CONSURGO,-ERE. e medio uisi consurgere Campo/
    tristia Sullani cecinere oracula manes,
    1.580
    consurgunt partes iterum, totumque per
    orbem/ rursus eo. 1.692
    ut procul inmensam campo consurgere nubem
    /... conspexit 2.481
    proxima pars urbis celsam consurgit in
    arcem 3.379
    iam fama ferebat/.../ et procumbentis
    iterum consurgere texos, . . . 3.419
    molli consurgit Amyclas/quem dabat alga
    toro. 5.520
    tum magis inpactis breuius mare terraque
    saepe/obuia consurgens: 9.339
    quantumque licet consurgere fumo/ et
    uiolare diem, tantus tenet aera puluis.
    9.46?
    medio consurgis ab axe; 10.287
    consurgere in ipsis/ius tibi solstitiis,
    10.298
CONTACTUS(subst.). contactumque ferens
    hominis, magnusque potensque, . . 5.91
CONTAGIUM. nec sic horret iners scelerum
    contagia mundus 3.322
    at enim contagia belli/ dira fugant. 3.369
    traxit iners caelum fluuidae contagia
    pestis/obscuram in nubem. . . . 6.89
    fama est... amnem/ et capitis memorem
    fluuii contagia uilis/nolle pati. 6.379
    eloquar.../... Hennaea.../... quae te
    contagia passam/noluerit reuocare Ceres.
    6.741
CONTEGO,-ERE. pascit aues nullo contectus
    Curio busto. 4.810
    illic plebeia contectus casside uoltus

CONTINEO
    /... quod ferrum, Brute, tenebas! 7.586
CONTEMNO,-ERE. non inpune tuos Magnus
    contempserit annos, ... 8.496
    summi contempta facultas/est operis;
    10.428
CONTENDO,-ERE. ut tremulo starent contentae
    fune carinae. 2.621
    membraque contendit toto, quicumque
    manebat, sanguine 3.624
    inspicit.../ quis contenta ferat, quis
    praestet bella iubenti, ... 7.563
CONTENTUS v. CONTENDO(1) v. CONTINEO(2).
CONTERMINUS,-A,-UM. inde peti placuit Libyci
    contermina Mauris/regna Iubae, 9.300
CONTERREO,-ERE. matremque suus conterruit
    infans; 1.563
    tandem conterrita uirgo/ confugit ad
    tripodas 5.161
    'uana specie conterrite leti, 9.612
CONTEXO,-ERE. nondum flumineas Memphis
    contexere biblos/nouerat, . . . 3.222
    sed firma gerendis/molibus insolito
    contexunt robora ductu. 4.419
CONTICESCO,-ERE. muto Parnasos hiatu/conticuit
    pressitque deum, ... 5.132
    rursus uetitum sentire procellas/conticuit
    turbante Noto; 6.471
CONTINEO,-ERE. contentus quo Sulla fuit.'
    2.232
    iuunguntur taciti contentique auspice
    Bruto. 2.371
    nec fabula Troiae/ continuit Phrygiique
    ferens se Caesar Iuli. 3.213
    contenti fecisse duos. 3.266
    lancea.../ haut unum contenta latus
    transire quiescit, ... 3.466
    sed pondere solo/ contenti nudis
    euoluunt saxa lacertis. 3.481
    lunata classe recedunt/ordine contentae
    gemino creuisse Liburnae. . . . 3.534
    pudor arma furentum/continuit, 4.27
    sed paruo Fortuna uiri contenta pauore/
    plena redit, ... 4.121
    o prodiga rerum/luxuries numquam paruo
    contenta paratis 4.374
    celeresque carinas/ continuit, cursu
    crescat dum praeda secundo, . . 4.435
    contentus tremulo monstrasse cubilia loro.
    4.444
    cum litora Tethys/ noluit ulla pati
    caelo contenta teneri. 5.624
    nec caespite tantum/contentus fragili
    subitos attollere muros 6.33
    si praenoscere casus/contentus, facilesque
    aditus multique patebunt/ad uerum: 6.616
    eloquar inmenso terrae sub pondere quae te
    /contineant, Hennaea, dapes, . . . 6.740
    protinus hostili statuit succedere uallo,
    /... dum conficit (continet) omnia
    terror, var.7.734
    inde Canopos/excipit, Australi caelo
    contenta uagari/stella, ... 8.182
    terra suis contenta bonis, non indiga
    mercis/aut Iouis: 8.446
    tum lumina pressit/continuitque animam,
    8.616
    dic.../... ter curribus actis/contentum
    multos patriae donasse triumphos. 8.815
    sed citri contenta comis uiuebat et umbra.
    9.428
    et contentus iter cauda sulcare parias,

CONTINEO

9.721

nec solum gens illa sua contenta
salute/ excubat hospitibus, . . . 9.909
dignaque satis mercede laborum/contentus
par esse tibi. 9.1102
nec sceptris contenta suis nec fratre
marito,/... Cleopatra 10.138
CONTINGO,-ERE. nulli penitus descendere ferro/
contigit; 1.32
audieratque pauens 'fas haec contingere
non est /colla tibi; 2.81
matrona.../ translata uitat contingere
limina planta; 2.359
ora petunt pelagusque dolent contingere
classi. 2.707
et, desit si larga Ceres, tunc horrida
cerni/foedaque contingi maculato attingere
morsu. 3.348
iam satis hoc Graiae memorandum contigit
urbi/aeternumque decus, ... 3.388
Caesar auet nec castra pati contingere
ripas 4.265
ille parum fidens pedibus contingere
matrem 4.615
populoque precanti/scilicet indulgens
summo dictator honori/contigit et laetos
fecit se consule fastos. 5.384
quibus hoc contingere templis/aut potuit
muris, nullo trepidare tumultu/Caesarea
pulsante manu? 5.529
contigit Emathiam, bello quam fata
parabant. 6.332
quod tamen e cunctis mihi noscere contigit
umbris/ effera Romanos agitat discordia
manes 6.779
nunc tibi uera fides quaesiti, Magni,
fauoris/contigit ac fructus: . . . 7.727
litora contigerat per quae Peneius amnis/
... exibat in aequor 8.33
multusque in pectore uano est/ Hannibal
... qui.../ et Numidas contingit auos.
8.287

satis o nimiumque beatus,/ si mihi
contingat manes transferre reuolsos/
Ausoniam, ... 8.844
Pompeio contigit ignis/inuidia maiore
deum. 9.65
Boreae latus illa sinistrum/contingens
dextrumque Noti discedit in ortus 9.419
et nulli contingit gloria genti/ut Nilo
sit laeta suo. 10.284
CONTINUO,-ARE. tellus hinc ardua celsos/
continuat colles, ... 4.159
CONTINUO(adu.). continuo fugere lupi, 6.627
CONTINUUS,-A,-UM. duc, Roma, malorum/continuam
seriem clademque in tempora multa 1.671
continuo per tot satiabunt tempora regno?
1.315
singula continuis cesserunt ictibus arma.
3.486
continuus multis subitarum tractus
aquarum/ aera non passus uacuis discurrere
uenis 4.368
plurima tunc uoluit spumanti carmina
lingua/murmure contuo, ... 9.928
stata tempora flatus/continuique dies et
in aera longa potestas, ... 10.241
CONTORQUEO,-ERE. inpulit aut saeui contorsit
tela Lycurgi/Eumenis, ... 1.575
uicinum inuoluens contorto uertice pontum.
3.631

inuenit arma furor: remum contorsit in
hostem 3.671
atque ipsas hausit, subitisque frementis/
uerticibus contorsit aquas et reppulit
aestus 4.102
cumque cauernae/ euomuere fretum contorti
uerticis undae/ Tauromenitanam uincunt
feruore Charybdim. 4.460
et non imbriferam contorto puluere nubem/
in flexum uiolentus agit: 9.455
scuta uirorum/ pilaque contorsit uiolento
spiritus actu 9.472
CONTRA(adv.). neque enim licuit procurrere
contra/ et miscere manus. 4.772
Thessalis, et contra 'si fata minora
moueres,/ pronum erat, o iuuenis, 6.605
dubio contra cui pectore Magnus/...
respondit 8.186
quanta dedit miseris melioris gaudia
terrae/ cum primum saeuos contra uidere
leones! 9.947
stat contra fortior aetas/ uix ulla
fuscante tamen lanugine malas. 10.134
finierat, contraque sacer sic orsus
Acoreus: 10.193
CONTRA(praep.). luctificus Titan numquam
magis aethera contra/egit equos 7.2
quem contra non longa uecta biremi/
appulerat scelerata manus, ... 8.562
haec fatur; quem contra talia frater:
9.125

contraque nocentia monstra/Psyllus adest
populis. 9.910
contraque incensa Leonis/ ora tumet 10.233
CONTRAHO,-ERE. in minimum mors contrahit omnia
uirus. 9.776
CONTRARIUS,-A,-UM. fratri contraria Phoebe
/ibit 1.77
ostia nascenti contraria soluere Phoebo/
audet 3.231
nunc sude nunc duro contraria pectora
conto/detrudit muris, ... 6.174
siue per ambages solitas contraria
uisis/ uaticinata quies magni tulit omina
planctus, ... 7.21
sensitque deorum/esse dolos et fata suae
contraria menti. 7.86
uotaque sollicitis faciens contraria
nautis/ conposita in mortem iacuit 9.115
abstulit has liber uentis contraria
uoluens/aestus 9.333
CONTUNDO,-ERE. 'nunc', ait 'o miserae,
contundite pectora, matres, . . . 2.38
effusas laniata comas contusaque pectus
2.335

aduersosque iubet ferro confundere
(contundere) uoltus, ... var.7.575
planctu contusa peribit, ... 9.105
CONTUS. inpulsae tonsis(contis)tremuere
carinae var.3.527
nunc sude nunc duro contraria pectora
conto/ detrudit muris, ... 6.174
CONUALLIS. par tumulo, mediisque sedent
conuallibus arua. 3.380
solusque quietem/ Euboici uasta lateris
conualle tenebis'. 5.196
multis... uisus.../ ...abruptis mergi
conuallibus Haemus, ... 7.174
quos inter in alta/ it conualle tacens
iam moribus unda receptis. 10.329
CONUBIUM. mox, ubi conubii pretium mercesque

100

CONUBIUM
    soluta est/ tertia iam suboles,   2.330
    da tantum nomen inane/ conubii;   2.343
CONUELLO,-ERE. uel si conuolso uertice
    Gaurus/ decidat 2.667
    crebraque sublimes conuellunt uerbera
    puppes, ... 3.528
    et nimis adfixos unci conuellere morsus,
       3.699
CONUENIO,-IRE. extremi multorum tempus in
    unum/ conuenere dies. 1.651
    memini.../ perque omnes truncos, cum qua
    ceruice recisum/ conueniat, quaesisse,
    caput. 2.173
    iamque diu uolucres ciuilia castra secutae
    /conueniunt. 7.832
CONUERTO,-ERE. canimus, populumque potentem/
    in sua uictrici conuersum uiscera dextra
       1.3
    tu quoque laetatus conuerti proelia,
    Treuir, ... 1.441
    Caesaris audito conuersus nomine Sulla.
       2.465
    nec licet ad duros Martem conuertere
    Hiberos, ... 2.629
    ergo hostes portis, quas omnis soluerat
    urbis/ cum fato conuersa fides, murisque
    recepti 2.705
    sic postquam fatus, ad urbem/haud trepidam
    conuertit iter; 3.373
    ait 'raptumque fuga conuertite bellum
       4.163
    ut leti uidere uiam, conuersus in iram/
    praecipitem timor est. 4.267
    uix inpune suos inter conuertitur enses;
       4.779
    desperare uiam et uetitos conuertere
    cursus/ sola salus. 5.574
    sic fatus in ortus /Phoebeos condixit
    (conuertit) iter, ... var.6.330
    tot surdas gentibus aures/ caelicolum
    dirae conuertunt carmina gentis. 6.444
    glomerataque nubes/ in sua conuersis
    praeceps ruit agmina frenis. . . 7.531
    uerbere conuersae cessantis excitat
    hastae, ... 7.577
    Persea Phoebeos conuerti iussit ad ortus
       9.667
    Zephyro conuertitur ales 9.689
    exiguane uia legem conuertimus anni? 9.875
    Iouis uolucer, calido cum protulit ouo/
    inplumis natos, solis conuertit ad ortus:
       9.903
CONUEXUS. tum superum conuexa tremunt atque
    arduus axis/ intonuit 5.632
    extremique fragor conuexa inrumpit Olympi,
       7.478
    semustaque membra relinquens/degeneremque
    rogum sequitur conuexa Tonantis. 9.4
CONUICIUM. nec more Sabino/ excepit tristis
    conuicia festa maritus. 2.369
    gemitus lacrimaeque secuntur/plurimaque
    in saeuos populi conuicia diuos. 7.725
    non... gratius.../ omne quod in superos
    audet conuicia uolgus/... quam pauca
    Catonis/ uerba 9.187
CONUOCO,-ARE. conuocat armatos extemplo ad
    signa maniplos, ... 1.296
CONUOLUO,-ERE. cum mare conuoluit gentes,
       5.623
COOPERIO,-ERE. [nec non innumero cooperta
    examine signa] 7.161

COPIA. nunc, rara datur si copia ferri, 3.693
    inde, ubi nulla data est miscendae copia
    mortis, ... 4.283
    sed pronum, cum tanta nouae sit copia
    mortis, /Emathiis unum campis attollere
    corpus, ... 6.619
    miles, adest totiens optatae copia pugnae.
       7.251
COQUO,-ERE. inmensis coxit fornacibus aera.
       6.405
    Tyrio cuius pars maxima fuco/ cocta diu
    uirus non uno duxit aeno, ... 10.124
COR. cor iacet, et saniem per hiantis
    uiscera rimas 1.624
    nec fessa quiescunt/ corda, . . . 5.217
    Pompeius.../... stat corde gelato/
    attonitus; 7.339
    riguerunt corda, ... 8.60
    furens exquireret aruis/ quas poscebat
    aquas sitiens in corde uenenum. 9.750
CORA. Gabios Veiosque Coramque/puluere uix
    tectae poterunt monstrare ruinae 7.392
CORCYRA. in portus, Corcyra, tuos, seu
    laeua petatur 2.623
    cuius adhuc remis quatitur Corcyra
    sinusque/Leucadii.../exiguam uector
    pauidus correpsit in alnum. . . . 8.37
    Corcyrae secreta petit 9.32
CORDUS. e latebris pauidus decurrit ad
    aequora Cordus. 8.715
CORFINIUM. at te Corfini ualidis circumdata
    muris/ tecta tenent, pugnax Domiti; 2.478
    nec Rheni miles in undis/exploratus erat,
    Corfini captus in arce, ... 4.697
CORNELIA. et sit ciuili propior Cornelia
    bello?' 2.349
    innupsit tepido paelex Cornelia busto.
       3.23
    Lesboque remota/ te procul a saeui
    strepitu, Cornelia, belli 5.726
    dum fouet amplexu grauidum Cornelia curis
       5.735
    qua tunc tellure latebas/ maestior, in
    mediis quam si, Cornelia, campis/Emathiae
    stares. 8.42
    at non Cornelia letum/ infando sub rege
    timet. 8.396
    ibat in hostilem praeceps Cornelia puppem.
       8.577
    tendebat geminas amens Cornelia palmas.
       8.583
    uidet hanc Cornelia caedem/ Pompeiusque
    meus: 8.632
    at non tam patiens Cornelia cernere
    saeuum,/ quam perferre, nefas . . 8.637
    uiuis adhuc, coniunx, et iam Cornelia
    non est/iuris, Magne, sui: . . . 8.659
    sit satis, o superi, quod non Cornelia
    fuso/ crine iacet 8.739
    sed te Cornelia, Magne,/ accipiet 8.769
    frustra precibus Cornelia nautas/
    priuignique fugam tenuit, ... 9.51
    ut uisa est.../... Cornelia puppe/
    egrediens, rursus geminato uerbere
    plangunt. 9.172
CORNEUS,-A,-UM. ungula frondentem discussit
    cornea campum. 6.83
CORNIGER,-A,-UM. non corniger Hammon/mittere
    Marmaricas cessauit in arma cateruas,
       3.292
    stat sortiger (corniger) illic/ Iuppiter,

CORNIGER	**CORPOR**

CORNIGER
    ut memorant, ... var.9.512
    cornigerique Iouis monitu noua fata
    petebant; 9.545
CORNIPES. nec profuit ulli/ cornipedis rupisse
    moras, ... 4.762
    cornipedem exhaustum cursu stimulisque
    negantem/ Magnus agens incerta fugae
    uestigia turbat 8.3
CORNIX. instabili gressu metitur litora cornix.
    5.556
CORNU. auxerat undas/tertia iam grauido
    pluuialis Cynthia cornu 1.218
    non pia concinuit cum rauco classica
    cornu. 1.238
    cornuque coacto/ iam Phoebe toto fratrem
    cum redderet orbe 1.537
    cornua succincti premerent cum torua
    ministri, ... 1.612
    exul in aduersis explorat cornua truncis
    2.603
    Hadriacas flexis claudit quae cornibus
    undas. 2.615
    hostes.../ praecipiti cursu flexi per
    cornua portus/ ora petunt 2.706
    cornua Romanae classis ualidaeque
    triremes/ quasque quater surgens extructi
    remigis ordo/commouet 3.529
    et iam diductis extendunt cornua proris
    3.547
    seu Phoebum uideat seu cornua lunae, 3.595
    Cynthia, quo primum cornu dubitanda
    refulsit, ... 4.60
    flexo nauita cornu/ obliquat laeuo pede
    carbasa 5.427
    lunaque non gracili surrexit lucida cornu
    5.546
    nec duxit recto tenuata cacumina cornu,
    5.548
    mouit tantum uox illa furorem,/ quantum
    non primo succendunt classica cantu(cornu),
    var.6.166
    cornus tibi cura sinistri,/ Lentule,
    cum prima.../ et quarta legione datur.
    7.217
    nonne superfusis collectum cornibus hostem
    /in medium dabimus? 7.365
    tum stridulus aer/ elisus lituis
    conceptaque classica cornu, . . . 7.476
    ut primum toto diduxit cornua campo/
    Pompeianus eques.../... leuis armatura...
    /insequitur 7.506
    emittit subitum non motis cornibus agmen.
    7.524
    iusto uela modo pendentia cornibus aequis
    /torsit 8.193
    sed non aut fulmina uibrans/ aut
    similis nostro, sed tortis cornibus Hammon.
    9.514
    urunt/ habrotonum et longe nascentis
    cornua cerui. 9.921
CORONA. iudicium insolita trepidum cinxere
    corona 1.321
    uix te sparsum per uiscera, Baebi,/
    innumeras inter carpentis membra coronae/
    discessisse manus, ... 2.120
    turritaque premens frontem
    matrona corona 2.358
    hunc fabula primum/populea fluuium ripas
    umbrasse corona, ... 2.411
    cum moenia clausa/conspicit et densa
    iuuenum uallata corona. 3.374

    agmina... muro breuiore recepit/densius
    ut parua disponeret arma corona. 6.289
    accipiunt sertas nardo florente coronas
    10.164
CORONO,-ARE. festa coronato non pendent
    limine serta, ... 2.354
CORPUS. dum mouet naec calidus spirantia
    corpora sanguis 1.363
    attonitae tacuere domus, cum corpora
    nondum/conclamata iacent nec mater crine
    soluto/exigit 2.22
    permixtaque uiua sepultis/corpora, 2.153
    uidimus et toto quamuis in corpore caeso/
    nil animae letale datum, moremque
    nefandae/dirum saeuitiae, pereuntis
    parcere morti. 2.178
    uiua graues elidunt corpora trunci. 2.206
    in fluuium primi cecidere, in corpora
    summi. 2.211
    et, desit si larga Ceres, tunc horrida
    cerni/foedaque contingit maculato
    attingere (corpora) morsu. . . .var.3.348
    sed maior Graio Romana in corpora ferro/
    uis inerat. 3.463
    frangit cuncta ruens, nec tantum corpora
    pressa/ exanimat, ... 3.472
    medio concurrit corpore ferrum, 3.588
    deiectum in pelagus perfosso pectore
    corpus/ uolneribus transmisit aquas. 3.660
    corpora caesa tenent spoliantque cadauera
    ferro. 3.675
    distentis toto riguit sed corpore palmis.
    3.734
    accensisque rogis miseri de corpore trunco
    /certauere patres. 3.760
    nec languida fessi/corpora sustentant
    epulis, ... 4.307
    huc fractas Aquilone rates summersaque
    pontus/corpora saepe tulit caecisque
    abscondit in antris; 4.458
    conferta iacent cum corpora campo, 4.490
    bustisque remittunt/corpora uictores,
    4.572
    prodidit et gelidus fesso de corpore sudor.
    4.623
    Herculeosque nouo laxauit corpore nodos.
    4.632
    membrorumque uidet lapsum et ferientia
    terram/ corpora: 4.787
    Libycas, en, nobile corpus/ pascit aues
    nullo contectus Curio busto. . . . 4.809
    cum te raperet mare, corpora segnis/
    nostra sopor tenuit. 5.689
    non iuuat in toto corpus iactare cubili:
    5.812
    corpora dum soluit tabes et digerit
    artus, ... 6.88
    mixta iacent incondita uiuis/corpora;
    6.102
    subeuntisque obruit hostis/corporibus,
    6.172
    uiperei coeunt abrupto corpore nodi,
    6.490
    tracta durescunt tabe medullae/corpora,
    6.540
    pendentia corpora carpsit 6.544
    illa genae florem primaeuo corpore uolsit,
    6.562
    hic ardor solusque labor, quid corpore
    Magni/proiecto rapiat, ... 6.587
    pronum.../ Emathiis unum campis attollere

CORPOR

corpus, ... 6.620
pererrat/ corpora caesorum tumulis
proiecta negatis. 6.626
pulmonis... fibras/inuenit et uocem
defuncto in corpore quaerit. . . 6.631
electum tandem traiecto gutture corpus/
ducit, ... 6.637
aspicit astantem proiecti corporis umbram,
6.720

uideor...spectare.../... sparsumque
senatus/ corpus et inmensa populos in
caede natantis. 7.294
ne tanto in corpore bellum/ iam possit
ciuile geri. 7.406
permixta secundo/ ordine nobilitas
uenerandaque corpora ferro/urguentur;
7.582
tot telis sua fata peti, tot corpora
fusa/... uidit. 7.652
sed timuit, strato miles ne corpore Magni/
non fugeret, ... 7.671
cernit.../... excelsos cumulis aequantia
colles/ corpora, ... 7.791
non interpositis urantur corpora flammis;
7.805
finemque sui sibi corpora debent. 7.811
coeperat in summum reuocato sanguine
corpus/ Pompei sentire manus . . 8.68
respexitque nefas, seruatque inmobile
corpus, ... 8.620
uictum pietate timorem/conpulit ut mediis
quaesitum corpus in undis/duceret ad
terram 8.719
da uilem Magno... arcam/ quae lacerum
corpus siccos effundat in ignes; 8.737
iuuenis procul aspicit ignes/corpus uile
suis nullo custode cremantis. . . 8.744
nobile corpus/ robora nulla premunt, 8.756
nam corpus Phariaene canes auidaeque
uolucres/ distulerint, an furtiuus...
ignis/ soluerit, ignoro. 9.141
corpus Alexandri pigra Mareotide mergam?
9.154
hoc primum natura nocens in corpore saeuas
/eduxit pestes; 9.629
ossaque dissoluens cum corpore tabificus
seps; 9.723
iamque sinu laxo nudum sine corpore
uolnus. 9.769
nec, quantus toto de corpore debet,/
effluit in terras, ... 9.774
parua loquor, corpus sanie stillasse
perustum: 9.783
toto iam corpore maior/... super omnia
membra/efflatur sanies late pollente
ueneno; 9.793
ipse latet penitus congesto corpore mersus,
9.796
totum est pro uolnere corpus. . . 9.814
sed corpora fatis/expositi uoluuntur humo,
9.842
extractamque potens gelido de corpore
mortem/expuit; 9.935
Latium sic scindere corpus/dis placitum:
10.416

CORREPO,-ERE. ac, siquis metuens medium
correpsit in agmen, ... 4.778
exiguam uector pauidus correpsit in alnum.
8.39

CORRIGO,-ERE. uocibus his correpta (correcta)
uiri uix aegra leuauit /membra solo

var.8.86

CORRIPIO,-ERE. credas.../corripuisse faces
aut iam quatiente ruina/ nutantes pendere
domos, ... 1.494
corripuit, quantoque gradu mors saeua
cucurrit! 2.100
Phemonoen.../ corripuit cogitque fores
inrumpere templi. 5.127
animumque dolentem/ corripit, . . 7.191
uocibus his correpta uiri uix aegra
leuauit /membra solo 8.86
corripiens patulum galeae confudit in
orbem 9.502
missusque satelles/... ut... absentis
uoce tyranni/ corriperet famulos, quo
bellum auctore mouerent. 10.470
CORRUMPO,-ERE. quid tot durare per annos/
profuit inmunem corrupti moribus aeui?
2.257
temptare parabant/ foederibus
turpique uolent corrumpere uita. 4.508
continuitque animam, nequas effundere
uoces/uellet et aeternam fletu corrumpere
famam. 8.617
casta domus luxuque carens corruptaque
numquam/ fortuna domini. 9.201
non tam ueloci corrumpunt pocula
leto/.../ toxica ... matura . . 9.819
se...Cleopatra.../ corrupto custode
Phari laxare catenas/intulit Emathiis...
tectis, ... 10.57
exigit infandam corrupto iudice noctem.
10.106
ipse locus templi, quod uix corruptior
aetas/ extruat, instar erat, . . 10.111
tanta obliuio mentis/ cepit in externos
corrupto milite mores/ ut duce sub
famulo... irent 10.404
CORRUO,-ERE. pudet.../ quaerere.../... quis
corruat ictus, ... 7.622
CORUINI. caedunt.../ Coruinosque simul
Torquataque nomina, ... 7.584
CORUS. non Corus in illum/ ius habet 1.406
portus erat, si non uiolentos insula
Coros/ exciperet saxis lassaque refunderet
undas. 2.617
quidquid caeli fuscator Eoi/ inpulerat
Corus, quidquid defenderat Indos. 4.67
si murmura ponti/ consulimus, Cori
ueniet mare. 5.572
primus at oceano caput exeris Atlanteo,
/Core, mouens aestus. 5.599
in fluctus Cori frangit mare, . 5.606
frenosque furentibus ira/ laxat et ut
uictus uiolento nauita Coro/ dat regimen
uentis 7.125
nec tantos carbasa Coro/ curuauere sinus.
9.799
tota secundis/ uela dedit Coris, 9.1001
CORUSCUS. imaque telluris uentos tractusque
coruscos/ flammarum accipiunt; . 2.270
ardentisque acies percussis sole corusco
/conspexit telis, ... 2.482
ultro acies inferre parant, armisque
coruscas/ nocturni texere faces, 3.498
CORYCIUS. deseritur.../ Coryciumque patens
exesis rupibus antrum; 3.226
nunc et Corycias classes et Pontica signa/
deiectum meminisse piget. . . . 8.26
solet pariter totis se fundere signis/
Corycii pressura croci, sic omnia

CORYCIUS

    membra 9.809
COSTOS. et tamarix non laeta comas Eoaque
    costos/... sonant flammis 9.917
COTTA(L. Aurelius). oblitus simulare togam;
    cum Cotta Metellum /conpulit audaci
    nimium desistere coepto. 3.143
COTTA(L. Aurunculeius). gaudetque.../ Neruius
    et caesi pollutus foedere Cottae,   1.429
COTYS. tum Sadalam fortemque Cotyn fidumque
    per arma/ Deiotarum... /conlaudant, 5.54
COUINNUS. gaudetque.../ et docilis rector
    monstrati Belga couinni, ... 1.426
COUS,-A,-UM. spirat de litore Coo/ aura
    fluens; 8.246
CRASSUS,-A,-UM. iamque hebes et crasso non
    asper sanguine mucro/... /perdidit ensis
    opus, ...   6.186
    et tuus, Oeneu,/ paene gener crassis
    oblimat Echinadas undis, ... 6.364
    uiderat in crasso uersantem sanguine
    membra/ Caesar, ...   7.605
    plenior huc sanguis et crassi gutta
    ueneni/ decidit; 9.702
    crassumque trabes absconderat aurum.
                                        10.113
CRASSUS(triumuir). Ausoniis umbraque erraret
    Crassus inulta 1.11
    Crassus erat belli medius mora.   1.100
    arma ducum dirimens miserando funere
    Crassus/... maculauit sanguine Carrhas,
                                        1.104
    et Scythicis Crassus uictor remeasset ab
    oris, ...   2.553
    inuenit ista deos; Crassumque in bella
    secutae/ saeua tribuniciae uouerunt
    proelia dirae. 3.126
    audentque in bella uenire/experti
    Scythicas Crasso pereunte pharetras. 8.302
    temptare pudendum/ auxilium tanti est...
    ut.../...te parua tegant ac uilia busta,
    /inuidiosa tamen Crasso quaerente
    sepulchrum? 8.394
CRASSUS(triumuiri filius). quo plura iuuent
    Parthum portenta, fuisse/ hanc sciet et
    Crassi: 8.415
CRASSI(pater et filius). truncos lacerauit
    Fimbria Crassos; 2.124
    me pronuba ducit Erinys/Crassorumque
    umbrae, ...   8.91
    aut me fortuna necesse est/uindicet aut
    Crassos.' 8.327
    iuuat ire per orbem/.../ signaque ab
    Euphrate cum Crassis capta sequentem?
                                        8.358
    quod... crimen.../ maior erit, quam quod
    .../Crassorum uindicta perit?   8.422
    o bene nudi/Crassorum cineres: 9.65
    non felix Parthia Crassis/exiguae secura
    fuit prouincia Pellae. 10.51
CRASTINUS,-A,-UM. nec lux est notior ulli/
    crastina, seu Phoebum uideat seu cornua
    lunae, ...   3.595
    crastina dira quies et imagine maesta
    diurna/undique funestas acies feret, 7.26
CRASTINUS. sed sensum post fata dent, Crastine,
    morti, ...   7.471
CRATES. nuda iam crate fluentis/inuadunt
    clipeos 1.241
    perpetuam rupit defesso milite cratem
                                        3.485
    percussae cedunt crates, ...   3.495

CREATOR. quas ille creator/ atque opifex
    rerum certo sub iure coercet.   10.266
CREBER, -BRA,-BRUM. tu, quaecumque moues tam
    crebros causa meatus, ...   1.418
    fulgura fallaci micuerunt crebra
    sereno, ...   1.530
    uotisque uocari/adsuetas crebris feriunt
    ululatibus aures. 2.33
    uerberibus crebris cineresque ingesta
    sepulchri, ...   2.336
    leuis totas accepit habenas/ in campum
    sonipes, crebroque simillima nimbo 2.501
    et sudibus crebris et adusti roboris ictu
    /percussae cedunt crates, . . .   3.494
    crebraque sublimes conuellunt uerbera
    puppes. 3.528
    arma tegens, crebra confixus cuspide
    perstat 3.620
    multoque cruore/ plena per obliquum
    crebros latus accipit ictus . .   3.628
    quamuis crebra micent: extinguunt fulgura
    nimbi. 4.78
    quod creber anhelitus illi/prodidit et
    gelidus fesso de corpore sudor.   4.622
    pectora rauca gemunt, quae creber
    anhelitus urguet, ...   4.756
    gradum.../ nec quamuis crebris iussi
    calcaribus addunt: 4.760
    roboris inpacti crebros gemit agger ad
    ictus. 6.137
    fortis crebris sonat ictibus umbo, 6.192
    foribus testudinis Indae/terga sedent,
    crebro maculas distincta zmaragdo. 10.121
CREDO,-ERE. nec gentibus ullis/ credite nec
    longe fatorum exempla petantur: 1.94
    plus illa uobis acie, quam creditis, actum
    est, ...   1.107
    multumque priori/credere fortunae. 1.135
    credidimus satis his, utendum est iudice
    bello.' 1.227
    uox nulla dolori/credita, sed quantum,
    uolucres cum bruma coercet, . . .   1.259
    credas aut tecta nefandas corripuisse
    faces 1.493
    desereris; nox una tuis non credita muris.
                                        1.520
    nec sibi sed toti genitum se credere
    mundo. 2.383
    nil actum credens cum quid superesset
    agendum, ...   2.657
    namque ignibus atris/creditur, ut captae
    rapturus moenia Romae/sparsurusque deos.
                                        3.99
    tresque petunt ueram credi Salamina
    carinae. 3.183
    (Phoenices primi, famae si creditur,
    ausi 3.220
    nostrisque uelis te credere muris
                                        3.331
    in sua credebant redituras membra securis.
                                        3.431
    credite me fecisse nefas'. . . .   3.437
    telluris inanis/concussisse sinus
    quaerentem erumpere uentum/credidit et
    muros mirata est stare iuuentus.   3.461
    sed, se per uacuos credit dum surgere
    fluctus, ...   3.703
    letum praecedere nati/ festinantem
    animam morti non credidit uni.   3.751
    credidit ora uiri Romanum amplexa cadauer,
                                        3.759

et nunc causa mihi est orandae sola
salutis/dignum donanda, Caesar, te credere
uita. 4.347
Spartanos Cretasque ligat, nec creditur
ulli 4.441
non credere solo, sternique uetabere
terra. 4.647
terrisque diu non credidit hostem.   4.653
ille fugam credens simulatae nescius artis,
                                     4.744
securumque nemus ueritam se credere Phoebo
/prodiderant. 5.156
numquid inexperto tua credimus arma
profundo 5.486
dum se desse deis ac non sibi numina
credit, ...   5.499
'multa quidem prohibent nocturno credere
ponto. 5.540
tum Calabro portu te crede potitum   5.589
Aeolii iacuisse Notum sub carcere saxi/
crediderim; 5.610
credit iam digna pericula Caesar/fatis
esse suis. 5.653
credisne aliquid mihi tutius esse quam
tibi? 5.768
ac ueritus credi clipeo laeuaque uacasse
/... tot uolnera belli/ solus obit   6.203
credidit infelix simulatis uocibus Aulus
                                     6.236
uicinaque moenia castris/Haemonidum.../
... quarum quidquid non creditur ars est.
                                     6.437
causamque senatus/credere dis dubitas?
                                     7.77
(dubium, monstrisne deum nimioque pauore/
crediderint) multis concurrere uisus
Olympo/ Pindus 7.173
uincat.../ quique suos ciues, quod signa
aduersa tulerunt/non credit fecisse nefas.
                                     7.315
credite pendentes e summis moenibus urbis
/...hortari in proelia matres;   7.369
credite grandaeuum uetitumque aetate
senatum/arma sequi sacros pedibus
prosternere canos 7.371
credite qui nunc est populus populumque
futurum/permixtas adferre preces: 7.374
sustinuit dignos etiamnunc credere uotis/
caelicolas, ...   7.657
crede deis, longo fatorum crede fauori,
                                7.705(bis)
seque... tantae mercedis habere/credit
adhuc iugulum, quantam pro Caesaris ipse/
auolsa ceruice daret. 8.11
crederet hoc Magnus, pacem cum praestitit
undis,/et sibi consultum? 8.256
credis, Magne, uiros, quos in discrimina
belli/ cum ferro misisse parum est?   8.389
si numina nasci/credimus aut quemquam
fas est coepisse deorum. 8.459
quacumque feriris/crede manum soceri.
                                     8.629
quis ratibus tantis fugientia crederet ire
/agmina, ...   9.34
et in nulla non creditur esse carina.   9.48
nec credens Pharium tantum potuisse
tyrannum/litore Niliaco socerum iam stare
putaui. 9.134
credet faciles sibi terga dedisse,   9.270
credet ab Emathiis primos fugisse
Philippis. 9.271

tertia pars rerum Libye, si credere
famae/ cuncta uelis; 9.411
nam cui crediderim superos arcana
daturos/...quam sancto...Catoni?   9.554
ac dubiis ueritus se credere regnis/
abstinuit tellure rates. 9.1009
dignumque clientem/castris crede tuis cui
tantum fata licere/in generum uoluere
tuum. 9.1025
uoltus, dum crederet, haesit;   9.1036
credis apud populos Pompei nomen amantis/
hoc castris prodesse tuis? . . .   9.1050
nec fallere uosmet/credite uictorem:
                                     9.1082
nec turba querenti/credidit: . .   9.1106
nec non Oceano pasci Phoebumque polosque
/credimus : 10.259
crede, miser, puero, quem nox si
iunxerit una/.../ meque tuumque caput...
illi/... donabit. 10.361
quem non e nobis credit Cleopatra
nocentem/ a quo casta fuit? . . .   10.369
sic barbara Colchis/ creditur ultorem
metuens regnique fugaeque/.../expectasse
patrem. 10.465
CREMO,-ARE. iuuenis procul aspicit ignes/
corpus uile suis nullo custode crementis.
                                     8.744
CREO,-ARE. Phasidos et campis insomni dente
creati/ terrigenae 4.552
CREPO,-ERE. ut primum rostris crepuerunt
obuia rostra, ...   3.544
CRES. Spartanos Cretasque ligat, . . .   4.441
CRESCO,-ERE. laetis hunc numina rebus/
crescendi posuere modum. 1.82
lunata classe recedunt/ordine
contentae gemino creuisse Liburnae.   3.534
creuit in aduersis uirtus: 3.614
creuit amore nefas. 4.205
iamque relabenti crescebant litora ponto:
                                     4.429
celeresque carinas/continuit, cursu
crescat dum praeda secundo, . . .   4.435
nec patitur noctes nec iniquos crescere
soles, ...   5.25
non magis ablatis umquam descenderit
aequor,/ quam nunc crescit, aquis.   5.339
tum quoque tanta maris moles creuisset
in astra 5.625
ut primum cumulo crescente cadauera murum/
admouere solo, ...   6.180
stagnumque inplentibus unum/crescere
cursus erat. 6.347
(hunc genuit custos Nili crescentis in
arua/Memphis uana sacris; 8.477
nec, Nilus cui crescat, erit; . .   9.163
an.../... laudandaque uelle/ sit satis
et numquam successu crescat honestum?
                                     9.571
nondum stante modo crescens fugere
cadauer. 9.804
nec culmis creuere tori, ...   9.842
uana fides ueterum, Nilo, quod crescat
in arua,/Aethiopum prodesse niues.   10.219
ius tibi... aliena crescere bruma   10.299
modumque uetat crescendi ponere ripas.'
                                     10.331
CRETA. quos Creta profugos uexere per aequora
puppes/Cecropiae 2.611
uictorique dedit Minoia Creta Metello,
                                     3.163

CRUDUS

iam dilecta Ioui centenis uenit in arma/
Creta uetus populis Cnososque agitare
pharetras 3.185
illuc et Libye Numidas et Creta Cydonas
/misit, ... 7.229
erit Aegyptus populis fortasse nepotum/
tam mendax Magni tumulo quam Creta
Tonantis. 8.872
Boreaque urgente carinas/ Graia(Creta)
fugit, ... var.9.38
CRIMEN. crimine quo parui caedem potuere
mereri? 2.108
uix erit ulla fides tam saeui
criminis, unum/ tot poenas cepisse caput.
2.186
crimen erit superis et me fecisse
nocentem. 2.288
hoc siquidem solo ciuilis crimine belli/
dux causae melioris eris. 4.258
fortunae, Ptolemaee, pudor crimenque
deorum, ... 5.59
qui nesciret in armis/ quam magnum uirtus
crimen ciuilibus esset. 6.148
dedecus hic belli Magno crimenque remisit,
6.248
hos scelerum ritus, haec dirae crimina
gentis/effera damnarat nimiae pietatis
Erictho 6.507
hoc placet, o superi.../... nostris
erroribus addere crimen? 7.59
Pompei nec crimen erit nec gloria bellum.
7.112
crimen ciuile uidemus/tot uacuas urbes.
7.398
sceleris sed crimine nullo/ externum
maculant chalybem: 7.517
hic furor, hic rabies, hic sunt tua
crimina, Caesar. 7.551
Thessalia, infelix, quo tantum crimine,
tellus,/ laesisti superos, ... 7.847
crimenque deum crudele notauit, . . 8.55
haec iam crimen habent. 8.118
hoc solum crimen meritae bene detrahe
terrae, ... 8.125
nam quod apud populos crimen socerique
tuumque/maius erit, ... 8.420
quid sepositam semperque quietam/ crimine
bellorum maculas Pharon, ... 8.514
iam crimen habemus/purgandum gladio.
8.517
quam metuis, demens, isto pro crimine
poenam 8.781
obrue saxa/ crimine plena deum. 8.800
quid tibi, saeua, precer pro tanto
crimine, tellus? 8.827
crimen commendat harenas. 9.82
superis haec crimina dono: 9.144
siquo fuerit discrimine (sub crimine)
notum/ dux an miles eam. . . . var.9.401
nullo glaebarum crimine pura/ et penitus
terra est. 9.425
ac prius infanda commendat crimina uoce.
9.1013
quam magna remisit/ crimina Romano
tristis fortuna pudori, ... 9.1060
uos condite busto/tanti colla ducis, sed
non ut crimina solum/ uestra tegat tellus:
9.1090
procul hoc auertite, fata/crimen, ut haec
Bruto ceruix absente secetur. 10.342
CRINIGER. et uos, crinigeros Belgis arcere

Caycos/oppositi, ... 1.463
CRINIS. turrigero canos effundens uertice
crines 1.188
et nunc tonse Ligur, quondam per colla
decore/ crinibus effusis toti
praelate Comatae, ... 1.443
uiderunt.../ obliquas per inane faces
crinemque timendi/sideris 1.528
quos sectis Bellona lacertis/saeua mouet,
cecinere deos, crinemque rotantes/
sanguineum populis ulularunt tristia
Galli. 1.566
cum corpora nondum/conclamata iacent
nec mater crine soluto/exigit . . 2.23
et qui tinguentes croceo medicamine crinem
3.238
cingere Pellaeo pressos diademate crinis
/permissum. 5.60
stringit uitta comas, crinesque in terga
solutos/candida Phocaica conplectitur
infula lauro. 5.143
alterius flamma crinesque genasque
/succendit, ... 6.178
uoltusque aperitur crine remoto, 6.655
lacerasset crine soluto/pectora femineum
7.38
Pallas Gorgoneos diffudit in aegida
crines, ... 7.149
credite.../ crinibus effusis hortari in
proelia matres; 7.370
sit satis, o superi, quod non Cornelia
fuso/ crine iacet 8.740
'ergo indigna fui',.../... laceros exurere
crines 9.57
uipereumque fluit depexo crine uenenum.
9.635
Eumenidum crines solos mouere furores,
9.642
defenduntque caput protenti crinibus
hydri, ... 9.673
uoltusque gelassent /Perseos auersi, si
non Tritonia densos/ sparsisset crines
texissetque ora colubris. . . . 9.683
haec Libycos, pars tam flauos gerit
altera crines 10.129
CRISTA. excussit cristas galeis . . 7.158
CROCEUS,-A,-UM. et qui tinguentes croceo
medicamine crinem 3.238
CROCUS. solet pariter totis se fundere signis/
Corycii pressura croci, ... 9.809
CROESUS. qua Croeso fatalis Halys, 3.272
CRUDELIS,-E. tibi causa petendae/ haec fuit
Hesperiae, uisum est quod mittere quemquam
/tam saeuo crudele mari. 5.692
adde quod adsuescis fatis tantumque
dolorem/crudelis, me ferre doces. 5.777
crimenque deum crudele notauit, 8.55
ades huc atque exige poenas/Iulia
crudelis, ... 8.104
'quo sine me crudelis abis? . . . 8.584
nescis, crudelis, ubi ipsa/uiscera
sint Magni: 8.644
crudelemque toris dominam mactemus in
ipsis 10.374
CRUDUS,-A,-UM. caespitibus crudaque extruxit
bracchia terra. 3.387
rore madentis/destringunt ramos et
siquos palmite crudo/arboribus aut
tenera sucos pressere medulla . . 4.317
et crudae putri fluxerunt puluere cautes.
3.507

CRUENTUS,-A,-UM. in numerum pars magna perit,
    raputque cruentus/uictor ab ignota
    uoltus ceruica recisos 2.111
    dissiluit percussus humo, mortesque
    cruento/uictori rapuere suas; . .   2.156
    et strage cruenta/interruptus aquae fluxit
    prior amnis in aequor, ... 2.212
    ut torpore senex caruit uiresque
    cruentus/coepit habere dolor, . . . 3.741
    prima dies belli cessauit Marte cruento
                                         4.24

    cum sorte cruenta/fratribus incurrunt
    fratres natusque parenti, ... 4.562
    iam strage cruenta/conspicitur cumulata
    ratis, ... 4.570
    tandem uolgata cruenti/fama mali terras
    monstris aequorque leuantem /magnanimum
    Alciden Libycas exciuit in oras.   4.609
    inferiis Fortuna nouis, ferat iste
    cruentus/Hannibal et Poeni tam dira
    piacula manes. 4.789
    ius licet in iugulos nostros sibi fecerit
    ensis/Sulla potens Mariusque ferox et
    Cinna cruentus 4.822
    sitque mihi, si fata prement uictorque
    cruentus,/ quo fugisse uelim.' . . . 5.758
    stetit imbre cruento/informis facies 6.224
    hac luce cruenta/effectum, ut Latios
    non horreat India fasces, ... 7.427
    inspicit et gladios,.../qui niteant primo
    tantum mucrone cruenti, ...   7.561
    tabemque cruentae/caedis odorati Pholoen
    liquere leones. 7.826
    omnisque cruenta/alite sanguineis
    stillauit roribus arbor. 7.836
    sat magna feram solacia mortis/orbe
    iacens alio, nihil haec in membra cruente,
    /nil socerum fecisse pie. 8.315
    iacet omne cruenti/uolneris auxilium?
                                         8.333

    hinc super Emathiae ·campos et signa
    cruenti/Caesaris...uolitauit . . . 9.15
    parua modo serpens, sed qua non ulla
    cruentae/tantum mortis habet. . . . 9.766
    famae cura uetat, ne non damnasse
    cruentam/ sed uidear timuisse Pharon.
                                         9.1080
    hilaresque nefas spectare cruentum,/...
    audent. 9.1107
CRUOR. gentibus inuisis Latium praebere
    cruorem   1.9
    hoc cruor Arctois meruit diffusus in aruis
                                         1.301
    altus caesorum pauit cruor armentorum,
                                         1.329
    nec cruor emicuit solitus, ...   1.614
    uiscera tincta notis gelidoque infecta
    cruore 1.619
    stat cruor in templis multaque rubentia
    caede/lubrica saxa madent. . . .   2.103
    omnisque humanis lustrata cruoribus arbor.
                                         3.405
    cruor altus in unda/spumat, . . .   3.572
    donec utrasque simul largus cruor expulit
    hastas 3.590
    strage uirum cumulata ratis multoque
    cruore/plena per obliquum crebros latus
    accipit ictus 3.627
    sedibus expulsi, postquam cruor omnia
    rupit /uincula, ...   3.712
    si torrida paruos/ uenit in ora cruor,

redeunt rabiesque furorque 4.240
mobile neruis/conamen calidus praebet
cruor 4.287
nec cruor effusus campis tibi bella
peregit 4.354
terras fundendus in omnis/est cruor et
Caesar per tot sua fata sequendus.   4.392
utque satis bello uisum est fluxisse
cruoris 4.539
'ecquis' ait 'iuuenum est cuius sit
dextra cruore/digna meo 4.542
multumque cruorem/infudere mari.   4.567
fluuios non ille cruoris/membrorumque
uidet lapsum 4.785
terris fudisse cruorem/quid iuuat Arctois
                                     5.267
citraque cruorem/confixae stant tela ferae
                                     6.211
totus mitti ciuilibus armis/usque uel in
pacem potuit cruor: 6.300
[nec refugit caedes, uiuum si sacra
cruorem] 6.556
protinus astrictus caluit cruor atraque
fouit/uolnera 6.750
uideor fluuios spectare cruoris   7.292
Romanus cunctis petitur cruor;   7.511
utinam, Pharsalia, campis/sufficiat cruor
iste tuis, ...   7.536
uolnera multorum totum fusura cruorem/
opposita premit ipse manu. . . .   7.566
scit cruor imperii qui sit, quae uiscera
rerum 7.579
pudet.../ quaerere.../quis cruor emissis
perruperit aera uenis 7.625
cunctos haerere cruores/Romanus campisque
uetat consistere torrens. 7.636
cernit propulsa cruore /flumina   7.789
aut cruor aut alto defluxit ab aethere
tabes 7.839
at non stare suum miseris passura cruorem
/... ingens haemorrhois explicat orbes,
                                     9.708
ferroque aperire tumentis/sustinuit uenas
atque os inplere cruore. 9.760
quaecumque foramina nouit/ umor, ab his
largus manat cruor; 9.812
at tibi, Laeue miser, fixus praecordia
pressit/ Niliaca serpente cruor,   9.816
ipse cruor tutus nullumque admittere uirus
                                     9.894
accipe regna Phari nullo quaesita cruore
                                     9.1022
poteratque cruor per regia fundi/pocula
Caesareus 10.423
CRUS. sed prohibent socii suspensaque crura
retentant. 3.637
tunc obliqua percussa labare/
crura manu. 4.626
miserique in crure Sabelli/ seps stetit
exiguus; 9.763
CRUSTO,-ARE. nec summis crustata domus
sectisque nitebat/marmoribus,   10.114
CRUSTUMIUM. cecidere.../Crustumiumque rapax
et iuncto Sapis Isauro 2.406
CRUX. abrasitque cruces 6.545
Caesareas spectate cruces, spectate
catenas, ...   7.304
crucibus flammisque luemus/si fuerit
formonsa soror. 10.365
non cruce, non flammis rapuit, non dente
ferarum: 10.517

CRYSTALLOS. manibusque ministrat/Niliacas
    crystallos aquas, ...   10.160
CUBILE. accipimus, siluisque feras sub nocte
    relictis/audaces media posuisse cubilia
    Roma. 1.560
    graminei luxere foci, iunctoque cubili/
    extrahit insomnis bellorum fabula noctes,
                                          4.199
    contentus tremulo monstrasse cubilia
    loro. 4.444
    ad somnos non terga ferae praebere cubile
    /adsuerunt, ...   4.603
    somno quam saepe grauata/ deceptis uacuum
    manibus conplexa cubile est . . .   5.809
    non iuuat in toto corpus iactare cubili:
                                          5.812
    stratumque cubile/regibus infandus miles
    premit, ...   7.761
    nam neque congestae struxere cubilia
    frondes 9.841
    hoc animi nox illa dedit quae prima cubili
    /miscuit incestam ducibus Ptolemaida
    nostris. 10.68
CULMEN. stantem sublimi Tyrrhenum culmine
    prorae 3.709
    inmotaque limina (culmina)templi/ . . .
    ueritam se credere Phoebo/prodiderant.
                                       var.5.155
    quam non e stabili tremulo sed culmine
    cuncta/despiceret 5.250
    spumatque in culmina pontus. . .   6.28
    quamuis summo de culmine lapsus/nondum
    uile sui pretium scit sanguinis esse, 8.8
    hac illum summo de culmine rerum/morte
    petit 8.702
    solitumque legi super alta deorum/culmina
    et extructos spoliis hostilibus arcus/
    haud procul est ima Pompei nomen harena/
    depressum tumulo, ...   8.819
    uolitantque a culmine raptae/detecto
    Garamante casae. 9.459
CULMUS. aduectos cum plena ferant praesepia
    culmos, ...   6.85
    nondum turgentibus altam/in segetem culmis
    cernit miserabile uolgus/in pecudum
    cecidisse cibos 6.110
    nec culmis creuere tori, ...   9.842
    coepit.../.../surgere congesto non culta
    mapalia culmo. 9.945
CULPA. culpa tantoque pudore/ solue domum,
                                         10.97
    ueritus credi.../aut culpa uixisse sua
    tot uolnera belli/solus obit . .   6.204
    nunc pugnate truces gladioque exsoluite
    culpam: 7.262
    haud ego culpa/ libera bellorum,   8.647
CULTER. coeperat obliquoque molas inducere
    cultro, ...   1.610
CULTOR. iustitiae cultor, rigidi seruator
    honesti, ...   2.389
    uenere feroces/Cappadoces, duri populus
    non cultor Amani, ...   3.244
    illo cultore deorum/lustra suae Phoebes
    non unus uixerat Apis) 8.478
    terra dabit: linquam uacuos cultoribus
    agros, ...   9.162
    Nasidium Marsi cultorem torridus agri/
    percussit prester. 9.790
    inpatiensque solum Cereris cultore
    negato/damnasti 9.857
CULTUS(subst.). cultus gestare decoros uix

nuribus rapuere mares; 1.164
cultus matrona priores/deposuit maestaeque
tenent delubra cateruae: 2.28
sicut erat, maesti seruat lugubria cultus
                                          2.365
coiere nec umquam/tam uariae cultu gentes,
tam dissona uolgi/ ora. 3.289
non illum cultu populi propiore
frequentant 3.422
discolor et uario furialis cultus amictu
/induitur, ...   6.654
accipe templorum cultus aurumque deorum;
                                          8.121
itque super Libyen, quae nullo consita
cultu/ sideribus Phoeboque uacat: 9.690
coepit.../.../ surgere congesto non culta
mapalia culmo. 9.945
captus.../ non auro cultuque deum, non
moenibus urbis, /effossum tumulis cupide
descendit in antrum. 10.18
diuitias Cleopatra gerit cultuque
laborat. 10.140
CUM(praep.). 1.177;1.238;1.300;1.310;1.312;
    1.341;1.353;1.607;1.642;1.670;2.101;2.172;
    2.454(bis);2.522;2.705;2.728;3.37;3.170;
    3.195;3.256;3.473;3.515;3.578;3.617;3.646;
    4.362;4.504;4.530;4.564;4.619;5.328;5.347;
    5.673;5.701;5.750;6.100;6.219;6.223;6.305;
    6.766;6.774;6.802;7.70;7.96;7.218;7.307;
    7.377;7.654;7.813(bis);8.29;8.77;8.143;
    8.358;8.362;8.390;8.505;8.574;9.33;9.150;
    9.282;9.443;9.558;9.649;9.723;9.736;9.825;
    9.898;9.1021;9.1075;10.31;10.43;10.94;
    10.170;10.171;10.266;10.375;10.457;
    10.461
CUM(coni.). 1.10;1.22;1.45;1.72;1.214;1.259;
    1.275;1.309;1.320;1.389;1.410;1.411;
    1.498;1.514;1.538;1.540;1.612;2.7;2.22;
    2.25;2.41;2.69;2.136;2.144;2.166;2.174;
    2.177;2.237;2.290;2.412;2.433;2.454;2.459;
    2.544;2.576;2.604;2.625;2.626;2.630;2.657;
    2.673;2.676;2.693;2.715;2.726;3.57;3.69;
    3.143;3.193;3.284;3.287;3.300;3.336;3.356;
    3.373;3.396;3.423;3.459;3.653;3.664;
    3.679;4.28;4.135;4.234;4.459;4.489;4.490;
    4.511;4.521;4.524;4.527;4.560;4.562;
    4.599;4.639;4.681;4.705;4.741;5.65;5.79;
    5.81;5.134;5.239;5.242;5.270;5.414;5.426;
    5.437;var.5.499;5.583;5.590;5.623;5.640;
    (bis);5.685;5.689;5.717;5.740;5.751;
    5.772;5.783;5.788;5.803;6.27;6.67;6.85;
    6.221;6.265;6.291;6.294;6.335;6.375;6.411;
    6.448;6.455;6.478;6.608;6.619;7.14;7.45;
    7.58;7.65;7.153;7.210;7.288;7.317;7.446;
    7.448;7.474;7.521;7.615;7.758;7.759;7.780
    (bis);8.15;8.54;8.134;8.176;8.200;8.222;
    8.256;8.325;8.431;8.485;8.493;8.524;8.587;
    8.663;8.694;8.696;8.835;8.846;9.45;9.87;
    9.145;9.219;9.265;9.304;9.417;9.528;var.
    9.591;9.644;9.730;9.899;9.902;9.947;9.
    9.1108;10.56;10.71;10.188;10.214;10.229;
    10.251;10.259;10.317;10.436
CUMANUS. diraque per populum Cumanae carmina
    uatis/uolgantur. 1.564
    qualis in Euboico uates Cumana recessu
    /indignata suum multis seruire furorem
                                          5.183
    haud equidem inmerito Cumanae carmine
    uatis/ cautum, ne Nili Pelusia tangeret
    ora/Hesperius miles 8.824
CUMBA. conseritur bibula Memphitis cumba

CUMBA   CUNCTUS

```
        papyro. . . . . . . . . . . .    4.136
CUMULO,-ARE.  strage uirum cumulata ratis
    multoque cruore/plena per obliquum crebros
    latus accipit ictus . . . . . . .    3.627
    iam strage cruenta/ conspicitur cumulata
    ratis, . . . . . . . . . . . . .    4.571
    hoc quoque tam uastas cumulauit munere
    uires/ Terra sui fetus, . . . . .    4.598
    'non pretiosa petit cumulato ture sepulchra
    /Pompeius, . . . . . . . . . . .    8.729
CUMULUS.  nam pelagus, qua parte sedet, non
    celat harenas/haustum in cumulos,
    omnisque in fluctibus unda est.     5.644
    cumulo uos desse uirorum/ non pudet  6.153
    ut primum cumulo crescente cadauera murum/
    admouere solo, . . . . . . . . .    6.180
    succubuit siqua tellus cumuloque furentem
    /undarum non passa ruit, . . . .    6.274
    tu, Caesar, in alto/ caedis adhuc cumulo
    patriae per uiscera uadis, . . .    7.722
    cernit.../... excelsos cumulis aequantia
    colles/ corpora, . . . . . . . .    7.790
    non mihi pyramidum tumulis (cumulis)
    euolsus Amasis /atque alii reges Nilo
    torrente natabunt? . . . . . . var.9.155
    saepe tamen cumulos fluctus non uincit
    harenae. . . . . . . . . . . . .    9.340
    qui super ingentis cumulos inuoluit
    harenae/atque operit tellure uiros.  9.485
    spumeus accenso non sic exundat aeno/
    undarum cumulus, . . . . . . . .    9.799
CUNCTUS,-A,-UM.  faces belli.../ urguentes
    addunt stimulos cunctasque pudoris
    rumpunt fata moras: . . . . . . .    1.263
    liuor edax tibi cuncta negat, . .    1.288
    his cunctae simul adsensere cohortes
                                         1.3 5
    fixit in aeternum causas, qua cuncta
    coercet/ se quoque lege tenens,      2.9
    nec cunctae summi templo iacuere Tonantis:
                                         2.34
    non uni cuncta dabantur . . . .     2.146
    uidit Fortuna colonos/Praenestina suos
    cunctos simul ense recepto/unius populum
    pereuntem tempore mortis. . . .     2.194
    inuenit.../ fata uirum casusque urbis
    cunctisque timentem . . . . . .     2.240
    utinam...liceret/ hoc caput in cunctas
    damnatum exponere poenas! . . .     2.307
    cunctis ego peruius hastis . . .     2.310
    heu demens, non te fugiunt, me cuncta
    secuntur. . . . . . . . . . . .     2.575
    uix operi cunctae dextra properante
    sorores . . . . . . . . . . . .     3.18
    sit mens ista quidem cunctis, ut uestra
    recusent/ fata, . . . . . . . .     3.324
    raptisque a Caesare cunctis/uincitur una
    mora. . . . . . . . . . . . . .     3.391
    frangit cuncta ruens, nec tantum corpora
    pressa/ exanimat, . . . . . . .     3.472
    celsior at cunctis Bruti praetoria puppis/
    uerberibus senis agitur . . . .     3.535
    iam tumuli collesque latent, iam flumina
    cuncta/condidit una palus . . .     4.98
    expectant imbres, quorum modo cuncta
    natabant inpulsu, . . . . . . .     4.330
    cunctas super ardua turris/eminet   4.431
    sic cunctas sustulit ardor/mobilium mentes
    iuuenum. . . . . . . . . . . .     4.520
    conlaudat cunctos, . . . . . . .    4.546
    inuictus robore cunctis, quamuis staret,
```

```
        erat. . . . . . . . . . . . .    4.608
    sed postquam languida segni/ cernit
    cuncta metu nocturnaque munera ualli 4.700
    cunctaque iussuri primum hoc decernite,
    patres, . . . . . . . . . . . .    5.21
    hoc tamen expositum cunctis nullique
    negatum/ numen ab humani solum se labe
    furoris/uindicat. . . . . . . .    5.102
    perstat rabies, nec cuncta locutae/
    quem non emisit, superest deus.     5.210
    quam non e stabili tremulo sed culmine
    cuncta/despiceret . . . . . . .    5.250
    ueluti, si cuncta minentur/flumina quos
    miscent pelago subducere fontes,    5.336
    fata uacent: procerum motus haec cuncta
    secuntur; . . . . . . . . . . .    5.342
    iubet.../ et cunctas reuocare rates quas
    auius Hydrus/... recipit . . . .    5.375
    ductor erat cunctis audax Antonius armis
                                       5.478
    cunctisque relictis/sola placet Fortuna
    comes . . . . . . . . . . . . .    5.509
    non ultra cuncta carinae/debebis
    manibusque . . . . . . . . . .    5.534
    fisus cuncta sibi cessura pericula Caesar
                                       5.577
    crediderim; cunctos solita de parte
    ruentis/defendisse suas uiolento turbine
    terras, . . . . . . . . . . . .    5.610
    petit... horam/ in casum quae cuncta
    ferat; . . . . . . . . . . . .    6.7
    cedere uel bellis uel cuncta mouentibus
    annis, . . . . . . . . . . . .    6.21
    ut primum libuit.../ Pompeio cunctasque
    sibi permittere terras, . . . .    6.119
    'quo uos pauor'...'adegit/ inpius et
    cunctis ignotus Caesaris armis?     6.151
    e cunctis, per quos erumperet hostis/
    nos sumus electi. . . . . . . .    6.156
    cunctos belli praesaga futuri/mens agitat,
                                       6.414
    tum uox Lethaeos cunctis pollentior
    herbis/ excantare deos confundit murmura
    primum/ dissona . . . . . . . .    6.685
    quod tamen e cunctis mihi noscere contigit
    umbris/effera Romanos agitat discordia
    manes . . . . . . . . . . . . .    6.779
    hoc placet, o superi, cum uobis
    uertere cuncta /propositum, nostris
    erroribus addere crimen? . . .    7.58
    cunctorum uoces Romani maximus auctor/
    Tullius eloquii.../... /pertulit iratus
    bellis, . . . . . . . . . . . .    7.62
    'si placet hoc' inquit 'cunctis, .../
    .../nil ultra fata morabor: . . .   7.87
    testor, Roma, tamen Magnum quo cuncta
    perirent/accepisse diem. . . . .    7.91
    mirantur.../ iuncti (cuncti) sanguinis
    umbras/ ante oculos uolitare suos.
                                     var.7.179
    dissimilem certe cunctis quos explicat
    egit/ Thessalicum natura diem:      7.201
    si cuncta perito/ augure mens hominum
    caeli noua signa notasset/spectari
    toto potuit Pharsalia mundo. . .    7.202
    uix cuncta locuto /Caesare quemque suum
    munus trahit, . . . . . . . . .    7.329
    di tibi non mortem, quae cunctis
    poena paratur, /sed sensum post fata tuae
    dent, Crastine, morti, . . . .    7.470
    Romanus cunctis petitur cruor; . .  7.511
```

CUNCTUS

    nondum attigit arcem/iuris et humani
    columen, quo cuncta premuntur, . . 7.594
    cunctos haerere cruores/Romanus campisque
    uetat consistere torrens. . . . 7.636
    'parcite,' ait 'superi, cunctas prosternere
    gentes. 7.659
    omnia quid laceras? quid perdere cuncta
    laboras? 7.665
    teque minor solo cunctas inpellere
    gentes/ rursus in arma potes 7.718
    cunctis, en, plena metallis/castra patent;
          7.740
    inuigilat cunctis saeuum scelus, 7.766
    placido natura receptat/cuncta sinu, 7.811
    cunctis ignotus gentibus esse/mallet 8.19
    cunctosque fugaui/ a causa meliore deos.
          8.93
    iterumque refusa /coniugis in gremium
    cunctorum lumina soluit/in lacrimas. 8.106
    fac, Magne, locum, quem cuncta reuisant/
    saecula, ... 8.114
    cunctos mutare putares/tellurem patriaeque
    solum: 8.147
    rectoremque ratis de cunctis consulit
    astris, ... 8.167
    sed, cuncta reuoluens /uitae fata meae,
    semper uenerabilis illa/ orbis parte fui,
          8.316
    incurrere cuncti/debuerant in Bactra duces
          8.422
    rapimur quo cuncta feruntur. . . 8.522
    'ergo indigna fui',.../.../ uolneribus
    cunctis largos infundere fletus, 9.59
    fortuna cuncta tenentur/Caesaris, 9.244
    tertia pars rerum Libye, si credere famae/
    cuncta uelis; 9.412
    squalebant puluere fauces/cunctorum,
          9.504
    haeremus cuncti superis, ... 9.573
    hoc habet infelix, cunctis inpune,
    Medusa,/ quod spectare licet. 9.636
    sibilaque effundens cunctas terrentia
    pestes,/... basiliscus 9.724
    uos quoque, qui cunctis innoxia numina
    terris/ serpitis, ... dracones/letiferos
    ardens facit Africa: 9.727
    tenditque cutem peruente figura/miscens
    cuncta tumor; 9.793
    at fecunda Venus cunctarum semina rerum/
    possidet; 10.208
    cuncta fremunt undis, ac multo murmure
    montis 10.321
    quem puer inbellis cunctis praefecerat
    armis 10.351
    et dederat ferrum.../ in cunctos in seque
    simul. 10.353
    et districta epulis ad cunctas aula
    patebat/insidias, ...10.422
    Hesperiae cunctos proceres aciemque
    senatus/.../ non timuit 10.450

CUNEUS. uisus sibi.../attollique suum laetis
    ad sidera nomen/ uocibus et plausu cuneos
    certare sonantes; 7.12
    uaesanum Caesaris agmen/in densos agitur
    cuneos, ... 7.497

CUPA. namque ratem uacuae sustentant undique
    cupae 4.420

CUPIDO. o male concordes nimiaque cupidine
    caeci, ... 1.87
    aeger quippe morae flagransque cupidine
    regni/coeperat... ciuilia bella/...

CURA

    /damnare 7.240
    inpulit amentes aurique cupidine caecos/
    ire super gladios supraque
    cadauera patrum 7.747
    quae tibi noscendi Nilum, Romane, cupido
    est,/ et Phariis Persisque fuit...
    tyrannis, ...10.268

CUPIDUS,-A,-UM. meque ipsum memini, caesi
    deformia fratris/ ora rogo cupidum
    uetitisque inponere flammis, . . 2.170
    ipse ego priuatae cupidus me reddere
    uitae 7.266
    effossum tumulis cupide descendit in
    antrum. 10.19

CUPIO,-IRE. uir ferus et Romam cupienti
    perdere fato/sufficiens. . . . 2.87
    non priuata cupis, Romana quisquis in
    urbe/Pompeium transire paras. 2.564
    dum cupit in sociam Gyareus erepere
    puppem, ... 3.600
    cupias quodcumque necesse est. 4.487
    nominis antiqui cupientem noscere causas
    /cognita per multos docuit rudis incola
    patres. 4.591
    ne retine dubium cupientis ire per aequor:
          5.492
    sua quisque ac publica fata/praecipitare
    cupit; 7.52
    sed non inpleuit cupientis omnia mentes.
          7.754
    nec regnum cupiens gessit ciuilia bella
          9.27

CUPRESSUS. et non plebeios luctus testata
    cupressus/ tum primum posuere comas 3.442

CUR. 1.663;2.4;2.314(bis);2.348;5.203;8.72;
    8.96;8.515;8.796;9.275;9.619;9.849

CURA. utque ducem uarias uoluentem pectore
    curas/conspexit 1.272
    at Figulus, cui cura deos secretaque caeli
    /nosse fuit, ... 1.639
    cur hanc tibi, rector Olympi,/sollicitis
    uisum mortalibus addere curam, . . 2.5
    at miseros angit sua cura parentes, 2.64
    inuenit insomni uoluentem publica cura
          2.239
    accipis: in curas uenio partemque laborum.
          2.347
    Pompeius tellure noua conpressa profundi/
    ora uidens curis animum mordacibus angit,
          2.681
    tum pectore curas/ expulit 3.52
    maxima cura fuit: 3.707
    miles spoliato pectore tutus/innocuusque
    suas curarum liber in urbes/spargitur.
          4.384
    si libertatis superis tam cura placeret
          4.808
    Phemonoen errore uagam curisque uacantem/
    corripuit 5.126
    numquam sic cura deorum/ se premet, 5.340
    sunt ista profecto /curae castra deis,
          5.352
    soluerat armorum fessas nox languida
    curas. 5.504
    dum fouet amplexu grauidum Cornelia curis
          5.735
    maior cura duces miscendis abstrahit
    armis: 6.80
    nec quaesisse libet.../.../...quis.../
    ...Assyria scrutetur sidera cura, 6.429
    uerbaque ad inuitum perfert cogentia numen

CURA

CURRUS

/quod non cura poli caelique uolubilis
umquam /auocat. 6.447
seu fine bonorum /anxia mens curis ad
tempora laeta refugit, ... 7.20
cura fuit lectis pharetras inplere
sagittis, ... 7.142
haec.../ siue aliquid magnis nostri quoque
cura laboris/ nouinibus prodesse potest...
/spesque metusque... mouebunt, 7.209
cornus tibi cura sinistri, /Lentule, cum
prima... /et quarta legione datur. 7.217
uestri cura mouet; 7.308
di, quorum curas abduxit ab aethere tellus
/Romanusque labor, uincat 7.311
conscia curarum secretae in litora
Lesbi/flectere uela iubet, ... 8.40
tristis praesagia curas/exagitant, 8.43
uigiles Pompei pectore curae/ nunc socias
adeunt Romani foederis urbes . 8.161
saepe labor maestus curarum odiumque
futuri /proiecit fessos incerti pectoris
aestus, ... 8.165
ast ego curarum uobis arcana mearum
/expromam 8.279
adeone molesta /totum cura fuit socero
seruare cadauer? 8.700
haec mandata reliquit /Pompeius uobis in
nostra condita cura: 9.86
nulla sub illa /cura Iouis terra est;
9.436
non cura laborque /noster scire ualet,
9.621
Caesar.../ cetera curarum proiecit pondera
soli/ intentus genero; 9.951
famae cura uetat, ne non damnasse cruentam
/sed uidear timuisse Pharon. . . .9.1080
adulter /admisit Venerem curis, et miscuit
armis /inlicitosque toros 10.75

CURIA. uicto iure minax iactatis curia
Gracchis. 1.267
percussum terrore pauet, sed curia et
ipsi 1.487
priuatae curia uocis /testis adest. 3.108
hospes in externis audiuit curia tectis.
5.11
curia solos /illa uidet patres plena quos
urbe fugauit: 5.32

CURICTES. illic bellaci confisus gente
Curictum, ... 4.406

CURIO(C. Scribonius). audax uenali comitatur
Curio lingua, ... 1.269
Curio Sicanias transcendere iussus in
urbes, ... 3.59
namque rates audax Lilybaeo litore soluit/
Curio, ... 4.584
Curio laetatus, tamquam fortuna locorum/
bella gerat 4.661
Curio temptarat, Libyamque auferre
tyranno/ dum regnum te, Roma, facit. 4.691
hac igitur regis trepidat iam Curio fama
4.694
Curio nocturnum castris erumpere cogit
4.732
Curio fusas /ut uidit campis acies 4.793
pascit aues nullo contectus Curio busto.
4.810
momentumque fuit mutatus Curio rerum 4.819
Libyae squalentibus aruis /Curio Caesarei
cecidit pars magna senatus. 5.40

CURIUS. uomere et antiquos Curiorum passa
ligones 1.169

uidi.../ et Curios, Sullam de te, Fortuna,
querentem; 6.787
si Curios his fata darent reducesque
Camillos /temporibus.../ hinc starent.
7.358
pone duces priscos.../ Fabricios Curiosque
graues, ... 10.152

CURO,-ARE. dignum, quod quaerere cures/uel
tibi, quo tanti praeponderet alea fati.'
6.602
mortalia nulli /sunt curata deo. 7.455
non intima curant /uiscera nec totas
auidae sorbere medullas: 7.842

CURRO,-ERE. corripuit, quantoque gradu mors
saeua cucurrit! 2.100
lux etiam metuenda perit, nec fulgura
currunt 5.630
Pompeium exhaustae praebenda ad gramina
terrae/ quae currens obtriuit eques 6.82
amnisque cucurrit /non qua pronus erat.
6.473
atraque fouit /uolnera et in uenas
extremaque membra cucurrit. . . . 6.751
quae latius orbem /possedit, citius per
prospera fata cucurrit? 7.420
haud multum terrae spatium restabat Eoae/
ut tibi nox, tibi tota dies, tibi
curreret aether, ... 7.424
extremaque curris/litora; 8.46
lunaeque meatibus obstat/ si flexus
oblita uagi per recta cucurrit/ signa
9.694
uelox currit per tela uenenum /inuaditque
manum; 9.829
percussaque flamma/ turbine non alio motu
per tecta cucurrit/ quam solet...lampas
decurrere 10.501

CURRUS. seu te flammigeros Phoebi conscendere
currus... iuuet, ... 1.48
ille reget currus nondum patientibus
annis, ... 1.316
condidit ardentis atra caligine currus
1.541
succensusque tuis flagrasset curribus
aether. 1.657
celsos ut Gallia currus /nobilis et
flauis sequeretur mixta Britannis. 3.77
nobis uictoria turbam/... quae.../
lauriferos nullo comitetur uolnere currus?
5.332
cursum (currum)-que polo rapiente
retorsit, ... var.7.3
pura uenerabilis aeque /quam currus
ornante toga, plaudente senatu/sedit adhuc
Romanus eques; 7.18
sitque palam, quas tot duxit Pompeius in
urbem/ curribus, unius gentes non esse
triumphi. 7.280
quacumque uagatur/... ueluti.../ Bistonas
aut Mauors agitans si uerbere saeuo/
Palladia stimulet turbatos aegide currus,
nox ingens scelerum est; 7.570
non sic moderator equorum/.../ cogit
inoffensae currus accedere metae. 8.201
non domitor mundi nec ter Capitolia curru
/inuectus.../... Romanus erat: 8.553
adde.../ et currus quos egit eques, 8.810
dic.../... ter curribus actis/contentum
multos patriae donasse triumphos. 8.814
non alta terens Capitolia currus/gratior;
9.79

CURRUS

      hunc ego per Syrtes... triumphum/
      ducere maluerim, quam ter Capitolia
      curru/scandere Pompei, ... 9.599
      et Pharios currus regum ceruicibus egit;
                                           10.277
CURSUS. iam gelidas Caesar cursu superauerat
      Alpes 1.183
      uidimus et Martem Libyes cursumque furoris
                                           1.255
      non tam caeco trahis omnia cursu/teque
      nihil, Fortuna, pudet. 2.567
      sufficerent aliis primo tot moenia cursu/
      rapta, ... 2.653
      hostes.../ praecipiti cursu flexi per
      cornua portus/ora petunt 2.706
      occultosque tegit cursus rursusque
      renatum 3.262
      'uana mouet Graios nostri fiducia cursus.
                                           3.358
      strata metu tenuit flagrantis in omnia
      belli/ praecipitem cursum, ... 3.391
      morte fugit: superest telo post uolnera
      cursus. 3.468
      per Romana tulit celeri munimina cursu.
                                           3.502
      habiles.../ et temptare.../ cursum nec
      tarde flectenti cedere clauo; . . . 3.555
      Cinga rapax, uetitus fluctus et litora
      cursu /Oceani pepulisse tuo; . . . 4.21
      luce noua collem subito conscendere cursu,
      /... imperat 4.32
      non habeant amnes decliuem ad litora
      cursum 4.114
      gelidosque a gurgite cursu/restituunt
      artus, ... 4.153
      non tamen aut tectis sonuerunt cursibus
      amnes 4.299
      hoc ferit et taciti praebet miracula
      cursus, ... 4.425
      celeresque carinas/continuit, cursu
      crescat dum praeda secundo, . . . 4.435.
      tollite signa, duces, fatorum inpellite
      cursum, ... 5.41
      quis terram caeli patitur deus, omnia
      cursus/aeterni secreta tenens . . . 5.88
      Euripusque trahit, cursum mutantibus
      undis, Chalcidicas puppes 5.235
      cum prope fatorum tantos per prospera
      cursus/auertere dei. 5.239
      Caesaris an cursus uestrae sentire putatis
      /damnum posse fugae? 5.335
      inde rapit cursus 5.403
      sunt cetera cursu/acta meo, ... 5.482
      desperare uiam et uetitos conuertere
      cursus/sola salus. 5.574
      flumina tot cursus illic exorta fatigant,
                                           6.45
      stagnumque inplentibus unum/crescere
      cursus erat. 6.347
      accipit Asopos cursus Phoenixque Melasque
                                           6.374
      qui stimulante metu fati praenoscere
      cursus,/... non tripodas Deli...consulit
                                           6.423
      'o decus Haemonidum.../ quaeque suo uentura
      potes deuertere cursu,/ te precor ut
      certum liceat mihi noscere finem 6.591
      cursumque polo rapiente retorsit, 7.3
      Ityraeis cursus fuit inde sagittis, 7.230
      si totidem Magni soceros.../...funesto
      in Marte locasses/non tam praecipiti

CUSPIS

      ruerent in proelia cursu. 7.336
      ut rapido cursu fati suprema morantem/
      consumpsere locum,.../quo sua pila
      cadant.../... spectant. 7.460
      praecipiti cursu uaesanum Caesaris agmen
      /in densos agitur cuneos, ... 7.496
      fatis datus est pro Caesare cursus. 7.544
      cornipedem exhaustum cursu stimulisque
      negantem/Magnus agens incerta fugae
      uestigia turbat 8.3
      iam rapido speculator eques per litora
      cursu /hospitis aduentu pauidam
      conpleuerat aulam. 8.472
      nec dat suspiria cursus/uolneris   9.928
      quamuis Byzantion arto /Pontus et
      ostriferam dirimat Calchedona cursu, 9.959
      date felices in cetera cursus,   9.997
      cursusque uagos statione moratur; 10.203
      ille mora cursus aduersique obice
      ponti/aestuat in campos. 10.246
      (cursus in occasus flexu torquetur et
      ortus, ... 10.290
      incerto lustro uagus atria cursu, 10.460
      Caesar semper feliciter usus/praecipiti
      cursu bellorum, ... 10.508
CURULIS, -E. uacuaeque loco cessere curules
                                           3.107
CURUO, -ARE. inuadunt clipeos curuataque
      cuspide pila 1.242
      curuato robore pressae/fit sonus aut
      rursus redeuntis in aethera siluae. 1.390
      dum iuga curuantur mali dumque ardua pinus
      /erigitur, ... 2.695
      ultima curuati procederet ungula Tauri,
                                           3.255
      his ratibus traiecta manus festinat
      utrimque /succisum curuare nemus, 4.138
      aut circum largos curuari bracchia
      fontes. 4.266
      hic utinam summi curuet carchesia mali
                                           5.418
      Bosporon et Scythiae curuantem litora
      Pontum/ spectamus. 8.178
      fuit.../... serpens/robora conplexus
      rutilo curuata metallo. 9.364
      nec tantos carbasa Coro/curuauere sinus.
                                           9.800
CURUUS, -A, -UM. castraque quae Vosegi curuam
      super ardua ripam 1.397
      qui tenet et ripas Atyri, qua litore
      curuo/molliter admissum claudit
      Tarbellicus aequor, ... 1.420
      curuoque soli cessantis aratro/agricolae
      raptis annum fleuere iuuencis. . . 3.451
      curuique tenens Minoia tecta/Brundisii
      clausas... undas/inuenit 5.406
      coepere ... aequora classem/ curua sequi,
                                           5.459
      litora curua legit, ... 5.513
      non humilem Sasona uadis [non litora
      curuae/ Thessaliae saxosa pauent]/...
      nautae... timent. 5.650
CUSPIS. inuadunt clipeos curuataque cuspide
      pila 1.242
      arma tegens, crebra confixus cuspide
      perstat 3.620
      sic rector Olympi/cuspide fraterna
      lassatum in saecula fulmen/adiuuit, 5.621
      primus ab aequorea percussis cuspide
      saxis /Thessalicus sonipes,.../exiluit,
                                           6.396

CUSPIS
    et rubuit flammis iterum Neptunia
    cuspis 7.147
    quid prodest miseri basiliscus cuspide
    Murri /transactus? 9.828
CUSTODIA. peruigil alterno paret custodia
    signo. 4.7
    talis custodia Magno/mentis erat, 8.635
    fuit.../.../uirgineusque chorus, nitidi
    custodia luci, ... 9.362
CUSTOS. saxa iacent nulloque domus custode
    tenentur 1.26
    noluit Illyricae custos Octauius undae/
    confestim temptare ratem, ... 4.433
    hinc, aeui ueteris custos, famosa
    uetustas,/miratrix sui, signauit nomine
    terras. 4.654
    custodes tripodes fatorum arcanaque mundi/
    ...suprema ruentis/imperii...cur aperire
    times? 5.198
    defuit.../non... innataque rubris /
    aequoribus custos pretiosae uipera conchae
               6.678
    per busta sequar per funera custos, 6.734
    (hunc genuit custos Nili crescentis in
    arua/Memphis uana sacris; 8.477
    iuuenis procul aspicit ignes/corpus uile
    suis nullo custode crementis. . . 8.744
    sustulit.../harpen alterius monstri iam
    caede rubentem/ a Ioue dilectae fuso
    custode iuuencae, ... 9.664
    se...Cleopatra.../corrupto custode Phari
    laxare catenas/intulit Emathiis...tectis,
               10.57
CUTIS. ossaque nondum/adduxere cutem: 4.288
    iam riget arta cutis distentaque lumina
    rumpit, ... 6.95
    haerentis mota cute discutit hastas: 6.210
    raptoque cerebro/adsiccata cutis, 8.690
    fugit rupta cutis pallentiaque ossa
    retexit; 9.768
    tenditque cutem pereunte figura/miscens
    cuncta tumor; 9.792
CYANEUS,-A,-UM. Cyaneas tellus emisit in
    aequora cautes; 2.716
CYBEBE. et lotam paruo reuocant Almone
    Cybeben, ... 1.600
CYCLOPS. Pallenaea Ioui mutauit fulmina
    Cyclops. 7.150
CYDON. illuc et Libye Numidas et Creta
    Cydonas/misit, ... 7.229
CYLLENIS. et subitus praepes Cyllenida
    sustulit harpen, ... 9.662
    dextraque trementem/Perseos auersi
    Cyllenida derigit harpen 9.676
CYLLENIUS. Venerisque salubre/sidus hebet,
    motuque celer Cyllenius haeret, 1.662
    inmensae Cyllenius arbiter undaest. 10.209
CYMBA v. CUMBA.
CYNOSURA. has ad bella rates non flexo limite
    ponti/certior haud ullis duxit Cynosura
    carinis. 3.219
    quidquid descendet ab arbore summa/
    Arctophylax propiorque mari Cynosura
    feretur,/ in Syriae portus tendit satis.
               8.180
    te segnis Cynosura subit, ... 9.540
CYNTHIA. auxerat undas/tertia iam grauido
    pluuialis Cynthia cornu 1.218
    ante bis exactum quam Cynthia conderet
    orbem, ... 2.577
    Cynthia, quo primum cornu dubitanda

    refulsit, ... 4.60
    lucis maesta parum per densas Cynthia
    nubes/praebebat, ... 8.721
CYPROS. quod Cato longinqua uexit super
    aequora Cypro. 3.164
    tum Cilicum liquere solum Cyproque
    citatas/ inmisere rates, ... 8.456
    emensus Cypri scopulos quibus exit in
    Austrum 8.461
    quaestor ab Icario Cinyreae litore Cypri
    /infaustus Magni fuerat comes. 8.716
    prima ratem Cypros spumantibus accipit
    undis; 9.117
CYRENAE. proximus in muros et moenia Cyrenarum
    /est labor: 9.297
    Cyrenis etiamnunc bruma rigebat: 9.874
CYRUS. Cyrus et effusis numerato milite
    telis/descendit 3.285
    arua super Cyri Chaldaeique ultima regni,
    /... eram: 8.226
CYTHERA. inde Cythera petit, ... 9.37

                         D

DACUS. hinc Dacus, premat inde Getes; 2.54
    nunc furor incubuit nec iuncto Sarmata
    uelox/Pannonio Dacisque Getes admixtus:
               3.95
    debuerant... nequa uacarent/arma, uel
    Arctoum Dacis Rhenique cateruis/imperii
    nudare latus, ... 8.424
DAHAE. o superi, motura Dahas ut clade
    Getasque/securo me Roma cadat. 2.296
    hac luce cruenta/effectum, ut.../ nec
    uetitos errare Dahas in moenia ducat/
    ... consul 7.429
DALMATICUS(Del-). illinc Dalmaticis obnoxia
    fluctibus Ancon. 2.402
    Ausoniam qua torquens frugifer oram
    /Delmatico Boreae Calabroque obnoxius
    Austro/Apulus Hariacas exit Garganus in
    undas. 5.379
DAMASCOS. desertus Orontes/et felix, sic fama,
    Ninos, uentosa Damascos. 3.215
DAMNO,-ARE. o tristi damnata loco!- . 1.249
    utinam... liceret/hoc caput in cunctas
    damnatum exponere poenas! 2.307
    maluerint Phariae busto damnantur harenae:
               2.733
    detrahere in cladem fato damnata maritos
              3.22
    lugent damnatae Phoebo uictore
    Celaenae, ... 3.206
    ibitis ad dominum damnataque signa
    feretis; 4.217
    spe posita damnare fugam casurus in
    hostes 4.270
    pacisque petendae/auctor damnatis supplex
    Afranius armis/ semianimes in castra
    trahens hostilia turmas/uictoris stetit
    ante pedes. 4.338
    nec enim felicibus armis/misceri damnata
    decet, ... 4.360
    damnata iam luce ferox securaque pugnae/
    promisso sibi fine manu, nullique
    tumultus/excussere uiris mentes ad summa
    paratas; 4.534
    et adhuc dubitantibus astris/Pompei

DAMNO

damnare caput tot fata tenentur?   5.205
seu,praemia miles /dum maiora petit,
damnat causamque ducemque . . .   5.247
non pudet, heu, Caesar, soli tibi bella
placere/iam manibus damnata tuis? 5.311
fuit spes inrita.../posse duces parua
campi statione diremptos/admotum damnare
nefas; 5.471
hac ubi damnata fatis tellure locarunt/
castra duces, ... 6.413
haec dirae crimina gentis/ effera damnarat
nimiae pietatis Erictho 6.508
montisque caui, quem tristis Erictho/
damnarat sacris, alta sub rupe locatur.
       6.641
coeperat exiguo tractu ciuilia bella/ut
lentum damnare nefas. 7.242
cedant feralia nomina Caunae/et damnata
diu Romanis Allia fastis. 7.409
astra Thyestae/intulit et subitis damnauit
noctibus Argos: 7.452
tota uix clade coactus/fortunam damnare
suam. 7.649
actaque lauriferae damnat Sullana
iuuentae, ... 8.25
ne nostram uideare fidem felixque
secutus/et damnasse miser.' . . . 8.127
sic fatus murmure sensit/consilium
damnasse uiros; 8.328
una dies mundi damnauit fata? . . . 8.332
damnat apud gentes sceleris non sponte
peracti/Oedipodionias infelix fabula
Thebas: 8.406
ausus Pompeium leto damnare Pothinus
      8.483
Nilumque Pharonque/si regnare piget,
damnatae reddc sorori. 8.500
damnatum leto traherent ad litora Magnum,
      8.570
'me cum fatalis leto damnauerit hora,
/excipite...bellum ciuile, ... 9.87
fuit.../.../ et numquam somno damnatus
lumina serpens 9.363
inpatiensque solum Cereris cultore negato
/damnasti 9.858
a nullo tenebris damnabimur aeuo. 9.986
non primo Caesar damnauit munera uisu
      9.1035
famae cura uetat, ne non damnasse
cruentam/sed uidear timuisse Pharon.
      9.1080

DAMNOSUS,-A,-UM. ubi damnosum radios admouerit
aeuum,/ tellus Syrtis erit; . . . 9.316
DAMNUM. Parthica Romanos soluerunt damna
furores. 1.106
humani generis maiore in proelia damno.
      2.226
qua Gallica damna/suppleuit Magnus, 2.475
di melius, belli tulimus quod damna
priores: 2.537
damna mouent populos siquos sua iura
tuentur: 3.151
sic hostes mihi desse nocet, damnumque
putamus/armorum, nisi qui uinci potuere
rebellant. 3.365
iam damno peritura meo; non sentiet ictus,
      4.277
hoc damnum clademque uocet. . . . 4.514
Caesaris an cursus uestrae sentire
putatis/damnum posse fugae? . . . 5.336
uereor ciuilibus armis/Pompeium nullo

tristem committere damno. 5.753
nam cetera damna/durata iam mente
malis firmaque tulerunt. 5.797
ceu flebilis Africa damnis/.../sic et
Thessalicae post te pars maxima pugnae/
.../libertas et Caesar, erit; . . . 7.691
postquam clara dies Pharsalica damna
retexit/nulla loci facies reuocat
feralibus aruis/haerentis oculos. 7.787
quod sufficit aeuum/inmemor ut donet
belli tibi damna uetustus? 7.850
tu nulla tulisti/bello damna meo: 8.84
noctique rependit/lux minor hibernae
uerni solacia damni. 8.469
cedis et ipsa rogo paterisque haec damna
sepulchri, ... 8.750
quem mundi barbara damnis/Syrtis alit.
      9.440
inde plagas Phoebi damnum non passus
aquarum/praeueheris 10.307
uisum famulis reparabile damnum/illam
mactandi dimittere Caesaris horam. 10.429
DANAE. quo postquam partu Danaes et diuite
nimbo/ortum Parrhasiae uexerunt Persea
pinnae 9.659
DAPS. eloquar inmenso sub terrae pondere quae
te contineant, Hennaea, dapes, 6.740
DARDANIUS,-A,-UM. moenia Dardanii tenuit
Campana coloni. 2.393
tunc qui Dardaniam tenet Oricon 3.187
DE. 1.196;1.534;1.584;1.622;3.88;3.570;
3.610;3.760;4.414;4.417;4.623;4.805;5.34;
5.160;5.582;5.610;5.638;5.762;6.5;6.472;
6.718;6.787;6.811;7.34;7.76;7.440;7.865;
8.8;8.49;8.167;8.246;8.430;8.564;8.596;
8.702;9.74;9.80;9.89;9.145;9.253;9.255;
9.299;9.548;9.618;9.698;9.700;9.774;9.854;
9.855;9.935;9.1065;9.1066;10.78;10.279;
10.283
DEA. ante ipsum penetrale deae semperque
calentis 2.127
ultricesque deae dant in noua monstra
furorem. 10.337
DEBEO,-ERE. multum Roma tamen debet ciuilibus
armis 1.44
debet multas hic legibus aeui/ante suam
mortes: uanum depone furorem.' 2.82
sed eum cui uolnera prima/debebat grato
moriens interficit ictu. 4.547
nec uolnus adactis/debetur gladiis: 4.561
aut cui plus leges deberent recta
sequenti; 4.815
non ultra cuncta carinae/debebis
manibusque 5.535
Martemque secundum/ iam nisi de genero
fatis debere recusat. 6.5
exiguo debet, quod non est insula, colli.
      6.25
nequid uictoria ferro/deberet, pauor
attonitos confecerat hostes. . . 6.131
iacuere perempti/debuerant quo stare loco.
      6.133
fatis debentibus annos/mors inuita subit;
      6.530
hac luce cruenta/effectum.../ quod semper
saeuas debet tibi Parthia poenas, 7.431
finemque sui sibi corpora debent. 7.811
ultima debet/esse fides lugere uirum. 8.82
ceu pridem debita fatis/Assyriis trahitur
cladis captiua uetustae. 8.415
incurrere cuncti/debuerant in Bactra duces

8.423

    sceptra puer Ptolemaeus habet tibi
    debita, Magne, ...   8.448
    nec, quantus toto de corpore debet,/
    effluit in terras, ...   9.774
    petit famae mirator.../.../ Rhoetion et
    multum debentis uatibus umbras.   9.963
    si scelus est, plus te nobis debere
    fateris, ...   9.1031
    generi mauolt lugere reuolsum/ quam debere
    caput. 9.1043
    dum uitam Phario mauolt debere clienti,
    /laeta dies rapta est populis,   9.1096
    et te terrarum nescit cui debeat orbis.
        10.294

    mittet ad umbras/ quod debetur adhuc mundo
    caput. 10.393
    dat scilicet omnis/ dextera quod debet
    superis, ...   10.415
    sed non, qua debuit, ira, /non cruce,
    non flammis rapuit, .../ Magni morte
    perit. 10.516
DEBILIS,-E. nec per opacas/bella geret
    tenebras incerto debilis arcu,   8.373
DECANTO,-ARE. decantatque tribus et uana
    uersat in urna. 5.394
DECEM. per signa decem felicia castris/...
    iuro 1.374
DECEO,-ERE. colla monile decens umerisque
    haerentia primis 2.363
    proelia iusta decet, patriae sed uindicis
    iram; 2.540
    non robore picto/ ornatas decuit fulgens
    tutela carinas, ...   3.511
    nec enim felicibus armis/misceri damnata
    decet, ...   4.360
    tripodas uatesque deorum/ sors obscura
    decet: 6.771
    soluaque uerendus/maiestate dolor,
    qualem te, Magne, decebat/Romanis
    praestare malis. 7.681
    uos pendite regna/uiribus atque fide.../
    quemnam Romanis deceat succurrere rebus.
        8.278

    metiri sua regna decet uiresque fateri.
        8.527

    aduersis non desse decet, sed laeta
    secutos: 8.534
    uni parere decebit,/... Catoni'.   9.96
    sola potest Libye turba praestare malorum/
    ut deceat fugisse uiros.' . . . 9.406
    quem... Cleopatra sine ullis/tristis adit
    lacrimis, simulatum compta dolorem/qua
    decuit, ueluti laceros dispersa capillos,
        10.84

DECERNO,-ERE. socerum depellere regno/decretum
    genero est: 1.290
    consulibus fugiens mandat decreta senatus.
        1.489

    decernite letum, ...   4.486
    cunctaque iussuri primum hoc decernite,
    patres, ...   5.21
    an nondum numina tantum/decreuere nefas
        5.204

    iam castris instare suis seponere tutum/
    coniugii decreuit onus 5.725
    decreuitque pati tenebras puppisque
    cauernis/delituit, ... 9.110
DECERTO,-ARE. et tua cum fatis pietas decertet,
        8.77

DECIDO,-ERE. plurimus ad terram per fulmina

---

    decidat aether. 2.58
    si conuolso uertice Gaurus/decidat in
    fundum penitus stagnantis Auerni.   2.668
    plenior huc sanguis et crassi gutta
    ueneni/decidit; 9.703
    in terras paruus cum decidit infans,/
    .../ letifica dubios explorant aspide
    partus. 9.899
DECIMUS,-A,-UM. pericula Martis/ mecum' ait
    'experti decimo iam uincitis anno,   1.300
    Brundisium decumis iubet hanc attingere
    castris 5.374
    haec fatum decumus, dictu mirabile,
    fluctus/inualida cum puppe leuat,   5.672
DECIPIO,-ERE. Romana iuuentus/non decepta
    bibet. 4.324
    quem blanda futuris/deceptura malis belli
    fortuna recepit. 4.712
    meque tuus decepit amor, ciuilia bella/
    si spectare potes. 5.748
    somno quam saepe grauata/ deceptis uacuum
    manibus conplexa cubile est . . 5.809
    at nox.../sollicitos uana decepit
    imagine somnos. 7.8
    decipitur quod castra rapit. . . . 7.760
    diuque/ spe mortis decepta iacet.   8.61
    miserum quid decipis orbem,/ si
    seruire potes? 8.340
    insidiae ualuere tuae, deceptaque uixi
        9.99

    fabula pro uera decepit saecula causa.
        9.623

DECIUS. deuotum hostiles Decium pressere
    cateruae: 2.308
    uidi Decios natumque patremque,   6.785
    si Curios his fata darent.../ temporibus
    Deciosque caput fatale uouentis,/ hinc
    starent. 7.359
DECLINIS,-E. tum freta seruantur, dum se
    declinibus undis/aetus agat . . . 4.427
DECLINO,-ARE. nec campos liberat undis/donec
    in autumnum declinet Phoebus . . 10.236
DECLIUIS,-E. dexteriora petens montis decliuia
    Thybrim/ unda facit Rutubamque cauum.
        2.421

    non habeant amnes decliuem ad litora
    cursum 4.114
    tum freta seruantur, dum se declinibus
    (decliuibus) undis/aestus agat   var.4.427
DECOLOR. quae seges infecta surget non decolor
    herba? 7.851
DECOQUO,-ERE. saeuum sed membra uenenum/
    decoquit, ... 9.776
DECORUS,-A,-UM. cultus gestare decoros/uix
    nuribus rapuere mares; 1.164
    et nunc tonse Ligur, quondam per colla
    decore/ crinibus effusis toti praelate
    Comatae, ... 1.442
    degener o populus, uix saecula longa
    decorum/ sic meruisse uiris, . . . 2.116
    generosa fronte decora/caesaries conprensa
    manu est, ... 8.680
DECRESCO,-ERE. restituunt artus, donec
    decresceret umbra 4.154
DECRETUM v. DECERNO.
DECURRO,-ERE. per uacuum solitae noctis
    decurrere tempus 1.536
    nam, qualis uertice Pindi/ Edonis Ogygio
    decurrit plena Lyaeo, ... 1.675
    Achaemeniis decurrant Medica Susis/
    agmina, ... 2.49

DECURRO

    'socii, decurrite' dixit 2.483
    ut effuso Caesar decurrere passu/uidit
                    4.271
    incustoditos decurrit miles ad amnes,
                    4.366
    cogit/ ignotisque equitem late decurrere
    campis. 4.733
    passus Achaemeniis late decurrere campis/
    in tutam trepidos numquam Babylona coegi.
                    8.224
    in uada decurrit Pelusia septimus amnis.
                    8.466
    e latebris pauidus decurrit ad aequora
    Corus. 8.715
    flamma/... non alio motu per tecta
    cucurrit/ quam solet aetherio lampas
    decurrere sulco 10.502
DECUS. uile nefas, magnumque decus ferroque
    petendum 1.174
    iam satis hoc Graiae memorandum contigit
    urbi/ aeternumque decus, ... 3.389
    at Brutus in aequore uictor/primus
    Caesareis pelagi decus addidit armis.
                    3.762
    'o decus Haemonidum, populis quae pandere
    fata/... potes .../ te precor ut certum
    liceat mihi noscere finem . . . 6.590
    o decus imperii, spes o suprema senatus,
    /.../ ne rue per medios nimium temerarius
    hostis, ... 7.588
    hic patriae perit omne decus: . . . 7.597
    permansisse decus sacrae uenerabile formae
    /... fatentur 8.664
    non decus imperii, non maesti iura Catonis
    /ardentem tenuere uirum, ... 9.747
    recto uerbere saeuos/teste tulit caelo
    uicti decus Orionis. 9.836
DEDECUS. uix saecula longa decorum/sic
    meruisse uiris, nedum breue dedecus aeui
    /et uitam 2.117
    dedecus hic belli Magno crimenque remisit,
                    6.248
    nisi summa dies cum fine bonorum/adfuit
    .../ dedecori est fortuna prior. 8.31
    uictoribus ipsis/dedecus et numquam
    superum caritura pudore/fabula, Romanus
    regi sic paruit ensis, ... 8.605
    Cleopatra.../.../ dedecus Aegypti, Latii
    feralis Erinys, ... 10.59
DEDIGNOR,-ARI. raptum furto soceri cessantibus
    armis/dedignatur iter: 6.122
DEDISCO,-ERE. dedidicit iam pace ducem,
    famaeque petitor 1.131
DEDO,-ERE. Cappadoces mea signa timent et
    dedita sacris 2.592
DEDUCO,-ERE. strictaque pendentes deducunt
    carbasa nautae 2.697
    non, cum Memnoniis deducens agmina regnis
                    3.284
    hic, ubi conprensum penitus deduxerat
    hostem, ... 3.701
    et non deductos recipit sua terra colonos.
                    4.397
    nam sol non rutilas deduxit in aequora
    nubes 5.541
    ipse quoque a tuta deducens agmina Petra
    /... spargit 6.70
    illis et sidera primum/praecipiti deducta
    polo, ... 6.500
    agmina, quae Cilicum terris deducta
    tenebat/ Scipio, ... 7.222

DEERRO,-ARE. numerus non derat(deerrat)
    harenae. var.5.182
DEFECTUS(subst.). defectusque pati uoluit
    raptaeque labores/lucis, ... 7.4
DEFENDO,-ERE. quidquid defenderat Indos. 4.67
    hanc Caesare pressam/ a fluctu defendet
    onus. 5.586
    crediderim;.../ defendisse suas uiolento
    turbine terras, ... 5.611
    moenia seruat/defendens tutam uel solis
    turribus urbem. 6.18
    ac male defensum fragili conpage cerebrum/
    dissipat; 6.177
    solus.../ defendit Titaresos aquas 6.376
    inpulsam sidere Tethyn/reppulit Haemonium
    defenso litore carmen. 6.480
    nec se defendit ab aequore tellus, 9.306
    temptatum classibus aequor/turbine
    defendit 9.322
    numen Romano templum defendit ab auro.
                    9.521
    defenduntque caput protenti crinibus
    hydri, ... 9.673
DEFENSOR. sed adest defensor ubique/Caesar
                    10.488
DEFERO,-FERRE. idem pelago delatus iniquo
    /hostilem in terram 2.88
    in medium deferret Athon. 2.677
    tecta ferarum/ detulit atque ipsas hausit,
                    4.101
    missa ratis prono defertur lapsa profundo
                    4.430
    aether/.../ et trabibus mixtis auidos
    typhonas aquarum/detulit atque oculos
    ingesto fulgure clausit; 7.157
    nostra cadauera Tigris/detulit in terras
    ac reddidit. 8.439
DEFETISCOR,-I. perpetuam rupit defesso milite
    cratem 3.485
    otia des fessis (defessis), .var.4.357
    defessus Caesar mediis intermanet agris.
                    6.47
    belliger attonsis sonipes defessus in
    aruis,/... /ore nouas poscens moribundus
    labitur herbas 6.84
    turba suorum/... umeris defectum (defessum)
    inponere gaudet; var.6.252
    defessos iret qui sudor in artus/non fuit,
                    9.745
DEFICIO,-ERE. defectumque uocet, ne uos mea
    terreat aetas: 2.560
    et hostilem defectis robore neruis/
    insiluit solo nociturus pondere
    puppem. 3.625
    iam defecta uigent renouato robore membra.
                    4.600
    et defecta grauis longe trahit ilia pulsus
                    4.757
    umeris defectum inponere gaudet; 6.252
    quis... cernens.../aetheraque in terras
    deiecto (defecto) sole cedentem,/ tot
    rerum finem, timeat sibi? . . .var.7.136
    et late periturum deficit aequor. 9.318
    quicumque.../uiderit.../... equitem
    peditum praecedere turmas/deficiat: 9.401
    defectusque epulis et pastus caede suorum
                    10.281
DEFIGO,-ERE. ut... ipsumque trementem/
    conspicit exanimi defixum lumina uoltu,/
    'ponite' ait... timores: . . . 6.658
DEFLAGRO,-ARE. sic deflagrare minaces/ in

DEFLAGRO

    cassum et uetito passus languescere
    bello, ... 4.280

DEFLECTO,-ERE. tamen ante furorem/indomitum
    duramque uiri deflectere mentem/pacifico
    sermone parant 3.304
    quid rapidum deflectis iter? . . . 3.337
    quolibet infaustam potius deflecte
    carinam: 5.789

DEFLEO,-ERE. inportunamue fereris/pauperiem
    deflens inopem duxisse senectam. 5.535
    quod defles, illud amasti.' . . . 8.85
    nulli cognitus aeuo/ luctus erat, mortem
    populos deflere potentis. . . . 9.170

DEFLUO,-ERE. torrens in campos defluit Aetna,
    6.295
    aut cruor aut alto defluxit ab aethere
    tabes 7.839

DEFORMIS,-E. hunc ego, fluminea deformis
    truncus harena/qui iacet,agnosco. 1.685
    meque ipsum memini, caesi deformia fratris
    /ora rogo cupidum uetitisque inponere
    flammis, ... 2.169
    rerum discrimina miscet/deformis caeli
    facies iunctaeque tenebrae. . . . 4.105
    notauit/ deformem pallore ducem 8.56
    deformis adhuc uiuente marito/ summus et
    augeri uetitus dolor: 8.81
    arma satelles/ regia gestabat posito
    deformia pilo, ... 8.598

DEFUNDO,-ERE. et caelo defusum reddidit aequor.
    4.82

DEFUNGOR,-I. ingentem militis usum/hoc habet
    ex magna defunctum parte cadauer: 3.720
    ut modo defuncti tepidique cadaueris ora
    /plena uoce sonent, ... 6.621
    pulmonis... fibras/inuenit et uocem
    defuncto in corpore quaerit. . . 6.631
    uenit defunctus ad ignes. 6.825
    mirantur.../ defunctosque patres et iuncti
    sanguinis umbras/ante oculos uolitare
    suos. 7.179
    sacraque defuncti iactauit pignora patris.
    8.481

DEGENER. degenerem patiere togam regnumque
    senatus? 1.365
    degener o populus, uix saecula longa
    decorum/ sic meruisse uiris, . . 2.116
    et secum 'Romamne petes pacisque recessus
    /degener? 2.523
    degenerisque metus, nullam potuisse
    negari. 3.149
    si solus eam dimissis degener armis, 3.367
    'si me degeneri strauissent fata sub hoste,
    4.344
    degeneres trepidant animi peioraque
    uersant; 6.417
    degener atque operae miles Romane secundae,
    Pompei... sacrum caput... recidis, 8.676
    degener incestae sceptris cessure sorori,
    /.../ litora Pompeium feriunt, . 8.693
    semustaque membra relinquens/degeneremque
    rogum sequitur conuexa Tonantis. 9.4
    ite, o degeneres, Ptolemaei munus et arma/
    spernite. 9.268
    'mene' inquit 'degener unum/miles in hac
    turba uacuum uirtute putasti? . . 9.505
    at Caesar.../... foribus clausae se
    protegit aulae/degeneres passus latebras.
    10.441

DEGO,-ERE. otia des fessis, uitam patiaris
    inermis/degere quam tribuis. . . 4.358

DEGUSTO,-ARE. degustant artus. 7.844
    sed sibi quaeque uolat nec iam degustat
    amarum/desidiosa thymum, ... 9.287

DEHISCO,-ERE. terraene dehiscent/subsidentque
    urbes, ... 1.645

DEICEO,-ERE. obstruit et latum deiectis
    rupibus aequor. 2.662
    deiectum in pelagus perfosso pectore
    corpus/uolneribus transmisit aquas. 3.660
    tela legunt deiecta mari ratibusque
    ministrant 3.691
    ut uictor, mersos aciem deiecit in agros.
    4.745
    aggere deiecit pelagi sed pertulit unda
    5.674
    quis... cernens.../aetheraque in terras
    deiecto sole cadentem,/ tot rerum finem,
    timeat sibi? 7.136
    membraque deiecit iam lassis unguibus
    ales. 7.840
    Corycias classes et Pontica signa/
    deiectum meminisse piget. . . . 8.27
    nam neque deiecto fatis acieque fugato
    /abstulerat Magno reges fortuna ministros:
    8.206
    te.../ deiectum fatis, humilem fractumque
    uidebit 8.344

DEIOTARUS. Deiotarum et gelidae dominum
    Rhascypolin orae/conlaudant, . . 5.55
    iubet ire in deuia mundi/Deiotarum, qui
    sparsa ducis uestigia legit. . . 8.210

DELABOR,-I. testatos sudore Lares, delapsaque
    templis/dona suis, .../... accipimus,
    1.557
    delabitur inde/ Vulturnusque celer 2.422
    sidera respiciens delapsae portitor
    Helles, ... 4.57
    et hinc placidis alto delabitur auris/
    in litus, Palinure, tuum 9.41
    delapsaque caelo/ arma timent gentes
    9.475

DELEO,-ERE. si libet ulcisci deletae funera
    gentis, ... 2.84
    quamuis Hesperium mundi properemus ad
    axem/Massiliam delere uacat. . . 3.360

DELICIAE. non Thessala tellus/... non Pontus
    .../ tantum ausus scelerum,...quantum/
    deliciae fecere tuae. 10.478

DELIGO,-ERE. Grais delecta iuuentus/gymnasiis
    aderit 7.270
    sceleri delectus Achillas,/.../
    exiguam sociis... carinam /instruit. 8.538

DELINQUO,-ERE. tantum animi delicta dabant,
    ut colla ferire/Caesaris... iuberet;
    10.347

DELITESCO,-ERE. decreuitque pati tenebras
    puppisque cauernis/delituit, 9.111

DELMATICUS,-A,-UM. Ausoniam qua torquens
    frugifer oram/Delmatico Boreae Calabroque
    obnoxius Austro/Apulus Hadriacas exit
    Garganus in undas. 5.379

DELOS. non tripodas Deli, non Pythia consulit
    antra, ... 6.425

DELPHICUS. Delphica fatidici reserat
    penetralia Phoebi. 5.70
    Delphica Thebanae referunt trieterica
    Bacchae. 5.74
    non ullo saecula dono/ nostra carent
    maiore deum, ... 5.112

DELPHIN. nec placet incertus qui prouocat
    aequora delphin, ... 5.552

DELUBRUM

DELUBRUM. cultus matrona priores/deposuit
　　maestaeque tenent delubra cateruae: 2.29
　　pauper adhuc deus est, nullis uiolata per
　　aeuum/ diuitiis delubra tenens, 9.520
DEMENS. heu demens, non te fugiunt, me cuncta
　　secuntur. 2.575
　　bacchatur demens aliena per antrum/ colla
　　ferens, ... 5.169
　　heu demens, nullum belli sentire fragorem,
　　/tot mundi caruisse malis, praestare
　　deorum/excepta quis Morte potest? 5.228
　　quam metuis, demens, isto pro crimine
　　poenam 8.781
DEMERGO,-ERE. Titan.../ ibat et igniferi
　　tantum demerserat orbis/quantum deesse
　　solet lunae, ... 3.41
DEMITTO,-ERE. lutea demissos uelarunt flammea
　　uoltus, ... 2.361
　　Titan.../... igniferi tantum demerserat
　　(demiserat) orbis/ quantum desse solet
　　lunae, ...var.3.41
　　fata sed in praeceps solitus demittere
　　Caesar 5.301
　　quaeque per abrasas utero demittere fauces,
　　/.../ deripiens miles saturum tamen
　　obsidet hostem. 6.115
　　pudet.../ quaerere.../ ore quis aduerso
　　demissum faucibus ensem/ expulerit moriens
　　anima, ... 7.621
　　iam pelago medios Titan demissus ad ignes
　　8.159
　　arma... hominum... erepta lacertis/ a
　　superis demissa putant. 9.477
　　feruida tellus/accipit Oceanum demisso
　　sole calentem, ... 9.625
　　quam protinus ille retecto/ ense ferit
　　totoque semel demittit ab armo, 9.831
DENIQUE. nos denique bellum/inuenit ciuile
　　duces, ... 4.349
　　nunc clades denique lustra,/Magne, tuas.
　　8.101
DENS. miles et attonso miseris iam dentibus
　　aruo/castrorum siccas de caespite
　　uolserat herbas. 4.413
　　Phasidos et campis insomni dente creati/
　　terrigenae 4.552
　　conpressaque dentibus ora/ laxauit 6.566
　　pluraque ruricolis feriuntur dentibus
　　ossa. 7.859
　　morsu uirus habent et fatum dente
　　minantur, ... 9.615
　　uix dolor aut sensus dentis fuit, 9.739
　　quem flexo dente tenacem/auolsitque manu
　　9.764
　　inpressit dentes haemorrhois aspera Tullo,
　　9.806
　　pallentia uolnera lambit/ ore uenena
　　trahens et siccat dentibus artus, 9.934
　　dentibus hic niueis sectos Atlantide
　　silua/ inposuere orbes, ... 10.144
　　et frangit rabidos praemorso carcere
　　dentes. 10.446
　　non cruce,non flammis rapuit, non dente
　　ferarum: 10.517
DENSO,-ARE. iamque polo pressae largos
　　densantur in imbres 4.76
　　densaturque globus, ... 4.780
　　at medii robur belli fortissima densant
　　/agmina, ... 7.221
DENSUS,-A,-UM. agmine non uno densisque
　　incedere castris. 1.478

et uarias ignis denso dedit aere formas,
　　1.531
densi uix agmina uolgi /inter et exangues
　　inmissa morte cateruas /uictores mouere
　　manus; 2.201
tunc urbes Latii dubiae uarioque fauore/
　　ancipites,quamquam primo terrore ruentis/
　　cessurae belli, denso tamen aggere firmant
　　/moenia 2.449
relinquas /admoneo.../ Riphaeasque manus
　　et quas tenet aequore denso pigra palus
　　Scythici patiens Maeotia plaustri 2.640
uentus et amittit uires, nisi robore
　　densae/occurrunt siluae, ... 3.362
cum moenia clausa/conspicit et densa
　　iuuenum uallata corona. . . . 3.374
densas tollentia pinnas/caespitibus
　　crudaque extruxit bracchia terra. 3.386
inter nudatos stabat densissima montis.
　　3.428
propulsaque robore denso/sustinuit se
　　silua cadens. 3.444
ut tamen hostiles densa testudine muros/
　　tecta subit uirtus, ... 3.474
aries.../ incussus densi conpagem soluere
　　muri/temptat 3.491
nubes.../ uetitae transcurrere densos
　　/inuoluere globos, ... 4.73
et par Phoebus aquis densas in uellera
　　nubes/sparserat, ... 4.124
ubi percussit tensas (densas) Notus
　　altior alas,/confusos temere inmixtae
　　glomerantur in orbes, ... var.5.714
confraga densis/arboribus dumeta tegunt.
　　6.126
tunc densos inter cuneos conpressus
　　.../ ... uincit, ... hostem. . . 6.184
solus obit densamque ferens in pectore
　　siluam/... in quem cadat, eligit hostem.
　　6.205
sic Libycus densis elephans oppressus ab
　　armis/omne... missile... /frangit 6.208
agmina... muro breuiore recepit/densius
　　ut parua disponeret arma corona. 6.289
iussa tenere diem densas nox praestitit
　　umbras. 6.830
Pompei densis acies stipata cateruis/
　　iunxerat... arma, ... 7.492
uaesanum Caesaris agmen/in densos agitur
　　cuneos, ... 7.497
densaeque oculos uertere tenebrae. 7.616
lucis maesta parum per densas Cynthia
　　nubes/praebebat, ... 8.721
densis fremuit niger imbribus Auster.
　　9.320
uoltusque gelassent/Perseos auersi, si
　　non Tritonia densos/sparsisset crines
　　texissetque ora colubris. . . . 9.682
hinc densae praetexunt litora classes,
　　10.537
dubiusque timeret/optaretne mori
　　respexit in agmine denso/Scaeuam 10.543
DEPASCO,-ERE. sic, ubi depastis summittere
　　gramina campis/... parans ... Apulus...
　　/igne fouet terras, simul et Garganus et
　　arua /Volturis... lucent . . . 9.182
DEPECTO,-ERE. uipereumque fluit depexo crine
　　uenenum. 9.635
DEPELLO,-ERE. socerum depellere regno
　　decretum genero est: 1.289
　　depellitur arce/Lentulus Asculea; 2.468

DEPELLO

    sufficerent aliis.../ rapta, tot oppressae
    depulsis hostibus arces, ... 2.654
    ut, maris Aeolii medias si celsus in
    undas/depellatur Eryx, ... 2.666
    hunc quoque,.../ lege tribunicia solio
    depellere auorum/Curio temptarat,   4.690
    solum te, consul depulsis prime tyrannis/
    Brute, pias inter gaudentem uidimus
    umbras. 6.791
    his igitur depulsa locis eiectaque classis
    /Syrtibus haut ultra Garamantidas attigit
    undas, ... 9.368
    hospes auitus erat, depulso sceptra
    parenti/reddiderat. 9.1028
    exul in aeternum sceptris depulsa paternis,
                 10.87
    ab occiduo depellunt nubila caelo/trans
    Noton 10.242
DEPENDO,-ERE. mallem felicibus armis/
    dependisse caput; 8.101
    tempora Niliaco turpis dependit amori,
                 10.80
DEPLORO,-ARE. deplorat Libycis perituram
    Scipio terris/infaustam subolem;   6.788
DEPONO,-ERE. constitit ut capto iussus
    deponere miles/ signa foro, . . . 1.236
    quod non uictrices aquilas deponere iussus
    /paruerim? 1.339
    deposito uictum praebebat poplite collum.
                 1.613
    cultus matrona priores/deposuit maestaeque
    tenent delubra cateruae: 2.29
    stagna auidi texere soli laxaeque paludes
    /depositum, Fortuna, tuum; . . . 2.72
    uanum depone furorem.' 2.83
    iam pondere fati/deposito securus abis;
                 7.687
    comitem pignusque recepi/depositum: 8.191
DEPOSCO,-ERE. non priuata dedit, uotis
    deposcite pugnam. 2.533
    coeperat infestoque ducem deposcere uoltu.
                 5.296
DEPRECOR,-ARI. ultima fata/deprecor ac turpes
    extremi cardinis annos, ... 7.381
    non deprecor hosti/seruari, dum me seruet
    ceruice recisa.' 9.213
DEPRENDO,-ERE. dominumque timet deprendere
    luci. 3.425
    deprensum est ciuile nefas. . . . 4.172
    sed inter/stagnantem Sicorim et rapidum
    deprensus Hiberum/spectat uicinos sitiens
    exercitus amnes. 4.335
    hoc tamen in casu quantum deprensa
    ualebat/effecit uirtus: 4.469
    conprimit unda/deprendit quascumque rates,
                 5.439
    uolnere non audet flentem deprendere
    Magnum. 5.738
    auidi spectare secuntur/scituri iuuenes,
    numero deprensa locoque/ an plus quam
    mortem uirtus daret. 6.168
    frigidaque, ut ueteris, deprendit signa
    ruinae. 6.281
    tum, quarum recto deprendit carbasa malo,
    /eripuit nautis. 9.324
    deprensum est hunc esse locum qua circulus
    alti/solstitii medium signorum percutit
    orbem. 9.531
    deprensum est, quae funda rotat quam lenta
    uolarent, ... 9.826
    tempora Niliaco turpis dependit (deprendat)

DESCENDO

    amori, ... var.10.80
DEPRIMO,-ERE. latet obsitus aer/infernae
    pallore domus nimbisque grauatus/
    deprimitur, fluctusque in nubibus accipit
    imbrem. 5.629
    et patitur tantos cantu depressa labores
                 6.505
    haud procul a Ditis caecis depressa
    cauernis/in praeceps subsedit humus, 6.642
    haud procul est ima Pompei nomen harena/
    depressum tumulo, quod non legat aduena
    rectus, ... 8.821
DERIGESCO,-ERE(DIR-). signa/ et... Caesar/
    deriguere metu, ... 1.246
    deriguit ferrumque manu torpente remisit.
                 2.78
    deriguitque tenens strictis inmortua
    neruis. 3.613
DERIGO,-ERE(DIR-). derige me, dubium certo
    tu robore firma. 2.245
    derigit huc puppem miseri quoque dextra
    Telonis, ... 3.592
    Maeander derexit aquas, ... 6.475
    consulit.../ aut quotus in Plaustro Libyam
    bene derigat ignis. 8.170
    certe uita tibi semper derecta supernas
    /ad leges, ... 9.556
    dextraque trementem/Perseos auersi
    Cyllenida derigit harpen . . . 9.676
DERIPIO,-ERE. deripuit sacris adfixa
    penatibus arma 1.240
DEROGO,-ARE. inuidus, annoso qui famam derogat
    aeuo, ... 9.359
DESAEUIO,-IRE. nec dum desaeuiat ira /
    expectat: 5.303
    tunc omnis auide desaeuit in artus 6.540
DESCENDO,-ERE. Poenus erit: nulli penitus
    descendere ferro/contigit, . . . 1.31
    ille tuus saltem doceat descendere Sulla.
                 1.335
    intonsos rigidam in frontem descendere
    canos/passus erat 2.375
    interea trepido discedens (descendens)
    agmine Magnus var.2.392
    qua celer et rectis descendens Marsya
    ripis 3.207
    descendit Perses, fraternique ultor amoris
                 3.286
    ad summos repleta foros descendit in
    undas 3.630
    qua iam non medius descendit in ilia
    uenter, ... 3.724
    campum miles descendat in aequum   4.703
    solus in ancipites metuit descendere
    Martis 5.67
    non magis ablatis umquam descenderit
    aequor, /quam nunc crescit, aquis. 5.338
    quoque modo... Thybris/ in mare descendit,
                 6.77
    Gortynis harundo/.../ in caput atque
    oculi laeuom descendit in orbem.   6.216
    mox Lelegum dextra pressum descendit
    aratrum, ... 6.383
    hinc maxima serpens/descendit Python
    Cirrhaeaque fluxit in arua, . . . 6.408
    at, simul a prima descendit origine mundi
    /causarum series, ... 6.611
    dubium est,quod traxerit illuc/aspiciat
    Stygias an quod descenderit umbras. 6.653
    poscimus.../... modo luce fugata/
    descendentem animam; 6.714

DESCENDO

    properate mori, magnoque superbi/quamuis
    e paruis animo descendite bustis   6.808
    descendens totos perfudit lumine colles,
                7.215
    conspicit in planos hostem descendere
    campos, ... 7.237
    quidquid descendet ab arbore summa/
    Arctophylax.../ in Syriae portus tendit
    ratis. 8.179
    aut Astraea iubet lentos descendere Pisces.
                9.535
    et socias somno descendis ad umbras. 9.818
    effossum tumulis cupide descendit in
    antrum. 10.19

DESCISCO,-ERE. lassata triumphis/desciuit
    Fortuna tuis. 2.728
    nec magis attonitos animi sensere tumultus,
    /cum fureret, Pentheus aut, cum desisset
    (descisset), Agaue. var.7.780

DESECO,-ERE. desectam timuit reparatis
    anguibus hydram. 4.635

DESERO,-ERE. deseruere cauo tentoria fixa
    Lemanno . . . . : . . 1.396
    deseritis ripas et apertum gentibus
    orbem. 1.465
    desilit in fluctus deserta puppe magister
                1.501
    desereris; nox una tuis non credita
    muris. 1.520
    Arruns incoluit desertae moenia Lucae,
                1.586
    cur signa meatus/deseruere suos mundoque
    obscura feruntur, ... 1.664
    haec ait, et lasso iacuit deserta
    furore. 1.695
    non deserit ante/ Hesperiam, . . 2.432
    tu quoque nudatam commissae deseris arcem,
    /Scipio, Nuceriae, ... 2.472
    'tene, deum sedes, non ullo Marte coacti/
    deseruere uiri? 3.92
    deserta stamus in urbe. 3.129
    Phocaicas Amphissa manus scopulosaque
    Cirrha/ Parnasosque iugo misit desertus
    utroque. 3.173
    deseritur Strymon tepido committere Nilo/
    Bistonias consuetus aues 3.199
    desertus Orontes/ et felix, sic fama,
    Ninos, uentosa Damascos . . . 3.214
    deseritur Taurique nemus Perseaque Tarsos
                3.225
    ille ubi deseruit trepidantis moenia
    Romae 3.298
    postquam omnia fatis/Caesaris ire uidet,
    celsam Petreius Ilerdam/ deserit 4.145
    nudatos Caesar colles desertaque castra
    /conspiciens 4.148
    deserat hic feruor mentes, cadat impetus
    amens, ... 4.279
    insula deseritur ratibus, . . . 4.446
    piger Apulus arua/ deseruit rastris et
    inerti tradidit herbae, ... 5.404
    ueluti deserta regente/aequora natura
    cessant, ... 5.443
    deserit auerso possessam numine sedem/
    Caesar 6.314
    desertaque busta/incolit 6.511
    deserta per arua/carpit iter. . . 6.572
    qui subolem ac thalamos desertaque pignora
    quaerit,/ ense petat: 7.347
    Caesar, et increpitans 'iam Magni deseris
    arma,/ successor Domiti; . . . 7.606

DESPUMO

    quid olentis deseris agros? . . . 7.821
    obscaeni tecta domosque/deseruere canes,
                7.829
    Haemoniae deserta petens dispendia siluae
    /cornipedem.../Magnus agens incerta fugae
    uestigia turbat   8.2
    deserta sequentem/ non patitur tutis
    fatum celare latebris/clara uiri facies.
              8.12
    haec ubi deseruit Pompeius litora, totos/
    emensus Cypri scopulos 8.460
    metuit gentes quas uno in sanguine mixtas/
    deseruit, ... 8.509
    Pompei nunc castra placent, quae deserit
    orbis? 8.532
    permittite penates/desertamque domum
    dulcesque reuisere natos. . . . 9.231
    sic male deseruit nullosque exegit in usus
    /hanc partem natura sui); . . . 9.310
    inreducemque uiam deserto limite carpit;
                9.408
    Macetum fines latebras suorum/deseruit
                10.29
    mox te deserta secantem,/.../ mollis
    lapsus agit. 10.313

DESES. natura deside torpet/orbis et inmotis
    annum non sentit harenis. . . 9.436

DESIDIOSUS,-A,-UM. nec iam degustat amarum/
    desidiosa thymum, ... 9.288

DESIGNO,-ARE. nam primum tacta designat
    membra saliua, ... 9.925

DESILIO,-IRE. desilit in fluctus deserta
    puppe magister 1.501
    desilit in flammas et, dum licet, occupat
    ignes. 2.159

DESINO,-ERE. et miserum cernens agnoscere
    desinit Argum. 3.736
    desinis ipsa loqui'. 5.161
    nec magis attonitos animi sensere
    tumultus/cum fureret, Pentheus aut, cum
    desisset, Agaue. 7.780

DESISTO,-ERE. cum Cotta Metellum/conpulit
    audaci nimium desistere coepto. 3.144
    desiste preces temptare: 5.744

DESOLO,-ARE. cernit cuncta metu nocturnaque
    munera ualli/desolata fuga, trepida sic
    mente profatur: 4.701

DESPERO,-ARE. inuoluitque orbem tenebris
    gentesque coegit/ desperare diem; 1.543
    ne nos,.../ desperasse putent. 4.512
    desperare uiam et uetitos conuertere
    cursus/sola salus. 5.574

DESPICIO,-ERE. mors media est. certe populi
    quos despicit Arctos felices errore suo,
                1.458
    despectam cernere lucem/... iuuat. 4.568
    quam non e stabili tremulo sed culmine
    cuncta/despiceret staretque super
    titubantia fultus. 5.251
    uos despecta senes exhaustaque sanguine
    turba/cernetis nostros iam plebs Romana
    triumphos. 5.333
    quantum Leucadio placidus de uertice
    pontus /despicitur, tantum nautae uidere
    trementes 5.639
    uictasque patri despexit Athenas, 10.29

DESPONDEO,-ERE. cum sibi Tarpeias uictor
    desponderit arces,/.../decipitur quod
    castra rapit. 7.758

DESPUMO,-ERE. et patitur tantos cantu depressa
    labores/donec suppositas propior despumet

DESPUMO
    in herbas. 6.506
DESTILLO,-ARE. carpitur et lentum Magnus
    destillat in ignem 8.777
    et nigra destillant inguina tabe. 9.772
DESTITUO,-ERE. destituatque ferens, an sidere
    mota secundo/ Tethyos unda uagae
    lunaribus aestuet horis, ... 1.413
    nondum destituit calidus tua uolnera
    sanguis, ... 3.746
    seu spiritus istas/destituit fauces
                     5.133
    per tot bella manus satiatae sanguine
    tandem/destituere ducem, ... 5.244
    quando pietasque fidesque/destituunt
    moresque malos sperare relictum est, 5.298
    quem numina numquam/destituunt, de quo
    male tunc fortuna meretur 5.582
    mentem iam uerba paratam/destituunt,
                     5.732
    Stygiasque canes in luce suprema/
    destituam; 6.734
    non aetas haec carpsit edax monimentaque
    rerum/putria destituit: 7.398
    has uada destituunt, ... 9.335
DESTRINGO,-ERE. rore madentis/destringunt
    ramos et siquos palmite crudo/arboris aut
    tenera sucos pressere medulla. 4.317
    uincat quicumque necesse/non putat in
    uictos saeuum destringere ferrum 7.313
DESTRUO,-ERE. longius aeuum/destruit ingentis
    animos et uita superstes/imperio. 8.28
    meritumque inmane tyranni/destruit 9.1042
DESUESCO,-ERE. sic, ubi desuetae siluis in
    carcere clauso/mansueuere ferae 4.237
    et noua desuetis subrepens uita medullis/
    miscetur morti. 6.753
DESUM,-ESSE. nondum tibi defuit hostis. 1.23
    Hesperia est desuntque manus poscentibus
    aruis, ... 1.29
    nec numina derunt (deerunt, desunt);
                  var.1.349
    deratne tibi fiducia nostri? . . 1.362
    diuisere deos, et nullis defuit aris/
    inuidiam factura parens. 2.35
    quantum desse solet lunae, seu plena
    futura est 3.42
    et, desit si larga Ceres, tunc horrida
    cerni/ foedaque contingi maculata
    attingere morsu. 3.347
    sic hostes mihi desse nocet, . . . 3.365
    non dest prolato ieiunus uenditor auro.
                   4.97
    quique fluat multo non derit uolnere
    sanguis, ... 4.216
    non derat fortis rapiendo dextera leto;
                   4.345
    non modus Oceani, numerus non derat
    harenae. 5.182
    dum se desse deis ac non sibi numina
    credit, ... 5.499
    desint mihi busta rogusque, . . . 5.670
    testatus numquam Latiae se desse ruinae.
                   6.10
    non desunt campi, non desunt pabula Magno,
               6.43(bis)
    qui uolnera ferrent/iam derant, . 6.134
    cumulo uos desse uirorum/ non pudet 6.153
    non.../ defuit et cerui pastae
    serpente medullae. 6.673
    nec derat robur in enses/ire duci 7.669
    tamen omnia uincens /sustinui nostris uos

DEUOLUO
    tantum desse triumphis, ... 8.230
    qui solus regum fato celante fauorem/
    defuit Emathiae, ... 8.360
    aduersis non desse decet, sed laeta
    secutos: 8.534
    non ulli comitum sceleris praesagia derant:
                   8.571
    ibat in hostilem... Cornelia puppem,/ hoc
    magis inpatiens egresso desse marito/
    quod metuit clades. 8.578
    robora non desint misero nec sordidus
    ustor. 8.738
    homines uoluisti desse uenenis. 9.858
    Emathiis quod solum defuit armis/exhibet.
                 9.1017
DESUPER. nunc desuper Alpis/nubiferae colles
    atque aeriam Pyrenen/abripimur. 1.688
DETEGO,-ERE. detege iam ferrum; . . 3.128
    detegit orta dies stantis in rupibus
    Histros 4.529
    detegit inbelles animas nil fortiter
    ausa/seditio tantumque fugam meditata
    iuuentus 5.322
    uolitantque a culmine raptae/detecto
    Garamante casae. 9.460
    sic fatus opertum/detexit tenuitque caput.
                 9.1033
    inuictumque ducem detecto Marte lacessit.
                 10.346
DETERREO,-ERE. nec nos deterreat ausis/
    Hesperii fortuna ducis, ... 10.375
DETESTOR,-ARI. ille supernis/detestanda deis
    saeuorum arcana magorum/nouerat 6.431
DETRAHO,-ERE. detrahimus dominos urbi seruire
    paratae.' 1.351
    detrahere in cladem fato damnata maritos
                 3.22
    hoc solum crimen meritae bene detrahe
    terrae, ... 8.125
DETRUDO,-ERE. duro contraria pectora conto/
    detrudit muris, ... 6.175
    obnixum uictor detrusit in Austrum. 9.334
DEUCALIONEUS,-A,-UM. Deucalioneos fudisset
    Aquarius imbres 1.653
DEUERTO,-ERE. deuertitque acies,
    solusque ex agmine tanto 2.470
    arma secuturum soceri.../ temptauere suo
    comites deuertere Magnum/hortatu, 6.317
    'o decus Haemonidum.../ quaeque suo uentura
    potes deuertere cursu,/ te precor ut
    certum liceat mihi noscere finem 6.591
DEUEXUS,-A,-UM. Gallica rura uidet
    deuexasque excipit Alpes. . . . 2.429
    conspexere procul praerupta in caute
    sedentem/qua iuga deuexus Pharsalica
    porrigit Haemus. 6.576
    multaque deuexo terrarum margine celat.
                 9.497
    isset in occasus mundi deuexa secutus
                 10.39
DEUINCIO,-ERE. tanto deuinxit amore/hos pudor,
                 8.155
DEUIUS,-A,-UM. quibus hoste potito/faucibus
    emitti terrarum in deuia Martem/inque
    feras gentes Caesar uidet, . . . 4.161
    mundique in deuia uersum/duxit iter,
                 5.133
    terraeque secutus/deuia, .../contigit
    Emathiam, ... 6.331
    iubet ire in deuia mundi/Deiotarum, 8.209
DEUOLUO,-ERE. Eridanus fractas deuoluit in

DEUOLUO

    aequora siluas 2.409

    deuoluit rapidum nequiqam moenibus agmen.
        2.491

DEUOUEO,-ERE. deuotum hostiles Decium pressere
    cateruae: 2.308

    accipe deuotas externa in proelia dextras.
        3.311

    uidit et ad certam deuotos tendere mortem,
        4.272

    stabat deuota iuuentus 4.533

    et quod Caesareis numquam deuota iuuentus
    /illa nimis castris 4.695

    deuotaque manibus illis/Assyrios in
    castra tuli ciuilia casus. . . 8.91

    tu quoque deuotos sacro tibi foedere muros
    /oramus ... dignere uel una/nocte tua:
        8.112

    'o sacris deuote senex.../... Phariae
    primordia gentis/... edissere   10.176

DEUS. aeterna parantur/regna deis caelumque
    suo seruire Tonanti 1.35

    quis deus esse uelis, ubi regnum
    ponere mundi. 1.52

    uelim.../ sollicitare deum Bacchumque
    auertere Nysa: 1.65

    uictrix causa deis placuit sed uicta
    Catoni. 1.128

    sed sponte deum, seu turbidus Auster/
    inpulerat, ... 1.234

    iubeas.../.../ si spoliare deos ignemque
    inmittere templis, ... 1.379

    solis nosse deos et caeli numina uobis/
    aut solis nescire datum; 1.452

    o faciles dare summa deos eademque tueri
    /difficiles! 1.510

    indigetes fleuisse deos,.../...accipimus,
        1.556

    quos sectis Bellona lacertis/saeua mouet,
    cecinere deos, crinemque rotantes/
    sanguineum populis ulularunt tristia
    Galli. 1.566

    tum, qui fata deum secretaque carmina
    seruant 1.599

    inferni uenere dei. 1.634

    di uisa secundent, ... 1.635

    at Figulus, cui cura deos secretaque
    caeli/nosse fuit, ... 1.639

    iamque irae patuere deum manifestaque
    belli/signa dedit mundus 2.1

    hae lacrimis sparsere deos, . . . 2.30

    diuisere deos, et nullis defuit aris/
    inuidiam factura parens. 2.35

    uiderat.../terribilisque deos
    scelerum Mariumque futurum, . . . 2.80

    Carthago Mariusque tulit,pariterque
    iacentes/ignouere deis. 2.93

    lege deum minimas rerum discordia turbat,
        2.272

    o utinam caelique deis Erebique liceret
        2.306

    foedera sola tamen uanaque carentia pompa
    /iura placent sacrisque deos admittere
    testes. 2.353

    di melius, belli tulimus quod damna
    priores: 2.537

    incerti Iudaea dei mollisque Sophene,
        2.593

    ille, dei quamuis cladem manesque minentur,
        3.36

    'tene, deum sedes, non ullo Marte coacti
    /deseruere uiri? 3.91

DEUS

    di melius, quod non Latias Eous in oras
        3.93

    namque ignibus atris/creditur, ut captae,
    rapturus moenia Romae/sparsurusque deos.
        3.100

    inuenit ista deos; 3.126

    quod superest donasse deis! . . . 3.243

    sortisque deorum/ignarum mortale genus per
    fulmina tantum/sciret adhuc caelo solum
    regnare Tonantem. 3.318

    hunc.../Siluani Nymphaeque tenent sed
    barbara ritu/ sacra deum;   3.404

    simulacraque maesta deorum/arte carent
        3.412

    tantum terroribus addit,/quos timeant,
    non nosse, deos. 3.417

    non illum cultu populi propiore
    frequentant/sed cessere deis. . . 3.423

    quis enim laesos inpune putaret/esse deos?
        3.448

    'non perdam tempora' dixit/ 'a saeuis
    permissa deis, iugulumque senilem/
    confodiam. 3.743

    et ueniam meruere dei. 4.123

    itur in omne nefas, et, quae fortuna
    deorum/inuidia caeca bellorum in nocte
    tulisset, ... 4.243

    paenituit, tolerasse sitim frustraque
    rogasse/prospera bella deos! . . . 4.388

    nos in conspicua sociis hostique carina
    /constituere dei; 4.493

    uicturosque dei celant, ut uiuere durent,
        4.519

    spem uestram praestate deis, . . . 5.42

    fortunae, Ptolemaee, pudor crimenque
    deorum, ... 5.59

    quis terram caeli patitur deus, . . 5.88

    non ullo saecula dono/nostra carent maiore
    deum, quam Delphica sedes 5.112

    nam, siqua deus sub pectora uenit, 5.116

    pulsusque deorum/concutiunt fragiles
    animas. 5.119

    iussus.../ antistes pauidamque deis
    inmittere uatem 5.124

    muto Parnasos hiatu/conticuit pressitque
    deum, ... 5.132

    et Phoebi tenuere uiam, seu sponte deorum
    /Cirrha silet 5.136

    atque deum simulans sub pectore ficta
    quieto/ uerba refert, ... 5.148

    uittasque dei Phoebeaque serta/erectis
    discussa comis 5.170

    dum te, consultor operti/Castalia tellure
    dei, uix inuenit, Appi, ... 5.188

    quem non emisit, superest deus. 5.211

    quae raperet secreta deum. 5.222

    tot mundi caruisse malis, praestare
    deorum/excepta quis Morte potest? 5.229

    cum prope fatorum tantos per prospera
    cursus/auertere dei. 5.240

    quos hominum uel quos licuit spoliare
    deorum? 5.271

    licet omne deorum/obsequium speres, 5.293

    numquam sic cura deorum/se premet, 5.340

    sunt ista profecto/curae castra deis,
        5.352

    dum se desse deis ac non sibi
    numina credit, ... 5.499

    temeraria prono/expertus cessisse deo,
        5.502

    o munera nondum/intellecta deum! 5.529

ne cessa praebere deo tua fata uolenti
                    5.536

rupisse uidentur/concordes elementa moras
rursusque redire/nox manes mixtura deis.
                    5.636

hinc usus placuere deum, ... 5.698
quod si sunt uota, deisque/audior, 5.778
parque suum uidere dei, ... 6.3
fabula muros/ascribatque deis; . . 6.49
exornantque deos ac nudum pectore Martem/
armis, Scaeua, tuis: 6.256
ille supernis/detestanda deis saeuorum
arcana magorum/nouerat 6.431
ibi plurima surgunt/uim factura deis,
                    6.441

cuius commercia pacti/obstrictos
habuere deos? 6.494
an habent haec carmina certum/imperiosa
deum, ... 6.498
tumulos expulsis obtinet umbris/grata deis
Erebi. 6.513
illa magis magicisque deis incognita
uerba/temptabat 6.577
uel tu parce deis et manibus exprime
uerum. 6.599
pronum erat, O iuuenis, quos uelles'
inquit 'in actus/inuitos praebere deos.
                    6.607

tum uox Lethaeos cunctis pollentior herbis
/excantare deos confundit murmura primum
/dissona 6.686
et rector terrae, quem longa in saecula
torquet/mors dilata deum; .../ exaudite
preces. 6.698
si pectora plena/ saepe deo laui calido
prosecta cerebro,/... parete precanti.
                    6.709

teque deis, ad quos alio procedere uoltu/
ficta soles .../ostendam 6.736
tripodas uatesque deorum/sors obscura
decet: 6.770
et Romanorum manes calcate deorum. 6.809
causamque senatus/credere dis dubitas?
                    7.77

ingemuit rector sensitque deorum/esse
dolos 7.85
iam (dubium, monstrisne deum, nimione
pauore/ crediderint) 7.172
di, quorum curas abduxit ab aethere
tellus/Romanusque labor, uincat 7.311
medio posuit deus omnia campo. 7.348
non iratorum populis urbique deorum est
/Pompeium seruare ducem. 7.354
mortalia nulli/sunt curata deo. 7.455
inque deum templis iurabit Roma per
umbras. 7.459
di tibi non mortem, quae cunctis poena
paratur, /sed sensum post fata tuae
dent, Crastine, morti. 7.470
iam Magnus transisse deos Romanaque fata
/senserat infelix, ... 7.647
ac testare deos nullum, qui perstet in
armis,/iam tibi, Magne, mori. . . . 7.690
crede deis, longo fatorum crede fauori,
                    7.705

crimenque deum crudele notauit, 8.55
cunctosque fugaui/a causa meliore deos.
                    8.94

accipe templorum cultus aurumque deorum;
                    8.121

multumque in gente deorum est. 8.308

ne iura fidemque /respectumque deum
ueteri speraueris aula; . . . 8.451
si numina nasci/credimus aut quemquam fas
est coepisse deorum. 8.459
illo cultore deorum/lustra suae Phoebes
non unus uixerat Apis) 8.478
fatis accede deisque, ... 8.486
sum tamen, o superi, felix, nullique
potestas/ hoc auferre deo. . . . 8.631
permansisse decus...formae/iratamque deis
faciem, .../... fatentur 8.665
Pompeius fuit.../... felix nullo turbante
deorum 8.706
obrue saxa/crimine plena deum. 8.800
solitumque legi super alta deorum/culmina
.../haud procul est ima Pompei nomen
harena/depressum tumulo, ... 8.818
consilio iussuque deum transibis in urbem,
                    8.849

Tarpeis qui saepe deis sua tura negarunt/
... uenerantur... fulmen. 8.863
quidquid ab exstincto licuisset tollere
busto/in templis sparsura deum. 9.62
Pompeio contigit ignis/inuidia maiore
deum. 9.66
suppositisque deis uram caput. 9.161
in superos audet conuicia uolgus/
Pompeiumque deis obicit; 9.188
hanc, ut fama, deus quem toto litore
pontus/audit uentosa perflantem marmora
concha,/... amat, ... 9.348
pauper adhuc deus est, ... 9.519
maximus hortator scrutandi uoce deorum/
euentus Labienus erat. 9.549
'sors obtulit'.../'et fortuna uiae tam magni
numinis ora/consiliumque dei: . . 9.552
sequerisque deum. 9.557
ille deo plenus tacita quem mente gerebat
/effudit dignas... uoces. 9.564
temploque tacente/nil facimus non sponte
dei; 9.574
estque dei sedes nisi terra et
pontus et aer/ et caelum et uirtus? 9.578
nunc, olim, factura deum es. 9.604
bellumque inmane deorum/Pallados e medio
confecit pectore Gorgon. 9.657
'reddite, di,' clamant 'miseris quae
fugimus arma, ... 9.848
putres robore trunci.../... templa deorum
/iam lassa radice tenent, ... 9.967
'di cinerum, Phrygias colitis quicumque
ruinas,/... gentis Iuleae uestris
clarissimus aris/dat pia tura nepos 9.990
caruere deis mea uota secundis, 9.1098
captus.../ non auro cultuque deum, non
moenibus urbis,/effossum tumulis cupide
descendit in antrum. 10.18
multas uolucresque ferasque/Aegypti
posuere deos, ... 10.159
non neclecte deis, Phariae primordia
gentis/... edissere 10.177
edissere.../ et ritus formasque deum;
                    10.179

noscique uolentes/prode deos. . . 10.181
non id agente deo, ... 10.265
tua flumina prodam/ qua deus undarum
celator, Nile, tuarum/ te mihi nosse dedit.
                    10.286

Latium sic scindere corpus/dis placitum:
                    10.417

DEXTER,-RA,-RUM. dexteriora petens montis

DEXTER

  decliuia Thybrim/unda facit Rutubamque
  cauum. 2.421
  robore diducto dextrum laeuumque tuetur
             3.584
  tibi, numine pugnax/aduerso Domiti, dextri
  frons tradita Martis. 7.220
  non sic moderator equorum/dexteriore rota
  laeuum cum circumit axem,/ cogit
  inoffensae currus accedere metae. 8.200
  Boreae latus illa sinistrum/contingens
  dextrumque Noti discedit in ortus 9.419

DEXTERA(sc. MANUS). in sua uictrici conuersum
  uiscera dextra 1.3
  hoc quem ciuiles hauserunt sanguine
  dextrae, ... 1.14
  contigit; alta sedent ciuilis uolnera
  dextrae. 1.32
  conposuit uoltu dextraque silentia iussit
             1.298
  inuita peragam tamen omnia dextra; 1.378
  spes una salutis/oscula pollutae
  fixisse trementia dextrae. . . . 2.114
  amisere notas, miserorum dextra parentum/
  colligit 2.167
  ualet, en, torquendo dextera pilo, 2.556
  uix operi cunctae dextra properante
  sorores 3.18
  accipe deuotas externa in proelia dextras.
             3.311
  cui non conspecto languebit dextra
  parente 3.326
  derigit huc puppem miseri quoque dextra
  Telonis, ... 3.592
  auertitque ratem morientis dextra
  magistri. 3.599
  rapturusque suam procumbit in aequora
  dextram. 3.616
  inuitatque patris claudenda ad lumina
  dextram. 3.740
  quo primum steterint campo, qua lancea
  dextra/exierit. 4.201
  castra uidet, famulas scelerata ad proelia
  dextras/excitat 4.207
  ut dextrae iusti gladius dissuasor
  adhaesit, ... 4.248
  non derat fortis rapiendo dextera leto;
             4.345
  'ecquis' ait 'iuuenum est cuius sit dextra
  curore/digna meo 4.542
  nec quemquam dextra fefellit . . . 4.559
  haud trepidante tamen toto cum pondere
  dextra/exegere enses. 4.564
  non... liceat.../ atque oculos morti
  clausuram quaerere dextram, . . . 5.280
  'qui modo in absentem uoltu dextraque
  furebas, ... 5.319
  sperantis omnia dextras/exarmare datur,
             5.355
  ipse pauet ne tela sibi dextraeque
  negentur 5.368
  quas uentus doctaeque pari moderamine
  dextrae/permixtas habuere diu. 5.706
  mox Lelegum dextra pressum descendit
  aratrum, ... 6.383
  paucas uictoria dextras/exigit, . . 7.366
  hae facient dextrae, quidquid nona
  explicat aetas, ... 7.387
  solus...ensis/...dextras Romana in uiscera
  ducit. 7.491
  uixque habitura locum dextras ac tela
  mouendi/constiterat 7.494

DICO

  infestae tenduntur in aethera dextrae.
             8.149
  quis non, Fortuna, putasset/ parcere te
  populis, quod bello haec dextra uacaret
             8.601
  uindicat hoc Pharius, dextra gestare,
  satelles, ... 8.675
  temeraria dextra,/ cur obicis Magno
  tumulum 8.795
  dextraque trementem/Perseos auersi
  Cyllenida derigit harpen 9.675
  exul in aeternum sceptris depulsa
  paternis/ni tua restituit ueteri me
  dextera fato, ... 10.88
  dignatur uiles isto quoque sanguine
  dextras 10.338
  dat scilicet omnis/dextera quod debet
  superis, ... 10.415

DIADEMA. cingere Pellaeo pressos diademate
  crinis/permissum. 5.60

DIANA. placatur sanguine diro/...et Taranis
  Scythicae non mitior ara Dianae. 1.446
  qua sublime nemus, Scythicae qua regna
  Dianae, ... 3.86
  parua Mycenaeae quantum sacrata Dianae/
  distat ab excelsa nemoralis Aricia Roma,
             6.74

DICO,-ERE. dixerat; at dubium non claro
  murmure uolgus/secum incerta fremit. 1.352
  'socii, decurrite' dixit 2.483
  haec ubi dicta, leuis totas accepit
  habenas 2.500
  'uiue, licet nolis, et nostro munere'
  dixit/ 'cerne diem. 2.512
  dixerat, et nondum foribus cedente tribuno
  /acrior ira subit: 3.141
  uiresque cruentus/coepit habere dolor,
  'non perdam tempora' dixit . . . 3.742
  dixit et ad montis tendentem praeuenit
  hostem. 4.167
  dixerat; at Caesar facilis uoltuque
  serenus/flectitur 4.363
  'standum est tibi,' dixit 4.646
  'quantusne euertere' dixit/ 'me superis
  labor est, ... 5.654
  haec fatum decumus, dictu mirabile,
  fluctus/inualida cum puppe leuat, 5.672
  sustinuit dixisse uale. 5.796
  dixerat, et noctis geminatis arte tenebris
  /maestum tecta caput squalenti nube
  pererrat/corpora 6.624
  'dic' inquit Thessala 'magna,/ quod iubeo,
  mercede mihi; 6.762
  cadauer/ 'tristia non equidem Parcarum
  stamina' dixit / 'aspexi 6.777
  'uenit summa dies, geritur res maxima,'
  dixit 7.195
  caelumque tremens cum lancea transit/
  dicere non fallar quo sit uibrata lacerto.
             7.289
  sine te iam bella geruntur'/ dixerat.
             7.608
  'uictoria nobis/plena, uiri:' dixit
  'superest pro sanguine merces, 7.738
  mundi nomine gaudens /esse fidem 'nullum
  toto mihi' dixit 'in orbe/ gratius esse
  solum... uobis/ ostendi: 8.129
  dixit, maestamque carinae/inposuit comitem.
             8.146
  in hac ceruice tyranni/ explorate fidem'
  dixit. 8.582

DICO

scelus hoc quo nomine dicent/qui Bruti
dixere nefas? 8.609
scelus hoc quo nomine dicent/qui Bruti
dixere nefas? 8.610
ille sedens iuxta flammas 'o maxime'
dixit/'ductor.../... si funere nullo/
tristior iste rogus, manes.../officiis
auerte meis: 8.759
placet hoc, Fortuna, sepulchrum/dicere
Pompei, ...   8.794
dic semper ab armis/ciuilem repetisse
togam, ...   8.813
'ergo indigna fui,' dixit 'Fortuna, marito
/accendisse rogum 9.55
'dic ubi sit, germane, parens; . . . 9.123
dixerat, et classem saeuus rapiebat in
undas; 9.165
dixit, et omnes/ haud aliter medio
reuocauit ab aequore puppes . . .   9.283
et se dilecta Tritonida dixit ab unda.
9.354
cui crediderim superos arcana daturos/
dicturosque magis, quam sancto, uera,
Catoni? 9.555
dixitque semel nascentibus auctor/
quidquid scire licet. 9.575
hoc satis est dixisse Iouem.' . .   9.584
dixit, dubiumque uenenum/hausit;   9.616
pars tam flauos gerit... crines/ut nullis
Caesar Rheni se dicat in aruis/tam rutilas
uidisse comas; 10.130
linigerum placidis conpellat Acorea
dictis. 10.175
et scopuli, placuit fluuii quos dicere
uenas, ...   10.325
atque haec dicta monet famulos perferre
fideles/ad... Achillam, ...10.349
DICTAEUS,-A,-UM. urbs est Dictaeis olim
possessa colonis. 2.610
pallida Dictaeis, Caesar, nascentia saxis
/infundas aconita palam, ...   4.322
Dictaea procul, ecce, manu Gortynis
harundo/tenditur in Scaeuam, . .   6.214
Dictaea legit cedentibus undis/litora.
9.38
DICTATOR. populoque precanti/scilicet
indulgens summo dictator honori/contigit
5.383
conscia uotorum es, me quamuis plenus
honorum/et dictator eam Stygias et consul
ad umbras,/priuatum, Fortuna, mori. 5.667
DICTO,-ARE. non metuens, atque haec ira
dictante profatur: 5.318
DIDUCO,-ERE. diductique fretis alio sub sidere
reges, ...   2.294
et iam diductis extendunt cornua proris
3.547
robore diducto dextrum laeuumque tuetur
3.584
aequora discedunt mersa diducta carina
3.632
Noton altera Phoebi/altera pars Borean
diducta luce uocabat. 5.543
ut primum toto diduxit cornua campo/
Pompeianus eques.../... leuis armatura...
/insequitur 7.506
DIES. quaque dies medius flagrantibus
aestuat horis 1.16
Phoebe.../indignata diem poscet sibi,
1.79
noxque diem caelo totidem per signa

DIES

sequetur, ...   1.91
emicuit rupitque diem populosque pauentes
1.153
iamque dies primos belli uisura tumultus/
exoritur; 1.234
in medium uenere diem, ...   1.537
inuoluitque orbem tenebris gentesque
coegit/ desperare diem; 1.543
dirasque diem foedasse uolucres/...
accepimus, ...   1.558
extremi multorum tempus in unum/conuenere
dies. 1.651
quis fuit ille dies, Marius quo moenia
uictor/corripuit, ...   2.99
non...piguit.../praecepisse diem, nec
primo in limine uitae/infantis miseri
nascentia rumpere fata. 2.106
cumque diem pronum transuerso limite
ducens 2.412
'cerne diem. 2.513
calidumque refugit Lucifer ipse diem.
2.725
sed teneat Caesarque dies et Iulia noctes.
3.27
non usque adeo permiscuit imis/longus
summa dies ut non, si uoce Metelli/
seruantur leges, malint a Caesare tolli.'
3.139
hos perdit Fortuna dies! 3.394
tum primum posuere comas et fronde
carentes/admisere diem, ...   3.444
praebuit ille dies uarii miracula fati.
3.634
prima dies belli cessauit Marte cruento
4.24
patriaeque et ruptis legibus unum/
donauere diem; 4.28
atque iterum aequatis ad iustae pondera
Librae/temporibus uicere dies,   4.59
incendere diem nubes oriente remotae 4.68
incipiunt uisoque die durescere ualles.
4.129
donec decresceret umbra/in medium surgente
die; 4.155
optauere diem. 4.525
detegit orta dies stantis in rupibus
Histros 4.529
instabatque dies qui dat noua nomina
fastis 5.5
non prima dies, non ultima mundi,/non
modus Oceani, numerus non derat harenae.
5.181
tuque potens ueri Paean nullumque futuri/
a superis celate diem, suprema ruentis/
imperii... cur aperire times?   5.200
sed nocte fugata/laesum nube dies iubar
extulit 5.456
a quotiens frustra pulsatos aequore montis
/obruit ille dies! 5.616
licet ingentis abruperit actus/festinata
dies fatis, sat magna peregi. . .   5.660
oppressit cum sole dies, ...   5.701
cum primum redeunte die uiolentior aer/
puppibus incubuit 5.717
uenit maesta dies et quam nimiumque
parumque/distulimus; 5.741
nulla fuit tam maesta dies; . . . 5.797
non paruo sanguine Magni/iste dies ierit.
6.158
ultimus esse dies potuit tibi Roma
malorum, ...   6.312

DIES

Thessaliam, qua parte diem brumalibus
horis/attollit Titan, rupes Ossaea
coercet; 6.333
dilataque longa /haesit nocte dies. 6.462
Titan medium quo tempore ducit/sub nostra
tellure diem, deserta per arua/carpit
iter. 6.572
et subito feriere die. 6.744
iussa tenere diem densas nox praestitit
umbras. 6.830
donassent utinam superi patriaeque
tibique/unum, Magne, diem, . . . 7.31
miseri pars maxima uolgi/non totum
uisura diem tentoria circum/ipsa ducis
queritur 7.48
testor, Roma, tamen Magnum quo cuncta
perirent /accepisse diem. 7.92
aduenisse diem qui fatum rebus in
aeuum/ conderet humanis.../... palam est.
7.131
mirantur.../ et pallere diem galeisque
incumbere noctem 7.178
'uenit summa dies, geritur res maxima,'
dixit 7.195
Romanus.../ sub quocumque die, quocumque
est sidere mundi,/ maeret et ignorat
causas 7.189
dissimilem certe cunctis quos explicat
egit/Thessalicum natura diem: . . 7.202
illo forte die Caesar statione relicta
/... /conspicit in planos hostem
descendere campos, ... 7.235
haec est illa dies mihi quam Rubiconis ad
undas/promissam memini, ... 7.254
uidit ut.../ Pompeius.../ sed superis
placuisse diem, stat corde gelato/
attonitus; 7.339
'quem flagitat' inquit/ 'uestra diem
uirtus, finis ciuilibus armis, 7.343
hunc uoluit nescire diem. . . . 7.411
haud multum terrae spatium restabat Eoae
/ut tibi nox, tibi tota dies, tibi
curreret aether, ... 7.424
sed retro tua fata tulit par omnibus
annis/Emathiae funesta dies. . . 7.427
tot similis fratrum gladios patrumque
gerenti/Thessaliae dabit ille diem? 7.454
hunc omnes gladii, quos aut Pharsalia
uidit/ aut ultrix uisura dies stringente
senatu/ illa nocte premunt, . . . 7.782
postquam clara dies Pharsalica damna
retexit /nulla loci facies reuocat
feralibus aruis/haerentis oculos. 7.787
quam sol nimbique diesque/longior Emathiis
resolutam miscuit aruis. 7.845
nisi summa dies cum fine bonorum/adfuit
.../dedecori est fortuna prior. 8.29
ne pigeat.../ Medorum penetrare domos...
/et totum mutare diem, ... 8.217
et polus Assyrias alter noctesque diesque
/uertit, ... 8.292
una dies mundi damnauit fata? . . 8.332
Libra pares examinat horas/non uno plus
aequa die, ... 8.468
cladesque omnis exegit in uno/saeua die
quibus inmunes tot praestitit annos, 8.704
sed iam percusserat astra/aurorae
praemissa dies: 8.779
uidit quanta sub nocte iaceret/nostra
dies 9.14
o felix, cui summa dies fuit obuia uicto

9.208
quaecumque uagam Syrtim conplectitur
ora/ sub nimio proiecta die, uicina
perusti /aetheris, exurit messes 9.432
quantumque licet consurgere fumo/et
uiolare diem, tantus tenet aera puluis.
9.462
incensusque dies, manant sudoribus artus,
9.499
hic quoque nil obstat Phoebo, cum cardine
summo/stat librata dies; 9.529
plaga quam nullam superi mortalibus
ultra/a medio fecere die, calcatur, 9.606
sic nec clara dies nec nox dabat atra
quietem 9.839
lumine recto/ sustinuere diem, caeli
seruantur in usus, ... 9.905
sed prius orta dies nocturnam lampada
texit /quam tutas intraret aquas. 9.1006
laeta dies rapta est populis, . . 9.1097
occurrit suprema dies, ... 10.41
mutat nocte diem, ... 10.202
stata tempora flatus/continuique dies et
in aera longa potestas, ... 10.241
diemque /misit in Aegypton . . . 10.434
potuit discrimine summo/Caesaris una dies
in famam et saecula mitti. . . . 10.533

DIFFERO,-RE.
tolle moras: semper nocuit
differre paratis. 1.281
nunc laniate comas neue hunc differte
dolorem 2.39
nec uincere tanti,/ ut bellum differret,
erat. 3.52
distulimus; iam totus adest in proelia
Caesar. 5.742
sic fata relictis/exiluit stratis
amens tormentaque nulla/uult differre
mora. 5.792
nec.../ intra claustra piger dilato Marte
quieuit, ... 6.264
dilataque longa/haesit nocte dies. 6.461
et rector terrae, quem longa in saecula
torquet/ mors dilata deum; .../ exaudite
preces. 6.698
fortissimus ille est/ qui, promptus
metuenda pati, si comminus instent,/
et differre potest. 7.107
haec est illa dies.../.../ in quam
distulimus uetitos remeare triumphos,
7.256
semel inpulit illum/ dilata Fortuna manu.
8.708
corpus Phariaene canes.../ distulerint,
an furtiuus, quem uidimus, ignis/soluerit,
ignoro. 9.142
an sit uita nihil sed longa an differat
aetas? 9.568
uixitque Pothini/munere Phoebeos Caesar
dilatus in ortus. 10.433
non fatum meriti poenasque Pothini/
distulit ulterius. 10.516

DIFFICILIS,-E.
o faciles dare summa deos
eademque tueri/difficiles! . . . 1.511

DIFFIDO,-ERE.
et noti diffisus uiribus orbis
/indomitos quaerit populos . . . 4.145
at Caesar moenibus urbis/diffisus foribus
clausae se protegit aulae . . . 10.440

DIFFUGIO,-ERE.
diffugiunt: ingens urbem
cingebat Erinys 1.572

DIFFUNDO,-ERE.
hoc cruor Arctois meruit
diffusus in aruis 1.301

DIFFUNDO

diffusum rutilo dirum pro sanguine uirus.
1.615

totaque diffuso latuisset in aequore
tellus. 1.654
uentus ut amittit uires, nisi robore
densae/occurrunt siluae, spatio diffusus
inani, ... 3.363
haut procul a muris tumulus surgentis in
altum/telluris paruum diffuso uertice
campum/explicat: 3.376
caelo defusum (diffusum) reddidit aequor.
var.4.82
non erigit aegros/nobilis ignoto diffusus
consule Bacchus, ... 4.379
ut uastis diffusum collibus hostem
/cingeret 6.30
Pallas Gorgoneos diffudit in aegida
crines, ... 7.149

DIGERO,-ERE. corpora dum soluit tabes et
digerit artus, ... 6.88
undae plus quam quod digerat aer/tollitur;
10.260

DIGNOR,-ARI. quod numen ab aethere pressum/
dignatur caecas inclusum habitare
cauernas? 5.87
muros/oramus sociosque lares dignere uel
una/nocte tua: 8.113
quod si tam sacro dignaris nomine saxum/
adde actus tantos 8.806
dignatur uiles isto quoque sanguine
dextras 10.338

DIGNUS,-A,-UM. dignum te Caesaris ira/nullus
honor faciet. 3.136
exciuit populos et dignas funere
Magni/ exequias Fortuna dedit, . . . 3.291
at nunc causa mihi est orandae sola
salutis/dignum donanda, Caesar, te credere
uita. 4.347
'ecquis' ait 'iuuenum est cuius sit dextra
cruore/digna meo 4.543
digna damus, iuuenis, meritae praeconia
uitae. 4.813
'indole si dignum Latia, si sanguine prisco
/robur inest animis, ... 5.17
et tibi, non fidae gentis dignissime
regno, ... 5.58
nomen inane/imperii rapiens signauit
tempora digna/maesta nota; 5.390
credit iam digna pericula Caesar/fatis
esse suis. 5.653
dignum, quod quaerere cures/uel tibi,
quo tanti praeponderet alea fati.' 6.602
mors nulla querella/digna sua est, 7.631
sustinuit dignos etiamnunc credere uotis
/caelicolas, ... 7.657
dignasque tulit modo consule uoces. 8.330
nil animis fatisque tuis effabere
dignum: 8.347
te fata extrema petente/uita digna fui?
8.653
aut aliquis Magno dignus comes exigat
ensem. 8.656
quis sacris dignam mouisse uerebitur
umbram? 8.841
non Caesaris armis/occubuit dignoque
perit auctore ruinae: 9.129
nunc causa pericli/ digna uiris. 9.263
quanto poena tu dignior ista es,/qui
populo sitiente bibas!' 9.508
effudit dignas adytis e pectore uoces.
9.565

ecce parens uerus patriae, dignissimus
aris,/ Roma, tuis, ... 9.601
dignumque clientem/ castris crede tuis
9.1024
dignaque satis mercede laborum/contentus
par esse tibi. 9.1101
quis dignior umquam/hoc fuit auditu?
10.182

DILABOR,-I. refugit/ umbra per amplexus
trepidi dilapsa mariti. 3.35

DILIGO,-ERE. exhausit totas quamuis dilectus
Athenas, ... 3.181
iam dilecta Ioui centenis uenit in arma
/Creta uetus populis. 3.184
dilectus tibi, Magne, socer post pignora
tanta,/ .../te... propius non uidit 5.473
haut umquam... putauit/ sic se
dilecti tumulum quoque perdere Magni.
7.36
et se dilecta Tritonida dixit ab unda.
9.354
sustulit.../harpen alterius monstri iam
caede rubentem/a Ioue dilectae fuso
custode iuuencae, ... 9.664

DIMADESCO,-ERE. solibus et nullis Scythicae
.../ dimaduere niues. 6.479

DIMITTO,-ERE. ille semel raptos numquam
dimittet honores? 1.317
uos quoque, qui fortes animas belloque
peremptas/laudibus in longum uates
dimittitis aeuum, ... 1.448
Titan.../... igniferi tantum demerserat
(dimiserat) orbis/ quantum desse solet
lunae, ... var.3.41
sed, si solus eam dimissis degener armis,
3.367
est tanta dimissa uia. 3.642
ad mortem dimitte senes. . . . 5.277
sed sorte frequenti/plebeiaque nimis
careo dimissa marito. 5.765
numquamque uidebit/me nisi dimisso
redeuntem milite Roma. 6.321
quam uix.../... siccis dimittere matres/
iam poterant oculis: 8.154
dimisso in litore rege/ipse.../...
spumantia paruae/radit saxa Sami; 8.243
iuuit sumpta ducem, iuuit dimissa
potestas. 9.200
uisum famulis reparabile damnum/illam
mactandi dimittere Caesaris horam. 10.430

DIMOUEO,-ERE. ille nec horrificam sancto
dimouit ab ore/caesariem 2.372
summas dimouit harenas 8.754

DIPSAS. iam Taurum Tauroque uidet Dipsunta
cadentem. 8.255

DIPSAS. in mediis sitiebant dipsades undis.
9.610
et torrida dipsas, ... 9.718
Aulum/ torta caput retro dipsas calcata
momordit. 9.738
fatique minorem/famam dipsas habet terris
adiuta perustis. 9.754
pro Caesare pugnant/dipsades . . . 9.851

DIRAE(subst.). Crassumque in bella secutae/
saeua tribuniciae uouerunt proelia dirae.
3.127

DIRCAEUS,-A,-UM. emicuit Dircaea cohors
ceciditque suorum/uolneribus, . . 4.550

DIRCE. quos impiger ambit/fatidica
Cephisos aqua Cadmeaque Dirce, . . 3.175

DIRIGO v. DRIGO.

DIRIMO,-ERE. arma ducum dirimens miserando
    funere Crassus 1.104
    et terminus idem/Europae, mediae
    dirimens confinia terrae, . . . 3.275
    medius dirimit tentoria gurges. 4.18
    qui medius tutam castris dirimebat
    Ilerdam, ... 4.33
    et non admissae dirimit suffragia plebis
    . . . . 5.393
    fuit spes inrita.../ posse duces parua
    campi statione diremptos/admotum damnare
    nefas; 5.470
    nec medii dirimunt morbi uitamque necemque,
    . . . . 6.99
    rapido cursu fati suprema morantem
    /consumpsere locum, parua tellure dirempti,
    . . . . 7.461
    at tibi, quaecumque es Libyco gens igne
    dirempta,/ in Noton umbra cadit, 9.538
    quamuis Byzantion arto/Pontus et
    ostriferam dirimat Calchedona cursu, 9.959
    dirimunt Arabum populis Aegyptia rura/
    regni claustra Philae. 10.312
    qua iungunt (dirimunt) nostrum rubro
    commercia ponto, ... var.10.314

DIRIPIO,-ERE. Graiorumque domos direptaque
    moenia transfert. 6.35
    plurimaque humanis ante hoc incognita
    mensis /diripiens miles saturum tamen
    obsidet hostem 6.117

DIRUS. diros Pharsalia campos/impleat 1.38
    sanguinis et diro ferales omine taedas
    /abstulit... Iulia 1.112
    sed diro ferri reuocantur amore 1.355
    et quibus inmitis placatur sanguine diro
    /Teutates 1.444
    dirasque diem foedasse uolucres/...
    accipimus, ... 1.558
    diraque per populum Cumanae carmina uatis
    /uolgantur. 1.564
    diffusum rutilo dirum pro sanguine uirus.
    . . . . 1.615
    noscant uenturas ut dira per omina clades?
    . . . . 2.6
    uidimus et toto quamuis in corpore caeso/
    nil animae letale datum, moremque
    nefandae/dirum saeuitiae, pereuntis
    parcere morti. 2.180
    diri tum plena horroris imago 3.9
    ocius auertat diri mala semina belli.
    . . . . 3.150
    at, si funestas acies, si dira paratis/
    proelia discordes, ... 3.312
    at enim contagia belli/dira fugant. 3.370
    structae diris altaribus arae . . 3.404
    tunc unica diri/conspecta est leti facies,
    . . . . 3.652
    pro dira pudoris/funera! 4.231
    dirum Thebanis fratribus omen; . . 4.551
    eripe consilium pugna: cum dira uoluptas
    /ense subit presso, galeae texere pudorem,
    . . . . 4.705
    excitet inuisas dirae Carthaginis umbras
    . . . . 4.788
    ferat ista cruentus/Hannibal et Poeni tam
    dira piacula manes. 4.790
    ante iaces quam dira duces Pharsalia
    confert, ... 4.803
    tam diri foederis ictu/parta quies, 5.372
    nostros non rumpit funus amores/nec diri
    fax summa rogi, ... 5.764

    tot surdas gentibus aures/caelicolum
    dirae conuertunt carmina gentis. 6.444
    Phoebeque serena/non aliter diris uerborum
    obsessa uenenis/palluit 6.501
    hos scelerum ritus, haec dirae crimina
    gentis/effera damnarat nimiae pietatis
    Erictho 6.507
    saepe etiam caris cognato in funere dira/
    Thessalis incubuit membris 6.564
    pollutos cantu dirisque uenefica sucis/
    conspersos uetuit transmittere bella
    Philippos, ... 6.581
    uiscera non lyncis, non durae (dirae)
    nodus hyaenae/defuit var.6.672
    et, quibus os dirum nascentibus inspuit,
    herbas/addidit 6.683
    crastina dira quies et imagine maesta
    diurna/ undique funestas acies feret,
    . . . . 7.26
    dira subit rabies: 7.51
    fuge proelia dira/ac testare deos nullum,
    . . . . 7.689
    Pompei diro sacrum caput ense recidis,
    . . . . 8.677
    uirus stillantis tabe Medusae/concipiunt
    dirosque fero de sanguine rores, 9.698
    non...ueloci corrumpunt pocula leto/
    stipite quae diro uirgas mentita Sabaeas
    /toxica fatilegi carpunt matura Saitae.
    . . . . 9.820
    sed dira satelles/regis dona ferens
    medium prouectus in aequor . . . 9.1010
    ut primum.../... diras calcauit Caesar
    harenas,/ pugnauit fortuna ducis fatumque
    nocentis/Aegypti, ... 10.2

DIS. non tacitas Erebi sedes Ditisque profundi
    /pallida regna petunt: 1.455
    Eumenis,.../ horruit Alcides uiso iam
    Dite Megaeram. 1.577
    nouerat.../ umbrarum Ditisque fidem, 6.433
    nosse domos Stygias arcanaque Ditis operti
    /non superi, non uita uetat. . . . 6.514
    haud procul a Ditis caecis depressa
    cauernis/in praeceps subsedit humus, 6.642
    aeternis chalybis nodis et carcere Ditis/
    constrictae plausere manus, . . . 6.797

DISCEDO,-ERE. uix te sparsum per uiscera,
    Baebi,/ innumeras inter carpentis membra
    coronae/discessisse manus, ... 2.121
    interea trepido discedens agmine Magnus
    . . . . 2.392
    aequora discedunt mersa diducta carina
    . . . . 3.632
    discessit medium tam uastos pectus ad
    ictus, ... 3.655
    excipit haec iuuenis generosi sanguinis
    Argus/ qua iam non medius descendit
    (discedit) in ilia uenter, . . .var.3.724
    seruatoque loco rerum discessit ab astris
    /umor, ... 4.126
    'liceat discedere, Caesar,/a rabie scelerum.
    . . . . 5.261
    discedite castris, ... 5.357
    postquam discessit Olympo/ Herculea
    grauis Ossa manu 6.347
    ergo abrupta palus multos discessit in
    amnes. 6.360
    pinguis Bebrycio discessit uomere sulcus;
    . . . . 6.382
    certus discedat, ab umbris/quisquis uera
    petit 6.771

DISCEDO

    nunc sum tibi gloria maior/a me quod
    fasces.../ tantaque discessit regum
    manus. 8.80
    ast illam.../... discedere cernens/
    ingemuit populus; 8.152
    Boreae latus illa sinistrum/contingens
    dextrumque Noti discedit in ortus   9.419
    seruataque fide templi discedit ab aris
                                        9.585
    haec quoque discedunt, ... 9.785
    non in soceri generique fauorem/discedunt
    populi; 10.418
DISCERNO,-ERE. discreuit mors saeua uiros,
                                        3.605
    petimus non singula busta/discretosque
    rogos: 7.804
DISCERPO,-ERE. uix te sparsum per uiscera,
    Baebi/ innumeras inter carpentis membra
    coronae/discessisse (discerpsisse) manus,
                                     var.2.121
    non omnis populus.../ inque feras
    discerptus abit; 7.842
DISCO,-ERE. disces non esse ad bella fugaces
                                        2.558
    et nihil esse meo discetis tutius aeuo
    /quam duce me bellum'. 3.371
    atque hominem didicere pati, . . . 4.239
    discite quam paruo liceat producere uitam
                                        4.377
    lassare et disce sine armis/posse pati;
                                        5.313
    tiro rudis, specta poenas et disce ferire,
                                        5.363
    disce mori.' 5.364
    ultima fata deprecor.../ ne discam seruire
    senex.' 7.382
    nullaque tantorum discat me uate malorum,
    /... aetas. 7.553
    discere nulli/permissum est hoc posse
    sitim. 9.761
    discit opes Caesar spoliati perdere mundi
                                       10.169
DISCOLOR. discolor et uario furialis cultus
    amictu/induitur, ... 6.654
    abruptum est nostro mare discolor unda/
    Oceanusque suus. 8.293
    cano sed discolor aequore truncus/
    conspicitur. 8.722
    discolor hos sanguis, alios distinxerat
    aetas; 10.128
DISCORDIA(subst.). lege deum minimas rerum
    discordia turbat, ... 2.272
    finem ciuili faciat discordia bello. 5.299
    discordia ponti /succurrit miseris, 5.646
    effera Romanos agitat discordia manes
                                        6.780
    fremit interea discordia uolgi,   9.217
DISCORS. totaque discors/machina diuolsi
    turbabit foedera mundi. 1.79
    temporis angusti mansit concordia discors
                                        1.98
    expulit ancipiti discordes urbe tribunos
                                        1.266
    monstra iubet primum quae nullo semine
    discors/protulerat natura rapi   1.589
    at,si funestas acies, si dira paratis/
    proelia discordes, ... 3.313
    tum uox.../... confundit murmura primum/
    dissona et humanae multum discordia
    linguae. 6.687
    aethera seu totum discordi obsistere caelo

    /perspexitque polos, ...   7.198
    discordia sensit/ pectora et ancipites
    animos, ...   10.12
DISCRIMEN. placuitque referri/signa nec in
    tantae discrimina mittere pugnae   2.599
    auri nescit amor, pereunt discrimine nullo
                                        3.119
    uel, cum tanta uocent discrimina Martis
    Hiberi, ...   3.336
    hactenus armorum discrimina: . . . 4.48
    rerum discrimina miscet/deformis caeli
    facies iunctaeque tenebrae. . . . 4.104
    magnum nunc saecula nostra/uenturi
    discrimen habent. 4.192
    utque habeat famulos nullo discrimine
    Caesar/exorandus erit? 4.218
    nullo dubii discrimine Martis/ancipites
    steterunt casus, ... 4.770
    eminuit pontoque fuit discrimen et astris.
                                        5.76
    'effugis ingentes, tanti discriminis
    expers,/ bellorum, Romane, minas, 5.194
    haud magis expertus discrimine Caesar
    in ullo est 5.249
    sed, si magnarum poscunt discrimina rerum,/
    haud dubitem praebere manus: . . . 5.557
    summa uidens duri Magnus discrimina
    Martis 5.723
    summique grauem discriminis horam/
    aduentare palam est, ... 6.415
    placet haec tam prospera rerum/tradere
    fortunae, gladio permittere mundi/
    discrimen; 7.109
    discrimina postquam/aduentare ducum.../
    .../illa quoque in ferrum.../languit,
                                        7.242
    credis, Magne, uiros, quos in discrimina
    belli/cum ferro misisse parum est? 8.389
    siquo fuerit discrimine notum/dux an miles
    eam. 9.401
    iamque iter omne latet nec sunt discrimina
    terrae: 9.493
    maiore profecto/ quam metui poterat
    discrimine gessimus arma: 9.1085
    nullo discrimine sexus/reginam scit ferre
    Pharos. 10.91
    potuit discrimine summo/Caesaris una
    dies in famam et saecula mitti.   10.532
DISCRIMINO,-ARE. et picto uestes discriminat
    auro, ... 2.357
DISCUMBO,-ERE. discubuere illic reges maiorque
    potestas/Caesar; 10.136
DISCURRO,-ERE. barbaricas saeui discurrere
    Caesaris alas; 1.476
    et incerto discurrunt sidera motu, 1.643
    infulaque in geminos discurrit candida
    postes, ... 2.355
    aera non passus uacuis discurrere uenis
                                        4.369
    nullam maiore locuta est/ora ratem totum
    discurrens Fama per orbem. 4.574
    haec fatus totis discurrere castris/
    coeperat 5.295
    sic iussit natura parens discurrere Nilum,
                                       10.238
    interque maritos/ discurrens Aegypton
    habet Romamque meretur. 10.359
DISCURSUS. discursusque animae diuersa in
    membra meantis/ interceptus aquis. 3.640
    commeat hac penitus tacitis discursibus
    unda 10.249

DISCUTIO,-ERE. morte tua discussa fides
    bellumque mouere / permissum ducibus.
                                1.119

    ueteremque iugis nutantibus Alpes/
    discussere niuem. 1.554
    atque omnis trahe, gurges, aquas, ut
    spumeus alnos/discussa conpage feras.
                                  2.487

    discussere salo spatiumque dedere carinis
                                  2.685

    Phoebeaque serta/erectis discussa comis
                                  5.171

    talia iactantis discussa nocte serenus/
    oppressit cum sole dies, ... 5.700
    ungula frondentem discussit cornea campum.
                                  6.83

    haerentis mota cute discutit hastas: 6.210
    admotus superis discussa fugit ab ara/
    taurus 7.165
    regna uidit... Nasamon errantia uento/
    discussasque domos, ... 9.459
    saxa tulit penitus discussis proruta muris
                                  9.490

    discussa iacebant/saxa nec ullius faciem
    seruantia sacri: 9.977
DISPENDIUM. Haemoniae deserta petens dispendia
    siluae/cornipedem.../Magnus agens incerta
    fugae uestigia turbat 8.2
DISPERGO,-ERE. his aries actus disperget saxa
    lacertis, ... 1.384
    Arruns dispersos fulminis ignes/colligit
                                    1.606
    dispersus siluis Athaman et nomine prisco
    /Encheliae uersi testantes funera Cadmi,
                                  3.188

    lapsa per altum/aera dispersos traxere
    cadentia sulcos/sidera, ... 5.562
    et turbata perit dispersis littera pinnis.
                                  5.716

    atque Antenorei dispergitur unda Timaui,
                                  7.194

    'ergo indigna fui',.../.../membraque dispersi
    pelago conponere Magni, ... 9.58
    'o felix, quem sors alias dispersit in
    oras 9.126
    quem... Cleopatra sine ullis/tristis adit
    lacrimis, simulatum compta dolorem / qua
    decuit, ueluti laceros dispersa capillos,
                                  10.84

DISPONO,-ERE. dum dispositis attollat retia
    uaris, ... 4.439
    disponit castella iugis 6.40
    agmina... muro breuiore recepit/densius
    ut parua disponeret arma corona. 6.289
    disponis gladios, nequo non fiat in orbe,
    /heu, facinus ciuile tibi. . . . 8.603
DISSECO,-ARE. caput obterit ossaque saxo/ac
    male defensum fragili conpage
    cerebrum/dissipat (dissecat); . var.6.178
DISSILIO,-ERE. dissiluit percussus humo,
    mortesque cruento/uictori rapuere suas;
                                  2.156
    clara, sed obscurum nimbosus dissilit aer.
                                  5.631

    dissiluit stringens uterum membrana, 9.773
DISSIMILIS,-E. dissimilem certe cunctis quos
    explicat egit/Thessalicum natura diem:
                                  7.201

DISSIPO,-ARE. totos cum sanguine dissipat
    artus. 3.473
    male defensum fragili conpage cerebrum/

---

    dissipat; 6.178
    scopulisque repulsum/dissipat 9.451
    neu terras dissipet ignis/Nilus adest
    mundo 10.232
DISSOLUO,-ERE. ossaque dissoluens cum corpore
    tabificus seps; 9.723
DISSONUS,-A,-UM. coiere nec umquam/tam uariae
    cultu gentes, tam dissona uolgi/ ora.
                                  3.289

    tum uox.../... confundit murmura primum/
    dissona et humanae multum discordia
    linguae. 6.687
    Grais delecta iuuentus /gymnasiis aderit
    .../... aut mixtae dissona turbae/
    barbaries, ... 7.272
DISSUASOR. ut dextrae iusti gladius
    dissuasor adhaesit, ... 4.248
DISTENDO,-ERE. distentis toto riguit
    sed corpore palmis. 3.734
    medios pontem distendit in agros. 4.140
    rituque ferarum/distentas siccant pecudes,
                                  4.314

    inguinaque insertis pedibus distendit
                                  4.628

    iam riget arta cutis distentaque lumina
    rumpit, ... 6.95
    inque pruinoso coluber distenditur aruo;
                                  6.489

    distento lumina rictu/nudantur. 6.757
    oraque distendens auidus fumantia
    prester, ... 9.722
    nec lorica tenet distenti pectoris auctum.
                                  9.797

DISTERMINO,-ARE. et Gallica certus/
    limes ab Ausoniis disterminat arua
    colonis. 1.216
    non Asiam breuioris aquae disterminat
    usquam/fluctus ab Europa, . . . 9.957
DISTINEO,-ERE. distinet Oceanum zonaeque
    exusta calentis. 4.675
DISTINGUO,-ERE. menstruus in fastos
    distinguit saecula consul. . . . 5.399
    foribus testudinis Indae/terga sedent,
    crebro maculas distincta zmaragdo. 10.121
    discolor hos sanguis, alios distinxerat
    aetas; 10.128
DISTO,-ARE. illic exiguo paulum distantia
    uallo/castra locant. 4.168
    quantum.../distat ab excelsa nemoralis
    Aricia Roma, ... 6.75
    sidera terra/ut distant et flamma mari,
    sic utile recto. 8.488
DISTRAHO,-ERE. numquam omine laeto/distrahimur
    miseri. 8.586
DISTRIBUO,-ERE. distribuit tumulos uestris
    fortuna triumphis. 6.818
DISTRINGO,-ERE. et districta epulis ad
    cunctas aula patebat/insidias, 10.422
DISTURBO,-ARE. et multo distrubat sanguine
    pacem. 4.210
DIU. stare diu nimioque graues sub
    pondere lapsus 1.71
    inpatiensque diu non grati uictima sacri,
                                  1.611

    haeserunt ibi fata diu, ... 3.645
    auxilioque diu uirtus non usa cadendi/
    terrae spernit opes: 4.607
    colla diu grauibus frustra temptata
    lacertis, ... 4.618
    terrisque diu non credidit hostem. 4.653
    inter fata diu quaerens tam magna

DIU | DIUORTIUM

latentem. 5.189

quas uentus.../ permixtas habuere diu,
latumque per aequor, ... 5.707

non in Tartareo latitantem poscimus antro
/adsuetamque diu tenebris, . . . 6.713

cedant feralia nomina Cannae/et damnata
diu Romanis Allia fastis. 7.409

totaeque cohortes/pila parata diu tensis
tenuere lacertis. 7.469

nec Fortuna diu rerum tot pondera uertens
/abstulit ingentis fato torrente ruinas.
7.504

iamque diu uolucres ciuilia castra secutae
/conueniunt. 7.831

diuque /spe mortis decepta iacet.   8.60

nodosaque frangit/ossa diu: 8.673

nullo glaebarum crimine pura(diu)/ et
penitus terra est. var.9.425

innocuosque diu rictus torpente ueneno/
inter membra fouent. 9.845

Tyrio cuius pars maxima fuco/cocta diu
uirus non uno duxit aeno, ... 10.124

sterilesque diu metiris harenas,   10.308

DIUA v. DIUUS.

DIUELLO,-ERE. totaque discors/machina
diuolsi turbabit foedera mundi.   1.80

DIUERSUS,-A,-UM. quo diuersa feror? 1.683
nec non bella uiri diuersaque castra
petentes/effundunt iustas in numina saeua
querellas. 2.42

nam praelata suis numquam diuersa dolebit/
castra ducis Magni. 2.275

per diuersa ruens neclecto moenia tergo,
2.467

quaque ferens rapidum diuiso (diuerso)
gurgite fontem/ uastis Indus aquis
mixtum non sentit Hydaspen; . . var.3.235

Euphrates, quos non diuersis fontibus edit
/Persis, et incertum, tellus si misceat
amnes, ... 3.257

inter Caesareas acies diuersaque signa
3.264

qua uertice lapsus /Riphaeo Tanais diuersi
nomina mundi/inposuit ripis . . . 3.273

telaque diuersi prohibebunt spargere
fratres? 3.327

tunc res inmenso placuit statura labore,/
aggere diuersos uasto committere colles.
3.382

diuersaeque rates laxata classe receptae.
3.548

discursusque animae diuersa in membra
meantis/ interceptus aquis. . . . 3.640

diuersae rostris iuuenem fixere carinae.
3.654

nulla tamen plures hoc edidit aequore
clades/quam pelago diuersa lues.   3.681

stabat diuersa uictae iam parte carinae/
infelix Argi genitor, ... 3.726

spectabunt geminae diuerso litore partes.
4.495

agmina.../diuersis spargit tumulis, 6.71

Elysias Latii sedes ac Tartara maesta/
diuersi liquere duces. 6.783

spargitur innumerum diuersis missile
uotis: 7.485

ecce, subit facies leto diuersa fluenti.
9.789

sideribus.../... diuersa potentia prima/
mundi lege data est. 10.200

DIUES. quod dites Asiae populi misere tributum

3.162

desertus Orontes/.../ Gazaque et arbusto
palmarum diues Idume 3.216

Colchorum qua rura secat ditissima Phasis,
3.271

quod legit diues summis Arimaspus harenis,
/ut rapiant, paruo scelus hoc uenisse
putabunt. 7.756

nullo glaebarum crimine pura (diues)/ et
penitus terra est. var.9.425

non illic Libycae posuerunt ditia gentes/
templa, ... 9.515

quo postquam partu Danaes et diuite
nimbo/ ortum Parrhasiae uexerunt
Persea pinnae 9.659

DIUIDO,-ERE. diuiditur ferro regnum,
populique potentis, ... 1.109

fatorum inmoto diuisit limite mundum,
2.11

diuisere deos, et nullis defuit aris/
iuidiam factura parens, ... 2.35

tandem Tyrrhenas uix eluctatus in undas/
sanguine caeruleum torrenti diuidit aequor.
2.220

ne litora clamor/nauticus exagitet neu
bucina diuidat horas 2.689

et qua Pomptinas uia diuidit uda paludes,
3.85

quaque ferens rapidum diuiso gurgite
fontem/uastis Indus aquis mixtum non
sentit Hydaspen; 3.235

diuisitque animam sparsitque in uolnera
letum. 3.591

non rupta uadosis/Syrtibus incerto Libye
nos diuidit aestu. 5.485

non ex aequo diuisimus orbem; . . 5.495

diuidit Euphrates ingentem gurgite mundum
8.290

temptare pudendum/auxilium tanti est, toto
diuisus ut orbe/a terra moriare tua, 8.391

sol tempora diuidit aeui, . . . 10.201

sed caeca iuuentus/consilii uastos ambit
diuisa penates, ... 10.483

DIUIDUUS,-A,-UM. litora.../ uix tegitit, qua
diuidui pars maxima Nili/ in uada
decurrit Pelusia 8.465

DIUINUS,-A,-UM. ut uidit Paean uastos telluris
hiatus/diuinam spirare fidem uentosque
loquaces 5.83

DIUITIAE. diuitias numerare datum est. 6.407

gaudet in Hyblaeo securus gramine
pastor/diuitias seruasse casae. . 9.292

fuit aurea silua/diuitiisque graues et
fuluo germine rami 9.361

tantum Maurusia genti/robora diuitiae,
quarum non nouerat usum, ... 9.427

pauper adhuc deus est, nullis uiolata per
aeuum/diuitiis delubra tenens, . . 9.520

laqueataque tecta ferebant/diuitias
10.113

diuitias Cleopatra gerit cultuque laborat.
10.140

pro caecus et amens/ambitione furor,
ciuilia bella gerenti/diuitias aperire
suas, ... 10.148

DIUORTIUM. fluminaque in gemini spargit
diuortia ponti 2.404

idem per Scythici profugum diuortia ponti
/indomitum regem Romanaque fata morantem
/ad mortem Sulla felicior ire coegi.
2.580

DIURNUS

DIURNUS,-A,-UM. crastina dira quies et
  imagine maesta diurna/undique funestas
  acies feret, ...   7.26
  at, siquis peste diurna/fata trahit, tunc
  sunt magicae miracula gentis . . 9.922

DIUUS,-A,-UM. sic eat: inmites Romana piacula
  diui/plena ferant, ... 2.304
  bella pares superis facient ciuilia diuos,
                         7.457
  gemitus lacrimaeque secuntur/plurimaque in
  saeuos populi conuicia diuos. . . 7.725
  Cyproque citatas/inmisere rates, nullas
  cui praetulit aras/ undae diua memor
  Paphiae, ... 8.458
  tunc pace fideli/fecissem ut uictus
  posses ignoscere diuis, ... 9.1103

DO,-ARE. iusque datum sceleri canimus, 1.2
  tu satis ad uires Romana in carmina
  dandas. 1.66
  bellum uictis ciuile dedistis. . . 1.108
  quod si tibi fata dedissent . . . 1.114
  stimulos dedit aemula uirtus. . . 1.120
  famaeque petitor/multa dare in uolgus,
                         1.132
  dat stragem late sparsosque recolligit
  ignes. 1.157
  quae pax longa dabat· 1.241
  melius, Fortuna, dedisses /orbe sub Eoo
  sedem.../errantisque domos, . . . 1.251
  ultima Pompeio dabitur prouincia Caesar,
                         1.338
  quae rura dabuntur/quae noster ueteranus
  aret, ... 1.344
  arma tenenti/omnia dat, qui iusta negat.
                         1.349
  solis nosse deos et caeli numina uobis/
  aut solis nescire datum; 1.453
  sic quisque pauendo/dat uires famae, 1.485
  o faciles dare summa deos eademque tueri/
  difficiles! 1.510
  danda tamen uenia est tantorum danda
  pauorum: . . . . 1.521(bis)
  et uarias ignis denso dedit aere formas,
                         1.531
  terrae maesto cum murmure condit/datque
  locis numen; 1.608
  noua da mihi cernere litora ponti 1.693
  manifestaque belli/signa dedit mundus 2.2
  date gentibus iras, ... 2.47
  consul et euersa felix moriturus in urbe/
  poenas ante dabat scelerum. . . . 2.75
  nulli gestanda dabantur/signa ducis, 2.96
  tum data libertas odiis, ... 2.145
  non uni cuncta dabantur 2.146
  uidimus et toto quamuis in corpore
  caeso/ nil animae letale datum, 2.179
  hic dabit hic pacem iugulus finemque
  malorum 2.317
  alios fecunda penates/inpletura datur
  geminas et sanguine matris/permixtura
  domos; 2.332
    da foedera prisci/ inlibata tori, 2.341
    da tantum nomen inane/conubii; . . . 2.342
    da mihi castra sequi: 2.348
  non priuata dedit, uotis deposcite pugnam.
                         2.533
  multisne rebellis/Gallia iam lustris
  aetasque inpensa labori/dant animos? 2.570
  dum paci dat tempus hiemps.' 2.648
  discussere salo spatiumque dedere carinis
                         2.685

  ut uincula Rheno /Oceanoque daret, 3.77
  quem dederat Perses, ... 3.158
  uictorique dedit Minoia Creta Metello,
                         3.163
  proxima uicino uires dat Graecia bello.
                         3.171
  exequias Fortuna dedit. 3.292
  lacrimas ciuilibus armis/secretumque
  damus. 3.314
  si caelicolis furor arma dedisset 3.315
  dabitis poenas pro pace petita, 3.370
  nunc, rara datur si copia ferri, 3.693
  Martem saeuus agit.../ maxima sed fati
  ducibus momenta daturum. . . . 4.3
  cetera bello/ fata dedit uariis incertus
  motibus aer. 4.49
  dat poenas maioris aquae. . . . 4.143
  classica det bello, saeuos tu neclege
  cantus; 4.186
  si bene libertas umquam pro pace deretur.
                         4.227
  inde, ubi nulla data est miscendae
  copia mortis, ... 4.283
  otia des fessis, ... 4.357
  poscit spe proelia nulla/incertus qua
  terga daret, qua pectora bello. 4.468
  testes/ praebebunt terrae, summis dabit
  insula saxis, ... 4.494
  sed non maiora supersunt/obsessis tanti
  quae pignora demus amoris. . . . 4.502
  dent fata recessum/emittantque licet,
  uitare instantia nolim. 4.514
  ignorantque datos, ne quisquam seruiat,
  enses. 4.579
  sed uirtus te sola daret. 4.581
  sed maiora dedit cognomina collibus istis
                         4.656
  priuatae sed bella dabat Iuba concitus
  irae. 4.688
  uariam semper dant otia mentem. 4.704
  fraudibus euentum dederat fortuna, 4.730
  non tam laeta tulit uictor spectacula
  Maurus/quam Fortuna dabat; . . . 4.785
  unde tribunicia plebeius signifer arce/
  arma dabas populis? 4.801
  has urbi miserae uestro de sanguine poenas
  /ferre datis, ... 4.806
  digna damus, iuuenis, meritae praeconia
  uitae. 4.813
  instabatque dies qui dat noua nomina
  fastis 5.5
  fortunaque tantos/det uobis animos quantos
  fugientibus hostem/causa dabat. 5.43
  fortunaque tantos/det uobis animos quantos
  fugientibus hostem/causa dabat. 5.44
  saepe dedit sedem totas mutantibus urbes,
  /ut Tyriis, ... 5.107
  dedit ille minas inpellere belli, 5.108
'et nobis meritas dabis, impia, poenas
                         5.158
  tot mihi pro bellis bellum ciuile dedisti.
                         5.269
  nobis uictoria turbam/non dabit, 5.330
  an uos momenta putatis/ulla dedisse mihi?
                         5.340
  sperantis omnia dextras/exarmare datur,
  quibus hic non sufficit orbis: 5.356
  nam cernere uoltus/et uoces audire datur,
                         5.472
  somno/ dat uires fortuna minor; 5.506
  molli consurgit Amyclas/quem dabat alga

DO

toro. 5.521
soluensque ratem dat carbasa uentis;
                                   5.560
uentorum saeuo dabitur mora: . . 5.587
cum iam non poterit puppi nostraeque
saluti/altera terra dari. . . . 5.591
quam celsa cacumina pessum/tellus uicta
dedit! 5.617
intrepidus quamcumque datis mihi,
numina, mortem/accipiam. 5.658
aut quae nos uiles animas in fata
relinquens/inuitis spargenda dabas tua
membra procellis? 5.684
terga datis morti? 6.153
auidi spectare secuntur /scituri iuuenes
.../ an plus quam mortem uirtus daret.
                                   6.169
totaeque uiro dant tela ruinae, 6.172
uires pugna dabat. 6.251
felix hoc nomine famae/si tibi durus Hiber
aut si tibi terga dedisset/Cantaber 6.258
nec peruia, Tempe, dant aditus pelagi,
                                   6.346
diuitias numerare datum est. . . 6.407
perspectumque dedit circum labentis
Olympi. 6.484
herbas/ addidit et quidquid mundo dedit
ipsa ueneni. 6.684
si pectora plena/ saepe deo (dedi, dedit)
laui calido prosecta cerebro, . var.6.709
uox illi linguaque tantum/responsura
datur. 6.762
nec uerba nec herbae/audebunt longae
somnum tibi sóluere Lethes/a me morte
data. 6.770
ne parce, precor: da nomina rebus, 6.773
da loca; da uocem qua mecum fata
loquantur.' . . . . 6.774(bis)
addidit et carmen, quo, quidquid consulit,
umbrum/scire dedit. 6.776
cognoscere Parcae/me reticente dabunt;
                                   6.813
seu uetito patrias ultra tibi cernere
sedes/ sic Romam Fortuna dedit. 7.24
res mihi Romanas dederas, Fortuna,
regendas: 7.110
uictus uiolento nauita Coro/ dat regimen
uentis ignauumque arte relicta /puppis
onus trahitur. 7.126
quid mirum populos.../ lymphato
trepidasse metu, praesaga malorum/si data
mens homini est? 7.187
o summos hominum, quorum fortuna per orbem
/signa dedit, ... 7.206
cornus tibi cura sinistri,/Lentule,
cum prima.../ et quarta legione datur.
                                   7.219
ueniam date bella trahenti: . . 7.296
haud umquam uidi tam magna daturos/ tam
prope me superos; 7.297
si socero dare regna meo mundumque
pararent,/praecipitare meam fatis
potuere senectam: 7.352
si Curios his fata darent reducesque
Camillos/temporibus.../ hinc starent.
                                   7.358
nonne superfusis collectum cornibus hostem
/in medium dabimus? 7.366
Romam... mundi faece repletam/cladis eo
dedimus, ... 7.406
omne tibi bellum gentis dedit, . . 7.421

tot similis fratrum gladios patrumque
gerenti/Thessaliae dabit ille diem? 7.454
cladis tamen huius habemus/uindictam,
quantam terris dare numina fas est: 7.456
sed sensum post fata tuae dent, Crastine,
morti, ... 7.471
tunc ausae dare signa tubae, . . 7.477
Peliacisque dedit rursus geminare
cauernis, ... 7.481
fatis datus est pro Caesare cursus. 7.544
te.../ Pompeioque grauis poenas nobisque
daturum,/... sperare licet.' . . 7.614
post proelia natis/si dominum, Fortuna,
dabas, et bella dedisses. 7.646
coniunx/ est mihi, sunt nati: dedimus tot
pignora fatis. 7.662
neque enim donare uocabo/ quod sibi
quisque dabit. 7.740
nec magis attonitos animi sensere
tumultus, /cum fureret,Pentheus aut, cum
desisset (dedissent), Agaue. . .var.7.780
unum da gentibus ignem, ... 7.804
tu, cui dant poenas inhumato funere
gentes,/ quid fugis hanc cladem? 7.820
seque... tantae mercedis habere/credit
adhuc iugulum, quantam pro Caesaris ipse/
auolsa ceruice daret. 8.12
praecipitesque dedi populos. . . 8.93
non ulla in litora puppem/ante dedi
fugiens, ... 8.134
da similis Lesbo populos, qui Marte
subactum/ non intrare suos...portus,/...
uetent.' 8.144
sed quo uela dari, quo nunc pede carbasa
tendi/nostra iubes?' 8.185
cetera da uentis. 8.190
nunc portum fortuna dabit.' . . . 8.192
in laeuum puppim dedit, ... 8.194
hos dedit in proram, tenet hos in puppe
rudentes. 8.196
secundum/ Emathiam lis tanta datur? 8.333
dat poenas laudata fides, cum sustinet'
inquit/ 'quos fortuna premit. . . 8.485
iustior in Magnum nobis, Ptolemaee,
querellae/causa data est. 8.513
quod nobis sceptra senatus/te suadente
dedit, uotis tua fouimus arma. . . 8.519
cecidit ciuilibus armis/qui tibi regna
dedit. 8.560
da uilem Magno plebei funeris arcam 8.736
quod iam conpositum uiolat manus hospita
bustum/ da ueniam: 8.749
fortuna recursus/si det in Hesperiam,
non hac in sede quiescent/tam sacri
cineres, ... 8.768
tu quoque, cum saeuo dederis iam templa
tyranno,/ nondum Pompei cineres...
petisti; 8.835
numquam dare iusta licebit/coniugibus?
                                   9.67
non mihi nunc tellus Pompeio siqua
triumphos/uicta dedit, .../ gratior; 9.79
noster nullis non gentibus heres/bella
dabit: 9.95
omnia dent poenas nudo tibi, Magne,
sepulchra. 9.157
has mihi poenas/terra dabit: . . 9.162
quaeque dari uoluit uoluit sibi posse
negari. 9.196
'nos, Cato, da ueniam, Pompei duxit in arma
arma,/... amor, ... 9.227

credet faciles sibi terga dedisse,   9.270
nostra quoque inuiso quisquis feret ora
tyranno/non parua mercede dabit: 9.280
Syrtes uel, primam mundo natura figuram/
cum daret, ... 9.304
possumus.../... bellisque datos cognoscere
casus. 9.553
nam cui crediderim superos arcana daturos
/... quam sancto... Catoni? . . . 9.554
datur, ecce, loquendi/ cum Ioue libertas:
                          9.557
in cautes Atlanta dedit; 9.655
et clipeum laeuae fuluo dedit aere
nitentem 9.669
datis omnia leto, ... 9.732
intactum uolucrum rostris epulasque
daturum/haud inpune feris.../... cadauer.
                        9.802
et tibi dant Stygiae ius in sua fila
sorores. 9.838
sic nec clara dies nec nox dabat atra
quietem 9.839
gentibus ablatum dederas serpentibus
orbem, ... 9.856
terga damus ferienda Noto; 9.877
miseris serum.../auxilium Fortuna dedit.
                        9.891
pax illis cum morte data est. . . 9.898
nec dat suspiria cursus/uolneris   9.928
quanta dedit miseris melioris gaudia
terrae 9.946
gentis Iuleae uestris clarissimus aris/
dat pia tura nepos 9.996
date felices in cetera cursus, . . 9.997
tota secundis/ uela dedit Coris,   9.1001
accipe quidquid /pro Magni ceruice
dares; 9.1024
sciat hac pro caede tyrannus/nil uenia
plus posse dari. 9.1089
iusto date tura sepulchro 9.1091
unam sparsis date manibus urnam. 9.1093
hoc animi nox illa dedit quae prima
cubili/miscuit incestam ducibus Ptolemaida
nostris. 10.68
oblitus Magni tibi, Iulia, fratres/
obscaena de matre dedit, ... 10.78
et thalamos cum fratre dedit.   10.94
infudere epulas auro,.../quod pelagus
Nilusque dedit, ... 10.156
sideribus,.../...diuersa potentia prima/
mundi lege data est. 10.201
dare iussus iniquo/temperiem caelo mediis
aestatibus exit 10.230
tua flumina prodam/ qua... undarum
celator,...tuarum/te mihi nosse dedit.
                        10.287
manifesta noui primum dant signa tumoris.
                        10.326
poenaque ciuilis belli,.../paene data est
famulo. 10.341
ultricesque deae dant in noua monstra
furorem. 10.337
tantum animi delicta dabant, ut colla
ferire/Caesaris... iuberet; . . . 10.347
et dederat ferrum, nullo sibi iure
retento,/ in cunctos in seque simul.
                        10.352
inferiasque dabit populis et mittet ad
umbras/... caput. 10.392
haud clara mouendis/ut mos, signa dedit
castris 10.400

iugulumque in Caesaris ire/ non sibi
dant. 10.410
dat scilicet omnis/dextera quod debet
superis, ... 10.414
seruatur poenas in aperta luce daturus;
                        10.431
DOCEO,-ERE. ille tuus saltem doceat descendere
Sulla. 1.335
et doctus uolucres augur seruare sinistras
                        1.601
quis furor hic, o Phoebe, doce, quo tela
manusque/Romanae miscent acies bellumque
sine hoste est. 1.681
docta nec Eois peior Gortyna sagittis;
                        3.186
cognita per multos docuit rudis incola
patres. 4.592
docuit populos uenerabilis ordo   5.13
ipse petit trepidam tutus sine milite
Romam/ iam doctam seruire togae,   5.382
quas uentus doctaeque pari moderamine
dextrae/permixtas habuere diu, . . 5.706
adde quod adsuescis fatis tantumque
dolorem,/ crudelis, me ferre doces. 5.777
nimium felix aeterno nomine Lesbos/ siue
doces populos regesque admittere Magnum,
                        8.140
doctus ad haec fatur taciti seruator
Olympi 8.171
quid Parthos transire doces? . . . 8.354
spectatorque docet magnos nil posse
iamque actu belli non doctas ferre quietem
/ constituit mentes.. agitare   9.294
dolores. 9.889
si Cecropium sua sacra Platona/maiores
docuere tui, quis dignior umquam/ hoc
fuit auditu 10.182
DOCILIS,-E. et docilis Sullam scelerum uicisse
magistrum. 1.326
gaudetque.../ et docilis rector monstrati
Belga couinni, ... 1.426
DODONA. siluaque Dodones et fluctibus aptior
alnus/... tum primum posuere comas 3.441
nec quaesisse libet primis quid frugibus
altrix /aere Iouis Dodona sonet,   6.427
DOLEO,-ERE. nam praelata suis numquam diuersa
dolebit/castra ducis Magni. . . . 2.275
communem tamen esse dolet; 2.660
ora petunt pelagusque dolent contingere
classi. 2.707
dolet, heu, semperque dolebit/quod
scelerum, Caesar, prodest tibi summa
tuorum, ... 6.303(bis)
maeret et ignorat causas animumque
dolentem/corripit, ... 7.190
quos Lentulus omnis/uirtutis stimulis et
nobilitate dolendi/praecessit . 8.329
ne cede pudori/auctoremque dole fati:
                        8.628
captique in uiscera Magni/hoc alii
licuisse doles. 9.1053
DOLOPES. Aeolidae Dolopesque solum fregere
coloni 6.384
DOLOR. uox nulla dolori /credita, . . 1.258
errauit sine uoce dolor. 2.21
necdum est ille dolor nec iam metus: 2.27
nunc laniate comas neue hunc differte
dolorem 2.39
his se stimulis dolor ipse lacessit. 2.42
ceu morte parentem /natorum orbatum longum
producere funus/ad tumulos iubet ipse

dolor, ... 2.299
cum turbato iam prodita uoltu/ ira ducis tandem testata est uoce dolorem. 3.357
tenet ille dolorem/semper . . . 3.607
uiresque cruentus/coepit habere dolor, 3.742
dum dolor est ictusque recens 4.286
memor ille doloris/hoc bellum sceptri fructum putat esse retenti. 4.692
iam uoce doloris/utendum est: 5.494
uix tantum infirma dolorem/cepit, 5.759
adde quod adsuescis fatis tantumque dolorem,/ crudelis,me ferre doces. 5.776
o miseri, quorum gemitus edere dolorem, 7.43
non gemitus, non fletus erat, saluaque uerendus/maiestate dolor, ... 7.681
animam clausit dolor; 8.59
Magnus et inmodicos castigat uoce dolores. 8.71
deformis adhuc uiuente marito/ summus et augeri uetitus dolor: 8.82
Pompeiumque minus, cuius fortuna dolorem/ mouerat, .../...discedere cernens/ingemuit populus; 8.150
tanto patientius, oro/ cláude, dolor, gemitus: 8.634
quid porro tumulis opus est aut ulla requiris /instrumenta, dolor? . . 9.70
turpe mori post te solo non posse dolore.' 9.108
saeuumque arte conplexa dolorem/perfruitur lacrimis 9.111
non in gemitus lacrimasque dolorem/ effudit, ... 9.146
uix dolor aut sensus dentis fuit, 9.739
nulloque dolore/ testatus morsus subita caligine mortem/accipis 9.816
spectatorque docet magnos nil posse dolores. 9.889
adquiritque fidem simulati fronte doloris: 9.1063
quem... Cleopatra sine ullis/tristis adit lacrimis, simulatum compta dolorem/ qua decuit, ... 10.83

DOLUS. multum frustraque rogatus/ ut Libycas metuat fraudes infectaque semper/Punica bella dolis. 4.737
ut primum patuere doli, Numidaeque fugaces /undique conpletis clauserunt montibus agmen, ... 4.746
uirginei patuere doli, fecitque negatis/ numinibus metus ipse fidem. . . . 5.141
sensitque deorum/esse dolos et fata suae contraria menti. 7.86
inlita tela dolis, ... 8.382
subrepta.../ a famulo Ganymede dolis peruenit ad hostis/Caesaris Arsinoe; 10.520

DOMINA. squalebant... arua Medusae/.../ sed dominae uoltu conspectis aspera saxis. 9.628
cessas accurrere solus/ad dominae thalamos? 10.357
crudelemque toris dominam mactemus in ipsis 10.374

DOMINOR,-ARI. heu, quantum mentes dominatur in aequas/iusta Venus! 5.727

DOMINUS. facta tribus dominis communis, Roma, nec umquam 1.85
exiguum dominos commisit asylum. 1.97
detrahimus dominos urbi seruire paratae.' 1.351
cum domino pax ista uenit. . . . 1.670
infandum domini per uiscera ferrum/ exegit famulus, ... 2.148
non sibi sed domino grauis est quae seruit egestas.' 3.152
dominumque timet deprendere luci. 3.425
ibitis ad dominum damnataque signa feretis, ... 4.217
non fusior ulli/ terra fuit domino: 4.671
Deiotarum et gelidae dominum Rhascypolin orae/ conlaudant, ... 5.55
namque omnis uoces, per quas iam tempore tanto/ mentimur dominis, haec primum repperit aetas 5.386
rectorem dominumque ratis secura tenebat/ haud procul inde domus, 5.515
nec dominus rerum, sed felix naufragus esses?' 5.699
infelix, quanta dominum uirtute parasti! 6.262
illos terra fugit dominos, . . . 6.277
uel dominus rerum uel tanti funeris heres. 6.595
Romanos odere omnes, dominosque grauantur, 7.284
credite.../... ipsam domini metuentem occurrere Romam; 7.373
post proelia natis/ si dominum, Fortuna, dabas, et bella dedisses. 7.646
tot regum fortuna simul Magnique coacta /expectat dominos: 7.744
Cilicum dominus terraeque Liburnae/ exiguam uector pauidus correpsit in alnum. 8.38
terrarum dominos et sceptra Eoa tenentis /exul habet comites. 8.208
quanto igitur mundi dominis securius aeuum/ uerus pauper agit! 8.242
Parthorum dominus quotiens sic sanguine mixto/nascitur Arsacides! . . . 8.408
dubiumque manebat/ quem dominum mundi facerent ciuilia bella, ... 9.20
casta domus luxuque carens corruptaque numquam /fortuna domini. 9.202
dominum, quem clades cogit, habebo,/ nullum, Magne, ducem: 9.241
tu quoque pro dominis, et Pompeiana fuisti /non Romana manus? 9.257
unum fortuna reliquit/ iam tribus e dominis. 9.266
o famuli turpes, domini post fata prioris /itis ad heredem. 9.274
uadat/ ad dominum meliore uia. 9.394
cedemus in ortus/ Arsacidum domino. 10.51
quae cum dominus percussit aquarum/igne superiecto, tunc Nilus fonte soluto/ .../ iussus adest, ... 10.214

DOMITUS (L. AENOBARBUS). at te Corfini ualidis circumdata muris/tecta tenent, pugnax Domiti; 2.479
tibi, numine pugnax/ aduerso Domiti, dextri frons tradita Martis. . . 7.220
mors tamen eminuit clarorum in strage uirorum/ pugnacis Domiti, . . . 7.600
'iam Magni deseris arma/successor Domiti; 7.607

DOMITOR. spumauitque nouis Lapithae domitoris habenis. 6.399
'o domitor mundi, rerum fortuna mearum,

DOMITOR

/miles, adest totiens optatae copia
pugnae. 7.250
non domitor mundi nec ter Capitolia curru
/inuectus.../... Romanus erat: . . 8.553
'terrarum domitor, Romanae maxime gentis,
                                      9.1014

DOMO,-ERE. tunc Vmbris Marsisque ferax
domitusque Sabello/ uomere, . . . 2.430
me domitus cognouit Arabs, . . . 2.590
iam domiti cessere duces, ... 4.337
extremaeque sonant domita iam uirgine
uoces: 5.193
interea domitis Caesar remeabat Hiberis
                                      5.237
Arctoas domui gentes, inimica subegi/
arma metu, ... 5.661
cum iuuenis primique aetate triumphi/
post domitas gentes quas torrens ambit
Hiberus/... plaudente senatu/sedit
adhuc Romanus eques; 7.15
et domitas unda conectit harenas. 9.527

DOMUS. saxa iacent nulloque domus custode
tenentur 1.26
melius, Fortuna, dedisses/.../ errantisque
domos, Latii quam claustra tueri. 1.253
credas.../ nutantes pendere domos, 1.495
attonitae tacuere domus, ... 2.22
hos polluta domus legesque in pace
timendae, ... 2.252
alios fecunda penates/ inpletura datur
geminas et sanguine matris/permixtura
domos; 2.333
pignora nulla domus, nulli coiere
propinqui: 2.370
angustaque domum terrarum in sede poposcit.
                                      2.579
haec illi spelunca domus; 4.601
ius licet in iugulos nostros sibi fecerit
ensis/.../ Caesareaeque domus series,
                                      4.823
Caesar habet uacuasque domos legesque
silentis 5.31
rectorem dominumque ratis secura tenebat/
haud procul inde domus, ... 5.516
latet obsitus aer /infernae pallore domus
nimbisque grauatus/deprimitur 5.628
Ioniumque furens.../ templa domosque
quatit, ... 6.28
Graiorumque domos direptaque moenia
transfert. 6.35
nosse domus Stygias arcanaque Ditis operti
/non superi, non uita uetat. . . 6.514
refer haec solacia tecum/ o iuuenis,
placido manes patremque domumque/expectare
sinu 6.803
o miseranda domus, toto nil orbe uidebis
/tutius Emathia.' 6.819
stat tectis putris auitis/ in nullos
ruitura domus, ... 7.404
pandunt templa, domos, socios se cladibus
optant. 7.716
tunc ursae latebras, obscaeni tecta
domosque /deseruere canes, . . . 7.828
hic sacra domus carique penates,/ hic
mihi Roma fuit. 8.132
ne pigeat.../ Medorum penetrare domos
Scythicosque recessus 8.216
exhaustaeque domus populis, maiorque
carinae/ quam tua turba fuit. . . 8.253
arcu fregere... /Bactraque Medorum sedem
murisque superbam/ Assyrias Babylona

domos. 8.300
tamen omnia monstra/ Pellaeae coiere
domus, ... 8.475
casta domus luxuque carens corruptaque
numquam /fortuna domini. 9.201
permittite penates/ desertamque domum
dulcesque reuisere natos. 9.231
regna uidet... Nasamon errantia uento/
discussasque domos, ... 9.459
qui nullas uidere domos uidere ruinas.
                                      9.492
putres robore trunci/Assaraci pressere
domos 9.967
licet usque sub Arcton /regnemus
Zephyrique domos 10.49
quantum inpulit Argos/ Iliacasque domos
facie Spartana nocenti,/ Hesperios
auxit tantum Cleopatra furores. 10.61
culpa tantoque pudore/ solue domum, 10.98
nec summis crustata domus sectisque
nitebat/ marmoribus, ...10.114
hebenus Mareotica.../... stat pro robore
uili/ auxilium non forma domus. 10.119
inuasit Cleopatra domum, ...10.355
quid plus te, Magne, recepto /ausa foret
Lagea domus? 10.414
minima collegerat arma/ parte domus.
                                      10.443
uel captis femina muris/quaerit tuta
domus; 10.459
inque domum iam tela cadunt quassantque
penates. 10.479
non aries... moturus limina.../
fracturusque domum, non ulla est machina
belli, ...10.481
se/ protulit in medios audaci margine
fluctus/ luxuriosa domus. 10.488

DONARIUM. nec Eois splendent donaria gemmis:
                                      9.516

DONEC. longior Italia, donec confinia pontus
/solueret incumbens terrasque repelleret
aequor. 2.435
donec utrasque simul largus cruor expulit
hastas 3.590
restituunt artus, donec decresceret umbra
                                      4.154
nudataque foeda/ terga fuga, donec
uetuerunt castra, ... 4.714
et patitur tantos cantu depressa labores/
donec suppositas propior despumet in
herbas. 6.506
nec campos liberat undis/ donec in
autumnum declinet Phoebus . . . 10.236

DONO,-ARE. donauit socero Romani sanguinis
usum. 2.477
sunt quos prosternas populi, quae moenia
dones. 3.131
quod superest donasse deis! . . 3.243
patriaeque et ruptis legibus unum/
donauere diem; 4.28
at nunc causa mihi est orandae sola
salutis/ dignum donanda, Caesar, te
credere uita. 4.347
o quantum donata pace potitos/ excussis
umquam ferrum uibrasse lacertis/
paenituit, ... 4.385
et spatium iaculis oblato uolnere donat.
                                      4.764
Massiliaeque suae donatur libera Phocis;
                                      5.53
donata est regia Lagi, ... 5.62

DONO

si gloria leti/ est pelago donata mei
bellisque negamur, ... 5.657
tot potuere manus.../ et ratibus longae
flexus donare Maleae, ... 6.58
his rura colonis/ accedunt donante Pado.
6.278
quisquis pelago per se non cognitus amnis/
Peneo donauit aquas: 6.372
donassent utinam superi patriaeque
tibique/ unum, Magne, diem, ... 7.30
ego sum cui Marte peracto /quae populi
regesque tenent donare licebit. 7.300
aspice possessas urbes donataque regna,/
Aegypton Libyamque, ... 7.710
at tibi iam populos donat gener. 7.723
neque enim donare uocabo/ quod sibi
quisque dabit. 7.739
et quantum poenae misero mens conscia
donat,/ quod Styga.../ Pompeio uiuente
uidet! 7.784
quod sufficit aeuum/ inmemor ut donet
belli tibi damna uetustas? 7.850
stetit anxia classis/... metuens.../
ne... Pompeius adoret/ sceptra sua donata
manu. 8.595
dic.../...ter curribus actis/ contentum
multos patriae donasse triumphos. 8.815
cecidit donati uictima regni. 9.132
superis haec crimina dono: 9.144
aut Aries donat sua tempora Librae 9.534
sic pignora gentis /Psyllus habet, .../
siquis donatis lusit serpentibus infans.
9.908
omnia fato /eripis et populis donas
mortalibus aeuum. 9.981
rex tibi Pellaeus belli pelagique labores
/donat 9.1017
unica belli/ praemia ciuilis, uictis
donare salutem, /perdidimus, . . . 9.1067
sed parcimus annis/ donamusque nefas.
9.1088
quis tibi uaesani ueniam non donet
amoris,/ Antoni, ... 10.70
tempora Niliaco turpis dependit amori/
dum donare Pharon, dum non sibi uincere
mauolt. 10.81
nec prodita tantum est/ sed donata Pharos.
10.356
meque tuumque caput per singula forsitan
illi/ oscula donabit. 10.365
donata est nox una duci, ... 10.432

DONUM. sacrataque gestans/ dona ducum nec
iam ualidis radicibus haerens . . 1.138
Laelius emeritique gerens insignia doni,
1.357
delapsaque templis/dona suis, dirasque
diem foedasse uolucres/...accepimus, 1.558
pelagique potens Phoebeia donis/exornata
Rhodos 5.50
non ullo saecula dono/ nostra carent
maiore deum, quam Delphica sedes 5.111
sed dira satelles/ regis dona ferens
medium prouectus in aequor . . . 9.1011
'aufer ab aspectu nostro funesta, satelles
/regis dona tui. 9.1065
pax ubi parta ducis donisque ingentibus
empta est, /excepere epulae tantarum
gaudia rerum, ... 10.107

DORION. et Dorion ira /flebile Pieridum;
6.352

DORIS. Dorida tum Malean et apertam Taenaron

DUBIUS

umbris,/... petit, ... 9.36

DORSUM. longior educto qua surgit in
aera dorso, ... 2.428
et gens quae nudo residens Massylia dorso
4.682

DRACO. iam fama ferebat/.../roboraque amplexos
circum fluxisse dracones. 3.421
oculique draconum /quaeque sonant feta
tepefacta sub alite saxa, ... 6.675
insopiti quondam tutela draconis,/
Hesperidum... hortus. 9.357
cunctis innoxia numina terris/serpitis,
aurato nitidi fulgore dracones, 9.728

DRUIDAE(DRYADAE). et uos barbaricos ritus
moremque sinistrum/sacrorum, Dryadae,
positis repetistis ab armis. . 1.451

DRUSI. uidi ego laetantis, popularia nomina,
Drusos/legibus inmodicos 6.795

DRYOPES. Thesproti Dryopesque ruunt, 3.179

DUBITO,-ARE. 'iam nequis uestrum dubitet
subuertere siluam 3.436
Cynthia, quo primum cornu dubitanda
refulsit, ... 4.60
et adhuc dubitantibus astris/Pompei
damnare caput tot fata tenentur? 5.204
haud dubitem praebere manus: . . . 5.558
causamque senatus/credere dis dubitas?
7.77
tene mihi dubitas an sit uiolare necesse,
8.523
ne dubita, miles, tutos haurire liquores.
9.613
rapuit dubitantia fata/ praeuenitque
metus; 9.639

DUBIUS,-A,-UM. leo comminus hoste/ subsedit
dubius, totam dum colligit iram; 1.207
ecce, faces belli dubiaeque in proelia
menti/urguentes addunt stimulos 1.262
ius erat et dubios in te transferre
Quirites. 1.276
dixerat; at dubium non claro murmure
uolgus/ secum incerta fremit. . . 1.352
quaque iacet litus dubium quod terra
fretumque 1.409
eualuit reuocare parens coniunxue maritum
/fletibus, aut patrii, dubiae dum uota
salutis conciperent, tenuere lares; 1.506
dubiam super aequora Syrtim/arentemque
feror Libyen, quo tristis Enyo/transtulit
Emathias acies. 1.686
uix caede peracta/ procumbunt, dubiaque
labant ceruice; 2.204
derige me, dubium certo tu robore firma.
2.245
pacemne tueris/inconcussa tenens dubio
uestigia mundo, ... 2.248
nec dubium longo quaeratur in aeuo 2.344
tunc urbes Latii dubiae uarioque fauore
/ancipites. 2.447
facilis sed uertere mentes/terror erat,
dubiamque fidem fortuna ferebat. 2.461
nubibus et dubios cernit uanescere montis.
3.7
pugnaces dubium Parthi tenuere fauorem
3.265
Phocais in dubiis ausa est seruare
iuuentus /non Graia leuitate fidem
signataque iura, ... 3.301
iamque agmina summa/ carpit eques,
dubiique fugae pugnaeque tenentur. 4.156
tot dubiae restant acies, tot in orbe

DUBIUS / DUCO

labores; 4.389	noctem duxere Mycenae. 1.544

DUBIUS column:

labores; 4.389
nam condidit umbra/ nox lucem dubiam 4.473
infidusque nouis ducibus dubiusque priori/
  fas utrumque putat. 4.698
nullo dubii discrimine Martis/ancipites
  steterunt casus, ... 4.770
postquam /ambitus et luxus et opum
  metuenda facultas/transuerso mentem
  dubiam torrente tulerunt, ... 4.818
haerentem dubiamque premens in templa
  sacerdos/ inpulit. 5.145
nam quae dubias constringere mentes/
  causa solet, ... 5.256
ne retine dubium cupientis ire per aequor:
  5.492
puppem dubius ferit undique pontus. 5.570
et dubium pendet, uento cui concidat,
  aequor. 5.602
sors ultima rerum/ in dubios casus et
  prona pericula morti/praecipitare solet:
  5.693
dubium trepidumque ad proelia, Magne,
  /te quoque fecit amor; 5.728
cernit miserabile uolgus/.../ uellere
  ab ignotis dubias radicibus herbas. 6.113
ad dubios pauci praesumpto robore casus/
  spemque metumque ferunt. 6.418
mens dubiis perculsa pauet . . . 6.596
dubium est, quod traxerit illuc/ aspiciat
  Stygias an quod descenderit umbras. 6.652
iam (dubium, monstrisne deum, nimione
  pauore/ crediderint) 7.172
mens stetit in dubio, quam nec sua fata
  timere/ nec Magni sperare sinunt. 7.247
te.../ sed dubium fati, Caesar, generoque
  minorem/aspiciens... liber ad umbras/...
  eo: 7.611
dubio contra cui pectore Magnus /'hoc
  solum toto' respondit 'in aequore serua,
  /ut sit ab Emathiis semper tua longius
  oris/puppis 8.186
in dubiis tutum est inopem simulare
  tyranno; 8.241
hinc anceps dubii terret sollertia Mauri;
  8.283
dubiumque manebat/ quem dominum mundi
  facerent ciuilia bella, ... 9.19
Syrtes uel... natura.../... in dubio
  pelagi terraeque reliquit 9.304
dubioque obnoxia fato/ pars sedet una
  ratis, ... 9.336
sortilegis egeant dubii semperque futuris
  /casibus ancipites: 9.581
dixit, dubiumque uenenum/ hausit; 9.616
hinc torrente plaga, dubiis hinc Syrtibus
  orbem/obrumpens medio posuisti limite
  mortes. 9.861
letifica dubios explorant aspide partus.
  9.901
ac dubiis ueritus se credere regnis/
  abstinuit tellure rates. . . . 9.1009
Leucadioque fuit dubius sub gurgite casus,
  10.66
dubiusque timeret/optaretne mori 10.542

DUCO,-ERE. duc age per Scythiae populos, per
  inhospita Syrtis/litora, ... 1.367
hi uada liquerunt Isarae, qui, gurgite
  ductus/ per tam multa suo, . . . 1.399
erigat Oceanum fluctusque ad sidera ducat,
  1.416
qualem fugiente per ortus/sole Thyesteae

DUCO column:

noctem duxere Mycenae. 1.544
Vestalemque chorum ducit uittata
  sacerdos 1.597
duc, Roma, malorum/ continuam seriem
  clademque in tempora multa . . . 1.670
primos me ducis in ortus, . . . 1.683
nimiumque secuta est,/ qua morbi duxere,
  manus. 2.143
cumque diem pronum transuerso limite
  ducens 2.412
dux fugit et nullas ducentia signa
  cohortes. 2.471
coniuge me laetos duxisti, Magne,
  triumphos: 3.20
has ad bella rates non flexo limite
  ponti/ certior haud ullis duxit Cynosura
  carinis. 3.219
sulcato uarios duxerunt gurgite tractus,
  3.551
concordia duxit in aequas/imperium commune
  uices, ... 4.5
super ardua ducit/ saxa, super cautes,
  abrupto limite signa; 4.739
quique colit primus ducentem tempora
  Ianum. 5.6
mundique in deuia uersum/ duxit iter,
  seu, barbarica cum lampade Python 5.134
inportunamue fereris/ pauperiem deflens
  inopem duxisse senectam. . . . 5.535
nec duxit recto tenuata cacumina cornu,
  5.548
ut... hostem/ cingeret ignarum ducto
  procul aggere ualli. 6.31
planumque per ardua Caesar/ ducit opus;
  6.39
inque nouos ritus pollutam duxerat artem.
  6.509
ast, ubi seruantur saxis, quibus intimus
  umor/ ducitur, ... 6.539
alta/ nocte poli, Titan medium quo tempore
  ducit/... diem, deserta per arua/carpit
  iter 6.571
electum tandem traiecto gutture corpus/
  ducit, ... 6.638
et caelo lucis ducente colorem,/.../
  iussa tenere diem densas nox praestitit
  umbras. 6.828
sitque palam, quas tot duxit Pompeius
  in urbem/ curribus, unius gentes non esse
  triumphi. 7.279
hac luce cruenta/effectum, ut.../ nec
  uetitos errare Dahas in moenia ducat/...
  consul 7.429
solus... ensis/ ...dextras Romana in
  uiscera ducit. 7.491
mors tamen eminuit.../ pugnacis Domiti,
  quem clades fata per omnis/ducebant:
  7.601
non magno hortamine miles/in praedam
  ducendus erat. 7.737
me pronuba ducit Erinys/ Crassorumque
  umbrae, ... 8.90
te.../ ... quem captos ducere reges/uidit
  ab Hyrcanis... siluis/... humilem
  fractumque uidebit/ rex 8.342
iuuat ire per orbem/ducentem saeuas Romana
  in moenia gentes. 8.357
uictum pietate timorem/conpulit ut...
  quaesitum corpus.../duceret ad terram
  traheretque in litora Magnum. 8.720
'nos, Cato, da ueniam, Pompei duxit in arma,

/... amor, ... 9.227
ducite Pompeios, Ptolemaei uincite
munus. 9.278
hi mihi sint comites, quos ipsa pericula
ducent, ... 9.390
hunc ego per Syrtes... triumphum/ducere
maluerim, quam ter Capitolia curru/
scandere Pompei, ... 9.599
ducitis altum/ aera cum pinnis, 9.729
Cleopatra.../.../ Caesare captiuo Pharios
ductura triumphos; 10.65
Tyrio cuius pars maxima fuco/ cocta diu
uirus non uno duxit aeno, . . . 10.124
optabit patriae talem duxisse triumphum.
                                  10.154
fama quidem generi Pharias me duxit ad
urbes, ... 10.184
tellusque perusta/ illuc duxit aquas;
                                  10.252
non sine rege tamen, quem ducit in omnia
secum 10.461
DUCTOR. sic fatus noctis tenebris rapit agmina
ductor/inpiger, ... 1.228
ferri reuocantur amore/ductorisque metu.
                                   1.356
haec ubi sunt prouisa duci, tunc agmina
uictor (ductor)/ non armata trahens.../
tecta petit patriae. var.3.71
hic ubi Pellaeus post Tethyos aequora
ductor/constitit 3.233
intra castrorum timuit tentoria ductor/
perdere successus scelerum, . . 5.241
ductor erat cunctis audax Antonius armis
                                   5.478
'o maxime'.../'ductor et Hesperii
maiestas nominis una,/... si funere nullo
/tristior iste rogus, manes.../officiis
auerte meis: 8.760
ductor, ut aspexit perituros fonte
relicto,/ adloquitur. 9.611
simul iussit statui tentoria ductor,/
primum... harenas/expurgat cantu 9.912
DUCTUS(subst.). sed firma gerendis/ molibus
insolito contexunt robora ductu. 4.419
oderat et Magnum, quamuis comes isset in
arma/ auspiciis raptus patriae ductuque
senatus; 9.22
DUDUM v. IAMDUDUM.
DULCEDO. qui sponsore salutis/ miles eget
capiturque animae dulcedine, uadat/ad
dominum meliore uia. 9.393
et nulla captus dulcedine rerum,/.../
effossum tumulis cupide descendit in
antrum. 10.17
DULCIS,-E. quique bibunt tenera dulcis ab
harundine sucos, ... 3.237
fieret captis si dulcior ipsa/mortis uita
mora. 4.532
ille gemens 'non nunc uita mihi dulcior,'
inquit 5.739
sustinet amplexu dulci, non colla tenere,
                                   5.793
permittite penates/ desertamque domum
dulcesque reuisere natos. . . . 9.231
serpens, sitis, ardor harenae/ dulcia
uirtuti; 9.403
DUM. 1.89;1.207;1.273;1.280;1.328;1.363;1.364;
1.506;1.605;2.41;2.60;2.113;2.118;2.141;
2.159;2.338(bis);2.418;2.476;2.561;2.648;
2.694;2.695(bis);3.5(bis);3.25;3.482;
3.585;3.600;3.635;3.647;3.678;3.703;4.30;

4.41;4.42;4.202;4.203;4.215;4.249;4.282;
4.286;4.351;4.427;4.435;4.437;4.439;
4.484;4.692;4.704;4.742;5.7;5.187;5.219;
5.247;5.257;5.303;5.411;5.452;5.499;
5.671;5.735;5.774;6.88;6.101;6.165;6.284;
6.324;6.345;6.628;6.829;7.42(bis);7.268;
7.320;7.416;7.623;7.734(bis);8.425;8.502;
8.682;8.683;9.89;9.214;9.394;9.593;
9.1036;9.1095;9.1096;10.81(bis);10.528;
10.525
DUMETUM. confraga densis/arboribus dumeta
tegunt. 6.127
gregibus dumeta carerent, . . . 7.863
tota teguntur/ Pergama dumetis: 9.969
DUMOSUS,-A,-UM. tectusque uia dumosa per arua
/... tendit 6.13
DUMUS. horrida quod dumis multosque inarata
per annos 1.28
cernit miserabile uolgus/... carpere dumos
                                   6.111
DUO. non cepit fortuna duos. 1.111
contenti fecisse duos. 3.266
hoc fortuna loco tantae duo nomina famae/
conposuit, ... 5.468
frustra ciuilibus armis/miscuimus gentes
.../ ... si tellus ulla duorum est. 9.1078
DUPLICO,-ARE. pars... oculis...tenebras/
offundit clausis et somni duplicat
umbras. 9.674a
DURESCO,-ERE. incipiunt uisoque die durescere
ualles. 4.129
siccaque sanguineis durescit spuma lupatis.
                                   4.758
et tracta durescunt tabe medullae/
corpora, ... 6.539
iamque illi magis atque magis durescere
puluis/coepit 9.942
DURO,-ARE. sic et Sullanum solito tibi
lambere ferrum /durat, Magne, sitis. 1.331
quid tot durare per annos/profuit
inmunem corrupti moribus aeui? 2.256
urebant montana niues camposque iacentis/
non duraturae conspecto sole pruinae,
                                   4.53
uicturosque dei celant, ut uiuere durent,
                                   4.519
durata iam mente malis firmaque tulerunt.
                                   5.798
caeloque paratior unda/omne pati uirus
durauit uiscera caeno. 6.94
fragor conuexa inrumpit Olympi /unda
procul nubes, quo nulla tonitrua durant,
                                   7.479
hi mihi sint comites, quos ipsa pericula
ducent (durant), ... var.9.390
quantum Zmyrnaei durabunt uatis honores,
/uenturi me teque legent; . . . 9.984
regni durauit ad ultima fatum. 10.24
DURUS,-A,-UM. et quondam duro sulcata
Camilli/ uomere 1.168
hae lacrimis sparsere deos, hae pectora
duro/adflixere solo, ... 2.30
hic se praecipiti iaculatus pondere dura/
dissiluit percussus humo, . . . 2.155
duroque admisit gaudia uoltu. 2.373
hi mores, haec duri inmota Catonis/ secta
fuit, ... 2.380
nec licet ad duros Martem conuertere
Hiberos, ... 2.629
uenere feroces/ Cappadoces, duri populus
non cultor Amani, ... 3.244

tamen ante furorem/indomitum duramque
uiri deflectere mentem/pacifico sermone
parant 3.304
omnis propior mergenti sidera caelo/
aruerat tellus hiberno dura sereno. 4.55
iubet.../ ...sed duris fluuium superare
lacertis. 4.150
duro concordes caespite mensas/instituunt
4.197
nec solum rastris durisque ligonibus arua
/sed gladiis fodere suis, ... 4.294
iuuentus/extrahitur duris silicum lassata
metallis; 4.304
rescissoque nocent suspiria dura palato;
4.328
eripuit, partem duris Hispania bellis,
5.265
non duro liceat morientia caespite membra
/ponere, ... 5.278
'quo te, dure, tulit uirtus temeraria,
Caesar, ... 5.682
summa uidens duri Magnus discrimina Martis
5.723
nunc sude nunc duro contraria pectora
conto/detrudit muris, ... 6.174
felix hoc nomine famae/si tibi durus
Hiber aut si tibi terga dedisset/Cantaber
6.258
carmine Thessalidum dura in praecordia
fluxit/ non fatis adductus amor, 6.452
uiscera non lyncis, non durae nodus
hyaenae/ defuit 6.672
quibus os dirum (durum) nascentibus
inspuit, herbas/ addidit . . . var.6.683
certus discedat, ab umbris/quisquis
uera petit duraeque oracula mortis/fortis
adit. 6.772
abruptaque saxa/asperat et durum uinclis
adamanta, ... 6.801
duri flectuntur pectora Magni, . . 8.107
uos, o Parthi, cum.../ et sequerer duros
aeterni Martis Alanos,/ passus Achaemeniis
late decurrere campis. 8.223
puppes luctus... ferebant/ et mala uel
duri lacrimas motura Catonis. . . . 9.50
ut neque sole uiam nec duro frigore
saeuam/ inde polo Libyes, hinc bruma
temperet annus. 9.376
durum iter ad leges patriaeque ruentis
amorem. 9.385
gaudet patientia duris; 9.403
segne solum raras... exerit herbas/
quas Nasamon, gens dura, legit, 9.439
hac ire Catonem/ dura iubet uirtus. 9.445
concuteret terras.../ si solida Libye
conpage et pondere duro/ clauderet...
Austrum 9.467
durae saltem uirtutis amator/quaere quid
est uirtus 9.562
has inter pestes duro Cato milite siccum/
emetitur iter, ... 9.734
sic dura suos patientia questus/exonerat.
9.880
qui duro membra senatus/calcarat uoltu...
/... uni tibi, Magne negare/ non audet
gemitus. 9.1043
o sors durissima fati! 9.1046
quis tibi uaesani ueniam non donet amoris,
/Antoni, durum cum Caesaris hauserit ignis
/pectus? 10.71
nequiquam duras temptasset Caesaris

aures: 10.104
DUX. paxque fuit non sponte ducum; 1.99
arma ducum dirimens miserando funere
Crassus 1.104
morte tua discussa fides bellumque
mouere/permissum ducibus. . . . 1.120
dedidicit iam pace ducem, famaeque petitor
1.131
dona ducum nec iam ualidis radicibus
haerens 1.138
nomen erat nec fama ducis, sed nescia
uirtus 1.144
hae ducibus causae; 1.158
ingens uisa duci patriae trepidantis
imago 1.186
perculit horror/membra ducis, 1.193
iustos Fortuna laborat/ esse ducis motus
et causas inuenit armis. 1.265
hos iam mota ducis uicinaque signa
petentes/audax uenali comitatur Curio
lingua, ... 1.268
utque ducem uarias uoluentem pectore
curas/conspexit 1.272
in bellum prono tantum tamen addidit irae
/accenditque ducem, ... 1.293
ueniat longa dux pace solutus 1.311
his saltem longi non cum duce praemia
belli/ reddantur; 1.341
dum pendet fortuna ducum: . . . 2.41
saeue parens, utrasque simul partesque
ducesque, /dum nondum meruere, feri. 2.59
nulli gestanda dabantur/ signa ducis,
2.97
colla ducum pilo trepidam gestata per
urbem/ et medio congesta foro: 2.160
dux Bruto Cato solus erit. 2.247
an placuit ducibus scelerum populique
furentis/cladibus inmixtum ciuile
absoluere bellum? 2.249
nam praelata suis numquam diuersa
dolebit/ castra ducis Magni. 2.276
et duce priuato gesturus proelia consul
/sollicitant proceresque alii; 2.278
quin publica signa ducemque/Pompeium
sequimur? 2.319
dux fugit et nullas ducentia signa
cohortes. 2.471
praecipitem cohibete ducem: . . 2.489
reseratis agmina portis/captiuum traxere
ducem, ... 2.508
sit patriae Magnumque ducem totumque
senatum, ... 2.520
nescius interea capti ducis arma parabat
2.526
o rabies miseranda ducis! 2.544
dux sit in his castris senior, dum miles
in illis. 2.561
hinc acies statura ducum est. . . . 2.566
uerba ducis nullo partes clamore secuntur
2.596
nostri fama uenit, quas est uolgata per
urbes/ post me Roma ducem. . . . 2.635
dux etiam uotis hoc te, Fortuna, precatur,
2.699
inde soporifero cesserunt languida somno
/membra ducis; 3.9
dux stetit Hesperio, ... 3.48
haec ubi sunt prouisa duci, tunc agmina
uictor/ non armata trahens . . . 3.71
nec constitit usquam/obuia turba duci.
3.82

tam pauidum tibi, Roma, ducem fortuna
pepercit, ... 3.96
Boeoti coiere duces, ... 3.174
tum furor extremos Romanus Orestas/
Carmanosque duces, ... 3.250
tot reges habuere ducem, coiere nec umquam
. . . . 3.288
cum turbato iam prodita uoltu/ ira ducis
tandem testata est uoce dolorem. 3.357
et nihil esse meo discetis tutius aeuo
/quam duce me bellum.' 3.372
haec patiens longo munimine cingi/ uisa
duci rupes tutisque aptissima castris.
. . . . 3.378
dux tamen inpatiens haesuri ad moenia
Martis. 3.453
inclinant iam fata ducum, nec iam amplius
anceps/ belli casus erat. 3.752
Martem saeuus agit.../ maxima sed fati
ducibus momenta daturum. 4.3
prima dies.../ spectandasque ducum uires
numerosaque signa/ exposuit. . . 4.25
uidit lapsura ruina /agmina dux 4.44
ducibus quoque uita petita est? 4.219
omnia monstra/ in facie posuere ducum:
. . . . 4.253
dux causae melioris eris. 4.259
polluta nefanda/ agmina caede duces
iunctis committere castris/ non audent,
. . . . 4.260
iam domiti cessere duces, ... 4.337
interque priorem/ fortunam casusque nouos
gerit omnia uicti/ sed ducis, . . 4.343
nos denique bellum/ inuenit ciuile duces,
. . . . 4.350
ille salutis/ est auctor, dux ille fuit.
. . . . 4.400
et Basilum uidere ducem, noua furta per
aequor/ exquisita fugae. 4.416
(dux erat ille ratis); 4.466
cum sidera caeli/ ante ducis uoces oculis
umentibus omnes/aspicerent . . . 4.522
primus dux ipse carinae/ Vulteius iugulo
poscens iam fata retecto 4.540
ducibus mirantibus ulli/ esse ducem tanti.
. . . . 4.572
ducibus mirantibus ulli/esse ducem tanti.
. . . . 4.573
bella gerat seruetque ducum sibi fata
priorum, ... 4.662
infidusque nouis ducibus dubiusque
priori/ fas utrumque putat. . . . 4.698
quis conferre duces meminit, quis pendere
causas? 4.707
obstipuit dux ipse simul peritura que
turba. 4.748
ante iaces quam dira duces Pharsalia
confert, ... 4.803
sic alterna duces bellorum uolnere
passos 5.1
tollite signa, duces, fatorum inpellite
cursum, ... 5.41
Magnumque iubete/ esse ducem.' . . 5.47
quae cum populique ducesque /casibus
incertis et caeca sorte pararent, 5.65
absterrere ducem noscendi ardore futura
/cassa fraude parat. 5.129
haud aeque laesura ducem cui falsa canebat
/quam tripodas Phoebique fidem. 5.151
caesosque duces et funera regum/ .../cur
aperire times? 5.201

per tot bella manus satiatae sanguine
tandem/ destituere ducem, ... 5.244
damnat causamque ducemque/ et scelere
inbutos etiamnunc uenditat enses. 5.247
scit non esse ducis strictos sed militis
enses. 5.254
Rheni mihi Caesar in undis/ dux erat, hic
socius; 5.290
coeperat infestoque ducem deposcere uoltu.
. . . . 5.296
quem non ille ducem potuit terrere
tumultus? 5.300
ac ducis inuicti rebus lassata secundis.
. . . . 5.324
Pompeio certe fugeres duce. . . 5.345
nunc tranfuga uilis/ cum duce praelato
terras atque aequora lustrat. 5.347
nec melior mihi uestra fides, si bella
nec hoste/ nec duce me geritis. 5.349
uicit patientia saeui/ spem ducis, et
iugulos, non tantum praestitit ensis.
. . . . 5.370
turpe duci uisum rapiendi tempora belli/
in segnes exisse moras, ... 5.409
prima duces iunctis uidit consistere
castris/ tellus, ... 5.461
fuit spes inrita.../ posse duces parua
campi statione diremptos/ admotum damnare
nefas; 5.470
dux ait 'expecta uotis maiora modestis
. . . . 5.532
circumfusa duci fleuit gemituque
suorum/ et non ingratis incessit turba
querellis. 5.680
ut uidere duces, purumque insurgere caelo
/fracturum pelagus Borean, soluere
carinas. 5.704
fida comes Magni uadit duce sola relicto
/ Pompeiumque fugit. 5.804
postquam castra duces pugnae iam mente
propinquis/ inposuere iugis . . 6.1
maior cura duces miscendis abstrahit
armis: 6.80
hoc uestro praestate duci: . . . 6.234
ipse furentis/ dux tenuit gladios. 6.301
hac ubi damnata fatis tellure locarunt/
castra duces, ... 6.414
ducis omnia nato/ Pompeiana canat nostri
modo militis umbra, ... 6.716
Elysias Latii sedes ac Tartara maesta/
diuersi liquere duces. 6.783
ueniet quae misceat omnis/ hora duces.
. . . . 6.807
et ducibus tantum de funere pugna est.
. . . . 6.811
miseri pars maxima uolgi/ ... tentoria
circum / ipsa ducis queritur . . 7.49
si duce te iusso, si nobis bella geruntur,
/sit iuris, quocumque uelint, concurrere
campo. 7.79
si milite Magno,/ non duce tempus eget,
nil ultra fata morabor: 7.88
potui sine caede subactum /captiuumque
ducem uiolatae tradere paci. . . 7.94
pugnare ducem quam uincere malunt. 7.109
Scipio, miles in hoc, Libyco dux primus
in orbe, ... 7.223
discrimina.../ aduentare ducum supremaque
proelia uidit 7.243
Armeniosne mouet Romana potentia cuius
/sit ducis, ... 7.282

quod si, signa ducem numquam fallentia
uestrum,/ conspicio.../ uicistis. 7.290
cum duce Sullano gerimus ciuilia bella.
                                        7.307
stant ordine nullo /arte ducis nulla,
                                        7.333
tantoque duci sic arma timere/ omen erat.
                                        7.340
non iratorum populis urbique deorum est /
Pompeium seruare ducem. 7.355
tam maesta locuti/ uoce ducis flagrant
animi, ... 7.383
Fortuna... dum munera longi / explicat
eripiens aeui populosque ducesque/
constituit campis, ... 7.417
caedunt.../... rerum /saepe duces
summosque hominum te, Magne, remoto. 7.585
te.../ dubium fati.../ aspiciens Stygias
Magno duce liber ad umbras/... eo: 7.612
te.../ Pompeioque grauis (duci) poenas
nobisque daturum,/ cum moriar, sperare
licet.' var.7.614
nec derat robur in enses/ ire duci 7.670
sed timuit, strato... ne corpore
Magni/... supraque ducem procumberet
orbis; 7.672
inpulit amentes... /ire super gladios.../
et caesos calcare duces.] 7.749
occursu stupuere ducis uertigine rerum
/attoniti, ... 8.16
notauit/ deformem pallore ducem 8.56
iubet ire in deuia mundi /Deiotarum, qui
sparsa ducis uestigia legit. . . 8.210
sequitur pars magna senatus/ad profugum
collecta ducem; 8.259
mille meae Graio uoluuntur in aequore
puppes/ mille duces; 8.273
ciuilibus armis/elegit te nempe ducem:
                                        8.352
incurrere cuncti/ debuerant in
Bactra duces 8.423
debuerant.../ imperii nudare latus, dum
perfida Susa/ in tumulos prolapsa
ducum Babylonque iaceret. 8.426
quae moenia trunci/ lustrarunt
ceruice duces, ... 8.437
stetit anxia classis/ ad ducis euentum,
                                        8.593
tenet ille ducem conplexibus artis/
eripiente mari; 8.723
exul adhuc iacet umbra ducis. . . 8.837
satis o nimiumque beatus/si mihi contingat
.../ ... tale ducis uiolare sepulchrum.
                                        8.845
me.../adfecere... gestata per urbem/ ora
ducis, ... 9.138
ite duces, mecum 9.150
iuuit sumpta ducem, iuuit dimissa
potestas. 9.200
uocibus his maior, quam si Romana
sonarent/ rostra ducis laudes, generosam
uenit ad umbram/ mortis honos. . . 9.216
bellum ciuile sepulchra/ uix ducibus
praestare potest. 9.236
dominum, quem clades cogit, habebo/
nullum, Magne, ducem: 9.242
erupere ducis sacro de pectore uoces.
                                        9.255
quod tibi, non ducibus, uiuis morerisque,
.../ ... bella fugis 9.259
sed duce Pompeio Libyae melioris in oris/

mansit. 9.370
siquo fuerit discrimine notum/ dux an
miles eam. 9.402
corripiens patulum galeae confudit in
orbem/porrexitque duci. 9.503
minimumque tenens dux ipse liquoris/
inuidiosus erat. 9.504
sed Latio cessere duci, ... 9.546
tanto duce possumus uti/ per Syrtes, 9.552
nec, quae mensura uiarum/ quisue modus,
norunt caelo duce: 9.847
cogit tantos tolerare labores/ summa ducis
uirtus, ... 9.882
cuius uestigia frustra/terris sparsa
legens fama duce tendit in undas, 9.953
ut ducis inpleuit uisus ueneranda uetustas,
/erexit... aras 9.987
uos condite busto/ tanti colla ducis,
                                        9.1090
pugnauit fortuna ducis fatumque nocentis/
Aegypti, ... 10.3
nox illa... cubili/ miscuit incestam
ducibus Ptolemaida nostris. . . . 10.69
pax ubi parta ducis donisque ingentibus
empta est,/ excepere epulae tantarum
gaudia rerum, ... 10.107
pone duces priscos et nomina pauperis aeui
                                        10.151
inuictumque ducem detecto Marte lacessit.
                                        10.346
nam Latio iam nupta duci est, . . . 10.358
nec nos deterreat ausis/Hesperii fortuna
ducis, ... 10.376
quid nomina tanta/ horremus uiresque
ducis, ... 10.390
tanta obliuio mentis/ cepit... corrupto
milite.../ ut duce sub famulo iussuque
satellitis irent 10.405
donata est nox una duci, ... 10.432
Pompeiumque ducem causa sperare uetante/
non timuit 10.451
cogunt tamen ultima rerum/spem pacis
temptare ducem, ... 10.468
illa duci geminos bellorum praestitit
usus. 10.512
dux Latius tot subitus formidine belli/
cingitur: 10.536
DYRRACHIUM. per arua /Dyrrachii praeceps
rapiendas tendit ad arcis. 6.14

E

E. 1.278;1.580;2.492;2.574;2.631;3.105;3.130;
    4.85;4.553;4.741;5.16;5.250;5.420;5.640;
    5.751;6.129;6.156;6.226;6.291;6.313;6.534;
    6.553;6.601;6.779;6.808;7.369;7.741;8.231;
    8.715;8.731;9.148;9.266;9.451;9.501;9.565;
    9.630;9.649;9.658;9.1054;10.369;10.380
    EX. 1.334;1.375;1.591;2.470;3.477;3.720;
    4.46;5.185;5.495;5.618;7.444;7.717;7.793;
    8.232;8.666;9.45;10.76
EBENUS v. HABENUS.
EBIBO,-ERE. ebibit umorem circum uitalia
    fusum/ pestis 9.743
EBULUM. hic ebulum stridet peregrinaque
    galbana sudant, ... 9.916
EBUR. ebur atria uestit, ... 10.119
EBURNUS,-A,-UM. non.../ legitimaeque faces,

gradibusque adclinis eburnis/stat torus
2.356

ECCE. ecce faces belli dubiaeque in proelia
menti/urguentes addunt stimulos   1.262
ecce, uidet capiti fibrarum increscere
molem 1.627
ecce, nefas belli, reseratis agmina
portis/ captiuum traxere ducem,   2.507
Dictaea procul, ecce, manu Gortynis
harundo/tenditur in Scaeuam,   . . 6.214
datur, ecce, loquendi/ cum Ioue libertas:
9.557
ecce parens uerus patriae, dignissimus
aris,/ Roma, tuis, ... 9.601
ecce, subit uirus tacitum, ...9.741
ecce, subit facies leto diuersa fluenti.
9.789
ecce, procul saeuos sterili se robore
trunci/ torsit... serpens 9.822

ECFUNDO,-ERE. Gallica per gelidas rabies
ecfunditur (exfunditur) Alpes, . var.2.535

ECHENAIS. defuit.../ non puppem retinens.../
in mediis echenais aquis 6.675

ECHINADES. et tuus, Oeneu,/ paene gener
crassis oblimat Echinadas undis,   6.364

ECHIONIUS,-A,-UM. ueteres ubi fabula Thebas
/monstrat Echionias, ... 6.357

ECQUIS. 'ecquis' ait 'iuuenum est cuius
sit dextra cruore/digna meo . . . 4.542

EDAX. liuor edax tibi cuncta negat,   1.288
non aetas haec carpsit edax monimentaque
rerum/ putria destituit: 7.397
carpitque medullas/ ignis edax calidaque
incendit uiscera tabe. 9.742

EDISSERO,-ERE. terrarumque situs uolgique
edissere mores 10.178

EDITOR. delabitur inde/ Vulturnusque celer
nocturnaeque editor aurae/ Sarnus   2.423

EDO,-ERE. o miseri, quorum gemitus edere
dolorem, ... 7.43

EDO,-ERE. tantum nox atra silentibus auris/
edidit. 1.580
Euphrates, quos non diuersis fontibus
edit/ Persis, et incertum, tellus si
misceat amnes, ... 3.257
nulla tamen plures hoc edidit aequore
clades/ quam pelago diuersa lues.   3.680
multis... uisus.../ edere nocturnas
belli Pharsalia uoces, ... 7.175
non utile mundo /editus exemplum, terras
tot posse sub uno/ esse uiro. . . 10.27
'fas mihi... secreta parentum/edere ad hoc
aeui populis ignota profanis. . . 10.195

EDOCEO,-ERE. fulminis edoctus motus uenasque
calentis/fibrarum 1.587

EDONIS. nam, qualis uertice Pindi/Edonis
Ogygio decurrit plena Lyaeo, . .   1.675

EDUCO,-ERE. longior educto qua surgit in aera
dorso, ... 2.428
Phoebea Palatia conplet /turba.../o
latebris educta suis; 3.105
hoc primum natura nocens in corpore saeuas
/eduxit pestes; 9.630

EFFERO,-RE. elatasque alte, quaecumque ad
bella uocaret,/ promisere manus.   1.387
tu quoque uix summam, seductus ab aequore,
rupem/ extuleras, unoque iugo, Parnase,
latebas. 5.78
sed nocte fugata/laesum nube dies iubar
extulit 5.456
non segnior extulit illum/ saltus   6.181

uix proelia Caesar/ senserat, elatus
specula quae prodidit ignis: 6.279
Nilum non extulit aestas, . . .   6.474
.quidquid Tagus expulit (extulit) auri/
.../ ut rapiant, paruo scelus hoc uenisse
putabunt. var.7.755

EFFERUS,-A,-UM. haec dirae crimina gentis/
effera damnarat nimiae pietatis Erictho.
6.508
effera Romanos agitat discordia manes
6.780

EFFETUS,-A,-UM. 'nondum post genitos Tellus
ecfeta gigantas 4.593
simul effetas linquunt examina ceras
9.285

EFFICIO,-ERE. effundens trunco, non frondibus,
efficit umbram, ... 1.140
hoc tamen in casu quantum deprensa
ualebat/effecit uirtus: 4.470
'nondum post genitos Tellus ecfeta (effecta)
gigantas/terribilem Libycis partum
concepit in antris. var.4.593
uotumque effecimus hosti/ ut mallet
sterni gladiis 7.99
belli par magna peracta est/ his, quibus
effectum est ne pugnam tiro paueret,
7.102
hac luce cruenta/effectum, ut Latios
non horreat India fasces, ... 7.428

EFFIGIES. uisus sibi.../ innumeram effigiem
Romanae cernere plebis 7.10
iam languida morte/ effigies habitum noti
mutauerat oris. 9.1034

EFFINGO,-ERE. effingunt uarias casu
monstrante figuras; 5.713

EFFLO,-ARE. super omnia membra/efflatur sanies
late pollente ueneno; 9.795

EFFLUO,-ERE. spumea tum primum rabies uaesana
per ora/ effluit et gemitus et anhelo
clara meatu/ murmura, ... 5.191
putrisque effluxit ab alto/ umor, 8.690
effluet in lacrimas: 9.106
nec,quantus toto de corpore debet/
effluit in terras, ...   9.775

EFFODIO,-ERE. ultimaque effodit spectatis
lumina membris. 2.185
parati,/.../ quaerere et effossam
sitientes lambere terram 3.346
gaudetque gelatos/ effodisse orbes 6.542
effossum tumulis cupide descendit in
antrum. 10.19

EFFOR,-ARI. effatur merso uiolata in robora
ferro 3.435
simul haec effatur, et altus/Caesareas
puluis testatur adesse cohortes.   6.246
nil animis fatisque tuis effabere dignum:
8.347

EFFRINGO,-ERE. effractos circum tumulos ac
busta uagati/ conspexere procul praerupta
in caute sedentem, ...   6.574

EFFUGIO,-ERE. effugit exiguo nocturna
pericula uallo, ... 1.516
lucis rumpe moras et Caesaris effuge
munus,' 2.525
tum uolnere multo /effugientem animam
lassos collegit in artus 3.623
'effugis ingentes, tanti discriminis
expers, bellorum, Romane, minas,   5.194
nec in Borean aut in Noton effugit
umbram. 9.695

EFFUNDO,-ERE. nudosque per aera ramos/

effundens trunco, non frondibus, efficit
umbram, ... 1.140
imago.../ turrigero canos effundens
uertice crines 1.188
tu quoscumque uoles in planum effundere
muros, ... 1.383
et nunc tonse Ligur, quondam per colla
decore/ crinibus effusis toti praelate
Comatae, ... 1.443
dumque illi effusam longis anfractibus
urbem/circumeunt 1.605
omnis an infusis(effusis)miscebitur unda
uenenis? var.1.648
effundunt iustas in numina saeua querellas.
2.44
paruom set fessa senectus /sanguinis
effudit iugulo flammisque pepercit. 2.129
ultimaque effodit (effudit) spectatis
lumina membris. var.2.185
uis sibi fecit iter campumque effusa per
omnem 2.215
effusas laniata comas contusaque pectus
2.335
Gallica per gelidas rabies ecfunditur
Alpes, ... 2.535
effusis magnum Libye tulit imbribus annum.
3.70
Cyrus et effusis numerato milite telis
/descendit Perses, ... 3.285
explicat hinc tellus campos effusa
patentis 4.19
et pigras, ubicumque iacent, effunde
paludes 4.119
audet transcendere uallum/ miles, in
amplexus effusas tendere palmas. 4.176
ut effuso Caesar decurrere passu/uidit
4.271
nec cruor effusus campis tibi bella
peregit 4.354
obliquusque caput uanas serpentis in auras
/effusae tuto conprendit guttura morsu/
letiferam citra saniem; 4.727
effusam patulis aciem committeret aruis.
4.743
effudere minas. 5.261
animasque effundere uiles /quolibet hoste
paras; 5.263
agmina.../... spargit... ut Caesaris arma
/laxet et effuso claudentem milite tendat;
6.72
effuso laxat tentoria campo, . . 6.270
effuditque acies obsaeptum Magnus in
hostem. 6.292
Ixionidas Centauros/ feta Pelethroniis
nubes effudit in antris: 6.387
spectate.../ et caput hoc positum rostris
effusaque membra 7.305
totas effundite uires: 7.344
credite.../ crinibus effusis hortari in
proelia matres; 7.370
sonipes.../ in caput effusi calcauit
membra regentis, ... 7.529
omnibus illa/ ciuibus effudit totas per
moenia uires/obuia ceu laeto: . . 7.714
effudere suas uictis conpagibus urnas,
7.857
effundam populos alia tellure reuolsos
8.309
Parthus.../ Sarmaticos inter campos
effusaque plano/Tigridis arua solo, nulli
superabilis hosti est 8.369

haec ubi frustra/effudit, prima pendet
tamen anxia puppe, ... 8.590
continuitque animam, nequas effundere
uoces/uellet 8.616
incubuit Magno lacrimasque effudit in
omne/uolnus, ... 8.727
da uilem Magno... arcam/ quae lacerum
corpus siccos effundat in ignes; 8.737
'ergo indigna fui',.../...gelidosque
effusa per artus /incubuisse uiro, 9.56
non in gemitus lacrimasque dolorem/
effudit, ... 9.147
ut uisa est...solutas/ in uoltus effusa
comas, Cornelia puppe /egrediens, rursus
geminato uerbere plangunt. . . 9.172
quaecumque leuatae/arboribus caesis flatum
effudere prementem,/abstulit has.../
aestus 9.332
nam, cum communiter istae/ effundant
Zephyrum, ... 9.418
effuditque procul miranda sorte malorum:
9.491
effudit dignas adytis e pectore uoces.
9.565
ipsique retrorsum/ effusi faciem uitabant
Gorgonos angues 9.653
quanto spirare ueneno/ ore rear
quantumque oculos effundere mortis! 9.680
sibilaque effundens cunctas terrentia
pestes,/... basiliscus 9.724
utque solet pariter totis se fundere
(effundere) signis/ Corycii pressura
croci, ... var.9.808
lacrimas non sponte cadentis/effudit
9.1039
totaque effusus in aula /calcabatur onyx;
10.116
EGEO,-ERE. ut gladiis egeant ciuilia bella
coactis. 3.323
nulloque obsessus ab hoste/miles eget:
4.95
sed morbus egens iam gurgite plenis/
uisceribus sibi poscit aquas. 4.371
non eget ingestis sed uolsis pectore
telis. 6.232
si milite Magno,/ non duce tempus eget,
nil ultra fata morabor. 7.88
quid, quod iacet insula ponto/Caesar
eget ratibus? 8.119
et steriles egeant hibernis imbribus agri,
8.829
qui sponsore salutis/ miles eget
capiturque animae dulcedine, uadat/ad
dominum meliore uia. 9.393
nec uocibus ullis/ numen eget, 9.575
sortilegis egeant dubii semperque futuris
/casibus ancipites: 9.581
ipsa caloris egens gelidum non transit
in orbem 9.704
EGERO,-ERE. talis pietas peritura querellas/
egerit. 2.64
tunc Orientis opes captorumque ultima
regum /quae Pompeianis praelata est gaza
triumphis/egeritur; 3.167
quaque, fretum torrens, Maeotidos egerit
undas/ Pontus, ... 3.277
egere quod superest animae, Tyrrhene, per
omnis /bellorum casus. 3.718
quisquis inest terris in fessos spiritus
artus/egeritur, Tellusque uiro luctante
laborat. 4.644

Hapso gestare carinas/ causa palus, leni
quam fallens egerit unda; 5.464
cauernas/egerit et torrens in campos
defluit Aetna, ... 6.295

EGESTAS. inde irae faciles et, qvod suasisset
egestas, ... 1.173
pacis ad exutae spolium non cogit egestas:
3.132
non sibi sed domino grauis est quae seruit
egestas.' 3.152

EGO. 1.685;2.310;6.594;6.732;6.795;7.266;7.299;
8.279;8.639;8.647;9.133;9.153;9.598;
10.197;10.262
MEI. 2.514
MIHI. 1.63;1.275;1.307;1.340;1.372;1.417;
1.693;2.348;2.583;2.586;3.25;3.365;3.368;
4.274;4.346;5.269;5.289;5.340;5.348;
5.357;5.493;5.551;5.593;5.658;5.662;5.668;
5.670;5.739;5.745;5.758;5.762;5.768;5.782;
6.246;6.592;6.601;6.701;6.763;6.779;7.110;
7.254;7.264;7.662;8.129;8.133;8.138;8.141;
8.176;8.219;8.306;8.523;8.654;8.844;9.67;
9.75;9.77;9.78;9.100;9.155;9.161;9.212;
9.237;9.240;9.244;9.388;9.390;9.396;
9.1104;10.93;10.191;10.194;10.262;10.287;
10.387
ME(acc.). 1.203;1.377;1.632;1.678;1.683;
2.169;2.245;2.288;2.309(bis);2.315;2.316;
2.318;2.346;2.496;2.575;2.585;2.590(bis);
2.635;3.28;3.437;3.717;4.344;5.325;5.352;
5.534;5.655;5.666;5.748;5.749;5.770;6.319;
6.321;6.705;7.113;7.266;7.285;7.286;7.298;
7.308;7.310;7.663;8.90;8.232;8.271;8.274;
8.326;9.87;9.136;9.214;9.396;9.505;9.582;
9.985;10.88;10.184;10.364
ME(abl.). 2.297;2.322;2.538;3.20;3.372;
5.349;5.580;5.745;6.663;6.770;6.813;7.261;
7.553;8.79;8.584;9.391
MECUM. 1.300;1.310;6.774;8.143;9.150;
9.1075

EGREDIOR,-I. tentoria postquam / egressus
uigilum somno cedentia membra/transsiluit
5.511
tunc Thessala nudis/egreditur bustis
nocturnaque fulmina captat. 6.520
egressus meruit fatis tam nobile letum.
7.595
positisque insignibus aulae/egreditur
famulo raptos indutus amictus. 8.240
ibat in hostilem... puppem/ hoc magis
inpatiens egresso desse marito/quod metuit
clades. 8.578
ut uisa est.../... Cornelia puppe/
egrediens, rursus geminato uerbere
plangunt. 9.173
humanumque egressa modum super omnia
membra/efflatur sanies late pollente
ueneno; 9.794

EICIO,-ERE. his igitur depulsa locis eiectaque
classis/Syrtibus haut ultra Garamantidas
attigit undas, ... 9.368

EIECTO,-ARE. eiectat saniem permixtus uiscere
sanguis. 3.658

ELABOR,-I. elapsus felix de pectore Magnus:
9.80

ELEMENTUM. rupisse uidentur/concordes
elementa moras rursusque redire/nox 5.635

ELEPHANS. sic Libycus densis elephans
oppressus ab armis/ omne... missile.../
frangit 6.208
nec tutus spatio est elephans: . . 9.732

ELEUS,-A,-UM. quantum clamore iuuatur/ Eleus
sonipes, ... 1.294

ELICIO,-ERE. mittitur, exigua qui proelia
prima lacessant /eliciatque manu, 4.721
consul uterque uagos belli per munia
patres/ elicit Epirum. 5.9
iam uos ego nomine uero/ eliciam 6.733
et elicitum iussumque exire repugnat,
9.932

ELIDO,-ERE. hic laqueo fauces elisaque guttura
fregit, ... 2.154
uiua graues elidunt corpora trunci. 2.206
postquam gemino tellus elisa profundo est,
2.437
eliso uentre per ora/eiectat saniem
permixtus uiscera sanguis. . . . 3.657
tot potuere manus.../ingestoque solo
Phrixeum elidere pontum, ... 6.56
tum stridulus aer/ elisus lituis
conceptaque classica cornu, . . 7.476
quamuis elisus ab Austro,/ saepe tamen
cumulos fluctus non uincit harenae. 9.339

ELIGO,-ERE. sacris tunc admouet aris/electa
ceruice marem. 1.609
nos sumus electi. 6.157
iam gradibus fessis, in quem cadat,
eligit hostem. 6.206
Thessala uatem/eligit et gelidas leto
scrutata medullas/pulmonis... sine
uolnere fibras/inuenit 6.629
electum tandem traiecto gutture corpus
/ducit, ... 6.637
aspice... donataque regna/ Aegypton
Libyamque, et terras elige morti. 7.711
ciuilibus armis/elegit te nempe ducem:
8.352
nulla fides umquam miseros elegit amicos.'
8.535
sterilesne elegit harenas/ut caneret
paucis, ... 9.576

ELOQUIUM. cunctorum uoces Romani maximus
auctor/Tullius eloquii,.../pertulit iratus
bellis, ... 7.63

ELOQUOR,-I. eloquar inmenso terrae sub pondere
quae te/contineant, Hennaea, dapes, 6.739

ELUCTOR,-ARI. tandem Tyrrhenas uix eluctatus
in undas/sanguine caeruleum torrenti
diuidit aequor. 2.219

ELYSIUS,-A,-UM. 'sedibus Elysiis campoque
expulsa piorum 3.12
Elysias resera sedes 6.600
Styx et quos nulla meretur/Thessalis
Elysios .../ exaudite preces. . . 6.699
Elysias Latii sedes ac Tartara maesta/
diuersi liquere duces. 6.782

EMATHIA. contigit Emathiam, bello quam fata
parabant. 6.332
o miseranda domus, toto nil orbe
uidebis/tutius Emathia.' 6.820
sed retro tua fata tulit par omnibus annis
/Emathiae funesta dies. 7.427
non inpare uoltu/aspicis Emathiam: 7.683
caeloque nocenti/ingerit Emathiam. 7.799
qua tunc tellure latebas/maestior, in
mediis quam si, Cornelia, campis/
Emathiae stares. 8.43
secundum /Emathiam lis tanta datur? 8.333
qui solus regum fato celante fauorem/
defuit Emathiae, ... 8.360
hinc super Emathiae campos et signa
cruenti/ Caesaris ... uolitauit 9.15

EMATHIS.   Emathis aequorei regnum Pharsalos
  Achillis/ eminet 6.350
  timens, ne.../ Emathis et tellus tam multa
  caede careret,/.../... uetuit transmittere
  bella Philippos, ...   6.580
EMATHIUS,-A,-UM. bella per Emathios plus quam
  ciuilia campos 1.1
  dubiam super aequora Syrtim/arentemque
  feror Lybien, quo tristis Enyo/transtulit
  Emathias acies. 1.688
  neque enim tibi maior in aruis/Emathiis
  fortuna fuit nec Phocidos undis/Massiliae,
                                     4.256
  Caesar et Emathias lacero petit agmine
  terras. 6.315
  pronum,.../Emathiis unum campis attollere
  corpus, ...   6.620
  taurus et Emathios praeceps se iecit in
  agros, ...   7.166
  animumque dolentem/corripit, Emathiis quid
  perdat nescius aruis. 7.191
  iuuat Emathiam non cernere terram   7.794
  quam sol nimbique diesque/longior
  Emathiis resolutam miscuit aruis.   7.846
  nullus ab Emathio religasset litore funem
  /nauita, ...   7.860
  Peneius amnis/ Emathia iam clade rubens
  exibat in aequor. 8.34
  'hoc solum toto' respondit 'in aequore
  serua/ ut sit ab Emathiis semper tua
  longius oris/puppis 8.188
  sparsus ab Emathia fugit quicumque
  procella,/adsequitur Magnum; . .   8.203
  'quando' ait 'Emathiis amissus cladibus
  orbis,/ qua Romanus erat, superest.../
  Eoam temptare fidem 8.211
  non omnis in aruis/Emathiis cecidi, 8.267
  ante aciem Emathiam nullis accessimus
  armis: 8.531
  abstulit Emathiae secum fragmenta ruinae.
                                     9.33
  Emathium sparsit uictoria ferrum;   9.245
  credet ab Emathiis primos fugisse
  Philippis. 9.271
  Caesar, ut Emathia satiatus clade
  recessit,/ cetera curarum proiecit pondera
                                     9.950
  et Emathiis quod solum defuit armis/
  exhibet. 9.1017
  qui sicco lumine campos/uiderat Emathios,
  uni tibi, Magne, negare/ non audet gemitus
  gemitus. 9.1045
  se...Cleopatra.../...intulit Emathiis
  ignaro Caesare tectis, ...   10.58
EMEREO,-ERE. quae sedes erit emeritis?   1.344
  Laelius emeritique gerens insignia doni,
                                     1.357
  et emeritas repetunt naualibus alnos.
                                     3.520
  telaque multorum leto casura suorum/
  emerita iam morte tenet. 3.622
  dum tamen emeriti remanet pars ultima
  iuris 5.7
  nullusne tuorum/emeruit comitum fatis non
  posse superstes 5.688
  [haec eadem est hodie quae.../... emerito
  faciat uos Marte colonos] . . .   7.258
EMERGO,-ERE. tollere silua comas, stagnis
  emergere colles/incipiunt 4.128
EMETIOR,-I. emensus Cypri scopulos quibus exit
  in Austrum 8.461

  has inter pestes duro Cato milite
  siccum/emetitur iter, ...   9.735
EMICO,-ERE. emicuit rupitque diem populosque
  pauentes 1.153
  emicuit caelo tacitum sine nubibus ullis
                                     1.533
  nec cruor emicuit solitus, . . .   1.614
  sanguis/emicuit lentus: ruptis cadit
  undique uenis, ...   3.639
  uectoris patiens tumidum super emicat
  amnem. 4.133
  emicuit Dircaea cohors c_eciditque suorum/
  uolneribus, ...   4.550
  mors tamen eminuit (emicuit) clarorum
  in strage uirorum/pugnacis Domiti,
                                   var.7.599
EMINEO,-ERE. nullae tamen aequore rupes/
  emineant, ...   2.667
  ardua turris/ eminet et tremulis tabulata
  minantia pinnis. 4.432
  hoc solum fluctu terras mergente cacumen
  /eminuit pontoque fuit discrimen et astris
                                     5.76
  rursus hiant undae uix eminet aequore
  malus. 5.641
  Emathis aequorei regnum Pharsalos
  Achillis/ eminet 6.351
  mors tamen eminuit clarorum in strage
  uirorum/pugnacis Domiti, ...   7.599
  eminet in tergo pelagi procul omnibus
  aruis/... sicci iam pulueris agger; 9.341
EMINUS. saxorumque orbes et quae super eminus
  hostem/tela petant altis murorum turribus
  aptant. 2.451
  iuuentus/comminus obliquis et rectis
  eminus hastis/obruitur, ...   4.774
  stetit aggere campi/eminus unde omnis
  sparsas per Thessala rura/aspiceret clades,
                                     7.650
EMITTO,-ERE. et saniem per hiantis uiscera
  rimas/emittunt, produntque suas omenta
  latebras. 1.625
  Cyaneas tellus emisit in aequora cautes;
                                     2.716
  Caesar, ut emissas uenti rapuere carinas,
  /absconditque 3.46
  in puppem rediere rates, emissaque tela/
  aera texerunt 3.545
  tu remeare uetes quoscumque emiseris
  aestus. 4.113
  quibus hoste potito/faucibus emitti
  terrarum in deuia Martem/ inque feras
  gentes Caesar uidet. 4.161
  dent fata recessum/emittantque licet,
  uitare instantia nolim. 4.515
  uagus Afer equos ut primum emisit in agmen,
                                     4.765
  quem non emisit, superest deus. .   5.211
  Nesis/ emittit Stygium nebulosis aera
  saxis 6.91
  tum piceos uoluunt inmissae (emissae)
  lampades ignes, ...   var.6.135
  transierat primi Caesar munimina ualli/
  cum super e totis immisit (emisit)
  collibus arma var.6.291
  ut primum emissis patuerunt amnibus arua,
                                     6.381
  ac nostri, quo non metuant admittere
  (emittere)manes/Tartarei reges   var.6.650
  emittit subitum non motis cornibus agmen.
                                     7.524

EMITTO

    pudet.../ quaerere.../ quis cruor emissis
    perruperit aera uenis 7.625
    nec emissae riguere sub ossibus umbrae.
                    9.641
    omnia membra/emisere simul rutilum pro
    sanguine uirus. 9.810

EMO,-ERE. scilicet extremi Pompeium emptique
    clientes/ continuo per tot satiabunt
    tempora regno? 1.314
    emiturque metus, ... 3.57
    miles eget:toto censu non prodigus emit/
    exiguam Cererem. 4.95
    emere omnes, hic uendidit urbem. 4.824
    emptum minimo uolt sanguine quisquam
    /barbarus Hesperiis Magnum praeponere
    rebus? 7.282
    tanto te pignore, Caesar/ eminus; 9.1021
    pax ubi parta ducis donisque ingentibus
    empta est,/ excepere epulae tantarum
    gaudia rerum, ... 10.107

EMOLLIO,-IRE. quidquid ad Eoos tractus.../
    ibitur, emollit gentes clementia caeli.
                    8.366

EN. en, adsum uictor terraque marique 1.201
    ualet, en, torquendo dextera pilo, 2.556
    en, sibi uilis adest inuisa luce iuuentus
                    4.276
    en, ueteris cernis uestigia ualli. 4.659
    Libycas, en, nobile corpus,/pascit aues
    nullo contectus Curio busto. 4.809
    en, totis uiribus orbis/Hesperiam pensant
    superi: 5.37
    ad mortem dimitte senes.en inproba uota:
                    5.277
    en, quantum Tigris, quantum celer ambit
    Orontes, ... 6.51
    cunctis, en, plena metallis/castra patent;
                    7.740
    en ratis, ad uestros quae tendit carbasa
    portus! 8.50
    en, altera uenit /uictima nobilior. 10.385

ENCELADUS. non sic Hennaeis habitans in
    uallibus horret/Enceladum spirante Noto,
                    6.294

ENCHELIAE. dispersus siluis Athaman et nomine
    prisco / Encheliae uersi testantes funera
    Cadmi, ... 3.189

ENECO,-ARE. puluere Bacchum/ enecat et
    nulla putris radice tenetur. . . 9.434

ENIM. 1.632;2.539;3.128;3.150;3.369;3.447;
    3.464;4.255;4.359;4.417;4.762;4.772;
    7.119;7.739;8.233;8.322;9.42;9.243;9.388;
    9.413;9.688

ENIPEUS. numquamque celer nisi mixtus
    Enipeus; 6.373
    sanguine Romano quam turbidus ibit
    Enipeus! 7.116
    at iuxta fluuios et stagna undantis
    Enipei/ Cappadocum montana cohors.../
    ibat 7.224

ENNAEA V. HENNAEA.

ENSIFER. ensiferi nimium fulget latus Orionis?
                    1.665

ENSIS. inuadunt.../ et scabros nigrae morsu
    robiginis enses. 1.243
    lateque uagatus/ ensis, . . . 2.102
    uidit Fortuna colonos/Praenestina suos
    cunctos simul ense recepto/unius populum
    pereuntem tempore mortis. . . . 2.194
    quis nolet in isto/ense mori quamuis
    aliens uolnere labens/et scelus esse

    tuum? 2.265
    iam tetigit sanguis pollutos Caesaris
    enses. 2.536
    acrior ira subit: saeuos circumspicit
    enses 3.142
    nauali plurima bello/ensis agit. 3.570
    inpia turba super medios ferit ense
    lacertos. 3.666
    dum scopulos stirpesque tenent atque
    hoste relicto/caedunt ense uiam. 4.43
    tantum nutu motoque salutant/ense suos.
                    4.174
    iunctosque amplexibus ense/separat 4.209
    si conscius ensis adacti/stat uictor 4.288
    uiscera non unus iam dudum transigit
    ensis. 4.545
    haud trepidante tamen toto cum pondere
    dextra/exegere enses. 4.565
    ignorantque datos, ne quisquam seruiat,
    enses. 4.579
    cum dira uoluptas/ense subit presso,
    galeae texere pudorem, ... 4.706
    uix inpune suos inter conuertitur enses;
                    4.779
    ius licet in iugulos nostros sibi fecerit
    ensis. 4.821
    saeuum in populos puer accipis ensem,
                    5.61
    seu maesto classica paulum/intermissa sono
    claususque et frigidus ensis expulerat
    belli furias, ... 5.245
    et scelere inbutos etiamnunc enses. 5.248
    scit non esse ducis strictos sed militis
    enses. 5.254
    hic fuge, si belli finis placet, ense
    relicto. 5.321
    uelut ensibus ipsis/imperet inuito
    moturus milite ferrum. 5.366
    et iugulos,non tantum praestitit ensis.
                    5.370
    ualli summa tenentis/amputat ense manus;
                    6.176
    perdidit ensis opus, frangit sine
    uolnere membra. 6.188
    fulmineum mediis excepit faucibus ensem.
                    6.239
    Martius incaluit Siculis incudibus ensis
                    7.146
    cuius non militis ensem/agnoscam? 7.287
    quisquis patriam carosque penates/...
    quaerit/ ense petat: 7.348
    odiis solus ciuilibus ensis/sufficit,
                    7.490
    inspicit.../ quae presso tremat ense
    manus, ... 7.562
    pondere lapsi/ pectoris arma sonant
    confractique ensibus enses. . . . 7.573
    pudet.../quaerere.../ore quis aduerso
    demissum faucibus ensem/expulerit moriens
    anima, ... 7.621
    nec derat robur in enses/ire duci 7.669
    ensis habet uires, et gens quaecumque
    uirorum est/ bella gerit gladiis. 8.385
    ullusne in cladibus istis/est locus
    Aegypto Phariusque admittitur ensis? 8.546
    Romanus regi sic paruit ensis, 8.606
    ut uidit comminus ensis/inuoluit uoltus
    atque.../... caput; 8.613
    aut aliquis Magno dignus comes exigat
    ensem. 8.656
    nondum artis erat caput ense rotare. 8.673

Pompei diro sacrum caput ense recidis,
8.677
ignauis manibus proiectos reddidit enses,
9.26
numquam ueniemus ad enses 9.106
o felix,.../et cui quaerendos Pharium
scelus obtulit enses. 9.209
nunc patriae iugulos ensesque negatis,/
cum prope libertas? 9.264
quam protinus ille retecto/ ense ferit
totoque semel demittit ab armo,   9.831
Thessalicas quaerens Magnus reparare
ruinas/ ense iacet nostro. 9.1020
an eriperet mundo Memphiticus ensis
/uictoris uictique caput. 10.5
sed habet sub iure Pothini/adfectus
ensesque suos. 10.96
sic barbara Colchis/ creditur.../ ense
suo fratrisque simul ceruice parata/
expectasse patrem. 10.466
dum patrii ueniant in uiscera Caesaris
enses/ Magnus inultus erit. . . .   10.528

ENYO v. l.pro Erinys. dubiam super aequora
Syrtim/arentemque feror Libyen, quo
tristis Enyo /transtulit Emathias acies.
1.687

EO,-IRE. sub iuga iam Seres, iam barbarus
isset Araxes. 1.19
Phoebe/ ibit et obliquum bigas agitare
per orbem 1.78
et (it) torto Balearis uerbere fundae/
ocior var.1.229
it tantus ad aethera clamor, . . .   1.388
totumque per orbem / rursus eo.   1.693
rapuitque cruentus/uictor ab ignota uoltus
ceruice recisos/dum uacua pudet ire manu.
2.113
hoc ordine belli / ibitur, . . .   2.224
ne tanta in cassum uirtus eat,
ingeret omnis / se belli fortuna tibi.
2.263
sic eat: 2.304
concessa pudet ire uia ciuemque uideri.
2.446
ite simul pedites, ruiturum ascendite
pontem.'   2.499
in medios belli non ire furores   2.523
ad mortem Sulla felicior ire coegi.
2.582
Titan.../ ibat et igniferi tantum
demerserat orbis/quantum desse solet
lunae, ...   3.41
itque Cilix iusta iam non pirata carina.
3.228
umbras mirati nemorum non ire sinistras.
3.248
sed, si solus eam dimissis degener armis,
3.367
postquam omnia fatis/Caesaris ire uidet,
4.144
'ite sine ullo/ordine' 4.162
ibitis ad dominum damnataque signa
feretis, ...   4.217
non sonipes in bella ferox, non iret in
aequor   4.225
itur in omne nefas, ...   4.243
imus in omne nefas manibus ferroque
nocentes, ...   5.272
sic eat, o superi: 5.297
ignaue,uenire/ te Caesar, non ire iubet.
5.488

ne retine dubium cupientis ire per
aequor: 5.492
tum lurida pallens/ore tulit uoltu sub
nubem tristis ituro. 5.550
conscia uotorum es, me, quamuis plenus
honorum/et dictator eam Stygias et consul
ad umbras,/ priuatum, Fortuna, mori. 5.667
non paruo sanguine Magni/ iste dies ierit.
6.158
ire uel in clades properat dum gaudia
turbet. 6.284
it gurgite rapto /Apidanos . . .   6.372
axibus et rapidis inpulsos Iuppiter
urguens/miratur non ire polos.   6.465
namque timens, ne Mars alium uagus iret
in orbem /.../... uetuit transmittere
bella Philippos,   6.579
pauet ire in pectus apertum . . .   6.722
Sextoque ad castra parentis/ it comes;
6.828
sanguine Romano quam turbidus ibit
Enipeus! 7.116
multis... uisus.../ ire per Ossaeam
rapidus Boebeida sanguis; . . .   7.176
iuxta fluuios...Enipei/.../Ponticus
ibat eques. 7.226
ite per ignauas gentes famosaque regna
7.277
siue quis infesto cognata in pectora
ferro/ ibit, .../ ignoti iugulum...
inputet hostis. 7.324
semel ortus in omnis/ it timor,   7.544
Caesar.../... agmina circum/it uagus
atque ignes animis flagrantibus addit.
7.559
in plebem uetat ire manus monstratque
senatum: 7.578
Stygias Magno duce liber ad umbras/ et
securus eo: 7.613
nec derat robur in enses/ ire duci   7.670
inpulit amentes.../ ire super gladios
supraque cadauera patrum 7.748
non altius ibis in auras, ...   7.816
ad mollem serius Austrum/istis, aues.
7.834
'o utinam in thalamos inuisi Caesaris
issem 8.88
iubet ire in deuia mundi/ Deiotarum,
8.209
iuuat ire per orbem/ducentem saeuas
Romana in moenia gentes 8.356
quidquid ad Eoos tractus.../ibitur,
emollit gentes clementia caeli.   8.366
ad Parthos qui uicit eat. 8.429
ire per ista/ si potes... socerum...
Magne.../... placare potes, . . .   8.439
in paruam iubet ire ratem. . . .   8.565
ibat in hostilem praeceps Cornelia
puppem, ...   8.577
i modo securus ueniae fassusque sepulchrum
/posce caput. 8.784
ibit et imbrifera siccas sub Pliade
Thebas/ spectator Nili, ...   8.852
oderat et Magnum, quamuis comes isset in
arma 9.21
quis ratibus tantis fugientia crederet ire
/agmina, ...   9.34
ite, duces, mecum 9.150
mors eat in tutum: 9.234
sub iura togati/ ciuis eo. 9.239
ite, o degeneres, Ptolemaei munus et

arma /spernite. 9.268
domini post fata prioris/ itis ad heredem.
   9.275
inuia temptent/... siquibus ire sat est.
   9.388
siquo fuerit discrimine notum/dux an
miles eam. 9.402
hac ire Catonem/ dura iubet uirtus. 9.444
itque super Libyen, quae nullo consita
cultu/sideribus Phoeboque uacat: 9.690
defessos iret qui sudor in artus/non fuit,
   9.745
ire libet qua zona rubens atque axis
inustus/solis equis; 9.852
imus in aduersos axes, euoluimur orbe,
   9.876
regnum Lagi Romana sub arma/iret, an
eriperet mundo Memphiticus ensis/uictoris
uictique caput. 10.5
isset in occasus mundi deuexa secutus
   10.39
ast ego caelicolis gratum reor ire per
omnis/hoc opus 10.197
radiisque potentibus astra/ire uetat
   10.203
ausus in ardentem ripas attollere Cancrum
/in Borean is rectus aquis . . . 10.289
quos inter in alta/it conualle tacens iam
moribus unda receptis. 10.329
in scelus it Pharium Romani poena
tyranni, ... 10.343
ite feroces/Caesaris in iugulum; 10.393
tanta obliuio mentis/cepit... corrupto
milite.../ ut duce sub famulo iussuque
satellitis irent 10.405
aere merent paruo, iugulumque in Caesaris
ire/ non sibi dant. 10.409
nam rursus in arma/auspiciis Ganymedis
eunt 10.531
EO(adu.). Romam... mundi faece repletam/
cladis eo dedimus, ne tanto in corpore
bellum/ iam possit ciuile geri. 7.406
EOS. stabant ante fores populi quos miserat
Eos 9.544
EOUS,-A,-UM. melius, Fortuna, dedisses/ orbe
sub Eoo sedem gelidaque sub Arcto
/errantisque domos, ... 1.252
ad Eoas hic uertat signa pharetras; 2.55
non idem Eoi color aetheris, albaque
nondum/ lux rubet 2.720
di melius, quod non Latias Eous in oras
/nunc furor incubuit 3.93
docta nec Eois peior Gortyna sagittis;
   3.186
mouit et Eoos bellorum fama recessus,
   3.229
quidquid ab occiduis Libye patet arida
Mauris/ usque Paraetonias Eoa ad litora
Syrtis. 3.295
quidquid caeli fuscator Eoi /inpulerat
Corus, ... 4.66
tradimus Hesperias gentes, aperimus Eoas,
   4.352
Hesperio tantum quantum summotus Eoo/
cardine Parnasos gemino petit aethere
colle, ... 5.71
Assyriis quantum populis telluris Eoae/
sufficit in regnum, ... 6.52
defuit.../non.../ aut cinis Eoa positi
phoenicis in ara. 6.680
nec non et reges populique queruntur Eoi

/bella trahi 7.56
haud multum terrae spatium restabat Eoae.
   7.423
felices Arabes Medique Eoaque tellus,
   7.442
Eoasque premunt tentoria gazas. 7.742
terrarum dominos et sceptra Eoa tenentis
/exul habet comites. 8.208
superest, fidissime regum/Eoam temptare
fidem populosque bibentis/Euphraten 8.213
solusque e numero regum telluris Eoae
/ex aequo me Parthus adit. 8.231
quare agite Eoum, comites, properemus in
orbem. 8.289
quod si nos Eoa fides et barbara fallent
/foedera, uolgati supra commercia mundi/
naufragium fortuna ferat: 8.311
quidquid ad Eoos tractus mundique
teporem/ibitur, emollit gentes clementia
caeli. 8.365
haereat Eoae uolnus miserabile sortis,
   8.417
petit.../ Pompeius,...non pinguis.../ ut
ferat e membris Eoos fumus odores, 8.731
aut Arabum portus mercis mutator
Eoae,/... petet, ... 8.854
nec Eois splendent donaria gemmis: 9.516
et tamarix non laeta comas Eoaque costos/
... sonant flammis 9.917
pro pudor, Eoi propius timuere sarisas
/quam nunc pila timent populi. 10.47
EPHEBUS. grandaeuosque senes mixtis armauit
ephebis. 3.518
illa comam laeua morienti abscidit ephebo.
   6.563
EPHESOS. ipse per Icariae scopulos,Ephesonque
relinquens/... spumantia paruae/radit
saxa Sami; 8.244
EPHYRE. tot potuere manus.../ aut Pelopis
latis·Ephyren abrumpere regnis 6.57
EPHYREUS,-A,-UM (EPHYRAEUS). Ephyraeaque
moenia seruat 6.17
EPIDAMNOS. Illyris Ionias uergens Epidamnos in
undas. 2.624
respexit.../ Scaeuam perpetuae meritum iam
nomina famae/ad campos, Epidamne, tuos,
   10.545
EPIRUS. primus in Epirum Boreas agat; 2.646
consul uterque uagos belli per munia
patres/ elicit Epirum. 5.9
Epirum Caesarque tenet totusque senatus,
   5.496
EPULAE. septemuirque epulis festus Titiique
sodales 1.602
huic epulae uicisse famem, magnique
penates/summouisse hiemem tecto, 2.384
nec languida fessi/corpora sustentant
epulis, ... 4.307
latuisse sub alta/ rupe ferunt, epulas
raptos habuisse leones; 4.602
epulisque paratur/ille locus, . . 7.792
epulis uaesana meroque /regia non
ullis exceptos legibus audet/concubitus:
   8.401
extremoque epulas mensasque petimus ab
orbe. 9.430
intactum uolucrum rostris epulasque
daturum/haud inpune feris.../...
cadauer. 9.802
excepere epulae tantarum gaudia rerum,
   10.108

EPULAE
    infudere epulas auro, quod terra, quod
    aer,/ ... dedit, ...   10.155
    postquam epulis Bacchoque modum lassata
    uoluptas/inposuit,...Caesar producere
    noctem/inchoat 10.172
    defectusque epulis et pastus caede suorum
                            10.281
    plenum epulis madidumque mero Venerique
    paratum/invenies: 10.396
    et districta epulis ad cunctas aula
    patebat/insidias, ... 10.422
EQUES. equitum properate cateruae,   2.498
    dux equitemque iubet succedere bello 4.44
    iamque agmina summa/carpit eques, dubiique
    fugae pugnaeque tenentur. 4.156
    campos eques obuius omnis/abstulit 4.262
    cogit/ ignotisque equitem late decurrere
    campis. 4.733
    nec peruia uelis/aequora frangit eques,
                             5.440
    Pompeium exhaustae praebenda ad gramina
    terrae/ quae currens obtriuit eques 6.82
    plaudente senatu/sedit adhuc Romanus
    eques; 7.19
    auget eques stimulos frenorumque artat
    habenas. 7.143
    iuxta fluuios... Enipei/ Ponticus ibat
    eques. 7.226
    ut primum... diduxit cornua.../ Pompeianus
    eques bellique per ultima fudit,/...
    leuis armatura.../insequitur . . . 7.507
    omnis eques cessit campis, . . . 7.530
    iam rapido speculator eques per litora
    cursu/hospitis aduentu pauidam compleuerat
    aulam. 8.472
    adde.../ et currus quos egit eques, 8.810
    quicumque.../uiderit.../... equitem
    peditum praecedere turmas/deficiat: 9.400
EQUIDEM. cadauer/ 'tristia non equidem
    Parcarum stamina' dixit /'aspexi 6.777
    haud equidem inmerito Cumanae carmine
    uatis/cautum, ne Nili Pelusia tangeret
    ora/ Hesperius miles 8.824
EQUUS. Massagetes, quo fugit, equo uolucresque
    Geloni. 3.283
    miles non utile clausis/auxilium mactauit
    equos, ...   4.269
    non pabula tellus/pascendis summittit
    equis, ...   4.411
    inculto Gaetulus equo, tum concolor Indo
    /Maurus, ... 4.678
    uolneribus coguntur equi; 4.761
    at, uagus Afer equos ut primum emisit in
    agmen, ...   4.765
    solum fregere coloni/et Magnetes equis,
    Minyae gens cognita remis. . . . 6.385
    luctificus Titan numquam magis aethera
    contra/egit equos cursumque polo rapiente
    retorsit, ...   7.3
    totumque per agmen/sublimi praeuectus equo
                            7.342
    non sic moderator equorum,/.../cogit
    inoffensae currus accedere metae. 8.199
    ire libet qua zona rubens atque axis
    inustus/ solis equis; 9.853
ERA(HERA). frustraque attollere terra/
    semianimem conantur eram; 8.66
EREBUS. non tacitas Erebi sedes Ditisque
    profundi/pallida regna petunt: 1.455
    o utinam caelique deis Erebique liceret
                            2.306

    tumulos expulsis obtinet umbris/grata
    deis Erebi. 6.513
    si tollere totas /temptasset campis acies.
    .../ cessissent leges Erebi, . . 6.635
    non agitis saeuis Erebi per inane
    flagellis/infelicem animam? . . 6.731
    teque deis,.../... Hecate.../ostendam
    faciemque Erebi mutare uetabo.   6.738
EREPO,-ERE. dum cupit in sociam Gyareus
    erepere puppem, ...   3.600
ERGASTULUM. conflato saeuas ergastula
    ferro/exeruere manus. 2.95
ERGO. ergo, ubi concipiunt quantis sit
    cladibus orbi/constatura fides superum,
                             2.16
    ergo, ubi nulla fides rebus post terga
    relictis/nec licet ad duros Martem
    conuertere Hiberos, ... 2.628
    ergo, ubi nulla uado tenuit sua pondera
    moles, ...   2.669
    ergo hostes portis, quas omnis soluerat
    urbis/cum fato conuersa fides,   2.704
    ergo acies tantae paruum spissantur in
    orbem, ...   4.777
    ergo abrupta palus multos discessit in
    amnes. 6.360
    ergo utrimque pari procurrunt agmina
    motu/ irarum; 7.385
    'ergo indigna fui,' dixit 'Fortuna, marito
    /accendisse rogum 9.55
    'ergo pari uoto gessisti bella, iuuentus,
                            9.256
    ergo in Thessalicis Pellaeo fecimus aruis
    /ius gladis? 9.1073
ERICHTHO. haec dirae crimina gentis/ effera
    damnarat nimiae pietatis Erictho 6.508
    montisque caui, quem tristis Erictho/
    damnarat sacris, alta sub rupe locatur.
                            6.640
    miratur Erictho/ has fatis licuisse moras,
                            6.725
    accensa iuuenem positum strue liquit
    Erictho 6.826
ERIDANUS. Eridanus fractas deuoluit in aequora
    siluas 2.409
ERIGO,-ERE. te iam series ususque laborum/
    erigit inpatiensque loci fortuna secundi;
                            1.124
    erexitque iubam et uasto graue murmur
    hiatu 1.209
    erigat Oceanum fluctusque ad sidera ducat,
                            1.416
    Appenninus/ erigit Italiam 2.397
    erigit, et mediis subrepit uinea muris:
                            2.506
    dumque ardua pinus/ erigitur, pauidi
    classis siluere magistri, ... 2.696
    stellatis axibus agger/erigitur   3.456
    aduersoque acies in monte supina /haeret
    et in tergum casura umbone sequentis/
    erigitur. 4.40
    non erigit aegros/nobilis ignoto diffusus
    consule Bacchus, ... 4.378
    Phoebeaque serta/erectis discussa comis
                             5.171
    pontus et in scopulos totas erexerat
    undas: 5.600
    erigit, atque omni surgit ratis ardua
    uento. 5.649
    cadauer/... terraque repulsum est/
    erectumque semel. 6.757

tunc omnis lancea saxo/ erigitur,   7.141
capulosque solutis/perfudit gladiis
erepta(erecta)-que pila liquauit
                                   var.7.159
Romanaque uirtus/erigitur, placuitque
mori, si uera timeret. 7.384
erige congestas Oetaeo robore siluas,
                                        7.807
erige mentem, ...   8.76
an Libycae Marium potuere ruinae/erigere
in fasces et plenis reddere fastis,   8.270
caeloque timente/olim Phlegraeo stantis
serpente gigantas/erexit montes,   9.657
erexit subitas congestu caespitis aras
                                        9.988

ERINYS.   diffugiunt: ingens urbem cingebat
Erinys 1.572
iam iam ciuilis Erinys/ concidet   4.187
uerberibusque suis trepidam castigat
Erinyn, ...   6.747
me pronuba ducit Erinys/Crassorumque
umbrae, ...   8.90
Cleopatra.../.../ dedecus Aegypti, Latii
feralis Erinys, ...   10.59

ERIPIO,-ERE.   mihi si merces erepta laborum
est, ...   1.340
me domitus cognouit Arabs, me Marte
proces/ Heniochi notique erepto uellere
Colchi, ...   2.591
lux rubet et flammas proprioribus eripit
astris, ...   2.721
et miseras bellis ciuilibus eripe terras.
                                        4.120
periere latebrae/tot scelerum, populo
uenia est erepta nocenti: 4.193
eripe consilium pugna: 4.705
regnumque sorori/ereptum est soceroque
nefas. 5.64
eripuit, partem duris Hispania bellis,
                                        5.265
eripuit nautis excussitque ordine puppes.
                                        5.710
locum uictoribus unus/eripuit uetuitque
capi, ...   6.142
uictor tibi, Roma, quietem/eripiam, qui,
ne premerent te proelia, fugi?   6.327
hoc casibus eripe iuris,/ ne subiti
caecique ruant. 6.597
a miser, extremum cui mortis munus inique
/eripitur, non posse mori.   . . .   6.725
ereptaque pila liquauit. 7.159
eripe uictori gentis et sanguine mundi/
fuso, Magne, semel totos consume triumphos.
                                        7.233
Mars iste.../... populos aeui uenientis
in orbem/ erepto natale feret.   7.391
Fortuna... dum munera longi/explicat
eripiens aeui populosque ducesque/
constituit campis, ...   7.417
sed tibi tabentes populi Pharsalica rura/
eripiunt 7.824
tenet ille ducem conplexibus artis/
eripiente mari; 8.724
tum, quarum recto deprendit carbasa malo,
/eripuit nautis, ...   9.325
arma timent gentes hominumque erepta
lacertis/a superis demissa putant.   9.476
eripiunt omnes animam, tu sola cadauer.
                                        9.788
omnia fato/ eripis et populis donas
mortalibus aeuum. 9.981

an eriperet mundo Memphiticus ensis/
uictoris uictique caput. 10.5
ERRO,-ARE.   Ausoniis umbraque erraret Crassus
inulta 1.11
rarus et antiquis habitator in urbibus
errat, ...   1.27
melius, Fortuna, dedisses/.../errantisque
domos, Latii quam claustra tueri.   1.253
et monitus errantis in aere pinnae,   1.588
'aut hic errat' ait 'nulla cum lege per
aeuum/mundus 1.642
errauit sine uoce dolor. 2.21
uult hostes errare freto,   . . .   2.661
Marsya ripis/errantem Maeandron adit
mixtusque refertur, ...   3.208
tinxere sagittas/errantes Scythiae
populi, ...   3.267
Brutus ait 'paterisne acies errare
profundo 3.559
et castris miles permixtus utrisque
/errabat; 4.197
et solitus uacuis errare mapalibus Afer
                                        4.684
haud multum terrae spatium restabat Eoae/
ut.../ omniaque errantes stellae Romana
uiderent. 7.425
hac luce cruenta/effectum, ut.../ nec
uetitos errare Dahas in moenia ducat/...
consul 7.429
erremus populi cinerumque tuorum,/
Magne, metu nullas Nili calcemus harenas.
                                        8.804
regna uidet pauper Nasamon errantia uento
                                        9.458
hoc igitur tandem leuior Romana iuuentus
/auxilio late squalentibus errat in aruis.
                                        9.939

ERROR.   certe populi quos despicit Arctos/
felices errore suo, ...   1.459
unumque relictum/agnorunt miseri sublato
errore parentes, ...   3.606
tectarum errore uiarum/fallitur   4.91
Phemonoen errore uagam curisque uacantem
/corripuit 5.126
hoc placet, o superi,.../... nostris
erroribus addere crimen? 7.59
quod totos errore uago perfuderat agros/
constitit hic bellum, ...   7.546
cornipedem.../Magnus agens incerta fugae
uestigia turbat/inplicitasque errore uias.
                                        8.5

ERUBESCO,-ERE.   melius, quod plura iubere/
erubuit quam Roma pati. 3.112
ERUMPO,-ERE.   telluris inanis/concussisse
sinus quaerentem erumpere uentum/credidit
                                        3.460
audaxque iuuentus/erupit.   3.500
dum cupit in sociam Gyareus erepere
(erumpere) puppem,/excipit... ferrum
                                   var.3.600
Curio nocturnum castris erumpere cogit
                                        4.732
e cunctis, per quos erumperet hostis,
/nos sumus electi. 6.156
nec cessant a caede manus, si sanguine
uiuo/ est opus, erumpat iugulo qui primus
aperto, ...   6.555
classis in aduersos erumpat remige uentos.
                                        9.149
erupere ducis sacro de pectore uoces.
                                        9.255

ERUMPO
    rumor ab Oceano.../ exundante procul
    uiolentum erumpere Nilum 10.256
    quasdam... aquas.../... concussis terrarum
    erumpere uenis/... reor, ... 10.264
ERUO,-ERE. aequora sulcis /eruta feruescunt
    litusque frementia pulsant. . . . 2.703a
    tum conditus imo/ eruitur templo multis
    non tactus ab annis/ Romani census
    populi, ... 3.156
    non chalybem gentes penitus fugiente
    metallo/ eruerent, nulli uallarent oppida
    muri, ... 4.224
ERYCINUS,-A,-UM. Thessala centaurea/
    peucedanonque sonant flammis Erycinaque
    thapsos, ... 9.919
ERYX. ut, maris Aeolii medias si celsus in
    undas/depellatur Eryx, ... 2.666
ESSEDONIUS,-A,-UM. hinc Essedoniae gentes
    auroque ligatas/substringens Arimaspe
    comas; 3.280
ESUS. placatur sanguine diro/Teutates
    horrensque feris altaribus Esus   1.445
ET. 1.4;1.7;1.15;1.17;1.20;1.27;1.39;1.42;
    1.43;1.78;1.90;1.101;1.112;1.122;1.141;
    1.146;1.147;1.161;1.162;1.168;1.169;1.173;
    1.176;1.177;1.182(bis);1.190;1.197;1.198;
    1.209;1.215;1.219;1.224;1.229;1.230;1.231;
    1.243;1.245;1.247;1.250;1.255;1.265;1.271;
    1.276;1.291;1.302;1.313;1.326;1.330;1.336;
    1.360;1.364;1.371;1.395;1.404;1.408;1.420;
    1.423;1.426;1.429;1.430;1.442;1.444;1.446;
    1.450;1.452;1.462;1.463;1.465;1.471;1.475;
    1.487;1.490;1.502;1.508;1.512;1.517;1.529;
    1.531;1.534;1.550;1.570;1.578;1.588;1.592;
    1.593;1.600;1.601;1.603;1.604;1.607;1.624;
    1.628;1.629;1.636;1.643;1.663;1.669;1.676;
    1.695;2.2;2.10;2.13;2.35;2.40;2.52;2.74;
    2.87;2.91;2.102;2.110;2.118;2.159;2.161;
    2.168;2.178;2.182;2.191;2.197;2.202;2.212;
    2.235;2.266;2.278;2.288;2.303;2.316;2.323;
    2.332;2.339;2.349;2.350;2.357;2.406;2.407;
    2.420;2.424;2.445;2.450;2.451;2.471;2.485;
    2.504;2.505;2.506;2.512;2.515;2.516;2.522;
    2.524;2.525;2.553;2.592;2.598;2.626;2.640;
    2.642;var.2.645;2.648;2.658;2.662;2.719;
    2.721;2.722;2.729;2.734;3.7;3.11;3.26;
    3.27;3.38;3.41;3.45;3.47;3.55(bis);3.61;
    3.78;3.83;3.84;3.85;3.97;3.116;3.141;3.178;
    3.187;3.188;3.190;3.198;3.200;3.203;3.204;
    3.205;3.207;3.215;3.216;3.217;3.223;3.227;
    3.229;3.232;3.234;3.238;3.252;3.258;3.274;
    3.278;3.285;3.291;3.303;3.310;3.340;3.343;
    3.344;3.346;3.347;3.353;3.371;3.374;3.385;
    3.395;3.401;3.407;3.408;3.419;3.420;3.434;
    3.439;3.441;3.442;3.443;3.449;3.461;3.488;
    3.489;3.492;3.493(bis);3.494(bis);
    3.507;3.512;3.514;3.516;3.520;3.522;3.523;
    3.531;3.537;3.543;3.547;3.554;3.557;3.560;
    3.562;3.573;3.574;3.581;3.587;3.589;3.608;
    3.625;3.629;3.677;3.679;3.682;3.695;3.699;
    3.702;3.706;3.708;3.736;3.737;3.747;4.21;
    4.27;4.31;4.35;4.39;4.41;4.47;4.64(bis);
    4.71;4.72;4.82;4.102;4.112;4.119;4.120;
    4.123;4.124;4.125;4.127;4.142;4.145;4.146;
    4.147;4.164;4.167;4.181;4.188;4.191;4.196;
    4.198;4.203;4.206;4.210;4.231;4.235;4.238;
    4.242;4.243;4.247;4.263;4.272;4.281;4.286;
    4.314;4.316;4.317;4.331;4.335;4.343;4.373;
    4.375;4.376;4.378;4.392;4.396;4.397;
    4.405;4.413;4.416;4.425;4.431;4.432;
    4.436;4.443;4.451;4.454;4.456;4.471;4.482;

4.483;4.487;4.496;4.506(bis);4.552;4.562;
4.570;4.578;4.586;4.617;4.623;4.627;
4.628;4.646;4.664;4.682;4.684;4.695;
4.725;4.752;4.757;4.764;4.773;4.774;
4.776;4.786;4.790;4.794;4.798;4.802;4.817
(bis);4.820;4.822;5.48;5.55;5.58;5.66;
5.76;5.96;5.114;5.136;5.158;5.159;5.163;
5.175;5.176;5.191(bis);5.201;5.202;5.204;
5.223;5.233;5.245;5.248;5.275;5.313;5.331;
5.344;5.362;5.363;5.370;5.375;5.377;5.384;
5.389(bis);5.393;5.394;5.396;5.403;5.404;
5.405(bis);5.408;5.419;5.423;5.425;5.427;
5.431;5.448;5.453;5.472;5.482;5.518;5.571;
5.574;5.600;5.602;5.603;5.604;5.642;5.667
(bis);5.681;5.686;5.693;5.716;5.733;5.736;
5.741;5.754;5.760;5.781;6.9;6.42;6.58;
6.62;6.72;6.79;6.87;6.88;6.96;6.105;6.111;
6.112;6.121;6.123;6.124;6.126;6.134;6.147;
6.151;6.154;6.173;6.175;6.182;6.184;6.186;
6.193;6.210;6.217;6.223;6.229;6.233;6.238;
6.246;6.254;6.270;6.273;6.276;6.283;6.295;
6.307;6.315;6.339;6.340;6.351;6.352;6.363;
6.365;6.367;6.371;6.379;6.385;6.391;6.404;
6.405;6.409;6.429;6.432;6.441;6.463;6.464;
6.466;6.467;6.478;6.482;6.486(bis);
6.487;6.499;6.502;6.505;6.512;6.518;6.522;
6.526;6.529;6.537;6.539;6.542;6.546;6.549;
6.550;6.560;6.580;6.585;6.599;6.605;6.609;
6.618;6.624;6.629;6.631;6.634;6.638;6.644;
6.654;6.656;6.665;6.669;6.673;6.681;6.683;
6.684;6.687;6.691;6.696;6.697;6.698;6.701;
6.702;6.723;6.744;6.751;6.753;6.760;6.775;
6.787;6.797;6.801;6.809;6.811;6.823;6.828;
7.5;7.12;7.16;7.26;7.53;7.56;7.86;7.107;
7.111;7.123;7.125;7.132;7.147;7.156;7.164;
7.166;7.170;7.174;7.178;7.179;7.190;
7.196;7.207;7.213;7.219;7.223;7.224;7.225;
7.229(bis);7.244;7.246;7.258;7.272;7.278;
7.294;7.305;7.306;7.364;7.377;7.390;
7.409;7.452;7.458;7.491;7.512;7.513;
7.514;7.544;7.560;7.571;7.572;7.594;7.596;
7.606;7.613;7.627;7.646;7.666;7.667;7.668;
7.692;7.693;7.696;7.701;7.711;7.749;7.770;
7.772;7.784;7.790;7.792;7.795;7.800;7.829;
7.838;7.856(bis);7.871;7.872(bis);8.20;
8.26(bis);8.28;8.30;8.51;8.67;8.71;8.77
(bis);8.79;8.82;8.89;8.127;8.128;8.163;
8.177;8.178;8.189;8.194;8.195;8.202;8.208;
8.214;8.217;8.223;8.227;8.245;8.257;8.270;
8.276;8.287;8.292;8.293;8.295;8.297;8.311;
8.325;8.329;8.338;8.346;8.364;8.367(bis);
8.381;8.384;8.385;8.399;8.415;8.423;8.428;
8.438;8.482;8.484;8.487;8.488;8.494;8.508;
8.533;8.540;8.542;8.543;8.561;8.580;8.581;
8.605;8.617;8.641;8.647;8.649;8.659;8.663;
8.680;8.685;8.691;8.695;8.707;8.728;8.750;
8.755;8.760;8.773;8.774;8.777;8.787;8.798;
8.801;8.810;8.811;8.812;8.819;8.829;8.832;
8.833;8.842;8.852;8.856;8.858;9.9;9.12;
9.15;9.17;9.18;9.21;9.36;9.41;9.48;9.50;
9.60;9.77;9.94;9.112;9.114;9.119;9.122;
9.131;9.159;9.160;9.165;9.169;9.176;9.180;
9.183;9.184(bis);9.185;9.193;9.202;9.203;
9.206;9.209;9.212;9.246;9.253;9.257;9.262;
9.267;9.268;9.282;9.283;9.290;9.297;9.309;
9.315;9.318;9.323;9.329;9.331;9.334;9.350;
9.354;9.361;9.363;9.373;9.375;9.383;9.407;
9.409;9.415;9.421;9.423;9.426;9.428;9.433;
9.434;9.435;9.437;9.442;9.449;9.451;9.455;
9.457;9.462;9.467;9.471;9.488;9.489;9.527;
9.536;9.543;9.551;9.559;9.563;9.571;9.572;

9.578(bis);9.579(bis);9.589;9.594;9.603;
9.605;9.606;9.615;9.617;9.659;9.662;9.669;
9.674a;9.688;9.702;9.707;9.710;9.712;
9.717;9.718;9.719;9.720;9.721;9.726;9.744;
9.756;9.757;9.772;9.777;9.778;9.784;9.801;
9.813;9.818;9.823;9.835;9.838;9.851;9.864;
9.867;9.904;9.917;9.918(bis);9.920;9.921;
9.924;9.932;9.934;9.936;9.943;9.954;9.955;
9.959;9.962(bis);9.963;9.966;9.967;9.980;
9.981;9.986;9.992(bis);9.996;9.1000;
9.1008;9.1015;9.1017;9.1042;9.1072;9.1092;
9.1106;10.2;10.11;10.13;10.15;10.17;10.24;
10.35;10.64;10.72;10.73;10.75;10.76;var.
10.84;10.85;10.94;10.99;10.120;10.122;
10.137;10.143;10.146;10.151;10.165;10.170;
10.171;10.179;10.185;10.198;10.205;10.207;
10.212;10.236;10.241;10.243;10.269;10.277;
10.281;10.284;10.290;10.294;10.297;10.310;
10.318;10.325;10.348;10.352;10.354;10.362;
10.368;10.383;10.392;10.419;10.420;10.422;
10.444;10.446;10.460;10.462;10.475;10.476;
10.484;10.486;10.489;10.494;10.497;10.500;
10.508;10.513;10.514;10.533
ETIAM. 2.261;2.699;3.64;5.563;5.607;5.630;
6.564;8.650;9.465;9.969;10.228
    ETIAM NUNC. 5.248;5.772;7.657;9.717;9.874
    QUIN ETIAM. 6.438
ETRUSCUS,-A,-UM. gens Etrusca fuga trepidi
    nudata Libonis,   2.462
    hic ille recumbat/sordidus Etruscis
    abductus consul aratris: 10.153
EUADO,-ERE. ut primum libuit ruptis euadere
    claustris/Pompeio 6.118
    inuia temptent/siquibus in nullo positum
    est uadere uoto, ...   9.387
EUALESCO,-ERE. nullum iam languidus aeuo/
    eualuit reuocare parens coniunxue maritum
                                          1.505
    iamque Pyrenaeae, quas numquam soluere
    Titan/ eualuit, fluxere niues, fractoque
    madescunt/saxa gelu. 4.84
EUANESCO,-ERE. multumque madenti/infudere
    comae quod nondum euanuit aura/cinnamon
    externa 10.166
EUBOICUS,-A,-UM. artior Euboica, qua Chalcida
    uerberat, unda. 2.710
    qualis in Euboico uates Cumana recessu/
    indignata suum multis seruire furorem
                                          5.183
    solusque quietem/ Euboici uasta lateris
    conualle tenebis'. 5.196
    iure sed incerto mundi subsidere regnum/
    Chalcidos Euboicae uana spe rapte parabas.
                                          5.227
    secreta tenebis/litoris Euboici memorando
    condite busto, ...   5.231
EUDOXUS. nec meus Eudoxi uincetur fastibus
    annus. 10.187
EUEHO,-ERE. inde ratis trepidum.../ flumineis
    uix tuta uadis,euexit in altum.   8.36
EUELLO,-ERE. telaque confixis certant euellere
    membris, ...   6.255
    non mihi pyramidum tumulis euolsus
    Amasis/atque alii reges Nilo torrente
    natabunt? 9.155
EUENTUS. facili si proelia pauca/gesseris
    euentu, tibi Roma subegerit orbem.   1.285
    fraudibus euentum dederat fortuna,   4.730
    Appius euentus, finemque expromere
    rerum/sollicitat superos 5.68
    euentus rerum sciet ultima coniunx.   5.779

stetit anxia classis/ad ducis euentum,
                                          8.593
    maximus hortator scrutandi uoce deorum/
    euentus Labienus erat. 9.550
EUERTO,-ERE. consul et euersa felix moriturus
    in urbe/poenas ante dabat scelerum.   2.74
    discordia ponti/succurrit miseris,
    fluctusque euertere puppem 5.647
    'quantusne euertere' dixit/'me superis
    labor est, ...   5.654
    euertitque arces respectus honesti.   8.490
EUGANEUS,-A,-UM. Euganeo, si uera fides
    memorantibus, augur/colle sedens.../...
    'uenit summa dies'... dixit 7.192
EUHENOS. Meleagream maculatus sanguine
    Nessi/Euhenos Calydona secat.   6.366
EUMENIS. inpulit aut saeui contorsit tela
    Lycurgi/Eumenis, ...   1.576
    Eumenidas quaterent quas uestris
    lampadas armis; 3.15
    si me praebente uideri/Eumenides possint
    .../ quis timor, ignaui, metuentis cernere
    manes?' 6.664
    'Eumenides Stygiumque nefas Poenaeque
    nocentum/... exaudite preces. . . .   6.695
    (at tu quos scelerum superos, quas rite
    uocasti/ Eumenidas, Caesar? . . .   7.169
    Eumenidum uidit uoltus Pelopeus Orestes.
                                          7.778
    Eumenidum crines solos mouere furores,
                                          9.642
EUOCO,-ARE. cohortes/euocat et Romam motis
    petit undique signis. 1.395
    illum saepe minis Caesar precibusque
    morantem/euocat. 5.481
EUOLO,-ARE. agmine nubiferam rapto super
    euolat Alpem; 3.299
EUOLUO,-ERE. ille cauis euoluit sedibus orbes
                                          2.184
    sed pondere solo /contenti nudis euoluunt
    saxa lacertis. 3.481
    primumque cadauera plenis/turribus euoluit
                                          6.171
    euoluam busto iam numen gentibus Isim
                                          9.158
    imus in aduersos axes, euoluimur orbe,
                                          9.876
EUOMO,-ERE. cumque cauernae/euomuere fretum
    contorti uerticis undae/Tauromenitanam
    uincunt feruore Charybdim. . . .   4.460
EUPHRATES. Euphraten Nilumque moue, quo
    nominis usque/nostri fama uenit,   2.633
    Euphrates, quos non diuersis fontibus
    edit/Persis, et incertum, tellus si
    misceat amnes, quod potius sit nomen
    aquis, ...   3.257
    fertilis Euphrates Phariae uice fungitur
    undae; 3.260
    superest, fidissime regum/ Eoam temptare
    fidem populosque bibentis/ Euphraten et
    adhuc securum a Caesare Tigrim.   8.214
    diuidit Euphrates ingentem gurgite mundum
                                          8.290
    iuuat ire per orbem/.../ signaque ab
    Euphrate cum Crassis capta sequentem?
                                          8.358
    ubi nomina tanta/obruit Euphrates   8.438
    ignotos miscuit amnes/Persarum Euphraten,
    Indorum sanguine Gangen, ...   10.33
EURIPUS. Euripusque trahit, cursum mutantibus
    undis,/ Chalcidicas puppes 5.235

EUROPA. Europamque Asiae Sestonque admouit
  Abydo 2.674
  et terminus idem/Europae, mediae dirimens
  confinia terrae, ... 3.275
  Europam, miseri, Libyamque Asiamque
  timete: 6.817
  at,si uentos caelumque sequaris,/pars
  erit Europae. 9.413
  unde Europa fugit Libyen 9.415
  pensabat iter propiusque secabat/ aera,
  si medias Europae scinderet urbes: 9.686
  patriae non arua requiro/ Europamque
  alios soles Asiamque uidentem: 9.872
  non Asiam breuioris aquae disterminat
  usquam/ fluctus ab Europa, . . . 9.958
EURUS. et quamuis primo nutet casura sub
  Euro, ... 1.141
  auxerat undas/.../ et madidis Euri
  resolutae flatibus Alpes. . . . 1.219
  si rursus tellus pulsu laxata tridentis/
  Aeolii tumidis inmittat fluctibus Eurum,
                                    2.457
  quamuis icta nouo, uentum tenuere priorem
  /aequora, nubiferoque polus cum cesserit
  Euro 2.459
  non Eurum Zephyrumque timens, cum uela
  ratisque/ in medium deferret Athon. 2.676
  audet et aduersum fluctus inpellit in
  Eurum, ... 3.232
  ut, quotiens aestus Zephyris Eurisque
  repugnat, ... 3.549
  exclusit Borean flammasque accepit in
  Euro. 4.61
  Zephyros intendat in Austros(Euros)
  incertum est; var.5.569
  non Euri cessasse minas, /... crediderim;
                                    5.608
  nec.../ quam mare lassatur, cum se
  tollentibus Euris/... scopulum ferit 6.265
  defuit.../ non puppem retinens Euro
  tendente rudentis/in mediis echenais
  aquis 6.674
  adde.../... et quidquid in Euro/ regnorum
  Boreaque iacet. 8.812
  illam non fluctus stridensque rudentibus
  Eurus/ mouit 9.113
  inde tenens pelagus, sed iam moderatior,
  Eurus/ in Libycas egit sedes . . 9.118
  discedit in ortus/Eurum sola tenens. 9.420
EUXINUS. Euxinumque ferens paruo ruat ore
  Propontis. 9.960
EX v. E. '
EXAESTUO,-ARE. spargitque uaganti/obstantis
  tripodas magnoque exaestuat igne 5.173
EXAGITO,-ARE. ne litora clamor/nauticus
  exagitet neu bucina diuidat horas 2.689
  tristis praesagia curas/exagitant, 8.44
EXAMEN. [nec non innumero cooperta examine
  signa] 7.161
  simul effetas linquunt examina ceras 9.285
EXAMINO,-ARE. tempus erat quo Libra pares
  examinat horas, ... 8.467
EXANGUIS,-E. conferet exanguis quo se post
  bella senectus? 1.343
  densi uix agmina uolgi/inter et exangues
  inmissa morte cateruas/uictores mouere
  minus; 2.202
EXANIMIS,-E. sed cum membra premit fugiente
  rigentia uita/uoltusque exanimes
  oculosque in morte minaces, . . . 2.26
  non ante reuellar/exanimem quam te

  conplectar, Roma; 2.302
  ut... ipsumque trementem/conspicit exanimi
  defixum lumina uoltu,/ 'ponite' ait...
  timores: 6.658
  aspicit astantem... umbram/exanimis
  artus inuisaque claustra timentem/carceris
  antiqui. 6.721
EXANIMO,-ARE. frangit cuncta ruens, nec
  tantum corpora pressa/exanimat, totos cum
  sanguine dissipat artus. 3.473
  comitumque suorum/ qui post terga redit
  trepidum laterique timentem /exanimat.
                                    8.8
EXARDESCO,-ERE. non segnior illo/ Marte fuit,
  qui tum Libycis exarsit in aruis. 4.582
  nec gladiis habuere fidem, nisi cautibus
  asper/exarsit mucro; 7.140
EXARMO,-ARE. sperantis omnia dextras/
  exarmare datur, quibus hic non sufficit
  orbis: 5.356
  nam Medos proelia prima/exarmant uacuaque
  iubent remeare pharetra. 8.387
EXAUDIO,-IRE. exaudite preces. . . . 6.706
  licet has exaudiat herbas,/ad manes
  uentura semel. 6.715
  tali tua membra sepulchro/... exuram
  Stygio cum carmine.../ et nullos cantata
  magos exaudiat umbra. 6.767
EXCANTO,-ARE. mens hausti nulla sanie polluta
  ueneni/ excantata perit. 6.458
  tum uox Lethaeos cunctis pollentior
  herbis/excantare deos confundit murmura
  primum/dissona 6.686
  saepe quidem pestis nigris inserta
  medullis/ excantata fugit; . . . 9.931
EXCEDO,-ERE. uelut unica rebus/spes foret
  adflictis patrios excedere muros, 1.497
  excessit medicina modum, nimiumque secuta
  est,/ qua morbi duxere, manus. . 2.142
  nubes excedit Olympus. 2.271
  ipse sub aurorae primos excedere motus/
  signa iubet castris, ... 4.734
  nunc Parthia ruptis/excedat claustris
  uetitam per saecula ripam . . . 8.236
EXCELSUS,-A,-UM. excelsa de rupe procul iam
  conspicit urbem 3.88
  illinc tela cadunt excelsas urbis in
  arces. 3.462
  quantum.../ distat ab excelsa
  nemoralis Aricia Roma, ... 6.75
  cernit.../... excelsos cumulis aequantia
  colles/corpora, ... 7.790
EXCERPO,-ERE. ex tanta fatorum strage superba
  /excerpsit Romana manu, ... 5.186
EXCIO,-IRE. rupta quies populi, stratisque
  excita iuuentus 1.239
  nunc urbes excite feras; 2.48
  exciuit populos et dignas funere Magni/
  exequias Fortuna dedit. 3.291
  tandem uolgata cruenti /fama mali terras
  monstris aequorque leuantem/
  magnanimum Alciden Libycas exciuit in
  oras. 4.611
  uires/ exciuit, Libycas gentis, extremaque
  mundi/signa suum comitata Iubam. 4.669
  his terque quaterque/uocibus excitum
  postquam cessare uidebat, . . . 5.498
  ut uidet ad nullos exciri posse tumultus
  /in pugnam generum 6.11
  exire (exciri) e mediis potuit Pharsalia
  fatis. var.6.313

innumeraeque urbes, quantas in proelia
numquam/ exciuere manus. 7.362
excitosque suis inmittam sedibus ortus.
                                     8.310

EXCIPIO,-ERE.   regia caeli/excipiet gaudente
polo: 1.47
primus in obliquum sonipes opponitur
amnen/ excepturus aquas; 1.221
pompa triumphi/ excipit aut sacras poscunt
Capitolia laurus: 1.287
excipiam medius totius uolnera belli.
                                     2.311
peregi/ iussa, Cato, et geminos excepi
feta maritos: 2.339
nec more Sabino /excepit tristis conuicia
festa maritus. 2.369
Gallica rura uidet deuexasque excipit
Alpes. 2.429
portus erat, si non uiolentos insula Coros
/exciperet saxis lassaque refunderet
undas. 2.618
classique paratae/excepere manus,
tractoque in litora bello 2.712
sit locus exceptus sceleri, . . .   3.333
excepisse faces tectis et tela parati,
                                     3.344
exceptum mediis inuenit uolnus in undis.
                                     3.582
excipit inmissum suspensa per ilia
ferrum 3.601
excipit haec iuuenis generosi sanguinis
Argus 3.723
excipiant recto fugientes pectore ferrum.'
                                     4.166
porrectis series constricta catenis/
ordinibus geminis obliquas excipit alnos;
                                     4.422
laeto nomen clamore senatus/excipit 5.48
tot mundi caruisse malis, praestare
deorum/ excepta quis Morte potest?   5.230
labitur infelix manibusque excepta suorum
                                     5.799
fulmineum mediis excepit faucibus ensem.
                                     6.239
labentem turba suorum/excipit   6.252
excipit aduersos Zephyros et Iapyga
Pindus 6.339
excepit resonis clamorem uallibus Haemus
                                     7.480
inde Canopos /excipit, Australi caelo
contenta uagari/stella, ... 8.182
regia non ullis exceptos legibus audet
/concubitus: 8.402
nunc excipe saltem/ossa tui Magni,   8.838
patriam tutore carentem/excepit,   9.25
excipite, o nati, bellum ciuile,   9.88
nam litore sicco/ quam pelago, Syrtis
uiolentius excipit Austrum, . . .   9.448
excepere epulae tantarum gaudia rerum,
                                    10.108
gemmaeque capaces/excepere merum, sed non
Mareotidos uuae, ...   10.161
cum lapsus abrupta uiarum/excepere tuos
et praecipites cataractae/... spuma tunc
astra lacessis, ...   10.318

EXCITO,-ARE.   excitat in nimios belli ciuilis
amores. 2.325
famulas scelerata ad proelia dextras/
excitat 4.208
excitet inuisas dirae Carthaginis umbras
                                     4.788

metus hos regni, spes excitat illos.
                                     7.386
uerbere conuersae cessantis excitat hastae,
                                     7.577
excitat inualidas admoto fomite flammas.
                                     8.776

EXCLAMO,-ARE.   'si licet,' exclamat 'Romani
maxime rector/nominis, ...   1.359
exclamat 'uix fas, superi, quaecumque
mouetis, ...   1.631

EXCLUDO,-ERE.   excludique sinas admisso
Caesare bellum. 3.332
tunc mihi tecta patent. iam non excludere
tantum, /inclussisse uolunt.   3.368
sedibus expulsi (exclusi).../...
procurrunt oculi; var.3.712
exclusit Borean flammasque accepit in
Euro. 4.61
abstulimus terras, exclusimus aequore
toto, ...   7.97
exclusus nulla se uindicat ira,   9.298

EXCOQUO,-ERE.   non aere nec auro/ excoquitur,
                                     9.425

EXCREMENTUM.   siccae pallida rodit/excrementa
manus. 6.543

EXCRESCO,-ERE.   colle tumet modico lenique
excreuit in altum/pingue solum tumulo;
                                     4.11

EXCUBO,-ARE.   nuda fusus harena/excubat 9.883
nec solum gens illa sua contenta salute/
excubat hospitibus, ...   9.910

EXCURRO,-ERE.   et tepidum in molles Zephyros
excurrit Iader, ...   4.405
Padus... tumens.../ excurrit ripas et
totos concutit agros; 6.273
perfida qua tellus Casiis excurrit
harenis/.../ exiguam sociis... carinam/
instruit. 8.539

EXCURSUS.   abstulit excursus et fauces
aequoris hosti/Caesar 10.513

EXCUTIO,-ERE.   quid pacem excusserit orbi.
                                     1.69
tellus.../ excutietque fretum,   1.77
poteras.../armatasque manus excusso
iungere ferro, ...   1.117
gaudetque.../ optimus excusso Leucus
Remusque lacerto, ...   1.424
excutiens pronam flagranti uertice pinum
                                     1.573
excutiet fortuna tibi, tu mente labantem
/derige me, ...   2.244
nec redit in pastus, nisi cum ceruice
recepta/excussi placuere tori, mox reddita
uictor 2.605
nec uentus in illas/incubuit siluas
excussaque nubibus atris/fulgura: 3.409
neque enim solis excussa lacertis/
lancea, ...   3.464
at saxum quotiens ingenti uerberis actu/
excutitur, ...   3.470
quod semel excussis posset transcurrere
tonsis, ...   3.539
iam non excussis torquentur tela lacertis
                                     3.567
Lygdamus excussa Balearis tortor habenae/
glande petens solido fregit caua tempora
plumbo. 3.710
o quantum donata pace potitos/excussis
umquam ferrum uibrasse lacertis paenituit,
                                     4.386
damnata iam luce ferox/securaque pugnae/

EXCUTIO

    /promisso sibi fine manu, nullique
    tumultus/excussere uiris mentes ad summa
    paratas; 4.536
    nulloque horrore comarum/excussae laurus
                     5.155
    nimiasque precari/uentorum uires,dum se
    torpentibus unda/excutiat stagnis et sit
    mare. 5.453
    eripuit nautis excussitque ordine puppes.
                     5.710
    nimbosque solutis/excussere comis. 6.469
    si me praebente uideri /...possint
    uillosaque colla colubris/ Cerberus
    excutiens et uincti terga gigantes,/
    quis timor, ignaui, metuentis cernere
    manes?' 6.665
    excussit cristas galeis 7.158
    non sic mea fata premuntur /ut nequeam...
    cladesque receptas/excutere. . . 8.269
    sic concitus ira/ excussit galeam, 9.510
    et patriae uenturos excute mores. 9.559

EXEDO,-ERE. uincula ferri/exedere senem
    longusque in carcere paedor. . . 2.73
    deseritur.../ Coryciumque patens exesis
    rupibus antrum; 3.226
    inde petit tumulos exesasque undique rupes,
                     4.589
    primisque inuenit in undis/rupibus exesis
    haerentem fune carinam. 5.514
    aut orbis medii puros exesa recessus,
                     5.547
    concuteret terras.../ si... Libye.../
    clauderet exesis Austrum scopulosa
    cauernis; 9.468

EXEMPLAR. quaere quid est uirtus et posce
    exemplar honesti.' 9.563
    exemplarque sui spectans miserabile leti
    /stat tutus pereunte manu. . . 9.832

EXEMPLUM. credite nec longe fatorum exempla
    petantur: 1.94
    atque aliquis magno quaerens exempla
    timori 2.67
    uictis iam spes bona partibus esto/
    exemplumque mei. 2.514
    exemplum, non miles erat; . . . 3.730
    exemplum, Fortuna, paras. . . . 4.497
    non tamen ignauae post haec exempla
    uirorum/percipient gentes . . . 4.575
    sit Scaeua relicti/Caesaris exemplum
    potius quam mortis honestae.' . . 6.235
    'numquam me Caesaris'.../'exemplo reddam
    patriae, ... 6.320
    exemploque carens et nulli cognitus aeuo
    /luctus erat, ... 9.169
    accipit omnis/exemplum pietas, 9.180
    non utile mundo /editus exemplum, terras
    tot posse sub uno/esse uiro. . . 10.27
    exemplumque perit. 10.344

EXEO,-IRE. in sua templa furit, nullaque
    exire uetante 1.155
    per ferrum tanti securus uolneris exit.
                     1.212
    multosque exibit in annos/hic furor. 1.668
    accipit et Scythicas exit non solus in
    undas. 2.420
    et tu montanis totus nunc fontibus exi
                     2.485
    tamen exit in iram, ... 3.112
    passaque ab auriferis tellus exire
    metallis/ Pactolon, ... 3.209
    sanguis et, hostilem cum torserit, exeat,

EXERO

    hastam. 3.679
    tum quae solitis e fontibus exit 4.85
    qua lancea dextra/exierit. . 4.202
    totius pars magna Iouis.../exit et
    aetherio trahitur conexa Tonanti. 5.96
    Apulus Hadriacas exit Garganus in undas.
                     5.380
    turpe duci uisum rapiendi tempora belli/
    in segnes exisse moras, ... 5.410
    sidera prima.../ exierant et luna suas
    iam fecerat umbras, ... 5.425
    latis exire ruinis/quaerit, . . 6.122
    Pompeianae celsi super ardua ualli/
    exierant aquilae, ... 6.139
    exire e mediis potuit Pharsalia fatis.
                     6.313
    una per aetherios exit uox illa
    recessus 6.445
    Euganeo... augur/colle sedens, Aponus
    terris ubi fumifer exit/.../ 'uenit summa
    dies'... dixit 7.193
    fossasque inplete ruina,/exeat ut plenis
    acies non sparsa maniplis. . . . 7.327
    uidit ut hostiles in rectum exire
    cateruas/ Pompeius.../... stat...
    attonitus; 7.337
    pudet.../... quaerere letiferum per cuius
    uiscera uolnus/ exierit, ... 7.620
    Peneius amnis/Emathia iam clade rubens
    exibat in aequor. 8.34
    da similis Lesbo populos, qui Marte
    subactum/ non intrare suos... portus/
    non exire uetent.' 8.146
    emensus Cypri scopulos quibus exit in
    Austrum 8.461
    exeat aula/ qui uolt esse pius. 8.493
    non obliqua meant, nec Tauro Scorpios
    exit/ rectior 9.533
    at tibi,.../in Noton umbra cadit, quae
    nobis exit in Arcton. 9.539
    elicitum iussumque exire repugnat, 9.932
    tunc Nilus fonte soluto/ exit ut Oceanus
    lunaribus incrementis,/iussus adest,
                    10.216
    mediis aestatibus exit/ sub torrente
    plaga, ... 10.231

EXEQUIAE. exequias Fortuna dedit. 3.292

EXERCEO,-ERE. incertasque manus ictu
    languente per undas/exercent; 3.693
    fortunamque suam per summa pericula
    gaudens/exercere uenit; 5.303
    liberque meatu/Aeoliam rabiem totis
    exercet harenis, ... 9.454

EXERCITUS(subst.). spectat uicinos sitiens
    exercitus amnes. 4.336
    pars iacet Hesperia, totoque exercitus
    orbe/ te uincente perit. 5.266
    non... petit... /Pompeius.../... totus ut
    ignes/proiectis maerens exercitus ambiat
    armis. 8.735

EXERO,-ERE. conflato saeuas ergastula ferro/
    exeruere manus. 2.96
    Lentulus exertique manus uaesana Cethegi.
                     2.543
    primus ab oceano caput exeris Atlanteo,
                     5.598
    nec quibus abscondit nec siquibus exerit
    orbem/totus erat. 8.160
    hoc tam segne solum raras tamen exerit
    herbas, ... 9.438
    rapidos qua Sirius ignes/exerit 10.212

EXHALO,-ARE.   quas Gangetica tellus/exhalat
   nebulas, ...   4.65
   ut uidit Paean.../ exhalare solum, sacris
   se condidit antris, ...   5.84
EXHAURIO,-IRE.   uisceribus lassis partuque
   exhausta reuertor 2.340
   Eridanus fractas deuoluit in aequora
   siluas/Hesperiamque exhaurit aquis.   2.410
   pacis ad exutae/(exhaustae) spolium non
   cogit egestas: var.3.132
   exhausit totas quamuis dilectus Athenas,
                          3.181
   labore/ exhausto fessus repetit tentoria
   miles. 3.496
   tunc exhausta super multo sudore iuuentus
   /extrahitur 4.303
   sordidus exhausto sorbetur ab ubere
   sanguis. 4.315
   exhausitque uirum, ...   4.622
   uidet exhaustos sudoribus artus   4.638
   nostrum exhausto ius clauditur anno: 5.44
   quod non exhaustae per tot iam saecula
   rupis/spiritus ingessit uati; . .   5.164
   uos despecta senes exhaustaque sanguine
   turba/cernetes nostros iam plebs Romana
   triumphos. 5.333
   orbe quoque exhaustus medio
   languensque recessit 5.544
   nam pelagus, qua parte sedet, non celat
   harenas /exhaustum in cumulos,
   omnisque in fluctibus unda est.   5.644
   Pompeium exhaustae praebenda ad gramina
   terrae, ...   6.81
   cornipedem exhaustum cursu stimulisque
   negantem/ Magnus agens incerta fugae
   uestigia turbat 8.3
   exhaustaeque domus populis, maiorque
   carinae/ quam tua turba fuit.   8.253
   sed magis, ut uisa est lacrimis exhausta
   .../... Cornelia puppe/egrediens, rursus
   geminato uerbere plangunt. . .   9.171
EXHIBEO,-ERE.   exhibuit monimenta fides
   seruataque ferro/militiae pietas, 4.498
   Emathiis quod solum defuit armis/exhibet.
                        9.1018
EXIGO,-ERE.   nec mater crine soluto/exigit ad
   saeuos famularum bracchia planctus. 2.24
   infandum domini per uiscera ferrum/
   exegit famulus, ...   2.149
   ante bis exactum quam Cynthia conderet
   orbem, ...   2.577
   haud trepidante tamen toto cum pondere
   dextra/exegere enses. 4.565
   nostrum exhausto (exacto) ius clauditur
   anno: var.5.44
   paucas uictoria dextras/exigit,   7.367
   set quota pars cladis iaculis ferroque
   uolanti/ exacta est! 7.490
   exigit a meritis tristes uictoria poenas,
                        7.771
   sed poenas longi Fortuna fauoris/exigit a
   misero, ...   8.22
   nostros ulta toros, ades huc atque exige
   poenas,/ Iulia crudelis, ...   8.103
   ardua quippe fides robustos exigit annos.
                        8.282
   exiget ignorans Latiae commercia
   linguae/ ut lacrimis se, Magne, roges.
                        8.348
   nec.../ exiget aestiuum calido sub puluere
   solem. 8.376

aut aliquis Magno dignus comes exigat
   ensem. 8.656
   cladesque omnis exegit in uno/saeua die
   quibus inmunes tot praestitit annos, 8.703
   sic male deseruit nullosque exegit in
   usus/hanc partem natura sui);   9.310
   proxima Leptis erat, cuius statione
   quieta/exegere hiemem nimbis flammisque
   carentem. 9.949
   gladiumque per omnis/exegit gentes, 10.32
   exigit infandam corrupto iudice noctem.
                       10.106
   'nunc incumbe toris et pinguis exige
   somnos: 10.354
EXIGUUS,-A,-UM.   exiguum dominos commisit
   asylum. 1.97
   effugit exiguo nocturna pericula uallo,
                        1.516
   ille quod exiguum restabat sanguinis urbi
   /hausit; 2.140
   heu pudor, exigua est fugiens uictoria
   Magnus. 2.708
   exiguae Phoebea tenent naualia puppes
                        3.182
   lucet et exigua uelox ibi nocte Bootes,
                        3.252
   moenibus exiguis alieno in litore
   tuti, ...   3.341
   toto censu non prodigus emit/exiguam
   Cererem. 4.96
   illic exiguo paulum distantia uallo/castra
   locant. 4.168
   pro numine fata sinistro/exigua requie
   tantas augentia clades! 4.195
   antra nec exiguo stillant sudantia rore
                        4.301
   mittitur, exigua qui proelia prima
   lacessat/eliciatque manu, . . .   4.720
   uix primum leuior propellere lintea
   uentus/incipit exiguumque tument, 5.431
   fluctusque uerendos/classibus exigua
   sperat superare carina. 5.503
   exiguo debet, quod non est insula, colli.
                        6.25
   felix hoc nomine famae/... si tibi terga
   dedisset/Cantaber exiguis aut longis
   Teutonus armis. 6.259
   coeperat exiguo tractu ciuilia bella/...
   damnare 7.241
   exiguae clades sumus orbe remoto?   7.664
   exiguam uector pauidus correpsit in
   alnum. 8.39
   exiguam sociis monstri gladiisque
   carinam/instruit. 8.541
   collecta procul lacerae fragmenta carinae
   /exigua trepidus posuit scrobe.   8.756
   exiguam, quantum potes, accipe flammam
                        8.766
   pulueris exigui sparget non longa uetustas
   /congeriem, ...   8.867
   nec cinis exiguus tantam conpescuit
   umbram; 9.2
   miserique in crure Sabelli/seps stetit
   exiguus; 9.764
   exiguane uia legem conuertimus anni? 9.875
   Parthia.../ exiguae secura fuit prouincia
   Pellae. 10.52
   molis in exiguae spatio stipantibus armis/
   ... dux Latius... subitus.../cingitur:
                        10.534
EXILIO,-ERE.   sedibus exiluere patres,   1.488

EXILIO
  sic fata relictis/ exiluit stratis amens
  tormentaque nulla/ uult differre mora.
            5.791

  primus... saxis/Thessalicus sonipes.../
  exiluit, primus chalybem frenosque
  momordit   6.398
EXILIS,-E. et gelido perfusa Caico/Idalis et
  nimium glaebis exilis Arisbe, 3.204
EXILIUM. si regnum, si templa sibi iugulumque
  senatus/exiliumque petat. 3.111
  nostescent litora clari/nominis exilio,
  positaque ibi coniuge Magni/ quis
  Mytilenaeas poterit nescire latebras?
            5.785

  exilium generique minas Romamque timebam:
            9.1086
EXIMIUS,-A,-UM. eximius Phoceus animam seruare
  sub undis 3.697
EXITUS. hic stabit ciuilibus exⁱtus armis.
            2.224
EXONERO,-ARE. sic dura suos patientia questus
  /exonerat. 9.881
EXORDIUM. quamuis.../... nullis circumdatus
  armis/ ...rebusque nouis exordia quaeram,
  ingentis praestate animos. . . . 8.265
EXORIOR,-IRI. iamque dies primos belli uisura
  tumultus/exoritur;   1.234
  flumina tot cursus illic exorta fatigant,
            6.45
EXORNO,-ARE. pelagique potens Phoebeia donis/
  exornata Rhodos 5.51
  exornantque deos ac nudum pectore Martem/
  armis, Scaeua, tuis: 6.256
EXORO,-ARE. utque habeat famulos nullo
  discrimine Caesar/exorandus erit? 4.219
EXPALLESCO,-ERE. terrarum subita percussa
  expalluit umbra. 1.539
EXPAUESCO,-ERE. expauit Medea nefas. 4.556
  uocesque furoris/expauere sui tota
  tellure relatas. 7.484
  expauit seruile nefas, ... 10.453
EXPECTO,-ARE. expectant imbres, quorum modo
  cuncta natabant/inpulsu, ... 4.330
  non expectatis Antaeus uiribus hostis/
  sponte cadit maiorque accepto robore
  surgit. 4.641
  nec dum desaeuiat ira/expectat: 5.304
  dux ait 'expecta uotis maiora modestis
            5.532
  dum metuar semper terraque expecter ab
  omni.' 5.671
  morsusque luporum/expectat siccis raptura
  e faucibus artus. 6.553
  refer haec solacia tecum/ o iuuenis,
  placido manes patremque domumque/
  expectare sinu 6.804
  uibrant tela manus, uix signa morantia
  quisquam/ expectat: 7.83
  tot regum fortuna simul Magnique coacta/
  expectat dominos: 7.744
  longeque a litore casus/expectate meos
            8.581
  tunc uictus pondere tanto/expectat fluctus
            8.725
  sic barbara Colchis/creditur ultorem
  metuens.../ expectasse patrem. 10.467
EXPELLO,-ERE. expulit ancipiti discordes urbe
  tribunos 1.266
  'omnibus expulsae terris olimque fugatae
            2.242
  mutarim primas expulsa an tradita taedas.

EXPLICO
            2.345
  expulit armatam patriis e sedibus urbem?
            2.574
  'sedibus Elysiis campoque expulsa piorum
            3.12
  curas/expulit armorum pacique intentus
  agebat 3.53
  donec utrasque simul largus cruor expulit
  hastas 3.590
  auolsasque rotant expulso remige sedes.
            3.673
  sedibus expulsi, postquam cruor omnia
  rupit /uincula, ... 3.712
  ultor ibi expulsae, premeret cum uiscera
  partus, /matris adhuc rudibus Paean
  Pythona sagⁱttis. 5.79
  mentemque priorem/expulit atque hominem
  toto sibi cedere iussit/pectore. 5.168
  inpactae cessere fores, expulsaque templis
  /prosiluit; 5.209
  frigidus ensis/expulerat belli furias,
            5.246
  cepimus expulso patriae cum tecta senatu,
            5.270
  desertaque busta/incolit et tumulos
  expulsis obtinet umbris . . . 6.512
  expellam tumulis, abigam uos omnibus
  urnis. 6.735
  pudet.../ quaerere.../... quis...
  demissum faucibus ensem/ expulerit moriens
  anima, ... 7.622
  quidquid fodit Hiber, quidquid Tagus
  expulit auri/.../ ut rapiant, paruo scelus
  hoc uenisse putabunt. 7.755
EXPENDO,-ERE. tum paruit omnis/imperiis non
  sublato secura pauore/turba, sed expensa
  superorum et Caesaris ira. . . 3.439
EXPERIOR,-IRI. pericula Martis/ mecum' ait
  'experti decimo iam uincitis anno, 1.300
  uiribus an possint iura, per unum/
  Libertas experta uirum; 3.114
  haud magis expertus discrimine Caesar in
  ullo est 5.249
  temeraria prono/ expertus cessisse deo,
            5.502
  audentque in bella uenire/experti
  Scythicas Crasso pereunte pharetras. 8.302
EXPERS. expers ipse metus? . . . 2.290
  'effugis ingentes, tanti discriminis
  expers,/bellorum, Romane, minas, 5.194
  expertis animos pelagi sic robore conplet:
            5.412
EXPLEO,-ERE. tot iaculis unam non explent
  uolnera mortem. 6.213
  hae facient dextrae, quidquid nona
  explicat (expleat) aetas,/ ut uacet a
  ferro. var.7.387
  moeniaque in praeceps laturos plena
  tremores/ hi possunt explere uiri, quos
  undique traxit/ in miseram Fortuna necem,
            7.415
EXPLICO,-ARE. tauriferis ubi se Meuania
  campis/ explicat audaces ruere in
  certamina turmas 1.474
  haut procul a muris tumulus surgentis in
  altum/ telluris paruum diffuso uertice
  campum /explicat: 3.377
  explicat hinc tellus campos effusa
  patentis 4.19
  explicuit per membra uirum. 4.629
  explicuit, cum regna Themis tripodasque

teneret. 5.81
explicuit turmas et signa minantia pugnam
6.9
summisso uertice montes/explicuere iugum,
6.477
gelidos his explicat orbes/... coluber
6.488
mox cetera cantu/explicat Haemonio
penetratque in Tartara lingua. 6.694
dissimilem certe cunctis quos explicat
egit/Thessalicum natura diem: 7.201
hae facient dextrae, quidquid nona
explicat aetas, ... 7.387
Fortuna... dum munera longi/explicat
eripiens aeui populosque ducesque/
constituit campis, ... 7.417
squamiferos ingens haemorrhois explicat
orbes, ... 9.709
explicuitque suos magno Cleopatra tumultu
/... luxus 10.109

EXPLORO,-ARE. exul in aduersis explorat cornua
truncis 2.603
nec Rheni miles in undis/exploratus erat,
Corfini captus in arce, ... 4.697
non exploratis occulti uiribus hostis
4.731
in hac ceruice tyranni/ explorate fidem'
dixit. 8.582
comitesque Catonem/ orant exploret
Libycum memorata per orbem/numina, 9.547
discedit ab aris/ non exploratum populis
Hammona relinquens. 9.586
letifica dubios explorant aspide partus.
9.901

EXPONO,-ERE. utinam... liceret/ hoc caput in
cunctas damnatum exponere poenas! 2.307
non conditus ima/puppe sed expositus
3.619
prima dies... /expectandasque ducum uires
numerosaque signa/exposuit. 4.26
nec gerit expositum telis in fronte
patenti/ remigium, ... 4.423
hoc tamen expositum cunctis nullique
negatum/ numen ab humani solum se labe
furoris/uindicat. 5.102
sed corpora fatis/expositi uoluuntur humo,
9.843

EXPRIMO,-ERE. qualiter expressum uentis per
nubila fulmen. 1.151
si mollius aruum prodidit umorem, pinguis
manus utraque glaebas/exprimit ora super;
4.310
tunc inrita pestis/exprimitur faucesque
fluunt pereunte ueneno. 4.729
uel tu parce deis et manibus exprime
uerum. 6.599
exprimit et planctus inlisae cautibus
undae 6.691
gemitusque expressit pectore laeto, 9.1039

EXPROMO,-ERE. fert animus causas tantarum
expromere rerum, ... 1.67
et ius est ueras expromere uoces, 1.360
Appius euentus, finemque expromere rerum
/sollicitat superos 5.68
curarum uobis arcana mearum/expromam
mentisque meae quo pondera uergant. 8.280

EXPUGNO,-ARE. cautus ab incursu belli si
sola recedat,/expugnat quae tuta, fames.
4.410
primum...harenas/expurgat (expugnat)cantu
var.9.914

expugnare senem potuit Cleopatra uenenis:
10.360
obsessusque gerit.../expugnantis opus.
10.491

EXPUO,-ERE. quidquid Tagus expulit (expuit)
auri/.../ ut rapiant, paruo scelus hoc
uenisse putabunt. var.7.755
extractamque potens gelido de corpore
mortem/expuit; 9.936

EXPURGO,-ARE. harenas/expurgat cantu uerbisque
fugantibus angues. 9.914

EXQUIRO,-ERE. noua furta per aequor/exquisita
fugae. 4.417
totisque furens exquireret aruis/quos
poscebat aquas sitiens in corde uenenum.
9.749

EXSANGUIS,-E. v. EXANGUIS,-E. . . . .

EXSECO,-ARE. auolsae cecidere manus exsectaque
lingua/palpitat et muto uacuum ferit aera
motu. 2.181
nec non infelix ferro mollita iuuentus/
atque exsecta uirum: 10.134

EXSEQUIAE v. EXEQUIAE.

EXSERO,-ERE. v. EXERO,-ERE.

EXSILIO,-ERE. v. EXILIO,-ERE.

EXSOLUO,-ERE. quippe ipsa metus exsoluerat
audax/ turba suos: 5.259
nunc pugnate truces gladioque exsoluite
culpam: 7.262
exsolui tibi, Magne, fidem, mandata
peregi; 9.98

EXSPECTO,-ARE. v. EXPECTO,-ARE.

EXSPUO,-ERE. v. EXPUO,-ERE.

EXSTINGUO,-ERE. v. EXTINGUO,-ERE.

EXSTO,-ARE. v. EXTO,-ARE.

EXSTRUO,-ERE. v. EXTRUO,-ERE.

EXSUDO,-ARE. cur Libycus tantis exundet
(exsudet) pestibus aer/ fertilis in
mortes,.../... non cura laborque /
noster scire ualet, ... var.9.619

EXSUL v. EXULO.

EXSULTO,-ARE. v. EXULTO,-ARE. '

EXSURGO,-ERE. v. EXURGO,-ERE.

EXTA. atque iram superum raptis quaesiuit in
extis. 1.617
quodque nefas nullis inpune apparuit extis,
1.626
extaque funereae poscunt trepidantia
mensae. 6.557
si quisquis uestris caput extaque
lancibus infans/inposuit uicturus erat,
parete precanti 6.710

EXTEMPLO. conuocat armatos extemplo ad signa
maniplos, ... 1.296

EXTENDO,-ERE. tellus extendere litora
nolet 1.76
longa sub ignotis extendere rura colonis.
1.170
hostis in occursum sparsas extendere
partis, ... 2.395
extenditque suas in templa Lacinia rupes,
2.434
arma ferunt, galeamque extensus
protegit umbo, ... 3.476
et iam diductis extendunt cornua proris
3.547
neque enim de more carinas/extendunt
puppesque leuant, sed firma gerendis/
molibus insolito contexunt robora ductu.
4.418
spiculaque extenso Paean Pythone recoxit,

7.148

extenso laxauit stamina uelo.   10.143
nec campos liberat undis/donec...umbras/
extendat Meroe. 10.237

EXTER. languor in extrema tenuit uestigia
ripa.   1.194
scilicet extremi Pompeium emptique
clientes/continuo per tot satiabunt
tempora regno? 1.314
uentus ab extremo pelagus sic axe uolutet
                                   1.412
nec limine quisquam /haesit et extremo
tunc forsitan urbis amatae/plenus abit
uisu: 1.508
quique colunt iunctos extremis moenibus
agros/diffugiunt: 1.571
iubet.../ longa per extremos pomeria
cingere fines 1.594
extremi multorum tempus in unum/conuenere
dies.   1.650
fundat ab extremo flauos Aquilone
Suebos/Albis et indomitum Rheni caput;
                                   2.51
non senis extremum piguit uergentibus
annis/ praecepisse diem, ... 2.105
extremi colles Siculo cessere Peloro.
                                   2.438
poenarum extremum ciui, quod castra
secutus/sit patriae Magnumque ducem
totumque senatum, ... 2.519
Italiam, extremo sedeat quod litore Magnus,
                                   2.659
Mallos et extremae resonant naualibus
Aegae, ...   3.227
tum furor extremos mouit Romanus Orestas
                                   3.249
uersus ad Hispanas acies extremaque mundi
/iussit bella geri. 3.454
Arge, quod amplexus, extrema quod oscula
fugi.   3.745
at procul extremis terrarum Caesar in
oris/ Martem saeuus agit non multa caede
nocentem 4.1
Magne, paras acies mundique extrema
tenentis 4.233
clauditur extrema residens Antonius ora
                                   4.408
inpedit ad noctem iam lux extrema tenebras.
                                   4.447
consulite extremis angusto in tempore
rebus. 4.477
par animi laus est et, quos speraueris,
annos/ perdere et extremae momentum
abrumpere lucis, ...   4.483
uires/ exciuit, Libycas gentis, extremaque
mundi/signa suum comitata Iubam.   4.669
extremaeque sonant domita iam uirgine
uoces: 5.193
nocte sub extrema pulso torpore quietis
                                   5.734
hoc precor extremum: 5.787
extremusque perit tam longi fructus amoris,
                                   5.794
extremum Scythici transcendam frigoris
orbem   6.325
a miser, extremum cui mortis munus inique
/eripitur, ...   6.724
atraque fouit/ uolnera et in uenas
extremaque membra cucurrit. . . . 6.751
donassent utinam superi.../ unum, Magne,
diem, quo .../ extremum tanti fructum

raperetis amoris. 7.32
quid mirum populos quos lux extrema
manebat/lymphato trepidasse metu, 7.185
oblatumque uidet uotis sibi mille
petitum/ tempus, in extremos quo mitteret
omnia casus. 7.239
extremum ferri superest opus, .   7.345
ultima fata/deprecor ac turpes extremi
cardinis annos, ...   7.381
extremique fragor conuexa inrumpit Olympi,
                                   7.478
totque per arma/extremum est quod quisque
ferit.   7.501
sparsa per extremos leuis armatura
maniplos/insequitur   7.508
uiuant.../ Cappadoces Gallique extremique
orbis Hiberi, ...   7.541
extremum tanti generis per saecula nomen,
/ne rue per medios nimium temerarius
hostis, ...   7.589
tum Magnum concitus aufert/ a bello
sonipes.../ ingentisque animos extrema in
fata ferentem. 7.679
tenebrisque remotis /rupis in abruptae
scopulos extremaque curris/litora; 8.46
accipe, numen/siquod adhuc mecum es,
uotorum extrema meorum: 8.143
iam uenerat horae/terminus extremae,
                                   8.611
te fata extrema petente/uita digna fui?
                                   8.652
extremo sed abest a munere busti/infelix
coniunx 8.741
situs est qua terra extrema refuso/
pendet in Oceano; 8.797
hunc... secutus/litus in extremum tali
Cato uoce notauit: 9.221
extremoque epulas mensasque petimus
ab orbe. 9.430
illud in extrema forsan longeque remota
/prodigium tellure fuit, ...   9.474
hunc ego per Syrtes Libyaeque extrema
triumphum/ducere maluerim, . . .   9.598
finibus extremis Libyes, .../...
squalebant late...arua Medusae,   9.624
Oceano classes inferre parabat/exteriore
mari. 10.37
partesque fugatas/passus in extremis
Libyae coalescere regnis 10.79
uenit ad occasus mundique extrema
Sesostris 10.276

EXTERNUS,-A,-UM. clauditur externis miles
Romanus in oris, ...   1.515
'semper in externis populo communia uestro
/Massiliam bellis testatur fata tulisse
                                   3.307
accipe deuotas externa in proelia dextras.
                                   3.311
hospes in externis audiuit curia tectis.
                                   5.11
inpiaque infernam (externam) ruperunt
arma quietem; var.6.781
sceleris sed crimine nullo/externum
maculant chalybem: 7.518
cognatas praestate manus externaque
monstra/pellite, ...   8.548
incusat bimaremque uadis frangentibus
aestum/ qui uetet externas terris
adpellere classes. 8.567
nequa sit externae Veneris mixtura
timentes/letifica dubios explorant

aspide partus. 9.900
multumque madenti/infudere comae quod
nondum euanuit aura/cinnamon externa nec
perdidit aera terrae, ... 10.167
tanta obliuio mentis/cepit in externos
corrupto milite mores/ut duce sub famulo
...irent 10.404

EXTIMESCO,-ERE. extimuit natura chaos; 5.634

EXTINGUO,-ERE. hic recipit fluctus, extinguat
ut aequore flammas, ... 3.687
quamuis crebra micent: extinguunt fulgura
nimbi. 4.78
quidquid ab exstincto licuisset tollere
busto/ in templis sparsura deum. 9.61

EXTO,-ARE. simulacraque maesta deorum/arte
carent caesisque extant informia truncis.
3.413

EXTOLLO,-ERE. rex tolletque(extolletque) animos
Latium uaesanus in orbem/se simul var.8.345

EXTRAHO,-ERE. extrahe ciuili tantum iam
libera bello.' 1.672
extrahit insomnis bellorum fabula
noctes, ... 4.200
iuuentus/extrahitur duris silicum lassata
metallis; 4.304
uolnere sic uentris,.../extrahitur partus
calidis ponendus in aris; . . . 6.559
monstroque potenti/extractus Stygio
populus pugnasset Auerno. . . . 6.636
extractamque potens gelido de corpore
mortem/expuit; 9.935

EXTREMUS v. EXTER.

EXTRUO,-ERE. hic robora busti/exstruit ipse
sui 2.158
caespitibus crudaque extruxit bracchia
terra. 3.387
quasque quater surgens extructi
remigis ordo/commouet 3.530
extruitur quod non aries inpellere saeuus,
/... queat 6.36
tunc robore multo/ extruit illa rogum;
6.825
aut, generi si poena iuuat, nemus
extrue Pindi, ... 7.806
cum.../ et regum cineres extructo monte
quiescant,/... litora Pompeium feriunt,
8.695
solitumque legi super.../... extructos
spoliis hostilibus arcus/haud procul est
ima Pompei nomen harena/depressum tumulo.
8.819
ipse locus templi, quod uix corruptior
aetas/ extruat, instar erat, . . 10.112

EXUL. exul limosa Marius caput abdidit
ulua. 2.70
exulibus Mariis bellorum maxima merces/
Roma recepta fuit, ... 2.227
quique feros mouit Sertorius exul Hiberos.
2.549
exul in aduersis explorat cornua truncis.
2.603
uadis adhuc ingens populis comitantibus
exul. 2.730
numquam felicibus armis/ usa manus,
patriae primis a sedibus exul, 3.339
ubi quondam Pentheos exul/colla caputque
ferens supremo tradidit igni/... Agaue.
6.357
turbae sed mixtus inerti/Sextus erat.../
cui mox Scyllaeis exul grassatus in undis
/polluit aequoreos Siculus pirata

triumphos. 6.421
Magnus, nisi uincitis, exul, /ludibrium
soceri, ... 7.379
quidquid in ignotis solus regionibus exul,
/... patiere.../crede deis, . . 7.703
terrarum dominos.../ exul habet comites.
8.209
exul adhuc iacet umbra ducis. . 8.837
exul in aeternum sceptris depulsa paternis,
10.87

EXULO,-ARE. ordine de tanto quisquis non
exulat hic est. 5.34

EXULTO,-ARE. muris sed clausa iuuentus/
exultat; 3.447
Catilina minax.../ exultat Mariique
truces nudique Cethegi; 6.794
Achillas,/perfida qua tellus Casiis
excurrit (exultat) harenis/.../exiguam
sociis monstri gladiisque carinam/instruit.
var.8.539
spumeus accenso non sic exundat (exultat)
aeno/ undarum cumulus, ... var.9.798

EXUNDO,-ARE. cur Libycus tantis exundet
pestibus aer/fertilis in mortes, 9.619
spumeus accenso non sic exundat aeno/
undarum cumulus, ... 9.798
rumor ab Oceano,.../exundante procul
uiolentum erumpere Nilum 10.256

EXUO,-ERE. pacis ad exutae spolium non cogit
egestas: 3.132

EXURGO,-ERE. illam non.../ mouit et exurgens
ad summa pericula clamor, . . . 9.114

EXURO,-ERE. pacis ad exutae (exustae)spolium
non cogit egestas: var.3.132
et post translatas exustae Phocidos arces
3.340
distinet Oceanum zonaeque exusta calentis.
4.675
tali tua membra sepulchro/ talibus exuram
Stygio cum carmine siluis, . . . 6.766
nam quis ad exustam Cancro torrente
Syenen /ibit 8.851
'ergo indigna fui',.../...laceros exurere
crines 9.57
uadimus in campos steriles exustaque
mundi, ... 9.382
exurit messes et puluere Bacchum/enecat
9.433
premit orbita solis/exuritque solum; 9.692
concolor exustis atque indiscretus harenis
/hammodytes, ... 9.715
circumit exustae nomen memorabile Troiae
9.964

EXUUIAE. exuuias ueteris populi sacrataque
gestans 1.137
collegit.../... exuuias pictasque togas,
uelamina summo/ter conspecta Ioui, 9.177
et scytale sparsis etiamnunc sola
pruinis/ exuuias positura suas, 9.718

F

FABRICIUS. quo te Fabricius regi non uendidit
auro, ...   3.160
pone duces priscos.../ Fabricios Curiosque
graues, ...   10.152
FABULA. hunc fabula primum/ populea fluuium
ripas umbrasse corona, ...   2.410
nec fabula Troiae/ continuit   3.212
extrahit insomnis bellorum fabula noctes,
4.200
nunc uetus Iliacos attollat fabula muros
6.48
ueteres ubi fabula Thebas/monstrat
Echionias, ...   6.356
tunc omne Latinum/ fabula nomen erit;
7.392
damnat apud gentes.../ Oedipodionias
infelix fabula Thebas: 8.407
numquam superum caritura pudore/fabula,
Romanus regi sic paruit ensis, . . . 8.606
fabula pro uera decepit saecula causa.
9.623
non fabula mendax/ausa loqui de fonte tuo
est.   10,282
FACIES. flexi iam plaustra Bootae/in faciem
puri redeunt languentia caeli,   2.723
quas potuit belli facies! . . .   3.76
conspecta est leti facies, . .   3.653
rerum discrimina miscet/deformis caeli
facies iunctaeque tenebrae. . .   4.105
et faciem pugnae uoltusque inferte
minaces; 4.164
omnia monstra/in facie posuere ducum:
4.253
cernite, sed uestrae faciem cognoscite
turbae, ...   5.20
stat numquam facies; 5.214
stetit imbre cruento/informis facies.
6.225
terribilis Stygio facies pallore
grauatur 6.517
teque deis,.../...Hecate.../ostendam
faciemque Erebi mutare uetabo.   6.738
nondum facies uiuentis in illo,/ iam
morientis erat: 6.758
qualis erat populi facies clamorque
fauentis/olim, ...   7.13
multorum pallor in ore/mortis uenturae
faciesque simillima fato. . . .   7.130
quod si,.../conspicio faciesque truces
oculosque minaces,/uicistis. . .   7.291
nulla loci facies reuocat feralibus aruis
/haerentis oculos. 7.788
epulisque paratur/ille locus, uoltus ex
quo faciesque iacentum/agnoscat.   7.793
non patitur tutis fatum celare latebris/
clara uiri facies. 8.14
coeperat.../... maestamque mariti/posse
pati faciem: 8.70
permansisse decus...formae/iratamque deis
faciem, ...   8.665
hac facie, Fortuna, tibi, Romana,
placebas. 8.686
et infuso facies solidata ueneno est.
8.691
ipsique retrorsum/effusi faciem uitabant
Gorgonos angues. 9.653

ecce, subit facies leto diuersa fluenti.
9.789
discussa iacebant/saxa nec ullius faciem
seruantia sacri: 9.978
quantum inpulit Argos/Iliacasque domos
facie Spartana nocenti,/Hesperios
auxit tantum Cleopatra furores.   10.61
uoltus adest precibus faciesque incesta
perorat. 10.105
FACILIS,-E. inde irae faciles et, quod
suasisset egestas, ...   1.173
molli tum cetera rumpit/turba uado faciles
iam fracti fluminis undas. . . .   1.222
facili si proelia pauca/gesseris euentu,
1.284
o faciles dare summa deos eademque tueri
/difficiles! 1.510
capacem/humani facilem uenturo Caesare
praedam/ignauae liquere manus.   1.513
tum pecudum faciles humana ad murmura
linguae, ...   1.561
ad iuga cur faciles populi, cur saeua
uolentes/regna pati pereunt? . .   2.314
facilis sed uertere mentes/terror erat,
2.460
sufficerent aliis.../ Roma capi facilis;
2.656
obtulit hospita tellus/puppibus accessus
faciles; 3.44
aut facilis labor est longinqua ad tela
parati/tormenti mutare modum;   3.479
at faciles praebere alimenta carinae
3.683
sic pedes ex facili nulloque urguente
receptus, ...   4.46
non pecorum raptus faciles, non pabula
mersi/ulla ferunt sulci; 4.90
dixerat; at Caesar facilis uoltuque
serenus/flectitur 4.363
timeatque furentis/et morti faciles animos
4.506
humanusque labor facilis, .../ cedere uel
bellis uel cuncta mouentibus annis,   6.20
si praenoscere casus/contentus, facilesque
aditus multique patebunt/ad uerum: 6.616
credet faciles sibi terga dedisse,   9.270
sed, quia mobilibus facilis turbatur
harenis,/ nusquam luctando stabilis manet,
9.469
nec uile putaris/ hoc meritum, facili
nobis quod caede peractum est.   9.1027
nunc uagus et spargens facilem tibi cedere
ripam. 10.310
FACINUS. uindicis an gladii facinus poenasque
furorum/.../ut peragat fortuna, taces?
5.206
facinus quos inquinat aequat.   5.290
nondum uile sui pretium (facinus) scit
sanguinis esse, ...   var.8.9
disponis gladios, nequo non fiat in orbe,
/heu, facinus ciuile tibi. . .   8.604
sat fuit indignum, Caesar,.../Pompeium
facinus meritumque fuisse Pothini.' 10.103
[heu facinus, gladio ceruix male caesa
pependit] 10.518
FACIO,-ERE. facta tribus dominis communis,
Roma, nec umquam 1.85
obstaret gaudensque uiam fecisse ruina,
1.150
ille erit ille nocens, qui me tibi fecerit
hostem.' 1.203

FACIO

tua nos faciet uictoria ciues.   1.279
an melius fient piratae, **Magne**, coloni?
                                      1.346
uiribus utendum est quas fecimus.   1.348
curuato robore pressae/ fit sonus aut
rursus redeuntis in aethera siluae. 1.391
ut inmensae conlecto robore uires/
audendi maiora fidem fecere, . .   1.467
et nondum sparsa conpage carinae/
naufragium sibi quisque facit,   1.503
nullis defuit aris/inuidiam factura parens.
                                      2.35
nisi qui scelerum iam fecerat usum   2.97
sed fecit sibi quisque nefas: 2.147
uis sibi fecit iter campumque effusa per
omnem 2.215
accipient alios, facient te bella
nocentem. 2.259
crimen erit superis et me fecisse
nocentem. 2.288
cur tuta in pace relinquar/et sit (fit)
ciuili propior Cornelia bello? var.2.349
dexteriora petens montis decliuia
Thybrim/unda facit Rutubamque cauum. 2.422
inmemorem fecere tui, ...   3.29
bellum/ te faciet ciuile meum.'   3.34
aut scidit, et medias fecit sibi litora
terras: 3.61
dignum te Caesaris ira/nullus honor faciet.
                                      3.137
diuersaque signa/pugnaces dubium Parthi
tenuere fauorem/contenti fecisse duos.
                                      3.266
ipse situs putrique facit iam robore
pallor/attonitos; 3.414
credite me fecisse nefas'. . . .   3.437
aequorei rector, facias, Neptune
tridentis, ...   4.111
quae potuit fecisse timet. . . .   4.182
usque adeone times quem tu facis ipse
timendum? 4.185
quae fortuna deorum/inuidia caeca
bellorum in nocte tulisset,/ fecit
monstra fides. 4.245
quoque minus possent siccos tolerare
uapores/quaesitae fecistis aquae.   4.306
mensasque perosi/auxilium fecere famem.
                                      4.308
fieret captis si dulcior ipsa/mortis uita
mora. 4.532
concurrunt alii totumque in partibus unis
/bellorum fecere nefas. 4.549
ipsaque inexpertis quod primum fecerat
herbis 4.555
ut tandem auxilium tactae(factae,)
prodesse parentis/ Alcides sensit, '
'standum est tibi,' dixit . . . var.4.645
Curio temptarat, Libyamque auferre
tyranno/dum regnum te, Roma, facit. 4.692
ius licet in iugulos nostros sibi fecerit
ensis 4.821
incubuitque adyto uates ibi factus Apollo.
                                      5.85
siue canit fatum seu, quod iubet ille
canendo,/ fit fatum? 5.93
fecitque negatis/ numinibus metus ipse
fidem. 5.141
finem ciuili faciat discordia bello.
                                      5.299
unumque caput tam magna iuuentus /
priuatum factura timet, ...5.366

FACIO

laetos fecit se consule fastos.   5.384
luna suas iam fecerat umbras,   5.425
abstrusas penitus uada fecit harenas.
                                      5.604
tantus caput hoc sibi fecerit orbis,
                                      5.686
nudas Aquilonibus undas/succedens Boreae
iam portum fecerat Auster. 5.721
dubium trepidumque ad proelia, **Magne**,/
te quoque fecit amor; 5.729
secura uidetur /sors tibi, cum facias
etiamnunc uota, perisse? 5.772
fit saepe nefas iaculum temptante lacerto.
                                      6.79
tot facta sagittis/... unam non explent
uolnera mortem. 6.212
maiora uiris.../ gaudia non faceret
conspectum in Caesare uolnus. . .   6.227
pro tristia fata (facta)! . . .var.6.305
ibi plurima surgunt/uim factura deis,
                                      6.441
quotiens saeuis opus est ac fortibus
umbris/ipsa facit manes. 6.561
et, quamuis fecerit omnis/stella senem,
medios herbis abrumpimus annos.   6.609
numquam nisi carmine factum/lumen habet.
                                      6.647
quamuis Thessala uates/uim faciat fatis,
dubium est, quod traxerit illuc/aspiciat
Stygias an quod descenderit umbras. 6.652
quid fata pararent/hi fecere palam. 6.784
[haec eadem est hodie quae.../... emerito
faciat uos Marte colonos] . . .   7.258
haec acies uictum factura nocentem est.
                                      7.260
ciuilia paucae/bella manus facient: 7.275
me Gallia testem/ tot fecit bellis. 7.287
uincat.../ quique suos ciues, quod signa
aduersa tulerunt/non credit fecisse nefas.
                                      7.315
hae facient dextrae, quidquid nona
explicat aetas, ...   7.387
bella pares superis facient ciuilia
diuos, ...   7.457
uultus, quo noscere possent/facturi quae
monstra forent, uidere parentum/frontibus
aduersis 7.464
rapit omnia casus /atque incerta facit
quos uolt fortuna nocentes. . .   7.488
praecipites fecere palam ciuilia bella
/non bene barbaricis umquam commissa
cateruis. 7.526
quo pectore, Romam/intrabit factus campis
felicior istis? 7.702
quascumque tuas Pharsalia fecit/a uictis
rapiuntur opes.' 7.745
et Mutina et Leucas puros fecere
Philippos. 7.872
Fortuna.../... fatis (factis)-que
prioribus urguet. var.8.23
cur inpia nupsi,/si miserum factura fui?
                                      8.97
fac, **Magne**, locum, quem cuncta reuisant/
saecula, ...   8.114
sed iam satis est fecisse nocentis: 8.137
non regna praecabor/quae feci.   8.314
sat magna feram solacia mortis/orbe
iacens alio, nihil haec in membra
cruente/ nil socerum fecisse pie.   8.316
'ius et fas multos faciunt, Ptolemaee,
nocentes; 8.484

FACIO

    facere omnia saeue/non inpune licet, nisi
    cum facis. 8.492
    facere omnia saeue /non inpune licet, nisi
    cum facis. 8.493
    quid.../ ... aruaque nostra/uictori
    suspecta facis? 8.515
    disponis gladios, nequo non fiat in orbe,
    /heu, facinus ciuile tibi. . . .   8.603
    mutantur prospera uita/non fit morte
    miser. 8.632
    surgit miserabile bustum/ non ullis
    plenum titulis, non ordine tanto/fastorum
    (factorum); var.8.818
    quos ignea uirtus/innocuos uita patientes
    aetheris imi/ fecit 9.9
    dubiumque manebat/quem dominum mundi
    facerent ciuilia bella,   9.20
    nil causa fecit in armis/ille sua: 9.28
    praeceps facit omne timendum/uictor,   9.47
    uni parere decebit/si faciet partes pro
    libertate, Catoni.' 9.97
    uotaque sollicitis faciens contraria
    nautis/conposita in mortem iacuit   9.115
    et mihi,.../fac talem, Fortuna, Iubam;
                 9.213
    partesque fauore/fecimus. . . .   9.229
    litora flexu/ Oceano fecere locum;   9.416
    temploque tacente/nil facimus non sponte
    dei; 9.574
    me non oracula certum/sed mors certa
    facit. 9.583
    nunc, olim, factura deum es. . .   9.604
    plaga, quam nullam superi mortalibus
    ultra/ a medio fecere die, calcatur,   9.606
    inde petuntur/huc Libycae mortes et
    fecimus aspida mercem. 9.707
    dracones/letiferos ardens facit Africa:
                 9.729
    plus te nobis debere fateris/quod scelus
    hoc non ipse facis.' 9.1032
    ergo in Thessalicis Pellaeo fecimus aruis/
    ius gladio? 9.1073
    ne sic mea colla gerantur/Thessaliae
    fortuna facit. 9.1084
    tunc pace fideli/fecissem ut uictus
    posses ignoscere diuis, ...   9.1103
    tunc pace fideli/fecissem ut uictus posses
    ignoscere diuis/fecisses ut Roma mihi.'
                 9.1104
    per te quod fecimus una/.../...ades;
                 10.370
    nos quoque sublimes Magnus facit.   10.378
    quamquam quis talia facta/aestimat in
    numero scelerum ponenda tuorum,   10.472a
    non Thessala tellus/... non Pontus.../...
    tantum ausus scelerum,...quantum/deliciae
    fecere tuae. 10.478

FACULTAS. postquam/ambitus et luxus et opum
    metuenda facultas/transuerso mentem dubiam
    torrente tulerunt, ...   4.817
    o uitae tuta facultas/pauperis angustique
    lares! 5.527
    summi contempta facultas/est operis;
                 10.428
FACUNDIA. addidit inualidae robur facundia
    causae. 7.67
FAENUS v. FENUS.
FAEX. nulloque frequentem/ciue suo Romam
    sed mundi faece repletam/cladis eo
    dedimus, ...   7.405
FALARICA. hunc aut tortilibus uibrata falarica

FAMA

    neruis/obruat 6.198
FALERNUS. nobile sed paucis senium cui
    contulit annis/indomitum Meroe cogens
    spumare Falernum. 10.163
FALLAX. fulgura fallaci micuerunt crebra
    sereno, ...   1.530
FALLO,-ERE. innumeras soluit falsa in
    praeconia linguas. 1.472
    dum primae perstant acies, hostemque
    fefellit 4.30
    fallitur occultis sparsus populator in
    agris. 4.92
    nec quemquam dextra fefellit . .   4.559
    haud aeque laesura ducem cui falsa
    canebat/quam tripodas Phoebique fidem.
                 5.151
    Hapso gestare carinas/causa palus, leni
    quam fallens egerit unda; . . .   5.464
    uigilum somno cedentia membra/transsiluit
    questus tacite,quod fallere posset,   5.512
    sed non tam remeans Caesar iam luce
    propinqua/quam tacita sua castra fuga
    comitesque fefellit. 5.679
    prima quidem surgens operum structura
    fefellit/Pompeium, ...   6.64
    unda Caledonios fallit turbata Britannos.
                 6.68
    caelumque tremens cum lancea transit/
    dicere non fallar quo sit uibrata
    lacerto. 7.289
    quod si, signa ducem numquam fallentia
    uestrum,/ conspicio.../uicistis.   7.290
    numquam stante polo miseros fallentia
    nautas,/sidera non sequimur, . .   8.173
    quod si nos Eoa fides et barbara fallent/
    foedera, ...   8.311
    neque enim mihi fallere quemquam/est
    animus 9.388
    nec non his fallere uocibus audet   9.1062
    nec fallere uosmet/credite uictorem:
                 9.1081

FALSUS v. FALLO.
FAMA. famaeque petitor/ multa dare in uolgus,
                 1.131
    sed non in Caesare tantum/nomen erat
    nec fama ducis, ...   1.144
    famae maioris in amnem/lapsus ad
    aequoreas nomen non pertulit undas.   1.400
    uana quoque ad ueros accessit fama timores
                 1.469
    sic quisque pauendo/dat uires famae,   1.485
    an uanae tumuere minae quod fama furoris
    /expulit armatam patriis e sedibus urbem?
                 2.573
    iam uictum fama non uisi Caesaris agmen.
                 2.600
    quo nominis usque/ nostri fama uenit,
                 2.634
    talis fama canit tumidum super aequora
    Persen/construxisse uias, ...   2.672
    desertus Orontes/ et felix, sic fama,
    Ninos, uentosa Damascos 3.215
    (Phoenices primi, famae si creditur, ausi
                 3.220
    mouit et Eoos bellorum fama recessus,
                 3.229
    cumque alii famae populi terrore pauerent
                 3.300
    iam fama ferebat/saepe cauas motu terrae
    mugire cauernas, ...   3.417
    o utinam, quo plus habeat mors unica

FAMA

famae, ...   4.509
nullam maiore locuta est/ore ratem totum
discurrens Fama per orbem. . .   4.574
tandem uolgata cruenti/ fama mali terras
monstris aequorque leuantem magnanimum
Alciden Libycas exciuit in oras.   4.610
hac igitur regis trepidat iam Curio fama
                                      4.694
obscuratque suam per iussa silentia famam
                                      4.718
a quibus omne aeui senium sua fama
repellit, ...   4.812
fama ueteres laudantur Athenae,   5.52
hoc fortuna loco tantae duo nomina famae
/conposuit, ...   5.468
feriat dum maesta remotas/fama procul
terras, uiuam tibi nempe superstes.   5.775
felix hoc nomine famae,/si tibi durus
Hiber...terga dedisset   6.257
hunc fama est Stygiis manare paludibus
amnem 6.378
hanc ut fama loci Pompeio prodidit, alta
/nocte poli,.../...deserta per arua/carpit
iter. 6.570
inpia laetatur uulgato nomine famae/
Thessalis, ...   6.604
haec.../ siue sua tantum uenient in
saecula fama/.../spesque metusque...
mouebunt, ...   7.208
multi, Pharsalica castra/cum peterent
nondum fama prodente ruinas,/occursu
stupuere ducis 8.15
poenas...Fortuna.../ exigit a misero, quae
tanto pondere famae/res premit aduersas
                                      8.22
habes aditum mansurae in saecula famae.
                                      8.74
sed me uel sola tueri/fama potest rerum
toto quas gessimus orbe . . .   8.275
qua posteritas in saecula mittet/Septimium
fama? 8.609
continuitque animam, nequas effundere
uoces/uellet et aeternam fletu corrumpere
famam. 8.617
nunc consule famae. 8.624
quam metuis, demens,isto pro crimine
poenam/ quo te fama loquax omnis accepit
in annos? 8.782
nil ista nocebunt/famae busta tuae: 8.859
uel sceptra uel urbes/libertate sua
ualidas inpellite fama/nominis: 9.91
haec fama est oculis uictoris iniqui/
seruari, ...   9.139
hanc, ut fama, deus quem toto litore
pontus/audit uentosa perflantem marmora
concha/... amat, ...   9.348
Lethon tacitus praelabitur.../infernis,
ut fama, trahens obliuia uenis,   9.356
inuidus, annoso qui famam derogat aeuo,
                                      9.359
tertia pars rerum Libye, si credere famae
/cuncta uelis; 9.411
de fama tam longi iudicet aeui.   9.548
si ueris magna paratur/fama bonis   9.594
fatique minorem/famam dipsas habet terris
adiuta 9.754
set longius istac/nulla iacet tellus, quam
fama cognita nobis/tristia regna Iubae.
                                      9.868
cuius uestigia frustra/terris sparsa
legens fama duce tendit in undas,   9.953

Sigeasque petit famae mirator harenas
                                      9.961
inuidia sacrae, Caesar, ne tangere famae;
                                      9.982
uel famam cohsule mundi. 9.1030
famae cura uetat, ne non damnasse
cruentam/sed uidear timuisse Pharon.
                                      9.1080
fama quidem generi Pharias me duxit ad
urbes, ...   10.184
potuit discrimine summo/Caesaris una dies
in famam et saecula mitti. . . .   10.533
respexit in agmine denso/Scaeuam perpetuae
meritum iam nomina famae 10.544
FAMES. his, Caesar, Perusina fames Mutinaeque
labores/accedant fatis 1.41
mensasque priores/aspernata fames;   1.164
quid iam rura querar totum suppressa per
orbem/ac iussam seruire famem?   1.319
tot simul infesto iuuenes occumbere leto/
saepe fames pelagique furor subitaeque
ruinae 2.199
hos ferro fugienda fames 2.253
huic epulae uicisse famem, . . .   2.384
namque adserit urbes/sola fames,   3.57
pectoribus rapti matrum frustraque
trahentes/ubera sicca fame medios
mittentur in ignis 3.352
iamque comes semper magnorum prima malorum
/saeua fames aderat, ...   4.94
mensasque perosi/auxilium fecere famem.
                                      4.308
quaesitorum terra pelagoque ciborum/
ambitiosa fames et lautae gloria mensae,
                                      4.376
cautus ab incursu belli, si sola recedat,
/expugnat quae tuta, fames. . . .   4.410
grauis hinc languore profundi/ obsessis
uentura fames. 5.450
sed patitur saeuam, .../... famem.   6.109
insanamque famem permissasque ignibus
                                      7.413
infudere epulas auro,.../... quod luxus...
/...furens toto quaesiuit in orbe/ non
mandante fame; 10.158
FAMOSUS,-A,-UM. hinc, aeui ueteris custos,
famosa uetustas,/miratrixque sui, signauit
nomine terras. 4.654
iter per ignauas gentes famosaque regna
                                      7.277
FAMULA(adi.). famulas scelerata ad proelia
dextras/ excitat 4.207
tum famulae numerus turbae populusque
minister. 10.127
/excitat 4.207
FAMULA(subst.). nec mater crine soluto/exigit
ad saeuos famularum bracchia planctus,
                                      2.24
quem postquam propius famulae uidere
fideles, ...   8.63
FAMULOR,-ARI. flumine puro/inrigat Amphrysos
famulantis pascua Phoebi. . . .   6.368
FAMULUS(subst.). infandum domini per uiscera
ferrum/exigit famulus, ...   2.149
utque habeat famulos nullo discrimine
Caesar/exorandus erit? 4.218
Caesar.../ uix famulis audenda parat,
                                      5.509
positisque insignibus aulae/egreditur
famulo raptos indutus amictus.   8.240
quid.../auersosque polos alienaque sidera

FAMULUS

quaeris/.../ Parthorum famulus?   8.339
laetatur honore/ ex puer insueto, quod iam
sibi tanta iubere/permittant famuli. 8.538
o famuli turpes, domini post fata prioris
/itis ad heredem. 9.274
quantosne tumores/mente gerit. famulus!
   10.100
poenaque ciuilis belli,.../paene data est
famulo.   10.341
atque haec dicta monet famulos perferre
fideles/ad ... Achillam, ...10.349
tanta obliuio mentis/cepit...corrupto
milite.../ut duce sub famulo iussuque
satellitis irent 10.405
uisum famulis reparabile damnum/illam
mactandi dimittere Caesaris horam. 10.429
missurusque tuum, si non sint tela nec
ignes/in famulos, Ptolemaee,caput. 10.464
ut saeuos absentis uoce tyranni/corriperet
famulos, ... 10.470
subrepta.../ a famulo Ganymede dolis
peruenit ad hostis /Caesaris Arsinoe;
   10.520
famulumque tyranni/terribilem iusto
transegit Achillea ferro. . . . 10.522

FAS. Troianam soli cui fas uidisse Mineruam.
   1.598
exclamat 'uix fas, superi, quaecumque
mouetis,   1.631
'fas haec contingere non est/colla tibi;
   2.81
finis adest scelerum si non committitis
ullis/arma quibus fas est. . . . 3.329
infidusque nouis ducibus dubiusque priori
/fas utrumque putat. 4.699
nec fas nec uincula iuris/hoc audere
uetant: 5.288
ipse per omne/fasque nefasque rues? 5.313
nec quaesisse libet.../.../aut siquid
tacitum sed fas erat. 6.430
cladis tamen huius habemus/
uindictam, quantam terris dare numina fas
est: 7.456
nam quaerere certum est,/ fas quibus in
terris, ubi sit scelus. . . . 8.142
cui fas inplere parentem,/quid rear esse
nefas? 8.409
si numina nasci/credimus aut quemquam
fas est coepisse deorum. . . . 8.459
'ius et fas multos faciunt, Ptolemaee,
nocentes; 8.484
iniuria fati/hoc fas esse iubet; 8.764
nec enim sperare secunda/fas mihi nec
liceat. 9.244
nam, siquid Latiis fas est promittere
Musis,/.../uenturi me teque legent; 9.983
terruit illa suo, si fas, Capitolia sistro
   10.63
'fas mihi magnorum, Caesar, secreta
parentum/edere 10.194
ast ego, si tantam ius (fas)est mihi
soluere litem, ... var.10.262
ibi fas ubi proxima merces: 10.408
pro fas! 10.410
nullique uacare/fas est Romano. 10.416

FASCIS. hinc rapti fasces pretio sectorque
fauoris   1.178
nullos comitata est purpura fasces. 2.19
septimus haec sequitur repetitis fascibus
annus.   2.130
quaque iter est Latiis ad summam fascibus

Albam; 3.87
nam quis castra uocet tot strictas iure
securis, tot fasces? 5.13
addidit et fasces aquilis . . . 5.389
iussa plebe tuli fasces per bella negatos;
   5.663
hac luce cruenta/effectum, ut Latios non
horreat India fasces, ... 7.428
nunc sum tibi gloria maior,/ a me quod
fasces et quod pia turba senatus/...
discessit 8.79
an Libycae Marium potuere ruinae/erigere
in fasces et plenis reddere fastis, 8.270
sed fremitu uolgi fasces et iura querentis
/inferri Romana suis discordia sensit
/pectora 10.11

FASTI. at uos, qui Latios signatis nomine
fastos, ... 2.645
instabatque dies qui dat noua nomina
fastis   5.5
et laetos fecit se consule fastos. 5.384
menstruus in fastos distinguit saecula
consul. 5.399
cedant feralia nomina Cannae/et damnata
diu Romanis Allia fastis. . . . 7.409
an Libycae Marium potuere ruinae/erigere
in fasces et plenis reddere fastis, 8.270
surgit miserabile bustum/... non ordine
tanto/fastorum;   8.818

FASTIDIO,-IRE. Latiae pars maxima turbae/
fastidita iacet; 7.845

FASTIGIUM. ipsa maris per claustra rates
fastigia molis/discussere . . . 2.684
puteusque cauati/ montis ad inrigui
premitur fastigia campi. 4.296

FASTUS. at uos, quiLatios signatis nomine
fastos (fastus), ... var.2.645
nec meus Eudoxi uincetur fastibus annus.
   10.187

FATALIS,-E. qua Croeso fatalis Halys, 3.272
ueluti fatalis harenae/muneribus non ira
uetus concurrere cogit/productos, 4.708
si Curios his fata darent.../temporibus
Deciosque caput fatale uouentis,/hinc
starent. 7.359
nec tibi fatales admoueris ante Philippos,
   7.591
'me cum fatalis leto damnauerit hora,
excipite,...bellum ciuile, . . . 9.87
terrarum fatale malum 10.34

FATEOR,-ERI. 'summum, Brute, nefas ciuilia
bella fatemur, ... 2.286
constitit et magno uinci se fassus ab
orbe est; 3.234
nec te sponte tua sceleri parere fateris?
   4.184
ignosce fatenti,/posse pati timeo. 5.777
quos petat e nobis, Mortem mihi coge
fateri. 6.601
tum, Thessala turba fatemur,/ plus Fortuna
potest. 6.614
metiri sua regna decet uiresque fateri.
   8.527
nil ultima mortis/ex habitu uoltuque uiri
mutasse fatentur 8.666
i modo securus ueniae fassusque sepulchrum
/posce caput. 8.784
si scelus est, plus te nobis debere
fateris, ... 9.1031
et sumus, ut fatear, tam saeua iudice
sontes: 10.368

FATIDICUS

FATIDICUS,-A,-UM. quos impiger ambit/fatidica
   Cephisos aqua Cadmeaque Dirce,   3.175
   Delphica fatidici reserat penetralia
   Phoebi. 5.70
   illa pauens.../ fatidicum prima templorum
   in parte resistit 5.147
FATIGO,-ARE. quid numina lassas(fata fatigas)?
                  var.5.695
   flumina tot cursus illic exorta fatigant,
                  6.45
FATILEGUS,-A,-UM. toxica fatilegi carpunt
   matura Saitae. 9.821
FATUM. quod si non aliam uenturo fata Neroni/
   inuenere uiam 1.33
   labores/accedant fatis et quas premit
   aspera classes 1.42
   inuida fatorum series summisque negatum
                  1.70
   credite nec longe fatorum exempla petantur:
                  1.94
   quod si tibi fata dedissent . . . 1.114
   credidimus satis his (fatis), utendum est
   iudice bello.' var.1.227
   addunt stimulos cunctasque pudoris/rumpunt
   fata moras: 1.264
   fataque ferre uidet, nequo languore
   moretur 1.393
   spes saltem trepidas mentes leuet, addita
   fati/peioris manifesta fides, . . 1.523
   tum, qui fata deum secretaque carmina
   seruant 1.599
   his ubi concepit magnorum fata malorum,
                  1.630
   aut, si fata mouent, urbi generique
   paratur/ humano matura lues. . . 1.644
   fatorum inmoto diuisit limite mundum,
                  2.11
   sit caeca futuri/mens hominum fati; 2.15
   oderuntque grauis uiuacia fata senectae
                  2.65
   'non alios' inquit 'motus tum fata parabant
                  2.68
   uir ferus et Romam cupienti perdere fato/
   sufficiens. 2.87
   solacia fati /Carthago Mariusque tulit,
   pariterque iacentes/ignouere deis. 2.91
   pro fata, quis ille,/ quis fuit ille
   ille dies, ... 2.98
   non...piguit.../infantis miseri nascentia
   rumpere fata. 2.107
   mensoque hominis quid fata paterent. 2.133
   inuenit.../fata uirum casusque urbis
   cunctisque timentem 2.240
   sed quo fata trahunt uirtus secura
   sequetur. 2.287
   tempora quamquam/sint aliena toris iam
   fato in bella uocante, ... 2.351
   cum fata Camillis/te, Caesar, magnisque
   uelint miscere Metellis, ... 2.544
   idem per Scythici profugum diuortia ponti
   /indomitum regem Romanaque fata
   morantem/ ad mortem Sulla felicior ire
   coegi. 2.581
   nequid fatis mutare liceret, . . 2.651
   uix fata sinunt; 2.701
   ergo hostes portis, quas omnis soluerat
   urbis/ cum fato conuersa fides, . 2.705
   pelagus iam, Magne, tenebas/non ea fata
   ferens quae cum super aequora toto/
   praedonem sequerere mari: . . . 2.726
   detrahere in cladem fato damnata maritos.

fatisque per illam/accessit mors una
   ratem. 3.196
pro, quanta est gloria genti/iniecisse
   manum fatis   3.242
ausa est.../... et causas, non fata, sequi
                  3.303
Massiliam bellis testatur fata tulisse
                  3.308
sit mens ista quidem cunctis, ut uestra
   recusent/ fata, ... 3.325
tutus, ut, inuictae fatum si consulat
   urbi, ... 3.334
uxor et a caro poscet sibi fata marito,
                  3.353
obuia praebentur fatorum munere bella.
                  3.361
quantum est quod fata tenentur   3.392
omne suum fatis uoluit committere robur
                  3.517
quos eadem uariis genuerunt uiscera fatis:
                  3.604
praebuit ille dies uarii miracula fati.
                  3.634
haeserunt ibi fata diu, luctataque multum
                  3.645
inclinant iam fata ducum, nec iam amplius
   anceps/belli casus erat. 3.752
Martem saeuus agit.../maxima sed fati
   ducibus momenta daturum. 4.3
cetera bello/fata dedit uariis incertus
   motibus aer. 4.49
postquam omnia fatis/Caesaris ire uidet,
                  4.143
pro numine fata sinistro/exigua requie
   tantas augentia clades! 4.195
et dum multa negant, quod solum fata
   petebant, ... 4.203
dum ferrum, incertaque fata,/quique fluat
   multo non derit uolnere sanguis, 4.215
funera! nunc toto fatorum ignarus in
   orbe, ... 4.232
'si me degeneri strauissent fata sub hoste,
                  4.344
nil fata moramur: 4.351
turba haec sua fata peregit. . . 4.361
terras fundendus in omnis/est cruor et
   Caesar per tot sua fata sequendus. 4.392
tum sic attonitam uenturaque fata pauentem
   /rexit magnanima Vulteius uoce cohortem:
                  4.474
nec gloria leti/inferior, iuuenes, admoto
   occurrere fato. 4.480
accersas dum fata manu: 4.484
nescio quod nostris magnum et memorabile
   fatis/exemplum, Fortuna, paras. 4.496
dent fata recessum/emittantque licet,
   uitare instantia nolim. 4.514
quos iam tangit uicinia fati,   4.518
Vulteius iugulo poscens iam fata retecto
                  4.541
sic mutua pacti/fata cadunt iuuenes, 4.557
bella gerat seruetque ducum sibi fata
   priorum, ... 4.662
leti fortuna propinqui/tradiderat fatis
   iuuenem, ... 4.738
ut uero in pedites fatum miserabile belli
   /incubuit, ... 4.769
tollite signa, duces, fatorum inpellite
   cursum, ... 5.41
et Magno fatum patriaeque suumque/

inposuit. 5.48
pro tristia fata! 5.57
siue canit fatum seu, quod iubet ille
canendo, ... 5.92
fit fatum? 5.93
silentia rupis/Appius Hesperii scrutator
ad ultima fati/sollicitat. . . 5.122
farique (fatique)sat est arcana futuri/
carmina var.5.137
uocemque petentia fata/lucantur; 5.180
ex tanta fatorum strage superba/exerpsit
Romana manu, ... 5.185
inter fata diu quaerens tam magna latentem.
                                 5.189
custodes tripodes fatorum arcanaque mundi
/...suprema ruentis/ imperii ... cur
aperire times? 5.198
et adhuc dubitantibus astris/Pompei
damnare caput tot fata tenentur? 5.205
dumque a luce sacra, qua uidit fata,
refertur/ad uolgare iubar . . . 5.219
cum prope fatorum tantos per prospera
cursus/auertere dei. 5.239
sit praeter gladios aliquod sub Caesare
fatum. 5.283
nos fatum sciat esse suum. . . . 5.293
fata sed in praeceps solitus demittere
Caesar 5.301
uadite meque meis ad bella relinquite
fatis. 5.325
ut uestrae morti uestraeque saluti/fata
uacent: 5.342
quid superos et fata tenes? . . . 5.482
pereuntia tempora fati/conqueror, 5.490
ne cessa praebere deo tua fata uolenti
                                 5.536
credit iam digna pericula Caesar/ fatis
esse suis. 5.654
licet ingentis abruperit actus/festinata
dies fatis, sat magna peregi. . . 5.660
aut quae nos uiles animas in fata
relinquens/inuitis spargenda dabas tua
membra procellis? 5.683
nullusne tuorum/emeruit comitum fatis non
posse superstes 5.688
quid numina lassas(fata fatigas)?
                             var.5.695
sufficit ad fatum belli fauor iste
laborque/Fortunae, ... 5.696
sub ictu/ fortunae quo mundus erat
Romanaque fata, ... 5.730
iuuat.../indulgere morae et tempus
subducere fatis. 5.733
sitque mihi, si fata prement uictorque
cruentus,/ quo fugisse uelim,' . . 5.758
'nil mihi de fatis thalami superisque
relictum est,/ Magne, queri: . . . 5.762
adde quod adsuescis fatis tantumque
dolorem,/ crudelis, me ferre doces. 5.776
et puppem quae fata feret tam laeta
timebo. 5.781
Martemque secundum/iam nisi de genero
fatis debere recusat. 6.5
placet alea fati/alterutrum mersura caput.
                                 6.7
iam magis atque magis praeceps agit omnia
fatum, ... 6.98
an similem uestri segnemque ad fata
putatis? 6.244
inque ipse pauendo/fata ruit. . . 6.299
pro tristia fata! 6.305

exire e mediis potuit Pharsalia fatis.
                                 6.313
contigit Emathiam, bello quam fata
parabant. 6.332
hac ubi damnata fatis tellure locarunt/
castra duces, ... 6.413
palam est, propius iam fata moueri. 6.416
qui stimulante metu fati praenoscere
cursus, ... 6.423
nec quaesisse libet.../... quis noscere
fibra/fata queat, ... 6.428
dura in praecordia fluxit/non fatis
adductus amor, ... 6.453
fatis debentibus annos/mors inuita subit;
                                 6.530
'o decus Haemonidum, populis quae pandere
fata/quaeque suo uentura potes deuertere
cursu, ... 6.590
dignum, quod quaerere cures/uel tibi,
quo tanti praeponderet alea fati.' 6.603
Thessalis, et contra 'si fata minora
moueres,/pronum erat, o iuuenis, 6.605
atque omnia fata laborant/si quicquam
mutare uelis, ... 6.612
fata peremptorum pendent iam multa uirorum,
                                 6.632
quamuis Thessala uates/uim faciat fatis,
                                 6.652
miratur Erictho/has fatis licuisse moras,
                                 6.726
da uocem qua mecum fata loquantur.' 6.774
quid fata pararent/hi fecere palam. 6.783
maior Carthaginis hostis/non seruituri
maeret Cato fata nepotis: . . . 6.790
tu fatum ne quaere tuum: . . . 6.812
sic postquam fata peregit,/stat uoltu
maestus tacito 6.820
nequeunt animam sibi reddere fata/
consumpto iam iure semel. . . . 6.823
donassent utinam superi patriaeque tibique
/unum, Magne, diem, quo fati certus
uterque/extremum tanti fructum raperetis
amores. 7.31
hoc scelus haud umquam fatis haerere
putauit, ... 7.35
turba/ castrorum fremuit fatisque
trahentibus orbem/signa petit pugnae. 7.46
sua quisque ac publica fata/praecipitare
cupit; 7.51
quo tibi feruor abit aut quo fiducia
fati? 7.75
sensitque deorum/esse dolos et fata suae
contraria menti. 7.86
si milite Magno,/ non duce tempus eget,
nil ultra fata morabor: 7.88
multorum pallor in ore/mortis uenturae
faciesque simillima fato. 7.130
aduenisse diem qui fatum rebus in aeuum
/conderet humanis, ... 7.131
o summos hominum.../... quorum fatis
caelum omne uacauit! 7.206
attonitique omnes ueluti uenientia fata,
/non transmissa, legent 7.212
uidit/casuram et fatis sensit nutare
ruinam, ... 7.244
mens stetit in dubio, quam nec sua fata
timere/nec Magni sperare sinunt. 7.247
nil opus est uotis, iam fatum accersite
ferro. 7.252
haec, fato quae teste probet, quis iustius
arma/sumpserit; 7.259

FATUM

sed mea fata moror, qui uos in tela
furentis/uocibus his teneo.   7.295
permittuntque omnia fatis.   7.333
praecipitare meam fatis potuere senectam:
                                   7.353
non iratorum (fatorum) populis urbique
deorum est/ Pompeium seruare ducem.
                              var.7.354
si Curios his fata darent reducesque
Camillos/temporibus.../hinc starent. 7.358
ultima fata/ deprecor ac turpes extremi
cardinis annos, ... 7.380
pro tristia fata! 7.411
quae latius orbem/possedit, citius per
prospera fata cucurrit? 7.420
sed retro tua fata tulit par omnibus
annis/ Emathiae funesta dies. . . 7.426
felices Arabes... Eoaque tellus/quam sub
perpetuis tenuerunt fata tyrannis. 7.443
ut rapido cursu fati suprema morantem
/consumpsere locum,.../quo sua pila
cadant.../... spectant. 7.460
quo sua pila cadant aut quam sibi fata
minentur/inde manum, spectant. . . 7.463
sed sensum post fata tuae dent, Crastine,
morti, ... 7.471
Fortuna.../ abstulit ingentis fato
torrente ruinas. 7.505
fatis datus est pro Caesare cursus. 7.544
egressus meruit fatis tam nobile letum.
                                   7.595
mors tamen eminuit.../ pugnacis Domiti,
quem clades fata per omnis/ducebant: 7.600
'non te funesta scelerum mercede potitum/
sed dubium fati, Caesar,   7.611
ac singula fata sequentem/quaerere
letiferum per cuius uiscera uolnus/exierit,
                                   7.618
illic per fata uirorum,/ per populos
hic Roma perit; 7.633
iam Magnus transisse deos Romanaque fata
/senserat infelix, ... 7.647
tot telis sua fata peti, tot corpora fusa
/... uidit. 7.652
coniunx/est mihi, sunt nati: dedimus tot
pignora fatis. 7.662
cateruas/circumit et reuocat matura in
fata ruentis 7.668
sed tu quoque, coniunx/ causa fugae
uoltusque tui fatisque negatum/parte
apsente mori. 7.676
tum Magnum concitus aufert/a bello sonipes
.../ ingentisque animos extrema in fata
ferentem. 7.679
iam pondere fati/deposito securus abis;
                                   7.686
crede deis, longo fatorum crede fauori,
                                   7.705
uidit prima ...Larisa.../nobile nec uictum
fatis caput. 7.713
cunctas inpellere gentes/rursus in arma
potes rursusque in fata redire.   7.719
Thessalia,...quo tantum crimine,.../
laesisti superos, ut te.../tot scelerum
fatis premerent? 7.849
seque, memor fati, tantae mercedis habere
/credit adhuc iugulum, ...   8.10
non patitur tutis fatum celare latebris
/clara uiri facies. 8.13
Fortuna.../... tanto pondere famae/res
premit aduersas fatisque prioribus urguet.

quisquamne secundis/tradere se fatis
audet nisi morte parata? 8.32
quaerere nec quicquam de fato coniugis
audes. 8.49
non ultra gemitus tacitos incessere fatum
/permisere sibi, ... 8.64
prohibet succumbere fatis/Magnus   8.70
et tua cum fatis pietas decertet, 8.77
noto reparandum est litore fatum. 8.120
fata mihi totum mea sunt agitanda per
orbem. 8.138
stantis adhuc fati uixit quasi coniuge
uicto. 8.158
nam neque deiecto fatis acieque
fugato/abstulerat Magno reges fortuna
ministros: 8.206
ne pigeat Magno quaerentem fata remotas/
Medorum penetrare domos 8.215
nec sic mea fata premuntur/ut nequeam
releuare caput 8.267
uolnera parua nocent fatumque in sanguine
summo est. 8.305
fatis nimis aemula nostris/fata mouent
Medos, ... 8.307
fatis nimis aemula nostris/fata mouent
Medos, ... 8.308
sed, cuncta reuoluens /uitae fata meae,
semper uenerabilis illa/orbis parte fui,
                                   8.317
una dies mundi damnauit fata? . . 8.332
te.../ deiectum fatis, humilem
fractumque uidebit 8.344
nil animis fatisque tuis effabere dignum:
                                   8.347
qui solus regum fato celante fauorem/
defuit Emathiae, ...   8.359
aut iungere fata/tecum, Magne, uolet?
                                   8.361
ceu pridem debita fatis/Assyriis trahitur
cladis captiua uetustae. 8.415
fatis accede deisque, ... 8.486
cur sola cadenti/ haec placuit tellus,
in quam Pharsalica fata/conferres
poenasque tuas? 8.516
hoc ferrum, quod fata iubent proferre,
paraui /non tibi, sed uicto; . . 8.520
nunc uictoris opes et cognita fata
lacessis? 8.533
sic fata premunt ciuilia mundum?   8.544
quod nisi fatorum leges .../.../damnatum
leto traherent ad litora Magnum,/ non
ulli comitum sceleris praesagia derant:
                                   8.568
sed cedit fatis classemque relinquere
iussus/obsequitur, ...   8.575
fata tibi longae fluxerunt prospera uitae:
                                   8.625
ne cede pudori/auctoremque dole fati:
                                   8.628
nullis absterrita fatis/uictum,...recepi.
                                   8.649
te fata extrema petente/uita digna fui?
                                   8.652
o saeui, properantem in fata
tenetis? 8.658
o summi fata pudoris! 8.678
hac Fortuna fide Magni tam prospera fata
/pertulit, ...   8.701
siquid sensus post fata relictumst, /cedis
et ipsa rogo paterisque haec damna

FATUM

sepulchri, ... 8.749
iniuria fati/ hoc fas esse iubet; 8.763
noxia ciuili tellus Aegyptia fato, 8.823
quaecumque iniuria fati/abstulit hos
artus, superis haec crimina dono: 9.143
et mihi, si fatis aliena in iura uenimus,/
fac talem, Fortuna, Iubam; . . . 9.212
te solum in bella secutus/post te fata
sequar; 9.243
o famuli turpes, domini post fata prioris/
itis ad heredem. 9.274
dubioque obnoxia fato/pars sedet una ratis,
9.336
fatoque pericula uestra/praetemptate meo.
9.397
inuasit Libye securi fata Catonis. 9.410
cornigerique Iouis monitu noua fata
petebant; 9.545
inquire in fata nefandi/Caesaris 9.558
morsu uirus habent et fatum dente
minantur, ... 9.615
rapuit dubitantia fata/praeuenitque metus;
9.639
nec uobis opus est ad noxia fata ueneno.
9.733
Cato.../ emetitur iter, tot tristia fata
suorum/... uidens 9.735
fatique minorem/famam dipsas habet terris
adiuta perustis. 9.753
nec sentit fatique genus mortemque ueneni,
9.758
nulla manere sinunt rapidi uestigia fati.
9.786
nil ibi uirus agit: rapuit cum uolnere
fatum. 9.825
quis fata putarit/scorpion aut uires
maturae mortis habere? . . . 9.833
sed corpora fatis/expositi uoluuntur humo,
9.842
patimur cur segnia fata / in gladios
iurata manus? 9.849
solacia fati/ haec petimus: . . . 9.878
omnibus unus adest fatis; 9.884
at, siquis peste diurna/fata trahit, tunc
sunt magicae miracula gentis . . 9.923
aut minimum patiuntur fata tacere. 9.929
omnia fato /eripis 9.980
dignumque clientem/castris crede tuis cui
tantum fata licere/in generum uoluere
tuum. 9.1025
o sors durissima fati! 9.1046
pugnauit fortuna ducis fatumque nocentis
/Aegypti, ... 10.3
illic Pellaei proles uaesana Philippi,/
felix praedo, iacet, terrarum uindice
fato/raptus: 10.21
et regni durauit ad ultima fatum. 10.24
perque Asiae populos fatis urguentibus
actus/humana cum strage ruit 10.30
nulloque herede relicto/totius fati
lacerandas praebuit urbes. . . . 10.45
exul in aeternum sceptris depulsa
paternis/ni tua restituit ueteri me
dextera fato, ... 10.88
iam tibi, sed procul hoc auertant fata,
minantur. 10.101
procul hoc auertite, fata,/ crimen, 10.341
struit audax inrita fatis 10.344
ad scelus ingentis fati sumus. 10.384
ubi non ciuilia bella/inuenit imperii
fatum miserabile nostri? 10.411

et nisi fata manus a sanguine Caesaris
arcent/hae uincent partes. 10.420
metuunt.../ ne caedes confusa manu
permissaque fatis/te, Ptolemaee, trahat.
10.426
fatumque sibi promisit iniquum, 10.452
fata uetant, murique uicem Fortuna tuetur.
10.485
non fatum meriti poenasque Pothini /
distulit ulterius. 10.515

FATUR v. FOR.

FAUEO,-ERE. Roma, faue coeptis. 1.200
nec, si fortuna fauebit, 2.320
solitoque magis fauere secundi/et ueniam
meruere dei. 4.122
qua stetit inde fauet; 4.708
qualis erat populi facies clamorque
fauentis/olim, ... 7.13
legent et adhuc tibi, Magne, fauebunt.
7.213
Roma, faue coeptis; 8.322
conposita in mortem iacuit fauitque
procellis. 9.116

FAUILLA. sic fatus ab alto/aggere iam tepidae
sublato fune fauillae/
scintillam tenuem commotos pauit in ignes,
5.524
uestesque fluentis/colligit in cineres et
olentis membra fauillas. . . . 6.537
sic fatus plenusque sinus ardente fauilla
/peruolat ad truncum, ... 8.752
at non in Pharia manes iacuere fauilla
9.1
'ergo indigna fui',.../...ossibus et tepida
uestes inplere fauilla, 9.60

FAUOR. successus urguere suos, instare
fauori / numinis, ... 1.148
sectorque fauoris/ipse sui populus 1.178
non ille fauore/numinis, ingenti superum
protectus ab ira, ... 2.85
tunc urbes Latii dubiae uarioque fauore/
ancipites, ... 2.447
gnarus et irarum causas et summa fauoris
/annona momenta trahi. 3.55
pugnaces dubium Parthi tenuere fauorem
3.265
sollicitus menti quod abest fauor: 4.399
sufficit ad fatum belli fauor iste
laborque /Fortunae, ... 5.696
crede deis, longo fatorum crede fauori,
7.705
nunc tibi uera fides quaesiti, Magne,
fauoris/contigit ac fructus: . . . 7.726
ne...pellatque quies nocturna pauorem
(fauorem), /protinus hostili statuit
succedere uallo, var.7.732
sed poenas longi Fortuna fauoris/exigit a
misero, ... 8.21
omnia uictoris possunt sperare fauorem,
8.117
qui solus regum fato celante fauorem/
defuit Emathiae, ... 8.359
partesque fauore/fecimus. . . . 9.228
non in soceri generique fauorem/discedunt
populi; 10.417

FAUSTUS,-A,-UM. non omina festa (fausta)/...
/uix odisse uacat. var.3.101
felici non fausta loco tentoria ponens
4.663

FAUUS. atque oblita faui non miscent
nexibus alas 9.286

FAUX

FAUX. nullus semel ore receptus/pollutas
patitur sanguis mansuescere fauces.
    1.332

hic laqueo fauces elisaque guttura fregit,
    2.154

nec tamen hoc artis inmissum faucibus
aequor/portus erat, ... 2.616
hic recipit fluctus, extinguat ut aequore
flammas(fauces), ... var.3.687
uox faucis nulla solutas/prosequitur,
    3.738

quibus hoste potito/faucibus emitti
terrarum in deuia Martem/inque feras
gentes Caesar uidet. 4.161
admonitaeque tument gustato sanguine
fauces; 4.241
tunc inrita pestis/exprimitur faucesque
fluunt pereunte ueneno. 4.729
seu spiritus istas/destituit fauces
    5.133

cetera suppressit faucesque obstruxit
Apollo. 5.197
qua maris angustat fauces saxosa Carystos
    5.232

quaeque per abrasas utero demittere
fauces,/.../ diripiens miles saturum
tamen obsidet hostem. 6.115
fulmineum mediis excepit faucibus ensem.
    6.239

morsusque luporum/expectat siccis raptura
e faucibus artus. 6.553
non Taenariis sic faucibus aer/sedit
iners, ... 6.648
pudet.../quaerere.../ore quis aduerso
demissum faucibus ensem/expulerit
... anima, ... 7.621
iam super Herculeas fauces nemorosaque
Tempe/.../ cornipedem.../Magnus agens
incerta fugae uestigia turbat 8.1
squalebant puluere fauces/cunctorum, 9.503
illis e faucibus angues/stridula fuderunt
uibratis sibila linguis. . . . 9.630
Threiciasque legit fauces . . . 9.954
abstulit excursus et fauces aequoris
hosti/Caesar 10.513

FAX. ecce, faces belli dubiaeque in proelia
menti/urguentes addunt stimulos 1.262
credas.../corripuisse faces aut iam
quatiente ruina/nutantes pendere domos,
    1.494

uiderunt.../ obliquas per inane faces
crinemque timendi/sideris . . . 1.528
iuuat ignibus atris/inseruisse manus
constructoque aggere busti/ipsum atras
tenuisse faces, ... 2.301
non.../ legitimaeque faces, gradibusque
adclinis eburnis/stat torus . . 2.356
arsuras in tecta faces sociusque furoris
    2.542
multifidas iaculata faces. . . 2.687
excepisse faces tectis et tela parati,
    3.344

nocturni texere faces, audaxque iuuentus
    3.499

Tarpeia sede perusta/Gallorum facibus
Veiosque habitante Camillo/illic Roma
fuit. 5.28
nostros non rumpit funus amores/nec diri
fax summa rogi, ... 5.764
ardentiaque ossa/e mediis rapit illa rogis
ipsamque parentes/quam tenuere facem,

FELIX
    6.535

aether /.../ aduersasque faces inmensoque
igne columnas/... /detulit . . . 7.155
inde faces et saxa uolant spatioque
solutae/aeris ...glandes; . . . 7.512
subicique facem conplexa maritum/imperat,
    8.740

FECUNDUS,-A,-UM. fecunda uirorum/paupertas
fugitur 1.165
alios fecunda penates/inpletura datur
geminas et sanguine matris/permixtura
domos; 2.331
stant gemini fratres, fecundae gloria
matris, ... 3.603
semina fecundae segetis calcata perussit
    6.521

illa tamen sterilis tellus fecundaque
nulli/arua bono uirus.../concipiunt 9.696
at fecunda Venus cunctarum semina rerum
/possidet; 10.208
ambitur nigris Meroe fecunda colonis,
    10.303

FELICITER. caeca nocte carinis/insiluit
Caesar semper feliciter usus/praecipiti
cursu bellorum, ... 10.507
FELIX. per signa decem felicia castris
/... iuro 1.374
certe populi quos despicit Arctos/felices
errore suo, ... 1.459
consul et euersa felix moriturus in urbe
/poenas ante dabat scelerum. . . . 2.74
hisne salus rerum, felix his Sulla uocari,
/... meruit 2.221
ad mortem Sulla felicior ire coegi. 2.582
desertus Orontes/et felix, sic fama,
Ninos, uentosa Damascos 3.215
acciperet felix ne non semel omnia Caesar,
    3.296
numquam felicibus armis/usa manus, 3.338
nec enim felicibus armis/misceri damnata
decet, ... 4.359
felix qui potuit mundi nutante ruina/
quo iaceat iam scire loco. . . . 4.393
sic proelia soli/felices nullo spectant
ciuilia uoto. 4.401
agnoscere solis/permissum,.../felix esse
mori.' 4.520
felici non fausta loco tentoria ponens
    4.663

felix Roma quidem ciuisque habitura beatos,
    4.807

turpe duci uisum.../... portu...teneri/dum
pateat tutum uel non felicibus aequor.
    5.411

rumpite quae retinent felices uincula
proras: 5.422
nec dominus rerum, sed felix naufragus
esses?' 5.699
peterem felicior umbras/Caesaris in uoltu:
    6.158

nulla fuit non certa manus, non lancea
felix; 6.190
felix hoc nomine famae,/si tibi durus
Hiber... terga dedisset 6.257
felix ac libera regum,/ Roma, fores 6.301
tristis felicibus umbris/uoltus erat:6.784
at nox felicis Magno pars ultima uitae/
sollicitos uana decepit imagine
somnos, ... 7.7
o felix, si te uel sic tua Roma uideret!
    7.29

FELIX

felices Arabes Medique Eoaque tellus,
7.442
quo pectore Romam/intrabit factus campis
felicior istis? 7.702
felix se nescit amari. 7.727
mallem felicibus armis/dependisse caput:
8.100
ne nostram uideare fidem felixque secutus
/et damnasse miser.' 8.126
heu nimium felix aeterno nomine Lesbos,
8.139
quas magis in terras nostrum felicibus
actis/nomen abit, ... 8.320
et cole felices, miseros fuge. . . 8.487
sum tamen, o superi, felix, nullique
potestas/hoc auferre deo. . . . 8.630
Pompeius... fuit.../... felix nullo
turbante deorum 8.706
'quaecumque es',...nec ulli/cara tuo sed
Pompeio felicior umbra,/.../da ueniam:
8.747
ueniet felicior aetas 8.869
elapsus felix de pectore Magnus: 9.80
'o felix, quem sors alias dispersit in oras
9.126
o felix, cui summa dies fuit obuia uicto
9.208
date felices in cetera cursus, 9.997
caruere deis mea uota secundis/ ut te
conplexus positis felicibus armis 9.1099
illic Pellaei proles uaesana Philippi,/
felix praedo, iacet, ... 10.21
non felix Parthia Crassis/exiguae secura
fuit prouincia Pellae. 10.51
FEMINA. 'nobile cur robur fortunae uolnere
primo/ femina tantorum titulis insignis
auorum/frangis? 8.73
non urbes prima tenebo/femina Niliacas:
10.91
ceu puer inbellis uel captis femina muris,/
quaerit tuta domus; 10.458
FEMINEUS,-A,-UM. lacerasset crine soluto/
pectora femineum ceu Bruti funere uolgus.
7.39
tot femineis conplexibus unum/non lassat
nox tota marem. 8.403
femineae cui more comae per terga
solutae/surgunt aduersa subrectae fronte
colubrae 9.632
FEMUR. femorum quoque musculus omnis/liquitur,
9.771
FENUS. hinc usura uorax auidumque in tempora
fenus 1.181
FERA. accipimus, siluisque feras sub nocte
relictis/audaces media posuisse cubilia
Roma. 1.559
nec populum latebrae cepere ferarum. 2.153
nouerat, et saxis tantum uolucresque
feraeque/sculptaque seruabant magicas
animalia linguas.) 3.223
metuunt.../et lustris recubare ferae;3.408
absorpsit penitus rupes ac tecta ferarum
/detulit 4.100
sic, ubi desuetae siluis in carcere clauso
/mansueuere ferae et uoltus posuere
minaces 4.238
rituque ferarum/distentas siccant pecudes,
4.313
hos licet in fluuios saniem tabemque
ferarum,/... infundas 4.321
ad somnos non terga ferae praebere cubile/

FERIO

adsuerunt, ... 4.603
feras indagine claudit. 6.42
citraque cruorem/confixae stant tela
ferae: 6.212
quodcumque iacet nuda tellure cadauer/
ante feras uolucresque sedet; 6.551
quod strident ululantque ferae, quod
sibilat anguis; 6.690
non omnis populus.../ inque feras
discerptus abit; 7.842
num barbara nobis/est ignota Venus, quae
ritu caeca ferarum/polluit innumeris leges
et foedera taedae/coniugibus? 8.398
Septimius.../... inmanis uiolentus atrox
nullaque ferarum/mitior in caedes. 8.599
ne fera, ne uolucres, ne saeui Caesaris
ira/audeat, exiguam... accipe flammam
8.765
in scopulis haesere ferae, . . . 9.650
epulasque daturum/haud inpune feris
.../... cadauer 9.803
multas uolucresque ferasque/Aegypti
posuere deos, ... 10.158
sic fremit in paruis fera nobilis abdita
claustris 10.445
non cruce, non flammis rapuit, non dente
ferarum: 10.517
FERALIS,-E. in turbam missi feralia
foedera regni. 1.86
sanguinis et diro ferales omine taedas
/abstulit... Iulia 1.112
palluit attonitus sacris feralibus Arruns
1.616
ubi concipiunt quantis sit cladibus orbi
/constatura fides superum, ferale per
urbem/iustitium; 2.17
ne tantum, o superi, liceat feralibus
armis,/ has etiam mouisse manus. 2.260
(ut primum tolli feralia uiderat arma,
2.374
primus...saxis/Thessalicus sonipes, bellis
feralibus omen,/exiluit, . . . 6.397
nouerat et tristis sacris feralibus aras,
6.432
sensuraque saxa canentes/arcanum ferale
magos. 6.440
illi namque nefas urbis summittere tecto/
aut laribus ferale caput, . . . 6.511
feralis fragmenta tori uestesque fluentis
/colligit in cineres 6.536
nec membris sole perustis/auribus incertum
feralis strideat umbra.' . . . 6.623
inserto laqueis feralibus unco/ per
scopulos miserum trahitur... cadauer 6.638
cedant feralia nomina Cannae/et damnata
diu Romanis Allia fastis. . . . 7.408
nulla loci facies reuocat feralibus
aruis/haerentis oculos. 7.788
non... petit.../Pompeius.../praeferat ut
ueteres feralis pompa triumphos, 8.733
cum poscere finem/a superis aut Roma
uolet feralibus Austris/.../consilio
iussuque deum transibis in urbem, 8.847
sic ubi fata, caput ferali obduxit amictu
9.109
Cleopatra.../.../dedecus Aegypti, Latii
feralis Erinys, ... 10.59
FERAX. tunc Vmbris Marsisque ferax domitusque
Sabello/uomere, ... 2.430
FERIO,-IRE. uotisque uocari/adsuetas crebris
feriunt ululatibus aures. . . . 2.33

saeue parens, utrasque simul partesque
ducesque,/dum nondum meruere, feri.   2.60
auolsae cecidere manus exsectaque lingua
/palpitat et muto uacuum ferit aera motu.
2.182
qui ferit Hesperius post omnia flumina
Baetis, ... 2.589
si robora sacra ferirent, ... 3.430
inpia turba super medios ferit ense
lacertos. 3.666
uiuentis feriere loco.' 3.721
dum feriunt, odere suos, animosque
labantis/ confirmant ictu. . . . 4.249
qua maris Hadriaci longas ferit unda
Salonas 4.404
hoc ferit et taciti praebet miracula
cursus, ... 4.425
cum feriat moriente manu. 4.560
pietas ferientibus una/non repetisse fuit.
4.565
membrorumque uidet lapsum et ferientia
terram/corpora: 4.786
humanam feriens animam sonat oraque uatis
/soluit, ... 5.98
non... liceat.../... non anima galeam
fugiente ferire 5.279
infidumque caput feriendaque tendite colla.
5.361
tiro rudis, specta poenas et disce ferire,
5.363
puppem dubius ferit undique pontus. 5.570
si murmura ponti /consulimus, Cori ueniet
(feriet) mare. var.5.572
feriat dum maesta remotas/fama procul
terras, ... 5.774
nec.../mare lassatur, cum se tollentibus
Euris/frangentem fluctus scopulum ferit
6.266
ferit amne citato/Maliacas Spercheos aquas,
6.366
et subito feriere die. 6.744
prima uelim caput hoc funesti lancea
belli/si sine momento rerum.../ casurum
est, feriat; 7.119
Cassius hoc potius feriet caput?   7.451
totque per arma /extremum est quod quisque
ferit. 7.501
scit.../... libertas ultima mundi/quo
steterit ferienda loco. 7.581
pluraque ruricolis feriuntur dentibus ossa.
7.859
feriam tua uiscera, Magne, . . . 8.521
quacumque feriris,/crede manum soceri.
8.628
litora Pompeium feriunt, ... 8.698
interrupta profundo/terra ferit puppes,
9.336
me calor aetherius feriat, . . . 9.396
quam protinus ille retecto/ense ferit
totoque semel demittit ab armo,   9.831
arcani miles tibi conscius orbis/claustra
ferit mundi. 9.865
terga damus ferienda Noto; . . . 9.877
adsiduo feriunt coguntque resistere fluctu:
10.245
Aethiopumque feris alieno gurgite campos,
10.293
linea tam rectum mundi ferit illa Leonem.
10.306
tantum animi delicta dabant, ut colla
ferire/Caesaris ... iuberet;   10.347

FERO,-RE. fert animus causas tantarum
expromere rerum, ... 1.67
nec se Roma ferens. 1.72
nec quemquam iam ferre potest Caesarue
priorem 1.125
ferre manum et numquam temerando parcere
ferro, ... 1.147
quo fertis mea signa, uiri? . . 1.191
inde moras soluit belli tumidumque per
amnem/signa tulit propere: . . . 1.205
gentesque subactas/uix inpune feres.
1.289
fataque ferre uidet, nequo languore
moretur 1.393
mitis Atax Latias gaudet non ferre carinas
1.403
uentus ab extremo pelagus sic axe
uolutet/destituatque ferens, . . 1.413
qua Rhodanus raptum uelocibus undis/
in mare fert Ararim, ... 1.434
ipsum omnes aquilas conlataque signa
ferentem 1.477
incerti, quo quemque fugae tulit impetus
urguent 1.491
ipse caput medio Titan cum ferret Olympo
1.540
nec tulit in caelum flammas . . . 1.546
cur signa meatus/deseruere suos mundoque
obscura feruntur, ... 1.664
'quo feror, o Paean? 1.678
quo diuersa feror? 1.683
dubiam super aequora Syrtim/ arentemque
feror Libyen, ... 1.687
et saecula iussa ferentem/fatorum inmoto
diuisit limite mundum, ... 2.10
fertque refertque uices et habet mortalia
casus, ... 2.13
solacia fati/Carthago Mariusque tulit,
2.92
Antoni, cuius laceris pendentia canis/ora
ferens miles festae rorantia mensae/
inposuit. 2.123
aut Collina tulit stratas quot porta
cateruas, ... 2.135
nec pila lacertis/missa tuis caeca telorum
in nube ferentur: 2.262
ferre iuuat patriis libertatemque tueri
2.282
inmites Romana piacula diui/plena ferant,
nullo fraudemus sanguine bellum.   2.305
subrepsit partemque tulit sibi nata
uoluptas. 2.391
dubiamque fidem fortuna ferebat.   2.461
atque omnes trahe, gurges, aquas, ut
spumeus alnos/discussa conpage feras.
2.487
di melius, belli tulimus quod damna
priores: 2.537
qui cum signa tuli toto fulgentia ponto,
2.576
hinc late patet omne fretum,seu uela
ferantur/in partus, ... 2.622
bella feres totoque urbes agitabis in orbe
2.643
iam coeperat ultima Virgo/Phoebum laturas
ortu praecedere Chelas, ... 2.692
pelagus iam, Magne, tenebas/non ea fata
ferens 2.726
queritur quod tuta per aequor/terga ferant
hostes. 3.50
effusi magnum Libye tulit imbribus

annum. 3.70
nullasque feres nisi sanguine sacro/
sparsas, raptor, opes. 3.124
non feret e nostro sceleratus praemia
miles: 3.130
nec fabula Troiae/continuit Phrygiique
ferens se Caesar Iuli. 3.213
quaque ferens rapidum diuiso gurgite
fontem/uastis Indus aquis mixtum non
sentit Hydaspen; 3.235
Massiliam bellis testatur fata tulisse
                                    3.308
iam fama ferebat/saepe cauas motu terrae
mugire cauernas, ... 3.417
utque satis caesi nemoris, quaesita per
agros/plaustra ferunt, ... 3.451
arma ferunt, galeamque extensus protegit
umbo, ... 3.476
per Romana tulit celeri munimina cursu.
                                    3.502
quod tulit illa ratis remis, haec rettulit
aequor. 3.552
hac cum parte uiri uix omnia membra
tulerunt. 3.646
non pabula mersi/ulla ferunt sulci; 4.91
signa ferat, cessa; 4.187
ibitis ad dominum damnataque signa
feretis, ... 4.217
quae fortuna deorum/inuidia caeca bellorum
in nocte tulisset, ... 4.244
tandemque coactus /spe posita damnare
fugam casurus in hostes/fertur. 4.271
decet, partemque triumphi /captos ferre
tui: 4.361
quod nec uela ferat nec apertas uerberet
undas. 4.426
huc fractas Aquilone rates summersaque
pontus/corpora saepe tulit caecisque
abscondit in antris; 4.458
latuisse sub alta/rupe ferunt, epulas
raptos habuisse leones; 4.602
uidet exhaustos sudoribus artus/
ceruicemque uiri, siccam cum ferret
Olympum. 4.639
non tam laeta tulit uictor spectacula
Maurus 4.784
ferat ista cruentus/Hannibal et Poeni tam
dira piacula manes. 4.789
non tulit adflictis animam producere
rebus 4.796
has urbi miserae uestro de sanguine poenas
/ferre datis, ... 4.806
haut alium tanta ciuem tulit indole Roma
                                    4.814
postquam /ambitus et luxus et opum
metuenda facultas/transuerso mentem dubiam
torrente tulerunt, ... 4.818
si fortuna ferat, rerum nos summa sequetur
                                    5.26
contactumque ferens hominis, magnusque
potensque, ... 5.91
bacchatur demens aliena per antrum/
colla ferens, ... 5.170
iratum te, Phoebe, ferens. . . . 5.174
uictrices aquilas alium laturus in orbem,
                                    5.238
utinam.../incumbatque furens (ferens) et
Graia ad moenia perflet, . . . var.5.419
Caesaris... mentem/ferre moras
scelerum partes iussere relictae. 5.477
inportunamue fereris/pauperiem deflens

inopem duxisse senectam. 5.535
concordesque tulit radios: 5.542
tum lurida pallens/ora tulit uoltu sub
nubem tristis ituro. 5.550
turbo rapax fragilemque super uolitantia
malum/uela tulit; 5.596
nam priua procellis/aequora rapta ferunt;
                                    5.613
iussa plebe tuli fasces per bella negatos;
                                    5.663
'quo te, dure, tulit uirtus temeraria,
Caesar, ... 5.682
adde quod adsuescis fatis tantumque
dolorem,/crudelis, me ferre doces. 5.777
et puppem quae fata feret tam laeta
timebo. 5.781
durata iam mente malis firmaque tulerunt.
                                    5.798
fertur ad aequoreas, ac se prosternit,
harenas, ... 5.800
petit... horam/in casum quae cuncta
ferat; 6.7
aduectos cum plena ferant praesepia
culmos, ... 6.85
fessumque caput se ferre recusat. 6.97
qui uolnera ferrent/iam derant, 6.133
densamque ferens in pectore siluam/iam
gradibus fessis, ... 6.205
membraque captiui pariter laturus et arma
/fulmineum mediis excepit faucibus ensem.
                                    6.238
ubi quondam Pentheos exul/ colla caputque
ferens supremo tradidit igni . . 6.358
ad dubios pauci praesumpto robore casus/
spemque metumque ferunt. 6.419
puppemque ferentes/in uentum tumuere sinus.
                                    6.471
mens... parata est / certos ferre metus:
                                    6.597
dum ferrent tutos intra tentoria gressus,
                                    6.829
uaticinata quies magni tulit omina
planctus, ... 7.22
undique funestas acies feret, undique
bellum. 7.27
flebunt/sed dum tura ferunt, dum laurea
serta Tonanti. 7.42
quantum scelerum quantumque malorum/
in populos lux ista feret! . . . 7.115
omne malum uicti, quod sors feret ultima
rerum,/omne nefas uictoris erit.' 7.122
non uacat ullos/pro se ferre metus: 7.138
Grais delecta iuuentus /gymnasiis aderit
studioque ignaua palaestrae/et uix arma
ferens, ... 7.272
barbaries, non illa tubas, non agmine
moto/clamorem latura suum. . . . 7.274
uincat.../ quique suos ciues, quod signa
aduersa tulerunt,/non credit fecisse
nefas. 7.314
Mars iste.../... populos aeui uenientis in
orbem/erepto natale feret. . . . 7.391
moeniaque in praeceps laturos plena
tremores/hi possunt explere uiri, 7.414
sed retro tua fata tulit par omnibus annis
/Emathiae funesta dies. 7.426
ex populis qui regna ferunt sors ultima
nostra est, ... 7.444
inspicit.../quis contenta ferat, quis
praestet bella iubenti, ... 7.563
maius ab hac acie quam quod sua saecula

FERO

ferrent/uolnus habent populi;   7.638
tum Magnum concitus aufert/a bello
sonipes.../ingentisque animos extrema in
fata ferentem. 7.679
nuda atque ignota iaceres/si non prima
nefas belli sed sola tulisses. . .   7.868
quid ferat ignoras,   8.51
tu nulla tulisti /bello damna meo: 8.83
Assyrios in castra tuli ciuilia casus,
    8.92
quidquid descendet ab arbore summo/
Arctophylax propiorque mari Cynosura
feretur, ...   8.180
uolgati supra commercia mundi/naufragium
fortuna ferat: 8.313
sat magna feram solacia mortis/orbe iacens
alio, ...   8.314
dignasque tulit modo consule uoces.   8.330
et quo ferre uelint permittere uolnera
uentis. 8.384
rapimur quo cuncta feruntur. . . .   8.522
Pompei diro sacrum caput ense recidis/ut
non ipse feras? 8.678
ille per umbras/ausus ferre gradum   8.718
petit.../Pompeius,...non pinguis.../ut
ferat e membris Eoos fumus odores,   8.731
summusque feret tua busta sacerdos   8.850
ast illae puppes luctus planctusque
ferebant 9.49
Pompeiumque ferens uanescit solis ad ortus
/fumus, ...   9.76
poenas animae uiuacis ab ipsa/ante feram.
    9.104
medias praeceps tunc fertur in undas.
    9.122
oculos, germane, nocentis/spectato
genitore fero. 9.128
nostra quoque inuiso quisquis feret ora
tyranno/non parua mercede dabit: 9.279
iamque actu belli non doctas ferre quietem
/constituit mentes... agitare . .   9.294
intentusque tulit magni per inania caeli.
    9.473
spoliauerat Auster/ aut Boreas populos
ancilia nostra ferentes. . . .   9.480
saxa tulit penitus discussis proruta muris
    9.490
auxilium uolucri Pallas tulit innuba
fratri   9.665
recto uerbere saeuos/teste tulit caelo
uicti decus Orionis.   9.836
tot monstra ferentem/gentibus ablatum
dederas serpentibus orbem, . . .   9.855
Euxinumque ferens paruo ruat ore Propontis.
    9.960
sed dira satelles/regis dona ferens medium
prouectus in aequor 9.1011
quid plura feram? 9.1029
non tuleram Magnum mecum Romana regentem:
    9.1075
te, Ptolemaee, feram? 9.1076
inde Paraetoniam fertur securus in urbem
    10.9
nullo discrimine sexus/reginam scit ferre
Pharos. 10.92
laqueataque tecta ferebant/diuitias   10.112
passuri comminus arma/laturique ruunt.
    10.439

FEROX.   non tu, Pyrrhe ferox, nec tantis
cladibus auctor   1.30
Marte sub aduerso ruerentque in terga

FERRUM

feroces/Gallorum populi? 1.308
petitis Romam Rhenique feroces/... ripas
    1.464
ora ferox Siculae laxauit Mulciber Aetnae,
    1.545
me domitus cognouit Arabs, me Marte
feroces 2.590
uenere feroces/Cappadoces, . . .   3.243
fluuiique ferocis/incrementa timens   4.138
addidit ira ferox moturas proelia uoces.
    4.211
non sonipes in bella ferox, non iret in
aequor 4.225
paulatim cadit ira ferox mentesque
tepescunt, ...   4.284
stabat deuota iuuentus/damnata iam luce
ferox securaque pugnae/promisso sibi fine
manu, ...   4.534
nec tam iusta fuit terrarum gloria
Typhon/aut Tityos Briareusque ferox;   4.596
fraudibus euentum dederat fortuna,
feroxque /non exploratis occulti uiribus
hostis /Curio nocturnum castris erumpere
cogit. 4.730
ius licet in iugulos nostros sibi fecerit
ensis/Sulla potens Mariusque ferox et
Cinna cruentus 4.822
illa feroces/torquet adhuc oculos   5.211
Rhoece ferox, quas uix Boreas inuerteret
ornos, ...   6.390
ite feroces/Caesaris in iugulum;   10.393

FERREUS,-A,-UM.   pax missa per orbem/ferrea
belligeri conpescat limina Iani.   1.62
ferrea dum puppi rapidos manus inserit
uncos/adfixit Lycidan. 3.635

FERRUM.   quis furor, o ciues, quae tanta
licentia ferri? 1.8
nulli penitus descendere ferro/contigit;
    1.31
diuiditur ferro regnum, populique potentis,
    1.109
poteras.../armatasque manus excusso
iungere ferro, ...   1.117
ferre manum et numquam temerando parcere
ferro, ...   1.147
uile nefas, magnumque decus ferroque
petendum 1.174
per ferrum tanti securus uolneris exit.
    1.212
sic et Sullanum solito tibi lambere
ferrum / durat, Magne, sitis.   1.330
sed diro ferri reuocantur amore   1.355
inde ruendi/ in ferrum mens prona uiris
animaeque capaces/mortis, ...   1.461
ferrique potestas/confundet ius omne
manu, ...   1.666
mox uincula ferri/exedere senem longusque
in carcere paedor. 2.72
deriguit ferrumque manu torpente remisit.
    2.78
conflato saeuas ergastula ferro/exeruere
manus   2.95
ensis, et a nullo reuocatum pectore
ferrum. 2.102
infandum domini per uiscera ferrum/exegit
famulus, ...   2.148
hos ferro fugienda fames 2.253
me solum inuadite ferro, ...   2.315
nec tam patiente colono/arua premi quam
si ferro populetur et igni.   2.445
uoltu tamen alta minaci/nobilitas recta

FERRUM

ferrum ceruice poposcit.	2.510
abscidis frustra ferro tua pignora:	3.33
(usque adeo solus ferrum mortemque timere /auri nescit amor, ...	3.118
detege iam ferrum;	3.128
hanc iubet inmisso siluam procumbere ferro;	3.426
ausus et aeriam ferro proscindere quercum	3.434
effatur merso uiolata in robora ferro	3.435
sed maior Graio Romana in corpora ferro /uis inerat.	3.463
moliri nunc ima parant et uertere ferro/ moenia;	3.489
nec longinqua cadunt iaculato uolnera ferro, ...	3.568
et, quas inmissi traxerunt uincula ferri,	3.574
et quodcumque cadit frustrato pondere ferrum	3.581
transigitur: medio concurrit corpore ferrum, ...	3.588
excipit inmissum suspensa per ilia ferrum	3.601
corpora caesa tenent spoliantque cadauera ferro.	3.675
nunc, rara datur si copia ferri,	3.693
adiuuitque suo procumbens pondere ferrum.	3.725
his uirtus ferrumque locum promittit, at illis /ipse locus.	4.36
excipiant recto fugientes pectore ferrum.'	4.166
dum ferrum, incertaque fata,/quique fluat multo non derit uolnere sanguis,	4.215
et quamuis primo ferrum strinxere gementes, ...	4.247
ait 'ferrumque ruenti/subtrahe:	4.273
nec cruor effusus campis tibi bella peregit/ nec ferrum lassaeque manus:	4.355
o quantum donata pace potitos/excussis umquam ferrum uibrasse lacertis/ paenitiut, ...	4.386
frustra qui uincula ferro/rumpere conatus	4.466
exhibuit monimenta fides seruataque ferro /militiae pietas.	4.498
cum calido fodiemus uiscera ferro,	4.511
percussum est pectore ferrum/et iuguli pressere manum.	4.561
ob ferrum et saeuis libertas uritur armis,	4.578
uenator ferrique simul fiducia non est	4.685
iuuentus /obruitur,non uolneribus nec sanguine solum/telorum nimbo peritura et pondere ferri.	4.776
quaeris terraque marique/his ferrum iugulis	5.263
imus in omne nefas manibus ferroque nocentes, ...	5.272
his ferri graue ius erit, ...	5.312
uelut ensibus ipsis/imperet inuito moturus milite ferrum.	5.367
qua, sibi ne ferri ius ullum, Caesar, abesset,/Ausonias uoluit gladiis miscere secures	5.387
sed munimen habet nullo quassabile ferro	6.22
nequid uictoria ferro/deberet, pauor	

attonitos confecerat hostes. . . .	6.130
iugulisque retundite ferrum. . . .	6.161
hunc aries ferro ballistaque limine portae/promoueat.	6.200
ille moras ferri neruorum et uincula rumpit	6.217
'parcite', ait 'ciues; procul hinc auertite ferrum.	6.230
nec carpere membra/uolt ferro manibusque suis, ...	6.552
aetherioque nocens fumauit sulpure ferrum;	7.160
atque omnis Latio quae seruit purpura ferro.	7.228
illa quoque in ferrum rabies promptissima paulum/languit, ...	7.245
nil opus est uotis, iam fatum accersite ferro.	7.252
si pro me patriam ferro flammisque petistis,/nunc pugnate truces . . .	7.261
et primo ferri motu prosternite mundum;	7.278
uincat quicumque necesse/non putat in uictos saeuum destringere ferrum	7.313
quanto satiauit sanguine ferrum!	7.317
siue quis infesto cognata in pectora ferro /ibit,	7.323
extremum ferri superest opus, . .	7.345
hae facient dextrae, quidquid nona explicat aetas/ut uacet a ferro.	7.389
set quota pars cladis iaculis ferroque uolanti/exacta est!	7.489
frigidus inde/stat gladius, calet omne nocens a Caesare ferrum.	7.503
ferro subtexitur aether	7.519
ut primum sonipes transfixus pectora ferro/in caput effusi calcauit membra regentis, ...	7.528
nulla secutast/pugna, sed hinc iugulis, hinc ferro bella geruntur;	7.533
iuuentus/bella gerit ferrumque manus mouere rogatae:	7.549
aduersosque iubet ferro confundere uoltus,	7.575
permixta secundo/ordine nobilitas uenerandaque corpora ferro/ urguentur;	7.582
ignotusque hosti quod ferrum, Brute, tenebas!	7.587
Caesar,.../...parcendum ferro manibusque suorum/iam ratus	7.729
spicula nec solo spargunt fidentia ferro,	8.303
credis, Magne, uiros quos in discrimina belli/ cum ferro misisse parum est?	8.390
hoc ferrum, quod fata iubent proferre, paraui/non tibi, sed uicto; . .	8.520
tum stringere ferrum/regia monstra parant.	8.612
at, Magni cum terga sonent et pectora ferro, ...	8.663
inuasit ferrum, sed ponere norat.	9.198
Emathium sparsit uictoria ferrum;	9.245
quos habuit uoltus hamati uolnere ferri /caesa caput Gorgon!	9.678
ferroque aperire tumentis/sustinuit uenas	9.759
nec non infelix ferro mollita iuuentus/ atque exsecta uirum:	10.133
et dederat ferrum, nullo sibi iure retento,/in cunctos in seque simul.	10.352

FERRUM

tanta est fiducia ferri, /non rapuere
nefas; 10.427
neque ius mundi ualuit, nec foedera
sancta/ gentibus.../quin caderet ferro.
10.472a
terribilem iusto transegit Achillea ferro.
10.523

FERTILIS,-E. fertilis Euphrates Phariae
uice fungitur undae; 3.260
Libycae quod fertile terraest/uergit in
occasus; 9.420
cur Libycus tantis exundet pestibus aer/
fertilis in mortes, ... 9.620

FERUEO,-ERE. aequora sulcis/eruta feruescunt
litusque frementia pulsant. . . 2.703a
tumidus qua pulmo iacet, qua uiscera
feruent, ... 3.644
feruet et a trepido uix abstinet ira
magistro. 4.242
feruent iam castra tumultu, . . . 4.250
artatus rapido feruet qua gurgite pontus
5.234
uaga cum Tethys Rutupinaque litora
feruent, ... 6.67
pectora tum primum feruenti sanguine
supplet 6.667
omnis/indiga seruitii feruebat litore
plebes: 9.254

FERUIDUS,-A,-UM. puniceus Rubicon, cum
feruida canduit aestas, ... 1.214
subsidentque urbes, an tollet feruidus
aer/temperiem? 1.646
feruidus haec iterum circa
praecordia sanguis/incaluit; . . 2.557
nec feruida pestis/cedit adhuc, 4.370
qua lata iacet, uasti plaga feruida regni
/distinet Oceanum zonaeque, exusta
calentis. 4.674
igneaque in uoltus et sacro feruida morbo
/pestis abit, ... 6.96
ibi feruida tellus/accipit Oceanum
demisso sole calentem, ... 9.624

FERUOR. deserat hic feruor mentes, 4.279
cumque cauernae/euomuere fretum contorti
uerticis undae/Tauromenitanam uincunt
feruore Charybdim. 4.461
quo tibi feruor abit aut quo fiducia
fati? 7.75

FERUS,-A,-UM. utque ferae tigres numquam
posuere furorem. 1.327
pietas patriique penates/quamquam caede
feras mentes animosque tumentes/frangunt;
1.354
placatur sanguine diro/Teutates horrensque
feris altaribus Esus 1.445
maiorque ferusque /mentibus occurrit
uictoque inmanior hoste. . . . 1.479
pone sequi, iussamque feris a gentibus
urbem/Romano spectante rapi. . 1.483
nunc urbes excite feras; 2.48
uir ferus et Romam cupienti perdere fato/
sufficiens. 2.87
quique feros mouit Sertorius exul
Hiberos. 2.549
Armenios Cilicasque feros Taurumque
subegi: 2.594
relinquas/admoneo nec tu populos utraque
uagantis/Armenia Pontique feras per
litora gentis 2.639
iam ratibus fragmenta ferus sibi uindicat
ignis. 3.686

FESTUS

indomitos quaerit populos et semper in
arma/mortis amore feros et tendit in
ultima mundi. 4.147
quibus hoste potito/faucibus emitti
terrarum in deuia Martem/inque feras
gentes Caesar uidet. 4.162
sollicitatque feros non aequis
uiribus hostis. 4.665
castrorum in plebe merebat/ante feras
Rhodani gentes; 6.145
hac tellure feri micuerunt semina Martis.
6.395
morsusque luporum(ferarum)/ expectat
siccis raptura e faucibus artus.
var.6.552
uirus stillantis tabe Medusae/concipiunt
dirosque fero de sanguine rores, 9.698

FESSUS,-A,-UM. quae noster ueteranus aret,
quae moenia fessis? 1.345
paruom set fessa senectus/sanguinis
effudit iugulo flammisque pepercit. 2.128
labore/ exhausto fessus repetit tentoria
miles. 3.496
uictum aeuo robur cecidit, fessusque
senecta 3.729
nec languida fessi/corpora sustentant
epulis, ... 4.306
otia des fessis, uitam patiaris inermis/
degere quam tribuis. 4.357
non proelia fessos/ulla uocant, 4.394
prodidit et gelidus fesso de corpore sudor.
4.623
utque iterum fessis iniecit bracchia
membris 4.640
quisquis inest terris in fessos spiritus
artus/egeritur, ... 4.643
fessa iacet ceruix, fumant sudoribus
artus 4.754
terribilis sed pallor inest; nec fessa
quiescunt/corda, ... 5.216
heu, quantum Fortuna umeris iam pondere
fessis/amolitur onus 5.354
soluerat armorum fessas nox languida
curas, ... 5.504
fessumque tumentis/conposuit pelagus
uentis patientibus undas. . . . 5.701
fessumque caput se ferre recusat. 6.97
iam gradibus fessis, in quem cadat, eligit
hostem. 6.206
non ueritus graue ne fessis aut Marte
subactis/hoc foret imperium. . 7.735
saepe labor maestus curarum.../proiecit
fessos incerti pectoris aestus, 8.166

FESTINO,-ARE. letum praecedere nati/
festinantem animam morti non credidit uni.
3.751
his ratibus traiecta manus festinat
utrimque/succisum curuare nemus 4.137
licet ingentis abruperit actus/festinata
dies fatis, sat magna peregi. 5.660
nunc festinatos nimium sibi sentit honores
8.24

FESTUS,-A,-UM. iubet et totam pauidis a
ciuibus urbem/ambiri et festo purgantes
moenia lustro/longa per extremos pomeria
cingere fines 1.593
septemuirque epulis festus Titiique
sodales 1.602
Antoni, cuius laceris pendentia canis/ora
ferens miles festae rorantia mensae/
inposuit. 2.123

FESTUS
 festa coronato non pendent limine serta,
          2.354
 nec more Sabino/excepit tristis conuicia
 festa maritus. 2.369
 non omina festa/non fictas laeto uoces
 similare tumultu,/ uix odisse uacat. 3.101

FETUS,-A,-UM. peregi/ iussa,Cato, et geminos
 excepi feta maritos: 2.339
 arua/.../ocior et caeli flammis et
 tigride feta/transcurrit, ... 5.405
 Ixionidas Centauros/ feta Pelethroniis
 nubes effudit in antris: 6.387
 cum turgentia suco/frontis amaturae
 subducunt pignora fetae: 6.456
 defuit.../non.../ quaeque sonant feta
 tepefacta sub alite saxa, ... 6.676

FETUS(subst.). monstra iubet.../... rapi
 sterilique nefandos /ex utero fetus
 infaustis urere flammis. 1.591
 hoc quoque tam uastas cumulauit munere
 uires/ Terra sui fetus, quod, cum
 tetigere parentem, ... 4.599
 huc quiquid fetu genuit natura sinistro
 /miscetur: 6.670

FIBRA. fulminis edoctus motus uenasque
 calentis/fibrarum et monitus errantis
 in aere pinnae, ... 1.588
 fibra latet, paruusque secat uitalia limes.
          1.623
 ecce, uidet capiti fibrarum increscere
 molem/alterius capitis. 1.627
 et fibris sit nulla fides, . . . 1.636
 nec quaesisse libet.../... quis noscere
 fibra/ fata queat, ... 6.427
 nec fibras illa litantis/nouit: 6.524
 pulmonis rigidi stantis sine uolnere
 fibras/ inuenit 6.630
 si numquam haec carmina fibris/humanis
 ieiuna cano.../... parete precanti. 6.707
 pauet ire in pectus apertum/uisceraque et
 ruptas letali uolnere fibras. . . 6.723
 percussae gelido trepidant sub pectore
 fibrae, ... 6.752
 cauumque/pectus et abstrusum fibris
 uitalibus omne/morte patet. . . . 9.778

FIDELIS,-E. cum paene fideles /per tot bella
 manus satiatae sanguine tandem/destituere
 ducem, ... 5.242
 cladisque suae uix ipse fidelis/auctor
 erat. 8.17
 quem postquam propius famulae uidere
 fideles,/non ultra gemitus tacitos
 incessere fatum/permisere sibi, 8.63
 primusque a litore Lesbi/occurrit gnatus,
 procerum mox turba fidelis. . . . 8.205
 tunc pace fideli/fecissem ut uictus
 posses ignoscere diuis, ... 9.1102
 atque haec dicta monet famulos perferre
 fideles/ad... Achillam, ... 10.349

FIDES. nulla fides regni sociis, . . 1.92
 morte tua discussa fides bellumque mouere
 /permissum ducibus. 1.119
 hinc.../ et concussa fides et multis utile
 bellum. 1.182
 ut inmensae conlecto robore uires/audendi
 maiora fidem fecere, ... 1.467
 addita fati/peioris manifesta fides,
 superique minaces/prodigiis terras
 inplerunt, ... 1.524
 et fibris sit nulla fides, . . . 1.636
 ubi concipiunt quantis sit cladibus orbi/

FIDES
constatura fides superum, ... 2.17
uix erit ulla fides tam saeui criminis,
unum/ tot poenas cepisse caput. 2.186
'omnibus expulsae terris olimque fugatae/
uirtutis iam sola fides, ... 2.243
hos ferro fugienda fames mundique ruinae
/permiscenda fides. 2.254
pugnatque minaci/cum terrore fides, 2.454
dubiamque fidem fortuna ferebat. 2.461
quamquam, siqua fides, his te quoque
iungere, Caesar,/inuideo 2.550
ergo, ubi nulla fides rebus post terga
relictis 2.628
quas omnis soluerat urbis/cum fato
conuersa fides, ... 2.705
Phocais in dubiis ausa est seruare
iuuentus/non Graia leuitate fidem
signataque iura, ... 3.302
inlustrat quos sola fides. 3.342
siqua fidem meruit superos mirata
uetustas, ... 3.406
est miseris renouata fides, atque omne
futurum/creuit amore nefas. . . . 4.204
at uobis uilior hoc est/uestra fides,
          4.230
quae fortuna deorum/inuidia caeca bellorum
in nocte tulisset/fecit monstra fides.
          4.245
causaeque priori/dum potuit, seruata
fides. 4.351
exhibuit monimenta fides seruataque
ferro/militiae pietas, ... 4.498
'ecquis' ait ... certaque fide per uolnera
nostra/testetur se uelle mori?' 4.543
ut uidit Paean uastos telluris hiatus/
diuinam spirare fidem uentosque loquaces
          5.83
uirginei patuere doli, fecitque negatis/
numinibus metus ipse fidem. . . . 5.142
haud aeque laesura ducem cui falsa
canebat/quam tripodas Phoebique fidem.
          5.152
quando pietasque fidesque/destituunt 5.297
nec melior mihi uestra fides, si
bella nec hoste/nec duce me geritis. 5.348
sic est tibi cognita, Magne, nostra fides?
          5.768
nouerat.../ umbrarum Ditisque fidem, 6.433
nec gladiis habuere fidem, nisi cautibus
asper/exarsit mucro; 7.139
Euganeo, si uera fides memorantibus,
augur/... dixit 7.192
'uictori praestate fidem'. 7.721
nunc tibi uera fides quaesiti, Magne,
fauoris/contigit ac fructus: . . 7.726
ultima debet/esse fides lugere uirum.
          8.83
quo sit tibi.../ certa fides regum
totusque paratior orbis,/ sparge mari
comitem. 8.99
ne nostram uideare fidem felixque secutus
/et damnasse miser'. 8.126
mundi nomine gaudens /esse fidem 'nullam
toto mihi' dixit 'in orbe/gratius esse
solum... uobis/ostendi: 8.129
nimium felix aeterno nomine Lesbos/
siue.../seu praestas mihi sola fidem.
          8.141
superest, fidissime regum/Eoam temptare
fidem populosque bibentis/Euphraten 8.213
uos pendite regna/uiribus atque fide,

FIDES

Libyam Parthosque Pharonque, . . . 8.277
ardua quippe fides robustos exigit annos.
8.282
quod si nos Eoa fides et barbara fallent
/foedera, ... 8.311
ne iura fidemque/respectumque deum
ueteri speraueris aula; 8.450
meritumque fidemque /sacroque defuncti
iactauit pignora patris. 8.480
dat poenas laudata fides, cum sustinet'
inquit /'quos fortuna premit. . . 8.485
nulla fides umquam miseros elegit amicos.'
8.535
hanc certe seruate fidem, ciuilia bella:
8.547
quippe, fides si pura foret, si regia
Magno/... pateret, ... 8.572
in hac ceruice tyranni/explorate
fidem' dixit. 8.582
aeuumque sequens speculatur ab omni/orbe
ratem Phariamque fidem: 8.624
uolt sceleris superesse fidem. . . 8.688
hac Fortuna fide Magni tam prospera fata
/pertulit, ... 8.701
ueniet felicior aetas/qua sit nulla fides
saxum monstrantibus illud; . . . 8.870
linquere, siqua fides, Pelusia litora
nolo. 9.83
exsolui tibi, Magne, fidem, mandata
peregi; 9.98
haec fama est.../... scelerisque fidem
quaesisse tyrannum. 9.140
olim uera fides Sulla Marioque receptis
/libertatis obit: 9.204
clausa fides miseris, et toto solus in
orbe est/qui uelit ac possit uictis
praestare salutem. 9.246
Pompeio scelus est bellum ciuile perempto
/quo fuerat uiuente fides. . . . 9.249
seruataque fide templi discedit ab aris
9.585
utque fidem uidit sceleris tutumque
putauit/iam bonus esse socer, lacrimas...
/effudit 9.1037
adquiritque fidem simulati fronte doloris:
9.1063
uana fides ueterum, Nilo, quod crescat in
arua,/ Aethiopum prodesse niues. 10.219
nulla fides pietasque uiris qui castra
secuntur, ... 10.407

FIDO,-ERE. ille parum fidens pedibus
contingere matrem 4.615
fisus cuncta sibi cessura pericula Caesar
5.577
ut uidet ad nullos exciri posse tumultus/
in pugnam generum sed clauso fidere uallo,
6.12
spicula nec solo spargunt fidentia ferro,
8.303
audet in ignotas agmen committere gentes
/armorum fidens et terra cingere Syrtim.
9.373

FIDUCIA. deratne tibi fiducia nostri? 1.362
'uana mouet Graios nostri fiducia cursus.
3.358
tanta est fiducia mortis. . . . 4.538
uenator ferrique simul fiducia non est
4.685
quo tibi feruor abit aut quo fiducia fati?
7.75
formidine mersa/prosilit hortando melior

FIGURA

fiducia uolgo. 7.249
o utinam non tanta mihi fiducia saeuis
/esset in Arsacidis! 8.306
non haec fiducia genti est. . . 8.362
nulla manus illis, fiducia tota ueneni
est. 8.388
in solo tanta est fiducia Nilo. 8.447
postquam nulla manet rerum fiducia,
quaerit/cum qua gente cadat. . 8.504
quae te nostri fiducia regni/huc agit,
infelix? 8.524
fiducia tanta est/sanguinis, . . 9.898
tanta est fiducia ferri,/non rapuere
nefas; 10.427

FIDUS,-A,-UM. tum Sadalam fortemque Cotyn
fidumque per arma/Deiotarum.../conlaudant,
5.54
et tibi, non fidae gentis dignissime
regno, ... 5.58
fida comes Magni uadit duce sola relicto
/Pompeiumque fugit. 5.804
fidi scelerum suetique ministri/.../
conspexere procul praerupta in caute
sedentem, ... 6.573
superest, fidissime regum,/Eoam temptare
fidem 8.212

FIDUTIA. obsessusque gerit, tanta est
constantia (fidutia) mentis,/expugnantis
opus. var.10.490

FIGO,-ERE. pondere fixa suo est, . . 1.139
deseruere cauo tentoria fixa Lemanno
1.396
fixit in aeternum causas, qua cuncta
coercet/se quoque lege tenens, . 2.9
spes una salutis/oscula pollutae fixisse
trementia dextrae. 2.114
me geminae figant acies, . . . 2.309
hae nullo fixerunt robore terram 3.457
diuersae rostris iuuenem fixere carinae.
3.654
dum labat et fixo firmat uestigia pilo,
4.41
inmotumque caput fixa cum fronte tenetur,
4.619
nam fixa canens mutandaque nulli/mortales
optare uetat; 5.105
casibus innumeris fixae patuere carinae.
5.447
summis etiam quae fixa tenentur/astra
polis sunt uisa quati. 5.563
tot facta (fixa) sagittis,/tot iaculis
unam non explent uolnera mortem. var.6.212
de rupe pependit,/ abscisa fixus torrens,
6.473
Thessalis incubuit membris atque oscula
figens/truncauitque caput . . . 6.565
uolnera pars optat, pars terrae figere
tela/ac puras seruare manus. . . 7.486
stellasque uagas miratus et astra/fixa
polis, ... 9.13
at tibi, Laeue miser, fixus praecordia
pressit/Niliaca serpente cruor, 9.815
quem non uiolasset.../non Scytha, non fixo
qui ludit in hospite Maurus,/.../quaerit
tuta domus; 10.455

FIGULUS. at Figulus, cui cura deos secretaque
caeli/nosse fuit, ... 1.639

FIGURA. (Phoenices primi, famae si creditur,
ausi/mansuram rudibus uocem signare
figuris: 3.221
non uolgatis sacrata figuris/numina sic

FIGURA

     metuunt: 3.415
     effingunt uarias casu monstrante figuras;
                                         5.713
     iam noua, iam uera reddetur uita figura,
                                         6.660
     ille senum uoltus, iuuenum uidet
     ille figuras, ...   7.774
     nullaque manente figura/una nota est
     Magno capitis iactura reuolsi.   8.710
     Syrtes uel, primam mundo natura figuram
     /cum daret, in dubio pelagi terraeque
     reliquit 9.303
     tenditque cutem pereunte figura/miscens
     cuncta tumor;   9.792

FILUM. quos non concordia mixti/alligat ulla
     tori.../traxerunt torti magica uertigine
     fili. 6.460
     repetitaque fila sorores/tracturae.../
     exaudite preces. 6.703
     et tibi dant Stygiae ius in sua fila
     sorores. 9.838
     candida Sidonio perlucent pectora filo,
                                         10.141

FIMBRIA. truncos lacerauit Fimbria Crassos;
                                         2.124

FINGO,-ERE. ausi Latio se fingere fratres
     /sanguine ab Iliaco populi, . . .   1.427
     quae finxere timent. 1.486
     sed conditor artis/finxerit ista Tages.'
                                         1.637
     non fictas laeto uoces simulare tumultu,
     /uix odisse uacat. 3.102
     atque deum simulans sub pectore ficta
     quieto/uerba refert, ...   5.148
     et superis, quos fingis,' ait 'nisi
     mergeris antris 5.159
     fingit sollemnia Campus 5.392
     uicinaque moenia castris/Haemonidum,
     ficti quas nulla licentia monstri/
     transierit, ...   6.436
     Thessalis incubuit membris atque oscula
     figens (fingens)/ truncauitque caput
                                    var.6.565
     carmenque nouos fingebat in usus.   6.578
     teque deis, ad quos alio procedere uoltu
     /ficta soles, Hecate pallenti tabida
     forma,/ostendam 6.737
     Magnoque patere/fingens regna Phari
     celsae de puppe carinae/ in paruam iubet
     ire ratem, ...   8.564
     Pompeio rebus adempto/nunc et ficta perit.
                                         9.206

FINIO,-IRE. sic Graia iuuentus/finierat, cum
     turbato iam prodita uoltu . . .   3.356
     liceat morbis finire senectam;   5.282
     finierat, contraque sacer sic orsus
     Acoreus: 10.193

FINIS. tum longos iungere fines/agrorum, 1.167
     quem tamen inueniet tam longa potentia
     finem? 1.333
     finis et Hesperiae, promoto limite, Varus;
                                         1.404
     finibus Arctois patriaque a sede reuolsos
                                         1.482
     iubet.../longa per extremos pomeria
     cingere fines 1.594
     et superos quid prodest poscere finem?
                                         1.669
     hic dabit hic pacem iugulus finemque
     malorum 2.317
     secta fuit,seruare modum finemque tenere

FIRMUS

                                         2.381
     Hesperiae fines uacuosque inrumpat in
     agros 2.441
     finis adest scelerum, si non committitis
     ullis/arma quibus fas est. . . .   3.328
     hic, ubi iam Zephyri fines, et summus
     Olympi/cardo tenet Tethyn, . . .   4.72
     damnata iam luce ferox securaque pugnae/
     promisso sibi fine manu, nullique
     tumultus excussere uiris mentes ad summa
     paratas; 4.535
     uos, quorum finem non est sensura potestas,
                                         5.45
     Appius euentus, finemque expromere rerum
     /solicitat superos 5.68
     sustulit iras/telluris sterilis monstrato
     fine, ...   5.110
     finis quis quaeritur armis? . .   5.273
     finem ciuili faciat discordia bello.
                                         5.299
     posse pati; liceat scelerum tibi ponere
     finem. 5.314
     hic fuge, si belli finis placet, ense
     relicto. 5.321
     amplexus finés saltus nemorosaque tesqua/
     ...feras indagine claudit. . . .   6.41
     te precor ut certum liceat mihi noscere
     finem/quem belli fortuna paret.   6.592
     seu fine bonorum/anxia mens curis ad
     tempora laeta refugit, ...   7.19
     quis...cernens.../tot rerum finem, timeat
     sibi? 7.137
     finis ciuilibus armis,/quem quaesistis,
     adest. 7.343
     finemque sui sibi corpora debent.   7.811
     nisi summa dies cum fine bonorum/adfuit
     .../dedecori est fortuna prior.   8.29
     Assyriae paci finem, Fortuna, precamur;
                                         8.427
     cogit pietas inponere finem/officio. 8.785
     forsitan, aut sulco sterili cum poscere
     finem/a superis ...Roma uolet.../...
     consilio iussuque deum transibis in
     urbem, ...   8.846
     nam quis erit finis si nec Pharsalia
     pugnae/nec Pompeius erit? . . .   9.232
     finibus extremis Libyes, .../...
     squalebant late...arua Medusae,   9.624
     terraeque in fine Libyssae/Persea
     Phoebeos conuerti iussit ad ortus   9.666
     Macetum fines latebrasque suorum/deseruit
                                         10.28
     naturaque solum/hunc potuit finem uaesano
     ponere regi; 10.42
     hic quaeritur ortus/illic finis aquae.
                                         10.302

FINITOR. nec sidera tota/ostendit Libycae
     finitor circulus orae, ...   9.496

FIO v. FACIO.

FIRMO,-ARE. dum trepidant nullo firmatae
     robore partes, ...   1.280
     derige me, dubium certo tu robore firma.
                                         2.245
     quamquam primo terrore ruentis/cessurae
     belli, ...   2.449
     Magnus, ut inmixto firmaret robore partis.
                                         2.527
     dum labat et fixo firmat uestigia pilo,
                                         4.41

FIRMUS,-A,-UM. tot circum siluae firmo se
     robore tollant, ...   1.142

FIRMUS

quamquam firmissima pubes/his sedeat
castris, ... 2.473
tum subole e tanta natum cui firmior
aetas/adfatur. 2.631
sed firma gerendis/molibus insolito
contexunt robora ductu. 4.418
durata iam mente malis firmaque
tulerunt. 5.798

FLAGELLO,-ARE. hunc infera monstra flagellant.
7.783
ipsa flagellabant gaudentis colla
Medusae, ... 9.633

FLAGELLUM. non agitis saeuis Erebi per inane
flagellis/infelicem animam? . . . 6.731
quacumque uagatur,/sanguineum ueluti
quatiens Bellona flagellum/...nox ingens
scelerum est; 7.568

FLAGITO,-ARE. 'quem flagitat' inquit/ 'uestra
diem uirtus,.../... adest. . . . 7.342

FLAGRO,-ARE. quaque dies medius flagrantibus
aestuat horis 1.16
excutiens pronam flagranti uertice pinum
1.573
succensusque tuis flagrasset curribus
aether. 1.657
tu, qui flagrante minacem/Scorpion
incendis cauda chelasque peruris,/quid
tantum, Gradiue, paras? 1.658
succendit Phaethon flagrantibus aethera
loris, ... 2.413
strata metu tenuit flagrantis in omnia
belli/praecipitem cursum, ... 3.390
tuque o flagrantis portitor undae,/.../
exaudite preces. 6.704
aeger quippe morae flagransque cupidine
regni/coeperat...ciuilia bella/...damnare
7.240
tam maesta locuti/uoce ducis flagrant
animi, ... 7.383
Caesar.../... agmina circum/it uagus
atque ignes animis flagrantibus addit.
7.559
terrasque premamus/flagrantis post terga
Noti, ... 10.50

FLAMEN(m.). et tollens apicem generoso
uertice flamen. 1.604

FLAMEN(n.). sed, ut tumidus Boreae post
flamina pontus/rauca gemit, . . 5.217
tunc Thessala nudis/egreditur bustis
nocturnaque fulmina(flamina) captat.
var.6.520
habet uentos incertaque fulmina (flamina)
Mauors; var.10.206

FLAMMA. terruit obliqua praestringens lumina
flamma: 1.154
numina miscebit castrensis flamma monetae;
1.380
uiderunt.../ardentemque polum flammis
caeloque uolantes 1.527
nec tulit in caelum flammas . . . 1.546
ignis, et ostendens confectas flamma
Latinas/scinditur in partes . . . 1.550
monstra iubet.../ rapi sterilique
nefandos/ex utero fetus infaustis urere
flammis. 1.591
materiamque rudem flamma cedente recepit,
2.8
paruom set fessa senectus/sanguinis
effudit iugulo flammisque pepercit. 2.129
desilit in flammas et, dum licet, occupat
ignes. 2.159

meque ipsum memini, caesi deformia fratris
/ora rogo cupidum uetitisque inponere
flammis, ... 2.170
imaque telluris uentos tractusque coruscos
/flammarum accipiunt; 2.271
lux rubet et flammas propioribus eripit
astris, ... 2.721
sed super et flammis et magnae fragmine
molis/et sudibus crebris et adusti
roboris ictu/percussae cedunt crates,
3.493
non hasta uiris, non letifer arcus,/telum
flamma fuit, ... 3.501
nec flammas superant undae, . . . 3.685
hic recipit fluctus, extinguat ut aequore
flammas, ... 3.687
exclusit Borean flammasque accepit in
Euro. 4.61
nec seruant fulmina flammas/quamuis
crebra micent: 4.77
torrentur uiscera flamma 4.324
soluit, ceu Siculus flammis urguentibus
Aetnam/undat apex, ... 5.99
uteris et stimulis flammasque in uiscera
mergis: 5.175
arua/.../ ocior et caeli flammis et
tigride feta /transcurrit, . . . 5.405
nam quamuis flamma tacitas urente medullas
5.811
quae mollire queunt flamma, quae frangere
morsu,/...diripiens miles saturum tamen
obsidet hostem. 6.114
alterius flamma crinesque genasque
/succendit, ... 6.178
fudit et argentum flammis 6.404
flammisque seueri/inlicitis arsere senes.
6.453
Phoebeque serena/.../palluit.../quam si
...tellus/insereretque suas flammis
caelestibus umbras; 6.504
funereas aris inponere flammas/gaudet
6.525
attraxit nubes, non pabula flammis 7.5
rubuit flammis iterum Neptunia cuspis
7.147
si pro me patriam ferro flammisque
petistis,/nunc pugnate truces   7.261
sibilaque et flammas infert sopor. 7.772
non interpositis urantur corpora flammis;
7.805
Thessalicam uideat Pompeius ab aequore
flammam. 7.808
sidera terra/ut distant et flamma mari,
sic utile recto. 8.488
inde rapit flammas semustaque robora
membris/subducit. 8.745
ille sedens iuxta flammas 'o maxime' dixit
/'ductor .../... si funere nullo/tristior
iste rogus, manes.../officiis auerte meis:
8.759
exiguam, quantum potes, accipe flammam
8.766
excitat inualidas admoto fomite flammas.
8.776
ostenditque rogum non iusti flamma
sepulchri, ... 9.54
iam flamma resedit, ... 9.75
iustas sibi nostra senectus/prospiciat
flammas: 9.235
[ulla nisi aetheriae medio uelut aequore
flammae]sideribus nouere uiam; 9.494

FLAMMA

    hoc et flamma potest; sed quis rogus
    abstulit ossa? 9.784
    Thessala centaurea/peucedanonque sonant
    flammis Erycinaque thapsos, . . 9.919
    bis positis Phoebe flammis, bis luce
    recepta/uidit hareniuagum...Catonem. 9.940
    proxima Leptis erat, cuius statione
    quieta/exegere hiemem nimbis flammisque
    carentem. 9.949
    septima nox.../ostendit Phariis Aegyptia
    litora flammis. 9.1005
    non illi flamma nec undae/... obstitit
                  10.37
    crucibus flammisque luemus/si fuerit
    formonsa soror. 10.365
    nec secus in Siculis fureret tua flamma
    cauernis, ... 10.447
    nec flammis mandatur opus; . . . 10.482
    percussaque flamma/turbine...per tecta
    cucurrit 10.500
    non cruce, non flammis rapuit, non dente
    ferarum: 10.517
FLAMMEUM. lutea demissos uelarunt flammea
    uoltus, ... 2.361
FLAMMIFER. uidit flammifera confectas nocte
    Latinas. 5.402
FLAMMIGER. seu te flammigeros Phoebi
    conscendere currus/... iuuet, . . 1.48
    flammiger an Titan, ut alentes hauriat
    undas, ... 1.415
FLATUS. auxerat undas/.../et madidis Euri
    resolutae flatibus Alpes. . . . 1.219
    ut, cum mare possidet Auster/flatibus
    horrisonis; hunc aequora tota secuntur,
                  2.455
    hinc illinc montes scopulosae rupis
    aperto/opposuit natura mari flatusque
    remouit, ... 2.620
    torsit in occiduum Nabataeis flatibus
    orbem, ... 4.63
    'fortius hiberni flatus caelumque
    fretumque, /cum cepere, tenent, 5.413
    uel litora tangam/iussa, uel hoc potius
    pelagus flatusque negabunt.' . . 5.559
    flatusque incerta futuri/turbida testantur
    conceptos aequora uentos. . . . 5.566
    quaecumque leuatae/arboribus caesis
    flatum effudere prementem,/ abstulit has
    .../aestus 9.332
    Zephyros quoque uana uetustas/his
    ascripsit aquis, quorum stata tempora
    flatus 10.240
    aquas totiens rumpentis litora Nili/
    adsiduo feriunt coguntque resistere
    fluctu(flatu): var.10.245
FLAUUS,-A,-UM. soluuntur flaui longa statione
    Ruteni; 1.402
    fundat ab extremo flauos Aquilone Suebos
    /Albis et indomitum Rheni caput; 2.51
    nobilis et flauis sequeretur mixta
    Britannis. 3.78
    non proserit ullam/flaua Ceres segetem;
                  4.412
    haec Libycos, pars tam flauos gerit
    altera crines 10.129
FLEBILIS,-E. flebile saeui/latrauere canes.
                   1.548
    et Dorion ira/flebile Pieridum; 6.353
    ceu flebilis Africa damnis/.../sic et
    Thessalicae post te pars maxima pugnae/
    .../libertas et Caesar, erit; . 7.691

    Hesperiae clades et flebilis unda
    Pachyni/...puros fecere Philippos. 7.871
FLECTO,-ERE. gaudetque.../ optima gens
    flexis in gyrum Sequana frenis, 1.425
    flexa sic omina Tuscus/... canebat. 1.637
    hae flexere uirum uoces, . . . 2.350
    calida medius mihi cognitus axis/
    Aegypto atque umbras nusquam flectente
    Syene, ... 2.587
    Hadriacas flexis claudit quae cornibus
    undas. 2.615
    hostes.../ praecipiti cursu flexi per
    cornua portus/ora petunt . . . 2.706
    flexi iam plaustra Bootae/in faciem
    puri redeunt languentia caeli, 2.722
    solus ab Hesperia non flexit lumina terra
                  3.4
    has ad bella rates non flexo limite
    ponti/certior haud ullis duxit Cynosura
    carinis 3.218
    quorum iam flexus in Austrum/aether non
    totam mergi tamen aspicit Arcton 3.250
    nunc hunc nunc illum, qua flectitur,
    ampliat orbem; 3.276
    nec Grais flectere iactum/aut
    facilis labor est 3.478
    habiles.../et temptare.../cursum nec
    tarde flectenti cedere clauo; . 3.555
    àt Caesar facilis uoltuque serenus/
    flectitur atque usus belli poenamque
    remittit. 4.364
    cum sidera caeli/ aspicerent flexoque
    Vrsae temone pauerent, ... 4.523
    ora leui flectit frenorum nescia uirga,
                  4.683
    flexo nauita cornu/obliquat laeuo pede
    carbasa 5.427
    ne flecte manum, fuge proxima uelis/
    litora; 5.588
    in litora Lesbi/ flectere uela iubet,
                  8.41
    duri flectuntur pectora Magni, 8.107
    conperit ut regem Casio se monte
    tenere/flectit iter; 8.471
    poteras non flectere puppem,/...omnibus
    a terris si nos arcere parabas. 8.586
    quem flexo dente tenacem/ auolsitque manu
                  9.764
FLEO,-ERE. indigetes fleuisse deos, .../...
    accipimus, ... 1.556
    nunc flere potestas/dum pendet fortuna
    ducum: 2.40
    cui funera uolgi/flere uacet? . 2.119
    nec Graecia maerens/tot laceros artus
    Pisaea fleuit in aula. 2.165
    sic maesta senectus/praeteritique memor
    flebat metuensque futuri. . . . 2.233
    agricolae raptis annum fleuere iuuencis.
                  3.452
    circumfusa duci fleuit gemituque suorum
    /et non ingratis incessit turba querellis.
                  5.680
    uolnere non audet flentem deprendere
    Magnum. 5.738
    non Uticae Libye clades, Hispania Mundae
    /flesset... . . . . 6.307
    uidi.../... flentemque Camillum 6.786
    te mixto flesset luctu iuuenisque senexque
    /iniussusque puer; 7.37
    nuntiet ipse licet Caesar tua funera,
    flebunt. 7.41

FLEO (cont.)

flere ueta populos, lacrimas luctusque
   remitte. 7.707
promittunt munera flentes, . .   7.715
cum possis iam flere times. . .   8.54
huncine tu Caesar, scelerato Marte
   petisti/qui tibi flendus erat?   9.1048
quisquis te flere coegit/impetus, a uera
   longe pietate recessit. 9.1055
FLETUS(subst.). eualuit reuocare parens
   coniunxue maritum/fletibus, aut patrii,
   dubiae dum uota salutis/conciperent,
   tenuere lares; 1.506
quis in urbe parentum/fletus erat, quanti
   matrum per litora planctus! . .   3.757
fletus quid fundis inanis/nec te sponte
   tua sceleri parere fateris? . .   4.183
maestum fletu manante cadauer/'tristia
   non equidem Parcarum stamina' dixit/
   'aspexi 6.776
maiori pondere pressum/signiferi
   mersere caput rorantia fletu/...signa.
                                      7.163
non gemitus,non fletus erat, . .   7.680
continuitque animam, nequas effundere
   uoces/uellet et aeternam fletu corrumpere
   famam. 8.617
ergo indigna fui.../...uolneribus cunctis
   largos infundere fletus 9.59
nec talia fatus/inuenit fletus comitem
                                      9.1105
FLEXUS(subst.). tot potuere manus.../et rati
   ratibus longae flexus donare Maleae,
                                      6.58
et litora flexu/Oceano fecere locum;
                                      9.415
nubem/in flexum uiolentus agit: 9.456
lunaeque meatibus obstat/si flexus oblita
   uagi per recta cucurrit/signa   9.694
(cursus in occasus flexu torquetur et
   ortus,   10.290
FLOREO,-ERE. accipiunt sertas nardo florente
   coronas 10.164
FLORIFER,-A,-UM. studiumque laboris/floriferi
   repetunt et sparsi mellis amorem: 9.290
FLOS. tum flos Hesperiae, Latii iam sola
   iuuentus,/concidit 2.196
illa genae florem primaeuo corpore
   uolsit. 6.562
FLUCTUO,-ARE. inpulsum rostris sonuit mare,
   fluctuat unda, ...   2.702
FLUCTUS. Oceanus uel cum refugis se fluctibus
   aufert. 1.411
erigat Oceanum fluctusque ad sidera ducat,
                                      1.416
desilit in fluctus deserta puppe magister
                                      1.501'
illinc Dalmaticis obnoxia fluctibus
   Ancon. 2.402
si rursus tellus pulsu laxata tridentes/
   Aeolii tumidis inmittat fluctibus
   Eurum, ...   2.457
omnis in Ionios spectabat nauita fluctus:
                                      3.3
audet et aduersum fluctus inpellit in
   Eurum, ...   3.232
siluaque Dodones et fluctibus aptior alnus
   /... tum primum posere comas   3.441
uenerat in fluctus Rhodani cum gurgite
   classis 3.515
huc abeunt fluctus, illo mare, sic, ubi
   puppes/sulcato uarios duxerunt gurgite

FLUCTUS (cont.)

   tractus, ...   3.550
spumat, et obducti concreto sanguine
   fluctus. 3.573
hic recipit fluctus, extinguat ut
   aequore flammas, ...   3.687
sed, se per uacuos credit dum surgere
   fluctus, ...   3.703
Cinga rapax, uetitus fluctus et litora
   cursu/Oceani pepulisse tuo;   4.21
Oceanumque bibit raptosque ad nubila
   fluctus/pertulit 4.81
hoc solum fluctu terras mergente cacumen
   /eminuit 5.75
quippe stimulo fluctuque furoris/compages
   humana labat, ...   5.118
sed recti fluctus soloque Aquilone
   secandi. 5.417
fluctuque latente sonantem/orbita
   migrantis scindit Maeotida Bessi.   5.440
fluctus nimiasque precari/uentorum uires,
                                      5.451
coepere...aequora classem/curua sequi,
   quae iam uento fluctuque secundo/lapsa
   Palaestinas uncis confixit harenas.   5.459
fluctusque uerendos/classibus exigua
   sperat superare carina. . . .   5.502
hanc Caesare pressam/ a fluctu defendet
   onus. 5.586
in fluctus Cori frangit mare, . .   5.606
non ullo litore surgunt/tam ualidi
   fluctus, ...   5.618
deprimitur, fluctusque in nubibus
   accipit imbrem. 5.629
tantum nautae uidere trementes/fluctibus
   e summis praeceps mare; . . .   5.640
nam pelagus, qua parte sedet, non celat
   harenas/exhaustum in cumulos, omnisque
   in fluctibus unda est. 5.644
discordia ponti/succurrit miseris,
   fluctusque euertere puppem . .   5.647
non ualet in fluctum: 5.648
lacerum retinete cadauer/fluctibus in
   mediis, desint mihi busta rogusque,   5.670
haec fatum decumus, dicti mirabile,
   fluctus/inualida cum puppe leuat,   5.672
nec non Hesperii lassatum fluctibus
   aequor/ut uidere duces, . . .   5.703
nec.../...mare lassatur,cum se tollentibus
   Euris/frangentem fluctus scopulum ferit
                                      6.266
inde ratis trepidum uentis ac fluctibus
   inpar,/ ...euexit in altum. . .   8.35
prospiciens fluctus nutantia longe/
   semper prima uides uenientis uela carinae,
                                      8.47
an tantum in fluctus placeo comes?'   8.589
carpitur in scopulis hausto per uolnera
   fluctu, ...   8.709
tunc uictus pondere tanto/expectat
   fluctus 8.725
peruolat ad truncum, qui fluctu paene
   relatus/litore pendebat. . . .   8.753
nunc excipe saltem/ossa tui Magni, si
   nondum subruta fluctu/inuisa tellure
   sedent. 8.839
illam non fluctus stridensque rudentibus
   Eurus/mouit 9.113
et post multa sonant proiecti litora
   fluctus: 9.309
sors melior classi quae fluctibus incidit
   altis 9.330

FLUCTUS

saepe tamen cumulos fluctus non uincit
harenae. 9.340
nunc redit ad Syrtes et fluctus accipit
ore, ... 9.756
non Asiam breuioris aquae disterminat
usquam/fluctus ab Europa, ... 9.958
adsiduo feriunt coguntque resistere fluctu:
10.245
spumeus inuitis canescit fluctibus amnis.
10.322
pollutos consule fluctus/quid liceat nobis,
10.379
se/ protulit in medios audaci margine
fluctus/luxuriosa domus. 10.487

FLUIDUS v. FLUUIDUS.

FLUITO,-ARE. et laxe fluitare sinit,
religatque catenas 4.451

FLUMEN. turba uado faciles iam fracti
fluminis undas. 1.222
praecipitique ruens Tiberina in flumina
riuo 2.216
fluminaque in gemini spargit diuortia
ponti 2.404
'socii, decurrite' dixit/ 'fluminis ad
ripas undaeque inmergite pontem. 2.484
non,si tumido me gurgite Ganges/summoueat,
stabit iam flumine Caesar in ullo 2.497
qui ferit Hesperius post omnia flumina
Baetis, ... 2.589
fonte nouo flumen pelagi non abnegat undis.
3.263
alto restagnant flumina uallo. 4.89
iam tumuli collesque latent, iam flumina
cuncta/ condidit una palus . . . 4.98
uastos obliquent flumina fontes. . . 4.117
occultos latices abstrusaque flumina
quaerunt; 4.293
incumbit ripis permissaque flumina
turbat. 4.367
ueluti, si cuncta minentur /flumina quos
miscent pelago subducere fontes, 5.337
flumina tot cursus illic exorta fatigant,
6.45
flumine toto/transit 6.275
flumina dum campi retinent nec peruia
Tempe/ dant aditus pelagi, . . . 6.345
et flumine puro/inrigat Amphrysos
famulantis pascua Phoebi. 6.367
tunc Thessala nudis /egreditur bustis
nocturnaque fulmina (flumina)captat.
var.6.520
cernit propulsa cruore/flumina 7.790
habet uentos incertaque fulmina (flumina)
Mauors; var.10.206
tunc omnia flumina Nilus/uno fonte uomens
non uno gurgite perfert. 10.253
tua flumina prodam, ... 10.285

FLUMINEUS,-A,-UM. hunc ego, fluminea deformis
truncus harena/qui iacet, agnosco. 1.685
nondum flumineas Memphis contexere biblos
/nouerat, ... 3.222
inde ratis trepidum.../flumineis uix tuta
uadis, euexit in altum. 8.36

FLUO,-ERE. nuda iam crate fluentis/inuadunt
clipeos 1.241
toto fluerent incendia mundo . . . 1.656
cum iam tabe fluunt confusaque tempore
multo 2.166
interruptus aquae fluxit prior amnis in
aequor, ... 2.213
balteus aut fluxos gemmis astrinxit

FLUUIUS

amictus, ... 2.362
fluxa coloratis astringunt carbasa gemmis,
3.239
iam fama ferebat/.../roboraque amplexos
circum fluxisse dracones. 3.421
et crudae putri fluxerunt puluere cautes.
3.507
et stetit incertus, flueret quo uolnere,
sanguis, ... 3.589
et Notos, in solam Calpen fluit umidus
aer. 4.71
spissataeque fluunt; 4.77
iamque Pyrenaeae, quas numquam soluere
Titan/eualuit, fluxere niues, fractoque
madescunt/saxa gelu. 4.84
quique fluat multo non derit uolnere
sanguis, ... 4.216
utque satis bello uisum est fluxisse
cruoris 4.539
tunc inrita pestis/exprimitur faucesque
fluunt pereunte ueneno. 4.729
hic alitur sanguis terras fluxurus in
omnis, ... 6.61
Aeas/ Ionio fluit inde mari, . . . 6.362
hinc maxima serpens/descendit Python
Cirrhaeaque fluxit in arua, . . . 6.408
carmine Thessalidum dura in praecordia
fluxit/non fatis adductus amor, 6.452
feralis fragmenta tori uestesque fluentis
/colligit in cineres 6.536
aera pestiferum tractu morbosque fluentis
/.../ hi possunt explere uiri, . . . 7.412
sanguis ibi fluxit Achaeus,/Ponticus,
Assyrius; 7.635
'signifero quaecumque fluunt labentia
caelo,/...fallentia nautas/sidera non
sequimur, ... 8.172
spirat de litore Coo/aura fluens; 8.247
illic et laxas uestes et fluxa uirorum/
uelamenta uides. 8.367
fata tibi longae fluxerunt prospera
uitae: 8.625
uipereumque fluit depexo crine uenenum.
9.635
membra natant sanie, surae fluxere, 9.770
dissiluit stringens uterum membrana,
fluuntque/uiscera; 9.773
colla caputque fluunt: 9.781
ecce, subit facies leto diuersa fluenti.
9.789
omnia plenis/membra fluunt uenis; 9.814
quis te tam lene fluentem/moturum totas
uiolenti gurgitis iras,/Nile, putet?
10.315

FLUUIDUS,-A,-UM. traxit iners caelum fluuidae
contagia pestis/obscuram in nubem. 6.89

FLUUIUS. in fluuium primi cecidere, in
corpora summi. 2.211
hunc fabula primum/populea fluuium ripas
umbrasse corona, ... 2.411
obstruitis campos fluuiisque arcere
paratis, ... 2.495
ingreditur pulsa fluuium statione uacantem
2.503
concussaque tellus/laxet iter fluuiis:
4.116
fluuiique ferocis/incrementa timens 4.138
iubet.../...sed duris fluuium superare
lacertis. 4.150
hos licet in fluuios saniem tabemque
ferarum,/... infundas aconita palam, 4.321

FLUUIUS

    satis est populis fluuiusque Ceresque.
                          4.381

    fluuios non ille cruoris/membrorumque
    uidet lapsum 4.785
    fama est... amnem/et capitis memorem
    fluuii contagia uilis/nolle pati   6.378
    at iuxta fluuios et stagna undantis
    Enipei/Cappadocum montana cohors.../
    ...ibat 7.224
    uideor fluuios spectare cruoris 7.292
    nihil est quod noscere malim/quam fluuii
    causas per saecula tanta latentis 10.190
    adde quod omne caput fluuii,   10.223
    fluuio cogunt incumbere nimbos, 10.243
    et scopuli, placuit fluuii quos dicere
    uenas, ... 10.325

FLUXUS v. FLUO.

FOCUS. Vestalesque foci summique o numinis
    instar/ Roma, faue coeptis. . . 1.199
    Vestae/ ante ipsum penetrale deae
    semperque calentis/mactauere focos; 2.128
    graminei luxere foci, ... 4.199
    quid.../auersosque polos alienaque sidera
    quaeris/ Chaldaeos culture focos et
    barbara sacra/Parthorum famulus? 8.338

FODIO,-ERE. sed gladiis fodere suis, 4.295
    cum calido fodiemus uiscera ferro, 4.511
    fodientem uiscera cernet/me mea qui
    nondum uicto respexerit hoste. 7.309
    quidquid fodit Hiber, quidquid Tagus
    expulit auri,/.../ ut rapiant, paruo
    scelus hoc uenisse putabunt. . . . 7.755
    populum non cernis inermem/aruaque uix
    refugo fodientem mollia Nilo? 8.526

FOEDO,-ARE. dirasque diem foedasse uolucres
    /accepimus, ... 1.558

FOEDUS,-A,-UM. et, desit si larga Ceres,
    tunc horrida cerni/foedaque contingi
    maculato attingere morsu. 3.348
    nam pepulit Varum campo nudataque foeda
    /terga fuga, donec uetuerunt castra,
    cecidit. 4.713
    tenet ora profanae/foeda situ macies,
                        6.516

FOEDUS(subst.). rupto foedere regni/certatum
    totis concussi uiribus orbis/in commune
    nefas, ... 1.4
    totaque discors/machina diuolsi turbabit
    foedera mundi. 1.80
    in turbam missi feralia foedera regni.
                        1.86
    procul hinc iam foedera sunto; 1.226
    gaudetque.../Neruius et caesi pollutus
    foedere Cottae, ... 1.429
    manifestaque belli/signa dedit mundus
    legesque et foedera rerum/ praescia
    monstrifero uertit natura tumultu 2.2
    da foedera prisci/inlibata tori, 2.341
    foedera sola tamen uanaque carentia
    pompa/iura placent sacrisque deos
    admittere testes. 2.352
    nec foedera prisci/sunt temptata tori:
                      2.378
    foedera si placeant, sit quo ueniatis
    inermes. 3.335
    nam postquam foedera pacis/cognita Petreio,
                      4.205
    pro dira pudoris/funera!(foedera)
              var.4.232
    sollicitas reges, cum forsan foedere
    nostro/iam tibi sit promissa salus.' 4.234

FONS

    ut primum iustae placuerunt foedera
    pacis, ... 4.365
    temptare parabunt/foederibus turpique
    uolent corrumpere uita. . . 4.508
    temptauere prius suspenso uincere bello/
    foederibus, ... 4.532
    tam diri foederis ictu/parta quies, 5.372
    hostis ad aduentum rumpamus foedera
    taedae, ... 5.766
    eloquar.../... Hennaea, ... quo foedere
    maestum/regem noctis ames, . . 6.740
    tu quoque deuotos sacro tibi foedere
    muros/oramus ...dignere uel una/
    nocte tua: 8.112
    uigiles Pompei pectore curae/nunc socias
    adeunt Romani foederis urbes 8.162
    'si foedera nobis/prisca manent.../...
    inplete pharetras 8.218
    quod si nos Eoa fides et barbara
    fallent/foedera, ... 8.312
    barbara.../...Venus.../polluit innumeris
    leges et foedera taedae/coniugibus 8.399
    ad foedus pacemque uenis?' . . . 8.435
    hoc tecum percussum est sanguine
    foedus. 9.1021
    nunc mixti foedera tangunt/te generis?
                    9.1048
    perque ictum sanguine Magni/foedus, ades;
                    10.372
    sed neque ius mundi ualuit nec foedera
    sancta/gentibus,.../quin caderet ferro.
                    10.471

FOLIUM. cernit miserabile uolgus/.../et foliis
    spoliare nemus 6.112

FOMES. excitat inualidas admoto fomite
    flammas. 8.776

FONS. fonte cadit modico paruisque
    inpellitur undis 1.213
    fontibus hic uastis inmensos concipit
    amnes 2.403
    Hister casuros in quaelibet aequora fontes
    /accipit 2.419
    et tu montanis totus nunc fontibus exi
                    2.485
    quaque ferens rapidum diuiso gurgite
    fontem/uastis Indus aquis mixtum non
    sentit Hydaspen; 3.235
    Euphrates, quos non diuersis fontibus
    edit/Persis, et incertum, tellus si
    misceat amnes, quod potius sit nomen aquis,
                    3.257
    fonte nouo flumen pelagi non abnegat
    undis. 3.263
    parat,/ undarum raptos auersis fontibus
    haustus / quaerere 3.345
    fontesque et pabula campi/amplexus fossa
                    3.385
    tum plurima nigris/fontibus unda cadit,
                    3.412
    tum quae solitis e fontibus exit 4.85
    uastos obliquent flumina fontes. 4.117
    aut circum largos curuari bracchia
    fontes. 4.266
    aut micuere noui percusso pumice fontes,
                    4.300
    o fortunati, fugiens quos barbarus hostis/
    fontibus inmixto strauit per rura ueneno.
                    4.320
    ueluti, si cuncta minentur/flumina quos
    miscent pelago subducere fontes, 5.337
    non alio mutentur sanguine fontes; 7.537

FONS

uadimus in...exustaque mundi/ qua nimius
Titan et rarae in fontibus undae,   9.383
sed et haec non fontibus ullis/soluitur:
                                      9.421
siluarum fons causa loco, qui putria
terrae/alligat 9.526
ultimus haustor aquae quam, tandem fonte
reperto,/indiga cogatur laticis spectare
iuuentus, ...   9.591
inuentus mediis fons unus harenis   9.607
ductor, ut aspexit perituros fonte relicto,
/adloquitur. 9.611
et in tota Libyae fons unus harena/ille
fuit de quo primus sibi posceret undam.
                                      9.617
ambissetque polos Nilumque a fonte
bibisset: 10.40
spes sit mihi certa uidendi/Niliacos
fontes, bellum ciuile relinquam.'   10.192
tunc Nilus fonte soluto,/.../
iussus adest, ...   10.215
tunc omnia flumina Nilus/uno fonte
uomens non uno gurgite perfert.   10.254
ante tamen uestros amnes.../quam Nilum de
fonte bibit. 10.279
non fabula mendax/ausa loqui de fonte tuo
est. 10.283

FOR,-ARI. sic fatus noctis tenebris rapit
agmina ductor 1.228
sic postquam fatus, et ipsi/in bellum
prono tantum tamen addidit irae   1.291
non fanda timemus, ...   1.634
cum uictima tristis/inferias Marius forsan
nolentibus umbris/pendit inexpleto non
fanda piacula busto, ...   2.176
inuenit.../ securumque sui, farique his
uocibus orsus: 2.241
sic fatur; 2.284
sic fatur, ...   2.323
fatur et astrictis laxari uincula palmis
/imperat. 2.516
sic fatur, et omnes/iussa gerunt   2.648
sic fata refugit/umbra 3.34
miratusque suae sic fatur moenia Romae:
                                      3.90
sic fatur et urbem/ attonitam terrore
subit. 3.97
sic postquam fatus, ad urbem/haud trepidam
conuertit iter; 3.372
sic fatus in hostem 3.721
sic fatus, quamuis capulum per uiscera
missi/polluerit gladii, ...   3.748
sic fatur et omnis/concussit mentes
scelerumque reduxit amorem. . .   4.235
sic fatus sustulit alte/nitentem in terras
iuuenem. 4.649
sic fatus apertis/instruxit campis acies;
                                      4.710
Cirrha silet farique sat est arcana futuri
/carmina longaeuae uobis conmissa Sibyllae,
                                      5.137
haec fatus totis discurrere castris
coeperat 5.295
sic fatus ab alto/aggere iam tepidae
sublato fune fauillae/scintillam tenuem
commotos pauit in ignes, ...   5.523
sic fatur, quamquam plebeio tectus
amictu,/indocilis priuata loqui.   5.538
haec fatur, soluensque ratem dat carbasa
uentis; 5.560
tum rector trepidae fatur ratis 'aspice

FORMA   5.568

saeuum/ quanta paret pelagus:
haec fatum decumus, dictu mirabile,
fluctus/inualida cum puppe leuat,   5.672
sic fata relictis/exiluit stratis amens
tormentaque nulla/uult differre mora.
                                      5.790
sic fatus in ortus/Phoebeos condixit iter,
                                      6.329
haec ubi fata caput spumantiaque ora
leuauit, ...   6.719
sic fatur et arma/permittit populis   7.123
sic fatur et arma/signaque.../circumit
                                      7.666
sic fata iterumque refusa/coniugis in
gremium 8.105
doctus ad haec fatur taciti seruator
Olympi 8.171
sic fatur; 8.192
sic fatus murmure sensit/consilium
damnasse uiros; 8.327
sic fata interque suorum/lapsa manus
rapitur 8.661
ad superos obscuraque sidera fatur   8.728
sic fatus paruos iuuenis procul aspicit
ignes 8.743
sic fatus plenusque sinus ardente fauilla/
peruolat ad truncum, ...   8.752
haec ubi fatus,/excitat inualidas admoto
fomite flammas. 8.775
sic ubi fata, caput ferali obduxit amictu
                                      9.109
haec fatur; quem contra talia frater:
                                      9.125
atque ingressurus steriles sic fatur
harenas: 9.378
sic fatus repetit classes 9.1000
sic fatus opertum/detexit tenuitque caput.
                                      9.1032
nec talia fatus/inuenit fletus comitem
                                      9.1104

FORAMEN. quaecumque foramina nouit/umor,
ab his largus manat cruor; . . .   9.811

FORIS. inmineat foribus pronusque repagula
laxet. 1.295
interea Phoebo gelidas pellente tenebras
/pulsatae sonuere fores, ...   2.327
ante fores nondum reseratae constitit
aedis 3.117
dixerat, et nondum foribus cedente tribuno
/acrior ira subit: 3.141
magnoque reclusas/testatur stridore fores;
                                      3.155
Phemonoen.../corripuit cogitque fores
inrumpere templi. 5.127
inpactae cessere fores, expulsaque templis
/prosiluit; 5.209
stabant ante fores populi quos miserat Eos
                                      9.544
et suffecta manu foribus testudinis Indae
/terga sedent, ...   10.120
at Caesar moenibus urbis/diffisus foribus
clausae se protegit aulae . . .   10.440

FORMA. uarias ignis denso dedit aere formas,
                                      1.531
primus Thessalicae rector telluris Ionos
/in formam calidae percussit pondera
massae 6.403
quos non concordia mixti/alligat ulla tori
blandaeque potentia formae 6.459
teque deis.../... Hecate pallenti tabida
forma,/ostendam 6.737

FORMA

    permansisse decus sacrae uenerabile formae
    /...fatentur 8.664
    quem formae confisa suae Cleopatra sine
    ullis/tristis adit lacrimis, . 10.82
    hebenus Mareotica.../...stat pro robore
    uili/auxilium non forma domus. 10.119
    et inmodice formam fucata nocentem,/...
    colloque comisque/diuitias Cleopatra gerit
                          10.137
    edissere.../ et ritus formasque deum;
                          10.179

FORMIDO. terror et in tanta pauidi formidine
    motus/pars populi lugentis erat, 2.235
    sic, dum pauidos formidine ceruos claudat
                          4.437
    formidine mersa/prosilit hortando melior
    fiducia uolgo. 7.248
    putem.../...infectumque aera totum/
    manibus et superam Stygia formidine noctem.
                          7.770
    trepida quatitur formidine somnus, 8.44
    dux Latius tota subitus formidine belli/
    cingitur: 10.536

FORMONSUS,-A,-UM. crucibus flammisque luemus/
    si fuerit formonsa soror. . . . 10.366

FORNAX. inmensis coxit fornacibus aera. 6.405

FORS. siue nihil positum est, sed fors
    incerta uagatur 2.12
    abscidit nostrae multum fors inuida laudi,
                          4.503

FORSAN. cum uictima tristis/ inferias Marius
    forsan nolentibus umbris/pendit inexpleto
    non fanda piacula busto, . . . 2.175
    cum forsan foedere nostro/iam tibi sit
    promissa salus.' 4.234
    forsan, terris inserta regendis/aera
    libratum uacuo quae sustinet orbem, 5.93
    quem non tumuli...saxum/et cinis in
    summis forsan turbatus harenis/auertet
    manesque tuos placare iubebit 8.856
    manus hoc Aegyptia forsan/ obtulit
    officium graue manibus. . . . 9.63
    illud in extrema forsan longeque remota
    /prodigium tellure fuit, . . . 9.474
    forsan maiora supersunt/ingressis: 9.865

FORSITAN. nec limine quisquam/haesit et
    extremo tunc forsitan urbis amatae/plenus
    abit uisu: 1.508
    forsitan, aut sulco sterili cum poscere
    finem/a superis...Roma uolet.../...
    consilio iussuque deum transibis in
    urbem, ... 8.846
    forsitan in soceri potuisses uiuere
    regno. 9.210
    quaeremus forsitan istas/serpentum terras:
                          9.869
    nunc forsitan ipsa est/sub pedibus iam
    Roma meis. 9.877
    meque tuumque caput per singula forsitan
    illi/oscula donabit. 10.364

FORTASSE. atque erit Aegyptus populis fortasse
    nepotum/tam mendax Magni tumulo quam Creta
    Tonantis: 8.871
    fortasse tyranni/tangeris inuidia, 9.1051

FORTE. conspecta est leti facies, cum forte
    natantem/diuersae rostris iuuenem fixere
    carinae. 3.653
    illo forte die Caesar statione relicta/
    .../ conspicit in planos hostem descendere
    campos, ... 7.235
    siquis placare peremptum/forte uolet

FORTUNA

    plenos et reddere mortis honores,/
    inueniat trunci cineres 8.773
    Cornelia nautas/priuignique fugam
    tenuit, ne forte repulsus/litoribus
    Phariis remearet in aequora truncus, 9.52

FORTIS,-E. et dum pila ualent fortes torquere
    lacerti, ... 1.364
    uos quoque, qui fortes animas belloque
    peremptas/.../plurima securi fudistis
    carmina, Bardi. 1.447
    hinc fortis Arius/longaque Sarmatici
    soluens ieiunia belli/ Massagetes, 3.281
    sed fortes tremuere manus, . . 3.429
    nunc aries suspenso fortior ictu 3.490
    plus nobilis irae/truncus habet fortique
    instaurat proelia laeua 3.615
    reppulit aestus/fortior Oceani. 4.103
    dum quae gesserunt fortia iactant 4.202
    non derat fortis rapiendo dextera leto;
                          4.345
    idem, cum fortes animos praecepta
    subissent, ... 4.524
    nec forti uelis Aquilone recepto 4.584
    non timidi petiere fugam, non proelia
    fortes, ... 4.749
    ceciditque in strage suorum/inpiger ad
    letum et fortis uirtute coacta. 4.798
    tum Sadalam fortemque Cotyn fidumque per
    arma/Deiotarum.../conlaudant, 5.54
    detegit inbelles animas nil fortiter
    ausa/ seditio tantumque fugam meditata
    iuuentus 5.322
    fortis in armis/Caesareis Labienus erat:
                          5.345
    'fortius hiberni flatus caelumque fretumque,
    /cum cepere, tenent, ... 5.413
    fortis crebris sonat ictibus umbo, 6.192
    Trachin pretioque nefandae/lampados
    Herculeis fortis Meliboea pharetris 6.354
    nec fortior undis/labitur auectae pater
    Isidis, ... 6.362
    et quotiens saeuis opus est ac fortibus
    umbris/ipsa facit manes. . . . 6.560
    certus discedat.../quisquis...duraeque
    oracula mortis/fortis adit. . . . 6.773
    fortissimus ille est/qui, promptus
    metuenda pati, si comminus instent,/et
    differre potest. 7.105
    at medii robur belli fortissima densant/
    agmina, ... 7.221
    celsior in campo sonipes et fortior arcus.
                          8.295
    pauido fortique cadendum est: . . 9.583
    manant umeri fortesque lacerti, . 9.780
    stat contra fortior aetas/uix ulla
    fuscante lanugine malas. . . . 10.134

FORTUNA. commodat in populum terrae pelagique
    potentem/inuidiam Fortuna suam. 1.84
    non cepit fortuna duos. 1.111
    erigit inpatiensque loci fortuna secundi;
                          1.124
    multumque priori/credere fortunae. 1.135
    namque, ut opes nimias mundo fortuna
    subacto/intulit 1.160
    te, Fortuna, sequor. 1.226
    melius, Fortuna, dedisses/orbe sub Eoo
    sedem 1.251
    quotiens Romam fortuna lacessit, 1.256
    iustos Fortuna laborat/esse ducis motus
                          1.264
    nunc, cum fortuna secundis/mecum rebus

agat 1.309
nequo languore moretur/fortunam, 1.394
dum pendet fortuna ducum: 2.41
stagna auidi texere soli laxaeque paludes/
depositum, Fortuna, tuum; . . . 2.72
ut primum fortuna redit, seruilia soluit
/agmina, ... 2.94
quae peior fortuna potest, . . . 2.132
uidit Fortuna colonos 2.193
hos alio, Fortuna, uocas, olimque potentes
/concurrunt. 2.230
excutiet fortuna tibi, tu mente labantem
/derige me, ... 2.244
ne tanta in cassum uirtus eat, ingeret
omnis/se belli fortuna tibi. . . 2.264
nec, si fortuna fauebit, ... 2.320
dubiamque fidem fortuna ferebat. 2.461
heu, quanto melius uel caede peracta/
parcere Romano potuit fortuna pudori!
2.518
teque nihil, Fortuna, pudet. 2.568
dux etiam uotis hoc te, Fortuna, precatur,
2.699
lassata triumphis/desciuit Fortuna tuis.
2.728
abscondat Fortuna nefas, ... 2.735
fortuna est mutata toris, ... 3.21
neque enim iam sufficit ulla/praecipiti
fortuna uiro, ... 3.51
tam pauidum tibi, Roma, ducem fortuna
pepercit, ... 3.96
interea totum Magni fortuna per orbem/
secum casuras in proelia mouerat urbes.
3.169
exequias Fortuna dedit. 3.292
hos perdit Fortuna dies! 3.394
seruat multos fortuna nocentis 3.448
placuitque profundo/fortunam temptare
maris. 3.510
sed paruo Fortuna uiri contenta pauore/
plena redit, ... 4.121
itur in omne nefas, et, quae fortuna
deorum/inuidia caeca bellorum in nocte
tulisset, ... 4.243
neque enim tibi maior in aruis/Emathiis
fortuna fuit nec Phocidos undis/Masilliae,
4.256
interque priorem/fortunam casusque nouos
gerit omnia uicti,/sed ducis, . . 4.342
ut numquam fortuna labet successibus
anceps, ... 4.390
hoc quoque securis oneris fortuna remisit,
4.398
non eadem belli totum fortuna per orbem/
constitit, ... 4.402
exemplum, Fortuna, paras. 4.497
Curio laetatus, tamquam fortuna locorum
/bella gerat 4.661
quem blanda futuris/deceptura malis belli
fortuna recepit. 4.712
fraudibus euentum dederat fortuna, 4.730
leti fortuna propinqui/tradiderat fatis
iuuenem, ... 4.737
non tam laeta tulit uictor spectacula
Maurus/quam Fortuna dabat; 4.785
excitet inuisas dirae Carthaginis umbras
/inferiis Fortuna nouis, ... 4.789
in Macetum terras miscens aduersa secundis
/seruauit fortuna pares. 5.3
si fortuna ferat, rerum nos summa sequetur
5.26

fortunaque tantos/det uobis animos
quantos fugientibus hostem/causa dabat.
5.42
fortunae, Ptolemaee, pudor crimenque
deorum; 5.59
regnaque ad ultores iterum redeuntia
Brutos,/ut peragat fortuna, taces? 5.208
quidquid gerimus fortuna uocatur. 5.292
fortunamque suam per summa pericula
gaudens/exercere uenit; 5.302
tot reddet Fortuna uiros quot tela
uacabunt. 5.327
heu, quantum Fortuna umeris iam pondere
fessis/amolitur onus! 5.354
hoc fortuna loco tantae duo nomina
famae/conposuit, ... 5.468
summam rapti per prospera belli/te
poscit fortuna manum. 5.484
somno/ dat uires fortuna minor; 5.506
cunctisque relictis/sola placet Fortuna
comes. 5.510
aut quem nostrae fortuna coegit/auxilium
sperare casae?' 5.522
de quo male tunc fortuna meretur 5.582
quod praestet Fortuna mihi.' . . . 5.593
conscia uotorum es, me, quamuis plenus
honorum/et dictator eam Stygias et
consul ad umbras/priuatum, Fortuna, mori.
5.668
fortunamque suam tacta tellure recepit.
5.677
sufficit ad fatum belli fauor iste
laborque/Fortunae, ... 5.697
sub ictu/fortunae quo mundus erat
Romanaque fata, ... 5.730
tutior omni/rege late, positamque procul
fortuna mariti/non tota te mole premat.
5.755
quem non.../auferret Fortuna locum
uictoribus unus/eripuit 6.141
testem hunc fortuna negauit: . . . 6.159
parque nouum Fortuna uidet concurrere,
bellum/atque uirum, ... 6.191
te precor ut certum liceat mihi noscere
finem/quem belli fortuna paret. 6.593
tum, Thessala turba fatemur/plus Fortuna
potest. 6.615
uidi.../et Curios, Sullam de te, Fortuna,
querentem; 6.787
distribuit tumulos uestris fortuna
triumphis. 6.818
seu uetito patrias ultra tibi cernere
sedes/sic Romam Fortuna dedit. 7.24
'hoc...solum te, Magne, precatur,/uti se
Fortuna uelis, ... 7.69
inuoluat populos una fortuna ruina 7.89
placet haec tam prospera rerum/tradere
fortunae, ... 7.108
res mihi Romanas dederas, Fortuna,
regendas; 7.110
non tamen abstinuit uenturos prodere
casus/per uarias Fortuna notas. 7.152
o summos hominum, quorum fortuna per
orbem/signa dedit, ... 7.205
'o domitor mundi, rerum fortuna mearum,
/miles,adest totiens optatae copia pugnae.
7.250
sed me fortuna meorum/commisit manibus,
7.285
tremores/hi possunt explere uiri, quos
undique traxit/in miseram Fortuna

FORTUNA

necem, ... 7.416
de Brutis, Fortuna, queror. . 7.440
rapit omnia casus/atque incerta facit
quos uolt fortuna nocentes. . . 7.488
nec Fortuna diu rerum tot pondera uertens/
abstulit ingentis fato torrente ruinas.
    7.504
constitit hic bellum, fortunaque Caesaris
haesit. . . . . , . 7.547
nusquam Magni fortuna sine illo/succubuit.
    7.601
post proelia natis/si dominum, Fortuna,
dabas, et bella dedisses. 7.646
tota uix clade coactus/fortunam damnare
suam. 7.649
iam nihil est, Fortuna, meum.' . . . 7.666
quamque fuit laeto per tres infida
triumphos/tam misero Fortuna minor. 7.686
protinus hostili statuit succedere uallo/
dum fortuna calet, ... 7.734
tot regum fortuna simul Magnique coacta/
expectat dominos: 7.743
fortunam superosque suos in sanguine
cernit. 7.796
quocumque tuam fortuna uocabit,/hae quoque
sunt animae: 7.815
libera fortunae mors est; 7.818
sed poenas longi Fortuna fauoris/exigit
a misero, ... 8.21
dedecori est fortuna prior. . . . 8.31
'nobile cur robur fortunae uolnere primo/
.../ frangis? 8.72
uiuit post proelia Magnus/ sed fortuna
perit. 8.85
hoc uiris habebat/in tantum fortuna caput?
    8.96
Pompeiumque minus, cuius fortuna dolorem/
mouerat,.../...discedere cernens/ingemuit
populus; 8.150
nunc portum fortuna dabit'. . . . 8.192
neque.../abstulerat Magno reges fortuna
ministros: 8.207
me pulsum leuiore manu fortuna tenebit?
    8.271
uolgati supra commercia mundi/naufragium
fortuna ferat: 8.313
aut me fortuna necesse est/uindicet aut
Crassos' 8.326
solos tibi, Magne, reliquit/Parthorum
fortuna pedes? 8.335
Assyriae paci finem, Fortuna, precamur;
    8.427
dat poenas laudata fides, cum sustinet'
inquit/ 'quos fortuna premit. 8.486
nescis, puer inprobe.../quo tua sit
fortuna loco: 8.558
quis non, Fortuna, putasset/parcere te
populis? 8.600
inuoluit uoltus atque, indignatus
apertum/fortunae praebere, caput; 8.615
hac facie, Fortuna, tibi, Romana,
placebas. 8.686
hac Fortuna fide Magni tam
prospera fata/pertulit, ... 8.701
semel inpulit illum/dilata Fortuna manu.
    8.708
Pompeio raptim tumulum fortuna parauit,
    8.713
'non pretiosa petit...sepulchra/Pompeius,
Fortuna, tuus, ... 8.730
fortuna recursus/si det in Hesperiam, non

FOSSA

hac in sede quiescent/tam sacri cineres,
    8.767
placet hoc, Fortuna, sepulchrum/dicere
Pompei, ... 8.793
nunc est pro numine summo/ hoc tumulo
Fortuna iacens; 8.861
'ergo indigna fui,' dixit 'Fortuna, marito
/accendisse rogum 9.55
casta domus luxuque carens corruptaque
numquam/fortuna domini. 9.202
et mihi,.../fac talem, Fortuna, Iubam;
    9.213
Magnum fortuna remouit, ... 9.223
non Armenium mihi saeua minatur/aut
Scythicum fortuna iugum: 9.238
fortuna cuncta tenentur/Caesaris, 9.244
unum fortuna reliquit/iam tribus e
dominis. 9.265
'sors obtulit.../ 'et fortuna uiae tam
magni numinis ora/consiliumque dei: 9.551
an noceat uis nulla bono fortunaque
perdat/opposita uirtute minas, 9.569
quidquid laudamus in ullo/maiorum, fortuna
fuit. 9.596
omni fortunam prouocat hora. 9.883
miseris serum.../auxilium Fortuna dedit.
    9.891
quam magna remisit/crimina Romano tristis
fortuna pudori, ... 9.1060
ne sic mea colla gerantur/Thessaliae
fortuna facit. 9.1084
pugnauit fortuna ducis fatumque nocentis/
Aegypti, ... 10.3
fortuna perpercit/manibus, 10.23
dignatur uiles...sanguine dextras/ quo
Fortuna parat uictos perfundere patres,
    10.339
nec nos deterreat ausis/Hesperii fortuna
ducis, ... 10.376
attrahit illos/in nostras fortuna manus:
    10.385
fata uetant, murique uicem Fortuna tuetur.
    10.485
nec satis hoc Fortuna putat. 10.525

FORTUNATUS,-A,-UM. o fortunati, fugiens quos
barbarus hostis/fontibus inmixto strauit
per rura ueneno. 4.319

FORUM. constitit ut capto iussus deponere
miles/signa foro, ... 1.237
quis castra timenti/nescit mixta
foro, ... 1.320
et medio congesta foro: 2.161
quid nunc rostra tibi prosunt turbata
forumque 4.799
Caesar habet.../ clausaque iustitio tristi
fora; 5.32
Hesperiam potui...tenere/si uellem...
aciem committere templis/ac medio pugnare
foro. 6.324
cunctorum uoces.../Tullius.../pertulit
iratus bellis, cum rostra forumque/
optaret passus tam longa silentia miles.
    7.65
non ...petit.../Pompeius.../ut resonent
tristi cantu fora, ... 8.734

FORUS. ad summos repleta foros descendit in
undas 3.630
iam latis uiscera lapsa/semianimes traxere
foris 4.567

FOSSA. fontesque et pabula campi/amplexus
fossa 3.386

FOSSA

            prono cum Caesar Olympo/in noctem subita
            circumdedit agmina fossa, ...   4.29
            tunc inopes undae praerupta cingere fossa
            /Caesar auet 4.264
            pandit fossas turritaque summis/ disponit
            castella iugis 6.39
            sternite iam uallum fossasque inplete
            ruina, ... 7.326
            quae fossa, quis agger/sustineat pretium
            belli scelerumque petentis? . . . 7.749
            aut fossas inplere ualent, . . . 8.378
FOSSOR. uincto fossore coluntur/Hesperiae
            segetes, ... 7.402
FOUEO,-ERE. mox uda receptis/membra fouent
            armis 4.153
            quae modo conplexu fouerunt pectora
            caedunt; 4.246
            dum fouet amplexu grauidum Corelia curis
                                               5.735
            has auidae tigres et nobilis ira leonum/
            ore fouent blando; 6.488
            protinus astrictus caluit cruor atraque
            fouit/uolnera 6.750
            te suadente dedit, uotis tua fouimus arma.
                                               8.519
            lentum Magnus destillat in ignem/tabe
            fouens bustum. 8.778
            renouare parans hibernas Apulus herbas/
            igne fouet terras, ... 9.184
            innocuosque diu rictus torpente ueneno/
            inter membra fouent. 9.846
            et cladem fouere Noti, ... 10.500
FRAGILIS,-E. pulsusque deorum/concutiunt
            fragiles animas. 5.120
            auolsit laceros percussa puppe rudentis/
            turbo rapax fragilemque super uolitantia
            malum/uela tulit; 5.595
            nec caespite tantum/contentus fragili
            subitos attollere muros 6.33
            fragili circumdata testa/moenia mirentur
                                                6.49
            ac male defensum fragili conpage cerebrum/
            dissipat; 6.177
            stat non fragilis pro Caesare murus
                                               6.201
FRAGMEN. sed super et flammis et magnae
            fragmine molis/et sudibus crebris adusti
            roboris ictu/percussae cedunt crates,
                                               3.493
FRAGMENTUM. iam ratibus fragmenta ferus sibi
            uindicat ignis. 3.686
            et galeae fragmenta cauae conpressa
            perurunt/tempora, ... 6.193
            feralis fragmenta tori uestesque fluentis/
            colligit in cineres 6.536
            et collecta procul lacerae fragmenta
            carinae/exigua trepidus posuit scrobe.
                                               8.755
            abstulit Emathiae secum fragmenta ruinae.
                                                9.33
FRAGOR. aetheris inpulsi sonitu mundique
            fragore 1.152
            tum fragor armorum magnaeque per auia
            uoces/auditae 1.569
            heu demens, nullum belli sentire fragorem
            /tot mundi caruisse malis,praestare deorum
            /excepta quis Morte potest? . . . 5.228
            securasque fragor concussit Caesaris
            aures. 6.163
            laetus fragor aethera pulsat/uictorum:
                                               6.225

FRANGO

            extremique fragor conuexa inrumpit
            Olympi, ... 7.478
            pauet ille fragorem/motorum uentis
            nemorum, ... 8.5
FRANGO,-ERE. Ionium Aegaeo frangat mare, 1.103
            molli tum cetera rumpit/turba uado
            faciles iam fracti fluminis undas. 1.222
            pietas patriique penates/quamquam caede
            feras mentes animosque tumentes/frangunt;
                                               1.355
            fregit et Arctoo spumantem uertice Rhenum:
                                               1.371
            fractaque ueliferi sonuerunt pondera mali,
                                               1.500
            agricolae fracto Marium fugere sepulchro.
                                               1.583
            hic laqueo fauces elisaque guttura fregit,
                                               2.154
            fracta sub ingenti miscentur pondere
            membra, ... 2.188
            collesque coercent/hinc Tyrrhena uado
            frangentes aequora Pisae, ... 2.401
            Eridanus fractas deuoluit in aequora
            siluas 2.409
            non tam portas intrare patentis/ quam
            fregisse iuuat, ... 2.444
            frangit cuncta ruens, nec tantum corpora
            pressa/exanimat, ... 3.472
            fregit aquis radios et liber nubibus
            aether 3.522
            habiles.../et temptare fugam nec longo
            frangere gyro 3.554
            fractarum subita ratium periere ruina.
                                               3.579
            in pugnam fregere rates. 3.674
            glande petens solido fregit caua tempora
            plumbo. 3.711
            iamque Pyrenaeae, quas numquam soluere
            Titan/eualuit, fluxere niues, fractoque
            madescunt/saxa gelu. 4.84
            seruata precanti/maiestas non fracta
            malis, ... 4.341
            huc fractas Aquilone rates summersaque
            pontus/corpora saepe tulit caecisque
            abscondit in antris; 4.457
            frangitur armatum conliso pectore pectus.
                                               4.783
            nec peruia uelis/aequora frangit eques,
                                               5.440
            in fluctus Cori frangit mare, . . 5.606
            artis opem uicere metus, nescitque
            magister/quam frangat, cui cedat aquae.
                                               5.646
            ut uidere duces, purumque insurgere caelo/
            fracturum pelagus Borean, soluere carinas.
                                               5.705
            franguntur montes, ... 6.38
            quae mollire queunt flamma, quae frangere
            morsu,/.../diripiens miles saturum tamen
            obsidet hostem. 6.114
            [percussum Scaeuae frangit, non uolnerat,
            hostem;] 6.187
            perdidit ensis opus, frangit sine uolnere
            membra. 6.188
            Libycus...elephans.../omne repercussum
            squalenti missile tergo/frangit   6.210
            tot facta(fracta)sagittis,/tot iaculis
            unam non explent uolnera mortem. var.6.212
            nec.../...mare lassatur, cum se
            tollentibus Euris /frangentem fluctus
            scopulum ferit 6.266

FRANGO

Aeolidae Dolopesque solum fregere coloni
6.384

aspera te Pholoes frangentem, Monyche,
saxa, ... 6.388

aurumque moneta/fregit et inmensis coxit
fornacibus aera. 6.405

exprimit.../siluarumque sonum fractaeque
tonitrua nubis: 6.692

abruptis Catilina minax fractisque catenis
/exultat 6.793

[inque oculis hominum fregerunt fulmina
nubes] 7.154

te.../...fractum aduersa uidebunt; 7.684

'nobile cur robur fortunae uolnere primo/
.../frangis? 8.74

primi Pellaeas arcu fregere sarisas 8.298

'sicine Thessalicae mentem fregere ruinae?
8.331

te.../ delectum fatis, humilem fractumque
uidebit 8.344

nec franget nando uiolenti
uerticis amnem, ... 8.374

quos inter Acoreus/iam placidus senio
fractisque modestior annis . . . 8.476

litusque malignum/incusat bimaremque uadis
frangentibus aestum, ... 8.566

tunc neruos uenasque secat nodosaque
frangit/ossa diu: 8.672

aequora fracta uadis abruptaque terra
profundo, ... 9.308

non montibus ortum/aduersis frangit Libye
9.450

hunc ego per Syrtes...triumphum/ducere
maluerim.../... quam frangere colla
Iugurthae. 9.600

et frangit rabidos praemorso carcere
dentes, ... 10.446

non aries...moturus limina.../fracturusque
domum, non ulla est machina belli, 10.481

FRATER. fratri contraria Phoebe/ibit 1.77

pectore si fratris gladium iuguloque
parentis/condere me iubeas . . . 1.376

ausi Latio se fingere fratres/sanguine
ab Iliaco populi, ... 1.427

cornuque coactu/ iam Phoebe toto fratrem
cum redderet orbe 1.538

in fratrum ceciderunt praemia fratres.
2.151

meque ipsum memini, caesi deformia fratris
/ora rogo cupidum uetitisque inponere
flammis, ... 2.169

telaque diuersi prohibebunt spargere
fratres? 3.327

uolnera miscebunt fratres bellumque
coacti/hoc potius ciuile gerent.' 3.354

stant gemini fratres, fecundae gloria
matris, ... 3.603

semper et amissum fratrem lugentibus
offert. 3.608

[hic fratres natosque suos uidere
patresque] 4.171

dirum Thebanis fratribus omen; 4.551

fratribus incurrunt fratres natusque
parenti, ... 4.563

hoc solamen erat, quod uoti turba
nefandi/conscia, quae patrum iugulos,
quae pectora fratrum/sperabat, gaudet
monstris, ... 7.182

tot similis fratrum gladios patrumque
gerenti/Thessaliae dabit ille diem? 7.453

ille locus fratres habuit, locus ille

FREMO

parentis. 7.550

pudet.../quaerere.../... quis pectora
fratris/caedat 7.626

inque parentum/inque toris fratrum
posuerunt membra nocentes. . . 7.763

aspexit patrios comites a litore Magnus/
et fratrem; 9.122

'haec fatur; quem contra talia frater:
9.125

auxilium uolucri Pallas tulit innuba
fratri 9.665

fratrique tuum pro munere tali/misissem,
Cleopatra, caput. 9.1070

pro pudor, oblitus Magni tibi, Iulia,
fratres/...dedit 10.77

et thalamos cum fratre dedit. 10.94

nec sceptris contenta suis nec fratre
marito,/...Cleopatra 10.138

nubit soror inpia fratri, . . . 10.357

sic barbara Colchis/creditur.../ense suo
fratrisque simul ceruice parata/
expectasse patrem. 10.466

FRATERNUS,-A,-UM. fraterno primi maduerunt
sanguine muri. 1.95

descendit Perses, fraternique ultor
amoris 3.286

fraternaque pectore nudo/arma tegens,
3.619

sic rector Olympi/ cuspide fraterna
lassatum in saecula fulmen/adiuuit, 5.621

Phoebeque serena/.../palluit.../quam si
fraterna prohiberet imagine tellus. 6.503

uultus.../...uidere parentum/frontibus
aduersis fraternaque comminus arma, 7.465

hunc agitant totis fraterna cadauera
somnis, ... 7.775

FRAUDO,-ARE. inmites Romana piacula diui/
plena ferant, nullo fraudemus sanguine
bellum. 2.305

FRAUS. at Pompeianus fraudes innectere
ponto/antiqua parat arte Cilix, 4.448

Vulteius tacitas sensit sub gurgite
fraudes 4.465

fraudibus euentum dederat fortuna, 4.730

multum frustraque rogatus/ut Libycas
metuat fraudes 4.736

fraude sua cessere parum, dum colle
relicto 4.742

absterrere ducem noscendi ardore futura/
cassa fraude parat. 5.130

nec parat occultae caedem committere
fraudi 10.345

FREMITUS. Pindus agit fremitus Pangaeaque
saxa resultant 7.482

sed fremitu uolgi fasces et iura querentis
/inferri Romana suis discordia sensit/
pectora 10.11

FREMO,-ERE. dubium non claro murmure
uolgus/secum incerta fremit. . . 1.353

aequora sulcis/eruta feruescunt litusque
frementia pulsant. 2.703a

subitisque frementis/uerticibus contorsit
aquas 4.101

Campana fremens ceu saxa uaporat/
conditus Inarimes aeterna mole Typhoeus.
5.100

turba/castrorum fremuit fatisque
trahentibus orbem/signa petit pugnae.
7.46

trepido confusa tumultu/ castra
fremunt, ... 7.128

FREMO
    fremit interea discordia uolgi,   9.217
    densis fremuit niger imbribus Auster.
                  9.320
    quaecumque leuatae/arboribus caesis
    flatum effudere prementem/(frementem)/
    abstulit has liber.../aestus   var.9.332
    cuncta fremunt undis, ac multo
    murmure montis 10.321
    sic fremit in paruis fera nobilis abdita
    claustris 10.445
FRENUM. gaudetque.../optima gens flexis in
    gyrum Sequana frenis, ... 1.425
    resolutaque legum/frenis ira ruit. 2.146
    hinc Lacedaemonii, moto gens aspera freno,
                  3.269
    ora leui flectit frenorum nescia uirga,
                  4.683
    saxa quatit pulsu rigidos uexantia frenos/
    ora terens 4.751
    nec tantum prodere uati/quantum scire
    licet. 5.176
    primus chalybem frenosque momordit 6.398
    frenosque furentibus ira/laxat   7.124
    auget eques stimulos frenorumque artat
    habenas. 7.143
    glomerataque nubes/in sua conuersis
    praeceps ruit agmina frenis. . . . 7.531
FREQUENS. urbem populis uictisque frequentem
    /gentibus et generis, ... 1.511
    nostros non rumpit funus amores/nec diri
    fax summa rogi, sed sorte frequenti 5.764
    nulloque frequentem/ciue suo Romam sed
    mundi faece repletam/cladis eo dedimus,
                  7.404
FREQUENTO,-ARE. non illum cultu populi
    propiore frequentant 3.422
FRETUM. tellus.../excutietque fretum,   1.77
    dum terra fretum terramque leuabit/aer
                  1.89
    nec patitur conferre fretum, si terra
    recedat, ... 1.102
    quaque iacet litus dubium quod terra
    fretumque/uindicat alternis uicibus, 1.409
    qui medio periere freto. 2.190
    diductique fretis alio sub sidere reges,
                  2.294
    omne fretum metuens pelagi pirata reliquit
                  2.578
    hinc late patet omne fretum, . . . 2.622
    uult hostes errare freto, ... 2.661
    incessitque fretum rapidi super
    Hellesponti, ... 2.675
    absconditque fretum classes, . . . 3.47
    quaque, fretum torrens, Maeotidos egerit
    undas/ Pontus, ... 3.277
    pugna fuit unus in illa/eximius Phoceus
    animam seruare sub undis/scrutarique
    fretum, ... 3.698
    tum freta seruantur, dum se declinibus
    undis/aestus agat. 4.427
    passusque uacare/summa freti medio
    suspendit uincula ponto 4.450
    cumque cauernae/euomuere fretum contorti
    uerticis undae/Tauromenitanam uincunt
    feruore Charybdim. 4.460
    'fortius hiberni flatus caelumque fretumque,
    cum cepere, tenent, ... 5.413
    cum glacie retinente fretum non inpulit
    Hister, ... 5.437
    caelo languente fretoque naufragii spes
    omnis abit. 5.454

    in uentos inpendo uota fretumque.   5.491
    sponte...audet temptare.../quod iussi
    timuere fretum, ... 5.501
    caeli iste fretique, /non puppis nostrae
    labor est: 5.584
    prima fretum scindens Pagasaeo litore
    pinus/terrenum ignotas hominem proiecit in
    undas. 6.400
FRETUS,-A,-UM. hospitii fretus superis et
    munere tanto/in proauos, cecidit
    donati uictima regni. 9.131
FRIGIDUS,-A,-UM. summo si frigida caelo/
    stella nocens nigros Saturni accenderet
    ignes, ... 1.651
    tum frigidus artus/alligat atque animum
    subducto robore torpor, ... 4.289
    seu maesto classica paulum/intermissa
    sono claususque et frigidus ensis/
    expulerat belli furias, ... 5.245
    uiduo tum primum frigida lecto   5.806
    ut ueteris, deprendit signa ruinae. 6.281
    frigidus inde/stat gladius, . . . 7.502
    frigida Saturno glacies et zona niualis
    /cessit; 10.205
FRIGUS. astringit Scythico glacialem
    frigore pontum! 1.18
    sterili non quicquam frigore gignit 4.108
    extremum Scythici transcendam frigoris
    orbem 6.325
    ut neque sole uiam nec duro frigore
    saeuam/inde polo Libyes, hinc bruma
    temperet annus. 9.376
    calidoque uapore/adliciunt gelidas
    nocturno frigore pestes, . . . 9.844
    commeat hac...unda/frigore ab Arctoo
    medium reuocata sub axem, . . 10.250
FRONDEO,-ERE. ungula frondentem discussit
    cornea campum. 6.83
    quamuis arbore multa/frondeat aestatem
    nulla sibi mitigat umbra, . . . 10.305
FRONS. effundens trunco, non frondibus,
    efficit umbram, ... 1.140
    hostemque propinquum/orant Cecropiae
    praelata fronde Mineruae. . . . 3.306
    non ulli frondem praebentibus aurae/
    arboribus suus horror inest. . . . 3.410
    tum primum posuere comas et fronde
    carentes/admisere diem, ... 3.443
    tunc herbas frondesque terunt, . . 4.316
    infando saturatas carmine frondis/...
    addidit 6.682
    Hesperidum pauper spoliatis frondibus
    hortus. 9.358
    quidquid puluere sicco/separat ardentem
    tepida Berenicida Lepti/ignorat frondes:
                  9.525
    siluarum fons(frons) causa loco, qui
    putria terrae/alligat var.9.526
    nam neque congestae struxere cubilia
    frondes 9.841
    coepit.../ iamque procul rarae nemorum
    se tollere frondes, ... 9.944
FRONS. turritaque premens frontem matrona
    corona 2.358
    intonsos rigidam in frontem descendere
    canos/passus erat 2.375
    sub cuius pluteis et tecta fronte
    latentes 3.488
    nec gerit expositum telis in fronte
    patenti/remigium, ... 4.423
    inmotumque caput fixa cum fronte tenetur,

FRONS

cum turgentia suco/frontis amaturae
subducunt pignora fetae: 6.456
tibi, numine pugnax/aduerso Domiti,
dextri frons tradita Martis. . .   7.220
dum tela micant, non uos.../... aduersa
conspecti fronte parentes/commoueant; 7.321
uultus,.../...uidere parentum/frontibus
aduersis fraternaque comminus arma,   7.465
metuens ne frons sibi prima labaret/
incursu, tenet obliquas post signa
cohortes, ...   7.521
generosa fronte decora/caesaries conprensa
manu est, ...   8.680
nec color imperii nec frons erit ulla
senatus. 9.207
surgunt aduersa subrectae fronte
colubrae 9.634
ipsaque leti/frons caret inuidia   9.740
adquiritque fidem simulati fronte
doloris: 9.1063
abscondunt gemitus et pectora laeta/
fronte tegunt, ...   9.1107
pars sanguinis usti/torta caput
refugosque gerens a fronte capillos;
                                    10.132
acies non sparsa maniplis /nec uaga
conspicitur, sed.../recta fronte uenit:
                                    10.438

FRUCTUS. quid perdere fructum/iuuit et, ut
uilem, Marii confundere uoltum?   2.190
hoc bellum sceptri fructum putat esse
retenti. 4.693
extremusque perit tam longi fructus amoris,
                                     5.794
donassent utinam superi.../unum, Magne,
diem, quo.../extremum tanti fructum
raperetis amoris. 7.32
nunc tibi uera fides quaesiti, Magne,
fauoris/contigit ac fructus: . .   7.727

FRUGIFER,-ERA,-ERUM. qualis frugifero quercus
sublimis in agro 1.136
utraque frugiferis est insula nobilis
aruis, ...   3.65
montibus, Ausoniam qua torquens frugifer
oram 5.378
Pallas frugiferas iussit non laedere
terras 9.687

FRUOR. templique fruuntur/iustitio.   5.115

FRUSTRA. frustraque hosti concessa potestas/
sanguinis inuisi, ...   2.76
me frustra leges et inania iura tuentem,
                                     2.316
abscidis frustra ferro tua pignora: 3.33
pectoribus rapti matrum frustraque
trahentes/ ubera sicca fame medios
mittentur in ignis/uxor 3.351
percussae cedunt crates, frustraque
labore/exhausto fessus repetit tentoria
miles. 3.495
tolerasse sitim frustraque rogasse/
prospera bella deos! 4.387
frustra qui uincula ferro/rumpere conatus
                                     4.466
colla diu grauibus frustra temptata
lacertis, ...   4.618
multum frustraque rogatus/ut Libycas
metuat fraudes 4.735
a quotiens frustra pulsatos aequore
montis/obruit ille dies! 5.615
praetereunt frustra temptati litora Lissi

FUGA

uiles animas perituraque frustra/agmina
permisit uitae. 7.730
frustraque attollere terra/ semianimem
conantur eram; 8.65
haec ubi frustra /effudit,...pendet...
anxia puppe, ...   8.589
nam, postquam frustra precibus Cornelia
nautas/priuignique fugam tenuit,   9.51
frustraque rudentibus ausis/uela
negare Noto spatium uicere carinae,   9.325
cuius uestigia frustra/terris sparsa
legens fama duce tendit in undas,   9.952
frustra ciuilibus armis/miscuimus gentes,
siqua est hoc orbe potestas/altera quam
Caesar, ...   9.1076

FRUSTROR,-ARE. et quodcumque cadit frustrato
pondere ferrum 3.581
nec te uicinia leti/territat
ambiguis frustratum sortibus,Appi;   5.225

FRUX. nec quaesisse libet primis quid
frugibus altrix/aere Iouis Dodona sonet,
                                     6.426

FUCO,-ARE. et inmodice formam fucata
nocentem,/...colloque comisque/diuitias
Cleopatra gerit 10.137

FUCUS. Tyrio cuius pars maxima fuco/
cocta diu uirus non uno duxit aeno, 10.123

FUGA. quo quemque fugae tulit impetus
urguent 1.491
busta repleta fuga, permixtaque uiua
sepultis/corpora, ...   2.152
gens Etrusca fuga trepidi nudata Libonis,
                                     2.462
hoc fuga nautarum, cum totas Hadria uires
/mouit 2.625
ut tempora tandem/furtiuae placuere fugae,
                                     2.688
quod tibi, Roma, fuga Gallus trepidante
reliquit, ...   3.159
habiles.../ et temptare fugam nec longo
frangere gyro 3.554
et ratium tenuere fugam. 3.706
naualia paucae/praecipiti tenuere fuga.
                                     3.756
sed nimbos rapuere fuga. 4.70
iamque agmina summa/carpit eques,
dubiique fugae pugnaeque tenentur.   4.156
ait 'raptumque fuga conuertite bellum
                                     4.163
altaeque ad moenia rursus Ilerdae/
intendere fugam. 4.262
spe posita damnare fugam casurus in
hostes 4.270
noua furta per aequor /exquisita fugae.
                                     4.417
fuga nulla patet, ...   4.485
cernit cuncta metu nocturnaque munera
ualli/desolata fuga, trepida sic mente
profatur: 4.701
nudataque foeda/terga fuga, donec
uetuerunt castra, cecidit. . . .   4.714
ille fugam credens simulatae nescius
artis, ...   4.744
non timidi petiere fugam, non proelia
fortes, ...   4.749
non tulit.../aut sperare fugam, ceciditque
in strage suorum 4.797
seditio tantumque fugam meditata iuuentus
                                     5.323
anne fugam Magni tanta cum classe secuntur

FUGA

   /Hesperiae gentes, ... 5.328
   Caesaris an cursus uestrae sentire
   putatis/damnum posse fugae? . . . 5.336
   sed non tam remeans Caesar/ iam luce
   propinqua/ quam tacita sua castra fuga
   comitesque fefellit. 5.679
   si nil tibi uicta relinquent/ tutius arma
   fuga, ... 5.788
   atque oblita fugae quaesiuit nocte
   maritum! 5.810
   hic ubi quaerentis socios.../ tuta fugae
   cernit, ... 6.150
   sed tu quoque, coniunx/ causa fugae
   uoltusque tui 7.676
   cornipedem.../ Magnus agens incerta fugae
   uestigia turbat 8.4
   'comites bellique fugaeque/.../ingentis
   praestate animos. 8.262
   Parthus.../... nulli superabilis hosti
   est/ libertate fugae; 8.371
   precibus Cornelia nautas/priuignique fugam
   tenuit, ... 9.52
   quorum unus aperta/mente fugae tali
   conpellat uoce regentem; 9.226
   ignauum scelus est tantum fuga.' 9.283
   attonitae posuere fugam 9.289
   pars ratium maior regimem clauumque
   secuta est/ tuta fuga, ... 9.346
   et fuga signorum medio rapit omnia caelo.
   9.543
   poena fugae Ptolemaeus erat. . . 9.1087
   sideribus, quae sola fugam moderantur
   Olympi/... diuersa potentia prima/mundi
   lege data est. 10.199
   sic barbara Colchis/creditur ultorem
   metuens regnique fugaeque/... expectasse
   patrem. 10.465
   uia nulla salutis/non fuga, non uirtus;
   10.539

FUGAX.. disces non esse ad bella fugaces/ qui
   pacem potuere pati. 2.558
   occasus mea iura timent Tethynque fugacem
   . . . . 2.588
   ut primum patuere doli, Numidaeque fugaces
   /undique conpletis clauserunt montibus
   agmen, ... 4.746
   post domitas gentes quas torrens ambit
   Hiberus/et quaecumque fugax Sertorius
   inpulit arma,/...plaudente senatu/ sedit
   adhuc Romanus eques; 7.16
   pugna leuis bellumque fugax turmaeque
   uagantes, ... 8.380

FUGIO. paupertas fugitur totoque accersitur
   orbe 1.166
   solis Lucifero fugiebant astra relicto.
   1.232
   consulibus fugiens mandat decreta senatus.
   1.489
   in bellum fugitur. 1.504
   Pompeio fugiente timent. 1.522
   qualem fugiente per ortus/sole Thyesteae
   noctem duxere Mycenae. 1.543
   agricolae fracto Marium fugere sepulchro.
   1.583
   sed cum membra premit fugiente rigentia
   uita. 2.25
   hos ferro fugienda fames 2.253
   qua siluae, qua saxa, fugit. . . . 2.468
   dux fugit et nullas ducentia signa
   cohortes. 2.471
   Rheni gelidis quod fugit ab undis 2.570

FUGIO

heu demens, non te fugiunt, me cuncta
   secuntur. 2.575
heu pudor, exigua est fugiens uictoria
   Magnus. 2.708
Massagetes, quo fugit, equo uolucresque
   Geloni. 3.283
pandens perque arma uiam perque ossa
   relicta/morte fugit: 3.468
Arge, quod amplexus, extrema quod oscula
   fugi. 3.745
quod fugiens timuisset iter. . 4.152
excipiant recto fugientes pectore ferrum.'
   4.166
non chalybem gentes penitus fugiente
   metallo/eruerent, ... 4.223
paulatim cadit (fugit) ira ferox
   mentesque tepescunt, ...var.4.284
o fortunati, fugiens quos barbarus hostis/
   fontibus inmixto strauit per rura ueneno.
   4.319
non tamen ignauae.../ percipient gentes
   quam sit non ardua uirtus/seruitium
   fugisse manu, sed regna timentur 4.577
fortunaque tantos/det uobis animos
   quantos fugientibus hostem/causa dabat.
   5.43
tum pectore uerum/fugit et ad Phoebi
   tripodas rediere futura, . . . 5.223
non... liceat.../...non anima galeam
   fugiente ferire 5.279
bellum te ciuile fugit. 5.316
hic fuge, si belli finis placet, ense
   relicto. 5.321
Pompeio certe fugeres duce. . . 5.345
ne flecte manum, fuge proxima uelis/
   litora; 5.588
quo fugisse uelim.' 5.759
cum uacuis proiecta locis a Caesare
   possim/uel fugiente capi. 5.784
fida comes Magni uadit duce sola
   relicto /Pompeiumque fugit. . . . 5.805
ursa/... secum fugientem circumit hastam.
   6.223
ne solum totae fugerent te, Scaeua,
   cateruae. 6.249
illos terra fugit dominos, . . . 6.277
hostibus occurrit fugiens inque ipsa
   pauendo/ fata ruit. 6.298
uictor tibi, Roma, quietem/eripiam,
   qui, ne premerent te proelia, fugi? 6.327
peruersa funera pompa/rettulit a
   tumulis, fugere cadauera letum. 6.532
continuo fugere lupi, fugere reuolsis/
   unguibus inpastae uolucres, . .6.627(bis)
admotus superis discussa fugit ab ara
   /taurus 7.165
ciuis qui fugerit esto. 7.319
fugiens ciuile nefas redituraque numquam
   /libertas ultra Tigrim Rhenumque recessit
   7.432
hanc fuge, mens, partem belli tenebrisque
   relinque, ... 7.552
non plura locutum/ uita fugit, 7.616
sed timuit, strato miles ne corpore
   Magni/ non fugeret, ... 7.672
fuge proelia dira/ac testare deos nullum,
   7.689
quid fugis hanc cladem? 7.821
fugerentque coloni/umbrarum campos, 7.862
non ulla in litora puppem/ante dedi
   fugiens, ... 8.134

sparsus ab Emathia fugit quicumque
proecella,/adsequitur Magnum;   8.203
Cnidon inde fugit claramque relinquit/
sole Rhodon 8.247
Cilicum per litora tutus/parua puppe
fugit. 8.258
et cole felices, miseros fuge. 8.487
nec soceri tantum arma fugit: fugit ora
senatus.   8.506(bis)
poteras non flectere puppem/ cum fugeres
alto, latebrisque relinquere Lesbi, 8.587
sic fata interque suorum/lapsa manus
rapitur trepida fugiente carina. 8.662
quis ratibus tantis fugientia crederet
ire/ agmina, ... 9.34
Boreaque urguente carinas/Graia fugit,
     9.38
potuit cernens tua funera, Magne,/non
fugere in mortem: 9.105
hunc rapta fugientem classe secutus
/litus in extremum tali Cato uoce
notauit: 9.220
bella fugis quaerisque iugum ceruice
uacanti 9.261
credet ab Emathiis primos fugisse
Philippis. 9.271
sola potest Libye turba praestare malorum
/ut deceat fugisse uiros.' . . . 9.406
unde Europa fugit Libyen 9.415
imaque tellus/stat, quia summa fugit.
    9.471
aliger in caelum sic rapta Gorgone fugit.
    9.684
fugit rupta·cutis pallentiaque ossa
retexit; 9.768
nondum stante modo crescens fugere
cadauer. 9.804
perque caput Pauli transactaque tempora
fugit. 9.824
'reddite, di,' clamant 'miseris quae
fugimus arma, ... 9.848
ueniant hostes, Caesarque sequatur/ qua
fugimus.' 9.880
saepe quidem pestis nigris inserta
medullis/ excantata fugit; . . . 9.931
uidit hareniuagum surgens fugiensque
Catonem, ... 9.941
accipiunt sertas nardo florente coronas/
et numquam fugiente rosa, ... 10.165

FUGO,-ARE. 'omnibus expulsae terris olimque
fugatae 2.242
at enim contagia belli/ dira fugant.
    3.370
illa uidet patres plena quos urbe fugauit:
    5.33
sed nocte fugata/ laesum nube dies iubar
extulit 5.455
arma secuturum soceri, quacumque fugasset,
/temptauere...comites deuertere Magnum
    6.316
poscimus.../... /descendentem animam;
    6.713
teque inde fugato/ostendit moriens sibi se
pugnasse senatus. 7.696
sed, castra fugatos/ ne reuocent.../
protinus hostili statuit succedere
uallo, ... 7.731
camposque tenent uictore fugato. 7.824
cunctosque fugaui/ a causa meliore deos.
    8.93
nam neque deiecto fatis acieque fugato/

abstulerat Magno reges fortuna ministros:
    8.206
quis non, Fortuna, putasset /parcere te
populis,.../Thessaliaque procul tam noxia
tela fugasses? 8.602
solusque tenebis/ Aegypton, genitor,
populis superisque fugatis.' . . 9.164
inpatiensque solum Cereris cultore negato
(fugato)/ damnasti   var.9.857
harenas/ expurgat cantu uerbisque
fugantibus angues. 9.914
partesque fugatas/ passus in extremis
Libyae coalescere regnis 10.78

FULCIO,-IRE. despiceret staretque super
titubantia fultus. 5.251
stetit aggere fulti/caespitis 5.316
haud procul inde domus, non ullo robore
fulta 5.516
tu, Ptolemaee, potes Magni fulcire
ruinam, ... 8.528

FULGEO,-ERE. ut notae fulsere aquilae
Romanaque signa/...deriguere metu, 1.244
ensiferi nimium fulget latus Orionis?
    1.665
qui cum signa tuli toto fulgentia ponto,
    2.576
non consule sacrae/fulserunt sedes, non,
proxima lege potestas,/praetor adest,
    3.106
iam fama ferebat/.../ et non ardentis
fulgere incendia siluae, ... 3.420
non robore picto/ornatas decuit fulgens
tutela carinas, ... 3.511
tot simul e campis Latiae fulsere uolucres,
    6.129
teque, senex Chiron, gelido qui sidere
fulgens/inpetis Haemonio maiorem Scorpion
arcu. 6.393
nunc tamen, hinc longe qui fulget luce
maligna,/ ignis adhuc aliquid.../ostendit
mihi, Magne, tui. 9.73
rettulit Argolico fulgentia poma tyranno.
    9.367
fulget gemma toris, et iaspide fulua
supellex/stat mensas onerans, 10.122

FULGOR. cunctis innoxia numina terris/
serpitis, aurato nitidi fulgore dracones,
    9.728

FULGUR. fulgura fallaci micuerunt crebra
sereno, ... 1.530
nec uentus in illas/incubuit siluas
excussaque nubibus atris/fulgura: 3.410
quamuis crebra micent: extinguunt fulgura
nimbi.   4.78
lux etiam metuenda perit, nec fulgura
currunt 5.630
nec quaesisse libet.../... quis fulgura
caeli/seruet 6.428
oculos ingesto fulgure clausit; . . 7.157

FULMEN. qualiter expressum uentis per nubila
fulmen 1.151
fulmen et Arctois rapiens de partibus
ignem 1.534
fulminis edoctus motus uenasque calentis
/fibrarum 1.587
Arruns dispersos fulminis ignes/
colligit 1.606
plurimus ad terram per fulmina decidat
aether. 2.58
fulminibus propior terrae succenditur
aer, ... 2.269

FULMEN

    ignarum mortale genus per fulmina tantum
/sciret adhuc caelo solum regnare
Tonantem. 3.319
nec seruant fulmina flammas   4.77
sic rector Olympi/ cuspide fraterna
lassatum in saecula fulmen/adiuuit, 5.621
fulminibus me, saeue, iubes tantaeque
ruinae/ absentem praestare caput? 5.770
tunc Thessala nudis/egreditur bustis
nocturnaque fulmina captat.   6.520
Pallenaea Ioui mutauit fulmina Cyclops.
    7.150
[inque oculis hominum fregerunt fulmina
nubes] 7.154
spectabit ab alto/aethere Thessalicas,
teneat cum fulmina, caedes? . . . 7.448
fulminibus manes radiisque ornabit et
astris 7.458
inclusum Tusco uenerantur caespite
fulmen. 8.864
sed non aut fulmina uibrans /aut similis
nostro, sed tortis cornibus Hammon. 9.513
terrarum fatale malum fulmenque quod
omnis/percuteret pariter populos 10.34
habet uentos incertaque fulmina Mauors;
    10.206

FULMINEUS,-A,-UM. fulmineum mediis excepit
    faucibus ensem. 6.239

FULUUS. fuit aurea silua/diuitiisque graues
    et fuluo germine rami 9.361
et clipeum laeuae fuluo dedit aere
nitentem 9.669
et iaspide fulua supellex/ stat mensas
onerans, ... 10.122

FUMIFER,-ERA,-ERUM. Euganeo,...augur/colle
    sedens, Aponus terris ubi fumifer exit/
.../ 'uenit summa dies' ... dixit 7.193

FUMO,-ARE. fessa iacet ceruix, fumant
    sudoribus artus 4.754
fumantis iuuenum cineres ardentiaque
ossa/e mediis rapit illa rogis 6.533
aetherioque nocens fumauit sulpure ferrum;
    7.160
tractique uia fumante chelydri, 9.711
oraque distendens auidus fumantia prester,
    9.722

FUMUS. consequitur nigri spatiosa uolumina
    fumi, ... 3.505
nigroque uolantia fumo/feralis fragmenta
tori.../colligit 6.535
petit.../ Pompeius,...non pinguis.../ ut
ferat et membris Eoos fumus odores, 8.731
Pompeiumque ferens uanescit solis ad
ortus/fumus, ... 9.77
quantumque licet consurgere fumo/ et
uiolare diem, tantus tenet aera puluis.
    9.461
et larices fumoque grauem serpentibus
urunt/habrotonum 9.920

FUNDA. inpiger, et torto Balearis uerbere
    fundae/ocior 1.229
deprensum est, quae funda rotat quam
lenta uolarent, ... 9.826

FUNDO,-ARE. super hunc fundata uetusta/surgit
    Ilerda manu; 4.12
uolturis ut primum laeuo fundata uolatu
/Romulus infami conpleuit moenia luco/
...seruisses, Roma, ... 7.437

FUNDO,-ERE. cum funditur ingens/Oceanus 1.410
    plurima securi fudistis carmina, Bardi.
    1.449

FUNDUS

iam fundere Bacchum/coeperat   1.609
Deucalioneos fudisset Aquarius imbres
    1.653
lacerasque in limine sacro/attonitae
fudere comas 2.32
fundat ab extremo flauos Aquilone Suebos
/Albis et indomitum Rheni caput; 2.51
hic robora busti/exstruit ipse sui
necdum omni sanguine fuso/desilit in
flammas 2.158
Caesar in arma furens nullas nisi sanguine
fuso/gaudet habere uias, ... 2.439
Rheni gelidis quod fugit (fudit) ab
undis   var.2.570
iamque omni fusis nudato milite telis/
inuenit arma furor: 3.670
sic Venetus stagnante Pado fusoque
Britannus/ nauigat Oceano; . . . 4.134
fletus quid fundis inanis/ nec te
sponte tua sceleri parere fateris? 4.183
gaudebit sanguine fuso. 4.278
terras fundendus in omnis/est cruor 4.391
non fusior ulli/ terra fuit domino: 4.670
Curio,fusas/ ut uidit campis acies 4.793
terris fudisse cruorem/ quid iuuat
Arctois 5.267
nam sanguine fuso/ uires pugna dabat.
    6.250
Poenorumque umbras placasset sanguine
fuso/ Scipio, ... 6.310
fudit et argentum flammis 6.404
eripe uictori gentis et sanguine mundi/
fuso, Magne, semel totos consume
triumphos. 7.234
ut primum... diduxit cornua.../
Pompeianus eques bellique per ultima
fudit,/... leuis armatura.../insequitur
    7.507
utinam, Pharsalia, campis/sufficiat cruor
iste tuis, quem barbara fundunt/pectora;
    7.536
uolnera multorum totum fusura cruorem/
opposita premit ipse manu. . . . 7.566
pudet.../ quaerere.../... quis fusa solo
uitalia calcet, ... 7.620
tot telis sua fata peti, tot corpora fusa
/... uidit. 7.652
sit satis, o superi, quod non Cornelia
fuso / crine iacet 8.739
quas ne per litora fusas/colligeret
.../Corcyrae secreta petit . . . 9.30
illis e faucibus angues/ stridula fuderunt
uibratis sibila linguis. 9.631
sustulit... /harpen alterius monstri iam
caede rubentem/ a Ioue dilectae fuso
custode iuuencae, ... 9.664
ebibit umorem circum uitalia fusum/pestis
    9.743
solet pariter totis se fundere signis/
Corycii pressura croci, ... 9.808
nuda fusus harena/excubat 9.882
uotaque turicremos non inrita fudit in
ignes. 9.989
et placate caput cineresque in litore
fusos/colligite 9.1092
poteratque cruor per regia fundi/
pocula Caesareus 10.423
non acie fusa nec magnae stragis aceruis
/uincendus tum Caesar erat . . . 10.540

FUNDUS. atra Charybdis/sanguineum fundo
    torsit mare; 1.548

FUNDUS
    si conuolso uertice Gaurus/ decidat in
    fundum penitus stagnantis Auerni.   2.668
FUNEREUS,-A,-UM. obsita funerea celatur
    purpura lana, ... 2.367
    funereas aris inponere flammas/gaudet
      6.525
    extaque funereae poscunt trepidantia
    mensae. 6.557
FUNESTUS,-A,-UM. ultima funesta concurrant
    proelia Munda, ... 1.40
    at, si funestas acies, si dira paratis
    /proelia discordes, ... 3.312
    funestam mundo uotis petit omnibus horam
      6.6
    undique funestas acies feret, undique
    bellum. 7.27
    prima uelim caput hoc funesti lancea
    belli,/.../... feriat; 7.117
    nullaque funestis inuentia est uictima
    sacris. 7.167
    si...totidemque petentis/urbis regna
    suae funesto in Marte locasses,/
    non tam praecipiti ruerent in proelia
    cursu. 7.335
    sed retro tua fata tulit par omnibus
    annis/Emathiae funesta dies. . . 7.427
    'non te funesta scelerum mercede potitum
    /.../aspiciens... liber ad umbras/...eo:
      7.610
    non solum Haemonii funesta ad pabula
    belli/Bistonii unere lupi 7.825
    non solum auxilium funesto ab rege petisse
    /...pudebit. 8.418
    sed, postquam mucrone latus funestus
    Achillas/perfodit, nullo gemitu
    consensit ad ictum 8.618
    collegit.../... uelamina summo/ter
    conspecta Ioui, funestoque intulit igni.
      9.178
    'aufer ab aspectu nostro funesta, satelles,
    /regis dona tui. 9.1064
    remoue funesta satellitis arma 10.98
FUNGOR. fertilis Euphrates Phariae uice
    fungitur undae; 3.260
FUNIS. ut tremulo starent contentae fune
    carinae.' 2.621
    adductum quotiens non senserat anchora
    funem. 3.700
    sed tertia moles/haesit et ad cautes
    adducto fune secuta est. 4.454
    primisque inuenit in undis/rupibus exesis
    haerentem fune carinam. 5.514
    sic fatus ab alto/aggere iam tepidae
    sublato fune fauillae/scintillam tenuem
    commotos pauit in ignes, ... 5.524
    nullus ab Emathio religasset litore
    funem/nauita, ... 7.860
    iam fune ligato/litoribus lustrat uacus
    uacuas Pompeius harenas. 8.61
    nautaque ne bustum religato fune moueret
    /inscripsit sacrum semusto stipite nomen:
      8.791
FUNUS. arma ducum dirimens miserando funere
    Crassus 1.104
    errauit sine uoce dolor. sic funere primo/
    attonitae tacuere domus, ... 2.21
    si libet ulcisci deletae funera gentis,
      2.84
    cui funera uolgi /flere uacet? 2.118
    natorum orbatum longum producere funus/
    ad tumulos iubet ipse dolor, 2.298

    dispersus siluis Athaman et nomine
    prisco/Encheliae uersi testantes funera
    Cadmi, ... 3.189
    exciuit populos et dignas funere Magni/
    exequias Fortuna dedit. 3.291
    qui funere uiso/saepe cadens longae senior
    per transtra carinae /peruenit ad
    puppim 3.730
    pro dira pudoris funera! 4.232
    caesosque duces et funera regum/... cur
    aperire times? 5.201
    mihi funere nullo/ est opus, o superi:
      5.668
    nostros non rumpit funus amores 5.763
    nam miseros ultra tentoria ciues/ spargere
    funus erat. 6.103
    peruersa funera pompa/rettulit a tumulis,
      6.531
    saepe etiam caris cognato in funere dira
    /Thessalis incubuit membris . . . 6.564
    uel dominus rerum uel tanti funeris
    heres. 6.595
    per busta sequar per funera custos,
      6.734
    et ducibus tantum de funere pugna est.
      6.811
    lacerasset crine soluto/pectora femineum
    ceu Bruti funere uolgus. 7.39
    nuntiet ipse licet Caesar tua funera,
    flebunt, ... 7.41
    inpendisse pudet lacrimas in funere
    mundi/ mortibus innumeris, . . . 7.617
    tu, cui dant poenas inhumato funere
    gentes,/ quid fugis hanc cladem? 7.820
    'tu, quem post funera nostra/ultorem
    cinerum... sperauimus.../ ad foedus
    pacemque uenis?' 8.433
    da uilem Magno plebei funeris arcam 8.736
    si tibi iactatu pelagi, si funere nullo/
    tristior iste rogus, manes.../officiis
    auerte meis: 8.761
    ille ordine rupto/ funeris attonitus
    latebras in litore quaerit. . . . 8.780
    nautaque ne bustum religato fune (funere
    ligato) moueret/ inscripsit sacrum
    semusto stipite nomen: var.8.791
    totae post Magni funera partes/libertatis
    erant. 9.29
    sine funeris ullo/ardet honore rogus;
      9.62
    potuit cernens tua funera, Magne,/non
    fugere in mortem: 9.104
    interea totis audito funere Magni/
    litoribus sonuit percussus planctibus
    aether, ... 9.167
    castrorum bellique piget post funera
    Magni; 9.218
    nocturnas rumpamus funere taedas 10.373
FURCAE. ultra Caudinas sperauit uolnera
    Furcas! 2.138
FURIA. frigidus ensis/expulerat belli furias,
      5.246
FURIALIS. non te furialibus armis/persequor:
      1.200
    imago /uisa caput maestum per hiantis
    Iulia terras/ tollere et accenso furialis
    stare sepulchro. 3.11
    discolor et uario furialis cultus amictu/
    induitur, ... 6.654
FURO,-ERE. quid in arma furentem/inpulerit
    populum, ... 1.68

tu sola furentem/inde uirum poteras atque
hinc retinere parentem 1.115
in sua templa furit, ... 1.155
nos praeda furentum /primaque castra
sumus. 1.250
nos primi Senonum motus Cimbrumque
ruentem(furentem) : var.1.254
an placuit ducibus scelerum populique
furentis/cladibus inmixtum ciuile
absoluere bellum? 2.249
Caesar in arma furens nullas nisi sanguine
fuso/gaudet habere uias, . . . 2.439
his te quoque iungere, Caesar,/inuideo
nostrasque manus quod Roma furenti 2.551
uidi ipsa tenentis(furentis)/ Eumenidas
quaterent quas uestris lampadas armis;
var.3.14
primaque cum uentis pelagique furentibus
undis/conposuit mortale genus, 3.195
piguit sceleris; pudor arma furentum/
continuit, ... 4.26
timeatque furentis/ et morti faciles
animos 4.505
sensit tripodas cessare furensque /Appius
5.157
'qui modo in absentem uoltu dextraque
furebas, ... 5.319
incumbatque furens et Graia ad moenia
perflet, ... 5.419
'sperne minas' inquit 'pelagi uentoque
furenti/ trade sinum. 5.578
iam te tollente furebat . . . 5.599
Ioniumque furens, rapido cum tollitur
Austro,/ templa domosque quatit, 6.27
succubuit siqua tellus cumuloque furentem
/undarum non passa ruit, ... 6.274
ipse furentis/dux tenuit gladios. 6.300
frenosque furentibus ira /laxat 7.124
sed mea fata moror, qui uos in tela
furentis/ uocibus his teneo. . . . 7.295
somnique furentes/Thessalicam miseris
uersant in pectore pugnam. . . . 7.764
nec magis attonitos animi sensere tumultus
/cum fureret, Pentheus aut, cum desisset,
Agaue. 7.780
ac, ne laeta furens scelerum spectacula
perdat,/ inuidet igne rogi miseris, 7.797
iustaque furens pietate profatur/
'praecipitate rates e sicco litore,
nautae; 9.147
in sua regna furens temptatum classibus
aequor/turbine defendit . . . 9.321
totisque furens exquireret aruis/quas
poscebat aquas sitiens in corde uenenum.
9.749
infudere epulas auro.../... quod luxus
inani/ambitione furens toto quaesiuit in
orbe 10.157
Thessaliae subducta acies in litore Nili/
more furit patrio. 10.413
nec secus in Siculis fureret tua flamma
cauernis, ... 10.447

FUROR. quis furor, o ciues, quae tanta
licentia ferri? 1.8
nec pretium tanti tellus pontusque
furoris/tunc erat: 1.96
Parthica Romanos soluerunt damna furores.
1.106
uidimus et Martem Libyes cursumque furoris
1.255

utque ferae tigres numquam posuere

furorem. 1.327
multosque exibit in annos/hic furor. 1.669
quis furor hic, o Phoebe, doce, quo tela
manusque/Romanae miscent acies bellumque
sine hoste est. 1.681
haec ait, et lasso iacuit deserta furore.
1.695
uanum depone furorem.' 2.83
trahit ipse furoris/impetus, et uisum
lenti quaesisse nocentem. . . . 2.109
tot simul infesto iuuenes occumbere leto/
saepe fames pelagique furor subitaeque
ruinae 2.199
nullum furor egit in arma; . . . 2.254
gentesne furorem/Hesperium ignotae
Romanaque bella sequentur 2.292
procul hunc arcete furorem, . . . 2.295
in medios belli non ire furores 2.523
arsuras in tecta faces sociusque furoris
2.542
an uanae tumuere minae quod fama furoris/
expulit armatam patriis e sedibus urbem?
2.573
nunc furor incubuit nec iuncto Sarmata
uelox/ Pannonio Dacisque Getes admixtus:
3.94
tum furor extremos mouit Romanus Orestas
3.249
tamen ante furorem/ indomitum duramque
uiri deflectere mentem 3.303
si caelicolis furor arma dedisset 3.315
inuenit arma furor: 3.671
si torrida paruos /uenit in ora cruor,
redeunt rabiesque furorque 4.240
mortis agor stimulis: furor est. 4.517
uersus ab hoste furor. 4.540
in pace quietos/bellorum primus
sparsit furor: 5.36
numen ab humani solum se labe furoris/
uindicat. 5.103
quippe stimulo fluctuque furoris/compages
humana labat, ... 5.118
instinctam sacro mentem testata furore,
5.150
indignata suum multis seruire furorem
5.184
uindicis an gladii facinus poenasque
furorum/.../ ut peragat fortuna, taces?
5.206
medios properat temptare furores. 5.304
nec longa furori/ uentorum saeuo dabitur
mora: 5.586
mouit tantum uox illa furorem, . . 6.165
ille tegens alta suppressum mente furorem,
/.../'parcite', ait, 'ciues; . . . 6.228
mouitque furorem/Pompeiana quies 6.282
uanum saeuumque furorem/adiuuat ipse locus
6.434
quis furor, o caeci, scelerum? 7.95
Stygii quae numina regni/infernumque
nefas et mersos nocte furores/...litasti?
7.170
mentisque tumultum/atque omen scelerum
subitos putat esse furores. 7.184
uocesque furoris/ expauere sui tota
tellure relatas. 7.483
hic furor, hic rabies, hic sunt tua
crimina, Caesar. 7.551
hic Caesar, rabies populis stimulusque
furorum,/... agmina circum/it uagus 7.557
Eumenidum crines solos mouere furores,

FUROR

                                    9.642
   Hesperios auxit tantum Cleopatra furores.
                                    10.62
   et in media rabie medioque furore/...
   adulter/admisit Venerem curis,   10.72
   pro caecus et amens/ambitione furor,
   ciuilia bella gerenti/ diuitias aperire
   suas, ... 10.147
   ultricesque deae dant in noua monstra
   furorem. 10.337
   sed non auctore furoris/sublato cecidit
   rabies; 10.529
FURTIM. sit rebus seruata suis, rapit agmina
   furtim, ... 4.717
FURTIUUS,-A,-UM. ut tempora tandem/furtiuae
   placuere fugae, ... 2.688
   corpus Phariaene canes.../ distulerint,
   an furtiuus, quem uidimus, ignis/soluerit,
   ignoro. 9.142
FURTUM. colligit et pauido subducit cognita
   furto. 2.168
   et Basilum uidere ducem, noua furta per
   aequor/exquisita fugae. 4.416
   et raptum furto soceri cessantibus
   armis/dedignatur iter: 6.121
FUSCATOR. quidquid caeli fuscator Eoi/
   inpulerat Corus, ... 4.66
FUSCO,-ARE. stat contra fortior aetas/uix
   ulla fuscante tamen lanugine malas. 10.135

                    G

GABII. Gabios Veiosque Coramque/puluere uix
   tectae poterunt monstrare ruinae   7.392
GABINUS,-A,-UM. turba minor ritu sequitur
   succincta Gabino, ... 1.596
GADES. Oceanumque negant solas admittere
   Gadis; 3.279
   regna/ cardine ab occiduo uicinus Gadibus
   Atlans/terminat, ... 4.672
   Tyriis qui Gadibus hospes/adiacet.../
   Romanus.../maeret et ignorat causas 7.187
   nec enim plus litora Nili/quam Scythicus
   Tanais primis a Gadibus absunt, 9.414
   paruaque regna putet Tyriis cum Gadibus
   Indos, ... 10.457
GAETULUS. inculto Gaetulus equo, tum concolor
   Indo/Maurus, ... 4.678
GALATAE. uiuant Galataeque Syrique, 7.540
GALBANUM. hic ebulum stridet peregrinaque
   galbana sudant, ... 9.916
GALEA. arma ferunt, galeamque extensus
   protegit umbo, ... 3.476
   cum dira uoluptas/ense subit presso,
   galeae texere pudorem, ... 4.706
   non...liceat.../...non anima galeam
   fugiente ferire 5.279
   et galeae fragmenta cauae conpressa
   perurunt/tempora, ... 6.193
   excussit cristas galeis 7.158
   mirantur.../et pallere diem galeisque
   incumbere noctem 7.178
   galeas et scuta uirorum/pilaque contorsit
   uiolento spiritus actu 9.471
   corripiens patulum galeae confudit in
   orbem 9.502
   sic concitus ira/excussit galeam, 9.510
GALLIA. bellantem geminis tenuit te Gallia

---

   lustris, ... 1.283
   multisne rebellis/ Gallia iam lustris
   aetasque inpensa labori/dant animos? 2.569
   celsos ut Gallia currus/nobilis et
   flauis sequeretur mixta Britannis. 3.77
   partem tibi Gallia nostri /eripuit, 5.264
   me fortuna meorum/commisit manibus,
   quarum me Gallia testem/tot fecit bellis.
                                    7.286
GALLICUS,-A,-UM. et Gallica certus /limes
   ab Ausoniis disterminat arua colonis.
                                    1.215
   sparsas per Gallica rura cohortes/euocat
                                    1.394
   Gallica rura uidet deuexasque excipit
   Alpes. 2.429
   qua Gallica damna/suppleuit Magnus, 2.475
   Gallica per gelidas rabies ecfunditur
   Alpes. 2.535
GALLI. et uictis cedat piratica laurea Gallis,
                                    1.122
   'o male uicinis haec moenia condita
   Gallis, ... 1.248
   Marte sub aduerso ruerentque in terga
   feroces/Gallorum populi? . . . 1.309
   pro, si remeasset in urbem,/Gallorum
   tantum populis Arctoque subacta,/quam
   seriem rerum longa praemittere pompa, 3.74
   gemuere uidentes/Gallorum populi, 3.446
   erat inpiger Astur/Vettonesque leues
   profugique a gente uetusta/Gallorum Celtae
   miscentes nomen Hiberis. 4.10
   Gallorum captus spoliis et Caesaris
   auro. 4.820
   Tarpeia sede perusta/Gallorum facibus
   Veiosque habitante Camillo/illic Roma
   fuit. 5.28
   inde, truces Galli, solitum prodistis in
   hostem, ... 7.231
   uiuant.../Cappadoces Gallique extremique
   orbis Hiberi, ... 7.541
GALLI(sacerdotes Cybeles). crinemque rotantes
   /sanguineum populis ulularunt tristia
   Galli. 1.567
GALLUS(Brennus). quod tibi, Roma, fuga Gallus
   trepidante reliquit, ... 3.159
GANGES. non, si tumido me gurgite Ganges/
   summoueat, ... 2.496
   qua colitur Ganges, toto qui solus in
   orbe 3.230
   qua rapidus Ganges et qua Nysaeus Hydaspes
   /accedunt pelago.../... eram: . 8.227
   ignotos miscuit amnes/Persarum Euphraten,
   Indorum sanguine Gangen, . . . 10.33
   trahitur Gangesque Padusque/per tacitum
   mundi: 10.252
GANGETICUS,-A,-UM. et quas sentit Arabs et
   quas Gangetica tellus/exhalat nebulas,
                                    4.64
GANYMEDES. subrepta.../a famulo Ganymede dolis
   peruenit ad hostis/Caesaris
   Arsinoe: 10.520
   nam rursus in arma/auspiciis Ganymedis
   eunt ac multa secundo 10.531
GARAMANTIS. eiectaque classis/ Syrtibus haut
   ultra Garamantidas attigit undas, 9.369
GARAMAS. qua nudi Garamantes arant, sedere,
   sed inter/stagnantem Sicorim et rapidum
   deprensus Hibernum 4.334
   Maurus, inops Nasamon, mixti Garamante
   perusto 4.679

uolitantque a culmine raptae/detecto
Garamante casae. 9.460
uentum erat ad templum Libycis quod
gentibus unum/ inculti Garamantes habent.
9.512

GARGANUS. Apulus Hadriacas exit Garganus in
undas. 5.380
simul et Garganus et arua/ Volturis...
lucent 9.184

GAUDEO. regia caeli/excipiet gaudente polo:
1.47
inpelli plausuque sui gaudere theatri,
1.133
obstaret gaudensque uiam fecisse ruina,
1.150
mitis Atax Latias gaudet non ferre carinas
1.403
gaudetque amoto Santonus hoste 1.422
cum uicerit alter/gaudendum est.' 2.42
Caesar in arma furens nullas nisi
sanguine fuso/gaudet habere uias, quod
non terat hoste uacantis. . . . 2.440
gaudet tamen esse timori/tam magno
populis 3.82
gaudete, cohortes: 3.360
inplicitis gaudent subsidere membris 3.695
incumbet gladiis, gaudebit sanguine fuso.
4.278
et gaudeat hostis/non plures haesisse
rates. 4.506
fortunamque suam per summa pericula
gaudens/exercere uenit; 5.302
umeris defectum inponere gaudet; 6.252
funereas aris inponere flammas/gaudet
6.526
gaudetque gelatos/effodisse orbes 6.541
solum te,.../Brute, pias inter gaudentem
uidimus umbras. 6.792
hoc solamen erat, quod uoti turba
nefandi/conscia,.../... gaudet monstris,
7.183
uenia gaudet caruisse secunda. 7.604
mundi nomine gaudens/esse fidem 'nullum...
dixit.../gratius esse solum...uobis/
ostendi: 8.128
gens unica mundi est/ de qua Caesareis
possim gaudere triumphis. . . . 8.430
gaudet in Hyblaeo securus gramine pastor
9.291
gaudet patientia duris; 9.403
ipsa flagellabant gaudentis colla Medusae,
9.633

GAUDIUM. duroque admisit gaudia uoltu 2.373
maiora uiris.../ gaudia non faceret
conspectum in Caesare uolnus. 6.227
ire uel in clades properat dum gaudia
turbet. 6.284
quanta dedit miseris melioris gaudia
terrae 9.946
non aliter manifesta potens abscondere
mentis/gaudia quam lacrimis, . . 9.1041
excepere epulae tantarum gaudia rerum,
10.108

GAURUS. uel si conuolso uertice Gaurus/decidat
2.667

GAZA. tunc Orientis opes captorumque ultima
regum/ quae Pompeianis praelata est gaza
triumphis/egeritur; 3.166
Eoasque premunt tentoria gazas. 7.742

GAZA. desertus Orontes/.../ Gazaque et
arbusto palmarum diues Idume 3.216

GELIDUS,-A,-UM. iam gelidas Caesar cursu
superauerat Alpes 1.183
deriguere metu, gelidos pauor occupat
artus, ... 1.246
melius, Fortuna, dedisses/ orbe sub Eoo
sedem gelidaque sub Arcto/errantisque
domos, ... 1.252
noctis gelidas lux soluerat umbras: 1.261
tollentemque caput gelidas Anienis ad
undas 1.582
uiscera tincta notis gelidoque infecta
cruore 1.619
interea Phoebo gelidas pellente tenebras
2.326
Gallica per gelidas rabies ecfunditur
Alpes, ... 2.535
Rheni gelidis quod fugit ab undis 2.570
hinc me uictorem gelidas ad Phasidos
undas/ Arctos habet, ... 2.585
deseritur.../.../ Mysiaque et gelido
tellus perfusa Caico 3.203
quos gurgite Bactros/includit gelido
uastisque Hyrcania siluis; . . . 3.268
obscurum cingens conexis aera ramis/ et
gelidas alte summotis solibus umbras.
3.401
gelidosque a gurgite cursu/restituunt
artus, ... 4.153
prodidit et gelidus fesso de corpore
sudor. 4.623
iam sparserat Haemo/ bruma niues gelidoque
cadens Atlantis Olympo, . . . 5.4
exornata Rhodos gelidique inculta iuuentus
/Taygeti, ... 5.51
Deiotarum et gelidae dominum Rhascypolin
orae/conlaudant, ... 5.55
occurrit gelidus Boreas pelagusque
retundit, ... 5.601
Strymona sic gelidum bruma pellente
relinquunt 5.711
teque, senex Chiron, gelido qui sidere
fulgens/inpetis Haemonio
maiorem Scorpion arcu. . . . 6.393
gelidos his explicat orbes/... coluber
6.488
linguam/ praemordens gelidis infudit
murmura labris 6.568
Thessala uatem/ eligit et gelidas leto
scrutata medullas/ pulmonis...sine uolnere
fibras/ inuenit 6.629
percussae gelido trepidant sub pectore
fibrae, ... 6.752
gelidusque in uiscera sanguis/percussa
pietate coit, ... 7.467
cum primum gelidum transibis Araxen,
8.431
'ergo indigna fui',.../... gelidosque effusa
per artus/incubuisse uiro, . . . 9.56
ipsa caloris egens gelidum non transit in
orbem 9.704
calidoque uapore/adliciunt gelidas
nocturno frigore pestes, . . . 9.844
extractamque potens gelido de corpore
mortem/expuit; 9.935
non Pontus et inpia signa/Pharnacis et
gelido circumfluus orbis Hibero/tantum
ausus scelerum, ... 10.476

GELO,-ARE. inmergitque manus oculis gaudetque
gelatos/effodisse orbes 6.541
Pompeius.../... stat corde gelato/
attonitus; 7.339

GELO

    uoltusque gelassent/ Perseos auersi,
             9.681

GELONI. Massagetes, quo fugit, equo
    uolucresque Geloni. 3.283

GELU. pigro bruma gelu siccisque Aquilonibus
    haerens/aethere constricto pluuias in
    nube tenebat. 4.50
    fluxere niues, fractoque madescunt/
    saxa gelu. 4.85
    Alcides medio tenuit iam pectora pigro
    /stricta gelu terrisque diu non credidit
    hostem. 4.653
    inmensumque gelu tegitur mare; 5.438

GEMINO,-ARE. dixerat, et noctis geminatis
    arte tenebris/ maestum tecta caput
    squalenti nube pererrat/corpora 6.624
    Peliacisque dedit rursus geminare cauernis,
             7.481
    ut uisa est.../... Cornelia puppe/
    egrediens, rursus geminato uerbere
    plangunt. 9.173

GEMINUS,-A,-UM. qui secat et geminum gracilis
    mare separat Isthmos 1.101
    bellantem geminis tenuit te Gallia lustris,
             1.283
    ostendens confectas flamma Latinas/
    scinditur in partes geminoque
    cacumine surgit 1.551
    me geminae figant acies, ... 2.309
    alios fecunda penates/ inpletura datur
    geminas et sanguine matris/permixtura
    domos; 2.332
    peregi/ iussa, Cato, et geminos excepi
    feta maritos: 2.339
    infulaque in geminos discurrit candida
    postes, ... 2.355
    mons inter geminas medius se porrigit
    undas 2.399
    fluminaque in gemini spargit diuortia
    ponti 2.404
    at, postquam gemino tellus elisa profundo
    est, ... 2.437
    hic haesere rates geminae, . . . 2.711
    erigitur geminasque aequantis moenia
    turris/accipit; 3.456
    lunata classe recedunt/ ordine contentae
    gemino creuisse Liburnae. . . . 3.534
    stant gemini fratres, fecundae gloria
    matris, ... 3.603
    attollunt campo geminae iuga saxea rupes
    /ualle caua media; 4.157
    porrectis series constricta catenis/
    ordinibus geminis obliquas excipit alnos;
             4.422
    missa ratis prono defertur lapsa profundo/
    et geminae comites. 4.431
    spectabunt geminae diuerso litore partes.
             4.495
    Hesperio tantum quantum summotus Eoo
    /cardine Parnasos gemino petit aethera
    colle, ... 5.72
    castella.../ incursu gemini Martis rapit,
             6.269
    omnibus annis/te geminum Titan procedere
    uidit in axem; 7.422
    qui non mergitur undis/ axis inocciduus
    gemina clarissimus Arcto,/ ille regit
    puppes. 8.175
    tendebat geminas amens Cornelia palmas.
             8.583
    et grauis in geminum uergens caput

---

    amphisbaena, ... 9.719
    illa duci geminos bellorum praestitit
    usus. 10.512

GEMINI. par Geminis Chiron, et idem, quod
    Carcinos ardens,/ umidus Aegoceros...
    tollitur 9.536

GEMITUS. imago/.../et genitu permixta loqui:
    'quo tenditis ultra? 1.190
    gemitu sic quisque latenti,/ non ausus
    timuisse palam: 1.257
    et gemitus et anhelo clara meatu/murmura,
             5.191
    circumfusa duci fleuit gemituque suorum
    /et non ingratis incessit turba querellis.
             5.680
    latratus habet illa canum gemitusque
    luporum, ... 6.688
    o miseri, quorum gemitus edere dolorem,
             7.43
    Pindus agit fremitus (gemitus) Pangaeaque
    saxa resultant var.7.482
    caedes oriuntur et instar/inmensae uocis
    gemitus, ... 7.572
    non gemitus, non fletus erat, 7.680
    gemitus lacrimaeque secuntur 7.724
    non ultra gemitus tacitos incessere
    fatum/ permisere sibi, ... 8.64
    uocibus his correpta uiri uix aegra
    leuauit/ membra solo talis gemitu
    rumpente querellas: 8.87
    nullo gemitu consensit ad ictum 8.619
    tanto patientius, oro,/ claude, dolor,
    gemitus: 8.634
    non in gemitus lacrimasque dolorem/
    effudit, ... 9.146
    gemitusque expressit pectore laeto, 9.1039
    uni tibi, Magne, negare/ non audet
    gemitus. 9.1046
    abscondunt gemitus et pectora laeta/
    fronte tegunt, ... 9.1106

GEMMA. balteus aut fluxos gemmis astrinxit
    amictus, ... 2.362
    fluxa coloratis astringunt carbasa
    gemmis, ... 3.239
    nec Eois splendent donaria gemmis: 9.516
    fulget gemma toris, et iaspide fulua
    supellex/stat mensas onerans, . . 10.122
    gemmaeque capaces/excepere merum, 10.160

GEMO,-ERE. conpositis plenae gemuerunt
    ossibus urnae. 1.568
    gemuere uidentes 3.445
    quid, uaesane, gemis? 4.183
    et quamuis primo ferrum strinxere gementes,
             4.247
    pectora rauca gemunt, quae creber
    anhelitus urguet, ... 4.756
    ut tumidus Boreae post flamina pontus
    /rauca gemit, sic muta leuant suspiria
    uatem. 5.218
    ille gemens 'non nunc uita mihi dulcior,'
    inquit 5.739
    roboris inpacti crebros gemit agger ad
    ictus. 6.137
    Oetaeaeque gemunt rupes, . . . 7.483
    unica materia est coniunx miser. erige
    mentem (miserere gementem), . . var.8.76
    puduitque gementem/illo teste mori. 9.886

GENA. quarum una madentis/scissa genas,
    planctu liuentis atra lacertos, 2.37
    passus erat maestamque genis increscere
    barbam: 2.376

non lacrimae cecidere genis, non pectora
tundit, ... 3.733
rubor igneus inficit ora/liuentisque
genas; 5.215
umentis mirata genas percussaque caeco
5.737
alterius flamma crinesque genasque/
succendit, ... 6.178
illa genae florem primaeuo corpore uolsit,
6.562

GENER. ut generos soceris mediae iunxere
Sabinae. 1.118
decretum genero est: partiri non potes
orbem, ... 1.290
adsequitur generique premit uestigia
Caesar. 2.652
perque meos manes genero non esse licebit;
3.32
concidet et Caesar generum priuatus
amabit. 4.188
quid prodita iura senatus/et gener atque
socer bello concurrere iussi? 4.802
Martemque secundum/ iam nisi de genero
fatis debere recusat. 6.5
ut uidet ad nullos exciri posse tumultus
/in pugnam generum 6.12
semperque dolebit/quod scelerum, Caesar,
prodest tibi summa tuorum/cum genero
pugnasse pio. 6.305
et tuus, Oeneu,/ paene gener crassis
oblimat Echinadas undis, . . . 6.364
te.../ sed dubium fati, Caesar, generoque
minorem/aspiciens...liber ad umbras/...
eo: 7.611
at tibi iam populos donat gener. 7.723
aut, generi si poena iuuat, nemus extrue
Pindi, ... 7.806
non.../...uindexque senatus/uictorisque
gener, Phario satis esse tyranno/ quod
poterat, Romanus erat: 8.555
Caesar.../cetera curarum proiecit pondera
soli/intentus genero; 9.952
Romanae maxime gentis/ et, quod adhuc
nescis, genero secure perempto, 9.1015
dignumque clientem/castris crede tuis
cui tantum fata licere/in generum uoluere
tuum. 9.1026
et generi mauolt lugere reuolsum/quam
debere caput. 9.1042
quereris.../...raptumque e iure superbi
/uictoris generum. 9.1055
scilicet hoc animo terras atque aequora
lustras/necubi suppressus pereat gener.
9.1058
exilium generique minas Romamque timebam:
9.1086
gessisse pudet genero cum paupere bellum
10.170
fama quidem generi Pharias me duxit ad
urbes, ... 10.184
non in soceri generique fauorem/discedunt
populi; 10.417

GENEROSUS,-A,-UM. et tollens apicem generoso
uertice flamen. 1.604
excipit haec iuuenis generosi sanguinis
Argus 3.723
ueneranda/regibus hirta coma et
generosa fronte decora/caesaries conprensa
manu est, ... 8.680
uocibus his maior,.../... generosam uenit
ad umbram/mortis honos. 9.216

GENITOR. stabat diuersa uictae iam parte
carinae/infelix Argi genitor, 3.727
omnia uates/ipse canet Siculis genitor
Pompeius in aruis, ... 6.814
oculos, germane, nocentis/spectato
genitore fero. 9.128
solusque tenebis/Aegypton, genitor,
populis superisque fugatis.' 9.164
hoc monstrum timuit genitor numenque
secundum/Phorcys aquis. 9.645

GENS. gentibus inuisis Latium praebere
cruorem 1.9
et gens siqua iacet nascenti conscia Nilo.
1.20
inque uicem gens omnis amet; 1.61
nec gentibus ullis/commodat.../inuidiam
Fortuna suam. 1.82
nec gentibus ullis/credite 1.93
totoque accersitur orbe/quo gens quaeque
perit; 1.167
Phrygiique penates/gentis Iuleae et rapti
secreta Quirini 1.197
liuor edax tibi cuncta negat, gentesque
subactas/uix impune feres. . . . 1.288
gaudetque.../optima gens flexis in
gyrum Sequana frenis, ... 1.425
gens habitat cana pendentes rupe Cebennas.
1.435
deseritis ripas et apertum gentibus orbem.
1.465
pone sequi, iussamque feris a gentibus
urbem/Romano spectante rapi. 1.483
urbem... frequentem/gentibus et generis,
coeat si turba, capacem/ humani 1.512
inuoluitque orbem tenebris gentesque
coegit/desperare diem; 1.542
date gentibus iras, ... 2.47
si libet ulcisci deletae funera gentis,
2.84
gentesne furorem/Hesperium ignotae
Romanaque bella sequentur . . . 2.292
hic dabit hic pacem iugulus finemque
malorum/gentibus Hesperiis: . . . 2.318
gens Etrusca fuga trepidi nudata Libonis,
2.462
relinquas /admoneo nec tu populos
utraque uagantis/ Armenia Pontique feras
per litora gentis 2.639
cum rudis Argo/ miscuit ignotas temerato
litore gentes 3.194
pro, quanta est gloria genti 3.241
hinc Lacedaemonii, moto gens aspera freno,
3.269
hinc Essedoniae gentes auroque ligatas/
substringens Arimaspe comas; . . 3.280
coiere nec umquam/ tam uariae cultu gentes,
tam dissona uolgi/ ora. 3.289
adde quod innumerae concurrunt undique
gentes, ... 3.321
erat inpiger Astur/ Vettonesque leues
profugique a gente uetusta/Gallorum Celtae
4.9
quibus hoste potito /faucibus emitti
terrarum in deuia Martem/ inque feras
gentes Caesar uidet. 4.162
non chalybem gentes penitus fugiente
metallo/ eruerent, ... 4.223
tradimus Hesperias gentes, aperimus
Eoas, ... 4.352
illic bellaci confisus gente Curictum,
4.406

non tamen ignauae post haec exempla
uirorum/percipient gentes quam sit non
ardua uirtus/seruitium fugisse manu, 4.576
uires/exciuit, Libycas gentis, extremaque
mundi/signa suum comitata Iubam.   4.669
et gens quae nudo residens Massylia dorso
                                      4.682
et tibi, non fidae gentis dignissime regno,
                                      5.58
indignata suum multis seruire furorem/
gentibus ex tanta fatorum strage superba
/excerpsit Romana manu, ...   5.185
et tot in Hesperio conlapsas sanguine
gentis/cur aperire times? 5.202
qui tot gentis in bella trahebat,   5.253
anne fugam Magni tanta cum classe
secuntur/Hesperiae gentes,   . . .   5.329
cum mare conuoluit gentes,   . . .   5.623
Arctoas domui gentes, inimica subegi
/arma metu, ...   5.661
castrorum in plebe merebat/ante feras
Rhodani gentes; 6.145
solum fregere coloni/et Magnetes equis,
Minyae gens cognita remis. . . .   6.385
inpia tot populis, tot surdas gentibus
aures/caelicolum dirae conuertunt carmina
gentis. 6.443
tot surdas gentibus aures/caelicolum dirae
conuertunt carmina gentis. . . .   6.444
hos scelerum ritus, haec dirae crimina
gentis/effera damnarat nimiae pietatis
Erictho 6.507
sperat et Hesperiae cineres auertere
gentis 6.585
cum iuuenis primique aetate triumphi/
post domitas gentes quas torrens ambit
Hiberus/...plaudente senatu /sedit
adhuc Romanus eques; 7.15
orbis/indulgens regno, qui tot simul
undique gentis/iuris habere sui uellet
                                      7.54
merito Pompeium uincere lente/gentibus
indignum est a transcurrente subactis.
                                      7.74
haec et apud seras gentes populosque
nepotum,/... spesque metusque...mouebunt,
                                      7.207
eripe uictori gentis et sanguine mundi/
fuso, Magne, semel totos consume triumphos.
                                      7.233
precor gentes ut ius habeatis in omnes.
                                      7.265
iter per ignauas gentes famosaque regna
                                      7.277
sitque palam, quas tot duxit Pompeius in
urbem/curribus, unius gentes non esse
triumphi. 7.280
unaque gentis/hora trahit. 7.345
primo gentes oriente coactae/.../exciuere
manus. 7.360
gentes Mars iste futuras/obruet   7.389
omne tibi bellum gentis dedit,   7.421
illic quaeque suo miscet gens proelia
telo, ...   7.510
quod militis illic/mors hic gentis erat:
                                      7.635
nec...trahere omnia secum/ mersa iuuat
gentesque suae miscere ruinae: 7.655
'parcite', ait 'superi, cunctas prosternere
gentes. 7.659
teque minor solo cunctas inpellere gentes

/rursus in arma potes 7.718
raptum Hesperiis e gentibus aurum/hic
iacet 7.741
unum da gentibus ignem, ...   7.804
tu, cui dant poenas inhumato funere
gentes,/ quid fugis hanc cladem?   7.820
cunctis ignotus gentibus esse/mallet 8.19
multumque in gente deorum est.   8.308
quid enim tibi laetius umquam/
praestiterint superi, quam.../...tantam
consumere gentem 8.324
iuuat ire per orbem/ducentem saeuas Romana
in moenia gentes 8.357
non haec fiducia genti est. . . .   8.362
emollit gentes clementia caeli.   8.366
ensis habet uires, et gens quaecumque
uirorum est/bella gerit gladiis.   8.385
damnat apud gentes sceleris non
sponte peracti/Oedipodionias infelix
fabula Thebas: 8.406
gens unica mundi est/ de qua Caesareis
possim gaudere triumphis. . . .   8.429
quaerit/ cum qua gente cadat. . .   8.505
et metuit gentes quas uno in sanguine
mixtas/deseruit, ...   8.508
adde.../...commercia tuta/gentibus et
pauidos Cilicas maris, ...   8.811
adde subactam/barbariem gentesque uagas
                                      8.812
et noster nullis non gentibus heres/
bella dabit: 9.94
euoluam busto iam numen gentibus Isim
                                      9.158
clarum et uenerabile nomen/gentibus et
multum nostrae quod proderat urbi.   9.203
audet in ignotas agmen committere gentes
                                      9.372
tantum Maurusia genti/robora diuitiae,
                                      9.426
segne solum raras...exerit herbas/ quas
Nasamon, gens dura, legit, . . .   9.439
delapsaque caelo/ arma timent gentes
hominumque erepta lacertis . . .   9.476
uentum erat ad templum Libycis quod
gentibus unum/inculti Garamantes habent.
                                      9.511
non illic Libycae posuerunt ditia gentes
/templa, ...   9.515
quamuis... Arabumque beatis/gentibus
atque Indis unus sit Iuppiter Hammon,/
pauper adhuc deus est, ...   9.518
at tibi, quaecumque es Libyco gens igne
dirempta,/ in Noton umbra cadit,   9.538
uicina colentes/Aethiopum totae riguerunt
marmore gentes. 9.651
tot monstra ferentem/ gentibus ablatum
dederas serpentibus orbem, . . .   9.856
gens unica terras/incolit a saeuo
serpentum innoxia morsu, ...   9.891
sic pignora gentis/Psyllus habet, siquis
tactos non horruit angues, . . .   9.906
nec solum gens illa sua contenta salute
/excubat hospitibus, ...   9.909
at, siquis peste diurna/fata trahit, tunc
sunt magicae miracula gentis . .   9.923
gentis Iuleae uestris clarissimus aris/
dat pia tura nepos 9.995
'terrarum domitor, Romanae maxime gentis,
                                      9.1014
frustra ciuilibus armis/miscuimus gentes,
siqua est hoc orbe potestas/altera

GENS
```
          quam Caesar,  . . . . . . . .    9.1077
          gladiumque per omnis exegit gentes,  10.32
          sidus iniquum/gentibus.  . . .    10.36
          tu gentibus aequum/sidus ades nostris.
                                             10.89
          et causas Martis Phariis cum gentibus
          optat. . . . . . . . . . . . .    10.171
          non neclecte deis, Phariae primordia
          gentis/...edissere  . . . . . .   10.177
          et nulli contingit gloria genti/ ut Nilo
          sit laeta suo. . . . . . . . .    10.284
          et gentes maluit ortus/mirari quam nosse
          tuos. . . . . . . . . . . . .     10.297
          placemus caede secunda/Hesperias gentes:
                                             10.387
          necque ius mundi ualuit nec foedera
          sancta/gentibus, orator regis pacisque
          sequester/quin caderet ferro.     10.472
```
GENUS.
```
               urbem... frequentem/ gentibus et
          generis, coeat si turba, capacem/humani
                                             1.512
          aut, si fata mouent, urbi generique
          paratur/humano matura lues.       1.644
          quod cladis genus, o superi, qua peste
          paratis/saeuitiam?  . . . . . .   1.649
          humani generis maiore in proelia damno.
                                             2.226
          uni quippe uacat studiis odiisque carenti/
          humanum lugere genus),  . . . .   2.378
          primaque cum uentis pelagique furentibus
          undis/ conposuit mortale genus,    3.196
          ignarum mortale genus per fulmina tantum
          /sciret adhuc caelo solum regnare
          Tonantem. . . . . . . . . . .      3.319
          humanum paucis uiuit genus.  . .   5.343
          unoque sub ictu/stat genus humanum, 6.614
          humani generis tam longo tempore bellum,
          /Caesar erit? . . . . . . . . .    7.72
          [ulla nec humanum reparet genus omnibus
          annis] . . . . . . . . . . . .     7.388
          generis quo turba redacta est/humani!
                                             7.399
          extremum tanti generis per saecula nomen,
          /ne rue per medios nimium temerarius
          hostis,  . . . . . . . . . . .     7.589
          namque memor generis Carthaginis inpia
          proles/inminet Hesperiae,  . . .   8.284
          nec sentit fatique genus mortemque ueneni,
                                             9.758
          nunc mixti foedera tangunt/te generis?
                                             9.1049
```
GENUSUS.
```
               tellus, quam uolucer Genusus, quam
          mollior Hapsus/circumeunt ripis.   5.462
          at Genusum nunc sole niues nunc imbre
          solutae/praecipitant. . . . . .    5.465
```
GERMANA(subst.).
```
                         quod si Phario germana
          tyranno/ non inuisa foret,  . . .  9.1068
```
GERMANUS(subst.).
```
                         'dic ubi sit, germane,
          parens; . . . . . . . . . . . .    9.123
          oculos, germane, nocentis/spectato
          genitore fero.  . . . . . . . .    9.127
```
GERMANUS,-A,-UM.
```
                         libertas.../... uagatur,/
          Germanum Scythicumque bonum, nec respicit
          ultra/ Ausoniam,  . . . . . . .    7.435
```
GERMEN.
```
               fuit aurea silua/diuitiisque graues
          et fuluo germine rami . . . . .    9.361
```
GERO,-ERE.
```
               bella geri placuit nullos habitura
          triumphos? . . . . . . . . . .     1.12
          facili si proelia pauca/gesseris euentu,
          tibi Roma subegerit orbem.  . . .  1.285
          Laelius emeritique gerens insignia
```

GERO
```
          doni, . . . . . . . . . . . . .    1.357
          et duce priuato gesturus proelia consul
          /sollicitant proceresque alii;  .  2.278
          bella gerat. . . . . . . . . .     2.443
          nec gerit auspiciis ciuilia bella
          paternis . . . . . . . . . . .     2.464
          iussa gerunt soluuntque cauas a litore
          puppes. . . . . . . . . . . . .    2.649
          ueniam te bella gerente /in medias acies.
                                             3.30
          nec pauet hic populus pro libertate
          subire/obsessum Poeno gessit quae Marte
          Saguntum. . . . . . . . . . . .    3.350
          uolnera miscebunt fratres bellumque
          coacti/ hoc potius ciuile gerent.'  3.355
          extremaque mundi /iussit bella geri.  3.455
          armisque innexa (innixa) priores/arma
          ferunt (gerunt),  . . . . . .    var.3.476
          dum quae gesserunt fortia iactant   4.202
          Massiliae, Phario nec tantum est aequore
          gestum, . . . . . . . . . . . .    4.257
          interque priorem/fortunam casusque
          nouos gerit omnia uicti,/ sed ducis, 4.342
          heu miseri qui bella gerunt!        4.382
          sed firma gerendis/molibus insolito
          contexunt robora ductu. . . . .     4.418
          nec gerit expositum telis in fronte
          patenti/remigium,  . . . . . . .    4.423
          bella gerat seruetque ducum sibi fata
          priorum,  . . . . . . . . . . .     4.662
          quidquid gerimus fortuna uocatur.   5.292
          nec melior mihi uestra fides, si bella
          nec hoste/nec duce me geritis.      5.349
          iam certe mihi bella geram.         5.357
          promotus Latiam longo gerit ordine uitem,
                                             6.146
          si duce te iusso, si nobis bella
          geruntur,/sit iuris, quocumque uelint,
          concurrere campo. . . . . . . .     7.79
          ciuilia bella/gesturi metuunt ne non
          cum sanguine uincant. . . . . .     7.96
          Stygii quae numina regni/.../ inpia tam
          saeue gesturus bella litasti?)      7.171
          'uenit summa dies, geritur res maxima,'
          dixit . . . . . . . . . . . . .     7.195
          cum duce Sullano gerimus ciuilia bella.
                                             7.307
          at plures tantum clamore cateruae/bella
          gerent: . . . . . . . . . . . .     7.368
          cladis eo dedimus, ne tanto in corpore
          bellum/iam possit ciuile geri.  '   7.407
          tot similis fratrum gladios patrumque
          gerenti/ Thessaliae dabit ille diem? 7.453
          ciuilia bella/ una acies patitur, gerit
          altera; . . . . . . . . . . . .     7.502
          nulla secutast/pugna, sed hinc iugulis,
          hinc ferro bello geruntur;  . . .   7.533
          non illic regum auxiliis collecta
          iuuentus/bella gerit  . . . . .     7.549
          quidquid in hac acie gessisti, Roma,
          tacebo. . . . . . . . . . . . .     7.556
          sine te iam bella geruntur'/dixerat. 7.607
          pauide num gessimus arma/teximus aut
          iugulos? . . . . . . . . . . .      7.643
          sed me uel sola tueri/fama potest rerum
          toto quas gessimus orbe . . . . .   8.275
          quid enim tibi laetius umquam/
          praestiterint superi, quam, si ciuilia
          Partho/milite bella geras, tantam
          consumere gentem  . . . . . . .     8.324
          nec per opacas/bella geret tenebras
```

GERO

    incerto debilis arcu, ... 8.373
    gens quaecumque uirorum est/ bella gerit
    gladiis. 8.386
    sed gessisse prius bellum ciuile pudebit.
                     8.419
    quidquid non fuerit Magni dum bella
    geruntur,/ nec uictoris erit. . . 8.502
    nec regnum cupiens gessit ciuilia bella
                     9.27
    collegit.../ armaque et inpressas auro,
    quas gesserat olim. 9.176
    'ergo pari uoto gessisti bella, iuuentus,
                    9.256
    ille deo plenus tacita quem mente gerebat
    /effudit dignas...uoces. 9.564
    ipse manu sua pila gerit, ... 9.587
    colla gerit Magni Phario uelamine tecta
                   9.1012
    ne sic mea colla gerantur/Thessaliae
    fortuna facit. 9.1083
    maiore profecto/ quam metui poterat
    discrimine gessimus arma: 9.1085
    quantosne tumores/mente gerit famulus!
                  10.100
    haec Libycos, pars tam flauos gerit
    altera crines 10.129
    pars sanguinis usti/torta caput
    refugosque gerens a fronte capillos;
                  10.132
    diuitias Cleopatra gerit cultuque laborat.
                  10.140
    pro caecus et amens/ambitione furor,
    ciuilia bella gerenti/diuitias
    aperire suas, ... 10.147
    et gessisse pudet genero cum paupere
    bellum 10.170
    obsessusque gerit, tanta est constantia
    mentis,/expugnantis opus. 10.490
    ac multa secundo/proelia Marte gerunt.
                  10.532

GESTO,-ARE. exuuias ueteris populi sacrataque
    gestans 1.137
    cultus gestare decoros /uix nuribus
    rapuere mares; 1.164
    nulli gestanda dabantur/signa ducis, 2.96
    colla ducum pilo trepidam gestata per
    urbem 2.160
    saucia maiores animos ut pectora gestant,
                  4.285
    Hapso gestare carinas/causa palus, 5.463
    non...Nilus/ nobilius Phario gestasset
    rege cadauer, ... 6.308
    arma satelles/ regia gestabat posito
    deformia pilo, ... 8.598
    uindicat hoc Pharius, dextra gestare,
    satelles. 8.675
    non...petit.../Pompeius.../ut Romana
    suum gestent pia colla parentem, 8.732
    sed me nec sanguis nec tantum uolnera
    nostri/adfecere senis, quantum gestata
    per urbem/ora ducis, ... 9.137

GETES. hinc Dacus, premat inde Getes; 2.54
    o superi, motura Dahas ut clade Getasque
    /securo me Roma cadat. 2.296
    nunc furor incubuit nec iuncto Sarmata
    uelox/ Pannonio Dacisque Getes admixtus:
                  3.95

GETICUS,-A,-UM. Armeniosque arcus Geticis
    intendite neruis, ... 8.221

GIGAS. caelumque suo seruire Tonanti/non
    nisi saeuorum potuit post bella

GLADIUS

    gigantum, ... 1.36
    aut si terrigenae temptarent astra
    gigantes, ... 3.316
    'nondum post genitos Tellus ecfeta
    gigantas 4.593
    si me praebente uideri/...possint.../
    ... uincti terga gigantes,/ quis timor,
    ignaui, metuentis cernere manes?' 6.665
    non aliter Phlegra rabidos tollente
    gigantas/Martius incaluit Siculis
    incudibus ensis 7.145
    caeloque timente/ olim Phlegraeo stantis
    serpente gigantas/erexit montes, 9.656

GIGNO,-ERE. nec sibi sed toti genitum se
    credere mundo. 2.383
    quos eadem uariis genuerunt uiscera
    fatis: 3.604
    sterili non quicquam frigore gignit 4.108
    'nondum post genitos Tellus ecfeta
    gigantas 4.593
    omne potens animal leti genitumque nocere
    /et pauet Haemonias...artes. . . 6.485
    huc quidquid fetu genuit natura sinistro/
    miscetur: 6.670
    capit omnia tellus/ quae genuit; 7.819
    (hunc genuit custos Nili crescentis in
    arua/ Memphis uana sacris; . . 8.477

GLACIALIS,-E. astringit Scythico glacialem
    frigore pontum! 1.18
    nam uel Hyperboreae plaustrum glaciale
    sub Vrsae 5.23

GLACIES. sed glacie medios signorum temperat
    ignes. 4.109
    cum glacie retinente fretum non
    inpulit Hister, ... 5.437
    uelut inpatiens hominum uel solis iniqui
    /limite uel glacie, nuda atque ignota
    iaceres, ... 7.867
    frigida Saturno glacies et zona niualis
    /cessit: 10.205
    adde quod omne caput fluuii, quodcumque
    soluta/ praecipitat glacies, ingresso
    uere tumescit 10.224

GLADIUS. nescit mixta foro, gladii cum triste
    micantes 1.320
    pectore si fratris gladium iuguloque
    parentis/condere me iubeas . . . 1.376
    mille licet gladii mortis noua signa
    sequantur, ... 2.115
    ut gladiis egeant ciuilia bella coactis.
                  3.323
    quamuis capulum per uiscera missi/
    polluerit gladii, ... 3.749
    ut dextrae iusti gladius dissuasor
    adhaesit, ... 4.248
    incumbet gladiis, gaudebit sanguine fuso.
                  4.278
    sed gladiis fodere suis, ... 4.295
    namque suis pro te gladiis incumbere,
    Caesar,/ esse parum scimus; . . . 4.500
    nec uolnus adactis/debetur gladiis: 4.561
    uindicis an gladii facinus poenasque
    furorum.../ut peragat fortuna,taces? 5.206
    tot raptis truncus manibus gladioque
    relictus/ paene suo, ... 5.252
    sit praeter gladios aliquod sub Caesare
    fatum. 5.283
    Ausonias uoluit gladiis miscere secures
                  5.388
    quaerit,.../perque omnis gladios et qua
    uia caede paranda est. 6.124

GLADIUS

nec uidit recto gladium mucrone tenentem,
6.237

pacem gladio si quaerit ab isto/Magnus,
adorato summittat Caesare signa.   6.242
ipse furentis/ dux tenuit gladios.   6.301
quid mundi gladios a sanguine Caesaris
arces? 7.81
uotumque effecimus hosti/ut mallet sterni
gladiis 7.100
placet haec tam prospera rerum/tradere
forutnae, gladio permittere mundi/
discrimen; 7.108
nec gladiis habuere fidem, nisi cautibus
asper/exarsit mucro; 7.139
capulosque solutis/ perfudit gladiis
ereptaque pila liquauit 7.159
nunc pugnate truces gladioque exsoluite
culpam: 7.262
uoltus gladio turbate uerendos.   7.322
tot similis fratrum gladios patrumque
gerenti/ Thessaliae dabit ille diem? 7.453
set quota pars cladis(gladiis) iaculis
ferroque uolanti/ exacta est!   var.7.489
gladiosque suos conpressa timebat. 7.495
frigidus inde/stat gladius, calet omne
nocens a Caesare ferrum.   7.503
inspicit et gladios, qui toti sanguine
manent, ...   7.560
ipse manu subicit gladios ac tela
ministrat 7.574
uincitur his gladiis omnis quae seruiet
aetas. 7.641
inpulit amentes.../ ire super gladios
supraque cadauera patrum   . . .   7.748
hunc omnes gladii, quos aut Pharsalia
uidit/.../ illa nocte premunt,   7.781
gens quaecumque uirorum est/ bella gerit
gladiis. 8.386
libertas scelerum est quae regna inuisa
tuetur/ sublatusque modus gladiis. 8.492
iam crimen habemus/ purgandum gladio.
8.518

exiguam sociis monstri gladiisque
carinam/instruit. 8.541
quid uiscera nostra/scrutaris gladio?
8.557

disponis gladios, nequo non fiat in
orbe,/ heu facimus ciuile tibi.   8.603
Pellaeusque puer gladio tibi colla
recidit,/ Magne, tuo. 8.607
patimur cur segnia fata/in
gladios iurata manus? 9.850
ergo in Thessalicis Pellaeo fecimus
aruis/ ius gladio? 9.1074
gladiumque per omnis/ exegit gentes,
10.31
Caesar et hos aditus gladiis, hos ignibus
arcet, ...   10.489
[heu facinus, gladio ceruix male caesa
pependit] 10.518

GLAEBA.   ubere uix glaebae superat,
cessantibus Austris/...Libye   3.68
et gelido tellus perfusa Caico/Idalis et
nimium glaebis exilis Arisbe, . . . 3.204
si mollius aruum/prodidit umorem, pinguis
manus utraque glaebas/exprimit ora super;
4.309
non anima galeam (glaebam) fugiente ferire
var.5.279
nullo glaebarum crimine pura/ et
penitus terra est. 9.425

GLANS.   glande petens solido fregit caua
tempora plumbo. 3.711
saxa uolant spatioque solutae/aeris et
calido liquefactae pondere glandes; 7.513

GLAREA.   aut inpulsa leui turbatur glarea
uena. 4.302

GLOBUS.   nubes.../uetitae transcurrere densos
/inuoluere globos, ...   4.74
densaturque globus, ...   4.780
tumidos iam non capit artus/informis
globus et confuso pondere truncus. 9.801

GLOMERO,-ARE.   confusos temere inmixtae
glomerantur in orbes, ...   5.715
non sic...horret/ Enceladum...Caesaris
ut miles glomerato puluere uictus/ante
aciem.../hostibus occurrit fugiens. 6.296
glomerataque nubes/ in sua conuersis
praeceps ruit agmina frenis.   7.530

GLORIA.   dux stetit Hesperio, non illum
gloria pulsi/laetificat Magni: . . . 3.48
pro, quanta est gloria genti . . . 3.241
Pontus, et Herculeis aufertur gloria
metis, ...   3.278
stant gemini fratres, fecundae gloria
matris, ...   3.603
et quaesitorum terra pelagoque ciborum
/ambitiosa fames et lautae gloria mensae,
4.376

nec gloria leti/ inferior, iuuenes, admoto
occurrere fato. 4.479
nec tam iusta fuit terrarum gloria Typhon
4.595

laetus quod gloria belli/ sit rebus
seruata suis, ...   4.716
si gloria leti/ est pelago donata mei
bellisque negamur, ...   5.656
nec gloria paruae/sollicitet uitae: 6.805
Pompei nec crimen erit nec gloria bellum.
7.112
nunc sum tibi gloria maior,   . .   8.78
maxima gloria nobis/semper erit tanti
pignus seruasse mariti,   . . .   8.110
et nulli contingit gloria genti/ ut Nilo
sit laeta suo. 10.284
communis gloria nobis, ...   10.377

GNARUS,-A,-UM.   gnarus et irarum causas et
summa fauoris/annona momenta trahi. 3.55

GNASCOR v. NASCOR.

GNIDOS v. CNIDOS.

GNOSOS v. CNOSOS.

GORGON.   conpellandus erit,.../... qui Gorgona
cernit apertam 6.746
hoc monstrum timuit genitor.../...Cetoque
parens ipsaeque sorores/ Gorgones; 9.647
ipsique retrorsum/effusi faciem uitabant
Gorgonos angues. 9.653
bellumque inmane deorum/Pallados e medio
confecit pectore Gorgon.   . . .   9.658
Persea Phoebeos conuerti iussit ad ortus/
Gorgonos auerso sulcantem regna uolatu,
9.668

quos habuit uoltus...uolnere ferri/caesa
caput Gorgon! 9.679
aliger in caelum sic rapta Gorgone fugit.
9.684

GORGONEUS,-A,-UM.   Pallas Gorgoneos diffudit
in aegida crines, ...   7.149

GORTYNA.   docta nec Eois peior Gortyna sagittis;
3.186

GORTYNIS.   Dictaea procul, ecce, manu Gortynis
harundo/tenditur in Scaeuam, . .   6.214

GRACCHI. uicto iure minax iactatis curia
    Gracchis. 1.267
    uidi ego laetantis...Drusos/legibus
    inmodicos ausosque ingentia Gracchos;
                           6.796

GRACILIS,-E. qui secat et geminum gracilis
    mare separat Isthmos. 1.101
    lunaque non gracili surrexit lucida cornu
                           5.546

GRADIUUS. quid tantum, Gradiue, paras? 1.660

GRADUS. sic turba per urbem/praecipiti
    lymphata gradu, .../inconsulta ruit. 1.496
    corripuit, quantoque gradu mors saeua
    cucurrit! 2.100
    non.../legitimaeque faces, gradibusque
    adclinis eburnis/stat torus . . . 2.356
    iamque gradum neque uerberibus stimulisque
    coacti/...addunt: 4.759
    gradibusque citatis/ungula frondentem
    discussit cornea campum. 6.82
    iam gradibus fessis, in quem cadat, eligit
    hostem. 6.206
    ille per umbras/ausus ferre gradum 8.718
    primusque gradus in puluere ponam, 9.395

GRAECIA. postibus Antaei Libye, nec Graecia
    maerens 2.164
    proxima uicino uires dat Graecia bello.
                           3.171

GRAII(GRAI). inde per arua/Graiorum Macetumque
    nouas adquirite uires 2.647
    'uana mouet Graios nostri fiducia cursus.
                           3.358
    nec Grais flectere iactum/aut facilis
    labor est 3.478
    summa fuit Grais, starent ut moenia, uoti:
                           3.497
    sed Grais habiles pugnamque lacessere
    pinus 3.553
    moenia Graiorum spernit 6.4
    Graiorumque·domos direptaque moenia
    transfert. 6.35

GRAIUS,-A,-UM. Phocais in dubiis ausa est
    seruare iuuentus/non Graia leuitate fidem
    signataque iura, ... 3.302
    sic Graia iuuentus/finierat, . . 3.355
    iam satis hoc Graiae memorandum contigit
    urbi/ aeternumque decus, ... 3.388
    sed maior Graio Romana in corpora ferro/
    uis inerat. 3.463
    nec non et Graia iuuentus/omne suum fatis
    uoluit committere robur 3.516
    Caesaris hinc puppes, hinc Graio remige
    classis/tollitur: 3.526
    puppe Catus Graiumque audax aplustre
    retentat, ... 3.586
    ausus Romanae Graia de puppe carinae/
    iniectare manum; 3.610
    bracchia linquentes Graia pendentia puppe
    /a manibus cecidere suis: 3.667
    Graiae pars maxima classis/mergitur, 3.753
    detegit orta dies stantis in rupibus
    Histros/pugnacesque mari Graia cum classe
    Liburnos. 4.530
    incumbatque furens et Graia ad moenia
    perflet, ... 5.419
    Grais delecta iuuentus/ gymnasiis aderit
                           7.270
    mille meae Graio uoluuntur in aequore
    puppes, ... 8.272
    Boreaque urguente carinas/Graia fugit,
                           9.38

    petit famae mirator.../ et Simoentis aquas
    et Graio nobile busto/Rhoetion 9.962

GRAMEN. spoliarat gramine campum/miles 4.412
    Pompeium exhaustae praebenda ad gramina
    terrae, ... 6.81
    sic, ubi depastis summittere gramina
    campis/...parans...Apulus.../igne fouet
    terras, simul et Garganus et arua/Volturis
    ...lucent 9.182
    gaudet in Hyblaeo securus gramine pastor
                            9.291
    securus in alto/gramine ponebat gressus:
                            9.976

GRAMINEUS,-A,-UM. graminei luxere foci, 4.199

GRANDAEUUS,-A,-UM. grandaeuosque senes mixtis
    armauit ephebis. 3.518
    credite grandaeuum uetitumque aetate
    senatum/arma sequi sacros pedibus
    prosternere canos 7.371

GRANDO. dum fuit armorum series, ut grandine
    tecta/innocua percussa sonant, 3.482

GRASSOR,-ARI. turbae sed mixtus inerti/
    Sextus erat.../ cui mox Scyllaeis exul
    grassatus in undis/polluit aequoreos
    Siculus pirata triumphos. . . . 6.421

GRATIS. uincitur haut gratis iugulo qui
    prouocat hostem. 4.275

GRATUS,-A,-UM. inpatiensque diu non grati
    uictima sacri, ... 1.611
    sed eum cui uolnera prima/debebat grato
    moriens interficit ictu. 4.547
    pectus et auersi petit oscula grata mariti,
                            5.736
    tumulos expulsis obtinet umbris/grata
    deis Erebi. 6.513
    'nullum... mihi'.../gratius esse solum
    non paruo pignore uobis/ostendi: 8.130
    nec tenuit gratum nocturno lumine montem,
                           8.463
    non alta terens Capitolia currus/gratior;
                           9.80
    non tamen ad Magni peruenit gratius
    umbras/omne.../... quam pauca Catonis/
    uerba 9.186
    grata uice moenia reddent/Ausonidae
    Phrygibus, ... 9.998
    ast ego caelicolis gratum reor ire per
    omnis/hoc opus 10.197
    sumpturus poenas et grata piacula morti
                            10.462

GRAUIDUS,-A,-UM. auxerat undas/ tertia iam
    grauido pluuialis Cynthia cornu 1.218
    dum fouet amplexu grauidum Cornelia curis
                           5.735

GRAUIS,-E. stare diu nimioque graues sub
    pondere lapsus 1.71
    erexitque iubam et uasto graue murmur
    hiatu 1.209
    oderuntque grauis uiuacia fata senectae
                          2.65
    uiua graues elidunt corpora trunci. 2.206
    quamquam agitant grauiora metus, multumque
    coitur 2.225
    premit ille grauis interritus iras, 2.521
    non sibi sed domino grauis est quae seruit
    egestas.' 3.152
    sed eam grauis insuper ictus/ amputat;
                          3.611
    sustinuere graues in summo gurgite
    truncos. 3.669
    nubes.../ nec medio potuere graues

incumbere mundo 4.69
colla diu grauibus frustra temptata
lacertis, ... 4.618
et defecta grauis longe trahit ilia
pulsus 4.757
his ferri graue ius erit, ipse per omne
/fasque nefasque rues? 5.312
grauis hinc languore profundi/ obsessis
uentura fames. 5.449
gramina.../ quae currens obtriuit eques
gradibusque (grauibusque) citatis/ungula
frondentem discussit cornea campum.
var.6.82
postquam discessit Olympo/Herculea grauis
Ossa manu 6.348
summique grauem discriminis horam/
aduentare palam est, ... 6.415
qua torta graues lorica catenas/opponit...
/hac quoque peruentum est ad uiscera,
7.498
te,.../Pompeioque grauis poenas nobisque
daturum,/... sperare licet.' 7.614
non ueritus graue ne fessis aut Marte
subactis/hoc foret imperium. . . . 7.735
grauis est Magno quicumque malorum/testis
adest. 8.18
tanto deuinxit amore/hos.../ quod summissa
animis, nulli grauis hospita turbae,/
stantis adhuc fati uixit quasi coniuge
uicto. 8.157
manus hoc Aegyptia forsan/obtulit
officium graue manibus. 9.64
fuit aurea silua/diuitiisque graues et
fuluo germine rami/uirgineusque chorus,
9.361
et grauis in geminum uergens caput
amphisbaena, ... 9.719
et larices fumoque grauem serpentibus
urunt/habrotonum 9.920
pone duces priscos.../ Fabricios Curiosque
graues, ...10.152

GRAUO,-ARE. latet obsitus aer /infernae
pallore domus nimbisque grauatus /
deprimitur, ... 5.628
somno quam saepe grauata/deceptis uacuum
manibus conplexa cubile est . . . 5.808
terribilis Stygio facies pallore grauatur
6.517

GRAUOR,-ARI(dep.). seque putat solum regnorum
iniusta grauari. 5.258
Romanos odere omnes, dominosque grauantur,
7.284

GREMIUM. iterumque refusa/coniugis in
gremium cunctorum lumina soluit/in
lacrimas. 8.106

GRESSUS. membra ducis, riguere comae
gressumque coercens 1.193
rapit gressus et Caesaris agmina rumpens
3.116
Caesar sollicito per uasta silentia gressu
/uix famulis audenda parat, . . . 5.508
instabili gressu metitur litora cornix.
5.556
dum ferrent tutos intra tentoria gressus,
/iussa tenere diem densas nox praestitit
umbras. 6.829
securus in alto/gramine ponebat gressus:
9.976

GREX. gregibus dumeta carerent, . . . 7.863

GRUS. poturae te, Nile, grues, primoque
uolatu 5.712

GURGES. Caesar, ut aduersam superato gurgite
ripam/attigit, ... 1.223
hi uada liquerunt Isarae, qui, gurgite
ductus/per tam multa suo, . . 1.399
gaudetque.../... gurgite, qua Rhodanus
raptum uelocibus undis 1.433
qua mare Lagei mutatur gurgite Nili: 1.684
congesta recepit/omnia Tyrrhenus Sullana
cadauera gurges. 2.210
gurgitibus raptis penitus tellure perusta,
2.414
atque omnis trahe, gurges, aquas, ut
spumeus alnos/discussa conpage feras.
2.486
non, si tumido me gurgite Ganges/
summoueat, ... 2.496
quaque ferens rapidum diuiso gurgite
fontem/uastis Indus aquis mixtum non
sentit Hydaspen; 3.235
tinxere sagittas/ errantes Scythiae
populi, quos gurgite Bactros/includit
gelido uastisque Hyrcania siluis; 3.267
uenerat in fluctus Rhodani cum gurgite
classis 3.515
sulcato uarios duxerunt gurgite tractus,
3.551
inrita tela suas peragunt in gurgite
caedes, ... 3.580
sustinuere graues in summo gurgite
truncos. 3.669
medius dirimit tentoria gurges. 4.18
nam gurgite mixto/qui praestat terris
aufert tibi nomen Hiberus. . . . 4.22
inpulsaque gurgite multo/castra dabant;
4.88
spargitur in sulcos et scisso gurgite
riuis /dat poenas maioris aquae. 4.142
gelidosque a gurgite cursu restituunt
artus, ... 4.153
cedit adhuc, sed morbus egens iam gurgite
plenis/uisceribus sibi poscit aquas. 4.371
non auro murraque bibunt, sed gurgite
puro/uita redit. 4.380
Vulteius tacitas sensit sub gurgite
fraudes 4.465
artatus rapido feruet qua gurgite pontus
5.234
neuter longo se gurgite lassat, 5.466
gurgite tanto/nec ratis Hesperias tanget
nec naufragus oras: 5.572
transit et ignotos operit sibi gurgite
campos: 6.276
purus in occasus, parui sed gurgitis,
Aeas/ Ionio fluit inde mari, . . 6.361
it gurgite rapto/Apidanos 6.372
lapsusque superne /gurgite Pinei pro
siccis utitur aruis. 6.377
et ceu Munda nocens Pharioque a gurgite
clades,/sic et Thessalicae post te pars
maxima pugnae/.../libertas et Caesar,
erit; 7.692
hos,...populos... ignis/uret cum terris,
uret cum gurgite ponti. 7.813
diuidit Euphrates ingentem gurgite mundum
8.290
gurgite septeno rapidus mare summouet
amnis. 8.445
accipe Niliaci ius gurgitis, . . .9.1023
iam Pelusiaco ueniens a gurgite Nili/
rex puer inbellis populi sedauerat
iras, ... 10.53

GURGES

Leucadioque fuit dubius sub gurgite
casus, ... 10.66
tunc omnia flumina Nilus/uno fonte uomens
non uno gurgite perfert. . . . 10.254
Aethiopumque feris alieno gurgite campos,
10.293
late tibi gurgite rupto/ambitur...Meroe
10.302
quis te.../moturum totas uiolenti gurgitis
iras,/ Nile, putet? 10.316

GUSTO,-ARE. admonitaeque tument gustato
sanguine fauces; 4.241

GUSTUS. cuius morsus superauerit anguis/iam
promptum Psyllis uel gustu nosse ueneni.
9.937

GUTTA. plenior huc sanguis et crassi gutta
ueneni. 9.702

GUTTUR. hic laqueo fauces elisaque guttura
fregit, ... 2.154
obliquusque caput uanas serpentis in
auras/effusae tuto conprendit guttura
morsu/letiferam citra saniem; 4.727
siccoque haerentem gutture linguam/
praemordens gelidis infudit murmura
labris 6.567
electum tandem traiecto gutture corpus/
ducit, ... 6.637

GYAREUS. dum cupit in sociam Gyareus erepere
puppem, ... 3.600

GYMNASIUM. Grais delecta iuuentus/gymnasiis
aderit studioque ignaua palaestrae 7.271

GYRUS. gaudetque.../optima gens flexis in
gyrum Sequana frenis, ... 1.425
habiles.../ et temptare fugam nec longo
frangere gyro 3.554
iubet.../ munitumque latus laeuo
praeducere gyro. 4.45
hinc inperfecto conplectitur aera gyro
/arcus 4.79
quantum pede prima relato/constrinxit
gyros acies. 4.781
et tremulo medios abrumpit poplite gyros.
6.87

H

HABENA. haec ubi dicta, leuis totas accepit
habenas/in campum sonipes, 2.500
Lygdamus excussa Balearis tortor habenae
/glande petens solido fregit caua tempora
plumbo. 3.710
cum iaculum parua Libys ammentauit habena,
6.221
spumauitque nouis Lapithae domitoris
habenis. 6.399
auget eques stimulos frenorumque artat
habenas. 7.143
at iuxta fluuios...Enipei/Cappadocum
montana cohors et largus habenae/Ponticus
ibat eques. 7.225
liberque meatu/Aeoliam rabiem totis
exercet harenis(habenis), . . . var.9.454

HABEO,-ERE. bella geri placuit nullos habitura
triumphos? 1.12
solus habere potes.' 1.291
ius habet aut Zephyrus, solus sua litora
turbat 1.407
et caelum Mars solus habet. 1.663

fertque refertque uices et habet mortalia
casus, 2.13
hoc solum longae pretium uirtutis habebis:
2.258
nunc neque Pompei Brutum neque Caesaris
hostem,/ post bellum uictoris habes.'
2.284
hunc habuisse pares Phoebeis ignibus undas.
2.415
Caesar in arma furens nullas nisi sanguine
fuso/gaudet habere uias, ... 2.440
hinc me uictorem gelidas ad Phasidos
undas/Arctos habet, ... 2.586
agmina uictor/non armata trahens sed pacis
habentia uoltum 3.72
habenti /tam pauidum tibi, Roma, ducem
fortuna pepercit, ... 3.95
bellum, Caesar, habes.' 3.133
tot reges habuere ducem, ... 3.288
plus nobilis irae/truncus habet fortique
instaurat proelia laeua 3.615
ingentem militis usum/hoc habet ex magna
defuncto parte cadauer: 3.720
uiresque cruentus/coepit habere dolor,
3.742
non habet unda uias, ... 4.86
non habeant amnes decliuem ad litora
cursum 4.114
utque habuit ripas Sicoris camposque
reliquit 4.130
mutua conspicuos habuerunt lumina uoltus,
4.170
magnum nunc saecula nostra/uenturi
discrimen habent. 4.192
utque habeat famulos nullo discrimine
Caesar/exorandus erit? 4.218
pacemque habuere tenebrae. 4.473
uita breuis nulli superest qui tempus in
illa/quaerendae sibi mortis habet; 4.479
o utinam, quo plus habeat mors
unica famae, ... 4.509
minimumque in morte uirorum/mors uirtutis
habet. 4.558
latuisse sub alta/rupe ferunt, epulas
raptos habuisse leones; 4.602
miranturque habuisse parem. . . . 4.620
felix Roma quidem ciuisque habitura beatos,
4.807
Caesar habet uacuasque domos legesque
silentis 5.31
miles, habes nudum promptumque ad uolnera
pectus. 5.320
Ausoniam tu solus habes.' 5.497
quas uentus.../ permixtas habuere diu,
latumque per aequor, ... 5.707
sed munimen habet nullo quassabile ferro
6.22
cuius commercia pacti/obstrictos habuere
deos? 6.494
an habent haec carmina certum/imperiosa
deum, ... 6.497
tot mortes habitura suas ururaque mundi
/sanguine: 6.583
numquam nisi carmine factum/lumen habet.
6.648
quo postquam miles et habentis nomina
pestis/contulit, infando saturatas
carmine frondis/.../addidit 6.681
latratus habet illa canum gemitusque
luporum, ... 6.688
orbis/indulgens regno, qui tot simul

undique gentis/iuris habere sui uellet
pacemque timeret. 7.55
nec gladiis habuere fidem, nisi cautibus
asper /exarsit mucro; 7.139
in manibus uestris, quantus sit Caesar,
habetis. 7.253
precor gentes ut ius habeatis in omnes.
7.265
quid tempora legum/ egimus aut annos a
consule nomen habentis? 7.441
cladis tamen huius habemus/
uindictam, ... 7.455
uixque habitura locum dextras ac tela
mouendi/constiterat 7.494
ille locus fratres habuit, locus ille
parentis. 7.550
non istas habuit pugnae Pharsalia partes
/quas aliae clades: 7.632
mauis ab hac acie quam quod sua saecula
ferrent/uolnus habent populi. . . 7.639
post te pars maxima pugnae/... nec studium
belli, sed par quod semper habemus,/
libertas et Caesar, erit; 7.695
caelo tegitur qui non habet urnam. 7.819
seque, memor fati, tantae mercedis habere
/credit adhuc iugulum, quantam pro
Caesaris ipse/auolsa ceruice daret. 8.10
Thessaliam nox omnis habet; 8.45
habes ad¹tum mansurae in saecula famae.
8.74
o thalamis indigne meis, hoc iuris
habebat/in tantum fortuna caput? 8.95
haec iam crimen habent. 8.118
accipe: ne Caesar rapiat, tu uictus
habeto . . . .'. in marg.8.124
terrarum dominos.../ exul habet comites.
8.209
ensis habet uires, et gens quaecumque
uirorum est/ bella gerit gladiis. 8.385
sceptra puer Ptolemaeus habet tibi
debita, Magne, ... 8.448
quantum, spes ultima rerum,/ libertatis
habes! 8.455
iam crimen habemus/purgandum gladio. 8.517
ius hoc animi morientis habebat. 8.636
hunc uolumus quem Nilus habet, 9.81
tantum indomitos memoresque paterni/iuris
habete animos. 9.96
dominum, quem clades cogit, habebo/nullum,
Magne, ducem: 9.241
signa petamus/Romanus quae consul habet.'
9.251
sic cum toto commercia mundo/naufragiis
Nasamones habent. 9.444
uentum erat ad templum Libycis quod
gentibus unum/inculti Garamantes habent.
9.512
nullumque in uertice semper/sidus habes
inmune mari; 9.542
morsu uirus habent et fatum dente
minantur, ... 9.615
hoc habet infelix, cunctis inpune, Medusa,
/quod spectare licet. 9.636
quos habuit uoltus hamati uolnere ferri/
caesa caput Gorgon! 9.678
fatique minorem/famam dipsas habet terris
adiuta perustis. 9.754
parua modo serpens, sed qua non ulla
cruentae/ tantum mortis habet. 9.767
quis fata putarit/scorpion aut uires
maturae mortis habere? 9.834

habet hoc solacia caelum: 9.870
quod ius habuisset in ipsum/ulla lues?
9.887
sic pignora gentis/ Psyllus habet,
siquis tactos non horruit angues, 9.907
tui socerum rapuere a sanguine manes/ ne
(nec) populus post te Nilum Romanus
amarat (habebit). var.10.8
sed habet sub iure Pothini/adfectus
ensesque suos. 10.95
habet uentos incertaque fulmina Mauors;
10.206
interque maritos/discurrens Aegypton
habet Romamque meretur. 10.359
HABILIS,-E. sed Grais habiles pugnamque
lacessere pinus 3.553
HABITATOR. rarus et antiquis habitator in
urbibus errat, ... 1.27
nec metuens imi Borean habitator Olympi
/...ignorat..'. Arcton. 6.341
HABITO,-ARE. gens habitat cana pendentes
rupe Cebennas. 1.435
Tarpeia sede perusta/Gallorum facibus
Veiosque habitante Camillo/illic Roma fuit.
5.28
quod numen ab aethere pressum/dignatur
caecas inclusum habitare cauernas? 5.87
non sic Hennaeis habitans in uallibus
horret/ Enceladum 6.293
rus uacuum, quod non habitet nisi nocte
coacta/ inuitus... senator. . . . 7.395
qua niger astriferis conectitur axibus
aer/.../ semidei manes habitant, 9.7
et Pompeianis habitata manibus aula/
...adulter/admisit Venerem curis, 10.73
habitant sub pectore manes . . . 10.336
HABITUS(subst.). nil ultima mortis/ex habitu
uoltuque uiri mutasse fatentur 8.666
iam languida morte/effigies habitum noti
mutauerat oris. 9.1034
HABROTONUS. et larices fumoque grauem
serpentibus urunt/habrotonum 9.921
HACTENUS. hactenus armorum discrimina: 4.48
HADRIA. hoc fuga nautarum, cum totas
Hadria uires mouit 2.625
sonat Ionio uagus Hadria ponto. 5.614
HADRIACUS,-A,-UM. Senaque et Hadriacas qui
uerberat Aufidus undas; 2.407
Hadriacas flexis claudit quae cornibus
undas. 2.615
Colchis et Hadriaca spumans Apsyrtos in
unda; 3.190
qua maris Hadriaci longas ferit unda
Salonas 4.404
quos alit Hadriaco tellus circumflua
ponto, ... 4.407
Apulus Hadriacas exit Garganus in undas.
5'.380
HAEMONIS. uicinaque moenia castris/
Haemonidum, ficti quas nulla licentia
monstri/transierit, ... 6.436
'o decus Haemonidum, populis quae pandere
fata/... potes.../ te precor ut certum
liceat mihi noscere finem . . . 6.590
HAEMONIUS,-A,-UM. quorumque labore/Thessalus
Haemoniam uomer proscindit Iolcon. 3.192
inpetis Haemonio maiorem Scorpion arcu.
6.394
terris hospita Colchis/legit in Haemoniis
quas non aduexerat herbas. . . . 6.442
inpulsam sidere Tethyn/reppulit Haemonium

HAEMONIUS

defenso litore carmen. 6.480
omne potens animal leti.../ et pauet
Haemonias et mortibus instruit artes.
6.486
mox cetera cantu/ explicat Haemonio
penetratque in Tartara lingua. 6.694
nam uera locutum/inmunem toto mundi
praestabimus aeuo/ artibus Haemoniis:
6.765
non solum Haemonii funesta ad pabula
belli/ Bistonii uenere lupi 7.825
plus cinerum Haemoniae sulcis telluris
aratur 7.858
Haemoniae deserta petens dispendia siluae
/cornipedem.../Magnus agens incerta fugae
uestigia turbat 8.2

HAEMORRHOIS. squamiferos ingens haemorrhois
explicat orbes, ... 9.709
inpressit dentes haemorrhois aspera Tullo,
9.806

HAEMUS. uideo Pangaea niuosis/cana iugis
latosque Haemi sub rupe Philippos. 1.680
tum linquitur Haemus/Thracius et populum
Pholoe mentita biformem. 3.197
iam sparserat Haemo/ bruma niues 5.3
conspexere procul praerupta in caute
sedentem/ qua iuga deuexus Pharsalica
porrigit Haemus. 6.576
multis...uisus.../...abruptis mergi
conuallibus Haemus, ... 7.174
excepit resonis clamorem uallibus Haemus
7.480
audax Thessalici nuper qui rupe sub Haemi
/Hesperiae cunctos proceres.../non
timuit.../expauit seruile nefas, 10.449

HAEREO,-ERE. dona ducum nec iam ualidis
radicibus haerens 1.138
si lancea Mauri/ haereat aut latum subeant
uenabula pectus, ... 1.211
urguent/praecipitem populum, serieque
haerentia longa/agmina prorumpunt. 1.492
nec limine quisquam/haesit et extremo tunc
forsitan urbis amatae/plenus abit uisu:
1.508
Venerisque salubre/sidus hebet, motuque
celer Cyllenius haeret, ... 1.662
praecipites haesere rates, . . . 2.212
haerentis adiuuit aquas; 2.217
colla monile decens umerisque
haerentia primis 2.363
hoc limite bellum/haereat, hac hostis
lentus terat otia ripa. 2.488
hic haesere rates geminae, ... 2.711
haereat illa tuis per bella per aequora
signis, ... 3.24
dux tamen inpatiens haesuri ad moenia
Martis 3.453
amputat; illa tamen nisu, quo prenderat,
haesit 3.612
haeserunt ibi fata diu, ... 3.645
hi, ne mergantur, tabulis ardentibus
haerent. 3.688
aduersoque acies in monte supina/haeret
et in tergum casura umbone sequentis/
erigitur. 4.39
pigro bruma gelu siccisque Aquilonibus
haerens/aethere constricto pluuias in
nube tenebat. 4.50
et siccis uoltus in nubibus haerent. 4.331
sed tertia moles /haesit et ad cautes
adducto fune secuta est. 4.454

et gaudeat hostis/non plures haesisse
rates. 4.507
haerebis pressis intra mea pectora
membris: 4.648
haerentem dubiamque premens in templa
sacerdos/inpulit. 5.145
cauernis/haesit et insueto concepit
pectore numen, ... 5.163
alto torpore ligatae/pigrius inmotis
haesere paludibus undae. 5.435
primisque inuenit in undis/rapibus exesis
haerentem fune carinam. 5.514
nudumque marito/non haerente latus. 5.808
quid.../ perditis haesuros numquam
uitalibus ictus? 6.197
haerentis mota cute discutit hastas:
6.210
dilataque longa/haesit nocte dies. 6.462
siccoque haerentem gutture linguam/
praemordens gelidis infudit murmura labris
6.567
primo pallentis hiatu/haeret adhuc Orci,
6.715
hoc scelus haud umquam fatis haerere
putauit, ... 7.35
constitit hic bellum, fortunaque Caesaris
haesit. 7.547
cunctos haerere cruores/Romanus campisque
uetat consistere torrens. 7.636
nulla loci facies reuocat feralibus aruis/
haerentis oculos. 7.789
haereat Eoae uolnus miserabile sortis,
8.417
omnia Lagi/ arua tenere potest, si nullo
caespite nomen/haeserit. 8.804
non imis haeret imago/uisceribus? 9.71
terraeque nocenti/non haerere queror;
9.82
terraeque haerente carina/litora nulla
uident. 9.343
at inpatiens uirtus haerere Catonis/audet
in ignotas agmen committere gentes 9.371
uix tollere miles /membra ualet multo
congestu pulueris haerens. . . . 9.487
haeremus cuncti superis, ... 9.573
in scopulis haesere ferae, . . . 9.650
uoltus, dum crederet, haesit; . . 9.1036

HALYS. qua Croeso fatalis Halys, . . . 3.272

HAMATUS,-A,-UM. quos habuit uoltus hamati
uolnere ferri/caesi caput Gorgon! 9.678

HAMMODYTES. concolor exustis atque indiscretus
harenis/hammodytes, ... 9.716

HAMMON. non corniger Hammon /mittere
Marmaricas cessauit in arma,
cateruas, ... 3.292
regna/.../terminat, a medio confinis
Syrtibus Hammon; 4.673
sed non aut fulmina uibrans/aut similis
nostro, sed tortis cornibus Hammon. 9.514
quamuis.../...Indis unus sit Iuppiter
Hammon,/pauper adhuc deus est, 9.518
solus nemus abstulit Hammon. 9.525
scimus, et hoc nobis non altius inseret
Hammon. 9.572
discedit ab aris/ non exploratum populis
Hammona relinquens. 9.586
nec sterilis Libye nec Syrticus obstitit
Hammon. 10.38

HANNIBAL. si Poenus transcenderit Alpes/
Hannibal: inplentur ualidae tirone
cohortes, ... 1.305

HANNIBAL

  ferat ista cruentus/Hannibal et Poeni
  tam dira piacula manes. . . .   4.790
  multusque in pectore uano est / Hannibal,
            8.286

HAPSUS. tellus, quam uolucer Genusus, quam
  mollior Hapsus/circumeunt ripis. 5.462
  Hapso gestare carinas/ causa palus, 5.463

HARENA. per calidas Libyae sitientis
  harenas: 1.368
  hunc ego, fluminea deformis truncus harena
  /qui iacet,agnosco. 1.685
  Aegypti Libycas Nilus stagnaret harenas;
            2.417
  omnia pontus/ haurit saxa uorax montesque
  inmiscet harenis, ... 2.664
  dum spissis auellitur uncus harenis;
            2.694
  maluerint Phariae busto damnantur harenae:
            2.733
  scrutarique fretum, siquid mersisset
  harenis, ... 3.698
  aestus agat refluoque mari nudentur
  harenae. 4.428
  qua se/ Bagrada lentus agit siccae
  sulcator harenae. 4.588
  auxilium membris calidas infudit harenas.
            4.616
  ueluti fatalis harenae/ muneribus non ira
  uetus concurrere cogit/ productos, 4.708
  non modus Oceani, numerus non derat
  harenae. 5.182
  uento fluctuque secundo/ lapsa Palaestinas
  uncis confixit harenas. 5.460
  te nisi Niliaca propius non uidit
  harena. 5.475
  prior ipse per hostes/ percussi medios
  alieni iuris harenas: 5.489
  et abstrusas uada fecit harenas. 5.604
  nam pelagus, qua parte sedet, non celat
  harenas 5.643
  quod te nostris inpegit harenis? 5.697
  fertur ad aequoreas, ac se prosternit,
  harenas, ... 5.800
  aestuat angusta rabies ciuilis harena.
            6.63
  nec Iuba Marmaricas nudus pressisset
  harenas 6.309
  quod legit diues summis Arimaspus harenis,
  /ut rapiant, paruo scelus hoc uenisse
  putabunt. 7.756
  litoribus lustrat uacuas Pompeius harenas.
            8.62
  perfida qua tellus Casiis excurrit harenis
  /...exiguam sociis...carinam/instruit.
            8.539
  pulsatur harenis,/ carpitur in scopulis
            8.708
  ante tamen Pharias uictor quam tangat
  harenas/ Pompeio raptim tumulum Fortuna
  parauit, ... 8.712
  summas dimouit harenas 8.754
  norit harenas/ ad quas, Magne, tuum
  referat caput.' 8.774
  ne leuis aura retectos/ auferret cineres,
  saxo conpressit harenam, ... 8.790
  erremus populi cinerumque tuorum/ Magne,
  metu nullas Nili calcemus harenas. 8.805
  haud procul est ima Pompei nomen harena/
  depressum tumulo, ... 8.820
  totaque in Aethiopum putres soluaris
  harenas. 8.830

HARUNDO

  quem non tumuli... saxum/ et cinis in
  summis forsan turbatus harenis/ auertet
  manesque tuos placare iubebit 8.856
  crimen commendat harenas. . . . 9.82
  primum litoreis miles lassatur harenis.
            9.296
  saepe tamen cumulos fluctus non uincit
  harenae. 9.340
  atque ingressurus steriles sic fatur
  harenas: 9.378
  dum primus harenas/ ingrediar.../ me calor
  aetherius feriat, ... 9.394
  serpens, sitis, ardor harenae/ dulcia
  uirtuti; 9.402
  natura deside torpet/ orbis et inmotis
  annum non sentit harenis. . . . 9.437
  nam litoreis populator harenis/inminet
            9.441
  liberque meatu/ Aeoliam rabiem totis
  exercet harenis, ... 9.454
  nullisque potest consistere miles/
  instabilis, raptis etiam quas calcat,
  harenis, ... 9.465
  sed, quia mobilibus facilis turbatur
  harenis,/ nusquam luctando stabilis
  manet, ... 9.469
  qui super ingentis cumulos inuoluit
  harenae/ atque operit tellure uiros. 9.485
  alligat et stantis adfusae magnus harenae/
  agger, ... 9.488
  domitas unda conectit harenas. 9.527
  sterilesne elegit harenas/ut caneret
  paucis, ... 9.576
  inuentus mediis fons unus harenis 9.607
  et in tota Libyae fons unus harena/ille
  fuit de quo primus sibi posceret undam.
            9.617
  concipiunt... de sanguine rores/ quos
  calor adiuuit putrique incoxit harenae.
            9.699
  Niloque tenus metitur harenas; 9.705
  concolor exustis atque indiscretus
  harenis/ hammodytes, ... 9.715
  et in uacua regnat basiliscus harena.
            9.726
  scrutatur uenas penitus squalentis
  harenae, ... 9.755
  quem flexo dente tenacem/ auolsitque manu
  piloque adfixit harenis. 9.765
  nuda fusus harena/ excubat . . . 9.882
  primum, quas ualli spatium conprendit,
  harenas/expurgat cantu 9.913
  Sigeasque petit famae mirator harenas
            9.961
  ut primum.../... diras calcauit Caesar
  harenas,/ pugnauit fortuna ducis fatumque
  nocentis/ Aegypti, ... 10.2
  nunc Arabum populis, Libycis nunc aequus
  harenis), ... 10.291
  sterilesque diu metiris harenas, 10.308

HARENIUAGUS,-A,-UM. uidit hareniuagum surgens
  fugiensque Catonem. 9.941

HARPE. et subitus praepes Cyllenida sustulit
  harpen, ... 9.662
  sustulit.../ harpen alterius monstri iam
  caede rubentem 9.663
  dextraque trementem/ Perseos auersi
  Cyllenida derigit harpen 9.676

HARUNDO. quique bibunt tenera dulcis ab
  harundine sucos, ... 3.237
  Dictaea procul, ecce, manu Gortynis

HARUNDO

    harundo/ tenditur in Scaeuam,   6.214
    deprensum est,.../quam segnis Scythicae
    strideret harundinis aer. 9.827
HASTA. cunctis peruius hastis 2.310
    non hasta uiris, non letifer arcus, telum
    flamma fuit,   3.500
    donec utrasque simul largus cruor
    expulit hastas   3.590
    sanguis et, hostilem cum torserit, exeat,
    hastam. 3.679
    iuuentus/ comminus obliquis et rectis
    eminus hastis/ obruitur,   4.774
    nec quicquam nudis uitalibus obstat/
    iam praeter stantis in summis ossibus
    hastas. 6.195
    haerentis mota cute discutit hastas: 6.210
    ursa/... secum fugientem circumit hastam.
                                          6.223
    uerbere conuersae cessantis excitat
    hastae,   .7.577
    pudet.../ quaerere.../... quos campis
    adfixerit hasta,   7.624
HAUD. quos ille timorum/ maximus haut urguet
    leti metus.   1.460
    haud' inquit 'iugulo se polluet isto
    /nostra, Metelle, manus; 3.135
    has ad bella rates non flexo limite ponti
    /certior haud ullis duxit Cynosura carinis.
                                          3.219
    sic postquam fatus, ad urbem/ haud
    trepidam conuertit iter; 3.373
    haut procul a muris tumulus surgentis
    in altum/ telluris paruum diffuso uertice
    campum/ explicat: 3.375
    lancea, .../ haut unum contenta latus
    transire quiescit, ...   3.466
    uincitur haut gratis iugulo qui prouocat
    hostem. 4.275
    haud trepidante tamen toto çum pondere
    dextra/ exegere enses. 4.564
    haut alium tanta ciuem tulit indole Roma
                                          4.814
    haud illic tacito mala uota susurro
    /concipiunt, ...   5.104
    haud aeque laesura ducem cui falsa canebat
    /quam tripodas Phoebique fidem.   5.151
    haud magis expertus discrimine Caesar in
    ullo est 5.249
    haud retinet. 5.259
    haud meritum Latio sollemnia sacra subacto,
                                          5.401
    rectorem dominumque ratis secura tenebat/
    haud procul inde domus,   5.516
    haud dubitem praebere manus: 5.558
    Pannonis haud aliter post ictum saeuior
    ursa,/.../ se rotat in uolnus   6.220
    Caesaris arma/ segnius haud uidit,   6.286
    haud procul a Ditis caecis depressa
    cauernis/ in praeceps subsedit humus,
                                          6.642
    hoc scelus haud umquam fatis haerere
    putauit, ...   7.35
    haud umquam uidi tam magna daturos/ tam
    prope me superos; 7.297
    haud multum terrae spatium restabat Eoae.
                                          7.423
    haud alios nondum Scythica purgatus in
    ara/ Eumenidum uidit uoltus Pelopeus
    Orestes, ...   7.777
    tabesne cadauera soluat/ an rogus, haud
    refert; 7.810

    tanti, Ptolemaee, ruinam/ nominis haut
    metuis, ...   8.551
    haud ego culpa/ libera bellorum,   8.647
    haud procul est ima Pompei nomen harena/
    depressum tumulo, ...   8.820
    haud equidem inmerito Cumanae carmine
    uatis / cautum, ne Nili Pelusia tangeret
    ora/ Hesperius miles 8.824
    omnes/ haud aliter medio reuccauit ab
    aequore puppes 9.284
    eiectaque classis/ Syrtibus haut ultra
    Garamantidas attigit undas, . . .   9.369
    quam sopor aeternam tracturus morte
    quietem/ obruit haud totam: . . .   9.672
    epulasque daturum/ haud inpune feris.../
    ... cadauer.   9.803
    haud clara mouendis,/ ut mos, signa dedit
    çastris 10.399
HAURIO,-IRE. hoc quem ciuiles hauserunt
    sanguine dextrae, ...   1.14
    flammiger an Titan, ut alentes hauriat
    undas, ...   1.415
    ille quod exiguum restabat sanguinis urbi/
    hausit; 2.141
    omnia pontus/ haurit saxa uorax montesque
    inmiscet harenis, ...   2.664
    hauseruntque suo permixtum sanguine
    pontum; 3.577
    et, postquam ruptis pelagus conpagibus .
    hausit, ...   3.629
    atque ipsas hausit, subitisque frementis/
    uerticibus contorsit aquas 4.101
    mens hausti nulla sanie polluta ueneni/
    excantata perit. 6.457
    carpitur in scopulis hausto per uolnera
    fluctu, ...   8.709
    ne dubita, miles, tutos haurire liquores.
                                          9.613
    dixit, dubiumque uenenum/ hausit;   9.617
    quis tibi uaesani ueniam non donet amoris/
    Antoni, durum cum Caesaris hauserit ignis
    /pectus? 10.71
    hauserit obscaenum titulo pietatis
    amorem, ...   10.363
    iugulus mihi Caesaris haustus/ hoc
    praestare potest. 10.387
HAUSTOR. ultimus haustor aquae quam, tandem
    fonte reperto,/ indiga cogatur laticis
    spectare iuuentus, ...   9.591
HAUSTUS. parati,/ undarum raptos auersis
    fontibus haustus/ quaerere . . .   3.345
    conluuies inmota iacet,cadit omnis in
    haustus / certatim obscaenos miles   4.311
HEBENUS. hebenus Mareotica uastos /non operit
    postes 10.117
    Meroe... / laeta comis hebeni,   10.304
HEBEO,-ERE. Venerisque salubre/ sidus hebet,
    motuque celer Cyllenius haeret,   1.662
    et iam Plias hebet, ...   2.722
HEBES. iamque hebes et crasso non asper
    sanguine mucro/... /perdidit ensis opus,
                                          6.186
HECATE. nostraeque Hecates pars ultima, per
    quam/ manibus et mihi sunt tacitae
    commercia linguae/.../ exaudite preces.
                                          6.700
    teque deis,.../...Hecate pallenti tabida
    forma,/ ostendam 6.737
HECTOREUS,-A,-UM. Phryx incola manes/
    Hectoreos calcare uetat. 9.977
HELICE. set nocte sopora,/ Parrhasis obliquos

HELICE
      Helice cum uerteret axes,   2.237
HELLE. sidera respiciens delapsae portitor
      Helles, ...   4.57
      legit.../... Heroas... turres/ qua
      pelago nomen Nepheleias abstulit Helle.
                               9.956
HELLESPONTUS. incessitque fretum rapidi super
      Hellesponti, ... 2.675
HENIOCHI. me domitus cognouit Arabs, me Marte
      feroces/ Heniochi notique erepto uellere
      Colchi, ... 2.591
      hinc Lacedaemonii, moto gens aspera
      freno,/ Heniochi saeuisque adfinis
      Sarmata Moschis; 3.270
HENNAEUS,-A,-UM. non sic Hennaeis habitans in
      uallibus horret /Enceladum . . . 6.293
      eloquar inmenso terrae sub pondere quae
      te/ contineant, Hennaea, dapes, 6.740
HERA v. ERA.
HERBA. tunc herbas frondesque terunt, 4.316
      miles et attonso miseris iam dentibus
      aruo/ castrorum siccas de caespite
      uolserat herbas. 4.414
      ipsaque inexpertis quod primum fecerat
      herbis 4.555
      piger Apulus arua/ deseruit rastris et
      inerti tradidit herbae, ... 5.404
      ore nouas poscens moribundus labitur
      herbas 6.86
      cernit miserabile uolgus/ .../ uellere ab
      ignotis dubias radicibus herbas. 6.113
      Thessala quin etiam tellus herbasque
      nocentes/ rupibus ingenuit . . . 6.438
      terris hospita Colchis/ legit in
      Haemoniis quas non aduexerat herbas. 6.442
      quis labor hic superis cantus
      herbasque sequendi 6.492
      et patitur tantos cantu depressa labores/
      donec suppositas propior despumet in
      herbas. 6.506
      quamuis fecerit omnis /stella senem,
      medios herbis abrumpimus annos. 6.610
      et, quibus os dirum nascentibus
      inspuit, herbas/ eddidit . . . 6.683
      tum uox Lethaeos cunctis pollentior
      herbis/ excantare deos confundit
      murmura primum/ dissona . . . 6.685
      licet has exaudiat herbas,/ ad manes
      uentura semel. 6.715
      nec uerba nec herbae/ audebunt longae
      somnum tibi soluere Lethes . . . 6.768
      carminibus magicis opus est herbisque,
      cadauer/ ut cadat, ... 6.822
      quae seges infecta surget non decolor
      herba? 7.851
      nullusque auderet pecori permittere
      pastor/ uellere surgentem de nostris
      ossibus herbam, ... 7.865
      et renouare parans hibernas Apulus herbas/
      igne fouet terras, ... 9.183
      hoc tam segne solum raras tamen exerit
      herbas, ... 9.438
      par lingua potentibus herbis, . . 9.893
HERCEUS. 'Herceas' monstrator ait 'non respicis
      aras?' 9.979
HERCULES. si tota est Herculis Oete/...
      quare/ unus in Aegypto Magni lapis? 8.800
HERCULEUS,-A,-UM. quaque sub Herculeo sacratus
      nomine portus 1.405
      tum Maenala liquit/ Arcas et Herculeam
      miles Trachinius Oeten. 3.178

      Pontus, et Herculeis aufertur gloria
      metis, ... 3.278
      Herculeosque nouo laxauit corpore nodos.
                               4.632
      postquam discessit Olympo/Herculea grauis
      Ossa manu 6.348
      Trachin pretioque nefandae/lampados
      Herculeis fortis Meliboea pharetris 6.354
      iam super Herculeas fauces nemorosaque
      Tempe/.../cornipedem.../ Magnus agens
      incerta fugae uestigia turbat . . 8.1
HERES. uel dominus rerum uel tanti
      funeris heres. 6.595
      et noster nullis non gentibus heres/bella
      dabit: 9.94
      domini post fata prioris/itis ad heredem.
                               9.275
      nulloque herede relicto/totius fati
      lacerandas praebuit urbes. . . . 10.44
HERMUS. Pactolon, qua culta secat non uilior
      Hermus. 3.210
HEROUS,-A,-UM. legit...amore notatum/aequor
      et Heroas lacrimoso litore turres, 9.955
HESIONE. aspicit Hesiones scopulos 9.970
HESPERIA. inarata.../ Hesperia est desuntque
      manus poscentibus aruis, ... 1.29
      attigit, Hesperiae uetitis et constitit
      aruis, ... 1.224
      finis et Hesperiae, promoto limite, Varus;
                               1.404
      tum flos Hesperiae, Latii iam sola
      iuuentus,/concidit 2.196
      Eridanus fractas deuoluit in aequora
      siluas/Hesperiamque exhaurit aquis. 2.410
      non deserit ante/Hesperiam, quam cum
      Scyllaeis clauditur undis, . . . 2.433
      Hesperiae fines uacuosque inrumpat in
      agros 2.441
      tradidit Hesperiam profugusque per
      Apula rura 2.608
      hinc latus angustum iam se cogentis in
      artum/Hesperiae tenuem producit in aequora
      linguam, ... 2.614
      parcitur Hesperiae. 2.734
      nec prius Hesperiam longinquis messibus
      ullae/nec Romana magis conplerunt horrea
      terrae. 3.66
      en, totis uiribus orbis/Hesperiam pensant
      superi: 5.38
      pars iacet Hesperia, totoque exercitus
      orbe/te uincente perit. 5.266
      si iussa secutus/me uehis Hesperiam, non
      ultra cuncta carinae/ debebis . . 5.534
      tibi causa petendae/haec fuit Hesperiae,
                               5.691
      Hesperiam potui motu surgente tenere,
                               6.322
      hoc solum...serua/ut.../...Hesperiam
      pelago caeloque relinquas: . . . 8.189
      namque memor generis Carthaginis inpia
      proles/inminet Hesperiae, . . . 8.285
      fortuna recursus/si det in Hesperiam,
      non hac in sede quiescent/tam sacri
      cineres, ... 8.768
      Hesperiae cunctos proceres aciemque
      senatus /..:/ non timuit 10.450
HESPERIDES. Hesperidum pauper spoliatis
      frondibus hortus. 9.358
HESPERIUS,-A,-UM. Hesperios audax ueniam
      metator in agros. 1.382
      ignis in Hesperium cecidit latus. 1.547

HESPERIUS

Tethys maioribus undis/Hesperiam Calpen
summumque inpleuit Atlanta.   1.555
perdere nomen/si placet Hesperium,
superi, conlatus in ignes/ plurimus ad
terram per fulmina decidat aether.   2.57
gentesne furorem/Hesperium ignotae
Romanaque bella sequentur . . .   2.293
hic dabit hic pacem iugulus finemque
malorum/gentibus Hesperiis: . .   2.318
ardent Hesperii saeuis populatibus agri,
                                      2.534
qui ferit Hesperius post omnia flumina
Baetis, ...   2.589
solus ab Hesperia non flexit lumina terra
                                      3.4
dux stetit Hesperio, non illum
gloria pulsi 3.48
quamuis Hesperium mundi properemus ad
axem/Massiliam delere uacat. . .   3.359
placidis praelabitur undis/Hesperios inter
Sicoris non ultimus amnis, . . .   4.14
tradimus Hesperias gentes, aperimus Eoas,
                                      4.352
Hesperio tantum quantum summotus Eoo /
cardine Parnasos gemino petit aethera
colle, ...   5.71
silentia rupis/Appius Hesperii
scrutator ad ultima fati/sollicitat. 5.122
et tot in Hesperio conlapsas sanguine
gentis/cur aperire times? 5.202
anne fugam Magni tanta cum classe
secuntur/Hesperiae gentes, . . .   5.329
Ausonias (Hesperias)uoluit gladiis
miscere secures var.5.388
nec ratis Hesperias tanget nec naufragus
oras: 5.573
nec non Hesperii lassatum fluctibus aequor
/ut uidere duces, ...   5.703
portusque reliquit/Hesperios, saeui
premerent cum Caesaris arma. . . .   5.803
sperat et Hesperiae cineres auertere
gentis 6.585
emptum minimo uolt sanguine quisquam/
barbarus Hesperiis Magnum praeponere rebus?
                                      7.283
uincto fossore coluntur/Hesperiae segetes,
                                      7.403
Caesar, ut Hesperio uidit satis arua
natare/sanguine, parcendum ferro
manibusque suorum/iam ratus   7.728
raptum Hesperiis e gentibus aurum /
hic iacet 7.741
Hesperiae clades et flebilis unda
Pachyni /... puros fecere Philippos. 7.871
patimurne pudoris / hoc uolnus, clades ut
Parthia uindicet ante/Hesperias, quam
Roma suas? 8.351
'o maxime'.../'ductor et Hesperii
maiestas nominis una,/... si funere nullo
/tristior iste rogus, manes .../ officiis
auerte meis 8.760
cautum, ne Nili Pelusia tangeret ora/
Hesperius miles ripasque aestate tumentis.
                                      8.826
illa sub Hesperiis stantem Titana
columnis / in cautes Atlanta dedit; 9.654
Hesperios auxit tantum Cleopatra furores.
                                      10.62
nec nos deterreat ausis/Hesperii fortuna
ducis, ...   10.376
placemus caede secunda/Hesperias gentes:

HIC
                                      10.387
HESUS v. ESUS.
HEU. 1.13;2.517;2.575;2.708;4.382;5.228;5.310;
     5.354;5.690;5.727;6.303;8.139;8.604;10.518
HIATUS. erexitque iubam et uasto graue murmur
hiatu 1.209
at Tigrim subito tellus absorbet
hiatu 3.261
ut uidit Paean uastos telluris hiatus
                                      5.82
muto Parnasos hiatu /conticuit   5.131
primo pallentis hiatu/ haeret adhuc Orci,
                                      6.714
sunt qui spiramina terris /esse putent
magnosque cauae conpagis hiatus.   10.248
HIBER. felix hoc nomine famae /si tibi durus
Hiber aut si tibi terga dedisset /
Cantaber 6.258
quidquid fodit Hiber, quidquid Tagus
expulit auri, /.../ ut rapiant, paruo
scelus hoc uenisse putabunt. . .   7.755
HIBERI. hinc Dacus, premat inde Getes,
occurrat Hiberis/alter; 2.54
quique feros mouit Sertorius exul
Hiberos. 2.549
nec licet ad duros Martem conuertere
Hiberos, ...   2.629
erat inpiger Astur /Vettonesque leues
profugique a gente uetusta/ Gallorum
Celtae miscentes nomen Hiberis.   4.10
interea domitis Caesar remeabat Hiberis
                                      5.237
uiuant .../ Cappadoces Gallique extremique
orbis Hiberi, ...   7.541
HIBERIA. illic pugnaces commouit Hiberia
caetras. 7.232
HIBERNUS,-A,-UM. saxeus ingenti quem pons
amplectitur arcu /hibernas passurus aquas.
                                      4.16
atque omnis propior mergenti sidera caelo/
aruerat tellus hiberno dura sereno.   4.55
inuenit et pauidas hiberno sidere classes.
                                      5.408
'fortius hiberni flatus caelumque
fretumque,/ cum cepere, tenent,   5.413
noctique rependit /lux minor hibernae
uerni solacia damni. 8.469
et steriles egeant hibernis imbribus agri,
                                      8.829
et renouare parans hibernas Apulus herbas
/igne fouet terras, ...   9.183
nec tumet hibernus, cum longe sole
remoto/ officiis caret unda suis: 10.229
HIBERUS. uel, cum tanta uocent discrimina
Martis Hiberi, ...   3.336
orbis Hiberi /horror et Arctoi nostro sub
nomine miles /Pompeio certe fugeres
duce. 5.343
HIBERUS(fluuius). qui praestat terris aufert
tibi nomen Hiberus. 4.23
sed inter /stagnantem Sicorim et rapidum
deprensus Hiberum /spectat uicinos
sitiens exercitus amnes. 4.335
cum iuuenis primique aetate triumphi /
post domitas gentes quas torrens ambit
Hiberus /... plaudente senatu /sedit adhuc
Romanus eques; 7.15
non Pontus et inpia signa /Pharnacis et
gelido circumfluus orbis Hibero /tantum
ausus scelerum, ...   10.476
HIC, HAEC, HOC. HIC. 1.642;1.669;1.681;2.55;

2.82;2.154;2.155;2.157;2.183;2.224;2.312;
2.317;2.387;2.403;2.416;2.418;3.349;
3.597;3.672;3.687;3.701;4.279;4.824;
5.290;5.351;5.356;5.418;6.149;6.248;6.492;
6.587;7.538;7.543;8.176;9.240;10.456
HAEC(f.). 1.369;2.380;2.394;3.100;3.148;
3.329;3.377;3.552;3.617;4.361;4.601;4.659;
5.359;5.386;5.580;5.691;7.254;7.257;7.259;
7.260;7.375;7.376;7.534;8.362;8.516;8.601;
9.421;10.129;10.342;10.391
HOC(nom.). 2.192;2.541;2.616;2.625.3.388;
3.532;3.720;4.221;5.75;5.97;5.102;5.529;
6.496;7.58;7.87;7.181;7.736;8.685;8.865;
9.438;9.647;9.870
HUIUS(m.). 10.382
HUIUS(f.). 7.455
HUIC(m.). 2.384
HUIC(f.). var.9.702
HUNC. 1.81;1.481;1.685;2.39;2.85;2.295;
2.321;2.410;2.415;2.455;3.276;3.402;4.12;
var.4.34;4.178;4.689;6.159;6.198;6.200;
6.378;7.411;7.775;7.781;7.783;8.477;9.81;
9.220;9.531;9.598;var.9.604;10.42;
10:210;10.259;var.10.309
HUNCINE. 9.1047
HANC. 2.4;var.2.613;3.426;4.463;5.374;
5.585;6.19;6.570;7.552;7.821;8.415;8.547;
8.632;9.311;9.348;9.350
HOC(acc.). 1.301;1.633;2.258;2.307;2.699;
2.734;3.355;4.213;4.221;4.355;4.362;4.398;
4.425;4.514;4.693;4.719;5.21;5.289;5.369;
5.559;5.665;5.686;5.787;6.15;6.116;6.234;
6.359;6.597;7.35;7.68;7.117;7.305;7.318;
7.451;7.757;8.95;8.125;8.187;8.256;8.350;
8.520;8.609;8.631;8.636;8.651;8.675;8.687;
8.764;8.793;8.842;9.63;9.374;9.572;9.584;
9.636;9.645;9.762;9.784;9.1027;9.1032;
9.1051;9.1053;10.68;10.101;10.195;10.198;
10.261;10.341;10.388;10.395;10.525
HOC(abl.m.). 1.14;2.223;2.366;2.487;
4.469;5.468;7.223;7.351;7.854;8.75;8.861;
9.577;9.1021;9.1057;9.1077;10.183
HAC. 1.38;2.312;2.488;2.515;3.646;4.694;
5.685;6.263;6.395;6.413;7.120;7.427;7.556;
7.638;7.809;8.131;8.581;8.686;8.701;8.702;
8.768;9.506;var.9.508;9.1088
HAC(adv.). 1.257;7.500;9.444;10.249
HOC(abl.n.). 1.334;3.680;4.229;4.258;
4.598;6.257;7.776;7.822;8.578;9.191;9.629;
9.938
HI. 1.399;1.658;2.380;3.578;3.688;3.705;
6.784;7.415;9.390;10.292
HAE. 1.158;2.30(bis);2.350;3.457;7.387;
7.816;10.421
HAEC(nom.n.). 1.248;1.673;2.130;2.223;
3.71;5.326;5.342;6.497;7.207;8.118;9.785
HIS(dat.m.). 1.341;2.550;4.8;4.36;5.263;
5.312;6.277
HIS(dat.f.). 6.488;10.240
HIS(dat.n.). 1.41;1.227;1.386
HOS. 1.268;2.230;2.252;2.253;3.394;4.116;
4.117;4.321;4.660;5.311;6.103;6.343;6.507;
7.386;7.812;8.156(bis);8.196(bis);
8.544;9.144;10.128;10.489(bis)
HAS. 2.261;3.218;3.575;4.805;6.487;6.715;
6.726;7.822;8.433;9.92;9.161;9.302;9.333;
9.335;9.734
HAEC(acc.). 1.363;1.584;1.695;2.81;2.500;
2.557;3.325;3.723;4.575;5.295;5.318;5.519;
5.560;5.672;6.246;6.507;6.707;6.719;6.802;
7.107;7.397;8.171;8.315;8.460;8.589;8.621;

8.750;8.775;8.816;9.85;9.92;9.125;9.139;
9.144;9.879;10.349
HIS(abl.m.). 1.384;2.42;7.276;7.641;
9.368
HIS(abl.f.). 1.677;2.241;3.133;4.137;
5.497;7.296;8.86;8.262;9.215;9.1062;
HIS(abl.n.). 1.630;2.221(bis);2.222;
2.474;2.561;7.102;7.358;9.812
HIC(adv.). 1.225(bis);2.490;2.711;2.713;3.233;
4.72;var.4.118(bis);4.171;4.462;5.34;
5.86;5.321;6.29;6.61;6.62;6.127;7.547;
7.551(ter);7.557;7.597;7.634;7.635;7.742;
8.132;8.133;8.793;9.528;9.700;9.916;
10.144;10.152;10.301
HIEMPS. tum uires praebebat hiemps atque
  auxerat undas 1.217
  uolneraque et mortes hiemesque sub
  Alpibus actae? 1.302
  magnique penates/summouisse hiemem tecto,
                                    2.386
  dum paci dat tempus hiemps.' . . 2.648
  quam zona niualis/perpetuaeque premunt
  hiemes: 4.107
  uos, quae Nilo mutare soletis / Threicias
  hiemes, ad mollem serius Austrum / istis,
  aues. 7.833
  hoc eadem suadebat hiemps quae clauserat
  aequor; 9.374
  proxima Leptis erat, cuius statione
  quieta/ exegere hiemem nimbis flammisque
  carentem. 9.949
  ius tibi.../... hiemes adferre tuas,
                                    10.300
HILARIS,-E. hilaresque nefas spectare
  cruentum,/... audent 9.1107
HINC. 1.116;1.176;1.178;1.181;1.226;2.54;
2.394;2.401;var.2.403;2.565;2.566;2.585;
2.613;2.619;2.622;2.636;3.269;3.280;3.281;
3.526(bis);4.19;var.4.72;4.79;4.158;4.654;
5.449;5.698;6.230;6.268;6.407;6.410;7.360;
7.533(bis);8.254;3.283;8.444;9.15;9.41;
9.73;9.377;9.861(bis);10.323;10.327;
10.367(bis);10.537;10.538
HIO,-ARE. cor iacet, et saniem per hiantis
  uiscera rimas /emittunt, ... 1.624
  imago / nisa caput maestum per hiantis
  Iulia terras / tollere 3.10
  rursus hiant undae uix eminet aequore
  malus. 5.641
HIRTUS,-A,-UM. pretiosaque uestis / hirtam
  membra super Romani more Quiritis /
  induxisse togam, ... 2.386
  uerenda /regibus hirta coma et generosa
  fronte decora /caesaries conprensa manu
  est, ... 8.680
HISPANIA. eripuit, partem duris Hispania
  bellis, ... 5.265
  non Vticae Libye clades, Hispania Mundae
  /flesset 6.306
HISPANUS,-A,-UM. uersus ad Hispanas acies
  extremaque mundi / iussit bella geri.
                                    3.454
HISTER. agmina, Massageten Scythicus non
  adliget Hister, ... 2.50
  non minor hic Histro, nisi quod, dum
  permeat orbem, ... 2.418
  Hister casuros in quaelibet aequora fontes/
  accipit 2.419
  sparsamque profundo /multifidi Peucen unum
  caput adluit Histri, ... 3.202
  cum glacie retinente fretum non inpulit

HISTER

    Hister, ... 5.437

HISTRI. detegit orta stantis in rupibus

    Histros 4.529

HODIE. aut hodie Pompeius erit miserabile

    nomen: 7.121

    [haec eadem est hodie quae pignora

    quaeque penates / reddat 7.257

    aut merces hodie bellorum aut poena

    parata. 7.303

HOMO. monstrosique hominum partus numeroque

    modoque /membrorum, matremque suus

    conterruit infans; 1.562

    sit caeca futuri / mens hominum fati;

                        2.15

    ille fuit uitae Mario modus, .../...

    mensoque hominis quid fata paterent. 2.133

    atque hominem didicere pati, 4.239

    contactumque ferens hominis, magnusque

    potensque, ... 5.91

    mentemque priorem / expulit atque

    hominem toto sibi cedere iussit /pectore.

                        5.168

    quos hominum uel quos licuit spoliare

    deorum? 5.271

    terrenum ignotas hominem proiecit in

    undas. 6.401

    hominum mors omnis in usu est. 6.561

    sitque hominum magnae lux ista nouissima

    parti. 7.90

    si liceat superis hominum conferre

    labores, ... 7.144

    [inque oculis hominum fregerunt fulmina

    nubes] 7.154

    quid mirum populos... / lymphato

    trepidasse metu, praesaga malorum / si

    data mens homini est? 7.187

    si cuncta perito / augure mens hominum

    caeli noua signa notasset, / spectari

    toto potuit Pharsalia mundo. . . 7.203

    o summos hominum, quorum fortuna per

    orbem / signa dedit, ... 7.205

    quidquid ... / sub Noton et Borean

    hominum sumus, arma mouemus. . . 7.364

    caedunt ... / ... rerum / saepe duces

    summosque hominum te, Magne, remoto.

                        7.585

    nullosque hominum lugere uacamus. 7.631

    non illum ... / ... / conpellunt

    hominum ritus ut seruet in hoste, 7.801

    ac, uelut inpatiens hominum uel solis

    iniqui / limite uel glacie, nuda atque

    ignota iaceres, ... 7.866

    in templa ... Romana accepimus ... /

    et quem tu plangens hominem testaris

    Osirim; 8.833

    arma timent gentes hominumque erepta

    lacertis / a superis demissa putant. 9.476

    quidquid homo est, aperit pestis natura

    profana: 9.779

    homines uoluisti desse uenenis. 9.858

HONESTUS,-A,-UM. iustitiae cultor, rigidi

    seruator honesti, ... 2.389

    his magnam uictor in iram /uocibus

    accensus 'uanam spem mortis honestae /

    concipis: 3.134

    sit Scaeua relicti /Caesaris exemplum

    potius quam mortis honestae.' 6.235

    euertitque arces respectus honesti. 8.490

    laetius est, quotiens magno sibi constat,

    honestum. 9.404

    quaere quid est uirtus et posce exemplar

HORREO

    honesti.' 9.563

    an... laudanda ... uelle / sit satis et

    numquam successu crescat honestum? 9.571

    uix spes quoque mortis honestae. 10.539

HONOR(HONOS). ille semel raptos

    numquam dimittet honores? . . . 1.317

    latuit plebeio tectus amictu /omnis

    honos, nullos comitata est purpura

    fasces. · 2.19

    dignum te Caesaris ira / nullus honor

    faciet. 3.137

    tunc in reges populosque merentis /

    sparsus honor, ... 5.50

    populoque precanti /scilicet indulgens

    summo dictator honori /contigit 5.383

    conscia uotorum es, me, quamuis plenus

    honorum /et dictator eam Stygias et

    consul ad umbras,/priuatum, Fortuna, mori.

                        5.666

    nunc festinatos nimium sibi sentit

    honores 8.24

    laetatur honore / rex puer insueto, 8.536

    siquis placare peremptum / forte uolet

    plenos et reddere mortis honores, /

    inueniat trunci cineres 8.773

    sine funeris ullo /ardet honore rogus;

                        9.63

    uocibus his maior ... / ... generosam

    uenit ad umbram /mortis honos. 9.217

    sacris praestabitur umbris /summus

    honor; 9.241

    quantum Zmyrnaei durabunt uatis honores,

    /uenturi me teque legent; . . . 9.984

HORA. quaque dies medius flagrantibus

    aestuat horis 1.16

    saecula tot mundi suprema coegerit hora

                        1.73

    Tethyos unda uagae lunaribus aestuet

    horis, ... 1.414

    ne litora clamor /nauticus exagitet neu

    bucina diuidat horas 2.689

    tertia iam uigiles commouerat hora

    secundos: 5.507

    instabat miserae, Magnum quae redderet,

    hora. 5.815

    funestam mundo uotis petit omnibus horam

                        6.6

    Thessaliam, qua parte diem brumalibus

    horis / attollit Titan, rupes Ossaea

    coercet; 6.333

    summique grauem discriminis horam /

    aduentare palam est, ... 6.415

    ueniet quae misceat omnis / hora duces.

                        6.807

    magnoque accensa tumultu /mortis uicinae

    properantis admouet horas. . . . 7.50

    unaque gentis hora trahit. . . . 7.346

    tempus erat quo Libra pares examinat horas,

                        8.467

    iam uenerat horae / terminus extremae,

                        8.610

    'me cum fatalis leto damnauerit hora,

    /excipite ... bellum ciuile; . . . 9.87

    omni fortunam prouocat hora. . . .9.883

    auctusque suos non ante coartat /quam

    nos aestiuas a sole receperit horas.10.218

    uisum famulis reparabile damnum /illam

    mactandi dimittere Caesaris horam. 10.430

HORREO,-ERE. placatur sanguine diro / Teutates

    horrensque feris altaribus Esus 1.445

    Eumenis, ... / horruit Alcides

HORREO

 uiso iam Dite Megaeram. 1.577
nec sic horret iners scelerum contagia
mundus 3.322
non sic Hennaeis habitans in uallibus
horret / Enceladum 6.293
hac luce cruenta /effectum, ut Latios
non horreat India fasces, ... 7.428
te, quem Romana regentem /horruit auditu,
 8.342
epulis.uaesana meroque /regia non ullis
exceptos legibus audet (horret)/cucubitus:
 var.8.402
quis nominis umbra / horreat? 8.450
sic pignora gentis /Psyllus habet, siquis
tactos non horruit angues, ... 9.907
quid nomina tanta /horremus uiresque
ducis, ... 10.390

HORREUM. nec Romana magis conplerunt horrea
terrae. 3.67

HORRIDUS,-A,-UM. horrida quod dumis multosque
inarata per annos / Hesperia 1.28
desit si larga Ceres, tunc horrida cerni
/foedaque contingi maculato attingere
morsu. 3.347
et coma uipereis substringitur horrida
sertis. 6.656

HORRIFICUS,-A,-UM. ille nec horrificam sancto
dimouit ab ore / caesariem . . . 2.372

HORRISONUS,-A,-UM. ut, cum mare possidet Auster
/flatibus horrisonis, hunc aequora
tota secuntur, ... 2.455

HORROR. tum perculit horror /membra ducis,
 1.192
membra ducis; diri tum plena horroris
imago 3.9
non ulli frondem praebentibus aurae /
arboribus suus horror inest. 3.411
nulloque horrore comarum /excussae laurus
 5.154
orbis Hiberi /horror et Arctoi nostro sub
nomine miles /Pompeio certe fugeres
duce. 5.344
non horrore tremit, non solis imagine
uibrat. 5.446
niger inficit horror /terga maris, 5.564

HORTAMEN. non magno hortamine miles /in
praedam ducendus erat. 7.736

HORTATOR. maximus hortator scrutandi uoce
deorum /euentus Labienus erat. 9.549

HORTATUS(subst.). arma secuturum soceri,... /
temptauere suo comites deuertere Magnum/
hortatu, ... 6.318

HORTENSIUS. quas sancta relicto /Hortensi
maerens inrupit Marcia busto. 2.328

HORTOR,-ARI. formidine mersa/prosilit hortando
melior fiducia uolgo. 7.249
credite ... /crinibus effusis hortari in
proelia matres; 7.370

HORTUS. Hesperidum pauper spoliatis
frondibus hortus. 9.358

HOSPES. hospitis ille ciet nomen, uocat ille
propinquum, ... 4.177
perfudit membra liquore /hospes Olympiacae
seruato more palaestrae, ... 4.614
hospes in externis audiuit curia tectis.
 5.11
hospes et Alcidae magni Phole, 6.391
Tyriis qui Gadibus hospes /adiacet ...
Romanus ... /maeret et ignorat causas
 7.187
fac, Magne, locum .../... quem ueniens

HOSTIS

 hospes Romanus adoret. 8.115
hospitis aduentu pauidam conpleuerat
aulam. 8.473
neu nos sceptris priuauerit hospes /
pignora sunt propiora tibi: . . . 8.498
haud procul est ima Pompei nomen harena /
quod nisi monstratum Romanus transeat
hospes. 8.822
nec solum gens illa sua contenta salute/
excubat hospitibus, ... 9.910
hospes auitus erat, depulso sceptra
parenti /reddiderat. 9.1028
pro caecus et amens /ambitione furor .../
...incendere mentem /hospitis armati.
 10.149
quis dignior umquam /hoc fuit auditu
mundique capacior hospes? 10.183
quem non uiolasset ... /non Scytha, non
fixo qui ludit in hospite Maurus, /
... /quaerit tuta domus; 10.455

HOSPITA. seu iam plena fuit: tunc obtulit
hospita tellus / puppibus accessus
faciles; 3.43
terris hospita Colchis /legit in Haemoniis
... herbas. 6.441
tanto deuinxit amore / hos ... / quod
summissa animis, nulli grauis hospita
turbae, / stantis adhuc fati uixit quasi
coniuge uicto. 8.157
quod iam conpositum uiolat manus hospita
bustum, / da ueniam: 8.748

HOSPITIUM. hospitii fretus superis et munere
tanto / inproauos, cecidit donati
uictima regni. 9.131
nobis quoque tale paratum /litoris
hospitium; 9.1083

HOSTILIS,-E. praedaque et hostiles luxum
suasere rapinae, ... 1.162
hostili de parte uidet. 1.622
hostilem in terram uacuisque mapalibus
actus 2.89
deuotum hostiles Decium pressere cateruae:
 2.308
ut tamen hostiles densa testudine muros /
tecta subit uirtus, ... 3.474
et hostilem defectis robore neruis /
insiluit solo nociturus pondere puppem.
 3.625
sanguis et, hostilem cum torserit, exeat,
hastam. 3.679
hi super hostiles iecerunt bracchia remos
 3.705
Afranius ... /semianimes in castra trahens
hostilia turmas /uictoris stetit ante
pedes. 4.339
uidit ut hostiles in rectum exire cateruas
/ Pompeius ... /... stat ... /attonitus;
 7.337
protinus hostili statuit succedere uallo,
 7.733
ibat in hostilem praeceps Cornelia puppem,
 8.577
extructos spoliis hostilibus arcus /haud
procul est ima Pompei nomen harena /
depressum tumulo, ... 8.819

HOSTIS. nondum tibi defuit hostis. 1.23
ille erit ille nocens, qui me tibi fecerit
hostem.' 1.203
aestiferae Libyes uiso leo comminus hoste
/subsedit dubius, ... 1.206
perque tuos iuro quocumque ex hoste

triumphos, ... 1.375
signa mouet, gaudetque amoto Santonus
hoste 1.422
maiorque ferusque /mentibus occurrit
uictoque inmanior hoste. . . . 1.480
cum pressus ab hoste /clauditur externis
miles Romanus in oris, ... 1.514
Romanae miscent acies bellumque sine
hoste est. 1.682
omnibus hostes/reddite nos populis: 2.52
frustraque hosti concessa potestas /
sanguinis inuisi, ... 2.76
nunc neque Pompei Brutum neque Caesaris
hostem, /post bellum uictoris habes.'
                                  2.283
hostis in occursum sparsas extendere
partis, ... 2.395
gaudet habere uias, quod non terat hoste
uacantis /Hesperiae fines . . . 2.440
saxorumque orbes et quae super eminus
hostem /tela petant altis murorum
turribus aptant. 2.451
hac hostis lentus terat otia ripa. 2.488
Caesar, et ad tutas hostis conpellitur
arces. 2.504
ut simili causa caderes, quoi Spartacus,
hosti. 2.554
sufficerent aliis.../...tot oppressae
depulsis hostibus arces. . . . 2.654
uult hostes errare freto, . . . 2.661
ergo hostes portis, quas omnis scluerat
urbis /cum fato conuersa fides, murisque
recepti 2.704
terga ferant hostes. 3.50
hostemque propinquum / orant Ceceropiae
praelata fronde Mineruae. . . . 3.305
sic hostes mihi desse nocet. . . 3.365
paruit, obliquas et praebuit hostibus
alnos. 3.562
uacuamque relinquit, /qua caret hoste,
ratem, ... 3.649
inuenit arma furor: remum contorsit in
hostem /alter, ... 3.671
uiscera laeua /oppressere manu ... /
dum... / sanguis et hostilem cum
torserit, exeat, hastam (hostem) var.3.679
saeuus conplectitur hostem /hostis, 3.694
hic, ubi conprensum penitus deduxerat
hostem, ... 3.701
sic fatus in hostem 3.721
dum primae perstant acies, hostemque
fefellit . . . . 4.30.
huc hostem pariter terrorque pudorque /
inpulit, ... 4.34
dum scopulos stirpesque tenent atque
hoste relicto /caedunt ense uiam. 4.42
saeua fames aderat, nulloque obsessus
ab hoste /miles eget: 4.94
quibus hoste potito /faucibus emitti
terrarum in deuia Martem /inque feras
gentes Caesar uidet. 4.160
dixit et ad montis tendentem praeuenit
hostem. 4.167
nec Romanus erat, qui non agnouerat
hostem. 4.179
atque hostis turba stipatus inermis /
praecipitat castris 4.208
hostes nempe meos sceleri iurata
nefando /sacramenta tenent; . . 4.228
et siccis inclusit collibus hostem. 4.263
spe posita damnare fugam casurus in

hostes /fertur. 4.270
uincitur haut gratis iugulo qui prouocat
hostem. 4.275
o fortunati, fugiens quos barbarus hostis
/fontibus inmixto strauit per rura ueneno.
                                  4.319
'si me degeneri strauissent fata sub hoste,
                                  4.344
hoc hostibus unum, quod uincas,
ignosce tuis. 4.355
nos in conspicua sociis hostique carina /
constituere dei; 4.492
et gaudeat hostis /non plures haesisse
rates. 4.506
uersus ab hoste furor. 4.540
non expectatis Antaeus uiribus hostis /
sponte cadit maiorque accepto robore
surgit. 4.641
terrisque diu non credidit hostem. 4.653
Poenum qui Latiis reuocauit ab arcibus
hostem 4.657
sollicitatque feros non aequis uiribus
hostis. 4.665
hoc solum incauto metuentis ab hoste,
timeri. 4.719
aspidas ut Pharias cauda sollertior hostis
/ludit 4.724
non exploratis occulti uiribus hostis
                                  4.731
cum procul e summis conspecti collibus
hostes 4.741
tantum perfertur ad hostis /ut spatium
iaculis oblato uolnere donat. 4.763
iacet hostis in undis /obrutus Illyricis,
                                  5.38
fortunaque tantos /det uobis animos
quantos fugientibus hostem /causa dabat.
                                  5.43
animasque effundere uiles /quolibet
hoste paras; 5.264
nec melior mihi uestra fides, si bella
nec hoste /nec duce me geritis. 5.348
prior ipse per hostes /percussi medios
alieni iuris harenas; 5.488
hostis ad aduentum rumpamus foedera
taedae, ... 5.766
ut uastis diffusum collibus hostem /
cingeret 6.30
at liber terrae spatiosis collibus hostis
/aere non pigro ... angitur undis, 6.106
diripiens miles saturum tamen obsidet
hostem. 6.117
pauor attonitos confecerat hostes. 6.131
e cunctis, per quos erumperet hostis, /
nos sumus electi. 6.156
subeuntisque obruit hostis /corporibus,
                                  6.171
roboraque et moles hosti seque ipse
minatur. 6.173
omni / uallatus bello uincit, quem
respicit, hostem. 6.185
[percussum Scaeuae frangit, non uoluerat,
hostem;] 6.187
nec quicquam nudis uitalibus obstat /
iam praeter stantis in summis ossibus
(hostibus) hastas. var.6.195
iam gradibus fessis, in quem cadat, eligit
hostem. 6.206
effuditque acies obsaeptum Magnus in
hostem. 6.292
hostibus occurrit fugiens inque ipsa

  pauendo /fata ruit. 6.298
  patrias sedes atque hoste carentem /
  Ausoniam peteret.   6.318
  maior Carthaginis hostis /non seruituri
  maeret Cato fata nepotis: 6.789
  uotumque effecimus hosti /ut mallet
  sterni gladiis 7.99
  inde, truces Galli, solitum prodistis
  in hostem, ... 7.231
  conspicit in planos hostem descendere
  campos, ... 7.237
  pugnae pars magna leuabit /his orbem
  populis Romanumque obteret hostem. 7.276
  fodientem uiscera cernet / me mea qui
  nondum uicto respexerit hoste. 7.310
  uos tamen hoc oro, iuuenes, ne caedere
  quisquam /hostis terga uelit: 7.319
  ignoti iugulum tamquam scelus inputet
  hostis. 7.325
  nonne superfusis collectum cornibus
  hostem /in medium dabimus? 7.365
  perque arma, per hostem /quaerit iter.
         7.497

  leuis armatura ... / insequitur
  saeuasque manus inmittit in hostem: 7.509
  inque latus belli, qua se uagus hostis
  agebat, /emittit subitum ... agmen. 7.523
  ignotusque hosti quod ferrum, Brute,
  tenebas! 7.587
  ne rue per medios nimium temerarius
  hostis, ... 7.590
  pudet ... / quaerere ... / quis cruor
  ... perruperit .../ inque hostis cadat
  arma sui. 7.626
  non illum ... / .../conpellunt hominum
  ritus ut seruet in hoste, ... 7.801
  Parthus ... /... nulli superabilis
  hosti est /libertate fugae; . . . 8.370
  sociosne malorum /an ueherent hostes:
         9.47
  non deprecor hosti /seruari, dum me
  seruet ceruice recisa.' 9.213
  ueniant hostes, Caesarque sequatur /
  qua fugimus ' 9.879
  acies non sparsa maniplis / nec uaga
  conspicitur, sed iustos qualis ad
  hostes /recta fronte uenit: . . . 10.437
  iamque hostes et tela natant. . . 10.497
  abstulit excursus et fauces aequoris
  hosti /Caesar 10.513
  subrepta ... / a famulo Ganymede dolis
  peruenit ad hostis /Caesaris Arsinoe;
         10.520
HUC. 1.192;var. 3.276;3.550;3.592;4.34;4.118
  (bis);4.457;4.649;6.670;8.103;8.454;8.525;
  8.699;9.702;9.707

HUMANUS,-A,-UM.   tum genus humanum positis
  sibi consulat armis 1.60
  humani facilem uenturo Caesare praedam
         1.513
  tum pecudum faciles humana ad murmura
  linguae, ... 1.561
  urbi generique paratur /humano matura
  lues. 1.645
  humani generis maiore in proelia damno.
         2.226
  uni quippe uacat studiis odiisque carenti
  /humanum lugere genus), . . . 2.378
  non tamen auderet pietas humana uel armis
  /uel uotis prodesse Ioui, ... 3.317
  omnisque humanis lustrata cruoribus

  arbor. 3.405
  hunc quoque quo superos humanaque polluit
  anno 4.689
  humanam feriens·animam sonat oraque
  uatis /soluit, ... 5.98
  numen ab humani solum se labe furoris /
  uindicat. 5.103
  conpages humana labat, ... 5.119
  humanum paucis uiuit genus. . . 5.343
  humanusque labor facilis, ... / cedere
  uel bellis uel cuncta mouentibus annis,
         6.20
  plurimaque humanis ante hoc incognita
  mensis /diripiens miles saturum tamen
  obsidet hostem. 6.116
  humanoque cadit serpens adflata ueneno.
         6.491
  unoque sub ictu /stat genus humanum, 6.614
  tum uox ... /... confundit murmura
  primum /dissona et humanae multum
  discordia linguae. 6.687
  si numquam haec carmina fibris / humanis
  ieiuna cano, ... / ... parete precanti.
         6.708
  humani generis tam longo tempore bellum /
  Caesar erit? 7.72
  aduenisse diem qui fatum rebus in aeuum /
  conderet humanis, ... / palam est. 7.132
  [ulla nec humanum reparet genus omnibus
  annis] 7.388
  generis quo turba redacta est /humani!
         7.400
  nondum attigit arcem /iuris et humani
  columen, quo cuncta premuntur, 7.594
  toto iam corpore maior /humanumque egressa
  modum super omnia membra /efflatur sanies
  late pollente ueneno; 9.794
  perque Asiae populos ... / humana cum
  strage ruit 10.31
HUMATOR. non illum Poenus humator /consulis
  et Libyca succensae lampade Cannae /
  conpellunt hominum ritus ut seruet in
  hoste, ... 7.799
HUMEO,-ERE v. UMEO,-ERE.
HUMERUS. heu, quantum Fortuna umeris iam
  pondere fessis /amolitur onus! 5.354
HUMIDUS,-A,-UM. stagna auidi (humidi)texere
  soli laxaeque paludes /depositum, Fortuna,
  tuum; var.2.71
HUMILIS,-E. non humilem Sasona uadis [non
  litora curuae /Thessaliae saxosa pauent]
  ... nautae/... timent. 5.650
  non humilis labor est: 6.602
  te... / deiectum fatis, humilem fractumque
  uidebit 8.344
HUMUS. dissiluit percussus humo, mortesque
  curento /uictori rapuere suas; 2.156
  artet humum, pressus ne cedat turribus
  agger. 3.398
  in praeceps subsedit humus, . . 6.643
  ossa ... / ... congestaque in unum /
  parua clausit humo. 8.789
  sed corpora fatis /expositi uoluuntur
  humo, ... 9.843
HYAENA. uiscera non lyncis, non durae nodus
  hyaenae /defuit 6.672
HYBLAEUS,-A,-UM. gaudet in Hyblaeo securus
  gramine pastor 9.291
HYDASPES. uastis Indus aquis mixtum non
  sentit Hydaspen; 3.236
  qua rapidus Ganges et qua Nysaeus

HYDASPES

    Hydaspes /accedunt pelago,... / ... eram:
        8.227

HYDRA. desectam timuit reparatis anguibus
    hydram. 4.635
    Amphitryoniades uidit, cum uinceret,
    hydram: 9.644

HYDRUS. defenduntque caput protenti crinibus
    hydri, ... 9.673

HYDRUS. iubet ... / et cunctas reuocare rates
    quas auius Hydrus / ... recipit   5.375

HYPERBOREUS,-A,-UM. nam uel Hyperboreae
    plaustrum glaciale sub Vrsae   5.23

HYRCANIA. quos gurgite Bactros /includit
    gelido uastisque Hyrcania siluis; 3.268

HYRCANUS,-A,-UM. quas, nemore Hyrcano matrum
    dum lustra secuntur, ... 1.328
    te,... / ... captos ducere reges /uidit
    ab Hyrcanis, Indoque a litore, siluis,
        8.343

I and J

IACEO,-ERE. et gens siqua iacet nascenti
    conscia Nilo. 1.20
    saxa iacent nulloque domus custode
    tenentur 1.26
    mediusque tacet (iacet) sine murmure
    pontus, ... var.1.260
    quid, si mihi signa iacerent /Marte sub
    aduerso 1.307
    quaque iacet litus dubium quod terra
    fretumque 1.409
    hunc inter Rhenum populos Albimque
    iacentes 1.481
    cor iacet, et saniem per hiantis uiscera
    rimas /emittunt, ... 1.624
    hunc ego, fluminea deformis truncus
    harena /qui iacet, agnosoco. . . 1.686
    haec ait, et lasso iacuit deserta
    furore. 1.695
    cum corpora nondum /conclamata iacent
    nec mater crine soluto /exigit 2.23
    nec cunctae summi templo iacuere
    Tonantis: 2.34
    nuda triumphati iacuit per regna
    Iugurthae 2.90
    Carthago Mariusque tulit, pariterque
    iacentes /ignouere deis. . . . 2.92
    quidquid ubique iacet. . . . 2.162
    non minor hic Nilo, si non per plana
    iacentis /Aegypti Libycas Nilus
    stagnaret harenas; 2.416
    ut Catulo iacuit Lepidus, nostrasque
    securis /passus 2.547
    sed tota tenetur /terra meis, quocumque
    iacet sub sole, tropaeis: . . . 2.584
    cum mediae iaceant inmensis tractibus
    Alpes, ... 2.630
    procubuit maiorque iacens apparuit
    agger. 3.508
    seruatum bello iacuit mare, . . 3.524
    at tumidus qua pulmo iacet, qua uiscera
    feruent, ... 3.644
    semianimisque iaces et adhuc potes esse
    superstes.' 3.747
    urebant montana niues camposque iacentis
    /non duraturae conspecto sole pruinae,
        4.52

IACEO

    sic mundi pars ima iacet, ... 4.106
    et pigras, ubicumque iacent, effunde
    paludes 4.119
    conluuies inmota iacet, cadit omnis in
    haustus /certatim obscaenos miles 4.311
    campis prostrata iacere /agmina nostra
    putes? 4.358
    felix qui potuit mundi nutante ruina /quo
    iaceat iam scire loco. 4.394
    conferta iacent cum corpora campo, · 4.490
    uiresque resumit /in nuda tellure iacens.
        4.605
    at, qua lata iacet, uasti plaga feruida
    regni /distinet Oceanum zonaeque exusta
    calentis. 4.674
    fessa iacet ceruix, fumant sudoribus artus
        4.754
    ante iaces quam dira duces Pharsalia
    confert, ... 4.803
    iacet hostis in undis /obrutus Illyricis,
        5.38
    pars iacet Hesperia, totoque exercitus
    orbe / te uincente perit. . 5.266
    aequora lenta iacent, ... 5.434
    maestoque ignaua profundo /stagna
    iacentis aquae; 5.443
    Aeolii iacuisse Notum sub carcere saxi
        5.609
    aucta lues, dum mixta iacent incondita
    uiuis /corpora; 6.101
    quod solum ualuit uirtus, iacuere
    perempti 6.132
    et, quodcumque iacet nuda tellure cadauer,
    /ante feras uolucresque sedet; 6.550
    quot regna iacebunt! 7.115
    iacet aggere magno /patricium campis non
    mixta plebe cadauer. 7.597
    raptum Hesperiis e gentibus aurum / hic
    iacet 7.742
    epulisque paratur /ille locus, uoltus ex
    quo faciesque iacentum /agnoscat. 7.793
    non meliore loco Stygia sub nocte iacebis.
        7.817
    Latiae pars maxima turbae /fastidita
    iacet; 7.845
    nuda atque ignota iaceres, . . . 7.867
    diuque /spe mortis decepta iacet. 8.61
    ubicumque iaces ciuilibus armis /nostros
    ulta toros, ades huc 8.102
    quid, quod iacet insula ponto /Caesar
    eget ratibus? 8.118
    uigiles Pompei pectore curae /... adeunt
    .../ ...inuia mundi /arua super nimios
    soles Austrumque iacentis. . . . 8.164
    sat magna feram solacia mortis /orbe
    iacens alio, ... 8.315
    iacet omne cruenti /uolneris auxilium?
        8.333
    iacuere sorores /in regum thalamis 8.404
    debuerant ... /imperii nudare latus, dum
    perfida Susa /in tumulos prolapsa ducum
    Babylonque iaceret. 8.426
    tu, Ptolemaee, potes Magni fulcire
    ruinam /sub qua Roma iacet? . . . 8.529
    sic Romana iacent ? 8.545
    Pompeio ... tumulum fortuna parauit /ne
    iaceat nullo uel ne meliore sepulchro.
        8.714
    sit satis, o superi, quod non Cornelia
    fuso /crine iacet 8.740
    adde ... /... quidquid in Euro / regnorum

IACEO · **IAM**

Boreaque iacet. 8.813
exul adhuc iacet umbra ducis. 8.837
nunc est pro numine summo /hoc tumilo
Fortuna iacens; 8.861
at non in Pharia manes iacuere fauilla
  9.1
uidit quanta sub nocte iaceret /nostra
dies 9.13
conposita in mortem iacuit fauitque
procellis. 9.116
ille iacet quem paci praetulit orbis,
  9.229
ambigua sed lege loci iacet inuia sedes,
  9.307
nec pondere solo /sed nisu iacuit, uix
sic inmobilis Austro; 9.484
pars iacet in medios uoltus . . 9.674
nec clara dies nec nox dabat atra
quietem /suspecta miseris in qua tellure
iacebant. 9.840
set longius istac /nulla iacet tellus,
quam fama cognita nobis /tristia regna
Iubae. 9.868
qui Phoebo cessere, iacent: . . 9.906
aspicit Hesiones scopulos siluaque
latentis (iacentes)/Anchisae thalamos;
  var.9.970
discussa iacebant /saxa nec ullius faciem
seruantia sacri: 9.977
Thessalicas quaerens Magnus reparare
ruinas /ense iacet nostro. . . . 9.1020
illic Pellaei proles uaesana Philippi,/
felix praedo, iacet, ... 10.21
summaque in sede iacentem /linigerum...
conpellat Acorea 10.174
quos inter in alta /it conualle tacens
(iacens) iam moribus unda receptis.
  var.10.329

IACIO,-ERE. hi super hostiles iecerunt
bracchia remos 3.705
illum / saltus et in medias iecit super
arma cateruas, ... 6.182
taurus et Emathios praeceps se iecit in
agros, ... 7.166

IACTATUS(subst.). si tibi iactatu pelagi, si
funere nullo /tristior iste rogus, manes
.../officiis auerte meis: . . . 8.761

IACTO,-ARE. uicto iure minax iactatis curia
Gracchis. 1.267
bracchia nec licuit uasto iactare profundo
  3.651
pars maxima turbae /naufraga iactatis
morti obluctata lacertis /puppis ad
auxilium sociae concurrit; . . 3.662
dum quae gesserunt fortia iactant 4.202
Graia ad moenia perflet /ne Pompeiani...
/languida iactatis conprendant carbasa
remis. 5.421
ne Pompeiani ... /languida iactatis
(iactantes) conprendant carbasa remis.
  var.5.421
talia iactantis discussa nocte serenus
/oppressit cum sole dies, ... 5.700
non iuuat in toto corpus iactare cubili:
  5.812
sacraque defuncti iactauit pignora patris.
  8.481
truncusque uadosis /huc illuc iactatur
aquis. 8.699
sors melior classi quae fluctibus incidit
altis /et certo iactata mari. 9.331

IACTURA. nullaque manente figura /una nota
est Magno capitis iactura reuolsi. 8.711

IACTUS(subst.). nec Grais flectere iactum /
aut facilis labor est 3.478
numquam ueniemus ad enses /aut laqueos
aut praecipites per inania iactus: 9.107

IACULOR,-ARI. hic se praecipiti iaculatus
pondere dura /dissiluit percussus humo,
  2.155
multifidas iaculata faces. 2.687
nec longinqua cadunt iaculato uolnera
ferro, ... 3.568

IACULUM. nunc iaculum longo, nunc sparso
lumine lampas. 1.532
multi inopes teli iaculum letale
reuolsum /uolneribus traxere suis 3.676
et spatium iaculis oblato uolnere donat.
  4.764
et fit saepe nefas iaculum temptante
lacerto. 6.79
quid nunc, uaesani, iaculis leuibusue
sagittis /perditis ... ictus? 6.196
tot iaculis unam non explent uolnera
mortem. 6.213
cum iaculum parua Libys ammentauit habena,
  6.221
set quota pars cladis iaculis ferroque
uolanti /exacta est! 7.489

IACULUS. et natrix uiolator aquae, iaculique
uolucres, ... 9.720
se robore trunci /torsit et inmisit
(iaculum uocat Africa)serpens 9.823

IADER. et tepidum in molles Zephyros excurrit
Iader, ... 4.405

IAM. 1.19(bis);1.37;1.63;1.123;1.125;1.131;
1.138;1.183;1.218;1.222;1.226;1.233;1.241;
1.268;1.294;1.300;1.318;1.334;1.494;1.504;
1.538;1.577;1.609;1.672;1.694;2.1;2.27;
2.97;2.134;2.141;2.144;var.2.165;2.166;
2.196;2.214;2.217;2.243;2.280;2.331;2.341;
2.351;2.463;2.497;2.505;2.513;2.528;2.536;
2.569;2.600;2.613;2.691;2.719;2.722(bis);
2.725;3.40;3.43;3.50;3.84;3.88;var.3.96;
3.128;var.3.149;3.184;3.228;3.250;3.356;
3.368;3.388;3.414;3.417;3.436;3.478;3.514;
3.547;3.560;3.567;3.618;3.622;3.670;3.686;
3.724;3.726;3.737;3.752(bis);4.72;4.76;
4.83;4.87;4.93;4.98(bis);4.123;4.155;
4.235;4.250;4.273;4.277;4.292;4.326;4.337;
4.371;4.394;4.396;4.413;4.429;4.447;4.518;
4.534;4.541;4.566;4.570;4.600;4.626;4.652;
4.694;4.759;4.782;5.3;5.64;5.164;5.193;
5.255;5.274;5.311;5.315;5.334;5.354;5.357;
5.362;5.382;5.385;5.425;5.459;5.479;5.494;
5.506;5.507;5.524;5.590;5.599;5.653;5.678;
5.694;5.721;5.724;5.731;5.742;5.745;5.749;
5.780;5.798;6.1;6.5;6.95;6.98;6.134;6.138;
6.139;6.149;6.162;6.186;6.195;6.202;6.206;
6.231;6.280;6.416;6.527;6.632;6.660(bis);
6.705;6.732;6.759;6.824;7.172;7.252;7.326;
7.407;7.606;7.607;7.647;7.666;7.667;
7.686;7.691;7.694;7.723;7.730;7.831;7.840;
8.1;8.34;8.54;8.61;8.109;8.118;8.135;
8.137;8.155;8.159;8.198;8.229;8.255;8.287;
8.472;8.476;8.503;8.517;8.537;8.558;8.560;
8.610;8.612;8.659;8.726;8.748;8.778;8.835;
9.23;9.75;9.118;9.135;9.158;9.206;9.224;
9.260;9.266;9.287;9.294;9.317;9.342;
9.493;9.604;9.663;9.769;9.793;9.800;9.878;
9.937;9.942;9.944;9.966;9.968;9.1033;
9.1038;10.53;10.101;10.329;10.334;10.336;

IAM
    10.358;10.479;10.496;10.497;10.524;10.544
    IAM IAM. 2.538;4.187
    IAM NUNC. 9.101
IAMDUDUM (IAM DUDUM). 2.524;4.545;5.423
IAMPRIDEM. 1.347;2.474
IANITOR. ianitor et sedis laxae, qui uiscera
    saeuo /spargis nostra cani,... /exaudite
    preces. 6.702
IANUS. pax missa per orbem /ferrea belligeri
    conpescat limina Iani. 1.62
    quique colit primus ducentem tempora
    Ianum. 5.6
IAPYX. excipit aduersos Zephyros et Iapyga
    Pindus 6.339
IASPIS. et iaspide fulua supellex /stat mensas
    onerans, ... 10.122
IBI. 2.93;3.252;3.645;5.79;5.85;5.785;6.145;
    6.440;7.635;9.825;9.1007;10.408
ICARIA. ipse per Icariae scopulos, Ephesonque
    relinquens /... spumantia paruae /radit
    saxa Sami; 8.244
ICARIUS. quaestor ab Icario Cinyreae litore
    Cypri /infaustus Magni fuerat comes.
    . . . . 8.716
ICO,-ERE. quamuis icta nouo, uentum tenuere
    priorem /aequora, ... 2.458
    pudet ... /quaerere ... / ... quis
    corruat ictus, ... 7.622
    perque ictum sanguine Magni /foedus,
    ades; 10.371
ICTUS(subst.). mors ipsa refugit /saepe
    uirum.../...primo qui caedis in actu
    (ictu)/deriguit var.2.77
    at saxum quotiens ingenti uerberis actu
    (ictu)/excutitur ... /frangit cuncta
    ruens, ... var.3.469
    singula continuis cesserunt ictibus arma.
    . . . . 3.486
    nunc aries suspenso fortior ictu 3.490
    et sudibus crebris et adusti roboris ictu
    /percussae cedunt crates, . . . 3.494
    ictu uicta suo percussae capta cohaesit;
    . . . . 3.564
    pronus in aduersos ictus, nullique
    perempti /in ratibus cecidere suis. 3.571
    sed eam grauis insuper ictus /amputat;
    . . . . 3.611
    multoque cruore /plena per obliquum
    crebros latus accipit ictus . . 3.628
    discessit medium tam uastos pectus ad
    ictus, ... 3.655
    iaculum letale reuolsum/.../oppressere
    manu, ualidos dum praebeat ictus 3.678
    tela legunt deiecta mari ratibusque
    ministrant /incertasque manus ictu
    languente per undas /exercent; 3.692
    multus sua uolnera puppi /adfixit moriens
    et rostris abstulit ictus. . . . 3.708
    dum feriunt, odere suos, animosque
    labantis /confirmant ictu. . . . 4.250
    non sentiet ictus, ... 4.277
    dum dolor est ictusque recens . 4.286
    sed eum cui uolnera prima /debebat grato
    moriens interficit ictu. . . . 4.547
    tam diri foederis ictu /parta quies,
    . . . . 5.372
    sed mihi nec motus nemorum nec litoris
    ictus /... placet 5.551
    quod nolles stare sub ictu /fortunae 5.729
    roboris inpacti crebros gemit agger ad
    ictus. 6.137

IEIUNUS
    fortis crebris sonat ictibus umbo, 6.192
    quid .../perditis haesuros numquam
    uitalibus ictus? 6.197
    Pannonis haud aliter post ictum saeuior
    ursa, /.../se rotat in uolnus . 6.220
    unoque sub ictu /stat genus humanum, 6.613
    animique truces sua pectora pulsant /
    ictibus incertis. 7.129
    quis ... cernens ... /aetheraque in
    terras deiecto (de icto) sole
    cadentem, /tot rerum finem, timeat sibi?
    var.7.136
    miles, ut aduerso Phoebi radiatus ab ictu
    /descendens totos perfudit lumine colles,
    7.214
    nullo gemitu consensit ad ictum 8.619
    properas atque ingeris ictus /qua uotum
    est uicto. 8.645
IDALIS. et gelido tellus perfusa Caico /
    Idalis et nimium glaebis exilis Arisbe,
    3.204
IDALIUS,-A,-UM. quaestor ab Icario (Idalio)
    Cinyreae litore Cypri / infaustus Magni
    fuerat comes. var.8.716
IDEM, EADEM, IDEM. regit idem spiritus artus /
    orbe alio; 1.456
    o faciles dare summa deos eademque tueri/
    difficiles! 1.510
    idem pelago delatus iniquo . . 2.88
    idem per Scythici profugum diuortia ponti/
    indomitum regem Romanaque fata morantem/
    ad mortem Sulla felicior ire coegi. 2.580
    iam Phoebum urguere monebat/non idem Eoi
    color aetheris, ... 2.720
    inposuit ripis Asiaeque et terminus idem
    /Europae, ... 3.274
    quos eadem uariis genuerunt uiscera fatis:
    3.604
    non eadem belli totum fortuna per orbem/
    constitit, ... 4 402
    idem, cum fortes animos praecepta
    subissent, ... 4.524
    uocibus isdem /umentia late nebulas ... /
    excussere comis. 6.467
    [haec eadem est hodie quae pignora
    quaeque penates /reddat . . . 7.257
    aequora senserunt motus .../... nec
    idem spectante carina /mutauere sonum.
    8.198
    hoc eadem suadebat hiemps quae clauserat
    aequor, ... 9.374
    et idem, quod Carcinos ardens, /umidus
    Aegoceros ... tollitur . . . 9.536
    et tempore eodem /transtraque nautarum
    summique arsere ceruchi. . . . 10.494
IDEO. ideo me milite uincat 2.322
IDUME. desertus Orontes /.../ Gazaque et
    arbusto palmarum diues Idume . . 3.216
IECUR. cernit tabe iecur madidum, uenasque
    minaces 1.621
IEIUNIUM. longaque Sarmatici soluens ieiunia
    belli 3.282
    quoque magis miseros undae ieiunia soluant
    4.332
IEIUNUS,-A,-UM. uolgus alunt: nescit plebes
    ieiuna timere. 3.58
    non dest prolato ieiunus uenditor auro.
    4.97
    si numquam haec carmina fibris/ humanis
    ieiuna cano, ... / ...parete precanti.
    6.708

IEIUNUS

    ad praematuras segetum ieiuna rapinas/
    agmina conpulimus, ... 7.98

IGITUR. hac igitur regis trepidat iam Curio
    fama 4.694
    quanto igitur mundi dominis securius
    aeuum /uerus pauper agit! 8.242
    his igitur depulsa locis eiectaque classis
    /Syrtibus haut ultra Garamantidas attigit
    undas, ... 9.368
    hoc igitur tandem leuior Romana iuuentus/
    auxilio late squalentibus errat in aruis.
                          9.938

IGNARUS,-A,-UM. ignarum mortale genus per
    fulmina tantum /sciret adhuc caelo solum
    regnare Tonantem. 3.319
    nunc toto fatorum ignarus in orbe, 4.232
    ignaros scelerum longaque in pace
    quietos /bellorum primus sparsit furor:
                          5.35
    quid uelut ignaros ad quae portenta
    paremur /spe trahis? 5.284
    ut ... hostem /cingeret ignarum ducto
    procul aggere ualli. 6.31
    et tonat ignaro caelum Ioue: . . 6.467
    se ... Cleopatra .../.../ intulit
    Emathiis ignaro Caesare tectis, 10.58

IGNAUUS,-A,-UM. mortis, et ignauum rediturae
    parcere uitae. 1.462
    capacem/ humani facilem uenturo Caesare
    praedam/ ignauae liquere manus. 1.514
    obstruitis campos fluuiisque arcere
    paratis, /ignaui? 2.496
    nec liceat pauidis ignaua occumbere morte:
                          4.165
    non tamen ignauae post haec exempla
    uirorum /percipient gentes . . . 4.575
    tradite nostra uiris ignaui signa
    Quirites. 5.358
    maestoque ignaua profundo /stagna iacentis
    aquae; 5.442
    ignaue, uenire /te Caesar, non ire iubet.
                          5.487
    quam prior adfatur Pompei ignaua propago.
                          6.589
    quis timor, ignaui, metuentis cernere
    manes?' 6.666
    uictus uiolento nauita Coro /dat regimen
    uentis ignauumque arte relicta/ puppis
    onus trahitur. 7.126
    Grais delecta iuuentus /gymnasiis aderit
    studioque ignaua palaestrae . . . 7.271
    ite per ignauas gentes famosaque regna
                          7.277
    ignauis manibus proiectos reddidit enses,
                          9.26
    ignauum scelus est tantum fuga.' 9.283

IGNEUS,-A,-UM. ignea pontum /astra petent,
                          1.75
    stat numquam facies;'rubor igneus inficit
    ora 5.214
    igneaque in uoltus ... / pestis abit,
                         6.96
    semidei manes habitant, quos ignea
    uirtus /innocuos uita patientes aetheris
    imi/ fecit 9.7
    illi rubor igneus ora /succendit, 9.791
    pars auro plumata nitet, pars ignea cocco,
                        10.125

IGNIFER,-A,-UM. Titan ... /ibat et igniferi
    tantum demerserat orbis /quantum
    desse solet lunae, ... 3.41

IGNIS

IGNIS. telluremque ... /igne uago lustrare
    iuuet, ... 1.50
    dat stragem late sparsosque recolligit
    ignes. 1.157
    et ignes /solis Lucifero fugiebant astra
    relicto. 1.231
    iubeas .../ .../si spoliare deos ignemque
    inmittere templis, ... 1.379
    et uarias ignis denso dedit aere formas,
                          1.531
    fulmen et Arctois rapiens de partibus
    ignem 1.534
    ignis in Hesperium cecidit latus. 1.547
    Vestali raptus ab ara /ignis, 1.550
    Arruns dispersos fulminis ignes /colligit
                          1.606
    summo si frigida caelo /stella nocens
    nigros Saturni accenderet ignis, 1.652
    hi cessant ignes. 1.658
    perdere nomen / si placet Hesperium,
    superi, conlatus in ignes /plurimus ad
    terram per fulmina decidat aether. 2.57
    desilit in flammas et, dum licet, occupat
    ignes. 2.159
    ad tumulos iubet ipse dolor, iuuat
    ignibus atris /inseruisse manus
    constructoque aggere busti / ipsum atras
    tenuisse faces, ... 2.299
    hunc habuisse pares Phoebeis ignibus
    undas. 2.415
    nec tam patiente colono /arua premi quam
    si ferro populetur et igni. . . . 2.445
    namque ignibus atris /creditur, ut captae,
    rapturus moenia Romae /sparsurusque deos.
                          3.98
    pectoribus rapti matrum frustraque
    trahentes /ubera sicca fame medios
    mittentur in ignis 3.352
    utque perit magnus nullis obstantibus
    ignis, ... 3.364
    ignis agit uires, ... 3.504
    nam pinguibus ignis /adfixus taedis et
    tecto sulpure uiuax /spargitur; 3.681
    iam ratibus fragmenta ferus sibi
    uindicat ignis. 3.686
    sed glacie medios signorum temperat ignes.
                          4.109
    spargitque uaganti /obstantis tripodas
    magnoque exaestuat igne 5.173
    scintillam tenuem commotos pauit in
    ignes, /securus belli: 5.525
    tum piceos uoluunt inmissae lampades
    ignes, ... 6.135
    strident oculis ardentibus ignes. 6.179
    uix proelia Caesar /senserat, elatus
    specula quae prodidit ignis: . . 6.279
    at medios ignes caeli ... / ... nemorosus
    summouet Othrys. 6.337
    ubi quondam Pentheos exul /colla caputque
    ferens supremo tradidit igni /... Agaue.
                          6.358
    Phoebeque serena / ... /palluit et
    nigris terrenisque ignibus arsit, 6.502
    si ... ripamque sonantem /ignibus
    ostendam, ... /quis timor, ignaui,
    metuentis cernere manes?' . . 6.663
    uenit defunctus ad ignes. . . . 6.825
    aether / .../aduersasque faces inmensoque
    igne columnas /... detulit . . 7.155
    insanamque famem permissasque ignibus
    urbes / ... /hi possunt explere uiri,7.413

IGNIS

scilicet ipse petet Pholoen, petet
ignibus Oeten 7.449
Caesar,... /... agmina circum /it
uagus atque ignes animis flagrantibus
addit. 7.559
inuidet igne rogi miseris,   . . .   7.798
unum da gentibus ignem, ...   7.804
hos, Caesar, populos si nunc non usserit
ignis, /uret cum terris, ...   7.812
iam pelago medios Titan demissus ad ignes
                                     8.159
consulit... /...quotus in Plaustro Libyam
bene derigat ignis. 8.170
Phoebi surgentis ab igne / iam propior
quam Persis eram: 8.228
non ... petit ... /Pompeius, .../...
totus ut ignes /... maerens exercitus
ambiat 8.734
da uilem Magno ... arcam /quae lacerum
corpus siccos effundat in ignes;   8.737
sic fatus paruos iuuenis procul aspicit
ignes 8.743
admotus Magnum, non subditus, accipit
ignis. 8.758
carpitur et lentum Magnus destillat in
ignem 8.777
cum poscere finem / ... Roma uolet ... /
ignibus aut nimiis aut terrae tecta
mouenti, /consilio iussuque deum
transibis in urbem, ...   8.848
Pompeio contigit ignis /inuidia maiore
deum. 9.65
ignis adhuc aliquid Phario de litore
surgens /ostendit mihi, Magne, tui.   9.74
corpus Phariaene canes ... /distulerint,
an furtiuus, quem uidimus, ignis/soluerit,
ignoro. 9.142
collegit ... /... uelamina summo /ter
conspecta Ioui, funestoque intulit igni.
                                     9.178
toto litore busta /surgunt Thessalicis
reddentia manibus ignem. 9.181
renouare parans hibernas Apulus herbas /
igne fouet terras, ...   9.184
et spes imber erat nimios metuentibus
ignes, ...   9.375
non altius ignis /rapta uehit;   9.460
at tibi, quaecumque es Libyco gens igne
dirempta, /in Noton umbra cadit,   9.538
iam spissior ignis, ...   9.604
carpitque medullas /ignis edax calidaque
incendit uiscera tabe. 9.742
coeunt ignes stridentibus undis   9.866
ultima castrorum medicatus circumit
ignis. 9.915
uotaque turicremos non inrita fudit in
ignes. 9.989
Aeneaeque mei,... /... quorum lucet in
aris /ignis adhuc Phrygius,   . . .   9.993
quis tibi uaesani ueniam non donet amoris,
/Antoni, durum cum Caesaris hauserit
ignis /pectus? 10.71
hunc ubi pars caeli tenuit,.../... rapidos
qua Sirius ignes /exerit .../... tunc
Nilus fonte soluto,/.../ iussus adest,
                                     10.211
quae cum dominus percussit aquarum/igne
superiecto, tunc Nilus fonte soluto,/
.../ iussus adest, ...   10.215
neu terras dissipet ignis /Nilus adest
mundo 10.232

missurusque tuum, si non sint tela nec
ignes, /in famulos, Ptolemaee, caput.
                                     10.463
Caesar et hos aditus gladiis, hos ignibus
arcet. 10.489
nec piger ignis erat per stuppea uincula
                                     10.493
nec puppibus ignis /incubuit solis; 10.497
sed quae uicina fuere /tecta mari longis
rapuere uaporibus ignem, ...   10.499

IGNORO,-ARE. ignorantque datos, ne quisquam
seruiat, enses. 4.579
quid tanta strage paretur /ignoras: 5.592
lucentem totis ignorat noctibus Arcton.
                                     6.342
maeret et ignorat cauas animumque
dolentem /corripit, ...   7.190
quid ferat ignoras, ...   8.51
exiget ignorans Latiae commercia linguae/
ut lacrimis se, Magne, roges.   . .   8.348
ignorant populi, si non in morte probaris,
/an scieris aduersa pati. 8.626
corpus .../... an furtiuus, quem uidimus,
ignis /soluerit, ignoro. 9.143
quidquid puluere sicco /separat ardentem
tepida Berenicida Lepti/ ignorat frondes:
                                     9.525

IGNOSCO,-ERE. Carthago Mariusque tulit,
pariterque iacentes /ignouere deis.   2.93
sit patriae Magnumque ducem totumque
senatum,/ignosci. 2.521
hoc hostibus unum /quod uincas, ignosce
tuis. 4.356
ignosce fatenti, /posse pati timeo.   5.777
tunc pace fideli /fecissem ut uictus
posses ignoscere diuis, ...   9.1103

IGNOTUS,-A,-UM. longa sub ignotis extendere
rura colonis. 1.170
ignota obscurae uiderunt sidera noctes
                                     1.526
rapuitque cruentus /uictor ab ignota
uoltus ceruice recisos 2.112
gentesne furorem /Hesperium ignotae
Romanaque bella sequentur 2.293
cum rudis Argo /miscuit ignotas temerato
litore gentes 3.194
ignotum uobis, Arabes, uenistis in orbem
                                     3.247
et nunc, ignoto siquos petis orbe
triumphos, ...   3.310
non erigit aegros / nobilis ignoto
diffusus consule Bacchus, ...   4.379
cogit / ignotisque equitem late decurrere
campis. 4.733
cernit miserabile uolgus /... /uellere ab
ignotis dubias radicibus herbas.   6.113
'quo uos pauor'... 'adegit /inpius et
cunctis ignotus Caesaris armis?   6.151
transit et ignotos operit sibi gurgite
campos: 6.276
terrenum ignotas hominem proiecit in
undas. 6.401
ignota tantum pietate merentur,   6.495
caeloque ignota sereno /terribilis Stygio
facies pallore grauatur 6.516
ignoti iugulum tanquam scelus inputet
hostis. 7.325
ignotusque hosti quod ferrum, Brute,
tenebas! 7.587
quidquid in ignotis solus regionibus exul,
/... patiere ... /crede deis,   . .   7.703

IGNOTUS

    nuda atque ignota iaceres,   . .   7.867
    cunctis ignotus gentibus esse/mallet 8.19
    num barbara nobis /est ignota Venus,
                                 8.398
    audet in ignotas agmen committere gentes
                                 9.372
    in nemus ignotum nostrae uenere secures,
                                 9.429
    ignotos miscuit amnes /Persarum Euphraten,
    Indorum sanguine Gangen, ... 10.32
    nihil est quod noscere malim /quam fluuii
    causas ... /ignotumque caput: 10.191
    'fas mihi ... secreta parentum /edere ad
    hoc aeui populis ignota profanis. 10.195
    ignoto te, Nile, redit. 10.282

ILERDA. super hunc fundata uetusta /surgit
    Ilerda manu; 4.13
    qui medius tutam castris dirimebat
    Ilerdam, ... 4.33
    postquam omnia fatis /Caesaris ire uidet,
    celsam Petreius Ilerdam /deserit   4.144
    altaeque ad moenia rursus Ilerdae /
    intendere fugam. 4.261

ILEX. procumbunt orni, nodosa inpellitur ilex,
                                 3.440

ILIA. excipit inmissum suspensa per ilia
    ferrum 3.601
    qua iam non medius descendit in ilia
    uenter, ... 3.724
    et medium conpressis ilibus artat   4.627
    et defecta grauis longe trahit ilia pulsus
                                   4.757

ILIACUS. ausi Latio se fingere fratres/sanguine
    ab Iliaco populi; 1.428
    Iliacae quoque signa manus perituraque
    castra /ominibus petiere suis,   3.211
    nec non Iliacae numen quod praesidet
    Albae, /.../uidit flammifera confectas
    nocte Latinas.   5.400
    nunc uetus Iliacos attollat fabula muros
                                 6.48
    auidusque urguente procella/Iliacas
    pensare moras 9.1002
    quantum inpulit Argos /Iliacasque domos
    facie Spartana nocenti, /Hesperios auxit
    tantum Cleopatra furores. 10.61

ILLABOR,I. v.INLABOR,I.

ILLE, ILLA, ILLUD. **ILLE.** 1.203(bis);1.316;
    1.317;1.335;1.459;2.27;2.85;2.98;2.99;
    2.131;2.140;2.184;2.372;2.521;2.559;3.36;
    3.298;3.607;3.634;3.636;3.727;3.737;4.62;
    4.177(bis);4.399;4.400;4.466;4.612;4.615;
    4.636;4.637;4.692;4.744;4.762;4.785;5.92;
    5.108;5.211;5.300;5.739;6.169;6.217;6.228;
    6.430;6.744;6.815;7.105;7.454;7.550(bis);
    7.774(bis);7.793;8.5;8.176;8.192;8.360;
    8.717;8.723;8.759;8.779;9.19;9.29;9.179;
    9.229;9.251;9.406;9.449;9.564;9.584;9.618;
    9.685;9.713;9.751;9.830;9.835;10.149;
    10.152;10.246;10.266;10.335;10.390
    ILLA(nom.f.). 1.58;1.385;3.24;3.552;3.612;
    4.452;4.696;5.33;5.146;5.616;5.627;5.813;
    6.165;6.445;6.524;6.534;6.562;6.563;6.577;
    6.688;6.825;7.34;7.245;7.254;7.273;7.713;
    8.679;9.418;9.654;9.696;9.909;10.63;10.68;
    10.306;10.504;10.510;10.512
    ILLUD(nom.). 9.474
    ILLI(dat.m.). 2.284;4.601;4.622;6.761;
    7.608;9.791;9.942;10.37
    ILLI(dat.f.). 6.510;10.364
    ILLUM. 1.406;3.48;3.80;3.276;3.422;5.480;

IMAGO

    6.181;6.189(bis);7.799;8.702;8.707;8.794;
    10.376
    ILLAM. 3.196;8.151;9.113;10.430
    ILLUD(acc.). 8.85;8.870
    ILLO(abl.m.). 4.581;6.302;6.758;7.133;
    7.235;7.601;8.478;var.9.595;9.762;9.887
    ILLA(abl.). 1.107;3.696;4.478;7.783;
    8.183;8.317;9.435
    ILLO(abl.n.). 3.550;var.5.617;7.328
    ILLI(pl.). 1.605
    ILLAE. 9.49
    ILLA(nom.n.). 9.477
    ILLIS(dat.m.). var.3.328;3.407;3.663;
    4.36;5.305;8.91;8.377;8.388;var.9.512;
    9.898
    ILLIS(dat.f.). 6.497;6.499
    ILLOS. 2.204;6.277;7.386;10.274;10.384
    ILLAS. 3.408;3.714
    ILLIS(abl.m.). 10.220
    ILLIS(abl.f.). 9.630
    ILLIS(abl.n.). 2.561;4.4

ILLIC. 2.161;3.62;4.168;4.406;5.29;5.104;6.45;
    6.46;6.386;6.406;7.232;7.510;7.548;7.586;
    7.633;7.634;8.367;9.11;9.445;9.512;9.515;
    var.9.942;10.20;10.136;10.302

ILLINC. 2.402;2.619;3.462;5.448

ILLO(adv.). 3.550

ILLUC. nunc hunc (huc) nunc illum (illuc), qua
    flectitur, ampliat orbem; . . .var.3.276
    huc abeunt fluctus, illo (illuc) mare,
                             var.3.550
    dubium est, quod traxerit illuc/ aspiciat
    Stygias an quod descenderit umbras. 6.652
    illuc et Libye Numidas et Creta Cydonas
    /misit, ... 7.229
    truncusque uadosis /huc illuc iactatur
    aquis. 8.699
    non illuc auro positi nec ture sepulti/
    perueniunt. 9.10
    tellusque perusta /illuc duxit aquas;
                               10.252

ILLUSTRO,-ARE. v. INL-.

ILLYRICUS,-A,-UM. noluit Illyricae custos
    Octauius undae /confestim temptare ratem,
                                4.433
    religatque catenas /rupis ab Illyricae
    scopulis. 4.452
    iacet hostis in undis /obrutus Illyricis,
                               5.39

ILLYRIS. Illyris Ionias uergens Epidamnos in
    undas. 2.624

IMAGO. ingens uisa duci patriae trepidantis
    imago 1.186
    membra ducis; diri tum plena horroris
    imago 3.9
    et 'quid' ait 'uani terremur imagine
    uisus? 3.38
    non horrore tremit, non solis imagine
    uibrat. 5.446
    Phoebeque serena /.../ palluit .../ quam
    si fraterna prohiberet imagine tellus
                                6.503
    at nox ... /sollicitos uana decepit
    imagine somnos. 7.8
    crastina dira quies et imagine maesta
    diurna /undique funestas acies feret, 7.26
    sed, dum tela micant, non uos pietatis
    imago /ulla nec ... conspecti ...
    parentes /commoueant; 7.320
    subiere pericula clari /sponte uiri
    sacraque antiquus imagine miles.   7.357

IMAGO

IMAGO

    sua quemque premit terroris imago: 7.773
    non imis haeret imago /uisceribus?   9.71
IMBELLIS,-E. v. INB-.
IMBER. Deucalioneos fudisset Aquarius imbres
                         1.653

    effusis magnum Libye tulit imbribus
    annum. 3.70
    uacat imbribus Arctos 4.70
    iamque polo pressae largos densantur in
    imbres 4.76
    expectant imbres, quorum modo cuncta
    natabant /inpulsu. 4.330
    at Genusum nunc sole niues nunc imbre
    solutae /praecipitant. 5.465
    nec placet ... /... quodque caput
    spargens undis, uelut occupet imbrem, /
    instabili gressu metitur litora cornix.
                          5.555

    non Euri cessasse minas, non imbribus
    atrum/Aeolii iacuisse Notum sub carcere
    saxi /crediderim; 5.608
    deprimitur, fluctusque in nubibus accipit
    imbrem. 5.629
    stetit imbre cruento /informis facies.
                         6.224
    nunc omnia complent /imbribus   6.466
    et steriles egeant hibernis imbribus agri,
                         8.829

    densis fremuit niger imbribus Auster.
                         9.320
    et spes imber erat nimios metuentibus
    ignes, ...   9.375
    Arctoos raris Aquilonibus imbres/accipit
                         9.422
IMBRIFER,-A,-UM. ibit et imbrifera siccas sub
    Pliade Thebas /spectator Nili,   8.852
    et non imbriferam contorto puluere nubem
    /in flexum uiolentus agit: . . .   9.455
IMBUO,-ERE. v. INB-.
IMITOR,-ARI. qui te laxis imitantur, Sarmata,
    bracis /Vangiones, ...   1.430
    flamma ... /Thebanos imitata rogos.   1.552
IMMACULATUS, IMMANIS, etc. v. INM-.
IMPAR, etc. v. INP-.
IMPEDIO,-IRE. se rotat in uolnus telumque
    irata receptum /inpetit (inpedit)
                    var.6.223
IMPERIOSUS,-A,-UM. an habent haec carmina
    certum /imperiosa deum, ...   6.498
IMPERIUM. traximus imperium, tum cum mihi
    rostra tenere 1.275
    imperiis non sublato secura pauore/turba,
                         3.438

    concordia duxit in aequas /imperium
    commune uices, ...   4.6
    rerum nos summa sequetur /imperiumque
    comes. 5.27
    tuque, ... suprema ruentis /imperii
    caesosque duces et funera regum /...cur
    aperire times? 5.201
    nomen inane /imperii rapiens signauit
    tempora digna /maesta nota; 5.390
    imperii salua si maiestate liceret, /
    uoluerer ante pedes. 7.378
    scit cruor imperii qui sit, quae uiscera
    rerum, ...   7.579
    o decus imperii, spes o suprema senatus,
                         7.588
    non ueritus graue ne fessis aut Marte
    subactis/hoc foret imperium.   . . .   7.736
    longius aeuum /destruit ingentis animos et

    uita superstes / imperio. 8.29
    debuerant ... / imperii nudare latus, dum
    perfida Susa /... prolapsa... iaceret.
                         8.425

    Romanum nomen et omne /imperium Magno
    tumuli est modus: 8.799
    nec color imperii nec frons erit ulla
    senatus. 9.207
    non decus imperii, non maesti iura
    Catonis /ardentem tenuere uirum,   9.747
    quo totum ceperat orbem /abstulit imperium,
                      10.44

    ubi non ciuilia bella /inuenit imperii
    fatum miserabile nostri? 10.411
IMPERO,-ARE. prouentu scelerum quaerunt uter
    imperet urbi? 2.61
    fatur et astrictis laxari uincula palmis /
    imperat. 2.517
    luce noua collem subito conscendere cursu,
    /... imperat. 4.34
    uelut ensibus ipsis /imperet inuito
    moturus milite ferrum. 5.367
    subicique facem conplexa maritum /imperat,
                        8.741

    imperet hoc nobis utinam scelus ... /
    ... Roma 8.842
IMPETO, IMPEXUS, etc. v. INP-.
IMPETUS. incerti, quo quemque fugae tulit
    impetus urguent 1.491
    trahit ipse furoris /impetus, et uisum
    lenti quaesisse nocentem. 2.110
    deserat hic feruor mentes, cadat impetus
    amens, ...   4.279
    neque enim impetus ille /incursusque
    fuit: 4.762
    quisquis te flere coegit /impetus, a
    uera longe pietate 9.1056
IMPIUS,-A,-UM. Appius 'et nobis meritas dabis,
    impia, poenas 5.158
IMUS,-A,-UM. puniceus Rubicon, ... /perque
    imas serpit ualles 1.215
    imaque telluris uentos tractusque coruscos
    /flammarum accipiunt; 2.270
    non usque adeo permiscuit imis / longus
    summa dies ut non, ...   3.138
    tum conditus imo /eruitur templo multis
    non tactus ab annis 3.155
    tecta fronte latentes /moliri nunc ima
    parant 3.489
    non conditus ima /puppe 3.618
    sic mundi pars ima iacet, ...   4.106
    umor, et ima petit quidquid pendebat
    aquarum. 4.127
    imaque sensim /concussit pelagi mouitque
    Ceraunia nautis. 5.456
    nec metuens imi Borean habitator Olympi/
    lucentem totis ignorat noctibus Arcton.
                         6.341

    haud procul est ima Pompei nomen harena /
    depressum tumulo, ...   8.820
    quos ignea uirtus /innocuos uita patientes
    aetheris imi /fecit 9.8
    non imis haeret imago /uisceribus?   9.71
    imaque tellus /stat, ...   9.470
IN. (c.acc.). 1.3;1.6;1.23;1.61;1.66;1.68;
    1.81;1.83;1.86;1.130;1.132;1.155;1.181;
    1.220;1.262;1.276;1.292;1.306;1.308;1.312;
    1.373;1.377;1.382;1.383;1.391;1.400;1.406;
    1.425;1.434;1.448;1.461;1.472;1.474;1.501;
    1.504;1.537;1.546;1.547;1.551;1.633;1.650;
    1.668;1.671;1.683;1.690;2.9;2.44;2.45;

IN

2.48;2.57;2.89;2.98;2.111;2.151;2.159;
2.211;2.213;2.216;2.219;2.226;2.251;2.254;
2.263;2.274;2.307;2.325;2.347;2.351;2.355;
2.375;2.390;2.395;2.404;2.405;2.408;2.409;
2.419;2.420;2.427;2.428;2.434;2.439;2.441;
2.453;2.501;2.523;2.542;2.599;2.604;2.606;
2.609;2.613;2.614;2.623;2.624;2.626;2.644;
2.646;2.656;2.663;2.665;2.668;2.677;2.709;
2.712;2.716;2.723;2.729;3.3;3.17;3.22;
3.31;3.37;3.40;3.59;3.64;3.73;3.93;3.112;
3.126;3.133;3.170;3.184;3.190;3.232;3.247;
3.250;3.259;3.293;3.311;3.352;3.375;3.379;
3.390;3.408;3.431;3.435;3.462;3.463;3.515;
3.543;3.545;3.571;3.591;3.598;3.600;3.616;
3.623;3.630;3.633;3.640;3.643;3.660;3.671;
3.674;3.702;3.721;3.724;4.5;4.11;4.29;
4.37;4.39;4.63;4.71;4.76;4.124;4.132;
4.140;4.142;4.146;4.147;4.151;4.155;4.161;
4.162;4.176;4.225(bis);4.240;4.243;4.253;
4.267;4.270;4.281;4.311;4.321;4.339;4.384;
4.391;4.403;4.405;4.491;4.611;4.643;4.650
(bis);4.703;4.726;4.745;4.765;4.769;4.777;
4.778;4.821;5.2;5.46;5.49;5.61;5.62;5.67;
5.133;5.135;5.143;5.145;5.175;5.177;5.180;
5.221;5.238;5.253;5.272;5.301;5.319;5.380;
5.399;5.410;5.432;5.487;5.491;5.505;5.525;
5.541;5.600;5.606;5.613;5.621;5.625;
5.644;5.648;5.683;5.693;5.715;5.722;5.727;
5.742;6.7;6.12;6.28;6.53;6.60;6.61;6.77;
6.90;6.96;6.110;6.111;6.128;6.182;6.206;
6.215;6.216(bis);6.222;6.284;6.292;6.295;
6.298;6.300;6.329;6.360;6.361;6.375;6.401;
6.403;6.406;6.408;6.452;6.472;6.482;6.496;
6.506;6.509;6.537;6.540;6.578;6.579;6.606;
6.643;6.694;6.697;6.722;6.751;7.104;7.115;
7.131;7.136;7.149;7.166;7.177;7.208;7.231;
7.237;7.239;7.245;7.256;7.265;7.279;7.295;
7.313;7.323;7.336;7.337;7.361;7.366;7.370;
7.390;7.404;7.414;7.416;7.422;7.429;7.467;
7.491;7.493;7.497;7.509;7.523;7.529;7.531;
7.543;7.578;7.603;7.609;7.626;7.640;7.643;
7.668;7.669;7.679;7.719(bis);7.725;7.737;
7.753;7.791;7.816;7.842;8.34;8.36;8.39;
8.40;8.46;8.68;8.74;8.88;8.92;8.96;8.106;
8.107;8.133;8.149;8.176;8.181;8.194;8.196;
8.209;8.225;8.270;8.289;8.301;8.315;8.320;
8.345;8.353;8.357;8.389;8.423;8.426;8.439;
8.461;8.466;8.477;8.512;8.516;8.530;8.565;
8.577;8.589;8.600;8.608;8.611;8.641;8.642;
8.658;8.682;8.720;8.727;8.737;8.768;8.770;
8.777;8.782;8.788;8.830;8.831;8.849;9.9;
9.21;9.42;9.53;9.93;9.105;9.106;9.116;
9.119;9.122;9.126;9.132;9.146;9.149;9.160;
9.165;9.172;9.174;9.187;9.212;9.221;9.223;
9.227;9.234;9.242;9.258;9.267;9.276;
9.297;9.310;9.321;9.334;9.372;9.382;9.416;
9.419;9.421;9.424;9.429;9.451;9.452;9.456;
9.474;9.502;9.530;9.539(bis);9.558;9.620;
9.655;9.674;9.684;9.693;9.695;9.704;9.719;
9.745;9.751;9.775;9.776;9.838;9.850;9.859;
9.876;9.886;9.887;9.899;9.905;9.943;9.953;
9.989;9.997;9.1011;9.1026;9.1052;10.9;
10.19;10.39;10.50;10.87;10.110;10.219;
10.236;10.247;10.279;10.288;10.289;10.290;
10.309;10.337;10.343;10.353(bis);10.385;
10.394;10.404;10.409;10.417;10.419;10.433;
10.435;10.461;10.464;10.479;10.487;10.492;
10.496;var.10.497;10.505;10.506;10.527;
10.528;10.530;10.533;10.535
(c.abl.). 1.27;1.53;1.89;1.115;1.136;
1.143;1.194;1.245;1.247;1.301;1.423;1.515;

1.588;1.617;1.654;1.660;1.691;2.26;2.31;
2.73;2.74;2.77;2.79;2.103;2.106;2.165;
2.178;2.235;2.252;2.262;2.264;2.280;2.344;
2.348;2.497;var.2.556;2.561(bis);2.564;
2.579;2.603;2.643;2.734;3.129;3.230;3.301;
3.307;3.341;3.423;3.519;3.540;3.558;3.572
(bis);3.580;3.582;3.614;3.669;3.696;
3.728;3.756;3.761;4.1;4.38;4.51;4.61;
4.62;4.92;4.232;4.237;4.244;4.255;4.331;
4.389;4.415;4.423;4.458;4.469;4.477;4.478;
4.488;4.492;4.529;4.548;4.557;4.582;4.594;
4.605;4.634;4.696;4.697;4.723;4.797;5.11;
5.14;5.35;5.38;5.147;5.183;5.192;5.202;
5.249;5.289;5.345;5.394;5.513;5.629;5.644;
5.670;5.685;5.812;6.65;6.84;6.144;6.147;
6.159;6.195;6.205;6.227;6.233;6.253;6.293;
6.302;6.328;6.387;6.421;6.442;6.489;6.559;
6.561;6.564;6.575;6.631;6.675;6.680;
6.712;6.733;6.758;6.804;6.814;7.6;7.33;
7.61;7.111;7.129;7.135;7.154;7.199;7.200;
7.223(bis);7.247;7.253;7.294;7.315;7.328;
7.335;7.406;7.459;7.556;7.599;7.605;7.617;
7.645;7.690;7.703;7.721;7.762;7.763;7.765;
7.776(bis);7.777;7.796;7.801;8.42;8.75;
8.128;8.129;8.142;8.169;8.170;8.184;8.187;
8.196;8.241;8.243;8.261;8.263;8.264;8.266;
8.272;8.285;8.295;8.305;8.307;8.308;8.319;
8.363;8.375;8.405;8.440;8.447;8.508;8.545;
8.581;8.603;8.621;8.626;8.651;8.667;
8.671;8.694;8.703;8.709;8.719;8.768;8.780;
8.798;8.802;8.812;8.834;8.856;8.862;9.1;
9.16;9.17;9.28;9.48;9.62;9.70;9.86;9.120;
9.191;9.210;9.225;9.246;9.291;9.304;9.337;
9.341;9.353;9.370;9.383;9.387;9.395;9.506;
9.541;9.566;9.595;9.609;9.610;9.617;9.629;
9.650;9.666;9.670;9.703;9.726;9.744;9.750;
9.763;9.840;9.888;9.897;9.926;9.939;9.974;
9.975;9.992;9.994;9.996;9.1073;9.1092;
10.55;10.72;10.79;10.116;10.130;10.157;
10.174;10.220;10.241;10.298;10.328;10.332;
10.374;10.412;10.425;10.431;10.445;
10.447;10.455;10.459;10.473;10.510;10.534;
10.543

INACHIUS,-A,-UM. nec sic Inachiis, quamuis
rudis esset, in undis /desectam timuit
reparatis anguibus hydram. 4.634

INANIS,-E. nec solum uolgus inani /percussum
terrore pauet, ... 1.486
uiderunt ... /obliquas per inane faces
crinemque timendi /sideris 1.528
tuumque /nomen, Libertas, et inanem
persequar umbram. 2.303
me frustra leges et inania iura tuentem.
                                       2.316
da tantum nomen inane conubii;   2.342
uanaque percussit pontum Symplegas inanem
                                       2.718
uentus et amittit uires, nisi robore
densae /occurrunt siluae, spatio diffusus
inani, ... 3.363
telluris inanis /concussisse sinus
quaerentem erumpere uentum/credidit 3.459
fletus quid fundis inanis /nec te sponte
tua sceleri parere fateris?   4.183
per inania templi /ancipiti ceruice rotat
                                       5.171
iam respice canos /inualidasque manus et
inanis cerne lacertos. 5.275
nomen inane /imperii rapiens signauit
tempora digna /maesta nota; . . . 5.389
non agitis saeuis Erebi per inane

INANIS
    flagellis /infelicem animam?   6.731
    iam nunc te per inane chaos, per Tartara,
    coniunx,/ ... sequar, ... 9.101
    numquam ueniemus ad enses / aut laqueos
    aut praecipites per inania iactus: 9.107
    intentusque tulit magni per inania caeli.
                  9.473
    infudere epulas auro,.../... quod luxus
    inani /ambitione furens toto quaesiuit
    in orbe 10.156
INARATUS,-A,-UM. horrida quod dumis multosque
    inarata per annos /Hesperia est   1.28
INARIME. Campana fremens ceu saxa uaporat /
    conditus Inarimes aeterna mole Typhoeus.
                  5.101
INBELLIS,-E. detegit inbelles animas nil
    fortiter ausa /seditio tantumque fugam
    meditata iuuentus 5.322
    rex puer inbellis populi sedauerat iras,
                  10.54
    et Romana petit inbelli signa Canopo 10.64
    quem puer inbellis cunctis praefecerat
    armis 10.351
    ceu puer inbellis uel captis femina muris,
    /quaerit tuta domus; 10.458
INBUO,-ERE. et scelere inbutos etiamnunc
    uenditat enses. 5.248
    non uaesana Pothini /mens inbuta semel
    sacra iam caede uacabat /a scelerum
    motu: 10.334
INCALESCO,-ERE. feruidus haec iterum circa
    praecordia sanguis /incaluit;   2.558
    incaluit uirtus, atque una caede refectus/
    'soluat' ait 'poenas, ... 6.240
    Martius incaluit Siculis incudibus ensis
                  7.146
INCAUTUS,-A,-UM. hoc solum incauto metuentis
    ab hoste, timeri. 4.719
    sponte per incautas audet temptare
    tenebras 5.500
INCEDO,-ERE. agmine non uno densisque incedere
    castris. 1.478
    incessitque fretum rapidi super .
    Hellesponti, ... 2.675
INCENDIUM. toto fluerent incendia mundo 1.656
    iam fama ferebat /... /et non ardentis
    fulgere incendia siluae, . . . 3.420
    telum flamma fuit, rapiensque incendia
    uentus 3.501
    nunc pice, nunc liquida rapuere incendia
    cera. 3.684
INCENDO,-ERE. Scorpion incendis cauda chelasque
    peruris, /quid tantum, Gradive, paras?
                  1.659
    postquam uirtus incerta (incensa) uirorum
    /perpetuam rupit defesso milite cratem /
    singula ... cesserunt ... arma. var.3.484
    incendere diem nubes oriente remotae
                  4.68
    ille pauentis /incendit uirtute animos et
    amore laborum, ... 9.407
    incensusque dies, manant sudoribus artus,
                  9.499
    carpitque medullas /ignis edax calidaque
    incendit uiscera tabe. 9.742
    pro caecus et amens /ambitione furor,... /
    ... incendere mentem /hospitis armati.
                  10.148
    contraque incensa Leonis /ora tumet 10.233
INCERTUS,-A,-UM. dubium non claro murmure
    uolgus /secum incerta fremit.   1.353

    quae tuta petant et quae metuenda
    relinquant /incerti, ... 1.491
    incerto discurrunt sidera motu, 1.643
    siue nihil positum est, sed fors incerta
    uagatur 2.12
    Oceanumque uocans incerti stagna profundi
                  2.571
    incerti Iudaea dei mollisque Sophene,
                  2.593
    Euphrates, quos non diuersis fontibus
    edit /Persis, et incertum, tellus si
    misceat amnes, ... 3.258
    postquam uirtus incerta uirorum /
    perpetuam rupit defesso milite cratem
                  3.484
    et stetit incertus, flueret quo uolnere,
    sanguis, ... 3.589
    tela legunt deiecta mari ratibusque
    ministrant /incertasque manus ictu
    languente per undas /exercent; 3.692
    cetera bello /fata dedit uariis incertus
    motibus aer. 4.49
    dum ferrum, incertaque fata, /quique fluat
    multo non derit uolnere sanguis, . 4.215
    poscit spe proelia nulla /incertus qua
    terga daret, qua pectora bello. 4.468
    omnibus incerto uenturae tempore uitae
                  4.481
    et iratas incerta prouocat umbra 4.725
    incertoque pedum pugnat non stare tumultu:
                  4.753
    casibus incertis et caeca sorte pararent,
                  5.66
    iure sed incerto mundi subsidere regnum /
    Chalcidos Euboicae uana spe rapte parabas.
                  5.226
    non rupta uadosis /Syrtibus incerto Libye
    nos diuidit aestu. 5.485
    nec placet incertus qui prouocat aequora
    delphin, ... 5.552
    flatusque incerta futuri /turbida
    testantur conceptos aequora uentos. 5.566
    Zephyros intendat an Austros /incertum
    est; 5.570
    nec membris sole perustis /auribus
    incertum feralis strideat umbra.' 6.623
    ille quoque incertus quo te uocet, unde
    repellat, ... 6.815
    animique truces sua pectora pulsant /
    ictibus incertis. 7.129
    rapit omnia casus /atque incerta facit
    quos uolt fortuna nocentes. . . . 7.488
    cornipedem... / Magnus agens incerta fugae
    uestigia turbat 8.4
    saepe labor maestus curarum ... /
    proiecit fessos incerti pectoris aestus,
                  8.166
    a nulla mors est incerta sagitta. 8.297
    nec per opacas /bella geret tenebras
    incerto debilis arcu, ... 8.373
    te ... coniunx /... sequar, quam longo
    tradita leto /incertum est: . . . 9.103
    et incerto turbatas murmure uoces/accipit,
                  9.1008
    cessit; habet uentos incertaque fulmina
    Mauors; 10.206
    incerto lustrat uagus atria cursu, 10.460
INCESSO,-ERE. circumfusa duci fleuit gemituque
    suorum /et non ingratis incessit turba
    querellis. 5.681
    non ultra gemitus tacitos incessere fatum

/permisere sibi, ... 8.64
INCESTUS,-A,-UM. degener incestae sceptris
cessure sorori, /... /litora Pompeium
feriunt, ... 8.693
nox illa ... cubili /miscuit incestam
ducibus Ptolemaida nostris. . . . 10.69
uoltus adest precibus faciesque incesta
perorat. 10.105
et semel amplexus incesto pectore passus
/... / meque tuumque caput ... illi /
... donabit. 10.362
INCHOO,-ARE. longis Caesar producere noctem
/inchoat adloquiis, ... 10.174
INCIDO,-ERE. sors melior classi quae fluctibus
incidit altis 9.330
INCIPIO,-ERE. incipiunt uisoque die durescere
ualles. 4.129
uix primum leuior propellere lintea
uentus/ incipit exiguumque tument, 5.431
incipe Magnum /sola sequi. . . . 8.80
sceptrorum uis tota perit, si pendere
iusta /incipit, ... 8.490
INCLINO,-ARE. inclinant iam fata ducum, nec
iam amplius anceps /belli casus erat.
3.752
INCLUDO,-ERE. quos gurgite Bactros/includit
gelido uastisque Hyrcania siluis; 3.268
iam non excludere tantum /inclusisse
uolunt. 3.369
et siccis inclusit collibus hostem. 4.263
quod numen ab aethere pressum /dignatur
caecas inclusum habitare cauernas? 5.87
ac uelut inclusum perfosso in pectore
numen /... adorant; 6.253
cur obicis Magno tumulum manesque
uagantis /includis? 8.797
inclusum Tusco uenerantur caespite fulmen.
8.864
INCOGNITUS,-A,-UM. plurimaque humanis ante hoc
incognita mensis /diripiens miles
saturum tamen obsidet hostem. . . 6.116
illa magis magicisque deis incognita
uerba /temptabat 6.577
Ausoniam, uellem populis incognita
nostris. 7.436
INCOHO,-ARE v. INCHOO,-ERE.
INCOLA. cognita per multos docuit rudis incola
patres. 4.592
quemque uocat collem Taulantius incola
Petram /insedit castris 6.16
nam te metui uetat incola rarus 8.252
Phryx incola manes /Hectoreos calcare
uetat. 9.976
INCOLO,-ERE. nemora alta remotis/incolitis
lucis; 1.454
Arruns incoluit desertae moenia Lucae,
1.586
desertaque busta /incolit et tumulos
expulsis obtinet umbris 6.512
gens unica terras /incolit a saeuo
serpentum innoxia morsu, ... 9.892
INCOLUMIS,-E. uictor et incolumis
summas remeabat in undas; . . . 3.702
INCONCUSSUS,-A,-UM. pacemne tueris /
inconcussa tenens dubio uestigia mundo,
2.248
inconcussa suo uoluuntur sidera lapsu.
2.268
INCONDITUS,-A,-UM. aucta lues, dum mixta
iacent incondita uiuis / corpora; 6.101
INCONSTANTIA(subst.). 'fortius hiberni flatus...

/... tenent, quam quos incumbere cortos /
perfida nubiferi uetat inconstantia ueris.
5.415
INCONSULTUS,-A,-UM. sic turba per urbem /.../
inconsulta ruit. 1.498
INCOQUO,-ERE. uolsit et incoctas admisso sole
medullas. 6.546
concipiunt ... de sanguine rores /quos
calor adiuuit putrique incoxit harenae.
9.699
INCREMENTUM. fluuiique ferocis /incrementa
timens non primis robora ripis /inposuit,
4.139
tunc Nilus fonte soluto, /exit ut Oceanus
lunaribus incrementis, /iussus adest,
10.216
INCREPITO,-ARE. Caesar, et increpitans 'iam
Magni deseris arma, /successor Domiti;
7.606
INCREPO,-ARE. Phrygii sonus increpat aeris,
9.288
INCRESCO,-ERE. ecce, uidet capiti fibrarum
increscere molem 1.627
passus erat maestamque genis increscere
barbam: 2.376
INCUBO,-ARE. necdum est ille dolor nec
iam metus: incubat amens /miraturque
malum. 2.27
incubuitque adyto uates ibi factus Apollo.
5.85
saepe etiam caris cognato in funere dira/
Thessalis incubuit membris . . . 6.565
incubuit Magno lacrimasque effudit in
omne /uolnus, ... 8.727
'ergo indigna fui',.../... gelidosque
effusa per artus /incubuisse uiro, 9.57
Cf. INCUMBO.
INCULCO,-ARE. sic uoce Catonis /inculcata
uiris iusti patientia Martis. . . 9.293
INCULTUS,-A,-UM. inculto Gaetulus equo, tum
concolor Indo /Maurus, ... 4.678
exornata Rhodos gelidique inculta
iuuentus / Taygeti, ... 5.51
uentum erat ad templum Libycis quod
gentibus unum /inculti Garamantes habent.
9.512
INCUMBO,-ERE. quantus, piniferae Boreas cum
Thracius Ossae /rupibus incubuit, 1.390
solueret incumbens terrasque repelleret
aequor, ... 2.436
propulit ut classem uelis cedentibus
Auster /incumbens mediumque rates mouere
profundum, ... 3.2
nunc furor incubuit nec iuncto Sarmata
uelox /Pannonio Dacisque Getes admixtus:
3.94
nec uentus in illas /incubuit siluas
excussaque nubibus atris /fulgura: 3.409
incumbit prono lateri uacuamque
relinquit, ... 3.648
nubes ... /nec medio potuere graues
incumbere mundo 4.69
incumbet gladiis, gaudebit sanguine fuso.
4.278
incumbit ripis permissaque flumina turbat.
4.367
namque suis pro te gladiis incumbere,
Caesar, / esse parum scimus; . . 4.500
ut uero in pedites fatum miserabile belli
/incubuit, nullo dubii discrimine Martis
4.770

INCUMBO
    'fortius hiberni flatus ... /... tenent,
    quam quos incumbere certos /perfida
    nubiferi uetat inconstantia ueris. 5.414
    incumbatque furens et Graia ad moenia
    perflet, ... 5.419
    uiolentior aer /puppibus incubuit
    Phoebeo concitus ortu, ... 5.718
    mirantur ... /et pallere diem galeisque
    incumbere noctem 7.178
    temptare pudendum /auxilium tanti ... ut
    ... / ...tibi barbara tellus /incumbat,
    te parua tegant ac uilia busta,   8.393
    tum super incumbens pallentia uolnera
    lambit 9.933
    et fluuio cogunt incumbere nimbos, 10.243
    'nunc incumbe toris et pinguis exige
    somnos; 10.354
    poterat ... /... mensaeque incumbere
    ceruix. 10.424
    nec puppibus ignis /incubuit solis; 10.498
    Cf. INCUBO.
INCURRO,-ERE. fratribus incurrunt fratres
    natusque parenti, ... 4.563
    sideribusque uias incurrens abstulit
    Ossa. 6.412
    incurrere cuncti /debuerant in Bactra
    duces 8.422
INCURSO,-ARE. et nusquam totis incursat uiribus
    agmen 10.484
INCURSUS. cautus ab incursu belli, si sola
    recedat, /expugnat quae tuta, fames. 4.409
    neque enim impetus ille /incursusque
    fuit: 4.763
    confringite tela /pectoris inpulsu
    (incursu) var.6.161
    castella ... /incursu gemini Martis
    rapit, ... 6.269
    cum Caesar, metuens ne frons sibi prima
    labaret /incursu, ... 7.522
    respice,turbatos incursu sanguinis amnes,
                      7.700
    et timet incursus indignaturque timere.
                      10.444
INCUS. Martius incaluit Siculis incudibus
    ensis 7.146
INCUSO,-ARE. litusque malignum /incusat
    bimaremque uadis frangentibus aestum,
                      8.566
INCUSTODITUS,-A,-UM. incustoditos decurrit
    miles ad amnes, ... 4.366
INCUTIO,-ERE. nunc aries ... / incussus densi
    conpagem soluere muri /temptat . . . 3.491
INDAGO. feras indagine claudit. 6.42
INDE. inde uirum poteras atque hinc retinere
    parentem 1.116
    inde irae faciles et, quod suasisset
    egestas, ... 1.173
    inde moras soluit belli tumidumque per
    amnem 1.204
    inde ruendi /in ferrum mens prona uiris
    animaeque capaces /mortis, ... 1.460
    hinc Dacus, premat inde Getes; . . 2.54
    delabitur inde /Volturnusque celer 2.422
    coeperit inde nefas, iam iam me praeside
    Roma /supplicium poenamque petat. 2.538
    inde per arua / Gaiorum Macetumque
    nouas adquirite uires 2.646
    inde soporifero cesserunt languida
    somno /membra ducis; 3.8
    inde lacessitum primo mare, . . . 3.193
    inde, ubi nulla data est miscendae copia

mortis, ... 4.283
inter tot milia captae /circumfusa rati
et plenam uix inde cohortem /pugna fuit,
                    4.471
inde petit tumulos exesasque undique rupes,
                    4.589
qua stetit inde fauet; 4.708
inde perit primum quondam ueneranda
    potestas /iuris inops; 5.397
inde rapit cursus 5.403
inde rapi coepere rates 5.458
rectorem dominumque ratis secura tenebat
    /haud procul inde domus, ... 5.516
inde ruunt toto concita pericula mundo.
                    5.597
inde labant populi, ... 6.93
Torquato ruit inde minax, ... 6.285
Aeas / Ionio fluit inde mari, . . . 6.362
Ityraeis cursus fuit inde sagittis, 7.230
inde, truces Galli, solitum prodistis in
    hostem, ... 7.231
premit inde metus, totumque per agmen /
    sublimi praeuectus equo 7.341
quam sibi fata minentur /inde manum,
    spectant. 7.462
frigidus inde /stat gladius, . . . 7.502
inde sagittae, /inde faces et saxa uolant
                    7.511
inde faces et saxa uolant spatioque
    solutae /aeris ... glandes; . . . 7.512
inde cadunt mortes. 7.517
perdidit inde modum caedes, . . . 7.532
nec ualet haec acies tantum prosternere
    quantum /inde perire potest. . . . 7.535
teque inde fugato /ostendit moriens sibi
    se pugnasse senatus. 7.696
auehit inde /Pompeium sonipes; . . 7.723
inde ratis trepidum uentis ac fluctibus
    inpar, / ... euexit in altum. . . 8.35
inde Canopos /excipit, ... 8.181
Cnidon inde fugit claramque relinquit /
    sole Rhodon 8.247
at inde / gurgite septeno rapidus mare
    summouet amnis. 8.444
inde maris uasti transuerso uertitur
    aestu; 8.462
inde rapit flammas semustaque robora
    membris /subducit. 8.745
inde Cythera petit, ... 9.37
inde tenens pelagus, sed iam moderatior,
    Eurus /in Libycas egit sedes . . . 9.118
inde peti placuit Libyci contermina Mauris
    /regna Iubae, ... 9.300
uiam ... saeuam /inde polo Libyes, hinc
    bruma temperet annus. 9.377
inde petuntur /huc Libycae mortes 9.706
inde Paraetoniam fertur securus in urbem
                    10.9
inde etiam leges aliarum nescit aquarum,
                    10.228
inde plagas Phoebi damnum non passus
    aquarum /praeueheris 10.307
INDESPECTUS,-A,-UM. conpellandus erit,... /
    indespecta tenet uobis qui Tartara, 6.748
INDIA. hac luce cruenta /effectum, ut Latios
    non horreat India fasces, . . . 7.428
INDICO,-ERE. indixitque nefas. . . . 2.4
INDIGENA. piniferis amplexus rupibus omnis /
    indigenas Latii populos, ... 2.432
INDIGES. indigetes fleuisse deos, .../...
    accipimus, ... 1.556

INDIGNOR

INDIGNOR,-ARI. Phoebe ... /indignata diem
    poscet sibi, ...   1.79
    indignata suum multis seruire furorem
                                          5.184
    indignatus apertum /fortunae praebere,
    caput; 8.614
    ac nusquam uetitis ullas obsistere cautes
    /indignaris aquis, ... 10.320
    timet incursus indignaturque timere.
                                         10.444

INDIGNUS,-A,-UM. quaeritur indignae sedes
    longinqua ruinae. 2.731
    turbae sed mixtus inerti /Sextus erat,
    Magno proles indigna parente,   6.420
    merito Pompeium uincere lente /gentibus
    indignum est a transcurrente subactis.
                                          7.74
    o thalamis indigne meis, hoc iuris
    habebat /in tantum fortuna caput?   8.95
    cum Ptolemaeorum manes ... /pyramides
    claudant indignaque Mausolea, /litora
    Pompeium feriunt, ...   8.697
    'ergo indigna fui,' dixit 'Fortuna, marito
    /accendisse rogum 9.55
    sat fuit indignum, Caesar, mundoque
    tibique 10.102
    tanta obliuio mentis /cepit ... /ut...
    irent /quos erat indignum Phario parere
    tyranno. 10.406

INDIGUS,-A,-UM. terra suis contenta bonis, non
    indiga mercis /aut Iouis 8.446
    omnis / indiga seruitii feruebat litore
    plebes: 9.254
    ultimus haustor aquae quam,... /indiga
    cogatur laticis spectare iuuentus, 9.592

INDISCRETUS,-A,-UM. concolor exustis atque
    indiscretus harenis /hammodytes,. 9.715

INDOCILIS,-E. quamquam pleboio tectus amictu/
    indocilis priuata loqui. 5.539

INDOLES. haut alium tanta ciuem tulit indole
    Roma 4.814
    'indole si dignum Latia, si sanguine
    prisco /robur inest animis, . . .   5.17

INDOMITUS,-A,-UM. acer et indomitus, quo spes
    quoque ira uocasset, ...   1.146
    fundat ab extremo flauos Aquilone Suebos
    /Albis et indomitum Rheni caput;   2.52
    idem per Scythici profugum diuortia ponti
    /indomitum regem Romanaque fata morantem
    /ad mortem Sulla felicior ire coegi. 2.581
    tamen ante furorem /indomitum duramque
    uiri deflectere mentem /pacifico sermone
    parant 3.304
    indomitos quaerit populos . . .   4.146
    indomitos sciat esse uiros . . .   4.505
    militis indomiti tantum mens sana timetur.
                                          5.309
    omnis, in Arctois populus
    quicumque pruinis/ nascitur, indomitus
    bellis et mortis amator: 8.364
    tantum indomitos memoresque paterni /
    iuris habete animos. 9.95
    'o quibus una salus placuit mea castra
    secutis /indomita ceruice mori,   9.380
    gemmaeque capaces /excepere merum,... /
    nobile ... paucis senium cui contulit
    annis / indomitum Meroe cogens spumare
    Falernum. 10.163

INDUCO,-ERE. coeperat obliquoque molas
    inducere cultro, ...   1.610
    pretiosaque uestis /hirtam membra super

Romani more Quiritis /induxisse togam,
                                          2.387
    primum cana salix madefacto uimine
    paruam /texitur in puppem caesoque inducta
    iuuenco 4.132

INDULGEO,-ERE. indulsit castris et collibus
    abstulit omen 4.664
    populoque precanti /scilicet indulgens
    summo dictator honori /contigit   5.383
    iuuat ... /indulgere morae et tempus
    subducere fatis. 5.733
    nimium patiens soceri Pompeius, et orbis /
    indulgens regno, ...   7.54

INDUO,-ERE. quis iustius induit arma   1.126
    discolor et uario furialis cultus
    amictu /induitur, ...   6.655
    numquam tanto se uolture caelum /induit
                                          7.835
    positisque insignibus aulae /egreditur
    famulo raptos indutus amictus. . . 8.240

INDURESCO,-ERE. intumuere tori, totosque
    induruit artus 4.631

INDUS,-A,-UM. inpulerat Corus, quidquid
    defenderat Indos. 4.67
    inculto Gaetulus equo, tum concolor Indo /
    Maurus, ...   4.678
    te... /... captos ducere reges / uidit ab
    Hyrcanis, Indoque a litore, siluis, 8.343
    quamuis ... Arabum ... beatis /gentibus
    atque Indis unus sit Iuppiter Hammon, /
    pauper adhuc deus est, ...   9.518
    ignotos miscuit amnes /Persarum Euphraten,
    Indorum sanguine Gangen, . . . 10.33
    et suffecta manu foribus testudinis Indae
    /terga sedent, ... 10.120
    paruaque regna putet Tyriis cum Gadibus
    Indos, ... 10.457

INDUS(fluuius). uastis Indus aquis mixtum
    non sentit Hydaspen; 3.236

INEO,-IRE. nil ipsa paterni /iuris inire
    peto: 10.97

INERMIS,-E. foedera si placeant, sit
    quo ueniatis inermes. 3.335
    atque hostis turba stipatus inermis/
    praecipitat castris 4.208
    otia des fessis, uitam patiaris inermis
    /degere quam tribuis. 4.357
    populum non cernis inermem/ aruaque
    uix ... fodientem 8.525

INERS. nec sic horret iners scelerum contagia
    mundus 3.322
    tremuit saeua sub uoce minantis /uolgus
    iners, ...   5.365
    piger Apulus arua /deseruit rastris et
    inerti tradidit herbae, ...   5.404
    sic stat iners Scythicas astringens
    Bosporos undas, ...   5.436
    illinc infestae classes et inertia tonsis
    /aequora moturae, ...   5.448
    traxit iners caelum fluuidae
    contagia pestis /obscuram in nubem. 6.89
    hostis /aere non pigro nec inertibus
    angitur undis, ...   6.107
    turbae sed mixtus inerti /Sextus erat,
                                          6.419
    non Taenariis sic faucibus aer /sedit
    iners, ...   6.649
    regni possessor inertis /pallentis aperit
    sedes, ...   6.799

INEXPERTUS,-A,-UM. ipsaque inexpertis quod
    primum fecerat herbis 4.555

INEXPERTUS

    numquid inexperto tua credimus arma
profundo 5.486

INEXPLETUS,-A,-UM. cum uictima tristis /
inferias Marius forsan nolentibus
umbris /pendit inexpleto non fanda
piacula busto, ... 2.176

INFAMIS,-E. Romulus infami conpleuit moenia
luco, ... 7.438

INFANDUS,-A,-UM. infandum domini per uiscera
ferrum /exegit famulus, ... 2.148
non illis urbes spoliandaque templa
negasset /Tarpeiamque Iouis sedem
matresque senatus /passurasque infanda
nurus. 5.307
non ... / ...infando pollutus sanguine
Nilus /nobilius Phario gestasset rege
cadauer, ... 6.307
infandum tetigit cum sidera murmur, /
... / abducet superos alienis Thessalis
aris. 6.448
infando saturatas carmine frondis /...
addidit 6.682
stratumque cubile /regibus infandus
miles premit, ... 7.762
at non Cornelia letum /infando sub rege
timet. 8.397
Magnus et auxilio remorum infanda petebat
/litora; 8.561
nec satis infando fuit hoc uidisse
tyranno: 8.687
ac prius infanda commendat crimina uoce.
9.1013
exigit infandam corrupto iudice noctem.
10.106

INFANS. matremque suus conterruit infans;
1.563
non ... piguit ... /... /infantis miseri
nascentia rumpere fata. 2.107
si quisquis uestris caput extaque lancibus
infans /inposuit uicturus erat, parete
precanti. 6.710
in terras paruus cum decidit infans, /
.../ letifica dubios explorant aspide
partus. 9.899
sic pignora gentis /Psyllus habet... /
siquis donatis lusit serpentibus infans.
9.908

INFAUSTUS,-A,-UM. monstra iubet ... /... rapi
sterilique nefandos /ex utero fetus
infaustis urere flammis. 1.591
socer post pignora tanta /sanguinis
infausti subolem mortemque nepotum, /
te... propius non uidit harena. 5.474
quolibet infaustam potius deflecte
carinam: 5.789
deplorat Libycis perituram Scipio terris
/infaustam subolem: 6.789
infaustus Magni fuerat comes. . . 8.717

INFELIX. stabat diuersa uictae iam parte
carinae /infelix Argi genitor, 3.727
labitur infelix manibusque excepta suorum
/fertur ad aequoreas, ... 5.799
non sic infelix patriam portusque
reliquit 5.802
credidit infelix simulatis uocibus Aulus
6.236
infelix, quanta dominum uirtute parasti!
6.262
iam agitis saeuis Erebi per inane
flagellis /infelicem animam? 6.732
stetit ordine certo /infelix acies. 7.217

INFERO

iam Magnus transisse deos Romanaque fata
/senserat infelix, ... 7.648
nequiquam, infelix: 7.674
Thessalia, infelix, quo tantum crimine,
tellus /laesisti superos, . . . 7.847
utinam in thalamos inuisi Caesaris issem/
infelix coniunx et nulli laeta marito.
8.89
damnat apud gentes ... /Oedipodionias
infelix fabula Thebas: 8.407
quae te nostri fiducia regni / huc agit,
infelix? 8.525
infelix coniunx nec adhuc a litore longe
est.' 8.742
rapiatur in undas /infelix coniunx
Magni prolesque Metelli, . . . 9.277
hoc habet infelix, cunctis inpune, Medusa,
/quod spectare licet. 9.636
nec non infelix ferro mollita iuuentus /
atque exsecta uirum: 10.133

INFERIAE. cum uictima tristis /inferias Marius
forsan nolentibus umbris /pendit
inexpleto non fanda piacula busto, 2.175
excitet inuisas dirae Carthaginis
umbras /inferiis Fortuna nouis, 4.789
inferiasque dabit populis et mittet ad
umbras /... caput. 10.392

INFERNUS,-A,-UM. caesique in pectora tauri /
inferni uenere dei. 1.634
mons inter geminas medius se porrigit
undas /inferni superique maris, 2.400
latet obsitus aer /infernae pallore
domus nimbisque grauatus /deprimitur,
5.628
inpiaque infernam ruperunt arma quietem;
6.781
Stygii quae numina regni /infernumque
nefas et mersos nocte furores /...
litasti?) 7.170
Lethon tacitus praelabitur ... / infernis,
ut fama, trahens obliuia uenis, 9.356

INFERO,-FERRE. ut opes nimias mundo fortuna
subacto /intulit et rebus mores cessere
secundis 1.161
clademque futuram /intulit et uelox
properantis nuntia belli /innumeras soluit
falsa in praeconia linguas. . . 1.471
ultro acies inferre parant, . . 3.498
torsit in occiduum Nabataeis flatibus
orbem,/... quidquid caeli fuscator Eoi
inpulerat (intulerat) Corus, . . var.4.67
et faciem pugnae uoltusque inferte
minaces; 4.164
litoraque ipsa tenet, tandemque inlata
carinaest. 5.801
et stupet inlatus mundo. 6.760
astra Thyestae /intulit et subitis
damnauit noctibus Argos: . . . 7.452
sibilaque et flammas infert sopor. 7.772
collegit ... /... uelamina summo /ter
conspecta Ioui, funestoque intulit igni.
9.178
inmodicas possedit opes, sed plura
retentis /intulit. 9.198
et inlato confregit litore pontum. 9.323
sed fremitu uolgi fasces et iura
querentis /inferri Romana suis discordia
sensit /pectora 10.12
Oceano classes inferre parabat /
exteriore mari. 10.36
se... Cleopatra ... /... /intulit

INFERO
    Emathiis ignaro Caesare tectis,   10.58
INFERUS,-A,-UM. nec gloria leti /inferior,
    iuuenes, admoto occurrere fato.   4.480
    hunc omnes gladii,.../.../ illa nocte
    premunt, hunc infera monstra flagellant.
                        7.783

    infimaque Aegypti pugnaci litora uelo /
    uix tetigit, ... 8.464
INFESTUS,-A,-UM. in commune nefas, infestisque
    obuia signis 1.6
    uiscera tincta notis gelidoque infecta
    cruore 1.619
    tot simul infesto iuuenes occumbere leto
                        2.198
    tot oppressae(infestae) depulsis hostibus
    arces, ... var.2.654
    terribilis aquilas infestaque signa
    relinquas 3.330
    multum frustraque rogatus /ut Libycas
    metuat fraudes infectaque semper /
    Punica bella dolis. 4.736
    et, tumidis infesta colit quae numina,
    Rhamnus, ... 5.233
    coeperat infestoque ducem deposcere uoltu.
                        5.296

    illinc infestae classes et inertia tonsis
    /aequora moturae, ... 5.448
    siue quis infesto cognata in pectora ferro
    /ibit,.../ ignoti iugulum ... inputet
    hostis. 7.323
    da similis Lesbo populos, qui Marte
    subactum /non intrare suos infesto
    Caesare portus, /... uetent.' 8.145
    infestae tenduntur in aethera dextrae.
                        8.149

INFICIO,-ERE. stat numquam facies; rubor
    igneus inficit ora 5.214
    niger inficit horror /terga maris, 5.564
    putem ... /... infectumque aera totum
    /manibus 7.769
    quae seges infecta surget non decolor
    herba? 7.851
INFIDUS,-A,-UM. segetes tellus infida negabit,
                        1.647

    infidusque nouis ducibus dubiusque
    priori /fas utrumque putat. . . . 4.698
    infidumque caput feriendaque tendite colla.
                        5.361

    quamque fuit laeto per tres infida
    triumphos /tam misero Fortuna minor. 7.685
    si regna times proiecta sub Austro /
    infidumque Iubam, petimus Pharon
    aruaque Lagi. 8.443
INFIMUS,-A,-UM.v.. INFERUS,-A,-UM.
INFIRMUS,-A,-UM. languensque recessit /
    spectantis oculos infirmo lumine passus.
                        5.545

    uix tantum infirma dolorem /cepit, 5.759
INFODIO,-ERE. quisquis inest terris in fessos
    (infossos) spiritus artus /egeritur,
                      var.4.643

    uiuentis animas et adhuc sua membra
    regentis /infodit busto, ... 6.530
INFORMIS,-E. siue parens rerum, cum primum
    informia regna /materiamque rudem flamma
    cedente recepit,   2.7
    nec magis informes ueniunt ad litora
    trunci /qui medio periere freto. 2.189
    simulacraque maesta deorum /arte carent
    caesisque extant informia truncis. 3.413
    stetit imbre cruento /informis facies.

                        6.225
    tumidos iam non capit artus /informis
    globus et confuso pondere truncus. 9.801
INFREMO,-ERE. infremuit, tum torta leuis si
    lancea Mauri 1.210
INFULA. infulaque in geminos discurrit candida
    postes, ... 2.355
    crinesque in terga solutos /candida
    Phocaica conplectitur infula lauro. 5.144
INFUNDO,-ERE. omnis an infusis miscebitur
    unda uenenis? 1.648
    infundas aconita palam, Romana iuuentus/
    non decepta bibet, ... 4.323
    multumque cruorem /infudere mari. 4.568
    auxilium membris calidas infudit harenas.
                        4.616

    linguam /praemordens gelidis infudit
    murmura labris 6.568
    et infuso facies solidata ueneno est.
                        8.691

    'ergo indigna fui',.../.../ uolneribus
    cunctis largos infundere fletus, 9.59
    infudere epulas auro, quod terra, quod
    aer,/... dedit, ... 10.155
    multumque madenti /infudere comae quod
    nondum euanuit aura /cinnamon externa
                       10.166

INGEMO,(-ISCO),-ERE. ingemuit rector sensitque
    deorum /esse dolos 7.85
    ingemuisse putem campos, ... 7.768
    ast illam,... /... discedere cernens/
    ingemuit populus; 8.153
INGENS. urbibus Italiae lapsisque ingentia
    muris /saxa iacent 1.25
    ingentisque animo motus bellumque
    futurum /ceperat. 1.184
    ingens uisa duci patriae trepidantis imago
                        1.186
    non secus ingenti bellorum Roma tumultu
    /concutitur, ... 1.303
    cum funditur ingens /Oceanus . . 1.410
    diffugiunt: ingens urbem cingebat Erinys
                        1.572

    numinis, ingenti superum protectus ab ira,
                        2.86

    fracta sub ingenti miscentur pondere
    membra, ... 2.188
    et iam moturas ingentia pondera turris
                        2.505
    uadis adhuc ingens populis comitantibus
    exul. 2.730
    uis illic ingens pelagi, semperque
    laborant /aequora 3.62
    ut uidet ingenti Saturnia templa reuelli
    /mole, ... 3.115
    at saxum quotiens ingenti uerberis
    actu /excutitur, ... 3.469
    nec solum siluas sed saxa ingentia soluit,
                        3.506

    ingentem militis usum /hoc habet ex magna
    defunctum parte cadauer: 3.719
    saxeus ingenti quem pons amplectitur arcu
                        4.15

    'effugis ingentes, tanti discriminis expers,/
    bellorum, /Romane, minas, ... 5.194
    licet ingentis abruperit actus /festinata
    dies fatis, sat magna peregi. 5.659
    ingentis cautes auolsaque saxa
    metallis /... transfert. 6.34
    uidi ego laetantis,... Drusos /legibus
    inmodicos ausosque ingentia Gracchos;6.796

Fortuna.../abstulit ingentis fato
torrente ruinas. 7.505
quacumque uagatur,/... / nox ingens
scelerum est; 7.571
tum Magnum concitus aufert /a bello
sonipes ... / ingentisque animos extrema
in fata ferentem. 7.679
longius aeuum /destruit ingentis animos
et uita superstes /imperio.   8.28
ingentis praestate animos. . .   8.266
diuidit Euphrates ingentem gurgite mundum
8.290
qui super ingentis cumulos inuoluit
harenae /atque operit tellure uiros. 9.485
squamiferos ingens haemorrhois explicat
orbes, ...   9.709
rumpitis ingentes amplexi uerbere tauros;
9.731
ingens meritum maiusque salute /contulit,
in letum uires; 9.885
Psyllorumque ingens et rapti pugna ueneni.
9.924
pax ubi parta ducis donisque ingentibus
empta est, /excepere epulae tantarum
gaudia rerum, ...   10.107
ad scelus ingentis fati (ingentes facti)
sumus. var.10.384
ad scelus ingentis fati sumus.   10.384

INGERO,-ERE. ne tanta in cassum uirtus eat,
ingeret omnis /se belli fortuna tibi.
2.263
uerberibus crebris cineresque ingesta
sepulchri, ...   2.336
spiritus ingessit uati; 5.165
non ingratis incessit (ingessit) turba
querellis. var.5.681
tot potuere manus ... /ingestoque solo
Phrixeum elidere pontum, . . .   6.56
non eget ingestis sed uolsis pectore
telis. 6.232
oculos ingesto fulgure clausit;   7.157
et quantum poenae misero mens conscia
donat,/quod Styga, quod manes ingestaque
Tartara somnis /Pompeio uiuente uidet!
7.785
caeloque nocenti /ingerit Emathiam. 7.799
non tibi,... /umbra senis maesti ... /
ingeret has uoces? 8.433
properas atque ingeris ictus /qua uotum
est uicto. 8.645

INGIGNO,-ERE. Thessala quin etiam tellus
herbasque nocentes /rupibus ingenuit 6.439

INGRATUS,-A,-UM. adde quod ingrato meritorum
iudice uirtus /nostra perit: . .   5.291
circumfusa duci fleuit gemituque
suorum /et non ingratis incessit turba
querellis. 5.681
de superis, ingrate, times . . .   7.76

INGREDIOR,-I. ingreditur pulsa fluuium statione
uacantem 2.503
et temere ingressos repetendum
inuitat ad aequor /pace maris.   4.436
atque ingressurus steriles sic fatur
harenas: 9.378
dum primus harenas /ingrediar ... / me
calor aetherius feriat, ...   9.395
forsan maiora supersunt /ingressis: 9.866
adde quod omne caput fluuii,... /...
ingresso uere tumescit 10.224

INGUEN. inguinaque insertis pedibus distendit
4.628

et nigra destillant inguina tabe.   9.772

INHIBEO,-ERE. postquam inhibent remis puppes
ac rostra reducunt, ...   3.659

INHOSPITUS,-A,-UM. duc age per Scythiae
populos, per inhospita Syrtis /litora,
1.367

INHUMANTUS,-A,-UM. tu, cui dant poenas
inhumato funere gentes, /quid fugis hanc
cladem? 7.820
ite, duces, mecum ... /... inhumatos
condere manes, ...   9.151

INICIO,-ERE. pro, quanta est gloria genti /
iniecisse manum fatis 3.242
utque iterum fessis iniecit bracchia
membris 4.640

INIECTO,-ERE. ausus ... / iniectare manum;
3.611

INIMICUS,-A,-UM. nec sumpsimus arma /consiliis
inimica tuis. 4.349
Arctoas domui gentes, inimica subegi /
arma metu, ...   5.661

INIQUUS. Eumenis, aut qualem iussu Iunonis
iniquae /horruit Alcides uiso iam Dite
Megaeram. 1.576
idem pelago delatus iniquo /hostilem in
terram 2.88
tot rebus iniquis /paruimus uicti; 3.147
nec patitur noctes nec iniquos crescere
soles, ...   5.25
Euripusque trahit,/.../Chalcidicas puppes
ad iniquam classibus Aulin. . . .   5.236
extremum cui mortis munus inique /eripitur,
6.724
nunc quoque, tela licet paueant uictoris
iniqui, /... flebunt, ...   7.40
uincis apud superos uotis me, Caesar,
iniquis: /pugnatur. 7.113
ac, uelut inpatiens hominum uel solis
iniqui /limite uel glacie, nuda atque
ignota iaceres, ...   7.866
haec fama est oculis uictoris iniqui
/seruari, ...   9.139
et sidus iniquum /gentibus. . . .   10.35
dare iussus iniquo /temperiem caelo mediis
aestatibus exit /sub torrente plaga,
10.230
fatumque sibi promisit iniquum,   10.452

INIURIA. iniuria fati /hoc fas esse iubet;
8.763
quaecumque iniuria fati /abstulit hos
artus, superis haec crimina dono: 9.143

INIUSSUS. iniussaque tela uagantur   6.78
te mixto flesset luctu iuuenisque senexque
/iniussusque puer; 7.38

INIUSTUS,-A,-UM. seque putat solum regnorum
iniusta grauari, ...   5.258

INLABOR,-I. qua Nar Tiberino inlabitur amni
1.475
coniugis inlabi lacrimis, unique paratum
/scire rogum; 5.281

INLAESUS,-A,-UM. nautasque loci sortita
peritos / torpentem Tritonos adit inlaesa
paludem 9.347

INLATRO,-ARE. manibus inlatrat regnique
silentia rumpit. 6.729

INLIBATUS,-A,-UM. da foedera prisci /inlibata
tori, da tantum nomen inane . . .   2.342

INLICITUS,-A,-UM. flammisque seueri /inlicitis
arsere senes. 6.454
adulter ... /... miscuit armis /
inlicitosque toros et non ex coniuge

INLICITUS
    partus. 10.76
INLIDO,-ERE. exprimit et planctus inlisae
    cautibus undae 6.691
INLINO,-ERE. inlita tela dolis, . . 8.382
INLUSTRO,-ARE. inlustrat quos sola fides.
    3.342

INMACULATUS,-A,-UM. Romanaque tellus /
    inmaculata sui seruetur sanguine Magni.
    2.736

INMANIS,-E. maiorque ferusque /mentibus
    occurrit uictoque inmanior hoste. 1.480
    Septimius,.../.../ inmanis uiolentus atrox
    nullaque ferarum /mitior in caedes. 8.599
    bellumque inmane deorum /Pallados e
    medio confecit pectore Gorgon. 9.657
    meritumque inmane tyranni /destruit
    9.1041
INMATURUS,-A,-UM. numinis aut poena est mors
    inmatura recepti 5.117
INMEMOR. inmemorem fecere tui, . . . 3.29
    'inmemor o patriae, signorum oblite
    tuorum, ... 4.212
    inmemores pugnae nulloque pudore timendi
    /praecipites 7.525
    quod sufficit aeuum /inmemor ut donet
    belli tibi damna uetustas? . . . 7.850
INMENSUS,-A,-UM. aetheris inmensi partem si
    presseris unam, ... 1.56
    inmensumque aperitur opus, . . . 1.68
    Caesar, ut inmense conlecto robore uires
    /audendi maiora fidem fecere, . . 1.466
    turbidus Auster /reppulit a Libycis
    inmensum Syrtibus aequor 1.499
    uiderat inmensam tenebroso in carcere
    lucem 2.79
    Sulla quoque inmensis accessit cladibus
    ultor. 2.139
    fontibus hic uastis inmensos concipit
    amnes 2.403
    ut procul inmensam campo consurgere
    nubem /...../ conspexit telis, . . 2.481
    cum mediae iaceant inmensis tractibus
    Alpes, ... 2.630
    cedit in inmensum cassus labor; 2.663
    placuit ... /roboraque inmensis late
    religare catenis. 2.671
    tot inmensae comites missura ruinae /
    exciuit populos et dignos funere Magni
    /exequias Fortuna dedit. 3.290
    tunc res inmenso placuit statura labore,
    /aggere diuersos uasto committere colles.
    3.381
    in inmensas cineres abiere cauernas 5.135
    inmensumque gelu tegitur mare; 5.438
    inmensis coxit fornacibus aera. 6.405
    eloquar inmenso terrae sub pondere quae
    te / contineant, Hennaea, dapes, 6.739
    aether /... /aduersasque faces inmensoque
    igne columnas /... /detulit . . . 7.155
    uideor ... spectare... /... inmensa
    populos in caede natantis. . . . 7.294
    caedes oriuntur et instar /inmensae uocis
    gemitus, ... 7.572
    scilicet inmenso superest ex nomine
    multum, ... 7.717
    Caspiaque inmensos seducunt claustra
    recessus, ... 8.291
    inmensae Cyllenius arbiter undaest. 10.209
INMERGO,-ERE. 'socii, decurrite' dixit /
    'fluminis ad ripas undaeque inmergite
    pontem. 2.484

INMITTO

inmergitque manus oculis . . . 6.541
INMERITUS,-A,-UM. scilicet ipse petet ...
    ignibus ... /inmeritaeque nemus Rhodopes
    pinusque Mimantis, ... 7.450
    haud equidem inmerito Cumanae carmine
    uatis /cautum, ne Nili Pelusia tangeret
    ora /Hesperius miles 8.824
INMINEO,-ERE. inminet armorum rabies, 1.666
    inmineat foribus pronusque repagula
    laxet. 1.295
    sed petitur solus qui campis inminet
    aer; 7.516
    namque memor generis Carthaginis inpia
    proles /inminet Hesperiae, . . . 8.285
    nam litoreis populator harenis /inminet
    9.442
INMISCEO,-ERE. placuit ... /cladibus inmixtum
    ciuile absoluere bellum? 2.250
    Magnus, ut inmixto firmaret robore partis.
    2.527
    omnia pontus /haurit saxa uorax
    montesque inmiscet harenis, . . 2.664
    o fortunati, fugiens quos barbarus
    hostis /fontibus inmixto strauit per rura
    ueneno. 4.320
    confusos temere inmixtae glomerantur in
    orbes, ... 5.715
INMITIS,-E. et quibus inmitis placatur
    sanguine diro /Teutates 1.444
    sic eat: inmites Romana piacula diui/plena
    ferant, ... 2.304
INMITTO,-ERE. iubeas ... /... /si spoliare
    deos ignemque inmittere templis, 1.379
    densi uix agmina uolgi /inter et exangues
    inmissa morte cateruas /uictores mouere
    manus; 2.202
    si rursus tellus pulsu laxata tridentis /
    Aeolii tumidis inmittat fluctibus Eurum,
    2.457
    nec tamen hoc artis inmissum faucibus
    aequor /portus erat, ... 2.616
    hanc iubet inmisso siluam·procumbere
    ferro; 3.426
    quas inmissi traxerunt uincula ferri,
    3.574
    excipit inmissum suspensa per ilia ferrum
    3.601
    iussus ... /antistes pauidamque deis
    inmittere uatem 5.124
    inmisit Stygiam Paean in uiscera Lethen,
    5.221
    tum piceos uoluunt inmissae lampades ignes,
    6.135
    transierat ... Caesar munimina ... /cum
    super e totis inmisit collibus arma 6.291
    inpius hinc prolem superis inmisit
    Aloeus, ... 6.410
    tibi, pessime mundi /arbiter, inmittam
    ruptis Titana cauernis, ... 6.743
    miles,... /descendens totos perfudit
    lumine colles,/non temere inmissus
    campis: 7.216
    leuis armatura ... /insequitur saeuasque
    manus inmittit in hostem: . . . 7.509
    emittit (immittit) subitum non motis
    cornibus agmen. var.7.524
    excitosque suis inmittam sedibus ortus.
    8.310
    Cyproque citatas /inmisere rates,
    8.457
    quisquis,in istud /a superis inmisse

INMITTO

    caput, uel Caesaris irae /uel tibi
    prospiciens, nescis,... ubi ipsa /uiscera
    sint Magni: 8.643
    se robore trunci / torsit et inmisit
    (iaculum uocat Africa) serpens . . 9.823
    iubet ... / lampadas inmitti iunctis in
    uela carinis; 10.492

INMOBILIS,-E. nec pondere solo /sed nisu
    iacuit, uix sic inmobilis Austro; 9.484

INMODICUS,-A,-UM. uidi ego laetantis,...
    Drusos /legibus inmodicos ausosque
    ingentia Gracchos; 6.796
    Magnus et inmodicos castigat uoce dolores.
                      8.71
    inmodicas possedit opes, ... 9.197
    et inmodice formam fucata nocentem, /...
    colloque comisque /diuitias Cleopatra
    gerit 10.137

INMORTUUS,-A,-UM. deriguitque tenens strictis
    inmortua neruis. 3.613

INMOTUS,-A,-UM. quem sua libertas inmotis
    pasceret armis, ... 1.172
    fatorum inmoto diuisit limite mundum,
                      2.11
    hi mores, haec duri inmota Catonis /secta
    fuit, ... 2.380
    nigro si turbida limo /conluuies inmota
    iacet, ... 4.311
    inmotumque caput fixa cum fronte tenetur,
                      4.619
    sic tempore longo /inmotos tripodas
    uastaeque silentia rupis /Appius... /
    sollicitat. 5.121
    inmotaque limina templi/securumque nemus
    ueritam se credere Phoebo /prodiderant.
                      5.155
    alto torpore ligatae /pigrius inmotis
    haesere paludibus undae. 5.435
    terra quoque inmoti concussit ponderis
    axes, ... 6.481
    irataque morti /uerberat inmotum uiuo
    serpente cadauer, ... 6.727
    natura deside torpet /orbis et inmotis
    annum non sentit harenis. . . . 9.437
    et inmoti terra surgente tenentur. 9.489

INMUNIS,-E. quid tot durare per annos /
    profuit inmunem corrupti moribus aeui?
                      2.257
    nam uera locutum /inmunem toto mundi
    praestabimus aeuo / artibus Haemoniis;
                      6.764
    cladesque omnis exegit in uno / saeua
    die quibus inmunes tot praestitit annos,
                      8.704
    nullumque in uertice semper /sidus habes
    inmune mari; 9.542
    natura locorum /iussit ut inmunes mixtis
    serpentibus essent. 9.896

INNASCOR,-I. defuit ..../ non ... innataque
    rubris /aequoribus custos pretiosae
    uipera conchae 6.677

INNATO,-ARE. nam iam breuis unda superne/
    innatat 9.318

INNECTO,-ERE. tunc placuit caesis innectere
    uincula siluis 2.670
    tecta subit uirtus, armisque innexa
    priores /arma ferunt, ... 3.475
    at Pompeianus fraudes innectere ponto /
    antiqua parat arte Cilix, ... 4.448

INNITOR,-I. armisque innexa (innixa) priores
    /arma ferunt (gerunt), ... var.3.475

INOPS

INNOCUUS,-A,-UM. ut grandine tecta /innocua
    percussa sonant, ... 3.483
    miles spoliato pectore tutus /innocuusque
    suas curarum liber in urbes /spargitur.
                      4.384
    innocua est aetas. 8.450
    quos ignea uirtus /innocuos uita
    patientes aetheris imi /fecit 9.8
    innocuosque diu rictus torpente ueneno /
    inter membra fouent. 9.845

INNOXIUS,-A,-UM. uos quoque, qui cunctis
    innoxia numina terris /serpitis...
    dracones /letiferos ardens facit
    Africa: 9.727
    gens unica terras /incolit a saeuo
    serpentum innoxia morsu, ... 9.892

INNUBO,-ERE. innupsit tepido paelex Cornelia
    busto. 3.23

INNUBUS,-A,-UM. auxilium uolucri Pallas tulit
    innuba fratri 9.665

INNUMERUS,-A,-UM. innumeras soluit falsa in
    praeconia linguas. 1.472
    uix te sparsum per uiscera,Baebi,/
    innumeras inter carpentis membra coronae
    /discessisse manus, ... 2.120
    praeparat innumeras puppes Acherontis
    adusti /portitor; 3.16
    adde quod innumerae concurrunt undique
    gentes, ... 3.321
    innumerae uasto miscentur in aethere uoces,
                      3.540
    innumerasque simul pauci terraque marique
    /sustinuere manus: 4.537
    casibus innumeris fixae patuere carinae.
                      5.447
    et Chaos innumeros auidum confundere
    mundos / ... exaudite preces. . 6.696
    uisus sibi ... / innumeram effigiem
    Romanae cernere plebis 7.10
    [nec non innumero cooperta examine signa]
                      7.161
    innumeraeque urbes, quantas in proelia
    numquam, /exciuere manus. . . . 7.361
    spargitur innumerum diuersis missile
    uotis: 7.485
    inpendisse pudet lacrimas in funere mundi
    /mortibus innumeris, ... 7.618
    barbara ... /... Venus,... /polluit
    innumeris leges et foedera taedae
    /coniugibus 8.399

INOCCIDUUS,-A,-UM. qui non mergitur undis /
    axis inocciduus gemina clarissimus Arcto,
    /ille regit puppes. 8.175

INOFFENSUS,-A,-UM. non sic moderator equorum,
    /... / cogit inoffensae currus accedere
    metae. 8.201

INOPS. multi inopes teli iaculum letale
    reuolsum /uolneribus traxere suis 3.676
    tunc inopes undae praerupta cingere fossa
    /Caesar auet 4.264
    iamque inopes undae primum tellure
    refossa /occultos latices abstrusaque
    flumina quaerunt; 4.292
    Maurus, inops Nasamon, mixti Garamante
    perusto 4.679
    inde perit primum quondam ueneranda
    potestas / iuris inops; 5.398
    inportunamue fereris /pauperiem deflens
    inopem duxisse senectam. 5.535
    in dubiis tutum est inopem simulare
    tyranno; 8.241

passusque inopes sine pondere ramos
/rettulit ... poma tyranno. 9.366

INPAR. sic uiribus inpar /tradidit Hesperiam
profugusque per Apula rura 2.607
non inpare uoltu /aspicis Emathiam: 7.682
inde ratis trepidum uentis ac fluctibus
inpar, /... euexit in altum. . . . 8.35
'ciuis obit' inquit 'multum maioribus inpar
/nosse modum iuris, ... 9.190
usque adeo mollis primisque caloribus
inpar /sum uisus? 9.507

INPACTUS,-A,-UM. fugere reuolsis /unguibus
inpastae uolucres, ... 6.628

INPATIENS. omnisque potestas /inpatiens
consortis erit. 1.93
erigit inpatiensque loci fortuna secundi;
1.124
inpatiensque diu non grati uictima
sacri, ... 1.611
dux tamen inpatiens haesuri ad moenia
Martis 3.453
inpatiensque morae uenturisque omnibus
aeger, ... 6.424
ac, uelut inpatiens hominum uel solis
iniqui /limite uel glacie, nuda atque
ignota iaceres, ... 7.866
ibat in hostilem praeceps Cornelia
puppem, /hoc magis inpatiens egresso
desse marito /quod metuit clades. 8.578
at inpatiens uirtus haerere Catonis /audet
in ignotas agmen committere gentes 9.371
inpatiensque solum Cereris cultore negato
/damnasti 9.857

INPEDIO,-IRE. quo tempore primas /inpedit
ad noctem iam lux extrema tenebras. 4.447

INPELLO,-ERE. quid in arma furentem /inpulerit
populum, ... 1.69
totus popularibus auris /inpelli
plausuque sui gaudere theatri, 1.133
numinis, inpellens quidquid sibi summa
petenti /obstaret 1.149
aetheris inpulsi sonitu mundique fragore
1.152
fonte cadit modico paruisque inpellitur
undis 1.213
turbidus Auster /inpulerat, maestam
tenuerunt nubila lucem. 1.235
inpulit aut saeui contorsit tela Lycurgi
/Eumenis, ... 1.575
delabitur inde /... Liris per regna
Maricae /Vestinis inpulsus aquis
radensque Salerni /tesca Siler . . 2.425
inpulsum rostris sonuit mare, fluctuat
unda, ... 2.702
audet et aduersum fluctus inpellit in
Eurum, ... 3.232
quod non inpulsa nec ipso /strata metu
tenuit flagrantis in omnia belli /
praecipitem cursum, ... 3.389
procumbunt orni, nodosa inpellitur ilex,
3.440
inpulsae tonsis tremuere carinae 3.527
huc hostem pariter terrorque pudorque /
inpulit, ... 4.35
quidquid caeli fuscator Eoi /inpulerat
Corus, quidquid defenderat Indos. 4.67
Caesaris arma natant, inpulsaque gurgite
multo /castra labant; 4.88
aut inpulsa leui turbatur glarea uena.
4.302
tollite signa, duces, fatorum inpellite

cursum, ... 5.41
dedit ille minas inpellere belli, 5.108
haerentem dubiamque premens in templa
sacerdos /inpulit. 5.146
nobis uictoria turbam /non dabit, inpulsi
tantum quae praemia belli /auferat 5.330
cum glacie retinente fretum non inpulit
Hister, ... 5.437
si numina nostras /inpulerint acies,
maneat pars optima Magni, ... 5.757
extruitur quod non aries inpellere saeuus,
/... queat 6.36
inpulso turres confringere uallo, 6.123
inuenit inpulsos presso iam puluere muros,
6.280

axibus et rapidis inpulsos Iuppiter
urguens /miratur non ire polos. 6.464
inpulsam sidere Tethyn / reppulit
Haemonium defenso litore carmen. 6.479
et quaecumque fugax Sertorius inpulit
arma, ... 7.16
astra Thyestae /intulit (inpulit) et
subitis damnauit noctibus Argos: var.7.452
promouet ipse acies, inpellit terga
suorum, ... 7.576
teque minor solo cunctas inpellere gentes
/rursus in arma potes 7.718
inpulit amentes aurique cupidine caecos
/ire super gladios supraque cadauera
patrum. 7.747
non plura locutus /inpulit huc animos.
8.454

semel inpulit illum /dilata Fortuna manu.
8.707

pelagoque iuuante cadauer /inpellit. 8.726
tunc ausum classi praecludere portus /
inpulit 9.40
uel sceptra uel urbes /libertate sua
ualidas inpellite fama / nominis: 9.91
quantum inpulit Argos /... facie Spartana
nocenti,/Hesperios auxit tantum Cleopatra
furores. 10.60

INPENDEO,-ERE. inpendent caua saxa mari,
4.455

INPENDO,-ERE. naturamque sequi patriaeque
inpendere uitam 2.382
multisne rebellis /Gallia iam lustris
aetasque inpensa labori /dant animos?
2.569

et tu perpetuis inpendas aera nimbis,
4.112

in uentos inpendo uota fretumque. 5.491
inpendisse pudet lacrimas in funere mundi
/mortibus innumeris, ... 7.617

INPERFECTUS,-A,-UM. hinc inperfecto
conplectitur aera gyro /arcus . . 4.79

INPETO,-ERE. ursa,/... telumque irata
receptum /inpetit 6.223
inpetis Haemonio maiorem Scorpion arcu.
6.394

INPETUS v. IMPETUS.

INPEXUS,-A,-UM. terribilis Stygio facies
pallore grauatur /inpexis onerata comis:
6.518

INPIGER,-GRA,-GRUM. sic fatus noctis tenebris
rapit agmina ductor /inpiger, 1.229
Boeoti coiere duces, quos inpiger ambit /
fatidica Cephisos aqua Cadmeaque Dirce,
3.174

his praeter Latias acies erat inpiger
Astur 4.8

INPIGER

ceciditque in strage suorum /inpiger ad
letum et fortis uirtute coacta.   4.798

INPINGO,-ERE. inpactae cessere fores,
expulsaque templis /prosiluit;   5.209
quod te nostris inpegit harenis?   5.697
roboris inpacti crebros gemit agger ad
ictus. 6.137
illic, quod populos scelerata inpegit in
arma, /diuitias numerare datum est.   6.406
tum magis inpactis breuius mare terraque
saepe /obuia consurgens: 9.338

INPIUS,-A,-UM. inpiaque in medio peraguntur
bella senatu. 1.691
inpia turba super medios ferit ense
lacertos. 3.666
'quo uos pauor'...'adegit /inpius   6.151
inpius hinc prolem superis inmisit Aloeus,
                                         6.410
inpia tot populis, tot surdas gentibus
aures /caelicolum dirae conuertunt
carmina gentis. 6.443
inpia laetatur uulgato nomine famae /
Thessalis, ...   6.604
inpiaque infernam ruperunt arma quietem;
                                         6.781
Stygii quae numina regni /... /inpia tam
saeue gesturus bella litasti?)   7.171
'inpia concurrunt Pompei et Caesaris arma',
                                         7.196
saepe super uoltus uictoris et inpia
signa /aut cruor aut alto defluxit ab
aethere tabes 7.838
capit inpia plebes /caespite patricio
somnos, ...   7.760
cur inpia nupsi, / si miserum factura
fui? 8.96
namque memor generis Carthaginis inpia
proles /inminet Hesperiae, ...   8.284
inpius ut Magnum nosset puer, illa uerenda
/regibus hirta coma ... /... conprensa
manu est, ...   8.679
condita laudabit Magni socer inpius ossa:
                                         8.783
non toto in pectore portas,/inpia,
Pompeium? 9.71
nubit soror inpia fratri, ...   10.357
non Thessala tellus /uastaque regna Iubae,
non Pontus et inpia signa /Pharnacis...
/.../tantum ausus scelerum, . . .   10.475

INPLEO,-ERE. Pharsalia campos /inpleat et
Poeni saturentur sanguine manes,   1.39
inplentur ualidae tirone cohortes,   1.305
prodigiis terras inplerunt, aethera,
pontum. 1.525
Tethys maioribus undis /Hesperiam Calpen
summumque inpleuit Atlanta. . .   1.555
alios fecunda penates /inpletura datur
geminas et sanguine matris /permixtura
domos; 2.332
cognato tantos inplerunt sanguine sulcos,
                                         4.554
ne cessa praebere deo tua fata uolenti /
angustos opibus subitis inplere penates.'
                                         5.537
stagnumque inplentibus unum /crescere
cursus erat. 6.346
cura fuit lectis pharetras inplere
sagittis, ...   7.142
sternite iam uallum fossasque inplete
ruina, ...   7.326
toto populi qui nascimur orbe /nec muros

inplere uiris nec possumus agros: 7.401
spes numquam inplenda recessit;   7.688
sed non inpleuit cupientis omnia mentes.
                                         7.754
'si foedera nobis /prisca manent ... /
per uestros astricta magos, inplete
pharetras 8.220
aut fossas inplere ualent, . . .   8.378
cui fas inplere parentem, /quid rear esse
nefas? 8.409
illic postquam se lumine uero /inpleuit,
... /... uidit quanta sub nocte iaceret
/nostra dies 9.12
'ergo indigna fui'... /... / ossibus et
tepida uestes inplere fauilla,   9.60
ferroque aperire tumentis /sustinuit uenas
atque os inplere cruore. 9.760
ut ducis inpleuit uisus ueneranda
uetustas, /erexit ... aras 9.987

INPLICO,-ARE. inplicitas magno Caesar torpore
cohortes / ut uidit, ...   3.432
et inplicitis gaudent subsidere membris
                                         3.695
cornipedem ... / Magnus agens incerta
fugae uestigia turbat /inplicitasque
errore uias. 8.5

INPLORO,-ARE. Cancroque suam torrente
Syenen/ inploratus adest, ...   10.235

INPLUMIS,-E. Iouis uolucer, calido cum
protulit ouo / inplumis natos, solis
conuertit ad ortus: 9.903

INPONO,-ERE. Antoni, cuius laceris pendentia
canis /ora ferens miles festae rorantia
mensae /inposuit. 2.124
meque ipsum memini, caesi deformia
fratris /ora rogo cupidum uetitisque
inponere flammis, ...   2.170
qua uertice lapsus /Riphaeo Tanais
diuersi nomina mundi /inposuit ripis
Asiaeque 3.274
quodque uirum toti properans inponere
mundo /hos perdit Fortuna dies! . .   3.393
temptat et inpositis unum subducere saxis.
                                         3.492
non primis robora ripis /inposuit,   4.140
Magno fatum patriaeque suumque /inposuit.
                                         5.49
inposuit terrae. 5.676
postquam castra duces ... propinquis /
inposuere iugis 6.2
umeris defectum inponere gaudet;   6.252
funereas aris inponere flammas /gaudet
                                         6.525
si quisquis uestris caput extaque
lancibus infans /inposuit uicturus erat,
parete precanti. 6.711
dixit, maestamque carinae /inposuit
comitem. 8.147
cogit pietas inponere finem /officio.
                                         8.785
dentibus hic niueis sectos Atlantide
silua /inposuere orbes, ...   10.145
postquam epulis Bacchoque modum lassata
uoluptas /inposuit, longis Caesar
producere noctem /inchoat adloquiis,
                                         10.173
Hesperii fortuna ducis,... sustulit illum
/inposuitque orbi 10.377

INPORTUNUS,-A,-UM. inportunamue fereris /
pauperiem deflens inopem duxisse senectam.
                                         5.535

INPRIMO,-ERE. collegit ... /armaque et
inpressas auro, quas gesserat olim /
exuuias 9.176
inpressit dentes haemorrhois aspera Tullo,
9.806

INPROBUS,-A,-UM. ex hoc iam te, inprobe,
regno /ille tuus saltem doceat descendere
Sulla. 1.334
pars micat et celeri uenas mouet inproba
pulsu. 1.629
'quid spes' ait 'inproba ueri /te, Romane,
trahit? 5.130
'et nobis meritas dabis,impia (improba),
poenas /et superis, ... var.5.158
ad mortem dimitte senes. en inproba uota:
5.277

hic auidam belli rapuit spes inproba
mentem 6.29
teque, per amnem /inprobe Lernaeas
uector passure sagittas, ... 6.392
nescis, puer inprobe, nescis /quo tua
sit fortuna loco: 8.557

INPULSUS(subst.). abscidit inpulsu uentorum
adiuta uetustas, ... 3.471
expectant imbres, quorum modo cuncta
natabant /inpulsu, et siccis uoltus in
nubibus haerent. 4.331
confringite tela /pectoris inpulsu 6.161

INPUNE. uix inpune feres. 1.289
quodque nefas nullis inpune apparuit
extis, ... 1.626
quis enim laesos inpune putaret / esse
deos ? 3.447
uix inpune suos inter conuertitur enses;
4.779

facere omnia saeue /non inpune licet,
nisi cum facis. 8.493
non inpune tuos Magnus contempserit annos,
8.496
caeloque tonante profanas /inseruisse
manus /inpure (inpune) ac semiuir, audes?
var.8.552
hoc habet infelix, cunctis inpune, Medusa,
/quod spectare licet. 9.636
epulasque daturum /haud inpune feris
... / ... cadauer. 9.803

INPURUS,-A,-UM. caeloque tonante profanas/
inseruisse manus, inpure ac semiuir,
audes? 8.552
rege sub inpuro Nilotica rura tenente,/
hospitii fretus superis.../...cecidit 9.130

INPUTO,-ARE. ignoti iugulum tamquam scelus
inputet hostis. 7.325
Pompeio praestare potest quod Caesaris
armis / inputet. 8.658

INQUAM. 'non alios' inquit 'motus tum fata
parabant 2.68
campoque expulsa piorum /ad Stygias'
inquit 'tenebras manesque nocentis /...
trahor. 3.13
haud' inquit 'iugulo se polluet isto /
nostra, Metelle, manus; 3.135
'libertas' inquit 'populi quem regna
coercent /libertate perit; 3.145
'quisnam mea naufragus' inquit /'tecta
petit, ... 5.521
'sperne minas' inquit 'pelagi uentoque
furenti 5.578
ille gemens 'non nunc uita mihi dulcior,'
inquit 5.739
'quos uos pauor' inquit 'adegit . . 6.150

'numquam me Caesaris' inquit / 'exemplo
reddam patriae, ... 6.319
pronum erat, o iuuenis, quos uelles'
inquit 'in actus/inuitos praebere deos.
6.606
'dic' inquit Thessala 'magna, /quod iubeo,
mercede mihi; 6.762
'si placet hoc' inquit 'cunctis, ... /
... nil ultra fata morabor: . . . 7.87
'quem flagitat' inquit /'uestra diem
uirtus,... /... adest. 7.342
sed 'quid opus uicto populis aut urbibus?'
inquit 7.720
dat poenas laudata fides, cum sustinet'
inquit / 'quos fortuna premit. . . 8.485
'ciuis obit' inquit 'multum maioribus
inpar /nosse modum iuris, ... 9.190
'mene' inquit 'degener unum /miles in hac
turba uacuum uirtute putasti? . . 9.505
'sors obtulit' inquit /... tam magni
numinis ora /consiliumque dei: . . 9.550
'tu mollibus' inquit / 'nunc incumbe toris
10.353

INQUINO,-ARE. facinus quos inquinat aequat.
5.290

INQUIRO,-ERE. inquire in fata nefandi /
Caesaris 9.558
INREDUX. inreducemque uiam deserto limite
carpit; 9.408
INREUOCABILIS,-E. ruit inreuocabile uolgus.
1.509
INRIGO,-ARE. flumine puro /inrigat Amphrysos
famulantis pascua Phoebi. . . . 6.368
INRIGUUS,-A,-UM. puteusque cauati /montis
ad inrigui premitur fastigia campi. 4.296
INRITUS,-A,-UM. inrita tela suas peragunt in
gurgite caedes, ... 3.580
caeca tela manu sed non tamen inrita
mittit. 3.722
inritus et uictor subducto Marte pependit.
4.47

tunc inrita pestis /exprimitur faucesque
fluunt pereunte ueneno. 4.728
miserique fuit spes inrita mundi 5.469
uotaque turicremos non inrita fudit in
ignes. 9.989
struit audax inrita fatis . . . 10.344

INRUMPO,-ERE. inrupitque animos populi
clademque futuram /intulit . . . 1.470
quas sancta relicto /Hortensi maerens
inrupit Marcia busto. 2.328
Hesperiae fines uacuosque inrumpat in
agros 2.441
Phemonoen ... / corripuit cogitque fores
inrumpere templi. 5.127
artus /Phoebados inrupit Paean mentemque
priorem /expulit 5.167
extremique fragor conuexa inrumpit Olympi,
7.478

INRUO,-ERE. cladibus inruimus nocituraque
poscimus arma; 7.60
subito bellum molire tumultu /inrue;
10.373

INSANUS,-A,-UM. insanamque famem permissasque
ignibus urbes /... /hi possunt explere
uiri, ... 7.413
INSCIUS,-A,-UM. inscius in sicco serpentem
puluere riuum /transierat, qui Xanthus
erat. 9.974
INSCRIBO,-ERE. inscripsit sacrum semusto
stipite nomen:. 8.792

INSCRIBO
    quodcumque uetustis /insculptum
    (inscriptum) est adytis profer,
                var.10.180
INSCULPO,-ERE. quodcumque uetustis /insculptum
    est adytis profer, ... 10.180
INSEQUOR,-I. saeue, quid insequeris? quid
    iam nolentibus instas? 5.315
    leuis armatura ... /insequitur saeuasque
    manus inmittit in hostem: . . . 7.509
INSERO,-ERE. iuuat ignibus atris /inseruisse
    manus constructoque aggere busti /ipsum
    atras tenuisse faces, ... 2.300
    ferrea dum puppi rapidos manus inserit
    uncos /adfixit Lycidan. 3.635
    inguinaque insertis pedibus distendit
                  4.628
    forsan, terris inserta regendis /aere
    libratum uacuo quae sustinet orbem, 5.93
    inseruit celsis prope se cum Pelion astris
                  6.411
    Phoebeque serena /... /palluit ... /quam
    si ... tellus /inseretque suas flammis
    caelestibus umbras; 6.504
    insertum manibus chalybem ... /sustulit
                  6.547
    conceditur arti,/unam cum radiis
    presserunt sidera mortem,/inseruisse
    moras; 6.609
    et inserto laqueis feralibus unco /per
    scopulos miserum trahitur per saxa cadauer
    /uicturum, ... 6.638
    caeloque tonante profanas /inseruisse
    manus, inpure ac semiuir, audes? 8.552
    inseruitque manus terrae . . . 9.483
    hoc nobis non altius inseret Hammon. 9.572
    saepe quidem pestis nigris inserta
    medullis /excantata fugit; . . 9.930
    secreta quid arma /mouit et inseruit
    nostro sua tela labori? . . . 9.1072
INSIDEO,-ERE. collem ... Petram /insedit
    castris Ephyraeaque moenia seruat 6.17
INSIDIAE. insidiae ualuere tuae, deceptaque
    uixi 9.99
    districta epulis ad cunctas aula
    patebat /insidias, ... 10.423
INSIGNIS,-E. Laelius emeritique gerens
    insignia doni, ... 1.357
    nobile cur robur fortunae uolnere primo /
    'femina tantorum titulis insignis
    auorum /frangis? 8.73
    positisque insignibus aulae /egreditur
    famulo raptos indutus amictus. 8.239
    collegit uestes miserique insignia Magni
                  9.175
INSILIO,-IRE. et hostilem defectis robore
    neruis / insiluit solo nociturus pondere
    puppem. 3.626
    insiluit puppi iuuenum comitante tumultu.
                  9.252
    sed caeca nocte carinis /insiluit Caesar
                  10.507
INSISTO,-ERE. illis et uolucres metuunt
    insistere ramis 3.407
INSOLITUS,-A,-UM. iudicium insolita trepidum
    cinxere corona 1.321
    sed firma gerendis /molibus insolito
    contexunt robora ductu. . . . 4.419
    hoc potuit caelo pelagoque minari /
    torporem insolitum mundoque obducere
    terram. 9.648
    Cato ... /emetitur iter, tot ... fata

    suorum / insolitasque uidens paruo cum
    uolnere mortes. 9.736
INSOMNIS,-E. inuenit insomni uoluentem
    publica cura 2.239
    extrahit insomnis bellorum fabula noctes,
                  4.200
    Phasidos et campis insomni dente creati
    /terrigenae 4.552
    quae nox tibi proxima uenit, /insomnis;
                  5.806
INSONO,-ARE. insonuere tubae et, quanto
    clamore cohortes /miscentur, . . 1.578
    arduus axis /intonuit (insonuit) motaque
    poli conpage laborant. . . var.5.633
INSOPITUS,-A,-UM. atque, insopiti quondam
    tutela draconis, /Hesperidum ... hortus
                  9.357
INSPICIO,-ERE. inspicit et gladios, qui toti
    sanguine manent, ... 7.560
    si successu nuda remoto / inspicitur
    uirtus, quidquid laudamus in ullo /
    maiorum, fortuna fuit. 9.595
INSPIRO,-ARE. putem ... terramque nocentem /
    inspirasse animas, ... 7.769
INSPUO,-ERE. et, quibus os dirum nascentibus
    inspuit, herbas /addidit . . . 6.683
INSTABILIS,-E. desertus Orontes /... / et
    Tyros instabilis pretiosaque murice
    Sidon. 3.217
    instabili gressu metitur litora cornix.
                  5.556
    nullisque potest consistere miles
    /instabilis, raptis etiam quas calcat,
    harenis. 9.465
INSTAR. Vestalesque foci summique o numinis
    instar /Roma, faue coeptis. . . 1.199
    caedes oriuntur et instar /inmensae uocis
    gemitus, ... 7.571
    'comites bellique fugaeque /atque instar
    patriae, ... /.../ ingentis praestate
    animos. 8.263
    ipse locus templi,... /... instar erat,
                  10.112
INSTAURO,-ARE. plus nobilis irae /truncus
    habet fortique instaurat proelia laeua
                  3.615
INSTINGUO,-ERE. instinctam sacro mentem
    testata furore, ... 5.150
INSTITUO,-ERE. duro concordes caespite mensas
    /instituunt et permixto libamina Baccho;
                  4.198
INSTO,-ARE. successus urguere suos, instare
    fauori /.../numinis, ... 1.148
    uictor cedentibus instat . . . 2.469
    instat atrox et adhuc, quamuis possederit
    omnem /Italiam, ... 2.658
    dent fata recessum /emittantque licet,
    uitare instantia nolim. 4.515
    instabatque dies qui dat noua nomina
    fastis 5.5
    quid iam nolentibus instas? . . 5.315
    iam castris instare suis seponere tutum /
    coniugii decreuit onus 5.724
    instabat miserae, Magnum quae redderet,
    hora. 5.815
    fortissimus ille est /qui, promptus
    metuenda pati, si comminus instent, / et
    differre potest. 7.106
    hic cum mihi semper in altum /surget et
    instabit summis minor Vrsa ceruchis, /
    Bosporon ... /spectamus. . . . 8.177

INSTRUMENTUM

INSTRUMENTUM. quid porro tumulis opus est
    aut ulla requiris /instrumenta, dolor?
                                        9.70

    temere omnia saeui /instrumenta rapit
    belli. 10.402

INSTRUO,-ERE. sic fatus apertis /instruxit
    campis acies; 4.711
    omne potens animal leti ... /et pauet
    Haemonias et mortibus instruit artes.
                                        6.486

    exiguam sociis monstri gladiisque carinam
    /instruit. 8.542

INSUETUS,-A,-UM. haesit et insueto concepit
    pectore numen, ...   5.163
    uiduo tum primum frigida lecto / atque
    insueta quies uni, ...   5.807
    laetatur honore /rex puer insueto, quod
    iam sibi tanta iubere /permittant famuli.
                                        8.537

INSULA. si non uiolentos insula Coros /
    exciperet saxis lassasque refunderet
    undas. 2.617
    utraque frugiferis est insula nobilis
    aruis, ...   3.65
    insula deseritur ratibus, . . .   4.446
    testes,/praebebunt terrae, summis dabit
    insula saxis, ...   4.494
    exiguo debet, quod non est insula,
    colli. 6.25
    quid, quod iacet insula ponto,/Caesar
    eget ratibus? 8.118
    insula quondam /in medio stetit illa mari
    sub tempore uatis /Proteos, . . 10.509

INSULTO,-ARE. hinc tergo insultant pedites.
                                       10.538

INSUM,-ESSE. 'dum sanguis inerat, dum uis
    materna, peregi iussa, ...   2.338
    non ulli frondem praebentibus aurae /
    arboribus suus horror inest. . .   3.411
    uis inerat. 3.464
    quisquis inest terris in fessos spiritus
    artus /egeritur, ...   4.643
    si sanguine prisco / robur inest animis,
                                        5.18
    terribilis sed pallor inest; . .   5.216

INSUPER. sed eam grauis insuper ictus /
    amputat; 3.611

INSURGO,-ERE. ut uidere duces, purumque
    insurgere caelo /fracturum pelagus Borean,
    soluere carinas. 5.704

INTACTUS,-A,-UM. nam uicina operi belloque
    intacta priore /inter nudatos stabat
    densissima montis. 3.427
    intactum uolucrum rostris epulasque
    daturum /haud inpune feris ... /...
    cadauer. 9.802

INTELLEGO,-ERE. o munera nondum /intellecta
    deum! 5.529

INTENDO,-ERE. curas / expulit armorum pacique
    intentus agebat 3.53
    altaeque ad moenia rursus Ilerdae /
    intendere fugam. 4.262
    stant undique nostris /intenti ciues
    iugulis: 4.486
    Zephyros intendat an Austros /incertum
    est; 5.569
    nil proficis istic /Caesaris intentus
    iugulo: 7.593
    Armeniosque arcus Geticis intendite neruis,
                                        8.221

    quod nisi fatorum leges intentaque iussu /

INTREPIDUS

    /ordinis aeterni miserae uicinia mortis
    /damnatum leto traherent ad litora Magnum,
                                        8.568
    intentusque tulit magni per inania caeli.
                                        9.473

    Caesar ... /cetera curarum proiecit
    pondera soli /intentus genero;   9.952
INTER. 1.481;2.120;2.202;2.399;3.264;3.428;
    3.689;4.14;4.159;4.245;4.334;4.341;4.470;
    4.513;4.585;4.779;5.189;6.154;6.184;6.343;
    6.792;8.369;8.401;8.475;8.661;9.6;9.734;
    9.787;9.846;10.185;10.328;10.358
INTERCIPIO,-ERE. abstulit ad manes Parcarum
    Iulia saeua /intercepta manu.   1.114
    discursusque animae diuersa in membra
    meantis /interceptus aquis.   3.641
    sic partem intercipit aequor,   9.344
INTEREA. interea Phoebo gelidas pellente
    tenebras 2.326
    interea trepido discedens agmine Magnus
                                        2.392
    nescius interea capti ducis arma parabat
                                        2.526
    interea totum Magni fortuna per orbem /
    secum casuras in proelia mouerat urbes.
                                        3.169
    interea domitis Caesar remeabat Hiberis
                                        5.237
    tutior interea populis et tutior omni /
    rege late, ...   5.754
    interea paruo signemus litora saxo, 8.771
    interea totis audito funere Magni /
    litoribus sonuit percussus planctibus
    aether, ...   9.167
    fremit interea discordia uolgi,   9.217
INTERFICIO,-ERE. sed eum cui uolnera prima /
    debebat grato moriens interficit ictu.
                                        4.547
INTERIUS(adv.). agminaque interius muro
    breuiore recepit, ...   6.288
INTERMANEO,-ERE. defessus Caesar mediis
    intermanet agris. 6.47
INTERMITTO,-ERE. seu maesto classica paulum /
    intermissa sono claususque et frigidus
    ensis /expulerat belli furias, . . 5.245
INTERPONO,-ERE. non interpositis urantur
    corpora flammis; 7.805
INTERRITUS,-A,-UM. premit ille grauis
    interritus iras, ...   2.521
INTERRUMPO,-ERE. interruptus aquae fluxit
    prior amnis in aequor, ...   2.213
    atque interrupta profundo /terra ferit
    puppes, ...   9.335
INTEXO,-ERE. haud procul inde domus,... /...
    sterili iunco cannaque intexta palustri
                                        5.517
INTIMUS,-A,-UM. ast, ubi seruantur saxis,
    quibus intimus umor /ducitur,... /... tunc
    omnis auide desaeuit in artus   6.538
    non intima curant /uiscera nec totas
    auidae sorbere medullas: 7.842
INTONO,-ARE. insonuere (intonuere) tubae
                                     var.1.578
    intonuit motaque poli conpage laborant.
                                        5.633
INTONSUS,-A,-UM. intonsos rigidam in frontem
    descendere canos /passus erat   2.375
INTRA(praep.). 1.518;4.648;5.241;6.264;6.829;
    10.453
INTREPIDUS,-A,-UM. intrepidus tanti sedit
    securus ab alto 2.207

INTREPIDUS

        intrepidus uoltu meruitque timeri   5.317
        intrepidus quamcumque datis mihi, numina,
        mortem /accipiam. 5.658
        uincula rumpit /adfixam uellens oculo
        pendente sagittam /intrepidus,   6.219
        intrepidus superum sedes et templa uetusti
        /numinis ... /circumit,   10.15
INTRO,-ARE. non tam portas intrare patentis /
        quam fregisse iuuat. 2.443
        quo pectore Romam / intrabit factus
        campis felicior istis? 7.702
        da similis Lesbo populos, qui Marte
        subactum / non intrare suos infesto
        Caesare portus, /... uetent.'   8.145
        sed prius orta dies nocturnam lampada
        texti /quam tutas intraret aquas.   9.1007
INTUMESCO,-ERE. tellus /altius intumuit
        propiusque accessit Olympo. . . .   2.398
        intumuere tori, totosque induruit artus
                                             4.631
        uentis cessantibus aequor /intumuit,   6.470
        iam supplice Varo /intumuit uiditque loco
        Romana secundo. 8.288
INTUS. 6.646
INUADO,-ERE. uicinumque minax inuadit
        Ariminum, ...   1.231
        inuadunt clipeos curuataque cuspide pila
                                             1.242
        me solum inuadite ferro, ...   2.315
        inuasit ferrum, sed ponere norat.   9.198
        inuasit Libye securi fata Catonis.   9.410
        uelox currit per tela uenenum /inuaditque
        manum; 9.830
        inuasit Cleopatra domum,   10.355
INUALIDUS,-A,-UM. iam respice canos /
        inualidasque manus et inanis cerne
        lacertos. 5.275
        haec fatum decumus, dictu mirabile,
        fluctus /inualida cum puppe leuat,   5.673
        addidit inualidae robur facundia causae.
                                             7.67
        excitat inualidas admoto fomite flammas.
                                             8.776
INUEHO,-ERE. molemque profundo /inuehit et
        summis longe petit aequora remis.   3.537
        non domitor mundi nec ter Capitolia curru/
        inuectus regumque potens uindexque
        senatus /... Romanus erat: 8.554
INUENIO,-ERE. fata ... /inuenere uiam
        magnoque aeterna parantur 1.34
        iustos Fortuna laborat /esse ducis motus
        et causas inuenit armis. 1.265
        quem tamen inueniet tam longa potentia
        finem? 1.333
        inuenit insomni uoluentem publica cura
                                             2.239
        inuenit ista deos; 3.126
        exceptum mediis inuenit uolnus in undis.
                                             3.582
        inuenit arma furor: 3.671
        peruenit ad puppim spirantisque inuenit
        artus. 3.732
        ille suo nubes quascumque inuenit in axe
                                             4.62
        nos denique bellum /inuenit ciuile duces,
                                             4.350
        ora quibus soluat, nostro non inuenit
        aeuo.' 5.140
        dum te, consultor operti /Castalia tellure
        dei, uix inuenit, Appi, ...   5.188
        inuenient haec arma manus, ...   5.326

INUIDEO

        inuenit et pauidas hiberno sidere
        classes. 5.408
        sunt inuenta nouo, ...   5.451
        primisque inuenit in undis /rupibus exesis
        haerentem fune carinam. 5.513
        inuenit inpulsos presso iam puluere muros,
                                             6.280
        pulmonis ... fibras /inuenit et uocem
        defuncto in corpore quaerit. . . .   6.631
        nullaque funestis iuuenta est uictima
        sacris. 7.167
        cum Caesar tela teneret /inuenta est
        prior ulla manus? 7.475
        inuenere quidem spoliato plurima mundo /
        ... congestae pondera massae,   7.752
        nam saeuus in ipso / Septimius sceleris
        maius scelus inuenit actu, ...   8.668
        inueniat trunci cineres et norit harenas
        / ad quas, Magne, tuum referat caput.'
                                             8.774
        inueniet classes quisquis Pompeius in
        undas /uenerit, ...   9.93
        inuentus mediis fons unus harenis   9.607
        tu nomina tanto /inuenies operi,   9.1030
        nec talia fatus /inuenit fletus comitem
                                             9.1105
        plenum epulis madidumque mero Venerique
        paratum /inuenies: 10.397
        ubi non ciuilia bella /inuenit imperii
        fatum miserabile nostri? 10.411
INUERTO,-ERE. haud procul inde domus,... /
        ... / et latus inuersa nudum munita
        phaselo 5.518
        te ... torquentem ... uolsas, /Rhoece
        ferox, quas uix Boreas inuerteret ornos,
                                             6.390
INUICEM. inque uicem gens omnis amet;   1.61
        inque uicem uoltus tenebris mirantur
        opertos 7.177
INUICTUS,-A,-UM. tutus, ut, inuictae fatum
        si consulat urbi, ...   3.334
        inuictus robore cunctis, quamuis staret,
        erat. 4.608
        ac ducis inuicti rebus lassata secundis.
                                             5.324
        et inuicti posuit se mente Catonis.   9.18
        inuictumque ducem detecto Marte lacessit.
                                             10.346
INUIDEO,-ERE. gentibus inuisis Latium praebere
        cruorem 1.9
        sedibus exiluere patres, inuisaque belli /
        consulibus fugiens mandat decreta senatus.
                                             1.488
        frustraque hosti concessa potestas /
        sanguinis inuisi, primo qui caedis in actu
        deriguit ferrumque manu torpente remisit.
                                             2.77
        nec plus uictoria Sullae /praestitit
        inuisas penitus quam tollere partes: 2.229
        his te quoque iungere, Caesar, /inuideo
        nostrasque manus quod Roma furenti   2.551
        en, sibi uilis adest inuisa luce iuuentus
                                             4.276
        excitet inuisas dirae Carthaginis umbras
                                             4.788
        aspicit astantem ... umbram /exanimis
        artus inuisaque claustra timentem /
        carceris antiqui. 6.721
        aut populis inuisum hac clade peracta /
        ... nomen: 7.120
        inuidet igne rogi miseris, ...   7.798

INUIDEO
   'o utinam in thalamos inuisi Caesaris
   issem 8.88
   libertas scelerum est quae regna inuisa
   tuetur 8.491
   ossa ... nondum subruta fluctu /inuisa
   tellure sedent. 8.840
   et inuisi tendunt mihi carbasa uenti.
                  9.77
   nostra quoque inuiso quisquis feret ora
   tyranno /non parua mercede dabit: 9.279
   quod si Phario germana tyranno /non
   inuisa foret, potuissem reddere regi /
   quod meruit, ...9.1069
   summus Alexander regum,... /inuidit Nilo,
                  10.273
INUIDIA. commodat in populum terrae
   pelagique potentem /inuidiam Fortuna suam.
                  1.84
   nullis defuit aris /inuidiam factura
   parens. 2.36
   quae fortuna deorum /inuidia caeca
   bellorum in nocte tulisset, . . . 4.244
   inuidia regnate mea. 7.269
   Pompeio contigit ignis /inuidia maiore
   deum. 9.66
   ipsaque leti /frons caret inuidia nec
   quicquam plaga minatur. 9.740
   inuidia sacrae, Caesar, ne tangere famae;
                  9.982
   fortasse tyranni /tangeris inuidia, 9.1052
   qui secum inuidia, quo totum ceperat
   orbem, /abstulit imperium, . . . 10.43
INUIDIOSUS,-A,-UM. temptare pudendum /
   auxilium tanti est,... ut,.../...te parua
   tegant ac uilia busta,/inuidiosa tamen
   Crasso quaerente sepulchrum? 8.394
   minimumque tenens dux ipse liquoris /
   inuidiosus erat. 9.505
INUIDUS,-A,-UM. inuida fatorum series
   summisque negatum 1.70
   abscidit nostrae multum fors inuida laudi,
                  4.503
   inuidus, annoso qui famam derogat aeuo,
                  9.359
INUIGILO,-ARE. inuigilat cunctis saeuum scelus,
                  7.766
INUIOLATUS,-A,-UM. eminet in tergo pelagi ...
   /inuiolatus aqua sicci iam pulueris agger;
                  9.342
INUITO,-ARE. inuitatque patris claudenda ad
   lumina dextram. 3.740
   et temere ingressos repetendum inuitat
   ad aequor /pace maris. 4.436
INUITUS,-A,-UM. inuita peragam tamen omnia
   dextra; 1.378
   quoslibet in saltus comitantibus agmina
   tauris /inuito pastore trahit,   2.607
   insueto (inuito) concepit pectore numen,
                var.5.163
   uelut ensibus ipsis /imperet inuito
   moturus milite ferrum. 5.367
   aut quae nos uiles animas in fata
   relinquens /inuitis spargenda dabas tua
   membra procellis? 5.684
   uerbaque ad inuitum perfert cogentia
   numen, ... 6.446
   fatis debentibus annos /mors inuita subit;
                  6.531
   pronum erat, o iuuenis, quos uelles'inquit
   'in actus / inuitos praebere deos. 6.607
   rus uacuum, quod non habitet nisi nocte

   coacta/ inuitus questusque Numam
   iussisse senator. 7.396
   spumeus inuitis canescit fluctibus amnis.
                10.322
INUIUS,-A,-UM. uigiles Pompei pectore curae/
   ... adeunt ... /... nunc inuia mundi /
   arua super nimios soles Austrumque
   iacentis. 8.163
   ambigua sed lege loci iacet inuia sedes,
                  9.307
   per mediam Libyen ueniant atque inuia
   temptent, ... 9.386
INULTUS,-A,-UM. Ausoniis umbraque erraret
   Crassus inulta 1.11
   quidquid multis peccatur inultum est.
                 5.260
   dum patrii ueniant in uiscera Caesaris
   enses /Magnus inultus erit. . . 10.529
INUMBRO,-ARE. stat, mirum, moles et siluis
   aequor inumbrat. 4.456
INUNDO,-ARE. hos campos Rhenus inundet, 4.116
INUOLO,-ARE. hic ardor solusque labor,.../...
   quos Caesaris inuolet artus. . . 6.588
INUOLUO,-ERE. inuoluitque orbem tenebris
   gentesque coegit /desperare diem; 1.542
   inuoluens multaque tegens ambage canebat.
                 1.638
   uicinum inuoluens contorto uertice pontum.
                 3.631
   nubes ... /uetitae transcurrere densos /
   inuoluere globos, ... 4.74
   aut cum permixtas acies sua tela
   tenebris /inuoluent. 4.490
   inuoluat populos una fortuna ruina 7.89
   inuoluit uoltus atque, indignatus apertum
   /fortunae praebere, caput; . . . 8.614
   qui super ingentis cumulos inuoluit
   harenae /atque operit tellure uiros. 9.485
INUSTUS,-A,-UM. ossa ... inustis plena
   medullis /aequorea restinguit aqua 8.787
   ire libet qua zona rubens atque axis
   inustus /solis equis; 9.852
IOLCOS. quorumque labore /Thessalus Haemoniam
   uomer proscindit Iolcon. 3.192
IONIUS,-A,-UM. Ionium Aegaeo frangat mare,
                 1.103
   Illyris Ionias uergens Epidamnos in undas.
                 2.624
   omnis in Ionios spectabat nauita fluctus:
                 3.3
   Tyrrhenum, sonat Ionio uagus Hadria ponto.
                 5.614
   Ioniumque furens, rapido cum tollitur
   Austro, /templa domosque quatit, 6.27
   Aeas / Ionio fluit inde mari, 6.362
IONOS. primus Thessalicae rector telluris
   Ionos /in formam calidae percussit pondera
   massae /fudit 6.402
IPSE, IPSA, IPSUM. 1.179;1.540;1.618;2.42;
   2.109;2.158;2.276;2.290;2.299;2.476;2.515;
   2.598;2.725;3.414;3.424;4.37;4.185;4.540;
   4.703;4.723;4.734;4.748;5.142;5.257;5.312;
   5.368;5.381;5.488;6.70;6.173;6.300;6.435;
   6.499;6.814;7.41;7.105;7.266;7.449;7.567;
   7.574;7.576;8.11;8.17;8.244;8.678;9.352;
   9.504;9.587;9.590;9.796;9.894;9.1032;
   10.94;10.111;10.222;10.526
   IPSA(nom.f.). 2.75;2.655;3.14;3.40;4.555;
   5.161;5.259;5.433;6.282;6.561;6.684;8.750;
   9.675;9.704;9.739;9.877;10.96
   IPSI(dat.m.). 1.291

IPSUM(acc.m.). 1.477;2.169;2.301;6.657;
8.77;9.887
IPSI(n.). 2.127;2.442
IPSAM. 6.534;6.600;7.373
IPSO(m.). 3.389;8.667
IPSA(abl.). 4.532;9.103;10.265
IPSI(pl.). 1.487;7.350(bis);9.652
IPSAE. 7.77;9.646
IPSA(nom.n.). 1.37;8.644;9.390
IPSIS(dat.m.). 5.366;8.604
IPSAS. 4.101
IPSA(acc.). 2.684;5.801;6.298;7.49;9.633
IPSIS(abl.m.). 10.374
IPSIS(abl.n.). 10.298

IRA. acer et indomitus, quo spes quoque ira
uocasset, ... 1.146
inde irae faciles et, quod suasisset
egestas, ... 1.173
subsedit dubius, totam dum colligit iram;
. . . . 1.207
in bellum prono tantum tamen addidit irae
. . . . 1.292
atque iram superum raptis quaesiuit in
extis. 1.617
iamque irae patuere deum manifestaque
belli /signa dedit mundus . . . 2.1
non pacem petimus, superi: date gentibus
iras, ... 2.47
numinis, ingenti superum protectus ab ira,
2.86
Libycas ibi colligit iras. . . . 2.93
resolutaque legum /frenis ira ruit. 2.146
irarum mouit stimulos iuuenisque calorem
2.324
nam prior e campis ut conspicit amne
soluto /rumpi Caesar iter calida
proclamat ab ira 2.493
premit ille grauis interritus iras, 2.521
temptandasque ratus moturi militis iras
/adloquitur tacitas ueneranda uoce
cohortes. 2.529
proelia iusta decet, patriae sed uindicis
iram; 2.540
gnarus et irarum causas et summa fauoris
/annona momenta trahi. 3.55
tamen exit in iram, ... 3.112
his magnam uictor in iram /uocibus
accensus 3.133
dignum te Caesaris ira /nullus honor
faciet. 3.136
acrior ira subit: saeuos circumspicit
enses 3.142
cum turbato iam prodita uoltu /ira ducis
tandem testata est uoce dolorem. 3.357
tum paruit omnis /imperiis non sublato
secura pauore /turba, sed expensa
superorum et Caesaris ira. . . . 3.439
plus nobilis irae /truncus habet 3.614
addidit ira ferox moturas proelia
uoces. 4.211
ut leti uidere uiam, conuersus in iram
/praecipitem timor est. 4.267
paulatim cadit ira ferox mentesque
tepescunt, ... 4.284
terrigenae missa magicis e cantibus ira
4.553
priuatae sed bella dabat Iuba concitus
irae. 4.688
ueluti fatalis harenae /muneribus non
ira uetus concurrere cogit . . . 4.709
sustulit iras / telluris sterilis

monstrato fine, ... 5.109
nec pectore tecto /ira latens; 5.256
nec dum desaeuiat ira /expectat: 5.303
non metuens, atque haec ira dictante
profatur: 5.318
non ira saltem, iuuenes, pietate remota
/stabitis? 6.155
et Dorion ira /flebile Pieridum; 6.352
has auidae tigres et nobilis ira leonum
/ore fouent blando; 6.487
belli pars magna peracta est /... /si
modo uirtutis stimulis iraeque calore/
signa petunt. 7.103
frenosque furentibus ira /laxat 7.124
ergo utrimque pari procurrunt agmina
motu /irarum; 7.386
pudet ... /quaerere ... / ... ora parentis
/quis laceret nimiaque probet spectantibus
ira /quem iugulat non esse patrem. 7.629
sed meminit nondum satiata caedibus ira
/ciues esse suos. 7.802
nil agis hac ira: 7.809
saeui cum Caesaris iram /iam scirem
meritam ... Lesbon,/non ueritus tantam
ueniae committere uobis /materiam. 8.134
quis enim post uolnera cladis /Assyriae
iustas Latii conpescuit iras? 8.234
quisquis,... / uel tibi prospiciens,
nescis,... ubi ipsa /uiscera sint Magni:
8.643
ne fera, ne uolucres, ne saeui Caesaris
ira / audeat, exiguam,... accipe flammam
8.765
sed Cato laudatam iuuenis conpescuit iram.
9.166
exclusus nulla se uindicat ira, 9.298
sic concitus ira /excussit galeam, 9.509
rex puer inbellis populi sedauerat iras,
10.54
quis te... /moturum totas uiolenti
gurgitis iras, /Nile, putet? . . 10.316
tangunt animos iraeque metusque, 10.443
sed non, qua debuit, ira, / non cruce,
non flammis rapuit,... / Magni morte
perit. 10.516

IRASCOR,-I. et tantum miseris irasci numina
possunt. 3.449
uestibus iratos laxis operire leones.
4.686
et iratas incerta prouocat umbra 4.725
iratum te, Phoebe, ferens. . . . 5.174
licet omne deorum /obsequium speres, irato
milite, Caesar, /pax erit.' . . . 5.294
ursa,/... se rotat in uolnus telumque
irata receptum / inpetit 6.222
irataque morti /uerberat inmotum uiuo
serpente cadauer, ... 6.726
cunctorum uoces Romani maximus auctor /
Tullius eloquii,.../ pertulit iratus
bellis, ... 7.65
non iratorum populis urbique deorum est
/Pompeium seruare ducem. 7.354
permansisse decus ... formae /iratamque
deis faciem, ... /... fatentur 8.665

IRREDUX etc., v. INR-.

IS, EA, ID. 1.171;10.289
EUM. 4.546
EAM. 3.611
ID(acc.). 10.265
EA(acc.). 2.726
EO(adv.). 7.406

ISARA   IUBA

ISARA. hi uada liquerunt Isarae, qui, gurgite
   ductus /per tam multa suo, . . .   1.399
ISAURUS. cecidere ... /Crustumiumque rapax
   et iuncto Sapis Isauro 2.406
ISIS. nec fortior undis /labitur auectae
   pater Isidis, ...   6.363
   nos in templa tuam Romana accepimus Isim
                               8.831
   euoluam busto iam numen gentibus Isim
                               9.158
ISTE, ISTA, ISTUD. 1.342;5.584;5.696;7.389;
   7.536;8.762
   ISTA(nom.f.). 1.670;3.126;3.324;5.588;
   6.158;7.90;7.115;8.122;9.280;9.1059;
   10.525
   ISTUD(acc.). 7.698;8.642
   ISTO(m.). 2.264;3.135;6.242;10.338
   ISTO(n.). 6.328;8.781
   ISTA(abl.). 9.508;9.867
   ISTAE. 9.417
   ISTA(nom.n.). var.1.37;5.351;8.858
   ISTIS(dat.m.). 4.656;7.540
   ISTAS. 5.132;5.287;7.632;9.869
   ISTA(acc.). 1.637;2.539;4.789;4.811;8.439
   ISTIS(abl.m.). 7.702
   ISTIS(abl.f.). 8.545
ISTIC. nil proficis istic /Caesaris intentus
   iugulo: 7.592
ISTHMOS. qui secat et geminum gracilis mare
   separat Isthmos 1.101
ITALIA. urbibus Italiae lapsisque ingentia
   muris 1.25
   per omnem /spargitur Italiam uicinaque
   moenia conplet. 1.468
   nulloque a uertice tellus /altius intumuit
                                  2.397
   longior Italia, donec confinia pontus /
   solueret incumbens terrasque repelleret
   aequor, ...   2.435
   instat atrox et adhuc, quamuis possederit
   omnem /Italiam, extremo sedeat quod litore
   Magnus, ...   2.659
   liceat sibi perdere saltem /Italiam.
                                  2.701
   Italiam si caelo auctore recusas /me pete.
                                  5.579
ITER. hac iter est bellis.' 1.257
   uis sibi fecit iter campumque effusa per
   omnem 2.215
   atque ipsum non perdat iter consertaque
   bellis /bella gerat. 2.442
   nam prior e campis ut conspicit amne
   soluto /rumpi Caesar iter calida proclamat
   ab ira 2.493
   quaque iter est Latiis ad summam fascibus
   Albam; 3.87
   quid rapidum deflectis iter? . . .   3.337
   sic postquam fatus, ad urbem /haud
   trepidam conuertit iter; 3.373
   sed per iter longum causa repsere latenti.
                                  3.458
   concussaque tellus /laxet iter fluuiis:
                                  4.116
   quod fugiens timuisset iter. . . .   4.152
   mundique in deuia uersum /duxit iter,
                                  5.134
   hoc iter aequoreo praecepit limite Magnus,
                                  6.15
   raptum furto soceri cessantibus armis /
   dedignatur iter: 6.122
   sic fatus in ortus /Phoebeos condixit iter,

                               6.330
   deserta per arua /carpit iter.   6.573
   perque arma, per hostem /quaerit iter.
                                7.498
   conperit ut regem Casio se monte tenere/
   flectit iter; 8.471
   sed iter mediis natura uetabat /Syrtibus:
                                9.301
   durum iter ad leges patriaeque ruentis
   amorem. 9.385
   iamque iter omne latet nec sunt discrimina
   terrae: 9.493
   ille quidem pensabat iter propiusque
   secabat / aera, ...   9.685
   et contentus iter cauda sulcare parias,
                                9.721
   has inter pestes duro Cato milite
   siccum /emetitur iter, ...9.735
   sic uelut in tuta securi pace trahebant/
   noctis iter mediae. 10.333
ITERUM. antiquum repetens iterum chaos, 1.74
   consurgunt partes iterum, ...   1.692
   oderuntque ... /seruatosque iterum bellis
   ciuilibus annos. 2.66
   feruidus haec iterum circa praecordia
   sanguis /incaluit; 2.557
   iam fama ferebat /... /et procumbentis
   iterum consurgere taxos, ...   3.419
   atque iterum aequatis ad iustae pondera
   Librae /temporibus uicere dies,   4.58
   utque iterum fessis iniecit bracchia
   membris 4.640
   regnaque ad ultores iterum redeuntia
   Brutos, /ut peragat fortuna, taces? 5.207
   sit tanti uixisse iterum: 6.768
   et rubuit flammis iterum Neptunia cuspis
                                7.147
   sic fata iterumque refusa /coniugis in
   gremium cunctorum lumina soluit/ in
   lacrimas. 8.105
   iterumne relinquor, ...   8.584
   'o numquam pacate Cilix, iterumne rapinas
   /uadis in aequoreas? 9.222
ITYRAEI. tunc et Ityraei Medique Arabesque
   soluti, /... nusquam rexere sagittas,
                                7.514
ITYRAEUS,-A,-UM. Ityraeis cursus fuit inde
   sagittis, ...   7.230
IUBA. erexitque iubam et uasto graue murmur
   hiatu 1.209
   ora terens spargitque iubas et subrigit
   auris 4.752
IUBA. exciuit, Libycas gentis, extremaque
   mundi /signa suum comitata Iubam.   4.670
   priuatae sed bella dabat Iuba concitus
   irae. 4.688
   tristia sed postquam superati proelia Vari
   /sunt audita Iubae, ...   4.716
   Libyamque iubent auctore senatu /
   sceptrifero parere Iubae. 5.57
   nec Iuba Marmaricas nudus pressisset
   harenas 6.309
   si regna times proiecta sub Austro /
   infidumque Iubam, petimus Pharon aruaque
   Lagi. 8.443
   et mihi,... /fac talem, Fortuna, Iubam;
                                9.213
   inde peti placuit Libyci contermina Mauris
   /regna Iubae. 9.301
   set longius istac /nulla iacet tellus,
   quam ... /tristia regna Iubae.   9.869

IUBA

      inposuere orbes, quales ad Caesaris ora /
      nec capto uenere Iuba. 10.146
      non Thessala tellus /uastaque regna Iubae,
      non Pontus et inpia signa /Pharnacis.../
      ... tantum ausus scelerum, . . . 10.475

IUBAR. refertur / ad uolgare iubar mediae
      uenere tenebrae.   5.220
      sed nocte fugata / laesum nube dies iubar
      extulit   5.456
      uicerat astra iubar, cum mixto murmure
      turba /castrorum fremuit 7.45

IUBEO,-ERE. constitit ut capto iussus deponere
      miles / signa foro, ... 1.236
      conposuit uoltu dextraque silentia iussit
                        1.298
      terraque marique /iussus Caesar agi. 1.307
      ac iussam seruire famem? 1.319
      quod non uictrices aquilas deponere iussus
      /paruerim? 1.339
      iussa sequi tam posse mihi quam uelle
      necesse est. 1.372
      gladium ... / condere me iubeas plenaeque
      in uiscera partu   1.377
      illa licet, penitus tolli quam iusseris
      urbem,   1.385
      pone sequi, iussamque feris a gentibus
      urbem /Romano spectante rapi. . . 1.483
      monstra iubet primum quae nullo semine
      discors /protulerat natura rapi   1.589
      mox iubet et totam pauidis a ciuibus
      urbem /ambiri   1.592
      fixit in aeternum causas, qua cuncta
      coercet / se quoque lege tenens, et
      saecula iussa ferentem   2.10
      semel omnia uictor /iusserat, . . 2.148
      non timuit iussisse mori. 2.209
      ceu morte parentem /natorum orbatum longum
      producere funus /ad tumulos iubet ipse
      dolor,   2.299
      peregi /iussa, Cato, et geminos excepi
      feta maritos: 2.339
      iamque secuturo iussurus classica Phoebo
                        2.528
      te quoque si superi titulis accedere
      nostris /iusserunt, ualet, en,torquendo
      dextera pilo, ... 2.556
      'mundi iubeo temptare recessus: . . 2.632
      iussa gerunt soluuntque cauas a litore
      puppes. 2.649
      Curio Sicanias transcendere iussus in
      urbes, ... 3.59
      melius, quod plura iubere /erubuit quam
      Roma pati. 3.111
      si quidquid iubeare uelis. 3.147
      hanc iubet inmisso siluam procumbere ferro;
                        3.426
      extremaque mundi /iussit bella geri. 3.455
      dux equitemque iubet succedere bello 4.44
      capere arma iubet nec quaerere pontem
                        4.149
      promittant ueniam, iubeant sperare
      salutem, ... 4.510
      obscuratque suam per iussa silentia famam
                        4.718
      ipse sub auorae primos excedere motus
      /signa iubet castris, ... 4.735
      gradum ... /nec quamuis crebris iussi
      calcaribus addunt: 4.760
      quid prodita iura senatus /et gener
      atque socer bello concurrere iussi? 4.802
      cunctaque iussuri primum hoc decernite,

IUBEO

      patres, ...   5.21
      consulite in medium, patres, Magnumque
      iubete /esse ducem.' 5.46
      Libyamque iubent auctore senatu /
      sceptrifero parere Iubae. 5.56
      siue canit fatum seu, quod iubet ille
      canendo, ... 5.92
      iussus sedes laxare uerendas . . 5.123
      mentemque priorem /expulit atque hominem
      toto sibi cedere iussit /pectore. 5.168
      Brundisium decumis iubet hanc attingere
      castris 5.374
      Caesaris ... mentem /ferre moras scelerum
      partes iussere relictae. 5.477
      ignaue, uenire / te Caesar, non ire
      iubet.   5.488
      sponte ... audet temptare ... /quod iussi
      timuere fretum,   5.501
      si iussa secutus /me uehis Hesperiam, non
      ultra cuncta carinae /debebis . . 5.533
      uel litora tangam /iussa, uel hoc potius
      pelagus flatusque negabunt.' . . 5.559
      iussa plebe tuli fasces per bella negatos;
                        5.663
      fulminibus me, saeue, iubes tantaeque
      ruinae /absentem praestare caput? 5.770
      'dic' inquit Thessala 'magna,/ quod iubeo,
      mercede mihi; 6.763
      ille quoque incertus ... /quas iubeat
      uitare plagas, quae sidera mundi. 6.816
      iussa tenere diem densas nox praestitit
      umbras. 6.830
      si duce te iusso, si nobis bella geruntur,
      /sit iuris,   7.79
      causa iubet melior superos sperare
      secundos: 7.349
      rus uacuum, quod non habitet nisi nocte
      coacta /inuitus questusque Numam iussisse
      senator. 7.396
      inspicit ... / quis contenta ferat, quis
      praestet bella iubenti, ... 7.563
      aduersosque iubet ferro confundere uoltus.
                        7.575
      in litora Lesbi /flectere uela iubet,
                        8.41
      sed quo uela dari, quo nunc pede carbasa
      tendi / nostra iubes?' 8.186
      iubet ire in deuia mundi /Deiotarum, 8.209
      regem parere iubenti /ardua non piguit,
                        8.238
      nam Medos proelia prima / exarmant
      uacuaque iubent remeare pharetra. 8.387
      hoc ferrum, quod fata iubent proferre,
      paraui /non tibi, sed uicto;   8.520
      laetatur honore /rex puer insueto, quod
      iam sibi tanta iubere /permittant famuli.
                        8.537
      in paruam iubet ire ratem, ... 8.565
      sed cedit fatis classemque relinquere
      iussus /obsequitur, ... 8.575
      Pharioque ueruto,/... suffixum caput est,
      quo numquam bella iubente /pax fuit; 8.684
      iniuria fati /hoc fas esse iubet; . 8.764
      nos in templa ... Romana accepimus ... /
      semideosque canes et sistra iubentia
      luctus   8.832
      quem non tumuli ... saxum / et cinis ...
      / auertet manesque tuos placare iubebit
                        8.857
      ostenditque rogum non iusti (iussi) flamma
      sepulchri, ... var.9.54

IUBEO

hac ire Catonem /dura iubet uirtus. 9.445
aut Astraea iubet lentos descendere Pisces.
9.535
'quid quaeri, Labiene, iubes? . . . 9.566
non iubet, et nulla uehitur ceruice
supinus 9.589
Persea Phoebeos conuerti iussit ad ortus
9.667
in quo saxificam iussit spectare Medusam.
9.670
Pallas frugiferas iussit non laedere
terras 9.687
iussit signa rapi propere Cato: 9.761
natura locorum /iussit ut inmunes mixtis
serpentibus essent. 9.896
simul iussit statui tentoria ductor, /
primum,... harenas /expurgat cantu 9.912
elicitum iussumque exire repugnat, 9.932
nunc gnata iubet maerere neposque?
9.1049
et regem regnare iube. 10.99
Nilus fonte soluto /... iussus adest,
10.217
dare iussus iniquo /temperiem caelo mediis
aestatibus exit /sub torrente plaga,
10.230
sic iussit natura parens discurrere Nilum,
10.238
tantum animi delicta dabant, ut colla
ferire /Caesaris et socerum iungi tibi,
Magne, iuberet; 10.348
piceo iubet unguine tinctas /lampadas
inmitti iunctis in uela carinis; 10.491
IUDAEA. incerti Iudaea dei mollisque Sophene,
2.593
IUDEX. scire nefas: magno se iudice quisque
tuetur; 1.127
credidimus satis his, utendum est iudice
bello.' 1.227
adde quod ingrato meritorum iudice
uirtus /nostra perit: 5.291
nulla manus, belli mutato iudice, pura
est. 7.263
meruistis iudice uitam /Caesare non armis,
non obsidione subacti. 9.272
aspicit ... /... quo iudex sederit
antro. 9.971
exigit infandam corrupto iudice noctem.
10.106
Nilus ... nec ripis alligat amnem /ante
parem nocti Libra sub iudice Phoebum.
10.227
et sumus, ut fatear, tam saeua iudice
sontes: 10.368
IUDICIUM. iudicium insolita trepidum cinxere
corona 1.321
IUDICO,-ARE. de fama tam longi iudicet aeui.
9.548
IUGULO,-ARE. pudet ... / quaerere ... /...
ora parentis / quis laceret nimiaque
probet spectantibus ira /quem iugulat
non esse patrem. 7.630
IUGULUS. pectore si fratris gladium iuguloque
parentis /condere me iubeas . . . 1.376
paruom set fessa senectus /sanguinis
effudit iugulo flammisque pepercit. 2.129
hic dabit hic pacem iugulus finemque
malorum 2.317
si regnum, si templa sibi iugulumque
senatus /exiliumque petat. 3.110
haud' inquit 'iugulo se polluet isto /

IUGUM

nostra, Metelle, manus; 3.135
'non perdam tempora' dixit / 'a saeuis
permissa deis, iugulumque senilem /
confodiam. 3.743
uincitur haut gratis iugulo qui prouocat
hostem. 4.275
stant undique nostris /intenti ciues
iugulis: 4.486
Vulteius iugulo poscens iam fata
retecto 4.541
percussum est pectore ferrum et iuguli
pressere manum. 4.562
luitis iugulo sic arma, ... 4.806
ius licet in iugulos nostros sibi fecerit
ensis 4.821
accessit Magni iugulus, regnumque sorori
/ereptum est soceroque nefas. 5.63
quaeris terraque marique /his ferrum
iugulis 5.263
et iugulos, non tantum praestitit ensis.
5.370
iugulisque retundite ferrum. . . . 6.161
nec cessant a caede manus, si sanguine
uiuo /est opus, erumpat iugulo qui primus
aperto, ... 6.555
hoc solamen erat, quod uoti turba nefandi
/ conscia quae patrum iugulos, quae
pectora fratrum /sperabat, gaudet monstris,
7.182
ignoti iugulum tamquam scelus inputet
hostis. 7.325
libertas ... / ac, totiens nobis iugulo
quaesita, uagatur 7.434
nulla secutast /pugna, sed hinc iugulis,
hinc ferro bella geruntur; 7.533
nil proficis istic /Caesaris intentus
iugulo: 7.593
pauide num gessimus arma /teximus aut
iugulos? 7.644
nec derat robur in enses /ire duci
iuguloque pati uel pectore letum. 7.670
seque,... tantae mercedis habere /credit
adhuc iugulum, quantam pro Caesaris ipse
/auolsa ceruice daret. 8.11
nunc patriae iugulos ensesque negatis,/
cum prope libertas? 9.264
iugulus mihi Caesaris haustus /hoc
praestare potest, ... 10.387
ite feroces /Caesaris in iugulum; 10.394
aere merent paruo,iugulumque in Caesaris
ire / non sibi dant. 10.409
IUGUM. sub iuga iam Seres, iam barbarus isset
Araxes 1.19
ueteremque iugis nutantibus Alpes /
discussere niuem. 1.553
uideo Pangaea niuosis /cana iugis
latosque Haemi sub rupe Philippos. 1.680
sub iuga Pompei, toto iam liber in orbe
/solus Caesar erit. 2.280
ad iuga cur faciles populi, cur saeua
uolentes /regna pati pereunt? . . 2.314
dum iuga curuantur mali dumque ardua
pinus / erigitur, ... 2.695
Phocaicas Amphissa manus scopulosaque
Cirrha / Parnasosque iugo misit desertus
utroque. 3.173
attollunt campo geminae iuga saxea rupes
/ualle caua media; 4.157
unoque iugo, Parnase, latebas. . . 5.78
postquam castra duces ... propinquis /
inposuere iugis 6.2

IUGUM
disponit castella iugis 6.40
summisso uertice montes /explicuere iugum,
6.477

conspexere procul praerupta in caute
sedentem /qua iuga deuexus Pharsalica
porrigit Haemus. 6.576
sed non, ubi terra tumebit,/aspera
conscendet montis iuga, 8.372
si ... /... iuga tota uacant Bromio
Nyseia, quare/ unus in Aegypto Magni
lapis? 8.801
non Armenium mihi saeua minatur /aut
Scythicum fortuna iugum: 9.238
bella fugis quaerisque iugum ceruice
uacanti 9.261

IUGURTHA. nuda triumphati iacuit per regna
Iugurthae 2.90
hunc ego per Syrtes ... triumphum /ducere
maluerim,... /... quam frangere colla
Iugurthae. 9.600

IULEUS. Phrygiique penates /gentis Iuleae
et rapti secreta Quirini 1.197
gentis Iuleae uestris clarissimus aris /
dat pia tura nepos. 9.995

IULIA. ferales omine taedas /abstulit ad manes
Parcarum Iulia saeua 1.113
uisa caput maestum per hiantis Iulia
terras 3.10
sed teneat Caesarque dies et Iulia noctes.
3.27

ades huc atque exige poenas,/Iulia
crudelis, ... 8.104
pro pudor, oblitus Magni tibi, Iulia,
fratres /... dedit, ... 10.77

IULUS. nec fabula Troiae /continuit Phrygiique
ferens se Caesar Iuli. 3.213

IUNCUS. haud procul inde domus,... /...
sterili iunco cannaque intexta palustri
5.517

IUNGO,-ERE. nam pignora iuncti /sanguinis et
diro ferales omine taedas /abstulit...
Iulia. 1.111
poteras ... / armatasque manus excusso
iungere ferro, ... 1.117
ut generos soceris mediae iunxere Sabinae.
1.118
tum longos iungere fines /agrorum, 1.167
quique colunt iunctos extremis moenibus
agros / diffugiunt: 1.571
quondam uirgo toris melioris iuncta mariti,
2.329

iunguntur taciti contentique auspice Bruto,
2.371

cecidere ... / Crustumiumque rapax et
iuncto Sapis Isauro 2.406
quamquam, siqua fides, his te quoque
iungere, Caesar, /inuideo 2.550
nunc furor incubuit nec iuncto Sarmata
uelox /Pannonio Dacisque Getes admixtus:
3.94

has prohibent iungi conferta cadauera
puppes. 3.575
rerum discrimina miscet /deformis caeli
facies iunctaeque tenebrae. 4.105
graminei luxere foci, iunctoque cubili /
extrahit insomnis bellorum fabula noctes,
4.199
iunctosque amplexibus ense /separat 4.209
polluta nefanda /agmina caede duces
iunctis committere castris /non audent,
4.260

prima duces iunctis uidit consistere
castris / tellus, ... 5.461
tot potuere manus aut iungere Seston
Abydo 6.55
mirantur ... / defunctosque patres et
iuncti sanguinis umbras / ante oculos
uolitare suos. 7.179
uincto (iuncto) fossore coluntur /
Hesperiae segetes, ... var.7.402
Pompei ... acies... / iunxerat in seriem
nexis umbonibus arma, ... 7.493
aut iungere fata /tecum, Magne, uolet?
8.361
et uada testantur iunctas Aegyptia Syrtes,
8.540

uincula neruorum et laterum textura
(iunctura).../.../ morte patet. var.9.777
mox te deserta secantem / qua iungunt
nostrum rubro commercia ponto,/mollis
lapsus agit. 10.314
tantum animi delicta dabant, ut colla
ferire /Caesaris et socerum iungi tibi,
Magne, iuberet; 10.348
crede, miser, puero, quem nox si iunxerit
una /... /meque tuumque caput... illi /
... donabit. 10.361
iubet ... / lampadas inmitti iunctis in
uela carinis; 10.492

IUNO. Eumenis, aut qualem iussu Iunonis
iniquae /horruit Alcides uiso iam
Dite Megaeram. 1.576

IUPPITER. et residens celsa Latiaris Iuppiter
Alba 1.198
nec enim tibi, summe, litaui /Iuppiter,
hoc sacrum, ... 1.633
iam dilecta Ioui centenis uenit in arma/
Creta uetus populis 3.184
non tamen auderet pietas humana uel
armis /uel uotis prodesse Ioui, 3.318
totius pars magna Iouis Cirrhaea per antra
/exit 5.95
non illis urbes spoliandaque templa
negasset /Tarpeiamque Iouis sedem
matresque senatus /passurasque infanda
nurus. 5.306
nec quaesisse libet primis quid frugibus
altrix /aere Iouis Dodona sonet, 6.427
axibus et rapidis inpulsos Iuppiter
urguens /miratur non ire polos. 6.464
et tonat ignaro caelum Ioue: 6.467
Pallenaea Ioui mutauit fulmina Cyclops.
7.150

seu tonitrus ac tela Iouis praesaga
notauit, ... 7.197
cum caeco rapiantur saecula casu,/
mentimur regnare Iouem. 7.447
terra suis contenta bonis, non
indiga mercis /aut Iouis: 8.447
quem non tumuli ... saxum /et cinis...
/auertet manesque tuos placare iubebit /
et Casio praeferre Ioui? 8.858
collegit ... /... uelamina summo /
ter conspecta Ioui, funestoque intulit
igni. 9.178
nulla sub illa /cura Iouis terra est;
9.436

stat sortiger illic /Iuppiter, ut
memorant, ... 9.513
quamuis ... /... Indis unus sit Iuppiter
Hammon, /pauper adhuc deus est, 9.518
cornigerique Iouis monitu noua fata

IUPPITER

petebant; 9.545
datur, ecce, loquendi /cum Ioue libertas:
9.558
Iuppiter est quodcumque uides, quodcumque
moueris. 9.580
hoc satis est dixisse Iouem.' 9.584
sustulit ... /harpen alterius monstri iam
caede rubentem / a Ioue dilectae fuso
custode iuuencae, ... 9.664
Iouis uolucer, calido cum protulit ouo
/inplumis natos, solis conuertit ad ortus:
9.902

IUPPITER(sidus). nam mitis in alto / Iuppiter
occasu premitur, Venerisque salubre /sidus
hebet, ... 1.661
sub Ioue temperies et numquam turbidus aer;
10.207

IURO,-ARE. perque tuos iuro quocumque ex hoste
triumphos, ... 1.375
hostes nempe meos sceleri iurata nefando /
sacramenta tenent; 4.228
et laetae iurantur aues bubone sinistro.
5.396
inque deum templis iurabit Roma per umbras.
7.459
'si foedera nobis /prisca manent mihi per
Latium iurata Tonantem, /... inplete
pharetras 8.219
ecce parens uerus patriae,.../... per quem
numquam iurare pudebit 9.602
patimur cur segnia fata /in gladios iurata
manus? 9.850

IUS. iusque datum sceleri canimus, 1.2
cedetur, iurisque tui natura relinquet /
quis deus esse uelis, ... 1.51
mensuraque iuris /uis erat: . . . 1.175
et cum consulibus turbantes iura tribuni;
1.177
si iure uenitis, ... 1.191
'hic' ait 'hic pacem temerataque iura
relinquo; 1.225
uicto iure minax iactatis curia Gracchis.
1.267
ius erat et dubios in te transferre
Quirites. 1.276
et ius est ueras expromere uoces, 1.360
ius habet aut Zephyrus, solus sua litora
turbat 1.407
ferrique potestas /confundet ius omne
manu, ... 1.667
me frustra leges et inania iura tuentem.
2.316
hunc quoque totius sibi ius promittere
mundi /non bene conpertum est: 2.321
foedera sola tamen uanaque carentia
pompa /iura placent sacrisque deos
admittere testes. 2.353
iusque sui pulso iam perdidit Vmbria
Thermo. 2.463
occasus mea iura timent Tethynque fugacem
2.588
Phoebea Palatia complet /turba patrum
nullo cogendi iure senatus . . . 3.104
uiribus an possint obsistere iura, per
unum Libertas experta uirum; . . 3.113
damna mouent populos siquos sua iura
tuentur: 3.151
Phocais in dubiis ausa est seruare
iuuentus /non Graia leuitate fidem
signataque iura, ... 3.302
iure pari rector castris Afranius illis

IUS

/ ac Petreius erat; 4.4
tum Vari sub iure fuit; 4.667
quid prodita iura senatus /et gener atque
socer bello concurrere iussi? . . 4.801
ius licet in iugulos nostros sibi fecerit
ensis 4.821
dum tamen emeriti remanet pars ultima
iuris 5.7
nam quis castra uocet tot strictas iure
securis, /tot fasces? 5.12
non umquam perdidit ordo /mutato sua iura
solo. 5.30
nostrum exhausto ius clauditur anno: 5.44
iure sed incerto mundi subsidere regnum /
Chalcidos Euboicae uana spe rapte parabas.
5.226
nec fas nec uincula iuris /hoc audere
uetant: 5.288
his ferri graue ius erit, ipse per omne /
fasque nefasque rues? 5.312
qua, sibi ne ferri ius ullum, Caesar,
abesset, /Ausonias uoluit gladiis
miscere secures 5.387
inde perit primum quondam ueneranda
potestas /iuris inops; 5.398
prior ipse per hostes /percussi medios
alieni iuris harenas: 5.489
iam mundi iura patebant: 6.139
felix ac libera regum,/Roma, fores
iurisque tui, ... 6.302
hoc iuris in omnis /est illis superos,
6.496
hoc casibus eripe iuris, /ne subiti
caecique ruant. 6.597
nequeunt animam sibi reddere fata /
consumpto iam iure semel. . . . 6.824
orbis /indulgens regno, qui tot simul
undique gentis /iuris habere sui uellet
pacemque timeret. 7.55
Romani maximus auctor / Tullius eloquii,
cuius sub iure togaque /pacificas saeuos
tremuit Catilina securis, . . . 7.63
sit iuris, quocumque uelint, concurrere
campo. 7.80
precor gentes ut ius habeatis in omnes.
7.265
nondum attigit arcem,/iuris et humani
columen, quo cuncta premuntur, 7.594
laudis in hoc sexu non legum iura nec
arma, ... 8.75
o thalamis indigne meis, hoc iuris habebat
/ in tantum fortuna caput? . . . 8.95
ne iura fidemque /respectumque deum ueteri
speraueris aula; 8.450
'ius et fas multos faciunt, Ptolemaee,
nocentes; 8.484
iam iure sine ullo /Nili sceptra tenes;
8.558
Phariamque ablatus in alnum /perdiderat
iam iura sui. 8.612
mentis erat, ius hoc animi morientis
habebat. 8.636
nam cui ius alii sceleris? . . . 8.642
uiuis adhuc, coniunx, et iam Cornelia non
est /iuris, Magne, sui: 8.660
tantum indomitos memoresque paterni /iuris
habete animos. 9.96
'ciuis obit'...'multum maioribus inpar /
nosse modum iuris, ... 9.191
nil belli iure poposcit, ... 9.195
et mihi, si fatis aliena in iura uenimus,

/fac talem, Fortuna, Iubam; . .   9.212
sub iura togati /ciuis eo. . .   9.238
si publica iura, /... sequeris... Cato,
signa petamus /Romanus quae consul
habet.' 9.249
iure suo populis uti legumque licebit,
                                        9.560
non decus imperii, non maesti iura Catonis
/ardentem tenuere uirum, . . .   9.747
et tibi dant Stygiae ius in sua fila
sorores. 9.838
quod ius habuisset in ipsum /ulla lues?
                                        9.887
accipe Niliaci ius gurgitis, . .   9.1023
quereris../...raptumque e iure superbi/
uictoris generum. 9.1054
ergo in Thessalicis Pellaeo fecimus aruis
/ius gladio? 9.1074
sed fremitu uolgi fasces et iura querentis
/inferri Romana suis discordia sensit/
pectora 10.11
lege summa perempti /uerba patris, qui
iura mihi communia regni /... dedit. 10.93
sed habet sub iure Pothini /adfectus
ensesque suos. 10.95
nil ipsa paterni /iuris inire peto: 10.97
ast ego, si tantam ius est mihi soluere
litem, /quasdam,... aquas.../...
concussis terrarum erumpere uenis/...
reor, ...   10.262
quas ille creator /atque opifex rerum
certo sub iure coercet. . . .   10.267
consurgere in ipsis /ius tibi solstitiis,
aliena crescere bruma 10.299
et dederat ferrum, nullo sibi iure retento,
/in cunctos in seque simul. . .   10.352
sed neque ius mundi ualuit nec foedera
sancta /gentibus,... /quin caderet ferro.
                                       10.471
IUSSUS(subst.). Eumenis, aut qualem iussu
Iunonis iniquae /horruit Alcides uiso
iam Dite Megaeram. 1.576
quod nisi fatorum leges intentaque iussu /
ordinis aeterni miserae uicinia mortis/
damnatum leto traherent ad litora Magnum.
                                       8.568
consilio iussuque deum transibis in urbem,
                                       8.849
tanta obliuio mentis /cepit ... corrupto
milite ... / ut duce sub famulo iussuque
satellitis irent 10.405
IUSTITIA. iustitiae cultor, rigidi seruator
honesti, ...   2.389
IUSTITIUM. ubi concipiunt quantis sit
cladibus orbi /constatura fides superum,
ferale per urbem /iustitium;   2.18
Caesar habet ... /clausaque iustitio
tristi fora; 5.32
templique fruuntur /iustitio. . . .   5.116
IUSTUS,-A,-UM. quis iustius induit arma 1.126
iustos Fortuna laborat /esse ducis motus
                                        1.264
arma tenenti /omnia dat, qui iusta negat.
                                        1.349
effundunt iustas in numina saeua querellas.
                                        2.44
iusto quoque robur amori /restitit. 2.379
proelia iusta decet, patriae sed
uindicis iram; 2.540
itque Cilix iusta iam non pirata carina.
                                        3.228

atque iterum aequatis ad iustae pondera
Librae/ temporibus uicere dies,   4.58
ut dextrae iusti gladius dissuasor
adhaesit, ...   4.248
ut primum iustae placuerunt foedera pacis,
                                        4.365
nec tam iusta fuit terrarum gloria
Typhon 4.595
iustisque benignus /saepe dedit sedem
totas mutantibus urbes, ...   5.106
sola tibi causa est haec iusta timoris,
                                        5.580
heu, quantum mentes dominantur in aequas /
iusta Venus! 5.728
haec, fato quae teste probet, quis iustius
arma /sempserit; 7.259
iusto uela modo pendentia cornibus aequis
/torsit 8.193
quis enim post uolnera cladis /Assyriae
iustas Latii conpescuit iras? . .   8.234
sceptrorum uis tota perit, si pendere
iusta /incipit, ...   8.489
iustior in Magnum nobis, Ptolemaee,
querellae /causa data est. . . .   8.512
semusta (sed iusta) rapit resolutaque
nondum /ossa satis neruis var.8.786
ostenditque rogum non iusti flamma
sepulchri, ...   9.54
numquam dare iusta licebit /coniugibus?
                                        9.67
iustaque furens pietate profatur /
'praecipitate rates e sicco litore, nautae;
                                        9.147
'ciuis obit'... /... in hoc tamen utilis
aeuo /cui non ulla fuit iusti reuerentia;
                                        9.192
iustas sibi nostra senectus /prospiciat
flammas: 9.234
sic uoce Catonis /inculcata uiris iusti
patientia Martis. 9.293
iusto date tura sepulchro . . .   9.1091
acies non sparsa maniplis /nec uaga
conspicitur, sed iustos qualis ad hostes/
recta fronte uenit: 10.437
terribilem iusto transegit Achillea ferro.
                                       10.523
IUUENCA. sustulit... /harpen alterius monstri
iam caede rubentem /a Ioue dilectae fuso
custode iuuencae, ...   9.664
IUUENCUS. agricolae raptis annum fleuere
iuuencis. 3.452
primum cana salix madefacto uimine
paruam /texitur in puppem caesoque inducta
iuuenco 4.132
IUUENIS. tot simul infesto iuuenes occumbere
leto 2.198
irarum mouit stimulos iuuenisque calorem
                                        2.324
cum moenia clausa /conspicit et densa
iuuenum uallata corona. 3.374
diuersae rostris iuuenem fixere carinae.
                                        3.654
excipit haec iuuenis generosi sanguinis
Argus 3.723
nec gloria leti /inferior,iuuenes, admoto
occurrere fato. 4.480
si cunctas sustulit ardor /mobilium mentes
iuuenum. 4.521
'ecquis' ait 'iuuenum est cuius sit
dextra cruore /digna meo 4.542
si mutua pacti /fata cadunt iuuenes,

IUUENIS

4.557
sic fatus sustulit alte /nitentem in
terras iuuenem. 4.650
leti fortuna, propinqui /tradiderat fatis
iuuenem, ... 4.738
digna damus, iuuenis, meritae praeconia
uitae. 4.813
spesque tuas laxa, iuuenis: . . . 5.533
non ira saltem, iuuenes, pietate remota/
stabitis? 6.155
auidi spectare secuntur /scituri iuuenes,
numero deprensa locoque /an plus quam
mortem daret uirtus. 6.168
fumantis iuuenum cineres ardentiaque
ossa / e mediis rapit illa rogis   6.533
pronum erat, o iuuenis, quos uelles'
inquit 'in actus /inuitos praebere deos.
6.606
ut pauidos iuuenis comites ipsumque
trementem /conspicit ... /'ponite' ait...
timores: 6.657
refer haec solacia tecum /o iuuenis,
placido manes patremque domumque/expectare
sinu 6.803
accensa iuuenem positum strue liquit
Erictho 6.826
qualis erat populi facies ... /olim, cum
iuuenis primique aetate triumphi, /...
plaudente senatu /sedit adhuc Romanus
eques; 7.14
te mixto flesset luctu iuuenisque senexque
/iniussusque puer; 7.37
uos tamen hoc oro, iuuenes, ne caedere
quisquam /hostis terga uelit: . . . 7.318
ille senum uoltus, iuuenum uidet
ille figuras, ... 7.774
sic fatus paruos iuuenis procul aspicit
ignes 8.743
sed Cato laudatam iuuenis conpescuit iram.
9.166
insiluit puppi iuuenum comitante tumultu.
9.252
signiferum iuuenem Tyrrheni sanguinis
Aulum /... dipsas calcata momordit. 9.737
inpressit dentes haemorrhois... Tullo
/magnanimo iuueni miratorique Catonis.
9.807

IUUENTA. infelix Argi genitor, non ille
iuuentae /tempore Phocaicis ulli cessurus
in armis: 3.727
actaque lauriferae damnat Sullana iuuentae,
8.25

IUUENTUS. rupta quies populi, stratisque
excita iuuentus 1.239
'o miserae sortis, quod non Punica nati /
tempora Cannarum fuimus Trebiaeque
iuuentus. 2.46
tum flos Hesperiae, Latii iam sola
iuuentus, /concidit 2.196
Phocais in dubiis ausa est seruare
iuuentus /non Graia leuitate fidem
signataque iura, ... 3.301
sic Graia iuuentus /finierat, . . 3.355
muris sed clausa iuuentus /exultat; 3.446
credidit et muros mirata est stare
iuuentus. 3.461
audaxque iuuentus /erupit. . . . 3.499
nec non et Graia iuuentus /omne suum
fatis uoluit committere robur . . 3.516
en sibi uilis adest inuisa luce iuuentus
4.276

IUUO

tunc exhausta super multo sudore
iuuentus /extrahitur 4.303
infundas aconita palam, Romana iuuentus
/non decepta bibet. 4.323
'libera non ultra parua quam nocte
iuuentus, ... 4.476
exhibuit monimenta fides seruataque ferro
/militiae pietas, transisset nostra
iuuentus. 4.499
stabat deuota iuuentus. 4.533
et quod Caesareis numquam deuota iuuentus
/illa nimis castris 4.695
sic undique saepta iuuentus /comminus
obliquis et rectis eminus hastis /obruitur,
4.773
exornata Rhodos gelidique inculta iuuentus
/Taygeti, ... 5.51
seditio tantumque fugam meditata iuuentus
5.323
unumque caput tam magna iuuentus /
priuatum factura timet, ... 5.365
tam diri foederis ictu/parta quies,
poenaque redit placta iuuentus.   5.373
ad Caesaris arma iuuentus /naufragio
uenisse uolet. 5.493
Grais delecta iuuentus /gymnasiis aderit
7.270
non illic regum auxiliis collecta iuuentus
/bella gerit 7.548
accipe, si terris, si puppibus ista
iuuentus /aptior est; 8.122
'ergo pari uoto gessisti bella, iuuentus,
9.256
sciat ista iuuentus /... bene se mea signa
secutam. 9.280
illic secura iuuentus /uentorum... /
aequoreos est passa metus. . . . 9.445
sic illa profecto /sacrifico cecidere
Numae, quae lecta iuuentus /patricia
ceruice mouet: 9.478
sic orbem torquente Noto Romana iuuentus
/procubuit timuitque rapi; . . . 9.481
ultimus haustor aquae quam,... /indiga
cogatur laticis spectare iuuentus, 9.592
hoc igitur tandem leuior Romana iuuentus /
auxilio late squalentibus errat in aruis.
9.938
nec non infelix ferro mollita iuuentus /
atque exsecta uirum: 10.133
praestet Lagea iuuentus /hoc regi, Romana
sibi. 10.394
sed caeca iuuentus /consilii uastos ambit
diuisa penates, ... 10.482

IUUO,-ARE. igne uago lustrare iuuet,   1.50
quid miscere iuuat uires orbemque tenere
1.88
non erat is populus quem pax tranquilla
iuuaret, ... 1.171
conspexit 'dum uoce tuae potuere iuuari,
1.273
accenditque ducem, quantum clamore
iuuatur 1.293
quid perdere fructum /iuuit et, ut uilem,
Marii confundere uoltum? 2.191
ferre iuuat patriis libertatemque tueri
2.282
iuuat ignibus atris /inseruisse manus
constructoque aggere busti /ipsum atras
tenuisse faces, ... 2.299
ceu morte parentem /natorum orbatum longum
producere funus /ad tumulos iubet(iuuet)

IUUO

IUUO
 ipse dolor, ... var.2.299
 non tam portas intrare patentis/quam
 fregisse iuuat, ... 2.444
 iuuat esse nocentis. 4.253
 et mortem sentire iuuat. 4.570
 terris fudisse cruorem /quid iuuat
 Arctois Rhodano Rhenoque subactis? 5.268
 blandaeque iuuat uentura trahentem 5.732
 non iuuat in toto corpus iactare cubili:
         5.812
 mutandaeque iuuat permissa licentia
 terrae. 6.271
 parere necesse est / an iuuat? . . 6.495
 inspicit ... / quem pugnare iuuet, quis
 uoltum ciue perempto /mutet; . . 7.564
 nec ... trahere omnia secum /mersa iuuat
         7.655
 si plura iuuant mea uolnera, coniunx /
 est mihi, sunt nati: 7.661
 nonne iuuat pulsum bellis cessisse 7.698
 iuuat Emathiam non cernere terram 7.794
 aut, generi si poena iuuat, nemus extrue
 Pindi, ... 7.806
 sed me uel sola tueri (iuuare)/ fama
 potest rerum toto quas gessimus orbe
        var.8.274
 iuuat ire per orbem /ducentem saeuas
 Romana in moenia gentes . . . 8.356
 nam, quo plura iuuent Parthum portenta,
 fuisse /hanc sciet et Crassi: . . 8.414
 letumque iuuat praeferre timori. 8.576
 pelagoque iuuante cadauer /inpellit. 8.725
 cinis... turbatus.../auertet manesque
 tuos placare iubebit (iuuabit) var.8.857
 iuuit sumpta ducem, iuuit dimissa potestas.
         9.200
 iuuat aetheriis ascribere causis /quod
 peream, caeloque mori. 9.853

IUXTA(praep.). at iuxta fluuios et stagna
 undantis Enipei /Cappadocum montana
 cohors... /... ibat. 7.224
 ille sedens iuxta flammas 'o maxime'
 dixit /ductor .../... si funere nullo/
 tristior iste rogus, manes .../officiis
 auerte meis: 8.759
 quam iuxta Lethon tacitus praelabitur
 amnis, ... 9.355

IXIONIDES. illic semiferos Ixionidas Centauros
 /feta... nubes effudit 6.386

L

LABES. numen ab humani solum se labe furoris/
 uindicat. 5.103
 ingresso uere tumescit /prima tabe(labe)
 niuis: var.10.225
LABIENUS. fortis in armis /Caesareis Labienus
 erat: 5.346
 maximus hortator scrutandi uoce deorum/
 euentus Labienus erat. 9.550
 'quid quaeri, Labiene, iubes? . . 9.566
LABO,-ARE. uix caede peracta /procumbunt,
 dubiaque labant ceruice; 2.204
 excutiet fortuna tibi, tu mente labantem
 /derige me, ... 2.244
 terra labet mixto coeuntis pondere mundi,
         2.291

LABOR

 dum labat et fixo firmat uestigia pilo,
         4.41
 inpulsa gurgite multo /castra labant;
 alto restagnant flumina uallo. 4.89
 dum feriunt, odere suos, animosque
 labantis /confirmant ictu. . . 4.249
 ut numquam fortuna labet successibus
 anceps, ... 4.390
 tum pectore pectus /urgueri, tunc obliqua
 percussa labare /crura manu. . . 4.625
 conpages humana labat, ... 5.119
 inde labant populi, ... 6.93
 cum Caesar metuens ne frons sibi prima
 labaret /incursu, tenet obliquas post
 signa cohortes, ... 7.521
 omnia neruis /membra relicta labant, 8.60
LABOR,-I. urbibus Italiae lapsisque ingentia
 muris 1.25
 famae maioris in amnem /lapsus ad
 aequoreas nomen non pertulit undas. 1.401
 quis nolet in isto /ense mori, quamuis
 alieno uolnere labens, /et scelus esse
 tuum? 2.265
 nisi poplite lapso / ultima curuati
 procederet ungula Tauri, ... 3.254
 qua Croeso fatalis Halys, qua uertice
 lapsus /Riphaeo Tanais 3.272
 ille caput labens et iam languenti. colla
 /uiso patre leuat; 3.737
 uidit lapsura ruina /agmina dux 4.43
 missa ratis prono defertur lapsa profundo
         4.430
 iam latis uiscera lapsa /semianimes
 traxere foris 4.566
 sidera prima poli Phoebo labente sub undas
 /exierant 5.424
 uento fluctuque secundo /lapsa Palaestinas
 uncis confixit harenas 5.460
 ad quorum motus non solum lapsa per altum
 /aera dispersos traxere cadentia sulcos /
 sidera, ... 5.561
 labitur infelix manibusque excepta suorum
         5.799
 ore nouas poscens moribundus labitur
 herbas 6.86
 labentem turba suorum /excipit . . 6.251
 nec fortior undis /labitur auectae pater
 Isidis, ... 6.363
 lapsusque superne /gurgite Penei pro
 siccis utitur aruis. 6.376
 perspectumque dedit circum labentis
 Olympi. 6.484
 et pondere lapsi /pectoris arma sonant
         7.572
 tunc mille in uolnera laetus /labitur
         7.604
 quamuis summo de culmine lapsus /nondum
 uile sui pretium scit sanguinis esse,
         8.8
 'signifero quaecumque fluunt labentia
 caelo, /... fallentia nautas /sidera non
 sequimur, ... 8.172
 quidquid ad Eoos tractus mundique
 teporem /ibitur (labitur), emollit gentes
 clementia caeli. var.8.366
 sic fata interque suorum /lapsa manus
 rapitur trepida fugiente carina. 8.662
 e caelo uolucres subito cum pondere lapsae,
         9.649
 et semper recto lapsurus limite cenchris:
         9.712

LABOR(subst.). his, Caesar, Perusina fames
    Mutinaeque labores/accedant fatis   1.41
    aer et longi uoluent Titana labores   1.90
    te iam series ususque laborum/erigit
                        1.123

    [par labor atque metus pretio maiore
    petuntur.] 1.282
    mihi si merces erepta laborum est, 1.340
    quaerite, quos agitat mundi labor; 1.417
    indigetes fleuisse deos, urbisque laborem
    /testatos sudore Lares,... /...
    accipimus, ... 1.556
    hic dabit hic pacem iugulus finemque
    malorum (laborum) /gentibus Hesperiis:
                    var.2.317
    in curas uenio partemque laborum. 2.347
    multisne rebellis /Gallia iam lustris
    aetasque inpensa labori /dant animos?
                     2.569
    cedit in inmensum cassus labor; 2.663
    Penei qui rura colunt, quorumque labore/
    Thessalus Haemoniam uomer proscindit
    Iolcon.   3.191
    tunc res inmenso placuit statura labore,
    /aggere diuersos uasto committere colles.
                     3.381
    aut facilis labor est longinqua ad tela
    parati /tormenti mutare modum; 3.479
    percussae cedunt crates, frustraque labore
    /exhausto fessus repetit tentoria miles.
                     3.495
    tot dubiae restant acies, tot in orbe
    labores; 4.389
    nobis uictoria turbam /non dabit, inpulsi
    tantum quae praemia belli /auferat et
    uestri rapta mercede laboris . . 5.331
    'o mundi tantorum causa laborum, 5.481
    non puppis nostrae labor est: 5.585
    'quantusne euertere' dixit / 'me superis
    labor est, ... 5.655
    sufficit ad fatum belli fauor iste
    laborque /Fortunae, ... 5.696
    humanusque labor facilis, .../ cedere uel
    bellis uel cuncta mouentibus annis, 6.20
    tanti periere labores. 6.54
    tamen hos minuere labores /a tergo
    pelagus pulsusque Aquilonibus aer 6.103
    ultimus esse dies potuit tibi, Roma
    malorum (laborum), ... var.6.312
    quis labor hic superis cantus herbasque
    sequendi 6.492
    et patitur tantos cantu depressa labores
                     6.505

    hic ardor solusque labor, quid corpore
    Magni /proiecto rapiat, ... 6.587
    non humilis labor est: 6.602
    defectusque pati uoluit raptaeque labores
    /lucis, ... 7.4
    potuit tibi uolnere nullo /stare labor
    belli; 7.93
    si liceat superis hominum conferre labores,
                     7.144
    haec ... /siue aliquid magnis nostri
    quoque cura laboris /nominibus prodesse
    potest,... /spesque metusque...mouebunt,
                     7.209
    di, quorum curas abduxit ab aethere tellus
    /Romanusque labor, uincat 7.312
    grauis est **Magno** quicumque malorum
    (laborum)/ testis adest. var.8.18
    saepe labor maestus curarum odiumque

    futuri / proiecit fessos incerti pectoris
    aestus, ... 8.165
    'saecula Romanos numquam tacitura labores
    /attendunt, ... 8.622
    studiumque laboris / floriferi repetunt
                     9.289
    actu belli non doctas ferre quietem
    /constituit mentes serieque agitare
    laborum. 9.295
    proximus in muros et moenia Cyrenarum/ est
    labor: 9.298
    abstulit arboribus pretium nemorique
    laborem / Alcides, ... 9.365
    conponite mentes /ad magnum uirtutis opus
    summosque labores. 9.381
    ille pauentis /incendit uirtute animos
    et amore laborum, ... 9.407
    monstrat tolerare labores, ... 9.588
    non cura laborque /noster scire ualet,
                     9.621
    cogit tantos tolerare labores /summa
    ducis uirtus, ... 9.881
    o sacer et magnus uatum labor! . . 9.980
    rex tibi Pellaeus belli pelagique labores
    /donat 9.1016
    secreta quid arma /mouit et inseruit
    nostro sua tela labori? 9.1072
    dignaque satis mercede laborum /contentus
    par esse tibi. 9.1101
LABORO,-ARE. iustos Fortuna laborat /
    esse ducis motus et causas inuenit armis.
                     1.264
    uis illic ingens pelagi, semperque
    laborant /aequora 3.62
    Tellusque uiro luctante laborat. 4.644
    sic plena laborat /Phemonoe Phoebo, 5.186
    intonuit motaque poli conpage laborant.
                     5.633
    atque omnia fata laborant /si quicquam
    mutare uelis, ... 6.612
    cum Caesar, metuens ne frons sibi prima
    labaret (laboret)/incursu, tenet obliquas
    post signa cohortes, ... var.7.521
    quid perdere cuncta laboras? . . 7.665
    quod non in regna laboras,/ ... bella
    fugis 9.258
    diuitias Cleopatra gerit cultuque laborat.
                    10.140
LABRUM. linguam /praemordens gelidis infudit
    murmura labris 6.568
LAC. et lacte negato /sordidus exhausto
    sorbetur ab ubere sanguis. . . . 4.314
LACEDAEMONIUS. hinc Lacedaemonii, moto gens
    aspera freno, ... 3.269
LACER,-A,-UM. caesarie lacera nudisque
    adstare lacertis 1.189
    lacerasque in limine sacro /attonitae
    fudere comas 2.31
    Antoni, cuius laceris pendentia canis /ora
    ferens miles festae rorantia mensae/
    inposuit. 2.122
    nec Graecia maerens /tot laceros artus
    Pisaea fleuit in aula. 2.165
    cum laceros artus aequataque uolnera
    membris /uidimus 2.177
    auolsit laceros percussa puppe rudentis
                     5.594
    lacerum retinete cadauer 5.669
    Caesar et Emathias lacero petit agmine
    terras. 6.315
    nil ultima mortis/ex habitu uoltuque uiri

LACER

mutasse fatentur/ qui lacerum uidere
caput. 8.667
da uilem Magno ... arcam /quae lacerum
corpus siccos effundat in ignes; 8.737
collecta procul lacerae fragmenta carinae
/exigua trepidus posuit scrobe. 8.755
'ergo indigna fui,'... /... laceros exurere
crines 9.57
quem ... Cleopatra sine ullis /tristis
adit lacrimis, simulatumque compta
dolorem / qua decuit, ueluti laceros
dispersa capillos, ... 10.84

LACERO,-ARE. truncos lacerauit Fimbria Crassos;
2.124
lacerasset crine soluto /pectora femineum
7.38
pudet ... / quaerere ... /... ora parentis
/ quis laceret 7.629
omnia quid laceras? 7.665
spargant lacerentque licebit, / sum tamen
...felix, ... 8.629
uidi ego magnanimi lacerantes pectora
patris, ... 9.133
nulloque herede relicto /totius fati
lacerandas praebuit urbes. 10.45

LACERTUS. caesarie lacera nudisque adstare
lacertis 1.189
et dum pila ualent fortes torquere lacerti,
1.364
his aries actus disperget saxa lacertis,
1.384
gaudetque ... /optimus excusso Leucus
Remusque lacerto, ... 1.424
tum, quos sectis Bellona lacertis /saeua
mouet, ... 1.565
quarum una madentis /scissa genas, planctu
liuentis atra lacertos, ... 2.37
nec pila lacertis /missa tuis caeca
telorum in nube ferentur: . . . 2.261
suppara nudatos cingunt angusta lacertos.
2.364
trans ripam ualidi torserunt tela lacerti,
2.502
tortaque per tenebras ualidis ballista
lacertis 2.686
neque enim solis excussa lacertis/lancea,
3.464.
sed pondere solo /contenti nudis euoluunt
saxa lacertis. 3.481
quisque suam statione ratem, paribusque
lacertis /Caesaris hinc puppes, hinc
Graio remige classis /tollitur: 3.525
iam non excussis torquentur tela lacertis
3.567
haec quoque cum toto manus est abscisa
lacerto. 3.617
pars maxima turbae /naufraga iactatis
morti obluctata lacertis / puppis ad
auxilium sociae concurrit; . . . 3.662
inpia turba super medios ferit ense
lacertos. 3.666
at hi totum ualidis aplustre lacertis /
auolsasque rotant expulso remige sedes.
3.672
iubet .../... sed duris fluuium superare
lacertis. 4.150
o quantum donata pace potitos /excussis
umquam ferrum uibrasse lacertis/paenituit,
4.386
colla diu grauibus frustra temptata
lacertis, ... 4.618

LACRIMA

iam respice canos /inualidasque manus
et inanis cerne lacertos. 5.275
et fit saepe nefas iaculum temptante
lacerto. 6.79
caelumque tremens cum lancea transit/
dicere non fallar quo sit uibrata lacerto.
7.289
totaeque cohortes /pila parata diu tensis
tenuere lacertis. 7.469
arma timent gentes hominumque erepta
lacertis / a superis demissa putant. 9.476
manant umeri fortesque lacerti, 9.780

LACESSO,-ERE. quotiens Romam fortuna lacessit,
1.256
his se stimulis dolor ipse lacessit. 2.42
inde lacessitum primo mare, 3.193
sed Grais habiles pugnamque lacessere
pinus 3.553
mittitur, exigua qui proelia prima
lacessat /eliciatque manu, ... 4.720
nunc tantas ille lacesset /auditi
uictoris opes 8.360
nunc uictoris opes et cognita fata
lacessis? 8.533
spuma tunc astra lacessis, ... 10.320
inuictumque ducem detecto Marte lacessit.
10.346

LACINIUS,-A,-UM. extenditque suas in templa
Lacinia rupes, ... 2.434

LACRIMA. hae lacrimis sparsere deos, 2.30
lacrimas ciuilibus armis /secretumque
damus. 3.313
unumque relictum /agnorunt miseri sublato
errore parentes,/ aeternis causam
lacrimis; 3.607
non lacrimae cecidere genis, non pectora
tundit, ... 3.733
arma rigant lacrimis, singultibus oscula
rumpunt, ... 4.180
coniugis inlabi lacrimis, unique paratum
/scire rogum; 5.281
a potius pereant lacrimae pereantque
querellae: 7.555
inpendisse pudet lacrimas in funere mundi
/mortibus innumeris, ... 7.617
flere ueta populos, lacrimas luctusque
remitte. 7.707
gemitus lacrimaeque secuntur . 7.724
cunctorum lumina soluit / in lacrimas.
8.107
exiget ignorans Latiae commercia linguae /
ut lacrimis se, Magne, roges. . . . 8.349
incubuit Magno lacrimasque effudit in
omne /uolnus, ... 8.727
puppes luctus ... ferebant / et mala uel
duri lacrimas motura Catonis. . . 9.50
effluet in lacrimas. 9.106
saeuumque arte conplexa dolorem /
perfruitur lacrimis 9.112
non in gemitus lacrimasque dolorem/
effudit, ... 9.146
ut uisa est lacrimis exhausta, . . 9.171
atque oculos lacrimarum uena refugit.
9.746
sanguis erant lacrimae; 9.811
lacrimas non sponte cadentis/effudit
9.1038
non aliter manifesta potens abscondere
mentis /gaudia quam lacrimis, . . 9.1041
quem formae confisa suae Cleopatra sine
ullis /tristis adit lacrimis, . . 10.83

LACRIMOSUS   LAGEUS

LACRIMOSUS,-A,-UM. legit ... /... Heroas
    lacrimoso litore turres, ...   9.955
LACUS. Riphaeas huc solue niues, huc stagna
    lacusque / et pigras, ...   4.118
    si uero Stygiosque lacus ripamque sonantem
    /ignibus ostendam,... / quis timor, ignaui,
    metuentis cernere manes?' 6.662
LAEDO,-ERE. quis enim laesos inpune putaret
                                            3.447
    haud aeque laesura ducem cui falsa canebat
    / quam tripodas Phoebique fidem   5.151
    sed nocte fugata /laesum nube dies iubar
    extulit 5.456
    Thessalia, infelix, quo tantum crimine,
    tellus,/ laesisti superos, . .   7.848
    Pallas frugiferas iussit non laedere
    terras 9.687
LAELIUS. Laelius emeritique gerens insignia
    doni, ...   1.357
LAETIFICO,-ARE. non illum gloria pulsi /
    laetificat Magni: 3.49
LAETOR,-ARI. tu quoque laetatus conuerti
    proelia, Treuir, ...   1.441
    Curio laetatus, tamquam fortuna locorum /
    bella gerat 4.661
    inpia laetatur uulgato nomine famae /
    Thessalis, ...   6.604
    uidi ego laetantis, popularia nomina,
    Drusos /legibus inmodicos . . .   6.795
    laetatur honore / rex puer insueto,   8.536
LAETUS,-A,-UM. laetis hunc numina rebus /
    crescendi posuere modum. . . .   1.81
    Salius laeto portans ancilia collo   1.603
    quam laetae Caesaris aures /accipient
    tantum uenisse in proelia ciuem!   2.273
    non me laetorum sociam rebusque secundis
    /accipis: 2.346
    coniuge me laetos duxisti, Magne,
    triumphos: 3.20
    non illum laetis uadentem coetibus urbes
    /sed tacitae uidere metu, . . .   3.80
    non fictas laeto uoces simulare tumultu,
    /uix odisse uacat. 3.102
    sunt audita Iubae, laetus quod gloria
    belli /sit rebus seruata suis,   4.716
    non tam laeta tulit uictor spectacula
    Maurus 4.784
    laeto nomen clamore senatus /excipit   5.47
    et laetos fecit se consule fastos.   5.384
    et laetae iurantur aues bubone sinistro.
                                            5.396
    'cum taedet uitae, laeto sed tempore,
    coniunx, ...   5.740
    et puppem quae fata feret tam laeta
    timebo. 5.781
    sed non superi tam laeta parabant: 5.814
    laetus fragor aethera pulsat /uictorum:
                                            6.225
    non tu laetis ulular triumphis.   6.261
    uisus sibi ... / attollique suum laetis
    ad sidera nomen /uocibus . . .   7.11
    seu fine bonorum /anxia mens curis ad
    tempora laeta refugit, ...   7.20
    neque enim uictoria Magno /laetior.   7.120
    tunc mille in uolnera laetus/labitur   7.603
    quamque fuit laeto per tres infida
    triumphos /tam misero Fortuna minor.   7.685
    nunc tempora laeta /respexisse uacat,
                                            7.687
    omnibus illa /ciuibus effudit totas per
    moenia uires / obuia ceu laeto: 7.715

ac, ne laeta furens scelerum spectacula
    perdat, /inuidet igne rogi miseris,   7.797
    utinam in thalamos inuisi Caesaris issem /
    infelix coniunx et nulli laeta marito.
                                            8.89
    tali pietate uirorum /laetus in aduersis
    ... / ... nullum ... dixit ... / gratius
    esse solum ... uobis /ostendi: 8.128
    quid enim tibi laetius umquam /
    praestiterint superi, quam ... /...
    tantam consumere gentem 8.322
    aduersis non desse decet, sed laeta
    secutos: 8.534
    numquam omine laeto /distrahimur miseri.
                                            8.585
    Pompeiusque fuit qui numquam mixta
    uideret /laeta malis, ...   8.706
    laetius est, quotiens magno sibi constat,
    honestum. 9.404
    et tamarix non laeta comas Eoaque costos
    /... sonant flammis 9.917
    gemitusque expressit pectore laeto,   9.1039
    laeta dies rapta est populis, . . .   9.1097
    abscondunt gemitus et pectora laeta /
    fronte tegunt, ...   9.1106
    nulli contingit gloria genti /ut Nilo
    sit laeta suo. 10.285
    Meroe... / laeta comis hebeni, quae
    quamuis arbore multa /frondeat aestatem
    nulla sibi mitigat umbra, . . .   10.304
LAEUUS,-A,-UM. (in laeuum cecidere latus
    ueloxque Metaurus 2.405
    in portus, Corcyra, tuos, seu laeua
    petatur 2.623
    robore diducto dextrum laeuumque tuetur
                                            3.584
    plus nobilis irae /truncus habet fortique
    instaurat proelia laeua 3.615
    iaculum letale reuolsum /uolneribus
    traxere suis et uiscera laeua /oppressere
    manu, ...   3.677
    iubet ... / munitumque latus laeuo
    praeducere gyro. 4.45
    flexo nauita cornu /obliquat laeuo pede
    carbasa 5.428
    ac ueritus credi clipeo laeuaque uacasse
    /... tot uolnera belli /solus obit   6.203
    Gortynis harundo / ... / in caput atque
    oculi laeuom descendit in orbem.   6.216
    illa comam laeua morienti abscidit ephebo.
                                            6.563
    uolturis ut primum laeuo fundata uolatu
    /Romulus infami conpleuit moenia luco /
    ... seruisses, Roma, ...   7.437
    et in laeuum puppim dedit, . . .   8.194
    non sic moderator equorum /dexteriore rota
    laeuum cum circumit axem, /cogit
    inoffensae currus accedere metae.   8.200
    et clipeum laeuae fuluo dedit aere
    nitentem 9.669
LAEUUS. at tibi, Laeue miser, fixus praecordia
    pressit /Niliaca serpente cruor,   9.815
LAGEUS(LAGAEUS). qua mare Lagei mutatur
    gurgite Nili: 1.684
    ultima Lageae stirpis perituraque proles,
    /... litora Pompeium feriunt, . .   8.692
    praestet Lagea iuuentus /hoc regi,
    Romana sibi. 10.394
    quid plus te, Magne, recepto /ausa foret
    Lagea domus? 10.414
    castra carentia rege /ut proles Lagea

LAGEUS
    tenet, famulumque tyranni /... transegit
    Achillea ferro. 10.522
LAGUS. donata est regia Lagi, . . . 5.62
    si regna times proiecta sub Austro/
    infidumque Iubam, petimus Pharon
    aruaque Lagi. 8.443
    omnia Lagi /arua tenere potest, 8.802
    pugnauit fortuna ducis fatumque nocentis
    /Aegypti, regnum Lagi Romana sub arma /
    iret,an eriperet mundo Memphiticus ensis
    /uictoris uictique caput. 10.4
    siqua est, o maxime Caesar / nobilitas,
    Pharii proles clarissima Lagi, . . 10.86
    non ipse tyrannus /sufficit in poenas,
    non omnis regia Lagi: 10.527
LAMBO,-ERE. sic et Sullanum solito tibi
    lambere ferrum/durat, Magne, sitis. 1.330
    parati, /.../ quaerere et offossam
    sitientes lambere terram 3.346
    tum super incumbens pallentia uolnera
    lambit 9.933
LAMENTUM. prohibe lamenta sonare, . . 7.706
LAMPAS. nunc iaculum longo, nunc sparso
    lumine lampas. 1.532
    Eumenidas quaterent quas uestris lampadas
    armis; 3.15
    seu, barbarica cum lampade Python / arsit,
         5.134
    tum piceos uoluunt inmissae lampades ignes,
         6.135
    Trachin pretioque nefandae /lampados
    Herculeis fortis Meliboea pharetris 6.354
    non illum Poenus humator /consulis et
    Libyca succensae lampade Cannae /
    conpellunt hominum ritus ut seruet in
    hoste, ... 7.800
    sed prius orta dies nocturnam lampada
    texit / quam tutas intraret aquas. 9.1006
    iubet ... / lampadas inmitti iunctis in
    uela carinis; 10.492
    flamma / ... non alio motu per tecta
    cucurrit / quam solet aetherio lampas
    decurrere sulco 10.502
LANA. obsita funerea colatur purpura lana,
         2.367
LANCEA. infremuit, tum torta leuis si lancea
    Mauri /haereat 1.210
    lancea, sed tenso ballistae turbine
    rapta, ... 3.465
    quo primum steterint campo, qua lancea
    dextra /exierit. 4.201
    nulla fuit non certa manus, non lancea
    felix; 6.190
    prima uelim caput hoc funesti lancea
    belli, /... / ... feriat; 7.117
    tunc omnis lancea saxo /erigitur, 7.140
    caelumque tremens cum lancea transit /
    dicere non fallar quo sit uibrata lacerto.
         7.288
    cuius torta manu commisit lancea bellum
         7.472
LANGUEO,-ERE. flexi iam plaustra Bootae /
    in faciem puri redeunt languentia caeli,
         2.723
    cui non conspecto languebit dextra
    parente 3.326
    tela legunt deiecta mari ratibusque
    ministrant /incertasque manus ictu
    languente per undas / exercent; 3.692
    ille caput labens et iam languentia colla
    /uiso patre leuat; 3.737

    postquam spatio languentia nullo /mutua
    conspicuos habuerunt lumina uoltus, 4.169
    caelo languente fretoque / naufragii spes
    omnis abit. 5.454
    orbe quoque exhaustus medio languensque
    recessit 5.544
    nec Phoebus adhuc nec carbasa languent.
         8.471
    collaque in obliquo ponit languentia
    transtro. 8.671
LANGUESCO,-ERE. sic deflagrare minaces / in
    cassum et uetito passus languescere bello,
         4.281
    illa quoque in ferrum rabies promptissima
    paulum /languit, ... 7.246
LANGUIDUS,-A,-UM. nullum iam languidus aeuo /
    eualuit reuocare parens 1.504
    inde soporifero cesserunt languida somno /
    membra ducis; 3.8
    nec languida fessi /corpora sustenant
    epulis, ... 4.306
    sed, postquam languida segni /cernit
    cuncta metu 4.699
    Graia ad moenia perflet / ne Pompeiani
    ... / languida iactatis conprendant
    carbasa remis. 5.421
    soluerat armorum fessas nox languida
    curas, ... 5.504
    inspicit ... /... quis languida tela,
    /... ferat, ... 7.562
    iam languida morte /effigies habitum
    noti mutauerat oris. 9.1033
LANGUOR. languor in extrema tenuit uestigia
    ripa. 1.194
    fataque ferre uidet, nequo languore
    moretur 1.393
    grauis hinc languore profundi /obsessis
    uentura fames. 5.449
    sed languor cum morte uenit; . . 6.100
LANIGER,-A,-UM. summaque in sede iacentem /
    linigerum (lanigerum) placidis conpellat
    Acorea dictis. var.10.175
LANIO,-ARE. nunc laniate comas neue hunc
    differte dolorem 2.39
    effusas laniata comas contusaque pectus
         2.335
LANUGO. stat contra fortior aetas /uix ulla
    fuscante tamen lanugine malas. 10.135
LANX. si quisquis uestris caput extaque
    lancibus infans /inposuit uicturus erat,
    parete precanti. 6.710
LAPIS. quare / unus in Aegypto Magni lapis?
         8.802
    stabatque sibi non segnis achates /
    purpureusque lapis, ... 10.116
LAPITHES. spumauitque nouis Lapithae domitoris
    habenis. 6.399
LAPSUS. stare diu nimioque graues sub pondere
    lapsus 1.71
    inconcussa suo uoluuntur sidera lapsu.
         2.268
    membrorumque uidet lapsum et ferientia
    terram /corpora: 4.786
    tum quassae nutant turres lapsumque
    minantur, ... 6.136
    mox te deserta secantem /... / mollis
    lapsus agit. 10.315
    sed, cum lapsus abrupta uiarum /excepere
    tuos ... /... spuma tunc astra lacessis,
         10.317
LAQUEATUS. laqueataque tecta ferebant /

LAQUEATUS
    diuitias 10.112
LAQUEUS. hic laqueo fauces elisaque guttura
    fregit, ... 2.154
    laqueum nodosque nocentis / ore suo rupit,
    6.543
    inserto laqueis feralibus unco /per
    scopulos miserum trahitur ... cadauer
    6.638
    mihi ... permittite saltum /aut laqueum
    collo tortosque aptare rudentes, 8.655
    numquam ueniemus ad enses /aut laqueos
    aut praecipites per inania iactus: 9.107
LARES. pellimur e patriis laribus patimurque
    uolentes 1.278
    tenuere lares; 1.507
    urbisque laborem /testatos sudore Lares,
    ... / ... accipimus, ... 1.557
    o uitae tuta facultas /pauperis angustique
    lares! 5.528
    illi namque nefas urbis summittere tecto
    /aut laribus ferale caput, . . . 6.511
    puluere uix tectae poterunt monstrare
    ruinae /Albanosque lares Laurentinosque
    penates, ... 7.394
    muros /oramus sociosque lares dignere uel
    una /nocte tua: 8.113
    Aeneaeque mei, quos nunc Lauinia sedes /
    seruat et Alba, lares, ... 9.992
LARGUS,-A,-UM. sed uolnere laxo (largo)/
    diffusum rutilo dirum pro sanguine uirus.
    var.1.614
    desit si larga Ceres, tunc horrida cerni
    /foedaque contingi maculato attingere
    morsu. 3.347
    donec utrasque simul largus cruor expulit
    hastas 3.590
    iamque polo pressae largos densantur in
    imbres 4.76
    non habet unda uias, tam largas alueus
    omnis /a ripis accepit aquas. . 4.86
    aut circum largos curuari bracchia fontes.
    4.266
    uirus large lunare ministrat. 6.669
    at iuxta fluuios ... Enipei /Cappadocum
    montana cohors et largus habenae /Ponticus
    ibat eques. 7.225
    'ergo indigna fui',.../... /uolneribus
    cunctis largos infundere fletus, 9.59
    quem serpentum turba tenebat /uix
    capiente loco; 9.608
    quaecumque foramina nouit / umor, ab his
    largus manat cruor; 9.812
LARISA. atque olim Larisa potens; 6.355
    uidit prima tuae testis Larisa ruinae /
    nobile nec uictum fatis caput. 7.712
LARIX. et larices fumoque grauem serpentibus
    urunt /habrotonum 9.920
LASSO,-ARE. lassata triumphis /desciuit
    Fortuna tuis. 2.727
    sufficiunt, lassant rumpentis stamina
    Parcas. 3.19
    iuuentus /extrahitur duris silicum lassata
    metallis; 4.304
    tum ceruix lassata quati, tum pectore
    pectus /urgueri, ... 4.624
    lassare et disce sine armis /posse pati;
    5.313
    ac ducis inuicti rebus lassata secundis.
    5.324
    neuter longo se gurgite lassat, 5.466
    sic rector Olympi /cuspide fraterna

    lassatum in saecula fulmen /adiuuit, 5.621
    quid numina lassas? 5.695
    nec non Hesperii lassatum fluctibus
    aequor /ut uidere duces, . . . 5.703
    nec magis ... repulsus /intra claustra...
    quieuit,/ quam mare lassatur, cum se
    tollentibus Euris /... scopulum ferit
    6.265
    flagrantis portitor undae / iam lassate
    senex ad me redeuntibus umbris, /exaudite
    preces. 6.705
    tot femineis conplexibus unum /non lassat
    nox tota marem. 8.404
    primum litoreis miles lassatur harenis.
    9.296
    nec ruit in siluas annosaque robora
    torquens /lassatur: 9.453
    uix miseris serum tanto lassata periclo
    /auxilium Fortuna dedit. . . . 9.890
    postquam epulis Bacchoque modum lassata
    uoluptas /inposuit, ... Caesar producere
    noctem /inchoat 10.172
LASSUS,-A,-UM. nunc quoque, ne lassum teneat
    priuata senectus, ... 1.324
    post Cilicasne uagos et lassi Pontica
    regis 1.336
    haec ait, et lasso iacuit deserta furore.
    1.695
    uisceribus lassis partuque exhausta
    reuertor 2.340
    portus erat, si non uiolentos insula
    Coros /exciperet saxis lassasque
    refunderet undas. 2.618
    tum uolnere multo /effugientem animam
    lassos collegit in artus 3.623
    nec cruor effusus campis tibi bella
    peregit /nec ferrum lassaeque manus: 4.355
    membraque deiecit iam lassis unguibus
    ales. 7.840
    putres robore trunci/... /... templa
    deorum /iam lassa radice tenent, 9.968
LATE(adu.) v. LATUS,-A,-UM.
LATEBRA. produntque suas omenta latebras.
    1.625
    corpora, nec populum latebrae cepere
    ferarum. 2.153
    'non satis est muris latebras quaesisse
    pauori? 2.494
    Phoebea Palatia conplet /turba... / e
    latebris educta suis; 3.105
    periere latebrae / tot scelerum, populo
    uenia est erepta nocenti: . . . 4.192
    sponte per incautas audet temptare
    tenebras(latebras) var.5.500
    cedendum est bellis, quorum tibi tuta
    latebra /Lesbos erit. 5.743
    quis Mytilenaeas poterit nescire latebras?
    5.786
    tunc ursae latebras, obscaeni tecta
    domosque /deseruere canes, . . . 7.828
    non patitur tutis fatum celare latebris/
    clara uiri facies. 8.13
    poteras non flectere puppem,/cum fugeres
    alto, latebrisque relinquere Lesbi, 8.587
    e latebris pauidus decurrit ad aequora
    Cordus. 8.715
    ille ordine rupto /funeris attonitus
    latebras in litore quaerit. . . . 8.780
    quis calcare tuas metuat, salpuga,
    latebras? 9.837
    Macetum fines latebrasque suorum/

LATEBRA

deseruit 10.28
at Caesar ... / ... foribus clausae se
protegit aulae / degeneres passus
latebras. 10.441

LATEBROSUS,-A,-UM. non obscura petit

latebrosae tempora noctis, . . . 6.120

LATEO,-ERE. gemitu sic quisque latenti, /non

ausus timuisse palam: 1.257
tu ... / ut superi uoluere, late. 1.419
pulmonis anheli /fibra latet, . . 1.623
totaque diffuso latuisset in aequore
tellus. 1.654
latuit plebeio tectus amictu /omnis honos,
2.18
cognoscitur illic /quidquid ubique iacet
(latet). var.2.162
maioresque latent stellae, . . . 2.724
sed per iter longum causa repsere latenti.
3.458
sub cuius pluteis et tecta fronte
latentes 3.488
iam tumuli collesque latent, 4.98
tutae quos inter opaco /anfractu latuere
uiae; 4.160
nec gerit expositum telis in fronte
patenti (latenti)/ remigium,. . .var.4.423
latuisse sub alta /rupe ferunt, 4.601
extuleras, unoque iugo, Parnase, latebas.
5.78
quis latet hic superum? 5.86
inter fata diu quaerens tam magna latentem.
5.189
nec pectore tecto /ira latens; . . 5.256
fluctuque latente sonantem /orbita
migrantis scindit Maeotida Bessi. 5.440
latet obsitus aer /infernae pallore domus
nimbisque grauatus /deprimitur, 5.627
tutior omni /rege late, positamque procul
fortuna mariti /non tota te mole premat.
5.755
uiscera tuta latent penitus, . . . 6.211
perpetuis quondam latuere paludibus agri,
6.344
non Taenariis sic faucibus aer /sedit
iners, maestum mundi confine latentis/ac
nostri, ... 6.649
qua torta ... lorica.../...tutoque latet
sub tegmine pectus, /hac quoque peruentum
est ad uiscera, ... 7.499
stetit aggere campi,/eminus unde ... /
aspiceret clades, quae bello obstante
latebant 7.651
iuuat .../et lustrare oculis campos sub
clade latentes. 7.795
qua tunc tellure latebas /maestior, in
mediis quam si, Cornelia, campis/ Emathiae
stares. 8.41
quid uolnera nostra /in Scythicos spargis
populos cladesque latentis? . . . 8.353
iamque iter omne latet nec sunt discrimina
terrae: 9.493
ipse latet penitus congesto corpore mersus,
9.796
aspicit Hesiones scopulos siluaque
latentis /Anchisae thalamos; . . . 9.970
nihil est quod noscere malim / quam fluuii
causas per saecula tanta latentis 10.190
uarii mutator circulus anni / Aegoceron
Cancrumque tenet, cui subdita Nili /
ora latent, ... 10.214
sed uincit adhuc natura latendi. 10.271

LATEX. occultos latices abstrusaque flumina

quaerunt; 4.293
Castalios circum latices nemorumque
recessus /Phemonoen errore uagam curisque
uacantem /corripuit 5.125
ultimus haustor aquae quam ... /indiga
cogatur laticis spectare iuuentus, 9.592

LATIARIS,-E. et residens celsa Latiaris

Iuppiter Alba 1.198
fulmen et Arctois rapiens de partibus
ignem /percussit Latiare caput, 1.535

LATINUS. ostendens confectas flamma Latinas/

scinditur 1.550
uidit flammifera confectas nocte Latinas.
5.402
tunc omne Latinum /fabula nomen erit;
7.391

LATITO,-ARE. non in Tartareo latitantem

poscimus antro /... animam; . . . 6.712

LATIUM. errantisque domos, Latii quam claustra

tueri. 1.253
ausi Latio se fingere fratres /sanguine
ab Iliaco populi, ... 1.427
Latii iam sola iuuentus, /concidit 2.196
piniferis amplexus rupibus omnis /
indigenas Latii populos, ... 2.432
tunc urbes Latii dubiae uarioque
fauore /ancipites, ... 2.447
Iliacae numen quod praesidet Albae,/haud
meritum Latio sollemnia sacra subacto,
5.401
quis enim post uolnera cladis /Assyriae
iustas Latii conpescuit iras? . . 8.234
Cleopatra ... /... /dedecus Aegypti,
Latii feralis Erinys, ... 10.59

LATIUS,-A,-UM. gentibus inuisis Latium

praebere cruorem 1.9
totum sub Latias leges cum miseris orbem,
1.22
Assyrias Latio maculauit sanguine Carrhas,
1.105
mitis Atax Latias gaudet non ferre carinas
1.403
at uos, qui Latios signatis nomine fastos,
2.645
quaque iter est Latiis ad summam fascibus
Albam; 3.87
di melius, quod non Latias Eous in oras
3.93
conprensa est Latiis quaecumque annalibus
aetas. 3.309
hic Latiae rostro conpagem ruperat alni,
3.597
his praeter Latias acies erat inpiger
Astur 4.8
Poenum qui Latiis reuocauit ab arcibus
hostem 4.657
qui robore quamquam /confisus Latio 4.668
'indole si dignum Latia, si sanguine prisco
/robur inest animis, ... 5.17
testatus numquam Latiae se desse ruinae.
6.10
tot simul e campis Latiae fulsere uolucres,
6.129
promotus Latiam longo gerit ordine uitem,
6.146
Elysias Latii sedes ac Tartara maesta/
diuersi liquere duces. 6.782
sicci sed plurima campi /tetrarchae
regesque tenent... / atque omnis Latio
quae seruit purpura ferro. . . . 7.228

LATIUS

    hac luce cruenta /effectum, ut Latios non
    horreat India fasces, ...   7.428
    ut Latiae post se uiuat pars maxima turbae,
                          7.656

    Latiae pars maxima turbae /fastidita
    iacet; 7.844
    'si foedera nobis / prisca manent mihi
    per Latium iurata Tonantem, /... inplete
    pharetras   8.219
    rex tolletque animos Latium uaesanus in
    orbem 8.345
    exiget ignorans Latiae commercia linguae /
    ut lacrimis se, Magne, roges. . . . 8.348
    Aegypton certe Latiis tueamur ab armis.
                           8.501
    sed Latio cessere duci, ... 9.546
    nam, siquid Latiis fas est promittere
    Musis, /... /uenturi me teque legent;
                          9.983

    uertissem Latias a uestro litore proras:
                          9.1079

    nam Latio iam nupta duci est, . . . 10.358
    pars maxima turbae /plebis erat Latiae,
                         10.403
    Latium sic scindere corpus/ dis placitum:
                         10.416
    dux Latius tota subitus formidine belli /
    cingitur: 10.536

LATRATUS. latratus habet illa canum
    gemitusque luporum, ... 6.688

LATRO,-ARE. flebile saeui / latrauere canes.
                          1.549
    praeda nescit latrare reperta   4.443
    rabidum nescit latrare Pelorum,   6.66

LATUS. ignis in Hesperium cecidit latus. 1.547
    ensiferi nimium fulget latus Orionis?
                          1.665

    (in laeuum cecidere latus ueloxque Metaurus
                          2.405
    hinc latus angustum iam se cogentis in
    artum /Hesperiae tenuem producit in
    aequora linguam, ... 2.613
    'non nisi per nostrum uobis percussa
    patebunt /templa latus, ... 3.124
    structa laterum conpage ligatam/ artet
    humum, ... 3.397
    lancea,... / haut unum contenta latus
    transire quiescit, ... 3.466
    tuetur /aequo Marte latus; . . . 3.585
    multoque cruore /plena per obliquum
    crebros latus accipit ictus . . . 3.628
    incumbit prono lateri uacuamque relinquit,
                          3.648

    iubet ... / munitumque latus laeuo
    praeducere gyro. 4.45
    solusque quietem /Euboici uasta lateris
    conualle tenebis'. 5.196
    haud procul inde domus,... / ... / et
    latus inuersa nudum munita phaselo. 5.518
    non ualet in fluctum: uictum latus unda
    repellens / erigit, ... 5.648
    insomnis; uiduo tum primum frigida lecto/
    .../ non haerente latus. 5.808
    latus alti /montis adest 6.266
    inque latus belli, qua se uagus hostis
    agebat, /emittit subitum ... agmen. 7.523
    comitumque suorum / qui post terga redit
    trepidum laterique timentem/ exanimat.
                           8.7
    debuerant ... / imperii nudare latus, dum
    perfida Susa /... prolapsa... iaceret.

LAUINIUS
                          8.425

    sed, postquam mucrone latus funestus
    Achillas /perfodit, nullo gemitu
    consensit ad ictum 8.618
    Boreae latus illa sinistrum /contingens
    dextrumque Noti discedit in ortus 9.418
    uincula neruorum et laterum textura
    cauumque /pectus... /morte patet. 9.777

LATUS,-A,-UM. dat stragem late sparsosque
    recolligit ignes. 1.157
    haereat aut latum subeant uenabula
    pectus, ... 1.211
    uideo Pangaea niuosis /cana iugis latosque
    Haemi sub rupe Philippos. 1.680
    nobilitas cum plebe perit, lateque uagatus
                          2.101
    hinc late patet omne fretum, . . . 2.622
    obstruit et latum deiectis rupibus aequor.
                         2.662

    placuit ... /roboraque inmensis late
    religare catenis. 2.671
    tunc omnia late /procumbunt nemora et
    spoliantur robore siluae, ... 3.394
    iam latis uiscera lapsa /semianimes
    traxere foris 4.566
    at, qua lata iacet, ... / distinet Oceanum
                          4.674
    cogit /ignotisque equitem late decurrere
    campis. 4.733
    quas uentus ... /permixtas habuere diu,
    latumque per aequor, ... 5.707
    tot potuere manus ... / aut Pelopis latis
    Ephyren abrumpere regnis 6.57
    latis exire ruinis /quaerit, . . . 6.122
    armaque late /spargit 6.269
    uocibus isdem /umentis late nebulas
    nimbosque solutis /excussere comis. 6.468
    quae latius orbem /possedit, . . . 7.419
    obit latis proiecta cadauera campis;
                          7.565

    passus Achaemeniis late decurrere campis
    /in tutam trepidos numquam Babylona coegi.
                          8.224
    late periturum deficit aequor.   9.318
    squalebant late Phorcynidos arua Medusae,
                          9.626

    dextra ... /... derigit harpen /lata
    colubriferi rumpens confinia colli. 9.677
    late sibi summouet omne / uolgus...
    basiliscus 9.725
    super omnia membra /efflatur sanies late
    pollente ueneno; 9.795
    hoc igitur tandem leuior Romana iuuentus
    /auxilio late squalentibus errat in
    aruis. 9.939
    late tibi gurgite rupto /ambitur... Meroe
                          10.302

LAUDO,-ARE. Taygeti, fama ueteres laudantur
    Athenae, ... 5.52
    Pompeio laudante cadam. 6.160
    dat poenas laudata fides, cum sustinet'
    inquit /'quos fortuna premit. . . . 8.485
    condita laudabit Magni socer inpius ossa:
                          8.783

    sed Cato laudatam iuuenis conpescuit iram.
                          9.166
    an ... / ... laudandaque uelle /sit satis
                          9.570

    quidquid laudamus in ullo /maiorum,
    fortuna fuit. 9.595

LAUINIUS,-A,-UM. Aeneaeque mei, quos nunc

LAUINIUS
  Lauinia sedes / seruat et Alba, lares,
  9.991
LAUO,-ARE. et lotam paruo reuocant Almone
  Cybeben, ... 1.600
  quaesitorum terra pelagoque ciborum /
  ambitiosa fames et lautae gloria mensae.
  4.376
  si pectora plena /saepe deo laui calido
  prosecta cerebro, /... parete precanti.
  6.709
LAURENTINUS,-A,-UM. puluere uix tectae
  poterunt monstrare ruinae /Albanosque
  lares Laurentinosque penates, 7.394
LAUREUS,-A,-UM. et uictis cedat piratica
  laurea Gallis, ... 1.122
  flebunt,/sed dum tura ferunt, dum laurea
  serta Tonanti. 7.42
LAURIFER,-A,-UM. nobis uictoria turbam /...
  quae ... / lauriferos nullo comitetur
  uolnere currus? 5.332
  actaque lauriferae damnat Sullana
  iuuentae, ... 8.25
LAURUS. excipit aut sacras poscunt Capitolia
  laurus: 1.287
  crinesque in terga solutos /candida
  Phocaica conplectitur infula lauro. 5.144
  nulloque horrore comarum /excussae laurus
  5.155
  unde et Thessalicae ueniunt ad Pythia
  laurus. 6.409
LAUS. uos quoque, qui fortes animas belloque
  peremptas /laudibus in longum uates
  dimittitis aeuum, ... 1.448
  par animi laus est et, quos speraueris,
  annos /perdere 4.482
  abscidit nostrae multum fors inuida laudi,
  4.503
  laudis in hoc sexu non legum iura nec
  arma, ... 8.75
  uocibus his maior, quam si Romana sonarent
  / rostra ducis laudes, ... 9.216
LAUTUS v. LAUO.
LAXO,-ARE. inmineat foribus pronusque
  repagula laxet. 1.295
  ora ferox Siculae laxauit Mulciber
  Aetnae, ... 1.545
  si rursus tellus pulsu laxata tridentis
  2.456
  fatur et astrictis laxari uincula
  palmis /imperat. 2.516
  portitor; in multas laxantur Tartara
  poenas; 3.17
  lassant (laxant) rumpentis stamina Parcas.
  var.3.19
  diuersaeque rates laxata classe receptae.
  3.548
  concussaque tellus /laxet iter fluuiis:
  4.116
  Herculeosque nouo laxauit corpore nodos.
  4.632
  iussus sedes laxare uerendas . . 5.123
  totosque rudentes /laxauere sinus 5.427
  spesque tuas laxa, iuuenis: . . . 5.533
  agmina ... / ... spargit ... ut Caesaris
  arma / laxet 6.72
  et effuso laxat tentoria campo, . . 6.270
  compressaque dentibus ora /laxauit 6.567
  pectora tum primum feruenti sanguine
  supplet /uolneribus laxata nouis 6.668
  frenosque furentibus ira /laxat 7.125
  septima nox Zephyro numquam laxante

  rudentes /ostendit ... Aegyptia litora
  9.1004
  se ... Cleopatra ... / corrupto custode
  Phari laxare catenas /intulit Emathiis...
  tectis, ... 10.57
  extenso laxauit stamina uelo. 10.143
LAXUS,-A,-UM. gaudetque .../et qui te laxis
  imitantur, Sarmata, bracis /Vangiones,
  1.430
  sed uolnere laxo /diffusum rutilio dirum
  pro sanguine uirus. 1.614
  stagna auidi texere soli laxaeque paludes
  /depositum, Fortuna, tuum; 2.71
  aequor /portus erat, si non uiolentos
  insula Coros/exciperet saxis lassasque
  (laxasque)refunderet undas. . . var.2.618
  et laxe fluitare sinit. 4.451
  uestibus iratos laxis operire leones.
  4.686
  ianitor et sedis laxae, qui uiscera saeuo
  /spargis nostra cani,... / exaudite preces.
  6.702
  illic et laxas uestes et fluxa uirorum
  /uelamenta uides. 8.367
  iamque sinu laxo nudum sine corpore uolnus.
  9.769
LECTUS(subst.). uiduo tum primum frigida lecto
  /atque insueta quies uni, ... 5.806
  peruersa funera pompa /rettulit a
  tumulis, fugere cadauera letum (lectum).
  var.6.532
  proles tam clara Metelli /stabit barbarico
  coniunx millesima lecto. 8.411
LEDAEUS,-A,-UM. nam sol Ledaea tenebat /sidera,
  4.526
LEGIO. cornus tibi cura sinistri,/Lentule,
  cum prima,... / et quarta legione datur.
  7.219
LEGITIMUS,-A,-UM. non ... /legitimaeque faces,
  gradibusque adclinis eburnis /stat torus
  2.356
LEGO,-ERE. sed neque in Arctoo sedem tibi
  legeris orbe 1.53
  legere rudentes / et posito remis
  petierunt litora malo. 3.44
  tela legunt delecta mari ratibusque
  ministrant 3.691
  non tamen aut tectis (lectis) sonuerunt
  cursibus amnes var.4.299
  litora curua legit, ... 5.513
  terris hospita Colchis /legit in Haemoniis
  quas non aduexerat herbas. . . . 6.442
  cura fuit lectis pharetras inplere
  sagittis, ... 7.142
  haec ... /... cum bella legentur, /spesque
  metusque simul ... mouebunt, . . 7.210
  legent et adhuc tibi, Magne, fauebunt.
  7.213
  quod legit diues summis Arimaspus
  harenis, / ut rapiant, paruo scelus hoc
  uenisse putabunt. 7.756
  iubet ire in deuia mundi /Deiotarum, qui
  sparsa ducis uestigia legit. . . . 8.210
  solitumque legi super alta deorum/ culmina
  .../haud procul est ima Pompei nomen
  harena /depressum tumulo, ... 8.818
  haud procul est ima Pompei nomen harena/
  depressum tumulo, quod non legat aduena
  rectus, ... 8.821
  Dictaea legit cedentibus undis / litora.
  9.38

LEGO

   segne solum raras ... exerit herbas,/quas
   Nasamon, gens dura, legit, ... 9.439
   quantumque licet (leget) consurgere
   fumo /et uiolare diem, tantus tenet aera
   puluis. var.9.461
   sic illa profecto /sacrifico cecidere
   Numae, quae lecta iuuentus /patricia
   ceruice mouet: 9.478
   sterilesne elegit (legit) harenas / ut
   caneret paucis, ... var.9.576
   cuius uestigia frustra /terris sparsa
   legens fama duce tendit in undas, 9.953
   Threiciasque legit fauces 9.954
   uenturi me teque legent; . . . 9.985
   lege summa perempti /uerba patris, 10.92
   misitque per ultima terrae /Aethiopum
   lectos: 10.274

LELEGES. mox Lelegum dextra pressum descendit
   aratrum, ... 6.383

LEMANNUS. deseruere cauo tentoria fixa
   Lemanno 1.396

LENIO,-IRE. Cerberos Orpheo leniuit sibila
   cantu, ... 9.643

LENIS,-E. colle tumet modico lenique excreuit
   in altum /pingue solum tumulo; . . 4.11
   Hapso gestare carinas /causa palus, leni
   quam fallens egerit unda; 5.464
   quis te tam lene fluentem /moturum totas
   uiolenti gurgitis iras,/Nile, putet?
                  10.315

LENTULUS(P. Cornelius Spinther). depellitur
   arce /Lentulus Asculea; 2.469

LENTULUS(L. Cornelius). Lentulus e celsa
   sublimis sede profatur. 5.16
   cornus tibi cura sinistri,/Lentule, cum
   prima, quae tum fuit optima bello, /et
   quarta legione datur 7.218
   quos Lentulus omnis /uirtutis stimulis
   et nobilitate dolendi /praecessit 8.328

LENTULUS(P. Sura). Lentulus exertique manus
   uaesana Cethegi. 2.543

LENTUS,-A,-UM. quod tam lenta tuas tenuit
   patientia uires/ conquerimur. . . 1.361
   trahit ipse furoris /impetus, et uisum
   lenti quaesisse nocentem. . . . 2.110
   haereat, hac hostis lentus terat otia ripa.
                 2.488
   quamuis, uiridi luctetur robore, lentas /
   ignis agit uires, ... 3.503
   hi luctantem animam lenta cum morte
   trahentes 3.578
   sanguis /emicuit lentus: ruptis cadit
   undique uenis, ... 3.639
   qua se / Bagrada lentus agit siccae
   sulcator harenae. 4.588
   aequora lenta iacent, ... 5.434
   merito Pompeium uincere lente /gentibus
   indignum est a transcurrente subactis.
               7.73
   coeperat exiguo tractu ciuilia bella /ut
   lentum damnare nefas. 7.242
   carpitur et lentum Magnus destillat in
   ignem 8.777
   aut Astraea iubet lentos descendere Pisces
               9.535
   deprensum est, quae funda rotat quam lenta
   uolarent, ... 9.826
   non lentus Achillas /suadenti parere nefas
   haud clara mouendis, ... 10.398

LEO. aestiferae Libyes uiso leo comminus hoste
               1.206

---

   latuisse sub alta / rupe ferunt, epulas
   raptos habuisse leones; 4.602
   ille Cleonaei proiecit terga leonis,/
   Antaeus Libyci; 4.612
   uestibus iratos laxis operire leones.
               4.686
   has auidae tigres et nobilis ira leonum /
   ore fouent blando; 6.487
   tabemque cruentae /caedis odorati Pholoen
   liquere leones. 7.827
   quanta dedit miseris melioris gaudia
   terrae /cum primum saeuos contra uidere
   leones! 9.947

LEO(sidus). si saeuum radiis Nemeaeum, Phoebe,
   Leonem /nunc premeres, . . . 1.655
   at medios ignes caeli rapidique Leonis/
   solstitiale caput nemorosus summouet
   Othrys. 6.337
   nec plus Leo tollitur Vrna. . . . 9.537
   hunc ubi pars caeli tenuit, qua mixta
   Leonis /sidera sunt Cancro,.../... tunc
   Nilus fonte soluto, /... iussus adest,
               10.210
   contraque incensa Leonis /ora tumet 10.233
   linea tam rectum mundi ferit illa Leonem.
               10.306

LEPIDUS. ut Catulo iacuit Lepidus, nostrasque
   securis 2.547
   adde trucis Lepidi motus Alpinaque bella
               8.808

LEPIDI. caedunt Lepidos caeduntque Metellos
               7.583

LEPTIS. quidquid puluere sicco /separat
   ardentem tepida Berenicida Lepti /ignorat
   frondes: 9.524
   proxima Leptis erat, ... 9.948

LERNAEUS,-A,-UM. teque, per amnem /inprobe
   Lernaeus uector passure sagittas, 6.392

LESBOS. Lesboque remota /te procul a saeui
   strepitu, Cornelia, belli . . . 5.725
   cedendum est bellis, quorum tibi tuta
   latebra /Lesbos erit. 5.744
   conscia curarum secretae in litora Lesbi /
   flectere uela iubet, ... 8.40
   siccaque Thessalia confudit lumina Lesbos.
               8.108
   tota, quantum ualet, utere Lesbo. 8.123
   tenuit nostros hac obside Lesbos /
   adfectus; 8.131
   saeui cum Caesaris iram / iam scirem
   meritam seruata coniuge Lesbon, /non
   ueritus tantam ueniae committere uobis /
   materiam. 8.135
   heu nimium felix aeterno nomine Lesbos,
               8.139
   da similis Lesbo populos, qui Marte
   subactum /non intrare suos... portus/...
   uetent.' 8.144
   primusque a litore Lesbi /occurrit gnatus,
               8.204
   poteras non flectere puppem,/ cum
   fugeres alto, latebrisque relinquere
   Lesbi, ... 8.587
   letiferae tibi causa morae fuit auia
   Lesbos, ... 8.640

LETALIS,-E. letalisque ambitus urbi /annua
   uenali referens certamina Campo; 1.179
   uidimus et toto quamuis in corpore caeso /
   nil animae letale datum, ... 2.179
   multi inopes teli iaculum letale reuolsum
   /uolneribus traxere suis 3.676

LETALIS
  pariter sternuntque caduntque /uolnere
  letali, ... 4.559
  pauet ire in pectus apertum /uisceraque
  et ruptas letali uolnere fibras. 6.723
  nec puer aut senior letalis tendere
  neruos /segnis, ... 8.296

LETHAEUS,-A,-UM. me non Lethaeae, coniunx,
  obliuia ripae /inmemorem fecere tui, 3.28
  tum uox Lethaeos cunctis pollentior herbis
  /excantare deos confundit murmura primum
  /dissona 6.685

LETHE. inmisit Stygiam Paean in uiscera
  Lethen, ... 5.221
  nec uerba nec herbae /audebunt longae
  somnum tibi soluere Lethes. 6.769

LETHON. quam iuxta Lethon tacitus praelabitur
  amnis, ... 9.355

LETIFER,-FERA,-FERUM. non hasta uiris, non
  letifer arcus, /telum flamma fuit, 3.500
  obliquusque caput uanas serpentis in auras
  /effusae tuto conprendit guttura morsu /
  letiferam citra saniem; . . . 4.728
  antraque letiferi rabiem Typhonis anhelant.
  6.92
  et non letiferas spirando perdidit auras.
  6.522
  pudet ... /... / quaerere letiferum per
  cuius uiscera uolnus /exierit, 7.619
  letiferae tibi causa morae fuit auia
  Lesbos, ... 8.640
  siccaque letiferis squalent serpentibus
  arua. 9.384
  dracones,/letiferos ardens facit Africa:
  9.729

LETIFICUS. letifica dubios explorant aspide
  partus. 9.901

LETUM. quos ille timorum / maximus haut urguet
  leti metus. 1.460
  tot simul infesto iuuenes occumbere leto
  2.198
  diuisitque animam sparsitque in uolnera
  letum. 3.591
  telaque multorum leto casura suorum /
  emerita iam morte tenet. 3.621
  tradidit in letum uacuos uitalibus artus;
  3.643
  conspecta est leti facies, 3.653
  mille modos inter leti mors una timori
  est 3.689
  non perdere letum /maxima cura fuit: 3.706
  letum praecedere nati /festinantem animam
  morti non credidit uni. 3.750
  ut leti uidere uiam, conuersus in iram /
  praecipitem timor est. 4.267
  non derat fortis rapiendo dextera leto;
  4.345
  nec gloria leti /inferior, iuuenes, admoto
  occurrere fato. 4.479
  decernite letum, ... 4.486
  agnoscere solis /permissum, quos iam
  tangit uicinia fati (leti),/.../ felix
  esse mori.' var.4.518
  leti fortuna propinqui /tradiderat fatis
  iuuenem. 4.737
  ceciditque in strage suorum /inpiger ad
  letum et fortis uirtute coacta. 4.798
  nec te uicinia leti /territat ambiguis
  frustratum sortibus, Appi; . . . 5.224
  si gloria leti / est pelago donata mei
  bellisque negamur, ... 5.656
  cernit miserabile uolgus /... letumque

minantis /uellere ab ignotis dubias
  radicibus herbas. 6.112
omne potens animal leti genitumque nocere
  /et pauet Haemonias... artes. 6.485
peruersa funera pompa/rettulit a tumulis,
  fugere cadauera letum. 6.532
Thessala uatem /eligit et gelidas leto
  scrutata medullas /pulmonis ... sine
  uolnere fibras /inuenit 6.629
egressus meruit fatis tam nobile letum.
  7.595
nec derat robur in enses /ire duci
  iuguloque pati uel pectore letum. 7.670
nisi summa dies ... /... celeri praeuertit
  tristia leto, /dedecori est fortuna prior.
  8.30
at non Cornelia letum /infando sub rege
  timet. 8.396
ausus Pompeium leto damnare Pothinus
  8.483
damnatum leto traherent ad litora Magnum,
  8.570
letumque iuuat praeferre timori. 8.576
'me cum fatalis leto damnauerit hora,
  /excipite,... bellum ciuile, . . . 9.87
te ... coniunx / ... sequar, quam longo
  tradita leto /incertum est: . . . 9.102
'uana specie conterrite leti, . . . 9.612
datis omnia leto, ... 9.732
ipsaque leti /frons caret inuidia 9.739
ecce, subit facies leto diuersa fluenti
  9.789
non tam ueloci corrumpunt pocula leto /
  ... toxica ... matura 9.819
exemplarque sui spectans miserabile leti /
  stat tutus pereunte manu. 9.832
habet hoc solacia caelum (letum):
  var.9.870
ingens meritum maiusque salute /contulit,
  in letum uires; 9.886

LEUCA. iubet ... / et cunctas reuocare rates,
  ... / antiquosque Taras secretaque litora
  Leucae, / quas recipit 5.376

LEUCADIUS,-A,-UM. quantum Leucadio placidus de
  uertice pontus /despicitur, . . . 5.638
  cuius adhuc remis quatitur Corcyra
  sinusque / Leucadii, ... / exiguam uector
  pauidus correpsit in alnum. . . 8.38
  Leucadioque fuit dubius sub gurgite casus,
  10.66

LEUCAS. quas premit aspera classes/Leucas 1.43
  iam tum ciuili meditatus Leucada bello.
  5.479
  et Mutina et Leucas puros fecere Philippos.
  7.872

LEUCUS. gaudetque... / optimus excusso Leucus
  Remusque lacerto, ... 1.424

LEUIS,-E. infremuit, tum torta leuis si lancea
  Mauri /haereat 1.210
  gaudetque ... / et Biturix longisque leues
  Suessones in armis, ... 1.423
  non timidum nuptae leuiter tectura pudorem
  /lutea demissos uelarunt flammea uoltus,
  2.360
  haec ubi dicta, leuis totas accepit
  habenas 2.500
  ut, cum terra leuis mediam uirgultaque
  molem /suspendant, ... 3.396
  tunc adoperta leui procedit uinea terra,
  3.487
  erat inpiger Astur /Vettonesque leues

LEUIS

profugique a gente uetusta /Gallorum
Celtae . . . .　4.9
aut inpulsa leui turbatur glarea uena.
　　　　　　　　　　　　　4.302
uenator tenet ora leuis clamosa Molossi,
　　　　　　　　　　　　　4.440
ora leui flectit frenorum nescia uirga,
　　　　　　　　　　　　　4.683
uix primum leuior propellere lintea uentus
/incipit　. . . . .　5.430
quid nunc, uaesani, iaculis leuibusue
sagittis /perditis... ictus?　. . .　6.196
tempora signauit leuiorum Roma malorum,
　　　　　　　　　　　　　7.410
sparsa per extremos leuis armatura
maniplos /insequitur　. . . . . . .　7.508
me pulsum leuiore manu fortuna tenebit?
　　　　　　　　　　　　　8.271
pugna leuis bellumque fugax turmaeque
uagantes,　. . . . .　8.380
sed tua sors leuior, quoniam mors ultima
poena est /nec metuenda uiris.　. .　8.395
tunc, ne leuis aura retectos /auferret
cineres, saxo conpressit harenam,　8.789
hoc igitur tandem leuior Romana iuuentus
　　　　　　　　　　　　　9.938

LEUITAS. Phocais in dubiis ausa est seruare
iuuentus /non Graia leuitate fidem
signataque iura,　. . . . .　3.302

LEUO,-ARE. dum terra fretum terramque leuabit
/aer　. . . . .　1.89
spes saltem trepidas mentes leuet,　1.523
hac caede luatur (clade leuatur)/ quidquid
Romani meruerunt pendere mores. . .
　　　　　　　　　　　var.2.312
ille caput labens et iam languentia colla
/uiso patre leuat;　. . . . . . .　3.738
nec Caesar colle minore /castra leuat;
　　　　　　　　　　　　　4.18
neque enim de more carinas /extendunt
puppesque leuant,　. . . . .　4.418
tandem uolgata cruenti /fama mali terras
monstris aequorque leuantem /magnanimum
Alciden Libycas exciuit in oras.　4.610
sic muta leuant suspiria uatem.　5.218
haec fatum decumus, dictu mirabile,
fluctus /inualida cum puppe leuat,　5.673
haec ubi fata caput spumantiaque ora
leuauit,　. . . . .　6.719
nec se tellure cadauer / paulatim per
membra leuat,　. . . . .　6.756
pugnae pars magna leuabit /his orbem
populis　. . . . .　7.275
uocibus his correpta uiri uix aegra
leuauit /membra solo　. . . . . . .　8.86
quaecumque leuatae /arboribus caesis
flatum effudere prementi /abstulit has.../
aestus　. . . . .　9.331
tabes / aspida somniferam tumida ceruice
leuauit.　. . . . .　9.701

LEX. totum sub Latias leges cum miseris orbem,
　　　　　　　　　　　　　1.22
hinc leges et plebis scita coactae　1.176
at postquam leges bello siluere coactae
　　　　　　　　　　　　　1.277
atque auso medias perrumpere milite leges
　　　　　　　　　　　　　1.322
'aut hic errat ' ait 'nulla cum lege per
aeuum /mundus　. . . . .　1.642
manifestaque belli /signa dedit mundus
legesque et foedera rerum / praescia

monstrifero uertit natura tumultu　2.2
fixit in aeternum causas, qua cuncta
coercet /se quoque lege tenens,　2.10
debet multas hic legibus aeui /ante suam
mortes:　. . . . .　2.82
tum data libertas odiis, resolutaque legum
/frenis ira ruit.　. . . . .　2.145
hos polluta domus legesque in pace
timendae,　. . . . .　2.252
lege deum minimas rerum discordia turbat,
　　　　　　　　　　　　　2.272
quod si pro legibus arma /ferre iuuat
　　　　　　　　　　　　　2.281
me frustra leges et inania iura tuentem.
　　　　　　　　　　　　　2.316
non consule sacrae /fulserunt sedes, non,
proxima lege potestas, /praetor adest,
　　　　　　　　　　　　　3.106
amissae leges set, pars uilissima rerum,
　　　　　　　　　　　　　3.120
non usque adeo permiscuit imis longus
summa dies ut non, si uoce Metelli /seru-
antur leges, malint a Caesare tolli.'　3.140
patriaeque et ruptis legibus unum /
donauere diem;　. . . . .　4.27
rupit amor leges, audet transcendere
uallum　. . . . .　4.175
hunc quoque　...,lege tribunicia solio
depellere auorum /Curio temptarat,　4.690
aut cui plus leges deberent recta
sequenti;　. . . . .　4.815
Caesar habet uacuasque domos legesque
silentis　. . . . .　5.31
felix ac libera regum (legum), / Roma,
fores iurisque tui,　. . . . . . .var.6.301
legi non paruit aether,　. . . . .　6.462
si tollere totas /temptasset campis
acies ... / cessissent leges Erebi,　6.635
uidi ego laetantis ... Drusos /legibus
inmodicos ausosque ingentia Gracchos;
　　　　　　　　　　　　　6.796
segnior, Oceano quam lex aeterna uocabat,
/luctificus Titan numquam magis aethera
contra /egit equos　. . . . .　7.1
ipsi /Romanas sancire uolent hoc sanguine
leges.　. . . . .　7.351
quid tempora legum /egimus aut annos a
consule nomen habentis?　. . . . .　7.440
laudis in hoc sexu non legum iura nec
arma,　. . . . .　8.75
barbara ... /... Venus,... / polluit
innumeris leges et foedera taedae /
coniugibus　. . . . .　8.399
regia non ullis exceptos legibus audet /
concubitus:　. . . . .　8.402
quod nisi fatorum leges ... /...damnatum
leto traherent ad litora Magnum, /non ulli
comitum sceleris praesagia derant:　8.568
hoc leges Campumque et rostra mouebat,
　　　　　　　　　　　　　8.685
pudeat: plus regia Nili /contulit in
leges et Parthi militis arcus.　9.267
ambigua sed lege loci iacet inuia sedes,
　　　　　　　　　　　　　9.307
durum iter ad leges patriaeque ruentis
amorem.　. . . . .　9.385
certe uita tibi semper derecta supernas/
ad leges, sequerisque deum.　. . .　9.557
iure suo populis uti legumque licebit,
　　　　　　　　　　　　　9.560
exiguane uia legem conuertimus anni? 9.875

ast ego caelicolis gratum reor ... / ...
sacras populis notescere leges.   10.198
sideribus,... /... diuersa potentia
prima /mundi lege data est. . .   10.201
inde etiam leges aliarum nescit aquarum,
                                   10.228
LIBAMEN. duro concordes caespite mensas,
instituunt et permixto libamina Baccho;
                                    4.198
LIBER,-A,-UM. extrahe ciuili tantum iam libera
bello.' 1.672
sub iuga Pompei, toto iam liber in
orbe /solus Caesar erit. 2.280
quo potuit ciuem populus perducere liber
                                    2.562
fregit aquis radios et liber nubibus
aether 3.522
miles spoliato pectore tutus /
innocuusque suas curarum liber in urbes/
spargitur. 4.384
'libera non ultra parua quam nocte
iuuentus, ...   4.476
Massiliaeque suae donatur libera Phocis;
                                    5.53
at liber terrae spatiosis collibus hostis
/aere non pigro ... angitur . . . 6.106
felix ac libera regum, / Roma, fores 6.301
non mihi res agitur, sed, uos ut libera
sitis / turba, ...   7.264
haec libera nasci, /haec uolt turba mori.
                                    7.375
te... / ...dubium fati,... / aspiciens
Stygias Magno duce liber ad umbras /et
securus eo: 7.612
libera fortunae mors est; 7.818
haud ego culpa /libera bellorum, quae
matrum sola per undas / et per castra
comes 8.648
abstulit has liber uentis contraria
uoluens /aestus 9.333
liberque meatu /Aeoliam rabiem totis
exercet harenis, ...   9.453
an liber in armis /occubuisse uelim potius
quam regna uidere? 9.566
puer ipse sororem /sit modo liber, amat;
                                    10.95
Caesar et auxiliis ut uidit libera ponti
/ostia, non fatum ... Pothini /distulit
ulterius. 10.514
LIBERO,-ARE. nec campos liberat undis /donec
in autumnum declinet Phoebus . .   10.235
LIBERTAS. quem sua libertas inmotis pasceret
armis. 1.172
uox quondam populi libertatemque tueri /
ausus 1.270
tum data libertas odiis, ...   2.145
ferre iuuat patriis libertatemque tueri
                                    2.282
tuumque / nomen, Libertas, et inanem
persequar umbram. 2.303
uiribus an possint obsistere iura, per
unum /Libertas experta uirum; . .   3.114
te uindice tuta relicta est /libertas?
                                    3.138
'libertas' inquit 'populi quem regna
coercent /libertate perit; 3.145
'libertas' inquit 'populi quem regna
coercent/libertate perit; 3.146
nec pauet hic populus pro libertate subire
/obsessum Poeno gessit quae Marte
Saguntum. 3.349

si bene libertas umquam pro pace daretur.
                                    4.227
ob ferrum et saeuis libertas uritur armis,
                                    4.578
si libertatis superis tam cura placeret
                                    4.808
redituraque numquam /libertas ultra
Tigrim Rhenumque recessit 7.433
scit ... / unde petat Romam, libertas
ultima mundi /quo steterit ferienda loco.
                                    7.580
uictus totiens a Caesare salua /libertate
perit: 7.603
sic et Thessalicae post te pars maxima
pugnae /.../libertas et Caesar, erit;
                                    7.696
quid causa obtenditur armis /libertatis
amor? 8.340
Parthus.../...nulli superabilis hosti est/
libertate fugae; 8.371
quantum, spes ultima rerum, /libertatis
habes! 8.455
libertas scelerum est quae regna inuisa
tuetur 8.491
totae post Magni funera partes /libertatis
erant. 9.30
uel sceptra uel urbes /libertate sua
ualidas inpellite fama /nominis: . 9.91
uni parere decebit /si faciet partes pro
libertate, Catoni.' 9.97
salua /libertate potens, ... /... erat.
                                    9.193
olim uera fides Sulla Marioque receptis/
libertatis obit: 9.205
nunc patriae iugulos ensesque negatis,/
cum prope libertas? 9.265
datur, ecce, loquendi /cum Ioue libertas:
                                    9.558
hilaresque nefas spectare cruentum /
o bona libertas, cum Caesar lugeat, audent.
                                    9.1108
nam sibi libertas umquam si redderet
orbem /ludibrio seruatus erat,   10.25
LIBET,-ERE. si libet ulcisci deletae funera
gentis, ...   2.84
o utinam caelique deis Erebique liceret
/hoc caput in cunctas damnatum exponere
poenas! var.2.306
uel, si libet, arma retempta,/ et nihil
hac uenia, si, uiceris, ipse paciscor.'
                                    2.514
ut primum libuit ruptis euadere claustris
/Pompeio 6.118
nec quaesisse libet primis quid
frugibus altrix /aere Iouis Dodona sonet,
                                    6.426
nec libuit mutare locum. 7.466
cur non maiora mereri /quam uitam
ueniamque libet? 9.276
quantumque licet (libet) consurgere
fumo /et uiolare diem, tantus tenet
aera puluis. var.9.461
ire libet qua zona rubens atque axis
inustus /solis equis; 9.852
LIBO. gens Etrusca fuga trepidi nudata
Libonis, ...   2.462
LIBRA. atque iterum aequatis ad iustae pondera
Librae /temporibus uicere dies,   4.58
tempus erat quo Libra pares examinat
horas, ...   8.467
aut Aries donat sua tempora Librae 9.534

LIBRA

    Nilus ... nec ripis alligat amnem/
    ante parem nocti Libra sub iudice
    Phoebum. 10.227

LIBRO,-ARE. librati pondera caeli /orbe tene
    medio; 1.57
    ut uidit, primus raptam librare bipennem/
    ausus et aeriam ferro proscindere quercum
                      3.433
    aere libratum uacuo quae sustinet orbem,
                      5.94
    hic quoque nil obstat Phoebo, cum cardine
    summo /stat librata dies; 9.529

LIBURNAE(sc. naues). lunata classe recedunt/
    ordine contentae gemino creuisse Liburnae.
                      3.534

LIBURNUS. Cilicum dominus terraeque Liburnae/
    exiguam uector pauidus correpsit in alnum.
                      8.38

LIBURNI. detegit orta dies stantis in rupibus
    Histros/ pugnacesque mari Graia cum classe
    Liburnos. 4.530

LIBYE. squalentibus aruis /aestiferae
    Libyes uiso leo comminus hoste   1.206
    uidimus et Martem Libyes cursumque furoris
                      1.255
    litora, per calidas Libyae sitientis
    harenas: 1.368
    dubiam super aequora Syrtim /arentemque
    feror Libyen, ...   1.687
    postibus Antaei Libye, nec Graecia maerens
    /tot laceros artus Pisaea fleuit in aula.
                      2.164
    effusis magnum Libye tulit imbribus annum.
                      3.70
    quidquid ab occiduis Libye patet arida
    Mauris 3.294
    periere coloni /aruorum Libyae,   4.606
    uires /exciuit, Libycas gentis, extremaque
    mundi /signa suum comitata Iubam.   4.669
    Curio temptarat, Libyamque auferre tyranno
    /dum regnum te, Roma, facit. . .   4.691
    Libyae squalentibus aruis /Curio Caesarei
    cecidit pars magna senatus. . . .   5.39
    Libyamque iubent auctore senatu /
    sceptrifero parere Iubae. 5.56
    non rupta uadosis /Syrtibus incerto Libye
    nos diuidit aestu. 5.485
    non Vticae Libye clades, Hispania Mundae
    /flesset 6.306
    Europam, miseri, Libyamque Asiamque
    timete: 6.817
    illuc et Libye Numidas et Creta Cydonas/
    misit, ...   7.229
    aspice...donataque regna,/Aegypton
    Libyamque, et terras elige morti.   7.711
    consulit ... / aut quotus in Plaustro
    Libyam bene derigat ignis. . . .   8.170
    uos pendite regna /uiribus atque fide,
    Libyam Parthosque Pharonque, . .   8.277
    portusque quietos /testatur Libye Phrygio
    placuisse magistro), ...   9.44
    Pallas ... patrio ... uertice nata /
    terrarum primam Libyen ... /
    ... tetigit, ...   9.351
    sed duce Pompeio Libyae melioris in oris
    /mansit. 9.370
    uiam ... saeuam /inde polo Libyes, hinc
    bruma temperet annus. 9.377
    per mediam Libyen ueniant atque inuia
    temptent, ...   9.386
    sola potest Libye turba praestare malorum

    /ut deceat fugisse uiros.' . .   9.405
    inuasit Libye securi fata Catonis.   9.410
    tertia pars rerum Libye, si credere famae/
    cuncta uelis; 9.411
    unde Europa fugit Libyen 9.415
    Libycae quod fertile terraest / uergit in
    occasus; 9.420
    non montibus ortum /aduersis frangit
    Libye 9.450
    concuteret terras ... / si solida Libye
    conpage et pondere duro /clauderet...
    Austrum 9.467
    esse locis superos testatur silua per
    omnem /sola uirens Libyen . . .   9.523
    hunc ego per Syrtes Libyaeque extrema
    triumphum /ducere maluerim, . . .   9.598
    et in tota Libyae fons unus harena /ille
    fuit de quo primus sibi posceret undam.
                      9.617
    finibus extremis Libyes, ... /...
    squalebant late... arua Medusae,   9.624
    itque super Libyen, quae nullo consita
    cultu /sideribus Phoeboque uacat: 9.690
    accessit morti Libye, ...   9.753
    coepit et in terram Libye spissata redire,
                      9.943
    nec sterilis Libye nec Syrticus obstitit
    Hammon. 10.38
    partesque fugatas /passus in extremis
    Libyae coalescere regnis 10.79
    hinc montes natura uagis circumdedit undis
    /qui Libyae te, Nile, negent; . . 10.328

LIBYCUS,-A,-UM. turbidus Auster /reppulit
    a Libycis inmensum Syrtibus aequor   1.499
    cum post Teutonicos uictor Libycosque
    triumphos 2.69
    Libycas ibi colligit iras. . . .   2.93
    Aegypti Libycas Nilus stagnaret harenas;
                      2.417
    non segnior illo /Marte fuit, qui tum
    Libycis exarsit in aruis. 4.582
    terribilem Libycis partum concepit in
    antris. 4.594
    tandem uolgata cruenti /fama mali terras
    monstris aequorque leuantem /magnanimum
    Alciden Libycas exciuit in oras.   4.611
    ille Cleonaei proiecit terga leonis,/
    Antaeus Libyci 4.613
    Scipio; nam sedes Libyca tellure potito /
    haec fuit. 4.658
    multum frustraque rogatus /ut Libycas
    metuat fraudes 4.736
    Romanam, superi, Libyca tellure ruinam /
    Pompeio prodesse nefas uotisque senatus.
                      4.791
    Libycas, en, nobile corpus, /pascit
    aues nullo contectus Curio busto.   4.809
    hic et Thessalicae clades Libycaeque
    tenentur; 6.62
    [par pelagi monstris Libycae sic belua
    terrae] 6.207
    sic Libycus densis elephans oppressus ab
    armis /omne... missile.../frangit   6.208
    defuit ... /non... /aut uiuentis adhuc
    Libyci membrana cerastae 6.679
    deplorat Libycis perituram Scipio terris /
    infaustam subolem; 6.788
    Scipio, miles in hoc, Libyco dux primus in
    orbe. 7.223
    non illum Poenus humator /consulis et
    Libyca succensae lampade Cannae /

LIBYCUS	**LICET**

conpellunt hominum ritus ut seruet in
hoste, ... 7.800
an Libycae Marium potuere ruinae /
/ erigere in fasces 8.269
Syrtibus hinc Libycis tuta est Aegyptos,
8.444
angustius aris /uictoris Libyco pulsatur
in aequore saxum. 8.862
Eurus / in Libycas egit sedes et castra
Catonis. 9.119
inde peti placuit Libyci contermina
Mauris / regna Iubae, ... 9.300
nec sidera tota /ostendit Libycae finitor
circulus orae, ... 9.496
uentum erat ad templum Libycis quod
gentibus unum /inculti Garamantes habent.
9.511
non illic Libycae posuerunt ditia gentes
/templa, ... 9.515
at tibi, quaecumque est Libyco gens igne
dirempta, /in Noton umbra cadit, 9.538
comitesque Catonem /orant exploret
Libycum memorata per orbem /numina, 9.547
cur Libycus tantis exundet pestibus aer /
fertilis in mortes, ... 9.619
inde petuntur /huc Libycae mortes et
fecimus aspida mercem. 9.707
sed maiora parant Libycae spectacula
pestes. 9.805
haec Libycos, pars tam flauos gerit altera
crines 10.129
nunc Arabum populis, Libycis nunc aequus
harenis), ... 10.291
LIBYS. cum iaculum parua Libys ammentauit
habena, ... 6.221
LIBYSSA. terraeque in fine Libyssae /Persea
Phoebeos conuerti iussit ad ortus 9.666
LICENTIA(subst.). quis furor, o ciues, quae
tanta licentia ferri? 1.8
mutandaeque iuuat permissa licentia terrae.
6.271
uicinaque moenia castris/ Haemonidum,
ficti quas nulla licentia monstri /
transierit, ... 6.436
uestris quaesita licentia regnis? 9.1074
LICET,-ERE. si ciues, huc usque licet.' 1.192
Caesar, ubique tuus (liceat modo, nunc
quoque) miles. 1.202
'si licet,' exclamat 'Romani maxime rector/
nominis, ... 1.359
illa licet, penitus tolli quam iusseris
urbem, ... 1.385
liceat sperare timenti. 2.15
mille licet gladii mortis noua signa
sequantur, ... 2.115
desilit in flammas et, dum licet, occupat
ignes. 2.159
ne tantum, o superi, liceat feralibus
armis, / has etiam mouisse manus. 2.260
o utinam caelique deis Erebique liceret
2.306
liceat tumulo scripsisse 'Catonis/ Marcia',
2.343
'uiue, licet nolis, et nostro munere' dixit
2.512
licet ille solutum /defectumque uocet,
2.559
nec licet ad duros Martem conuertere
Hiberos, ... 2.629
nequid fatis mutare liceret, . . . 2.651
quam retinere uetas, liceat sibi perdere

saltem / Italiam. 2.700
dum non securos liceat mihi rumpere somnos
3.25
perque meos manes genero non esse licebit;
3.32
bracchia nec licuit uasto iactare
profundo 3.651
nec liceat pauidis ignaua occumbere
morte: 4.165
et ueniam sperare licet. 4.231
hos licet in fluuios saniem tabemque
ferarum, /... /infundas 4.321
discite quam paruo liceat producere uitam
4.377
dent fata recessum /emittantque licet,
uitare instantia nolim. 4.515
numquam saeuae sperare nouercae /plus
licuit: 4.638
neque enim licuit procurrere contra 4.772
ius licet in iugulos nostros sibi fecerit
ensis 4.821
accipit et frenos, nec tantum prodere
uati /quantum scire licet. . . . 5.177
'liceat discedere, Caesar, /a rabie
scelerum. 5.261
quos hominum uel quos licuit spoliare
deorum? 5.271
non duro liceat morientia caespite membra/
ponere, ... 5.278
liceat morbis finire senectam; 5.282
licet omne deorum /obsequium speres, 5.293
liceat scelerum tibi ponere finem. 5.314
nec caelum seruare licet: 5.395
liceat uexata litora puppe /prendere,
5.575
licet ingentis abruperit actus /festinata
dies fatis, sat magna peregi. . . 5.659
humanusque labor facilis, licet ardua
tollat, /cedere uel bellis. . . 6.20
tum, Babylon Persea licet secretaque
Memphis /omne ... soluat penetrale
magorum,/abducet superos alienis Thessalis
aris. 6.449
te precor ut certum liceat mihi noscere
finem 6.592
licet has exaudiat herbas,/ ad manes
uentura semel. 6.715
miratur Erictho /has fatis licuisse moras,
6.726
nunc quoque, tela licet paueant uictoris
iniqui, /... flebunt, ... 7.40
nuntiet ipse licet Caesar tua funera,
flebunt, ... 7.41
si liceat superis hominum conferre
labores, ... 7.144
omnia dum uobis liceant, nihil esse recuso.
7.268
ego sum cui Marte peracto /quae populi
regesque tenent donare licebit. 7.300
imperii salua si maiestate liceret, /
uoluerer ante pedes. 7.378
nullaque tantorum discat me uate malorum,/
quam multum bellis liceat ciuilibus,
aetas. 7.554
te,.../ Pompeio ... poenas ... daturum/
cum moriar, sperare licet.' . . . 7.615
quid fueris nunc scire licet. . . . 7.689
omnia maiorum uertamus busta licebit,
7.855
o superi, liceat terras odisse nocentis.
7.869

LICET

facere omnia saeue /non inpune licet,
nisi cum facis. 8.493
tene mihi dubitas an sit uiolare necesse,
/cum liceat? 8.524
spargant lacerentque licebit, / sum tamen,
... felix, ... 8.629
quidquid ab exstincto licuisset tollere
busto /in templis sparsura deum. 9.61
numquam dare iusta licebit /coniugibus?
9.67
nec enim sperare secunda /fas mihi nec
liceat. 9.244
quantumque licet consurgere fumo /et
uiolare diem, tantus tenet aera puluis.
9.461
iure suo populis uti legumque licebit,
9.560
dixitque semel nascentibus auctor/
quidquid scire licet. 9.576
hoc habet infelix, cunctis inpune, Medusa
/quod spectare licet. 9.637
dignumque clientem / castris crede tuis
cui tantum fata licere /in generum
uoluere tuum. 9.1025
captique in uiscera Magni / hoc alii
licuisse doles, ... 9.1053
licet usque sub Arcton /regnemus
Zephyrique domos 10.48
non sit licet ille nefando /Marte paratus
opes mundi quaesisse ruina; . . . 10.149
nec licuit populis paruum te, Nile, uidere,
10.296
pollutos consule fluctus /quid liceat
nobis, ... 10.380
LICIUM. pars ignea cocco,/ut mos est Phariis
miscendi licia telis. 10.126
LIGO,-ARE. hinc Essedoniae gentes auroque
ligatas /substringens Arimaspe comas;
3.280
suspendant, structa laterum conpage
ligatam /artet humum, ... 3.397
ast alias manicaeque ligant teretesque
catenae, ... 3.565
Spartanos Cretasque ligat, nec creditur
ulli 4.441
alto torpore ligatae / pigrius inmotis
haesere paludibus undae. 5.434
iam fune ligato /litoribus lustrat uacuas
Pompeius harenas. 8.61
nautaque ne bustum religato fune (funere
ligato) moueret /inscripsit sacrum
semusto stipite nomen: var.8.791
LIGO(subst.). uomere et antiquos Curiorum
passa ligones 1.169
nec solum rastris durisque ligonibus arua
/sed gladiis fodere suis, ... 4.294
LIGUR. et nunc tonse Ligur, quondam per colla
decore /crinibus effusis toti praelate
Comatae, ... 1.442
LILYBAEUS,-A,-UM. namque rates audax Lilybaeo
litore soluit 4.583
LIMEN. pax missa per orbem /ferrea belligeri
conpescat limina Iani. 1.62
nec limine quisquam /haesit . . . 1.507
hae pectora duro /adflixere solo,
lacrasque in limine sacro /attonitae
fudere comas 2.31
piguit ... /... nec primo in limine uitae
/ infantis miseri nascentia rumpere fata.
2.106
festa coronato non pendent limine serta,

matrona ... /translata uitat contingere
limina planta; 2.359
limine terrifico metuens consistere
Phoebas 5.128
inmotaque limina templi /securumque nemus
ueritam se credere Phoebo /prodiderant.
5.155
haec Caesar bis terque manu quassantia
tectum /limina commouit. 5.520
hoc iter aequoreo praecepit limite (limine)
Magnus, ... var.6.15
hunc aries ferro ballistaque limine
portae /promoueat. 6.200
spem uitae in limine clauso /ponit, 10.459
non aries uno moturus limina pulsu 10.480
LIMES. et Gallica certus /limes ab Ausoniis
disterminat arua colonis. 1.216
finis et Hesperiae, promoto limite, Varus;
1.404
fibra latet, paruusque secat uitalia
limes. 1.623
fatorum inmoto diuisit limite mundum,
2.11
cumque diem pronum transuerso limite
ducens 2.412
hoc limite bellum /haereat, . . . 2.487
angustus puppes mittebat in aequora limes
2.709
has ad bella rates non flexo limite ponti
/certior haud ullis duxit Cynosura
carinis. 3.218
super ardua ducit /saxa, super cautes,
abrupto limite signa; 4.740
hoc iter aequoreo praecepit limite Magnus,
6.15
hunc aries ferro ballistaque limine
(limite) portae /promoueat. var.6.200
camporum limite paruo /absumus a uotis.
7.298
quidquid signiferi conprensum limite caeli
/sub Noton et Borean hominum sumus, arma
mouemus. 7.363
uelut impatiens hominum uel solis iniqui
/limite uel glacie, nuda atque ignota
iaceres, ... 7.867
inreducemque uiam deserto limite carpit;
9.408
et semper recto lapsurus limite cenchris:
9.712
hinc torrente plaga, dubiis hinc Syrtibus
orbem /abrumpens medio posui'sti limite
mortes. 9.862
LIMO,-ARE. quos habuit uoltus hamati (limati)
uolnere ferri /caesa caput Gorgon!
var.9.678
LIMOSUS,-A,-UM. exul limosa Marius caput
abdidit ulua. 2.70
LIMUS. nigro si turbida limo /conluuies
inmota iacet, ... 4.310
LINEA. linea tam rectum mundi ferit illa
Leonem. 10.306
LINGONES. castraque ... /pugnaces pictis
cohibebant Lingonas armis. . . . 1.398
LINGUA. audax uenali comitatur Curio lingua,
1.269
innumeras soluit falsa in praeconia
linguas. 1.472
tum pecudum faciles humana ad murmura
linguae, ... 1.561
auolsae cecidere manus exsectaque lingua /

LINGUA
    palpitat et muto uacuum ferit aera motu.
                                        2.181
    hinc latus angustum iam se cogentis in
    artum / Hesperiae tenuem producit in
    aequora linguam, ...   2.614
    sculptaque seruabant magicas animalia
    linguas.) 3.224
    oraque sicca rigent squamosis aspera
    linguis; 4.325
    oraque proiecta squalent arentia lingua,
                                        4.755
    siccoque haerentem gutture linguam /
    praemordens gelidis infudit murmura labris
                                        6.567
    tum uox ... /... confundit murmura
    primum /dissona et humanae multum
    discordia linguae. 6.687
    mox cetera cantu /explicat Haemonio
    penetratque in Tartara lingua. . . 6.694
    Hecates ... per quam /manibus et mihi
    sunt tacitae commercia linguae, /... /
    exaudite preces. 6.701
    uox illi linguaque tantum /responsura
    datur. 6.761
    exiget ignorans Latiae commercia linguae
    /ut lacrimis se, Magne, roges. . . 8.348
    illis e faucibus angues /stridula fuderunt
    uibratis sibila linguis. 9.631
    et in sicco linguam torrere palato /
    coepit; 9.744
    par lingua potentibus herbis, . . 9.893
    plurima tunc uoluit spumanti carmina
    lingua /murmure continuo, ... 9.927
LINIGER,-A,-UM. linigerum placidis conpellat
    Acorea dictis. 10.175
LINQUO,-ERE. hi uada liquerunt Isarae, 1.399
    capacem /humani facilem uenturo Caesare
    praedam /ignauae liquere manus.   1.514
    tum Maenala liquit /Arcas et Herculeam
    miles Trachinius Oeten. 3.177
    quercusque silentis /Chaonio ueteres
    liquerunt uertice Selloe. 3.180
    tum linquitur Haemus /Thracius et populum
    Pholoe mentita biformem. 3.197
    aethera tangentis siluas liquere
    Choatrae. 3.246
    bracchia linquentes Graia pendentia puppe
    /a manibus cecidere suis: 3.667
    Elysias Latii sedes ac Tartara maesta /
    diuersi liquere duces. 6.783
    accensa iuuenem positum strue liquit
    Erictho 6.826
    propera, ne te tua classica linquant. 7.83
    tabemque cruentae /caedis odorati Pholoen
    liquere leones. 7.827
    tum Cilicum liquere solum 8.456
    linquere, siqua fides, Pelusia litora nolo.
                                        9.83
    linquam uacuos cultoribus agros,   9.162
    castrorum bellique piget ... / cum
    Tarondimotus linquendi signa Catonis
    sustulit. 9.219
    simul effetas linquunt examina ceras 9.285
LINTEUM. uix primum leuior propellere lintea
    uentus /incipit 5.430
    prouidus antemnae suffixit lintea summae,
                                        9.328
LINUM. et tectum lino spargam per uolgus
    Osirim 9.159
LIQUEFACIO,-ERE. saxa uolant spatioque solutae
    /aeris et calido liquefactae pondere

    glandes; 7.513
LIQUET,-ERE. quod regnis populisque liquet,
    nos esse senatum. 5.22
    miseroque liquebat /scire parum superos.
                                        6.433
LIQUIDUS. nunc pice, nunc liquida rapuere
    incendia cera. 3.684
    liquidas e turbine soluit in auras, 9.451
    Parrhasiae uexerunt Persea pinnae /
    Arcados auctoris citharae liquidaeque
    palaestrae, ...   9.661
LIQUO,-ARE. ereptaque pila liquauit,   7.159
LIQUOR,-I. femorum quoque musculus omnis /
    liquitur, ...   9.772
LIQUOR(subst.). perfudit membra liquore 4.613
    minimumque tenens dux ipse liquoris,/
    inuidiosus erat. 9.504
    ne dubita, miles, tutos haurire liquores.
                                        9.613
LIRIS. delabitur inde /... /Sarnus et
    umbrosae Liris per regna Maricae   2.424
LIS. secundum /Emathiam lis tanta datur? 8.333
    ast ego, si tantam ius est mihi soluere
    litem, ...   10.262
LISSUS. praetereunt frustra temptati litora
    Lissi 5.719
LITO,-ARE. nec enim tibi, summe, litaui, /
    Iuppiter, hoc sacrum, ... 1.632
    nec fibras illa litantis /nouit: 6.524
    Stygii quae numina regni /... / inpia
    tam saeue gesturus bella litasti?) 7.171
LITOREUS,-A,-UM. primum litoreis miles
    lassatur harenis. 9.296
    nam litoreis populator harenis /inminet
                                        9.441
LITTERA. et turbata perit dispersis littera
    pinnis. 5.716
LITUS. tellus extendere litora nolet   1.76
    duc age per Scythiae populos, per in-
    hospita Syrtis /litora, ... 1.368
    ius habet aut Zephyrus, solus sua litora
    turbat /Circius 1.407
    quaque iacet litus dubium quod terra
    fretumque 1.409
    qui tenet et ripas Atyri, qua litore
    curuo /molliter admissum claudit
    Tarbellicus aequor, ...   1.420
    noua da mihi cernere litora ponti /
    telluremque nouam: 1.693
    nec magis informes ueniunt ad litora
    trunci /qui medio periere freto.   2.189
    relinquas /admoneo nec tu populos utraque
    uagantis /Armenia Pontique feras per
    litora gentis 2.639
    iussa gerunt soluuntque cauas a litore
    puppes. 2.649
    extremo sedeat quod litore Magnus, 2.659
    ne litora clamor /nauticus exagitet 2.688
    aequora sulcis / eruta feruescunt litusque
    frementia pulsant. 2.703a
    tractoque in litora bello /hic primum
    rubuit ciuili sanguine Nereus,   2.712
    dum litora numquam /ad uisus reditura suos
                                        3.5
    posito remis petierunt litora malo. 3.45
    litore solus /dux stetit Hesperio, 3.47
    medias fecit sibi litora terras: 3.61
    cum rudis Argo /miscuit ignotas temerato
    litore gentes 3.194
    quidquid ab occiduis Libye patet arida
    Mauris / usque Paraetonias Eoa ad litora

Syrtis. 3.295
moenibus exiguis alieno in litore tuti,
3.341
quis in urbe parentum /fletus erat, quanti
matrum per litora planctus! . . . 3.757
uetitus fluctus et litora cursu / Oceani
pepulisse tuo; 4.21
non habeant amnes decliuem ad litora
cursum 4.114
ut primum aduersae socios in litore terrae
/et Basilum uidere ducem, ... 4.415
iamque relabenti crescebant litora ponto:
4.429
alii rupes ac litora conplent. 4.464
spectabunt geminae diuerso litore partes.
4.495
namque rates audax Lilybaeo litore soluit
4.583
tenuit stationis litora notae, 4.586
secreta tenebis /litoris Euboici memorando
condite busto, ... 5.231
iubet ... / et cunctas reuocare rates... /
antiquosque Taras secretaque litora
Leucae, quas recipit 5.376
nec maris anfractus lustrandaque litora
nobis, ... 5.416
Graia ad moenia perflet,/ne Pompeiani
Phaeacum e litore toto /... conprendant
carbasa 5.420
sed minimum terrae uicino litore nouit.
5.467
litora curua legit, ... 5.513
sed mihi nec motus nemorum nec litoris
ictus /... placet 5.551
instabili gressu metitur litora cornix.
5.556
uel litora tangam/ iussa uel hoc potius
pelagus flatusque negabunt.' 5.558
liceat uexata litora puppe /prendere, 5.575
ne flecte manum, fuge proxima uelis /
litora, ... 5.589
non ullo litore surgunt /tam ualidi
fluctus, ... 5.617
cum litora Tethys /noluit ulla pati caelo
contenta teneri. 5.623
non humilem Sasona uadis [non litora
curuae /Thessaliae saxosa pauent ...
nautae... timent. 5.650
scruposisque angusta uacant ubi litora
saxis 5.675
praetereunt frustra temptati litora Lissi
5.719
notescent litora clari /nominis exilio,
positaque ibi coniuge Magni /quis
Mytilenaeas poterit nescire latebras?
5.784
litoribus quaerere meis.' 5.790
litoraque ipsa tenet, tandemque inlata
carinaest. 5.801
aut, uaga cum Tethys Rutupinaque litora
feruent, ... 6.67
tamen hos minuere labores /... / litoraque
et plenae peregrina messe carinae. 6.105
prima Rhoeteia litora pinu /quae tetigit,
Phylace 6.351
prima fretum scindens Pagasaeo litore
pinus /terrenum ignotas hominem proiecit
in undas. 6.400
inpulsam sidere Tethyn / reppulit
Haemonium defenso litore carmen. 6.480
quis litora ponto /obruta,... cernens...

/ tot rerum finem, timeat sibi? 7.134
nullus ab Emathio religasset litore funem
/nauita, ... 7.860
litora contigerat per quae Peneius amnis
/... exibat in aequor. 8.33
conscia curarum secretae in litora Lesbi /
flectere uela iubet, ... 8.40
extremaque curris /litora; 8.47
litoribus lustrat uacuas Pompeius harenas.
8.62
tunc Mytilenaeum pleno iam litore uolgus
/adfatur Magnum. 8.109
noto reparandum est litore fatum. 8.120
non ulla in litora puppem /ante dedi
fugiens, ... 8.133
sic litore toto /plangitur, . . . 8.148
Bosporon et Scythiae curuantem litora
Pontum /spectamus. 8.178
tum certus eram quae litora uellem, 8.191
primusque a litore Lesbi /occurrit
gnatus, ... 8.204
dimisso in litore rege /ipse .../ ...
spumantia paruae /radit saxa Sami; 8.243
spirat de litore Coo /aura fluens; 8.246
Cilicum per litora tutus /parua puppe
fugit. 8.257
quamuis in litore nudo, /... nullis
circumdatus armis /consultem... / ingentis
praestate animos. 8.263
te,... /... captos ducere reges /uidit ab
Hyrcanis, Indoque a litore, siluis, 8.343
haec ubi deseruit Pompeius litora, totos
/emensus Cypri scopulos 8.460
infimaque Aegypti pugnaci litora uelo /
uix tetigit, ... 8.464
iam rapido speculator eques per litora
cursu /hospitis aduentu pauidam
conpleuerat aulam. 8.472
qui te nec uictos arcere a litore nostro /
posse putat. 8.497
Magnus et auxilio remorum infanda
petebat /litora; 8.562
litusque malignum /incusat 8.565
damnatum leto traherent ad litora Magnum,
8.570
longeque a litore casus /expectate meos
8.580
et prior in Nili peruenit litora Caesar.
8.641
litora Pompeium feriunt, ... 8.698
quaestor ab Icario Cinyreae litore Cypri
/infaustus Magni fuerat comes. 8.716
uictum pietate timorem /conpulit ut...
corpus... / duceret ad terram traheretque
in litora Magnum. 8.720
postquam sicco iam litore sedit, /
incubuit Magno 8.726
infelix coniunx nec adhuc a litore longe
est.' 8.742
peruolat ad truncum, qui fluctu paene
relatus /litore pendebat. 8.754
interea paruo signemus litora saxo, 8.771
ille ordine rupto /funeris attonitus
latebras in litore quaerit. . . . 8.780
quas ne per litora fusas /colligeret
.../ Corcyrae secreta petit . . . 9.30
Dictaea legit cedentibus undis /litora.
9.39
hinc placidis alto delabitur auris /in
litus, Palinure, tuum 9.42
Cornelia nautas /priuignique fugam tenuit,

LITUS

ne forte repulsus /litoribus Phariis
remearet in aequora truncus,   9.53
ignis aduc aliquid Phario de litore
surgens /ostendit mihi, Magne, tui. 9.74
linquere, siqua fides, Pelusia litora
nolo. 9.83
aspexit patrios comites a litore Magnus
/et fratrem; 9.121
litore Niliaco socerum iam stare
putaui. 9.135
'praecipitate rates e sicco litore,
nautae; 9.148
litoribus sonuit percussus planctibus
aether, ... 9.168
ut primum in sociae peruenit litora terrae,
/collegit uestes... Magni   . . 9.174
et toto litore busta /surgunt Thessalicis
reddentia manibus ignem. 9.180
hunc ... secutus /litus in extremum tali
Cato uoce notauit: 9.221
omnis / indiga seruitii feruebat litore
plebes: 9.254
et post multa sonant proiecti litora
fluctus: 9.309
inlato confregit litore pontum. 9.323
terraeque haerente carina /litora nulla
uident. 9.344
hanc, ut fama, deus quem toto litore
pontus /audit uentosa perflantem marmora
concha,/... amat, ... 9.348
nec enim plus litora Nili /quam Scythicus
Tanais primis a Gadibus absunt, . 9.413
et litora flexu /Oceano fecere locum;
                           9.415
nam litore sicco, /quam pelago, Syrtis
uiolentius excipit Austrum,   . . 9.447
legit ... /... Heroas lacrimoso litore
turres, ... 9.955
septima nox... /ostendit Phariis Aegyptia
litora flammis. 9.1005
ibi plena tumultu /litora et incerto
turbatas murmure uoces /accipit, 9.1008
uertissem Latias a uestro litore proras:
                           9.1079
nobis quoque tale paratum / litoris
hospitium; 9.1083
et placate caput cineresque in litore
fusos /colligite 9.1092
aquas totiens rumpentis litora Nili /
adsiduo feriunt ... fluctu: . . . 10.244
aspice litus, /spem nostri sceleris;
                           10.378
Thessaliae subducta acies in litore Nili
/more furit patrio. 10.412
hinc densae praetexunt litora classes,
                           10.537

LITUUS. stridor lituum clangorque tubarum /
non pia concinuit cum rauco classica
cornu. 1.237
tum stridulus aer / elisus lituis
conceptaque classica cornu,   . . . 7.476

LIUEO,-ERE. quarum una madentis /scissa genas,
planctu liuentis atra lacertos,   2.37
rubor igneus inficit ora /liuentisque
genas; 5.215

LIUOR. liuor edax tibi cuncta negat, 1.288
plurimus asperso uariabat sanguine
liuor. 1.620

LIXA. stat dum lixa bibat. 9.593

LOCO,-ARE. illic exiguo paulum distantia
uallo /castra locant. 4.169

primaque castra locat cano procul
aequore, ... 4.587
hac ubi damnata fatis tellure locarunt /
castra duces, ... 6.413
montisque caui, quem tristis Erictho /
damnarat sacris, alta sub rupe locatur.
                           6.641
si ... totidemque petentis / urbis regna
suae funesto in Marte locasses,/ non tam
praecipiti ruerent in proelia cursu.
                           7.335

LOCUS. erigit inpatiensque loci fortuna
secundi; 1.124
nescia uirtus /stare loco, solusque pudor
non uincere bello. 1.145
o tristi damnata loco! 1.249
datque locis numen; 1.608
mutauit translata locum, ... 2.137
praetor adest, uacuaeque loco cessere
curules. 3.107
sit locus exceptus sceleri,   . . 3.333
sed fortes tremuere manus, motique
uerenda /maiestate loci, ... 3.430
inque locum puppis cecidit mare. 3.633
uiuentis feriere loco.' 3.721
his uirtus ferrumque locum promittit, at
illis /ipse locus. 4.36
his uirtus ferrumque locum promittit,
at illis /ipse locus. 4.37
seruatoque loco rerum discessit ab astris
/umor, ... 4.126
felix qui potuit mundi nutante ruina /quo
iaceat iam scire loco. 4.394
Curio laetatus, tamquam fortuna locorum
/bella gerat 4.661
felici non fausta loco tentoria ponens
                           4.663
non arma mouendi /iam locus est pressis,
stipataque membra teruntur;   . . 4.782
omnia rursus /membra loco redeunt. 5.37
hoc fortuna loco tantae duo nomina famae
/conposuit, ... 5.468
crediderim; ... / sic pelagus mansisse
loco. 5.612
cum uacuis proiecta locis a Caesare
possim /uel fugiente capi. 5.783
sed munimen habet nullo quassabile ferro /
naturam sedemque loci; 6.23
tot potuere manus ... / aliquem mundi,...
/in melius mutare locum. 6.60
iacuere perempti /debuerant quo stare
loco. 6.133
quem non ... /auferret Fortuna locum
uictoribus unus /eripuit 6.141
auidi spectare secuntur /scituri iuuenes,
numero deprensa locoque /an plus quam
mortem uirtus daret. 6.168
accendit pax ipsa loci, ... 6.282
felix ac libera regum,/Roma, fores...
uicisset in illo /si tibi Sulla loco.
                           6.303
uanum saeuumque furorem / adiuuat ipse
locus 6.435
hanc ut fama loci Pompeio prodidit, alta
/nocte poli, ... /... deserta per arua /
carpit iter. 6.570
da nomina rebus, / da loca; da uocem qua
mecum fata loquantur.' 6.774
refer haec solacia tecum /... manes... /
... regnique in parte serena / Pompeis
seruare locum. 6.805

Pompeius in arto /agmina uestra loco
uetita uirtute moueri /cum tenuit, quanto
satiauit sanguine ferrum! 7.316
siquis post pignora tanta /Pompeio locus
est, cum prole et coniuge supplex, /...
/uoluerer ante pedes. . . . 7.377
rapido cursu fati suprema morantem /
consumpsere locum, parua tellure dirempti,
7.461
nec libuit mutare locum. 7.466
uixque habitura locum dextras ac tela
mouendi / constiterat 7.494
ille locus fratres habuit, locus ille
parentis. . . . . 7.550(bis)
scit ... / ...libertas ultima mundi /
quo steterit ferienda loco. . . . 7.581
nulla loci facies reuocat feralibus aruis
/haerentis oculos. 7.788
epulisque paratur /ille locus, . . 7.793
non meliore loco Stygia sub nocte iacebis.
7.817
fac, Magne, locum, quem cuncta reuisant /
saecula, ... 8.114
procerum pars magna coibit /certa loci;
8.120
iam supplice Varo /intumuit uiditque loco
Romana secundo. 8.288
et melior cessisse loco quam pellere
miles; 8.381
ullusne in cladibus istis /est locus
Aegypto Phariusque admittitur ensis? 8.546
nescis, puer inprobe,... / quo tua sit
fortuna loco: 8.558
ambigua sed lege loci iacet inuia sedes,
9.307
nautasque loci sortita peritos /torpentem
Tritonos adit inlaesa paludem. . . 9.346
his igitur depulsa locis eiectaque classis
/Syrtibus haut ultra Garamantidas attigit
undas, ... 9.368
litora flexu /Oceano fecere locum; 9.416
esse locis superos testatur silua per
omnem /sola uirens Libyen. 9.522
siluarum fons causa loco, qui putria
terrae /alligat 9.526
deprensum est hunc esse locum qua
circulus alti /solstitii medium signorum
percutit orbem. 9.531
iuuentus... fons... /largus aquae, sed
quem serpentum turba tenebat /uix
capiente loco; 9.609
in loca serpentum nos uenimus: . . 9.859
natura locorum /iussit ut inmunes
mixtis serpentibus essent. 9.895
ipse locus templi, ... /... instar erat,
10.111
captus sorte loci pendet; 10.542
LONGAEUUS,-A,-UM. Cirrha silet farique sat est
arcana futuri /carmina longaeuae uobis
conmissa Sibyllae, ... 5.138
LONGE(adv.) v. LONGUS,-A,-UM.
LONGINQUUS,-A,-UM. quaeritur indignae sedes
longinqua ruinae. 2.731
nec prius Hesperiam longinquis messibus
ullae /nec Romana conplerunt horrea terrae.
3.66
quod Cato longinqua uexit super aequora
Cypro. 3.164
aut facilis labor est longinqua ad tela
parati /tormentum mutare modum; 3.479
nec longinqua cadunt iaculato uolnera

ferro, ... 3.568
iam longinqua petit puluis sonitusque
ruinae, ... 6.162
LONGUS,-A,-UM. aer et longi uoluent Titana
labores 1.90
credite nec longe fatorum exempla
petantur: 1.94
in senium longoque togae tranquillior usu
1.130
tum longos iungere fines /agrorum, 1.167
longa sub ignotis extendere rura colonis.
1.170
quae pax longa dabat: 1.241
nunc neque te longi remeantem pompa
triumphi /excipit 1.286
ueniat longa dux pace solutus 1.311
quem tamen inueniet tam longa potentia
finem? 1.333
his saltem longi non cum duce praemia
belli /reddantur; 1.341
soluuntur flaui longa statione Ruteni;
1.402
gaudetque ... / et Biturix longisque
leues Suessones in armis, ... 1.423
uos quoque,qui fortes animas belloque
peremptas /laudibus in longum uates
dimittitis aeuum, ... 1.448
longae, canitis si cognita, uitae /
mors media est. 1.457
urguent /praecipitem populum, serieque
haerentia longa /agmina prorumpunt. 1.492
nunc iaculum longo, nunc sparso lumine
lampas. 1.532
iubet ... / longa per extremos pomeria
cingere fines 1.594
dumque illi effusam longis anfractibus
urbem /circumeunt 1.605
uincula ferri /exedere senem longusque in
carcere paedor. 2.73
degener o populus, uix saecula longa
decorum /sic meruisse uiris, . . . 2.116
hoc solum longae pretium uirtutis habebis:
2.258
ceu morte parentem /natorum orbatum
longum producere funus /ad tumulos iubet
ipse dolor, ... 2.298
nec dubium longo quaeratur in aeuo 2.344
longior educto qua surgit in aera dorso,
2.428
longior Italia, donec confinia pontus
/solueret incumbens terrasque repelleret
aequor, ... 2.435
at numquam patiens pacis longaeque
quietis 2.650
surgit opus longaeque tremunt super
aequora turres. 2.679
pro, si remeasset in urbem /.../ quam
seriem rerum longa praemittere pompa,
3.75
non usque adeo permiscuit imis /longus
summa dies ut non, si uoce Metelli
seruantur leges, malint a Caesare tolli.'
3.139
longaque Sarmatici soluens ieiunia belli
3.282
haec patiens longo munimine cingi /uisa
duci rupes tutisque aptissima castris.
3.377
a summis perduxit ad aequora castris /
longum Caesar opus, ... 3.385
lucus erat longo numquam uiolatus ab

LONGUS

aeuo 3.399
sed per iter longum causa repsere latenti.
    3.458
quae prius ex longo nocuerunt missa
recessu /iam post terga cadunt. 3.477
molemque profundo /inuehit et summis
longe petit aequora remis. 3.537
habiles... / et temptare fugam nec longo
frangere gyro 3.554
saepe cadens longae senior per transtra
carinae /peruenit ad puppim . . . 3.731
non se tam penitus, tam longe luce relicta
/merserit Astyrici scrutator pallidus
auri. 4.297
qua maris Hadriaci longas ferit unda
Salonas 4.404
pugna fuit,non longa quidem; . . . 4.472
terra fuit domino: qua sunt longissima,
regna 4.671
et defecta grauis longe trahit ilia
pulsus 4.757
ignaros scelerum longaque in pace quietos
/bellorum primus sparsit furor: . . 5.35
sic tempore longo /inmotos tripodas 5.120
neuter longo se gurgite lassat, . . 5.466
longo per multa uolumina tractu /aestuat
unda minax, ... 5.565
prendere, ne longe nimium sit proxima
tellus.' 5.576
nec longa furori /uentorum saeuo dabitur
mora; 5.586
non longos a me patiere recessus; 5.745
extremusque perit tam longi fructus
amoris, ... 5.794
tot potuere manus ... /et ratibus longae
flexus donare Maleae, ... 6.58
promotus Latiam longo gerit ordine uitem,
    6.146
felix hoc nomine famae,/... si tibi terga
dedisset /Cantaber exiguis aut longis
Teutonus armis. 6.259
dilataque longa /haesit nocte dies. 6.461
intus tenebrae pallensque sub antris /
longa nocte situs numquam nisi carmine
factum /lumen habet. 6.647
et rector terrae, quem longa in saecula
torquet /mors dilata deum;... / exaudite
preces. 6.697
nec uerba nec herbae /audebunt longae
somnum tibi soluere Lethes . . . 6.769
cunctorum uoces ... / Tullius ... /
pertulit iratus bellis, cum rostra
forumque /optaret passus tam longa
silentia miles. 7.66
humani generis tam longo tempore bellum
/Caesar erit? 7.72
Fortuna ... dum munera longi /explicat
eripiens aeui populosque ducesque /
constituit campis, ... 7.416
pudet ... / quaerere ... /... quis ... /
abscisum longe mittat caput, . . . 7.628
crede deis, longo fatorum crede fauori,
    7.705
quam sol nimbique diesque /longior
Emathiis resolutam miscuit aruis. 7.846
sed poenas longi Fortuna fauoris /exigit
a misero, ... 8.21
sic longius aeuum /destruit ingentis
animos 8.27
prospiciens fluctus nutantia longe /
semper prima uides uenientis uela

LOQUOR
    8.47
carinae, ...
'hoc solum toto' respondit 'in aequore
serua,/ut sit ab Emathiis semper tua
longius oris /puppis 8.188
nec Martem comminus usquam /ausa pati
uirtus, sed longe tendere neruos 8.383
quem contra non longa uecta biremi /
appulerat scelerata manus, . . . 8.562
longeque a litore casus /expectate meos
    8.580
fata tibi longae fluxerunt prospera uitae:
    8.625
infelix coniunx nec adhuc a litore longe
est.' 8.742
pulueris exigui sparget non longa
uetustas /congeriem, ... 8.867
nunc tamen, hinc longe qui fulget luce
maligna, /ignis adhuc aliquid... /ostendit
mihi, Magne, tui. 9.73
te ... coniunx /... sequar, quam longo
tradita leto /incertum est: . . . 9.102
longeque a Syrtibus undas /egit . . 9.322
illud in extrema forsan longeque remota
/prodigium tellure fuit, ... 9.474
de fama tam longi iudicet aeui. . . 9.548
an sit uita nihil sed longa an differat
aetas? 9.568
set longius istac /nulla iacet tellus,
quam ... /tristia regna Iubae. . . 9.867
urunt / habrotonum et longe nascentis
cornua cerui. 9.921
quisquis te flere coegit /impetus, a uera
longe pietate recessit. 9.1056
longis Caesar producere noctem /inchoat
adloquiis, ... 10.173
nec tumet hibernus, cum longe sole
remoto /officiis caret unda suis: 10.229
stata tempora flatus /continuique dies et
in aera longa potestas, ... 10.241
rumor ab Oceano ... /... erumpere Nilum
/aequoreosque sales longo mitescere tractu.
    10.257
uaesanus in ortus / Cambyses longi
populos peruenit ad aeui, ... 10.280
sed quae uicina fuere /tecta mari longis
rapuere uaporibus ignem, ... 10.499
LOQUAX,-ACIS. Marcellusque loquax et nomina
uana Catones. 1.313
ut uidit Paean uastos telluris hiatus /
diuinam spirare fidem uentosque loquaces
    5.83
quam metuis, demens, isto pro crimine
poenam /quo te fama loquax omnia accepit
in annos? 8.782
LOQUOR,-I. imago /... / et gemitu permixta
loqui: 'quo tenditis ultra? . . 1.190
nec plura locutus /deuoluit rapidum
nequiquam moenibus agmen. 2.490
'nec plura locuto /uiscera non unus iam
dudum transigit ensis. 4.544
nullam maiore locuta est /ore ratem totum
discurrens Fama per orbem. 4.573
et superos uetuere loqui. 5.114
desinis ipsa loqui' 5.161
perstat rabies, nec cuncta locutae /quem
non emisit, superest deus. 5.210
quamquam plebeio tectus amictu,/indocilis
priuata loqui. 5.539
non plura locuto /auolsit laceros
percussa puppe rudentis /turbo rapax
    5.593

LOQUOR

nobis... /aequoraque et campi Rhodopaeaque
saxa loquentur. 6.618
iam uera reddetur uita figura,/ut quamuis
pauidi possint audire loquentem. 6.661
nam uera locutum /inmunem toto mundi
praestabimus aeuo /artibus Haemoniis:
                                  6.763
da uocem qua mecum fata loquantur.' 6.774
uix cuncta locuto /Caesare quemque suum
munus trahit, ... 7.329
tam maesta locuti /uoce ducis flagrant
animi, ... 7.382
non plura locutum /uita fugit, . . 7.615
[nec plura locutus /inpulit amentes... /
ire super gladios 7.746
non plura locutus /inpulit huc animos.
                                  8.453
datur, ecce, loquendi /cum Ioue libertas:
                                  9.557
parua loquor, corpus sanie stillasse
perustum: 9.783
et sic orsa loqui: 10.85
non fabula mendax /ausa loqui de fonte
tuo est. 10.283
LORICA. qua torta graues lorica catenas /
opponit ... /hac quoque peruentum est ad
uiscera, ... 7.498
nec lorica tenet distenti pectoris auctum.
                                  9.797
LORUM. succendit Phaethon flagrantibus aethera
loris, ... 2.413
contentus tremulo monstrasse cubilia loro.
                                  4.444
LUBRICUS,-A,-UM. lubrica saxa madent. 2.104
LUCA. Arruns incoluit desertae moenia Lucae,
                                  1.586
LUCEO,-ERE. lucet et exigua uelox ibi nocte
Bootes, ... 3.252
graminei luxere foci, ... 4.199
lucentem totis ignorat noctibus Arcton.
                                  6.342
attraxit nubes, non pabula flammis /sed
ne Thessalico purus luceret in orbe. 7.6
arua /Volturis et calidi lucent buceta
Matini. 9.185
Aeneaeque mei,... /... quorum lucet in
aris /ignis adhuc Phrygius, . . . 9.992
LUCERIA. tu quoque nudatam commissae deseris
arcem,/Scipio, Nuceriae, (Luceriae)
                             var.2.473
LUCIDUS,-A,-UM. lunaque non gracili surrexit
lucida cornu 5.546
LUCIFER. solis Lucifero fugiebant astra
relicto. 1.232
calidumque refugit /Lucifer ipse diem.
                                  2.725
Lucifer a Casia prospexit rupe . . 10.434
LUCRUM. pro lucri pallida tabes! . . . 4.96
sed (quis erit nobis lucri pudor?) 9.706
LUCTIFICUS,-A,-UM. luctificus Titan numquam
magis aethera contra /egit equos   7.2
LUCTOR,-ARI. nec, quamuis uiridi luctetur
robore, lentas /ignis agit uires, 3.503
hi luctantem animam lenta cum morte
trahentes 3.578
haeserunt ibi fata diu, luctataque multum
                                  3.645
Tellusque uiro luctante laborat. 4.644
uocemque petentia fata /luctantur; 5.181
nusquam luctando stabilis manet, 9.470
LUCTUS. non plebeios luctus testata cupressus/

LUGEO

tum primum posuere comas 3.442
praecipitantque suos luctus, neuterque
recedens 5.795
te mixto flesset luctu iuuenisque senexque
/iniussusque puer; 7.37
flere ueta populos, lacrimas luctusque
remitte. 7.707
quid perdis tempora luctus? . . . 8.53
nos in templa ... Romana accepimus... /
semideosque canes et sistra iubentia
luctus 8.832
ast illae puppes luctus planctusque
ferebant 9.49
amat pro coniuge luctum 9.112
nulli cognitus aeuo /luctus erat, mortem
populos deflere potentis. 9.170
LUCUS. nemora alta remotis /incolitis lucis;
                                  1.454
lucus erat longo numquam uiolatus ab aeuo
                                  3.399
dominumque timet deprendere luci. 3.425
Romulus infami conpleuit moenia luco,
                                  7.438
fuit ... /... / uirgineusque chorus,
nitidi custodia luci, ... 9.362
LUDIBRIUM. Magnus, nisi uincitis, exul,/
ludibrium soceri, uester pudor, 7.380
carpitur in scopulis hausto per uolnera
fluctu,/ludibrium pelagi, ... 8.710
risitque sui ludibria trunci. . . 9.14
nam sibi libertas umquam si redderet orbem
/ludibrio seruatus erat, ... 10.26
LUDO,-ERE. non soliti lusere sales, 2.368
aspidas ut Pharias cauda sollertior hostis
/ludit et iratas incerta prouocat umbra
                                  4.725
sic pignora gentis /Psyllus habet... /
siquis donatis lusit serpentibus infans.
                                  9.908
quo uertice Nais /luxerit (luserit)
Oenone: var.9.973
quem non uiolasset ... /non Scytha, non
fixo qui ludit in hospite Maurus,/...
quaerit tuta domus; 10.455
LUES. urbi generique paratur /humano matura
lues. 1.645
tot simul infesto iuuenes occumbere leto/
.../ aut terrae caelique lues aut bellica
clades, ... 2.200
nulla tamen plures hoc edidit aequore
clades /quam pelago diuersa lues. 3.681
turbaque cadentum /aucta lues, 6.101
quod ius habuisset in ipsum /ulla lues?
                                  9.888
illa lues paulum clausa reuocauit ab aula
/... populos. 10.504
LUGEO,-ERE. pars populi lugentis erat, 2.236
uni quippe uacat studiis odiisque carenti
/humanum lugere genus), ...2.378
lugent damnatae Phoebo uictore Celaenae,
                                  3.206
semper et amissum fratrem lugentibus
offert. 3.608
nullosque hominum lugere uacamus. 7.631
ultima debet /esse fides lugere uirum.
                                  8.83
quo uertice Nais /luxerit Oenone: 9.973
et generi mauolt lugere reuolsum /quam
debere caput. 9.1042
hilaresque nefas spectare cruentum/
o bona libertas, cum Caesar lugeat,

LUGEO
　　audent. . . . .　9.1108
LUGUBRIS,-E.　sicut erat, maesti seruat
　　lugubria cultus . . . .　2.365
LUMEN.　terruit obliqua praestringens lumina
　　flamma: . . . .　1.154
　　nunc iaculum longo, nunc sparso lumine
　　lampas. . . . .　1.532
　　ultimaque effodit spectatis lumina membris.
　　　　　　　　　　　　　　　　　　　　2.185
　　solus ab Hesperia non flexit lumina terra
　　　　　　　　　　　　　　　　　　　　3.4
　　stat lumine rapto . . . .　3.713
　　inuitatque patris claudenda ad lumina
　　dextram. . . . .　3.740
　　mutua conspicuos habuerunt lumina uoltus,
　　　　　　　　　　　　　　　　　　　　4.170
　　substituit merso dum nox sua lumina
　　Phoebo. . . . .　4.282
　　illa feroces /torquet adhuc oculos totoque
　　uagantia caelo /lumina, nunc uoltu
　　pauido, nunc torua minaci; . . .　5.213
　　languensque recessit /spectantis oculos
　　infirmo lumine passus. . . . . .　5.545
　　iam riget arta cutis distentaque lumina
　　rumpit, ...　6.95
　　telumque suo cum lumine calcat.　6.219
　　numquam nisi carmine factum /lumen habet.
　　　　　　　　　　　　　　　　　　　　6.648
　　ut ... ipsumque trementem /conspicit
　　exanimi defixum lumina uoltu, /'ponite'
　　ait ... timores: . . . .　6.658
　　distento lumina rictu /nudantur.　6.757
　　seu numen (lumen) in aethere maestum /
　　solis in obscuro pugnam pallore notauit.
　　　　　　　　　　　　　　　　　　var.7.199
　　descendens totos perfudit lumine colles,
　　　　　　　　　　　　　　　　　　　　7.215
　　iterumque refusa /coniugis in gremium
　　cunctorum lumina soluit /in lacrimas.
　　　　　　　　　　　　　　　　　　　　8.106
　　siccaque Thessalia confudit lumina Lesbos.
　　　　　　　　　　　　　　　　　　　　8.108
　　nec tenuit gratum nocturno lumine montem,
　　　　　　　　　　　　　　　　　　　　8.463
　　tum lumina pressit /continuitque animam,
　　　　　　　　　　　　　　　　　　　　8.615
　　Pharioque ueruto /... /... dum lumina
　　nuda rigescunt, / suffixum caput est,
　　　　　　　　　　　　　　　　　　　　8.683
　　illic postquam se lumine uero /inpleuit,
　　.../... uidit quanta sub nocte iaceret/
　　nostra dies . . . .　9.11
　　sed rapidus Titan ponto sua lumina pascens
　　/aequora subduxit . . . .　9.313
　　fuit ... /... /et numquam somno damnatus
　　lumina serpens . . . .　9.363
　　quem, qui recto se lumine uidit,/passa
　　Medusa mori est? . . . .　9.638
　　qui potuere pati radios et lumine recto
　　/sustinuere diem, caeli seruantur in
　　usus, ...　9.904
　　qui sicco lumine campos /uiderat Emathios,
　　uni tibi, Magne, negare /non audet gemitus.
　　　　　　　　　　　　　　　　　　　　9.1044
LUNA.　quantum desse solet lunae, seu plena
　　futura est . . . .　3.42
　　seu Phoebum uideat seu cornua lunae,　3.595
　　et luna suas iam fecerat umbras,　5.425
　　lunaque non gracili surrexit lucida cornu
　　　　　　　　　　　　　　　　　　　　5.546
　　quodque patet terras inter lunaeque

　　meatus, ...　9.6
　　nec terra celsior ulla /nox cadit in
　　caelum lunaeque meatibus obstat,　9.693
　　luna suis uicibus Tethyn terrenaque
　　miscet; . . . .　10.204
LUNA(oppidum Etruriae).　nullasque uado qui
　　Macra moratus /alnos uicinae procurrit
　　in aequora Lunae). . . . .　2.427
LUNARIS,-E.　Tethyos unda uagae lunaribus
　　aestuet horis, ...　1.414
　　uirus large lunare ministrat. . .　6.669
　　tunc Nilus fonte soluto, / exit ut
　　Oceanus lunaribus incrementis,/iussus
　　adest, ...　10.216
LUNO,-ARE.　lunata classe recedunt /ordine
　　contentae gemino creuisse Liburnae.　3.533
　　quos habuit uoltus hamati (lunati)
　　uolnere ferri /caesa caput Gorgon!
　　　　　　　　　　　　　　　　　var.9.678
LUO,-ERE.　hic redimat sanguis populos, hac
　　caede luatur . . . .　2.312
　　luitis iugulo sic arma, ...　4.806
　　nunc accipe poenas,/sed quas sponte
　　luam: . . . .　8.98
　　crucibus flammisque luemus /si fuerit
　　formonsa soror. . . . .　10.365
LUPATI(sc.freni).　siccaque sanguineis durescit
　　spuma lupatis. . . . .　4.758
LUPUS.　morsusque luporum /expectat siccis
　　raptura e faucibus artus. . . .　6.552
　　continuo fugere lupi, ...　6.627
　　latratus habet illa canum gemitusque
　　luporum, ...　6.688
　　funesta ad pabula belli /Bistonii uenere
　　lupi . . . .　7.826
LURIDUS,-A,-UM.　tum lurida pallens /ora tulit
　　uoltu sub nubem tristis ituro. .　5.549
LUSTRALIS,-E.　uidi Decios natumque patremque
　　/lustrales bellis animas, . . .　6.786
LUSTRO,-ARE.　igne uago lustrare iuuet,　1.50
　　memini,... /omnia Sullanae lustrasse
　　cadauera pacis . . . .　2.171
　　omnisque humanis lustrata cruoribus arbor.
　　　　　　　　　　　　　　　　　　　　3.405
　　nunc transfuga uilis /cum duce praelato
　　terras atque aequora lustrat. .　5.347
　　nec maris anfractus lustrandaque litora
　　nobis, ...　5.416
　　iuuat ... / et lustrare oculis campos
　　sub clade latentes. . . . . . .　7.795
　　litoribus lustrat uacuas Pompeius harenas.
　　　　　　　　　　　　　　　　　　　　8.62
　　nunc clades denique lustra, / Magne, tuas.
　　　　　　　　　　　　　　　　　　　　8.101
　　quae moenia trunci /lustrarunt ceruice
　　duces, ...　8.437
　　scilicet hoc animo terras atque aequora
　　lustras, ...　9.1057
　　ponit, et incerto lustrat uagus atria
　　cursu, ...　10.460
LUSTRUM.　bellantem geminis tenuit te Gallia
　　lustris, ...　1.283
　　iubet ... /ambiri et festo purgantes
　　moenia lustro /longa per extremos pomeria
　　cingere fines . . . .　1.593
　　multisne rebellis /Gallia iam lustris
　　aetasque inpensa labori /dant animos?
　　　　　　　　　　　　　　　　　　　　2.569
　　illo cultore deorum /lustra suae Phoebes
　　non unus uixerat Apis) . . . . .　8.479
LUSTRUM(=cubile ferarum).　nemore Hyrcano

       matrum dum lustra secuntur,   . . . 1.328
       metuunt... /et lustris recubare ferae;
                                            3.408
LUTEUS,-A,-UM. lutea demissos uelarunt flammea
       uoltus, ... 2.361
LUX. quod si tibi fata dedissent /maiores in
       luce moras, ... 1.115
       inpulerat, maestam tenuerunt nubila lucem.
                                            1.235
       noctis gelidas lux soluerat umbras: 1.261
       uiderat inmensam tenebroso in carcere
       lucem 2.79
       lucis rumpe moras et Caesaris effuge
       munus.' 2.525
       lux rubet et flammas propioribus eripit
       astris, ... 2.721
       nec lux est notior ulli 3.594
       luce noua collem subito conscendere cursu,
       /... imperat. 4.32
       arcus uix ulla uariatus luce colorem
                                            4.80
       noctes uentura luce rubebant, . . 4.125
       en, sibi uilis adest inuisa luce iuuentus
                                            4.276
       non se tam penitus, tam longe luce relicta
       /merserit Astyrici scrutator pallidus
       auri. 4.297
       inpedit ad noctem iam lux extrema tenebras.
                                            4.447
       nam condidit umbra /nox lucem dubiam
                                            4.473
       par animi laus est et, quos speraueris,
       annos /perdere et extremae momentum
       abrumpere lucis, ... 4.483
       uicino cum lux altissima Cancro est; 4.527
       damnata iam luce ferox securaque pugnae
       /promisso sibi fine manu, nullique
       tumultus /excussere uiris mentes ad summa
       paratas; 4.534
       despectam cernere lucem /... iuuat. 4.568
       atque omne futurum /nititur in lucem,
                                            5.180
       dumque a luce sacra, qua uidit fata,
       refertur /ad uolgare iubar . . . 5.219
       Noton altera Phoebi /altera pars Borean
       diducta luce uocabat. 5.543
       lux etiam metuenda perit, nec fulgura
       currunt 5.630
       sed non tam remeans Caesar iam luce
       propinqua/ quam tacita sua castra fuga
       comitesque fefellit. 5.678
       et maturato praecidit uespere lucem;
                                            6.340
       poscimus .../... modo luce fugata /
       descendentem animam; 6.713
       Stygiasque canes in luce superna /
       destituam; 6.733
       et caelo lucis ducente colorem, /.../
       iussa tenere diem densas nox praestitit
       umbras. 6.828
       segnior, Oceano quam lex (lux) aeterna
       uocabat,/luctificus Titan numquam magis
       aethera contra /egit equos . . .var.7.1
       defectusque pati uoluit raptaeque labores
       /lucis, ...   7.5
       sitque hominum magnae lux ista nouissima
       parti. 7.90
       quantum scelerum quantumque malorum /in
       populos lux ista feret! 7.115
       quid mirum populos quos lux extrema
       manebat /lymphato trepidasse metu, 7.185

       hac luce cruenta /effectum, ut Latios non
       horreat India fasces, ... 7.427
       obuia nox miserae caelum lucemque tenebris
       /abstulit 8.58
       noctique rependit /lux minor hibernae
       uerni solacia damni. 8.469
       lucis maesta parum per densas Cynthia
       nubes /praebebat, ... 8.721
       nunc tamen, hinc longe qui fulget luce
       maligna, /ignis adhuc aliquid... /ostendit
       mihi, Magne, tui. 9.73
       bis positis Phoebe flammis, bis luce
       recepta /uidit hareniuagum... Catonem.
                                            9.940
       seruatur poenas in aperta luce daturus;
                                            10.431
LUXURIES. o prodiga rerum /luxuries numquam
       paruo contenta paratis /et quaesitorum
       terra pelagoque ciborum. 4.374
LUXURIOSUS,-A,-UM. se /protulit in medios
       audaci margine fluctus /luxuriosa domus.
                                            10.488
LUXUS. praedaque et hostiles luxum suasere
       rapinae, ...   1.162
       postquam /ambitus et luxus et opum
       metuenda facultas /transuerso mentem
       dubiam torrente tulerunt, . . . 4.817
       casta domus luxuque carens corruptaque/
       numquam /fortuna domini. 9.201
       explicuitque suos ... Cleopatra.../nondum
       translatos Romana in saecula luxus. 10.110
       infudere epulas auro,... /... quod luxus
       inani /ambitione furens toto quaesiuit in
       orbe 10.156
LYAEUS. nam, qualis uertice Pindi /Edonis
       Ogygio decurrit plena Lyaeo, . . 1.675
LYCIDAS. adfixit Lycidan. 3.636
LYCURGUS. inpulit aut saeui contorsit tela
       Lycurgi /Eumenis, ... 1.575
LYGDAMUS. Lygdamus excussa Balearis tortor
       habenae /glande petens solido fregit caua
       tempora plumbo. 3.710
LYMPHO,-ARE. sic turba per urbem /praecipiti
       lymphata gradu, ... /inconsulta ruit.
                                            1.496
       quid mirum populos quos lux extrema
       manebat /lymphato trepidasse metu, 7.186
LYNX. uiscera non lyncis, non durae nodus
       hyaenae /defuit 6.672

                        M

MACEDON. cum tibi sacrato Macedon seruetur
       in antro /... litora Pompeium feriunt,
                                            8.694
MACETES. inde per arua / Graiorum Macetumque
       nouas adquirite uires 2.647
       in Macetum terras miscens aduersa secundis
       /seruauit fortuna pares. 5.2
       templa uetusti /numinis antiquas Macetum
       testantia uires /circumit, . . . 10.16
       Macetum fines latebrasque suorum /deseruit
                                            10.28
       quae tibi noscendi Nilum,... cupido est/
       et Phariis Persisque fuit Macetumque
       tyrannis, ... 10.269
MACHINA. totaque discors /machina diuolsi
       turbabit foedera mundi. 1.80

MACHINA
    extruitur... inpellere ... / quod non ulla
    queat uiolenti machina belli. . . . 6.37
    non aries illis, non ulla est machina
    belli 8.377
    non ulla est machina belli, . . . 10.481

MACIES. tenet ora profanae /foeda situ macies,
    6.516

MACRA. nullasque uado qui Macra moratus /
    alnos uicinae procurrit in aequora Lunae).
    2.426

MACTO,-ARE. ante ipsum penetrale deae
    semperque calentis /mactauere focos; 2.128
    miles non utile clausis /auxilium
    mactauit equos, ... 4.269
    [et sacer in Magni cineres mactabitur Apis]
    9.160
    crudelemque toris dominam mactemus in
    ipsis 10.374
    uisum famulis reparabile damnum /illam
    mactandi dimittere Caesaris horam. 10.430

MACULA. pluribus ille notis uariatam
    tinguitur aluum / quam paruis pictus
    maculis Thebanus ophites. . . . 9.714
    foribus testudinis Indae /terga sedent,
    crebro maculas distincta zmaragdo. 10.121

MACULO,-ARE. Crassus /Assyrias Latio
    maculauit sanguine Carrhas, . . . 1.105
    concidit et miserae maculauit ouilia
    Romae. 2.197
    et, desit si larga Ceres, tunc horrida
    cerni /foedaque contingi maculato
    attingere morsu. 3.348
    et quamuis nullo maculatus sanguine
    miles 4.181
    et Meleagream maculatus sanguine Nessi /
    Euhenos Calydona secat. 6.365
    sceleris sed crimine nullo /externum
    maculant chalybem: 7.518
    multusque in pectore uano est /Hannibal,
    obliquo maculat qui sanguine regnum 8.286
    quid sepositam semperque quietam /crimine
    bellorum maculas Pharon, ... 8.514

MADEFACIO,-ERE. primum cana salix madefacto
    uimine paruam /texitur in puppem 4.131

MADEO(-esco),-ERE. fraterno primi maduerunt
    sanguine muri. 1.95
    quarum una madentis /scissa genas, planctu
    liuentis atra lacertos, ... 2.36
    lubrica saxa madent. 2.104
    saeua tribunicio maduerunt robora tabo.
    2.125
    nati maduere paterno /sanguine, 2.149
    fractoque madescunt /saxa gelu. 4.84
    tunc herbas frondesque terunt et rore
    madentis /destringunt ramos . . . 4.316
    quique nec umentis nebulas nec rore
    madentem /aera nec tenues uentos
    suspirat Anauros, ... 6.369
    inspicit et gladios, qui toti sanguine
    manent (madent), ... var.7.560
    multumque madenti /infudere comae... /
    cinnamon 10.165

MADIDUS,-A,-UM. auxerat undas /... /et
    madidis Euri resolutae flatibus Alpes.
    1.219
    cernit tabe iecur madidum, uenasque
    minaces 1.621
    plenum epulis madidumque mero Venerique
    paratum /inuenies: 10.396

MAEANDER. Maeander derexit aquas, . . . 6.475

MAEANDROS. Marsya ripis / errantem Maeandron

---

    adit mixtusque refertur, ... 3.208

MAENALA. tum Maenala liquit /Arcas et
    Herculeam miles Trachinius Oeten. 3.177

MAEOTIS. quaque, fretum torrens, Maeotidos
    egerit undas /Pontus, ... 3.277
    orbita migrantis scindit Maeotida Bessi.
    5.441
    quantus Maeotida supra, ... 8.318

MAEOTIUS,-A,-UM. relinquas /admoneo.../
    Riphaeasque manus et quas tenet aequore
    denso/ pigra palus Scythici patiens
    Maeotia plaustri 2.641

MAEREO,-ERE. postibus Antaei Libye, nec
    Graecia maerens /tot laceros artus Pisaea
    fleuit in aula. 2.164
    quas sancta relicto /Hortensi maerens
    inrupit Marcia busto. 2.328
    maerentia tecta /Caesar habet . . 5.30
    nec uoce negata /Cirrhaeae maerent uates,
    5.115
    maior Carthaginis hostis /non seruituri
    maeret Cato fata nepotis: 6.790
    maeret et ignorat causas animumque
    dolentem /corripit, ... 7.190
    'non...petit... /Pompeius,.../...totus ut
    ignes /proiectis maerens exercitus ambiat
    armis. 8.735
    nunc gnata iubet maerere neposque? 9.1049

MAESTUS,-A,-UM. imago /clara per obscuram
    uoltu maestissima noctem. 1.187
    maestam tenuerunt nubila lucem. . . 1.235
    Arruns dispersos fulminis ignes /colligit
    et terrae maesto cum murmure condit /
    datque locis numen; 1.607
    cultus matrona priores /deposuit
    maestaeque tenent delubra cateruae: 2.29
    sic maesta senectus /praeteritique memor
    flebat metuensque futuri. 2.232
    non aliter placitura uiro, sic maesta
    profatur: 2.337
    sicut erat, maesti seruat lugubria cultus
    2.365
    passus erat maestamque genis increscere
    barbam: 2.376
    uisa caput maestum per hiantis Iulia
    terras 3.10
    simulacraque maesta deorum /arte carent
    3.412
    ut primum maestum tenuere silentia coetum,
    5.15
    tum maestus uastis ululatus in antris
    5.192
    seu maesto classica paulum /intermissa
    sono 5.244
    signauit tempora digna /maesta nota; 5.391
    maestoque ignaua profundo /stagna iacentis
    aquae; 5.442
    uenit maesta dies et quam nimiumque
    parumque /distulimus; 5.741
    tandem uox maestas potuit proferre
    querellas. 5.761
    feriat dum maesta remotas /fama procul
    terras, ... 5.774
    non maesti pectora Magni /sustinet
    amplexu dulci, ... 5.792
    nulla fuit tam maesta dies; . . . 5.797
    maestum tecta caput squalenti nube
    pererrat /corpora 6.625
    non Taenariis sic faucibus aer /sedit
    iners, maestum mundi confine latentis /
    ac nostri, ... 6.649

MAESTUS

eloquar... /... Hennaea,... quo foedere
maestum /regem noctis ames, . . .   6.740
maestum fletu manante cadauer / 'tristia
non equidem Parcarum stamina'dixit /
'aspexi 6.776
Elysias Latii sedes ac Tartara maesta
/diuersi liquere duces. 6.782
stat uoltu maestus tacito mortemque
reposcit. 6.821
crastina dira quies et imagina maesta
diurna /undique funestas acies feret,
                                      7.26
seu numen in aethere maestum /solis in
obscuro pugnam pallore notauit.   7.199
tam maesta locuti /uoce ducis flagrant
animi, ...   7.382
qua tunc tellure latebas /maestior, in
mediis quam si, Cornelia, campis /
Emathiae stares. 8.42
coeperat... / Pompei sentire manus
maestamque mariti /posse pati faciem: 8.69
dixit, maestamque carinae /inposuit
comitem. 8.146
saepe labor maestus curarum odiumque
futuri /proiecit fessos incerti pectoris
aestus, ...   8.165
in procerum coetu tandem maesta ora
resoluit /uocibus his Magnus: . .   8.261
non tibi,... / umbra senis maesti
Scythicis confixa sagittis /ingeret has
uoces? 8.432
lucis maesta parum per densas Cynthia
nubes /praebebat, ...   8.721
non decus imperii, non maesti iura
Catonis /ardentem tenuere uirum,   9.747

MAGICUS,-A,-UM.

sculptaque seruabant magicas
animalia linguas.) 3.224
terrigenae missa magicis e cantibus ira
                                      4.553
quos non concordia mixti /alligat ulla
tori.../traxerunt torti magica uertigine
fili. 6.460
illa magis magicisque deis incognita
uerba /temptabat 6.577
carminibus magicis opus est herbisque,
cadauer / ut cadat, ...   6.822
at, siquis peste diurna /fata trahit,
tunc sunt magicae miracula gentis   9.923

MAGIS.

nec magis informes ueniunt ad litora
trunci /qui medio periere freto.   2.189
quoque magis nullum tellus se soluit in
amnem 2.408
nec magis hoc bellum est, quam quom
Catilina parauit 2.541
nec Romana magis conplerunt horrea terrae.
                                      3.67
solitoque magis fauere secundi /et ueniam
meruere dei. 4.122
quoque magis miseros undae ieiunia
soluant 4.332
haud magis expertus discrimine Caesar
in ullo est 5.249
non magis ablatis umquam descenderit
aequor, /quam nunc crescit, aquis.   5.338
nil magis adsuetas sceleri quam perdere
mentis /atque perire tenet. . . .   5.371
iam magis atque magis praeceps agit omnia
fatum. . . . .   6.98(bis)
nec magis hac Magnus castrorum parte
repulsus /... quieuit, ...   6.263
luctificus Titan numquam magis aethera

contra / egit equos 7.2
haec... /siue aliquid magnis (magis)
nostri quoque cura laboris /nominibus
prodesse potest,... / spesque metusque
simul ... mouebunt, ...   var.7.209
Romanos odere omnes,... / quos nouere,
magis. 7.285
nec magis attonitos animi sensere
tumultus, /... Pentheus aut,...Agaue.
                                      7.779
nulla tibi subeunda magis sunt moenia
uicto: 8.116
quas magis in terras nostrum felicibus
actis /nomen abit, ...   8.320
ibat in hostilem praeceps Cornelia puppem,
/hoc magis inpatiens egresso desse marito
/quod metuit clades. 8.578
sed magis, ut uisa est lacrimis exhausta,
... /... Cornelia puppe /egrediens,
rursus geminato uerbere plangunt.   9.171
tum magis inpactis breuius mare terraque
saepe /obuia consurgens: 9.338
nam litore sicco,/... Syrtis uiolentius
excipit Austrum,/et terrae magis ille
nocens. 9.449
cui crediderim superos arcana daturos /
dicturosque magis, quam sancto, uera,
Catoni? 9.555
iamque illi magis atque magis durescere
puluis /coepit . . . .   9.942(bis)

MAGISTER.

et docilis Sullam scelerum uicisse
magistrum. 1.326
desilit in fluctus deserta puppe magister
                                      1.501
pauidi classis siluere magistri,   2.696
tunc in signifera residenti puppe
magistro /Brutus ait 3.558
auertitque ratem morientis dextra
magistri. 3.599
feruet et a trepido uix abstinet ira
magistro. 4.242
artis opem uicere metus, nescitque
magister /quam frangat, cui cedat aquae.
                                      5.645
portusque quietos /testatur Libye Phrygio
placuisse magistro), ...   9.44

MAGNANIMUS,-A,-UM.

at non magnanimi percussit
pectora Bruti/terror 2.234
rexit magnanima Vulteius uoce cohortem:
                                      4.475
tandem uolgata cruenti /fama mali terras
monstris aequorque leuantem /magnanimum
Alciden Libycas exciuit in oras.   4.611
uidi ego magnanimi lacerantes pectora
patris, ...   9.133
inpressit dentes haemorrhois ... Tullo /
magnanimo iuueni miratorique Catonis.
                                      9.807

MAGNETES.

solum fregere coloni /et Magnetes
equis, Minyae gens cognita remis.   6.385

MAGNUS,-A,-UM.

inuenere uiam magnoque aeterna
parantur /regna deis 1.34
in se magna ruunt: 1.81
magno se iudice quisque tuetur; . .   1.127
stat magni nominis umbra, ...   1.135
materia magnamque cadens magnamque
reuertens . . . .   1.156(bis)
uile nefas, magnumque decus ferroque
petendum 1.174
mox ait 'o magnae qui moenia prospicis
urbis 1.195

MAGNUS

tum fragor armorum magnaeque per auia
uoces /auditae nemorum 1.569
his ubi concepit magnorum fata malorum
                                 1.630

tum questus tenuere suos magnusque per
omnis /errauit sine uoce dolor.   2.20
atque aliquis magno quaerens exempla
timori 2.67
in numerum pars magna perit, . . 2.111
magna premit strages peraguntque cadauera
partem /caedis: 2.205
castra petunt magna uicti mercede: 2.255
pacem magna tenent. 2.273
pars magna senatus /et duce priuato
gesturus proelia consul/ sollicitant
proceresque alii; 2.277
huic epulae uicisse famem, magnique
penates /summouisse hiemem tecto, 2.384
te, Caesar, magnisque uelint miscere
Metellis, ... 2.545
effusis magnum Libye tulit imbribus annum.
                                 3.70

gaudet tamen esse timori /tam magno
populis et se non mallet amari.   3.83
his magnam uictor in iram /uocibus
accensus 3.133
tunc rupes Tarpeia sonat magnoque reclusas/
testatur stridore fores; 3.154
constitit et magno uinci se fassus ab
orbe est; 3.234
quaque caput rapido tollit cum Tigride
magnus /Euphrates, ... 3.256
utque perit magnus nullis obstantibus
ignis, ... 3.364
inplicitas magno Caesar torpore cohortes
/ut uidit, ... 3.432
sed super et flammis et magnae fragmine
molis /et sudibus crebris et adusti
roboris ictu /percussae cedunt crates,
                                 3.493
ingentem militis usum /hoc habet ex magna
defunctum parte cadauer: 3.720
iamque comes semper magnorum prima malorum
/saeua fames aderat, ... 4.93
magnum nunc saecula nostra /uenturi
discrimen habent. 4.191
nec magna petuntur: 4.356
nescio quod nostris magnum et memorabile
fatis /exemplum, Fortuna, paras. 4.496
magna uirtute merendum est, . . 4.512
inter semirutas magnae Carthaginis
arces /et Clipeam tenuit stationis
litora notae, ... 4.585
'audendo magnus tegitur timor; . . 4.702
Libyae squalentibus aruis /Curio Caesarei
cecidit pars magna senatus. . . . 5.40
contactumque ferens hominis, magnusque
potensque, ... 5.91
totius pars magna Iouis Cirrhaea per
antra /exit 5.95
spargitque uaganti /obstantis tripodas
magnoque exaestuat igne 5.173
inter fata diu quaerens tam magna latentem.
                                 5.189
unumque caput tam magna iuuentus /priuatum
factura timet, ... 5.365
sed, si magnarum poscunt discrimina rerum,
/haud dubitem praebere manus: . . 5.557
alioque ex orbe uoluti /a magno uenere
mari, ... 5.619
'quantusne euertere' dixit / 'me superis

labor est, parua quem puppe sedentem/
tam magno petiere mari! 5.656
licet ingentis abruperit actus/festinata
dies fatis, sat magna peregi. . . 5.660
disponit castella iugis magnoque recessu
/amplexus fines... /... feras indagine
claudit. 6.40
qui nesciret in armis /quam magnum uirtus
crimen ciuilibus esset, ... 6.148
et uiuam magnae speciem Virtutis adorant;
                                 6.254
hospes et Alcidae magni Phole, . . 6.391
'dic' inquit Thessala 'magna,/quod iubeo,
mercede mihi; 6.762
properate mori, magnoque superbi /quamuis
e paruis animo descendite bustis 6.807
uaticinata quies magni tulit omina
planctus, ... 7.22
magnoque accensa tumultu /mortis uicinae
properantis admouet horas. 7.49
sitque hominum magnae lux ista nouissima
parti. 7.90
belli pars magna peracta est /his, 7.101
haec... / siue aliquid magnis nostri
quoque cura laboris /nominibus prodesse
potest,... /spesque metusque... mouebunt,
                                 7.209

sicci sed plurima campi /tetrarchae
regesque tenent magnique tyranni 7.227
pugnae pars magna leuabit /his orbem
populis 7.275
haud umquam uidi tam magna daturos /tam
prope me superos; 7.297
per quos tibi, Roma, ruenti /ostendat
quam magna cadas. 7.419
iacet aggere magno /patricium campis non
mixta plebe cadauer. 7.597
non magno hortamine miles /in praedam
ducendus erat. 7.736
procerum pars magna coibit /certa loci;
                                 8.119

magnosque sinus Telmessidos undae /
conpensat medio pelagi. 8.248
sequitur pars magna senatus /ad profugum
collecta ducem; 8.258
sat magna feram solacia mortis /orbe
iacens alio, ... 8.314
fugit ora senatus,/cuius Thessalicas
saturat pars magna uolucres, . . . 8.507
quin agite et magna meritum cum caede
parate: 9.282
conponite mentes /ad magnum uirtutis opus
summosque labores. . . . . ·. . . 9.381
laetius est, quotiens magno sibi constat,
honestum. 9.404
intentusque tulit magni per inania caeli.
                                 9.473

alligat et stantis adfusae magnus harenae
/agger, ... 9.488
'sors obtulit'... / 'et fortuna uiae tam
magni numinis ora /consiliumque dei: 9.551
si ueris magna paratur /fama bonis... /
... quidquid laudamus in ullo /maiorum,
fortuna fuit. 9.593
uigilat pars magna comarum 9.672
spectatorque docet magnos nil posse
dolores. 9.889
magnaque Phoebei quaerit uestigia muri.
                                 9.965

o sacer et magnus uatum labor! . . 9.980
quam magna remisit /crimina Romano tristis

fortuna pudori, ... 9.1059
explicuitque suos magno Cleopatra tumultu
/... luxus. 10.109
potuit discrimine summo (magno)/ Caesaris
una dies in famam et saecula mitti.
var.10.532
non acie fusa nec magnae stragis aceruis
/uincendus tum Caesar erat. . . . 10.540

MAIOR, MAIUS. quod si tibi fata dedissent
/maiores in luce moras, ... 1.115
[par labor atque metus pretio maiore
petuntur.] 1.282
gurgite ductus /per tam multa suo, famae
maioris in amnem /lapsus 1.400
ut inmensae conlecto robore uires /audendi
maiora fidem fecere, ... 1.467
maiorque ferusque /mentibus occurrit
uictoque inmanior hoste. 1.479
Tethys maioribus undis /Hesperiam Calpen
summumque inpleuit Atlanta. . . 1.554
sed uenient maiora metu. 1.635
sed maiora premunt. 1.674
humani generis maiore in proelia damno.
2.226
maioresque latent stellae, . . . 2.724
maior in arma ruit certa cum mente
malorum, ... 3.37
sed maior Graio Romana in corpora ferro
/uis inerat. 3.463
procubuit maiorque iacens apparuit agger.
3.508
dat poenas maioris aquae. . . . 4.143
mox, ut stimulis maioribus ardens /rupit
amor leges, ... 4.174
neque enim tibi maior in aruis /Emathiis
fortuna fuit 4.255
saucia maiores animos ut pectora gestant,
4.285
sed non maiora supersunt / obsessis
tanti quae pignora demus amoris. 4.501
nullam maiore locuta est /ore ratem totum
discurrens Fama per orbem. . . . 4.573
sponte cadit maiorque accepto robore
surgit. 4.642
sed maiora dedit cognomina collibus istis
4.656
non ullo saecula dono /nostra carent
maiore deum, ... 5.112
seu, praemia miles /dum maiora petit,
5.247
dux ait 'expecta uotis maiora modestis
5.532
maior cura duces miscendis abstrahit
armis: 6.80
maiora uiris e sanguine paruo /gaudia
non faceret conspectum in Caesare uolnus.
6.226
inpetis Haemonio maiorem Scorpion arcu.
6.394
maior Carthaginis hostis /non seruituri
maeret Cato fata nepotis: 6.789
accipe maiores et caeco in Marte tuere.
7.111
sua quisque pericula nescit / attonitus
maiore metu. 7.134
uixque reuolsa solo maiori pondere pressum
/signiferi mersere caput.../ ...signa.
7.162
maius ab hac acie quam quod sua saecula
ferrent /uolnus habent populi; 7.638

omnia maiorum uertamus busta licebit,
7.855
nunc sum tibi gloria maior, ... 8.78
maiorque carinae /quam tua turba fuit,
8.253
aut unde redi maiore triumpho? 8.321
quod... crimen... /maius erit, quam
quod uobis miscentibus arma /Crassorum
uindicta perit? 8.421
nam saeuus in ipso /Septimius sceleris
maius scelus inuenit actu, . . . 8.668
Pompeio contigit ignis /inuidia maiore
deum. 9.66
'ciuis obit' inquit 'multum maioribus inpar
/nosse modum iuris, ... 9.190
uocibus his maior, quam si Romana
sonarent /rostra ducis laudes, generosam
uenit ad umbram /mortis honos. 9.215
cur non maiora mereri /quam uitam
ueniamque libet' 9.275
pars ratium maior regimen clauumque
secuta est /tuta fuga, 9.345
sed maior in unam /orbis abit Asiam.
9.416
quidquid laudamus in ullo / maiorum,
fortuna fuit. 9.596
toto iam corpore maior /... super omnia
membra /efflatur sanies late pollente
ueneno; 9.793
sed maiora parant Libycae spectacula
pestes. 9.805
forsan maiora supersunt/ingressis: 9.865
ingens meritum maiusque salute /contulit,
in latum uires; 9.885
maiore profecto /quam metui poterat
discrimine gessimus arma: 9.1084
discubuere illic reges maiorque potestas
/Caesar; 10.136
si Cecropium sua sacra Platona /maiores
docuere tui, quis dignior umquam/hoc fuit
auditu 10.182
'fas mihi magnorum, Caesar, secreta
parentum/ edere 10.194
sunt qui spiramina terris /esse putent
magnosque cauae conpagis hiatus. 10.248

MAXIMUS,-A,-UM. 'si licet,' exclamat
'Romani maxime rector /nominis, . . 1.359
quos ille timorum /maximus haut urguet
leti metus. 1.460
quorum qui maximus aeuo /Arruns incoluit
desertae moenia Lucae, ... 1.585
exulibus Mariis bellorum maxima merces
/Roma recepta fuit, ... 2.227
Venerisque hic unicus (maximus) usus,
/progenies: var.2.387
sufficerent aliis ... /ipsa, caput mundi,
bellorum maxima merces, ... 2.655
pars maxima turbae /... /puppis ad
auxilium sociae concurrit; 3.661
maxima cura fuit: 3.707
Graiae pars maxima classis /mergitur,
3.753
Martem saeuus agit... /maxima sed fati
ducibus momenta daturum. 4.3
nescimus cuius sceleris sit maxima merces?
5.286
hinc maxima serpens /descendit Python
6.407
miseri pars maxima uolgi /... tentoria
circum /ipsa ducis queritur . . . 7.47

MAGNUS

cunctorum uoces Romani maximus auctor
/Tullius eloquii,... / ... / pertulit
iratus bellis, ...   7.62
'uenit summa dies, geritur res maxima,'
dixit 7.195
ut Latiae post se uiuat pars maxima turbae,
/sustinuit dignos etiamnunc credere uotis
/caelicolas, ...   7.656
sic et Thessalicae post te pars maxima
pugnae /... / libertas et Caesar, erit;
                                     7.693
Latiae pars maxima turbae /fastidita iacet;
                                     7.844
o maxime coniunx, /... hoc iuris habebat
/in tantum fortuna caput? 8.94
maxima gloria nobis /semper erit tanti
pignus seruasse mariti, ...   8.110
litora... / uix tetigit, qua diuidui pars
maxima Nili /in uada decurrit Pelusia
                                     8.465
ille sedens iuxta flammas 'o maxime'
dixit/'ductor ... /... si funere nullo
/tristior iste rogus,manes ... /officiis
auerte meis: 8.759
adde actus tantos monimentaque maxuma
rerum, ...   8.807
maximus hortator scrutandi uoce deorum /
euentus Labienus erat. 9.549
'terrarum domitor, Romanae maxime gentis,
                                     9.1014
et sic orsa loqui: 'siqua est, o maxime
Caesar, /nobilitas, Pharii proles
clarissima Lagi, ...   10.85
Tyrio cuius pars maxima fuco /cocta diu
uirus non uno duxit aeno, . . .   10.123
pars maxima turbae /plebis erat Latiae,
                                     10.402
ibi fas ubi proxima (maxima) merces:
                                     var.10.408

MAGNUS(Pompeius). Magne, times;   1.123
sic et Sullanum solito tibi lambere
ferrum /durat, Magne, sitis.   1.331
an melius fient piratae, Magne, coloni?
                                       1.346
namque alii Magnum uel Caesaris arma
sequantur, ...   2.246
nam praelata suis numquam diuersa dolebit
/castra ducis Magni. 2.276
interea trepido discedens agmine Magnus
                                       2.392
pronior in Magnum populus, pugnatque
minaci /cum terrore fides, ...   2.453
qua Gallica damna /suppleuit Magnus,
dumque ipse ad bella uocaret . . .   2.476
sit patriae Magnumque ducem totumque
senatum, /ignosci. 2.520
Magnus, ut inmixto firmaret robore partis.
                                       2.527
sensit et ipse metum Magnus, placuitque
referri 2.598
Brundisii tutas concessit Magnus in arces.
                                       2.609
Italiam, extremo sedeat quod litore Magnus,
                                       2.659
heu pudor, exigua est fugiens uictoria
Magnus. 2.708
pelagus iam, Magne, tenebas . . .   2.725
Romanaque tellus /immaculata sui seruetur
sanguine Magni. 2.736
Magnus, dum patrios portus, dum litora
numquam / ... cernit 3.5

coniuge me laetos duxisti, Magne,
triumphos: 3.20
numquam tibi, Magne, per umbras /perque
meos manes genero non esse licebit;   3.31
non illum gloria pulsi / laetificat Magni:
                                       3.49
interea totum Magni fortuna per orbem /
secum casuras in proelia mouerat urbes.
                                       3.169
exciuit populos et dignas funere Magni
/exequias Fortuna dedit. 3.291
sit locus exceptus sceleri, Magnoque
tibique /tutus, ...   3.333
at proxima rupes /signa tenet Magni,
                                       4.17
Magne, paras acies mundique extrema
tenentis 4.233
non Magni partes sed Magnum in partibus
esse. 5.14
consulite in medium, patres, Magnumque
iubete /esse ducem.' 5.46
et Magno fatum patriaeque suumque /
inposuit. 5.48
accessit Magni iugulus, regnumque sorori
/ereptum est soceroque nefas.   5.63
anne fugam Magni tanta cum classe
secuntur /Hesperiae gentes, ...   5.328
dilectus tibi, Magne, socer post pignora
tanta, /... te... propius non uidit   5.473
uidit Magnum mihi Roma secundum,   5.662
summa uidens duri Magnus discrimina Martis
                                       5.723
dubium trepidumque ad proelia, Magne/
te quoque fecit amor; 5.728
uolnere non audet flentem deprendere
Magnum. 5.738
satis est audisse pericula Magni;   5.747
si numina nostras /inpulerint acies,
maneat pars optima Magni, ...   5.757
'nil mihi de fatis thalami superisque
relictum est, /Magne, queri: nostros non
rumpit funus amores 5.763
sic est tibi cognita, Magne, /nostra
fides? 5.767
notescent litora clari /nominis exilio,
positaque ibi coniuge Magni /quis
Mytilenaeas poterit nescire latebras?
                                       5.785
non maesti pectora Magni /sustinet
amplexu dulci, ...   5.792
fida comes Magni uadit duce sola relicto
/Pompeiumque fugit. 5.804
instabat miserae, Magnum quae redderet,
hora. 5.815
hoc iter aequoreo praecepit limite Magnus,
                                       6.15
non desunt campi, non desunt pabula Magno,
                                       6.43
seque arma tenente /ac nondum strato
Magnum uicisse negauit. 6.143
non paruo sanguine Magni /iste dies ierit.
                                       6.157
tollite et in Magni uiuentem ponite
castris. 6.233
pacem gladio se quaerit ab isto /Magnus,
adorato summittat Caesare signa.   6.243
dedecus hic belli Magno crimenque remisit,
                                       6.248
nec magis hac Magnus castrorum parte
repulsus /... quieuit, ...   6.263
effuditque acies obsaeptum Magnus in

hostem. 6.292
arma secuturum soceri,... / temptauere
suo comites deuertere Magnum /hortatu,
          6.317
turbae sed mixtus inerti /Sextus erat,
Magno proles indigna parente, . . . 6.420
hic ardor solusque labor, quid corpore
Magni /proiecto rapiat, ... 6.587
non ultima turbae /pars ego Romanae, Magni
clarissima proles, ... 5.594
at nox felicis Magno pars ultima uitae
/sollicitos uana decepit imagine somnos.
          7.7
donassent utinam superi patriaeque
tibique /unum, Magne, diem, . . . 7.31
haud umquam ... putauit,/sic se dilecti
tumulum quoque perdere Magni. . . . 7.36
'hoc pro tot meritis solum te, Magne,
precatur /... Fortuna 7.68
scire senatus auet, miles te, Magne,
sequatur /an comes.' 7.84
si milite Magno, /non duce tempus eget,
nil ultra fata morabor: 7.87
testor, Roma, tamen Magnum quo cuncta
perirent /accepisse diem. 7.91
neque enim uictoria Magno /laetior. 7.119
urbi Magnoque timetur. 7.138
legent et adhuc tibi, Magne, fauebunt.
          7.213
sanguine mundi / fuso, Magne, semel totos
consume triumphos. 7.234
mens stetit in dubio, quam nec sua fata
temere / nec Magni sperare sinunt. 7.248
emptum minimo uolt sanguine quisquam /
barbarus Hesperiis Magnum praeponere
rebus? 7.283
si totidem Magni soceros ... / ...
locasses,/non tam praecipiti ruerent in
proelia cursu. 7.334
Magnus, nisi uincitis, exul, /ludibrium
soceri, ... 7.379
uentum erat ad robur Magni mediasque
cateruas. 7.545
caedunt ... / ... rerum / saepe duces
summosque hominum te, Magne, remoto. 7.585
nusquam Magni fortuna sine illo /succubuit.
          7.601
Caesar, et increpitans 'iam Magni deseris
arma, /successor Domiti; 7.606
te ... / ...dubium fati,... / aspiciens
Stygias Magno duce liber ad umbras /...
eo: 7.612
iam Magnus transisse deos Romanaque
fata /senserat infelix, ... 7.647
stante potest mundo Romaque superstite
Magnus /esse miser. 7.660
sed timuit, strato miles ne corpore Magni
/non fugeret, ... 7.671
tum Magnum concitus aufert / a bello
sonipes 7.677
saluaque uerendus / maiestate dolor,
qualem te, Magne, decebat /Romanis
praestare malis. 7.681
ac testare deos nullum, qui perstet in
armis /iam tibi, Magne, mori. . . 7.691
nunc tibi uera fides quaesiti, Magne,
fauoris /contigit ac fructus: . . . 7.726
tot regum fortuna simul Magnique coacta /
expectat dominos: 7.743
et Magni numerat populos, ... 7.792
cornipedem ... / Magnus agens incerta

fugae uestigia turbat 8.4
grauis est Magno quicumque malorum
/testis adest. 8.18
quam pectore Magnus /ambit 8.66
Magnus et inmodicos castigat uoce dolores.
          8.71
incipe Magnum /sola sequi. 8.80
uiuit post proelia Magnus /sed fortuna
perit. 8.84
nunc clades denique lustra /Magne, tuas.
          8.102
placataque paelice caesa /Magno parce tuo.'
          8.105
duri flectuntur pectora Magni, 8.107
tunc Mytilenaeum pleno iam litore uolgus
/adfatur Magnum. 8.110
fac, Magne, locum, quem cuncta reuisant
/saecula, ... 8.114
nimium felix aeterno nomine Lesbos /
siue doces populos regesque admittere
Magnum, ... 8.140
dubio contra cui pectore Magnus /...
respondit 8.186
sparsus ab Emathia fugit quicumque
procella,/ adsequitur Magnum; . . . 8.204
neque ... /abstulerat Magno reges fortuna
ministros: 8.207
ne pigeat Magno quaerentem fata remotas
/Medorum penetrare domos 8.215
nec munere Magni /stant semel Arsacidae;
          8.232
te primum, parua Phaseli /Magnus adit;
          8.252
crederet hoc Magnus, pacem cum praestitit
undis, /et sibi consultum? 8.256
in procerum coetu tandem maesta ora
resoluit /uocibus his Magnus: . . 8.262
solos tibi, Magne, reliquit /Parthorum
fortuna pedes? 8.334
exiget ignorans Latiae commercia linguae /
ut lacrimis se, Magne, roges. . . . 8.349
iungere fata /tecum, Magne, uolet? 8.362
credis, Magne, uiros, quos in discrimina
belli /cum ferro misisse parum est? 8.389
quamquam non ulli plus regia, Magne,
uacabit /saeuitia stimulata Venus
titulisque uirorum; 8.412
ire per ista / si potes, in media socerum
quoque, Magne, sedentem /Thessalia placare
potes. 8.440
sceptra puer Ptolemaeus habet tibi
debita, Magne, ... 8.448
uicta est sententia Magni. 8.455
non inpune tuos Magnus contempserit annos,
          8.496
quidquid non fuerit Magni dum bella
geruntur, /nec uictoris erit. . . 8.502
iustior in Magnum nobis, Ptolemaee,
querellae /causa data est. 8.512
feriam tua uiscera, Magne, ... 8.521
tu, Ptolemaee, potes Magni fulcire
ruinam, ... 8.528
externaque monstra /pellite, si meruit tam
claro nomine Magnus /Caesaris esse nefas.
          8.549
Magnus et auxilio remorum infanda petebat
/litora; 8.561
Magnoque patere /fingens regna Phari ...
/ in paruam iubet ire ratem, . . . 8.563
damnatum leto traherent ad litora Magnum,
          8.570

MAGNUS

quippe, fides si pura foret, si regia
Magno /... pateret,/uenturum tota Pharium
cum classe tyrannum. 8.572
nec quoquam auertere uisus /nec Magnum
spectare potest. 8.592
Pellaeusque puer gladio tibi colla recidit,
/Magne, tuo. 8.608
talis custodia Magno /mentis erat, 8.635
nescis, ubi ipsa /uiscera sint Magni:
8.645
aut aliquis Magno dignus comes exigat
ensem. 8.656
uiuis adhuc, coniunx, et iam Cornelia
non est / iuris, Magne, sui: . . . 8.660
at, Magni cum terga sonent et pectora
ferro, /permansisse decus sacrae
uenerabile formae /... fatentur 8.663
retegit sacros ... uoltus /semianimis
Magni 8.670
inpius ut Magnum nosset puer, illa uerenda
/regibus hirta coma... /... conprensa
manu est, ... 8.679
hac Fortuna fide Magni tam prospera fata
/pertulit, ... 8.701
nullaque manente figura /una nota est
Magno capitis iactura reuolsi. . . 8.711
infaustus Magni fuerat comes. . . 8.717
uictum pietate timorem /conpulit ut...
corpus ... /duceret ad terram traheretque
in litora Magnum. 8.720
incubuit Magno lacrimasque effudit in
omne /uolnus, ... 8.727
da uilem Magno plebei funeris arcam 8.736
admotus Magnum, non subditus, accipit
ignis. 8.758
sed te Cornelia, Magne, /accipiet 8.769
norit harenas /ad quas, Magne, tuum
referat caput.' 8.775
carpitur et lentum Magnus destillat in
ignem 8.777
condita laudabit Magni soter inpius ossa:
8.783
'hic situs est Magnus'. 8.793
cur obicis Magno tumulum manesque
uagantis /includis? 8.796
Romanum nomen et omne /imperium Magno
tumuli est modus: 8.799
quare / unus in Aegypto Magni lapis? 8.802
erremus populi cinerumque tuorum,/Magne,
metu nullas Nili calcemus harenas. 8.805
nunc excipe saltem /ossa tui Magni, 8.839
transibis in urbem,/Magne, tuam, summusque
feret tua busta sacerdos. 8.850
Arabum portus mercis mutator Eoae,/
Magne, petet, ... 8.855
erit Aegyptus populis fortasse nepotum
/tam mendax Magni tumulo quam Creta
Tonantis. 8.872
oderat et Magnum, quamuis comes isset in
arma 9.21
totae post Magni funera partes /libertatis
erant. 9.29
'ergo indigna fui,'... / ... /membraque
dispersi pelago conponere Magni, 9.58
ignis adhuc aliquid Phario de litore
surgens /ostendit mihi, Magne, tui. 9.75
elapsus felix de pectore Magnus: 9.80
exsolui tibi, Magne, fidem, mandata
peregi; 9.98
potuit cernens tua funera, Magne, /non
fugere in mortem: 9.104

an occidimus Romanaque Magnus ad umbras /
abstulit? 9.124
ite, duces, mecum ... /... /sanguine
semiuiri Magnum satiare tyranni. 9.152
omnia dent poenas nudo tibi, Magne,
sepulchra. 9.157
[et sacer in Magni cineres mactabitur Apis]
9.160
interea totis audito funere Magni /
litoribus sonuit percussus planctibus
aether, ... 9.167
collegit uestes miserique insigna Magni
9.175
ille fuit miserae Magni cinis. . 9.179
non tamen ad Magni peruenit gratius umbras
/omne... /... quam pauca Catonis/ uerba
9.186
castrorum bellique piget post funera
Magni; 9.218
Magnum fortuna remouit, ... 9.223
quisquis Magno uiuente secundus, / hic
mihi primus erit. 9.239
dominum, quem clades cogit, habebo,/
nullum, Magne, ducem: 9.242
rapiatur in undas /infelix coniunx Magni
prolesque Metelli, ... 9.277
colla gerit Magni Phario uelamine tecta
9.1012
Thessalicas quaerens Magnus reparare
ruinas /ense iacet nostro. . . . 9.1019
accipe quidquid /pro Magni ceruice dares;
9.1024
uni tibi, Magne, negare /non audet
gemitus. 9.1045
captique in uiscera Magni /hoc alii
licuisse doles, ... 9.1052
fortuna ... /... te non passa est misereri,
perfide, Magni /uiuentis! 9.1061
non tuleram Magnum mecum Romana regentem:
9.1075
caruere deis mea uota secundis,/ut... /
adfectus a te ueteres uitamque rogarem,/
Magne, tuam 9.1101
Magne, tui socerum rapuere a sanguine
manes, ... 10.7
discordia sensit /pectora et ancipites
animos, Magnumque perisse /non sibi. 10.13
pro pudor, oblitus Magni tibi, Iulia,
fratres / ... dedit, ... 10.77
Magni ceruice reuolsa /iam tibi ...
minatur. 10.100
Magno nihil ille perempto /iam putat esse
nefas; 10.335
tantum animi delecta dabant, ut colla
ferire /Caesaris et socerum iungi tibi,
Magne, iuberet; 10.348
perque ictum sanguine Magni /foedus, ades,
10.371
nos quoque sublimes Magnus facit. 10.378
quid plus te, Magne, recepto/ausa foret
Lagea domus? 10.413
Magni morte perit. 10.519
altera, Magne, tuis iam uictima mittitur
umbris; 10.524
dum patrii ueniant in uiscera Caesaris
enses /Magnus inultus erit. . . . 10.529
solus apertis /obsedit muris calcantem
moenia Magnum. 10.546
MAGNUS(Gnaeus, Pompei filius). aspexit
patrios comites a litore Magnus /et
fratrem; 9.121

MAGNUS

    cum talia Magnus /audisset,... /...
    iustaque furens pietate profatur /
    'praecipitate rates ... nautae;   9.145

MAGUS. ille supernis /detestanda deis
    saeuorum arcana magorum /nouerat   6.431
    sensuraque saxa canentes /arcanum ferale
    magos. 6.440
    Memphis /omne uetustorum soluat penetrale
    magorum, /abducet superos alienis
    Thessalis aris. 6.450
    illa magis magicisque deis incognita uerba
    /temptabat 6.577
    tali tua membra sepulchro,/... exuram
    Stygio cum carmine ... /ut nullos cantata
    magos exaudiat umbra. 6.767
    'si foedera nobis /prisca manent.../per
    uestros astricta magos, inplete pharetras
                           8.220

MAIESTAS. sed fortes tremuere manus, motique
    uerenda /maiestate loci, si robora sacra
    ferirent, ...   3.430
    seruata precanti /maiestas non fracta
    malis, ...   4.341
    imperii salua si maiestate liceret, /
    uoluerer ante pedes. 7.378
    non gemitus,non fletus erat, saluaque
    uerendus /maiestate dolor, . . .   7.681
    'o maxime!... / 'ductor et Hesperii
    maiestas nominis una,/... si funere nullo
    /tristior iste rogus, manes... / officiis
    auerte meis: 8.760

MAIOR,-US, v. MAGNUS,-A,-UM.

MALA. stat contra fortior aetas /uix ulla
    fuscante tamen lanugine malas.   10.135

MALEA. tot potuere manus ... / et ratibus
    longae flexus donare Maleae, . . .   6.58
    Dorida tum Malean et apertam Taenaron
    umbris, /... petit, ...   9.36

MALIACUS. ferit amne citato /Maliacas
    Spercheos aquas, ...   6.367

MALIGNUS,-A,-UM. oraeque malignos /Ambraciae
    portus, scopulosa Ceraunia nautae /summa
    timent. 5.651
    litusque malignum /incusat . . .   8.565
    nunc tamen, hinc longe qui fulget
    luce maligna,/ignis adhuc aliquid ... /
    ostendit mihi, Magne, tui. . . .   9.73
    conspecta est parua maligna /unda procul
    uena, ...   9.500

MALLOS. Mallos et extremae resonant naualibus
    Aegae, ...   3.227

MALO,-LE. non quia te superi patrio priuare
    sepulchro /maluerint Phariae busto
    damnantur harenae: 2.733
    gaudet tamen esse timori /tam magno
    populis et se non mallet amari.   3.83
    non usque adeo permiscuit imis /longus
    summa dies ut non, si uoce Metelli /
    seruantur leges, malint a Caesare tolli.'
                           3.140
    uotumque effecimus hosti /ut mallet
    sterni gladiis 7.100
    pugnare ducem quam uincere malunt.   7.109
    aut, si Romano conpleri sanguine mauis, /
    istis parce precor; 7.539
    cunctis ignotus gentibus esse /mallet
                           8.20
    mallem felicibus armis /dependisse caput:
                          8.100
    feriam tua uiscera, Magne, /malueram
    soceri: 8.522

MALUM

    placet hoc, Fortuna,sepulchrum / dicere
    Pompei, quo condi maluit illum /quam
    terra caruisse socer? 8.794
    hunc ego per Syrtes ... triumphum /ducere
    maluerim, quam ter Capitolia curru /
    scandere Pompei, ...   9.599
    et generi mauolt lugere reuolsum / quam
    debere caput. 9.1042
    dum uitam Phario mauolt debere clienti,
    /laeta dies rapta est populis,   9.1096
    tempora Niliaco turpis dependit amori,/
    dum donare Pharon, dum non sibi uincere
    mauolt. 10.81
    nihil est quod noscere malim /quam fluuii
    causas 10.189
    et gentes maluit ortus /mirari quam nosse
    tuos. 10.297

MALUM(subst.). tu causa malorum /... Roma,
                            1.84
    dat uires famae, nulloque auctore malorum
                            1.485
    his ubi concepit magnorum fata malorum
                            1.630
    cum domino pax ista uenit. duc, Roma,
    malorum /continuam seriem clademque
    in tempora multa 1.670
    incubat amens /miraturque malum.   2.28
    summis seruate malis. 2.40
    aut te, praesage malorum/Antoni,   2.121
    hic dabit hic pacem iugulus finemque
    malorum 2.317
    maior in arma ruit certa cum mente
    malorum, ...   3.37
    iamque comes semper magnorum prima
    malorum /saeua fames aderat, . . .   4.93
    seruata precanti /maiestas non fracta
    malis, ...   4.341
    tandem uolgata cruenti /fama mali terras
    monstris aequorque leuantem /magnanimum
    Alciden Libycas exciuit in oras.   4.610
    quem blanda futuris /deceptura malis belli
    fortuna recepit. 4.712
    tot mundi caruisse malis, praestare
    deorum excepta quis Morte potest?   5.229
    ut nolim seruire malis sed morte parata /
    te sequar ad manes. 5.773
    durata iam mente malis firmaque tulerunt.
                             5.798
    ultimus esse dies potuit tibi Roma
    malorum, ...   6.312
    multos in summa pericula misit /uenturi
    timor ipse mali. 7.105
    quantum scelerum quantumque malorum /in
    populos lux ista feret! 7.114
    omne malum uicti, quod sors feret ultima
    rerum,/omne nefas uictoris erit.'   7.122
    quid mirum populos ... /lymphato
    trepidasse metu, praesaga malorum /si data
    mens homini est? 7.186
    Pharsalia tanti /causa mali. . . .   7.408
    tempora signauit leuiorum Roma malorum,
                            7.410
    nullaque tantorum discat me uate malorum,
    /... aetas. 7.553
    saluaque uerendus /maiestate dolor,
    qualem te, Magne, decebat /Romanis
    praestare malis. 7.682
    tam mala Pompei quam prospera mundus
    adoret. 7.708
    grauis est Magno quicumque malorum /
    testis adest. 8.18

MALUS   **MANES**

quid enim tibi laetius umquam /
praestiterint superi,... /... tantam
consumere gentem /et nostris miscere
malis? 8.325
solacia tanti /perdit Roma mali, nullos
admittere reges /sed ciui seruire suo?
. . . . 8.355
iterumne relinquor /Thessalicis summota
malis? 8.585
Pompeiusque fuit qui numquam mixta uideret
/laeta malis, ... 8.706
sociosne malorum /an ueherent hostes:
. . . . 9.46
puppes luctus ... ferebant /et mala uel
duri lacrimas motura Catonis. . . 9.50
similisne malorum /sors mihi semper erit?
. . . . 9.66
sola potest Libye turba praestare malorum
/ut deceat fugisse uiros.' . . . 9.405
effuditque procul miranda sorte malorum:
. . . . 9.491
terrarum fatale malum 10.34
Cleopatra ... /... Latii feralis Erinys
/Romano non casta malo. 10.60

MALUS. o male concordes nimiaque cupidine
caeci, ... 1.87
'o male uicinis haec moenia condita Gallis,
. . . . 1.248
ocius auertat diri mala semina belli.
. . . . 3.150
haud illic tacito mala uota susurro /
concipiunt, ... 5.104
quando pietasque fidesque /destituunt
moresque malos sperare relictum est, 5.298
'o mundi tantorum causa laborum (malorum),
/quid superos et fata tenes? . var.5.481
de quo male tunc fortuna meretur 5.582
ac male defensum fragili conpage cerebrum
/dissipat; 6.177
sed melior suadere malis et nosse tyrannos
/ausus Pompeium leto damnare Pothinus
. . . . 8.482
sic male deseruit nullosque exegit in
usus /hanc partem natura sui); . 9.310
[heu facinus, gladio ceruix male caesa
pependit] 10.518

MALUS. fractaque ueliferi sonuerunt pondera
mali, ... 1.500
dum iuga curuantur mali dumque ardua
pinus /erigitur, ... 2.695
et posito remis petierunt litora malo.
. . . . 3.45
hic utinam summi curuet carchesia mali.
. . . . 5.418
lintea ... /... reddita malo /in mediam
cecidere ratem, ... 5.431
auolsit laceros percussa puppe rudentis /
turbo rapax fragilemque super uolitantia
malum /uela tulit; 5.595
rursus hiant undae uix eminet aequore
malus. 5.641
Caesaris arma /segnius haud uidit, quam
malo nauta tremente /omnia subducit
Circaeae uela procellae; . . . 6.286
tum, quarum recto deprendit carbasa malo,
/eripuit nautis, ... 9.324

MANDO,-ARE. consulibus fugiens mandat decreta
senatus. 1.489
arcanumque nefas Stygias mandauit ad
umbras. 6.569
namque haec mandata reliquit /Pompeius

uobis in nostra condita cura: 9.85
exsolui tibi, Magne, fidem, mandata
peregi; 9.98
infudere epulas auro,... /... quod luxus
... / furens toto quaesiuit in orbe / non
mandante fame: 10.158
nec flammis mandatur opus; . . 10.482

MANEO,-ERE. temporis angusti mansit concordia
discors 1.98
haec rursus patienda manent, . . 2.223
(Phoenices primi, famae si creditur, ausi
/mansuram rudibus uocem signare figuris:
. . . . 3.221
membraque contendit toto, quicumque
manebat,/sanguine 3.624
puppibus occurrit tandemque sub aequore
mansit. 3.704
crediderim; ... / sic pelagus mansisse
loco. 5.612
si numina nostras /inpulerint acies,
maneat pars optima Magni, . . . 5.757
melius mansura sub undis /Emathis
aequorei regnum Pharsalos Achillis /
eminet 6.349
quid mirum populos quos lux extrema
manebat / lymphato trepidasse metu, 7.185
nam me secura manebit /sors quaesita manu:
. . . . 7.308
habes aditum mansurae in saecula famae.
. . . . 8.74
'si foedera nobis /prisca manent mihi per
Latium iurata Tonantem, /... inplete
pharetras 8.219
postquam nulla manet rerum fiducia,
quaerit /cum qua gente cadat. . 8.504
nullaque manente figura /una nota est
Magno capitis iactura reuolsi. . 8.710
proderit hoc olim, quod non mansura
futuris /... surrexit ... moles. 8.865
dubiumque manebat / quem dominum mundi
facerent ciuilia bella, ... 9.19
nec umquam,/dum terris aliquis nostra de
stirpe manebit, /Caesaribus regnare
uacet. 9.89
non barbara uictos / regna manent, 9.237
sed duce Pompeio Libyae melioris in oris
/mansit. 9.371
nusquam luctando stabilis manet, 9.470
nulla manere sinunt rapidi uestigia fati.
. . . . 9.786

MANES. inpleat et Ponei saturentur sanguine
manes, ... 1.39
abstulit ad manes Parcarum Iulia saeua
. . . . 1.113
tristia Sullani cecinere oracula manes,
. . . . 1.581
quid sanguine manes /placatos Catuli
referam? 2.173
campoque expulsa piorum /ad Stygias'
inquit 'tenebras manesque nocentis ...
trahor. 3.13
perque meos manes genero non esse licebit;
. . . . 3.32
ille, dei quamuis cladem manesque
minentur, ... 3.36
ferat ista cruentus /Hannibal et Ponei
tam dira piacula manes. 4.790
nox manes mixtura dies. spes una salutis,
. . . . 5.636
ut nolim seruire malis sed morte parata
/te sequar ad manes, ... 5.774

MANES

quotiens saeuis opus est ac fortibus
umbris /ipsa facit manes. . . . 6.561
sperat ... auertere ... /ossaque nobilium
tantosque adquirere manes. . . . 6.586
uel tu parce deis et manibus exprime
uerum. 6.599
non Taenariis sic faucibus aer /sedit
iners,... /... quo non metuant admittere
manes /Tartarei reges. 6.650
quis timor, ignaui, metuentis cernere
manes?' 6.666
Hecates ... per quam /manibus et mihi sunt
tacitae commercia linguae, /.../exaudite
preces. 6.701
licet has exaudiat herbas,/ad manes
uentura semel. 6.716
manibus inlatrat regnique silentia rumpit.
6.729
effera Romanos agitat discordia manes
6.780
refer haec solacia tecum,/ o iuuenis,
placido manes patremque domumque/expectare
sinu 6.803
et Romanorum manes calcate deorum. 6.809
fulminibus manes radiisque ornabit et
astris 7.458
Caesar,... /... parcendum ferro manibusque
suorum /iam ratus 7.729
putem ... /... infectumque aera totum /
manibus et superam Stygia formidine noctem.
7.770
pectore in hoc pater est, omnes in Caesare
manes. 7.776
et quantum poenae misero mens conscia
donat,/ quod Styga, quod manes ingestaque
Tartara somnis /Pompeio uiuente uidet!
7.785
quo non Romanos uiolabis uomere manes?
7.852
deuotaque manibus illis /Assyrios in
castra tuli ciuilia casus, ... 8.91
cum Ptolemaeorum manes seriemque pudendam
/pyramides claudant... /litora Pompeium
feriunt, ... 8.696
teque pudet sparsis Pompei manibus uri.'
8.751
si funere nullo /tristior iste rogus,
manes animamque potentem /officiis auerte
meis: 8.762
cur obicis Magno tumulum manesque
uagantis /includis? 8.796
tu nostros, Aegypte, tenes in puluere
manes. 8.834
satis o nimiumque beatus,/si mihi
contingat manes transferre reuolsos /
Ausoniam, ... 8.844
quem non tumuli ... saxum /et cinis... /
auertet manesque tuos placare iubebit
8.857
at non in Pharia manes iacuere fauilla
9.1
qua niger astriferis conectitur axibus
aer /.../semidei manes habitant, 9.7
manus hoc Aegyptia forsan /obtulit
officium graue manibus. 9.64
ite, duces, mecum ... /... inhumatos
condere manes, ... 9.151
toto litore busta / surgunt Thessalicis
reddentia manibus ignem. 9.181
Phryx incola manes /Hectoreos calcare
uetat. 9.976

MANUS

unam sparsis date manibus urnam. 9.1093
Magne, tui socerum rapuere a sanguine
manes, ... 10.7
fortuna pepercit /manibus, ... 10.24
et Pompeianis habitata manibus aula /...
adulter /admisit Venerem curis, . . 10.73
habitant sub pectore manes 10.336
MANICAE. ast alias manicaeque ligant
teretesque catenae, ... 3.565
MANIFESTUS,-A,-UM. spes saltem trepidas mentes
leuet, addita fati /peioris manifesta
fides, superique minaces /prodigiis terras
implerunt, ... 1.524
iamque irae patuere deum manifestaque
belli /signa dedit mundus 2.1
non aliter manifesta potens abscondere
mentis /gaudia quam lacrimis, . . 9.1040
manifesta noui primum dant signa tumoris.
10.326
MANIPLUS. conuocat armatos extemplo ad signa
maniplos, ... 1.296
et prope consertis obduxit castra
maniplis. 4.31
fossasque inplete ruina, /exeat ut plenis
acies non sparsa maniplis. . . . 7.327
sparsa per extremos leuis armatura
maniplos /insequitur 7.508
cum procul a muris acies non sparsa
maniplis /nec uaga conspicitur, 10.436
MANO,-ARE. hunc fama est Stygiis manare
paludibus amnem 6.378
maestum fletu manante cadauer /'tristia
non equidem Parcarum stamina' dixit 6.776
petet ignibus Oeten /inmeritaeque nemus
Rhodopes pinusque Mimantis (manantes)?
var.7.450
inspicit et gladios, qui toti sanguine
manent, ... 7.560
incensusque dies, manant sudoribus artus.
9.499
manant umeri fortesque lacerti, 9.780
quaecumque foramina nouit /umor, ab his
largus manat cruor; 9.812
nec piger ignis erat ... perque /
manantis cera tabulas, ... 10.494
MANSUESCO,-ERE. nullus semel ore receptus /
pollutas patitur sanguis mansuescere
fauces. 1.332
sic,ubi desuetae siluis in carcere
clauso /mansueuere ferae et uoltus posuere
minaces 4.238
MANUS. in te uerte manus: 1.23
Hesperia est desuntque manus poscentibus
aruis, ... 1.29
abstulit ad manes Parcarum Iulia saeua
/intercepta manu. 1.114
poteras ... /armatasque manus excusso
iungere ferro, ... 1.117
ferre manum et numquam temerando parcere
ferro, ... 1.147
haec manus, ut uictum post terga
relinqueret orbem, /Oceani tumidas remo
conpescuit undas 1.369
elatasque alte, ... /promisere manus.
1.388
capacem /humani facilem uenturo Caesare
praedam /ignauae liquere manus. 1.514
ferrique potestas /confundet ius omne
manu, ... 1.667
quis furor hic, o Phoebe, doce, quo tela
manusque /Romanae miscent acies bellumque

MANUS

sine hoste est. 1.681
nulla uacet tibi, Roma, manus. 2.56
deriguit ferrumque manu torpente remisit.
2.78
conflato saeuas ergastula ferro /exeruere
manus. 2.96
rapuitque cruentus /uictor ab ignota
uoltus ceruice recisos /dum uacua pudet
ire manu. 2.113
uix te sparsum per uiscera, Baebi,/
innumeras inter carpentis membra coronae/
discessisse manus, ... 2.121
nimiumque secuta est, / qua morbi duxere,
manus. 2.143
auolsae cecidere manus exsectaque lingua /
palpitat et muto uacuum ferit aera motu.
2.181
densi uix agmina uolgi /inter et exangues
inmissa morte cateruas /uictores mouere
manus; 2.203
liceat feralibus armis,/has etiam mouisse
manus. 2.261
uelit ... quis ... /complossas tenuisse
manus? 2.292
iuuat ignibus atris /inseruisse manus
constructoque aggere busti / ipsum atras
tenuisse faces, ... 2.300
Caesaris effuge munus (manus).' var.2.525
o uere Romana manus, quibus arma senatus /
non priuata dedit, ... 2.532
Lentulus exertique manus uaesana Cethegi.
2.543
his te quoque iungere, Caesar, / inuideo
nostrasque manus quod Roma furenti 2.551
relinquas /admoneo .../Riphaeasque manus
et quas tenet aequore denso /pigra palus
Scythici patiens Maeotia plaustri 2.640
classique paratae /excepere manus, 2.712
haud' inquit 'iugulo se polluet isto /
nostra, Metelle, manus; 3.136
Phocaicas Amphissa manus scopulosaque
Cirrha /Parnasosque iugo misit desertus
utroque. 3.172
Pisaeaeque manus populisque per aequora
mittens /Sicaniis Alpheos aquas. 3.176
Iliacae quoque signa manus perituraque
castra /ominibus petiere suis, . . 3.211
pro, quanta est gloria genti /iniecisse
manum fatis 3.242
tractentur uolnera nulla /sacra manu.
3.315
numquam felicibus armis /usa manus,
patriae primis a sedibus exul, 3.339
sed fortes tremuere manus, motique
uerenda 3.429
miscenturque manus. 3.569
nullam melius pelago turbante carinae /
audiuere manum, ... 3.594
ausus ... /iniectare manum; . . . 3.611
haec quoque cum toto manus est abscisa
lacerto. 3.617
ferrea dum puppi rapidos manus inserit
uncos /adfixit Lycidan. 3.635
a manibus cecidere suis: 3.668
iaculum letale reuolsum/.../oppressere
manu, ... 3.678
tela legunt delecta mari ratibusque
ministrant /incertasque manus ictu
languente per undas /exercent; 3.692
caeca tela manu sed non tamen inrita
mittit. 3.722

super hunc fundata uetusta /surgit Ilerda
manu; 4.13
his ratibus traiecta manus festinat
utrimque /succisum curuare nemus, 4.137
stat uictor tenuitque manus, . . 4.289
si mollius aruum /prodidit umorem,pinguis
manus utraque glaebas /exprimit ora super;
4.309
nec cruor effusus campis tibi bella
peregit /nec ferrum lassaeque manus: 4.355
accersas dum fata manu: 4.484
damnata iam luce ferox secura pugnae /
promisso sibi fine manu, nullique tumultus
/excussere uiris mentes ad summa paratas;
4.535
innumerasque simul pauci terraque
marique /sustinuere manus: 4.538
cum feriat moriente manu. 4.560
percussum est pectore ferrum et iuguli
pressere manum. 4.562
non tamen ignauae ... /percipient gentes
quam sit non ardua uirtus /seruitium
fugisse manu, sed regna timentur 4.577
conseruere manus et multo bracchia nexu;
4.617
tunc obliqua percussa labare /crura manu.
4.626
mittitur, exigua qui proelia prima
lacessat /eliciatque manu, ... 4.721
neque enim licuit procurrere contra
/et miscere manus. 4.773
ex tanta fatorum strage superba/excerpsit
Romana manu, ... 5.186
per tot bella manus satiatae sanguine
tandem /destituere ducem, ... 5.243
tot raptis truncus manibus gladioque
relictus /paene suo, ... 5.252
imus in omne nefas manibus ferroque
nocentes, ... 5.272
iam respice canos /inualidasque manus et
inanis cerne lacertos. 5.275
nil actum est bellis, si nondum
conperit istas /omnia posse manus. 5.288
non pudet, heu, Caesar, soli tibi bella
placere /iam manibus damnata tuis? 5.311
inuenient haec arma manus, ... 5.326
summam rapti per prospera belli /te poscit
fortuna manum. 5.484
haec Caesar bis terque manu quassantia
tectum /limina commouit. 5.519
quibus hoc contingere ... /... potuit
muris, nullo trepidare tumultu /Caesarea
pulsante manu? 5.531
non ultra cuncta carinae /debebis
manibusque 5.535
haud dubitem praebere manus: . . . 5.558
ne flecte manum, fuge proxima uelis /
litora; 5.588
labitur infelix manibusque excepta suorum
5.799
somno quam saepe grauata /deceptis
uacuum manibus conplexa cubile . . 5.809
tot potuere manus aut iungere Seston
Abydo 6.55
ualli summa tenentis /amputat ense manus;
6.176
nulla fuit non certa manus, non lancea
felix; 6.190
Dictaea procul, ecce, manu Gortynis
harundo /tenditur in Scaeuam, . . 6.214
postquam dicessit Olympo /Herculea grauis

MANUS

Ossa manu 6.348
inmergitque manus oculis 6.541
siccae pallida rodit /excrementa manus.
6.543

insertum manibus chalybem ... /...
sustulit 6.547
nec carpere membra /uolt ferro manibusque
suis, ... 6.552
nec cessant a caede manus, ... 6.554
nodis et carcere Ditis /constrictae
plausere manus, ... 6.798
uibrant tela manus, uix signa morantia
quisquam /expectat: 7.82
in manibus uestris, quantus sit Caesar,
habetis. 7.253
nulla manus, belli mutato iudice, pura est.
7.263
ciuilia paucae /bella manus facient: 7.275
sed me fortuna meorum /commisit manibus,
7.286
nam me secura manebit /sors quaesita manu:
7.309
innumeraeque urbes, quantas in proelia
numquam /exciuere manus. 7.362
petet ignibus Oeten /inmeritaeque nemus
Rhodopes pinusque Mimantis(manus)?
var.7.450
quam sibi fata minentur /inde manum,
spectant. 7.462
cuius torta manu commisit lancea bellum
7.472
cum Caesar tela teneret,/inuenta est prior
ulla manus? 7.475
optat, pars terrae figere tela/ ac puras
seruare manus. 7.487
leuis armatura ... / insequitur saeuasque
manus inmittit in hostem: 7.509
iuuentus /bella gerit ferrumque manus
mouere rogatae: 7.549
inspicit ... / quae presso tremat ense
manus, ... 7.562
uolnera multorum totum fusura cruorem /
opposita premit ipse manu. 7.567
ipse manu subicit gladios ac tela
ministrat 7.574
in plebem uetat ire manus monstratque
senatum: 7.578
capuloque manus absente mouentur. 7.767
coeperat ... /Pompei sentire manus 8.69
nunc sum tibi gloria maior,/a me quod
fasces ... / tantaque discessit regum
manus. 8.80
me pulsum leuiore manu fortuna tenebit?
8.271
nulla manus illis, fiducia tota ueneni
est. 8.388
cognatas praestate manus externaque
monstra /pellite, ... 8.548
caeloque tonante profanas /inseruisse
manus, inpure ac semiuir, audes? 8.552
quem contra non longa uecta biremi /
appulerat scelerata manus, ... 8.563
stetit anxia classis /... metuens... /
... ne ... Pompeius adoret /sceptra sua
donata manu. 8.595
quacumque feriris /crede manum soceri.
8.629

sic fata interque suorum /lapsa manus
rapitur trepida fugiente carina. 8.662
generosa fronte decora /caesaries
conprensa manu est, ... 8.681

MARE

semel inpulit illum /dilata Fortuna manu.
8.708
quod iam conpositum uiolat manus hospita
bustum, /da ueniam: 8.748
exiguam, quantum potes, accipe flammam
/Romana succense manu. 8.767
te Cornelia, Magne /accipiet nostraque
manu transfundet in urnam. 8.770
ignauis manibus proiectos reddidit enses,
9.26

manus hoc Aegyptia forsan /obtulit
officium graue manibus. 9.63
tu quoque pro dominis,et Pompeiana fuisti
/nec Romana manus? 9.258
quis uestras ulla putet esse nocentes /
caede manus? 9.270
inseruitque manus terrae 9.483
ipse manu sua pila gerit, ... 9.587
quem flexo dente tenacem /auolsitque
manu piloque adfixit harenis. . . 9.765
uelox currit per tela uenenum /inuaditque
manum; 9.830
stat tutus pereunte manu. 9.833
patimur cur segnia fata /in gladios
iurata manus? 9.850
et suffecta manu foribus testudinis Indae
/terga sedent, ... 10.120
manibusque ministrat /Niliacas crystallos
aquos, ... 10.159
attrahit illos /in nostras fortuna manus:
10.385
nulla fides ... uiris qui castra secuntur,
/uenalesque manus; 10.408
et nisi fata manus a sanguine Caesaris
arcent /hae uincent partes. . . . 10.420
metuunt ... /ne caedes confusa manu
permissaque fatis /te, Ptolemaee, trahat.
10.426

MAPALE. hostilem in terram uacuisque
mapalibus actus 2.89
et solitus uacuis errare mapalibus Afer
4.684

coepit ... /... /surgere congesto non
culta mapalia culmo. 9.945
MARCELLUS. Marcellusque loquax et nomina
uana Catones. 1.313
MARCEO,-ERE. iam marcent uenae, nulloque
umore rigatus 4.326
marcentes intus tenebrae pallensque sub
antris /longa nocte situs numquam nisi
carmine factum /lumen habet. . . . 6.646
MARCIA. quas sancta relicto /Hortensi
maerens inrupit Marcia busto. . . 2.328
liceat tumulo scripsisse 'Catonis/ Marcia',
2.344
MARCIDUS,-A,-UM. pars aegra et marcida pendet,
1.628

MARE. qui secat et geminum gracilis mare
separat Isthmos 1.101
Ionium Aegaeo frangat mare, . . . 1.103
populique potentis, /quae mare, quae
terras, quae totum possidet orbem, /
non cepit fortuna duos. 1.110
en, adsum uictor terraque marique /Caesar,
1.201

in classem cadit omne nemus, terraque
marique /iussus Caesar agi. . . . 1.306
qua Rhodanus raptum uelocibus undis /
in mare fert Ararim, ... 1.434
atra Charybdis /sanguineum fundo torsit
mare; 1.548

qua mare Lagei mutatur gurgite Nili: 1.684
mons inter geminas medius se porrigit
undas /inferni superique maris,   2.400
pugnatque minaci /cum terrore fides,ut,
cum mare possidet Auster 2.454
ut, maris Aeolii medias si celsus in undas
/depellatur Eryx, ... 2.665
hinc illinc montes scopulosae rupis
aperto /opposuit natura mari flatusque
remouit, ... 2.620
sparsos per rura colonos /redde mari
Cilicas; 2.636
ipsa maris per claustra rates fastigia
molis /discussere 2.684
inpulsum rostris sonuit mare, fluctuat
unda, ... 2.702
praedonem sequerere mari: 2.727
qua mare tellurem subitis aut obruit undis
    3.60
inde lacessitum primo mare, . . . 3.193
placuitque profundo /fortunam temptare
maris. 3.510
seruatum bello iacuit mare, . . . 3.524
ut tantum medii fuerat maris, utraque
classis /quod semel excussis posset
transcurrere tonsis, ... 3.538
huc abeunt fluctus, illo mare, sic, ubi
puppes /sulcato uarios duxerunt gurgite
tractus, ... 3.550
inque locum puppis cecidit mare. 3.633
sed clauso periere mari. 3.652
tela legunt deiecta mari ratibusque
ministrant 3.691
qua maris Hadriaci longas ferit unda
Salonas 4.404
aestus agat reluoque mari nudentur
harenae. 4.428
et temere ingressos repetendum inuitat ad
aequor /pace maris. 4.437
inpendent caua saxa mari, ... 4.455
restituit raptus tectum mare, . . 4.459
detegit orta dies stantis in rupibus
Histros /pugnacesque mari Graia cum classe
Liburnos. 4.530
innumerasque simul pauci terraque
marique /sustinuere manus: . . . 4.537
multumque cruorem /infudere mari. 4.568
ut Salaminiacum meminit mare; . . 5.109
qua maris angustat fauces saxosa Carystos
    5.232
quaeris terraque marique /his ferrum
iugulis 5.262
nec maris anfractus lustrandaque litora
nobis, ... 5.416
inmensumque gelu tegitur mare; . . 5.438
nimiasque precari /uentorum uires, dum se
torpentibus unda /excutiat stagnis et sit
mare. 5.453
niger inficit horror /terga maris, 5.565
si murmura ponti /consulimus, Cori ueniet
mare. 5.572
in fluctus Cori frangit mare, . . 5.606
alioque ex orbe uoluti /a magno uenere
mari, ... 5.619
cum mare conuoluit gentes, ... 5.623
tum quoque tanta maris moles creuisset in
astra 5.625
tantum nautae uidere trementes /fluctibus
e summis praeceps mare; 5.640
'quantusne euertere' dixit / 'me superis
labor est, parua quem puppe sedentem /tam

magno petiere mari! 5.656
cum te raperet mare, ... 5.689
tibi causa petendae /haec fuit Hesperiae,
uisum est quod mittere quemquam /tam saeuo
crudele mari. 5.692
mundi iam summa tenentem /permisisse mari
tantum! 5.695
quoque modo ... Thybris /in mare
descendit, ... 6.77
nec magis ... repulsus /intra claustra
... quieuit,/quam mare lassatur, cum se
tollentibus Euris /... scopulum ferit
    6.265
Aeas /Ionio fluit inde mari, . . . 6.362
quo sit tibi mollius aequor /... /sparge
mari comitem. 8.100
quidquid descendet ab arbore summa /
Arctophylax propiorque mari Cynosura
feretur, /in Syriae portus tendit ratis.
    8.180
ipse ... Ephesonque relinquens / et
placidi Colophona maris, spumantia paruae
/radit saxa Sami; 8.245
abruptum est nostro mare discolor unda /
Oceanusque suus. 8.293
gurgite septeno rapidus mare summouet
amnis. 8.445
inde maris uasti transuerso uertitur
aestu; 8.462
sidera terra /ut distant et flamma mari,
    8.488
tenet ille ducem conplexibus artis /
eripiente mari; 8.724
adde ... /... pauidos Cilicas maris, 8.811
ut primum remis actum mare propulit omne
/classis onus, densis fremuit niger
imbribus Auster 9.319
sors melior classi quae fluctibus
incidit altis /et certo iactata mari.
    9.331
tum magis inpactis breuius mare terraque
saepe /obuia consurgens: 9.338
nullumque in uertice semper /sidus habes
inmune mari; 9.542
Oceano classes inferre parabat /exteriore
mari. 10.37
plena maris rubri spoliis, colloque
comisque /diuitias Cleopatra gerit 10.139
sed quae uicina fuere /tecta mari longis
rapuere uaporibus ignem, ... 10.499
insula quondam /in medio stetit illa mari
sub tempore uatis /Proteos, . . 10.510
MAREOTICUS,-A,-UM. hebenus Mareotica uastos
/non operit postes 10.117
MAREOTIS. corpus Alexandri pigra Mareotide
mergam? 9.154
gemmaeque capaces /excepere merum, sed non
Mareotidos uuae, ... 10.161
MARGO. posuitque in margine plantas 9.353
multaque deuexo terrarum margine celat.
    9.497
stabant in margine siccae /aspides, 9.609
se /protulit in medios audaci margine
fluctus /luxuriosa domus. 10.487
MARICA. delabitur inde /... / Sarnus et
umbrosae Liris per regna Maricae 2.424
MARITUS,-A,-UM. ualuit reuocare parens
coniunxue maritum 1.505
quondam uirgo toris melioris iuncta
mariti, ... 2.329
peregi /iussa, Cato, et geminos excepi

MARITUS

feta maritos: 2.339
quoque modo natos hoc est amplexa maritum.
                2.366
nec more Sabino /excepit tristis conuicia
festa maritus. 2.369
urbi pater est urbique maritus, . . 2.388
detrahere in cladem fato damnata maritos
                3.22
refugit /umbra per amplexus trepidi
dilapsa mariti. 3.35
uxor et a caro poscet sibi fata marito,
                3.353
pectus et auersi petit oscula grata
mariti, ... 5.736
tutior omni /rege late, positamque procul
fortuna mariti /non tota te premat. 5.755
sed sorte frequenti /plebeiaque nimis
careo dimissa marito. 5.765
insomnis; uiduo tum primum frigida lecto
/atque insueta quies uni, nudumque marito
/non haerente latus. 5.807
atque oblita fugae quaesiuit nocte
maritum! 5.810
coeperat ... /Pompei sentire manus
maestamque mariti /posse pati faciem:
                8.69
deformis adhuc uiuente marito /summus et
augeri uetitus dolor: 8.81
utinam in thalamos inuisi Caesaris issem
/infelix coniunx et nulli laeta marito.
                8.89
maxima gloria nobis /semper erit tanti
pignus seruasse mariti, ... 8.111
quam uix, si castra mariti /uictoris
peteret, siccis dimittere matres /iam
poterant oculis: 8.153
ibat in hostilem ... Cornelia puppem,/
hoc magis inpatiens egresso desse marito
/quod metuit clades. 8.578
subicique facem conplexa maritum /imperat,
                8.740
'ergo indigna fui,' dixit 'Fortuna, marito
/accendisse rogum 9.55
nec sceptris contenta suis nec fratre
marito, /... Cleopatra 10.138
interque maritos /discurrens Aegypton
habet Romamque meretur. 10.358

MARIUS(C.). agricolae fracto Marium fugere
sepulchro. 1.583
exul limosa Marius caput abdidit ulua.
                2.70
uiderat ... / terribilisque deos scelerum
Mariumque futurum, ... 2.80
Carthago Mariusque tulit, pariterque
iacentes /ignouere deis. 2.92
quis fuit ille dies, Marius quo moenia
uictor /corripuit, ... 2.99
ille fuit uitae Mario modus, . . . 2.131
ius licet in iugulos nostros sibi fecerit
ensis /Sulla potens Mariusque ferox et
Cinna cruentus 4.822
an Libycae Marium potuere ruinae /erigere
in fasces 8.269
olim uera fides Sulla Marioque receptis /
libertatis obit: 9.204

MARIUS(M. Gratidianus). cum uictima tristis /
inferias Marius forsan nolentibus umbris
/pendit inexpleto non fanda piacula
busto, ... 2.175
qui perdere fructum /iuuit et, ut uilem,
Marii confundere uoltum? 2.191

MARII. exulibus Mariis bellorum maxima merces
/Roma recepta fuit, ... 2.227
ad Cinnas Mariosque uenis. . . . 2.546
Catilina minax ... /exultat Mariique
truces nudique Cethegi; 6.794

MARMARICUS,-A,-UM. non corniger Hammon /
mittere Marmaricas cessauit in arma
cateruas, ... 3.293
nec Iuba Marmaricas nudus pressisset
harenas 6.309

MARMARIDAE. Marmaridae uolucres, aequaturusque
sagittas 4.680
gens unica terras /incolit a saeuo
serpentum innoxia morsu,/Marmaridae
Psylli. 9.893

MARMOR. deus quem toto litore pontus /audit
uentosa perflantem marmora concha, 9.349
uicina colentes /Aethiopum totae riguerunt
marmore gentes. 9.651
nec summis crustata domus sectisque
nitebat /marmoribus, ... 10.115

MARMOREUS,-A,-UM. ardua marmoreo surrexit
pondere moles. 8.866

MARS. uidimus et Martem Libyes cursumque
furoris. 1.255
'bellorum o socii, qui mille pericula
Martis /mecum' ait 'experti . . . 1.299
Marte sub aduerso ruerentque in terga
feroces 1.308
me domitus cognouit Arabs, me Marte
feroces 2.590
nec licet ad duros Martem conuertere
Hiberos, ... 2.629
'tene, deum sedes, non ullo Marte coacti /
deseruere uiri? 3.91
uel, cum tanta uocent discrimina Martis
Hiberi, ... 3.336
nec pauet hic populus pro libertate
subire /obsessum Poeno gessit quae Marte
Saguntum. 3.350
dux tamen inpatiens haesuri ad moenia
Martis 3.453
tuetur / aequo Marte latus; . . . 3.585
Martem saeuus agit non multa caede
nocentem 4.2
prima dies belli cessauit Marte cruento
                4.24
inritus et uictor subducto Marte pependit.
                4.47
indomitos quaerit populos et semper in
arma /mortis (martis) amore feros
              var.4.147
quibus hoste potito /faucibus emitti
terrarum in deuia Martem /inque feras
gentes Caesar uidet. 4.161
ubi nulla data est miscendae (miscendi)
copia mortis (martis),/ paulatim cadit
ira ferox var.4.283
nempe usis Marte secundo /tot dubiae
restant acies, tot in orbe labores; 4.388
non segnior illo /Marte fuit, qui tum
Libycis exarsit in aruis. 4.582
nullo dubii discrimine Martis /ancipites
steterunt casus, ... 4.770
solus in ancipites metuit descendere
Martis 5.67
nullo nam Marte subactus 5.240
uult praemia Martis amari; . . . 5.308
summa uidens duri Magnus discrimina
Martis 5.723
nam me iam Marte parato /securos cepisse

MARS

pudet cum coniuge somnos, . . . 5.749
Martemque secundum /... fatis debere
recusat. 6.4
hic ubi quaerentis socios iam Marte
relicto /tuta fugae cernit, . . 6.149
subducto qui Marte ruis; 6.250
exornantque deos ac nudum pectore Martem
/armis, Scaeua, tuis: 6.256
nec ... /intra claustra piger dilato
Marte quieuit, ... 6.264
castella... /'incursu gemini Martis rapit,
6.269
hac tellure feri micuerunt semina Martis.
6.395
namque timens, ne Mars alium uagus iret
in orbem /... /... uetuit transmittere
bella Philippos, ... 6.579
accipe maiores et caeco in Marte tuere.
7.111
quaeri, Roma quid esset /illo, Marte,
palam est. 7.133
tibi, numine pugnax /aduerso Domiti,
dextri frons tradita Martis. . 7.220
[haec eadem est hodie quae ... /... emerito
faciat uos Marte colonos] . . . 7.258
ego sum cui Marte peracto /quae populi
regesque tenent donare licebit. 7.299
si ... totidemque petentis /urbis regna
suae funesto in Marte locasses, /non tam
praecipiti ruerent in proelia cursu. 7.335
gentes Mars iste futuras /obruet 7.389
te, saeuo Marte subactum, /Pompeio...
poenas... daturum,/... sperare licet.'
7.613
non ueritus graue ne fessis aut Marte
subactis /hoc foret imperium. . 7.735
da similis Lesbo populos, qui Marte
subactum / non intrare suos... portus,/
... uetent.' 8.144
uos, O Parthi,...cum.../et sequerer duros
aeterni Martis Alanos, /passus Achaemeniis
late decurrere campis 8.223
nec Martem comminus usquam /ausa pati
uirtus, ... 8.382
sic uoce Catonis /inculcata uiris iusti
patientia Martis. 9.293
quis Marte secundo, /quis tantum meruit
populorum sanguine nomen? . . . 9.596
huncine tu, Caesar, scelerato Marte
petisti / qui tibi flendus erat? 9.1047
non sit licet ille nefando /Marte paratus
opes mundi quaesisse ruina; . . 10.150
et causas Martis Phariis cum gentibus
optat. 10.171
inuictumque ducem detecto Marte lacessit.
10.346
ac multa secundo /proelia Marte gerunt.
10.532
dum parat in uacuas Martem transferre
carinas, /dux Latius ... subitus.../
cingitur: 10.535

MARS(sidus). et caelum Mars solus habet. 1.663

MARSI. tunc Vmbris Marsisque ferax domitusque
Sabello /uomere, ... 2.430

MARSUS,-A,-UM. Nasidium Marsi cultorem
torridus agri /percussit prester. 9.790

MARSYA. qua celer et rectis descendens
Marsya ripis 3.207

MARTIUS. Martius incaluit Siculis incudibus
ensis 7.146

MAS. uix nuribus rapuere mares; 1.165

MATERIA

sacris tunc admouet aris /electa ceruice
marem. 1.609
tot femineis conplexibus unum /non lassat
nox tota marem. 8.404

MASSA. primus Thessalicae rector telluris
Ionos /in formam calidae percussit pondera
massae 6.403
inuenere quidem ... plurima ... /bellorum
in sumptus congestae pondera massae, 7.753

MASSAGETES. Massageten Scythicus non adliget
Hister, ... 2.50
Massagetes, quo fugit, equo uolucresque
Geloni. 3.283

MASSILIA. Massiliam bellis testatur fata
tulisse 3.308
quamuis Hesperium mundi properemus ad
axem /Massiliam delere uacat. . . 3.360
neque enim tibi maior in aruis/.../
Massiliae, Phario nec tantum est aequore
gestum, ... 4.257
Massiliaeque suae donatur libera Phocis;
5.53

MASSYLIA(gens). et gens quae nudo residens
Massylia dorso 4.682

MATER. quas, nemore Hyrcano matrum dum lustra
secuntur. 1.328
matremque suus conterruit infans; 1.563
cum corpora nondum /conclamata iacent nec
mater crine soluto /exigit . . . 2.23
'nunc', ait 'o miserae, contundite pectora,
matres. 2.38
alios fecunda penates /inpletura datur
geminas et sanguine matris /permixtura
domos; 2.332
pectoribus rapti matrum frustraque
trahentes /ubera sicca fame medios
mittentur in ignis /uxor 3.351
stant gemini fratres, fecundae gloria
matris, ... 3.603
quis in urbe parentum /fletus erat, quanti
matrum per litora planctus! . . 3.757
ille parum fidens pedibus contingere
matrem 4.615
ultor ibi expulsae, premeret cum uiscera
partus, matris adhuc rudibus Paean
Pythona sagittis 5.80
non illis urbes spoliandaque templa
negasset / Tarpeiamque Iouis sedem
matresque senatus /passurasque infanda
nurus. 5.306
caelum matremque perosa /Persephone,.../
exaudite preces. 6.699
credite ... /crinibus effusis hortari in
proelia matres; 7.370
quam uix,... /... siccis dimittere matres
/iam poterant oculis: 8.154
iacuere sorores /in regum thalamis
sacrataque pignora matres. . . . 8.405
haud ego culpa /libera bellorum, quae
matrum sola per undas /et per castra comes
8.648
oblitus Magni tibi, Iulia, fratres /
obscaena de matre dedit, . . . 10.78

MATERIA(Materies). materia magnamque cadens
magnamque reuertens 1.156
materiamque rudem flamma cedente recepit,
2.8
unica materia est coniunx miser. 8.76
non ueritus tantam ueniae committere uobis
/materiam. 8.137
solet aetherio lampas decurrere sulco /

MATERIA

    materiaque carens atque ardens aere solo.
           10.503

MATERNUS,-A,-UM. 'dum sanguis inerat, dum uis
    materna, peregi /iussa, ...   2.338

MATINUS. arua /Volturis et calidi lucent
    buceta Matini.   9.185

MATRONA. talis et attonitam rapitur matrona
    per urbem 1.676
    cultus matrona priores /deposuit
    maestaeque tenent delubra cateruae: 2.28
    turritaque premens frontem matrona corona
           2.358
    fuit dubius ... casus,/an mundum ne nostra
    quidem matrona teneret.   10.67

MATURO,-ARE. et maturato praecidit uespere
    lucem; 6.340

MATURUS,-A,-UM. urbi generique paratur /humano
    matura lues. 1.645
    nec matura petunt promissae classica
    pugnae. 2.597
    cateruas /circumit et reuocat matura in
    fata ruentis 7.668
    toxica fatilegi carpunt matura Saitae.
           9.821
    quis fata putarit /scorpion aut uires
    maturae mortis habere? 9.834
    aderat maturus uterque, ...   10.421

MATUTINUS,-A,-UM. ut matutinos spargens super
    aequora Phoebus /fregit aquis radios
           3.521

MAUORS. quacumque uagatur,/... ueluti ... /
    Bistonas aut Mauors agitans ... /.../nox
    ingens scelerum est; 7.569

MAUORS(sidus). habet uentos incertaque fulmina
    Mauors; 10.206

MAURUS. infremuit, tum torta leuis si lancea
    Mauri /haereat 1.210
    quidquid ab occiduis Libye patet arida
    Mauris 3.294
    Maurus, inops Nasamon, mixti Garamante
    perusto 4.679
    non tam laeta tulit uictor spectacula
    Maurus 4.784
    hinc anceps dubii terret sollertia Mauri;
           8.283
    inde peti placuit Libyci contermina Mauris
    /regna Iubae, ...   9.300
    quem non uiolasset ... /non Scytha, non
    fixo qui ludit in hospite Maurus, /... /
    quaerit tuta domus; 10.455

MAURUSIUS,-A,-UM. tantum Maurusia genti /
    robora diuitiae, ...   9.426

MAUSOLEUM. cum Ptolemaeorum manes... /
    pyramides claudant indignaque Mausolea,
    /litora Pompeium feriunt, ...   8.697

MAXIMUS,-A,-UM. v.MAGNUS,-A,-UM.

MAZAX. Medorum, tremulum cum torsit missile,
    Mazax, ...   4.681

MEATUS. tu, quaecumque moues tam crebros causa
    meatus, ...   1.418
    cur signa meatus /deseruere suos mundoque
    obscura feruntur, ...   1.663
    aeris alternos angustat pulmo meatus,
           4.327
    spumea tum primum rabies uaesana per ora/
    effluit et gemitus et anhelo clara meatu
    /murmura, ...   5.191
    quodque patet terras inter lunaeque
    meatus, ...   9.6
    liberque meatu / Aeoliam rabiem totis
    exercet harenis, ...   9.453

---

    nec terra celsior ulla /nox cadit in
    caelum lunaeque meatibus obstat,   9.693

MEDEA(Also cf. Colchis). expauit Medea nefas.
           4.556

MEDI. Medorum, tremulum cum torsit missile,
    Mazax, ...   4.681
    felices Arabes Medique Eoaque tellus,
           7.442
    tunc et Ityraei Medique Arabesque soluti,
    /... nusquam rexere sagittas, . .   7.514
    ne pigeat ... / Medorum penetrare domos
    Scythicosque recessus 8.216
    arcu fregere .../Bactraque Medorum sedem
    murisque superbam /Assyrias Babylona
    domos. 3.299
    fatis nimis aemula nostris /fata mouent
    Medos, ...   8.308
    cum Caesaris arma /concurrent Medis, aut
    me fortuna necesse est /uindicet aut
    Crassos.' 8.326
    nam Medos proelia prima /exarmant   8.386

MEDICAMEN. et qui tinguentes croceo medicamine
    crinem 3.238

MEDICINA. excessit medicina modum, nimiumque
    secuta est, /qua morbi duxere, manus.
           2.142

MEDICO,-ARE. ultima castrorum medicatus
    circumit ignis. 9.915

MEDICUS,-A,-UM. Achaemeniis decurrant Medica
    Susis /agmina, ...   2.49
    Parthus per Medica rura, /... nulli
    superabilis hosti est /libertate fugae;
           8.368

MEDITOR,-ARI. tantumque fugam meditata
    iuuentus 5.323
    iam tum ciuili meditatus Leucada bello.
           5.479

MEDIUS,-A,-UM. quaque dies medius flagrantibus
    aestuat horis 1.16
    librati pondera caeli /orbe tene medio;
           1.58
    quid miscere iuuat uires orbemque tenere /
    in medio? 1.89
    Crassus erat belli medius mora. . .   1.100
    geminum (medium) gracilis mare separat
    Isthmos var.1.101
    ut generos soceris mediae iunxere Sabinae.
           1.118
    signa /et celsus medio conspectus in
    agmine Caesar, /deriguere metu,   1.245
    rura silent, mediusque tacet sine
    murmure pontus, ...   1.260
    atque auso medias perrumpere milite leges
           1.322
    mors media est. 1.458
    in medium uenere diem, ...   1.537
    ipse caput medio Titan cum ferret Olympo
           1.540
    accipimus,siluisque feras sub nocte
    relictis /audaces media posuisse cubilia
    Roma. 1.560
    e medio uisi consurgere Campo /tristia
    Sullani cecinere oracula manes, . .   1.580
    inpiaque in medio peraguntur bella senatu.
           1.691
    et medio congesta foro: 2.161
    qui medio periere freto. 2.190
    his meruit tumulum medio sibi tollere
    Campo? 2.222
    excipiam medius totius uolnera belli.
           2.311

umbrosis mediam qua collibus Appenninus
/erigit Italiam 2.396
mons inter geminas medius se porrigit
undas 2.399
et mediis subrepit uinea muris: 2.506
in medios belli non ire furores 2.523
calida medius mihi cognitus axis /Aegypto
atque umbras nusquam flectente Syene,
2.586
cum mediae iaceant inmensis tractibus
Alpes, ... 2.630
ut, maris Aeolii medias si celsus in
undas /depellatur Eryx, ... 2.665
in medium deferret Athon. 2.677
propulit ut classem uelis cedentibus
Auster /incumbens mediumque rates mouere
profundum, ... 3.2
ueniam te bella gerente /in medias acies.
3.31
aut scidit, et medias fecit sibi litora
terras: 3.61
cum medium nubes Borea cogente sub axem
/effusis magnum Libye tulit imbribus
annum. 3.69
et terminus idem /Europae, mediae dirimens
confinia terrae, ... 3.275
pectoribus rapti matrum frustraque
trahentes /ubera sicca fame medios
mittentur in ignis 3.352
par tumulo, mediisque sedent conuallibus
arua. 3.380
ut, cum terra leuis mediam uirgultaque
molem /suspendant, ...3.396
medio cum Phoebus in axe est . . .3.423
ut tantum medii fuerat maris, . . 3.538
Phocaicis medias rostris oppone carinas.'
3.561
exceptum mediis inuenit uolnus in undis.
3.582
medio concurrit corpore ferrum, 3.588
pila sed in medium uenere trementia
pectus 3.598
discessit medium tam uastos pectus ad
ictus, ... 3.655
inpia turba super medios ferit ense
lacertos. 3.666
qua iam non medius descendit in ilia
uenter, ... 3.724
medius dirimit tentoria gurges. 4.18
qui medius tutam castris dirimebat Ilerdam.
4.33
nubes ... / nec medio potuere graues
incumbere mundo 4.69
sed glacie medios signorum temperat ignes.
4.109
medios pontem distendit in agros. 4.140
donec decresceret umbra /in medium
surgente die; 4.155
attollunt campo geminae iuga saxea rupes
/ualle caua media; 4.158
passusque uacare /summa freti medio
suspendit uincula ponto 4.450
in medium mors omnis abit, perit obruta
uirtus: 4.491
et medium conpressis ilibus artat 4.627
Alcides medio tenuit iam pectora pigro
/stricta gelu 4.652
regna/ .../ terminat, a medio confinis
Syrtibus Hammon; 4.673
ac, siquis metuens medium correpsit in
agmen, ... 4.778

consulite in medium, patres, Magnumque
iubete /esse ducem.' 5.46
refertur /ad uolgare iubar mediae uenere
tenebrae. 5.220
medios properat temptare furores. 5.304
lintea ... /... reddita malo /in mediam
cecidere ratem, ... 5.432
prior ipse per hostes /percussi medios
alieni iuris harenas: 5.489
orbe quoque exhaustus medio languensque
recessit 5.544
aut orbis medii puros exesa recessus,
5.547
medias perrumpe procellas . . . 5.583
lacerum retinete cadauer /fluctibus in
mediis, ... 5.670
defessus Caesar mediis intermanet agris.
6.47
ueluti mediae qui tutus in aruis /
Sicaniae rabidum nescit latrare Pelorum,
6.65
et tremulo medios abrumpit poplite gyros.
6.87
nec medii dirimunt morbi uitamque necemque,
6.99
illum /saltus et in medias iecit super
arma cateruas, ... 6.182
fulmineum mediis excepit faucibus ensem.
6.239
exire e mediis potuit Pharsalia fatis.
6.313
Hesperiam potui ... tenere,/si uellem
...aciem committere templis /ac medio
pugnare foro. 6.324
at medios ignes caeli ... /... nemorosus
summouet Othrys. 6.337
hos inter montis media qui ualle premuntur,
/perpetuis quondam latuere paludibus agri,
6.343
medium uergens titubauit nisus in orbem.
6.482
ardentiaque ossa /e mediis rapit illa
rogis 6.534
alta /nocte poli, Titan medium quo tempore
ducit /... diem, deserta per arua /carpit
iter. 6.571
quamuis fecerit omnis /stella senem,
medios herbis abrumpimus annos. ... 6.610
defuit ... /non puppem retinens... / in
mediis echenais aquis 6.675
at medii robur belli fortissima densant
/agmina, ... 7.221
medio posuit deus omnia campo. . . 7.348
nonne superfusis collectum cornibus hostem
/in medium dabimus? 7.366
uentum erat ad robur Magni mediasque
cateruas. 7.545
ne rue per medios nimium temerarius hostis,
7.590
qua tunc tellure latebas /maestior, in
mediis quam si, Cornelia, campis /Emathiae
stares. 8.42
iam pelago medios Titan demissus ad ignes
8.159
in medio tanget ratis aequore Syrtim.
8.184
magnosque sinus Telmessidos undae /
conpensat medio pelagi. 8.249
ire per ista /si potes, in media socerum
quoque, Magne, sedentem /Thessalia placare
potes. 8.440

uictum pietate timorem /conpulit ut
mediis quaesitum corpus in undis /duceret
ad terram 8.719
medias praeceps tunc fertur in undas.
9.122
omnes / haud aliter medio reuocauit ab
aequore puppes 9.284
sed iter mediis natura uetabat /Syrtibus:
9.301
per mediam Libyen ueniant atque inuia
temptent, ...   9.386
[ulla nisi aetheriae medio uelut aequore
flammae] sideribus nouere uiam;   9.494
tam breuis in medium radiis conpellitur
umbra. 9.530
circulus alti /solstitii medium signorum
percutit orbem. 9.532
fuga signorum medio rapit omnia caelo.
9.543
plaga, quam nullam superi moralibus ultra
/a medio fecere die, calcatur,   9.606
iuuentus mediis fons unus harenis   9.607
in mediis sitiebant dipsades undis.   9.610
bellumque inmane deorum /Pallados e
medio confecit pectore Gorgon.   9.658
pars iacet in medios uoltus . .   9.674
pensabat iter propiusque secabat /aera,
si medias Europae scinderet urbes: 9.686
hinc torrente plaga, dubiis hinc Syrtibus
orbem /abrumpens medio posuisti limite
mortes. 9.862
profuit in mediis sedem posuisse uenenis.
9.897
sed dira satelles /regis dona ferens
medium prouectus in aequor 9.1011
et in media rabie medioque furore /...
adulter /admisit Venerem curis,
10.72(bis)
media inter proelia semper /stellarum
caelique plagis ... uacaui,   10.185
mediis aestatibus exit /sub torrente
plaga, ...   10.231
commeat hac... unda /frigore ab Arctoo
medium reuocata sub axem, ...   10.250
medio consurgis ab axe; 10.287
in Borean is rectus aquis mediumque Booten
10.289
sic uelut in tuta securi pace trahebant /
noctis iter mediae. 10.333
se /protulit in medios audaci margine
fluctus /luxuriosa domus. 10.487
insula quondam /in medio stetit illa mari
sub tempore uatis /Proteos, . . .   10.510

MEDULLA. tunc... iuuentus /extrahitur duris
silicum lassata metallis(medullis);
var.4.304
siquos palmite crudo /arboris aut tenera
sucos pressere medulla. 4.318
nam quamuis flamma tacitas urente medullas
5.811
et tracta durescunt tabe medullae/
corpora, ...   6.539
uolsit et incoctas admisso sole medullas.
6.546
Thessala uatem /eligit et gelidas leto
scrutata medullas /pulmonis... sine
uolnere fibras /inuenit 6.629
taboque medullas /abluit 6.668
non... / defuit et cerui pastae serpente
medullae, ...   6.673
et noua desuetis subrepens uita medullis

/miscetur morti. 6.753
non intima curant /uiscera nec totas
auidae sorbere medullas: 7.843
ossa ... inustis plena medullis /aequorea
restinguit aqua 8.787
carpitque medullas /ignis edax   9.741
putrisque secuta medullas /nulla manere
sinunt rapidi uestigia fati. . .   9.785
saepe quidem pestis nigris inserta
medullis /excantata fugit; . . .   9.930
MEDUSA. squalebant late Phorcynidos arua
Medusae, ...   9.626
ipsa flagellabant gaudentis colla Medusae,
9.633
hoc habet infelix, cunctis inpune, Medusa,
/quod spectare licet. 9.636
quem, qui recto se lumine uidit,/passa
Medusa mori est? 9.639
in quo saxificam iussit spectare Medusam.
9.670
fecundaque nulli /arua bono uirus
stillantis tabe Medusae /concipiunt 9.697
MEGAERA. Eumenis, ... /horruit Alcides uiso
iam Dite Megaeram. 1.577
'Tisiphone uocisque meae secura Megaera,
/non agitis saeuis Erebi per inane
flagellis /infelicem animam? . . .   6.730
MEL. studiumque laboris /floriferi repetunt
et sparsi mellis amorem: 9.290
MELAS. accipit Asopos cursus Phoenixque
Melasque 6.374
MELEAGRUS,-A,-UM. et Meleagream maculatus
sanguine Nessi /Euhenos Calydona secat.
6.365
MELIBOEA. Trachin pretioque nefandae /
lampados Herculeis fortis Meliboea
pharetris 6.354
MELIOR. melius, Fortuna, dedisses /orbe sub
Eoo sedem 1.251
an melius fient piratae, Magne, coloni?
1.346
ille fuit uitae Mario modus, omnia passo
/quae peior fortuna potest, atque omnibus
uso /quae melior, ...   2.133
melius tranquilla sine armis /otia solus
ages, ...   2.266
quondam uirgo toris melioris iuncta
mariti, ...   2.329
heu, quanto melius uel caede peracta /
parcere Romano potuit fortuna pudori!
2.517
'o scelerum ultores melioraque signa
secuti, ...   2.531
di melius, belli tulimus quod damna
priores: 2.537
di melius, quod non Latias Eous in oras
3.93
melius, quod plura iubere /erubuit quam
Roma pati. 3.111
qua nullam melius pelago turbante carinae
3.593
dux causae melioris eris. 4.259
nec melior mihi uestra fides, si bella
nec hoste /nec duce me geritis.   5.348
nam quo melius Pharsalicus annus /consule
notus erit? 5.391
tot potuere manus,..,/...aliquem mundi,...
/in melius mutare locum. 6.60
melius mansura sub undis /Emathis aequorei
regnum Pharsalos Achillis eminet   6.349
tendunt neruis melioribus arcus,   7.141

formidine mersa /prosilit hortando
melior fiducia uolgo. 7.249
causa iubet melior superos sperare
secundos: 7.349
non meliore loco Stygia sub nocte iacebis.
        7.817
cunctosque fugaui /a causa meliore deos.
        8.94
et melior cessisse loco quam pellere
miles; 8.381
sed tua sors leuior (melior), quoniam
mors ultima poena est var.8.395
sed melior suadere malis et nosse
tyrannos /ausus Pompeium leto damnare
Pothinus 8.482
Pompeio ... tumulum Fortuna parauit,/
ne iaceat nullo uel ne meliore sepulchro.
        8.714
sors melior classi quae fluctibus incidit
altis 9.330
sed duce Pompeio Libyae melioris in oris
/mansit. 9.370
uadat /ad dominum meliore uia. . 9.394
quanta dedit miseris melioris gaudia
terrae 9.946
MEMBRANA. defuit ... / non ... / aut
uiuentis adhuc Libyci membrana cerastae
        6.679
dissiluit stringens uterum membrana, 9.773
MEMBRUM. perculit horror /membra ducis,
riguere comae gressumque coercens 1.193
monstrosique hominum partus numeroque
modoque /membrorum, matremque suus
conterruit infans; 1.563
sed cum membra premit fugiente rigentia
uita 2.25
uix te sparsum per uiscera, Baebi, /
innumeras inter carpentis membra coronae
/discessisse manus, ... 2.120
dumque nimis iam putria membra recidit
        2.141
cum laceros artus aequataque uolnera
membris /uidimus 2.177
ultimaque effodit spectatis lumina membris
        2.185
fracta sub ingenti miscentur pondere
membra, ... 2.188
pretiosaque uestis /hirtam membra super
Romani more Quiritis /induxisse togam,
        2.386
inde soporifero cesserunt languida somno
/membra ducis; 3.9
in sua credebant redituras membra securis.
        3.431
membraque contendit toto, quicumque
manebat, /sanguine 3.624
hostilem defectis robore neruis (membris)
/insiluit ... puppem. var.3.625
discursusque animae diuersa in membra
meantis /interceptus aquis. . . 3.640
hac cum parte uiri uix omnia membra
tulerunt. 3.646
et inplicitis gaudent subsidere membris
        3.695
at postquam membris sensit constare
uigorem 3.715
mox uda receptis /membra fouent armis
        4.153
iam defecta uigent renouato robore
membra. 4.600
perfudit membra liquore 4.613

auxilium membris calidas infudit harenas.
        4.616
explicuit per membra uirum. 4.629
utque iterum fessis iniecit bracchia
membris 4.640
haerebis pressis intra mea pectora
membris: 4.648
stipataque membra teruntur; 4.782
membrorumque uidet lapsum et ferientia
terram /corpora: 4.786
omnia rursus /membra loco redeunt. 5.37
non duro liceat morientia caespite membra
/ponere, ... 5.278
uigilum somno cedentia membra /transsiluit
        5.511
aut quae nos uiles animas in fata
relinquens /inuitis spargenda dabas tua
membra procellis? 5.684
perdidit ensis opus, frangit sine uolnere
membra. 6.188
membraque captiui pariter laturus et
arma /fulmineum mediis excepit faucibus
ensem. 6.238
telaque confixis certant euellere membris,
        6.255
uiuentis animas et adhuc sua membra
regentis /infodit busto, ... 6.529
colligit in cineres et olentis membra
fauillas. 6.537
percussaque uiscera nimbis (membris)/
uolsit var.6.545
nec carpere membra /uolt ferro manibusque
suis, ... 6.551
saepe etiam caris cognato in funere dira /
Thessalis incubuit membris . . . 6.565
nec membris sole perustis /auribus
incertum feralis strideat umbra.' 6.622
atraque fouit /uolnera et in uenas
extremaque membra cucurrit. . . . 6.751
nec se tellure cadauer /paulatim per
membra leuat, ... 6.756
tali tua membra sepulchro, /talibus
exuram Stygio cum carmine siluis, 6.765
spectate ... /et caput hoc positum
rostris effusaque membra 7.305
sonipes ... / in caput effusi calcauit
membra regentis, ... 7.529
uiderat in crasso uersantem sanguine
membra /Caesar, ... 7.605
pudet ... /quaerere ... /quis steterit
dum membra cadunt, ... 7.623
inque parentum /inque toris fratrum
posuerunt membra nocentes. . . . 7.763
membraque deiecit iam lassis unguibus
ales. 7.840
omnia neruis /membra relicta labant, 8.60
uocibus his correpta uiri uix aegra
leuauit /membra solo talis gemitu
rumpente querellas; 8.87
sat magna feram solacia mortis /... nihil
haec in membra cruente, /nil socerum
fecisse pie. 8.315
nec tota in pugna perfusus sanguine
membra /exiget aestiuum ... solem. 8.375
petit... /Pompeius... non pinguis ... /
ut ferat e membris Eoos fumus odores,
        8.731
inde rapit flammas semustaque robora
membris /subducit. 8.745
nulla strue membra recumbunt: . . . 8.757
semustaque membra relinquens /...sequitur

MEMBRUM

conuexa Tonantis. 9.3
populi trepidantia membra refouit, 9.25
'ergo indigna fui,'... /... / membraque
dispersi pelago conponere Magni, 9.58
uix tollere miles /membra ualet multo
congestu pulueris haerens. 9.487
anima periere retenta /membra, 9.641
membra natant sanie, surae fluxere, 9.770
saeuum sed membra uenenum /decoquit, 9.775
humanumque egressa modum super omnia
membra /efflatur sanies late pollente
ueneno; 9.794
sic omnia membra /emisere simul rutilum
pro sanguine uirus; 9.809
omnia plenis /membra fluunt uenis; 9.814
innocuosque diu rictus torpente ueneno /
inter membra fouent. 9.846
nam primum tacta designat membra saliua,
9.925
qui duro membra senatus /calcarat uoltu,
.../... uni tibi, Magne, negare /non audet
gemitus. 9.1043
sacratis totum spargenda per orbem /membra
uiri posuere adytis; 10.23
tumulum ... / aspice Pompei non omnia
membra tegentem. 10.381
MEMINI,-ISSE. nec qualem meminere uident:
1.479
meque ipsum memini, caesi deformia fratris
/ora rogo cupidum uetitisque inponere
flammis, ... 2.169
quis conferre duces meminit, quis pendere
causas? 4.707
ut Salaminiacum meminit mare; . . . 5.109
haec est illa dies mihi quam Rubiconis
ad undas /promissam memini, ... 7.255
sed meminit nondum satiata caedibus ira
/clues esse suos. 7.802
Corycias classes et Pontica signa /
delectum meminisse piget. . . . 8.27
MEMNONIUS,-A,-UM. non, cum Memnoniis deducens
agmina regnis 3.284
MEMOR. sic maesta senectus /praeteritique
memor flebat metuensque futuri. . . 2.233
memor ille doloris /hoc bellum sceptri
fructum putat esse retenti. . . . 4.692
fama est ... amnem / et capitis memorem
fluuii contagia uilis /nolle pati 6.379
seque, memor fati, tantae mercedis habere
/credit adhuc iugulum, quantam pro
Caesaris ipse /auolsa ceruice daret. 8.10
namque memor generis Carthaginis inpia
proles /inminet Hesperiae, ... 8.284
nullas cui praetulit aras /undae diua
memor Paphiae, ... 8.458
tantum indomitos memoresque paterni /
iuris habete animos. 9.95
MEMORABILIS,-E. nescio quod nostris magnum
et memorabile fatis /exemplum, Fortuna,
paras. 4.496
circumit exustae nomen memorabile Troiae.
9.964
nullique aspecta uirorum /Pallas, in
abstruso pignus memorabile templo, 9.994
MEMORO,-ARE. iam satis hoc Graiae memorandum
contigit urbi /aeternumque decus, 3.388
secreta tenebis /litoris Euboici memorando
condite busto, ... 5.231
Euganeo, si uera fides memorantibus, augur
/ colle sedens.../... /'uenit summa dies'
... dixit 7.192

MENS

stat sortiger illic /Iuppiter, ut
memorant, ... 9.513
comitesque Catonem /orant exploret
Libycum memorata per orbem/ numina, 9.547
MEMPHIS. secretaque caeli /nosse fuit, quem
non stellarum Aegyptia Memphis /aequaret
uisu 1.640
nondum flumineas Memphis contexere biblos
/nouerat, ... 3.222
tum, Babylon Persea licet secretaque
Memphis /omne ... soluat penetrale magorum,
/abducet superos alienis Thessalis aris.
6.449
(hunc genuit custos Nili crescentis in arua
/Memphis uana sacris; 8.478
o superi, Nilusne et barbara Memphis /...
/hos animos? 8.542
summus Alexander regum, quem Memphis
adorat, /inuidit Nilo, ... 10.272
prima tibi campos permittit apertaque
Memphis /rura 10.330
MEMPHITICUS,-A,-UM. an eriperet mundo
Memphiticus ensis /uictoris uictique caput.
10.5
MEMPHITIS,-IDIS. conseritur bibula Memphitis
cumba papyro. 4.136
MENDAX. erit Aegyptus populis fortasse
nepotum /tam mendax Magni tumulo quam
Creta Tonantis. 8.872
non fabula mendax /ausa loqui de fonte
tuo est. 10.282
MENS. ecce, faces belli dubiaeque in proelia
menti /urguentes addunt stimulos 1.262
pietas patriique penates /quamquam caede
feras mentes animosque tumentes/
frangunt; 1.354
inde ruendi /in ferrum mens prona uiris
animaeque capaces /mortis, ... 1.461
maiorque ferusque /mentibus occurrit
uictoque inmanior hoste. 1.480
spes saltem trepidas mentes leuet, 1.523
sit caeca futuri /mens hominum fati; 2.15
excutiet fortuna tibi, tu mente labantem
/derige me, ... 2.244
facilis sed uertere mentes /terror erat,
2.460
maior in arma ruit certa cum mente
malorum, ... 3.37
tamen ante furorem /indomitum duramque
uiri deflectere mentem /pacifico sermone
parant. 3.304
sit mens ista quidem cunctis, ut uestra
recusent /fata, ... 3.324
sic fatur et omnis /concussit mentes
scelerumque reduxit amorem. . . . 4.236
deserat hic feruor mentes, cadat impetus
amens, ... 4.279
paulatim cadit ira ferox mentesque
tepescunt, ... 4.284
sollicitus menti quod abest fauor: 4.399
sic cunctas sustulit ardor /nobilium
mentes iuuenum. 4.521
damnata iam luce ferox securaque pugnae /
promisso sibi fine manu, nullique
tumultus /excussere uiris mentes ad summa
paratas; 4.536
cernit cuncta metu nocturnaque munera
ualli / desolata fuga, trepida sic mente
profatur: 4.701
uariam semper dant otia mentem. 4.704
postquam /ambitus et luxus et opum

metuenda facultas /transuerso mentem
dubiam torrente tulerunt, ... 4.818
instinctam sacro mentem testata furore,
                                       5.150
artus /Phoebados inrupit Paean mentemque
priorem /expulit 5.167
nam quae dubias constringere mentes /
causa solet, ... 5.256
militis indomiti tantum mens sana timetur.
                                       5.309
nil magis adsuetas sceleri quam perdere
mentis /atque perire tenet. 5.371
Caesaris attonitam miscenda ad proelia
mentem /ferre moras scelerum partes
iussere relictae. 5.476
heu, quantum mentes dominatur in aequas
/iusta Venus! 5.727
mentem iam uerba paratam /destituunt,
                                       5.731
durata iam mente malis firmaquo tulerunt.
                                       5.798
postquam castra duces pugnae iam mente
propinquis /inposuere iugis 6.1
hic auidam belli rapuit spes inproba
mentem /Caesaris, ... 6.29
ille tegens alta suppressum mente furorem,
/... / 'parcite', ait, 'ciues; . .6.228
cunctos belli praesaga futuri /mens
agitat, ... 6.415
mens hausti nulla sanie polluta ueneni /
excantata perit. 6.457
mens dubiis perculsa pauet 6.596
'ponite' ait 'trepida conceptos mente
timores: 6.659
seu fine bonorum /anxia mens curis ad
tempora laeta refugit, ... 7.20
sensitque deorum /esse dolos et fata suae
contraria menti. 7.86
sed mentibus unum /hoc solamen erat, 7.180
mentisque tumultum /atque omen scelerum
subitos putat esse furores. . . . 7.183
quid mirum populos... /lymphato trepidasse
metu, praesaga malorum /si data mens
homini est? 7.187
si cuncta perito /augure mens hominum
caeli noua signa notasset, /spectari toto
potuit Pharsalia mundo. 7.203
mens stetit in dubio, quam nec sua fata
timere /nec Magni sperare sinunt.   7.247
hanc fuge, mens, partem belli tenebrisque
relinque, ... 7.552
sed non inpleuit cupientis omnia mentes.
                                       7.754
armaque tota /mente agitant, . . . 7.767
et quantum poenae misero mens conscia
donat, /quod Styga,... /Pompeio uiuente
uidet! 7.784
erige mentem, ... 8.76
uigiles Pompei pectore curae /nunc ...
adeunt ... / et uarias regum mentes, 8.163
curarum uobis arcana mearum /expromam
mentisque meae quo pondera uergant. 8.280
'sicine Thessalicae mentem fregere ruinae?
                                       8.331
talis custodia Magno /mentis erat, 8.636
et inuicti posuit se mente Catonis. 9.18
tristis, ut in multo mens est praesaga
timore, /aspexit patrios comites a litore
Magnus /et fratrem; 9.120
quorum unus aperta /mente fugae tali
conpellat uoce regentem: 9.226

actu belli non doctas ferre quietem /
constituit mentes serieque agitare laborum.
                                       9.295
conponite mentes /ad magnum uirtutis opus
                                       9.380
ille deo plenus tacita quem mente gerebat
/effudit dignas ... uoces. 9.564
non aliter manifesta potens abscondere
mentis /gaudia quam lacrimis, . . 9.1040
quantosne tumores /mente gerit famulus!
                                      10.100
pro caecus et amens /ambitione furor,...
/... incendere mentem /hospitis armati.
                                      10.148
non uaesana Pothini /mens inbuta semel
sacra iam caede uacabat /a scelerum motu:
                                      10.334
sed tanta obliuio mentis /cepit in
externos corrupto milite mores /ut duce
sub famulo ... irent 10.403
obsessusque gerit, tanta est constantia
mentis, /expugnantis opus. . . . 10.490
MENSA. non auro tectisue modus, mensasque
priores /aspernata fames; 1.163
Antoni, cuius laceris pendentia canis /
ora ferens miles festae rorantia mensae
/inposuit. 2.123
duro concordes caespite mensas /instruunt
                                       4.197
inter mensasque torosque /quae modo
conplexu fouerunt pectora caedunt; 4.245
corpora sustentant epulis, mensasque
perosi /auxilium fecere famem.   4.307
quaesitorum terra pelagoque ciborum /
ambitiosa fames et lautae gloria mensae,
                                       4.376
plurimaque humanis ante hoc incognita
mensis /diripiens miles saturum tamen
obsidet hostem. 6.116
extaque funereae poscunt trepidantia
mensae. 6.557
extremoque epulas mensasque petimus ab
orbe. 9.430
iaspide fulua supellex /stat mensas
onerans, ... 10.122a
poterat ... /... mensaeque incumbere
ceruix. 10.424
MENSTRUUS,-A,-UM. menstruus in fastos
distinguit saecula consul. 5.399
MENSURA. plus patria potuisse sua, mensuraque
iuris /uis erat: 1.175
fuit haec mensura timoris: 3.100
consulit ... /... quae sit mensura
secandi /aequoris in caelo, . . . 8.168
nec, quae mensura uiarum /quisue modus,
norunt caelo duce: 9.846
MENTIOR,-IRI. quos Creta profugos uexere
per aequora puppes /Cecropiae uictum
mentitis Thesea uelis. 2.612
tum linquitur Haemus / Thracius et
populum Pholoe mentita biformem.   3.198
namque omnis uoces, per quas iam tempore
tanto /mentimur dominis, ... 5.386
cum caeco rapiantur saecula casu,/
mentimur regnare Iouem. 7.447
non ... ueloci corrumpunt pocula leto /
stipite quae diro uirgas mentita Sabaeas
/toxica fatilegi carpunt matura Saitae.
                                       9.820
MEO,-ARE. discursusque animae diuersa in
membra meantis /interceptus aquis. 3.640

non obliqua meant, nec Tauro Scorpios
   exit /rectior 9.533
MERCES. scelera ipsa nefasque /hac mercede
   placent. 1.38
   mihi si merces erepta laborum est, 1.340
   exulibus Mariis bellorum maxima merces /
   Roma recepta fuit, ... 2.227
   castra petunt magna uicti mercede: 2.255
   mox, ubi conubii pretium mercesque soluta
   est /tertia iam suboles, ... 2.330
   sufficerent aliis ... /ipsa, caput mundi,
   bellorum maxima merces, ...   2.655
   numquam nostra salus pretium mercesque
   nefandae /proditionis erit: 4.220
   nescimus cuius sceleris sit maxima merces?
                                      5.286
   nobis uictoria turbam /non dabit,
   inpulsi tantum quae praemia belli /auferat
   et uestri rapta mercede laboris   5.331
   'dic' inquit Thessala 'magna,/ quod iubeo,
   mercede mihi; 6.763
   aut merces hodie bellorum aut poena
   parata. 7.303
   'non te funesta scelerum mercede potitum /
   .../ aspiciens... liber ad umbras /...
   eo: 7.610
   'superest pro sanguine merces, . . 7.738
   scire ruunt, quanta fuerint mercede
   nocentes. 7.751
   seque, memor fati, tantae mercedis habere
   /credit adhuc iugulum, quantam pro
   Caesaris ipse /auolsa ceruice daret. 8.10
   (nusquam ciuilibus armis / tanta fuit
   merces) 9.151
   nostra quoque inuiso quisquis feret ora
   tyranno /non parua mercede dabit: 9.280
   dignaque satis mercede laborum /contentus
   par esse tibi. 9.1101
   ibi fas ubi proxima merces: . . . 10.408
MEREO,-ERE (MEREOR,-ERI). hoc cruor Arctois
   meruit diffusus in aruis 1.301
   saeue parens, utrasque simul partesque
   ducesque, / dum nondum meruere, feri. 2.60
   crimine quo parui caedem potuere mereri?
                                      2.108
   uix saecula longa decorum /sic meruisse
   uiris, nedum breue dedecus aeui /et uitam
   dum Sulla redit. 2.117
   his meruit tumulum medio sibi tollere
   Campo? 2.222
   quidquid Romani meruerunt pendere mores.
                                      2.313
   siqua fidem meruit superos mirata
   uetustas, ...   3.406
   et ueniam meruere dei. 4.123
   magna uirtute merendum est, . . . 4.512
   digna damus, iuuenis, meritae praeconia
   uitae. 4.813
   tunc in reges populosque merentis /
   sparsus honor, ... 5.49
   Appius 'et nobis meritas dabis, impia,
   poenas 5.158
   caespitis intrepidus uoltu meruitque
   timeri 5.317
   de quo male tunc fortuna meretur   5.582
   castrorum in plebe merebat /ante feras
   Rhodani gentes; 6.144
   ignota tantum pietate merentur, . . 6.495
   Styx et quos nulla meretur /Thessalis
   Elysios;... / exaudite preces. . . 6.698
   si bene de uobis ciuilia bella merentur.'

                                      6.718
   merito Pompeium uincere lente /gentibus
   indignum est a transcurrente subactis.
                                      7.73
   egressus meruit fatis tam nobile letum.
                                      7.595
   proxima quid suboles aut quid meruere
   nepotes /in regnum nasci? 7.642
   exigit a meritis tristes uictoria poenas,
                                      7.771
   hoc solum crimen meritae bene detrahe
   terrae, ...   8.125
   saeui cum Caesaris iram /iam scirem
   meritam seruata coniuge Lesbon, /non
   ueritus tantam ueniae committere uobis /
   materiam. 8.135
   externaque monstra /pellite, si meruit
   tam claro nomine Magnus /Caesaris esse
   nefas. 8.549
   hoc merui, coniunx, in tuta puppe
   relinqui? 8.651
   haud equidem inmerito (merito) Cumanae
   carmine uatis /cautum, ... var.8.824
   quis sacris dignam mouisse uerebitur
   (merebitur) umbram? var.8.841
   ac saeuas meritum Phycunta rapinas /
   sparsit, ... 9.40
   meruistis iudice uitam /Caesare non
   armis, non obsidione subacti.   9.272
   cur non maiora mereri /quam uitam
   ueniamque libet? 9.275
   quis tantum meruit populorum sanguine
   nomen? 9.597
   peius de Caesare uestrum /quam de Pompeio
   meruit scelus; 9.1066
   quod si non Phario germana tyranno / non
   inuisa foret, potuissem reddere regi /
   quod meruit, ... 9.1070
   interque maritos /discurrens Aegypton
   habet Romamque meretur. 10.359
   aere merent paruo, iugulumque in Caesaris
   ire /non sibi dant. 10.409
   non fatum meriti poenasque Pothini /
   distulit ulterius. 10.515
   respexit in agmine denso /Scaeuam
   perpetuae meritum iam nomina famae 10.544
MERGO,-ERE. semina, quae populos semper
   mersere potentis. 1.159
   aether non totam mergi tamen aspicit
   Arcton 3.251
   effatur merso uiolata in robora ferro
                                      3.435
   et plures quae mergunt aequore pinus 3.531
   aequora discedunt mersa diducta carina
                                      3.632
   mersus foret ille profundo, . . . 3.636
   hi, ne mergantur, tabulis ardentibus
   haerent. 3.688
   et inplicitis gaudent subsidere membris /
   mergentesque mori. 3.696
   scrutarique fretum, siquid mersisset
   harenis, ... 3.698
   sic fatus, quamuis capulum per uiscera
   missi (mersi) /polluerit gladii, tamen
   alta sub aequora tendit /praecipiti
   saltu: var.3.748
   Graiae pars maxima classis /mergitur,
                                      3.754
   atque omnis propior mergenti sidera caelo
   /aruerat tellus hiberno dura sereno. 4.54
   non pecorum raptus faciles, non pabula

MERGO

mersi /ulla ferunt sulci; 4.90
iam flumina cuncta /condidit una palus
uastaque uoragine mersit, ...   4.99
substituit merso dum nox sua lumina Phoebo.
                                        4.282

se ... / merserit Astyrici scrutator
pallidus auri.   4.298
nec segnis uergere (mergere) ponto /tunc
erat astra polus;   .var.4.525
ut uictor, mersos aciem deiecit in agros.
                                        4.745

hoc solum fluctu terras mergente cacumen
/eminuit   5.75
'et nobis meritas dabis, impia, poenas /
et superis, quos fingis,' ait 'nisi
mergeris antris 5.159
uteris et stimulis flammasque in uiscera
mergis: 5.175
placet alea fati /alterutrum mersura caput.
                                        6.8

flumina tot cursus ... fatigant,/illic
mersa suos; 6.46
maiori pondere pressum /signiferi mersere
caput rorantia fletu /... signa.   7.163
Stygii quae numina regni /infernumque
nefas et mersos nocte furores /...
litasti?) 7.170
multis ... uisus.../...abruptis mergi
conuallibus Haemus, ...   7.174
formidine mersa /prosilit hortando melior
fiducia uolgo.   7.248
nec,... trahere omnia secum/mersa iuuat
                                        7.655

qui non mergitur undis /... /ille regit
puppes. 8.174
regesque timet quorum omnia mersit, 8.509
corpus Alexandri pigra Mareotide mergam?
                                        9.154
tu sicca profundo /mergi Plaustra putas,
                                        9.541
mersitque hoc puluere uerum,   . . .   9.577
ipse latet penitus congesto corpore mersus,
                                        9.796

iam prope semustae merguntur in aequora
classes, ... 10.496

MERGUS.   nec placet ... / aut siccum quod
mergus amat, ...   5.553

MERITUM.   adde quod ingrato meritorum iudice
uirtus /nostra perit: 5.291
Iliacae numen quod praesidet Albae /
haud meritum Latio sollemnia sacra
subacto, ...   5.401
'hoc pro tot meritis solum te, Magne,
precatur /... Fortuna   7.68
tot meritis obstricta meis nunc Parthia
ruptis /excedat claustris uetitam per
saecula ripam 8.235
meritumque fidemque /sacraque defuncti
iactauit pignora patris. 8.480
quin agite et magna meritum cum caede
parate: 9.282
ingens meritum maiusque salute /contulit
in letum uires; 9.885
nec uile putaris /hoc meritum, facili
nobis quod caede peractum est.   . . 9.1027
meritumque inmane tyranni /destruit 9.1041
sat fuit indignum, Caesar,.../ Pompeium
facinus meritumque fuisse Pothini.'
                                       10.103

MEROE.   non super arentem Meroen Cancrique sub
axe, ...   4.333

gemmaeque capaces /excepere merum,.../
nobile ... paucis senium cui contulit
annis /indomitum Meroe cogens spumare
Falernum. 10.163
nec campos liberat undis /donec ... umbras
/extendat Meroe. 10.237
unda /frigore ab Arctoo... reuocata...
/cum Phoebus pressit Meroen   . .   10.251
ambitur nigris Meroe fecunda colonis,
                                       10.303

MERUM(subst.).   epulis uaesana meroque
/regia non ullis exceptos legibus audet
/concubitus: 8.401
gemmaeque capaces /excepere merum, sed non
Mareotidos uuae, ...   10.161
plenum epulis madidumque mero Venerique
paratum /inuenies: 10.396

MERX.   terra suis contenta bonis, non indiga
mercis /aut Iouis: 8.446
aut Arabum portus mercis mutator Eoae,
/... petet, ...   8.854
inde petuntur /huc Libycae mortes et
fecimus aspida mercem. 9.707

MESSIS.   nec prius Hesperiam longinquis
messibus ullae /nec Romana magis
conplerunt horrea terrae.   . . .   3.66
tamen hos minuere labores /... /litoraque
et plenae peregrina messe carinae. 6.105
semina fecunda segetis (messis) calcata
perussit var.6.521
exurit messes et puluere Bacchum /
enecat 9.433
multumque madenti /infudere comae... /
aduectumque recens uicinae messis
amomon. 10.168

MET.   9.1081

META.   Pontus, et Herculeis aufertur
gloria metis, ...   3.278
non sic moderator equorum,/... / cogit
inoffensae currus accedere metae.   8.201

METALLUM.   passaque ab auriferis tellus exire
metallis /Pactolon, ...   3.209
non chalybem gentes penitus fugiente
metallo /eruerent, ...   4.223
iuuentus / extrahitur duris silicum
lassata metallis; 4.304
ingentis cautes auolsaque saxa metallis /
...transfert. 6.34
cunctis, en, plena metallis /castra
patent; 7.740
fuit ... /... serpens / robora conplexus
rutilo curuata metallo.   . . .   9.364

METATOR.   Hesperios audax ueniam metator in
agros. 1.382

METAURUS.   (in laeuum cecidere latus ueloxque
Metaurus 2.405

METELLUS(Scipio, Corneliae pater).   proles tam
clara Metelli /stabit barbarico coniunx
millesima lecto. 8.410
rapiatur in undas /infelix coniunx Magni
prolesque Metelli, ...   9.277

METELLUS(Q.Caec.Creticus).   uictorique dedit
Minoia Creta Metello, ...   3.163

METELLUS(L.Caec. Creticus).   pugnaxque
Metellus, /... ante fores nondum reseratae
constitit aedis 3.114
haud' inquit 'iugulo se polluet isto /
nostra, Metelle, manus; 3.136
si uoce Metelli /seruantur leges, malint
a Caesare tolli.' 3.139
cum Cotta Metellum /conpulit audaci nimium

METELLUS
    desistere coepto. 3.143
    protinus abducto patuerunt templa
    Metello. 3.153
METELLI. te, Caesar, magnisque uelint
    miscere Metellis, ... 2.545
    caedunt Lepidos caeduntque Metellos 7.583
METIOR,-IRI. ille fuit uitae Mario modus,.../...
    mensoque hominis quid fata paterent. 2.133
    instabili gressu metitur litora cornix.
                      5.556
    metatur (metitur)terras oculis, var.6.32
    rex tolletque animos Latium uaesanus in
    orbem /se simul et Romam Pompeio supplice
    mensus? 8.346
    metiri sua regna decet uiresque fateri.
                      8.527
    Niloque tenus metitur harenas; 9.705
    sterilesque diu metiris harenas, 10.308
METOR,-ARI. metatur terras oculis, 6.32
METUO,-ERE. quae tuta petant et quae metuenda
    relinquant 1.490
    sic maesta senectus /praeteritique
    memor flebat metuensque futuri. 2.233
    omne fretum metuens pelagi pirata reliquit
                      2.578
    illis et uolucres metuunt insistere ramis
                      3.407
    non uolgatis sacrata figuris /numina sic
    metuunt: 3.416
    formidine ceruos /claudat odoratae
    metuentis aera pinnae 4.438
    hoc solum incauto metuentis ab hoste,
    timeri. 4.719
    multum frustraque rogatus /ut Libycas
    metuat fraudes 4.736
    siquis metuens medium correpsit in agmen,
                      4.778
    postquam /ambitus et luxus et opum
    metuenda facultas /transuerso mentem
    dubiam torrente tulerunt, ... 4.817
    solus in ancipites metuit descendere
    Martis 5.67
    limine terrifico metuens consistere
    Phoebas 5.128
    non metuens, atque haec ira dictante
    profatur: 5.318
    lux etiam metuenda perit, nec fulgura
    currunt 5.630
    dum metuar semper terraque expecter ab
    omni.' 5.671
    nec metuens imi Borean habitator Olympi /
    ... ignorat ... Arcton. 6.341
    non Taenariis sic faucibus aer /sedit
    iners... /... quo non metuant admittere
    manes / Tartarei reges 6.650
    quis timor, ignaui, metuentis cernere
    manes?' 6.666
    ciuilia bella /gesturi metuunt ne non cum
    sanguine uincant. 7.96
    fortissimus ille est / qui, promptus
    metuenda pati, si comminus instent, / et
    differre potest. 7.106
    credite... /... ipsam domini metuentem
    occurrere Romam; 7.373
    cum Caesar, metuens ne frons sibi prima
    labaret /incursu, tenet obliquas post
    signa cohortes, ... 7.521
    nam te metui uetat incola rarus 8.252
    sed tua sors leuior, quoniam mors ultima
    poena est / nec metuenda uiris. 8.396
    semper metuet quem saeua pudebunt. 8.495

    et metuit gentes quas uno in sanguine
    mixtas / deseruit, ... 8.508
    tanti, Ptolemaee, ruinam /nominis
    haut metuis, ... 8.551
    ibat in hostilem praeceps Cornelia puppem,
    /... /quod metuit clades. 8.579
    stetit anxia classis /... metuens non
    arma nefasque 8.593
    quam metuis, demens, isto pro crimine
    poenam 8.781
    et spes imber erat nimios metuentibus
    ignes, ... 9.375
    procubuit timuitque (metuens) rapi;
                      var.9.482
    quis calcare tuas metuat, salpuga,
    latebras? 9.837
    maiore profecto /quam metui poterat
    discrimine gessimus arma: 9.1085
    quem metuis, par huius erat. . . 10.382
    sed metuunt belli trepidos in nocte
    tumultus, ... 10.425
    sic barbara Colchis /creditur ultorem
    metuens regnique fugaeque /... /expectasse
    patrem. 10.465
METUS. signa / et ... Caesar /deriguere metu,
                      1.246
    [par labor atque metus pretio maiore
    petuntur.] 1.282
    ferri reuocantur amore /ductorisque metu.
                      1.356
    quos ille timorum /maximus haut urguet
    leti metus. 1.460
    sed uenient maiora metu. 1.635
    necdum est ille dolor nec iam metus:
    incubat amens 2.27
    quamquam agitant grauiora metus,
    multumque coitur 2.225
    expers ipse metus? 2.290
    quamquam firmissima pubes /his sedeat
    castris,iam pridem Caesaris armis /
    Parthorum seducta metu, ... 2.475
    sensit et ipse metum Magnus, . . 2.598
    emiturque metus, ... 3.57
    urbes / sed tacitae uidere metu, nec
    constitit usquam /obuia turba duci. 3.81
    uenia est haec sola pudoris /degenerisque
    metus, ... 3.149
    non satis hoc Graiae memorandum contigit
    urbi /aeternumque decus, quod iam inpulsa
    nec ipso /strata metu tenuit flagrantis
    in omnia belli /praecipitem cursum 3.390
    tenuere parumper / ora metu, tantum nutu
    motoque salutant 4.173
    et metus omnis abest. 4.487
    sed, postquam languida segni /cernit
    cuncta metu nocturnaque munera ualli 4.700
    uirginei patuere doli, fecitque negatis /
    numinibus metus ipse fidem. . . . 5.142
    quippe ipsa metus exsoluerat audax /
    turba suos: 5.259
    artis opem uicere metus, nescitque
    magister /quam frangat, cui cedat aquae.
                      5.645
    inimica subegi /arma metu, uidit Magnum
    mihi Roma secundum, ... 5.662
    nec soluent audita metus mihi prospera
    belli, ... 5.782
    ad dubios pauci praesumpto robore casus /
    spemque metumque ferunt. 6.419
    qui stimulante metu fati praenoscere
    cursus, ... 6.423

| METUS | MILES |

mens ... parata est /certos ferre metus:
    6.597

sua quisque pericula nescit /attonitus
maiore metu. 7.134

non uacat ullos /pro se ferre metus: 7.138
quid mirum populos quos lux extrema
manebat /lymphato trepidasse metu, 7.186
haec ... / spesque metusque simul
perituraque uota mouebunt, ... 7.211
premit inde metus, totumque per agmen /
sublimi praeuectus equo 7.341
metus hos regni, spes excitat illos. 7.386
attonitoque metu nec quoquam auertere
uisus / nec Magnum spectare potest. 8.591
erremus populi cinerumque tuorum,/Magne,
metu nullas Nili calcemus harenas. 8.805
neque ... mihi fallere quemquam /est
animus tectoque metu perducere uolgus.
    9.389

secura iuuentus /uentorum ... /aequoreos
est passa metus. 9.447
rapuit dubitantia fata /praeuenitque
metus; 9.640
tangunt animos iraeque metusque, 10.443

MEUANIA. est qui tauriferis ubi se Meuania
campis /explicat 1.473

MEUS,-A,-UM. 1.373;4.704;5.351;8.633;10.187
  MEA(nom.f.). 2.560
  MEUM(nom.). 7.666;7.739
  MEI(gen.m.). 9.991
  MEI(gen.n.). 5.657
  MEAE(gen.f.). 6.730;8.280;8.317
  MEO(dat.m.). 7.352
  MEAE(dat.f.). 6.231
  MEUM(acc.m.). 2.637;3.34
  MEUM(acc.n.). 8.647
  MEAM. 7.353
  MEO(abl.m.). 4.543;5.483
  MEO(abl.n.). 3.371;4.277;8.84;9.398;10.188
  MEA(abl.f.). 5.584;7.269
  MEAE(pl.f.). 8.272
  MEA(nom.n.). 7.661;8.138;8.267;9.1083;9.1098
  MEORUM(n.). 5.665;8.143
  MEARUM. 7.250;8.279
  MEIS(dat.m.). 5.664
  MEIS(dat.f.). 7.101
  MEIS(dat.n.). 5.325
  MEOS. 3.32;4.228;8.581
  MEAS. 8.218
  MEA(acc.). 1.191;2.588;2.592;2.642;4.648;
  5.349;5.490;5.521;7.295;7.310;9.281;9.379
  MEIS(abl.m.). 8.95;9.878
  MEIS(abl.n.). 1.350;2.584;5.790;8.235;
  8.763
  MEORUM. 7.285
  MEOS. 7.663

MICO,-ARE. nescit mixta foro, gladii cum
triste micantes. 1.320
fulgura fallaci micuerunt crebra sereno,
    1.530
pars micat et celeri uenas mouet inproba
pulsu. 1.629
quamuis crebra micent: extinguunt fulgura
nimbi. 4.78
aut micuere noui percusso pumice fontes,
    4.300
hac tellure feri micuerunt semina Martis.
    6.395
sed, dum tela micant, non uos pietatis

imago / ulla nec ... conspecti ...
parentes /commoueant; 7.320
uariaque triclinia ueste /strata micant,
    10.123

MIGRO,-ARE. orbita migrantis scindit Maeotida
Bessi. 5.441

MILES. Caesar, ubique tuus (liceat modo, nunc
quoque) miles. 1.202
constitit ut capto iussus deponere miles
/signa foro, ... 1.236
milite cum subito partesque in bella
togatae 1.312
atque auso medias perrumpere milite leges
    1.322
reddantur; miles sub quolibet iste
triumphet. 1.342
Caesar, ut acceptum tam prono milite
bellum /fataque ferre uidet, . . 1.392
mitis Atax Latias gaudet non ferre
carinas / finis et Hesperiae, promoto
limite (milite), Varus; . . . var.1.404
clauditur externis miles Romanus in oris,
    1.515
Antoni, cuius laceris pendentia canis /
ora ferens miles festae rorantia mensae
/inposuit. 2.123
ideo me milite uincat 2.322
temptandasque ratus moturi militis iras
/adloquitur tacitas ueneranda uoce
cohortes. 2.529
dux sit in his castris senior, dum miles
in illis. 2.561
non feret e nostro sceleratus praemia
miles: 3.130
tum Maenala liquit /Arcas et Herculeam
miles Trachinius Oeten. 3.178
Cyrus et effusis numerato milite telis /
descendit Perses, ... 3.285
fata, nec haec alius committat proelia
miles. 3.325
perpetuam rupit defesso milite cratem
    3.485
labore / exhausto fessus repetit tentoria
miles. 3.496
iamque omni fusis nudato milite telis /
inuenit arma furor: 3.670
ingentem militis usum /hic habet ex magna
defunctum parte cadauer: 3.719
exemplum, non miles erat; . . . 3.730
miles rupes oneratus in altas /nititur,
    4.37
nulloque obsessus ab hoste /miles eget:
    4.95
paretur, rapuitque ruens in proelia miles
/quod fugiens timuisset iter. 4.151
audet transcendere uallum /miles, in
amplexus effusas tendere palmas. 4.176
et quamuis nullo maculatus sanguine miles
    4.181
pax erat, et castris miles permixtus
utrisque /errabat; 4.196
non potes hoc causae, miles, praestare,
senatus /adsertor uicto redeas ut Caesare?
    4.213
tu, Caesar, quamuis spoliatus milite
multo, /agnoscis superos; . . . 4.254
miles non utile clausis /auxilium
mactauit /equos, ... 4.268
'tela tene iam, miles', ait . . 4.273
cadit omnis in haustus /certatim obscaenos
miles moriensque recepit 4.312

MILES

incustoditos decurrit miles ad amnes,
4.366

miles spoliato pectore tutus /innocuusque
suas curarum liber in urbes /spargitur.
4.383

miles et attonso miseris iam dentibus aruo
/castrorum siccas de caespite uolserat
herbas. 4.413
nec Rheni miles in undis /exploratus erat,
4.696

campum miles descendat in aequum 4.703
super ardua ducit /saxa, super cautes,
abrupto limite (milite) signa; var.4.740
seu, praemia miles /dum maiora petit,
5.246
scit non esse ducis strictos sed militis
enses. 5.254
licet omne deorum /obsequium speres,
irato milite, Caesar, /pax erit.' 5.294
militis indomiti tantum mens sana timetur.
5.309
miles,habes nudum promptumque ad uolnera
pectus. 5.320
orbis Hiberi /horror et Arctoi nostro sub
nomine miles /Pompeio certe fugeres duce.
5.344

qui me committere tantis / non nisi
mutato uoluerunt milite bellis. 5.353
uelut ensibus ipsis /imperet inuito
moturus milite ferrum 5.367
ipse petit trepidam tutus sine milite
Romam 5.381
agmina ... /... spargit ... ut Caesaris
arma /laxet et effuso claudentem milite
tendat; . . . . · . 6.72
diripiens miles saturum tamen obsidet
hostem. 6.117
non sic ... horret/ Enceladum ... /
Caesaris ut miles glomerato puluere uictus
/ante aciem... /hostibus occurrit fugiens
6.296

numquamque uidebit / me nisi dimisso
redeuntem milite Roma. 6.321
ducis omnia nato /Pompeiana canat
nostri modo militis umbra, ... 6.717
cunctorum uoces... /Tullius... /pertulit
iratus bellis, cum rostra forumque/
optaret passus tam longa silentia miles.
7.66

scire senatus auet, miles te, Magne,
sequatur /an comes, ... 7.84
'si placet hoc'inquit 'cunctis, si milite
Magno, /non duce tempus eget, nil ultra
fata morabor: 7.87
miles, ut aduerso Phoebi radiatus ab ictu
/descendens toto perfudit lumine colles,
7.214

Scipio, miles in hoc, Libyco dux primus
in orbe. 7.223
miles,adest totiens optatae copia pugnae.
7.251
cuius non militis ensem /agnoscam? 7.287
subiere pericula clari /sponte uiri
sacraque antiquus imagine miles. 7.357
quod militis illic, /mors hic gentis erat:
7.634
sed timuit, strato miles ne corpore Magni
/non fugeret, ... 7.671
non magno hortamine miles /in praedam
ducendus erat. 7.736
propera praecedere, miles, /quos sequeris;

MILLE

7.744
stratumque cubile /regibus infandus miles
premit, ... 7.762
quid enim tibi laetius umquam /
praestiterint superi, quam, si ciuilia
Partho /milite bella geras, tantam
consumere gentem 8.324
et melior cessisse loco quam pellere
miles; 8.381
transire parantem /Romanus Phario miles
de puppe salutat 8.596
degener atque operae miles Romane
secundae, /Pompei ... sacrum caput...
recidis, ... 8.676
cautum, ne Nili Pelusia tangeret ora /
Hesperius miles ripasque aestate tumentis.
8.826

pudeat: plus regia Nili / contulit in
leges et Parthi militis arcus. 9.267
primum litoreis miles lassatur harenis.
9.296

qui sponsore salutis /miles eget
capiturque animae dulcedine, uadat /ad
dominum meliore uia. 9.393
siquo fuerit discrimine notum /dux an
miles eam. 9.402
nullisque potest consistere miles /
instabilis,...harenis. 9.464
uix tollere miles /membra ualet multo
congestu pulueris haerens. 9.486
conspecta est ... / unda procul uena,
quam uix e puluere miles /corripiens
patulum galeae confudit in orbem 9.501
'mene'...'degener unum /miles in hac
turba uacuum uirtute putasti? 9.506
praecedit anheli /militis ora pedes, 9.588
ne dubita, miles,tutos haurire liquores.
9.613

has inter pestes duro Cato milite siccum
/emetitur iter, ... 9.734
et arcani miles tibi conscius orbis /
claustra ferit mundi. 9.864
quid ... /horremus uiresque ducis, quibus
ille relictis /miles erit? 10.391
tanta obliuio mentis /cepit in externos
corrupto milite mores /ut duce sub famulo
... irent 10.404

MILITIA. exhibuit monimenta fides seruataque
ferro /militiae pietas, transisset nostra
iuuentus. 4.499

MILLE. 'bellorum o socii, qui mille pericula
Martis / mecum' ait 'experti . . . 1.299
mille licet gladii mortis noua signa
sequantur, ... 2.115
miseri tot milia uolgi /non timuit
iussisse mori. 2.208
mille modos inter leti mors una timori
est. 3.689
inter tot milia captae /circumfusa rati
et plenam uix inde cohortem /pugna fuit,
4.470

Caesar ut amissis inter tot milia paucis
/hoc damnum clademque uocet. . . . 4.513
quem non mille simul turmis nec Caesare
toto /auferret Fortuna locum . . . 6.140
oblatumque uidet uotis sibi mille petitum
/tempus, ... 7.238
tunc mille in uolnera laetus /labitur
7.603

mille meae Graio uoluuntur in aequore
puppes. 8.272

MILLE

    mille meae Graio uoluuntur in aequore
    puppes,/ mille duces; 8.273
    thalamique patent secreta nefandi /inter
    mille nurus? 8.401
    ac mille carinis /abstulit Emathiae
    secum fragmenta ruinae. 9.32

MILLESIMUS,-A,-UM. proles tam clara Metelli /
    stabit barbarico coniunx millesima lecto.
                             8.411

MILO. Pompeiana reum clauserunt signa Milonem?
                              1.323
    tua classica seruat /oppositus quondam
    polluto tiro Miloni. 2.480

MIMAS. scilicet ipse petet ... ignibus ... /
    inmeritaeque nemus Rhodopes pinusque
    Mimantis, ... 7.450

MINAE. Caesaris effuge munus (minas)'
                      var.2.525
    an uanae tumuere minae . . . 2.573
    dedit ille minas inpellere belli, 5.108
    'effugis ingentes ... /bellorum, Romane,
    minas, ... 5.195
    effudere minas. 5.261
    nubila nusquam /undarumque minae; 5.454
    illum saepe minis Caesar precibusque
    morantem /euocat. 5.480
    'sperne minas' inquit 5.578
    non Euri cessasse minas, ... / ...
    crediderim; 5.608
    an tacitis ualuere minis? . . . 6.496
    si saecula prima /uictoris timuere minas,
    nunc excipe saltem /ossa tui Magni, 8.838
    an ... fortunaque perdat /opposita
    uirtute minas, ... 9.570
    exilium generique minas Romamque timebam:
                     9.1086

MINAX. uicinumque minax inuadit Ariminum,
                           1.231
    uicto iure minax iactatis curia Gracchis.
                           1.267
    superique minaces /prodigiis terras
    implerunt, ... 1.524
    uenasque minaces /hostili de parte uidet.
                           1.621
    tu, qui flagrante minacem /Scorpion
    incendis cauda chelasque peruris,/quid
    tantum, Gradiue, paras? 1.658
    sed cum membra premit fugiente rigentia
    uita/ uoltusque exanimes oculosque in
    morte minaces, ... 2.26
    pugnatque minaci / cum terrore fides,
                           2.453
    uoltu tamen alta minaci /nobilitas recta
    ferrum ceruice poposcit. . . . 2.509
    faciem pugnae uoltusque inferte minaces;
                           4.164
    sic,ubi desuetae siluis in carcere
    clauso /mansueuere ferae et uoltus posuere
    minaces 4.238
    sic deflagrare minaces /in cassum et
    uetito passus languescere bello, 4.280
    nunc uoltu pauido, nunc torua minaci; /
    stat numquam facies; 5.213
    longo per multa uolumina tractu /aestuat
    unda minax, ... 5.566
    Torquato ruit inde minax, . . . 6.285
    abruptis Catilina minax fractisque catenis
    /exultat 6.793
    quod si,... / conspicio faciesque truces
    oculosque minaces, /uicistis. . . 7.291
    Medique Arabesque... /arcu turba minax,

    nusquam rexere sagittas, ... 7.515
    ille minax nodis et recto uerbere saeuos
    /teste tulit caelo uicti decus Orionis.
                     9.835

MINERUA. Troianam soli cui fas uidisse
    Mineruam. 1.598
    hostemque propinquum /orant Cecropiae
    praelata fronde Mineruae. . . . 3.306

MINICIUS. opportuna ... ualli pars uisa ...
    /qua Minici castella uacant, . . 6.126

MINIMUS,-A,-UM v. MINOR,-US.

MINISTER. cornua succincti premerent cum
    torua ministri, ... 1.612
    fidi scelerum suetique ministri /... /
    conspexere procul praerupta in caute
    sedentem, ... 6.573
    neque ... / abstulerat Magno reges
    fortuna ministros: 8.207
    tum famulae numerus turbae populusque
    minister. 10.127

MINISTRO,-ARE. tela legunt deiecta mari
    ratibusque ministrant 3.691
    uirus large lunare ministrat. . . 6.669
    ipse manu subicit gladios ac tela
    ministrat 7.574
    manibusque ministrat /Niliacas crystallos
    aquas, ... 10.159

MINOIUS,-A,-UM. uictorique dedit Minoia Creta
    Metello, ... 3.163
    curuique tenens Minoia tecta /Brundisi
    clausas... undas /inuenit . . . 5.406

MINOR,-ARI. signa, pares aquilas et pila
    minantia pilis. 1.7
    gladii cum triste micantes (minantes)/
    iudicium insolita trepidum cinxere corona
                   var.1.320
    ille, dei quamuis cladem manesque
    minentur, ... 3.36
    ardua turris /eminet et tremulis tabulata
    minantia pinnis. 4.432
    ueluti, si cuncta minentur /flumina quos
    miscent pelago subducere fontes, 5.336
    tremuit saeua sub uoce minantis /uolgus
    iners, ... 5.364
    explicuit turmas et signa minantia
    pugnam 6.9
    cernit miserabile uolgus /... letumque
    minantis /uellere ab ignotis dubias
    radicibus herbas. 6.112
    tum quassae nutant turres lapsumque
    minantur, ... 6.136
    roboraque et moles hosti seque ipse
    minatur. 6.173
    petet ignibus Oeten /inmeritaeque nemus
    Rhodopes pinusque Mimantis (minantis),
                   var.7.450
    quo sua pila cadant aut quam sibi fata
    minentur /inde manum, spectant. 7.463
    non Armenium mihi saeua minantur /aut
    Scythicum fortuna iugum: 9.237
    morsu uirus habent et fatum dente
    minantur, ... 9.615
    hoc potuit caelo pelagoque minari /
    torporem insolitum 9.647
    nec quicquam plaga minatur. . . . 9.740
    iam tibi, sed procul hoc auertant fata,
    minatur. 10.101

MINOR,-US. stellaeque minores /per uacuum
    solitae noctis decurrere tempus 1.535
    turba minor ritu sequitur succincta
    Gabino, ... 1.596

MINOR
lege deum minimas rerum discordia turbat,
2.272

non minor hic Nilo, si non per plana
iacentis /Aegypti Libycas Nilus stagnaret
harenas; 2.416
non minor hic Histro, nisi quod, dum
permeat orbem, ... 2.418
rapta puppe minor subducta est montibus
Argo 2.717
nec prohibere ualent obtritis ossibus
artus /quo minus aera sonent; . . 3.657
nec Caesar colle minore castra leuat;
4.17

quoque minus possent siccos tolerare
uapores /quaesitae fecistis aquae. 4.305
minimumque in morte uirorum /mors
uirtutis habet. 4.557
sed minimum terrae uicino litore nouit.
5.467

somno /dat uires fortuna minor; . . 5.506
Pompei uobis minor est causaeque senatus /
quam mihi mortis amor.' 6.245
'si fata minora moueres, /pronum erat,
6.605

emptum minimo uolt sanguine quisquam
/barbarus Hesperiis Magnum praeponere
rebus? 7.282
te... /sed dubium fati, Caesar, generoque
minorem /aspiciens... liber ad umbras /
... eo: 7.611
quamque fuit laeto per tres infida
triumphos /tam misero Fortuna minor. 7.686
teque minor solo cunctas inpellere gentes
/rursus in arma potes 7.718
Pompeiumque minus, cuius fortuna dolorem
/mouerat ... /... discedere cernens /
ingemuit populus; 8.150
hic cum mihi semper in altum /surget et
instabit summis minor Vrsa ceruchis,
/Bosporon... /spectamus. 8.177
noctique rependit /lux minor hibernae
uerni solacia damni. 8.469
poenas non morte minores /pendat 8.646
minimumque tenens dux ipse liquoris /
inuidiosus erat. 9.504
fatique minorem /famam dipsas habet
terris adiuta perustis. 9.753
in minimum mors contrahit omnia uirus.
9.776

minimum patiuntur fata tacere. . . 9.929
minima collegerat arma /parte domus.
10.442

MINUCIUS v. MINICIUS.
MINUO,-ERE. tamen hos minuere labores / a
tergo pelagus pulsusque Aquilonibus aer.
6.103

MINYAE. solum fregere coloni /et Magnetes
equis, Minyae gens cognita remis. 6.385
MIRABILIS,-E. haec fatum decuuus, dictu
mirabile, fluctus /inualida cum puppe
leuat, ... 5.672
MIRACULUM. praebuit ille dies uarii
miracula fati. 3.634
hoc ferit et taciti praebet miracula
cursus, ... 4.425
at, siquis peste diurna /fata trahit,
tunc sunt magicae miracula gentis 9.923
sit pietas aliis miracula tanta silere:
10.196
MIRATOR. inpressit dentes haemorrhois... Tullo,
/magnanimo iuueni miratorique Catonis.

MISCEO
9.807
Sigeasque petit famae mirator harenas
9.961
MIRATRIX. hinc, aeui ueteris custos, famosa
uetustas, /miratrixque sui, signauit
nomine terras. 4.655
MIROR,-ARI. incubat amens /miraturque malum.
2.28

miratusque suae sic fatur moenia Romae:
3.90

umbras mirati nemorum non ire sinistras.
3.248

siqua fidem meruit superos mirata
uetustas, ... 3.406
credidit et muros mirata est stare
iuuentus. 3.461
ducibus mirantibus ulli / esse ducem
tanti. 4.572
miranturque habuisse parem. 4.620
umentis mirata genas percussaque caeco /
uolnere 5.737
moenia mirentur refugi Babylonia Parthi.
6.50

mirantesque uirum atque auidi spectare
secuntur 6.167
axibus et rapidis inpulsos Iuppiter
urguens/miratur non ire polos. 6.465
miratur Erictho /has fatis licuisse moras,
6.725

inque uicem uoltus tenebris mirantur
opertos 7.177
gnatus coniunxque peremptum /si mirantur,
amant.' 8.635
stellasque uagas miratus et astra /fixa
polis, ... 9.12
effuditque procul miranda sorte malorum:
9.491

gentes maluit ortus /mirari quam nosse
tuos. 10.298
MIRUS,-A,-UM. stat, mirum, moles et siluis
aequor inumbrat. 4.456
quid mirum populos quos lux extrema
manebat / lymphato trepidasse metu, 7.185
MISCEO,-ERE. [omnia mixtis /sidera sideribus
concurrent,] 1.74
quid miscere iuuat uires orbemque tenere
1.88

ausus et armatos plebi miscere potentes.
1.271

quis castra timenti /nescit mixta foro,
1.320

numina miscebit castrensis flamma monetae;
1.380
quanto clamore cohortes /miscentur, 1.579
omnis an infusis miscebitur unda uenenis?
1.648

Romanae miscent acies bellumque sine hoste
est. 1.682
fracta sub ingenti miscentur pondere
membra, ... 2.188
terra labet mixto coeuntis pondere mundi,
2.291

te, Caesar, magnisque uelint miscere
Metellis, ... 2.545
nobilis et flauis sequeretur mixta
Britannis. 3.78
cum rudis Argo /miscuit ignotas temerato
litore gentes 3.194
Marsya ripis /errantem Maeandron adit
mixtusque refertur, ... 3.208
uastis Indus aquis mixtum non sentit

Hydaspen; 3.236
Euphrates quos non diuersis fontibus edit
/Persis, et incertum, tellus si misceat
amnes, ... 3.258
uolnera miscebunt fratres bellumque coacti
/hoc potius ciuile gerent.' . . . 3.354
grandaeuosque senes mixtis armauit
ephebis. 3.518
innumerae uasto miscentur in aethere
uoces, ... 3.540
miscenturque manus. 3.569
quorum alter mixtis obliquo pectine remis
/ausus ... /iniectare manum; . . 3.609
erat inpiger Astur /Vettonesque leues
profugique a gente uetusta /Gallorum
Celtae miscentes nomen Hiberis.   4.10
nam gurgite mixto / qui praestat terris
aufert tibi nomen Hiberus. 4.22
rerum discrimina miscet /deformis caeli
facies iunctaeque tenebrae. . . . 4.104
o rerum mixtique salus Concordia mundi
4.190
inde, ubi nulla data est miscendae copia
mortis, ... 4.283
nec enim felicibus armis /misceri
damnata decet, ... 4.360
Maurus, inops Nasamon, mixti Garamante
perusto 4.679
neque enim licuit procurrere contra /
et miscere manus. 4.773
in Macetum terras miscens aduersa secundis
/seruauit fortuna pares. 5.2
mons Phoebo Bromioque sacer, cui numine
mixto /Delphica Thebanae referunt
trieterica Bacchae. 5.73
ueluti, si cuncta minentur /flumina quos
miscent pelago subducere fontes, 5.337
Ausonias uoluit gladiis miscere secures
5.388
Caesaris attonitam miscenda ad proelia
mentem /ferre moras scelerum partes
iussere relictae. 5.476
rursusque redire /nox manes mixtura
dies. 5.636
maior cura duces miscendis abstrahit armis:
6.80
aucta lues, dum mixta iacent incondita
uiuis /corpora; 6.101
numquamque celer nisi mixtus Enipeus;
6.373
turbae sed mixtus inerti /Sextus erat,
6.419
quos non concordia mixti /alligat ulla
tori 6.458
huc quidquid fetu genuit natura
sinistro /miscetur: 6.671
et noua desuetis subrepens uita medullis
/miscetur morti. 6.754
ueniet quae misceat omnis /hora duces.
6.806
te mixto flesset luctu iuuenisque senexque
/iniussusque puer; 7.37
uicerat astra iubar, cum mixto murmure
turba /castrorum fremuit 7.45
aether /... /et trabibus mixtis auidos
typhonas aquarum /detulit 7.156
Grais delecta iuuentus /gymnasiis aderit
... / ... aut mixtae dissona turbae /
barbaries, ... 7.272
illic quaeque suo miscet gens proelia telo,
7.510

iacet aggere magno /patricium campis non
mixta plebe cadauer. 7.598
nec ... trahere omnia secum /mersa iuuat
gentesque suae miscere ruinae: . 7.655
communis mundo superest rogus ossibus
astra /mixturus. 7.815
quam sol nimbique diesque /longior
Emathiis resolutam miscuit aruis. 7.846
quid enim tibi laetius umquam /
praestiterint superi,... /... tantam
consumere gentem /et nostris miscere
malis? 8.325
Parthorum dominus quotiens sic sanguine
mixto /nascitur Arsacides! 8.408
quod ... crimen ... / maius erit, quam
quod uobis miscentibus arma /Crassorum
uindicta perit? 8.421
et metuit gentes quas uno in sanguine
mixtas /deseruit, ... 8.508
Pompeiusque fuit qui numquam mixta
uideret /laeta malis, ... 8.705
atque oblita faui non miscent nexibus
alas 9.286
quid secreta nocenti / miscuerit natura
solo, ... 9.621
tenditque cutem pereunte figura /miscens
cuncta tumor; 9.793
natura locorum /iussit ut inmunes mixtis
serpentibus essent. 9.896
nunc mixti foedera tangunt / te generis?
9.1048
frustra ciuilibus armis /miscuimus gentes,
siqua est hoc orbe potestas /altera quam
Caesar, ... 9.1077
ignotos miscuit amnes /Persarum Euphraten,
Indorum sanguine Gangen, ... 10.32
nox illa ... cubili / miscuit incestam
ducibus Ptolemaida nostris. . . 10.69
adulter /admisit Venerem curis, et miscuit
armis /inlicitosque toros . . . 10.75
pars ignea cocco /ut mos est Phariis
miscendi licia telis. 10.126
luna suis uicibus Tethyn terrenaque
miscet; 10.204
hunc ubi pars caeli tenuit, qua mixta
Leonis /sidera sunt Cancro,... / ...
tunc Nilus fonte soluto,/... iussus
adest, ... 10.210

MISER,-A,-UM. usque adeo miserum est ciuili
uincere bello? 1.366
'nunc', ait 'o miserae, contundite
pectora, matres, ... 2.38
'o miserae sortis, quod non in Punica
nati /tempora Cannarum fuimus Trebiaeque
iuuentus. 2.45
at miseros angit sua cura parentes, 2.64
non ... piguit ... /... /infantis miseri
nascentia rumpere fata. 2.107
amisere notas, miserorum dextra parentum /
colligit 2.167
concidit et miserae maculauit ouilia
Romae. 2.197
miseri tot milia uolgi /non timuit
iussisse mori. 2.208
et tantum miseris irasci numina possunt.
3.449
derigit huc puppem miseri quoque dextra
Telonis, ... 3.592
unumque relictum /agnorunt miseri sublato
errore parentes, ... 3.606
et miserum cernens agnoscere desinit

MISER

Argum. 3.736
ueniam misero concede parenti,   3.744
accensisque rogis miseri de corpore trunco
/certauere patres. 3.760
et miseras bellis ciuilibus eripe terras.
4.120
est miseris renouata fides, atque omne
futurum /creuit amore nefas. . .   4.204
quoque magis miseros undae ieiunia soluant
4.332
heu miseri qui bella gerunt! . .   4.382
miles et attonso miseris iam dentibus aruo
/castrorum siccas de caespite uolserat
herbas. 4.413
has urbi miserae uestro de sanguine poenas
/ferre datis, ...   4.805
miserumque premunt tot saecula pectus,
5.178
miserique fuit spes inrita mundi   5.469
parua quies miseris, ...   5.505
discordia ponti /succurrit miseris,
fluctusque euertere puppem 5.647
pudet ... / eque tuo, quatiunt miserum
cum classica mundum, /surrexisse sinu.
5.751
instabat miserae, Magnum quae redderet,
hora. 5.815
nam miseros ultra tentoria ciues /spargere
funus erat. 6.102
miseroque liquebat /scire parum superos.
6.433
per scopulos miserum trahitur per saxa
cadauer 6.639
a miser, extremum cui mortis munus
inique /eripitur, ...   6.724
Europam, miseri, Libyamque Asiamque
timete: 6.817
o miseri, quorum gemitus edere dolorem,
7.43
miseri pars maxima uolgi /... tentoria
circum /ipsa ducis queritur . . .   7.47
tremores / hi possunt explere uiri, quos
undique traxit /in miseram Fortuna
necem, ...   7.416
nec, sicut mos est miseris, trahere omnia
secum /mersa iuuat 7.654
stante potest mundo Romaque superstite
Magnus /esse miser. 7.661
quamque fuit laeto per tres infida
triumphos /tam misero Fortuna minor. 7.686
somnique furentes /Thessalicam miseris
uersant in pectore pugnam. 7.765
et quantum poenae misero mens conscia
donat, /quod Styga,... / Pompeio uiuente
uidet! 7.784
inuidet igne rogi miseris, ... 7.798
sed poenas longi Fortuna fauoris /exigit
a misero, ...   8.22
obuia nox miserae caelum lucemque tenebris
/abstulit 8.58
unica materia est coniunx miser.   8.76
cur inpia nupsi,/si miserum factura fui?
8.97
ne nostram uideare fidem felixque secutus/
et damnasse miser.' 8.127
numquam stante polo miseros fallentia
nautas, /sidera non sequimur, . . . 8.173
miserum quid decipis orbem, /si seruire
potes? 8.340
et cole felices, miseros fuge. . . 8.487
nulla fides umquam miseros elegit amicos.'

MISSILE

8.535
quod nisi ... intentaque iussu /ordinis
aeterni miserae uicinia mortis /damnatum
leto traherent ad litora Magnum,   8.569
numquam omine laeto /distrahimur miseri.
8.586
mutantur prospera uita,/non fit morte
miser. 8.632
Pompeiusque fuit.../...felix nullo turbante
deorum /et nullo parcente miser;   8.707
robora non desint misero nec sordidus
ustor. 8.738
collegit uestes miserique insignia Magni
9.175
ille fuit miserae Magni cinis. . . 9.179
clausa fides miseris, et toto solus in
orbe est /qui uelit ac possit uictis
praestare salutem. 9.246
stant miseri nautae, ... 9.343
at non stare suum miseris passura cruorem
/squamiferos ingens haemorrhois explicat
orbes, ...   9.708
mors erat ante oculos, miserique in crure
Sabelli / seps stetit exiguus;   9.763
at tibi, Laeue miser, fixus praecordia
pressit /Niliaca serpente cruor;   9.815
quid prodest miseri basiliscus cuspide
Murri /transactus? 9.828
nec clara dies nec nox dabat atra
quietem /suspecta miseris in qua tellure
iacebant. 9.840
'reddite, di,' clamant 'miseris quae
fugimus arma, ... 9.848
uix miseris serum tanto lassata periclo
/auxilium Fortuna dedit. 9.890
quanta dedit miseris melioris gaudia
terrae 9.946
crede, miser, puero, quem nox si iunxerit
una /... /meque tuumque caput ... illi /
... donabit. 10.361

MISERABILIS,-E. ut uero in pedites fatum
miserabile belli /incubuit, . . . 4.769
cernit miserabile uolgus /in pecudum
cecidisse cibos 6.110
aut hodie Pompeius erit miserabile nomen:
7.121
haereat Eoae uolnus miserabile sortis,
8.417
surgit miserabile bustum 8.816
exemplarque sui spectans miserabile leti
/stat tutus pereunte manu. 9.832
ubi non ciuilia bella / inuenit imperii
fatum miserabile nostri? 10.411

MISEREOR,-ERI. et soceri miserere tui.   7.701
unica materia est coniunx miser. erige
mentem (miserere gementem), . . . var.8.76
fortuna ... /... te non passa est misereri,
perfide, Magni /uiuentis! 9.1061

MISEROR,-ARI. arma ducum dirimens miserando
funere Crassus 1.104
postquam condidit urna /supremos
cineres, miserando concita uoltu, 2.334
o rabies miseranda ducis! 2.544
o miseranda domus, toto nil orbe uidebis
/tutius Emathia.' 6.819
miserandis aethera conplet /uocibus. 8.638
saxa ... / effuditque procul miranda
(miseranda) sorte malorum: . . var.9.491

MISSILE. Medorum, tremulum cum torsit missile,
Mazax, ...   4.681
Libycus ... elephans ... / omne

MISSILE

    repercussum squalenti missile tergo /
    frangit 6.209
    spargitur innumerum diuersis missile uotis:
    7.485

MITESCO,-ERE. rumor ab Oceano,... /...
    erumpere Nilum /aequoreosque sales longo
    mitescere tractu. 10.257

MITIGO,-ARE. aestatem nulla sibi mitigat
    umbra, ... 10.305

MITIS,-E. mitis Atax Latias gaudet non ferre
    carinas 1.403
    placatur sanguine diro /...et Taranis
    Scythicae non mitior ara Dianae. 1.446
    nam mitis in alto /Iuppiter occasu
    premitur, ... 1.660
    mitis et a uoltu penitus uirtute remota,
    /'parcite,' ait 'ciues; 6.229
    mitissima sors est /regnorum sub rege
    nouo.' 8.452
    Septimius,... / ... inmanis uiolentus
    atrox nullaque ferarum /mitior in caedes.
    8.600

MITTO,-ERE. totum sub Latias leges cum
    miseris orbem, ... 1.22
    pax missa per orbem /... compescat limina
    Iani. 1.61
    in turbam missi feralia foedera regni.
    1.86
    ocior et missa Parthi post terga sagitta,
    1.230
    nec pila lacertis /missa tuis caeca
    telorum in nube ferentur: . . . 2.262
    placuitque referri /signa nec in tantae
    discrimina mittere pugnae 2.599
    angustus puppes mittebat in aequora limes
    2.709
    quod dites Asiae populi misere tributum
    3.162
    Phocaicas Amphissa manus scopulosaque
    Cirrha /Parnasosque iugo misit desertus
    utroque. 3.173
    Pisaeaeque manus populisque per aequora
    mittens /Sicaniis Alpheos aquas. 3.176
    tot inmensae comites missura ruinae /
    exciuit populos et dignas funere Magni
    /exequias Fortuna dedit. 3.290
    non corniger Hammon /mittere Marmaricas
    cessauit in arma cateruas, . . . 3.293
    pectoribus rapti matrum frustraque
    trahentes /ubera sicca fame medios
    mittentur in ignis 3.352
    quae prius ex longo nocuerunt missa
    recessu /iam post terga cadunt. . . 3.477
    terga simul pariter missis et pectora
    telis /transigitur: 3.587
    me quoque mittendis rectum conponite telis.
    3.717
    caeca tela manu sed non tamen inrita
    mittit. 3.722
    quamuis capulum per uiscera missi /
    polluerit gladii, ... 3.748
    missa ratis prono defertur lapsa profundo
    4.430
    terrigenae missa magicis e cantibus ira
    4.553
    mittitur, exigua qui proelia prima
    lacessat /eliciatque manu, ... 4.720
    tibi causa petendae /haec fuit Hesperiae,
    uisum est quod mittere quemquam /tam saeuo
    crudele mari. 5.691
    transierat primi Caesar munimina ualli, /

---

    cum super e totis immisit (misit)
    collibus arma var.6.291
    totus mitti ciuilibus armis /... potuit
    cruor: 6.299
    multos in summa pericula misit /uenturi
    timor ipse mali. 7.104
    illuc et Libye Numidas et Creta Cydonas
    /misit, ... 7.230
    oblatumque uidet uotis sibi mille
    petitum / tempus, in extremos quo mitteret
    omnia casus. 7.239
    pudet ... / quaerere ... /... quis ... /
    abscisum longe mittat caput, . . 7.628
    omne nemus misit uolucres . . 7.836
    paruisque Syhedris,/quo portu mittitque
    rates recipitque Selinus, / ... tandem
    maesta ora resoluit /... Magnus: 8.260
    credis, Magne, uiros quos in discrimina
    belli /cum ferro misisse parum est? 8.390
    qua posteritas in saecula mittet /
    Septimium fama? 8.608
    collegit uestes miseri (misit)-que
    insignia Magni var.9.175
    stabant ante fores populi quos miserat
    Eos 9.544
    ille uel in Tanain missus Rhodanumque
    Padumque /arderet 9.751
    fratrique tuum pro munere tali /misissem,
    Cleopatra, caput. 9.1071
    misitque per ultima terrae /Aethiopum
    lectos: 10.273
    inferiasque dabit populis et mittet ad
    umbras /... caput. 10.392
    Lucifer ... diemque /misit in Aegypton
    primo quoque sole calentem, . . 10.435
    missurusque tuum, si non sint tela nec
    ignes, /in famulos, Ptolemaee, caput.
    10.463
    missusque satelles /regius,ut saeuos
    absentis uoce tyranni /corriperet famulos,
    quo bellum auctore mouerent. . . 10.468
    altera, Magne, tuis iam uictima mittitur
    umbris; 10.524
    potuit discrimine summo /Caesaris una
    dies in famam et saecula mitti. 10.533

MITYLENAEUS,-A,-UM v. **MYTELENAEUS,-A,-UM.**

MIXTURA(subst.). nequa sit externae Veneris
    mixtura timentes /letifica dubios
    explorant aspide partus. 9.900

MOBILIS,-E. dum dolor est ictusque recens
    et mobile neruis /conamen calidus praebet
    cruor 4.286
    sic cunctas sustulit ardor /mobilium
    mentes iuuenum. 4.521
    sed, quia mobilibus facilis turbatur
    harenis, / nusquam luctando stabilis
    manet, ... 9.469

MODERAMEN. quas uentus doctaeque pari
    moderamine dextrae /permixtas habuere diu,
    5.706

MODERATOR. non sic moderator equorum, /... /
    cogit inoffensae currus accedere metae.
    8.199

MODEROR,-ARI(MODERO,-ARE). inde tenens
    pelagus, sed iam moderatior, Eurus / in
    Libycas egit sedes 9.118
    sideribus, quae sola fugam moderantur
    Olympi / ... diuersa potentia prima
    /mundi lege data est. 10.199

MODESTIA. tanto deuinxit amore /hos pudor,
    hos probitas castique modestia uoltus,

MODESTIA
8.156

❧ **MODESTUS,-A,-UM.** tum poste recluso /dux ait
    'expecta uotis maiora modestis   5.532
    quos inter Acoreus /iam placidus senio
    fractisque modestior annis . . . 8.476

MODICUS,-A,-UM. fonte cadit modico paruisque
    inpellitur undis 1.213
    colle tumet modico lenique excreuit in
    altum / pingue solum tumulo; . . 4.11
    ipse ego ... cupidus ... / plebeiaque
    toga modicum conponere ciuem, . . 7.267

MODO. (a) = nuper.
    quae modo conplexu fouerunt pectora
    caedunt; 4.246
    expectant imbres, quorum modo cuncta
    natabant /inpulsu, ... 4.330
    'qui modo in absentem uoltu dextraque
    furebas, ... 5.319
    ut modo defuncti tepidique cadaueris
    ora /plena uoce sonent, ... 6.621
    poscimus ... /... modo luce fugata /
    descendentem animam; 6.713
    ducis omnia nato /Pompeiana canat nostri
    modo militis umbra, ... 6.717
    dignasque tulit modo consule uoces. 8.330
    (b) = dummodo
    Caesar, ubique tuus (liceat modo, nunc
    quoque) miles. 1.202
    puer ipse sororem,/ sit modo liber, amat;
    10.95
    (c) = si modo
    belli pars magna peracta est /... / si
    modo uirtutis stimulis iraeque calore /
    signa petunt. 7.103
    (d) = c. imper.
    i modo securus ueniae fassusque sepulchrum
    /posce caput. 8.784

MODUS. laetis hunc numina rebus /crescendi
    posuere modum. 1.82
    non auro tectisue modus, mensasque priores
    /aspernata fames; 1.163
    quis scelerum modus est? 1.334
    monstrosique hominum partus numeroque
    modoque /membrorum, matremque suus
    conterruit infans; 1.562
    ille fuit uitae Mario modus, . . . 2.131
    excessit medicina modum, nimiumque secuta
    est, / qua morbi duxere, manus. 2.142
    quoque modo natos hoc est amplexa maritum.
    2.366
    seruare modum finemque tenere   2.381
    quoque modo uanos populi conciret amores,
    3.54
    aut facilis labor est longinqua ad tela
    parati /tormenti mutare modum; 3.480
    mille modos inter leti mors una timori
    est 3.689
    explicat hinc tellus campos effusa
    patentis /uix oculo prendente modum,
    4.20
    non modus Oceani, numerus non derat
    harenae. 5.182
    sed nox saeua modum uenti uelique tenorem
    /eripuit nautis 5.709
    quoque modo terrae praelapsus moenia
    Thybris / in mare descendit,   6.76
    perdidit inde modum caedes, . . 7.532
    iusto uela modo pendentia cornibus aequis
    /torsit 8.193
    libertas scelerum est quae regna inuisa
    tuetur / sublatusque modus gladiis. 8.492

MOENIA

    Romanum nomen et omne /imperium Magno
    tumuli est modus: 8.799
    'ciuis obit'...'multum maioribus inpar /
    nosse modum iuris, ... 9.191
    parua modo serpens, sed qua non ulla
    cruentae /tantum mortis habet. 9.766
    humanumque egressa modum super omnia
    membra /effatur sanies late pollente
    ueneno; 9.794
    nondum stante modo crescens fugere
    cadauer. 9.804
    nec,quae mensura uiarum /quisue modus,
    norunt caelo duce: 9.847
    postquam epulis Bacchoque modum lassata
    uoluptas /inposuit,... Caesar producere
    noctem /inchoat adloquiis, . . . 10.172
    modumque uetat crescendi ponere ripas.'
    10.331

MOENIA. at nunc semirutis pendent quod moenia
    tectis 1.24
    mox ait 'o magnae qui moenia prospicis
    urbis 1.195
    'o male uicinis haec moenia condita Gallis,
    1.248
    quae noster ueteranus aret, quae moenia
    fessis? 1.345
    per omnem /spargitur Italiam uicinaque
    moenia conplet. 1.468
    quique colunt iunctos extremis moenibus
    agros /diffugiunt: 1.571
    Arruns incoluit desertae moenia Lucae,
    1.586
    iubet ... / ambiri et festo purgantes
    moenia lustro /longa per extremos pomeria
    cingere fines /pontifices, . . . 1.593
    quis fuit ille dies, Marius quo moenia
    uictor /corripuit, ... 2.99
    moenia Dardanii tenuit Campana coloni.
    2.393
    denso tamen aggere firmant /moenia et
    abrupto circumdant undique uallo, 2.450
    per diuersa ruens neclecto moenia tergo,
    2.467
    deuoluit rapidum nequiquam moenibus
    agmen. 2.491
    sufficerent aliis primo tot moenia cursu
    /rapta, ... 2.653
    miratusque suae sic fatur moenia Romae:
    3.90
    namque ignibus atris /creditur, ut captae,
    rapturus moenia Romae /sparsurusque deos.
    3.99
    sunt quos prosternas populi, quae moenia
    dones. 3.131
    ille ubi deseruit trepidantis moenia
    Romae 3.298
    moenibus exiguis alieno in litore tuti,
    3.341
    cum moenia clausa /conspicit et densa
    iuuenum uallata corona. 3.373
    dux tamen inpatiens haesuri ad moenia
    Martis 3.453
    erigitur geminasque aequantis moenia
    turris /accipit; 3.456
    moliri nunc ima parant et uertere ferro
    /moenia; 3.490
    summa fuit Grais, starent ut moenia, uoti:
    3.497
    altaeque ad moenia rursus Ilerdae /
    intendere fugam. 4.261
    incumbatque furens et Graia ad moenia

```
perflet, . . . . . . . . . . .   5.419
moenia Graiorum spernit  . . . .    6.4
Ephyraeaque moenia seruat  . . .   6.17
terribiles ratibus sustentant moenia
cautes, . . . . . . . . . . . .    6.26
Graiorumque domos direptaque moenia
transfert. . . . . . . . . . .     6.35
moenia mirentur refugi Babylonia Parthi.
                                    6.50
quoque modo terrae praelapsus moenia
Thybris /in mare descendit,  . .   6.76
subitusque in moenia uenit. . .   6.128
uicinaque moenia castris /Haemonidum,
                                   6.435
credite pendentes e summis moenibus urbis
/... hortari in proelia matres;    7.369
moeniaque in praeceps laturos plena
tremores / hi possunt explere uiri, 7.414
hac luce cruenta /effectum, ut ... / nec
uetitos errare Dahas in moenia ducat /...
consul  . . . . . . . . . . . .    7.429
Romulus infami conpleuit moenia luco,
                                   7.438
omnibus illa /ciuibus effudit totas per
moenia uires /obuia ceu laeto:  . 7.714
nulla tibi subeunda magis sunt moenia
uicto: . . . . . . . . . . . . .   8.116
iuuat ire per orbem / ducentem saeuas
Romana in moenia gentes  . . . .   8.357
quae moenia trunci /lustrarunt ceruice
duces, . . . . . . . . . . . . .   8.436
proximus in muros et moenia Cyrenarum
/est labor:  . . . . . . . . . .   9.297
grata uice moenia reddent /Ausonidae
Phrygibus, . . . . . . . . . . .   9.998
captus ... / non auro cultuque deum, non
moenibus urbis, /effossum tumulis cupide
descendit in antrum.  . . . . .   10.18
at Caesar moenibus urbis /diffisus
foribus clausae se protegit aulae 10.439
solus apertis /obsedit muris calcantem
moenia Magnum. . . . . . . . . . 10.546
```

```
MOLA. coeperat obliquoque molas inducere
cultro, . . . . . . . . . . . .   1.610
MOLES. ecce, uidet capiti fibrarum increscere
molem  . . . . . . . . . . . . .   1.627
sic mole ruinae /fracta sub ingenti
miscentur pondere membra, . . .   2.187
ad molem stetit unda sequens.  . . 2.214
uult hostes errare freto, sed molibus
undas, /obstruit et latum deiectis
rupibus aequor. . . . . . . . .   2.661
ergo, ubi nulla uado tenuit sua pondera
moles, . . . . . . . . . . . . .   2.669
ipsa maris per claustra rates fastigia
molis / discussere . . . . . . .  2.684
ut uidet ingenti Saturnia templa reuelli
/mole, . . . . . . . . . . . . .  3.116
ut, cum terra leuis mediam uirgultaque
molem /suspendant, . . . . . . .  3.396
sed super et flammis et magnae fragmine
molis / et sudibus crebris et adusti
roboris ictu /percussae cedunt crates,
                                   3.493
uerberibus senis agitur molemque profundo
/inuehit . . . . . . . . . . . .  3.536
sed firma gerendis /molibus insolito
contexunt robora ductu. . . . .   4.419
nec mora, conplentur moles, auideque
petitis /insula deseritur ratibus, 4.445
quae sequitur tardata ratis, sed tertia
```

```
moles /haesit . . . . . . . . .   4.453
stat, mirum, moles et siluis aequor
inumbrat. . . . . . . . . . . .   4.456
hic Opiterginis moles onerata colonis
/constitit;  . . . . . . . . . .  4.462
Campana fremens ceu saxa uaporat /conditus
Inarimes aeterna mole Typhoeus.   5.101
tum quoque tanta maris moles creuisset
in astra  . . . . . . . . . . .   5.625
tutior omni /rege late, positamque
procul fortuna mariti /non tota te mole
premat. . . . . . . . . . . . .   5.756
non opus hanc ueterum nec moles structa
tuetur  . . . . . . . . . . . .    6.19
roboraque et moles hosti seque ipse
minatur. . . . . . . . . . . . .  6.173
illum tota premit moles, illum omnia
tela, . . . . . . . . . . . . .   6.189
tantae molis onus percussum uoce recessit
                                   6.483
ardua marmoreo surrexit pondere moles.
                                   8.866
quos inter in alta /it conualle tacens iam
moribus (molibur) unda receptis.
                              var.10.329
molis in exiguae spatio stipantibus armis
/ ... dux Latius ... subitus ... /
cingitur:  . . . . . . . . . . . 10.534
MOLESTUS,-A,-UM.  adeone molesta /totum cura
fuit socero seruare cadauer?  ·   8.699
MOLIOR,-IRI.  moliri nunc ima parant et
uertere ferro /moenia;  . . . .   3.489
subito bellum molire tumultu, /inrue;
                                  10.372
MOLLIO,-IRE.  quae mollire queunt flamma,
quae frangere morsu, /... /diripiens
miles saturum tamen obsidet hostem. 6.114
nec non infelix ferro mollita iuuentus /
atque exsecta uirum: . . . . .  10.133
MOLLIS,-E.  molli tum cetera rumpit /turba
uado faciles iam fracti fluminis undas.
                                   1.221
molliter admissum claudit Tarbellicus
aequor, . . . . . . . . . . . .   1.421
incerti Iudaea dei mollisque Sophene,
                                   2.593
si mollius aruum /prodidit umorem, 4.308
et tepidum in molles Zephyros excurrit
Iader, . . . . . . . . . . . . .  4.405
tellus, quam uolucer Genusus, quam mollior
Hapsus /circumeunt ripis.  . . .  5.462
molli consurgit Amyclas /quem dabat alga
toro. . . . . . . . . . . . . .   5.520
ad mollem serius Austrum /istis, aues.
                                   7.833
quo sit tibi mollius aequor, /... /
sparge mari comitem. . . . . . .   8.98
populum non cernis inermem /aruaque uix
refugo fodientem mollia Nilo?     8.526
o superi, Nilusne ... / et Pelusiaci tam
mollis turba Canopi /hos animos?  8.543
usque adeo mollis primisque caloribus
inpar /sum uisus? . . . . . . .   9.507
squalebant ... arua Medusae /non
nemorum protecta coma, non mollia sulco,
                                   9.627
mox te deserta secantem,/... /mollis
lapsus agit. . . . . . . . . . . 10.315
in alta /it conualle tacens iam moribus
(mollibus) unda receptis.  . . var.10.329
'tu mollibus' inquit/'nunc incumbe
```

MOLLIS
    toris 10.353
MOLOSSUS,-A,-UM. uenator tenet ora leuis
    clamosa Molossi, ... 4.440
MOMENTUM. gnarus et irarum causas et summa
    fauoris /annona momenta trahi.   3.56
    non pondera rerum /nec momenta sumus,
                                3.338
    maxima sed fati ducibus momenta daturum.
                                 4.3
    annos /perdere et extremae momentum
    abrumpere lucis, ... 4.483
    momentumque fuit mutatus Curio rerum
                              4.819
    an uos momenta putatis /ulla dedisse mihi?
                              5.339
    prima uelim caput hoc funesti lancea
    belli,/si sine momento rerum partisque
    ruina /casurum est, feriat; 7.118
MONEO,-ERE. tum, quos sectis Bellona lacertis
    /saeua mouet (monet) cecinere deos,
                            var.1.566
    'uix fas, superi, quaecumque mouetis
    (monetis)/ prodere me populis; var.1.631
    iam Phoebum urguere monebat   2.719
    famae cura uetat (monet), ne non damnasse
    cruentam / sed uidear timuisse Pharon.
                          var.9.1080
    atque haec dicta monet famulos perferre
    fideles /ad ... Achillam, . . . 10.349
MONETA. numina miscebit castrensis flamma
    monetae; 1.380
    aurumque moneta /fregit 6.404
MONILE. colla monile decens umerisque
    haerentia primis 2.363
MONIMENTUM. quaecumque per aeuum /exhibuit
    monimenta fides seruataque ferro /militiae
    pietas, ... 4.498
    non aetas haec carpsit edax monimentaque
    rerum /putria destituit: 7.397
    tum plurima cladis /occurrent monimenta
    tibi: 8.436
    adde actus tantos monimentaque maxuma
    rerum, ... 8.807
    (neque enim aequore tantum /Ausonio
    monimenta tenes, ... 9.43
MONITUS(subst.). monitus errantis in aere
    pinnae, ... 1.588
    cornigerique Iouis monitu noua fata
    petebant; 9.545
MONOECUS. Circius et tuta prohibet statione
    Monoeci: 1.408
MONS. in mare fert Ararim, qua montibus ardua
    summis /gens habitat 1.434
    mons inter geminas medius se porrigit
    undas 2.399
    dexteriora petens montis decliuia Thybrim
    /unda facit Rutubamque cauum. . . 2.421
    hinc illinc montes scopulosae rupis aperto
    /opposuit natura mari flatusque remouit,
                              2.619
    omnia pontus /haurit saxa uorax montesque
    inmiscet harenis, ... 2.664
    rapta puppe minor subducta est montibus
    Argo 2.717
    nubibus et dubios cernit uanescere montis,
                              3.7
    laborant /aequora ne rupti repetant
    confinia montes 3.63
    inter nudatos stabat densissima montis.
                              3.428
    qualis rupes quam uertice montis /abscidit

                                 3.470
    sed rudis et qualis procumbit montibus
    arbor /conseritur, ... 3.512
    aduersoque acies in monte supina /haeret
    et in tergum casura umbone sequentis
    /erigitur. 4.38
    dixit et ad montis tendentem praeuenit
    hostem. 4.167
    puteusque cauati /montis ad inrigui
    premitur fastigia campi. 4.296
    undique conpletis clauserunt montibus
    agmen, ... 4.747
    mons Phoebo Bromioque sacer, cui numine
    mixto / Delphica Thebanae referunt
    trieterica Bacchae. 5.73
    quas recipit Salpina palus et subdita
    Sipus /montibus, ... 5.378
    a quotiens frustra pulsatos aequore montis
    /obruit ille dies! 5.615
    franguntur montes, ... 6.38
    latus alti /montis adest 6.267
    hos inter montis media qui ualle
    premuntur, /perpetuis quondam latuere
    paludibus agri, ... 6.343
    summisso uertice montes / explicuere
    iugum, ... 6.476
    montisque caui, quem tristis Erictho /
    damnarat sacris, alta sub rupe locatur.
                              6.640
    quis summis cernens in montibus aequor
    /...tot rerum finem, timeat sibi? 7.135
    sed non, ubi terra tumebit /aspera
    conscendet montis iuga, ... 8.372
    nec tenuit gratum nocturno lumine montem,
                              8.463
    conperit ut regem Casio se monte tenere,
    /flectit iter; 8.470
    cum ... / et regum cineres extructo monte
    quiescant, /... /litora Pompeium feriunt,
                              8.695
    non montibus ortum /aduersis frangit Libye
                              9.449
    caeloque timente /olim Phlegraeo stantis
    serpente gigantas /erexit montes, 9.657
    in minimum mors (mons) contrahit omnia
    uirus. var.9.776
    non Arctos in illis /montibus aut Boreas.
                            10.221
    cuncta fremunt undis, ac multo murmure
    montis 10.321
    hinc montes natura uagis circumdedit
    undis, ... 10.327
    in alta /it conualle tacens iam moribus
    (montibus) unda receptis. . . var.10.329
MONSTRATOR. 'Herceas' monstrator ait 'non
    respicis aras?' 9.979
MONSTRIFER,-A,-UM. legesque et foedera rerum
    /praescia monstrifero uertit natura
    tumultu 2.3
    monstriferos agit unda sinus. . . 5.620
MONSTRO,-ARE. gaudetque ... / et docilis
    rector monstrati Belga couinni, 1.426
    contentus tremulo monstrasse cubilia
    loro. 4.444
    sustulit iras /telluris sterilis monstrato
    fine, ... 5.110
    effingunt uarias casu monstrante figuras;
                              5.713
    ueteres ubi fabula Thebas /monstrat
    Echionias, ... 6.357
    Gabios Veiosque Coramque /puluere uix

MONSTRO   MORDAX

MONSTRO
```
        tectae poterunt monstrare ruinae    7.393
        in plebem uetat ire manus monstratque
        senatum:  . . . . . . . . . .       7.578
        'superest pro sanguine merces /quam
        monstrare meum est;                 7.739
        inuoluit uoltus atque, indignatus
        apertum /fortunae praebere (monstrare),
        caput;  . . . . . . . . . . .var.8.615
        haud procul est ima Pompei nomen harena,/...
        quod nisi monstratum Romanus transeat
        hospes.  . . . . . . . . . . .       8.822
        ueniet felicior aetas / qua sit nulla
        fides saxum monstrantibus illud;    8.870
        monstrat tolerare labores,  . . .   9.588
MONSTROSUS,-A,-UM.  monstrosique hominum partus
        numeroque modoque /membrorum, matremque
        suus conterruit infans;  . . . .    1.562
MONSTRUM.  monstra iubet primum quae nullo
        semine discors /protulerat natura rapi
                                            1.589
        quae fortuna deorum /inuidia caeca
        bellorum in nocte tulisset,/fecit monstra
        fides.  . . . . . . . . . . .       4.245
        ac, uelut occultum pereat scelus, omnia
        monstra /in facie posuere ducum:    4.252
        tandem uolgata cruenti /fama mali terras
        monstris aequorque leuantem /
        magnanimum Alciden Libycas exciuit in
        oras.  . . . . . . . . . . .        4.610
        [par pelagi monstris Libycae sic belua
        terrae]  . . . . . . . . . .        6.207
        uicinaque moenia castris / Haemonidum,
        ficti quas nulla licentia monstri /
        transierit,  . . . . . . . .        6.436
        monstroque potenti /extractus Stygio
        populus pugnasset Auerno.  . . .    6.635
        iam (dubium, monstrisne deum, nimione
        pauore /crediderint)  . . . . .     7.172
        hoc solamen erat, quod uoti turba nefandi
        /conscia,... /...  gaudet monstris, 7.183
        uultus,quo noscere possent /facturi
        quae monstra forent, uidere parentum /
        frontibus aduersis  . . . . . .     7.464
        hunc omnes gladii,... /.../illa nocte
        premunt, hunc infera monstra flagellant.
                                            7.783
        tamen omnia monstra /Pellaeae coiere domus,
                                            8.474
        exiguam sociis monstri gladiisque carinam
        /instruit.  . . . . . . . . .       8.541
        cognatas praestate manus externaque
        monstra /pellite,  . . . . . .      8.548
        tum stringere ferrum / regia monstra
        parant.  . . . . . . . . . .        8.613
        nam rictus oraque monstri /quis timuit?
                                            9.637
        hoc monstrum timuit genitor numenque
        secundum /Phorcys aquis  . . . .    9.645
        sustulit ... / harpen alterius monstri
        iam caede rubentem  . . . . . .     9.663
        pacta caput monstri,  . . . . .     9.666
        tot monstra ferentem /gentibus ablatum
        dederas serpentibus orbem,  . . .   9.855
        contraque nocentia monstra /Psyllus adest
        populis.  . . . . . . . . . .       9.910
        ultricesque deae dant in noua monstra
        furorem.  . . . . . . . . . .       10.337
        tot monstris Aegypte nocens?  . .   10.474
MONTANUS,-A,-UM.  tu montanis totus nunc
        fontibus exi  . . . . . . . .       2.485
        urebant montana niues  . . . . .    4.52
```

MORDAX
```
        at iuxta fluuios ... Enipei /Cappadocum
        montana cohors et largus habenae /Ponticus
        ibat eques.  . . . . . . . . .      7.225
MONUMENTUM v. MONI-.
MONYCHUS.  Centauros /feta... nubes effudit ...
        /aspera te Pholoes frangentem, Monyche,
        saxa,  . . . . . . . . . . .        6.388
MORA.  Crassus erat belli medius mora.      1.100
        quod si tibi fata dedissent /maiores in
        luce moras,  . . . . . . . . .      1.115
        inde moras soluit belli tumidumque per
        amnem  . . . . . . . . . . .        1.204
        addunt stimulos cunctasque pudoris /
        rumpunt fata moras:  . . . . .      1.264
        tolle moras: semper nocuit differre
        paratis.  . . . . . . . . . .       1.281
        lucis rumpe moras et Caesaris effuge
        munus.'  . . . . . . . . . . .      2.525
        uincitur una mora.  . . . . . .     3.392
        nec mora, conplentur moles, auideque
        petitis /insula deseritur ratibus,  4.445
        fieret captis si dulcior ipsa /mortis
        uita mora.  . . . . . . . . .       4.533
        nec profuit ulli /cornipedis rupisse
        moras,  . . . . . . . . . . .       4.762
        turpe duci uisum rapiendi tempora belli /
        in segnes exisse moras,  . . . .    5.410
        Caesaris ... mentem /ferre moras scelerum
        partes iussere relictae.  . . . .   5.477
        uentorum saeuo dabitur mora:  . .   5.587
        rupisse uidentur /concordes elementa
        moras rursusque redire /nox         5.635
        iuuat ... / indulgere morae et tempus
        subducere fatis.  . . . . . . .     5.733
        sic fata relictis /exiluit stratis amens
        tormentaque nulla /uult differre mora.
                                            5.792
        ille moras ferri neruorum et uincula
        rumpit  . . . .. . . . . . . .      6.217
        inpatiensque morae uenturisque omnibus
        aeger,  . . . . . . . . . . .       6.424
        conceditur arti,/unam cum radiis
        presserunt sidera mortem,/inseruisse
        moras;  . . . . . . . . . . .       6.609
        miratur Erictho /has fatis licuisse moras,
                                            6.726
        aeger quippe morae flagransque cupidine
        regni /coeperat ... ciuilia bella /...
        damnare  . . . . . . . . . . .      7.240
        uidit ut hostiles ... cateruas /Pompeius
        nullasque moras permittere bello / ...
        stat ... /attonitus;  . . . . . .   7.338
        letiferae tibi causa morae fuit auia
        Lesbos,  . . . . . . . . . .        8.640
        auidusque urguente procella /Iliacas
        pensare moras  . . . . . . . .      9.1002
        ille mora cursus aduersique obice ponti /
        aestuat in campos.  . . . . . .     10.246
MORBUS.  nimiumque secuta est, /qua morbi
        duxere, manus.  . . . . . . . .     2.143
        sed morbus egens iam gurgite plenis /
        uisceribus sibi poscit aquas.  . .  4.371
        liceat morbis finire senectam;      5.282
        igneaque in uoltus et sacro feruida morbo
        /pestis abit,  . . . . . . . .      6.96
        nec medii dirimunt morbi uitamque necemque,
                                            6.99
        aera pestiferum tractu morbosque fluentis
        /... / hi possunt explere uiri,     7.412
MORDAX.  Pompeius tellure noua conpressa
        profundi / ora uidens curis animum
```

MORDAX
    mordacibus angit, ... 2.682
MORDEO,-ERE. primus chalybem frenosque
    momordit 6.398
    Aulum /torta caput retro dipsas calcata
    momordit 9.738
MORIBUNDUS,-A,-UM. ore nouas poscens
    moribundus labitur herbas . . . 6.86
MORIOR,-I. consul et euersa felix moriturus
    in urbe /poenas ante dabat scelerum. 2.74
    sed satis est iam posse mori. 2.109
    miseri tot milia uolgi /non timuit
    iussisse mori. 2.209
    quis nolet in isto /ense mori, quamuis
    alieno uolnere labens, /et scelus esse
    tuum? 2.265
    iam dudum moriture paras? . . . 2.524
    auertitque ratem morientis dextra
    magistri. 3.599
    qua coepere mori. 3.690
    et inplicitis gaudent subsidere membris /
    mergentesque mori. 3.696
    multus sua uolnera puppi /adfixit moriens
    et rostris abstulit ictus. 3.708
    deserat hic feruor mentes, cadat impetus
    amens,/perdant uelle mori.' . . . 4.280
    miles moriensque recepit /quas nollet
    uicturus aquas; 4.312
    non cogitur ullus /uelle mori. 4.485
    agnoscere solis /permissum ... /felix
    esse mori.' 4.520
    'ecquis' ait ... / testetur se uelle mori?'
    4.544
    sed eum cui uolnera prima /debebat grato
    moriens interficit ictu. 4.547
    cum feriat moriente manu. . . . 4.560
    morientis in artus / non potuit nati
    Tellus permittere uires: . . . 4.650
    non duro liceat morientia cacspite membra
    /ponere, ... 5.278
    disce mori.' 5.364
    conscia uotorum es, me, quamuis plenus
    honorum /et dictator eam Stygias et
    consul ad umbras, /priuatum, Fortuna,
    mori. 5.668
    saeuitia est uoluisse mori. . . 5.687
    ueniet qui uindicet arces / dum morimur.'
    6.165
    illa comam laeua morienti abscidit ephebo.
    6.563
    a miser, extremum cui mortis munus inique
    /eripitur, non posse mori. . . . 6.725
    nondum facies uiuentis in illo, / iam
    morientis erat: 6.759
    properate mori, ... 6.807
    accensa iuuenem positum strue liquit
    Erictho /tandem passa mori, . . . 6.827
    tu uelut Ausonia uadis moriturus in urbe,
    7.33
    haec libera nasci,/haec uolt turba mori.
    7.376
    Romanaque uirtus /erigitur, placuitque
    mori, si uera timeret. 7.384
    morientiaque ora resoluit. . . . 7.609
    te ... /Pompeio ... poenas,... daturum /
    cum moriar, sperare licet.' . . . 7.615
    pudet ... / quaerere ... /...quis ...
    demissum faucibus ensem /expulerit
    moriens anima, ... 7.622
    sed tu quoque, coniunx,/causa fugae ...
    fatisque negatum /parte apsente mori.
    7.677

    ac testare deos nullum, qui perstet in
    armis,/iam tibi, Magne, mori. 7.691
    ostendit moriens sibi se pugnasse senatus.
    7.697
    temptare pudendum /auxilium tanti est,
    toto diuisus ut orbe /a terra moriare tua,
    8.392
    seque probat moriens atque haec in pectore
    uoluit: 8.621
    ius hoc animi morientis habebat. 8.636
    moriar, nec munere regis. . . . 8.653
    turpe mori post te solo non posse dolore.'
    9.108
    scire mori sors prima uiris, set proxima
    cogi. 9.211
    quod tibi, non ducibus, uiuis morerisque,
    .../ ... bella fugis 9.259
    'o quibus una salus placuit mea castra
    secutis /indomita ceruice mori, 9.380
    quem, qui recto se lumine uidit,/passa
    Medusa mori est? 9.639
    iuuat aetheriis ascribere causis /quod
    peream, caeloque mori. 9.854
    puduitque gementem /illo teste mori.
    9.887
    dubiusque timeret /optaretne mori
    respexit in agmine denso /Scaeuam 10.543
MOROR,-ARI. fataque ferre uidet, nequo
    languore moretur /fortunam, . . . 1.393
    nullasque uado qui Macra moratus /alnos
    uicinae procurrit in aequora Lunae). 2.426
    idem per Scythici profugum diuortia ponti
    /indomitum regem Romanaque fata morantem
    /ad mortem Sulla felicior ire coegi. 2.581
    et - quid plura moror? 2.642
    dum potuit, seruata fides. nil fata
    moramur: 4.351
    illum saepe minis Caesar precibusque
    morantem /euocat. 5.480
    Rhodanumque morantem /praecipitauit Arar.
    6.475
    uibrant tela manus, uix signa morantia
    quisquam /expectat: 7.82
    si milite Magno, /non duce tempus eget,
    nil ultra fata morabor: 7.88
    sed mea fata moror, qui uos in tela
    furentis /uocibus his teneo. . . 7.295
    ut rapido cursu fati suprema morantem /
    consumpsere locum,... / quo sua pila
    cadant ... /... spectant. 7.460
    cursusque uagos statione moratur; 10.203
    tu parce morari. 10.395
MORS. morte tua discussa fides bellumque
    mouere /permissum ducibus. . . . 1.119
    uolneraque et mortes hiemesque sub
    Alpibus actae? 1.302
    mors media est. 1.458
    inde ruendi /in ferrum mens prona uiris
    animaeque capaces /mortis, et ignauum
    rediturae parcere uitae. 1.462
    sed cum membra premit fugiente rigentia
    uita /uoltusque exanimes oculosque in
    morte minaces, ... 2.26
    mors ipsa refugit /saepe uirum, 2.75
    debet multas hic legibus aeui /ante suam
    mortes: 2.83
    corripuit, quantoque gradu mors saeua
    cucurrit! 2.100
    mille licet gladii mortis noua signa
    sequantur, ... 2.115
    dissiluit percussus humo, mortesque

cruento /uictori rapuere suas;   2.156
uidimus et toto quamuis in corpore caeso /
nil animae letale datum, moremque nefandae
/dirum saeuitiae, pereuntis parcere morti.
                                         2.180
uidit Fortuna colonos /Praenestina suos
cunctos simul ense recepto /unius populum
pereuntem tempore mortis.   . . .   2.195
densi uix agmina uolgi /inter et exangues
inmissa morte cateruas /uictores mouere
manus; 2.202
ceu morte parentem / natorum orbatum
longum producere funus /ad tumulos iubet
ipse dolor, ...   2.297
ad mortem Sulla felicior ire coegi. 2.582
aut nihil est sensus animis a morte
relictum 3.39
aut mors ipsa nihil.' 3.40
(usque adeo solus ferrum mortemque timere
/auri nescit amor, ...   3.118
his magnam uictor in iram /uocibus
accensus 'uanam spem mortis honestae /
concipis: 3.134
fatisque per illam /accessit mors una
ratem. 3.197
sed pandens perque arma uiam perque ossa
relicta /morte fugit: 3.468
hi luctantem animam lenta cum morte
trahentes 3.578
discreuit mors saeua uiros, . .   3.605
telaque multorum leto casura suorum /
emerita iam morte tenet. 3.622
pars maxima turbae /naufraga iactatis
morti obluctata lacertis /puppis ad
auxilium sociae concurrit; 3.662
mille modos inter leti mors una timori
est 3.689
attonitus mortisque illas putat esse
tenebras. 3.714
letum praecedere nati /festinantem animam
morti non credidit uni. 3.751
indomitos quaerit populos et semper in
arma /mortis amore feros et tendit in
ultima mundi. 4.147
nec liceat pauidis ignaua occumbere morte:
                                         4.165
uidit et ad certam deuotos tendere mortem,
                                         4.272
inde, ubi nulla data est miscendae copia
mortis, ...   4.283
uita breuis nulli superest qui tempus in
illa /quaerendae sibi mortis habet; 4.479
in medium mors omnis abit, perit obruta
uirtus; 4.491
timeatque furentis /et morti faciles
animos 4.506
o utinam, quo plus habeat mors unica
famae, ...   4.509
mortis agor stimulis: fuor est. . .   4.517
fieret captis si dulcior ipsa /mortis
uita mora. 4.533
tanta est fiducia mortis. 4.538
minimumque in morte uirorum /mors uirtutis
habet. 4.557
minimumque in morte uirorum /mors uirtutis
habet. 4.558
et mortem sentire iuuat. 4.570
mors, utinam pauidos uitae subducere
nolles, ...   4.580
set tempora pugnae /mors tenuit;   4.772
numinis aut poena est mors inmatura

recepti 5.117
ad mortem dimitte senes. . . .   5.277
non ... liceat ... /atque oculos morti
clausuram quaerere dextram, . .   5.280
se premet, ut uestrae morti uestraeque
saluti /fata uacent; 5.341
socer post pignora tanta, /sanguinis
infausti subolem mortemque nepotum, /
te... propius non uidit harena.   5.474
intrepidus quamcumque datis mihi, numina,
mortem /accipiam. 5.658
sors ultima rerum /in dubios casus et
prona pericula morti /praecipitare solet:
                                         5.693
ut nolim seruire malis sed morte parata
/te sequar ad manes, ...   5.773
sed languor cum morte uenit; . . .   6.100
terga datis morti? 6.153
auidi spectare secuntur /scituri
iuuenes... / an plus quam mortem uirtus
daret. 6.169
tot iaculis unam non explent uolnera
mortem. 6.213
conlatura meae nil sunt iam uolnera
morti: 6.231
sit Scaeua relicti /Caesaris exemplum
potius quam mortis honestae.' . . .   6.235
Pompei uobis minor est causaeque senatus /
quam mihi mortis amor. 6.246
omne potens animal leti ... / et pauet
Haemonias et mortibus instruit artes.
                                         6.486
fatis debentibus annos /mors inuita subit;
                                         6.531
hominum mors omnis in usu est..   6.561
tot mortes habitura suas usuraque mundi /
sanguine: 6.583
conceditur arti,/unam cum radiis
presserunt sidera mortem, /inseruisse
moras; 6.608
sed pronum, cum tanta nouae sit copia
mortis, /Emathiis unum campis attollere
corpus, ...   6.619
et rector terrae, quem longa in saecula
torquet /mors dilata deum; ... / exaudite
preces. 6.698
a miser, extremum cui mortis munus inique
/eripitur, ...   6.724
irataque morti /uerberat inmotum uiuo
serpente cadauer, ...   6.725
et noua desuetis subrepens uita medullis /
miscetur morti. 6.754
nec uerba nec herbae /audebunt longae
somnum tibi soluere Lethes / a me morte
data. 6.770
certus discedat, ab umbris/quisquis uera
petit duraeque oracula mortis /fortis
adit. 6.772
stat uoltu maestus tacito mortemque
reposcit. 6.821
magnoque accensa tumultu / mortis uicinae
properantis admouet horas. . . .   7.50
uotumque effecimus hosti /ut mallet sterni
gladiis mortemque suorum /permiscere
meis. 7.100
multorum pallor in ore /mortis uenturae
faciesque simillima fato. 7.130
di tibi non mortem, quae cunctis poena
paratur, / sed sensum post fata tuae dent,
Crastine, morti, ...   7.470
sed sensum post fata tuae dent, Crastine

MORS

morti, ...	7.471
inde cadunt mortes.	7.517

mors tamen eminuit clarorum in strage
uirorum /pugnacis Domiti, . . . 7.599
inpendisse pudet lacrimas in funere mundi
/mortibus innumeris, ... 7.618
mors nulla querella /digna sua est, 7.630
quod militis illic /mors hic gentis erat:
7.635
Caesaris aut oculis uoluit subducere
mortem. 7.673
aspice ... donataque regna,/Aegypton
Libyamque, et terras elige morti. 7.711
libera fortunae mors est; 7.818
Thessalia,... quo tantum crimine,... /
laesisti superos, ut te tot mortibus
unam, /... premerent? 7.848
quisquamne secundis /tradere se fatis
audet nisi morte parata? 8.32
diuque /spe mortis decepta iacet. 8.61
et a nulla mors est incerta sagitta. 8.297
sat magna feram solacia mortis /orbe
iacens alio, ... 8.314
omnis,in Arctois populus quicumque
pruinis / nascitur, indomitus bellis et
mortis amator: 8.364
sed tua sors leuior, quoniam mors ultima
poena est /nec metuenda uiris. 8.395
quod nisi ... intentaque iussu /ordinis
aeterni miserae uicinia mortis /damnatum
leto traheret ad litora Magnum, 8.569
ignorant populi, si non in morte probaris,
/an scieris aduersa pati. . . . 8.626
mutantur prospera uita,/non fit morte
miser. 8.632
poenas non morte minores /pendat 8.646
prohibent accersere mortem; . . 8.660
nil ultima mortis /ex habitu uoltuque
uiri mutasse fatentur 8.665
hac illum summo de culmine rerum /morte
petit 8.703
siquis placare peremptum /forte uolet
plenos et reddere mortis honores,/
inueniat trunci cineres 8.773
bustumque cadet, mortisque peribunt /
argumenta tuae. 8.868
potuit cernens tua funera, Magne, /non
fugere in mortem: 9.105
conposita in mortem iacuit fauitque
procellis. 9.116
nulli cognitus aeuo /luctus erat, mortem
populos deflere potentis. . . . 9.170
uocibus his maior,... /... generosam
uenit ad umbram /mortis honos. 9.217
mors eat in tutum; 9.234
me non oracula certum /sed mors certa
facit. 9.583
pocula morte carent.' 9.616
cur Libycus tantis exundet pestibus aer /
fertilis in mortes, ... 9.620
quam sopor aeternam tracturus morte
quietem /obruit haud totam: . . 9.671
quanto spirare ueneno /ora rear quantumque
oculos effundere mortis! 9.680
inde petuntur /huc Libycae mortes et
fecimus aspida mercem. 9.707
Cato ... / emetitur iter, tot ... fata
suorum /insolitasque uidens paruo cum
uolnere mortes. 9.736
accessit morti Libye, ... 9.753
nec sentit fatique genus mortemque

MORTALIS

ueneni, ...	9.758

sed tristior illo /mors erat ante oculos,
9.763
parua modo serpens, sed qua non ulla
cruentae /tantum mortis habet. 9.767
in minimum mors contrahit omnia uirus.
9.776
abstrusum fibris uitalibus omne /morte
patet. 9.780
nulloque dolore /testatus morsus subita
caligine mortem /accipis 9.817
quis fata putarit /scorpion aut uires
maturae mortis habere? 9.834
hinc torrente plaga, dubiis hinc Syrtibus
orbem /abrumpens medio posuisti limite
mortes. 9.862
pax illis cum morte data est. . . 9.898
extractamque potens gelido de corpore
mortem /expuit; 9.935
iam languida morte /effigies habitum noti
mutauerat oris. 9.1033
o bene rapta / arbitrio mors ista tuo!
9.1059
sumpturus poenas et grata piacula morti
10.462
Magni morte perit. 10.519
uix spes quoque mortis honestae. 10.539
MORS. tot mundi caruisse malis, praestare
deorum /excepta quis Morte potest? 5.230
quos petat e nobis, Mortem mihi coge
fateri. 6.601
MORSUS. inuadunt ... / et scabros nigrae
morsu robiginis enses. 1.243
et, desit si larga Ceres, tunc horrida
cerni /foedaque contingi maculato
attingere morsu. 3.348
et nimis adfixos unci conuellere morsus,
3.699
obliquusque caput uanas serpentis in
auras /effusae tuto conprendit guttura
morsu /letiferam citra saniem; 4.727
foliis (morsus) spoliare nemus letumque
minantis /uellere ab ignotis dubias
radicibus herbas. var.6.112
quae mollire queunt flamma, quae frangere
morsu, / ... / diripiens miles saturum
tamen obsidet hostem. 6.114
neruo morsus retinente pependit. 6.549
morsusque luporum /expectat siccis
raptura e faucibus artus. 6.552
morsu uirus habent et fatum dente
minantur, ... 9.615
nulloque dolore /testatus morsus subita
caligine mortem /accipis 9.817
gens unica terras /incolit a saeuo
serpentum innoxia morsu, ... 9.892
et cuius morsus superauerit anguis /iam
promptum Psyllis uel gustu nosse ueneni.
9.936

MORTALIS,-E. cur hanc tibi, rector Olympi,
/sollicitis uisum mortalibus addere
curam, ... 2.5
fertque refertque uices et habet mortalia
casus, ... 2.13
primaque cum uentis pelagique furentibus
undis /conposuit mortale genus, 3.196
ignarum mortale genus per fulmina tantum
/scire adhuc caelo solum regnare Tonantem.
3.319
mortales optare uetat; 5.106
mortalia nulli /sunt curata deo. 7.454

MORTALIS

et plaga, quam nullam superi mortalibus
ultra /a medio fecere die, calcatur, 9.605
omnia fato /eripis et populis donas
mortalibus aeuum. 9.981

MOS. intulit et rebus mores cessere secundis
1.161
et uos barbaricos ritus moremque sinistrum/
sacrorum, Dryadae, positis repetistis ab
armis. 1.450
haec propter placuit Tuscos de more
uetusto /acciri uates. 1.584
moremque nefandae /dirum saeuitiae,
pereuntis parcere morti. 2.179
quid tot durare per annos /profuit
inmunem corrupti moribus aeui? 2.257
quidquid Romani meruerunt pendere mores.
2.313
nec more Sabino /excepit tristis conuicia
festa maritus. 2.368
hi mores, haec duri inmota Catonis /secta
fuit, ... 2.380
pretiosaque uestis /hirtam membra super
Romani more Quiritis /induxisse togam,
2.386
quidquid parcorum mores seruastis
auorum, ... 3.161
neque enim de more carinas /extendunt
puppesque leuant, ... 4.417
perfudit membra liquore /hospes Olympiacae
seruato more palaestrae, ... 4.614
quando pietasque fidesque /destituunt
moresque malos sperare relictum est, 5.298
nec, sicut mos est miseris, trahere omnia
secum /mersa iuuat 7.654
morumque priorum /numen Romano templum
defendit ab auro. 9.520
et patriae uenturos excute mores. 9.559
femineae cui more comae per terga solutae
/surgunt aduersa subrectae fronte colubrae
9.632
pars ignea cocco, / ut mos est Phariis
miscendi licia telis. 10.126
terrarumque situs uolgique edissere mores
10.178
quos inter in alta /it conualle tacens
iam moribus unda receptis. . . 10.329
haud clara mouendis, /ut mos, signa dedit
castris 10.400
tanta obliuio mentis / cepit in externos
corrupto milite mores /ut duce sub
famulo ... irent 10.404
Thessaliae subducta acies in litore Nili
/more furit patrio. 10.413

MOSCHI. hinc Lacedaemonii, moto gens aspera
freno,/ Heniochi saeuisque adfinis
Sarmata Moschis; 3.270

MOTUS(subst.). ingentisque animo motus
bellumque futurum /ceperat. . . . 1.184
nos primi Senonum motus Cimbrumque
ruentem /uidimus 1.254
iustos Fortuna laborat /esse ducis motus
et causas inuenit armis. . . . 1.265
fulminis edoctus motus uenasque calentis
/fibrarum 1.587
et incerto discurrunt sidera motu, 1.643
Venerisque salubre /sidus hebet, motuque
celer Cyllenius haeret, ... 1.662
'non alios' inquit 'motus tum fata parabant
2.68
auolsae cecidere manus exsectaque lingua
/palpitat et muto uacuum ferit aera motu.

MOUEO
2.182

terror et in tanta pauidi formidine
motus /pars populi lugentis erat, 2.235
iam fama ferebat /saepe cauas motu terrae
mugire cauernas, ... 3.418
cetera bello /fata dedit uariis incertus
motibus aer. 4.49
ipse sub aurorae primos excedere motus /
signa iubet castris, ... 4.734
procerum motus haec cuncta secuntur; 5.342
sed mihi nec motus nemorum nec litoris
ictus /... placet 5.551
ad quorum motus non solum lapsa per altum
/aera dispersos traxere cadentia sulcos
/sidera, ... 5.561
Hesperiam potui motu surgente tenere,
6.322
et primo ferri motu prosternite mundum;
7.278
quone poli motu, quo caeli sidere uerso
/Thessalicae tantum, superi, permittitis
orae? 7.301
ergo utrimque pari procurrunt agmina motu
/irarum; 7.385
aequora senserunt motus 8.197
adde trucis Lepidi motus Alpinaque bella
8.808
tum respicit omnis /in coetu motuque
uiros; 9.225
in alta /it conualle tacens iam moribus
(motibus) unda receptis. . . . var.10.329
non uaesana Pothini /mens . . . 10.335
percussaque flamma /turbine non alio motu
per tecta cucurrit /quam solet... lampas
decurrere 10.501

MOUEO,-ERE. Cirrhaea uelim secreta mouentem/
sollicitare deum 1.64
morte tua discussa fides bellumque mouere
/permissum ducibus. 1.119
hos iam mota ducis uicinaque signa
petentes /audax uenali comitatur Curio
lingua, ... 1.268
dum mouet haec calidus spirantia corpora
sanguis 1.363
euocat et Romam motis petit undique signis.
1.395
destituatque ferens, an sidere mota
secundo /Tethyos unda uagae lunaribus
aestuet horis, ... 1.413
tu, quaecumque moues tam crebros causa
meatus, ... 1.418
signa mouet, gaudetque amoto Santonus
hoste 1.422
quos sectis Bellona lacertis /saeua mouet,
1.566
pars micat et celeri uenas mouet inproba
pulsu. 1.629
exclamat 'uix fas, superi, quaecumque
mouetis, ... 1.631
quem non stellarum Aegyptia Memphis
/aequaret uisu numerisque sequentibus
(mouentibus) astra, ... var.1.641
aut, si fata mouent, urbi generique
paratur /humano matura lues. . . 1.644
uix tanti fuerat ciuilia bella mouere
/ut neuter.' 2.62
densi uix agmina uolgi /inter et exangues
inmissa morte cateruas /uictores mouere
manus; 2.203
neuter ciuilia bella moueret . . . 2.231
liceat feralibus armis, /has etiam mouisse

```
manus. . . . . . . . . . . . . .    2.261
o superi, motura Dahas ut clade Getasque
/securo me Roma cadat. . . . . . .  2.296
irarum mouit stimulos iuuenisque calorem
                                    2.324
haec placuit belli sedes, hinc summa
mouentem /hostis in occursum sparsas
extendere partis, . . . . . . . .   2.394
et iam moturas ingentia pondera turris
                                    2.505
temptandasque ratus moturi militis iras
/adloquitur tacitas ueneranda uoce
cohortes. . . . . . . . . . . . .   2.529
quique feros mouit Sertorius exul Hiberos.
                                    2.549
cum totas Hadria uires /mouit et in nubes
abiere Ceraunia cumque . . . . . .  2.626
Euphraten Nilumque moue, quo nominis
usque /nostra fama uenit, . . . .   2.633
non anchora uoces /mouit, . . . .   2.694
propulit ut classem uelis cedentibus
Auster /incumbens mediumque rates mouere
profundum, . . . . . . . . . . .    3.2
certamen mouistis, opes), prohibensque
rapina . . . . . . . . . . . . .    3.121
damna mouent populos siquos sua iura
tuentur: . . . . . . . . . . . .    3.151
interea totum Magni fortuna per orbem /
secum casuras in proelia mouerat urbes.
                                    3.170
mouit et Eoos bellorum fama recessus,
                                    3.229
tum furor extremos mouit Romanus Orestas
                                    3.249
hinc Lacedaemonii, moto gens aspera freno,
                                    3.269
'uana mouet Graios nostri fiducia cursus.
                                    3.358
sed fortes tremuere manus, motique
uerenda /maiestate loci, . . . . .  3.429
mouit ab omni /quisque suam statione
ratem, . . . . . . . . . . . . .    3.524
ora metu, tantum nutu motoque salutant
/ense suos. . . . . . . . . . . .   4.173
addidit ira ferox moturas proelia uoces.
                                    4.211
quippe ubi non sonipes motus clangore
tubarum . . . . . . . . . . . . .   4.750
non arma mouendi /iam locus est pressis,
                                    4.781
uelut ensibus ipsis /imperet inuito
moturus milite ferrum. . . . . . .  5.367
illinc infestae classes et inertia tonsis
/aequora moturae, . . . . . . . .   5.449
imaque sensim /concussit pelagi mouitque
Ceraunia nautis. . . . . . . . . .  5.457
primus ab oceano caput exeris Atlanteo, /
Core, mouens aestus. . . . . . . .  5.599
motaque possunt /aequora subductis etiam
concurrere uentis. . . . . . . . .  5.606
intonuit motaque poli conpage laborant.
                                    5.633
signa mouet . . . . . . . . . . .   6.13
humanusque labor facilis,... / cedere
uel bellis uel cuncta mouentibus annis,
                                    6.21
mouit tantum uox illa furorem,      6.165
haerentis mota cute discutit hastas: 6.210
mouitque furorem /Pompeiana quies   6.282
palam est, propius iam fata moueri. 6.416
Thessalis, et contra 'si fata minora
```

```
moueres, /pronum erat, o iuuenis,   6.605
haec... / spesque metusque simul
perituraque uota mouebunt, . .      7.211
Caesar ... / ad segetum raptus moturus
signa repente /conspicit in planos hostem
descendere campos, . . . . . . . .  7.236
haec est illa dies mihi quam Rubiconis ad
undas /promissam memini, cuius spe
mouimus arma, . . . . . . . . . .   7.255
barbaries, non illa tubas, non agmine
moto /clamorem latura suum. . .     7.273
Armeniosne mouet Romana potentia cuius
/sit ducis, . . . . . . . . . . .   7.281
uestri cura mouet; . . . . . . .    7.308
Pompeius in arto /agmina uestra loco
uetita uirtute moueri /cum tenuit, quanto
satiauit sanguine ferrum! . . .     7.316
quidquid ... / sub Noton et Borean hominum
sumus, arma mouemus. . . . . . .    7.364
uixque habitura locum dextras ac tela
mouendi /constiterat . . . . . .    7.494
emittit subitum non motis cornibus agmen.
                                    7.524
iuuentus /bella gerit ferrumque manus
mouere rogatae: . . . . . . . . .   7.549
capuloque manus absente mouentur.   7.767
tecta domosque /deseruere ... quidquid
nare sagaci /aera non sanum motumque
cadauere sentit. . . . . . . . . .  7.830
nec terram quisquam mouisset arator,
/Romani bustum populi, . . . . . .  7.861
pauet ille fragorem /motorum uentis
nemorum, . . . . . . . . . . . .    8.6
Pompeiumque minus, cuius fortuna dolorem
/mouerat, ... / ... discedere cernens /
ingemuit populus; . . . . . . . .   8.151
fatis nimis aemula nostris /fata mouent
Medos, . . . . . . . . . . . . .    8.308
bustum cineresque mouere /Thessalicos
audes . . . . . . . . . . . . . .   8.529
hoc leges Campumque et rostra mouebat,
                                    8.685
nautaque ne bustum religato fune moueret
/inscripsit sacrum semusto stipite nomen:
                                    8.791
quis sacris dignam mouisse uerebitur
umbram? . . . . . . . . . . . . .   8.841
cum poscere finem/...Roma uolet.../
ignibus aut nimiis aut terrae tecta
mouenti, . . . . . . . . . . . .    8.848
puppes luctus ... ferebant /et mala uel
duri lacrimas motura Catonis.       9.50
signa per orbem/Sexte, paterna moue; 9.85
illam non ... /mouit et exurgens ad summa
pericula clamor, . . . . . . . . .  9.114
cum Tarcondimotus (Tarchon motus)linquendi
signa Catonis /sustulit. . . . .var.9.219
concuteret terras orbemque a sede moueret,
/ si ... Libye... /clauderet ... Austrum
                                    9.466
sic illa profecto /sacrifico cecidere
Numae, quae lecta iuuentus /patricia
ceruice mouet: . . . . . . . . . .  9.479
Iuppiter est quodcumque uides, quodcumque
moueris. . . . . . . . . . . . .    9.580
Eumenidum crines solos mouere furores,
                                    9.642
hic quae prima caput mouit de puluere
tabes /aspida ... leuauit. . . . .  9.700
quaecumque foramina nouit (mouit) /umor,
ab his largus manat cruor; . . var.9.811
```

MOUEO

 secreta quid arma /mouit et inseruit
nostro sua tela labori? . . .   9.1072
quis te... / moturum totas uiolenti
gurgitis iras, /Nile, putet? . . 10.316
non sanguine clari /(quid refert?) nec
opes populorum et regna mouemus: 10.383
haud clara mouendis, /ut mos, signa dedit
castris 10.399
ciuilia bella satelles /mouit, . . 10.419
missusque satelles /... ut ... absentis
uoce tyranni /corriperet famulos, quo
bellum auctore mouerent. 10.470
non aries uno moturus limina pulsu 10.480

MOX. mox ait 'o magnae qui moenia prospicis
urbis 1.195
mox, ubi se saeuae stimulauit uerbere
caudae 1.208
mox iubet et totam pauidis a ciuibus
urbem /ambiri 1.592
mox uincula ferri /exedere senem longusque
in carcere paedor. 2.72
mox, ubi conubii pretium mercesque soluta
est /tertia iam suboles, ... 2.330
mox reddita uictor /quoslibet in saltus
comitantibus agmina tauris /inuito pastore
trahit, ... 2.605
mox uda receptis /membra fouent armis
             4.152
mox ut stimulis maioribus ardens /rupit
amor leges, ... 4.174
mox robora neruis /et uires rediere uiris.
             4.372
et (mox) reddita malo /in mediam cecidere
ratem, ... var .5.431
mox, ubi percussit tensas Notus altior
alas, ... 5.714
mox Lelegum dextra pressum descendit
aratrum, ... 6.383
turbae sed mixtus inerti /Sextus erat,...
/cui mox Scyllaeis exul grassatus in undis
/polluit aequoreos Siculus pirata
triumphos. 6.421
mox cetera cantu /explicat Haemonio 6.693
primusque a litore Lesbi /occurrit
gnatus, procerum mox turba fidelis. 8.205
mox, ubi damnosum radios admouerit aeuum,
/tellus Syrtis erit; 9.316
mox te deserta secantem, /... /mollis
lapsus agit. 10.313

MUCRO. iamque hebes et crasso non asper
sanguine mucro /... /perdidit ensis opus,
             6.186
nec uidit recto gladium mucrone tenentem,
             6.237
nec gladiis habuere fidem, nisi cautibus
asper /exarsit mucro; 7.140
inspicit et gladios,... / qui niteant
primo tantum mucrone cruenti, . . . 7.561
sed, postquam mucrone latus funestus
Achillas /perfodit, nullo gemitu consensit
ad ictum 8.618

MUGIO,-IRE. iam fama ferebat /saepe cauas motu
terrae mugire cauernas, ... 3.418

MULCIBER. ora ferox Siculae laxauit Mulciber
Aetnae, ... 1.545
nec secus in Siculis fureret tua flamma
cauernis,/obstrueret summam siquis tibi,
Mulciber, Aetnam. 10.448

MULTIFIDUS,-A,-UM. multifidas iaculata faces.
             2.687
sparsamque profundo /multifidi Peucen

MULTUS

unum caput adluit Histri, ... 3.202
rursus multifidas reuocat piger alueus
undas, ... 10.311

MULTIPLEX. multiplices cinxere rates, 3.532

MULTUS,-A,-UM. horrida quod dumis multosque
inarata per annos 1.28
multum Roma tamen debet ciuilibus armis
             1.44
multa dare in uolgus, ... 1.132
nec reparare nouas uires, multumque priori
/credere fortunae. 1.134
hinc ... / et concussa fides et multis
utile bellum. 1.182
gurgite ductus /per tam multa suo, famae
maioris in amnem /lapsus 1.400
inuoluens multaque tegens ambage canebat.
             1.638
extremi multorum tempus in unum /conuenere
dies. 1.650
multosque exibit in annos /hic furor.
             1.668
duc, Roma, malorum /continuam seriem
clademque in tempora multa 1.671
debet multas hic legibus aeui /ante suam
mortes: 2.82
stat cruor in templis multaque rubentia
caede /lubrica saxa madent. . . . 2.103
cum iam tabe fluunt confusaque tempore
multo 2.166
quamquam agitant grauiora metus, multumque
coitur 2.225
multisne rebellis /Gallia iam lustris
aetasque inpensa labori /dant animos?
             2.568
multum cum pontibus ausis /Europamque
Asiae Sestonque admouit Abydo 2.673
tunc aggere multo /surgit opus 2.678
portitor; in multas laxantur Tartara
poenas; 3.17
tum conditus imo /eruitur templo multis
non tactus ab annis 3.156
seruat multos fortuna nocentis . . 3.448
nullique (multique) peremoti / in ratibus
cecidere suis. var.3.571
telaque multorum leto casura suorum /
emerita iam morte tenet. 3.621
tum uolnere multo /effugientem animam
lassos collegit in artus 3.622
strage uirum cumulata ratis multoque
cruore /plena per obliquum crebros latus
accipit ictus 3.627
multaque ponto /praebuit ille dies
uarii miracula fati. 3.633
haeserunt ibi fata diu, ... 3.645
multi inopes teli iaculum letale
reuolsum / uolneribus traxere suis 3.676
multus sua uolnera puppi /adfixit moriens
             3.707
Martem saeuus agit non multa caede
nocentem 4.2
Caesaris arma natant, impulsaque gurgite
multo /castra labant; 4.88
et dum multa negant, quod solum fata
petebant, ...4.203
multo disturbat sanguine pacem. . . 4.210
quique fluat multo non derit uolnere
sanguis, ... 4.216
tu, Caesar, quamuis spoliatus milite
multo, / agnoscis superos; 4.254
tunc exhausta super multo sudore iuuentus
/extrahitur 4.303

continuus multis subitarum tractus aquarum
/aera non passus uacuis discurrere uenis
                              4.368

abscidit nostrae multum fors inuida
laudi, ... 4.503
multumque cruorem /infudere mari. 4.567
cognita per multos docuit rudis incola
patres. 4.592
conseruere manus et multo bracchia nexu;
                              4.617
multum frustraque rogatus /ut Libycas
metuat fraudes 4.735
multosque obducta per annos /Delphica
fatidici reserat penetralia Phoebi. 5.69
indignata suum multis seruire furorem
                              5.184
sic muta (multa) leuant suspiria uatem.
                     var.5.218
quidquid multis peccatur inultum est.
                              5.260
multosque per annos /dilectus tibi, Magne
socer ... / ...te ... propius non uidit,
                              5.472
'multa quidem prohibent nocturno credere
ponto. 5.540
longo per multa uolumina tractu /aestuat
unda minax, ... 5.565
ibi sanguine multo /promotus Latiam
longo gerit ordine uitem, ... 6.145
ergo abrupta palus multos discessit in
amnes. 6.360
timens, ne ... / Emathis et tellus tam
multa caede careret, /... / ... uetuit
transmittere bella Philippos, . . 6.580
si praenoscere casus /contentus,
facilesque aditus multique patebunt /ad
uerum: 6.616
fata peremptorum pendent iam multa
uirorum, ... 6.632
tum uox ... /... confundit murmura primum
/dissona et humanae multum discordia
linguae. 6.687
tunc robore multo /extruit illa rogum;
                              6.824
multos in summa pericula misit /uenturi
timor ipse mali. 7.104
multorum pallor in ore /mortis uenturae
                              7.129
multis concurrere uisus Olympo /Pindus
                              7.173
nec sanguine multo /spem mundi petitis:
                              7.269
haud multum terrae spatium restabat
Eoae. 7.423
nullaque tantorum discat me uate malorum,
/quam multum bellis liceat ciuilibus,
aetas. 7.554
uolnera multorum totum fusura cruorem /
opposita premit ipse manu. . . . 7.566
ac se tam multo pereuntem sanguine uidit.
                              7.653
scilicet inmenso superest ex nomine
multum, ... 7.717
multi, Pharsalica castra /cum peterent...
/occursu stupuere ducis 8.14
multusque in pectore uano est /Hannibal,
                              8.285
stridula sed multo saturantur tela
ueneno; 8.304
multumque in gente deorum est. . . 8.308
'ius et fas multos faciunt, Ptolemaee,

---

nocentes; 8.484
dic ... /... ter curribus actis /
contentum multos patriae donasse
triumphos. 8.815
tristis, ut in multo mens est praesaga
timore, /aspexit patrios comites a litore
Magnus /et fratrem; 9.120
'ciuis obit' inquit 'multum maioribus
inpar /nosse modum iuris, . . . 9.190
clarum et uenerabile nomen /gentibus et
multum nostrae quod proderat urbi. 9.203
et post multa sonant proiecti litora
fluctus: 9.309
uix tollere miles /membra ualet multo
congestu pulueris haerens. . . . 9.487
multaque deuexo terrarum margine celat.
                              9.497
petit famae mirator ... /... / Rhoetion
et multum debentis uatibus umbras. 9.963
multas uolucresque ferasque /Aegypti
posuere deos, ... 10.158
multumque madenti /infudere comae ...
/cinnamon 10.165
quae quamuis arbore multa/frondeat,
aestatem nulla sibi mitigat umbra, 10.304
cuncta fremunt undis, ac multo murmure
montis 10.321
ac multa secundo /proelia Marte gerunt.
                             10.531

MUNDA. ultima funesta concurrant proelia
Munda, ... 1.40
non Vticae Libye clades, Hispania Mundae
/flesset 6.306
et ceu Munda nocens Pharioque a gurgite
clades, /sic et Thessalicae post te pars
maxima pugnae /... / libertas et Caesar,
erit; 7.692

MUNDUS. quis deus esse uelis, ubi regnum
ponere mundi. 1.52
saecula tot mundi suprema coegerit hora
                              1.73
totaque discors /machina diuolsi turbabit
foedera mundi. 1.80
aetheris inpulsi sonitu mundique fragore
                              1.152
namque, ut opes nimias mundo fortuna
subacto /intulit 1.160
quaerite, quos agitat mundi labor; 1.417
'aut hic erat' ... / mundus et incerto
discurrunt sidera motu, ... 1.643
toto fluerent incendia mundo . . . 1.656
cur signa meatus /deseruere suos mundoque
obscura feruntur, ... 1.664
manifestaque belli /signa dedit mundus
                              2.2
fatorum inmoto diuisit limite mundum, 2.11
coniuret in arma /mundus, ... 2.49
tum cum paene caput mundi rerumque
potestas /mutauit translata locum, 2.136
pacemne tueris /inconcussa tenens dubio
uestigia mundo, ... 2.248
hos ferro fugienda fames mundique ruinae
/permiscenda fides. 2.253
sidera quis mundumque uelit spectare
cadentem 2.289
terra labet mixto coeuntis pondere mundi,
                              2.291
hunc quoque totius sibi ius promittere
mundi /non bene conpertum est: 2.321
nec sibi sed toti genitum se credere
mundo. 2.383

pars mundi mihi nulla uacat, sed tota
tenetur 2.583
'mundi iubeo temptare recessus: 2.632
sufficerent aliis ... / ipsa, caput
mundi, bellorum maxima merces, 2.655
qua uertice lapsus / Riphaeo Tanais
diuersi nomina mundi /inposuit ripis 3.273
nec si horret iners scelerum contagia
mundus 3.322
quamuis Hesperium mundi properemus ad
axem /Massiliam delere uacat. 3.359
quodque uirum toti properans inponere
mundo /hos perdit Fortuna dies! 3.393
uersus ad Hispanas acies extremaque mundi
/iussit bella geri. 3.454
nubes ... / nec medio potuere graues
incumbere mundo 4.69
sic mundi pars ima iacet, . . . 4.106
sic, o summe parens mundi, sic, sorte
secunda /aequorei rector, facias,
Neptune tridentis, ... 4.110
et tendit in ultima mundi. 4.147
o rerum mixtique salus Concordia mundi
4.190
Magne, paras acies mundique extrema
tenentis 4.233
felix qui potuit mundi nutante ruina
/quo iaceat iam scire loco. . . . 4.393
uires / exciuit, Libycas gentis,
extremaque mundi /signa suum comitata
Iubam. 4.669
mundoque futuri / conscius, . . . 5.89
mundique in deuia uersum /duxit iter,
5.133
non prima dies, non ultima mundi, / non
modus Oceani, numerus non derat harenae.
5.181
custodes tripodes fatorum arcanaque mundi
/...suprema ruentis/imperii.../cur aperire
times? 5.198
iure sed incerto mundi subsidere regum
/Chalcidos Euboicae uana spe rapte
parabas. 5.226
tot mundi caruisse malis, praestare
deorum /excepta quis Morte potest? 5.229
miserique fuit spes inrita mundi 5.469
'o mundi tantorum causa laborum, 5.481
inde ruunt toto concita pericula mundo.
5.597
a magno uenere mari, mundumque coercens
5.619
quod tanta mundi nondum periere ruina.
5.637
mundi iam summa tenentem /permisisse
mari tantum! 5.694
sub ictu /fortunae quo mundus erat
Romanaque fata, ... 5.730
pudet ... / eque tuo, quatiunt miserum
cum classica mundum, /surrexisse sinu.
5.751
funestam mundo uotis petit omnibus horam
6.6
tot potuere manus ... / aut aliquem mundi,
... / in melius mutare locum. 6.59
iam mundi iura patebant: 6.139
torpuit et praeceps audito carmine mundus,
6.463
an habent haec carmina certum /imperiosa
deum, qui mundum cogere quidquid /
cogitur ipse potest? 6.498
tot mortes habitura suas usuraque mundi /

sanguine: 6.583
at, simul a prima descendit origine
mundi /causarum series, ... 6.611
non Taenariis sic faucibus aer / sedit
iners, maestum mundi confine latentis /
ac nostri, ... 6.649
herbas / addidit et quidquid mundo dedit
ipsa ueneni. 6.684
et Chaos innumeros auidum confundere
mundos /... /exaudite preces. . 6.696
tibi, pessime mundi /arbiter, inmittam
ruptis Titana cauernis, ... 6.742
et stupet inlatus mundo. 6.760
nam uera locutum /inmunem toto mundi
praestabimus aeuo /artibus Haemoniis:
6.764
ille quoque incertus ... / quas iubeat
uitare plagas,quae sidera mundi. 6.816
regesque tui cum supplice mundo /adfusi
uinci socerum patiare rogamus. 7.70
quid mundi gladios a sanguine Caesaris
arces? 7.81
placet haec tam prospera rerum /
tradere fortunae, gladio permittere mundi
/discrimen; 7.108
Romanus ... / sub quocumque die, quocumque
est sidere mundi, / maeret et ignorat
causas 7.189
spectari toto potuit Pharsalia mundo.
7.204
eripe uictori gentis et sanguine mundi
/fuso, Magne, semel totos consume
triumphos. 7.233
'o domitor mundi, rerum fortuna mearum,
/miles, adest totiens optatae copia
pugnae. 7.250
nec sanguine multo /spem mundi petitis:
7.270
et primo ferri motu prosternite mundum;
7.278
si socero dare regna meo mundumque
pararent, /praecipitare meam fatis
potuere senectam: 7.352
nulloque frequentem / ciue suo Romam
sed mundi faece repletam / cladis eo
dedimus, ... 7.405
Fortuna ... dum munera longi (mundi)/
explicat eripiens aeui populosque ducesque
/constituit campis, ... var.7.416
scit... / unde petat Romam, libertas
ultima mundi / quo steterit ferunda loco.
7.580
inpendisse pudet lacrimas in funere
mundi /mortibus innumeris, ... 7.617
in totum mundi prosternimur aeuum. 7.640
stante potest mundo Romaque superstite
Magnus /esse miser. 7.660
tam mala Pompei quam prospera mundus
adoret. 7.708
inuenere quidem spoliato plurima mundo
/... congestae pondera massae, 7.752
communis mundo superest rogus ossibus
astra / mixturus. 7.814
bis nocui mundo: 8.90
mundi nomine gaudens /esse fidem 'nullum
... dixit ... /gratius esse solum ...
uobis /ostendi: 8.128
uigiles Pompei pectore curae /... adeunt
... /... nunc inuia mundi /arua super
nimios soles Austrumque iacentis. 8.163
iubet ire in deuia mundi /Deiotarum, 8.209

quanto igitur mundi dominis securius
aeuum /uerus pauper agit! . . . 8.242
sed me ... tueri /... potest ... / et
nomen quod mundus amat. 8.276
diuidit Euphrates ingentem gurgite mundum
8.290
uolgati supra commercia mundi /naufragium
fortuna ferat: 8.312
una dies mundi damnauit fata? . . 8.332
quid transfuga mundi, /... /auersosque
polos alienaque sidera quaeris, . . 8.335
quidquid ad Eoos tractus mundique teporem
/ibitur, emollit gentes clementia caeli.
8.365
gens unica mundi est / de qua Caesareis
possim gaudere triumphis. 8.429
sic fata premunt ciuilia mundum? 8.544
non domitor mundi nec ter Capitolia
curru /inuectus ... /... Roma erat: 8.553
dubiumque manebat /quem dominum mundi
facerent ciuilia bella, ... 9.20
Syrtes uel, primam mundo natura figuram
/cum daret, in dubio pelagi terraeque
reliquit 9.303
uadimus in campos steriles exustaque mundi,
9.382
quem mundi barbara damnis /Syrtis alit.
9.440
sic cum toto commercia mundo /naufragiis
Nasamones habent. 9.443
hoc potuit caelo pelagoque minari /
torporem insolitum mundoque obducere
terram. 9.648
arcani miles tibi conscius orbis /claustra
ferit mundi. 9.865
uel famam consule mundi. 9.1030
concordia mundo /nostra perit. . 9.1097
an eriperet mundo Memphiticus ensis /
uictoris uictique caput. . . . 10.5
non utile mundo /editus exemplum, 10.26
isset in occasus mundi deuexa secutus
10.39
fuit dubius ... casus,/an mundum ne nostra
quidem matrona teneret. 10.67
sat fuit indignum, Caesar, mundoque
tibique 10.102
non sit licet ille nefando /Marte paratus
opes mundi quaesisse ruina; . . . 10.150
discit opes Caesar spoliati perdere mundi
10.169
quis dignior umquam /hoc fuit auditu
mundique capacior hospes? 10.183
sideribus,... /... diuersa potentia prima
/mundi lege data est. 10.201
neu terras dissipet ignis /Nilus adest
mundo 10.233
sic opus est mundo. 10.239
trahitur Gangesque Padusque /per tacitum
mundi: 10.253
quasdam, Caesar, aquas post mundi sera
peracti /saecula concussis terrarum
erumpere uenis /... reor, . . . 10.263
uenit ad occasus mundique extrema
Sesostris 10.276
linea tam rectum mundi ferit illa Leonem.
10.306
mittet ad umbras /quod debetur adhuc
mundo caput. 10.393
sed neque ius mundi ualuit nec foedera
sancta /gentibus,... /quin caderet ferro.
10.471

MUNIA. sed, postquam languida se segni /
cernit cuncta metu nocturnaque munera
ualli 4.700
consul uterque uagos belli per munia
patres / elicit Epirum. . . 5.8
MUNIMEN. et subitus rapti munimine caespitis
agger /praebet securos intra tentoria
somnos: 1.517
haec patiens longo munimine cingi /
uisa duci rupes tutisque aptissima
castris. 3.377
per Romana tulit celeri munimina cursu.
3.502
sed munimen habet nullo quassabile ferro
6.22
transierat primi Caesar munimina ualli,
6.290
MUNIO,-IRE. iubet ... / munitumque latus
laeuo praeducere gyro. 4.45
haud procul inde domus,... /... /et latus
inuersa nudum munita phaselo. . 5.518
MUNUS. summi tum munera pili / Laelius 1.356
'uiue, licet nolis, et nostro munere'
dixit 2.512
lucis rumpe moras et Caesaris effuge
munus'. 2.525
quique colunt Pitanen, et quae tua
munera, Pallas, ... 3.205
obuia praebentur fatorum munere bella.
3.361
hoc quoque tam uastas cumulauit munere
uires /Terra sui fetus, ... 4.598
ueluti fatalis harenae /muneribus non ira
uetus concurrere cogit 4.709
o munera nondum /intellecta deum! 5.528
a miser, extremum cui mortis munus inique
/eripitur, ... 6.724
uix cuncta locuto /Caesare quemque
suum munus trahit, ... 7.330
Fortuna ... dum munera longi /explicat
eripiens aeui populosque ducesque /
constituit campis, ... 7.416
promittunt munera flentes, ... 7.715
nec munere Magni /stant semel Arsacidae;
8.232
moriar, nec munere regis. 8.653
extremo sed abest a munere busti / infelix
coniunx 8.741
hospitii fretus superis et munere tanto
/in proauos, cecidit donati uictima
regni. 9.131
ite, o degeneres, Ptolemaei munus et arma
/spernite. 9.268
ducite Pompeios, Ptolemaei uincite munus.
9.278
non primo Caesar damnauit munera uisu
9.1035
fratrique tuum pro munere tali /misissem,
Cleopatra, caput. 9.1070
uixitque Pothini /munere Phoebeos Caesar
dilatus in ortus. 10.433
MURALIS,-E. obruat aut uasti muralia pondera
saxi, ... 6.199
MUREX. desertus Orontes /... et Tyros
instabilis pretiosaque murice Sidon. 3.217
MURMUR. erexitque iubam et uasto graue murmur
hiatu /infremuit, ... 1.209
rura silent, mediusque tacet sine murmure
pontus, ... 1.260
dixerat; at dubium non claro murmure
uolgus /secum incerta fremit. . . 1.352

MURMUR

    tum pecudum faciles humana ad murmura
    linguae, ... 1.561
    Arruns dispersos fulminis ignes /colligit
    et terrae maesto cum murmure condit /
    datque locis numen; 1.607
    nam murmure uasto /inpulsum rostris
    sonuit mare, ... 2.701
    nullo confusae murmure uocis /instinctam
    sacro mentem testata furore, . . 5.149
    gemitus et anhelo clara meatu /murmura,
    . . . . 5.192
    non pauidum iam murmur erat . . 5.255
    si murmura ponti /consulimus, Cori ueniet
    mare. 5.571
    infandum tetigit cum sidera murmur,/...
    /abducet superos alienis Thessalis aris.
    . . . . 6.448
    linguam /praemordens gelidis infudit
    murmura labris 6.568
    tum uox ... /... confundit murmura primum
    /dissona 6.686
    set murmure nullo /ora astricta sonant:
    . . . . 6.760
    uicerat astra iubar, cum mixto murmure
    turba /castrorum fremuit 7.45
    sic fatus murmure sensit /consilium
    damnasse uiros; 8.327
    Pharioque ueruto,/dum ... os in murmura
    pulsant /singultus animae,... /suffixum
    caput est, ... 8.682
    hanc,... deus quem toto litore pontus /
    audit uentosa perflantem marmora(murmura)
    concha,/... amat, ...var.9.349
    plurima tunc uoluit spumanti carmina
    lingua /murmure continuo, ... 9.928
    et incerto turbatas murmure uoces/
    accipit, ... 9.1008
    multo murmure montis /spumeus inuitis
    canescit fluctibus amnis. 10.321
MURRA. non auro murraque bibunt, sed gurgite
    puro /uita redit. 4.380
MURRUS. quid prodest miseri basiliscus cuspide
    Murri /transactus? 9.828
MURUS urbibus Italiae lapsisque ingentia
    muris 1.25
    fraterno primi maduerunt sanguine muri.
    . . . . 1.95
    tu quoscumque uoles in planum effundere
    muros, ... 1.383
    uelut unica rebus /spes foret adflictis
    patrios excedere muros, ... 1.497
    nox una tuis non credita muris. . . 1.520
    saxorumque orbes et quae super eminus
    hostem /tela petant altis murorum turribus
    aptant. 2.452
    at te Corfini ualidis circumdata muris
    /tecta tenent, pugnax Domiti; . . 2.478
    'non satis est muris latebras quaesisse
    pauori? 2.494
    mediis subrepit uinea muris: . . . 2.506
    murisque recepti /praecipiti cursu flexi
    per cornua portus / ora petunt 2.705
    nostrisque uelis te credere muris. 3.331
    si claudere muros /obsidione paras et
    ui perfringere portas, ... 3.342
    haut procul a muris tumulus surgentis in
    altum /telluris paruum diffuso uertice
    campum /explicat: 3.375
    muris sed clausa iuuentus /exultat; 3.446
    credidit et muros mirata est stare
    iuuentus. 3.461

MUTO

    ut tamen hostiles densa testudine muros
    /tecta subit uirtus, ... 3.474
    aries ... / incussus densi conpagem
    soluere muri /temptat 3.491
    eruerent, nulli uallarent oppida muri,
    . . . . 4.224
    quibus hoc contingere templis /aut potuit
    muris, nullo trepidare tumultu /Caesarea
    pulsante manu? 5.530
    nec caespite tantum /contentus fragili
    subitos attollere muros 6.33
    nunc uetus Iliacos attollat fabula muros/
    ascribatque deis; 6.48
    duro contraria pectora conto / detrudit
    muris, ... 6.175
    ut primum cumulo crescente cadauera murum
    /admouere solo, ... 6.180
    stat non fragilis pro Caesare murus
    . . . . 6.201
    inuenit inpulsos presso iam puluere muros,
    . . . . 6.280
    agminaque interius muro breuiore recepit,
    . . . . 6.288
    toto populi qui nascimur orbe /nec muros
    inplere uiris nec possumus agros: 7.401
    tu quoque deuotos sacro tibi foedere
    muros /oramus ... dignere uel una /nocte
    tua: 8.112
    nec se committere muris /ausus adhuc ullis
    te primum, parua Phaseli,/Magnus adit;
    . . . . 8.250
    arcu fregere .../Bactraque Medorum sedem
    murisque superbam /Assyrias Babylona domos.
    . . . . 8.299
    Parthoque sequenti /murus erit quodcumque
    potest opstare sagittae. 8.379
    proximus in muros et moenia Cyrenarum /
    est labor: 9.297
    saxa tulit penitus discussis proruta muris
    . . . . 9.490
    magnaque Phoebei quaerit uestigia muri.
    . . . . 9.965
    cum procul a muris acies non sparsa
    maniplis /nec uaga conspicitur, 10.436
    ceu puer inbellis ceu captis femina
    muris, /quaerit tuta domus; . . .10.458
    fata uetant, murique uicem Fortuna tuetur.
    . . . . 10.485
    insula ... /... at nunc est Pellaeis
    proxima muris. 10.511
    solus apertis /obsedit muris calcantem
    moenia Magnum. 10.546
MUSA. nam, siquid Latiis fas est promittere
    Musis, /... uenturi me teque legent; 9.983
MUSCULUS. femorum quoque musculus omnis
    /liquitur, ... 9.771
MUTATOR. aut Arabum portus mercis mutator
    Eoae, /... petet, ... 8.854
    uarii mutator circulus anni /Aegoceron
    Cancrumque tenet, ... 10.212
MUTINA. his, Caesar, Perusina fames Mutinaeque
    labores /accedant 1.41
    et Mutina et Leucas puros fecere
    Philippos. 7.872
MUTO,-ARE. telluremque nihil mutato sole
    timentem 1.49
    uiderunt.../...crinemque timendi/sideris
    et terris mutantem regna cometen. 1.529
    qua mare Lagei mutatur gurgite Nili: 1.684
    mutauit translata locum, ... 2.137
    mutarim primas expulsa an tradita taedas.

2.345
nequid fatis mutare liceret, . . . 2.651
fortuna est mutata toris, ... 3.21
aut facilis labor est longinqua ad tela
parati /tormenti mutare modum; 3.480
ast aliae mutato remige puppes /uictores
uexere suos; 3.754
momentumque fuit mutatus Curio rerum
4.819
non umquam perdidit ordo /mutato sua iura
solo. 5.30
nam fixa canens mutandaque nulli /
mortales optare uetat; 5.105
saepe dedit sedem totas mutantibus urbes,
/ut Tyriis, ... 5.107
Euripusque trahit, cursum mutantibus undis,
/Chalcidicas puppes 5.235
qui me committere tantis /non nisi
mutato uoluerunt milite bellis. . . 5.353
castraque Caesareo circumdatus aggere
mutat: 6.44
tot potuere manus...∕...aliquem mundi,...
/in melius mutare locum. 6.60
mutandaeque iuuat permissa licentia terrae.
6.271
omnia fata laborant /si quicquam mutare
uelis, ... 6.613
teque deis,... /... Hecate ... /ostendam
faciemque Erebi mutare uetabo. . . 6.738
Pallanaea Ioui mutauit fulmina Cyclops.
7.150
nulla manus, belli mutato iudice, pura
est. 7.263
nec libuit mutare locum. 7.466
non alio mutentur sanguine fontes; 7.537
inspicit ... /... quis uoltum ciue
perempto /mutet; 7.565
uos, quae Nilo mutare soletis /Threicias
hiemes,... serius .../istis, aues. 7.832
cunctos mutare putares / tellurem
patriaeque solum: 8.147
aequora senserunt motus ... /... nec idem
spectante carina /mutauere sonum. 8.199
ne pigeat ... / Medorum penetrare domos
... /et totum mutare diem, ... 8.217
mutantur prospera uita, /non fit morte
miser. 8.631
nil ultima mortis /ex habitu uoltuque
uiri mutasse fatentur 8.666
iam languida morte /effigies habitum
noti mutauerat oris. 9.1034
mutat nocte diem, ... 10.202
MUTUS,-A,-UM. et tacito mutos uoluunt in
pectore questus. 1.247
auolsae cecidere manus exsectaque lingua/
palpitat et muto uacuum ferit aera motu.
2.182
muto Parnasos hiatu /conticuit pressitque
deum, ... 5.131
sic muta leuant suspiria uatem. . . 5.218
MUTUUS,-A,-UM. mutua conspicuos habuerunt
lumina uoltus, ... 4.170
sic mutua pacti /fata cadunt iuuenes,
4.556
MYCENAE. qualem fugiente per ortus /sole
Thyesteae noctem duxere Mycenae. 1.544
MYCENAEUS,-A,-UM. parua Mycenaeae quantum
sacrata Dianae /distat ab excelsa
nemoralis Aricia Roma, ... 6.74
MYSIA. deseritur ... /... / Mysiaque et
gelido tellus perfusa Caico . . . 3.203

MYTILENAEUS,-A,-UM. quis Mytilenaeas poterit
nescire latebras? 5.786
tunc Mytilenaeum pleno iam litore uolgus
/adfatur Magnum. 8.109

N

NABATAEUS,-A,-UM. torsit in occiduum
Nabataeis flatibus orbem, ... 4.63
NAIS. aspicit ... /... quo uertice Nais /
luxerit Oenone: 9.972
NAM. 1.99;1.111;1.350;1.618;1.660;1.674;var.
2.214;2.275;2.492;2.701;3.427;3.681;4.22;
4.205;4.472;4.526;4.658;4.713;5.12;5.23;
5.105;5.116;5.240;5.256;5.391;5.471;5.541;
5.612;5.643;5.749;5.797;5.811;6.23;6.102;
6.250;6.651;6.763;7.9;7.152;7.308;
7.542;8.141;8.206;8.252;8.386;8.414;8.420;
8.642;8.667;8.851;9.51;9.141;9.232;9.305;
9.317;9.351;9.417;9.441;9.447;9.523;
9.554;9.637;9.767;9.841;9.925;9.983;
10.25;10.358;10.530
NAMQUE. 1.160;2.246;3.56;3.98;4.420;4.500;
4.583;5.385;6.510;6.579;8.284;9.85
NAR. qua Nar Tiberino inlabitur amni 1.475
NARDUS. accipiunt sertas nardo florente
coronas 10.164
NARIS. hic aures, alius spiramina naris
aduncae /amputat, ... 2.183
tecta domosque /deseruere ... et quidquid
nare sagaci /aera non sanum motumque
cadauere sentit. 7.829
ora redundant /et patulae nares; 9.813
NASAMON. Maurus, inops Nasamon, mixti
Garamante perusto 4.679
segne solum raras ... exerit herbas /
quas Nasamon, gens dura, legit, 9.439
sic cum toto commercia mundo /naufragiis
Nasamones habent. 9.444
regna uidet pauper Nasamon errantia
uento 9.458
NASCOR,-I. et gens siqua iacet nascenti
conscia Nilo. 1.20
'o miserae sortis, quod non in Punica nati
/tempora Cannarum fuimus Trebiaeque
iuuentus. 2.45
non ... piguit ... /infantis miseri
nascentia rumpere fata. 2.107
subrepsit partemque tulit sibi nata
uoluptas. 2.391
ostia nascenti contraria soluere Phoebo
/audet 3.231
pallida Dictaeis, Caesar, nascentia saxis
/infundas aconita palam, ... 4.322
Pelion opponit radiis nascentibus umbras;
6.336
et, quibus os dirum nascentibus inspuit,
herbas /addidit 6.683
haec libera nasci, /haec uolt turba mori.
7.375
toto populi qui nascimur orbe /nec muros
inplere uiris nec possumus agros: 7.400
proxima quid suboles aut quid meruere
nepotes / in regnum nasci? . . . 7.643
post proelia natis /si dominum, Fortuna,
dabas, et bella dedisses. 7.645
omnis, in Arctois populus quicumque

NASCOR
    pruinis /nascitur, indomitus bellis et
    mortis amator: 8.364
    Parthorum dominus quotiens sic sanguine
    mixto /nascitur Arsacides! . . . 8.409
    nullas cui praetulit aras /undae diua
    memor Paphiae, si numina nasci /credimus
    8.458
    uertat aquas Nilus quo nascitur orbe
    retentus, ... 8.828
    hanc et Pallas amat, patrio quae uertice
    nata /terrarum primam Libyen ... /...
    tetigit, ... 9.350
    dixitque semel nascentibus auctor /
    quidquid scire licet. 9.575
    natus et ambiguae coleret qui Syrtidos
    arua /chersydros, ... 9.710
    urunt /habrotonum et longe nascentis
    cornua cerui. 9.921
NASIDIUS. Nasidium Mari cultorem torridus
    agri /percussit prester. 9.790
NATA(subst.). nunc gnata iubet maerere
    neposque? 9.1049
NATALIS(sc.dies). Mars iste ... /... populos
    aeui uenientis in orbem /erepto natale
    feret. 7.391
NATO,-ARE. conspecta est leti facies, cum
    forte natantem /diuersae rostris iuuenem
    fixere carinae. 3.653
    Caesaris arma natant, inpulsaque gurgite
    multo /castra labant; 4.88
    expectant imbres, quorum modo cuncta
    natabant /inpulsu, ...4.330
    ausa uolare / ardea sublimis pinnae
    confisa natanti, ... 5.554
    uideor ... spectare ... /... inmensa
    populos in caede natantis. 7.294
    Caesar, ut Hesperio uidit satis arua
    natare /sanguine, parcendum ferro
    manibusque suorum iam ratus . . . 7.728
    Amasis /atque alii reges Nilo torrente
    natabunt? 9.156
    uel plenior alto /olim Syrtis erat pelago
    penitusque natabat, ... 9.312
    membra natant sanie, surae fluxere, 9.770
    iamque hostes et tela natant. . . 10.497
NATRIX. et natrix uiolator aquae, iaculique
    uolucres, ... 9.720
NATURA. cedetur, iurisque tui natura
    relinquet /quis deus esse uelis,   1.51
    monstra iubet primum quae nullo semine
    discors /protulerat natura rapi   1.590
    legesque et foedera rerum /praescia
    monstrifero uertit natura tumultu   2.3
    naturamque sequi patriaeque inpendere
    uitam 2.382
    hinc illinc montes scopulosae rupis
    aperto /opposuit natura mari flatusque
    remouit, ... 2.620
    discite quam paruo liceat producere
    uitam /et quantum natura petat.   4.378
    ueluti deserta regente /aequora natura
    cessant, ... 5.444
    extimuit natura chaos; 5.634
    sed munimen habet nullo quassabile ferro /
    naturam sedemque loci; 6.23
    quamuis natura negasset,   6.59
    uolnere sic uentris, non qua natura
    uocabat, / extrahitur partus calidis
    ponendus in aris; 6.558
    huc quidquid fetu genuit natura sinistro
    /miscetur: 6.670

    dissimilem certe cunctis quos explicat
    egit /Thessalicum natura diem: . . 7.202
    placido natura receptat /cuncta sinu,
    7.810
    sed iter mediis natura uetabat /Syrtibus:
    9.301
    Syrtes uel, primam mundo natura figuram
    /cum daret, in dubio pelagi terraeque
    reliquit 9.303
    sic male deseruit ... / hanc partem natura
    sui); 9.311
    natura deside torpet /orbis et inmotis
    annum non sentit harenis. 9.436
    quid secreta nocenti /miscuerit natura
    solo, ... 9.621
    hoc primum natura nocens in corpore
    saeuas /eduxit pestes; 9.629
    quidquid homo est, aperit pestis natura
    profana: 9.779
    nil, Africa, de te /nec de te, natura,
    queror: 9.855
    et premitur natura poli; 9.867
    natura locorum /iussit ut inmunes mixtis
    serpentibus essent. 9.895
    naturaque solum /hunc potuit finem
    uaesano ponere regi; 10.41
    sic iussit natura parens discurrere
    Nilum, ... 10.238
    sed uincit adhuc natura latendi. 10.271
    arcanum natura caput non prodidit ulli,
    10.295
    hinc montes natura uagis circumdedit undis,
    10.327
NATUS(subst.). nati maduere paterno /sanguine,
    2.149
    ceu morte parentem /natorum orbatum
    longum producere funus /ad tumulos iubet
    ipse dolor, ... 2.298
    quoque modo natos hoc est amplexa maritum.
    2.366
    tum subole e tanta natum cui firmior
    aetas /adfatur. 2.631
    et - quid plura moror? totos mea nate,
    per ortus /bella feres 2.642
    et natis totosque trahens in bella
    penates 2.729
    letum praecedere nati / festinantem
    animam morti non credidit uni.   3.750
    [hic fratres natosque suos uidere patresque]
    4.171
    iam coniunx natique rudes et sordida
    tecta /et non deductos recipit sua terra
    colonos. 4.396
    quod non cum senibus capti natisque
    tenemur. 4.504
    fratribus incurrunt fratres natusque
    parenti, ... 4.563
    morientis in artus /non potuit nati
    Tellus permittere uires: 4.651
    questa quod hoc solum nato rapuisset
    Agaue. 6.359
    ducis omnia nato /Pompeiana canat nostri
    modo militis umbra, ... 6.716
    uidi Decios natumque patremque, . 6.785
    coniunx est mihi, sunt nati: dedimus
    tot pignora fatis. 7.662
    primusque a litore Lesbi /occurrit gnatus,
    procerum mox turba fidelis. . . . 8.205
    'remane, temeraria coniunx /et, nate,
    precor, ... 8.580
    gnatus coniunxque peremptum, /si mirantur,

NATUS

amant.' 8.634

excipite, o nati, bellum ciuile, 9.88

permittite penates /desertamque domum
dulcesque reuisere natos. 9.231

Iouis uolucer, calido cum protulit ouo /
inplumis natos, solis conuertit ad ortus:

9.903

NAUALE(subst.). exiguae Phoebea tenent
naualia puppes 3.182

Mallos et extremae resonant naualibus
Aegae, ... 3.227

et emeritas repetunt naualibus alnos.

3.520

naualia paucae /praecipiti tenuere fuga.

3.755

NAUALIS,-E. conseritur, stabilis naualibus
area bellis. 3.513

nauali plurima bello /ensis agit. 3.569

NAUFRAGIUM. et nondum sparsa conpage carinae /
naufragium sibi quisque facit, . . 1.503

caelo languente fretoque /naufragii spes
omnis abit. 5.455

ad Caesaris arma iuuentus /naufragio
uenisse uolet. 5.494

uolgati supra commercia mundi /naufragium
fortuna ferat: 8.313

sic cum toto commercia mundo /naufragiis
Nasamones habent. 9.444

NAUFRAGUS,-A,-UM. pars maxima turbae /naufraga
iactatis morti obluctata lacertis /puppis
ad auxilium sociae concurrit; . . . 3.662

nec cessat naufraga uirtus: . . . 3.690

iam naufraga campo /Caesaris arma natant,

4.87

'quisnam mea naufragus inquit / 'tecta
petit, ... 5.521

nec ratis Hesperias tanget nec naufragus
oras: 5.573

nec dominus rerum, sed felix naufragus
esses?' 5.699

NAUIGO,-ARE. sic Venetus stagnante Pado
fusoque Britannus /nauigat Oceano; 4.135

NAUITA. desilit in fluctus deserta puppe
magister /nauitaque 1.502

omnis in Ionios spectabat nauita fluctus:

3.3

flexo nauita cornu /obliquat laeuo pede
carbasa 5.427

frenosque furentibus ira /laxat et ut
uictus uiolento nauita Coro /dat regimen
uentis 7.125

nullus ab Emathio religasset litore funem
/nauita, ... 7.861

NAUTA. hoc fuga nautarum, cum totas Hadria
uires /mouit 2.625

neu tuba praemonitos perducat ad aequora
nautas /praecepit sociis. 2.690

strictaeque pendentes deducunt carbasa
nautae 2.697

uersa caua texit pelagus nautasque
carina, ... 3.650

imaque sensim /concussit pelagi mouitque
Ceraunia nautis. 5.457

quantum Leucadio placidus de uertice
pontus /despicitur, tantum nautae uidere
trementes 5.639

oraeque malignos /Ambraciae portus,
scopulosa Ceraunia nautae /summa timent.

5.652

eripuit nautis excussitque ordine puppes.

5.710

NEC

Caesaris arma /segnius haud uidit, quam
malo nauta tremente /omnia subducit
Circaeae uela procellae; 6.286

numquam stante polo miseros fallentia
nautas,/sidera non sequimur, . . 8.173

aut mihi praecipitem, nautae, permittite
saltum, ... 8.654

nautaque ne bustum religato fune moueret
/inscripsit sacrum semusto stipite
nomen: 8.791

frustra precibus Cornelia nautas /
priuignique fugam tenuit, . . . 9.51

uotaque sollicitis faciens contraria
nautis /conposita in mortem iacuit 9.115

'praecipitate rates e sicco litore,
nautae; 9.148

tum, quarum recto deprendit carbasa malo,/
eripuit nautis, ... 9.325

stant miseri nautae, ... 9.343

nautasque loci sortita peritos /torpentem
Tritonos adit inlaesa paludem. 9.346

tempore eodem /transtraque nautarum
summique arsere ceruchi. 10.495

NAUTICUS,-A,-UM. ne litora clamor /nauticus
exagitet neu bucina diuidat horas 2.689

NE. 1.121;1.324;1.393;1.522;2.260;2.263;2.323;
2.560;2.651;2.688;2.698;3.63;3.296;3.398;
3.436;3.688;4.141;4.362;4.511;4.579;
5.368;5.387;5.398;5.420;5.492;5.536;
5.576;5.588;6.130;6.249;6.327;6.328;6.579;
6.598;6.773;6.812;7.6;7.24;7.83;7.96;
7.102;7.318;7.328;7.382;7.406;7.521;
7.558;7.590;7.671;7.732;7.735;7.797;8.126;
8.215;8.423;8.450;8.594;8.603;8.616;8.627;
8.714(bis);8.764;8.765(ter);8.789;8.791;
8.825;9.30;9.52;9.100;9.613;9.748;9.900;
9.982;9.1080;9.1083;10.8;10.67(ne quidem);
10.426;

-NE. 1.336;1.362;1.645;2.60;2.221;
2.247;2.292;2.522;2.566;2.568;3.91;3.559;
4.185;5.654;5.687;5.698;5.768;7.172(bis);
7.281;7.301;7.663;7.809;8.31;8.331;8.349;
8.523;8.542;8.545;8.584;8.699;9.46;9.66;
9.141;9.222;9.505;9.576;9.875;9.1047;
10.99;var.10.542;10.543;

NEBULA. quas Gangetica tellus /exhalat
nebulas, ... 4.65

quique nec umentis nebulas nec rore
madentem /aera nec tenues uentos suspirat
Anauros, ... 6.369

uocibus isdem /umentis late nebulas
nimbosque solutis /excussere comis. 6.468

NEBULOSUS,-A,-UM. Nesis /emittit Stygium
nebulosis aera saxis 6.91

NEC. 1.30;1.54;1.63;1.72;1.82;1.85;1.93;1.94;
1.96;1.102;1.125;1.129;1.134;1.138;1.144;
1.349;1.373;1.479;1.486;1.507;1.546;1.614;
1.632;2.23;2.27;2.34;2.43;2.106;2.153;
2.164;2.189;2.217;2.218;2.228;2.261;var.
2.263;2.320;2.344;2.368;2.372;2.378;2.383;
2.444;2.464;2.490;2.541;2.597;2.599;2.604;
2.616;2.629;2.637;2.638;2.660;2.698;3.51;
3.66;3.67;3.81;3.94;3.186;3.212;3.288;
3.322;3.325;3.338;3.349;3.389;3.408;
3.472;3.478;3.503;3.506;3.516;3.541;
3.554;3.555;3.568;3.594;3.638;3.651;3.656;
3.685;3.690;3.752;4.17;4.69;4.77;4.103;
4.149;4.150;4.165;4.179;4.184;4.256;
4.257;4.265;4.294;4.301;4.306;4.348;4.354;
4.355;4.356;4.359;4.370;4.423;4.426(bis);
4.441;4.445;4.452(bis);4.479;4.525;4.544;

4.559;4.560;4.584;4.595;4.620;4.634;4.687;
4.696;4.760;4.761;4.775;5.25(bis);
5.114;5.153;5.174;5.176;5.210;5.215;5.216;
5.224;5.255;5.288(bis);5.303;5.348(bis);
5.349;5.395;5.400;5.416;5.439;5.548;
5.551(bis);5.552;5.573(bis);var.5.576;
5.586;5.605;5.630;5.665;5.673;5.699;
5.703;5.764;5.782;6.19;6.32;6.99;6.107;
6.140;6.194;6.237;6.263;6.309;6.311;6.341;
6.345;6.362;6.369(bis);6.370;6.426;6.454;
6.523(bis);6.524;6.551;6.554;6.556;6.622;
6.755;6.768(bis);6.805;7.56;7.112(bis);
7.139;7.161;7.247;7.248;7.269;7.321;7.388;
7.401(bis);7.429;7.435;7.466;7.504;7.534;
7.591;7.654;7.669;7.683;7.684;7.695;7.698;
7.713;7.746;7.779;7.843;7.861;8.49;8.75;
8.160(bis);8.198;8.232;8.250;8.267;8.296;
8.300;8.303;8.372;8.374;8.375;8.382;8.396;
8.463;8.471(bis);8.497(=ne quidem);
8.503;8.506;8.553;8.591;8.592;8.653;8.687;
8.738;8.742;8.746;9.2;9.10;9.27;9.28;
9.88;9.134;9.136(bis);9.163;9.207(bis);
9.232;9.233;9.243;9.244;9.287;9.306;
9.376;9.413;9.452;9.483;9.493;9.495;9.516;
9.533;9.537;9.574;9.641;9.681(=ne quidem);
9.692;9.695;9.732;9.733;9.740;9.758;9.774;
9.782;9.797;9.799;9.839(bis);9.842;9.846;
9.855;9.909;9.928;9.978;9.1026;var.9.1049;
9.1062;9.1081;9.1104;9.1105;10.37;10.38
(bis);10.114;10.133;10.138(bis);10.146
(=ne quidem);10.167;10.187;10.226;10.229;
10.235;10.258;10.296;10.345;10.355;10.
375;10.383;10.400;10.437;10.441;10.447;
10.463;10.471;10.482;10.486;10.493;10.
497;10.505;var.10.515;10.519;10.525;10.540

NECDUM. necdum est ille dolor nec iam metus:
                                          2.27
    hic robora busti /exstruit ipse sui
    necdum omni sanguine fuso /desilit in
    flammas 2.158
NECESSE. iussa sequi tam posse mihi quam uelle
    necesse est. 1.372
    cupias quodcumque necesse est. . . 4.487
    parere necesse est, /an iuuat? . . 6.494
    uincat quicumque necesse /non putat in
    uictos saeuum destringere ferrum   7.312
    aut me fortuna necesse est /uindicet aut
    Crassos.' 8.326
    tene mihi dubitas an sit uiolare necesse,
                                          8.523
NECTO,-ERE. Pompei ... acies ... /iunxerat
    in seriem nexis umbonibus arma,   7.493
NECUBI. scilicet hoc animo terras atque
    aequora lustras,/necubi suppressus
    pereat gener. 9.1058
NEDUM. uix saecula longa decorum /sic
    meruisse uiris, nedum breue dedecus
    aeui /et uitam dum Sulla redit.   2.117
NEFANDUS,-A,-UM. tum, si tantus amor belli
    tibi, Roma, nefandi, ... 1.21
    bella nefanda parat suetus ciuilibus
    armis 1.325
    credas aut tecta nefandas /corripuisse
    faces 1.493
    monstra iubet primum quae nullo semine
    discors /protulerat natura rapi sterilique
    nefandos /ex utero fetus infaustis urere
    flammis. 1.590
    scelerique nefando / nomen erit uirtus,
                                          1.667
    uidimus et toto quamuis in corpore caeso

nil animae letale datum, moremque
nefandae /dirum saenitiae, peruntis
parcere morti. 2.179
numquam nostra salus pretium mercesque
nefandae /proditionis erit: . .   4.220
hostes nempe meos sceleri iurata nefando
/sacramenta tenent; 4.228
polluta nefanda /agmina caede duces
iunctis committere castris /non audent,
                                         4.259
Trachin pretioque nefandae /lampados
Herculeis fortis Meliboea pharetris   6.353
si uos satis ore nefando /pollutoque uoco,
.../... parete precanti. 6.706
hoc solamen erat, quod uoti turba
nefandi /conscia,... /... gaudet monstris,
                                         7.181
coniugibus thalamique patent secreta
nefandi /inter mille nurus? . . .   8.400
tunc arte nefanda /summota est capiti
tabes, ...   8.688
inquire in fata nefandi /Caesaris   9.558
non sit licet ille nefando /Marte paratus
opes mundi quaesisse ruina; . . .   10.149
NEFAS. certatum ... / in commune nefas,
    infestisque obuia signis   1.6
    scelera ipsa nefasque /hac mercede
    placent: 1.37
    quis iustius induit arma /scire nefas:
                                          1.127
    suasisset egestas,/uile nefas, magnumque
    decus ferroque petendum 1.174
    quodque nefas nullis inpune apparuit
    extis, ...   1.626
    indixitque nefas. 2.4
    adtuleratque in castra nefas.   2.98
    sed fecit sibi quisque nefas: semel
    omnia uictor 2.147
    'summum, Brute, nefas ciuilia bella
    fatemur, ...   2.286
    ecce, nefas belli, reseratis agmina
    portis /captiuum traxere ducem,   2.507
    coeperit inde nefas, iam iam me praeside
    Roma /supplicium poenamque petat.   2.538
    abscondat Fortuna nefas, ...   2.735
    credite me fecisse nefas'. . . .   3.437
    deprensum est ciuile nefas. . .   4.172
    creuit amore nefas. 4.205
    itur in omne nefas, ...   4.243
    concurrunt alii totumque in partibus
    unis /bellorum fecere nefas. . .   4.549
    expauit Medea nefas. 4.556
    Romanam, superi, Libyca tellure ruinam /
    Pompeio prodesse nefas uotisque senatus.
                                          4.792
    regnumque sorori /ereptum et soceroque
    nefas. 5.64
    an nondum numina tantum /decreuere
    nefas 5.204
    imus in omne nefas manibus ferroque
    nocentes, ...   5.272
    ipse per omne /fasque nefasque rues? 5.313
    fuit spes inrita ... / posse dures parua
    campi statione diremptos /admotum damnare
    nefas; 5.471
    et fit saepe nefas iaculum temptante
    lacerto. 6.79
    pronus ad omne nefas 6.147
    illi namque nefas urbis summittere tecto
    /aut laribus ferale caput, . . .   6.510
    omne nefas superi prima iam uoce

NEMPE

NEMPE. hostes nempe meos sceleri iurata
nefando /sacramenta tenent; . . .   4.228
nempe usis Marte secundo /tot dubiae
restant acies, tot in orbe labores;   4.388
uiuam tibi nempe superstes. . .   5.775
ciuilibus armis /elegit te nempe ducem:
                                        8.352

NEMUS. in classem cadit omne nemus,   1.306
quas, nemore Hyrcano matrum dum lustra
secuntur, ...   1.328
nemora alta remotis / incolitis lucis:
                                        1.453
magnaeque per auia uoces /auditae nemorum
et uenientes comminus umbrae.   1.570
sic ora profundi /artantur casu nemorum;
                                        2.678
qua sublime nemus, Scythicae qua regna
Dianae, ...   3.86
deseritur Taurique nemus Perseaque Tarsos
                                        3.225
umbras mirati nemorum non ire sinistras.
                                        3.248
procumbunt nemora et spoliantur robore
siluae, ...   3.395
hunc non ruricolae Panes nemorumque
potentes /Siluani Nympaeque tenent,   3.402
utque satis caesi nemoris, quaesita per
agros /plaustra ferunt, ...   3.450
his ratibus traiecta manus festinat
utrimque/succisum curuare nemus,   4.138
Castalios circum latices nemorumque
recessus /Phemonoen errore uagam curisque
uacantem /corripuit 5.125
securumque nemus ueritam se credere Phoebo
/prodiderant. 5.156
sed mihi nec motus nemorum nec litoris
ictus /... placet 5.551
cernit miserabile uolgus /... / et foliis
spoliare nemus letumque minantis   6.112
scilicet ipse petet ... ignibus ... /
inmeritaeque nemus Rhodopes pinusque
Mimantis, ...   7.450
aut, generi si poena iuuat, nemus extrue
Pindi, ...   7.806
omne nemus misit uolucres . . .   7.836
pauet ille fragorem /motorum uentis
nemorum, ...   8.6
abstulit arboribus pretium nemorique
laborem /Alcides, ...   9.365
umbras nemorum quicumque petentem /aestuet,
                                        9.399
in nemus ignotum nostrae uenere secures,
                                        9.429
solus nemus abstulit Hammon. . . .   9.525
squalebant ... arua Medusae,/non nemorum
protecta coma, non mollia sulco,   9.627
coepit ... / iamque procul rarae nemorum
se tollere frondes, ...   9.944

NEPHELEIAS. legit ... /... Heroas ... turres,
/qua pelago nomen Nepheleias abstulit
Helle. 9.956

NEPOS. socer post pignora tanta,/sanguinis
infausti subolem mortemque nepotum, /
te... propius non uidit 5.474
maior Carthaginis hostis /non seruituri
maeret Cato fata nepotis: 6.790
haec et apud seras gentes populosque
nepotum, /... /spesque metusque...
mouebunt, ...   7.207
proxima quid suboles aut quid meruere
nepotes / in regnum nasci? 7.642

atque erit Aegyptus populis fortasse
nepotum / tam mendax Magni tumulo quam
Creta Tonantis. 8.871
gentis Iuleae uestris clarissimus aris /
dat pia tura nepos 9.996
nunc gnata iubet maerere neposque?   9.1049

NEPTUNIUS,-A,-UM. et rubuit flammis iterum
Neptunia cuspis 7.147

NEPTUNUS. aequorei rector, facias, Neptune
tridentis, ...   4.111

NEQUE. 1.53;1.286;var.1.349;1.350(bis);2.283
(bis);2.539;3.50;3.128;3.464;4.255; ●
4.417;4.759;4.762;4.772;7.119;7.739;8.206
(=ne quidem);9.42;9.305;9.376;9.388;9.424;
9.841;10.225;10.471

NEQUEO,-ERE. nequeunt animam sibi reddere
fata / consumpto iam uire semel.   6.823
non sic mea fata premuntur /ut nequeam
releuare caput 8.268

NEQUIQUAM. deuoluit rapidum nequiquam
moenibus agmen. 2.491
nequiquam, infelix: 7.674
nequiquam duras temptasset Caesaris aures:
                                       10.104

NEREUS. hic primum rubuit ciuili sanguine
Nereus, ...   2.713
subitaeque ruinam /sensit aquae Nereus,
                                        6.349

NERO. quod si non aliam uenturo fata Neroni /
inuenere uiam 1.33

NERUIUS,-A,-UM. gaudetque ... /... nimiumque
rebellis /Neruius et caesi pollutus
foedere Cottae, ...   1.429

NERUUS. deriguitque tenens strictis inmortua
neruis. 3.613
hostilem defectis robore neruis /insiluit
solo nociturus pondere puppem. . .   3.625
dum dolor est ictusque recens et mobile
neruis /conamen calidus praebet cruor
                                        4.286
mox robora neruis et uires rediere uiris.
                                        4.372
hunc aut tortilibus uibrata falarica
neruis /obruat 6.198
ille moras ferri neruorum et uincula
rumpit 6.217
neruo morsus retinente pependit.   6.549
tenduntur nerui; 6.755
tendunt neruis melioribus arcus,   7.141
omnia neruis /membra relicta labant, 8.59
Armeniosque arcus Geticis intendite
neruis, ...   8.221
nec puer aut senior letalis tendere neruos
/segnis, ...   8.296
nec Martem comminus usquam /ausa pati
uirtus, sed longe tendere neruos   8.383
tunc neruos uenasque secat nodosaque
frangit /ossa diu: 8.672
semusta rapit resolutaque nondum /ossa
satis neruis 8.787
uincula neruorum et laterum textura
cauumque /pectus ... /morte patet.   9.777

NESCIO,-IRE. quis castra timenti /nescit
mista foro, gladii cum triste micantes
                                        1.320
solis nosse deos et caeli numina uobis /
aut solis nescire datum; 1.453
uolgus alunt: nescit plebes ieiuna
timere. 3.58
(usque adeo solus ferrum mortemque timere
/auri nescit amor, ...   3.119

NESCIO

    et praeda nescit latrare reperta   4.443
    nescio quod nostris magnum et memorabile
    fatis /exemplum, Fortuna, paras.   4.496
    nescimus cuius sceleris sit maxima merces?
          5.286

    artis opem uicere metus, nescitque
    magister /quam frangat, cui cedat aquae.
          5.645
    quis Mytilenaeas poterit nescire labebras?
          5.786
    rabidum nescit latrare Pelorum,   6.66
    qui nesciret in armis / quam magnum uirtus
    crimen ciuilibus esset.   6.147
    sua quisque pericula nescit /attonitus
    maiore metu.   7.133
    hunc uoluit nescire diem. pro tristia
    fata!   7.411
    felix se nescit amari.   7.727
    nescis, puer inprobe, nescis /quo tua
    sit fortuna loco: 8.557(bis)
    nescis, crudelis, ubi ipsa /uiscera sint
    Magni: 8.644
    et nescis sine rege pati.   9.262
    Romanae maxime gentis,/ et, quod adhuc
    nescis,genero secure perempto,   9.1015
    inde etiam leges aliarum nescit aquarum,
          10.228
    et te terrarum nescit cui debeat orbis.
          10.294

NESCIUS,-A,-UM. qua bruma rigens ac nescia
    uere remitti   1.17
    nomen erat nec fama ducis, sed nescia
    uirtus /stare loco,   1.144
    nescius interea capti ducis arma parabat
          2.526
    ora leui flectit frenorum nescia uirga,
          4.683
    ille fugam credens simulatae nescius
    artis,   4.744
    animumque dolentem /corripit, Emathiis
    quid perdat nescius aruis.   7.191

NESIS. tali spiramine Nesis /emittit Stygium
    nebulosis aera saxis   6.90

NESSUS. et Meleagream maculatus sanguine
    Nessi /Euhenos Calydona secat.   6.365

NEU. 2.689;2.690;8.498;10.232

NEUE. 2.39

NEUTER,-TRA,-TRUM. uix tanti fuerat ciuilia
    bella mouere /ut neuter.'   2.63
    neuter ciuilia bella moueret   2.231
    neuter longo se gurgite lassat,   5.466
    praecipitantque suos luctus, neuterque
    recedens   5.795

NEX. nec medii dirimunt morbi uitamque
    necemque,   6.99
    tremores /hi possunt explere uiri, quos
    undique traxit /in miseram Fortuna necem,
          7.416

NEXUS(subst.). nunc ades, aeterno conplectens
    omnis nexu,   4.189
    conseruere manus et multo bracchia nexu;
          4.617
    atque oblita faui non miscent nexibus
    alas   9.286

NI. 5.626;10.88

NIGER,-RA,-RUM. inuadunt ... /et scabros
    nigrae morsu robiginis enses.   1.243
    sed uolnere laxo /diffusum rutilo dirum
    (nigrum) pro sanguine uirus. .var.1.615
    summo si frigida caelo /stella nocens
    nigros Saturni accenderet ignis,   1.652

NILUS

    tum plurima nigris /fontibus unda cadit,
          3.411
    consequitur nigri spatiosa uolumina fumi,
          3.505
    nigro si turbida limo / conluuies inmota
    iacet,   4.310
    niger inficit horror/terga maris,   5.564
    Phoebeque serena /... / palluit et nigris
    terrenisque ignibus arsit,   6.502
    nigroque uolantia fumo /feralis fragmenta
    tori ... / colligit   6.535
    insertum manibus chalybem nigramque per
    artus /stillantis tabi saniem ... /
    sustulit   6.547
    qua niger astriferis conectitur axibus
    aer /... semidei manes habitant,   9.5
    densis fremuit niger imbribus Auster.
          9.320
    nigra destillant inguina tabe.   9.772
    saepe quidem pestis nigris inserta
    medullis /excantata fugit;   9.930
    ambitur nigris Meroe fecunda colonis,
          10.303

NIHIL. 1.37;1.49;2.12;2.515;2.563;2.568;3.39;
    3.40;3.371;7.268;7.666;8.315;9.568;10.
    189;10.335

NIL. 2.179;2.657;var.3.149;4.351;5.287;5.322;
    5.371;5.762;5.787;6.231;6.819;7.88;
    7.252;7.592;7.809;8.316;8.347;8.452;8.665;
    8.858;9.28;9.195;9.528;9.574;9.825;9.854;
    9.889;9.1089;10.96;10.366

NILIACUS,-A,-UM. te nisi Niliaca propius non
    uidit harena.   5.475
    aetas Niliaci nobis suspecta tyranni est,
          8.281
    litore Niliaco socerum iam stare putaui.
          9.135
    at tibi, Laeue miser, fixus praecordia
    pressit /Niliaca serpente cruor,   9.816
    accipe Niliaci ius gurgitis,   9.1023
    tempora Niliaco turpis dependit amori,
          10.80
    non urbes prima tenebo / femina Niliacas:
          10.91
    manibusque ministrat /Niliacas crystallos
    aquas, gemmaeque capaces   10.160
    spes sit mihi certa uidendi /Niliacos
    fontes, bellum ciuile relinquam.' 10.192

NILOTICUS,-A,-UM. rege sub inpuro Nilotica
    rura tenente, /hospitii fretus superis...
    /... cecidit   9.130

NILOTIS. perlucent pectora filo /quod Nilotis
    acus conpressum pectine Serum /soluit
          10.142

NILUS. gens siqua iacet nascenti conscia Nilo.
          1.20
    qua mare Lagei mutatur gurgite Nili:
          1.684
    non minor hic Nilo,   2.416
    si non per plana iacentis /Aegypti
    Libycas Nilus stagnaret harenas;   2.417
    Euphraten Nilumque moue, quo nominis
    usque /nostri fama uenit,   2.633
    deseritur Strymon tepido committere Nilo
    /Bistonias consuetus aues   3.199
    sic, cum tenet omnia Nilus,   4.135
    poturae te, Nile, grues, primoque uolatu
          5.712
    non ... / ...et infando pollutus sanguine
    Nilus /nobilius Phario gestasset rege
    cadauer,   6.307

Nilum non extulit aestas, ... 6.474
quem tumulum Nili, quem Thybridis adluat
unda /quaeritur, ... 6.810
uos, quae Nilo mutare soletis /Threicias
hiemes,... serius ... / istis, aues. 7.832
in solo tanta est fiducia Nilo.   8.447
litora ... / uix tetigit, qua diuidui pars
maxima Nili /in uada decurrit Pelusia
                                    8.465
(hunc genuit custos Nili crescentis in arua
/Memphis uana sacris; 8.477
Nilumque Pharonque, /si regnare piget,
damnatae redde sorori. 8.499
populum non cernis inermem /aruaque uix
refugo fodientem mollia Nilo? . . . 8.526
o superi, Nilusne et barbara Memphis /...
hos animos? 8.542
iam iure sine ullo /Nili sceptra tenes;
                                    8.559
et prior in Nili peruenit litora Caesar.
                                    8.641
erremus populi cinerumque tuorum,/Magne,
metu nullas Nili calcemus harenas. 8.805
cautum, ne Nili Pelusia tangeret ora /
Hesperius miles 8.825
uertat aquas Nilus quo nascitur orbe
retentus, ... 8.828
ibit et imbrifera siccas sub Pliade
Thebas /spectator Nili, ... 8.853
hunc uolumus quem Nilus habet, . . 9.81
Amasis /atque alii reges Nilo torrente
natabunt? 9.156
nec, Nilus cui crescat, erit; . . . 9.163
pudeat: plus regia Nili /contulit in
leges et Parthi militis arcus. . . 9.266
nec enim plus litora Nili /quam Scythicus
Tanais primis a Gadibus absunt, . . 9.413
Niloque tenus metitur harenas; . . 9.705
arderet Nilumque bibens per rura uagantem.
                                    9.752
tui socerum rapuere a sanguine manes,/ne
populus post te Nilum Romanus amaret,
                                    10.8
ambissetque polos Nilumque a fonte
bibisset: 10.40
iam Pelusiaco ueniens a gurgite Nili /
rex puer inbellis populi sedauerat iras,
                                    10.53
infudere epulas auro,... / quod pelagus
Nilusque dedit, ... 10.156
uarii mutator circulus anni /Aegoceron
Cancrumque tenet, cui subdita Nili /ora
latent, ... 10.213
tunc Nilus fonte soluto, /... /iussus
adest, ... 10.215
uana fides ueterum, Nilo, quod crescat in
arua, /Aethiopum prodesse niues. 10.219
Nilus neque suscitat undas /ante Canis
radios 10.225
neu terras dissipet ignis /Nilus adest
mundo 10.233
sic iussit natura parens discurrere Nilum,
                                    10.238
aquas totiens rumpentis litora Nili /
adsiduo feriunt ... fluctu . . . 10.244
tunc omnia flumina Nilus /uno fonte
uomens non uno gurgite perfert. . 10.253
rumor ab Oceano,... / exundante procul
uiolentum erumpere Nilum ·. . . . 10.256
hoc noctes referunt Niloque profundunt.
                                    10.261

quae tibi noscendi Nilum, Romane, cupido
est, /et Phariis Persisque fuit ...
tyrannis, ... 10.268
summus Alexander regum,... / inuidit
Nilo, ... 10.273
Nilum uidere calentem. 10.275
ante tamen uestros amnes,... / quam
Nilum de fonte bibit. 10.279
ignoto te, Nile, redit. 10.282
nulli contingit gloria genti /ut Nilo
sit laeta suo. 10.285
tua flumina prodam,/qua deus undarum
celator, Nile, tuarum /te mihi nosse
dedit. 10.286
nec licuit populis paruum te, Nile,
uidere, ... 10.296
quis te... /moturum totas uiolenti
gurgitis iras,/Nile, putet? . . 10.317
hinc montes natura uagis circumdedit
undis,/qui Libyae te, Nile, negent; 10.328
Thessaliae subducta acies in litore Nili /
more furit patrio. 10.412
NIMBOSUS,-A,-UM. clara, sed obscurum nimbosus
dissilit aer. 5.631
NIMBUS. crebroque simillima nimbo /trans
ripam ualidi torserunt tela lacerti. 2.501
sed nimbos rapuere fuga. 4.70
quamuis crebra micent: extinguunt fulgura
nimbi. 4.78
et tu perpetuis inpendas aera nimbis,
                                    4.112
iuuentus/.../obruitur, non uolneribus nec
sanguine solum, /telorum nimbo peritura et
pondere ferri. 4.776
latet obsitus aer /infernae pallore domus
nimbisque grauatus /deprimitur, 5.628
et nimbus agens tot tela peribat. 6.134
uocibus isdem /umentis late nebulas
nimbosque solutis /excussere comis. 6.468
si nimbus et atrae /sidera subducunt
nubes, tunc Thessala nudis /egreditur
bustis 6.518
percussaque uiscera nimbis / uolsit 6.545
quam sol nimbique diesque /longior
Emathiis resolutam miscuit aruis. 7.845
cum poscere finem /a superis aut Roma
uolet feralibus Austris /ignibus aut
nimiis (nimbis) ... /... transibis in
urbem, ... var.8.848
quo postquam partu Danaes et diuite nimbo
/ortum Parrhasiae uexerunt Persea pinnae
                                    9.659
proxima Leptis erat, cuius statione
quieta /exegere hiemem nimbis flammisque
carentem. 9.949
fluuio cogunt incumbere nimbos, . 10.243
NIMIS. dumque nimis iam putria membra recidit
                                    2.141
et nimis adfixos unci conuellere morsus,
                                    3.699
et quod Caesareis numquam deuota iuuentus
/illa nimis castris 4.696
sed sorte frequenti /plebeiaque nimis
careo dimissa marito. 5.765
tanto deuinxit amore /hos pudor,... /
quod summissa animis (nimis),... /
stantis adhuc fati uixit quasi coniuge
uicto. var.8.157
nec pila timentur /nostra nimis Parthis,
                                    8.301
fatis nimis aemula nostris /fata mouent

NIMIS

    Medos, ... 8.307

NIMIUM(adv.). gaudetque ... /... nimiumque
    rebellis /Neruius 1.428
    ensiferi nimium fulget latus Orionis?
                               1.665
    excessit medicina modum, nimiumque secuta
    est, / qua morbi duxere, manus. 2.142
    nimium placet ipse Catoni, . . . 2.276
    cum Cotta Metellum /conpulit audaci nimium
    desistere coepto. 3.144
    et gelido tellus perfusa Caico /Idalis
    et nimium glaebis exilis Arisbe, 3.204
    dum nimium pugnax unius turba carinae /
    incumbit 3.647
    ne longe nimium sit proxima tellus.' 5.576
    uenit maesta dies et quam nimiumque
    parumque /distulimus; 5.741
    segnis pauidusque uocatur / ac nimium
    patiens soceri Pompeius, ... 7.53
    ne rue per medios nimium temerarius hostis,
                                 7.590
    nunc festinatos nimium sibi sentit
    honores 8.24
    heu nimium felix aeterno nomine Lesbos,
                                 8.139
    satis o nimiumque beatus, / si mihi
    contingat manes transferre reuolsos /
    Ausoniam, ...8.843
    minimum (nimium)-que tenens dux ipse
    liquoris /inuidiosus erat. . . .var.9.504
    nec ... /... minimum (nimium) patiuntur
    fata tacere. var.9.929

NIMIUS,-A,-UM. stare diu nimioque graues
    sub pondere lapsus 1.71
    o male concordes nimiaque cupidine caeci,
                                 1.87
    namque, ut opes nimias mundo fortuna
    subacto/ intulit 1.160
    excitat in nimios belli ciuilis amores.
                                 2.325
    fluctus nimiasque precari /uentorum uires,
                                 5.451
    haec dirae crimina gentis /effera damnarat
    nimiae pietatis Erictho 6.508
    iam (dubium, monstrisne deum, nimione
    pauore/crediderint) 7.172
    pudet ... / quaerere ... /... ora parentis
    / quis laceret nimiaque probet
    spectantibus ira /quem iugulat non esse
    patrem. 7.629
    uigiles Pompei pectore curae /... adeunt
    ... / ... inuia mundi /arua super nimios
    soles Austrumque iacentis. . . . 8.164
    cum poscere finem /... Roma uolet ... /
    ignibus aut nimiis aut terrae tecta
    mouenti, /consilio iussuque deum
    transibis in urbem, ... 8.848
    et spes imber erat nimios metuentibus
    ignes, ... 9.375
    uadimus in ... exustaque mundi,/qua nimius
    Titan et rarae in fontibus undae, 9.383
    quaecumque uagam Syrtim conplectitur
    ora / sub nimio proiecta die, uicina
    perusti /aetheris, exurit messes 9.432

NINOS. desertus Orontes /et felix, sic fama,
    Ninos, uentosa Damascos 3.215

NIPHATES. Armeniusque tenens uoluentem saxa
    Niphaten. 3.245

NISI. 1.36;2.97;2.418;2.439;2.563;2.604;3.123;
    3.124;3.254;3.362;3.366;4.442;5.159;5.353;
    5.475;5.665;6.5;6.321;6.373;6.647;7.139;

NOBILIS

7.379;7.395;8.29;8.32;8.493;8.568;8.822;
9.494;9.578;9.622;10.420

NISUS(subst.). illa tamen nisu, quo
    prenderat, haesit 3.612
    et medium uergens titubauit nisus in
    orbem. 6.482
    nec pondere solo /sed nisu iacuit, uix
    sic inmobilis Austro; 9.484

NITEO,-ERE. inspicit et gladios,.../ qui
    niteant primo tantum mucrone cruenti,
                                 7.561
    et clipeum laeuae fuluo dedit aere
    nitentem 9.669
    nec summis crustata domus sectisque
    nitebat /marmoribus, ... 10.114
    pars auro plumata nitet, pars ignea cocco,
                                10.125

NITIDUS,-A,-UM. fuit ... /... /uirgineusque
    chorus, nitidi custodia luci, . . 9.362
    cunctis innoxia numina terris /serpitis,
    aurato nitidi fulgore dracones, 9.728
    ut nullis Caesar Rheni se dicat in aruis
    /tam rutilas (nitidas) uidisse comas;
                         var.10.131

NITOR,-I. miles rupes oneratus in altas /
    nititur, ... 4.38
    sic fatus sustulit alte /nitentem in
    terras iuuenem. 4.650
    atque omne futurum /nititur in lucem,
                                5.180

NIUALIS,-E. sic mundi pars ima iacet, quam
    zona niualis /perpetuae premunt hiemes:
                                4.106
    frigida Saturno glacies et zona niualis
    /cessit; 10.205

NIUEUS,-A,-UM. dentibus hic niueis sectos
    Atlantide silua /inposuere orbes, 10.144

NIUOSUS,-A,-UM. uideo Pangaea niuosis / cana
    iugis latosque Haemi sub rupe Philippos.
                                1.679

NIX. ueteremque iugis nutantibus Alpes /
    discussere niuem. 1.554
    urebant montana niues 4.52
    fluxere niues, fractoque madescunt / saxa
    gelu. 4.84
    Riphaeas huc solue niues, ... 4.118
    iam sparserat Haemo /bruma niues gelidoque
    cadens Atlantis Olympo, ... 5.4
    at Genusum nunc sole niues nunc imbre
    solutae /praecipitant. 5.465
    solibus et nullis Scythicae,... /
    dimaduere niues. 6.479
    calido non ocius Austro / nix resoluta
    cadit nec solem cera sequetur. . 9.782
    uana fides ueterum, Nilo, quod crescat in
    arua,/ Aethiopum prodesse niues. 10.220
    adde quod omne caput fluuii,... /...
    ingresso uere tumescit /prima tabe niuis:
                               10.225

NO,-ARE. nec franget nando uiolenti uerticis
    amnem, ... 8.374

NOBILIS,-E. utraque frugiferis est insula
    nobilis aruis, ... 3.65
    nobilis et flauis sequeretur mixta
    Britannis. 3.78
    plus nobilis irae /truncus habet 3.614
    non erigit aegros/nobilis ignoto diffusus
    consule Bacchus, ... 4.379
    sic cunctas sustulit ardor /mobilium
    (nobilium) mentes iuuenum. . . .var.4.521
    Libycas, en, nobile corpus, /pascit aues

NOBILIS

nullo contectus Curio busto. . . . 4.809
non ... Nilus / nobilius Phario gestasset
rege cadauer, ... 6.308
ubi nobile quondam /nunc super Argos arant,
6.355
has auidae tigres et nobilis ira leonum
/ore fouent blando; 6.487
sperat ... auertere ... / ossaque nobilium
tantosque adquirere manes. . 6.586
egressus meruit fatis tam nobile letum.
7.595
uidit prima ... Larisa ... /nobile nec
uictum fatis caput. 7.713
'nobile cur robur fortunae uolnere primo
/... / frangis? 8.72
nobile corpus / robora nulla premunt,
8.756
petit famae mirator ... /... Graio nobile
busto /Rhoetion 9.962
gemmaeque capaces /excepere merum,... /
nobile sed paucis senium cui contulit
annis /indomitum Meroe cogens spumare
Falernum. 10.162
en, altera uenit /uictima nobilior. 10.386
sic fremit in paruis fera nobilis abdita
claustris 10.445

NOBILITAS. nobilitas cum plebe perit, 2.101
uoltu tamen alta minaci / nobilitas recta
ferrum ceruice poposcit. 2.510
permixta secundo /ordine nobilitas
uenerandaque corpora ferro /urguentur;
7.582
quos Lentulus omnis /uirtutis stimulis et
nobilitate dolendi /praecessit 8.329
'siqua est, o maxime Caesar, / nobilitas,
Pharii proles clarissima Lagi, 10.86

NOCEO,-ERE. ille erit ille nocens, qui me tibi
fecerit hostem.' 1.203
tolle moras: semper nocuit differre
paratis. 1.281
summo si frigida caelo /stella nocens
nigros Saturni accenderet ignis, 1.652
trahit ipse furoris /impetus, et uisum
lenti quaesisse nocentem. 2.110
qua morbi duxere, manus. periere nocentes,
/sed cum iam soli possent superesse
nocentes. 2.143
periere nocentes, /sed cum iam soli
possent superesse nocentes. . . . 2.144
accipient alios, facient te bella
nocentem. 2.259
crimen erit superis et me fecisse
nocentem. 2.288
campoque expulsa piorum /ad Stygias'
inquit 'tenebras manesque nocentis /...
trahor. 3.13
sic hostes mihi desse nocet, . . . 3.365
seruat multos fortuna nocentis . . 3.448
quae prius ex longo nocuerunt missa
recessu / iam post terga cadunt. . 3.477
insiluit solo nociturus pondere puppem.
3.626
Martem saeuus agit non multa caede
nocentem 4.2
periere latebrae /tot scelerum, populo
uenia est erepta nocenti: 4.193
iuuat esse nocentis. 4.253
rescissoque nocent suspiria dura palato;
4.328
pandunt ora tamen nociturumque aera
captant. 4.329

perdita tunc urbi nocuerunt saecula, 4.816
seu Paean solitus templis arcere nocentis,
5.139
imus in omne nefas manibus ferroque
nocentes, ... 5.272
Thessala quin etiam tellus herbasque
nocentes /rupibus ingenuit 6.438
omne potens animal leti genitumque
nocere /et pauet Haemonias ... artes.
6.485
laqueum nodosque nocentis /ore suo rupit,
6.543
'Eumenides Stygiumque nefas Poenaeque
nocentum /... /exaudite preces. 6.695
camposque piorum /poscit turba nocens.
6.799
cladibus inruimus nocituraque poscimus
arma; 7.60
aetherioque nocens fumauit sulpure ferrum;
7.160
haec acies uictum factura nocentem est.
7.260
rapit omnia casus /atque incerta facit
quos uolt fortuna nocentes. . . . 7.488
frigidus inde / stat gladius, calet omne
nocens a Caesare ferrum. 7.503
et ceu Munda nocens Pharioque a gurgite
clades, ... 7.692
scire ruunt, quanta fuerint mercede
nocentes. 7.751
inque parentum /inque toris fratrum
posuerunt membra nocentes. . . . 7.763
ingemuisse putem campos, terramque
nocentem /inspirasse animas, . . . 7.768
caeloque nocenti /ingerit Emathiam. 7.798
o superi, liceat terras odisse nocentis.
7.869
bis nocui mundo: 8.90
sed iam satis est fecisse nocentis: 8.137
uolnera parua nocent fatumque in sanguine
summo est. 8.305
'ius et fas multos faciunt, Ptolemaee,
nocentes; 8.484
nil ista nocebunt /famae busta tuae: 8.858
terraeque nocenti /non haerere queror;
9.81
oculos, germane, nocentis /spectato
genitore fero. 9.127
quis uestras ulla putet esse nocentes
/caede manus? 9.269
nam litore sicco,/... Syrtis uiolentius
excipit Austrum,/et terrae magis ille
nocens. 9.449
an noceat uis nulla bono fortunaque
perdat /opposita uirtute minas, . 9.569
aut quid secreta nocenti /miscuerit natura
solo, ... 9.620
hoc primum natura nocens in corpore
saeuas /eduxit pestes; 9.629
ante uenena nocens, late sibi summouet
omne /uolgus ... basiliscus . . . 9.725
Cinyphias inter pestes tibi palma nocendi
est: 9.787
contraque nocentia monstra /Psyllus adest
populis. 9.910
pugnauit fortuna ducis fatumque nocentis
/Aegypti, ... 10.3
quantum inpulit Argos /Iliacasque domos
facie Spartana nocenti, /Hesperios
auxit tantum Cleopatra furores. . . 10.61
et inmodice formam fucata nocentem, /...

NOCEO

    colloque comisque /diuitias Cleopatra
gerit 10.137
quem non e nobis credit Cleopatra
nocentem / a quo casta fuit? . . 10.369
iugulus mihi Caesaris haustus / hoc
praestare potest, Pompei caede nocentis /
ut populus Romanus amet. 10.388
tot monstris Aegypte nocens? . . . 10.474

NOCTURNUS,-A,-UM. effugit exiguo nocturna
pericula uallo, ... 1.516
delabitur inde /Vulturnusque celer
nocturnaeque editor aurae /Sarnus 2.423
nocturni texere faces, ... 3.499
pandunt ora tamen nociturumque
(nocturnumque) aera captant. . .var.4.329
sed,postquam languida segni /cernit
cuncta metu nocturnaque munera ualli /
desolata fuga, ... 4.700
Curio nocturnum castris erumpere cogit
                             4.732
'multa quidem prohibent nocturno credere
ponto. 5.540
tunc Thessala nudis /egreditur bustis
nocturnaque fulmina captat. . . 6.520
quod trepidus bubo, quod strix nocturna
queruntur, ... 6.689
multis ... uisus ... /edere nocturnas
belli Pharsalia uoces. 7.175
sed,castra fugatos / ne reuocent
pellatque quies nocturna pauorem, /
protinus hostili statuit succedere uallo,
                             7.732
nec tenuit gratum nocturno lumine montem,
                             8.463
calidoque uapore /adliciunt gelidas
nocturno frigore pestes, . . . 9.844
sed prius orta dies nocturnam lampada
texit /quam tutas intraret aquas. 9.1006
nocturnas rumpamus funere taedas 10.373

NODOSUS,-A,-UM. procumbunt orni, nodosa
inpellitur ilex, ... 3.440
tunc neruos uenasque secat nodosaque
frangit /ossa diu: 8.672

NODUS. Herculeosque nouo laxauit corpore
nodos. 4.632
uiperei coeunt abrupto corpore nodi, 6.490
laqueum nodosque nocentis /ore suo rupit,
                             6.543
uiscera non lyncis, non durae nodus
hyaenae /defuit 6.672
aeternis chalybis nodis et carcere Ditis
/constrictae plausere manus, . . . 6.797
ille minax nodis et recto uerbere saeuos
/teste tulit caelo uicti decus Orionis.
                             9.835

NOLO,NOLLE. astra petent, tellus extendere
litora nolet 1.76
Caesar,' ait 'partes, quamuis nolente
senatu /traximus imperium, . . . 1.274
cum uictima tristis /inferias Marius
forsan nolentibus umbris /pendit inexpleto
non fanda piacula busto, . . . 2.175
quis nolet in isto /ense mori, . . 2.264
'uiue, licet nolis, et nostro munere' dixit
                             2.512
quas nollet uicturus aquas; . . . 4.313
noluit Illyricae custos Octauius undae
/confectim temptare ratem, ... 4.433
dent fata recessum /emittantque licet,
uitare instantia nolim. 4.515
mors, utinam pauidos uitae subducere

NOMEN

nolles, ... 4.580
saeue, quid insequeris? quid iam
nolentibus instas? 5.315
cum litora Tethys /noluit ulla pati caelo
contenta teneri. 5.624
quod nolles stare sub ictu /fortunae
                             5.729
ut nolim seruire malis sed morte parata
/te sequar ad manes, ... 5.773
fama est ... amnem /... capitis memorem
fluuii contagia uilis /nolle pati 6.380
eloquar ... /... Hennaea,... /... quae te
contagia passam /noluerit reuocare Ceres.
                             6.742
linquere, siqua fides, Pelusia litora
nolo. 9.83

NOMEN. stat magni nominis umbra, . . . 1.135
nomen erat nec fama ducis, ... 1.144
Marcellusque loquax et nomina uana
Catones. 1.313
'Romani maxime rector /nominis, et ius est
ueras expromere uoces, ... 1.360
famae maioris in amnem /lapsus ad
aequoreas nomen non pertulit undas. 1.401
quaque sub Herculeo sacratus nomine
portus 1.405
tu tantum audito bellorum nomine, Roma,
/desereris; 1.519
datque locis numen (nomen); . . .var.1.608
scelerique nefando /nomen erit uirtus,
multosque exibit in annos /hic furor.
                             1.668
nulla uacet tibi, Roma, manus. uel,
perdere nomen / si placet Hesperium,
superi, ... 2.56
tuumque /nomen, Libertas, et inanem
persequar umbram. 2.303
da tantum nomen inane /conuibii; 2.342
Caesaris audito conuersus nomine Sulla.
                             2.465
Euphraten Nilumque moue, quo nominis
usque /nostra fama uenit, ... 2.633
at uos, qui Latios signatis nomine fastos,
                             2.645
dispersus siluis Athaman et nomine prisco
/Encheliae uersi testantes funera Cadmi,
                             3.188
quod potius sit nomen aquis. . . . 3.259
qua uertice lapsus /Riphaeo Tanais
diuersi nomina mundi /inposuit ripis 3.273
erat inpiger Astur /Vettonesque leues
profugique a gente uetusta /Gallorum
Celtae miscentes nomen Hiberis. 4.10
qui praestat terris aufert tibi nomen
Hiberus. 4.23
hospitis ille ciet nomen, uocat ille
propinquum, ...4.177
trahimur sub nomine pacis. 4.222
nominis antiqui cupientem noscere causas
/cognita per multos docuit rudis incola
patres. 4.591
hinc, aeui ueteris custos, famosa uetustas,
/miratrixque sui, signauit nomine terras.
                             4.655
instabatque dies qui dat noua nomina
fastis 5.5
laeto nomen clamore senatus /excipit 5.47
orbis Hiberi / horror et Arctoi nostro
sub nomine miles /Pompeio certe fugeres
duce. 5.344
et nomen inane /imperii rapiens signauit

tempora digna / maesta nota; 5.389
nomen inane /imperii rapiens signauit
tempora (nomina) digna /maesta nota;
                var.5.390
tantum careat ne nomine tempus /menstruus
in fastos distinguit saecula consul. 5.398
hoc fortuna loco tantae duo nomina famae
/conposuit, ... 5.468
notescent litora clari /nominis exilio,
positaque ibi coniuge Magni / quis
Mytilenaeas poterit nescire latebras?
                5.785
Scaeua uiro nomen: 6.144
felix hoc nomine famae, /si tibi durus
Hiber ... terga dedisset 6.257
solus,in alterius nomen cum uenerit
undae, /defendit Titaresos aquas 6.375
inpia laetatur uulgato nomine famae /
Thessalis, 6.604
quo postquam uiles et habentis nomina
pestis /contulit, infando saturatas
carmine frondis /... addidit. . 6.681
iam uos ego nomine uero /eliciam 6.732
ne parce, precor: da nomina rebus, 6.773
uidi ego laetantis, popularia nomina,
Drusos /legibus inmodicos 6.795
uisus sibi ... / attollique suum laetis
ad sidera nomen /uocibus 7.11
aut hodie Pompeius erit miserabile nomen:
                7.121
haec ... / siue aliquid magnis nostri
quoque cura laboris /nominibus prodesse
potest, ... / spesque metusque ...
mouebunt, ... 7.210
tunc omne Latinum /fabula nomen erit;
                7.392
cedant feralia nomina Cannae / et damnata
diu Romanis Allia fastis. 7.408
quid tempora legum /egimus aut annos a
consule nomen habentis? 7.441
caedunt ... / Coruinosque simul
Torquataque nomina, ... 7.584
extremum tanti generis per saecula nomen,
/ne rue per medios nimium temerarius
hostis, ... 7.589
post te pars maxima pugnae /non iam
Pompei nomen populare per orbem /... sed
par quod semper habemus,/libertas et
Caesar, erit; 7.694
scilicet inmenso superest ex nomine
multum, ... 7.717
mallet et obscuro tutus transire per
urbes / nomine; 8.21
mundi nomine gaudens /esse fidem 'nullum
... dixit ... /gratius esse solum ...
uobis /ostendi: 8.128
heu nimium felix aeterno nomine Lesbos,
                8.139
sed me ... tueri /... potest ... / et
nomen quod mundus amat. 8.276
quas magis in terras nostrum felicibus
actis /nomen abit, ... 8.321
ubi nomina tanta /obruit Euphrates 8.437
quis nominis umbram /horreat? . . . 8.449
externaque monstra /pellite, si meruit
tam claro nomine Magnus /Caesaris esse
nefas. 8.549
tanti, Ptolemaee, ruinam /nominis haut
metuis, ... 8.551
scelus hoc quo nomine dicent /qui Bruti
dixere nefas? 8.609

'ductor et Hesperii maiestas nominis una,
                8.760
inscripsit sacrum semusto stipite nomen:
                8.792
Romanum nomen et omne /imperium Magno
tumuli est modus: 8.798
omnia Lagi /arua tenere potest, si nullo
caespite nomen /haeserit. 8.803
quod si tam sacro dignaris nomine saxum
/adde actus tantos 8.806
haud procul est ima Pompei nomen harena
/depressum tumulo, ... 8.820
nunc est pro numine (nomine) summo / hoc
tumulo Fortuna iacens, . . .var.8.860
uel sceptra uel urbes /libertate sua
ualidas inpellite fama /nominis: 9.92
clarum et uenerabile nomen /gentibus 9.202
et sacrum paruo nomen clausura sepulchro
/inuasit Libye securi fata Catonis. 9.409
quis tantum meruit populorum sanguine
nomen? . . . /... 9.597
legit ... /... Heroas ... turres,/qua
pelago nomen Nepheleias abstulit Helle.
                9.956
circumit exustae nomen memorabile Troiae
                9.964
nullum est sine nomine saxum. 9.973
tu nomina tanto /inuenies operi, 9.1029
credis apud populos Pompei nomen
amantis /hoc castris prodesse tuis? 9.1050
templa uetusti /numinis (nominis)
antiquas Macetum testantia uires/
circumit, ... var.10.16
pone duces priscos et nomina pauperis
aeui 10.151
quid nomina tanta /horremus uiresque ducis,
                10.389
respexit in agmine denso /Scaeuam
perpetuae meritum iam nomina famae 10.544

NON. 1.30;1.33;1.36;1.99;1.111;1.140;1.143;
1.145;1.163;1.171;1.200;1.238;1.258;1.290;
1.303;1.339;1.341;1.352;1.401;1.403;1.406;
1.446;1.455;1.478;1.520;1.611;1.634;1.640;
2.43;2.45;2.47;2.50;2.68;2.81;2.85;
2.105;2.146;2.162;2.176;2.209;2.234;2.238;
2.301;2.319;2.322;2.337;2.346;2.354;
2.360;2.368;2.416(bis);2.418;2.420;2.432;
2.440;2.442;2.443;2.494;2.496;2.523;
2.533;2.558;2.564;2.567;2.575;2.600;2.617;
2.676;2.693;2.720;2.726;2.732;3.4;3.25;
3.28;3.32;3.48;3.72;3.80;3.83;3.89;3.91;
3.93;3.101;3.102;3.105;3.106;3.123;3.130;
3.132;3.138;3.139;3.152;3.156;3.160;3.210;
3.218;3.228;3.236;3.244;3.248;3.251;3.253;
3.257;3.263;3.284;3.292;3.296;3.302;3.303;
3.317;3.326;3.328;3.337;3.368;3.389;3.402;
3.410;3.415;3.417;3.420;3.422;3.438;
3.442;3.500(bis);3.510;3.516;3.519;3.567;
3.618;3.668;3.700;3.706;3.722;3.724;3.727;
3.730;3.733;3.742;3.751;4.2;4.14;4.53;
4.86;4.90(bis);4.95;4.97;4.107;4.108;
4.114;4.139;4.179;4.213;4.216;4.221;4.223;
4.225(bis);4.261;4.268;4.274;4.277;4.297;
4.299;4.324;4.333;4.341;4.345;4.348;
4.369;4.378;4.380;4.394;4.395;4.397;
4.402;4.410;4.411;4.472;4.476;4.484;4.488;
4.501;4.504;4.507;4.545;4.566;4.575;4.576;
4.581;4.590;4.597;4.603;4.604;4.607;4.641;
4.647;4.651;4.653;4.663;4.665;4.670;4.685;
4.709;4.731;4.749(bis);4.750;4.753;4.775;
4.781;4.784;4.785;4.796;4.811;5.14;5.18;

NON

     5.29;5.34;5.45;5.58;5.111;5.140;5.152;
     5.164;5.166;5.181(bis);5.182(bis);5.211;
     5.250;5.254;5.255;5.278;5.279;5.300;5.305;
     5.310;5.318;5.330;5.338;5.350;5.353;
     5.356;5.360;5.370;5.393;5.400;5.411;5.433;
     5.437;5.445;5.446(bis);5.475;5.484;5.488;
     5.495;5.499;5.516;5.527;5.534;5.541;5.546;
     5.561;5.581;5.585;5.590;5.593;5.608(bis);
     5.617;5.627;5.643;5.648;5.650(bis);
     5.678;5.681;5.688;5.698;5.703;5.738;5.739;
     5.745;5.756;5.763;5.769;5.792;5.793;5.802;
     5.808;5.812;5.814;6.19;6.25;6.36;6.37;
     6.43(bis);6.107;6.120;6.140;6.154;6.155;
     6.157;6.166;6.181;6.186;6.187;6.190(bis);
     6.201;6.202;6.213;6.227;6.232;6.260;6.261;
     6.275;6.293;6.306;6.371;6.425(bis);6.437;
     6.442;6.447;6.453;6.458;6.462;6.465;6.474
     (bis);6.501;6.515(bis);6.522;6.558;6.593;
     6.602;6.645;6.648;6.650;6.671;6.672(bis);
     6.674;6.677;6.712;6.725;6.731;6.746;6.777;
     6.790;7.5;7.44;7.48;7.56;7.88;7.96;
     7.137;7.145;7.151;7.161;7.213;7.216;7.264;
     7.273(bis);7.280;7.287;7.289;7.313;7.315;
     7.320;7.327;7.336;7.354;7.368;7.395;
     7.397;7.428;7.470;7.524;7.527;7.537;7.548;
     7.598;7.610;7.615;7.630;7.632;7.672;
     7.678;7.680(bis);7.682;7.694;7.709;7.735;
     7.736;7.754;7.794;7.799;7.803;7.805;7.812;
     7.816;7.817;7.819;7.825;7.830;7.841;7.842;
     7.851;7.852;7.868;8.13;8.64;8.75;7.130;
     8.133;8.136;8.145;8.146;8.174(bis);
     8.199;8.239;8.266;8.306;8.313;8.362;8.371;
     8.377(bis);8.396;8.402;8.404;8.406;8.412;
     8.418;8.431;8.446;8.453;8.468;8.479;8.493;
     8.495;8.496;8.502;8.521;8.525;8.534;8.553;
     8.562;8.571;8.586;8.593;8.600;8.603;8.626;
     8.632;8.637;8.646;8.659;8.678;8.729;
     8.730;8.738;8.739;8.758;8.768;8.817(bis);
     8.821;8.855;8.865;8.867;9.1;9.10;9.48;
     9.54;9.70;9.71;9.78;9.79;9.82;9.94;
     9.105;9.108;9.113;9.128;9.146;9.153;9.155;
     9.186;9.192;9.206;9.213;9.228;9.236;9.237;
     9.258(bis);9.259;9.273(bis);9.275;9.280;
     9.286;9.294;9.340;9.421;9.424;9.427;9.437;
     9.449;9.455;9.460;9.513;9.515;9.533;
     9.572;9.574;9.582;9.586;9.589;9.621;9.627
     (bis);9.682;9.687;9.688;9.704;9.708;9.746;
     9.747(bis);9.757;9.766;9.781;9.798;9.800;
     9.803;9.819;9.871;9.907;9.917;9.945;9.957;
     9.979;9.989;9.1032;9.1035;9.1038;9.1040;
     9.1046;var.9.1048;9.1061;9.1062;9.1069;
     9.1075;9.1080;9.1090;10.14;10.18(bis);
     10.26;10.37;10.51;10.60;10.70;10.76;10.81;
     10.90;10.115;10.118;10.119;10.124;10.133;
     10.149;10.158;10.161;10.177;10.217;10.220;
     10.254;10.258;10.265;10.270;10.282;10.295;
     10.307;10.333;10.369;10.381;10.382;10.389;
     10.410(bis);10.417;10.428;10.436;10.452;
     10.454;10.455(bis);10.456;10.461;10.463;
     10.474;10.475;10.477;10.480;10.481;10.486;
     10.501;10.515;10.516;10.517(ter);10.519;
     10.526;10.527;10.529;10.539(bis);10.540

NONDUM.   nondum tibi defuit hostis.   1.23
     ille reget currus nondum patientibus
     annis, ...   1.316
     et nondum sparsa conpage carinae /
     naufragium sibi quisque facit, . .   1.502
     attonitae tacuere domus, cum corpora
     nondum /conclamata iacent nec mater crine
     soluto /exigit 2.22
     saeue parens, utrasque simul partesque

     ducesque, /dum nondum meruere, feri.   2.60
     albaque nondum /lux rubet 2.720
     ante fores nondum reseratae constitit
     aedis 3.117
     dixerat, et nondum foribus cedente
     tribuno / acrior ira subit: . . .   3.141
     nondum flumineas Memphis contexere
     biblos /nouerat, ...   3.222
     nondum destituit calidus tua uolnera
     sanguis, ...   3.746
     ossaque nondum /adduxere cutem: 4.287
     'nondum post genitos Tellus ecfeta
     gigantas 4.593
     an nondum numina tantum/decreuere nefas
                                              5.203
     nil actum est bellis, si nondum conperit
     istas /omnia posse manus. 5.287
     o munera nondum /intellecta deum!   5.528
     spes una salutis, /quod tanta mundi
     nondum periere ruina. 5.637
     nondum turgentibus altam /in segetem
     culmis cernit miserabile uolgus / in
     pecudum cecidisse cibos 6.109
     seque arma tenente /ac nondum strato
     Magnum uicisse negauit. 6.143
     nondum facies uiuentis in illo, /iam
     morientis erat: 6.758
     fodientem uiscera cernet /me mea qui
     nondum uicto respexerit hoste. . .   7.310
     nondum attigit arcem, /iuris et humani
     columen, ...   7.593
     haud alios nondum Scythica purgatus in
     ara /Eumenidum uidit uoltus Pelopeus
     Orestes, ...   7.777
     sed meminit nondum satiata caedibus ira
     /ciues esse suos. 7.802
     scelerique secundo /praestabis nondum
     siccos hoc sanguine campos. . . .   7.854
     nondum uile sui pretium scit sanguinis
     esse, ...   8.9
     multi, Pharsalica castra /cum peterent
     nondum fama prodente ruinas, /occursu
     stupuere ducis 8.15
     sollicitat nostrum, quem nondum perdidit,
     orbem. 8.511
     nondum artis erat caput ense rotare.   8.673
     semusta rapit resolutaque nondum /ossa
     satis neruis 8.786
     nondum Pompei cineres, o Roma, petisti;
                                              8.836
     nunc excipe saltem /ossa tui Magni, si
     nondum subruta fluctu /inuisa tellure
     sedent. 8.839
     nondum stante modo crescens fugere cadauer.
                                              9.804
     explicuitque suos.... Cleopatra ... /
     nondum translatos Romana in saecula luxus.
                                              10.110
     multumque madenti /infudere comae quod
     nondum euanuit aura /cinnamon externa
                                              10.166

NONNE.   nonne superfusis collectum cornibus
     hostem /in medium dabimus? 7.365
     nonne iuuat pulsum bellis cessisse nec
     istud /perspectasse nefas? . . .   7.698
NONUS,-A,-UM. hae facient dextrae, quidquid
     nona explicat aetas, ...   7.387
NOS.   1.250;1.254;4.811;6.157;8.831;9.859;
     NOSTRI. 1.362;5.264;
     NOBIS(dat.). 2.489;3.329;5.158;5.329;
     5.416;6.617;7.79;7.434;7.445;7.614;7.737;

NOS

8.110;8.218;var.8.265;8.281;8.397;8.512;
8.518;8.842;9.539;9.572;9.706;9.868;
9.1027;9.1031;9.1082;9.1095;10.377;10.380
NOS(acc.). 1.279;2.53;4.349;4.492;4.511;
4.793;5.22;5.26;5.293;5.485;5.683;7.402;
8.311;8.498;8.588;9.227;10.375;10.378
NOBIS(abl.). 6.601;10.369

NOSCO,-ERE. ut notae fulsere aquilae Romanaque
signa /... deriguere metu, ... 1.244
solis nosse deos et caeli numina uobis /
at solis nescire datum; 1.452
secretaque caeli / nosse fuit, quem non
stellarum Aegyptia Memphis /aequaret
uisu 1.640
noscant uenturas ut dira per omina clades?
2.6
me domitus cognouit Arabs, me Marte
feroces /Heniochi notique erepto uellere
Colchi, ... 2.591
nondum flumineas Memphis contexere biblos
/nouerat, ... 3.223
tantum terroribus addit, /quos timeant,
non nosse, deos. 3.417
audiuere manum, nec lux est notior ulli
3.594
et noti diffisus uiribus orbis /indomitos
quaerit populos 4.145
et Clipeam tenuit stationis litora notae,
4.586
nominis antiqui cupientem noscere causas
/cognita per multos docuit rudis incola
patres. 4.591
absterrere ducem noscendi ardore futura
/cassa fraude parat. 5.129
nam quo melius Pharsalicus annus /consule
notus erit? 5.392
sed minimum terrae uicino litore nouit.
5.467
si bene nota mihi est, ad Caesaris arma
iuuentus /naufragio uenisse uolet. 5.493
uectorem non nosse tuum, quem numina
numquam /destituunt, ... 5.581
nec quaesisse libet ... /... quis noscere
fibra /fata queat, ... 6.427
saeuorum arcana magorum / nouerat et
tristis sacris feralibus aras, . . 6.432
nosse domos Stygias arcanaque Ditis
operti /non superi, non uita uetat. 6.514
nec fibras illa litantis /nouit: 6.525
te precor ut certum liceat noscere finem
6.592
quod tamen e cunctis mihi noscere contigit
umbris /effera Romanos agitat discordia
manes 6.779
Romanos odere omnes,... / quos nouere,
magis. 7.285
uultus, quo noscere possent /facturi quae
monstra forent, uidere parentum 7.462
ut notum possit spoliare cadauer, 7.627
noto reparandum est litore fatum. 8.120
sed melior suadere malis et nosse
tyrannos /ausus Pompeium leto damnare
Pothinus 8.482
inpius ut Magnum nosset puer, illa
uerenda /regibus hirta coma... /...
conprensa manu est, ... 8.679
norit harenas / ad quas, Magne tuum
referat caput.' 8.774
'ciuis obit'...'multum maioribus inpar /
nosse modum iuris, ... 9.191
inuasit ferrum, sed ponere norat. 9.198

siquo fuerit discrimine notum /dux an
miles eam. 9.401
tantum Maurusia genti /robora diuitiae,
quarum non nouerat usum, . . . 9.427
nulla portus tangente carina /nouit opes:
9.443
sideribus nouere uiam; 9.495
quaecumque foramina nouit /umor, ab his
largus manat cruor; 9.811
nec, quae mensura uiarum /quisue modus,
norunt caelo duce: 9.847
cuius morsus superauerit anguis /iam
promptum Psyllis uel gustu nosse ueneni.
9.937
iam languida morte /effigies habitum
noti mutauerat oris. 9.1034
noscique uolentes /prode deos. . 10.180
nihil est quod noscere malim /quam fluuii
causas 10.189
quae tibi noscendi Nilum, Romane, cupido
est, /et Phariis Persisque fuit...
tyrannis, ... 10.268
nulli contingit gloria genti /ut Nilo
sit laeta (nota) suo. var.10.285
tua flumina prodam,/qua... undarum
celator,... tuarum /te mihi nosse dedit.
10.287
gentes maluit ortus /mirari quam nosse
tuos. 10.298
NOSTER,-TRA,-TRUM. quae noster ueteranus
aret, quae moenia fessis? 1.345
'uiue, licet nolis, et nostro munere' dixit
2.512
nostrasque securis /passus Sicanio tegitur
qui Carbo sepulchro, ... 2.547
inuideo nostrasque manus quod Roma
furenti /opposuit. 2.551
te quoque si superi titulis accedere
nostris/iusserunt, ... 2.555
nostri fama uenit, quas est uolgata per
urbes 2.634
'non nisi per nostrum uobis percussa
patebunt /templa latus, ... 3.123
nullasque feres nisi sanguine sacro
(nostro)/ sparsas, raptor, opes var.3.124
non feret e nostro sceleratus praemia
miles: 3.130
haud' inquit 'iugulo se polluet isto /
nostra, Metelle, manus; 3.136
nostrisque uelis te credere muris 3.331
'uana mouet Graios nostri fiducia cursus.
3.358
magnum nunc saecula nostra uenturi
discrimen habent. 4.191
numquam nostra salus pretium mercesque
nefandae /proditionis erit: . . 4.220
sollicitas reges, cum forsan foedere
nostro /iam tibi sit promissa salus.'
4.234
campis prostrata iacere /agmina nostra
putes; 4.359
stant undique nostris /intenti ciues
iugulis: 4.485
nescio quod nostris magnum et memorabile
fatis /exemplum, Fortuna, paras. 4.496
transisset nostra iuuentus. . . 4.499
abscidit nostrae multum fors inuida
laudi, ... 4.503
'ecquis' ait ... / ... certaque fide per
uolnera nostra /testetur se uelle mori?'
4.543

NOSTER

ius licet in iugulos nostros sibi fecerit
ensis 4.821
nostrum exhausto ius clauditur anno: 5.44
non ullo saecula dono /nostra carent
maiore deum, ... 5.112
ora quibus soluat, nostro non inuenit
aeuo.' 5.140
adde quod ingrato meritorum iudice uirtus
/nostra perit: 5.292
cernetis nostros iam plebs Romana
triumphos. 5.334
Arctoi nostro sub nomine miles /Pompeio
certe fugeres duce. 5.344
tradite nostra uiris ignaui signa Quirites.
5.358
aut quem nostrae fortuna coegit /auxilium
sperare casae?' 5.522
non puppis nostrae labor est: . . . 5.585
cum iam non poterit puppi nostraeque
saluti /altera terra dari. 5.590
cum te raperet mare, corpora segnis /
nostra sopor tenuit. 5.690
quod te nostris inpegit harenis? 5.697
si numina nostras /inpulerint acies,
5.756
nostros non rumpit funus amores / nec
diri fax summa rogi, ... 5.763
sic est tibi cognita, Magne, / nostra
fides? 5.768
Titan medium quo tempore ducit /sub
nostra tellure diem, deserta per arua
/carpit iter. 6.572
non Taenariis sic faucibus aer /sedit
iners, maestum mundi confine latentis
/ac nostri, ... 6.650
nostraeque Hecates pars ultima, per quam
/manibus et mihi sunt tacitae commercia
linguae,/... /exaudite preces. 6.700
ianitor ... qui uiscera saeuo /spargis
nostra cani, ... / exaudite preces. 6.703
si quisquis uestris (nostris) caput
extaque lancibus infans /inposuit
uicturus erat, parete precanti. var.6.710
ducis omnia nato /Pompeiana canat nostri
modo militis umbra, ... 6.717
hoc placet, o superi,... /... nostris,
erroribus addere crimen? . . . 7.59
haec ... / siue aliquid magnis nostri
quoque cura laboris /nominibus prodesse
potest,... / spesque metusque...mouebunt,
7.209
Caesar nostris non sufficit armis. 7.368
uellem populis incognita nostris. 7.436
ex populis qui regna ferunt sors ultima
nostra est, ... 7.444
alieni poena timoris /in nostra ceruice
sedet. 7.645
nullusque auderet pecori permittere pastor
/uellere surgentem de nostris ossibus
herbam, ... 7.865
nostros ulta toros, ades huc atque
exige poenas, /Iulia crudelis, . . 8.103
ne nostram uideare fidem felixque secutus
/et damnasse miser.' 8.126
tenuit nostros hac obside Lesbos /adfectus;
8.131
sed quo uela dari, quo nunc pede carbasa
tendi /nostra iubes?' 8.186
tamen omnia uincens /sustinui nostris uos
tantum desse triumphis, ... 8.230
sparsit potius Pharsalia nostras /quam

NOSTER

subuertit opes. 8.273
et abruptum est nostro mare discolor unda
/Oceanusque suus. 8.293
nec pila timentur /nostra nimis Parthis,
8.301
fatis nimis aemula nostris /fata mouent
Medos, ... 8.307
quas magis in terras nostrum felicibus
actis /nomen abit, ... 8.320
quid enim tibi laetius umquam /
praestiterint superi,... /...tantam
consumere gentem /et nostris miscere
malis? 8.325
quid uolnera nostra /in Scythicos spargis
populos 8.352
'tu, quem post funera nostra /ultorem
cinerum ... sperauimus ... /ad foedus
pacemque uenis?' 8.433
nostra cadauera Tigris /detulit in terras
ac reddidit. 8.438
qui te nec uictos arcere a litore nostro
/posse putat. 8.497
sollicitat nostrum, quem nondum perdidit,
orbem. 8.511
quid ... /... aruaque nostra /uictori
suspecta facis? 8.514
quae te nostri fiducia regni / huc
agit, infelix? 8.524
quid uiscera nostra /scrutaris gladio?
8.556
te Cornelia, Magne,/ accipiet nostraque
manu transfundet in urnam. . . . 8.770
tu nostros, Aegypte, tenes in puluere
manes. 8.834
utinam ... uelit uti /nostro Roma sinu:
8.843
uidit quanta sub nocte iaceret /nostra
dies 9.14
haec mandata reliquit /Pompeius uobis in
nostra condita cura: 9.86
nec umquam,/dum terris aliquis nostra de
stirpe manebit, /Caesaribus regnare uacet.
9.89
et noster nullis non gentibus heres /
bella dabit: 9.94
sed me nec sanguis nec tantum uolnera
nostri /adfecere senis, quantum gestata
per urbem /ora ducis, ... 9.136
clarum et uenerabile nomen /gentibus et
multum nostrae quod proderat urbi. 9.203
causaque nostra perit: 9.230
iustas sibi nostra senectus /prospiciat
flammas: 9.234
nostra quoque inuiso quisquis feret ora
tyranno /non parua mercede dabit: 9.279
et nostris reficit sua rura serenis. 9.423
in nemus ignotum nostrae uenere secures,
9.429
spoliauerat Auster / aut Boreas populos
ancilia nostra ferentes 9.480
sed non aut fulmina uibrans /aut similis
nostro, sed tortis cornibus Hammon. 9.514
non cura laborque /noster scire ualet,
9.622
accipe poenas / tu, quisquis superum
commercia nostra perosus 9.860
Pharsalia nostra /uiuet, ... 9.985
Thessalicas quaerens Magnus reparare
ruinas /ense iacet nostro. . . . 9.1020
'aufer ab aspectu nostro funesta, satelles,
/regis dona tui. 9.1064

NOSTER

secreta quid arma /mouit et inseruit
nostro sua tela labori? 9.1072
concordia mundo /nostra perit. . 9.1098
fuit dubius ... casus,/an mundum ne nostra
quidem matrona teneret. 10.67
nox illa ... cubili /miscuit incestam
ducibus Ptolemaida nostris. . . 10.69
tu gentibus aequum /sidus ades nostris.
10.90
mox te deserta secantem,/qua iungunt
nostrum rubro commercia ponto,/mollis
lapsus agit. 10.314
hinc, Abaton quam nostra uocat ueneranda
uetustas, /terra potens 10.323
aspice litus,/spem nostri sceleris; 10.379
attrahit illos /in nostras fortuna manus:
10.385
ubi non ciuilia bella /inuenit imperii
fatum miserabile nostri? 10.411
NOTA(subst.). uiscera tincta notis gelidoque
infecta cruore 1.619
amisere notas, miserorum dextra
parentum /colligit 2.167
signauit tempora digna /maesta nota; 5.391
uentorumque notam rubuit; . . . 5.549
non tamen abstinuit uenturos prodere
casus /per uarias Fortuna notas. 7.152
nullaque manente figura /una nota est
Magno capitis iactura reuolsi. 8.711
paruo signemus litora saxo,/ut nota sit
busti; 8.772
pluribus ille notis uariatam tinguitur
aluum /quam ... Thebanus ophites. 9.713
NOTESCO,-ERE. notescent litora clari /nominis
exilio, positaque ibi coniuge Magni /quis
Mytilenaeas poterit nescire latebras?
5.784
ast ego caelicolis gratum reor ... /...
sacras populis notescere leges. 10.198
NOTITIA. nullaque non aetas uoluit conferre
futuris /notitiam; 10.271
NOTO,-ARE. seu tonitrus ac tela Iouis praesaga
notauit, ... 7.197
numen in aethere maestum /solis in obscuro
pugnam pallore notauit. 7.200
si cuncta perito /augure mens hominum
caeli noua signa notasset, /spectari toto
potuit Pharsalia mundo. 7.203
prosiluit crimenque deum crudele notauit,
8.55
rectorem ... de cunctis consulit astris,
/unde notet terras, ... 8.168
hunc ... secutus /litus in extremum tali
Cato uoce notauit: 9.221
Threiciasque legit fauces et amore
notatum /aequor 9.954
NOTUS,-A,-UM v. NOSCO.
NOTUS. uindicat unda Notum. 2.460
saepe Noto plenae tensisque rudentibus
actae /... rates 2.683
et Notos, in solam Calpen fluit umidus
aer. 4.71
Noton altera Phoebi, /altera pars Borean
diducta luce uocabat. 5.542
nubibus et caelo Notus est; . . . 5.571
Aeolii iacuisse Notum sub carcere saxi
5.609
mox, ubi percussit tensas Notus altior
alas, ... 5.714
non sic Hennaeis habitans in uallibus
horret / Enceladum spirante Noto, 6.294

rursus uetitutm sentire procellas /
conticuit turbante Noto; 6.471
quidquid ... /sub Noton et Borean
hominum sumus, arma mouemus. . . . 7.364
frustraque rudentibus ausis /uela negare
Noto spatium uicere carinae, . . . 9.326
Boreae latus illa sinistrum /contingens
dextrumque Noti discedit in ortus 9.419
sic orbem torquente Noto Romana iuuentus
/procubuit timuitque rapi; 9.481
at tibi,... / in Noton umbra cadit, quae
nobis exit in Arcton. 9.539
nec in Borean aut in Noton effugit umbram.
9.695
terga damus ferienda Noto; 9.877
terrasque premamus /flagrantis post
terga Noti, ... 10.50
ab occiduo depellunt nubila caelo /trans
Noton 10.243
et cladem fouere Noti, ... 10.500
NOUERCA. numquam saeuae sperare nouercae /plus
licuit: 4.637
NOUUS,-A,-UM. tu, noua ne ueteres obscurent
acta triumphos 1.121
nec reparare nouas uires, ... 1.134
noua da mihi cernere litora ponti 1.693
noua da mihi cernere litore ponti /
telluremque nouam: 1.694
tantone nouorum /prouentu scelerum
quaerunt uter imperet urbi? . . . 2.60
mille licet gladii mortis noua signa
sequantur, ... 2.115
quamuis icta nouo, uentum tenuere priorem
/aequora, ... 2.458
inde per arua /Graiorum Macetumque nouas
adquirite uires 2.647
Pompeius tellure noua conpressa profundi
/ ora uidens curis animum mordacibus
angit, ... 2.680
fonte noua flumen pelagi non abnegat
undis. 3.263
luce noua collem subito conscendere cursu,
/... imperat. 4.32
aut micuere noui percusso pumice fontes,
4.300
interque priorem /fortunam casusque nouos
gerit omnia uicti, /sed ducis, 4.342
et Basilum uidere ducem, noua furta per
aequor /exquisita fugae. 4.416
Herculeosque nouo laxauit corpore nodos.
4.632
infidusque nouis ducibus dubiusque priori
/fas utrumque putat. 4.698
excitet inuisae dirae Carthaginis umbras
/inferiis Fortuna nouis, ... 4.789
instabatque dies qui dat noua nomina
fastis 5.5
noua uota timori /sunt inuenta nouo,
5.450
noua uota timori /sunt inuenta nouo,
5.451
inque nouos traheris casus? . . . 5.487
ore nouas poscens moribundus labitur
herbas 6.86
parque nouum Fortuna uidet concurrere,
bellum /atque uirum. 6.191
spumauitque nouis Lapithae domitoris
habenis. 6.399
terrenum ignotas (-que nouas) hominem
proiecit in undas. var.6.401
inque nouos ritus pollutam duxerat artem.

NOUUS

                            6.509

carmenque nouos fingebat in usus.   6.578
sed pronum, cum tanta nouae sit copia
mortis, /Emathiis unum campis attollere
corpus, ...   6.619
iam noua, iam uera reddetur uita figura,
                            6.660
pectora tum primum feruenti sanguine
supplet /uolneribus laxata nouis   6.668
et noua desuetis subrepens uita medullis
/miscetur morti. 6.753
sitque hominum magnae lux ista nouissima
parti. 7.90
si cuncta perito /augure mens hominum
caeli noua signa notasset, /spectari toto
potuit Pharsalia mundo. 7.203
ante nouae uenient acies, scelerique
secundo /praestabis ... campos.   7.853
quamuis ... /... nullis circumdatus armis
/...nouis exordia quaeram, / ingentis
praestate animos. 8.265
mitissima sors est /regnorum sub rege
nouo.' 8.453
cornigerique Iouis monitu noua fata
petebant; 9.545
manifesta noui primum dant signa tumoris.
                          10.326
ultricesque deae dant in noua monstra
furorem. 10.337

NOX.   unde uenit Titan et nox ubi sidera
condit   1.15
noxque diem caelo totidem per signa
sequetur, ...   1.91
clara per obscuram uoltu maestissima
noctem 1.187
sic fatus noctis tenebris rapit agmina
ductor 1.228
noctis gelidas lux soluerat umbras: 1.261
desereris; nox una tuis non credita muris.
                          1.520
ignota obscurae uiderunt sidera noctes
                          1.526
per uacuum solitae noctis decurrere
tempus 1.536
qualem fugiente per ortus /sole Thyesteae
noctem duxere Mycenae. 1.544
accipimus, siluisque feras sub nocte
relictis /audaces media posuisse cubilia
Roma. 1.559
tantum nox atra silentibus auris /edidit.
                          1.579
uidit Fortuna colonos /Praenestina suos
cunctos simul ense recepto unius populum
pereuntem tempore mortis(noctis).
                      var.2.195
pars populi lugentis erat, set nocte
sopora, /Parrhasis obliquos Helice cum
uerteret axes, ...   2.236
sed teneat Caesarque dies et Iulia
noctes. 3.27
lucet et exigua uelox ibi nocte Bootes,
                          3.252
aut caelum nox atra tenet, pauet ipse
sacerdos 3.424
nox subit atque oculos uastae obduxere
tenebrae, ...   3.735
prono cum Caesar Olympo /in noctem
subita circumdedit agmina fossa,   4.29
nec Phoebum surgere sentit /nox subtexta
polo: 4.104
et noctes uentura luce rubebant,   4.125

NOX

extrahit insomnis bellorum fabula
noctes, ...   4.200
quae fortuna deorum /inuidia caeca
bellorum in nocte tulisset, . .   4.244
substituit merso dum nox sua lumina
Phoebo. 4.282
inpedit ad noctem iam lux extrema
tenebras. 4.447
nam condidit umbra /nox lucem dubiam
                          4.473
'libera non ultra parua quam nocte
iuuentus, ...   4.476
nox tum Thessalicas urguebat parua
sagittas 4.528
nec patitur noctes nec iniquos crescere
soles, ...   5.25
uidit flammifera confectas nocte Latinas.
                          5.402
sed nocte fugata /laesum nube dies
iubar extulit 5.455
soluerat armorum fessas nox languida
curas, ...   5.504
non caeli nox illa fuit: latet obsitus
aer 5.627
nox manes mixtura dies: spes una salutis,
                          5.636
talia iactantis discussa nocte serenus
/oppressit cum sole dies, ...   5.700
sed nox saeua modum uenti uelique tenorem
/eripuit 5.709
nocte sub extrema pulso torpore quietis
                          5.734
quae nox tibi proxima uenit, /insomnis;
                          5.805
atque oblita fugae quaesiuit nocte
maritum! 5.810
non obscura petit latebrosae tempora
noctis, ...   6.120
lucentem totis ignorat noctibus Arcton.
                          6.342
dilataque longa /haesit nocte dies.   6.462
alta /nocte poli, Titan medium quo
tempore ducit /... diem, deserta per arua
/carpit iter. 6.571
dixerat, et noctis geminatis arte tenebris
/maestum tecta caput squalenti nube
pererrat /corpora 6.624
intus tenebrae pallensque sub antris /
longa nocte situs numquam nisi carmine
factum /lumen habet. 6.647
eloquar ... /... Hennaea,... quo foedere
maestum /regem noctis ames, . . .   6.741
iussa tenere diem densas nox praestitit
umbras. 6.830
at nox felicis Magno pars ultima uitae
/sollicitos uana decepit imagine somnos.
                          7.7
unde pares somnos populis noctemque
beatam? 7.28
Stygii quae numina regni /infernumque
nefas et mersos nocte furores /...
litasti? 7.170
mirantur ... /et pallere diem galeisque
incumbere noctem 7.178
rus uacuum, quod non habitet nisi nocte
coacta /inuitus ... senator. . . .   7.395
haud multum terrae spatium restabat Eoae
/ut tibi nox, tibi tota dies, tibi
curreret aether, ...   7.424
astra Thyestae /intulit et subitis
damnauit noctibus Argos: 7.452

NOX

```
noxque super campos telis conserta
pependit. . . . . . . . . . .   7.520
quacumque uagatur,/... nox ingens
scelerum est; . . . . . . . . .   7.571
putem ... /... infectumque aera totum /
manibus ut superam Stygia formidine
noctem.                           7.770
hunc omnes gladii,... /.../ illa nocte
premunt, hunc infera monstra flagellant.
                                  7.783
non meliore loco Stygia sub nocte iacebis.
                                  7.817
Thessaliam nox omnis habet; . . . .   8.45
obuia nox miserae caelum lucemque tenebris
/abstulit . . . . . . . . . . .   8.58
muros /oramus sociosque lares dignere
uel una /nocte tua: . . . . . .   8.114
et polus Assyrias alter noctesque diesque
/uertit, . . . . . . . . . . .   8.292
tot femineis conplexibus unum /non lassat
nox tota marem.                   8.404
noctique rependit/lux minor hibernae
uerni solacia damni.              8.468
uidit quanta sub nocte iaceret /nostra
dies  . . . . . . . . . . . .    9.13
nec terra celsior ulla /nox cadit in
caelum lunaeque meatibus obstat,   9.693
sic nec clara dies nec nox dabat atra
quietem . . . . . . . . . . .    9.839
sic nox tuta uiris. . . . . . .   9.922
septima nox Zephyro numquam laxante
rudentes /ostendit... Aegyptia litora
                                  9.1004
hoc animi nox illa dedit quae prima cubili
/miscuit incestam ducibus Ptolemaida
nostris. . . . . . . . . . . .   10.68
exigit infandam corrupto iudice noctem.
                                  10.106
longis Caesar producere noctem /inchoat
adloquiis, . . . . . . . . .     10.173
mutat nocte diem, . . . . . . .   10.202
auctusque suos non ante coartat /quam
nox aestiuas a sole receperit horas.
                                  10.218
Nilus ... nec ripis alligat amnem /ante
parem nocti Libra sub iudice Phoebum.
                                  10.227
hoc noctes referunt Niloque profundunt.
                                  10.261
sic uelut in tuta securi pace trahebant
/noctis iter mediae. . . . . .   10.333
crede, miser, puero, quem nox si
iunxerit una/... / meque tuumque caput...
illi / ...donabit. . . . . . .   10.361
nox haec peraget ciuilia bella   10.391
sed metuunt belli trepidos in nocte
tumultus, . . . . . . . . . .    10.425
donata est nox una duci, . . . .  10.432
sed caeca nocte carinis /insiluit Caesar
                                  10.506
```

NOXIUS,-A,-UM. nec noxia tantum /pocula

```
proficiunt . . . . . . . . .      6.454
quis non, Fortuna, putasset /parcere te
populis ... /Thessaliaque procul tam
noxia tela fugasses? . . . . .    8.602
noxia ciuili tellus Aegyptia fato,  8.823
noxia serpentum est admixto sanguine
pestis; . . . . . . . . . . .    9.614
nec uobis opus est ad noxia fata ueneno.
                                  9.733
```

NUBES. pars aetheris illa sereni / tota uacet

```
nullaeque obstent a Caesare nubes.   1.59
emicuit caelo tacitum sine nubibus ullis
                                  1.533
nec pila lacertis /missa tuis caeca
telorum in nube ferentur: . . . .  2.262
nubes excedit Olympus. . . . . .   2.271
ut procul inmensam campo consurgere nubem
/... /conspexit . . . . . . .     2.481
et in nubes abiere Ceraunia . . .  2.626
nubibus et dubios cernit uanescere montis.
                                   3.7
cum medium nubes Borea cogente sub axem
/effusis magnum Libye tulit imbribus
annum. . . . . . . . . . . . .    3.69
nec uentus in illas /incubuit siluas
excussaque nubibus atris /fulgura:  3.409
fregit aquis radios et liber nubibus
aether . . . . . . . . . . . .    3.522
pigro bruma gelu siccisque Aquilonibus
haerens /aethere constricto pluuias in
nube tenebat. . . . . . . . . .    4.51
ille suo nubes quascumque inuenit in
axe . . . . . . . . . . . . . .    4.62
incendere diem nubes oriente remotae   4.68
et par Phoebus aquis densas in uellera
nubes / sparserat, . . . . . .    4.124
et siccis uoltus in nubibus haerent. 4.331
non tamen in caeca bellorum nube cadendum
est . . . . . . . . . . . . .     4.488
puluis /aera nube sua texit traxitque
tenebras. . . . . . . . . . . .   4.768
iam dudum nubes et saeuas perdimus undas.'
                                  5.423
sed nocte fugata /laesum nube dies iubar
extulit . . . . . . . . . . .     5.456
nam sol non rutilas deduxit in aequora
nubes . . . . . . . . . . . .     5.541
tum lurida pallens /ora tulit uoltu sub
nubem tristis ituro. . . . . .    5.550
nubibus et caelo Notus est; . . .  5.571
ni superum rector pressisset nubibus
undas. . . . . . . . . . . . .    5.626
deprimitur, fluctusque in nubibus
accipit imbrem. . . . . . . . .   5.629
traxit iners caelum fluuidae contagia
pestis /obscuram in nubem. . . .   6.90
miles.../...caeci trepidus sub nube
timoris /hostibus occurrit fugiens   6.297
Ixionidas Centauros /feta Pelethroniis
nubes effudit in antris: . . . .   6.387
nubes suspexit Olympus, . . . .   6.477
si ... atrae /sidera subducunt nubes,
tunc Thessala nudis /egreditur bustis
                                  6.519
maestum tecta caput squalenti nube
pererrat /corpora . . . . . . .   6.625
exprimit ... / siluarumque sonum
fractaeque tonitrua nubis: . . .  6.692
et attraxit nubes, non pabula flammis
                                   7.5
[inque oculis hominum fregerunt fulmina
nubes] . . . . . . . . . . . .    7.154
fragor conuexa inrumpit Olympi,/unde
procul nubes, quo nulla tonitrua durant.
                                  7.479
glomerataque nubes /in sua conuersis
praeceps ruit agmina frenis. . .  7.530
lucis maesta parum per densas Cynthia
nubes /praebebat, . . . . . . .   8.721
et non imbriferam contorto puluere nubem
/in flexum uiolentus agit: . . .  9.455
```

NUBIFER,-A,-UM. piniferae (nubiferae)Boreas
    cum Thracius Ossae / rupibus incubuit,
                        var.1.389
    nunc desuper Alpis /nubiferae colles atque
    aeriam Pyrenen /abripimur. . .   1.689
    quamuis icta nouo, uentum tenuere priorem
    /aequora, nubiferoque polus cum cesserit
    Euro 2.459
    agmine nubiferam rapto super euolat
    Alpem; 3.299
    'fortius hiberni flatus... /... tenent,quam
    quos incumbere certos /perfida nubiferi
    uetat inconstantia ueris. . . .   5.415
NUBILA. qualiter expressum uentis per nubila
    fulmen 1.151
    inpulerat, maestam tenuerunt nubila lucem.
                        1.235
    Oceanumque bibit raptosque ad nubila
    fluctus /pertulit 4.81
    nubila nusquam /undarumque minae;   5.453
    nubila tanguntur uelis et terra carina.
                        5.642
    calido praeducunt nubila Phoebo,   6.466
    ab occiduo depellunt nubila caelo / trans
    Noton 10.242
NUBO,-ERE. non timidum nuptae leuiter tectura
    pudorem /lutea demissos uelarunt flammea
    uoltus, ...   2.360
    cur inpia nupsi, /si miserum factura fui?
                        8.96
    nubit soror inpia fratri, . . .   10.357
    nam Latio iam nupta duci est, . .   10.358
NUCERIA. tu quoque nudatam commissae deseris
    arcem, / Scipio, Nuceriae, . . .   2.473
NUDO,-ARE. suppara nudatos cingunt angusta
    lacertos. 2.364
    gens Etrusca fuga trepidi nudata Libonis,
                        2.462
    tu quoque nudatam commissae deseris
    arcem, /Scipio Nuceriae, ...   2.472
    inter nudatos stabat densissima montis.
                        3.428
    iamque omni fusis nudato milite telis /
    inuenit arma furor: 3.670
    nudatos Caesar colles desertaque
    castra /conspiciens 4.148
    aestus agat refluoque mari nudentur
    harenae. 4.428
    nam pepulit Varum campo nudataque foeda
    /terga fuga, donec uetuerunt castra,
    cecidit. 4.713
    distento lumina rictu /nudantur.   6.758
    debuerant ... / imperii nudare latus,
                        8.425
NUDUS,-A,-UM. nudosque per aera ramos /
    effundens trunco, non frondibus, efficit
    umbram, ...   1.139
    caesarie lacera nudisque adstare lacertis
                        1.189
    nuda iam crate fluentis /inuadunt clipeos
                        1.241
    nuda triumphati iacuit per regna
    Iugurthae 2.90
    sed pondere solo /contenti nudis euoluunt
    saxa lacertis. 3.481
    fraternaque pectore nudo /arma tegens,
                        3.619
    qua nudi Garamantes arant, sedere, sed
    inter /stagnantem Sicorim et rapidum
    deprensus Hiberum 4.334
    uiresque resumit /in nuda tellure iacens.

                        4.605
gens quae nudo residens Massylia dorso
                        4.682
habes nudum promptumque ad uolnera pectus.
                        5.320
haud procul inde domus,... /.../ et
latus inuersa nudum munita phaselo. 5.518
nudas Aquilonibus undas /succedens Boreae
iam portum fecerat Auster. 5.720
nudumque marito /non haerente latus. 5.807
nec quicquam nudis uitalibus obstat 6.194
exornantque deos ac nudum pectore Martem
    /armis, Scaeua, tuis: 6.256
nec Iuba Marmaricas nudus pressisset
harenas 6.309
tunc Thessala nudis /egreditur bustis
                        6.519
et, quodcumque iacet nuda tellure
cadauer, /ante feras uolucresque sedet;
                        6.550
Catilina minax ... / exultat Mariique
truces nudique Cethegi; 6.794
nuda atque ignota iaceres, . . .   7.867
quamuis in litore nudo. /... nullis
circumdatus armis /consultem.../ingentis
praestate animos. 8.263
'tu, quem .../ uitorem cinerum nudae
sperauimus umbrae, /ad foedus pacemque
uenis?' 8.434
Pharioque ueruto,/... /... dum lumina
nuda rigescunt, /suffixum caput est, 8.683
o bene nudi /Crassorum cineres: 9.64
omnia dent poenas nudo tibi, Magne,
sepulchra. 9.157
uincitur et nudis auertitur armamentis.
                        9.329
Nasamon, gens dura,... proxima ponto
/nudus rura tenet; 9.440
si successu nuda remoto /inspicitur
uirtus, quidquid laudamus in ullo /
maiorum, fortuna fuit. 9.594
iamque sinu laxo nudum sine corpore
uolnus. 9.769
nuda fusus harena /excubat 9.882
NULLUS,-A,-UM. bella geri placuit nullos
habitura triumphos? 1.12
saxa iacent nulloque domus custode
tenentur 1.26
nulli penitus descendere ferro /contigit;
                        1.31
tota uacet nullaeque obstent a Caesare
nubes. 1.59
nulla fides regni sociis, ...   1.92
in sua templa furit, nullaque exire
uetante /materia 1.155
non ausus timuisse palam: uox nulla
dolori /credita, ...   1.258
dum trepidant nullo firmatae robore
partes, ...   1.280
nullus semel ore receptus /pollutas
patitur sanguis mansuescere fauces. 1.331
nulloque auctore malorum /quae finxere
timent. 1.485
nullum iam languidus aeuo /eualuit
reuocare parens 1.504
monstra iubet primum quae nullo semine
discors /protulerat matura rapi   1.589
quodque nefas nullis inpune apparuit
extis, ...   1.626
et fibris sit nulla fides, ...   1.636
'aut hic errat' ait 'nulla cum lege per

aeeum /mundus	1.642
nullos comitata est purpura fasces.	2.19
nullis defuit aris /inuidiam factura	
parens.	2.35
nulla uacet tibi, Roma, manus.	2.56
nulli gestanda dabantur /signa ducis,	2.96
a nullo reuocatum pectore ferrum.	2.102
nulli sua profuit aetas:	2.104
uirtutis iam sola fides, quam turbine	
nullo /excutiet fortuna tibi, . .	2.243
nullum furor egit in arma; . . .	2.254
inmites Romana piacula diui /plena ferant,	
nullo fraudemus sanguine bellum.	2.305
partuque exhausta reuertor /iam nulli	
tradenda uiro.	2.341
pignora nulla domus, nulli coiere	
propinqui:	2.370
nullosque Catonis in actus /subrepsit	
partemque tulit sibi nata uoluptas.	2.390
nulloque a uertice tellus /altius	
intumuit	2.397
quoque magis nullum tellus se soluit in	
amnem	2.408
nullasque uado qui Macra moratus /alnos	
uicinae procurrit in aequora Lunae).	2.426
Caesar in arma furens nullas nisi sanguine	
fuso /gaudet habere uias, ...	2.439
dux fugit et nullas ducentia signa	
cohortes.	2.471
pars mundi mihi nulla uacat, sed tota	
tenetur	2.583
uerba ducis nullo partes clamore secuntur	
	2.596
ergo, ubi nulla fides rebus post terga	
relictis	2.628
nullae tamen aequore rupes /emineant,	
	2.666
ergo, ubi nulla uado tenuit sua pondera	
moles, ...	2.669
nullum uestro uacuum sit tempus amori	
	3.26
Phoebea Palatia complet / turba patrum	
nullo cogendi iure senatus	3.104
pereunt discrimine nullo /amissae leges	
set, ...	3.119
nullasque feres nisi sanguine sacro /	
sparsas, raptor, opes.	3.124
dignum te Caesaris ira /nullus honor	
faciet.	3.137
degenerisque metus, nullam potuisse	
negari.	3.149
tractentur uolnera nulla /sacra manu.	
	3.314
utque perit magnus nullis obstantibus	
ignis, ...	3.364
hae nullo fixerunt robore terram	3.457
nullique perempti / in ratibus cecidere	
suis.	3.571
qua nullam melius pelago turbante carinae	
/audiuere manum, ...	3.593
nullius uita perempti /est tanta dimissa	
uia.	3.641
nulla tamen plures hoc edidit aequore	
clades /quam pelago diuersa lues.	3.680
uox faucis nulla solutas /prosequitur,	
	3.738
nulli telum uibrare uacauit, . . .	4.40
sic pedes ex facili nulloque urguente	
receptus, ...	4.46
saeua fames aderat, nulloque obsessus ab	
hoste /miles eget:	4.94

postquam spatio languentia nullo /mutua	
conspicuos lumina uoltus, ...	4.169
et quamuis nullo maculatus sanguine	
miles	4.181
utque habeat famulos nullo discrimine	
Caesar /exorandus erit?	4.218
nulli uallarent oppida muri, . . .	4.224
inde, ubi nulla data est miscendae	
copia mortis, ...	4.283
nulloque umore rigatus /aeris alternos	
angustat pulmo meatus, ...	4.326
sic proelia soli /felices nullo spectant	
ciuilia uoto.	4.401
frustra qui uincula ferro /rumpere conatus	
poscit spe proelia nulla /incertus qua	
terga daret, ...	4.467
uita breuis nulli superest qui tempus in	
illa /quaerendae sibi mortis habet;	4.478
fuga nulla patet, ...	4.485
nullique tumultus /excussere uirus mentes	
ad summa paratas;	4.535
nullam maiore locuta est /ore ratem totum	
discurrens Fama per orbem.	4.573
nullo dubii discrimine Martis /ancipites	
steterunt casus, ...	4.770
pascit aues nullo contentus Curio busto.	
	4.810
hoc tamen expositum cunctis nullique	
negatum /numen ab humani solum se labe	
furoris /uindicat.	5.102
nam fixa canens mutandaque nulli /mortales	
optare uetat;	5.105
nullo confusae murmure uocis /instinctam	
sacro mentem testata furore, . . .	5.149
nulloque horrore comarum /excussae laurus	
	5.154
potens ueri Paean nullumque futuri /	
a superis celate diem, suprema ruentis	
/imperii ... cur aperire times?	5.199
heu demens, nullum belli sentire fragorem,	
/tot mundi caruisse malis, praestare	
deorum /excepta quis Morte potest?	5.228
nullo nam Marte subactus	5.240
nobis uictoria turbam /... quae ... /	
lauriferos nullo comitetur uolnere	
currus?	5.332
quibus hoc contingere templis / aut	
potuit muris, nullo trepidare tumultu /	
Caesarea pulsante manu?	5.530
nulla meis aberit titulis Romana potestas,	
	5.664
mihi funere nullo /est opus, o superi:	
	5.668
nullusne tuorum / emeruit comitum fatis	
non posse superstes	5.687
uereor ciuilibus armis /Pompeium nullo	
tristem committere damno.	5.753
sic fata relictis /exiluit stratis amens	
tormentaque nulla / uult differre	
mora.	5.791
nulla fuit tam maesta dies; . . .	5.797
ut uidet ad nullos exciri posse tumultus	
	6.11
sed munimen habet nullo quassabile ferro	
	6.22
classica nulla sonant	6.78
hic puluere nullo /proditus agmen agit	
	6.127
nulla fuit non certa manus, non lancea	
felix;	6.190
uicinaque moenia castris /Haemonidum,	

ficti quas nulla licentia monstri /
transierit, ...   6.436
mens hausti nulla sar.e polluta ueneni /
excantata perit. 6.457
solibus et nullis Scythicae, cum bruma
rigeret, /dimaduere niues.   6.478
et, quodcumque iacet nuda (nulla)
tellure cadauer, /ante feras uolucresque
sedet; var.6.550
fata peremptorum pendent iam multa (nulla)
uirorum, /quem superis reuocasse uelit.
                                 var.6.632
et nullo uertice caelum /suspiciens Phoebo
non peruia taxus opacat. 6.644
Styx et quos nulla meretur /Thessalis
Elysios;... /exaudite preces. . . 6.698
set murmure nullo / ora astricta sonant:
                                    6.760
tali tua membra sepulchro,/... exuram
Stygio cum carmine ... /ut nullos cantata
magos exaudiat umbra.   6.767
nullas tuba uerberet aures. . . .   7.25
potuit tibi uolnere nullo /stare labor
belli; 7.92
nullaque funestis inuenta est uictima
sacris. 7.167
nulla manus, belli mutato iudice, pura
est. 7.263
seu nullum uiolarit uolnere pugnus, /
ignoti iugulum tamquam scelus inputet
hostis. 7.324
stant ordine nullo,/arte ducis nulla,
                                    7.332
stant ordine nullo,/arte ducis nulla,
                                    7.333
uidit ut hostiles ... cateruas /Pompeius
nullasque moras permittere bello / ...
stat ... /attonitus; 7.338
stat tectis putris auitis /in nullos
ruitura domus, nulloque frequentem /ciue
suo Romam sed mundi faece repletam /cladis
eo dedimus, ... 7.404(bis)
sunt nobis nulla profecto /numina: 7.445
mortalia nulli /sunt curata deo   7.454
fragor conuexa inrumpit Olympi,/unde
procul nubes, quo nulla tonitrua durant.
                                    7.479
sceleris sed crimine nullo /externum
maculant chalybem: 7.517
inmemores pugnae nulloque pudore timendi /
praecipites 7.525
ac nulla secutast /pugna, ... 7.532
nullaque tantorum discat me uate
malorum, /... aetas. 7.553
mors nulla querella /digna sua est, 7.630
nullosque hominum lugere uacamus. 7.631
ac testare deos nullum, qui perstet in
armis, /iam tibi, Magne, mori . . 7.690
nulla loci facies reuocat feralibus aruis
/haerentis oculos. 7.788
nullus ab Emathio religasset litore funem
/nauita, ...   7.860
nullusque auderet pecori permittere pastor
/uellere ... herbam, ...   7.864
tu nulla tulisti /bello damna meo: 8.83
utinam in thalamos inuisi Caesaris issem
/infelix coniunx et nulli laeta marito.
                                    8.89
nulla tibi subeunda magis sunt moenia
uicto: 8.116
mundi nomine gaudens /esse fidem 'nullum

toto mihi' dixit 'in orbe /gratius esse
solum ... uobis /ostendi: 8.129
quod summissa animis, nulli grauis hospita
turbae, /stantis adhuc fati uixit quasi
coniuge uicto. 8.157
nullis circumdatus armis /consultem
rebusque nouis exordia quaeram,   8.264
a nulla mors est incerta sagitta. 8.297
solacia tanti /perdit Roma mali, nullos
admittere reges /sed ciui seruire suo?
                                    8.355
nulli superabilis hosti est /libertate
fugae; 8.370
nulla manus illis, fiducia tota ueneni
est. 8.388
Cyproque citatas /inmisere rates, nullas
cui praetulit aras /undae diua memor
Paphiae, ...   8.457
postquam nulla manet rerum fiducia,
quaerit /cum qua gente cadat. . . 8.504
Thessaliaeque reus nulla tellure receptus
/sollicitat nostrum,... orbem. . . 8.510
ante aciem Emathiam nullis accessimus
armis: 8.531
nulla fides umquam miseros elegit amicos.'
                                    8.535
Septimius,... / inmanis uiolentus atrox
nullaque ferarum /mitior in caedes, 8.599
nullo gemitu consensit ad ictum   8.619
sum tamen, o superi, felix, nullique
potestas /hoc auferre deo. 8.630
nullis absterrita fatis /uictum, ...
recepi. 8.649
Pompeiusque fuit ... /... felix nullo
turbante deorum 8.706
Pompeiusque fuit ... /... felix nullo
turbante deorum /et nullo parcente miser;
                                    8.707
nullaque manente figura /una nota est
Magno capitis iactura reuolsi.   8.710
Pompeio ... tumulum fortuna parauit,/ne
iaceat nullo uel ne meliore sepulchro.
                                    8.714
iuuenis procul aspicit ignes /corpus uile
suis nullo custode crementis.   8.744
nobile corpus /robora nulla premunt,
                                    8.757
nulla strue membra recumbunt: . . 8.757
si tibi iactatu pelagi, si funere nullo
/tristior iste rogus, manes... /officiis
auerte meis: 8.761
omnia Lagi /arua tenere potest, si nullo
caespite nomen /haeserit. 8.803
erremus populi cinerumque tuorum,/Magne,
metu nullas Nili calcemus harenas. 8.805
ueniet felicior aetas /qua sit nulla
fides saxum monstrantibus illud;   8.870
et in nulla non creditur esse carina.
                                    9.48
et noster nullis non gentibus heres/bella
dabit: 9.94
exemploque carens et nulli cognitus
aeuo /luctus erat, ...   9.169
dominum, quem clades cogit, habebo,/
nullum, Magne, ducem: 9.242
quod orbem /adquiris nulli, ... /bella
fugis 9.260
exclusus nulla se uindicat ira, . . 9.298
sic male deseruit nullosque exegit in
usus /hanc partem natura sui); . . 9.310
terraeque haerente carina /litora nulla

uident. 9.344
inuia temptent. /siquibus in nullo
positum est euadere uoto, ... 9.387
in nullas uitiatur opes; 9.424
nullo glaebarum crimine pura /et penitus
terra est. 9.425
et nulla putris radice tenetur. . 9.434
et nulla sub illa /cura Iouis terra est;
9.435
nulla portus tangente carina /nouit opes:
9.442
iuuentus /... nullasque timens tellure
procellas /aequoreos est passa metus.
9.446
nullisque potest consistere miles /
instabilis, ... harenis. 9.464
qui nullas uidere domos uidere ruinas.
9.492
pauper adhuc deus est, nullis uiolata per
aeuum /diuitiis delubra tenens, . . 9.519
nullumque in uertice semper /sidus habes
inmune mari; 9.541
an noceat uis nulla bono fortunaque perdat/
opposita uirtute minas, ... 9.569
nulla uehitur ceruice supinus /carpentoque
sedens; 9.589
quam nullam superi mortalibus ultra /
a medio fecere die, calcatur, . . . 9.605
nullum animal uisus patiens, . . . 9.652
itque super Libyen, quae nullo consita
cultu /sideribus Phoeboque uacat: 9.690
illa tamen sterilis tellus fecundaque
nulli /arua bono uirus... /concipiunt
9.696
in nulla plus est serpente coactum. 9.703
discere nulli / permissum est hoc posse
sitim. 9.761
nulla manere sinunt rapidi uestigia fati.
9.786
nulloque dolore /testatus morsus subita
caligine mortem /accipis 9.816
set longius istac /nulla iacet tellus,
quam fama cognita nobis /tristia regna
Iubae. 9.868
ipse cruor tutus nullumque admittere uirus
9.894
nullum est sine nomine saxum. . . 9.973
a nullo tenebris damnabimur aeuo. 9.986
nullique aspecta uirorum /Pallas, 9.993
accipe regna Phari nullo quaesita cruore,
9.1022
nulla captus dulcedine rerum, 10.17
nulloque herede relicto /totius fati
lacerandas praebuit urbes. . . . 10.44
nullo discrimine sexus /reginam scit
ferre Pharos. 10.91
pars tam flauos gerit ... crines / ut
nullis Caesar Rheni se dicat in aruis /
tam rutilas uidisse comas; 10.130
nullaque non aetas uoluit conferre
futuris /notitiam; 10.270
nulli contingit gloria genti / ut Nilo
sit laeta suo. 10.284
aestatem nulla sibi mitigat umbra, 10.305
nullo sibi iure retento, ... 10.352
nulla fides pietasque uiris qui castra
secuntur. 10.407
nullique uacare /fas est Romano. 10.415
potuit discrimine summo (nullo)/ Caesaris
una dies in famam et saecula mitti.
var.10.532

uia nulla salutis,/non fuga, non uirtus;
10.538
uincendus tum Caesar erat sed sanguine
nullo. 10.541
NUM. pauide num gessimus arma /teximus aut
iugulos.? 7.643
num barbara nobis /est ignota Venus,
8.397
NUMA. rus uacuum, quod non habitet nisi
nocte coacta /inuitus questusque Numam
iussisse senator. 7.396
sic illa profecto / sacrifico cecidere
Numae, ... 9.478
NUMEN. tibi numine ab omni /cedetur, 1.50
sed mihi iam numen; 1.63
laetis hunc numina rebus /crescendi
posuere modum. 1.81
instare fauori /numinis, inpellens
quidquid sibi summa petenti . . 1.149
Vestalesque foci summique o numinis instar
1.199
omnia dat, qui iusta negat. nec numina
derunt; 1.349
numina miscebit castrensis flamma
monetae; 1.380
quaque sub Herculeo sacratus nomine
(numine) portus /urguet rupe caua pelagus:
var.1.405
solis nosse deos et caeli numina uobis
/aut solis nescire datum; 1.452
terrae maesto cum murmure condit /
datque locis numen; 1.608
effundunt iustas in numina saeua querellas.
2.44
numinis, ingenti superum protectus ab ira,
2.86
non uolgatis sacrata figuris /numina sic
metuunt: 3.416
tantum miseris irasci numina possunt.
3.449
pro numine fata sinistro /exigua requie
tantas augentia clades! 4.194
mons Phoebo Bromioque sacer, cui numine
mixto /Delphica Thebanae referunt
trieterica Bacchae. 5.73
quod numen ab aethere pressum /dignatur
caecas inclusum habitare cauernas? 5.86
hoc ubi uirgineo conceptum est pectore
numen, 5.97
numen ab humani solum se labe furoris /
uindicat. 5.103
numinis aut poena est mors inmatura
recepti 5.117
uirginei patuere doli, fecitque
negatis /numinibus metus ipse fidem. 5.142
haesit et insueto concepit pectore numen,
5.163
an nondum numina tantum / decreuere nefas
5.203
et, tumidis infesta colit quae numina,
Rhamnus, 5.233
nec non Iliacae numen quod praesidet
Albae, /... / uidit flammifera confectas
nocte Latinas. 5.400
dum se desse deis ac non sibi numina
credit, ... 5.499
uectorem non nosse tuum, quem numina
numquam /destituunt, ... 5.581
intrepidus quamcumque datis mihi, numina,
mortem / accipiam. 5.658
quid numina lassas? 5.695

NUMEN

si numina nostras /impulerint acies, 5.756
ac uelut inclusum perfosso in pectore
numen /... adorant; 6.253
deserit auerso possessam numine sedem /
Caesar 6.314
uerbaque ad inuitum perfert cogentia
numen, ... 6.446
nec superos orat nec cantu supplice numen
/auxiliare uocat 6.523
uel numina torque /uel tu parce deis 6.598
Stygii quae numina regni /... litasti?)
7.169
seu numen in aethere maestum /solis in
obscuro pugnam pallore notauit. 7.199
tibi, numine pugnax /aduerso Domiti,
dextri frons tradita Martis. . . . 7.219
sunt nobis nulla profecto /numina: 7.446
cladis tamen huius habemus /uindictam,
quantam terris dare numina fas est: 7.456
accipe, numen /siquod adhuc mecum es,
uotorum extrema meorum: 8.142
nullas cui praetulit aras /undae diua
memor Paphiae, si numina nasci/credimus
8.458
nunc est pro numine summo /hoc tumulo
Fortuna iacens; 8.860
euoluam busto iam numen gentibus Isim
9.158
numen Romano templum defendit ab auro.
9.521
comitesque Catonem /orant exploret
Libycum memorata per orbem /numina, 9.548
'sors obtulit'... / 'et fortuna uiae tam
magni numinis ora /consiliumque dei: 9.551
nec uocibus ullis /numen eget, 9.575
hoc monstrum timuit genitor numenque
secundum /Phorcys aquis 9.645
qui cunctis innoxia numina terris /
serpitis,... dracones,/letiferos ardens
facit Africa: 9.727
templa uetusti /numinis antiquas Macetum
testantia uires /circumit, ... 10.16

NUMERO,-ARE. Cyrus et effusis numerato milite
telis /descendit Perses, ... 3.285
diuitias numerare datum est. . . . 6.407
et Magni numerat populos, ... 7.792

NUMEROSUS,-A,-UM. prima dies ... /
spectandasque ducum uires numerosaque
signa /exposuit. 4.25

NUMERUS. monstrosique hominum partus numeroque
modoque /membrorum, matremque suus
conterruit infans; 1.562
aequaret uisu numerisque sequentibus
astra, ... 1.641
in numerum pars magna perit, . . 2.111
non modus Oceani, numerus non derat
harenae. 5.182
numero deprensa locoque / an plus quam
mortem uirtus daret. 6.168
hic numerus totos tibi uestiat ossibus
agros. 7.538
solusque e numero regum telluris Eoae
/ex aequo me Parthus adit. . . . 8.231
tum famulae numerus turbae populusque
minister. 10.127
quamquam quis talia facta /aestimat in
numero scelerum ponenda tuorum, . 10.473

NUMIDAE. Autololes Numidaeque uagi semperque
paratus 4.677
mittitur, exigua qui proelia prima
lacessat /eliciatque manu, Numidis a rege

secundus, ...
4.721
ut primum patuere doli, Numidaeque
fugaces /undique conpletis clauserunt
montibus agmen, ... 4.746
illuc et Libye Numidas et Creta Cydonas
/misit, ... 7.229
multusque in pectore uano est /Hannibal,
... qui ... / et Numidas contingit auos.
8.287

NUMQUAM. ferre manum et numquam temerando
parcere ferro, ... 1.147
ille semel raptos numquam dimittet
honores? 1.317
utque ferae tigres numquam posuere
furorem, ... 1.327
numquam poena fuit. 2.201
nam praelata suis numquam diuersa dolebit
/castra ducis Magni. 2.275
atque umbras nusquam (numquam) flectente
Syene, ... var.2.587
at numquam patiens pacis longaeque quietis
2.650
Magnus, dum patrios portus, dum litora
numquam /ad uisus reditura /... cernit
3.5
numquam tibi, Magne, per umbras /perque
meos manes genero non esse licebit; 3.31
numquam felicibus armis /usa manus, 3.338
lucus erat longo numquam uiolatus ab aeuo
3.399
iamque Pyrenaeae, quas numquam soluere
Titan /eualuit, fluxere niues, 4.83
numquam nostra salus pretium mercesque
nefandae /proditionis erit: . . . 4.220
o prodiga rerum /luxuries numquam paruo
contenta paratis 4.374
ut numquam fortuna labet successibus
anceps, ... 4.390
numquam saeuae sperare nouercae /plus
licuit: 4.637
et quod Caesareis numquam deuota iuuentus
/illa nimis castris 4.695
stat numquam facies; 5.214
numquam sic cura deorum /se premet, 5.340
hic numquam uult esse meus. . . . 5.351
uectorem non nosse tuum, quem numina
numquam /destituunt, ... 5.581
testatus numquam Latiae se desse ruinae.
6.10
quid ... /perditis haesuros numquam
uitalibus ictus? 6.197
'numquam me Caesaris' inquit / 'exemplo
reddam patriae, ... 6.319
numquamque uidebit /me nisi dimisso
redeuntem milite Roma. 6.320
numquamque celer nisi mixtus Enipeus;
6.373
numquam nisi carmine factum /lumen habet.
6.647
si numquam haec carmina fibris /humanis
ieiuna cano, ... 6.707
paretis, an ille /conpellandus erit, quo
numquam terra uocato /non concussa tremit,
6.745
luctificus Titan numquam magis aethera
contra /egit equos 7.2
quod si, signa ducem numquam fallentia
uestrum, ... 7.290
innumeraeque urbes, quantas in proelia
numquam,/ exciuere manus. 7.361
redituraque numquam /libertas ultra

NUMQUAM

Tigrim Rhenumque recessit 7.432
spes numquam inplenda recessit; . .   7.688
numquam tanto se uolture caelum /induit
                                       7.834
numquam stante polo miseros fallentia
nautas, /sidera non sequimur, . .   8.173
in tutam trepidos numquam Babylona coegi.
                                       8.225
numquam omine laeto /distrahimur miseri.
                                       8.585
uictoribus ipsis /dedecus et numquam
superum caritura pudore /fabula, Romanus
regi sic paruit ensis, ...   8.605
'saecula Romanos numquam tacitura labores
/attendunt, ...   8.622
Pharioque ueruto,/... suffixum caput est,
quo numquam bella iubente /pax fuit; 8.684
Pompeiusque fuit qui numquam mixta uideret
/laeta malis, ...   8.705
numquam dare iusta licebit /coniugibus?
                                       9.67
numquam plenas plangemus ad urnas?   9.68
numquam ueniemus ad enses 9.106
(nusquam (numquam) ciuilibus armis /tanta
fuit merces) var.9.150
casta domus luxuque carens corruptaque
numquam /fortuna domini. 9.201
'o numquam pacate Cilix, iterumne rapinas
/uadis in aequoreas? 9.222
fuit ... /et numquam somno damnatus
lumina serpens 9.363
numquam resoluto uertice pendet.   9.457
an ... laudanda ... uelle /sit satis et
numquam successu crescat honestum?   9.571
ecce parens uerus patriae,... /...
per quem numquam iurare pudebit   9.602
septima nox Zephyro numquam laxante
rudentes /ostendit ... Aegyptia litora
                                       9.1004
accipiunt sertas nardo florente coronas /
et numquam fugiente rosa, . . .   10.165
sub Ioue temperies et numquam turbidus
aer; 10.207

NUMQUID. numquid inexperto tua credimus arma
profundo 5.486

# NUNC. 1.24;1.202;1.286;1.309;1.324;1.442;
var.1.481;1.532(bis);1.656;1.688;2.38;
2.39;2.40;2.48;2.283;2.485;3.94;var.3.244;
3.276(bis);3.310;var.3.328;3.489;3.490;
3.684(bis);3.693;4.189;4.191;4.232;4.346;
4.799;var.4.816;5.213(bis);5.339;5.346;
5.465(bis);5.739;6.48;6.174(bis);6.196;
6.356;6.465;7.40;7.262;7.374;7.687;7.689;
7.726;7.812;8.24;8.26;8.51;8.78;8.97;
8.101;8.162;8.163;8.185;8.192;8.235;8.360;
var.8.397;8.532;8.533;8.624;8.838;8.860;
9.73;9.78;9.101;9.206;9.262;9.264;9.315;
9.604;9.756;9.877;9.991;9.1048;9.1049;
10.48;10.291(bis);10.309;10.310;10.354;
10.509;10.511

NUNQUAM v. NUMQUAM
NUNTIO,-ARE. nuntiet ipse licet Caesar tua
funera, flebunt, ...   7.41
NUNTIUS. clademque futuram /intulit et uelox
properantis nuntia belli /innumeras soluit
falsa in praeconia linguas. . .   1.471
et nunc tibi summa pauoris /nuntius
armorum tristis rumorque sinister.   8.52
NUPER. audax Thessalici nuper qui rupe sub
Haemi /Hesperiae cunctos proceres ...
/non timuit ... / expauit seruile nefas,

O   10.449
NURUS. uix nuribus rapuere mares;   1.165
non illis urbes spoliandaque templa
negasset /Tarpeiamque Iouis sedem
matresque senatus /passurasque infanda
nurus. 5.307
thalamique patent secreta nefandi /inter
mille nurus? 8.401
NUSQUAM. calida medius mihi cognitus axis
/Aegypto atque umbras nusquam flectente
Syene, ...   2.587
nubila nusquam /undarumque minae;   5.453
quoque modo ... Thybris / in mare
descendit, si nusquam torqueat amnem.
                                       6.77
Medique Arabes ... / arcu turba minax,
nusquam rexere sagittas, ...   7.515
nusquam Magni fortuna sine illo /succubuit.
                                       7.601
(nusquam ciuilibus armis / tanta fuit
merces) 9.150
nusquam luctando stabilis manet,   9.470
ac nusquam uetitis ullas obsistere
cautes /indignaris aquis, ...   10.319
et nusquam totis incursat uiribus agmen.
                                       10.484
NUTO,-ARE. quamuis primo nutet casura sub
Euro, ...   1.141
credas... / nutantes pendere domos,   1.495
ueteremque iugis nutantibus Alpes /
discussere niuem. 1.553
cum tantum nutaret onus, ...   3.459
nutaretque ratis populo peritura recepto,
                                       3.665
felix qui potuit mundi nutante ruina /
quo iaceat iam scire loco. 4.393
tum quassae nutant turres lapsumque
minantur, ...   6.136
uidit / casuram et fatis sensit nutare
ruinam, ...   7.244
prospiciens fluctus nutantia longe /
semper prima uides uenientis uela carinae,
                                       8.47
NUTUS. tantum nutu motoque salutant /ense
suos. 4.173
NYMPHAE. hunc ... / Siluani Nymphaeque
tenent, ...   3.403
NYMPHAEUM. Nymphaeumque tenent: 5.720
NYSA. uelim ... / sollicitare deum Bacchumque
auertere Nysa: 1.65
NYSAEUS,-A,-UM. qua rapidus Ganges et qua
Nysaeus Hydaspes /accedunt,pelago ... /...
eram: 8.227
NYSEIUS,-A,-UM. si ... / et iuga tota uacant
Bromio Nyseia, quare /unus in Aegypto
Magni lapis? 8.801

O

O(interi.). 1.8;1.37;1.87;1.195;1.199;1.248;
1.249;1.299;1.510;1.649;1.678;1.681;2.38;
2.45;2.116;2.260;2.296;2.306;2.531;2.532;
2.544;3.79;3.716;4.110;4.190;4.212;4.319;
4.373;4.385;4.509;5.297;5.481;5.527;5.528;
5.669;6.164;6.590;6.606;6.675;6.704;6.803;
6.819;7.29;7.43;7.58;7.95;7.205;7.250;
7.474;7.588(bis);7.869;8.88;8.94;8.95;
8.222;8.306;8.542;8.630;8.639;8.658;8.678;

8.739;8.759;8.836;8.843;9.64;9.88;9.126;
9.208;9.222;9.268;9.274;9.379;9.980;
9.1046;9.1058;9.1108;10.85;10.176

OB.   sed regna timentur /ob ferrum et saeuis
libertas uritur armis, ...   4.578

OBDUCO,-ERE.   obducti concreto sanguine fluctus.
3.573
nox subit atque oculos uastae obduxere
tenebrae, ...   3.735
et prope consertis obduxit castra
maniplis. 4.31
multosque obducta per annos /Delphica
fatidici reserat penetralia Phoebi.   5.69
caput ferali obduxit amictu   9.109
hoc potuit caelo pelagoque minari /
torporem insolitum mundoque obducere
terram. 9.648

OBEO,-IRE.   tot uolnera belli /solus obit 6.205
obit latis proiecta cadauera campis
7.565
'ciuis obit' inquit 'multum maioribus
inpar /nosse modum iuris,   9.190
olim uera fides Sulla Marioque receptis /
libertatis obit: 9.205
sed maior in unam /orbis abit(obit)
Asiam. var.9.417

OBEX.   ille mora cursus aduersique obice
ponti /aestuat in campos. . . .   10.246

OBICIO,-ERE.   cur obicis Magno tumulum manesque
uagantis /includis? 8.796
in superos audet conuicia uolgus /
Pompeiumque deis obicit, ...   9.188

OBLIMO,-ARE.   tuus, Oeneu, paene gener
crassis oblimat Echinadas undis,   6.364

OBLIQUO,-ERE.   uastos obliquent flumina fontes.
4.117
flexo nauita cornu /obliquat laeuo pede
carbasa 5.428

OBLIQUUS,-A,-UM.   unde tuam uideas obliquo
sidere Romam. 1.55
ibit et obliquum bigas agitare per orbem
1.78
terruit obliqua praestringens lumina
flamma: 1.154
primus in obliquum sonipes opponitur
amnem 1.220
uiderunt ... / obliquas per inane faces
crinemque timendi /sideris . . .   1.528
coeperat obliquoque molas inducere cultro,
1.610
set nocte sopora,/Parrhasis obliquos
Helice cum uerteret axes, . . .   2.237
paruit, obliquas et praebuit hostibus
alnos. 3.562
quorum alter mixtis obliquo pectine
remis /ausus ... /iniectare manum;   3.609
multoque cruore /plena per obliquum
crebros latus accipit ictus . . .   3.628
porrectis series constricta catenis /
ordinibus geminis obliquas excipit alnos;
4.422
tum pectore pectus /urgueri, tunc obliqua
percussa labare /crura manu.   4.625
obliquusque caput uanas serpentis in
auras /effusae tuto conprendit guttura
morsu / letiferam citra saniem;   4.726
iuuentus /comminus obliquis et rectis
eminus hastis /obruitur, ...   4.774
tenet obliquas post signa cohortes, 7.522
multusque in pectore uano est /Hannibal,
obliquo maculat qui sanguine regnum 8.286

collaque in obliquo ponit languentia
transtro. 8.671
non obliqua meant, nec Tauro Scorpios exit
/rectior 9.533

OBLIUIO.   sed tanta obliuio mentis /cepit
in externos corrupto milite mores /ut
duce sub famulo ... irent . . .   10.403

OBLIUISCOR,-I.   oblitus simulare togam;   3.143
'inmemor o patriae, signorum oblite
tuorum, ...   4.212
pontusque uetustas /oblitus seruare uices
non commeat aestu, ...   5.445
atque oblita fugae quaesiuit nocte
maritum! 5.810
atque oblita faui non miscent nexibus
alas 9.286
lunaeque meatibus obstat,/si flexus
oblita uagi per recta cucurrit /signa
9.694
pro pudor, oblitus Magni tibi, Iulia,
fratres /... dedit, ...   10.77

OBLIUIUM.   me non Lethaeae, coniunx, obliuia
ripae /inmemorem fecere tui, . .   3.28
Lethon tacitus praelabitur ... / infernis,
ut fama, trahens obliuia uenis,   9.356

OBLUCTOR,-ARI.   pars maxima turbae /naufraga
iactatis morti obluctata lacertis /
puppis ad auxilium sociae concurrit;
3.662

OBNITOR,-I.   obnixum uictor detrusit in
Austrum. 9.334

OBNOXIUS,-A,-UM.   illinc Dalmaticis obnoxia
fluctibus Ancon. 2.402
Ausoniam qua torquens frugifer oram /
Delmatico Boreae Calabroque obnoxius
Austro /Apulus Hadriacas exit Garganus
in undas. 5.379
dubioque obnoxia fato /pars sedet una
ratis, ...   9.336

OBRUO,-ERE.   qua mare tellurem subitis aut
obruit undis 3.60
in medium mors omnis abit, perit obruta
uirtus: 4.491
iuuentus /comminus obliquis et rectis
eminus hastis /obruitur, ...   4.775
iacet hostis in undis /obrutus Illyricis,
5.39
a quotiens frustra pulsatos aequore
montis /obruit ille dies! 5.616
subeuntisque obruit hostis /corporibus,
6.171
obruat aut uasti muralia pondera saxi,
6.199
quis litora ponto /obruta,... cernens...
/...tot rerum finem, timeat sibi?   7.135
gentes Mars iste futuras / obruet   7.390
ciuiline parum est bello, si meque meosque
/obruit? 7.664
ubi nomina tanta/obruit Euphrates   8.438
obrue saxa /crimine plena deum.   8.799
quam sopor aeternam tracturus morte
quietem /obruit haud totam: 9.672
intraque penates /obruitur telis.   10.454

OBSAEPIO,-IRE.   effuditque acies obsaeptum
Magnus in hostem. 6.292

OBSCAENUS,-A,-UM.   cadit omnis in haustus
/certatim obscaenos miles . . .   4.312
tunc ursae latebras, obscaeni tecta
domosque /deseruere canes, . . .   7.828
oblitus Magni tibi, Iulia, fratres /
obscaena de matre dedit, ...   10.78

OBSCAENUS

    hauserit obscaenum titulo pietatis
    amorem, ... 10.363

OBSCURO,-ARE. tu, noua ne ueteres obscurent
    acta triumphos 1.121
    obscuratque suam per iussa silentia
    famam 4.718

OBSCURUS,-A,-UM. clara per obscuram uoltu
    maestissima noctem 1.187
    ignota obscurae uiderunt sidera noctes
                     1.526
    cur signa meatus /deseruere suos mundoque
    obscura feruntur, ... 1.664
    obscurum cingens conexis aera ramis 3.400
    obscurum nimbosus dissilit aer. 5.631
    traxit iners caelum fluuidae contagia
    pestis /obscuram in nubem. . . . 6.90
    non obscura petit latebrosae tempora
    noctis, ... 6.120
    tripodas uatesque deorum /sors obscura
    decet: 6.771
    numen in aethere maestum /solis in obscuro
    pugnam pallore notauit. 7.200
    mallet et obscuro tutus transire per
    urbes /nomine; 8.20
    ad superos obscuraque sidera fatur 8.728

OBSEQUIUM. licet omne deorum /obsequium speres,
    irato milite, Caesar,/pax erit.' 5.294

OBSEQUOR,-I. sed cedit fatis classemque
    relinquere iussus / obsequitur, 8.576

OBSERO,-ERE. obsita funerea celatur purpura
    lana, ... 2.367
    non caeli nox illa fuit: latet obsitus
    aer 5.627

OBSES. tenuit nostros hac obside Lesbos /
    adfectus; 8.131
    obside quo pacis Pellaea tutus in aula
    /Caesar erat, ... 10.55

OBSIDEO,-ERE. nec pauet hic populus pro
    libertate subire /obsessum Poeno gessit
    quae Marte Saguntum. 3.350
    saeua fames aderat, nulloque obsessus ab
    hoste /miles eget: 4.94
    sed non maiora supersunt /obsessis tanti
    quae pignora demus amoris. . . . 4.502
    grauis hinc languore profundi /obsessis
    uentura fames. 5.450
    diripiens miles saturum tamen obsidet
    hostem. 6.117
    effuditque acies obsaeptum (obsessum)
    Magnus in hostem. var.6.292
    Phoebeque serena /non aliter diris
    uerborum obsessa uenenis /palluit 6.501
    obsessusque gerit, tanta est constantia
    mentis, /expugnantis opus. . . 10.490
    solus apertis /obsedit muris calcantem
    moenia Magnum. 10.546

OBSIDIO. si claudere muros /obsidione paras
    et ui perfringere portas, . . . 3.343
    sed patitur saeuam, ueluti circumdatus
    arta /opsidione. famem. . . . 6.109
    meruistis iudice uitam / Caesare non
    armis, non obsidione subacti. . 9.273

OBSISTO,-ERE. uiribus an possint obsistere
    iura, per unum /Libertas experta uirum;
                     3.113
    nam,Thessala rura / cum peterent, totus
    uenientibus obstitit aether . . 7.153
    aethera seu totum discordi obsistere
    caelo /perspexitque polos, . . 7.198
    nec sterilis Libye nec Syrticus obstitit
    Hammon. 10.38

OBUIUS

    ac nusquam uetitis ullas obsistere cautes
    /indignaris aquis, ... 10.319

OBSITUS v. OBSERO.

OBSTIPESCO,-ERE. obstipuit dux ipse simul
    perituraque turba. 4.748

OBSTO,-ARE. tota uacet nullaeque obstent a
    Caesare nubes. 1.59
    impellens quidquid sibi summa petenti /
    obstaret gaudensque uiam fecisse ruina,
                     1.150
    utque perit magnus nullis obstantibus
    ignis, ... 3.364
    spargitque uaganti /obstantis tripodas
    magnoque exaestuat igne 5.173
    nec quicquam nudis uitalibus obstat 6.194
    stetit aggere campi,/eminus unde... /
    aspiceret clades, quae bello obstante
    latebant. 7.651
    Parthoque sequenti /murus erit
    quodcumque potest opstare sagittae. 8.379
    hic quoque nil obstat Phoebo, cum cardine
    summo / stat librata dies; . . 9.528
    nec terra celsior ulla / nox cadit in
    caelum lunaeque meatibus obstat, 9.693

OBSTRINGO,-ERE. cetera suppressit faucesque
    obstruxit (obstrinxit) Apollo. var.5.197
    cuius commercia pacti /obstrictos habuere
    deos? 6.494
    tot meritis obstricta meis nunc Parthia
    ruptis /excedat claustris uetitam per
    saecula ripam 8.235

OBSTRUO,-ERE. obstruitis campos fluuiisque
    arcere paratis, ... 2.495
    obstruit et latum deiectis rupibus
    aequor. 2.662
    cetera suppressit faucesque obstruxit
    Apollo. 5.197
    non secus in Siculis fureret tua flamma
    cauernis /obstrueret summam siquis tibi,
    Mulciber, Aetnam. 10.448

OBSTUPESCO,-ERE v. OBSTIPESCO,-ERE.

OBTENDO,-ERE. quid causa obtenditur armis /
    libertatis amor? 8.339

OBTERO,-ERE. nec prohibere ualent obtritis
    ossibus artus 3.656
    Pompeium exhaustae praebenda ad gramina
    terrae,/quae currens obtriuit eques 6.82
    caput obterit ossaque saxo . . 6.176
    pugnae pars magna leuabit / his orbem
    populis Romanumque obteret hostem. 7.276

OBTINEO,-ERE. desertaque busta /incolit et
    tumulos expulsis obtinet umbris 6.512

OBUIUS,-A,-UM. in commune nefas, infestisque
    obuia signis /signa, ... 1.6
    nec constitit usquam /obuia turba duci.
                     3.82
    obuia praebentur fatorum munere bella.
                     3.361
    ut primum rostris crepuerunt obuia rostra,
                     3.544
    campos eques obuius omnis / abstulit 4.262
    omnibus illa /ciuibus effudit totas per
    moenia uires /obuia ceu laeto: 7.715
    obuia nox miserae caelum lucemque tenebris
    /abstulit 8.58
    letiferae tibi causa morae fuit auia
    (obuia) Lesbos, ... var.8.640
    o felix, cui summa dies fuit obuia uicto
                     9.208
    tum magis inpactis breuius mare terraque
    saepe /obuia consurgens: . . . 9.339

OCCASUS. nam mitis in alto /Iuppiter occasu
   premitur, Venerisque salubre /sidus
   hebet, ... 1.661
   occasus mea iura timent Tethynque fugacem
   2.588
   purus in occasus, parui sed gurgitis, Aeas
   /Ionio fluit inde mari, ... 6.361
   Libycae quod fertile terraest /uergit in
   occasus; 9.421
   isset in occasus mundi deuexa secutus
   10.39
   uenit ad occasus mundique extrema
   Sesostris 10.276
   (cursus in occasus flexu torquetur et
   ortus, ... 10.290
OCCIDO,-ERE. an occidimus Romanaque Magnus
   ad umbras /abstulit?' 9.124
OCCIDUUS,-A,-UM. quidquid ab occiduis Libye
   patet arida Mauris 3.294
   torsit in occiduum Nabataeis flatibus
   orbem, ... 4.63
   regna /cardine ab occiduo uicinis Gadibus
   Atlans /terminat, ... 4.672
   ab occiduo depellunt nubila caelo /trans
   Noton 10.242
OCCULO,-ERE. occultosque tegit cursus
   rursusque renatum 3.262
   fallitur occultis sparsus populator in
   agris. 4.92
   ac, uelut occultum pereat scelus, omnia
   monstra /in facie posuere ducum: 4.252
   occultos latices abstrusaque flumina
   quaerunt; 4.293
   non exploratis occulti uiribus hostis
   4.731
   te procul a saeui strepitu, Cornelia,
   belli / occulere. 5.727
   nec parat occultae caedem committere
   fraudi 10.345
OCCUMBO,-ERE. tot simul infesto iuuenes
   occumbere leto 2.198
   nec liceat pauidis ignaua occumbere morte:
   4.165
   non Caesaris armis /occubuit dignoque
   perit auctore ruinae; 9.129
   an liber in armis / occubuisse uelim
   potius quam regna uidere? 9.567
OCCUPO,-ARE. deriguere metu, gelidos pauor
   occupat artus, ... 1.246
   desilit in flammas et, dum licet,
   occupat ignes. 2.159
   nec placet ... /... /quodque caput
   spargens undis, uelut occupet imbrem,
   /instabili gressu metitur litora cornix.
   5.555
   spirantiaque occupat ora 8.670
OCCURRO,-ERE. maiorque ferusque /mentibus
   occurrit uictoque inmanior hoste. 1.480
   hinc Dacus, premat inde Getes; occurrat
   Hiberis /alter, ... 2.54
   uentus ut amittit uires, nisi robore
   densae /occurrunt siluae, spatio diffusus
   inani, ... 3.363
   puppibus occurrit tandemque sub aequore
   mansit. 3.704
   nec gloria leti / inferior, iuuenes,
   admoto occurrere fato. 4.480
   occurrit gelidus Boreas pelagusque
   retundit, ... 5.601
   hostibus occurrit fugiens inque ipsa
   pauendo /fata ruit. 6.298

   credite ... /... ipsam domini metuentem
   occurrere Romam; 7.373
   primusque a litore Lesbi /occurrit
   gnatus, procerum mox turba fidelis. 8.205
   Pamphylia puppi /occurrit tellus, 8.250
   tum plurima cladis /occurrent monimenta
   tibi: 8.436
   mihi plena ueneno /occurrat serpens, 9.397
   occurrit suprema dies, ... 10.41
   quae sola fugam moderantur Olympi /
   occurruntque polo, ... 10.200
OCCURSUS. hostis in occursum sparsas extendere
   partis, ... 2.395
   occursu stupuere ducis uertigine rerum
   /attoniti, ... 8.16
OCEANUS. haec manus, ... / Oceani tumidas
   remo conpescuit undas 1.370
   cum funditur ingens /Oceanus uel cum
   refugis se fluctibus aufert. . . . 1.411
   erigat Oceanum fluctusque ad sidera ducat,
   1.416
   Oceanumque uocans incerti stagna profundi
   /territa quaesitis ostendit terga
   Britannis? 2.571
   ut uincula Rheno /Oceanoque daret, 3.77
   Oceanumque negant solas admittere Gadis;
   3.279
   Cinga rapax, uetitus fluctus et litora
   cursu /Oceani pepulisse tuo; 4.22
   Oceanumque bibit raptosque ad nubila
   fluctus /pertulit 4.81
   reppulit aestus /fortior Oceani. 4.102
   sic Venetus stagnante Pado fusoque
   Britannus /nauigat Oceano; . . . 4.135
   distinet Oceanum zonaeque exusta calentis.
   4.675
   non modus Oceani, numerus non derat
   harenae. 5.182
   primus ab oceano caput exeris Atlanteo,
   5.598
   segnior, Oceano quam lex aeterna
   uocabat, /luctificus Titan numquam magis
   aethera contra /egit equos 7.1
   abruptum est nostro mare discolor unda
   /Oceanusque suus. 8.294
   situs est qua terra extrema refuso /
   pendet in Oceano; 8.798
   litora flexu /Oceano fecere locum; 9.416
   feruida tellus /accipit Oceanum demisso
   sole calentem, ... 9.625
   Oceano classes inferre parabat /exteriore
   mari. 10.36
   tunc Nilus fonte soluto, /exit ut Oceanus
   lunaribus incrementis, /iussus adest,
   10.216
   rumor ab Oceano, qui terras alligat
   omnes, /... erumpere Nilum . . . 10.255
   nec non Oceano pasci Phoebumque polosque
   /credimus: 10.258
OCIOR,-IUS. ocior et missa Parthi post terga
   sagitta, ... 1.230
   ocius auertat diri mala semina belli.
   3.150
   arua /... /ocior et caeli flammis et
   tigride feta /transcurrit, ... 5.405
   calido non ocius Austro /nix resoluta
   cadit 9.781
OCTAUIUS. noluit Illyricae custos Octauius
   undae /confestim temptare ratem, 4.433
OCULUS. sed cum membra premit fugiente
   rigentia uita / uoltusque exanimes

OCULUS

    oculosque in morte minaces, ... 2.26
    uincula, procurrunt oculi; 3.713
    nox subit atque oculos uastae obduxere
    tenebrae, ... 3.735
    explicat hinc tellus campos effusa
    patentis /uix oculo prendente modum, 4.20
    cum sider- caeli / ante ducis uoces oculis
    umentibus omnes /aspicerent . . . 4.522
    illa feroces /torquet adhuc oculos totoque
    uagantia caelo /lumina, ... 5.212
    non... liceat ... /atque oculos morti
    clausuram quaerere dextram, . . . 5.280
    languensque recessit /spectantis oculos
    infirmo lumine passus. 5.545
    metatur terras oculis, ... 6.32
    strident oculis ardentibus ignes. 6.179
    Gortynis harundo /... /in caput atque
    oculi laeuom descendit in orbem. 6.216
    uincula rumpit /adfixam uellens oculo
    pendente sagittam /intrepidus, 6.218
    inmergitque manus oculis 6.541
    [inque oculis hominum fregerunt fulmina
    nubes] 7.154
    oculos ingesto fulgure clausit; 7.157
    mirantur ... /defunctosque patres et
    iuncti sanguine umbras /ante oculos
    uolitare suos. 7.180
    quod si,... /conspicio faciesque truces
    oculosque minaces, /uicistis. . . 7.291
    densaeque oculos uertere tenebrae. 7.616
    Caesaris aut oculis uoluit subducere
    mortem. 7.673
    nulla loci facies reuocat feralibus aruis
    /haerentis oculos. 7.789
    iuuat ... / et lustrare oculis campos sub
    clade latentes. 7.795
    quam uix,... / ... siccis dimittere matres
    /iam poterant oculis: 8.155
    oculos, germane, nocentis /spectato
    genitore fero. 9.127
    haec fama est oculis uictoris iniqui
    /seruari, ... 9.139
    pars iacet in medios uoltus oculisque
    tenebras /offundit clausis . . . 9.674
    quanto spirare ueneno /ora rear
    quantumque oculos effundere mortis! 9.680
    atque oculos lacrimarum uena refugit.
    . . . . 9.746
    sed tristior illo /mors erat ante oculos,
    . . . . 9.763
    non primo Caesar damnauit munera uisu /
    auertitque oculos; 9.1036

ODI,-ISSE. oderuntque grauis uiuacia fata
    senectae 2.65
    non fictas laeto uoces simulare tumultu,
    /uix odisse uacat. 3.103
    dum feriunt, odere suos, animosque
    labantis /confirmant ictu. . . . 4.249
    productos, odere pares.' 4.710
    Romanos odere omnes, dominosque grauantur,
    . . . . 7.284
    o superi, liceat terras odisse nocentis.
    . . . . 7.869
    oderat et Magnum, quamuis comes isset in
    arma 9.21

ODIUM. tum data libertas odiis, . . . 2.145
    uni quippe uacat studiis odiisque
    carenti /humanum lugere genus), 2.377
    odiis solus ciuilibus ensis /sufficit,
    . . . . 7.490
    saepe labor maestus curarum odiumque

---

    futuri / proiecit fessos incerti
    pectoris aestus, ... 8.165

ODOR. petit... /Pompeius,... non pinguis...
    /ut ferat e membris Eoos fumus odores,
    . . . . 8.731

ODORO,-ARE. formidine ceruos /claudat
    odoratae metuentis aera pinnae 4.438

ODOROR,-ARI. tabemque cruentae /caedis
    odorati Pholoen liquere leones. 7.827

OEDIPODIONIUS,-A,-UM. damnat apud gentes ...
    /Oedipodionias infelix fabula Thebas:
    . . . . 8.407

OENEUS,-A,-UM. tuus, Oeneu, /paene gener
    crassis oblimat Echinadas undis, 6.363

OENONE. aspicit ... /... quo uertice Nais
    /luxerit Oenone: 9.973

OETAEUS,-A,-UM. Centauros /feta ... nubes
    effudit ... / teque sub Oetaeo torquentem
    uertice uolsas, /Rhoece ferox,...ornos,
    . . . . 6.389
    Oetaeaeque gemunt rupes, ... 7.483
    erige congestas Oetaeo robore siluas,
    . . . . 7.807
    legit ... /... Heroas (Oeteas) lacrimoso
    litore turres, ... var.9.955

OETE. tum Maenala liquit /Arcas et Herculeam
    miles Trachinius Oeten. . . . 3.178
    scilicet ipse petet Pholoen, petet ignibus
    Oeten 7.449
    si tota est Herculis Oete/... quare / unus
    in Aegypto Magni lapis? . . . 8.800

OFFERO,-RE. tunc obtulit hospita tellus /
    puppibus accessus faciles; . . 3.43
    semper et amissum fratrem lugentibus
    offert. 3.608
    et spatium iaculis oblato uolnere donat.
    . . . . 4.764
    oblatumque uidet uotis sibi mille petitum
    /tempus, ... 7.238
    manus hoc Aegyptia forsan /obtulit
    officium graue manibus. 9.64
    o felix,... / et cui quaerendos Pharium
    scelus obtulit enses, ... 9.209
    'sors obtulit' inquit /... tam magni
    numinis ora /consiliumque dei: 9.550

OFFICIUM. manes animamque potentem /officiis
    auerte meis: 8.763
    cogit pietas inponere finem /officio.
    . . . . 8.786
    manus hoc Aegyptia forsan /obtulit
    officium graue manibus. 9.64
    nec tumet hibernus, cum longe sole
    remoto /officiis caret unda suis: 10.230

OFFUNDO,-ERE. pars ... oculis ... tenebras /
    offundit clausis et somni duplicat
    umbras. 9.674a

OGYGIUS. nam, qualis uertice Pindi /Edonis
    Ogygio decurrit plena Lyaeo, . . 1.675

OLEO,-ERE. uestesque fluentis /colligit in
    cineres et olentis membra fauillas. 6.537
    quid fugis hanc cladem? quid olentis
    deseris agros? 7.821

OLIM. hos alio, Fortuna, uocas, olimque
    potentes /concurrunt. 2.230
    'omnibus expulsae terris olimque
    fugatae 2.242
    urbs est Dictaeis olim possessa colonis,
    . . . . 2.610
    non olim casu pendemus ab uno? 5.769
    atque olim Larisa potens; . . . 6.355
    qualis erat populi facies clamorque

OLIM

fauentis /olim, ... 7.14
proderit hoc olim, quod non mansura
futuris / ... surrexit ... moles. 8.865
collegit uestes ... / armaque et inpressas
auro, quas gesserat olim. . . . 9.176
olim uera fides Sulla Marioque receptis
/libertatis obit: 9.204
uel plenior alto /olim Syrtis erat pelago
penitusque natabat, 9.312
nunc, olim, factura deum es. . . . 9.604
caeloque timente /olim Phlegraeo stantis
serpente gigantas /erexit montes, 9.656

OLYMPIACUS,-A,-UM. perfudit membra liquore /
hospes Olympiacae seruato more palaestrae, 4.614

OLYMPUS(mons Thessaliae). nubes excedit
Olympus. 2.271
nec metuens imi Borean habitator Olympi
/... ignorat ... Arcton. 6.341
postquam discessit Olympo /Herculea
grauis Ossa manu 6.347
nubes suspexit Olympus, 6.477
multis concurrere uisus Olympo /Pindus 7.173
extremique fragor conuexa inrumpit Olympi, 7.478

OLYMPUS = CAELUM. ipse caput medio Titan cum
ferret Olympo 1.540
cur hanc tibi, rector Olympi, /sollicitis
uisum mortalibus addere curam, 2.4
tellus / altius intumuit propiusque
accessit Olympo. 2.398
prono cum Caesar Olympo /in noctem subita
circumdedit agmina fossa, ... 4.28
hic, ubi iam Zephyri fines, et summus
Olympi /cardo tenet Tethyn, . . . 4.72
uidet exhaustos sudoribus artus /
ceruicemque uiri, siccam dum ferret
Olympum. 4.639
iam sparserat Haemo /bruma niues gelidoque
cadens Atlantis Olympo, ... 5.4
sic rector Olympi /cuspide fraterna
lassatum in saecula fulmen /adiuuit, 5.620
perspectumque dedit circum labentis
Olympi. 6.484
doctus ad haec fatur taciti seruator
Olympi 8.171
quae sola fugam moderantur Olympi /...
diuersa potentia prima/mundi lege data
est. 10.199

OMEN. sanguinis et diro ferales omine taedas
/abstulit ... Iulia 1.112
finxerit ista Tages.' flexa sic omina
Tuscus /... canebat. 1.637
noscant uenturas ut dira per omina clades? 2.6
non omina festa, /non fictas laeto uoces
similare tumultu, /uix odisse uacat. 3.101
Iliacae quoque signa manus peritura que
castra /ominibus petiere suis, 3.212
dirum Thebanis fratribus omen; 4.551
indulsit castris et collibus abstulit
omen 4.664
primus ... saxis /Thessalicus sonipes,
bellis feralibus omen, /exiluit, 6.397
ducis omnia (omina) nato /Pompeiana conat
nostri modo militis umbra, . . .var.6.716
uaticinata quies magni tulit omina
planctus, ... 7.22
mentisque tumultum /atque omen scelerum
subitos putat esse furores. . . . 7.184

tantoque duci sic arma timere /omen erat. 7.341
numquam omine laeto /distrahimur miseri. 8.585

OMENTUM. emittunt, produntque suas omenta
latebras. 1.625

OMNIS,-E. tibi numine ab omni /cedetur, 1.50
inque uicem gens omnis amet; . . 1.61
[omnia mixtis /sidera sideribus concurrent,] 1.74
omnisque potestas /inpatiens consortis
erit. 1.92
pax alta per omnes /et tranquilla quies
populos: 1.249
in classem cadit omne nemus, . . 1.306
omnia dat, qui iusta negat. . . . 1.349
inuita peragam tamen omnia dextra; 1.378
per omnem /spargitur Italiam . . 1.467
ipsum omnes aquilas conlataque signa
ferentem 1.477
flexa sic omina (omnia) Tuscus /inuoluens
multaque tegens ambage canebat. var.1.637
omnis an infusis miscebitur unda uenenis? 1.648
ferrique potestas /confundet ius omne manu, 1.667
latuit plebeio tectus amictu /omnis honos,
nullos comitata est purpura fasces. 2.19
tum questus tenuere suos magnusque per
omnis /errauit sine uoce dolor. 2.20
omnibus hostes /reddite nos populis: 2.52
ille fuit uitae Mario modus, omnia passo
/quae peior fortuna potest, . . . 2.131
ille fuit uitae Mario modus,.../quae peior
fortuna potest, atque omnibus uso / quae
melior, ... 2.132
sed fecit sibi quisque nefas: semel omnia
uictor /iusserat. 2.147
hic robora busti /exstruit ipse sui
necdum omni sanguine fuso /desilit in
flammas 2.158
memini,... / omnia Sullanae lustrasse
cadauera pacis 2.171
memini,... / perque omnis truncos, cum qua
ceruice recisum / conueniat, quaesisse,
caput. 2.172
congesta recepit /omnia Tyrrhenus Sullana
cadauera gurges. 2.210
uis sibi fecit iter campumque effusa per
omnem 2.215
'omnibus expulsae terris olimque fugatae 2.242
ne tanta in cassum uirtus eat, ingeret
omnis /se belli fortuna tibi. . . 2.263
piniferis amplexus rupibus omnis /
indigenas Latii populos, ... 2.431
atque omnis trahe, gurges, aquas, ut
spumeus alnos /discussa conpage feras. 2.486
rue certus et omnis /lucis rumpe moras 2.524
non tam caeco trahis omnia cursu /teque
nihil, Fortuna, pudet 2.567
omne fretum metuens pelagi pirata reliquit 2.578
qui ferit Hesperius post omnia flumina
Baetis, ... 2.589
hinc late patet omne fretum, seu uela
ferantur 2.622
omnes redeant in castra triumphi. 2.644
sic fatur,et omnes /iussa gerunt 2.648

sed Caesar in omnia praeceps,   2.656
instat atrox et adhuc, quamuis possederit
omnem /Italiam, ... 2.658
cedit in inmensum cassus labor; omnia
pontus /haurit saxa uorax 2.663
ergo hostes portis, quas omnis soluerat
urbis /cum fato conuersa fides, murisque
recepti 2.704
omnis in Ionios spectabat nauita fluctus:
                            3.3
omnia Caesar erat: 3.108
acciperet felix ne non semel omnia Caesar,
                           3.296
strata metu tenuit flagrantis in omnia
belli /praecipitem cursum, ... 3.390
tunc omnia late /procumbunt nemora et
spoliantur robore siluae, ... 3.394
omnisque humanis lustrata cruoribus arbor.
                           3.405
tum paruit omnis /imperiis non sublato
secura pauore /turba, ... 3.437
innocua percussa sonant, sic omnia tela
/respuit; 3.483
ignis agit uires, taeda sed raptus ab omni
/consequitur nigri spatiosa uolumina fumi,
                           3.504
omne suum fatis uoluit committere robur
                           3.517
seruatum bello iacuit mare, mouit ab omni
/quisque suam statione ratem, . . 3.524
hac cum parte uiri uix omnia membra
tulerunt. 3.646
iamque omni fusis nudato milite telis /
inuenit arma furor: 3.670
sedibus expulsi, postquam cruor omnia
rupit /uincula, ... 3.712
egere quod superest animae, Tyrrhene, per
omnis /bellorum casus. 3.718
atque omnis propior mergenti sidera caelo
/aruerat tellus hiberno dura sereno. 4.54
non habet unda uias, tam largas alueus
omnis /a ripis accepit aquas. . . 4.86
sic, cum tenet omnia Nilus, . . . 4.135
postquam omnia fatis /Caesaris ire uidet,
                           4.143
nunc ades, aeterno conplectens omnia nexu,
                           4.189
est miseris renouata fides, atque omne
futurum /creuit amore nefas. . . . 4.204
sic fatur et omnis /concussit mentes
scelerumque reduxit amorem. . . . 4.235
itur in omne nefas, ... 4.243
ac, uelut occultum pereat scelus, omnia
monstra /in facie posuere ducum: 4.252
campos eques obuius omnis /abstulit 4.262
conluuies inmota iacet, cadit omnis in
haustus /certatim obscaenos miles 4.311
interque priorem /fortunam casusque nouos
gerit omnia uicti, /sed ducis, 4.342
terras fundendus in omnis /est cruor 4.391
hanc omni puppes statione solutae /
circumeunt, ... 4.463
omnibus incerto uenturae tempore uitae
                           4.481
metus omnis abest. 4.487
in medium mors omnis abit, perit obruta
uirtus: 4.491
cum sidera caeli /ante ducis uoces oculis
umentibus omnes / aspicerent . . . 4.522
inguinaque insertis pedibus distendit et
omnem /explicuit per membra uirum. 4.628

omnis Romanis quae cesserat Africa
signis /tum Vari sub iure fuit; 4.666
conpressum turba stetit omne cadauer.
                           4.787
a quibus omne aeui senium sua fama
repellit, ... 4.812
emere omnes, hic uendidit urbem. 4.824
omnia rursus /membra loco redeunt. 5.36
quis terram caeli patitur deus, omnia
cursus /aeterna secreta tenens 5.88
uenit aetas omnis in unam/congeriem, 5.177
atque omne futurum / nititur in lucem,
                           5.179
imus in omne nefas manibus ferroque
nocentes, ... 5.272
nil actum est bellis, si nondum conperit
istas / omnia posse manus. 5.288
licet omne deorum /obsequium speres, 5.293
uult omnia certe / a se saeua peti, 5.307
his ferri graue ius erit, ipse per
omne /fasque nefasque rues? . . . 5.312
sperantis omnia dextras /exarmare datur,
                           5.355
namque omnis uoces, per quas iam tempore
tanto /mentimur dominis, haec primum
repperit aetas 5.385
caelo languente fretoque /naufragii
spes omnis abit. 5.455
omnisque in fluctibus unda est. 5.644
omni surgit ratis ardua uento. 5.649
dum metuar semper terraque expecter ab
omni.' 5.671
tutior interea populis et tutior omni
/rege late, ... 5.754
sustinuit dixisse uale, uitamque per omnem
/ nulla fuit tam maesta dies; 5.796
capere omnia Caesar /moenia Graiorum
spernit 6.3
funestam mundo uotis petit omnibus horam
                           6.6
ter collibus omnis /explicuit turmas 6.8
hic alitur sanguis terras fluxurus in
omnis, ... 6.61
caeloque paratior unda /omne pati uirus
durauit uiscera caeno. 6.94
iam magis atque magis praeceps agit omnia
fatum, ... 6.98
quaerit,... / perque omnis gladios et
qua uia caede paranda est. 6.124
pronus ad omne nefas 6.147
omni /uallatus bello uincit, quem respicit,
hostem. 6.184
illum tota premit moles, illum omnia tela,
                           6.189
Libycus... elephans... / omne repercussum
squalenti missile tergo /frangit 6.209
Gortynis harundo /tenditur in Scaeuam,
quae uoto certior omni / in caput ...
descendit 6.215
omnia subducit Circaeae uela procellae;
                           6.287
inpatiensque morae uenturisque omnibus
aeger, ... 6.424
Memphis /omne uetustorum soluat penetrale
magorum, /abducet superos alienis
Thessalis aris. 6.450
nunc omnia conplent /imbribus. . . 6.465
omne potens animal leti genitumque nocere
/et pauet Haemonias ... artes. 6.485
hoc iuris in omnis /est illis superos,
                           6.496

omne nefas superi prima iam uoce precantis
/concedunt 6.527
tunc omnis auide desaeuit in artus   6.540
hominum mors omnis in usu est. . .   6.561
quamuis fecerit omnis /stella senem,
medios herbis abrumpimus annos,   6.609
atque omnia fata laborant /si quicquam
mutare uelis, ... 6.612
ducis omnia nato /Pompeiana canat nostri
modo militis umbra, ... 6.716
expellam tumulis, abigam uos omnibus urnis.
                                     6.735
tunc omnis palpitat artus, ...   6.754
ueniet quae misceat omnis /hora duces.
                                     6.806
tibi certior omnia uates /ipse canet
Siculis genitor Pompeius in aruis,   6.813
siue per ambages solitas contraria
uisus /uaticinata quies magni tulit omina
(omnia) planctus, ... var.7.22
omne malum uicti, quod sors feret ultima
rerum, /omne nefas uictoris erit.'   7.122
omne malum uicti,... / omne nefas uictoris
erit.' 7.123
tunc omnis lancea saxo /erigitur,   7.140
o summos hominum,... /... quorum fatis
caelum omne uacauit! 7.206
attonitique omnes ueluti uenientia fata,
/non transmissa, legent . . .   7.212
sicci sed plurima campi /tetrarchae
regesque tenent ... / atque omnis Latio
quae seruit purpura ferro. . . .   7.228
oblatumque uidet uotis sibi mille petitum
/tempus, in extremos quo mitteret
omnia casus. 7.239
precor gentes ut ius habeatis in omnes.
                                     7.265
omnia dum uobis liceant, nihil esse recuso.
                                     7.268
Romanos odere omnes, dominosque grauantur,
                                     7.284
permittuntque omnia fatis. 7.333
medio posuit deus omnia campo. . .   7.348
quae uincere possent /omnia contulimus.
                                     7.356
[ulla nec humanum reparet genus omnibus
annis] 7.388
tunc omne Latinum /fabula nomen erit;
                                     7.391
omne tibi bellum gentis dedit, . .   7.421
omnibus annis / te geminum Titan procedere
uidit in axem; 7.421
haud multum terrae spatium restabat
Eoae,/ ut ... / omniaque errantes stellae
Romana uiderent. 7.425
sed retro tua fata tulit par omnibus
annis /Emathiae funesta dies. . .   7.426
tamen omnia torpor /pectora constrinxit,
                                     7.466
rapit omnia casus. 7.487
frigidus inde /stat gladius, calet omne
nocens a Caesare ferrum. 7.503
stetit omne coactum /circa pila nefas.
                                     7.518
omnis eques cessit campis, ...   7.530
semel ortus in omnis /it timor,   7.543
hic patriae perit omne decus: . .   7.597
mors tamen eminuit ... / pugnacis
Domiti, quem clades fata per omnis /
ducebant: 7.600
uincitur his gladiis omnis quae seruiet

aetas. 7.641
stetit aggere campi,/eminus unde omnis
sparsas per Thessala rura /aspiceret
clades, ... 7.650
nec, sicut mos est miseris, trahere omnia
secum /mersa iuuat 7.654
omnia quid laceras? quid perdere cuncta
laboras? 7.665
arma / signaque et adflictas omni iam
parte cateruas /circumit 7.667
protinus hostili statuit succedere uallo,/
omnibus illa /ciuibus effudit totas per
moenia uires /obuia ceu laeto: . .   7.713
... dum conficit omnia terror, . .   7.734
sed non inpleuit cupientis omnis mentes.
                                     7.754
cum spe Romanae promiserit omnia praedae,
/decipitur quod castra rapit. . .   7.759
pectore in hoc pater est, omnes in Caesare
manes. 7.776
hunc omnes gladii, quos aut Pharsalia
uidit /... /illa nocte premunt,   7.781
tamen omnia passo, /... /nulla loci
facies reuocat feralibus aruis /haerentis
oculos. 7.786
capit omnia tellus/quae genuit;   7.818
omne nemus misit uolucres omnisque
cruenta /alite sanguineis stillauit
roribus arbor. . . . . 7.836(bis)
sic quoque non omnis populus preuenit ad
ossa 7.841
omnia maiorum uertamus busta licebit,
                                     7.855
Thessaliam nox omnis habet; 8.45
omnia neruis /membra relicta labant, 8.59
omnia uictoris possunt sperare fauorem,
                                     8.117
tamen omnia uincens /sustinui nostris uos
tantum desse triumphis, ...   8.229
non omnis in aruis /Emathiis cecidi, 8.266
quos Lentulus omnis /uirtutis stimulis
et nobilitate dolendi /praecessit   8.328
iacet omne cruenti /uolneris auxilium?
                                     8.333
omnis, in Arctois populus quicumque
pruinis /nascitur, indomitus bellis 8.363
tamen omnia monstra /Pellaeae coiere domus,
                                     8.474
facere omnia saeue /non inpune licet, nisi
cum facis. 8.492
regesque timet quorum omnia mersit, 8.509
adsensere omnes sceleri. 8.536
poteras.../...latebrisque relinquere
Lesbi,/ omnibus a terris si nos arcere
parabas. 8.588
aeuumque sequens speculatur ab omni /
orbe ratem Phariamque fidem: . . .   8.623
cladesque omnis exegit in uno /saeua die
quibus inmunes tot praestitit annos, 8.703
incubuit Magno lacrimasque effudit in
omne /uolnus, ...   8.727
quam metuis, demens,isto pro crimine
poenam /quo te fama loquax omnis accepit
in annos? 8.782
Romanum nomen et omne / imperium Magno
tumuli est modus: 8.798
omnia Lagi /arua tenere potest, . . 8.802
praeceps facit omne timendum /uictor,
                                     9.47
omnia dent poenas nudo tibi, Magne,
sepulchra. 9.157

OMNIS

accipit omnis /exemplum pietas,   9.179
non ... gratius ... / omne quod in superos
audet conuicia uolgus /... quam pauca
Catonis /uerba 9.187
tum respicit omnis /in coetu motuque uiros;
         9.224
omnis /indiga seruitii feruebat litore
plebes: 9.253
dixit, et omnes /haud aliter medio
reuocauit ab aequore puppes 9.283
remis actum mare propulit omne /classis
onus, ... 9.319
omnia siquis /prouidus antemnae suffixit
lintea summae, /uincitur 9.327
eminet in tergo pelagi procul omnibus
aruis /... sicqi iam pulueris agger; 9.341
patet omne solum, ... 9.453
iamque iter omne latet nec sunt discrimina
terrae: 9.493
suffecitque omnibus unda. 9.510
esse locis superos testatur silua per
omnem /sola uireus Libyen. 9.522
et fuga signorum medio rapit omnia caelo.
         9.543
late sibi summouet omne /uolgus...
basiliscus 9.725
datis omnia leto, ... 9.732
femorum quoque musculus omnis /liquitur,
         9.771
in minimum mors contrahit omnia uirus.
         9.776
cauumque /pectus et abstrusum fibris
uitalibus omne /morte patet. . . . 9.778
eripiunt omnes animam, tu sola cadauer.
         9.788
humanumque egressa modum super omnia
membra /efflatur sanies late pollente
ueneno; 9.794
sic omnia membra /emisere simul rutilum
pro sanguine uirus. 9.809
omnia plenis /membra fluunt uenis; 9.813
omni fortunam prouocat hora. . . . 9.883
omnibus unus adest fatis; 9.884
omnia fato /eripis 9.980
dum nobis omnia praefert, / ... laeta
dies rapta est populis, ... 9.1095
gladiumque per omnis /exegit gentes, 10.31
terrarum fatale malum fulmenque quod
omnis /percuteret pariter populos   10.34
ast ego caelicolis gratum reor ire per
omnis /hoc opus 10.197
adde quod omne caput fluuii, ... /...
ingresso uere tumescit 10.223
tunc omnia flumina Nilus /uno fonte
uomens non uno gurgite perfert.   10.253
rumor ab Oceano, qui terras alligat omnes,
/... erumpere Nilum 10.255
nunc omnes unum uires collectus in amnem,
         10.309
tumulum ... / aspice Pompei non omnia
membra tegentem. 10.381
temere omnia saeui /instrumenta rapit
belli. 10.401
dat scilicet omnis / dextera quod debet
superis, ... 10.414
non sine rege tamen, quem ducit in omnia
secum 10.461
non ipse tyrannus /sufficit in poenas, non
omnis regia Lagi: 10.527
ONERO,-ARE. miles rupes oneratus in altas
/nititur, ... 4.37

hic Opiterginis moles onerata colonis
/constitit; 4.462
terribilis Stygio facies pallore grauatur
/inpexis onerata comis: 6.518
iaspide fulua supellex /stat mensas
onerans; 10.122a
ONUS. sentiet axis onus. 1.57
cum tantum nutaret onus, ... 3.459
hoc quoque securis oneris fortuna remisit,
         4.398
heu, quantum Fortuna umeris iam pondere
fessis /amolitur onus! 5.355
hanc Caesare pressam / a fluctu defendet
onus. 5.586
iam castris instare suis seponere tutum
/coniugii decreuit onus 5.725
tantae molis onus percussum uoce recessit
         6.483
nauita ... /dat regimen uentis ignauumque
arte relicta /puppis onus trahitur. 7.127
remis actum mare propulit omne /classis
onus, ... 9.320
ONYX. totaque effusus in aula /calcabatur
onyx; 10.117
OPACO,-ARE. nullo uertice caelum /suspiciens
Phoebo non peruia taxus opacat.   6.645
OPACUS,-A,-UM. tutae quos inter opaco /
anfractu latuere uiae; 4.159
nec per opacas /bella geret tenebras
incerto debilis arcu, ... 8.372
OPERA. degener atque operae miles Romane
secundae, /Pompei ... sacrum caput ...
recidis, ... 8.676
OPERIO,-IRE. uestibus iratos laxis operire
leones. 4.686
dum te, consultor operti /Castalia tellure
dei, uix inuenit, Appi, ... 5.187
transit et ignotos operit sibi gurgite
campos: 6.276
nosse domos Stygias arcanaque Ditis
operti /non superi, non uita uetat. 6.514
inque uicem uoltus tenebris mirantur
opertos 7.177
atque operit tellure uiros. . . 9.486
sic fatus opertum /detexit tenuitque caput
         9.1032
hebenus Mareotica uastos /non operit
postes sed stat pro robore uili,   10.118
OPHITES. pluribus ille notis uariatam
tinguitur aluum /quam paruis pictus
maculis Thebanus ophites. . . . 9.714
OPIFEX. quas ille creator /atque opifex rerum
certo sub iure coercet. 10.267
OPITERGINI. hic Opiterginis moles onerata
colonis /constitit; 4.462
OPPIDUM. eruerent, nulli uallarent oppida
muri, ... 4.224
OPPONO,-ERE. primus in obliquum sonipes
opponitur amnem 1.220
et uos, crinigeros Belgis arcere Caycos
/oppositi, ... 1.464
tua classica seruat /oppositus quondam
polluto tiro Miloni. 2.480
nostrasque manus quod Roma furenti /
opposuit. 2.552
hinc illinc montes scopulosae rupis
aperto /opposuit natura mari flatusque
remouit, ... 2.620
hoc robur aperto /oppositum pelago: 3.533
Phocaicis medias rostris oppone carinas.'
         3.561

OPPONO

Pelion opponit radiis nascentibus umbras;
    6.336
qua torta graues lorica catenas /opponit
tutoque latet sub tegmine pectus, 7.499
uolnera multorum totum fusura cruorem /
opposita premit ipse manu. 7.567
an ... fortunaque perdat /opposita uirtute
minas, ... 9.570

OPPORTUNUS,-A,-UM. opportuna tamen ualli pars
uisa propinqui, ... 6.125

OPPRIMO,-ERE. sufficerent aliis ... / ... tot
oppressae depulsis hostibus arces, 2.654
iaculum letale reuolsum /oppressere manu,
ualidos dum praebeat ictus 3.678
oppressit cum sole dies, ... 5.701
sic Libycus densis elephans oppressus ab
armis /omne ... missile... /frangit 6.208

OPS. namque, ut opes nimias mundo fortuna
subacto /intulit 1.160
pars uilissima rerum, /certamen mouistis,
opes), ... 3.121
nullasque feres nisi sanguine sacro /
sparsas, raptor, opes. 3.125
tunc Orientis opes captorumque ultima
regum /quae Pompeianis praelata est gaza
triumphis /egeritur; 3.165
auxilioque diu uirtus non usa cadendi /
terrae spernit opes: 4.608
postquam /ambitus et luxus et opum
metuenda facultas /transuerso mentem
dubiam torrente tulerunt, ... 4.817
ne cessa praebere deo tua fata uolenti
/angustos opibus subitis inplere penates.'
    5.537
artis opem uicere metus, nescitque
magister /quam frangat, cui cedat aquae.
    5.645
quascumque tuas Pharsalia fecit / a
uictis rapiuntur opes.' 7.746
sparsit potius Pharsalia nostras / quam
subuertit opes. 8.274
nunc tantas ille lacesset /auditi
uictoris opes 8.361
nunc uictoris opes et cognita fata
lacessis? 8.533
inmodicas possedit opes, ... 9.197
in nullas uitiatur opes; 9.424
nulla portus tangente carina /nouit
opes: 9.443
non sit licet ille nefando /Marte paratus
opes mundi quaesisse ruina; . . . 10.150
discit opes Caesar spoliati perdere
mundi 10.169
non sanguine clari / (quid refert?) nec
opes populorum et regna mouemus: 10.383

OPTIMUS,-A,-UM. gaudetque... /optimus excusso
Leucus Remusque lacerto, ... 1.424
gaudetque ... / optima gens flexis in
gyrum Sequana frenis, ... 1.425
si numina nostras /inpulerint acies,
maneat pars optima Magni, ... 5.757
cornus tibi cura sinistri /Lentule, cum
prima, quae tum fuit optima bello, /et
quarta legione datur. 7.218

OPTO,-ARE. optauere diem. 4.525
mortales optare uetat; 5.106
cunctorum uoces... / Tullius ... /
pertulit iratus bellis, cum rostra
forumque /optaret passus tam longa
silentia miles. 7.66
miles, adest totiens optatae copia pugnae.

ORA
    7.251
uolnera pars optat, pars terrae figere
tela / ac puras seruare manus. 7.486
pandunt templa, domos, socios se cladibus
optant. 7.716
optabit patriae talem duxisse triumphum.
    10.154
et causas Martis Phariis cum gentibus
optat. 10.171
dubiusque timeret /optaretne mori
respexit in agmine denso /Scaeuam 10.543

OPUS. inmensumque aperitur opus, . . . 1.68
surgit opus longaeque tremunt super
aequora turres. 2.679
uix operi cunctae dextra properante
sorores /sufficiunt, ...3.18
a summis perduxit ad aequora castris /
longum Caesar opus, ... 3.385
nam uicina operi belloque intacta priore
/inter nudatos stabat densissima montis.
    3.427
mihi funere nullo / est opus, o superi:
    5.669
non opus hanc ueterum nec moles structa
tuetur 6.19
planumque per ardua Caesar / ducit opus;
    6.39
operumque ut summa reuisat . . . 6.46
subitum bellique tumultu /raptum clausit
opus. 6.54
prima quidem surgens operum structura
fefellit /Pompeium, ... 6.64
perdidit ensis opus, frangit sine uolnere
membra. 6.188
extremum ferri superest opus, . 7.345
conponite mentes /ad magnum uirtutis
opus summosque labores. 9.381
tu nomina tanto /inuenies operi, 9.1030
ast ego caelicolis gratum reor ire per
omnis /hoc opus et sacras populis
notescere leges. 10.198
summi contempta facultas /est operis;
    10.429
nec flammis mandatur opus; 10.482
obsessusque gerit,... /expugnantis opus.
    10.491

OPUS(est). non opus est bello. 2.319
nec cessant a caede manus, si sanguine
uiuo / est opus, ... 6.555
et quotiens saeuis opus est ac fortibus
umbris /ipsa facit manes. 6.560
carminibus magicis opus est herbisque,
cadauer /ut cadat, ... 6.822
nil opus est uotis, iam fatum accersite
ferro. 7.252
sed 'quid opus uicto populis aut urbibus?'
inquit 7.720
quid porro tumulis opus est aut ulla
requiris /instrumenta, dolor? 9.69
nec uobis opus est ad noxia fata ueneno.
    9.733
sic opus est mundo. 10.239

ORA. clauditur externis miles Romanus in
oris, ... 1.515
et Scythicis Crassus uictor remeasset ab
oris, ...2.553
bellaque Sardoas etiam sparguntur in oras.
    3.64
di melius, quod non Latias Eous in oras
    3.93
at procul extremis terrarum Caesar in

oris / Martem saeuus agit non multa
caede nocentem. 4.1
clauditur extrema residens Antonius ora
                                    4.408
tandem uolgata cruenti /fama mali terras
monstris aequorque leuantem /magnanimum
Alciden Libycas exciuit in oras.   4.611
Deiotarum et gelidae dominum Rhascypolin
orae /conlaudant, ...   5.55
Ausoniam qua torquens frugifer oram 5.378
nec ratis Hesperias tanget nec naufragus
oras: 5.573
oraeque malignos /Ambraciae portus,
scopulosa Ceraunia nautae /summa timent.
                                    5.651
quo caeli sidere uerso /Thessalicae **tantum**,
superi, permittitis orae? . . .   7.302
'hoc solum toto' respondit 'in aequore
serua /ut sit ab Emathiis semper tua
longius oris /puppis 8.188
'o felix, quem sors alias dispersit in oras
                                    9.126
sed duce Pompeio Libyae melioris in oris
/mansit. 9.370
quaecumque uagam Syrtim conplectitur ora
/sub nimio proiecta die, ... 9.431
nec sidera tota /ostendit Libycae finitor
circulus orae, ...   9.496

ORACULUM. tristia Sullani cecinere oracula
manes, ...   1.581
certus discedat, ab umbris /quisquis uera
petit duraeque oracula mortis /fortis
adit. 6.772
me non oracula certum /sed mors certa
facit. 9.582

ORATOR. maximus hortator (orator) scrutandi
uoce deorum /euentus Labienus erat.
                                    var.9.549
neque ius mundi ualuit nec foedera sancta
/gentibus, orator regis pacisque
sequester /quin caderet ferro.   10.472

ORBIS. certatum totis concussi uiribus orbis
                                    1.5
totum sub Latias leges cum miseris orbem,
                                    1.22
sed neque in Arctoo sedem tibi legeris
orbe 1.53
librati pondera caeli /orbe tene medio;
                                    1.58
pax missa per orbem /... compescat limina
Iani. 1.61
quid pacem excusserit orbi. . . .   1.69
ibit et obliquum bigas agitare per orbem
                                    1.78
quid miscere iuuat uires orbemque tenere
/in medio? 1.88
populique potentis, /quae mare, quae
terras, quae totum possidet orbem, / non
cepit fortuna duos. 1.110
paupertas fugitur totoque accersitur
orbe 1.166
melius, Fortuna, dedisses /orbe sub Eoo
sedem gelidaque sub Arcto /errantisque
domos, ...   1.252
gesseris euentu, tibi Roma subegerit
orbem. 1.285
decretum genero est: partiri non potes
orbem, ...   1.290
quid iam rura querar totum suppressa per
orbem 1.318
ut uictum post terga relinqueret orbem,

regit idem spiritus artus /orbe alio;
                                    1.457
deseritis ripas et apertum gentibus orbem.
                                    1.465
cornuque coacto / iam Phoebe toto
fratrem cum redderet orbe 1.538
inuoluitque orbem tenebris gentesque
coegit /desperare diem; 1.542
urbi (orbi) generique paratur /humano
matura lues. var.1.644
consurgunt partes iterum, totumque per
orbem /rursus eo. 1.692
ergo, **ubi** concipiunt quantis sit cladibus
orbi /constatura fides superum,   2.16
tantone nouorum /prouentu scelerum
quaerunt uter imperet urbi?(orbi)
                                    var.2.61
ille cauis euoluit sedibus orbes   2.184
toto iam liber in orbe /solus Caesar erit.
                                    2.280
non minor hic Histro, nisi quod, dum
permeat orbem, ...   2.418
saxorumque orbes et quae super eminus
hostem /tela petant altis murorum turribus
aptant. 2.451
ante bis exactum quam Cynthia conderet
orbem, ...   2.577
bella feres totoque urbes agitabis in
orbe /perdomitas; 2.643
procul hoc et in orbe remoto /abscondat
Fortuna nefas, ...   2.734
Titan ... / ibat et igniferi tantum
demerserat orbis /quantum desse solet
lunae, ...   3.41
interea totum Magni fortuna per orbem /
secum casuras in proelia mouerat urbes.
                                    3.169
toto qui solus in orbe / ostia nascenti
contraria soluere Phoebo /audet   3.230
constitit et magno uinci se fassus ab orbe
est; 3.234
ignotum uobis, Arabes, uenistis in orbem
                                    3.247
nunc hunc nunc illum, qua flectitur,
ampliat orbem; 3.276
uincendum pariter Pharsalia praestitit
orbem. 3.297
nunc, ignoto siquos petis orbe triumphos,
                                    3.310
torsit in occiduum Nabataeis flatibus
orbem, ...   4.63
deserit et noti diffisus uiribus orbis
/indomitos quaerit populos 4.145
o rerum mixtique salus Concordia mundi
/et sacer orbis amor: 4.191
nunc toto fatorum ignarus in orbe, 4.232
securumque orbis patimur post terga
relicti. 4.353
tot dubiae restant acies, tot in orbe
labores; 4.389
non eadem belli totum fortuna per orbem
/constitit, ...   4.402
nullam maiore locuta est /ore ratem
totum discurrens Fama per orbem.   4.574
ergo acies tantae paruum spissantur in
orbem, ...   4.777
en, totis uiribus orbis /Hesperiam
pensant superi: 5.37
aere libratum uacuo quae sustinet orbem,
                                    5.94

ORBIS

deque orbis trepidi tanto consulta tumultu
/desinis ipsa loqui.' 5.160
uictrices aquilas alium laturus in orbem,
5.238
pars iacet Hesperia, totoque exercitus
orbe /te uincente perit. 5.266
orbis Hiberi / horror et Arctoi nostro
sub nomine miles /Pompeio certe fugeres
duce. 5.343
quibus hic non sufficit orbis: . 5.356
non ex aequo diuisimus orbem; . . 5.495
orbe quoque exhaustus medio languensque
recessit 5.544
aut orbis medii puros exesa recessus,
5.547
alioque ex orbe uoluti /a magno uenere
mari, ... 5.618
tantus caput hoc sibi fecerit orbis, 5.686
hinc usus placuere deum, non rector ut
orbis /nec dominus rerum, sed felix
naufragus esses?' 5.698
confusos temere inmixtae glomerantur in
orbes, ... 5.715
Gortynis harundo /... /in caput atque
oculi laeuom descendit in orbem. 6.216
extremum Scythici transcendam frigoris
orbem 6.325
medium uergens titubauit nisus in orbem.
6.482
gelidos his explicat orbes /...coluber
6.488
gaudetque gelatos /effodisse orbes 6.542
namque timens, ne Mars alium uagus iret
in orbem /... /... uetuit transmittere
bella Philippos, ... 6.579
o miseranda domus, toto nil orbe uidebis
/tutius Emathia.' 6.819
attraxit nubes, non pabula flammis /sed ne
Thessalico purus luceret in orbe. 7.6
tu uelut Ausonia uadis moriturus in urbe
(orbe), ... var.7.33
turba / castrorum fremuit fatisque
trahentibus orbem /signa petit pugnae.
7.46
ac nimium patiens soceri Pompeius, et
orbis /indulgens regno, ... 7.53
summos hominum, quorum fortuna per orbem
/signa dedit, ... 7.205
Scipio, miles in hoc, Libyco dux primus in
orbe. 7.223
inde, truces Galli, solitum prodistis in
hostem (orbem), ... var.7.231
pugnae pars magna leuabit /his orbem
populis 7.276
toto simul utimur orbe. 7.362
Mars iste ... /... populos aeui uenientis
in orbem /erepto natale feret. . . 7.390
toto populi qui nascimur orbe /nec muros
inplere uiris nec possumus agros: 7.400
quae latius orbem /possedit, . . . 7.419
uiuant... / Cappadoces Gallique extremique
orbis Hiberi, ... 7.541
exiguae clades sumus orbe remoto? 7.664
sed timuit, strato ... ne corpore Magni
/... supraque ducem procumberet orbis;
7.672
post te pars maxima pugnae /non iam
Pompei nomen populare per orbem /... sed
par quod semper habemus /libertas et
Caesar, erit; 7.694
quid totum premitis, quid totum absoluitis

ORBIS

orbem? 7.870
mallet et obscuro tutus transire per
urbes (orbem) / nomine; . . var.8.20
quo sit tibi mollius aequor, /... /
sparge mari comitem. 8.99
mundi nomine gaudens /esse fidem'nullum
toto mihi' dixit 'in orbe /gratius esse
solum ... uobis /ostendi: 8.129
fata mihi totum mea sunt agitanda per
orbem. 8.138
nec quibus abscondit nec siquibus exerit
orbem /totus erat. 8.160
'quando' ait 'Emathiis amissus cladibus
orbis, /qua Romanus erat, superest,... /
Eoam temptare fidem 8.211
sed me uel sola tueri /fama potest rerum
toto quas gessimus orbe 8.275
quare agite Eoum, comites, properemus in
orbem. 8.289
sat magna feram solacia mortis /orbe
iacens alio, ... 8.315
semper uenerabilis illa /orbis parte
fui, ... 8.318
miserum quid decipis orbem, /si seruire
potes? 8.340
rex tolletque animos Latium uaesanus in
orbem 8.345
iuuat ire per orbem /ducentem saeuas
Romana in moenia gentes 8.356
temptare pudendum /auxilium tanti est,
toto diuisus ut orbe /a terra moriare tua,
8.391
quin respicis orbem /Romanum? . . 8.441
toto iam pulsus ab orbe, /... quaerit
/cum qua orbe cadat. 8.503
sollicitat nostrum, quem nondum perdidit,
orbem. 8.511
Pompei nunc castra placent, quae deserit
orbis? 8.532
disponis gladios, nequo non fiat in orbe,
/heu, facinus ciuile tibi. 8.603
aeuumque sequens speculatur ab omni /orbe
ratem Phariamque fidem: 8.624
uertat aquas Nilus quo nascitur orbe
retentus, ... 8.828
et aeternos animam collegit in orbes: 9.9
signa per orbem, /Sexte, paterna moue;
9.84
stat summa caputque /orbis, an occidimus
Romanaque Magnus ad umbras /abstulit?'
9.124
ille iacet quem paci praetulit orbis,
9.229
et toto solus in orbe est /qui uelit ac
possit uictis praestare salutem. 9.246
quod orbem /adquiris nulli, ... / bella
fugis. 9.259
sed maior in unam / orbis abit Asiam.
9.417
extremoque epulas mensasque petimus ab
orbe. 9.430
natura deside torpet /orbis et inmotis
annum non sentit harenis. 9.437
concuteret terras orbemque a sede moueret,
/si ... Libye ... /clauderet ... Austrum
9.466
sic orbem torquente Noto Romana iuuentus
/procubuit timuitque rapi; . . . 9.481
corripiens patulum galeae confudit in
orbem 9.502
circulus alti /solstitii medium signorum

ORBIS

percutit orbem. 9.532
comitesque Catonem /orant exploret Libycum
memorata per orbem /numina, . . 9.547
non cura ... / noster scire ualet, nisi
quod uolgata per orbem /fabula pro uera
decepit sacula causa. 9.622
ipsa caloris egens gelidum non transit
in orbem / sponte sua, ... 9.704
squamiferos ingens haemorrhois explicat
orbes, ... 9.709
gentibus ablatum dederas serpentibus
orbem, ... 9.856
hinc torrente plaga, dubiis hinc Syrtibus
orbem /abrumpens medio posuisti limite
mortes. 9.861
et arcani miles tibi conscius orbis /
claustra ferit mundi. 9.864
imus in aduersos axes, euoluimur orbe,
9.876

frustra ciuilibus armis /miscuimus gentes,
siqua est hoc orbe potestas /altera quam
Caesar, ... 9.1077
sacratis totum spargenda per orbem /
membra uiri posuere adytis; . . 10.22
nam sibi libertas umquam si redderet orbem
/ludibrio seruatus erat, ... 10.25
qui secum inuidia, quo totum ceperat
orbem, /abstulit imperium, . . . 10.43
dentibus hic niueis sectos Atlantide
silua / inposuere orbes, ... 10.145
quod luxus inani / ambitione furens toto
quaesiuit in orbe / non mandante fame;
10.157
et te terrarum nescit cui debeat orbis.
10.294
Hesperii fortuna ducis ... sustulit
illum /inposuitque orbi: 10.377
hic, cui Romani spatium non sufficit
orbis, /... /quaerit tuta domus; . 10.456
non Pontus et inpia signa /Pharnacis et
gelido circumfluus orbis Hibero /tantum
ausus scelerum, ... 10.476

ORBITA. orbita migrantis scindit Maeotida
Bessi. 5.441
premit orbita solis/exuritque solum; 9.691

ORBO,-ARE. ceu morte parentem /natorum
orbatum longum producere funus /ad tumulos
iubet ipse dolor, ... 2.298

ORCUS. primo pallentis hiatu /haeret adhuc
Orci, ... 6.715

ORDIOR,-IRI. inuenit.../securumque sui,
farique his uocibus orsus: . . . 2.241
et sic orsa loqui: 'siqua est, o maxime
Caesar, / nobilitas, Pharii proles
clarissima Lagi, ... 10.85
finierat, contraque sacer sic orsus
Acoreus: 10.193

ORDO. hoc ordine belli /ibitur, . . . 2.223
quasque quater surgens extructi remigis
ordo /commouet 3.530
lunata classe recedunt /ordine contentae
gemino creuisse Liburnae. . . . 3.534
'ite sine ullo ordine' ait . . . 4.163
quarum porrectis series constricta
catenis / ordinibus geminis obliquas
excipit alnos; 4.422
docuit populos uenerabilis ordo   5.13
non umquam perdidit ordo /mutato sua iura
solo. 5.29
ordine de tanto quisquis non exulat hic
est. 5.34

ORO

eripuit nautis excussitque ordine
puppes. 5.710
promotus Latiam longo gerit ordine uitem,
6.146
stetit ordine certo /infelix acies. 7.216
stant ordine nullo, /arte ducis nulla,
7.332
permixta secundo /ordine nobilitas
uenerandaque corpora ferro /urguentur;
7.582
quod nisi ... intentaque iussu /ordinis
aeterni miserae uicinia mortis /damnatum
leto traherent ad litora Magnum,   8.569
ille ordine rupto /funeris attonitus
latebras ... quaerit. 8.779
surgit miserabile bustum /non ullis
plenum titulis, non ordine tanto /
fastorum; 8.817

ORESTES. tum furor extremos mouit Romanus
Orestas 3.249
Eumenidum uidit uoltus Pelopeus Orestes,
7.778

ORICOS. tunc qui Dardaniam tenet Oricon
3.187

ORIENS(=subst.). tunc Orientis opes
captorumque ultima regum / quae Pompeianis
praelata est gaza triumphis /egeritur;
3.165
incendere diem nubes oriente remotae
4.68
primo gentes oriente coactae /.../
exciuere manus. 7.360

ORIGO. at, simul a prima descendit origine
mundi /causarum series, ... 6.611

ORION. ensiferi nimium fulget latus Orionis?
1.665
recto uerbere saeuos /teste tulit caelo
uicti decus Orionis. 9.836

ORIOR,-IRI. detegit orta dies stantis in
rupibus Histros 4.529
semel ortus in omnis /it timor, . . 7.543
caedes oriuntur et instar /inmensae uocis
gemitus, ... 7.571
non montibus ortum /aduersis frangit
Libye 9.449
quo postquam partu Danaes ... / ortum
Parrhasiae uexerunt Persea pinnae /
Arcados auctoris citharae liquidaeque
palaestrae, ... 9.660
sed prius orta dies nocturnam lampada
texit /quam tutas intraret aquas. 9.1006

ORNO,-ARE. non robore picto /ornatas decuit
fulgens tutela carinas, ... 3.511
non tu bellorum spoliis ornare Tonantis
/templa potes, ... 6.260
pura uenerabilis aeque / quam currus
ornante toga, plaudente senatu /sedit
adhuc Romanus eques; 7.18
fulminibus manes radiisque ornabit et
astris 7.458

ORNUS. procumbunt orni, nodosa inpellitur
ilex, ... 3.440
te ... torquentem ... uolsas, /Rhoece
ferox, quas uix Boreas inuerteret ornos,
6.390

ORO,-ARE. hostemque propinquum /orant
Cecropiae praelata fronde Mineruae. 3.306
at nunc causa mihi est orandae sola
salutis / dignum donanda, Caesar, te
credere uita. 4.346
nec superos orat nec cantu supplice

numen /auxiliare uocat 6.523
uos tamen hoc oro, iuuenes, ne caedere
quisquam /hostis terga uelit: . .   7.318
muros /oramus sociosque lares dignere uel
una /nocte tua: 8.113
tanto patientius, oro, /claude, dolor,
gemitus: 8.633
comitesque Catonem /orant exploret
Libycum memorata per orbem /numina, 9.547

ORONTES. accedunt Syriae populi; desertus
Orontes / et felix, sic fama, Ninos,
uentosa Damascos 3.214
en, quantum Tigris, quantum celer ambit
Orontes, ...   6.51

ORPHEUS,-A,-UM (adi.). Cerberos Orpheo
leniuit sibila cantu, ...   9.643

ORTUS(subst.). qualem fugiente per ortus /
sole Thyesteae noctem duxere Mycenae.
                                     1.543
quo diuersa feror? primos me ducis in
ortus, ...   1.683
et quid plura moror? totos mea, nate, per
ortus /bella feres 2.642
iam coeperat ultima Virgo /Phoebum
laturas ortu praecedere Chelas, .   2.692
uiolentior aer / puppibus incubuit
Phoebeo concitus ortu, ...   5.718
sic fatus in ortus /Phoebeos condixit iter,
                                     6.329
excitosque suis inmittam sedibus ortus.
                                     8.310
quantus apud Tanain toto conspectus
in ortu! 8.319
Pompeiumque ferens uanescit solis ad
ortus /fumus, ...   9.76
Boreae latus illa sinistrum /contingens
dextrumque Noti discedit in ortus   9.419
Persea Phoebeos conuerti iussit ad ortus
                                     9.667
Iouis uolucer, calido cum protulit ouo
/inplumis natos, solis conuertit ad ortus:
                                     9.903
cedemus in ortus /Arsacidum domino. 10.50
uaesanus in ortus /Cambyses longi populos
peruenit ad aeui, ...   10.279
(cursus in occasus flexu torquetur et
ortus, ...   10.290
et gentes maluit ortus / mirari quam nosse
tuos. 10.297
hic quaeritur ortus, / illic finis aquae.
                                    10.301
uixitque Pothini /munere Phoebeos Caesar
dilatus in ortus. 10.433

OS. nullus semel ore receptus /pollutas
patitur sanguis mansuescere fauces. 1.331
iam Phoebe toto fratrem cum redderet orbe
(ore) var.1.538
ora ferox Siculae laxauit Mulciber Aetnae,
                                     1.545
Antoni, cuius laceris pendentia canis
/ora ferens miles festae rorantia mensae
inposuit. 2.123
meque ipsum memini, caesi deformia
fratris /ora rogo cupidum uetitisque
inponere flammis, ...   2.170
ille nec horrificam sancto dimouit ab ore/
caesariem 2.372
sic ora profundi /artantur casu nemorum;
                                     2.677
Pompeius tellure noua compressa profundi
/ora uidens curis animum mordacibus angit,

                                     2.681
ora petunt pelagusque dolent contingere
classi. 2.707
coiere nec umquam /tam uariae cultu
gentes, tam dissona uolgi   3.290
eliso uentre per ora /eiectat saniem
permixtus uiscere sanguis. . . .   3.657
credidit ora uiri Romanum amplexa cadauer,
                                     3.759
tenuere parumper /ora metu, . .   4.173
si torrida paruos /uenit in ora cruor,
                                     4.240
si mollius aruum/prodidit umorem,.../
pinguis manus utraque glaebas /exprimit
ora super; 4.310
oraque sicca rigent squamosis aspera
linguis; 4.325
pandunt ora tamen nociturumque aera
captant. 4.329
uenator tenet ora leuis clamosa Molossi,
                                     4.440
nullam maiore locuta est /ore ratem totum
discurrens Fama per orbem. . . .   4.574
ora leui flectit frenorum nescia uirga,
                                     4.683
ora terens spargitque iubas et subrigit
auris 4.752
oraque proiecta squalent arentia lingua,
                                     4.755
humanam feriens animam sonat oraque uatis
/soluit, ...   5.98
ora quibus soluat, nostro non inuenit
aeuo.' 5.140
spumea tum primum rabies uaesana per ora
/effluit 5.190
rubor igneus inficit ora /liuentisque
genas; 5.214
tum lurida pallens /ora tulit uoltu
sub nubem tristis ituro. 5.550
ore nouas poscens moribundus labitur
herbas   6.86
sic pleno Padus ore tumens super aggere
tutas /excurrit ripas 6.272
has auidae tigres et nobilis ira leonum
/ore fouent blando; 6.488
tenet ora profanae /foeda situ macies,
                                     6.515
laqueum nodosque nocentis /ore suo rupit,
                                     6.544
conpressaque dentibus ora /laxauit 6.566
ut modo defuncti tepidique cadaueris ora
/ plena uoce sonent, ...   6.621
quibus os dirum nascentibus inspuit,
herbas /addidit 6.683
si uos satis ore nefando /pollutoque uoco,
... /... parete precanti. . . .   6.706
haec ubi fata caput spumantiaque ora
leuauit,/aspicit astantem ... umbram,
                                     6.719
set murmure nullo / ora astricta sonant:
                                     6.761
multorum pallor in ore /mortis uenturae
                                     7.129
morientiaque ora resoluit. . . .   7.609
pudet ... / quaerere ... / ore quis
aduerso demissum faucibus ensem /expulerit
moriens anima, ...   7.621
pudet ... /quaerere ... /... ora parentis
/quis laceret 7.628
in procerum coetu tandem maesta ora
resoluit /uocibus his Magnus: . .   8.261

nec soceri tantum arma fugit: fugit ora
senatus, ...   8.506
spirantiaque occupat ora 8.670
Pharioque ueruto / ... os in murmura
pulsant /singultus animae,... / suffixum
caput est, ...   8.682
cautum, ne Nili Pelusia tangeret ora
/Hesperius miles 8.825
me ... /adfecere ... gestata per urbem /
ora ducis, ...   9.138
nostra quoque inuiso quisquis feret ora
tyranno /non parua mercede dabit: ·9.279
arent ora siti. 9.500
'sors obtulit'... / 'et fortuna uiae tam
magni numinis ora /consiliumque dei: 9.551
praecedit anheli /militis ora pedes,
                                  9.588
nam rictus oraque monstri /quis timuit?
                                  9.637
quanto spirare ueneno /ora rear quantumque
oculos effundere mortis! 9.680
uoltusque gelassent /Persoos auersi, si
non Tritonia densos /sparsisset crines
texissetque ora colubris. 9.683
oraque distendens auidus fumantia prester,
                                  9.722
nunc redit ad Syrtes et fluctus accipit
ore, ...   9.756
ferroque aperire tumentis /sustinuit
uenas atque os inplere cruore. . .   9.760
pallentiaque ossa (ora) retexit;
                             var.9.768
illi rubor igneus ora /succendit,   9.791
ora redundant /et patulae nares;   9.812
pallentia uolnera lambit / ore uenena
trahens et siccat dentibus artus,   9.934
Euxinumque ferens paruo ruat ore
Propontis. 9.960
iam languida morte /effigies habitum noti
mutauerat oris. 9.1034
inposuere orbes, quales ad Caesaris ora
/nec capto uenere Iuba. 10.145
uarii mutator circulus anni /Aegoceron
Cancrumque tenet, cui subdita Nili /ora
latent, ...   10.214
contraque incensa Leonis /ora tumet 10.234

OS. conpositis plenae gemuerunt ossibus urnae.
                                  1.568
sed pandens perque arma uiam perque ossa
relicta /morte fugit: 3.467
nec prohibere ualent obtritis ossibus
artus 3.656
ossaque nondum /adduxere cutem: . .   4.287
caput obterit osseque saxo 6.176
nec quicquam nudis uitalibus obstat /
iam praeter stantis in summis ossibus
hastas. 6.195
fumantis iuuenum cineres ardentiaque
ossa / e mediis rapit illa rogis   6.533
sperat ... auertere ... / ossaque nobilium
tantosque adquirere manes. 6.586
hic numerus totos tibi uestiat ossibus
agros. 7.538
communis mundo superest rogus ossibus
astra /mixturus. 7.814
sic quoque non omnis populus peruenit ad
ossa 7.841
pluraque ruricolis feriuntur dentibus
ossa. 7.859
nullusque auderet pecori permittere pastor
/uellere surgentem de nostris ossibus

herbam, ...   7.865
nodosaque frangit / ossa diu: .   8.673
condita laudabit Magni socer inpius ossa:
                                  8.783
semusta rapit resolutaque nondum /ossa
satis neruis 8.787
nunc excipe saltem /ossa tui Magni,   8.839
'ergo indigna fui,'... / ... ossibus et
tepida uestes inplere fauilla,   9.60
nec emissae riguere sub ossibus umbrae.
                                  9.641
ossaque dissoluens cum corpore tabificus
seps; 9.723
fugit rupta cutis pallentiaque ossa
retexit; 9.768
hoc et flamma potest; sed quis rogus
abstulit ossa? 9.784

OSCULUM. spes una salutis /oscula pollutae
fixisse trementia dextrae. . . .   2.114
prosequitur, tacito tantum petit oscula
uoltu 3.739
Arge, quod amplexus, extrema quod oscula
fugi. 3.745
arma rigant lacrimis, singultibus oscula
rumpunt,. 4.180
pectus et auersi petit oscula grata
mariti, ...   5.736
Thessalis incubuit membris atque oscula
figens /truncauitque caput . . .   6.565
meque tuumque caput per singula forsitan
illi /oscula donabit. 10.365

OSIRIS. in templa ... Romana accepimus ... /
et quem tu plangens hominem testaris
Osirim; 8.833
et tectum lino spargam per uolgus Osirim
                                  9.159

OSSA. quantus, piniferae Boreas cum Thracius
Ossae /rupibus incubuit, ...   1.389
postquam discessit Olympo /Herculea
grauis Ossa manu 6.348
sideribusque uias incurrens abstulit
Ossa. 6.412

OSSAEUS,-A,-UM. Thessaliam,... /... rupes
Ossaea coercet; 6.334
multis ... uisus ... / ire per Ossaeam
rapidus Boebeida sanguis; 7.176

OSTENDO,-ERE. ignis, et ostendens confectas
flamma Latinas /scinditur . . .   1.550
ut scelus hoc Sullae caedesque ostensa
placeret 2.192
territa quaesitis ostendit terga
Britannis? 2.572
si ... ripamque sonantem / ignibus
ostendam, ... / quis timor, ignaui,
metuentis cernere manes?' 6.663
teque deis,... / ... Hecate... /ostendam
faciemque Erebi mutare uetabo.   6.738
per quos tibi, Roma, ruenti / ostendat
quam magna cadas. 7.419
ostendit moriens sibi se pugnasse
senatus. 7.697
'nullum ... mihi'... /gratius esse solum
... uobis / ostendi: 8.131
ostendit terras Titan et sidera texit.
                                  8.202
ostenditque rogum non iusti flamma
sepulchri, ...   9.54
ignis adhuc aliquid Phario de litore
surgens /ostendit mihi, Magne, tui.   9.75
nec sidera tota /ostendit Libycae finitor
circulus orae, ...   9.496

OSTENDO
    septima nox ... / ostendit Phariis
    Aegyptia litora flammis. 9.1005
OSTIUM. ostia nascenti contraria soluere
    Phoebo /audet 3.231
    Caesar et auxiliis ut uidit libera ponti
    / ostia, non fatum meriti poenasque
    Pothini /distulit ulterius. . . 10.515
OSTRIFER,-ERA,-ERUM. quamuis Byzantion arto
    /Pontus et ostriferam dirimat Calchedona
    cursu, ... 9.959
OTHRYS. rapidique Leonis /solstitiale caput
    nemorosus summouet Othrys. . 6.338
OTIUM. melius tranquilla sine armis / otia
    solus ages, ... 2.267
    otia solus agam? 2.295
    haereat, hac hostis lentus terat otia
    ripa. 2.488
    otia des fessis, uitam patiaris inermis
    /degere quam tribuis. . 4.357
    uariam semper dant otia mentem. 4.704
OUILE. concidit et miserae maculauit ouilia
    Romae. 2.197
OUUM. Iouis uolucer, calido cum protulit ouo
    /inplumis natos, solis conuertit ad ortus:
    9.902

P

PABULUM. fontesque et pabula campi /amplexus
    fossa 3.385
    non pecorum raptus faciles, non pabula
    mersi /ulla ferunt sulci; . . 4.90
    non pabula tellus /pascendis summittit
    equis, ... 4.410
    non desunt campi, non desunt pabula Magno,
    6.43
    attraxit nubes, non pabula flammis 7.5
    non solum Haemonii funesta ad pabula
    belli /Bistonii uenere lupi 7.825
PACHYNUM(-nus). Hesperiae clades et flebilis
    unda Pachyni / ... puros fecere Philippos.
    7.871
PACIFER,-A,-UM. duramque uiri deflectere
    mentem /pacifico (pacifero) sermone
    parant. var.3.305
PACIFICUS,-A,-UM. duramque uiri deflectere
    mentem /pacifico sermone parant 3.305
    pacificas saeuos tremuit Catilina securis,
    7.64
PACISCOR,-I. et nihil hac uenia, si uiceris,
    ipse paciscor.' 2.515
    sic mutua pacti / fata cadunt iuuenes,
    4.556
    cuius commercia pacti / obstrictos habuere
    deos? 6.493
    auxilium uolucri Pallas tulit innuba
    fratri /pacta caput monstri, . . 9.666
PACO,-ARE. Vespere pacato, ... /... plaudente
    senatu /sedit adhuc Romanus eques; 7.17
    'o numquam pacate Cilix, iterumne rapinas
    /uadis in aequoreas? 9.222
PACTOLOS. passaque ab auriferis tellus exire
    metallis /Pactolon, qua culta secat non
    uilior Hermus. 3.210
PADUS. sic Venetus stagnante Pado fusoque
    Britannus /nauigat Oceano; 4.134
    sic pleno Padus ore tumens super aggere
    tutas /excurrit ripas 6.272

    his rura colonis /accedunt donante Pado.
    6.278
    ille uel in Tanain missus Rhodanumque
    Padumque /arderet 9.751
    trahitur Gangesque Padusque /per tacitum
    mundi: 10.252
    ante tamen uestros amnes, Rhodanumque
    Padumque, /quam Nilum de fonte bibit.
    10.278
PAEAN(Apollo). 'quo feror, o Paean? 1.678
    ultor ibi expulsae, premeret cum uiscera
    partus,/matris adhuc rudibus Paean
    Pythona sagittis 5.80
    ut uidit Paean uastos telluris hiatus
    5.82
    seu Paean solitus templis arcere nocentis,
    5.139
    artus / Phoebados inrupit Paean mentemque
    priorem /expulit 5.167
    tuque, potens ueri Paean nullumque futuri
    / a superis celate diem, ... 5.199
    inmisit Stygiam Paean in uiscera Lethen,
    5.221
    spiculaque extenso Paean Pythone
    recoxit, ... 7.148
PAEDOR. uincula ferri /exedere senem longusque
    in carcere paedor. 2.73
PAELEX. innupsit tepido paelex Cornelia busto.
    3.23
    placataque paelice caesa / Magno parce
    tuo.' 8.104
PAENE. tum cum paene caput mundi rerumque
    potestas /mutauit translata locum, 2.136
    cum paene fideles /per tot bella manus
    satiatae sanguine tandem /destituere
    ducem, ... 5.242
    tot raptis truncus manibus gladioque
    relictus /paene suo, ... 5.253
    et tuus, Oeneu, /paene gener crassis
    oblimat Echinadas undis, ... 6.364
    peruolat ad truncum, qui fluctu paene
    relatus /litore pendebat. 8.753
    poenaque ciuilis belli,... / paene
    data est famulo. 10.341
PAENITET,-ERE. paenituit, tolerasse sitim
    frustraque rogasse /prospera bella deos!
    4.387
PAGASAEUS,-A,-UM. ut, Pagasaea ratis peteret
    cum Phasidos undas, ... 2.715
    prima fretum scindens Pagasaeo litore
    pinus /terrenum ignotas hominem proiecit
    in undas. 6.400
PALAESTINUS,-A,-UM. uento fluctuque secundo /
    lapsa Palaestinas uncis confixit harenas.
    5.460
PALAESTRA. perfudit membra liquore /hospes
    Olympiacae seruato more palaestrae, 4.614
    Grais delecta iuuentus /gymnasiis aderit
    studioque ignaua palaestrae 7.271
    Parrhasiae uexerunt Persea pinnae /
    Arcados auctoris citharae liquidaeque
    palaestrae, ...9.661
PALAM. non ausus timuisse palam: . . . 1.258
    infundas aconita palam, . . 4.323
    summique grauem discriminis horam /
    aduentare palam est, ... 6.416
    quid fata pararent / hi fecere palam.
    6.784
    quaeri, Roma quid esset, /illo Marte,
    palam est. 7.133
    sitque palam, quas tot duxit Pompeius in

PALAM
    urbem/curribus, unius gentes non esse
    triumphi. 7.279
    praecipites fecere palam ciuilia bella
    /non bene barbaricis umquam commissa
    cateruis. 7.526
PALATIUM. Phoebea Palatia conplet /turba
    patrum nullo cogendi iure senatus 3.103
PALATUM. rescissoque nocent suspiria dura
    palato; 4.328
    et in sicco linguam torrere palato /
    coepit; 9.744
PALINURUS. hinc placidis alto delabitur
    auris / in litus, Palinure, tuum 9.42
PALLADIUS,-A,-UM. quacumque uagatur,/...ueluti
    ... /Bistonas aut Mauors agitans si
    uerbere saeuo /Palladia stimulet turbatos
    aegide currus, /nox ingens scelerum est;
                      7.570
PALLAS. quique colunt Pitanen, et quae tua
    munera, Pallas, ... 3.205
    Pallas Gorgoneos diffudit in aegida
    crines, ... 7.149
    hanc et Pallas amat, ... 9.350
    bellumque inmane deorum /Pallados e medio
    confecit pectore Gorgon. 9.658
    auxilium uolucri Pallas tulit innuba
    fratri 9.665
    ipsa regit trepidum Pallas, . . . 9.675
    nec Pallas spectare potest, . . .9.681
    Pallas frugiferas iussit non laedere
    terras 9.687
    nullique aspecta uirorum /Pallas, in
    abstruso pignus memorabile templo, 9.994
PALLENAEUS,-A,-UM. Pallenaea Ioui mutauit
    fulmina Cyclops. 7.150
PALLEO,-ERE(-esco, escere). palluit attonitus
    sacris feralibus Arruns 1.616
    tum lurida pallens /ora tulit uoltu sub
    nubem tristis ituro 5.549
    Phoebeque serena /... /palluit et nigris
    terrenisque ignibus arsit, . . . 6.502
    marcentes intus tenebrae pallensque sub
    antris /longa nocte situs numquam nisi
    carmine factum /lumen habet. . . 6.646
    primo pallentis hiatu /haeret adhuc Orci,
                    6.714
    teque deis,... /... Hecate pallenti
    tabida forma, /ostendam 6.737
    regni possessor inertis / pallentis aperit
    sedes, ... 6.800
    mirantur ... / et pallere diem galeisque
    incumbere noctem 7.178
    fugit rupta cutis pallentiaque ossa
    retexit; 9.768
    efflatur sanies late pollente(Pallente)
    ueneno; var.9.795
    tum super incumbens pallentia uolnera
    lambit 9.933
PALLIDUS,-A,-UM. pallida regna petunt: 1.456
    nam pallida taetris /uisera tincta notis
    gelidoque infecta cruore 1.618
    pro lucri pallida tabes! 4.96
    se ... / merserit Astyrici scrutator
    pallidus auri. 4.298
    pallida Dictaeis, Caesar, nascentia
    saxis /infundas aconita palam, . . 4.322
    siccae pallida rodit /excrementa manus.
                    6.542
    in praeceps subsedit humus, quam pallida
    pronis /urguet silua comis . . . 6.643
PALLOR. ipse situs putrique facit iam robore

PANDO
    pallor /attonitos; 3.414
    terribilis sed pallor inest; . . 5.216
    latet obsitus aer /infernae pallore domus
    nimbisque grauatus /deprimitur, 5.628
    terribilis Stygio facies pallore grauatur
                    6.517
    remanet pallorque rigorque, . . 6.759
    multorum pallor in ore / mortis uenturae
                    7.129
    numen in aethere maestum /solis in obscuro
    pugnam pallore notauit. 7.200
    notauit,/deformem pallore ducem 8.56
PALMA. desertus Orontes /... /Gazaque et
    arbusto palmarum diues Idume 3.216
    Cinyphias inter pestes tibi palma nocendi
    est: 9.787
PALMA(manus). fatur et astrictis laxari
    uincula palmis /imperat. . . . 2.516
    distentis toto riguit sed corpore palmis.
                    3.734
    audet transcendere uallum /miles, in
    amplexus effusas tendere palmas. 4.176
    tendebat geminas amens Cornelia palmas.
                    8.583
PALMES. rore madentes /destringunt ramos et
    siquos palmite crudo /arboris aut tenera
    sucos pressere medulla. 4.317
PALPITO,-ARE. auolsae cecidere manus
    exsectaque lingua /palpitat . . . 2.182
    tunc omnis palpitat artus, . . . 6.754
PALUS. stagna auidi texere soli laxaeque
    paludes /depositum, Fortuna, tuum; 2.71
    relinquas /admoneo .../Riphaeasque manus
    et quas tenet aequora denso /pigra palus
    Scythici patiens Maeotia plaustri 2.641
    et qua Pomptinas uia diuidit uda paludes,
                    3.85
    iam flumina cuncta /condidit una palus
    uastaque uoragine mersit, ... 4.99
    et pigras, ubicumque iacent, effunde
    paludes 4.119
    quas recipit Salpina palus et subdita
    Sipus /montibus, ... 5.377
    alto torpore ligatae /pigrius inmotis
    haesere paludibus undae. 5.435
    Hapso gestare carinas /causa palus, leni
    quam fallens egerit unda; 5.464
    perpetuis quondam latuere paludibus agri,
                    6.344
    ergo abrupta palus multos discessit in
    amnes. 6.360
    hunc fama est Stygiis manare paludibus
    amnem 6.378
    nautasque loci sortita peritos/torpentem
    Tritonos adit inlaesa paludem. . . 9.347
PALUSTRIS. haud procul inde domus,... /...
    sterili iunco cannaque intexta palustri
                    5.517
PAMPHYLIUS,-A,-UM. Pamphylia puppi /occurrit
    tellus, ... 8.249
PAN. hunc non ruricolae Panes nemorumque
    potentes /Siluani Nymphaeque tenent,
                    3.402
PANACEA. et panacea potens et Thessala
    centaurea /... sonant flammis 9.918
PANDO,-ERE. sed pandens perque arma uiam
    perque ossa relicta /morte fugit: 3.467
    pandunt ora tamen nociturumque aera
    captant. 4.329
    summaque pandens /sipara uelorum
    perituras colligit auras. . . . 5.428

PANDO
    pandit fossas turritaque summis /disponit
    castella iugis 6.39
    'o decus Haemonidum, populis quae pandere
    fata /... potes ... / te precor ut
    certum liceat mihi noscere finem 6.590
    pandunt templa, domos, socios se cladibus
    optant. 7.716

PANGAEA. uideo Pangaea niuosis /cana iugis
    latosque Haemi sub rupe Philippos. 1.679

PANGAEUS,-A,-UM. Pindus agit fremitus
    Pangaeaque saxa resultant 7.482

PANNONIS. Pannonis haud aliter post ictum
    saeuior ursa,/...se rotat in uolnus 6.220

PANNONIUS,-A,-UM. nunc furor incubuit nec
    iuncto Sarmata uelox /Pannonio Dacisque
    Getes admixtus: 3.95

PAPHIUS,-A,-UM. nullas cui praetulit aras /
    undae diua memor Paphiae, ... 8.458

PAPYRUS. conseritur bibula Memphitis cumba
    papyro. 4.136

PAR. signa, pares aquilas et pila minantia
    pilis. 1.7
    ferre potest ... /Pompeiusue parem. 1.126
    nec colere pares. 1.129
    [par labor atque metus pretio maiore
    petuntur.] 1.282
    hunc habuisse pares Phoebeis ignibus
    undas. 2.415
    proxima pars urbis celsam consurgit
    in arcem / par tumulo, ... 3.380
    paribusque lacertis /Caesaris hinc puppes,
    hinc Graio remige classis /tollitur:
                  3.525
    iure pari rector castris Afranius illis
    /ac Petreius erat; 4.4
    et par Phoebus aquis densas in uellera
    nubes /sparserat, ... 4.124
    par animi laus est et,quos speraueris,
    annos /perdere 4.482
    miranturque habuisse parem. . . . 4.620
    conflixere pares, Telluris uiribus ille,
    /ille suis. 4.636
    productos, odere pares.' 4.710
    in Macetum terras miscens aduersa secundis
    /seruauit fortuna pares. 5.3
    quas uentus doctaeque pari moderamine
    dextrae / permixtas habuere diu, 5.706
    [par pelagi monstris Libycae sic belua
    terrae] 6.207
    unde pares somnos populis noctemque
    beatam? 7.28
    ergo utrimque pari procurrunt agmina motu
    /irarum; 7.385
    sed retro tua fata tulit par omnibus annis
    /Emathiae funesta dies. 7.426
    bella pares superis facient ciuilia diuos,
                  7.457
    tempus erat quo Libra pares examinat
    horas, ... 8.467
    'ergo pari uoto gessisti bella,iuuentus,
                  9.256
    par Geminis Chiron, et idem, quod Carcinos
    ardens, /umidus Aegoceros ... tollitur
                 9.536
    par lingua potentibus herbis, 9.893
    dignaque satis mercede laborum /contentus
    par esse tibi. 9.1102
    Nilus ... nec ripis alligat amnem /ante
    parem nocti Libra sub iudice Phoebum.
                 10.227
    quem metuis, par huius erat. . . 10.382

PAR(subst.n.). parque suum uidere dei, 6.3
    parque nouum Fortuna uidet concurrere,
    bellum / atque uirum. 6.191
    post te pars maxima pugnae/...nec studium
    belli, sed par quod semper habemus, /
    libertas et Caesar, erit; 7.695

PARAETONIUS,-A,-UM. quidquid ab occiduis
    Libye patet arida Mauris /usque
    Paraetonias Eoa ad litora Syrtis. 3.295
    inde Paraetoniam fertur securus in urbem
                 10.9

PARCAE. abstulit ad manes Parcarum Iulia
    saeua 1.113
    sufficiunt, lassant rumpentis stamina
    Parcas. 3.19
    cadauer / 'tristia non equidem Parcarum
    stamina' dixit /'aspexi 6.777
    cognoscere Parcae /me reticente dabunt;
                 6.812

PARCO,-ERE. ferre manum et numquam temerando
    parcere ferro, ... 1.147
    mortis, et ignauum rediturae parcere uitae.
                 1.462
    paruom set fessa senectus /sanguinis
    effudit iugulo flammisque pepercit. 2.129
    uidimus et toto quamuis in corpore caeso
    /nil animae letale datum, moremque
    nefandae /dirum saeuitiae, pereuntis
    parcere morti. 2.180
    heu, quanto melius uel caede peracta /
    parcere Romano potuit fortuna pudori!
                 2.518
    parcitur Hesperiae. 2.734
    tam pauidum tibi, Roma, ducem fortuna
    pepercit, ... 3.96
    caeloque pepercit /quod non Phlegraeis
    Antaeum sustulit aruis. 4.596
    'parcite', ait 'ciues; procul hinc
    auertite ferrum. 6.230
    uel tu parce deis et manibus exprime
    uerum. 6.599
    ne parce, precor: da nomina rebus, 6.773
    parcite ne castris: 7.328
    si Romano conpleri sanguine mauis,/ istis
    parce precor; 7.540
    'parcite,' ait 'superi, cunctas prosternere
    gentes. 7.659
    Caesar,... / ... parcendum ferro
    manibusque suorum /iam ratus . . 7.729
    placataque paelice caesa /Magno parce
    tuo.' 8.105
    quis non, Fortuna, putasset /parcere
    te populis, quod bello haec dextra
    uacaret 8.601
    perfide, parcebas? 8.652
    Pompeiusque fuit ... /... felix nullo
    turbante deorum / et nullo parcente
    miser; 8.707
    Pallas ... iussit non laedere terras /et
    parci populis. 9.688
    sed parcimus annis /donamusque nefas.
                 9.1087
    fortuna pepercit /manibus, . . . 10.23
    tu parce morari. 10.395

PARCUS,-A,-UM. quidquid parcorum mores
    seruastis auorum, ... 3.161
    somni parcissimus ipse est; . . . 9.590

PARDUS. illum /saltus ...iecit per arma ...
    /quam per summa rapit celerem uenabula
    pardum. 6.183

PAREAS v. PARIAS.

inde uirum poteras atque hinc retinere
parentem 1.116
pectore si fratris gladium iuguloque
parentis /condere me iubeas . . 1.376
eualuit reuocare parens coniunxue maritum
1.505
siue parens rerum, cum primum informia
regna /materiamque rudem flamma cedente
recepit, ... 2.7
nullis defuit aris /inuidiam factura
parens. 2.36
saeue parens, utrasque simul partesque
ducesque, /dum nondum meruere, feri. 2.59
at miseros angit sua cura parentes, 2.64
certatum est cui ceruix caesa parentis
/cederet, ... 2.150
amisere notas, miserorum dextra parentum
/colligit 2.167
ceu morte parentem / natorum orbatum
longum producere funus /ad tumulos, iubet
ipse dolor, ... 2.297
cui non conspecto languebit dextra
parente 3.326
unumque relictum /agnorunt miseri sublato
errore parentes, ...3.606
ueniam misero concede parenti, . . 3.744
quis in urbe parentum /fletus erat, 3.756
sic, o summe parens mundi, sic, sorte
secunda /aequorei rector, facias, Neptune
tridentis, ... 4.110
fratribus incurrunt fratres natusque
parenti, ... 4.563
Terra sui fetus, quod, cum tetigere
parentem, ... 4.599
ut tandem auxilium tactae prodesse
parentis /Alcides sensit, ... 4.645
turbae sed mixtus inerti /Sextus erat,
Magno proles indigna parente, . . 6.420
ardentiaque ossa / e mediis rapit illa
rogis ipsamque parentes /quam tenuere
facem, ... 6.534
Sextoque ad castra parentis /it comes;
6.827
dum tela micant, non uos... /... aduersa
conspecti fronte parentes /commoueant;
7.321
uultus, quo noscere possent /facturi quae
monstra forent, uidere parentum /frontibus
aduersis 7.464
ille locus fratres habuit, locus ille
parentis. 7.550
pudet ... /quaerere ... /... ora
parentis /quis laceret 7.628
regibus infandus miles premit, inque
parentum /inque toris fratrum posuerunt
membra nocentes. 7.762
cui fas inplere parentem, /quid rear esse
nefas? 8.409
'non ... petit .../ Pompeius,... /ut
Romana suum gestent pia colla parentem,
8.732
'dic ubi sit, germane, parens; . . 9.123
ecce parens uerus patriae, dignissimus
aris, /Roma, tuis, ... 9.601
hoc monstrum timuit genitor .../
Cetoque parens ipsaeque sorores / Gorgones;
9.646
'di cinerum,... /... quos nunc Lauinia
sedes /seruat et Alba, lares (parens) ...
/... clarissimus ... / dat pia tura nepos
var.9.992

hospes auitus erat, depulso sceptra
parenti /reddiderat. 9.1028
'fas mihi magnorum, Caesar, secreta
parentum /edere 10.194
sic iussit natura parens discurrere Nilum,
10.238
PAREO,-ERE. quod non uictrices aquilas
deponere iussus /paruerim? 1.340
ille fuit uitae Mario modus,.../...
mensoque hominis quid fata paterent
(parerent). var.2.133
tot rebus iniquis /paruimus uicti; 3.148
tum paruit omnis /imperiis non sublato
secura pauore /turba, ... 3.437
paruit, obliquas et praebuit hostibus
alnos. 3.562
peruigil alterno paret custodia signo. 4.7
paretur, rapuitque ruens in proelia miles
4.151
nec te sponte tua sceleri parere fateris?
4.184
Libyamque iubent auctore senatu /
sceptrifero parere Iubae. 5.57
legi non paruit aether, ... 6.462
parere necesse est, /an iuuat? 6.494
si quisquis uestris caput extaque lancibus
infans / inposuit uicturus erat, parete
precanti. 6.711
paretis, an ille /compellandus erit, 6.744
regem parere iubenti /ardua non piguit,
8.238
Romanus regi sic paruit ensis, 8.606
uni parere decebit, /... Catoni.' 9.96
non lentus Achillas / suadenti parere
nefas 10.399
tanta obliuio mentis /cepit ... / ut...
irent /quos erat indignum Phario parere
tyranno. 10.406
PARIAS. et contentus iter cauda sulcare
parias, ... 9.721
PARIO,-ERE. tam diri foederis ictu /parta
quies, poenaque redit placata iuuentus.
5.373
pax ubi parta ducis donisque ingentibus
empta est, /excepere epulae tantarum
gaudia rerum, ... 10.107
PARITER. Carthago Mariusque tulit, pariterque
iacentes /ignouere deis. 2.92
uincendum pariter Pharsalia praestitit
orbem. 3.297
terga simul pariter missis et pectora
telis /transigitur: 3.587
huc hostem pariter terrorque pudorque
/inpulit, ... 4.34
pariter sternuntque caduntque /uolnere
letali, ... 4.558
luna suas iam fecerat umbras,/cum pariter
soluere rates, ... 5.426
pariter tot regna, tot urbes,/ fortunamque
suam tacta tellure recepit. . . . 5.676
membraque captiui pariter laturus et
arma /fulmineum mediis excepit faucibus
ensem. 6.238
o miseri,... / qui te non pleno pariter
planxere theatro 7.44
solet pariter totis se fundere signis /
Corycii pressura croci, ... 9.808
terrarum fatale malum fulmenque quod omnis
/percuteret pariter populos . . 10.35
PARNASOS. Phocaicas Amphissa manus
scopulosaque Cirrha /Parnasosque iugo

PARNASOS

misit desertus utroque. 3.173
Hesperio tantum quantum summotus Eoo /
cardine Parnasos gemino petit aethera
colle, ... 5.72
extuleras, unoque iugo, Parnase, latebas.
5.78
muto Parnasos hiatu /conticuit . . 5.131
PARO,-ARE. heu, quantum terrae potuit
pelagique parari /... sanguine . . 1.13
inuenere uiam magnoque aeterna parantur
/regna deis 1.34
tolle moras: semper nocuit differre
paratis. 1.281
bella nefanda parat suetus ciuilibus
armis 1.325
detrahimus dominos urbi seruire paratae.'
1.351
aut, si fata mouent, urbi generique
paratur /humano matura lues. . . . 1.644
quod cladis genus, o superi, qua peste
paratis /saeuitiam? 1.649
quid tantum, Gradiue, paras? . . . 1.660
sit subitum quodcumque paras; . . 2.14
'non alios' inquit 'motus tum fata parabant
2.68
ille fuit uitae Mario modus,... /...
mensoque hominis quid fata paterent
(pararent). var.2.133
obstruitis campos fluuiisque arcere
paratis, ... 2.495
iam dudum moriture paras? 2.524
nescius interea capti ducis arma parabat /
Magnus, ... 2.526
nec magis hoc bellum est, quam quom
Catilina parauit /parsueras in tecta faces
2.541
non priuata cupis, Romana quisquis in
urbe /Pompeium transire paras. 2.565
hic haesere rates geminae, classique
paratae /excepere manus, . . . 2.711
sedere patres censere parati, . . 3.109
duramque uiri deflectere mentem /pacifico
sermone parant 3.305
at, si funestas acies, si dira paratis
/proelia discordes, ... 3.312
si claudere muros /obsidione paras et ui
perfringere portas, ... 3.343
excepisse faces tectis et tela parati,
3.344
aut facilis labor est longinqua ad tela
parati /tormenti mutare modum; 3.479
moliri nunc ima parant et uertere ferro
/moenia; 3.489
ultro acies inferre parant, . . . 3.498
Magne, paras acies mundique extrema
tenentis 4.233
o prodiga rerum /luxuries numquam paruo
contenta paratis 4.374
fraudes innectere ponto /antiqua parat
arte Cilix, ... 4.449
exemplum, Fortuna, paras. . . . 4.497
temptare parabunt /foederibus . . 4.507
damnata iam luce ferox securaque pugnae
/promisso sibi fine manu, nullique
tumultus /excussere uiris mentes ad summa
paratas; 4.536
Autololes Numidaeque uagi semperque
paratus 4.677
nec solum studiis ciuilibus arma parabat
4.687
casibus incertis et caeca sorte pararent,

PARO
5.66
ac populis ses proferre paratus 5.90
absterrere ducem noscendi ardore futura
/cassa fraude parat. 5.130
iure sed incerto mundi subsidere regnum
/Chalcidos Euboicae uana spe rapte
parabas. 5.227
animasque effundere uiles /quolibet hoste
paras; 5.264
coniugis inlabi lacrimis, unique paratum
/scire rogum; 5.281
quid uelut ignaros ad quae portenta
paremur /spe trahis? 5.284
Caesar ... / uix famulis audenda parat,
5.509
tum rector trepidae fatur ratis 'aspice
saeuum / quanta paret pelagus: 5.569
quid tanta strage paretur /ignoras: 5.591
mentem iam uerba paratam / destituunt,
5.731
nam me iam Marte parato /securos cepisse
pudet cum coniuge somnos, . . . 5.749
ut nolim seruire malis sed morte parata
/te sequar ad manes, 5.773
caeloque paratior unda /omne pati uirus
sed non superi tam laeta parabant: 5.814
durauit uiscera caeno. 6.93
quaerit,... / perque omnis gladios et qua
uia caede paranda est. 6.124
infelix, quanta dominum uirtute parasti!
6.262
seramque sibi parat unda ruinam. 6.267
contigit Emathiam, bello quam fata
parabant. 6.332
te precor ut certum liceat mihi noscere
finem / quem belli fortuna paret. 6.593
mens dubiis perculsa pauet rursusque
parata est / certos ferre metus: 6.596
quid fata pararent / hi fecere palam.
6.783
paratque /poenam uictori. . . . 6.801
aut merces hodie bellorum aut poena parata.
7.303
si socero dare regna meo mundumque
pararent, /praecipitare meam fatis potuere
senectam: 7.352
totaeque cohortes / pila parata diu tensis
tenuere lacertis. 7.469
di tibi non mortem, quae cunctis poena
paratur, / sed sensum post fata tuae
dent, Crastine, morti, ... 7.470
epulisque paratur /ille locus, . . 7.792
quisquamne secundis /tradere se fatis
audet nisi morte parata? . . . 8.32
quo sit tibi ... / certa fides regum
totusque paratior orbis, / sparge mari
comitem. 8.99
hoc ferrum, quod fata iubent proferre,
paraui / non tibi, sed uicto; . . 8.520
poteras ... / ... latebrisque relinquere
Lesbi,/ omnibus a terris si nos arcere
parabas. 8.588
transire parantem /Romanus Pharia miles
de puppe salutat /Septimius, . . 8.595
tum stringere ferrum / regia monstra
parant. 8.613
Pompeio raptim tumulum fortuna parauit,
8.713
et renouare parans hibernas Apulus herbas
/igne fouet terras, ... 9.183
et solus plebe parata /priuatus seruire

sibi,... /... erat. 9.193
quin agite et magna meritum cum caede
parate: 9.282
si ueris magna paratur /fama bonis ... /
...quidquid laudamus in ullo /maiorum,
fortuna fuit. 9.593
sed maiora parant Libycae spectacula
pestes. 9.805
nobis quoque tale paratum /litoris
hospitium; 9.1082
Oceano classes inferre parabat /exteriore
mari. 10.36
non sit licet ille nefando /Marte paratus
opes mundi quaesisse ruina; . . 10.150
dignatur uiles ... sanguine dextras / quo
Fortuna parat uictos perfundere patres,
10.339
nec parat occultae caedem committere
fraudi 10.345
plenum epulis madidumque mero Venerique
paratum /inuenies: 10.396
sic barbara Colchis /creditur ... / ense
suo fratrisque simul ceruice parata /
expectasse patrem. 10.466
nec non subrepta paratis / a famulo
Ganymede dolis peruenit ad hostis /
Caesaris Arsinoe; 10.519
dum parat in uacuas Martem transferre
carinas, / dux Latius ... subitus ...
/cingitur: 10.535

PARRHASIS,-DIS. set nocte sopora, / Parrhasis
obliquos Helice cum uerteret axes, 2.237
PARRHASIUS,-A,-UM. Parrhasiae uexerunt Persea
pinnae /Arcados auctoris citharae
liquidaeque palaestrae, ... 9.660
PARS. aetheris inmensi partem si presseris
unam, 1.56
pars aetheris illa sereni /tota uacet
1.58
Caesar,' ait 'partes, quamuis nolente
senatu /traximus imperium, . . . 1.274
dum trepidant nullo firmatae robore
partes, ... 1.280
pars quota terrarum! 1.284
milite cum subito partesque in bella
togatae 1.312
fulmen et Arctois rapiens de partibus
ignem 1.534
ostendens confectas flamma Latinas /
scinditur in partes geminoque cacumine
surgit 1.551
uenasque minaces /hostili de parte uidet.
1.622
pars aegra et marcida pendet, . . 1.628
pars micat et celeri uenas mouet inproba
pulsu. 1.629
consurgunt partes iterum, totumque per
orbem /rursus eo. 1.692
saeue parens, utrasque simul partesque
ducesque, / dum nondum meruere, feri.
2.59
in numerum pars magna perit, . . 2.111
magna premit strages peraguntque cadauera
partem /caedis: 2.205
nec plus uictoria Sullae / praestitit
inuisas penitus quam tollere partes: 2.229
pars populi lugentis erat, . . . 2.236
pars magna senatus / et duce priuato
gesturus proelia consul /sollicitant
proceresque alii; 2.277
in curas uenio partemque laborum. 2.347

subrepsit partemque tulit sibi nata
uoluptas. 2.391
hostis in occursum sparsas extendere
partis, ... 2.395
'cerne diem. uictis iam spes bona
partibus esto 2.513
Magnus, ut inmixto firmaret robore partis.
2.527
pars mundi mihi nulla uacat, . . 2.583
uerba ducis nullo partes clamore secuntur
2.596
pereunt discrimine nullo / amissae leges
set, pars uilissima rerum, . . . 3.120
proxima pars urbis celsam consurgit in
arcem 3.379
pars ultima trunci / tradidit in letum
uacuos uitalibus artus; 3.642
hac cum parte uiri uix omnia membra
tulerunt. 3.646
pars maxima turbae /... / puppis ad
auxilium sociae concurrit; . . . 3.661
ingentem militis usum /hoc habet ex
magna defunctum parte cadauer: 3.720
stabat diuersa uictae iam parte carinae
/infelix Argi genitor, ... 3.726
Graiae pars maxima classis /mergitur,
3.753
sic mundi pars ima iacet, ... 4.106
non partis studiis agimur nec sumpsimus
arma 4.348
decet, partemque triumphi / captos ferre
tui: 4.360
non eadem belli totum fortuna per orbem
/constitit, in partes aliquid sed Caesaris
ausa est. 4.403
spectabunt geminae diuerso litore partes.
4.495
concurrunt alii totumque in partibus unis
/bellorum fecere nefas. 4.548
dum tamen emeriti remanet pars ultima
iuris 5.7
non Magni partes sed Magnum in partibus
esse. . . . . .5.14(bis)
Libyae squalentibus aruis /Curio Caesarei
cecidit pars magna senatus. . . 5.40
totius pars magna Iouis Cirrhaea per
antra /exit 5.95
illa pauens ... / fatidicum prima
templorum in parte resistit . . 5.147
partem tibi Gallia nostri /eripuit, 5.264
partem tibi Gallia nostri /eripuit, partem
duris Hispania bellis, ... 5.265
pars iacet Hesperia, totoque exercitus
orbe / te uincente perit. . . . 5.266
non Pompeianis tradit sua partibus arma,
5.350
Caesaris ... mentem / ferre moras scelerum
partes iussere relictae. 5.477
Noton altera Phoebi,/ altera pars Borean
diducta luce uocabat. 5.543
cunctos solita de parte ruentis /
defendisse suas uiolento turbine terras,
5.610
nam pelagus, qua parte sedet, non celat
harenas 5.643
si numina nostras /inpulerint acies,
maneat pars optima Magni, . . . 5.757
seruatur pars illa tori. 5.813
opportuna tamen ualli pars uisa propinqui,
6.125
nec magis hac Magnus castrorum parte

PARS

repulsus /...quieuit, ... 6.263
Thessaliam, qua parte diem brumalibus
horis /attollit Titan, rupes Ossaea
coercet; 6.333
non ultima turbae / pars ego Romanae,
Magni clarissima proles, ... 6.594
nostraeque Hecates pars ultima, per quam
/manibus et mihi sunt tacitae commercia
linguae,/... / exaudite preces. 6.700
refer haec solacia tecum,/... manes.../...
regnique in parte serena /Pompeis
seruare locum. 6.804
at nox felicis Magno pars ultima uitae /
sollicitos uana decepit imagine somnos.
7.7
miseri pars maxima uolgi /... tentoria
circum /ipsa ducis queritur 7.47
sitque hominum magnae lux ista nouissima
parti. 7.90
belli pars magna peracta est / his, 7.101
prima uelim caput hoc funesti lancea
belli,/ si sine momento rerum partisque
ruina / casurum est, feriat; . . . 7.118
pugnae pars magna leuabit / his orbem
populis 7.275
uolnera pars optat, pars terrae figere
tela / ac puras seruare manus. 7.486(bis)
set quota pars cladis iaculis ferroque
uolanti / exacta est! 7.489
hanc fuge, mens, partem belli tenebrisque
relinque, ... 7.552
Caesar,... / nequa parte sui pereat scelus,
agmina circum / it uagus 7.558
non istas habuit pugnae Pharsalia partes
/ quas aliae clades: 7.632
ut Latiae post se uiuat pars maxima turbae,
/sustinuit dignos etiamnunc credere
uotis /caelicolas, ... 7.656
arma / signaque et adflictas omni iam
parte cateruas / circumit 7.667
sed tu quoque, coniunx / causa fugae ...
fatisque negatum / parte apsente mori.
7.677
sic et Thessalicae post te pars maxima
pungae /... / libertas et Caesar, erit;
7.693
Latiae pars maxima turbae / fastidita
iacet; 7.844
procerum pars magna coibit / certa loci;
8.119
sequitur pars magna senatus / ad profugum
collecta ducem; 8.258
semper uenerabilis illa / orbis parte fui,
8.318
litora,... / uix tetigit, qua diuidui
pars maxima Nili / in uada decurrit.
Pelusia septimus amnis. 8.465
fugit ora senatus,/ cuius Thessalicas
saturat pars magna uolucres, . . . 8.507
totae post Magni funera partes /
libertatis erant. 9.29
has uobis partes, haec arma relinquo.
9.92
uni parere decebit / si faciet partes
pro libertate, Catoni.' 9.97
seruata de parte queror.' 9.145
partesque fauore / fecimus. . . . 9.228
sic male deseruit ... / hanc partem
natura sui): 9.311
dubioque obnoxia fato / pars sedet una
ratis, pars altera pendet in undis.

PARTHUS

9.337(bis)
sic partem intercipit aequor, 9.344
pars ratium maior regimen clauumque
secuta est / tuta fuga, ... 9.345
tertia pars rerum Libye, si credere
famae / cuncta uelis; 9.411
at, si uentos caelumque sequaris,/ pars
erit Europae. 9.413
pars plurima terrae / tollitur 9.456
uigilat pars magna comarum . . . 9.672
pars iacet in medios uoltus 9.674
qua te parte poli, qua te tellure reliqui,
/Africa? 9.873
partesque fugatas / passus in extremis
Libyae coalescere regnis 10.78
Tyrio cuius pars maxima fuco / cocta
diu uirus non uno duxit aeno, . . 10.123
pars auro plumata nitet, pars ignea cocco,
10.125(bis)
haec Libycos, pars tam flauos gerit altera
crines 10.129
pars sanguinis usti / torta caput
refugosque gerens a fronte capillos;
10.131
hunc ubi pars caeli tenuit, qua mixta
Leonis / sidera sunt Cancro,... /...
tunc Nilus fonte soluto,/ ... iussus
adest, ... 10.210
pars maxima turbae / plebis erat Latiae,
10.402
in partem Romani uenit Achillas; 10.419
nisi fata manus a sanguine Caesaris
arcent / hae uincent partes. 10.421
minima collegerat arma / parte domus.
10.443

PARTHIA. hac luce cruenta/ effectum,... /
quod semper saeuas debet tibi Parthia
poenas, ... 7.431
tot meritis obstricta meis nunc Parthia
ruptis / excedat claustris uetitam per
saecula ripam 8.235
patimurne pudoris / hoc uolnus, clades
ut Parthia uindicet ante /Hesperias,
quam Roma suas? 8.350
non felix Parthia Crassis / exiguae
secura fuit prouincia Pellae. 10.51
PARTHICUS,-A,-UM. Parthica Romanos soluerunt
damna furores. 1.106
PARTHUS. ocior et missa Parthi post terga
sagitta, ... 1.230
quamquam firmissima pubes / his sedeat
castris, iam pridem Caesaris armis /
Parthorum seducta metu, ... 2.475
Parthorum utinam post proelia sospes
/et Scythicis Crassus uictor
remeasset ab oris, ... 2.552
pugnaces dubium Parthi tenuere fauorem
3.265
moenia mirentur refugi Babylonia Parthi.
6.50
si uos, o Parthi, peterem cum Caspia
claustra*/... / passus Achaemeniis
late decurrere campis 8.222
solusque e numero regum telluris Eoae
/ex aequo me Parthus adit. . . . 8.232
Pompeio uincite, Parthi, / uinci Roma
uolet.' 8.237
uos pendite regna / uiribus atque fide,
Libyam Parthosque Pharonque, . . 8.277
nec pila tementur / nostra nimis Parthis,
8.301

PARTHUS	PARUUS

PARTHUS
    solos tibi, Magne, reliquit /Parthorum
    fortuna pedes? 8.335
    quid ... / auersosque polos alienaque
    sidera quaeris,/... /Parthorum famulus?
                          8.339
    quid Parthos transire doces? . . 8.354
    Parthus per Medica rura, /... nulli
    superabilis hosti est / libertate fugae;
                          8.368
    Parthoque sequenti / murus erit
    quodcumque potest opstare sagittae. 8.378
    Parthorum dominus quotiens sic sanguine
    mixto / nascitur Arsacides! 8.408
    nam, quo plura iuuent Parthum portenta,
    fuisse / hanc sciet et Crassi: 8.414
    ad Parthos qui uicit eat. 8.429
    sed cecidit Babylone sua Parthoque
    uerendus. 10.46
PARTHUS,-A,-UM. quid enim tibi laetius umquam
    /praestiterint superi, quam, si ciuilia
    Partho / milite bella geras, tantam
    consumere gentem 8.323
    pudeat: plus regia Nili /contulit in
    leges et Parthi militis arcus. . . 9.267
PARTIOR,-IRI. decretum genero est: partiri
    non potes orbem, ... 1.290
PARTUS(subst.). gladium ... / condere me
    iubeas plenaeque in uiscera partu 1.377
    monstrosique hominum partus numeroque
    modoque /membrorum, matremque suus
    conterruit infans; 1.562
    uisceribus lassis partuque exhausta
    reuertor 2.340
    terribilem Libycis partum concepit in
    antris 4.594
    premeret cum uiscera partus,/matris
    adhuc rudibus Paean Pythona sagittis
    /explicuit, ... 5.79
    uolnere sic uentris,... / extrahitur
    partus calidis ponendus in aris; 6.559
    quo postquam partu Danaes et diuite
    nimbo / ortum Parrhasiae uexerunt
    Persea pinnae 9.659
    letifica dubios explorant aspide partus.
                          9.901
    adulter ... / ... miscuit armis /
    inlicitosque toros et non ex coniuge
    partus. 10.76
PARUM. namque suis pro te gladiis incumbere,
    Caesar,/esse parum scimus; 4.501
    ille parum fidens pedibus contingere
    matrem 4.615
    cum procul e summis conspecti collibus
    hostes / fraude sua cessere parum, 4.742
    quid satis est, si Roma parum est? 5.274
    uenit maesta dies et quam nimiumque
    parumque / distulimus; 5.741
    miseroque liquebat / scire parum superos.
                          6.434
    ciuiline parum est bello, si meque
    meosque /obruit? 7.663
    credis, Magne, uiros quos in discrimina
    belli / cum ferro misisse parum est? 8.390
    lucis maesta parum per densas Cynthia
    nubes / praebebat, ... 8.721
PARUMPER. tenuere parumper / ora metu, 4.172
PARUUS,-A,-UM. ut uentum est parui Rubiconis
    ad undas, ... 1.185
    fonte cadit modico paruisque inpellitur
    undis 1.213
    lotam paruo reuocant Almone Cybeben, 1.600

fibra latet, paruusque secat uitalia
limes. 1.623
crimine quo parui caedem potuere mereri?
                          2.108
paruom set fessa senectus /sanguinis
effudit iugulo flammisque pepercit. 2.128
haut procul a muris tumulus surgentis
in altum / telluris paruum diffuso
uertice campum / explicat: . . 3.376
sed paruo Fortuna uiri contenta pauore
/plena redit, ... 4.121
primum cana salix madefacto uimine paruam
/texitur in puppem 4.131
atque hominem didicere pati, si torrida
paruos /uenit in ora cruor, . . 4.239
o prodiga rerum / luxuries numquam paruo
contenta paratis 4.374
discite quam paruo liceat producere uitam
                          4.377
'libera non ultra parua quam nocte
iuuentus, ... 4.476
nox tum Thessalicas urguebat parua
sagittas. 4.528
ergo acies tantae paruum spissantur in
crbem, ... 4.777
fuit spes inrita ... / posse duces parua
campi statione diremptos / admotum
damnare nefas; 5.470
parua quies miseris, ... 5.505
nam priua (parua) procellis / aequora
rapta ferunt; var.5.612
'quantusne euertere' dixit / 'me superis
labor est, parua quem puppe sedentem
/tam magno petiere mari! . . . 5.655
parua Mycenaeae quantum sacrata Dianae
/ distat ab excelsa memoralis Aricia Roma,
                          6.74
non paruo sanguine Magni /iste dies ierit.
                          6.157
illum / saltus et in medias iecit super
arma cateruas, / quam per summa rapit
celerem uenabula pardum(paruum). var.6.183
cum iaculum parua Libys ammentauit habena,
                          6.221
maiora uiris e sanguine paruo /gaudia
non faceret conspectum in Caesare uolnus.
                          6.226
agmina ... muro breuiore recepit,/
densius ut parua disponeret arma corona.
                          6.289
purus in occasus, parui sed gurgitis,
Aeas /Ionio fluit inde mari, 6.361
nec gloria paruae /sollicitet uitae:
                          6.805
properate mori, magnoque superbi / quamuis
e paruis animo descendite bustis 6.808
camporum limite paruo / absumus a uotis.
                          7.298
rapido cursu fati suprema morantem
/consumpsere locum, parua tellure
dirempti, ... 7.461
quod legit diues summis Arimaspus
harenis,/ ut rapiant, paruo scelus hoc
uenisse putabunt. 7.757
'nullum ... mihi'... / gratius esse
solum non paruo pignore uobis /ostendi:
                          8.130
spumantia paruae / radit saxa Sami; 8.245
nec se committere muris / ausus adhuc
ullis te primum, parua Phaseli, /Magnus
adit; 8.251

PARUUS

 Cilicum per litora tutus /parua puppe
fugit.   8.258
paruisque Syhedris, /... /... tandem
maesta ora resoluit /... Magnus: 8.259
uolnera parua nocent fatumque in sanguine
summo est.   8.305
temptare pudendum / auxilium tanti ...
ut ... /... te parua tegant ac uilia
busta,   8.393
in paruam iubet ire ratem, ...   8.565
sic fatus paruos iuuenis procul aspicit
ignes   8.743
interea paruo signemus litora saxo,   8.771
ossa ... /... congestaque in unum /parua
clausit humo.   8.789
nostra quoque inuiso quisquis feret ora
tyranno /non parua mercede dabit: 9.280
et sacrum paruo nomen clausura sepulchro
/inuasit Libye securi fata Catonis.   9.409
conspecta est parua maligna /unda procul
uena,   9.500
pluribus ille notis uariatam tinguitur
aluum / quam paruis pictus maculis
Thebanus ophites.   9.714
Cato ... / emetitur iter, tot ... fata
suorum / insolitasque uidens paruo cum
uolnere mortes.   9.736
parua modo serpens, sed qua non ulla
cruentae / tantum mortis habet.   9.766
parua loquor, corpus sanie stillasse
perustum: 9.783
in terras paruus cum decidit infans, /
... / letifica dubios explorant aspide
partus.   9.899
Euxinumque ferens paruo ruat ore Propontis.   9.960
Pellaea tutus in aula /Caesar erat, cum
se parua Cleopatra biremi /... intulit
Emathiis ... tectis,   10.56
nec licuit populis paruum te, Nile, uidere,   10.296
tumulumque e puluere paruo /aspice Pompei   10.380
aere merent paruo, iugulumque in Caesaris
ire / non sibi dant.   10.409
sic fremit in paruis fera nobilis abdita
claustris   10.445
paruaque regna putet Tyriis cum Gadibus
Indos,   10.457

PASCO,-ERE. quem sua libertas inmotis
pasceret armis.   1.172
altus caesorum pauit cruor armentorum,   1.329
non pabula tellus / pascendis summittit
equis,   4.411
pascit aues nullo contectus Curio busto.   4.810
sic fatus ab alto /aggere iam tepidae
sublato fune fauillae /scintillam tenuem
commotos pauit in ignes,   5.525
non ... / defuit et cerui pastae serpente
medullae,   6.673
sed rapidus Titan ponto sua lumina
pascens / aequora subduxit   9.313
nec non Oceano pasci Phoebumque polosque
/credimus: 10.258
defectusque epulis et pastus caede
suorum / ignoto te,   10.281

PASCUUM. flumine puro / inrigat Amphrysos
famulantis pascua Phoebi.   6.368

PASSUS(subst.). ut effuso Caesar decurrere

PATEO

 passu /uidit   4.271

PASTOR. quoslibet in saltus comitantibus
agmina tauris / inuito pastore trahit,   2.607
nullusque auderet pecori permittere
pastor /uellere ... herbam,   7.864
gaudet in Hyblaeo securus gramine pastor
/diuitas seruasse casae.   9.291

PASTUS(subst.). nec redit in pastus,   2.604

PATEO,-ERE. iamque irae patuere deum
manifestaque belli /signa dedit mundus   2.1
ille fuit uitae Mario modus, ... /...
mensoque hominis quid fata paterent.   2.133
non tam portas intrare patentis / quam
fregisse iuuat,   2.443
hinc late patet omne fretum,   2.622
'non nisi per nostrum uobis percussa
patebunt / templa latus,   3.123
protinus abducto patuerunt templa
Metello.   3.153
deseritur ... / Coryciumque patens exesis
rupibus antrum;   3.226
quidquid ab occiduis Libye patet arida
Mauris   3.294
tunc mihi tecta patent.   3.368
explicat hinc tellus campos effusa
patentis / uix oculo prendente modum,   4.19
nec gerit expositum telis in fronte
patenti /remigium,   4.423
fuga nulla patet,   4.485
ut primum patuere doli, Numidaeque
fugaces / undique conpletis clauserunt
montibus agmen,   4.746
uirginei patuere doli, fecitque negatis /
numinibus metus ipse fidem.   5.141
tanta patet rerum series,   5.179
turpe duci uisum ... /... portuque
teneri / dum pateat tutum uel non
felicibus aequor.   5.411
casibus innumeris fixae patuere carinae.   5.447
iam mundi iura patebant: 6.139
ut primum emissis patuerunt amnibus arua,   6.381
si praenoscere casus /contentus,
facilesque aditus multique patebunt /
ad uerum: 6.616
cunctis, en, plena metallis / castra
patent;   7.741
thalamique patent secreta nefandi /inter
mille nurus?   8.400
Magnoque patere / fingens regna Phari ...
... / in paruam iubet ire ratem,   8.563
si regia Magno / sceptrorum auctori uera
pietate pateret, / uenturum tota Pharium
cum classe tyrannum.   8.573
quodque patet terras inter lunaeque
meatus,   9.6
patet omne solum,   9.453
abstrusum fibris uitalibus omne /morte
patet.   9.780
aspicit Hesiones scopulos siluaque
latentis (patentis) / Anchisae thalamos;   var.9.970
terra potens (patens) primos sentit
percussa tumultus   var.10.324
et districta epulis ad cunctas aula
patebat /insidias,   10.422
non cruce, non flammis rapuit (patuit),

PATEO

PATER. sed curia et ipsi /sedibus exiluere
    patres, ...   1.488
    urbi pater est urbique maritus,   2.388
    Phoebea Palatia complet / turba patrum
    nullo cogendi iure senatus . . .   3.104
    sedere patres censere parati, . .   3.109
    ille caput labens et iam languentia colla
    /uiso patre leuat;   3.738
    inuitatque patris claudenda ad lumina
    dextram. 3.740
    accensis rogis miseri de corpore trunco
    /certauere patres. 3.761
    [hic fratres natosque suos uidere patresque]
                    4.171
    cognita per multos docuit rudis incola
    patres. 4.592
    consul uterque uagos belli per munia
    patres /elicit Epirum. 5.8
    cunctaque iussuri primum hoc decernite,
    patres, ...   5.21
    illa uidet patres plena quos urbe fugauit:
                    5.33
    consulite in medium, patres, Magnumque
    iubete /esse ducem.' 5.46
    mons Phoebo Bromioque sacer (pater), cui
    numine mixto /Delphica Thebanae referunt
    trieterica Bacchae. var.5.73
    nec fortior undis /labitur auectae pater
    Isidis, ...   6.363
    uidi Decios natumque patremque,   6.785
    refer haec solacia tecum,/ o iuuenis,
    placido manes patremque domumque /
    expectare sinu 6.803
    mirantur ... / defunctosque patres et
    iuncti sanguinis umbras / ante oculos
    uolitare suos. 7.179
    hoc solamen erat, quod uoti turba nefandi
    /conscia, quae patrum iugulos, quae
    pectora fratrum /sperabat, gaudet monstris,
                    7.182
    tot similis fratrum gladios patrumque
    gerenti /Thessaliae dabit ille diem? 7.453
    pudet ... / quaerere ... /... ora parentis
    /quis laceret nimiaque probet
    spectantibus ira / quem iugulat non esse
    patrem. 7.630
    inpulit amentis ... / ire super gladios
    supraque cadauera patrum 7.748
    pectore in hoc pater est, omnes in Caesare
    manes. 7.776
    sacraque defuncti iactauit pignora
    patris. 8.481
    uidi ego magnanimi lacerantes pectora
    patris, ...9.133
    uictasque patri despexit Athenas,   10.29
    lege summa perempti /uerba patris,   10.93
    dignatur uiles ... sanguine dextras /
    quo Fortuna parat uictos perfundere
    patres, ...   10.339
    sic barbara Colchis /creditur ultorem
    metuens ... / expectasse patrem.   10.467
PATERNUS,-A,-UM. nati maduere paterno /
    sanguine, ...   2.149
    nec gerit auspiciis ciuilia bella paternis
                    2.464
    signa per orbem, /Sexte, paterna moue;
                    9.85
    tantum indomitos memoresque paterni /
    iuris habete animos. 9.95
    exul in aeternum sceptris depulsa

var.10.517

PATIOR

    paternis, ...   10.87
    nil ipsa paterni /iuris inire peto: 10.96
PATIENTER. tanto patientius, oro, /claude,
    dolor, gemitus: 8.633
PATIENTIA. quod tam lenta tuas tenuit
    patientia uires /conquerimur.   1.361
    uicit patientia saeui / spem ducis, 5.369
    sic uoce Catonis / inculcata uiris
    iusti patientia Martis. 9.293
    gaudet patientia duris; 9.403
    sic dura suos patientia questus /exonerat.
                    9.880
PATIOR,-I. nec patitur conferre fretum, si
    terra recedat, ...   1.102
    uomere et antiquos Curiorum passa
    ligones 1.169
    pellimur e patriis laribus patimurque
    uolentes /exilium: 1.278
    ille reget currus nondum patientibus
    annis, ...   1.316
    nullus semel ore receptus /pollutas
    patitur sanguis mansuescere fauces. 1.332
    degenerem patiere togam regnumque senatus?
                    1.365
    ille fuit uitae Mario modus, omnia passo
    /quae peior fortuna potest, . . .   2.131
    haec rursus patienda manent, . . .   2.223
    ad iuga cur faciles populi, cur saeua
    uolentes /regna pati pereunt? . .   2.315
    passus erat maestamque genis increscere
    barbam: 2.376
    nec tam patiente colono /arua premi quam
    si ferro populetur et igni. . .   2.444
    ut Catulo iacuit Lepidus, nostras securis
    /passus Sicanio tegitur qui Carbo
    sepulchro, ...   2.548
    qui pacem potuere pati. 2.559
    relinquas / admoneo ... Riphaeasque
    manus et quas tenet aequora denso /
    pigra palus Scythici patiens Maeotia
    plaustri 2.641
    numquam patiens pacis longaeque quietis
                    2.650
    melius, quod plura iubere / erubuit quam
    Roma pati. 3.112
    passaque ab auriferis tellus exire
    metallis / Pactoton, ...   3.209
    haec patiens longo munimine cingi /uisa
    duci rupes tutisque aptissima castris.
                    3.377
    Brutus ait 'paterisne acies errare
    profundo 3.559
    saxeus ingenti quem pons amplectitur
    arcu / hibernas passurus aquas. . . .   4.16
    quidquid concrescere primus / sol
    patitur, ...   4.66
    uectoris patiens tumidum super emicat
    amnem. 4.133
    atque hominem didicere pati, . . .   4.239
    Caesar auet nec castra pati contingere
    ripas 4.265
    sic deflagrare minaces / in cassum et
    uetito passus languescere bello,   4.281
    securumque orbis patimur post terga
    relicti. 4.353
    otia des fessis, uitam patiaris inermis
    /degere quam tribuis. 4.357
    aera non passus uacuis discurrere uenis
                    4.369
    fraudes innectere ponto / antiqua parat
    arte Cilix, passusque uacare /summa

PATIOR
PATRIA

freti medio suspendit uincula ponto 4.449
sic alterna duces bellorum uolnera passos
5.1

nec patitur noctes nec iniquos crescere
soles, ... 5.25
quis terram caeli patitur deus, . . 5.88
non illis urbes spoliandaque templa
negasset / Tarpeiamque Iouis sedem
matresque senatus /passurasque infanda
nurus. . . . . :. . 5.307
lassare et disce sine armis / posse pati;
5.314

languensque recessit / spectantis
oculos infirmo lumine passus. . . 5.545
cum litora Tethys /noluit ulla pati caelo
contenta teneri. 5.624
fessumque tumentis / conposuit pelagus
uentis patientibus undas. 5.702
non longos a me patiere recessus; 5.745
ignosce fatenti, /posse pati timeo. 5.778
caeloque paratior unda / omne pati uirus
durauit uiscera caeno. 6.94
sed patitur saeuam, ... / famem. 6.108
siqua tellus cumuloque furentem /undarum
non passa ruit, ... 6.275
a potius, nequid bello patiaris in isto,
/te Caesar putet esse suam.' . . . 6.328
fama est ... amnem / et capitis memorem
fluuii contagia uilis / nolle pati 6.380
teque, per amnem / inprobe Lernaeas uector
passure sagittas, ... 6.392
et patitur tantos cantu depressa labores
6.505

eloquar ... /... Hennaea,... /... quae
te contagia passam / noluerit reuocare
Ceres. 6.741
accensa iuuenem positum strue liquit
Erictho / tandem passa mori, . . . 6.827
defectusque pati uoluit raptaeque labores
/lucis, ... 7.4
segnis pauidusque uocatur / ac nimium
patiens soceri Pompeius, ... 7.53
cunctorum uoces ... / Tullius ... /
pertulit iratus bellis, cum rostra
forumque / optaret passus tam longa
silentia miles. 7.66
adfusi uinci socerum patiare rogamus. 7.71
fortissimus ille est / qui, promptus
metuenda pati, si comminus instent, / et
differre potest. 7.106
ciuilia bella / una acies patitur, gerit
altera; 7.502
nec derat robur in enses / ire duci
iuguloque pati uel pectore letum. 7.670
quidquid sub Phario positus patiere
tyranno, /crede deis, ... 7.704
tamen omnia passo, / ...,/nulla loci facies
reuocat feralibus aruis /haerentis
oculos. 7.786
non patitur tutis fatum celare latebris
/clara uiri facies. 8.13
coeperat ... /... maestamque mariti /
posse pati faciem: 8.70
passus Achaemeniis late decurrere campis
/in tutam trepidos numquam Babylona coegi.
8.224

patimurne pudoris / hoc uolnus, 8.349
nec Martem comminus usquam / ausa pati
uirtus, ... 8.383
ignorant populi,... / an scieris aduersa
pati. 8.627

at non tam patiens Cornelia cernere
saeuum, / quam perferre, nefas. 8.637
cedis et ipsa rogo paterisque haec damna
sepulchri, ... 8.750
quos ignea uirtus / innocuos uita
patientes aetheris imi / fecit . . 9.8
decreuitque pati tenebras puppisque
cauernis / delituit, ... 9.110
et nescis sine rege pati. 9.262
passusque inopes sine pondere ramos /
rettulit ... poma tyranno. 9.366
hi mihi sint comites,... / qui me teste
pati uel quae tristissima pulchrum /
Romanumque putant. 9.391
secura iuuentus / uentorum ... / aequoreos
est passa metus. 9.447
quem, qui recto se lumine uidit,/passa
Medusa mori est? 9.639
nullum animal uisus patiens, . . . 9.652
at non stare suum miseris passura cruorem
/ ... ingens haemorrhois explicat orbes,
9.708

patimur cur segnia fata / ingladios iurata
manus? 9.849
qui potuere pati radios et lumine recto /
sustinuere diem, caeli seruantur in
usus, ... 9.904
aut minimum patiuntur fata tacere. 9.929
quam magna remisit / crimina Romano
tristis fortuna pudori,/ quod te non
passa est misereri, perfide, Magni /
uiuentis! 9.1061
partesque fugatas / passus in extremis
Libyae coalescere regnis 10.79
inde plagas Phoebi damnum non passus
aquarum / praeueheris 10.307
et semel amplexus incesto pectore passus
/... / meque tuumque caput ... illi /...
donabit. 10.362
passuri comminus arma /laturique ruunt.
10.438

at Caesar ... /... foribus clausae se
protegit aulae / degeneres passus latebras.
10.441

PATRIA. magnumque decus ferroque petendum
/plus patria potuisse sua, ... 1.175
ingens uisa duci patriae trepidantis
imago 1.186
patriaeque inpendere uitam / nec sibi
sed toti genitum se credere mundo. 2.382
urbi pater est urbique (patriaeque)
maritus, ... var.2.388
sit patriae Magnumque ducem totumque
senatum, / ignosci. 2.520
proelia iusta decet, patriae sed uindicis
iram; 2.540
tecta petit patriae. 3.73
numquam felicibus armis / usa manus,
patriae primis a sedibus exul, . . 3.339
patriaeque et ruptis legibus unum /
donauere diem; 4.27
'inmemor o patriae, signorum oblite tuorum,
4.212

et Magno fatum patriaeque suumque /
inposuit. 5.48
cepimus expulso patriae cum tecta senatu,
5.270

non sic infelix patriam portusque reliquit
5.802

'numquam me Caesaris'... / 'exemplo
reddam patriae, ... 6.320

PATRIA

donassent utinam superi patriaeque tibique
/ unum, Magne, diem, ...   7.30
si pro me patriam ferro flammisque
petistis, /nunc pugnate truces   7.261
quisquis patriam carosque penates, /...
quaerit,/ense petat: . .   7.346
hic patriae perit omne decus: . .   7.597
tu, Caesar, in alto / caedis adhuc cumulo
patriae per uiscera uadis, . . .   7.722
cunctos mutare putares / tellurem
patriaeque solum: 8.148
'comites bellique fugaeque / atque instar
patriae, ... / ...ingentis praestate
animos, ...   8.263
dic ... /... ter curribus actis /
contentum multos patriae donasse
triumphos. 8.815
oderat et Magnum, quamuis comes isset in
arma /auspiciis raptus patriae ductuque
senatus; 9.22
patriam tutore carentem / excepit,   9.24
si semper sequeris patriam, Cato, signa
petamus / Romanus quae consul habet.'
9.250
nunc patriae iugulos ensesque negatis, /
cum prope libertas? 9.264
durum iter ad leges patriaeque ruentis
amorem. 9.385
et patriae uenturos excute mores.   9.559
ecce parens uerus patriae, dignissimus
aris, / Roma, tuis, ...   9.601
patriae non arua requiro   9.871
optabit patriae talem duxisse triumphum.
10.154

PATRICIUS,-A,-UM. iacet aggere magno /

patricium campis non mixta plebe cadauer.
7.598
capit inpia plebes / caespite patricio
somnos, ...   7.761
sic illa profecto / sacrificio cecidere
Numae, quae lecta iuuentus / patricia
ceruice mouet: 9.479

PATRIUS,-A,-UM. pellimur e patriis laribus

patimurque uolentes 1.278
pietas patriique penates / quamquam caede
feras mentes animosque tumentes /frangunt;
1.353
finibus Arctois patrieque a sede
reuolsos 1.482
uelut unica rebus /spes foret adflictis
patrios excedere muros, ...   1.497
eualuit reuocare parens coniunxue maritum
/fletibus, aut patrii, dubiae dum uota
salutis / conciperent, tenuere lares;
1.506
patriae sedes remeamus in urbis,   1.690
ferre iuuat patriis libertatemque tueri
2.282
expulit armatam patriis e sedibus urbem?
2.574
non quia te superi patrio priuare
sepulchro / maluerint   2.732
Magnus, dum patrios portus, dum
litora numquam /... cernit 3.5
patrias sedes atque hoste carentem /
Ausoniam peteret. 6.318
Hesperiam potui ... tenere,/ si uellem
patriis aciem committere templis   6.323
seu uetito patrias ultra tibi cernere
sedes / sic Romam Fortuna dedit.   7.23
reges populique trahuntur Eoi / bella

trahi patriaque procul tellure teneri.
7.57
aspexit patrios comites a litore Magnus
/et fratrem; 9.121
patrios permitte penates /... reuisere
9.230
hanc et Pallas amat, patrio quae uertice
nata / terrarum primam Libyen ... /...
tetigit, ...   9.350
Thessaliae subducta acies in litore Nili /
more furit patrio. 10.413
dum patrii ueniant in uiscera Caesaris
enses / Magnus inultus erit. . .   10.528

PATULUS,-A,-UM. effusam patulis aciem

committeret aruis. 4.743
corripiens patulum galeae confudit in
orbem   9.502
ora redundant / et patulae nares;   9.813

PAUCUS,-A,-UM. facili si proelia pauca /

gesseris euentu, ...   1.284
naualia paucae / praecipiti tenuere fuga.
3.755
Caesar ut amissis inter tot milia paucis
/hoc damnum clademque uocet. . .   4.513
innumerasque simul pauci terraque marique
/sustinuere manus: 4.537
humanum paucis uiuit genus. . .   5.343
at paucos, quibus haec rabies auctoribus
arsit, / non Caesar sed poena tenet. 5.359
ad dubios pauci praesumpto robore casus
/spemque metumque ferunt. . . .   6.418
ciuilia paucae / bella manus facient:
7.274
paucas uictoria dextras / exigit,   7.366
non tamen ad Magni peruenit gratius
umbras / omne ... /... quam pauca Catonis
/uerba 9.188
sterilesne elegit harenas / ut caneret
paucis, ...   9.577
gemmaeque capaces / excepere merum,... /
nobile sed paucis senium cui contulit
annis / indomitum Meroe cogens spumare
Falernum. 10.162

PAUEO,-ERE. emicuit rupitque diem populosque

pauentes / terruit 1.153
sic quisque pauendo / dat uires famae,
1.484
nec solum uolgus inani / percussum terrore
pauet, ...   1.487
audieratque pauens 'fas haec contingere
non est / colla tibi; 2.81
cumque alii famae populi terrore pauerent
3.300
nec pauet hic populus pro libertate subire
/obsessum Poeno gessit quae Marte
Saguntum. 3.349
aut caelum nox atra tenet, pauet ipse
sacerdos 3.424
tum sic attonitam uenturaque fata pauentem
/rexit magnanima Vulteius uoce cohortem:
4.474
cum sidera caeli /...aspicerent flexoque
Vrsae temone pauerent, ...   4.523
illa pauens adyti penetrale remoti /
fatidicum prima templorum in parte
resistit 5.146
dum quisque pauet, quibus ipse timori est,
5.257
ipse pauet ne tela sibi dextraeque
negentur / ad scelus hoc Caesar: 5.368
[non litora curuae / Thessaliae saxosa

pauent] oraeque malignos 5.651
hostibus occurrit fugiens inque ipsa
pauendo / fata ruit. 6.298
omne potens animal leti ... / et pauet
Haemonias et mortibus instruit artes.
6.486
mens dubiis perculsa pauet rursusque
parata est 6.596
pauet ire in pectus apertum . . . 6.722
nunc quoque, tela licet paueant uictoris
iniqui, / ... flebunt, ... 7.40
belli pars magna peracta est / his,
quibus effectum est ne pugnam tiro
paueret, ... 7.102
tum Magnum concitus aufert / a bello
sonipes non tergo tela pauentem   7.678
pauet ille fragorem / motorum uentis
nemorum, ... 8.5
sic ille pauentis / incendit uirtute
animos 9.406
PAUIDUS,-A,-UM. · mox iubet et totam pauidis a
ciuibus urbem / ambiri 1.592
terruerant satis haec pauidam praesagia
plebem, ... 1.673
colligit et pauido subducit cognita furto.
2.168
in tanta pauidi formidine motus / pars
populi lugentis erat, ... 2.235
pauidi classis siluere magistri, . 2.696
tam pauidum tibi, Roma, ducem fortuna
pepercit, ... 3.96
nec liceat pauidis ignaua occumbere morte:
4.165
sic, dum pauidos formidine ceruos /
claudat 4.437
mors, utinam pauidos uitae subducere
nolles, ... 4.580
iussus ... / antistes pauidamque deis
inmittere uatem 5.124
nunc uoltu pauido, nunc torua minaci;
/stat numquam facies; 5.213
non pauidum iam murmur erat . . . 5.255
inuenit et pauidas hiberno sidere classes.
5.408
ut pauidos iuuenis comites ipsumque
trementem / conspicit ... /'ponite' ait
... timores: 6.657
iam uera reddetur uita figura,/ ut quamuis
pauidi possint audire loquentem. 6.661
segnis pauidusque uocatur / ac nimium
patiens soceri Pompeius, ... 7.52
pauide num gessimus arma / teximus aut
iugulos? 7.643
exiguam uector pauidus correpsit in
alnum. 8.39
hospitis aduentu pauidam conpleuerat
aulam. 8.473
e latebris pauidus decurrit ad aequora
Cordus. 8.715
adde ... /... pauidos Cilicas maris, 8.811
pauido fortique cadendum est: . . . 9.583
PAULATIM. paulatim cadit ira ferox mentesque
tepescunt, ... 4.284
nec se tellure cadauer / paulatim per
membra leuat, ... 6.756
PAULUM. illic exiguo paulum distantia uallo /
castra locant. 4.168
seu maesto classica paulum /intermissa
sono 5.244
illa quoque in ferrum rabies promptissima
paulum /languit, ... 7.245

illa lues paulum clausa reuocauit ab
aula /... populos. 10.504
PAULUS. perque caput Pauli transactaque
tempora fugit. 9.824
PAUOR. deriguere metu, gelidos pauor occupat
artus, ... 1.246
danda tamen uenia est tantorum danda
pauorum: 1.521
'non satis est muris latebras quaesisse
pauori? 2.494
tum paruit omnis / imperiis non sublato
secura pauore / turba, ... 3.438
sed paruo Fortuna uiri contenta pauore /
plena redit, ... 4.121
hoc quoque securis oneris fortuna remisit,
/sollicitus menti quod abest fauor
(pauor): var.4.399
pauor attonitos confecerat hostes. 6.131
'quo uos pauor' inquit 'adegit   6.150
quis labor (pauor) hic superis cantus
herbasque sequendi /spernendique timor?
var.6.492
iam (dubium, monstrisne deum, nimione
pauore / crediderint) 7.172
sed,castra fugatos / ne reuocent pellatque
quies nocturna pauorem, /protinus hostili
statuit succedere uallo, ... 7.732
et nunc tibi summa pauoris / nuntius
armorum tristis rumorque sinister. 8.51
tum uoltu semper celante pauorem /
intrepidus superum sedes ... / circumit,
10.14
PAUPER. pauperiorque fuit tum primum Caesare
Roma. 3.168
o uitae tuta facultas / pauperis
angustique lares! 5.528
tum pauper Amyclas / 'multa quidem
prohibent nocturno credere ponto. 5.539
quanto igitur mundi dominis securius aeuum
/uerus pauper agit! 8.243
Hesperidum pauper spoliatis frondibus
hortus. 9.358
regna uidet pauper Nasamon errantia uento
9.458
pauper adhuc deus est, ... 9.519
pone duces priscos et nomina pauperis
aeui 10.151
et gessisse pudet genero cum paupere
bellum 10.170
PAUPERIES. inportunamue fereris /pauperiem
deflens inopem duxisse senectam. 5.535
PAUPERTAS. paupertas fugitur totoque
accersitur orbe 1.166
imus in omne nefas manibus ferroque
nocentes, /paupertate pii. 5.273
PAX. pax missa per orbem /... compescat
limina Iani. 1.61
quid pacem excusserit orbi. . . . 1.69
paxque fuit non sponte ducum; . . 1.99
longoque togae tranquillior usu /
dedidicit iam pace ducem, ... 1.131
non erat is populus quem pax tranquilla
iuuaret, ... 1.171
'hic' ait 'hic pacem temerataque iura
relinquo; 1.225
quae pax longa dabat: 1.241
pax alta per omnes / et tranquilla quies
populos: 1.249
ueniat longa dux pace solutus . . 1.311
cum domino pax ista uenit. 1.670
non pacem petimus, superi: date gentibus

PAX

iras, ... 2.47
memini,... / omnia Sullanae lustrasse
cadauera pacis 2.171
pacemne tueris / inconcussa tenens
dubio uestigia mundo, ... 2.247
hos polluta domus legesque in pace
timendae, ... 2.252
pacem magna tenent. 2.273
hic dabit hic pacem iugulus finemque
malorum 2.317
da mihi castra sequi: cur tuta in pace
relinquar 2.348
et secum 'Romamne petes pacisque recessus
/degener? 2.522
qui pacem potuere pati. 2.559
dum paci dat tempus hiemps.' . . . 2.648
at numquam patiens pacis longaeque
quietis / armorum, ... 2.650
curas / expulit armorum pacique intentus
agebat 3.53
agmina uictor / non armata trahens sed
pacis habentia uoltum 3.72
pacis ad exutae spolium non cogit egestas:
3.132
dabitis poenas pro pace petita, . . 3.370
et posito Borea pacemque tenentibus
Austris / seruatum bello iacuit mare,
3.523
pax erat, et castris miles permixtus
utrisque / errabat; 4.196
nam postquam foedera pacis / cognita
Petreio, ... 4.205
et multo disturbat sanguine pacem. 4.210
trahimur sub nomine pacis. 4.222
si bene libertas umquam pro pace daretur.
4.227
pacisque petendae /auctor damnatis supplex
Afranius armis / semianimes in castra
trahens hostilia turmas / uictoris stetit
ante pedes. 4.337
ut primum iustae placuerunt foedera pacis,
4.365
o quantum donata pace potitos / excussis
umquam ferrum uibrasse lacertis /paenituit,
4.385
et temere ingressos repetendum inuitat
ad aequor / pace maris. 4.437
pacemque habuere tenebrae. . . . 4.473
ignaros scelerum longaque in pace quietos
/bellorum primus sparsit furor: 5.35
licet omne deorum / obsequium speres,
irato milite, Caesar,/pax erit.' 5.295
pacem gladio si quaerit ab isto / Magnus,
adorato summittat Caesare signa. 6.242
accendit pax ipsa loci, ... 6.282
totus mitti ciuilibus armis / usque uel
in pacem potuit cruor: 6.300
orbis / indulgens regno, qui tot simul
undique gentis / iuris habere sui uellet
pacemque timeret. 7.55
potui sine caede subactum /captiuumque
ducem uiolatae tradere paci. . . . 7.94
crederet hoc Magnus, pacem cum praestitit
undis, / et sibi consultum? . . . 8.256
Assyriae paci finem, Fortuna, precamur;
8.427
ad foedus pacemque uenis?' . . . 8.435
Pharioque ueruto,/... / suffixum caput
est, quo numquam bella iubente / pax
fuit; 8.685
praetulit arma togae, sed pacem armatus

PECTUS

amauit. 9.199
ille iacet quem paci praetulit orbis,
9.229
pax illis cum morte data est. 9.898
tunc pace fideli / fecissem ut uictus
posses ignoscere diuis, ... 9.1102
obside quo pacis Pellaea tutus in aula
/Caesar erat, ... 10.55
pax ubi parta ducis donisque ingentibus
empta est, /excepere epulae tantarum
gaudia rerum, ... 10.107
sic uelut in tuta securi pace trahebant
/noctis iter mediae. 10.332
pars (pax) maxima turbae/plebis erat
Latiae, ... var.10.402
cogunt tamen ultima rerum / spem pacis
temptare ducem, ... 10.468
neque ius mundi ualuit nec foedera
sancta /gentibus, orator regis pacisque
sequester / quin caderet ferro. 10.472

PECCO,-ARE. quidquid multis peccatur inultum
est. 5.260

PECTEN. quorum alter mixtis obliquo pectine
remis / ausus ... / iniectare manum; 3.609
perlucent pectora filo,/ quod Nilotis
acus conpressum pectine Serum /soluit
10.142

PECTUS. nec, si te pectore uates /accipio,
1.63
haereat aut latum subeant uenabula pectus,
1.211
et tacito mutos uoluunt in pectore questus.
1.247
utque ducem uarias uoluentem pectore curas
/conspexit 1.272
pectore si fratris gladium iuguloque
parentis / condere me iubeas . . 1.376
caesique in pectora tauri / inferni uenere
dei. 1.633
uocibus his prodens urguentem pectora
Phoebum: 1.677
hae lacrimis sparsere deos, hae pectora
duro / adflixere solo, ... 2.30
'nunc', ait 'o miserae, contundite
pectora, matres, ... 2.38
ensis, et a nullo reuocatum pectore
ferrum. 2.102
at non magnanimi percussit pectora Bruti
/terror 2.234
at illi / arcano sacras reddit Cato
pectore uoces. 2.285
effusas laniata comas contusaque pectus
2.335
tum pectore curas /expulit armorum 3.52
pectoribus rapti matrum frustraque
trahentes /ubera sicca fame medios
mittentur in ignis. 3.351
atque in transtra cadunt et remis pectora
pulsant. 3.543
terga simul pariter missis et pectora
telis / transigitur: 3.587
medio concurrit corpore (pectore) ferrum,
var.3.588
pila sed in medium uenere trementia pectus
3.598
fraternaque pectore nudo / arma tegens,
3.619
discessit medium tam uastos pectus ad
ictus, ... 3.655
deiectum in pelagus perfosso pectore
corpus / uolneribus transmisit aquas.3.660

PECTUS

non lacrimae cecidere genis, non pectora
tundit, ... 3.733
excipiant recto fugientes pectore
ferrum.' 4.166
quid pectora pulsas? 4.182
quae modo conplexu fouerunt pectora
caedunt; 4.246
saucia maiores animos ut pectora gestant,
4.285
et ueniam securo pectore poscit.   4.343
miles spoliato pectore tutus /innocuusque
suas curarum liber in urbes /spargitur.
4.383
poscit spe proelia nulla / incertus qua
terga daret, qua pectora bello.   4.468
percussum est pectore ferrum et iuguli
pressere manum. 4.561
tum ceruix lassata quati, tum pectore
pectus / urgueri, ... 4.624(bis)
haerebis pressis intra mea pectora
membris: 4.648
Alcides medio tenuit iam pectora pigro /
stricta gelu 4.652
pectora rauca gemunt, quae creber
anhelitus urguet, ... 4.756
frangitur armatum conliso pectore pectus.
4.783
hoc ubi uirgineo conceptum est pectore
numen, ... 5.97
nam, siqua deus sub pectora uenit, 5.116
atque deum simulans sub pectore ficta
quieto / uerba refert, ... 5.148
haesit et insueto concepit pectore numen,
5.163
pectore Cirrhaeo non umquam plenior artus
/Phoebados inrupit Paean 5.166
mentemque priorem / expulit atque hominem
toto sibi cedere iussit / pectore. 5.169
miserumque premunt tot saecula pectus,
5.178
tum pectore uatis / impactae cessere
fores, ... 5.208
tum pectore uerum fugit 5.222
non pauidum iam murmur erat nec pectore
tecto / ira latens; 5.255
miles, habes nudum promptumque ad uolnera
pectus. 5.320
parua quies miseris, in quorum pectora
somno / dat uires fortuna minor;   5.505
dum fouet amplexu grauidum Cornelia curis
/pectus 5.736
et attonito cesserunt pectore sensus.
5.760
non maesti pectora Magni / sustinet
amplexu dulci, ... 5.792
confringite tela / pectoris inpulsu 6.161
nunc sude nunc duro contraria pectora
conto /detrudit muris, ... 6.174
iam pectora non tegit armis, . . . 6.202
solus obit densamque ferens in pectore
siluam /... in quem cadat, eligit hostem.
6.205
non eget ingestis sed uolsis pectore
telis. 6.232
ac uelut inclusum perfosso in pectore
numen /... adorant; 6.253
exornantque deos ac nudum pectore Martem
/armis, Scaeua, tuis: 6.256
pectora tum primum feruenti sanguine
supplet 6.667
si pectora plena /saepe deo laui calido

PECTUS

prosecta cerebro,/... parete precanti.
6.708
pauet ire in pectus apertum   6.722
percussae gelido trepidant sub pectore
fibrae, ... 6.752
lacerasset crine soluto /pectora femineum
ceu Bruti funere uolgus. 7.39
quae patrum iugulos, quae pectora fratrum
/sperebat, ... 7.182
siue quis infesto cognata in pectora
ferro /ibit,... / ignoti iugulum ...
inputet hostis. 7.323
tamen omnia torpor / pectora constrinxit,
7.467
tutoque latet sub tegmine pectus, 7.499
ut primum sonipes transfixus pectora
ferro / in caput effusi calcauit membra
regentis, ... 7.528
utinam, Pharsalia, campis /sufficiat cruor
iste tuis, quem barbara fundunt /pectora;
7.537
pondere lapsi / pectoris arma sonant 7.573
ast illi suffecit pectora pulsans /
spiritus in uocem 7.608
qui pectore tela / transmittant aut quos
campis adfixerit hasta, ... 7.623
inque hostis cadat arma sui, quis pectora
fratris /caedat 7.626
nec derat robur in enses / ire duci
iuguloque pati uel pectore letum. 7.670
quo pectore Romam /intrabit factus
campis felicior istis? 7.701
somnique furentes / Thessalicam miseris
uersant in pectore pugnam. 7.765
pectore in hoc pater est, omnes in Caesare
manes. 7.776
quam pectore Magnus / ambit . . . 8.66
duri flectuntur pectora Magni, . . 8.107
uigiles Pompei pectore curae / nunc socias
adeunt Romani foederis urbes . . . 8.161
saepe labor maestus curarum ... /proiecit
fessos incerti pectoris aestus, . 8.166
dubio contra cui pectore Magnus /...
respondit 8.186
multusque in pectore uano est /Hannibal,
8.285
seque probat moriens atque haec in pectore
uoluit: 8.621
at, Magni cum terga sonent et pectora
ferro, ... 8.663
et scelerum uindex in sancto pectore
Bruti / sedit 9.17
at post Thessalicas clades iam pectore
toto /Pompeianus erat. 9.23
non toto in pectore portas, / inpia,
Pompeium? 9.70
elapsus felix de pectore Magnus: 9.80
uidi ego magnanimi lacerantes pectora
patris, ... 9.133
pauca Catonis / uerba sed a pleno
uenientia pectore ueri. 9.189
erupere ducis sacro de pectore uoces.
9.255
tua pectora sacra / uoce reple;   9.561
effudit dignas adytis e pectore uoces.
9.565
bellumque inmane deorum /Pallados e medio
confecit pectore Gorgon. 9.658
cauumque / pectus et abstrusum
fibris uitalibus omne / morte patet.
9.778

PECTUS

   nec lorica tenet distenti pectoris
   auctum. 9.797
   casus alieno in pectore uincit   9.888
   gemitusque expressit pectore laeto, 9.1039
   abscondunt gemitus et pectora laeta
   /fronte tegunt, ...   9.1106
   discordia sensit / pectora et ancipites
   animos, ...   10.13
   durum ... Caesaris hauserit ignis /pectus?
                    10.72
   candida Sidonio perlucent pectora filo,
                    10.141
   sed, cum tanta meo uiuat sub pectore
   uirtus, ...   10.188
   habitant sub pectore manos . . . 10.336
   et semel amplexus incesto pectore passus
   /... / meque tuumque caput ... illi /...
   donabit. 10.362
PECUS(f.). tum pecudum faciles humana ad
   murmura linguae, ...   1.561
   rituque ferarum / distentas siccant
   pecudes, ...   4.314
   cernit miserabile uolgus / in pecudum
   cecidisse cibos 6.111
PECUS(n.). non pecorum raptus faciles, non
   pabula mersi / ulla ferunt sulci;   4.90
   nullusque auderet pecori permittere
   pastor /uellere ... herbam, . . . 7.864
PEDES. ite simul pedites, ruiturum ascendite
   pontem.' 2.499
   sic pedes ex facili nulloque urguente
   receptus, ...   4.46
   ut uero in pedites fatum miserabile belli
   /incubuit, ...   4.769
   quicumque ... / uiderit,... /... equitem
   peditum praecedere turmas /deficiat: 9.400
   praecedit anheli / militis ora pedes,
                    9.588
   hinc tergo insultant pedites.   10.538
PEIERO,-ARE. Stygias qui perierat undas?'
                    6.749
PEIOR. spes saltem trepidas mentes leuet,
   addita fati / peioris manifesta fides,
                    1.524
   quae peior fortuna potest, ... 2.132
   Cnososque agitare pharetras / docta nec
   Eois peior Gortyna sagittis; . . . 3.186
   degeneres trepidant animi peioraque
   uersant; 6.417
   uincere peius erat. 7.706
   peius de Caesare uestrum / quam de Pompeio
   meruit scelus; 9.1065
PELAGUS. heu, quantum terrae potuit pelagique
   parari 1.13
   commodat in populum terrae pelagique
   potentem / inuidia Fortuna suam.   1.83
   urguet rupe caua pelagus: 1.406
   uentus ab extremo pelagus sic axe
   uolutet 1.412
   idem pelago delatus iniquo / hostilem in
   terram. 2.88
   tot simul infesto iuuenes occumbere leto
   /saepe fames pelagique furor subitaeque
   ruinae 2.199
   omne fretum metuens pelagi pirata reliquit
                    2.578
   ut reseret pelagus spargatque per aequora
   bellum 2.682
   ora petunt pelagusque dolent contingere
   classi. 2.707
   pelagus iam, Magne, tenebas   . . . 2.725

   uis illic ingens pelagi, semperque
   laborant / aequora 3.62
   primaque cum uentis pelagique furentibus
   undis / conposuit mortale genus,   3.195
   fonte nouo flumen pelagi non abnegat
   undis. 3.263
   hoc robur aperto /oppositum pelago: 3.533
   artibus et certas pelagi? . . .   3.560
   qua nullum melius pelago turbante carinae
                    3.593
   et, postquam ruptis pelagus conpagibus
   hausit, ...   3.629
   uersa caua texit pelagus nautasque carina,
                    3.650
   deiectum in pelagus perfosso pectore
   corpus ./ uolneribus transmisit aquas.
                    3.660
   nulla tamen plures hoc edidit aequore
   clades / quam pelago diuersa lues. 3.681
   utuntur pelago: 3.694
   at Brutus in aequore uictor / primus
   Caesareis pelagi decus addidit armis.
                    3.762
   sed pelagi referantur aquis, . . . 4.115
   turrigeras classis pelago sparsura
   carinas, ...   4.226
   o prodiga rerum / luxuries numquam paruo
   contenta paratis / et quaesitorum terra
   pelagoque ciborum / ambitiosa fames 4.375
   pelagique potens Phoebeia donis /exornata
   Rhodos. 5.50
   ueluti, si cuncta minentur /flumina quos
   miscent pelago subducere fontes,   5.337
   expertis animos pelagi sic robore
   conplet: 5.412
   saeua quies pelagi, maestoque ignaua
   profundo / stagna iacentis aquae;   5.442
   imaque sensim / concussit pelagi mouitque
   Ceraunia nautis. 5.457
   uel litora tangam / iussa, uel hoc
   potius pelagus flatusque negabunt.' 5.559
   tum rector trepidae fatur ratis 'aspice
   saeuum / quanta paret pelagus: 5.569
   'sperne minas' inquit 'pelagi uentoque
   furenti / trade sinum. 5.578
   quaerit pelagi caelique tumultu / quod
   praestet Fortuna mihi.' 5.592
   occurrit gelidus Boreas pelagusque
   retundit, ...   5.601
   crediderim; ... / sic pelagus mansisse
   loco. 5.612
   nam pelagus, qua parte sedet, non celat
   harenas / exhaustum in cumulos,   5.643
   si gloria leti / est pelago donata mei
   bellisque negamur, ... 5.657
   aggere deiecit pelagi sed pertulit unda
                    5.674
   fessumque tumentis / conposuit pelagus
   uentis patientibus undas. . . .   5.702
   ut uidere duces, purumque insurgere
   caelo / fracturum pelagus Borean, soluere
   carinas. 5.705
   tamen hos minuere labores / a tergo
   pelagus pulsusque Aquilonibus aer 6.104
   [par pelagi monstris Libycae sic belua
   terrae] 6.207
   nec peruia Tempe / dant aditus pelagi,
                    6.346
   et quisquis pelago per se non cognitus
   amnis / Peneo donauit aquas: . .   6.371
   iam pelago medios Titan demissus ad ignes

'hoc solum ... serua,/ ut ... /... 8.159
Hesperiam pelago caeloque relinquas: 8.189
aequora senserunt motus aliterque secante
/iam pelagus rostro ... / mutauere sonum.
8.198
qua rapidus Ganges et qua Nysaeus Hydaspes
/accedunt pelago, ... 8.228
magnosque sinus Telmessidos undae /
conpensat medio pelagi. 8.249
carpitur in scopulis hausto per uolnera
fluctu,/ ludibrium pelagi, ... 8.710
pelagoque iuuante cadauer /inpellit. 8.725
si tibi iactatu pelagi, si funere nullo
/tristior ille rogus, ... 8.761
quis pelagus uictas artasse carinas?
9.35
'ergo indigna fui',.../ ... membraque
dispersi pelago conponere Magni, 9.58
inde tenens pelagus, sed iam moderatior,
Eurus / in Libycas egit sedes 9.118
iam pelago pirata redis.' 9.224
Syrtes uel,... natura ... /... in dubio
pelagi terraeque reliquit 9.304
uel plenior alto / olim Syrtis erat
pelago penitusque natabat, . . . 9.312
eminet in tergo pelagi procul omnibus
aruis/...sicci iam pulueris agger; 9.341
nam litore sicco / quam pelago, Syrtis
uiolentius excipit Austrum, . . . 9.448
hoc potuit caelo pelagoque minari /
torporem insolitum 9.647
legit ... /... Heroas ... turres,/ qua
pelago nomen Nepheleias abstulit Helle.
9.956
pelagoque Rhodon spumante relinquit.
9.1003
rex tibi Pellaeus belli pelagique labores
/donat 9.1016
infudere epulas auro,... / quod pelagus
Nilusque dedit, ... 10.156
nunc claustrum pelagi cepit Pharon. 10.509
PELETHRONIUS,-A,-UM. Ixionidas Centauros /
feta Pelethroniis nubes effudit in antris:
6.387
PELIACUS,-A,-UM. Peliacisque dedit rursus
geminare cauernis, ... 7.481
PELION. Pelion opponit radiis nascentibus
umbras; 6.336
inseruit celsis prope se cum Pelion
astris 6.411
PELLA. Parthia ... / exiguae secura fuit
prouincia Pellae. 10.52
PELLAEUS,-A,-UM. hic ubi Pellaeus post Tethyos
aequora ductor /constitit 3.233
cingere Pellaeo pressos diademate
crinis /permissum. 5.60
nunc Parthia ruptis / excedat claustris...
ripam / Zeugmaque Pellaeum. . . . 8.237
primi Pellaeas arcu fregere sarisas
8.298
tamen omnia monstra /Pellaeae coiere
domus, ... 8.475
Pellaeusque puer gladio tibi colla
recidit, /Magne, tuo. 8.607
non ego Pellaeas arces adytisque retectum
/corpus Alexandri pigra Mareotide
mergam? 9.153
rex tibi Pellaeus belli pelagique
labores / donat 9.1016
ergo in Thessalicis Pellaeo fecimus aruis/

ius gladio? 9.1073
illic Pellaei proles uaesana Philippi,
/felix praedo, iacet, ... 10.20
obside quo pacis Pellaea tutus in aula
/Caesar erat, ... 10.55
insula ... /... at nunc est Pellaeis
proxima muris. 10.511
PELLO,-ERE. pellimur e patriis laribus
patimurque uolentes 1.278
interea Phoebo gelidas pellente tenebras
2.326
iusque sui pulso iam perdidit Vmbria
Thermo. 2.463
ingreditur pulsa fluuium statione
uacantem 2.503
pulsus ut armentis primo certamine taurus
/siluarum secreta petit 2.601
cum coniuge pulsus /et natis totosque
trahens in bella penates 2.728
dux stetit Hesperio, non illum gloria
pulsi /laetificat Magni: 3.48
Cinga rapax, uetitus fluctus litora cursu
/Oceani pepulisse tuo; 4.22
nam pepulit Varum campo 4.713
Strymona sic gelidum bruma pellente
relinquunt 5.711
nocte sub extrema pulso torpore quietis
5.734
tamen hos minuere labores / a tergo
pelagus pulsusque Aquilonibus aer 6.104
nonne iuuat pulsum bellis cessisse
7.698
sed, castra fugatos /ne reuocent pellatque
quies nocturna pauorem, ... 7.732
me pulsum leuiore manu fortuna tenebit?
8.271
et melior cessisse loco quam pellere
miles; 8.381
toto iam pulsus ab orbe, /... quaerit/
cum qua gente cadat. 8.503
externaque monstra /pellite, si meruit
tam claro nomine Magnus /Caesaris
esse nefas. 8.549
quod ab occiduo depellunt (pellunt)
nubila caelo /trans Noton . . var.10.242
PELOPEUS,-A,-UM. Eumenidum uidit uoltus
Pelopeus Orestes, ... 7.778
PELOPS. tot potuere manus ... / aut Pelopis
latis Ephyren abrumpere regnis 6.57
PELORUS(-RUM). extremi colles Siculo cessere
Peloro. 2.438
rabidum nescit latrare Pelorum, 6.66
PELUSIACUS,-A,-UM. o superi, Nilusne ... / et
Pelusiaci tam mollis turba Canopi / hos
animos? 8.543
iam Pelusiaco ueniens a gurgite Nili /
rex puer inbellis populi sedauerat iras,
10.53
PELUSIUS,-A,-UM. in uada decurrit Pelusia
septimus amnis. 8.466
cautum, ne Nili Pelusia tangeret ora /
Hesperius miles 8.825
linquere, siqua fides, Pelusia litora
nolo. 9.83
PENATES. 'o magnae qui moenia prospicis
urbis / Tarpeia de rupe Tonans Phrygiique
penates /gentis Iuleae 1.196
deripuit sacris adfixa penatibus arma
1.240
pietas patriique penates / quamquam caede
feras mentes animosque tumentes /frangunt;

PENATES

1.353
alios fecunda penates / impletura datur
geminas et sanguine matris/permixtura
domos; 2.331
huic epulae uicisse famem, magnique
penates / summouisse hiemem tecto, 2.384
cum coniuge pulsus / et natis totosque
trahens in bella penates 2.729
ne cessa praebere deo tua fata uolenti /
angustos opibus subitis inplere penates.'
5.537
[haec eadem est hodie quae pignora
quaeque penates /reddat 7.257
quisquis patriam carosque penates, /...
quaerit,/ ense petat: 7.346
puluere uix tectae poterunt monstrare
ruinae'/ Albanosque lares Laurentinosque
penates, ... 7.394
hic sacra domus carique penates, / hic
mihi Roma fuit. 8.132
patrios permitte penates /... reuisere
9.230
intraque penates /obruitur telis. 10.453
inque domum iam tela cadunt quassantque
penates. 10.479
sed caeca iuuentus / consilii uastos
ambit diuisa penates, ... 10.483

PENDEO,-ERE. at nunc semirutis pendent quod
moenia tectis 1.24
gens habitat cana pendentes rupe Cebennas.
1.435
credas ... / nutantes pendere domos, 1.495
pars aegra et marcida pendet, . . 1.628
dum pendet fortuna ducum: 2.41
Antoni, cuius laceris pendentia canis /
ora ferens miles festae rorantia mensae
/inposuit. 2.122
scelerum non Thracia tantum /uidit
Bistonii stabulis pendere tyranni, 2.163
festa coronato non pendent limine serta,
2.354
strictaque pendentes deducunt carbasa
nautae 2.697
adfixusque rati telo retinente pependit.
3.602
bracchia linquentes Graia pendentia
puppe / a manibus cecidere suis: 3.667
uictor subducto Marte pependit. 4.47
ima petit quidquid pendebat aquarum. 4.127
nauita ... / ... summaque pandens
(pendens) /sipara uelorum perituras
colligit auras. var.5.428
et dubium pendet, uento cui concidat,
aequor. 5.602
salusque /pendeat et tantus caput hoc
sibi fecerit orbis, ... 5.686
non olim casu pendemus ab uno? . . 5.769
uincula rumpit / adfixam uellens oculo
pendente sagittam /intrepidus, . 6.218
de rupe pependit / abscisa fixus torrens,
6.472
pendentia corpora carpsit 6.544
neruo morsus retinente pependit. 6.549
fata peremptorum pendent iam multa
uirorum, ... 6.632
credite pendentes e summis moenibus urbis
/... hortari in proelia matres; 7.369
noxque super campos telis conserta
pependit. 7.520
iusto uela modo pendentia cornibus aequis
/torsit 8.193

PENITUS

prima pendet tamen anxia puppe, 8.590
peruolat ad truncum, qui fluctu paene
relatus /litore pendebat. 8.754
situs est qua terra extrema refuso /
pendet in Oceano; 8.798
ille, ubi pendebant casus ... /...
oderat et Magnum, ... 9.19
pars altera pendet in undis. . . . 9.337
numquam resoluto uertice pendet. . 9.457
[heu facinus, gladio ceruix male caesa
pependit] 10.518
captus sorte loci pendet; 10.542

PENDO,-ERE. cum uictima tristis /inferias
Marius forsan nolentibus umbris /pendit
inexpleto non fanda piacula busto, 2.176
quidquid Romani meruerunt pendere mores.
2.313
quis conferre duces meminit, quis pendere
causas? 4.707
uos pendite regna /uiribus atque fide,
8.276
sceptrorum uis tota perit, si pendere
iusta /incipit, ... 8.489
poenas non morte minores /pendat et ante
meum uideat caput. 8.647

PENEIUS,-A,-UM. litora contigerat per quae
Peneius amnis /... exibat in aequor. 8.33

PENETRALE. ante ipsum penetrale deae
semperque calentis /mactauere focos; 2.127
Delphica fatidici reserat penetralia
Phoebi. 5.70
illa pauens adyti penetrale remoti /
fatidicum prima templorum in parte
resistit 5.146
Memphis / omne uetustorum soluat penetrale
magorum, /abducet superos alienis
Thessalis aris. 6.450

PENETRO,-ARE. mox cetera cantu /explicat
Haemonio penetratque in Tartara lingua.
6.694
ne pigeat ... / Medorum penetrare domos
Scythicosque recessus 8.216

PENEUS. Penei qui rura colunt, ... 3.191
quisquis pelago per se non cognitus amnis
/Peneo donauit aquas: 6.372
lapsusque superne /gurgite Penei pro
siccis utitur aruis. 6.377

PENITUS. nulli penitus descendere ferro /
contigit; 1.31
penitus tolli quam iusseris urbem, 1.385
nec plus uictoria Sullae /praestitit
inuisas penitus quam tollere partes:
2.229
gurgitibus raptis penitus tellure perusta,
2.414
si conuolso uertice Gaurus /decidat in
fundum penitus stagnantis Auerni. 2.668
hic, ubi conprensum penitus deduxerat
hostem, ... 3.701
absorpsit penitus rupes ac tecta ferarum
/detulit 4.100
non chalybem gentes penitus fugiente
metallo /eruerent, ... 4.223
non se tam penitus, tam longe luce relicta
/merserit Astyrici scrutator pallidus auri.
4.297
abstrusas penitus uada fecit harenas.
5.604
uiscera tuta latent penitus, . . . 6.211
mitis et a uoltu penitus uirtute remota,/
'parcite,' ait, 'ciues: 6.229

PENITUS
   (nam neque subsedit penitus, quo stagna
    profundi /acciperet, ... 9.305
   uel plenior alto / olim Syrtis erat
    pelago penitusque natabat, . . . 9.312
   nullo glaebarum crimine pura / et penitus
    terra est. 9.426
   saxa tulit penitus discussis proruta muris
                   9.490
   scrutatur uenas penitus squalentis
    harenae, ... 9.755
   ipse latet penitus congesto corpore
    mersus, ... 9.796
   commeat hac penitus tacitis discursibus
    unda 10.249
PENNA v. PINNA.
PENSO,-ARE. en, totis uiribus orbis /Hesperiam
   pensant superi: 5.38
   ille quidem pensabat iter propiusque
    secabat /aera, ... 9.685
   auidusque urguente procella /Iliacas
    pensare moras 9.1002
PENTHEUS. ubi quondam Pentheos exul /colla
   caputque ferens supremo tradidit igni /
    ... Agaue. 6.357
   nec magis attonitos animi sensere
    tumultus,/cum fureret, Pentheus aut, cum
    desisset, ... 7.780
PER. 1.1;1.28;1.61;1.78;1.91;1.139;1.151;
   1.187;1.204;1.212;1.215;1.249;1.315;1.318;
   1.367(bis);1.368;1.374;1.375;1.394;1.400;
   1.442;1.467;1.495;1.528;1.536;1.543;1.564;
   1.569;1.594;1.624;1.642;1.676;1.692;2.6;
   2.17;2.20;2.58;2.90;2.119;2.148;2.160;
   2.172;2.215;2.256(bis);2.416;2.424;2.467;
   2.535;2.580;2.602;2.608;2.611;2.634;2.635;
   2.639;2.642;2.646;2.682;2.684;2.686;2.706;
   3.10;3.24(bis);3.31;3.32;3.35;3.49;3.113;
   3.123;3.169;3.176;3.196;3.319;3.450;3.458;
   3.467(bis);3.502;3.601;3.628;3.657;3.685;
   3.692;3.703;3.718;3.731;3.748;3.757;4.320;
   4.392;4.402;4.416;4.497;4.543;4.574;4.592;
   4.629;4.718;5.8;5.54;5.69;5.95;5.164;
   5.169;5.171;5.190;5.239;5.243;5.302;
   5.312;5.385;5.472;5.483;5.488;5.492;5.500;
   5.508;5.561;5.565;5.663;5.707;5.796;6.13;
   6.38;6.115;6.124;6.156;6.183;6.335;6.371;
   6.391;6.445;6.547;6.572;6.639(bis);6.700;
   6.728;6.731;6.734(bis);6.756;7.21;7.152;
   7.176;7.205;7.277;7.341;7.350;7.418;7.420;
   7.459;7.497(bis);7.500;7.507;7.508;7.589;
   7.590;7.600;7.619;7.633;7.634;7.650;7.685;
   7.694;7.714;7.722;8.20;8.33;8.138;8.219;
   8.220;8.236;8.244;8.257;8.356;8.368;8.372;
   8.439;8.472;8.648;8.649;8.709;8.717;
   8.721;9.30;9.56;9.84;9.101(bis);9.107;
   9.137;9.159;9.386;9.473;9.519;9.522;9.547;
   9.553;9.598;9.602;9.622;9.632;9.694;9.752;
   9.824;9.829;9.863;10.22;10.30;10.31;10.
   190;10.197;10.253;10.273;10.301;10.364;
   10.370;10.371;10.423;10.493(bis);10.501
PERAGO,-ERE. te, cum statione peracta /astra
   petes serus. 1.45
   inuita peragam tamen omnia dextra; 1.378
   inpiaque in medio peraguntur bella
    senatu. 1.691
   uix caede peracta /procumbunt, . 2.203
   magna premit strages peraguntque cadauera
    partem /caedes: 2.205
   'dum sanguis inerat, dum uix materna,
    peregi /iussa, ... 2.338
   heu, quanto melius uel caede peracta /

   parcere Romano potuit fortuna pudori!
                   2.517
   inrita tela suas peragunt in gurgite
    caedes, ... 3.580
   nec cruor effusus campis tibi bella
    peregit 4.354
   turba haec sua fata peregit. . . 4.361
   regnaque ad ultores iterum redeuntia
    Brutos,/ut peragat fortuna, taces? 5.208
   licet ingentis abruperit actus /festinata
    dies fatis, sat magna peregi. . 5.660
   sic postquam fata peregit, /stat uoltu
    maestus tacito 6.820
   belli pars magna peracta est / his, 7.101
   aut populis inuisum hac clade peracta
    /... nomen: 7.120
   ego sum cui Marte peracto / quae populi
    regesque tenent donare licebit. 7.299
   damnat apud gentes sceleris non sponte
    peracti /Oedipodionias infelix fabula
    Thebas: 8.406
   et, si Thessalia bellum ciuile peractum
    est, /ad Parthos qui uicit eat. 8.428
   exsolui tibi, Magne, fidem, mandata
    peregi; 9.98
   et peragunt ciuilia bella cerastae. 9.851
   absenti bellum ciuile peractum est:
                  9.1018
   nec uile putaris /hoc meritum, facili
    nobis quod caede peractum est. 9.1027
   fortuna pepercit (peregit)/manibus,
               var.10.23
   quasdam, Caesar, aquas post mundi sera
    peracti /saecula concussis terrarum
    erumpere uenis /... reor, . . . 10.263
   nox haec peraget ciuilia bella 10.391
PERCELLO,-ERE. tum perculit horror /membra
   ducis, ... 1.192
   mens dubiis perculsa pauet . . . 6.596
   terra potens primos sentit percussa
    (perculsa) tumultus /et scopuli,
              var.10.324
PERCIPIO,-ERE. non tamen ignauae post haec
   exempla uirorum /percipient gentes quam
   sit non ardua uirtus /seruitium fugisse
   manu, ... 4.576
PERCUTIO,-ERE. nec solum uolgus inani /
   percussum terrore pauet, ... 1.487
   fulmen et Arctois rapiens de partibus
    ignem / percussit Latiare caput, 1.535
   terrarum subita percussa expalluit umbra.
                  1.539
   dissiluit percussus humo, mortesque
    cruento /uictori rapuere suas; 2.156
   at non magnanimi percussit pectora Bruti /
    terror 2.234
   ardentisque acies percussis sole corusco
    /conspexit telis, ... 2.482
   uanaque percussit pontum Symplegas inanem
                  2.718
   'non nisi per nostrum uobis percussa
    patebunt /templa latus, ... 3.123
   aequora cum tantis percussit classibus,
                  3.287
   ut grandine tecta /innocua percussa
    sonant, ... 3.483
   percussae cedunt crates, ... 3.495
   ictu uicta suo percussae capta cohaesit;
                  3.564
   aut micuere noui percusso pumice fontes,
                  4.300

percussum est pectore ferrum /et
iuguli pressere manum. 4.561
tum pectore pectus /urgueri, tunc obliqua
percussa labare /crura manu. . . 4.625
prior ipse per hostes /percussi medios
alieni iuris harenas: 5.489
auolsit laceros percussa puppe rudentis
5.594
mox, ubi percussit tensas Notus altior
alas, ... 5.714
umentis mirata genas percussaque caeco /
uolnere non audet flentem deprendere
Magnum. 5.737
[percussum Scaeuae frangit, non uolnerat,
hostem;] 6.187
primus ab aequorea percussis cuspide saxis
/Thessalicus sonipes,... /exiluit, 6.396
primus Thessalicae rector telluris Ionos
/in formam calidae percussit pondera
massae 6.403
tantae molis onus percussum uoce recessit
6.483
percussaque uiscera nimbis /uolsit 6.545
mens dubiis perculsa (percussa) pauet
var.6.596
percussae gelido trepidant sub pectore
fibrae, ... 6.752
gelidusque in uiscera sanguis /percussa
pietate coit, ... 7.468
sed iam percusserat astra /aurorae
praemissa dies: 8.778
litoribus sonuit percussus planctibus
aether, ... 9.168
circulus alti / solstitii medium signorum
percutit orbem. 9.532
Nasidium Marsi cultorem torridus agri /
percussit prester. 9.791
hoc tecum percussum est sanguine foedus.
9.1021
terrarum fatale malum fulmenque quod
omnis /percuteret pariter populos 10.35
candida Sidonio perlucent pectora filo, /
quod Nilotis acus conpressum (percussum)
pectine Serum / soluit var.10.142
quae cum dominus percussit aquarum /igne
superiecto, tunc Nilus fonte soluto, /
... iussus adest, ... 10.214
terra potens primos sentit percussa
tumultus 10.324
percussaque flamma / turbine ... per
tecta cucurrit 10.500

PERDO,-ERE. uel, perdere nomen /si placet
Hesperium, superi, ... 2.56
uir ferus et Romam cupienti perdere fato /
sufficiens. 2.87
quid perdere fructum /iuuit et,ut uilem,
Marii confundere uoltum? 2.190
quidquid Romani meruerunt pendere
(perdere) mores. var.2.313
atque ipsum non perdat iter consertaque
bellis /bella gerat. 2.442
iusque sui pulso iam perdidit Vmbria
Thermo. 2.463
quam retinere uetas, liceat sibi perdere
saltem / Italiam. 2.700
perdidit o qualem uincendo plura triumphum!
3.79
et barbara Cone, /Sarmaticas ubi perdit
aquas sparsamque profundo . . . 3.201
hos perdit Fortuna dies! . . . 3.394
non perdere letum /maxima cura fuit: 3.706

uiresque cruentus /coepit habere dolor,
'non perdam tempora' dixit 3.742
deserat hic feruor mentes, cadat impetus
amens, /perdant uelle mori.' . . . 4.280
par animi laus est et,quos speraueris,
annos / perdere et extremae momentum
abrumpere lucis, ... 4.483
perdita tunc urbi nocuerunt saecula,
4.816
non umquam perdidit ordo /mutato sua
iura solo. 5.29
intra castrorum timuit tentoria ductor /
perdere successus scelerum, 5.242
nil magis adsuetas sceleri quam perdere
mentis /atque perire tenet. . . . 5.371
iam dudum nubes et saeuas perdimus undas.'
5.423
perdidit ensis opus, frangit sine uolnere
membra. 6.188
quid ... / perditis haesuros numquam
uitalibus ictus? 6.197
perdiderat uoltum rabies. . . . 6.224
et non letiferas spirando perdidit auras.
6.522
haud umquam ... putauit,/ sic se dilecti
tumulum quoque perdere Magni. 7.36
hoc placet, o superi, cum uobis uertere
(perdere) cuncta /propositum, nostris
erroribus addere crimen? . . var.7.58
animumque dolentem /corripit, Emathiis
quid perdat nescius aruis. . . 7.191
perdidit inde modum caedes, . . 7.532
omnia quid laceras? 7.665
ac, ne laeta furens scelerum spectacula
perdat, /inuidet igne rogi miseris, 7.797
quid perdis tempora luctus? . . 8.53
solacia tanti /perdit Roma mali, nullos
admittere reges /sed ciui seruire suo?
8.355
sollicitat nostrum, quem nondum perdidit,
orbem. 8.511
Phariamque ablatus in alnum /perdiderat
iam iura sui. 8.612
an noceat uis nulla bono fortunaque perdat
/opposita uirtute minas, ... 9.569
unica belli / praemia ciuilis, uictis
donare salutem,/perdidimus. . . 9.1068
nondum euanuit aura / cinnamon externa
nec perdidit aera terrae, ... 10.167
discit opes Caesar spoliati perdere mundi
10.169
per te quod fecimus una /perdidimusque
nefas, perque ictum sanguine Magni /foedus
ades; 10.371
nec tempora cladis / perdidit in somnos,
10.506

PERDOMO,-ARE. omnes redeant in castra
triumphi. 2.644
PERDUCO,-ERE. quo potuit ciuem populus
perducere liber 2.562
neu tuba praemonitos perducat ad aequora
nautas 2.690
a summis perduxit ad aequora castris /
longum Caesar opus, ... 3.384
neque ... mihi fallere quemquam /est
animus tectoque metu perducere uolgus.
9.389

PEREGRINUS. peregrina ac sordida sedes /
Romanos cepit proceres, . . . 5.9
tamen hos minuere labores /... /litoraque
et plenae peregrina messe carinae. 6.105

PEREGRINUS

    hic ebulum stridet peregrinaque galbana
    sudant, ... 9.916

PEREO,-IRE. totoque accersitur orbe /quo gens
    quaeque perit; 1.167
    talis pietas peritura querellas /egerit.
                                2.63
    nobilitas cum plebe perit, . . . 2.101
    in numerum pars magna perit, . . 2.111
    periere nocentes, /sed cum iam soli
    possent superesse nocentes. . 2.143
    uidimus et toto quamuis in corpore caeso
    /nil animae letale datum, moremque
    nefandae /dirum saeuitiae, pereuntis
    parcere morti. 2.180
    qui medio periere freto. 2.190
    uidit Fortuna colonos /Praenestina suos
    cunctos simul ense recepto /unius
    populum pereuntem tempore mortis. 2.195
    ad iuga cur faciles populi, cur saeua
    uolentes / regna pati pereunt? 2.315
    pereunt discrimine nullo . . . 3.119
    'libertas' inquit 'populi quem regna
    coercent /libertate perit; 3.146
    Iliacae quoque signa manus perituraque
    castra /ominibus petiere suis, 3.211
    utque perit magnus nullis obstantibus
    ignis, ... 3.364
    fractarum subita ratium periere ruina.
                                  3.579
    sed clauso periere mari. 3.652
    nutaretque ratis populo peritura recepto,
                                  3.665
    periere latebrae / tot scelerum, 4.192
    ac, uelut occultum pereat scelus, omnia
    monstra / in facie posuere ducum: 4.252
    sibi uilis adest inuisa luce iuuentus /
    iam damno peritura meo; . . . 4.277
    in medium mors omnis abit, perit obruta
    uirtus: 4.491
    periere coloni / aruorum Libyae, 4.605
    pereunt quos appulit aequor; . . 4.606
    tunc inrita pestis /exprimitur faucesque
    fluunt pereunte ueneno. 4.729
    obstipuit dux ipse simul perituraque turba.
                                  4.748
    iuuentus/.../obruitur, non uolneribus nec
    sanguine solum, /telorum nimbo peritura
    et pondere ferri. 4.776
    totoque exercitus orbe / te uincente
    perit. 5.267
    adde quod ingrato meritorum iudice uirtus
    /nostra perit: 5.292
    nil magis adsuetas sceleri quam perdere
    mentis /atque perire tenet. . . 5.372
    inde perit primum quondam ueneranda
    potestas / iuris inops; 5.397
    summaque pandens / sipara uelorum
    perituras colligit auras. . . . 5.429
    pereuntia tempora fati /conqueror, 5.490
    lux etiam metuenda perit, . . . 5.630
    quod tanta mundi nondum periere ruina.
                                  5.637
    et turbata perit dispersis littera pinnis.
                                  5.716
    secura uidetur /sors tibi, cum facias
    etiamnunc uota, perisse? 5.772
    extremusque perit tam longi fructus
    amoris, ... 5.794
    tanti periere labores. 6.54
    nimbus agens tot tela peribat. . . 6.134
    mens hausti nulla sanie polluta ueneni /

PEREO

    excantata perit. 6.458
    subito feriere (periere) die. . .var.6.744
    conpellandus erit,... /... cuius / uos
    estis superi, Stygias qui perierat
    undas?' 6.749
    deplorat Libycis perituram Scipio terris
    /infaustam subolem; 6.788
    testor, Roma, tamen Magnum quo cuncta
    perirent /accepisse diem. . . . 7.91
    haec ... / spesque metusque simul
    perituraque uota mouebunt, . . . 7.211
    uallo tendetis in illo / unde acies
    peritura uenit.' 7.329
    nec ualet haec acies tantum prosternere
    quantum / inde perire potest. . . 7.535
    a potius pereant lacrimae pereantque
    querellae: . . . . 7.555(bis)
    Caesar,... / nequa parte sui pereat scelus,
    agmina circum / it uagus . . . 7.558
    nec tibi fatales admoueris ante Philippos/
    Thessalia periture tua. . . . 7.592
    hic patriae perit omne decus: . . 7.597
    uictus totiens a Caesare salua /
    libertate perit: 7.603
    illic per fata uirorum,/per populos hic
    Roma perit; 7.634
    plus est quam uita salusque /quod perit:
                                  7.640
    ac se tam multo pereuntem sanguine uidit.
                                  7.653
    uiles animas perituraque frustra /
    agmina permisit uitae. 7.730
    uiuit post proelia Magnus /sed fortuna
    perit. 8.85
    audentque in bella uenire /experti
    Scythicas Crasso pereunte pharetras. 8.302
    quod ... crimen ... / maius erit, quam
    quod ... / Crassorum uindicta perit? 8.422
    sceptrorum uis tota perit, si pendere
    iusta /incipit, ... 8.489
    ultima Lageae stirpis perituraque proles,
    /... /litora Pompeium feriunt, 8.692
    bustumque cadet, mortisque peribunt /
    argumenta tuae. 8.868
    planctu contusa peribit, ... 9.105
    non Caesaris armis /occubuit dignoque
    perit auctore ruinae: 9.129
    Pompeio rebus adempto /nunc et ficta perit.
                                  9.206
    causaque nostra perit: 9.230
    perierunt tempora uitae, ... 9.233
    et late periturum deficit aequor. 9.318
    an bellum ciuile perit? 9.561
    ductor, ut aspexit perituros fonte
    relicto, /adloquitur. 9.611
    anima periere retenta /membra, . . 9.640
    tenditque cutem pereunte figura /miscens
    cuncta tumor; 9.792
    stat tutus pereunte manu. . . . 9.833
    iuuat aetheriis ascribere causis /quod
    peream, caeloque mori. 9.854
    tota teguntur /Pergama dumetis: etiam
    periere ruinae. 9.969
    quererisque perisse /uindictam belli
                                  9.1053
    scilicet hoc animo terras atque aequora
    lustras,/necubi suppressus pereat gener.
                                  9.1058
    concordia mundo /nostra perit. 9.1098
    discordia sensit /pectora et ancipites
    animos, Magnumque perisse /non sibi. 10.13

PEREO

    exemplumque perit. 10.344
    Magni morte perit. 10.519

PERERRO,-ARE. maestum tecta caput squalenti
    nube pererrat /corpora 6.625

PERFERO,-RE. famae maioris in amnem /lapsus
    ad aequoreas nomen non pertulit undas.
                        1.401

    raptosque ad nubila fluctus /pertulit et
    caelo defusum reddidit aequor.   4.82
    tantum perfertur ad hostis /et spatium
    iaculis oblato uolnere donat.   4.763
    nec perfert pontum Boreas ad saxa, 5.605
    aggere deiecit pelagi sed pertulit unda
                      5.674

    uerbaque ad inuitum perfert cogentia
    numen, ... 6.446
    cunctorum uoces Romani maximus auctor /
    Tullius eloquii,... / pertulit iratus
    bellis,   7.65
    ne pigeat ... /... totum mutare diem,
    uocesque superbo /Arsacidae perferre meas:
                    8.218

    at non tam patiens Cornelia cernere
    saeuum,/quam perferre, ... 8.638
    hac Fortuna fide Magni tam prospera fata
    /pertulit, ... 8.702
    tunc omnia flumina Nilus /uno fonte uomens
    non uno gurgite perfert. 10.254
    atque haec dicta monet famulos perferre
    fideles /ad ... Achillam, ... 10.349

PERFIDUS,-A,-UM. 'fortius hiberni flatus ... /
    ... tenent,quam quos incumbere certos /
    perfida nubiferi uetat inconstantia ueris.
                    5.415
    debuerant ... /imperii nudare latus, dum
    perfida Susa /... prolapsa... iaceret.
                    8.425
    perfida qua tellus Casiis excurrit harenis
    /... exiguam sociis ... carinam /instruit.
                    8.539
    perfide, parcebas? 8.652
    deceptaque uixi /ne mihi commissas
    auferrem perfida uoces. 9.100
    fortuna /... te non passa est misereri,
    perfide, Magni /uiuentis! 9.1061

PERFLO,-ARE. incumbatque furens et Graia ad
    moenia perflet, ... 5.419
    deus quem toto litore pontus /audit
    uentosa perflantem marmora concha, 9.349

PERFODIO,-ERE. deiectum in pelagus perfosso
    pectore corpus /uolneribus transmisit
    aquas. 3.660
    ac uelut inclusum perfosso in pectore
    numen /... adorant; 6.253
    sed, postquam mucrone latus funestus
    Achillas /perfodit, ... 8.619

PERFRINGO,-ERE. si claudere muros /obsidione
    paras et ui perfringere portas,   3.343

PERFRUOR,-I. saeuumque arte conplexa dolorem/
    perfruitur lacrimis 9.112

PERFUNDO,-ERE. Gallica per gelidas rabies
    ecfunditur (perfunditur) Alpes, var.2.535
    spumoso Calaber perfunditur aequore Sason.
                    2.627

    deseritur ... /... /Mysiaque et gelido
    tellus perfusa Caico 3.203
    perfudit membra liquore 4.613
    capulosque solutis /perfudit gladiis
    ereptaque pila liquauit, ... 7.159
    miles, ut aduerso Phoebi radiatus ab ictu
    /descendens totos perfudit (perfundit)

    lumine colles, ... var.7.215
    descendens totos perfudit lumine colles,
                    7.215
    quod totos errore uago perfuderat agros
    /constitit hic bellum, ...   7.546
    nec tota in pugna perfusus sanguine membra
    /exiget aestiuum ... solem. . . 8.375
    sanguine Thessalicae cladis perfusus
    adulter /admisit Venerem curis, 10.74
    dignatur uiles ... sanguine dextras /
    quo Fortuna parat uictos perfundere
    patres, ... 10.339

PERGAMA. tota teguntur /Pergama dumetis:
                    9.969
    Romanaque Pergama surgent.' . . . 9.999

PERGO,-ERE. illa quoque perge sinistra / trans
    Pharon, ... 8.183

PERICULUM. 'bellorum o socii, qui mille
    pericula Martis / mecum' ait 'experti
                    1.299
    effugit exiguo nocturna pericula uallo,
                    1.516
    fortunamque suam per summa pericula
    gaudens /exercere uenit; 5.302
    fisus cuncta sibi cessura pericula Caesar
                    5.577
    inde ruunt toto concita pericula mundo.
                    5.597
    summa timent.credit iam digna pericula
    Caesar /fatis esse suis. 5.653
    sors ultima rerum / in dubios casus et
    prona pericula morti /praecipitare solet;
                    5.693
    satis est audisse pericula Magni; 5.747
    multos in summa pericula misit /uenturi
    timor ipse mali. 7.104
    sua quisque pericula nescit /attonitus
    maiore metu. 7.133
    subiere pericula clari /sponte uiri 7.356
    illam non ... / mouit et exurgens ad summa
    pericula clamor, ... 9.114
    nunc causa pericli /digna uiris. 9.262
    hi mihi sint comites, quos ipsa pericula
    ducent, ... 9.390
    fatoque pericula uestra /praetemptate meo.
                    9.397

    uix miseris serum tanto lassata periclo
    /auxilium Fortuna dedit. 9.890

PERIMO,-ERE. uos quoque, qui fortes animas
    belloque peremptas /... plurima securi
    fudistis carmina, Bardi. 1.447
    pronus in aduersos ictus, nullique
    perempti /in ratibus cecidere suis. 3.571
    nullius uita perempti /est tanta demissa
    uia. 3.641
    quod solum ualuit uirtus, iacuere perempti
                    6.132

    fata peremptorum pendent iam multa
    uirorum, ... 6.632
    inspicit ... / quem pugnare iuuet, quis
    uoltum ciue perempto / mutet; . . 7.564
    umbra perempti /ciuis adest; . . 7.772
    gnatus coniunxque peremptum, /si mirantur,
    amant.' 8.634
    'o coniunx, ego te scelerata peremi: 8.639
    siquis placare peremptum /forte uolet...
    /inueniat trunci cineres . . . 8.772
    Pompeio scelus est bellum ciuile perempto,
                    9.248

    Romanae maxime gentis,/ et, quod adhuc
    nescis, genero secure perempto,   9.1015

PERIMO

    lege summa perempti /uerba patris,   10.92
    Magno nihil ille perempto / iam putat
    esse nefas; 10.335

PERITUS,-A,-UM. si cuncta perito / augure mens
    hominum caeli noua signa notasset, /
    spectari toto potuit Pharsalia mundo.
                                 7.202
    nautasque loci sortita peritos /torpentem
    Tritonos adit inlaesa paludem.   9.346

PERLUCEO,-ERE. candida Sidonio perlucent
    pectora filo,   10.141

PERMANEO,-ERE. permansisse decus sacrae
    uenerabile formae /... fatentur   8.664

PERMEO,-ARE. non minor hic Histro, nisi quod,
    dum permeat orbem,   2.418

PERMISCEO,-ERE. imago /.. / et gemitu permixta
    loqui: 'quo tenditis ultra?   1.190
    busta repleta fuga, permixtaque uiua
    sepultis /corpora,   2.152
    mundique ruinae /permiscenda fides. 2.254
    alios fecunda penates /inpletura datur
    geminas et sanguine matris /permixtura
    domos; 2.333
    totque carinarum permixtis aequora
    sulcis /eruta 2.703
    non usque adeo permiscuit imis /longus
    summa dies ut non, si uoce Metelli /
    seruantur reges, malint a Caesare tolli.'
                                   3.138
    hauseruntque suo permixtum sanguine
    pontum; 3.577
    eiectat saniem permixtus uiscere sanguis.
                                    3.658
    pax erat, et castris miles permixtus
    utrisque /errabat; 4.196
    duro concordes caespite mensas /instituunt
    et permixto libamina Baccho . . . 4.198
    aut cum permixtas acies sua tela tenebris/
    inuoluent. 4.489
    quas uentus ... / permixtas habuere diu,
    latumque per aequor, ... 5.707
    uotumque effecimus hosti /ut mallet
    sterni gladiis mortemque suorum /
    permiscere meis. 7.101
    credite qui nunc est populus populumque
    futurum /permixtas adferre preces: 7.375
    permixta secundo /ordine nobilitas
    uenerandaque corpora ferro/urguentur;
                                    7.581

PERMITTO,-ERE. bellumque mouere /permissum
    ducibus. 1.120
    pontifices, sacri quibus est permissa
    potestas. 1.595
    regesque silentum /permisere sequi. 3.30
    'non perdam tempora' dixit / 'a saeuis
    permissa deis, iugulumque senilem /
    confodiam. 3.743
    incumbit ripis permissaque flumina turbat.
                                    4.367
    agnoscere solis /permissum, quos iam
    tangit uicinia fati, /... felix esse mori.'
                                    4.518
    morientis in artus / non potuit nati
    Tellus permittere uires: 4.651
    et cernere tantas /permisit clades
    conpressus sanguine puluis, . . . 4.795
    cingere Pellaeo pressos diademate crinis
    /permissum. 5.61
    mundi iam summa tenentem / permisisse
    mari tantum! 5.695
    ut primum libuit ... / Pompeio cunctasque

PERRUMPO

    sibi permittere terras, ... 6.119
    mutandaeque iuuat permissa licentia
    terrae. 6.271
    placet haec tam prospera rerum /tradere
    fortunae, gladio permittere mundi /
    discrimen; 7.108
    sic fatur et arma /permittit populis
                                    7.124
    quo caeli sidere uerso /Thessalicae tantum,
    superi, permittitis orae? . . . 7.302
    permittuntque omnia fatis. . . . 7.333
    uidit ut hostiles ... cateruas /Pompeius
    nullasque moras permittere bello /...
    stat ... /attonitus; 7.338
    insanamque famem permissasque ignibus
    urbes /... / hi possunt explere uiri,
                                   7.413
    uiles animas perituraque frustra /
    agmina permisit uitae. 7.731
    nullusque auderet pecori permittere
    pastor / uellere... herbam; . . 7.864
    non ultra gemitus tacitos incessere
    fatum /permisere sibi, ... 8.65
    quo ferre uelint permittere uolnera uentis.
                                    8.384
    laetatur honore / rex puer insueto, quod
    iam sibi tanta iubere /permittant famuli.
                                    8.538
    mihi praecipitem, nautae, permittite
    saltum, ... 8.654
    patrios permitte penates /desertamque
    domum dulcesque reuisere natos. 9.230
    discere nulli /permissum est hoc posse
    sitim. 9.762
    prima tibi campos permittit apertaque
    Memphis / rura 10.330
    metuunt ... / ne caedes confusa manu
    permissaque fatis / te, Ptolemaee, trahat.
                                   10.426

PERMONEO,-ERE. neu tuba praemonitos
    (permonitos) perducat ad aequora nautas
    /praecepit sociis. var.2.690

PERODI,-ISSE. corpora sustentant epulis,
    mensasque perosi / auxilium fecere famem.
                                    4.307
    caelum matremque perosa /Persephone,...
    exaudite preces. 6.699
    quid transfuga mundi,/terrarum totos
    tractus caelumque perosus, /auersosque
    polos alienaque sidera quaeris, 8.336
    accipe poenas / tu, quisquis superum
    commercia nostra perosus 9.860

PERORO,-ARE. uoltus adest precibus faciesque
    incesta perorat. 10.105

PERPETUUS,-A,-UM. perpetuam rupit defesso
    milite cratem 3.485
    quam zona niualis /perpetuaeque premunt
    hiemes: 4.107
    tu perpetuis inpendas aera nimbis, 4.112
    perpetuis quondam latuere paludibus agri,
                                    6.344
    felices Arabes ... Eoaque tellus,/ quam
    sub perpetuis tenuerunt fata tyrannis.
                                    7.443
    respexit in agmine denso /Scaeuam
    perpetuae meritum iam nomina famae 10.544

PERRUMPO,-ERE. atque auso medias perrumpere
    milite leges 1.322
    medias perrumpe procellas . . . 5.583
    quis cruor emissis perruperit aera uenis
    /inque hostis cadat arma sui, . . 7.625

PERSAE

PERSAE. ignotos miscuit amnes/Persarum
    Euphraten, Indorum sanguine Gangen, 10.33
    quae tibi noscendi Nilum ... cupido est /
    et Phariis Persisque fuit Macetumque
    tyrannis, ... 10.269
PERSEPHONE. caelum matremque perosa /
    Persephone, ... / exaudite preces.   6.700
PERSEQUOR,-I. non te furialibus armis /
    persequor: 1.201
PERSES(XERXES). talis fama canit tumidum
    super aequora Persen /construxisse uias,
    2.672
    effusis numerato milite telis /descendit
    Perses, ... 3.286
PERSES(rex Macedonum). quem dederat Perses,
    3.158
PERSEUS(filius Danaes). Parrhasiae uexerunt
    Persea pinnae /Arcados auctoris citharae
    liquidaeque palaestrae, ... 9.660
    Persea Phoebeos conuerti iussit ad ortus
    9.667
    dextraque trementem / Perseos auersi
    Cyllenida derigit harpen 9.676
    uoltusque gelassent /Perseos auersi, 9.682
PERSEUS,-A,-UM. deseritur Taurique nemus
    Perseaque Tarsos /Corcyciumque patens
    exesis rupibus antrum; 3.225
    tum, Babylon Persea licet secretaque
    Memphis /omne ... soluat penetrale magorum,
    /abducet superos alienis Thessalis aris.
    6.449
PERSIS. Euphrates, quos non diuersis fontibus
    edit /Persis, et incertum, tellus si
    misceat amnes, ... 3.258
    Phoebi surgentis ab igne /iam propior
    quam Persis eram: 8.229
PERSPECTO,-ARE. nonne iuuat pulsum bellis
    cessisse nec istud /perspectasse nefas?
    7.699
PERSPICIO,-ERE. aethera seu totum discordi
    obsistere caelo /perspexitque polos, 7.199
PERSPECTUS(subst.). perspectumque dedit circum
    labentis Olympi. 6.484
PERSTO,-ARE. crebra confixus cuspide perstat
    /telaque multorum leto casura suorum /
    emerita iam morte tenet. 3.620
    dum primae perstant acies, ... 4.30
    perstat rabies, nec cuncta locutae /quem
    non emisit. superest deus. 5.210
    ac testare deos nullum, qui perstet in
    armis, /iam tibi, Magne, mori. . . 7.690
PERSTRINGO,-ERE. populosque pauentes /terruit
    obliqua praestringens (perstringens)lumina
    flamma: var.1.154
PERUENIO,-IRE. peruenit ad puppim spirantisque
    inuenit artus. 3.732
    hac quoque peruentum est ad uiscera, 7.500
    sic quoque non omnis populus peruenit ad
    ossa 7.841
    prior in Nili peruenit litora Caesar.
    8.641
    non illuc auro positi nec ture sepulti /
•   perueniunt. 9.11
    ut primum in sociae peruenit litora terrae,
    /collegit uestes... Magni 9.174
    non tamen ad Magni peruenit gratius
    umbras / omne... /... quam pauca Catonis
    /uerba 9.186
    uaesanus in ortus / Cambyses longi
    populos peruenit ad aeui, ...10.280
    subrepta ... / a famulo Ganymede dolis

PES

    peruenit ad hostis / Caesaris Arsinoe;
    10.520
PERUERTO,-ERE. peruersa funera pompa /
    rettulit a tumulis, ... 6.531
PERUIGIL. peruigil alterno paret custodia
    signo. 4.7
PERUIUS,-A,-UM. me barbara telis /Rheni turba
    petat, ... 2.310
    nec peruia uelis / aequora frangit eques,
    5.439
    nec peruia Tempe /dant aditus pelagi,
    6.345
    nullo uertice caelum /suspiciens Phoebo
    non peruia taxus opacat. 6.645
PERUOLO,-ARE. peruolat ad truncum, qui fluctu
    paene relatus /litore pendebat.   8.753
PERURO,-ERE. Scorpion incendis cauda
    chelasque peruris, /quid tantum, Gradive,
    paras? 1.659
    gurgitibus raptis penitus tellure perusta,
    2.414
    Maurus, inops Nasamon, mixti Garamante
    perusto / Marmaridae uolucres,   4.679
    Tarpeia sede perusta /Gallorum facibus
    Veiosque habitante Camillo /illic Roma
    fuit. 5.27
    et galeae fragmenta cauae conpressa
    perurunt / tempora, ... 6.193
    semina fecundae segetis calcata perussit
    6.521
    nec membris sole perustis /auribus
    incertum feralis strideat umbra.' 6.622
    rapidus Titan ... / aequora subduxit
    zonae uicina perustae; 9.314
    ora /... uicina perusti /aetheris, exurit
    messes 9.432
    fatique minorem / famam dipsas habet
    terris adiuta perustis. 9.754
    parua loquor, corpus sanie stillasse
    perustum: 9.783
    testis tibi sole perusti /ipse color
    populi 10.221
    tellusque perusta /illuc duxit aquas;
    10.251
    illos rubicunda perusti /zona poli
    tenuit; 10.274
PERUSINUS,-A,-UM. his, Caesar, Perusina fames
    Mutinaeque labores /accedant fatis   1.41
PES. ciuisque superbi /constitit ante pedes.
    2.509
    uictoris stetit ante pedes.   4.340
    ille parum fidens pedibus contingere
    matrem /auxilium membris calidas infudit
    harenas. 4.615
    inguinaque insertis pedibus distendit
    4.628
    incertoque pedum pugnat non stare tumultu:
    4.753
    quantum pede prima relato /constrinxit
    gyros acies. 4.780
    flexo nauita cornu /obliquat laeuo pede
    carbasa 5.428
    credite grandaeuum uetitumque aetate
    senatum /arma sequi sacros pedibus
    prosternere canos 7.372
    imperii salua si maiestate liceret,/
    uoluerer ante pedes. 7.379
    sed quo uela dari, quo nunc pede carbasa
    tendi /nostra iubes? 8.185
    solos tibi, Magne, reliquit /Parthorum
    fortuna pedes? 8.335

PES

    nunc forsitan ipsa est / sub pedibus iam
    Roma meis. 9.878
    conplector regina pedes. 10.89

PESSIMUS. tibi, pessime mundi / arbiter,
    inmittam ruptis Titana cauernis, 6.742

PESSUM. sidentia pessum /corpora caesa tenent
    3.674
    quam celsa cacumina pessum /tellus uicta
    dedit! 5.616

PESTIFER,-A,-UM. aera pestiferum tractu
    morbosque fluentis /... /hi possunt
    explere uiri, ... 7.412
    dracones,/letiferos (pestiferos) ardens
    facit Africa: var.9.729

PESTIS. quod cladis genus, o superi, qua
    peste paratis /saeuitiam? . . . 1.649
    nec feruida pestis /cedit adhuc, 4.370
    tunc inrita pestis /exprimitur faucesque
    fluunt pereunte ueneno. 4.728
    traxit iners caelum fluuidae contagia
    pestis /obscuram in nubem. . . . 6.89
    igneaque in uoltus ... / pestis abit,
    6.97
    quo postquam uiles et habentis nomina
    pestis /contulit, infando saturatas
    carmine frondis /... addidit . . 6.681
    noxia serpentum est admixto sanguine
    pestis; 9.614
    cur Libycus tantis exundet pestibus aer
    /fertilis in mortes, ... 9.619
    hoc primum natura nocens in corpore
    saeuas /eduxit pestes; 9.630
    sibilaque effundens cunctas terrentia
    pestes,/... basiliscus 9.724
    has inter pestes duro Cato milite siccum
    /emetitur iter, ... 9.734
    ebibit umorem circum uitalia fusum /
    pestis 9.744
    quidquid homo est, aperit pestis natura
    profana: 9.779
    Cinyphias inter pestes tibi palma nocendi
    est: 9.787
    sed maiora parant Libycae spectacula
    pestes. 9.805
    calidoque uapore /adliciunt gelidas
    nocturno frigore pestes, ... 9.844
    at, siquis peste diurna / fata trahit,
    tunc sunt magicae miracula gentis 9.922
    quae cohibet uirus retinetque in
    uolnere pestem; 9.926
    saepe quidem pestis nigris inserta
    medullis /excantata fugit; . . . 9.930

PETITOR. dedidicit iam pace ducem, famaeque
    petitor 1.131

PETO,-ERE. cum statione peracta /astra petes
    serus, ... 1.46
    ignea pontum / astra petent, . . 1.76
    credite nec longe fatorum exempla petantur:
    1.94
    inpellens quidquid sibi summa petenti /
    obstaret 1.149
    uile nefas, magnumque decus ferroque
    petendum /plus patria potuisse sua, 1.174
    hos iam mota ducis uicinaque signa
    petentes / audax uenali comitatur Curio
    lingua, ... 1.268
    [par labor atque metus pretio maiore
    petuntur.] 1.282
    euocat et Romam motis petit undique
    signis. 1.395
    Ditisque profundi / pallida regna petunt:

PETO

    1.456
    petitis Romam Rhenique feroces /... ripas
    1.464
    tum, quae tuta petant et quae metuenda
    relinquant 1.490
    nec non bella uiri diuersaque castra
    petentes /effundunt iustas in numina
    saeua querellas. 2.43
    non pacem petimus, superi: . . . 2.47
    castra petunt magna uicti mercede: 2.255
    me barbara telis /Rheni turba petat,
    2.310
    dexteriora petens montis decliuia Thybrim
    / unda facit Rutubamque cauum. . 2.421
    saxorumque orbes et quae super eminus
    hostem /tela petant altis murorum
    turribus aptant. 2.452
    scit Caesar poenamque peti ueniamque
    timeri. 2.511
    secum 'Romamne petes pacisque recessus /
    degener? 2.522
    supplicium poenamque petat. . . 2.539
    nec matura petunt promissae classica
    pugnae. 2.597
    pulsus ut armentis primo certamine
    taurus /siluarum secreta petit . 2.602
    seu laeua petatur /Illyris Ionias
    uergens Epidamnos in undas. . . 2.623
    ora petunt pelagusque dolent contingere
    classi. 2.707
    ut, Pagasaea ratis peteret cum Phasidos
    undas, ... 2.715
    posito remis petierunt litora malo. 3.45
    pacis habentia uoltum /tecta petit patriae.
    3.73
    si regnum, si templa sibi iugulumque
    senatus /exiliumque petat. . . . 3.111
    tresque petunt ueram credi Salamina
    carinae. 3.183
    Iliacae quoque signa manus perituraque
    castra /ominibus petiere suis, . 3.212
    ignoto siquos petis orbe triumphos,
    3.310
    dabitis poenas pro pace petita, 3.370
    molemque profundo /inuehit et summis
    longe petit aequora remis. . . . 3.537
    glande petens solido fregit caua
    tempora plumbo. 3.711
    tacito tantum petit oscula uoltu 3.739
    ima petit quidquid pendebat aquarum.
    4.127
    dum multa negant, quod solum fata
    petebant, ... 4.203
    ducibus quoque uita petita (petenda) est?
    var.4.219
    ducibus quoque uita petita est? 4.219
    pacisque petendae /actor damatis supplex
    Afranius armis / semianimes in castra
    trahens hostilia turmas /uictoris stetit
    ante pedes. 4.337
    nec magna petuntur: 4.356
    hoc petimus, uictos ne tecum uincere
    cogas.' 4.362
    discite quam paruo liceat producere uitam
    /et quantum natura petat. . . . 4.378
    nec mora, conplentur moles, auideque
    petitis /insula deseritur ratibus, 4.445
    inde petit tumulos exesasque undique
    rupes, ... 4.589
    non timidi petiere fugam, non proelia
    fortes, ... 4.749

PETO

iam turba soluto /arma petit coetu;
5.65

Hesperio tantum quantum summotus Eoo /
cardine Parnasos gemino petit aethera
colle, ... 5.72
uocemque petentia fata /luctantur; 5.180
seu,praemia miles / dum maiora petit,
damnat causamque ducemque . . . 5.247
uult omnia certe / a se saeua peti, uult
praemia Martis amari; 5.308
ipse petit trepidam tutus sine milite
Romam 5.381
'quisnam mea naufragus'inquit / 'tecta
petit, ... 5.522
Italiam si caelo auctore recusas / me
pete. 5.580
'quantusne euertere' dixit / 'me superis
labor est, parua quem puppe sedentem /
tam magno petiere mari! 5.656
pudet,heu! tibi causa petendae haec fuit,
Hesperiae, ... 5.690
pectus et auersi petit oscula grata
mariti, ... 5.736
funestam mundo uotis petit omnibus horam
6.6

non obscura petit latebrosae tempora
noctis, ... 6.120
iam mundi iura patebant (petebant):
var.6.139
peterem felicior umbras /Caesaris in
uoltu: 6.158
iam longinqua petit puluis sonitusque
ruinae, ... 6.162
illum tota premit (petit) moles, illum
omnia tela, ... var.6.189
hinc uicina petens placido castella
profundo / incursu gemini Martis rapit,
6.268
Caesar et Emathias lacero petit agmine
terras. 6.315
patrias sedes atque hoste carentem /
Ausoniam peteret. 6.319
quos petat e nobis, Mortem mihi coge
fateri. 6.601
certus discedat, ab umbris /quisquis uera
petit 6.772
cum mixto murmure turba /castrorum
fremuit ... / signa petit pugnae. 7.47
belli pars magna peracta est /... / si
modo uirtutis stimulis iraeque calore /
signa petunt. 7.104
nam,Thessala rura /cum peterent, 7.153
oblatumque uidet uotis sibi mille petitum
/tempus, ... 7.238
si pro me patriam ferro flammisque
petistis, /nunc pugnate truces 7.261
nec sanguine multo /spem mundi petitis:
7.270

si totidem Magni soceros totidemque
petentis /urbis regna suae funesto in
Marte locasses, ... 7.334
quisquis patriam carosque penates,/...
quaerit,/ ense petat: 7.348
scilicet ipse petet Pholoen, petet
ignibus Oeten . . . . 7.449(bis)
Romanus cunctis petitur cruor; 7.511
sed petitur solus qui campis inminet aer;
7.516
scit ... / unde petat Romam, 7.580
tot telis sua fata peti, tot corpora fusa
/... uidit. 7.652

PEUCEDANON

quae fossa, quis agger /sustineat pretium
belli scelerumque petentis? 7.750
petimus non singula busta /discretosque
rogos: 7.803
Haemoniae deserta petens dispendia siluae
/cornipedem ... /Magnus agens incerta
fugae uestigia turbat 8.2
multi, Pharsalica castra / cum peterent
nondum fama prodente ruinas, /occursu
stupuere ducis 8.15
quam uix, si castra mariti /uictoris
peteret, siccis dimittere matres / iam
poterant oculis: 8.154
si uos, o Parthi, peterem cum Caspia
claustra /... /passus Achaemeniis late
decurrere campis 8.222
non solum auxilium funesto ab rege
petisse /... pudebit. 8.418
si regna times proiecta sub Austro /
infidumque Iubam, petimus Pharon aruaque
Lagi. 8.443
Magnus et auxilio remorum infanda petebat
/litora; 8.561
te fata extrema petente / uita digna fui?
8.652
hac illum summo de culmine rerum /morte
petit 8.703
'non pretiosa petit cumulato ture
sepulchra /Pompeius, ... 8.729
nondum Pompei cineres, o Roma, petisti;
8.836

Arabum portus mercis mutator Eoae,/
Magne, petet, ... 8.855
Corcyrae secreta petit 9.32
inde Cythera petit, ... 9.37
tu pete bellorum casus 9.84
signa petamus /Romanus quae consul habet.'
9.250
inde peti placuit Libyci contermina
Mauris /regna Iubae 9.300
umbras nemorum quicumque petentem /
aestuet, ... 9.399
extremoque epulas mensasque petimus ab
orbe. 9.430
cornigerique Iouis monitu noua fata
petebant; 9.545
inde petuntur /huc Libycae mortes 9.706
solacia fati /haec petimus: . . . 9.879
extractamque potens (petens) gelido de
corpore mortem /expuit; var.9.935
Sigeasque petit famae mirator harenas
9.961

huncine tu, Caesar, scelerato Marte
petisti /qui tibi flendus erat? 9.1047
Romana petit inbelli signa Canopo 10.64
nil ipsa paterni /iuris inire peto: 10.97
PETRA. terra (petra) potens primos sentit
percussa tumultus /et scopuli, var.10.324
PETRA. quemque uocat collem Taulantius incola
Petram /insedit castris 6.16
ipse quoque a tuta deducens agmina Petra
/... spargit 6.70
PETREIUS,-A,-UM. iure pari rector castris
Afranius illis / ac Petreius erat; 4.5
postquam omnia fatis /Caesaris ire uidet,
celsam Petreius Ilerdam /deserit 4.144
nam postquam foedera pacis /cognita
Petreio, ... 4.206
PEUCE. sparsamque profundo /multifidi Peucen
unum caput adluit Histri, ... 3.202
PEUCEDANON. Thessala centaurea /peucedanonque

385

PEUCEDANON

  sonant flammis Erycinaque thapsos, 9.919

PHAEAX. Graia ad moenia perflet,/ ne
  Pompeiani Phaeacum e litore toto/...
  conprendant carbasa   5.420

PHAETHON. succendit Phaethon flagrantibus
  aethera loris, ... 2.413

PHARETRA. ad Eoas hic uertat signa pharetras;
             2.55
  iam dilecta Ioui centenis uenit in arma /
  Creta uetus populis Cnosusque agitare
  pharetras 3.185
  Trachin pretioque nefandae /lampados
  Herculeis fortis Meliboea pharetris /
  atque olim Larisa potens; . . . 6.354
  cura fuit lectis pharetras inplere
  sagittis, ... 7.142
  'si foedera nobis /prisca manent ... /per
  uestros astricta magos, inplete pharetras
            8.220
  audentque in bella uenire /experti
  Scythicas Crasso pereunte pharetras. 8.302
  nam Medos proelia prima /exarmant uacuaque
  iubent remeare pharetra. 8.387

PHARIUS,-A,-UM. Pharios hinc concute reges
            2.636
  Phariae busto damnantur harenae: 2.733
  fertilis Euphrates Phariae uice fungitur
  undae; 3.260
  Phario nec tantum est aequore gestum,
            4.257
  aspidas ut Pharias cauda sollertior hostis
  /ludit 4.724
  non ... Nilus /nobilius Phario gestasset
  rege cadauer, ... 6.308
  et ceu Munda nocens Pharioque a gurgite
  clades, /sic et Thessalicae post te pars
  maxima pugnae /... /libertas et Caesar,
  erit; 7.692
  quidquid sub Phario positus patiere
  tyranno, /crede deis, ... 7.704
  ullusne in cladibus istis /est locus
  Aegypto Phariusque admittitur ensis? 8.546
  Phario satis esse tyranno /quod poterat,
  Romanus erat: 8.555
  uenturum tota Pharium cum classe tyrannum.
            8.574
  transire parantem /Romanus Pharia miles de
  puppe salutat 8.596
  Phariamque ablatus in alnum /perdiderat
  iam iura sui. 8.611
  aeuumque sequens speculatur ab omni /
  orbe ratem Phariamque fidem: . . . 8.624
  uindicat hoc Pharius, dextra gestare,
  satelles. 8.675
  Pharioque ueruto, /dum uiuunt uoltus ...
  /... suffixum caput est, ... 8.681
  ante tamen Pharias uictor quam tangat
  harenas /Pompeio raptim tumulum fortuna
  parauit, ... 8.712
  at non in Pharia manes iacuere fauilla
            9.1
  Cornelia nautas /priuignique fugam tenuit,
  ne forte repulsus /litoribus Phariis
  remearet in aequora truncus, . . . 9.53
  ignis adhuc aliquid Phario de litore
  surgens /ostendit mihi, Magne, tui. 9.74
  nec credens Pharium tantum potuisse
  tyrannum /litore Niliaco socerum iam
  stare putaui. 9.134
  nam corpus Phariaene canes auidaeque
  uolucres /distulerint, an furtiuus,...

  ignis /soluerit, ignoro. 9.141
  o felix,... / et cui quaerendos Pharium
  scelus obtulit enses. 9.209
  septima nox ... / ostendit Phariis
  Aegyptia litora flammis. 9.1005
  colla gerit Magni Phario uelamine tecta
            9.1012
  quod si Phario germana tyranno / non
  inuisa foret, potuissem reddere regi /
  quod meruit, ... 9.1068
  dum uitam Phario mauolt debere clienti,
  /laeta dies rapta est populis, 9.1096
  Cleopatra ... /... Caesare captiuo
  Pharios ductura triumphos; . . . 10.65
  'siqua est, o maxime Caesar,/nobilitas,
  Pharii proles clarissima Lagi, . 10.86
  pars ignea cocco,/ ut mos est Phariis
  miscendi licia telis. 10.126
  et causas Martis Phariis cum gentibus
  optat. 10.171
  non neclecte deis, Phariae primordia
  gentis /... edissere 10.177
  fama quidem generi Pharias me duxit
  ad urbes, ... 10.184
  quae tibi noscendi Nilum,... cupido est,/
  et Phariis Persisque fuit Macetumque
  tyrannis, ... 10.269
  Pharios currus regum ceruicibus egit;
            10.277
  in scelus it Pharium Romani poena
  tyranni, ... 10.343
  tanta obliuio mentis /cepit ... /ut ...
  irent / quos erat indignum Phario parere
  tyranno. 10.406

PHARNACES. nec Pharnacis arma relinquas /
  admoneo 2.637
  non Pontus et inpia signa /Pharnacis et
  gelido circumfluus orbis Hibero /tantum
  ausus scelerum, ... 10.476

PHAROS. illa quoque perge sinistra /trans
  Pharon, ... 8.184
  uos pendite regna /uiribus atque fide,
  Libyam Parthosque Pharonque, . . . 8.277
  si regna times proiecta sub Austro /
  infidumque Iubam, petimus Pharon aruaque
  Lagi. 8.443
  Nilumque Pharonque, /si regnare piget,
  damnatae redde sorori. 8.499
  quid sepositam semperque quietam /
  crimine bellorum maculas Pharon, 8.514
  Magnoque patere /fingens regna Phari
  celsae de puppe carinae / in paruam iubet
  ire ratem, ... 8.564
  accipe regna Phari nullo quaesita cruore,
            9.1022
  famae cura uetat, ne non damnasse cruentam
  /sed uidear timuisse Pharon. . . . 9.1081
  se ... Cleopatra ... / corrupto custode
  Phari laxare catenas / intulit Emathiis
  ... tectis, ... 10.57
  tempora Niliaco turpis dependit amori /
  dum donare Pharon, dum non sibi uincere
  mauolt. 10.81
  nullo discrimine sexus / reginam scit
  ferre Pharos. 10.92
  nec prodita tantum est / sed donata
  Pharos. 10.356
  nunc claustrum pelagi cepit Pharon. 10.509

PHARSALIA. diros Pharsalia campos /impleat
            1.38
  uincendum pariter Pharsalia praestitit

PHARSALIA

orbem. 3.297
ante iaces quam dira duces Pharsalia
confert, ... 4.803
exire e mediis potuit Pharsalia fatis.
6.313
in Pompeianis uotum est Pharsalia castris.
7.61
multis ... uisus ... / edere nocturnas
belli Pharsalia uoces, ... 7.175
spectari toto potuit Pharsalia mundo. 7.204
Pharsalia tanti / causa mali. 7.407
utinam, Pharsalia, campis /sufficiat
cruor iste tuis, ... 7.535
non istas habuit pugnae Pharsalia partes
/quas aliae clades: 7.632
quascumque tuas Pharsalia fecit / a
uictis rapiuntur opes.' . . . 7.745
hunc omnes gladii, quos aut Pharsalia
uidit /... /illa nocte premunt, . . 7.781
sparsit potius Pharsalia nostras / quam
subuertit opes. 8.273
nam quis erit finis si nec Pharsalia
pugnae / nec Pompeius erit? . . . 9.232

PHARSALIA(Carmen Lucani). Pharsalia nostra /
uiuet, ... 9.985

PHARSALICUS,-A,-UM. nam quo melius Pharsalicus
annus /consule notus erit? 5.391
conspexere procul praerupta in caute
sedentem,/ qua iuga deuexus Pharsalica
porrigit Haemus. 6.576
postquam clara dies Pharsalica damna
retexit, ... 7.787
sed tibi tabentes populi Pharsalica rura
/eripiunt 7.823
multi, Pharsalica castra / cum peterent
... / occursu stupuere ducis . . . 8.14
cur sola cadenti / haec placuit tellus,
in quam Pharsalica fata /conferres
poenasque tuas? 8.516

PHARSALOS. Emathis aequorei regnum Pharsalos
Achillis /eminet 6.350

PHASELIS. nec se committere muris / ausus
adhuc ullis te primum, parua Phaseli,/
Magnus adit; 8.251

PHASELUS. haud procul inde domus,... /... /
et latus inuersa nudum munita phaselo.
5.518

PHASIS. hinc me uictorem gelidas ad Phasidos
undas /Arctos habet, ... 2.585
ut, Pagasaea ratis peteret cum Phasidos
undas, ... 2.715
Colchorum qua rura secat ditissima Phasis,
3.271
Phasidos et campis insomni dente creati
/terrigenae 4.552

PHEMONOE. Phemonoen errore uagam curisque
uacantem /corripuit 5.126
sic plena laborat /Phemonoe Phoebo, 5.187

PHILAE. dirimunt Arabum populis Aegyptia
rura /regni claustra Philae. . . . 10.313

PHILIPPI (oppidum Macedoniae). uideo Pangaea
niuosis /cana iugis latosque Haemi sub
rupe Philippos. 1.680
telluremque nouam: uidi iam, Phoebe,
Philippos.' 1.694
dirisque uenefica sucis /conspersos uetuit
transmittere bella Philippos, . . 6.582
nec tibi fatales admoueris ante Philippos,
7.591
et Mutina et Leucas puros fecere Philippos.
7.872

---

credet ab Emathiis primos fugisse
Philippis. 9.271

PHILIPPUS(secundus). illic Pellaei proles
uaesana Philippi, /felix praedo, iacet,
10.20

PHILIPPUS(quintus). quem dederat Perses, quem
uicti praeda Philippi, . . . 3.158

PHLEGRA. non aliter Phlegra rabidos tollente
gigantas /Martius incaluit Siculis
incudibus ensis 7.145

PHLEGRAEUS,-A,-UM. quod non Phlegraeis
Antaeum sustulit aruis. 4.597
caeloque timente /olim Phlegraeo stantis
serpente gigantas /erexit montes, 9.656

PHOCAICUS,-A,-UM. Phocaicas Amphissa manus
scopulosaque Cirrha /Parnasosque iugo
misit desertus utroque. . . . 3.172
Phocaicis medias rostris oppone carinas.'
3.561
Phocaicis Romana ratis uallata carinis
/robore diducto dextrum laeuumque
tuetur /aequo Marte latus; 3.583
non ille iuuentae /tempore Phocaicis ulli
cessurus in armis: 3.728
crinesque in terga solutos /candida
Phocaica conplectitur infula lauro.
5.144

PHOCAIS. Phocais in dubiis ausa est seruare
iuuentus / non Graia leuitate fidem
signataque iura, ... 3.301

PHOCEUS,-A,-UM. eximius Phoceus animam seruare
sub undis 3.697

PHOCIS(=Phocaea). et post translatas exustae
Phocidos arces 3.340
Massiliaeque suae donatur libera Phocis;
5.53

PHOCIS(adj.). neque enim tibi maior in aruis/
Emathiis fortuna fuit nec Phocidos undis
/Massiliae, ... 4.256

PHOEBAS. limine terrifico metuens consistere
Phoebas 5.128
Phoebados inrupit Paean mentemque priorem
/expulit 5.167

PHOEBE(=Luna). fratri contraria Phoebe /ibit
1.77
cornuque coacto /iam Phoebe toto fratrem
cum redderet orbe 1.538
Phoebeque serena /non aliter diris
uerborum obsessa uenenis /palluit 6.500
illo cultore deorum / lustra suae Phoebes
non unus uixerat Apis) 8.479
bis positis Phoebe flammis, bis luce
recepta /uidit hareniuagum ... Catonem.
9.940

PHOEBEIUS,-A,-UM. pelagique potens Phoebeia
donis /exornata Rhodos 5.50

PHOEBEUS,-A,-UM. hunc habuisse pares Phoebeis
ignibus undas. 2.415
Phoebea Palatia conplet / turba patrum
nullo cogendi iure senatus 3.103
exiguae Phoebea tenent naualia puppes
3.182
uittasque dei Phoebeaque serta /erectis
discussa comis 5.170
uiolentior aer /puppibus incubuit
Phoebeo concitus ortu, ... 5.718
sic fatus in ortus /Phoebeos condixit iter,
6.330
Persea Phoebeos conuerti iussit ad ortus
9.667
magnaque Phoebei quaerit uestigia muri.

PHOEBEUS

                          9.965
    uixitque Pothini /munere Phoebeos Caesar
    dilatus in ortus. 10.433

PHOEBUS. seu te flammigeros Phoebi conscendere
    currus /... iuuet, ... 1.48
    si saeuum radiis Nemeaeum, Phoebe, Leonem
    /nunc premeres, ... 1.655
    uocibus his prodens urguentem pectora
    Phoebum: 1.677
    quis furor hic, o Phoebe, doce, quo tela
    manusque / Romanae miscent acies bellumque
    sine hoste est. 1.681
    telluremque nouam: uidi iam, Phoebe,
    Philippos.' 1.694
    interea Phoebo gelidas pellente tenebras
                         2.326
    iamque secuturo iussurus classica Phoebo
                         2.528
    iam coeperat ultima Virgo /Phoebum laturas
    ortu praecedere Chelas, ... 2.692
    iam Phoebum urguere monebat . . . 2.719
    lugent damnatae Phoebo uictore Celaenae,
                         3.206
    ostia nascenti contraria soluere Phoebo
    /audet 3.231
    medio cum Phoebus in axe est . . . 3.423
    ut matutinos spargens super aequora
    Phoebus /fregit aquis radios . . . 3.521
    seu Phoebum uideat seu cornua lunae, 3.595
    nec Phoebum surgere sentit / nox
    subtexta polo: 4.103
    par Phoebus aquis densas in uellera nubes
    /sparserat, ... 4.124
    substituit merso dum nox sua lumina
    Phoebo. 4.282
    Delphica fatidici reserat penetralia
    Phoebi. 5.70
    mons Phoebo Bromioque sacer, cui numine
    mixto /Delphica Thebanae referunt
    trieterica Bacchae. 5.73
    et Phoebi tenuere uiam, ... 5.136
    haud aeque laesura ducem cui falsa canebat
    /quam tripodas Phoebique fidem. . 5.152
    securumque nemus ueritam se credere Phoebo
    /prodiderant. 5.156
    iratum te, Phoebe, ferens. . . . 5.174
    sic plena laborat /Phemonoe Phoebo, 5.187
    fugit et ad Phoebi tripodas rediere futura,
                         5.223
    sidera prima poli Phoebo labente sub
    undas /exierant 5.424
    altera Phoebi, /altera pars Borean diducta
    luce uocabat. 5.542
    cum per summa poli Phoebum trahit altior
    aetas, ... 6.335
    flumine puro /inrigat Amphrysos famulantis
    pascua Phoebi. 6.368
    calido praeducunt nubila Phoebo, . 6.466
    nullo uertice caelum /suspiciens Phoebo
    non peruia taxus opacat. 6.645
    ut aduerso Phoebi radiatus ab ictu /
    descendens totos perfudit lumine colles,
                         7.214
    Phoebi surgentis ab igne / iam propior
    quam Persis eram: 8.228
    nec Phoebus adhuc nec carbasa languent.
                         8.471
    nunc pontus adhuc Phoebo siccante
    repugnat, ... 9.315
    hic quoque nil obstat Phoebo, cum cardine
    summo / stat librata dies; . . . 9.528

PICEUS

    itque super Libyen, quae nullo consita
    cultu /sideribus Phoeboque uacat: 9.691
    qui Phoebo cessere, iacent: . . . 9.906
    Nilus ... nec ripis alligat amnem / ante
    parem nocti Libra sub iudice Phoebum.
                         10.227
    nec campos liberat undis /donec in
    autumnum declinet Phoebus 10.236
    unda /frigore ab Arctoo ... reuocata ... /
    cum Phoebus pressit Meroen 10.251
    nec non Oceano pasci Phoebumque polosque
    /credimus: 10.258
    inde plagas Phoebi damnum non passus
    aquarum /praeueheris 10.307

PHOENICES. (Phoenices primi, famae si
    creditur, ausi 3.220

PHOENIX. accipit Asopos cursus Phoenixque
    Melasque 6.374

PHOENIX. defuit ... / non ... / aut cinis
    Eoa positi phoenicis in ara. . . . 6.680

PHOLOE. tum linquitur Haemus /Thracius et
    populum Pholoe mentita biformem. 3.198
    Centauros /feta... nubes effudit ... /
    aspera te Pholoes frangentem, Monyche,
    saxa, ... 6.388
    scilicet ipse petet Pholoen, petet
    ignibus Oeten 7.449
    tabemque cruentae / caedis odorati
    Pholoen liquere leones. 7.827

PHOLUS. hospes et Alcidae magni Phole, 6.391

PHORCYNIS. squalebant late Phorcynidos
    arua Medusae, ... 9.626

PHORCYS. hoc monstrum timuit genitor
    numenque secundum / Phorcys aquis
    Cetoque parens ipsaeque sorores /Gorgones;
                         9.646

PHRIXEUS,-A,-UM. tot potuere manus ... /
    ingestoque solo Phrixeum elidere pontum,
                         6.56

PHRYGIUS,-A,-UM. 'o magnae qui moenia
    prospicis urbis /Tarpeia de rupe Tonans
    Phrygiique penates / gentis Iuleae 1.196
    nec fabula Troiae / continuit Phrygiique
    ferens se Caesar Iuli. 3.213
    portusque quietos / testatur Libye Phrygio
    placuisse magistro), ... 9.44
    Phrygii sonus increpat aeris, . . 9.288
    'di cinerum, Phrygias colitis quicumque
    ruinas, /... gentis Iuleae uestris
    clarissimus aris / dat pia tura nepos
                         9.990
    Aeneaeque mei,... /... quorum lucet in
    aris / ignis adhuc Phrygius, . . .9.993

PHRYX. Phryx incola manes /Hectoreos calcare
    uetat. 9.976
    grata uice moenia reddent /Ausonidae
    Phrygibus, ... 9.999

PHYCUNS. ac saeuas meritum Phycunta rapinas
    /sparsit, ... 9.40

PHYLACE. prima Rhoeteia litora pinu /quae
    tetigit, Phylace Pteleosque . . . 6.352

PIACULUM. cum uictima tristis /inferias
    Marius forsan nolentibus umbris /pendit
    inexpleto non fanda piacula busto, 2.176
    sic eat: inmites Romana piacula diui /
    plena ferant, ... 2.304
    ferat ista cruentus / Hannibal et Poeni
    tam dira piacula manes. 4.790
    sumpturus poenas et grata piacula morti
                         10.462

PICEUS,-A,-UM. tum piceos uoluunt inmissae

PICEUS

lampades ignes, ... 6.135
piceo iubet unguine tinctas / lampadas
inmitti iunctis in uela carinis;   10.491

PIERIDES. et Dorion ira / flebile Pieridum;
6.353

PIETAS. pietas patriique penates /quamquam
caede feras mentes animosque tumentes /
frangunt; 1.353
talis pietas peritura querellas /egerit.
2.63
non tamen auderet pietas humana uel armis
/uel uotis prodesse Ioui, ... 3.317
exhibuit monimenta fides seruataque ferro
/militiae pietas, transisset nostra
iuuentus. 4.499
pietas ferientibus una /non repetisse
fuit. 4.565
sic eat, o superi: quando pietasque
fidesque /destituunt 5.297
non ira saltem, iuuenes, pietate remota
/stabitis? 6.155
ignota tantum pietate merentur, 6.495
haec dirae crimina gentis /effera
damnarat nimiae pietatis Erictho   6.508
sed, dum tela micant, non uos pietatis
imago /ulla nec ... conspecti ... parentes
/commoueant; 7.320
gelidusque in uiscera sanguis /percussa
pietate coit, ... 7.468
et tua cum fatis pietas decertet, 8.77
tali pietate uirorum / laetus in aduersis
.../... nullum ... dixit ... / gratius
esse solum ... uobis /ostendi: 8.127
si regia Magno / sceptrorum auctori uera
pietate pateret, /uenturum tota Pharium
cum classe tyrannum. 8.573
uictum pietate timorem /conpulit ut ...
quaesitum corpus ... / duceret ad terram
8.718
cogit pietas inponere finem /officio 8.785
iustaque furens pietate profatur /
'praecipitate rates e sicco litore, nautae;
9.147
accipit omnis /exemplum pietas, 9.180
quisquis te flere coegit /impetus, a uera
longe pietate recessit. 9.1056
sit pietas aliis miracula tanta silere;
10.196
hauserit obscaenum titulo pietatis
amorem, ... 10.363
nulla fides pietasque uiris qui castra
secuntur, ... 10.407

PIGER,-GRA,-GRUM. relinquas /admoneo ...
Riphaeasque manus et quas tenet aequore
denso / pigra palus Scythici patiens
Maeotia plaustri 2.641
pigro bruma gelu siccisque Aquilonibus
haerens / aethere constricto pluuias in
nube tenebat. 4.50
pigras, ubicumque iacent,effunde paludes
4.119
Alcides medio tenuit iam pectora pigro /
stricta gelu 4.652
quae piger Apulus arua / deseruit rastris
... /... transcurrit, ... 5.403
alto torpore ligatae / pigrius inmotis
haesere paludibus undae. 5.435
hostis / aere non pigro nec inertibus
angitur undis, ... 6.107
nec ... / intra claustra piger dilato
Marte quieuit, ... 6.264

PILUM

corpus Alexandri pigra Mareotide mergam?
9.154
rursus multifidas reuocat piger alueus
undas, ... 10.311
nec piger ignis erat per stuppea uincula
10.493

PIGET,-ERE. non senis extremum piguit
uergentibus annis /praecepisse diem,
2.105
piguit sceleris; 4.26
hos ante pigebit / sanguinis? . 5.311
Corycias classes et Pontica signa /
deiectum meminisse piget. 8.27
ne pigeat Magno quaerentem fata remotas
/Medorum penetrare domos 8.215
regem parere iubenti / ardua non piguit,
8.239
Nilumque Pharonque / si regnare piget,
damnatae redde sorori. 8.500
castrorum bellique piget post funera
Magni; 9.218

PIGNUS. nam pignora iuncti / sanguinis et
diro ferales omine taedas /abstulit ...
Iulia 1.111
pignora nulla domus, nulli coiere
propinqui: 2.370
abscidis frustra ferro tua pignora: 3.33
sed non maiora supersunt / obsessis tanti
quae pignora demus amoris. . . . 4.502
dilectus tibi, Magne, socer post pignora
tanta,/... te ... propius non uidit
harena. 5.473
cum turgentia suco / frontis amaturae
subducunt pignora fetae. 6.456
[haec eadem est hodie quae pignora
quaeque penates /reddat 7.257
seu nullum uiolarit uolnere pignus, /
ignoti iugulum tamquam scelus inputet
hostis. 7.324
qui subolem ac thalamos desertaque pignora
quaerit, / ense petat: 7.347
siquis post pignora tanta /Pompeio locus
est,... /... / uoluerer ante pedes.
7.376
coniunx / est mihi, sunt nati; dedimus
tot pignora fatis: 7.662
maxima gloria nobis / semper erit tanti
pignus seruasse mariti, ... 8.111
'nullum ... mihi'... / gratius esse
solum non paruo pignore uobis /ostendi:
8.130
comitem pignusque recepi / depositum:
8.190
iacuere sorores / in regum thalamis
sacrataque pignora matres. . . . 8.405
sacraque defuncti iactauit pignora patris.
8.481
neu nos sceptris priuauerit hospes /
pignora sunt propiora tibi: . . . 8.499
sic pignora gentis /Psyllus habet, siquis
tactos non horruit angues, . . . 9.906
nullique aspecta uirorum /Pallas, in
abstruso pignus memorabile templo, 9.994
tanto te pignore, Caesar, /emimus; 9.1020
fertur securus in urbem /pignore tam
saeui sceleris sua signa secutam. 10.10

PILUM. signa, pares aquilas et pila minantia
pilis. 1.7
inuadunt clipeos curuataque cuspide pila
1.242
et dum pila ualent fortes torquere

PILUM (cont.)

lacerti, ... 1.364
colla ducum pilo trepidam gestata per
urbem 2.160
nec pila lacertis /missa tuis caeca
telorum in nube ferentur: 2.261
ualet,en,torquendo dextera pilo, 2.556
pila sed in medium uenere trementia
pectus 3.598
dum labat et fixo firmat uestigia pilo,
4.41
ereptaque pila liquauit, ... 7.159
quo sua pila cadant aut quam sibi fata
minentur /inde manum, spectant. 7.463
totaeque cohortes / pila parata diu
tensis tenuere lacertis. 7.469
stetit omne coactum / circa pila nefas.
7.519
nec pila timentur /nostra nimis Parthis,
8.300
arma satelles / regia gestabat posito
deformia pilo, ... 8.598
me ... /adfecere ... gestata per urbem /
ora ducis, quae transfixo sublimia pilo
/uidimus: 9.138
scuta uirorum / pilaque contorsit
uiolento spiritus actu 9.472
ipse manu sua pila gerit, ... 9.587
quem flexo dente tenacem /auolsitque manu
piloque adfixit harenis. 9.765
Eoi propius timuere sarisas / quam nunc
pila timent populi. 10.48
PILUS. summi tum munera pili /Laelius 1.356
PINDUS. nam, qualis uertice Pindi /Edonis
Orgygio decurrit plena Lyaeo, 1.674
excipit aduersos Zephyros et Iapyga
Pindus 6.339
multis concurrere uisus Olympo /Pindus
7.174
Pindus agit fremitus Pangaeaque saxa
resultant 7.482
aut, generi si poena iuuat, nemus extrue
Pindi, ... 7.806
PINGO,-ERE. castraque ... /pugnaces pictis
cohibebant Lingonas armis. 1.398
picto uestes discriminat auro, . . 2.357
non robore picto / ornatas decuit fulgens
tutela carinas, ... 3.510
collegit ... /... exuuias pictasque
togas, uelamina summo / ter conspecta
Ioui, ... 9.177
pluribus ille notis uariatam tinguitur
aluum / quam paruis pictus maculis
Thebanus ophites. 9.714
PINGUIS,-E. nam pinguibus ignis / adfixus
taedis et tecto sulpure uiuax /spargitur;
3.681
colle tumet modico lenique excreuit in
altum / pingue solum tumulo; 4.12
si mollius arum /prodidit umorem, pinguis
manus utraque glaebas /exprimit ora super;
4.309
pinguis Bebrycio discessit uomere sulcus;
6.382
petit ... / Pompeius, Fortuna, tuus, non
pinguis ad astra / ut ferat e membris
Eoos fumus odores, ... 8.730
'nunc incumbe toris et pinguis exige
somnos: 10.354
PINIFER,-A,-UM. quantus, piniferae Boreas cum
Thracius Ossae / rupibus incubuit, 1.389
piniferis amplexus rupibus omnis /

indigenas Latii populos, . . . 2.431
PINNA. et monitus errantis in aere pinnae,
1.588
densas tollentia pinnas /caespitibus
crudaque extruxit bracchia terra. 3.386
ardua turris / eminet et tremulis tabulata
minantia pinnis. 4.432
formidine ceruos / claudat odoratae
metuentis aera pinnae 4.438
ausa uolare / ardea sublimis pinnae
confisa natanti, ... 5.554
et turbata perit dispersis littera
pinnis. 5.716
numquam ... /... plures presserunt aera
pinnae. 7.835
Parrhasiae uexerunt Persea pinnae /Arcados
auctoris citharae liquidaeque palaestrae,
9.660
ducitis altum / aera cum pinnis, 9.730
PINUS. excutiens pronam flagranti uertice
pinum 1.573
dum iuga curuantur mali dumque ardua
pinus /erigitur, ... 2.695
commouet et plures quae mergunt aequore
pinus 3.531
sed Grais habiles pugnamque lacessere
pinus 3.553
prima Rhoeteia litora pinu / quae tetigit,
Phylace 6.351
prima fretum scindens Pagasaeo litore
pinus /terrenum ignotas hominem proiecit
in undas. 6.400
scilicet ipse petet ... ignibus ... /
inmeritaeque nemus Rhodopes pinusque
Mimantis, ... 7.450
PIRATA. an melius fient piratae, Magne,
coloni? 1.346
omne fretum metuens pelagi pirata
reliquit 2.578
itque Cilix iusta iam non pirata carina.
3.228
polluit aequoreos Siculus pirata triumphos.
6.422
iam pelago pirata redis.' 9.224
PIRATUS,-A,-UM. et uictis cedat piratica
laurea Gallis, ... 1.122
PISAE. collesque coercent /hinc Tyrrhena uado
frangentes aequora Pisae, 2.401
PISAEUS,-A,-UM. nec Graecia maerens /tot
laceros artus Pisaea fleuit in aula. 2.165
Pisaeaeque manus populisque per aequora
mittens / Sicaniis Alpheos aquas. 3.176
PISCES(sidus). aut Astraea iubet lentos
descendere Pisces. 9.535
PITANE. quique colunt Pitanen, et quae tua
munera, Pallas, ... 3.205
PIUS,-A,-UM. non pia concinuit cum rauco
classica cornu. 1.238
'sedibus Elysiis campoque expulsa piorum
3.12
imus in omne nefas manibus ferroque
nocentes, /paupertate pii. 5.273
quod scelerum, Caesar, prodest tibi
summa tuorum,/ cum genero pugnasse
pio. 6.305
solum te,... / Brute, pias inter gaudentem
uidimus umbras. 6.792
camposque piorum /poscit turba nocens.
6.798
nunc sum tibi gloria maior,/a me quod
fasces et quod pia turba senatus /tantaque

PIUS

discessit regum manus. 8.79
sat magna feram solacia mortis /orbe
iacens alio, nihil haec in membra cruente
/nil socerum fecisse pie. 8.316
exeat aula / qui uolt esse pius. 8.494
'non ... petit ... / Pompeius,... / ut
Romana suum gestent pia colla parentem,
8.732

gentis Iuleae uestris clarissimus aris /
dat pia tura nepos 9.996
uocesque querentis / audiat umbra pias.
9.1095

PIX. faciles praebere alimenta carinae /
nunc pice, nunc liquida rapuere incendia
cera. 3.684

PLACEO,-ERE. bella geri placuit nullos
habitura triumphos? 1.12
scelera ista nefasque / hac mercede
placent. 1.38
uictrix causa deis placuit sed uicta
Catoni. 1.128
haec propter placuit Tuscos de more
uetusto / acciri uates. . . . 1.584
perdere nomen / si placet Hesperium,
superi, conlatus in ignes / plurimus
ad terram per fulmina decidat aether.
2.57

ut scelus hoc Sullae caedesque ostensa
placeret 2.192
an placuit ducibus scelerum populique
furentis / cladibus inmixtum ciuile
absoluere bellum? 2.249
tibi uni / per se bella placent?
2.256

nimium placet ipse Catoni, ... 2.276
si bellum ciuile placet. 2.277
non aliter placitura uiro, sic maesta
profatur: 2.337
foedera sola tamen uanaque carentia pompa
/iura placent sacrisque deos admittere
testes. 2.353
haec placuit belli sedes, ... 2.394
sensit et ipse metum Magnus, placuitque
referri / signa 2.598
nec redit in pastus, nisi cum ceruice
recepta / excussi placuere tori, 2.605
tunc placuit caesis innectere uincula
siluis 2.670
ut tempora tandem / furtiuae placuere
fugae, ... 2.688
foedera si placeant, sit quo ueniatis
inermes. 3.335
tunc res inmenso placuit statura labore,
/aggere diuersos uasto committere colles.
3.381

spes uictis telluris abit, placuitque
profundo / fortunam temptare maris. 3.509
ut primum iustae placuerunt foedera pacis,
4.365

si libertatis superis tam cura placeret
4.808

si libertatis superis tam cura placeret /
quam uindicta placet. 4.809
non pudet, heu, Caesar, soli tibi bella
placere 5.310
hic fuge, si belli finis placet, ense
relicto. 5.321
cunctisque relictis / sola placet Fortuna
comes. 5.510
nec placet incertus qui prouocat aequora
delphin, ... 5.552

hinc usus placuere deum, 5.698
placet alea fati / alterutrum mersura
caput. 6.7
hoc placet, o superi, cum uobis uertere
cuncta / propositum, nostris erroribus
addere crimen? 7.58
'si placet hoc' inquit 'cunctis,... / . . .
nil ultra fata morabor: 7.87
placet haec tam prospera rerum / tradere
fortunae, ... 7.107
uidit ut ... / Pompeius ... / sed superis
placuisse diem, stat corde gelato /
attonitus; 7.339
Romanaque uirtus / erigitur, placuitque
mori, si uera timeret. 7.384
cur sola cadenti / haec placuit tellus,
8.516

Pompei nunc castra placent, quae deserit
orbis? 8.532
an tantum in fluctus placeo comes?' 8.589
hac facie, Fortuna, tibi, Romana,
placebas. 8.686
placet hoc, Fortuna, sepulchrum /dicere
Pompei, ... 8.793
portusque quietos / testatur Libye
Phrygio placuisse magistro), . . . 9.44
inde peti placuit Libyci contermina
Mauris / regna Iubae, ... 9.300
'o quibus una salus placuit mea castra
secutis / indomita ceruice mori, 9.379
aequoreusque placet, sed non et sufficit,
umor. 9.757
scopuli, placuit fluuii quos dicere
uenas, ... 10.325
Latium sic scindere corpus /dis placitum:
10.417

PLACIDUS,-A,-UM. placidis praelabitur undis /
Hesperios inter Sicoris non ultimus
annis, 4.13
quantum Leucadio placidus de uertice
pontus / despicitur, ... 5.638
hinc uicina petens placido castella
profundo /incursu gemini Martis rapit,
6.268

refer hanc solacia tecum, / o iuuenis,
placido manes patremque domumque /
expectare sinu 6.803
placido natura receptat / cuncta sinu,
7.810

ipse ... Ephesonque relinquens / et
placidi Colophona maris, spumantia paruae
/radit saxa Sami; 8.245
quos inter Acoreus / iam placidus senio
fractisque modestior annis . . . 8.476
et hinc placidis alto delabitur auris /
in litus, Palinure, tuum 9.41
linigerum placidis conpellat Acorea
dictis. 10.175

PLACO,-ARE. quibus inmitis placatur sanguine
diro / Teutates 1.444
quid sanguine manes / placatos Catuli
referam? 2.174
tam diri foederis ictu /parta quies,
poenaque redit placata iuuentus. 5.373
placemus socerum. 5.767
Poenorumque umbras placasset sanguine
fuso / Scipio, ... 6.310
placataque paelice caesa / Magno parce
tuo.' 8.104
in media socerum quoque, Magne, sedentem /
Thessalia placare potes. 8.441

PLACO

siquis placare peremptum / forte uolet ...
/inueniat trunci cineres 8.772
quem non tumuli ... saxum / et cinis ...
/auertet manesque tuos placare iubebit
8.857
et placate caput cineresque in litore
fusos / colligite 9.1092
placemus caede secunda /Hesperias gentes:
10.386

PLAGA. nec quicquam plaga minatur.   9.740
nam plagae proxima circum /fugit rupta
cutis 9.767

PLAGA. at, qua lata iacet, uasti plaga
feruida regni /destinet Oceanum zonaeque
exusta calentis. 4.674
uel plaga qua torrens claususque
uaporibus axis /nec patitur noctes nec
iniquos crescere soles, ... 5.24
extremum Scythici transcendam frigoris
orbem / ardentisque plagas. . . . 6.326
ille quoque incertus ... / quas iubeat
uitare plagas, quae sidera mundi.   6.816
et plaga, quam nullam superi mortalibus
ultra / a medio fecere die, calcatur,
9.605
hinc torrente plaga, dubiis hinc Syrtibus
orbem / abrumpens medio posuisti limite
mortes. 9.861
stellarum caelique plagis superisque
uacaui, ... 10.186
mediis aestatibus exit / sub torrente
plaga, ... 10.232
inde plagas Phoebi damnum non passus
aquarum / praeueheris 10.307

PLANCTUS. nec mater crine soluto / exigit
ad saeuos famularum bracchia planctus,
2.24
quarum una madentis / scissa genas,
planctu liuentis atra lacertos,   2.37
quis in urbe parentum / fletus erat,
quanti matrum per litora planctus! 3.757
exprimit et planctus inlisae cautibus
undae 6.691
uaticinata quies magni tulit omina
planctus, ... 7.22
ast illae puppes luctus planctusque
ferebant 9.49
planctu contusa peribit, ... 9.105
litoribus sonuit percussus planctibus
aether, ... 9.168

PLANGO,-ERE. o miseri,... / qui te non pleno
pariter planxere theatro. 7.44
sic litore toto / plangitur, . . 8.149
in templa ... Romana accepimus ... / et
quem tu plangens hominem testaris Osirim;
8.833
numquam plenas plangemus ad urnas? 9.68
ut uisa est ... /... Cornelia puppe /
egrediens, rursus geminato uerbere
plangunt. 9.173

PLANTA. matrona ... / translata uitat
contingere limina planta; 2.359
posuitque in margine plantas . . 9.353

PLANUS,-A,-UM. tu quoscumque uoles in planum
effundere muros, ... 1.383
non minor hic Nilo, si non per plana
iacentis / Aegypti Libycas Nilus
stagnaret harenas; 2.416
planumque per ardua Caesar / ducit opus;
6.38
conspicit in planos hostem descendere

PLEBS

campos, ... 7.237
Parthus ... / Sarmaticos inter campos
effusaque plano / Tigridis arua solo,
nulli superabilis hosti est . . 8.369

PLATO. si Cecropium sua sacra Platona /maiores
docuere tui, quis dignior umquam /hoc
fuit auditu 10.181

PLAUDO,-ERE. nodis et carcere Ditis /
constrictae plausere manus, . . 6.798
plaudente senatu / sedit adhuc Romanus
eques; 7.18

PLAUSTRUM. relinquas / admoneo ... Riphaeasque
manus et quas tenet aequore denso /
piger palus Scythici patiens Maeotia
plaustri 2.641
utque satis caesi nemoris, quaesita per
agros / plaustra ferunt, ... 3.451

PLASTRUM(sidus). flexi iam plaustra Bootae
/in faciem puri redeunt languentia caeli,
2.722
nam uel Hyperboreae plaustrum glaciale
sub Vrsae 5.23
consulit ... / ...quotus in Plaustro
Libyam bene derigat ignis. . . . 8.170
tu sicca profundo /mergi Plaustra
putas, ... 9.541

PLAUSUS. inpelli plausuque sui gaudere
theatri, ... 1.133
uisus sibi ... / attollique suum laetis
ad sidera nomen /uocibus et plausu
cuneos certare sonantes; 7.12

PLEBEIUS,-A,-UM. latuit plebeio tectus amictu
/omnis honos, ... 2.18
et non plebeios luctus testata cupressus
/tum primum posuere comas . . . 3.442
unde tribunicia plebeius signifer arce
/arma dabas populis? 4.800
quamquam plebeio tectus amictu, /
indocilis priuata loqui. 5.538
sed sorte frequenti /plebeiaque nimis
careo dimissa marito. 5.765
ipse ego ... cupidus ... / plebeiaque toga
modicum conponere ciuem, ... 7.267
illic plebeia contectus casside uoltus
/... quod ferrum, Brute, tenebas! 7.586
da uilem Magno plebei funeris arcam 8.736

PLEBS. hinc leges et plebis scita coactae
1.176
armatos plebi miscere potentes. 1.271
terruerant satis haec pauidam praesagia
plebem, ... 1.673
nobilitas cum plebe perit, lateque uagatus
/ensis, ... 2.101
uolgus alunt: nescit plebes ieiuna timere.
3.58
uos despecta senes exhaustaque sanguine
turba / cernetis nostros iam plebs Romana
triumphos. 5.334
non admissae dirimit suffragia plebis
5.393
iussa plebe tuli fasces per bella
negatos; 5.663
castrorum in plebe merebat / ante feras
Rhodani gentes; 6.144
uisus sibi ... / innumeram effigiem
Romanae cernere plebis 7.10
in plebem uetat ire manus monstratque
senatum: 7.578
iacet aggere magno / patricium campis non
mixta plebe cadauer 7.598
capit inpia plebes /caespite patricio

PLEBS	PLUS

PLEBS

    somnos, ... 7.760

    et solus plebe parata / priuatus seruire
    sibi,... /... erat. 9.193

    omnis /indiga seruitii feruebat litore
    plebes: 9.254

    pars maxima turbae / plebis erat Latiae,
                           10.403

PLEIAS v. PLIAS.

PLENUS,-A,-UM. gladium ... /condere me iubeas
    plenaeque in uiscera partu /coniugis,
                           1.377

    plenus abit uisu: ruit inreuocabile
    uolgus. 1.509

    conpositis plenae gemuerunt ossibus urnae.
                         1.568

    nam, qualis uertice Pindi / Edonis Ogygio
    decurrit plena Lyaeo, ...1.675

    inmites Romana piacula diui / plena
    ferant, nullo fraudemus sanguine bellum.
                         2.305

    saepe Noto plenae tensisque rudentibus
    actae /... rates 2.683

    diri tum plena horroris imago /uisa caput
    maestum per hiantis Iulia terras /tollere
                        3.9

    seu plena futura est / seu iam plena fuit:
                        3.42

    seu plena futura est / seu iam plena fuit:
                        3.43

    multoque cruore / plena per obliquum
    crebros latus accipit ictus . . . 3.628

    sed paruo Fortuna uiri contenta pauore /
    plena redit. 4.122

    cedit adhuc, sed morbus egens iam gurgite
    plenis /uisceribus sibi poscit aquas.
                        4.371

    inter tot milia captae /circumfusa rati
    et plenam uix inde cohortem /pugna fuit,
                        4.471

    illa uidet patres plena quos urbe
    fugauit: 5.33

    tandemque potitus /pectore Cirrhaeo non
    umquam plenior artus /Phoebados inrupit
    Paean 5.166

    sic plena laborat /Phemonoe Phoebo, 5.186

    conscia uotorum es, me, quamuis plenus
    honorum / et dictator eam Stygias et
    consul ad umbras, priuatum, Fortuna, mori.
                        5.666

    aduectos cum plena ferant praesepia culmos,
                        6.85

    tamen hos minuere labores /... /litoraque
    et plenae peregrina messe carinae. 6.105

    primumque cadauera plenis /turribus
    euoluit 6.170

    sic pleno Padus ore tumens super aggere
    tutas / excurrit ripas 6.272

    ut modo defuncti tepidique cadaueris ora
    /plena uoce sonent, ... 6.622

    si pectora plena /saepe deo laui calido
    prosecta cerebro,/... parete precanti.
                        6.708

    o miseri,... / qui te non pleno pariter
    planxere theatro. 7.44

    fossasque inplete ruinas / exeat ut
    plenis acies non sparsa maniplis. 7.327

    moeniaque in praeceps laturos plena
    tremores / hi possunt explere uiri, 7.414

    'uictoria nobis /plena, uiri:' dixit 7.738

    cunctis, en, plena metallis /castra
    patent; 7.740

PLUS

    tunc Mytilenaeum pleno iam litore uolgus
    /adfatur Magnum. 8.109

    an Libycae Marium potuere ruinae /erigere
    in fasces et plenis reddere fastis, 8.270

    sic fatus plenusque sinus ardente
    fauilla / peruolat ad truncum, 8.752

    siquis placare peremptum /forte uolet
    plenos et reddere mortis honores, /
    inueniat trunci cineres 8.773

    ossa ... inustis plena medullis /aequorea
    restinguit aqua 8.787

    obrue saxa / crimine plena deum. 8.800

    surgit miserabile bustum / non ullis
    plenum titulis, ... 8.817

    numquam plenas plangemus ad urnas? 9.68

    pauca Catonis / uerba sed a pleno
    uenientia pectore ueri. 9.189

    uel plenior alto /olim Syrtis erat pelago
                         9.311

    mihi plena ueneno / occurrat serpens,
                         9.396

    ille deo plenus tacita quem mente gerebat
    /effudit dignas ... uoces. . . . 9.564

    plenior huc sanguis et crassi gutta ueneni
    /decidit; 9.702

    omnia plenis /membra fluunt uenis; 9.813

    ibi plena tumultu /litora ... /accipit,
                        9.1007

    plena maris rubri spoliis, colloque
    comisque /diuitias Cleopatra gerit 10.139

    plenum epulis madidumque mero Venerique
    paratum /inuenies: 10.396

PLIAS. et iam Plias hebet, ... 2.722

    ibit et imbrifera siccas sub Pliade
    Thebas /spectator Nili, ... 8.852

PLUMBUM. glande petens solido fregit caua
    tempora plumbo. 3.711

PLUMO,-ARE. pars auro plumata nitet, pars
    ignea cocco, ... 10.125

PLURIMUS v.PLUS.

PLUS. bella per Emathios plus quam ciuilia
    campos / iusque datum sceleri canimus,
                         1.1

    plus illa uobis acie, quam creditis,
    actum est, ... 1.107

    plus patria potuisse sua, mensuraque iuris
    /uis erat: 1.175

    plurima securi fudistis carmina, Bardi.
                        1.449

    plurimus asperso uariabat sanguine
    liuor. 1.620

    plurimus ad terram per fulmina decidat
    aether. 2.58

    nec plus uictoria Sullae /praestitit
    inuisas penitus quam tollere partes: 2.228

    nec plura locutus /deuoluit rapidum
    nequiquam moenibus agmen. . . . 2.490

    quid plura moror? 2.642

    nec prius (plus) Hesperiam longinquis
    messibus ullae /... complerunt ... terrae.
                    var.3.66

    perdidit o qualem uincendo plura
    triumphum! 3.79

    melius, quod plura iubere/erubuit quam
    Roma pati. 3.111

    tum plurima nigris /fontibus unda cadit,
                        3.411

    plures quae mergunt aequore pinus 3.531

    nauali plurima bello /ensis agit. 3.569

    creuit in aduersis uirtus: plus nobilis
    irae /truncus habet 3.614

nulla tamen plures hoc edidit aequore
clades / quam pelago diuersa lues.   3.680
et gaudeat hostis / non plures haesisse
rates. 4.507
o utinam, quo plus habeat mors unica
famae, ...   4.509
nec plura locuto / uiscera non unum iam
dudum transigit ensis. 4.544
numquam saeuae sperare nouercae /plus
licuit: 4.638
aut cui plus leges deberent recta
sequenti; 4.815
non plura locuto / auolsit laceros
percussa puppe rudentis /turbo rapax
5.593
plurimaque humanis ante hoc incognita
mensis / diripiens miles saturum tamen
obsidet hostem. 6.116
auidi spectare secuntur / scituri iuuenes,
... / an plus quam mortem uirtus daret.
6.169
ibi plurima surgunt / uim factura deis,
6.440
tum, Thessala turba fatemur,/plus Fortuna
potest. 6.615
sicci sed plurima campi / tetrarchae
regesque tenent 7.226
at plures tantum clamore cateruae /
bella gerent: 7.367
non plura locutum /uita fugit,   7.615
plus est quam uita salusque /quod perit.
7.639
si plura iuuant mea uolnera, coniunx/est
mihi, sunt nati: 7.661
gemitus lacrimaeque secuntur /plurimaque
in saeuos populi conuicia diuos.   7.725
[nec plura locutus / inpulit amentes ...
/ire super gladios 7.746
iuuenere quidem spoliato plurima mundo /
... congestae pondera massae,   7.752
numquam ... /... plures presserunt aera
pinnae. 7.835
plus cinerum Haemoniae sulcis telluris
aratur 7.858
pluraque ruricolis feriuntur dentibus
ossa. 7.859
quamquam non ulli plus regia, Magne,
uacabit / saeuitia stimulata Venus   8.412
nam, quo plura iuuent Parthum portenta,
fuisse / hanc sciet et Crassi: 8.414
tum plurima cladis /occurrent monimenta
tibi: 8.435
non plura locutus / inpulit huc animos.
8.453
Libra pares exanimat horas,/ non uno
plus aequa die, ...   8.468
inmodicas possedit opes, sed plura
retentis /intulit. 9.197
pudeat: plus regia Nili / contulit in
leges et Parthi militis arcus.   9.266
nec enim plus litora Nili / quam Scythicus
Tanais primis a Gadibus absunt,   9.413
pars plurima terrae / tollitur   9.456
nec plus Leo tollitur Vrna.   9.537
in nulla plus est serpente coactum.   9.703
pluribus ille notis uariatam tinguitur
aluum / quam ... Thebanus ophites.   9.713
plurima tunc uoluit spumanti carmina
lingua / murmure continuo. . . .   9.927
quid plura feram? 9.1029
si scelus est, plus te nobis debere

fateris, ...   9.1031
sciat hac pro caede tyrannus / nil uenia
plus posse dari. 9.1089
undae plus quam quod digerat aer /
tollitur; 10.260
quid plus te, Magne, recepto / ausa
foret Lagea domus? 10.413
PLUTEUS.   sub cuius pluteis et tecta fronte
latentes   3.488
PLUUIA.   pigro bruma gelu siccisque
Aquilonibus haerens / aethere constricto
pluuias in nube tenebat. 4.51
PLUUIALIS,-E.   auxerat undas / tertia iam
grauido pluuialis Cynthia cornu   1.218
POCULUM.   nec noxia tantum /pocula proficiunt
6.455
pocula morte carent.' 9.616
non tam ueloci corrumpunt pocula leto /
... toxica ... matura 9.819
poteratque cruor per regia fundi /
pocula Caesareus 10.424
POENA.   consul et euersa felix moriturus in
urbe / poenas ante dabat scelerum.   2.75
uix erit ulla fides tam saeui criminis,
unum / tot poenas cepisse caput.   2.187
numquam poena fuit. 2.201
utinam ... liceret / hoc caput in cunctas
damnatum exponere poenas! 2.307
scit Caesar poenamque peti ueniamque
timeri. 2.511
poenarum extremum ciui, quod castra
secutus / sit patriae Magnumque ducem
totumque senatum, ...   2.519
supplicium poenamque petat. . . .   2.539
in multas laxantur Tartara poenas;   3.17
dabitis poenas pro pace petita,   3.370
dat poenas maioris aquae. 4.143
atque usus belli poenamque remittit.   4.364
has urbi miserae uestro de sanguine
poenas / ferre datis, ...   4.805
numinis aut poena est mors inmatura
recepti   5.117
Appius 'et nobis meritas dabis, impia,
poenas   5.158
uindicis an gladii facinus poenasque
furorum /... ut peragat fortuna, taces?
5.206
at paucos, quibus haec rabies auctoribus
arsit, / non Caesar sed poena tenet.   5.360
tiro rudis, specta poenas et disce ferire,
5.363
tam diri foederis ictu /parta quies,
poenaque redit placata iuuentus.   5.373
'soluat' ait 'poenas, Scaeuam quicumque
subactum /sperauit. 6.241
paratque / poenam uictori. . . .   6.802
aut merces hodie bellorum aut poena
parata. 7.303
hac luce cruenta /effectum,... / quod
semper saeuas debet tibi Parthia poenas,
7.431
di tibi non mortem, quae cunctis poena
paratur, ...   7.470
te,... / Pompeioque grauis poenas nobisque
daturum, /... sperare licet.'   7.614
alieni poena timoris / in nostra ceruice
sedet. 7.644
exigit a meritis tristes uictoria poenas,
7.771
et quantum poenae misero mens conscia
donat, / quod Styga,.../Pompeio uiuente

POENA

uidet! 7.784
aut, generi si poena iuuat, nemus extrue
Pindi, ... 7.806
tu, cui dant poenas inhumato funere
gentes, /quid fugis hanc cladem? 7.820
sed poenas longi Fortuna fauoris /exigit
a misero, ... 8.21
nunc accipe poenas, /sed quas sponte luam:
8.97
nostros ulta toros, ades huc atque exige
poenas, /Iulia crudelis, ... 8.103
sed tua sors leuior, quoniam mors ultima
poena est /nec metuenda uiris. 8.395
dat poenas laudata fides, cum sustinet'
inquit , 'quos fortuna premit. 8.485
cur sola cadenti / haec placuit tellus,
in quam Pharsalica fata /conferres
poenasque tuas? 8.517
poenas non morte minores /pendat 8.646
quam metuis, demens,isto pro crimine
poenam 8.781
poenas animae uiuacis ab ipsa /ante
feram. 9.103
omnia dent poenas nudo tibi, Magne,
sepulchra. 9.157
has mihi poenas /terra dabit: 9.161
poenaque de uictis sola est uicisse
Catoni. 9.299
quanto poena tu dignior ista es, /qui
populo sitiente bibas!' 9.508
accipe poenas / tu, quisquis superum
commercia nostra perosus 9.859
poena fugae Ptolemaeus erat. . . . 9.1087
poenaque ciuilis belli, uindicta senatus
/paene data est famulo. 10.340
in scelus it Pharium Romani poena tyranni,
10.343
seruatur poenas in aperta luce daturus;
10.431
sumpturus poenas et grata piacula morti
10.462
non fatum meriti poenasque Pothini /
distulit ulterius. 10.515
non ipse tyrannus /sufficit in poenas,
non omnis regia Lagi: 10.527

POENAE. 'Eumenides Stygiumque nefas
Poenaeque nocentum /... /exaudite preces.
6.695

POENUS. nec tantis cladibus auctor /Poenus
erit: 1.31
non secus ingenti bellorum Roma tumultu /
concutitur, quam si Poenus transcenderit
Alpes 1.304
Poenorumque umbras placasset sanguine
fuso /Scipio, ... 6.310
non illum Poenus humator / consulis et
Libyca succensae lampade Cannae /
conpellunt hominum ritus ut seruet in
hoste, ... 7.799

POENUS,-A,-UM. Poeni saturentur sanguine
manes, ... 1.39
Poenos pressit cineres. 2.91
nec pauet hic populus pro libertate subire
/obsessum Poeno gessit quae Marte Saguntum.
3.350
Poenum qui Latiis reuocauit ab arcibus
hostem 4.657
ferat ista cruentus /Hannibal et Poeni
tam dira piacula manes. . . . 4.790

POLLEO,-ERE. tum uox Lethaeos cunctis
pollentior herbis /excantare deos

confundit murmura primum /dissona 6.685
super omnia membra /efflatur sanies late
pollente ueneno; 9.795

POLLUO,-ERE. nullus semel ore receptus /
pollutas patitur sanguis mansuescere
fauces. 1.332
gaudetque ... / Neruius et caesi
pollutus foedere Cottae, ... 1.429
spes una salutis /oscula pollutae
fixisse trementia dextrae. . . . 2.114
hos polluta domus legesque in pace
timendae, ... 2.252
tua classica seruat / oppositus quondam
polluto tiro Miloni. 2.480
iam tetigit sanguis pollutos Caesaris
enses. 2.536
concipis: haud' inquit 'iugulo se polluet
isto / nostra, Metelle, manus; 3.135
quamuis capulum per uiscera missi /
polluerit gladii, ... 3.749
polluta nefanda /agmina caede duces
iunctis committere castris / non
audent, ... 4.259
hunc quoque quo superos humanaque polluit
anno 4.689
non ... / ... infando pollutus sanguine
Nilus /nobilius Phario gestasset rege
cadauer, ... 6.307
polluit aequoreos Siculus pirata triumphos.
6.422
mens hausti nulla sanie polluta ueneni
/excantata perit. 6.457
inque nouos ritus pollutam duxerat artem.
6.509
pollutos cantu dirisque uenefica
sucis /conspersos uetuit transmittere
bella Philippos, ... 6.581
si uos satis ore nefando /pollutoque uoco,
... / ... parete precanti. 6.707
barbara ... /... Venus,... /polluit
innumeris leges et foedera taedae /
coniugibus. 8.399
pollutos consule fluctus / quid liceat
nobis, ... 10.379

POLUS. regia caeli / excipiet gaudente polo:
1.47
nec polus auersi calidus qua uergitur
Austri, ... 1.54
uiderunt ... / ardentemque polum flammis
caeloque uolantes 1.527
quamuis icta nouo, uentum tenuere priorem
/aequora, nubiferoque polus cum cesserit
Euro 2.459
quod non premeretur ab ulla / signiferi
regione poli, ... 3.254
iamque polo pressae largos densantur in
imbres 4.76
nec Phoebum surgere sentit / nox subtexta
polo: 4.104
nec segnis uergere ponto /tunc erat astra
polus; 4.526
sidera prima poli Phoebo labente sub
undas /exierant 5.424
summis etiam quae fixa tenentur / astra
polis sunt uisa quati. 5.564
intonuit motaque poli conpage laborant.
5.633
cum per summa poli Phoebum trahit altior
aestas, ... 6.335
uerbaque ad inuitum perfert cogentia
numen,/ quod non cura poli caelique

POLUS

uolubilis umquam /auocat. 6.447
axibus et rapidis inpulsos Iuppiter
urguens /miratur non ire polos. 6.465
illis et sidera primum /praecipiti deducta
polo, ... 6.500
alta/nocte poli, Titan medium quo tempore
ducit /... diem, deserta per arua /carpit
iter. 6.571
cursumque polo rapiente retorsit, 7.3
aethera seu totum discordi obsistere
caelo / perspexitque polos, . . . 7.199
quone poli motu, quo caeli sidere uerso
/ Thessalicae tantum, superi, permittitis
orae? 7.301
numquam stante polo miseros fallentia
nautas, /sidera non sequimur, . . 8.173
et polus Assyrias alter noctesque diesque
/uertit, ... 8.292
auersosque polos alienaque sidera quaeris,
8.337
stellasque uagas miratus et astra /fixa
polis, ... 9.13
ut neque sole uiam nec duro frigore saeuam
/inde polo Libyes, ... 9.377
deprensum est hunc esse locum (polum)
var.9.531
premit orbita solis /exuritque solum
(polum); var.9.692
et premitur natura poli; . . . 9.867
qua te parte poli, qua te tellure reliqui,
/Africa? 9.873
ambissetque polos Nilumque a fonte
bibisset: 10.40
quae sola fugam moderantur Olympi /
occurruntque polo, ... 10.200
nec non Oceano pasci Phoebumque polosque
/credimus: 10.258
illos rubicunda perusti / zona poli
tenuit; 10.275
solique uagari /concessum per utrosque
polos. 10.301

POMERIUM. iubet ... / longa per extremos
pomeria cingere fines 1.594

POMPA. nunc neque te longi remeantem pompa
triumphi / excipit 1.286
foedera sola tamen uanaque carentia
pompa/ iura placent sacrisque deos
admittere testes. 2.352
quam seriem rerum longa praemittere
pompa, ... 3.75
peruersa funera pompa /rettulit a tumulis,
6.531
praeferat ut ueteres feralis pompa
triumphos, ... 8.733

POMPEIANUS(subst.). ne Pompeiani Phaeacum e
litore toto /languida iactatis conprendant
carbasa remis. 5.420
at post Thessalicas clades iam pectore
toto / Pompeianus erat. 9.24

POMPEIANUS,-A,-UM. Pompeiana reum clauserunt
signa Milonem? 1.323
tunc Orientis opes captorumque ultima
regum / quae Pompeianis praelata est gaza
triumphis/egeritur; 3.166
at Pompeianus fraudes innectere ponto /
antiqua parat arte Cilix, . . . 4.448
non Pompeianis tradit sua partibus arma,
5.350
iam Pompeianae celsi super ardua ualli /
exierant aquilae, ... 6.138
mouitque furorem /Pompeiana quies et

uicto Caesare somnus. 6.283
ducis omnia nato /Pompeiana canat nostri
modo militis umbra, ... 6.717
nam Pompeiani uisus sibi sede theatri /
innumeram effigiem Romanae cernere plebis
7.9
in Pompeianis uotum est Pharsalia castris.
7.61
ut primum toto diduxit cornua campo /
Pompeianus eques bellique per ultima
fudit, ... 7.507
tu quoque pro dominis, et Pompeiana fuisti
/ non Romana manus? 9.257
Pompeianis habitata manibus aula / ...
adulter /admisit Venerem curis, 10.73
haec dicta monet famulos perferre fideles
/ad Pompeianae socium sibi caedis
Achillam, ... 10.350

POMPEIUS(Magnus). ferre potest ... /Pompeiusue
parem. 1.126
scilicet extremi Pompeium emptique
clientes /continuo per tot satiabunt
tempora regno? 1.314
ultima Pompeio dabitur prouincia Caesar,
1.338
Pompeio fugiente timent. 1.522
quibus adde Catonem / sub iuga Pompei,
2.280
quod si pro legibus arma /ferre iuuat
patriis libertatemque tueri / nunc neque
Pompei Brutum neque Caesaris hostem,
2.283
quin publica signa ducemque /Pompeium
sequimur? 2.320
non priuata cupis, Romana quisquis in
urbe /Pompeium transire paras. . . 2.565
Pompeius tellure noua conpressa profundi
/ora uidens curis animum mordacibus angit,
2.680
Romanam,superi, Libyca tellure ruinam /
Pompeio prodesse nefas uotisque senatus.
4.792
adhuc dubitantibus astris /Pompei damnare
caput tot fata tenentur? 5.205
Pompeio certe fugeres duce. . . . 5.345
uereor ciuilibus armis /Pompeium nullo
tristem committere damno. 5.753
Pompeiumque fugit. 5.805
caruisse timebat /Pompeio; . . . 5.814
prima quidem surgens operum structura
fefellit /Pompeium, ... 6.65
Pompeium exhaustae praebenda ad gramina
terrae, ... 6.81
ut primum libuit ruptis euadere claustris
/Pompeio cunctasque sibi permittere
terras, ... 6.119
Pompeio laudante cadam. 6.160
stat non fragilis pro Caesare murus
/Pompeiumque tenet. 6.202
Pompei uobis minor est causaeque senatus
/quam mihi mortis amor.' 6.245
quam prior adfatur Pompei ignaua propago.
6.589
omnia uates /ipse canet Siculis genitor
Pompeius in aruis, ... 6.814
segnis pauidusque uocatur /ac nimium
patiens soceri Pompeius, ... 7.53
merito Pompeium uincere lente /gentibus
indignum est a transcurrente subactis.
7.73
Pompei nec crimen erit nec gloria

POMPEIUS

  bellum. 7.112
  aut hodie Pompeius erit miserabile nomen:
           7.121
  'inpia concurrunt Pompei et Caesaris arma',
           7.196
  quas tot duxit Pompeius in urbem /curribus,
  unius gentes non esse triumphi. 7.279
  Pompeius in arto /agmina uestra loco ...
  /cum tenuit, quanto satiauit sanguine
  ferrum! 7.315
  uidit ut hostiles ... cateruas /Pompeius
  nullasque moras permittere bello /...
  stat ... /attonitus; 7.338
  non iratorum populis urbique deorum est /
  Pompeium seruare ducem. 7.355
  siquis post pignora tanta /Pompeio locus
  est, cum prole et coniuge supplex, /...
  /uoluerer ante pedes. 7.377
  Pompei densis acies stipata cateruis /
  iunxerat ... arma, ... 7.492
  te,... / Pompeioque grauis poenas nobisque
  daturum, /... sperare licet.' 7.614
  post te pars maxima pugnae / non iam
  Pompei nomen populare per orbem /... sed
  par quod semper habemus,/libertas et
  Caesar, erit; 7.694
  tam mala Pompei quam prospera mundus
  adoret. 7.708
  auehit inde /Pompeium sonipes; . . 7.724
  et quantum poenae misero mens conscia
  donat,/quod Styga,... /Pompeio uiuente
  uidet! 7.786
  Thessalicam uideat Pompeius ab aequore
  flammam. 7.808
  litoribus lustrat uacuas Pompeius harenas.
           8.62
  coeperat ... /Pompei sentire manus 8.69
  Pompeiumque minus, cuius fortuna dolorem
  /mouerat,... /... discedere cernens /
  ingemuit populus; 8.150
  uigiles Pompei pectore curae / nunc
  socias adeunt Romani foederis urbes 8.161
  Pompeio uincite, Parthi, /uinci Roma
  uolet.' 8.237
  rex tolletque animos Latium uaesanus in
  orbem / se simul et Romam Pompeio supplice
  mensus? 8.346
  haec ubi deseruit Pompeius litora, totos/
  emensus Cypri scopulos 8.460
  ausus Pompeium leto damnare Pothinus 8.483
  Pompei nunc castra placent, quae deserit
  orbis? 8.532
  stetit anxia classis /... metuens... /
  sed ne summissis precibus Pompeius adoret
  /sceptra sua donata manu. . . . 8.594
  Pompeio praestare potest quod Caesaris
  armis /inputet. 8.657
  Pompei diro sacrum caput ense recidis,
           8.677
  litora Pompeium feriunt, ... 8.698
  Pompeiusque fuit qui numquam mixta uideret
  /laeta malis, ... 8.705
  Pompeio raptim tumulum fortuna parauit,
           8.713
  'non pretiosa petit cumulato ture sepulchra
  /Pompeius, Fortuna, tuus, ... 8.730
  'quaecumque es'... nec ulli / cara tuo
  sed Pompeio felicior umbra, /... da ueniam:
           8.747
  teque pudet sparsis Pompei manibus uri.'
           8.751

PONDUS

  placet hoc, Fortuna, sepulchrum / dicere
  Pompei, ... 8.794
  haud procul est ima Pompei nomen harena /
  /depressum tumulo, ... 8.820
  nondum Pompei cineres, o Roma, petisti;
           8.836
  Pompeio contigit ignis / inuidia maiore
  deum. 9.65
  non toto in pectore portas /inpia,
  Pompeium? 9.71
  Pompeiumque ferens uanescit solis ad
  ortus /fumus, ... 9.76
  non mihi nunc tellus Pompeio siqua
  triumphos /uicta dedit, ... 9.78
  haec mandata reliquit /Pompeius uobis in
  nostra condita cura: 9.86
  in superos audet conuicia uolgus /
  Pompeiumque deis obicit, ... 9.188
  Pompeio rebus adempto /nunc et ficta perit.
           9.205
  'nos, Cato, da ueniam, Pompei duxit in
  arma, /... amor, ... 9.227
  nam quis erit finis si nec Pharsalia
  pugnae /nec Pompeius erit? . . . 9.233
  Pompeio scelus est bellum ciuile
  perempto, ... 9.248
  potuit uestro Pompeius abuti /sanguine:
           9.263
  sed duce Pompeio Libyae melioris in oris
  /mansit. 9.370
  hunc ego per Syrtes ... triumphum /ducere
  maluerim, quam ter Capitolia curru /
  scandere Pompei, ... 9.600
  credis apud populos Pompei nomen amantis
  /hoc castris prodesse tuis? . . . 9.1050
  peius de Caesare uestrum /quam de Pompeio
  meruit scelus; 9.1066
  ut primum terras Pompei colla secutus /
  attigit ... / pugnauit fortuna ducis
  fatumque nocentis /Aegypti, . . . 10.1
  sat fuit indignum, Caesar,... / Pompeium
  facinus meritumque fuisse Pothini.' 10.103
  tumulum ... / aspice Pompei non omnia
  membra tegentem. 10.381
  iugulus mihi Caesaris haustus /hoc
  praestare potest, Pompei caede nocentis
  /ut populus Romanus amet. . . . 10.388
  Pompeiumque ducem causa sperare uetante
  /non timuit 10.451

POMPEIUS(Sextus). hanc ut fama loci Pompeio
  prodidit, alta 6.570
  uidet hanc Cornelia caedem /Pompeiusque
  meus: 8.633

POMPEIUS(quisquis). inueniet classes quisquis
  Pompeius in undas/uenerit, . . . 9.93

POMPEI(Pompeii). regnique in parte serena /
  Pompeis seruare locum. 6.805
  ducite Pompeios, Ptolemaei uincite munus.
           9.278

POMPTINAE PALUDES. qua Pomptinas uia diuidit
  uda paludes. 3.85

POMUM. rettulit Argolico fulgentia poma
  tyranno. 9.367

PONDUS. librati pondera caeli /orbe tene
  medio; 1.57
  stare diu nimioque graues sub pondere
  lapsus 1.71
  pondere fixa suo est, ... 1.139
  fractaque ueliferi sonuerunt pondera
  mali, ... 1.500
  hic se praecipiti iaculatus pondere dura /

PONDUS

dissiluit percussus humo, . . . 2.155
fracta sub ingenti miscentur pondere
membra, ... 2.188
terra labet mixto coeuntis pondere mundi,
2.291
iam moturas ingentia pondera turris 2.505
ergo, ubi nulla uado tenuit sua pondera
moles, ... 2.669
non pondera rerum /nec momenta sumus,
3.337
sed pondere solo /contenti nudis euoluunt
saxa lacertis. 3.480
quodcumque cadit frustrato pondere ferrum
3.581
insiluit solo nociturus pondere puppem.
3.626
congesto pondere puppis /uersa caua texit
pelagus nautasque carina, ... 3.649
adiuuitque suo procumbens pondere ferrum.
3.725
iterum aequatis ad iustae pondera Librae
/temporibus uicere dies, ... 4.58
haud trepidante tamen toto cum pondere
dextra /exegere enses. 4.564
iuuentus/.../obruitur, non uolneribus nec
sanguine solum,/ telorum nimbo peritura
et pondere ferri. 4.776
heu, quantum Fortuna umeris iam pondere
fessis /amolitur onus! 5.354
obruat aut uasti muralia pondera saxi,
6.199
primus Thessalicae rector telluris Ionos
/in formam calidae percussit pondera
massae 6.403
terra quoque inmoti concussit ponderis
axes, ... 6.481
eloquar inmenso terrae sub pondere quae
te /contineant, Hennaea, dapes, 6.739
uixque reuolsa solo maiori pondere pressum
/signiferi mersere caput ... /... signa.
7.162
nec Fortuna diu rerum tot pondera uertens
/abstulit ingentis fato torrente ruinas.
7.504
saxa uolant spatioque solutae /aeris et
calido liquefactae pondere glandes; 7.513
et pondere lapsi /pectoris arma sonant
7.572
iam pondere fati /deposito securus abis;
7.686
inuenere quidem ... plurima ... /bellorum
in sumptus congestae pondera massae, 7.753
poenas ... Fortuna... / exigit a misero,
quae tanto pondere famae /res premit
aduersas 8.22
curarum uobis arcana mearum /expromam
mentisque meae quo pondera uergant. 8.280
tunc uictus pondere tanto /expectat
fluctus 8.724
ardua marmoreo surrexit pondere moles.
8.866
passusque inopes sine pondere ramos /
rettulit ... poma tyranno. . . . 9.366
concuteret terras ... / si solida Libye
conpage et pondere duro /clauderet ...
Austrum 9.467
nec pondere solo / sed nisu iacuit, 9.483
e caelo uolucres subito cum pondere
lapsae, ... 9.649
tumidos iam non capit artus /informis
globus et confuso pondere truncus. 9.801

PONO

Caesar,.../ cetera curarum proiecit
pondera soli /intentus genero; 9.951
PONE(praep.). patriaque a sede reuolsos /
pone sequi, ... 1.483
PONO,-ERE. quis deus esse uelis, ubi regnum
ponere mundi. 1.52
tum genus humanum positis sibi consulat
armis 1.60
laetis hunc numina rebus /crescendi
posuere modum. 1.82
utque ferae tigres numquam posuere
furorem, ... 1.327
castra super Tusci si ponere Thybridis
undas, ... 1.381
uos barbaricos ritus moremque sinistrum /
sacrorum, Dryadae, positis repetistis ab
armis. 1.451
accipimus, siluisque feras sub nocte
relictis /audaces media posuisse cubilia
Roma. 1.560
siue nihil positum est, sed fors incerta
uagatur 2.12
posito remis petierunt litora malo. 3.45
tum primum posuere comas et fronde
carentes /admisere diem, ... 3.443
et posito Borea pacemque tenentibus
Austris /seruatum bello iacuit mare,
3.523
sic, ubi desuetae siluis in carcere clauso
/mansueuere ferae et uoltus posuere
minaces 4.238
omnia monstra / in facie posuere ducum:
4.253
spe posita damnare fugam casurus in hostes
4.270
felici non fausta loco tentoria ponens
4.663
non duro liceat morientia caespite
membra /ponere, ... 5.279
liceat scelerum tibi ponere finem. 5.314
positamque procul fortuna mariti / non
tota te mole premat. 5.755
positaque ibi coniuge Magni / quis
Mytilenaeas poterit nescire latebras?
5.785
tollite et in Magni uiuentem ponite
castris. 6.233
uolnere sic uentris,... / extrahitur
partus calidis ponendus in aris; 6.559
'ponite' ait 'trepida conceptos mente
timores: 6.659
defuit ... / non ... / aut cinis Eoa
positi phoenicis in ara. 6.680
accensa iuuenem positum strue liquit
Erictho 6.826
spectate ... / et caput hoc positum
rostris effusaque membra 7.305
medio posuit deus omnia campo. 7.348
quidquid sub Phario positus patiere
tyranno, /crede deis, 7.704
inque parentum /inque toris fratrum
posuerunt membra nocentes. . . . 7.763
positisque insignibus aulae /egreditur
famulo raptos indutus amictus. . . 8.239
arma satelles /regia gestabat posito
deformia pilo, ... 8.598
collaque in obliquo ponit languentia
transtro. 8.671
collecta procul lacerae fragmenta carinae
/exigua trepidus posuit scrobe. 8.756
non illuc auro positi nec ture sepulti

PONO

/peruentunt. 9.10
inuicti posuit se mente Catonis.   9.18
inuasit ferrum, sed ponere norat.   9.198
attonitae posuere fugam 9.289
posuitque in margine plantas . .   9.353
inuia temptent,/siquibus in nullo positum
est euadere uoto, ...   9.387
primusque gradus in puluere ponam,   9.395
non illic Libycae posuerunt ditia gentes
/templa, ...   9.515
et scytale sparsis etiamnunc sola pruinis
/ exuuias positura suas, ...   9.718
hinc torrente plaga, dubiis hinc Syrtibus
orbem /abrumpens medio posuisti limite
mortes. 9.862
profuit in mediis sedem posuisse uenenis.
                                   9.897
bis positis Phoebe flammis, bis luce
recepta /uidit hareniuagum ... Catonem.
                                   9.940
securus in alto /gramine ponebat gressus:
                                   9.976
ut te conplexus positis felicibus armis /
adfectus a te ueteres uitamque rogarem,
                                   9.1099
sacratis totum spargenda per orbem /
membra uiri posuere adytis; . .   10.23
naturaque solum / hunc potuit finem
uaesano ponere regi; 10.42
excepere epulae tantarum (positarum)
gaudia rerum, ... var.10.108
pone duces priscos et nomina pauperis
aeui /Fabricios Curiosque graues,   10.151
multas uolucresque ferasque /Aegypti
posuere deos, ...   10.159
modumque uetat crescendi ponere ripas.'
                                   10.331
spem uitae in limine clauso /ponit, 10.460
quamquam quis talia facta /aestimat in
numero scelerum ponenda tuorum,   10.473

PONS. 'socii, decurrite' dixit /'fluminis
ad ripas undaeque inmergite pontem. 2.484
ite simul pedites, ruiturum ascendite
pontem.' 2.499
multum cum pontibus ausis /Europamque
Asiae Sestonque admouit Abydo . .   2.673
saxeus ingenti quem pons amplectitur arcu
                                   4.15
fluuiique ferocis /incrementa timens non
primis robora ripis /inposuit,   4.140
capere arma iubet nec quaerere pontem /
nec uada, ...   4.149

PONTICUS,-A,-UM. post Cilicasne uagos et
lassi Pontica regis /proelia barbarico
uix consummata ueneno /ultima Pompeio
dabitur prouincia Caesar, . . .   1.336
iuxta fluuios... Enipei/.../Ponticus
ibat eques. 7.226
sanguis ibi fluxit Achaeus,/Ponticus,
Assyrius; 7.636
nunc et Corycias classes et Pontica
signa /delectum meminisse piget.   8.26

PONTIFEX. longa per extremos pomeria cingere
fines / pontifices, ...   1.595

PONTUS. astringit Scythico glacialem frigore
pontum! 1.18
ignea pontum /astra petent, . .   1.75
nec pretium tanti tellus pontusque furoris
/tunc erat: 1.96
rura silent, mediusque tacet sine
murmure pontus, ...   1.260

prodigiis terras inplerunt, aethera,
pontum. 1.525
noua da mihi cernere litora ponti /
telluremque nouam: 1.693
fluminaque in gemini spargit diuortia
ponti 2.404
donec confinia pontus / solueret incumbens
terrasque repelleret aequor, . .   2.435
qui cum signa tuli toto fulgentia ponto,
                                   2.576
idem per Scythici profugum diuortia
ponti / indomitum regem Romanaque fata
morantem /ad mortem Sulla felicior
ire coegi. 2.580
cedit in inmensum cassus labor; omnia
pontus /haurit saxa uorax . . .   2.663
uanaque percussit pontum Symplegas
inanem 2.718
has ad bella rates non flexo limite ponti
/certior haud ullis dixit Cynosura
carinis. 3.218
quaque ferens rapidum diuiso gurgite
fontem (pontum)/ uastis Indus aquis
mixtum non sentit Hydaspen; . .var.3.235
emissaque tela / aera texerunt uacuumque
cadentia pontum. 3.546
hauseruntque suo permixtum sanguine
pontum; 3.577
uicinum inuoluens contorto uertice
pontum. 3.631
multaque ponto /praebuit ille dies uarii
miracula fati. 3.633
quos alit Hadriaco tellus circumflua
ponto, ...   4.407
iamque relabenti crescebant litora ponto:
                                   4.429
at Pompeianus fraudes innectere ponto /
antiqua parat arte Cilix, . . .   4.448
passusque uacare / summa freti medio
suspendit uincula ponto 4.450
huc fractas Aquilone rates summersaque
pontus /corpora saepe tulit caecisque
abscondit in antris; 4.457
nec segnis uergere ponto / tunc erat
astra polus; 4.525
pontoque fuit discrimen et astris.   5.76
sed, ut tumidus Boreae post flamina
pontus /rauca gemit, ...   5.217
artatus rapido feruet qua gurgite pontus
                                   5.234
'multa quidem prohibent nocturno credere
ponto. 5.540
puppem dubius ferit undique pontus.   5.570
si murmura ponti / consulimus, Cori
ueniet mare. 5.571
pontus et in scopulos totas erexerat
undas: 5.600
nec perfert pontum Boreas ad saxa,   5.605
Tyrrhenum, sonat Ionio uagus Hadria
ponto. 5.614
quantum Leucadio placidus de uertice
pontus /despicitur, ...   5.638
discordia ponti /succurrit miseris,   5.646
spumatque in culmina pontus. . .   6.28
tot potuere manus .. / ingestoque solo
Phrixeum elidere pontum, ...   6.56
quis litora ponto /obruta,... cernens ...
/tot rerum finem, timeat sibi?   7.134
hos,... populos ... ignis,/ uret cum
terris, uret cum gurgite ponti.   7.813
quid, quod iacet insula ponto, /Caesar

PONTUS

    eget ratibus? 8.118
    ne ponti belua quicquam, /ne fera,.../
    audeat, exiguam,... accipe flammam   8.764
    sed rapidus Titan ponto sua lumina pascens
    /aequore subduxit 9.313
    et nunc pontus adhuc Phoebo siccante
    repugnat, ...   9.315
    inlato confregit litore pontum.   9.323
    hanc, ut fama, deus quem toto litore
    pontus /audit uentosa perflantem marmora
    concha, ...   9.348
    herbas,/... Nasamon, gens dura, legit, qui
    proxima ponto / nudus rura tenet;   9.439
    estque dei sedes nisi terra et pontus et
    aer / et caelum et uirtus? 9.578
    ille mora cursus aduersique obice ponti
    /aestuat in campos. 10.246
    mox te deserta secantem,/ qua iungunt
    nostrum rubro commercia ponto, / mollis
    lapsus agit. 10.314
    Caesar et auxiliis ut uidit libera ponti /
    ostia, ...   10.514
PONTUS. relinquas / admoneo nec tu populos
    utraque uagantis / Armenia Pontique feras
    per litora gentis 2.639
    quaque, fretum torrens, Maeotidos egerit
    undas / Pontus, ...   3.278
    pontusque uetustas / oblitus seruare uices
    non commeat aestu, ...   5.444
    Bosporon et Scythiae curuantem litora
    Pontum /spectamus. 8.178
    quamuis Byzantion arto / Pontus et
    ostriferam dirimat Calchedona cursu, 9.959
    non Thessala tellus / uastaque regna
    Iubae, non Pontus et inpia signa /
    Pharnacis ... /... tantum ausus scelerum,
                                        10.475
POPLES. deposito uictum praebebat poplite
    collum. 1.613
    nisi poplite lapso / ultima curuati
    procederet ungula Tauri, ...   3.254
    et tremulo medios abrumpit poplite gyros.
                                        6.87
    sine ullo / tegmine poples erat,   9.771
POPULARIS,-E. multa dare in uolgus, totus
    popularibus auris /inpelli . . .   1.132
    uidi ego laetantis, popularia nomina,
    Drusos / legibus inmodicos 6.795
    post te pars maxima pugnae / non iam
    Pompei nomen populare per orbem / ...
    sed par quod semper habemus,/libertas
    et Caesar, erit; 7.694
POPULATOR. fallitur occultis sparsus populator
    in agris. 4.92
    nam litoreis populator harenis /inminet
                                        9.441
POPULATUS(subst.). ardent Hesperii saeuis
    populatibus agri, ...   2.534
POPULEUS,-A,-UM. hunc fabula primum /populea
    fluuium ripas umbrasse corona, . .   2.411
POPULOR,-ARI. nec tam patiente colono /arua
    premi quam si ferro populetur et igni.
                                        2.445
POPULUS. populumque potentem / in sua
    uictrici conuersum uiscera dextra   1.2
    quid in arma furentem /inpulerit
    populum, ...   1.69
    commodat in populum terrae pelagique
    potentem /inuidiam Fortuna suam.   1.83
    diuiditur ferro regnum, ...   1.109
    exuuias ueteris populi sacrataque gestans

POPULUS
                                        1.137
    emicuit rupitque diem populosque
    pauentes / terruit 1.153
    quae populos semper mersere potentis.
                                        1.159
    non erat is populus quem pax tranquilla
    iuuaret, ...   1.171
    sectorque fauoris / ipse sui populus
                                        1.179
    rupta quies populi, ...   1.239
    pax alta per omnes / et tranquilla quies
    populos: 1.250
    uox quondam populi libertatemque tueri /
    ausus 1.270
    Marte sub aduerso ruerentque in terga
    feroces / Gallorum populi? 1.309
    duc age per Scythiae populos, per
    inhospita Syrtis / litora, ...   1.367
    ausi Latio se fingere fratres / sanguine
    ab Iliaco populi, ...   1.428
    certe populi quos despicit Arctos /
    felices errore suo, ...   1.458
    inrupitque animos populi clademque futuram
    /intulit 1.470
    hunc inter Rhenum populos Albimque
    iacentes 1.481
    urguent / praecipitem populum, serieque
    haerentia longa / agmina prorumpunt. 1.492
    urbem populis uictisque frequentem
                                        1.511
    diraque per populum Cumanae carmina uatis
    /uolgantur. 1.564
    crinem rotantes / sanguineum populis
    ululârunt tristia Galli. 1.567
    'uix fas, superi, quaecumque mouetis, /
    prodere me populis; 1.632
    omnibus hostes / reddite nos populis:
    ciuile auertite bellum. 2.53
    degener o populus, uix saecula longa
    decorum / sic meruisse uiris,   2.116
    nec populum latebrae cepere ferarum.
                                        2.153
    uidit Fortuna colonos / Praenestina suos
    cunctos simul ense recepto / unius
    populum peruentem tempore mortis.   2.195
    pars populi lugentis erat, ...   2.236
    an placuit ducibus scelerum populique
    furentis / cladibus inmixtum ciuile
    absoluere bellum? 2.249
    hic redimat sanguis populos, hac caede
    luatur 2.312
    ad iuga cur faciles populi, cur saeua
    uolentes / regna pati pereunt?   2.314
    piniferis amplexus rupibus omnis /
    indigenas Latii populos, ...   2.432
    pronior in Magnum populus, pugnatque
    minaci / cum terrore fides,   2.453
    quo potuit ciuem populus perducere liber
                                        2.562
    relinquas / admoneo nec tu populos
    utraque uagantis / Armenia . . .   2.638
    uadis adhuc ingens populis comitantibus
    exul. 2.730
    quoque modo uanos populi conciret amores,
                                        3.54
    pro, si remeasset in urbem / Gallorum
    tantum populis Arctoque subacta, / quam
    seriem rerum longa praemittere pompa,
                                        3.74
    gaudet tamen esse timori / tam magno
    populis et se non mallet amari.   3.83

sunt quos prosternas populi, quae moenia
dones. 3.131
'libertas' inquit 'populi quem regna
coercent / libertate perit; . .   3.145
damna mouent populos siquos sua iura
tuentur: 3.151
tum conditus imo / eruitur templo multis
non tactus ab annis / Romani census
populi, ...   3.157
quod dites Asiae populi misere tributum
                               3.162
Pisaeaeque manus populisque per aequora
mittens / Sicaniis Alpheos aquas.   3.176
iam dilecta Ioui centenis uenit in arma /
Creta uetus populis Cnososque agitare
pharetras 3.185
tum linquitur Haemus / Thracius et
populum Pholoe mentita biformem.   3.198
accedunt Syriae populi; 3.214
uenere feroces / Cappadoces, duri populus
non cultor Amani, ...   3.244
tinxere sagittas / errantes Scythiae
populi, ...   3.267
exciuit populos et dignas funere Magni /
exequias Fortuna dedit. 3.291
cumque alii famae populi terrore pauerent
                               3.300
'semper in externis populo communia
uestro / Massiliam bellis testatur fata
tulisse 3.307
nec pauet hic populus pro libertate subire
/obsessum Poeno gessit quae Marte
Saguntum. 3.349
non illum cultu populi propiore
frequentant 3.422
gemuere uidentes / Gallorum populi, 3.446
nutaretque ratis populo peritura recepto,
                               3.665
indomitos quaerit populos 4.146
periere latebrae / tot scelerum, populo
uenia est erepta nocenti: 4.193
satis est populis fluuiusque Ceresque.
                               4.381
sufficiunt spatio populi: tot castra
secuntur, ...   4.676
unde tribunicia plebeius signifer arce /
arma dabas populis? 4.801
docuit populos uenerabilis ordo / non
Magni partes 5.13
quod regnis populisque liquet, nos esse
senatum. 5.22
tunc in reges populosque merentis /
sparsus honor, ...   5.49
saeuum in populos puer accipis ensem, 5.61
atque utinam in populos! 5.62
quae cum populique ducesque / casibus
incertis et caeca sorte pararent,   5.65
ac populis sese proferre paratus   5.90
populoque precanti / scilicet indulgens
summo dictator honori / contigit   5.382
cum tot in hac anima populorum uita
salusque / pendeat 5.685
tutior interea populis et tutior omni /
rege late, ...   5.754
Assyriis quantum populis telluris Eoae /
sufficit in regnum, ...   6.52
inde labant populi, ...   6.93
illic, quod populos scelerata inpegit
in arma, / diuitias numerare datum est.
                               6.406
inpia tot populis, tot surdas gentibus

aures / caelicolum dirae conuertunt
carmina gentis. 6.443
'o decus Haemonidum, populis quae pandere
fata /... potes ... / te precor ut certum
liceat mihi noscere finem . . .   6.590
monstroque potenti / extractus Stygio
populus pugnasset Auerno. . . .   6.636
qualis erat populi facies clamorque
fauentis / olim, ...   7.13
unde pares somnos populis noctemque
beatam? 7.28
nec non et reges populique queruntur Eoi
/bella trahi 7.56
inuoluat populos una fortuna ruina   7.89
quantum scelerum quantumque malorum /
in populos lux ista feret! . . .   7.115
aut populis inuisum hac clade peracta /
... nomen: 7.120
sic fatur et arma / permittit populis
                               7.124
quid mirum populos quos lux extrema
manebat / lymphato trepidasse metu, 7.185
haec et apud seras gentes populosque
nepotum, /... / spesque metusque ...
mouebunt, ...   7.207
pugnae pars magna lcuabit / his orbem
populis 7.276
uideor ... spectare ... /... inmensa
populos in caede natantis. . . .   7.294
ego sum cui Marte peracto / quae populi
regesque tenent donare licebit.   7.300
non iratorum populis urbique deorum est
/Pompeium seruare ducem. 7.354
credite qui nunc est populus populumque
futurum /permixtas adferre preces:
                               7.374(bis)
Mars iste ... / ... et populos aeui
uenientis in orbem / erepto natale feret.
                               7.390
toto populi qui nascimur orbe / nec
muros inplere uiris nec possumus agros:
                               7.400
Fortuna ... dum munera longi /explicat
eripiens aeui populosque ducesque /
constituit campis, ...   7.417
uellem populis incognita nostris.   7.436
ex populis qui regna ferunt sors ultima
nostra est, ...   7.444
nam post ciuilia bella / hic populus
Romanus erit. 7.543
hic Caesar, rabies populis stimulusque
furorum, /... agmina circum / it uagus
                               7.557
illic per fata uirorum,/per populos hic
Roma perit; 7.634
maius ab hac acie quam quod sua saecula
ferrent / uolnus habent populi;   7.639
flere ueta populos, lacrimas luctusque
remitte. 7.707
sed 'quid opus uicto populis aut
urbibus?' inquit 7.720
at tibi iam populos donat gener.   7.723
gemitus lacrimaeque secuntur / plurimaque
in saéuos populi conuicia diuos.   7.725
et Magni numerat populos, ...   7.792
hos, Caesar, populos si nunc non usserit
ignis, / uret cum terris. . . .   7.812
sed tibi tabentes populi Pharsalica rura
/eripiunt 7.823
sic quoque non omnis populus peruenit
ad ossa 7.841

POPULUS

nec terram quisquam mouisset arator,/
Romani bustum populi, ... 7.862
praecipitesque dedi populos . . 8.93
nimium felix aeterno nomine Lesbos,/ siue
doces populos regesque admittere Magnum,
8.140
da similis Lesbo populos, ... 8.144
ast illam,... /... discedere cernens /
ingemuit populus; 8.153
superest, fidissime regum,/ Eoam temptare
fidem populosque bibentis /Euphraten
8.213
exhaustaeque domus populis, maiorque
carinae / quam tua turba fuit. 8.253
effundam populos alia tellure reuolsos
8.309
quid uolnera nostra / in Scythicos spargis
populos cladesque latentis? . . . 8.353
omnis, in Arctois populus quicumque
pruinis/nascitur, indomitus bellis 8.363
nam quod apud populos crimen socerique
tuumque / maius erit, ... 8.420
populum non cernis inermem /aruaque uix
... fodientem 8.525
quis non, Fortuna, putasset / parcere te
populis, quod bello haec dextra uacaret
8.601
ignorant populi, si non in morte probaris,
/an scieris aduersa pati. 8.626
erremus populi cinerumque tuorum, /Magne,
metu nullas Nili calcemus harenas. 8.804
atque erit Aegyptus populis fortasse
nepotum / tam mendax Magni tumulo quam
Creta Tonantis. 8.871
populi trepidantia membra refouit, 9.25
solusque tenebis / Aegypton, genitor,
populis superisque fugatis.' . . 9.164
nulli cognitus aeuo / luctus erat, mortem
populos deflere potentis. 9.170
spoliauerat Auster / aut Boreas populos
ancilia nostra ferentes. 9.480
quanto poena tu dignior ista es ,/ qui
populo sitiente bibas!' 9.509
quamuis Aethiopum populis Arabumque beatis
/gentibus ... unus sit Iuppiter Hammon,
/pauper adhuc deus est, ... 9.517
stabant ante fores populi quos miserat
Eos 9.544
iure suo populis uti legumque licebit,
9.560
discedit ab aris / non exploratum populis
Hammona relinquens. 9.586
quis tantum meruit populorum sanguine
nomen? 9.597
Pallas ... iussit non laedere terras / et
parci populis. 9.688
contraque nocentia monstra /Psyllus adest
populis. 9.911
omnia fato / eripis et populis donas
mortalibus aeuum. 9.981
date felices in cetera cursus, /restituam
populos; 9.998
credis apud populos Pompei nomen amantis
/hoc castris prodesse tuis? . . 9.1050
laeta dies rapta est populis, . . 9.1097
tui socerum rapuere a sanguine manes,/ne
populus post te Nilum Romanus amaret.
10.8
perque Asiae populos fatis urguentibus
actus / humana cum strage ruit 10.30
terrarum fatale malum fulmenque quod

PORTO

omnis / percuteret pariter populos 10.35
ambissetque polos (populos) Nilumque
a fonte bibisset: var.10.40
Eoi propius timuere sarisas / quam nunc
pila timent populi. 10.48
rex puer inbellis populi sedauerat iras,
10.54
tum famulae numerus turbae populusque
minister. 10.127
'fas mihi ... secreta parentum /edere ad
hoc aeui populis ignota profanis. 10.195
ast ego caelicolis gratum reor ... /...
sacras populis notescere leges. 10.198
testis tibi sole perusti /ipse color
populi calidique uaporibus Austri. 10.222
uaesanus in ortus / Cambyses longi
populos peruenit ad aeui, ... 10.280
nunc Arabum populis, Libycis nunc aequus
harenis), ... 10.291
nec licuit populis paruum te, Nile, uidere,
10.296
dirimunt Arabum populis Aegyptia rura
/regni claustra Philae. 10.312
non sanguine clari / (quid refert?)
nec opes populorum et regna mouemus:
10.382
iugulus mihi Caesaris haustus /hoc
praestare potest, Pompei caede nocentis
/ut populus Romanus amet. . . . 10.389
inferiasque dabit populis et mittet ad
umbras /... caput. 10.392
non in soceri generique fauorem /discedunt
populi; 10.418
illa lues ... reuocauit ab aula /
urbis in auxilium populos. 10.505
PORRIGO,-ERE. mons inter geminas medius se
porrigit undas 2.399
quarum porrectis series constricta catenis
/ordinibus geminis obliquas excipit
alnos; 4.421
conspexere procul praerupta in caute
sedentem,/ qua iuga deuexus Pharsalica
porrigit Haemus. 6.576
porrexitque duci. 9.503
PORRO. quid porro tumulis opus est aut ulla
requiris /instrumenta, dolor? 9.69
PORTA. aut Collina tulit stratas quot porta
cateruas, ... 2.135
non tam portas intrare patentis /
quam fregisse iuuat, ... 2.443
ecce, nefas belli, reseratis agmina
portis /captiuum traxere ducem, 2.507
ergo hostes portis, quas omnis soluerat
urbis / cum fato conuersa fides, murisque
recepti 2.704
si claudere muros / obsidione paras et ui
perfringere portas, ... 3.343
hunc aries ferro ballistaque limine
portae /promoueat. 6.200
PORTENTUM. quid uelut ignaros ad quae
portenta paremur / spe trahis? . . 5.284
nam, quo plura iuuent Parthum portenta,
fuisse / hanc sciet et Crassi: . . 8.414
PORTITOR. praeparat innumeras puppes
Acherontis adusti /portitor; . . . 3.17
sidera respiciens delapsae portitor
Helles, ... 4.57
tuque o flagrantis portitor undae, /...
exaudite preces. 6.704
PORTO,-ARE. Salius laeto portans ancilia
collo 1.603

non toto in pectore portas, /inpia,
Pompeium? 9.70
tandem fonte reperto,/indiga cogatur
laticis spectare (portare) iuuentus,
. . . . var.9.592

PORTUS. quaque sub Herculeo sacratus nomine
portus 1.405
nec tamen hoc artis inmissum faucibus
aequor /portus erat, ...   2.617
in portus, Corcyra, tuos, seu laeua
petatur 2.623
hostes ... / praecipiti cursu flexi per
cornua portus /ora petunt 2.706
solus ab Hesperia non flexit lumina terra
/Magnus, dum patrios portus, . . .   3.5
turpe duci uisum ... /... portuque teneri
/dum pateat tutum uel non felicibus
aequor. 5.410
tum Calabro portu te crede potitum   5.589
oraeque malignos / Ambraciae portus,
scopulosa Ceraunia nautae / summa
timent. 5.652
nudas aquilonibus undas /succedens Boreae
iam portum fecerat Auster. 5.721
non sic infelix patriam portusque reliquit
. . . .   5.802
en ratis, ad uestros quae tendit carbasa
portus! 8.50
da similis Lesbo populos, qui Marte
subactum / non intrare suos infesto
Caesare portus, /... uetent.' . .   8.145
in Syriae portus tendit ratis.   8.181
nunc portum fortuna dabit.' . . .   8.192
paruisque Syhedris,/ quo portu mittitque
rates recipitque Selinus, ...   8.260
aut Arabum portus mercis mutator Eoae,
/... petet, ...   8.854
tunc ausum classi praecludere portus /
inpulit ... Phycunta 9.39
portusque quietos /testatur Libye Phrygio
placuisse magistro), ...   9.43
et nulla portus tangente carina/nouit opes:
. . . .   9.442

PORTUS SACRI. iam quot apud Sacri cecidere
cadauera Portum 2.134

POSCO,-ERE. Hesperia est desuntque manus
poscentibus aruis, ...   1.29
Phoebe ... / indignata diem poscet sibi,
. . . .   1.79
excipit aut sacras poscunt Capitolia
laurus: 1.287
et superos quid prodest poscere finem?
. . . .   1.669
uoltu tamen alta minaci /nobilitas recta
ferrum ceruice poposcit. 2.510
angustaque domum terrarum in sede poposcit.
. . . .   2.579
uxor et a caro poscet sibi fata marito,
. . . .   3.353
et ueniam securo pectore poscit.   4.343
sed morbus egens iam gurgite plenis /
uisceribus sibi poscit aquas. . .   4.372
frustra qui uincula ferro /rumpere conatus
poscit spe proelia nulla / incertus qua
terga daret, ...   4.467
Vulteius iugulo poscens iam fata retecto
. . . .   4.541
summam rapti per prospera belli / te
poscit fortuna manum. 5.484
sed, si magnarum poscunt discrimina rerum,
haud dubitem praebere manus: . . .   5.557

ore nouas poscens moribundus labitur
herbas 6.86
extaque funereae poscunt trepidantia
mensae. 6.557
non in Tartareo latitantem poscimus antro
/... animam; 6.712
camposque piorum / poscit turba nocens.
. . . .   6.799
cladibus inruimus nocituraque poscimus
arma; 7.60
moeniaque in praeceps laturos plena
tremores / hi possunt (poscunt) explere
uiri, ... var.7.415
fassusque sepulchrum /posce caput.   8.785
forsitan, aut sulco sterili cum poscere
finem / a superis ... Roma uolet ... /
... consilio iussuque deum transibis in
urbem, ...   8.846
nil belli iure poposcit, ...   9.195
quaere quid est uirtus et posce exemplar
honesti.' 9.563
fons unus ... / ille fuit de quo primus
sibi posceret undam. 9.618
furens exquireret aruis / quas poscebat
aquas sitiens in corde uenenum.   9.750

POSSESSOR. regni possessor inertis /pallentis
aperit sedes, ...   6.799

POSSIDEO,-ERE. populique potentis, /quae
mare, quae terras, quae totum possidet
orbem, / non cepit fortuna duos.   1.110
pugnatque minaci /cum terrore fides, ut,
cum mare possidet Auster 2.454
urbs est Dictaeis olim possessa colonis,
. . . .   2.610
instat atrox et adhuc, quamuis possederit
omnem /Italiam, ...   2.658
deserit auerso possessam numine sedem /
Caesar 6.314
quae latius orbem /possedit, citius per
prospera fata cucurrit? 7.420
aspice possessas urbes donataque
regna, /Aegypton Libyamque, . . .   7.710
inmodicas possedit 9.197
at fecunda Venus cunctarum semina rerum /
possidet; 10.209

POSSUM, POSSE. populumque potentem /in sua
uictrici conuersum uiscera dextra   1.2
heu, quantum terrae potuit pelagique
parari 1.13
caelumque suo seruire Tonanti /non nisi
saeuorum potuit post bella gigantum,
. . . .   1.36
commodat in populum terrae pelagique
potentem /inuidiam Fortuna suam.   1.83
diuiditur ferro regnum, populique potentis,
/quae mare, quae terras, quae totum
possidet orbem, ...   1.109
inde uirum poteras atque hinc retinere
parentem 1.116
nec quemquam iam ferre potest Caesarue
priorem /Pompeiusue parem. . . .   1.125
semina, quae populos semper mersere
potentis. 1.159
plus patria potuisse sua, mensuraque
iuris / ius erat: 1.175
ausus et armatos plebi miscere potentes.
. . . .   1.271
conspexit 'dum uoce tuae potuere
iuuari, ...   1.273
decretum genero est: partiri non potes
orbem, ...   1.290

```
solus habere potes.'  . . . . . .   1.291
iussa sequi tam posse mihi quam uelle
necesse est. . . . . . . . . . .     1.372
crimine quo parui caedem potuere mereri?
                                     2.108
sed satis est iam posse mori.        2.109
quae peior fortuna potest,  . . . .  2.132
periere nocentes, /sed cum iam soli
possent superesse nocentes.  . . .   2.144
hos alio, Fortuna, uocas, olimque
potentes /concurrunt.  . . . . . .   2.230
heu, quanto melius uel caede peracta /
parcere Romano potuit fortuna pudori!
                                     2.518
qui pacem potuere pati.  . . . . .   2.559
quo potuit ciuem populus perducere liber
                                     2.562
semperque potentis /detrahere in cladem
fato damnata maritos /innupsit tepido
paelex Cornelia busto.  . . . . .    3.21
emiturque metus, cum segne potentes /
uolgus alunt:  . . . . . . . . .     3.57
quas potuit belli facies!  . . . .   3.76
uelle putant quodcumque potest. . .  3.101
uiribus an possint obsistere iura, per
unum /Libertas experta uirum;        3.113
degenerisque metus, nullam potuisse
negari.  . . . . . . . . . . . .     3.149
damnumque putamus /armorum, nisi qui uinci
potuere rebellant.  . . . . . . .    3.366
hunc non ruricolae Panes nemorumque
potentes /Siluani Nymphaeque tenent, 3.402
et tantum miseris irasci numina possunt.
                                     3.449
quod semel excussis posset transcurrere
tonsis,  . . . . . . . . . . . .     3.539
nec ullae /audiri potuere tubae.     3.542
semianimisque iaces et adhuc potes esse
superstes.'  . . . . . . . . . .     3.747
nubes ... / nec medio potuere graues
incumbere mundo / sed nimbos rapuere
fuga.  . . . . . . . . . . . . .     4.69
quae potuit fecisse timet.  quid pectora
pulsas?  . . . . . . . . . . . .     4.182
non potes hoc causae, miles, praestare,
senatus /adsertor uicto redeas ut Caesare?
                                     4.213
certe, / ut uincare, potes.   . . .  4.215
quoque minus possent siccos tolerare
uapores /quaesitae fecistis aquae.   4.305
causaeque priori, / dum potuit, seruata
fides.  . . . . . . . . . . . . .    4.351
felix qui potuit mundi nutante ruina /
quo iaceat iam scire loco.   . . .   4.393
morientis in artus /non potuit nati Tellus
permittere uires:   . . . . . . .    4.651
has urbi miserae uestro de sanguine
poenas /ferre datis, luitis iugulo sic
arma,potentes.  . . . . . . . . .    4.806
ius licet in iugulos nostros sibi fecerit
ensis /Sulla potens Mariusque ferox et
Cinna cruentus  . . . . . . . . .    4.822
pelagique potens Phoebeia donis /
erornata Rhodos.  . . . . . . . .    5.50
populis sese proferre paratus /
contactumque ferens hominis, magnusque
potensque,  . . . . . . . . . . .    5.91
tuque, potens ueri Paean nullumque futuri
/a superis celate diem, suprema ruentis
/imperii .../cur aperire times?      5.199
tot mundi caruisse malis, praestare deorum
```

```
/excepta quis Morte potest?         5.230
nil actum est bellis, si nondum conperit
istas /omnia posse manus.  . . .    5.288
quem non ille ducem potuit terrere
tumultus?  . . . . . . . . . . .    5.300
lassare et disce sine armis /posse pati;
                                    5.314
Caesaris an cursus uestrae sentire
putatis /damnum posse fugae?  . .   5.336
fuit spes inrita ... / posse duces
parua campi statione diremptos /admotum
damnare nefas;  . . . . . . . . .   5.470
uigilum somno cedentia membra /transsiluit
questus tacite, quod fallere posset, 5.512
quibus hoc contingere templis /aut
potuit muris,  . . . . . . . . .    5.530
cum iam non poterit puppi nostraeque
saluti /altera terra dari.  . . .   5.590
in fluctus Cori frangit mare, motaque
possunt /aequora subductis etiam
concurrere uentis.  . . . . . . .   5.606
nullusne tuorum /emeruit comitum fatis
non posse superstes  . . . . . .    5.688
ciuilia bella / si spectare potes.  5.749
tandem uox maestas potuit proferre
querellas.  . . . . . . . . . . .   5.761
ignosce fatenti, /posse pati timeo. 5.778
cum uacuis proiecta locis a Caesare
possim /uel fugiente capi.   . . .  5.783
quis Mytilenaeas poterit nescire
latebras?  . . . . . . . . . . .    5.786
ut uidet ad nullos exciri posse tumultus
/in pugnam generum  . . . . . . .   6.11
tot potuere manus aut iungere Seston
Abydo  . . . . . . . . . . . . .    6.55
non tu bellorum spoliis ornare Tonantis
/templa potes,  . . . . . . . . .   6.261
totus mitti ciuilibus armis /usque uel
in pacem potuit cruor:  . . . . .   6.300
ultimus esse dies potuit tibi Roma
malorum,  . . . . . . . . . . . .   6.312
exire e mediis potuit Pharsalia fatis.
                                    6.313
Hesperiam potui motu surgente tenere,
                                    6.322
atque olim Larisa potens;  . . . .  6.355
omne potens animal leti genitumque nocere
/et pauet Haemonias ... artes.  .   6.485
ignota tantum pietate merentur, /an
tacitis ualuere (potuere) minis? var.6.496
an habent haec carmina certum /imperiosa
deum, qui mundum cogere quidquid /cogitur
ipse potest?  . . . . . . . . . .   6.499
'o decus Haemonidum,.../ quaeque suo
uentura potes deuertere cursu,/te precor
ut certum liceat mihi noscere finem 6.591
tum,Thessala turba fatemur,/plus Fortuna
potest.  . . . . . . . . . . . .    6.615
monstroque potenti /extractus Stygio
populus pugnasset Auerno.  . . . .  6.635
iam uera reddetur uita figura,/ut quamuis
pauidi possint audire loquentem.    6.661
si me praebente uideri /Eumenides
possint ... / quis timor, ignaui,
metuentis cernere manes?'  . . . .  6.664
a miser, extremum cui mortis munus inique
/eripitur, non posse mori.  . . .   6.725
potuit tibi uolnere nullo /stare labor
belli;  . . . . . . . . . . . . .   7.92
potui sine caede subactum /captiuumque
ducem uiolatae tradere paci.  . .   7.93
```

fortissimus ille est / qui, promptus
metuenda pati, si comminus instent,/ et
differre potest. 7.107
spectari toto potuit Pharsalia mundo.
7.204

haec ... / siue aliquid magnis nostri
quoque cura laboris /nominibus prodesse
potest, ... / spesque metusque simul ...
mouebunt, ...   7.210
praecipitare meam fatis potuere senectam:
7.353
quae uincere possent /omnia contulimus.
7.355

Gabios Veiosque Coramque /puluere uix
tectae poterunt monstrare ruinae   7.393
toto populi qui nascimur orbe / nec muros
inplere uiris nec possumus agros: 7.401
cladis eo dedimus, ne tanto in corpore
bellum / iam possit ciuile geri.   7.407
moeniaque in praeceps laturos plena
tremores / hi possunt explere uiri, quos
undique traxit / in miseram Fortuna necem,
7.415
uultus, quo noscere possent /facturi quae
monstra forent, uidere parentum   7.462
nec ualet haec acies tantum prosternere
quantum /inde perire potest.   7.535
ut notum possit spoliare cadauer,   7.627
stante potest mundo Romaque superstite
Magnus /esse miser. 7.660
cunctas inpellere gentes /rursus in arma
potes 7.719
has trahe, Caesar, aquas, hoc, si potes,
utere caelo. 7.822
cum possis iam flere times.   . . .   8.54
coeperat ... /... maestamque mariti /
posse pati faciem: 8.70
omnia uictoris possunt sperare fauorem,
8.117
quam uix,... /... siccis dimittere matres
/iam poterant oculis: 8.155
an Libycae Marium potuere ruinae /
erigere in fasces 8.269
sed me uel sola tueri /fama potest rerum
toto quas gessimus orbe 8.275
miserum quid decipis orbem,/si seruire
potes? 8.341
Parthoque sequenti /murus erit
quodcumque potest opstare sagittae.   8.379
gens unica mundi est / de qua Caesareis
possim gaudere triumphis. 8.430
ire per ista / si potes, in media socerum
quoque, Magne, sedentem / Thessalia
placare potes. 8.440
in media socerum quoque, Magne, sedentem
/Thessalia placare potes. 8.441
te nec uictos arcere a litore nostro /
posse putat. 8.498
tu, Ptolemaee, potes Magni fulcire ruinam,
8.528
non ... / ... regumque potens uindexque
senatus /... Romanus erat: 8.554
Phario satis esse tyranno / quod poterat,
Romanus erat: 8.556
poteras non flectere puppem, / ... /
omnibus a terris si nos arcere parabas.
8.586
nec quoquam auertere uisus /nec Magnum
spectare potest. 8.592
Pompeio praestare potest quod Caesaris
armis /inputet. 8.657

si funere nullo /tristior iste rogus,
manes animamque potentem /officiis auerte
meis: 8.762
exiguam, quantum potes, accipe flammam
8.766
omnia Lagi / arua tenere potest, si
nullo caespite nomen /haeserit.   8.803
potuit cernens tua funera, Magne, /non
fugere in mortem: 9.104
turpe mori post te solo non posse dolore.'
9.108
nec credens Pharium tantum potuisse
tyrannum /litore Niliaco socerum iam
stare putaui. 9.134
nulli cognitus aeuo /luctus erat, mortem
populos deflere potentis. 9.170
salua / libertate potens, ... /... erat.
9.193
quaeque dari uoluit uoluit sibi posse
negari. 9.196
forsitan in soceri potuisses uiuere regno.
9.210
bellum ciuile sepulchra /uix ducibus
praestare potest. 9.236
toto solus in orbe est / qui uelit ac
possit uictis praestare salutem.   9.247
potuit uestro Pompeius abuti /sanguine:
9.263
sola potest Libye turba praestare malorum
/ut deceat fugisse uiros.' 9.405
nullisque potest consistere miles /
instabilis,... harenis. 9.464
tanto duce possumus uti /per Syrtes,
9.552
hoc potuit caelo pelagoque minari /
torporem insolitum 9.647
nec Pallas spectare potest,   . . .   9.681
discere nulli /permissum est hoc posse
sitim. 9.762
hoc et flamma potest; sed quis rogus
abstulit ossa? 9.784
spectatorque docet magnos nil posse
dolores. 9.889
par lingua potentibus herbis, . . .   9.893
ipse cruor tutus nullumque admittere
uirus /uel cantu cessante potens.   9.895
qui potuere pati radios et lumine recto
/ sustinuere diem, caeli seruantur in
usus, ...   9.904
panacea potens et Thessala centaurea /...
sonant flammis 9.918
extractamque potens gelido de corpore
mortem / expuit; 9.935
Asiamque potentem / praeuehitur   9.1002
non aliter manifesta potens abscondere
mentis / gaudia quam lacrimis. . . 9.1040
quod si non Phario germana tyranno /
non inuisa foret, potuissem reddere regi
/quod meruit, ...   9.1069
maiore profecto / quam metui poterat
discrimine gessimus arma: . . .   9.1085
sciat hac pro caede tyrannus / nil uenia
plus posse dari. 9.1089
tunc pace fideli / fecissem ut uictus
posses ignoscere diuis, ... 9.1103
non utile mundo /editus exemplum, terras
tot posse sub uno /esse uiro. . . .   10.27
naturaque solum /hunc potuit finem
uaesano ponere regi; 10.42
radiisque potentibus astra /ire uetat
10.202

POSSUM

quis causas reddere possit? . . 10.237
terra potens primos sentit percussa
tumultus 10.324
expugnare senem potuit Cleopatra uenenis:
10.360
iugulus mihi Caesaris haustus /hoc
praestare potest, ... 10.388
poteratque cruor per regia fundi /pocula
Caesareus 10.423
potuit discrimine summo /Caesaris una
dies in famam et saecula mitti. 10.532

POST(praep.). 1.36;1.230;1.336;1.343;1.369;
2.69;2.284;2.318;2.498;2.552;2.589;2.628;
2.635;3.14;3.233;3.340;3.468;3.478;4.353;
4.575;4.593;5.217;5.473;5.583;6.220;7.15;
7.376;7.471;7.522;7.542;7.645;7.656;7.693;
8.7;8.84;8.233;8.433;8.749;9.23;9.29;
9.108;9.218;9.243;9.274;9.309;10.8;10.50;
10.263

POSTERITAS. qua posteritas in saecula mittet
/Septimium fama? 8.608

POSTIS. postibus Antaei Libye, nec Graecia
maerens / tot laceros artus Pisaea fleuit
in aula. 2.164
infulaque in geminos discurrit candida
postes, ... 2.355
tum poste recluso / dux ait 'expecta uotis
maiora modestis 5.531
hebenus Mareotica uastos / non operit
postes sed stat pro robore uili, 10.118

POSTQUAM. 1.277;1.291;2.333;2.437;3.372;3.484;
3.629;3.659;3.712;3.715;4.56;4.143;4.169;
4.205;4.291;4.699;4.715;4.816;5.113;5.498;
5.510;6.1;6.347;6.681;6.820;7.242;7.787;
8.63;8.504;8.618;8.674;8.726;9.11;9.51;
9.659;10.172

POTENS v. POSSUM.

POTENTIA(subst.). quem tamen inueniet tam
longa potentia finem? 1.333
quos non concordia mixti / alligat ulla
tori blandaeque potentia formae 6.459
Armeniosne mouet Romana potentia cuius
/sit ducis, ... 7.281
sideribus,... /... diuersa potentia prima
/mundi lege data est. 10.200

POTESTAS. omnisque potestas /impatiens
consortis erit. 1.92
pontifices, sacri quibus est permissa
potestas. 1.595
inminet armorum rabies, ferrique potestas
/confundet ius omne manu, ... 1.666
et summis seruate malis. nunc flere
potestas / dum pendet fortuna ducum:
2.40
frustraque hosti concessa potestas /
sanguinis inuisi, ... 2.76
tum cum paene caput mundi rerumque
potestas /mutauit translata locum, 2.136
non consule sacrae / fulserunt sedes, non,
proxima lege potestas, /praetor adest,
3.106
certe uiolata potestas /inuenit ista deos;
3.125
cui tanta potestas /concessa est? 4.823
uos, quorum finem non est sensura
potestas, ... 5.45
inde perit primum quondam ueneranda
potestas /iuris inops; 5.397
nulla meis aberit titulis Romana potestas,
5.664
uirtus et summa potestas / non coeunt;

8.494
sum tamen, o superi, felix, nullique
potestas / hoc auferre deo. . . . 8.630
iuuit sumpta ducem, iuuit dimissa
potestas. 9.200
frustra ciuilibus armis / miscuimus
gentes, siqua est hoc orbe potestas /
altera quam Caesar, ... 9.1077
discubuere illic reges maiorque potestas
/Caesar; 10.136
stata tempora flatus / continuique dies
et in aera longa potestas, . . . 10.241

POTHINUS. ausus Pompeium leto damnare
Pothinus 8.483
sed habet sub iure Pothini /adfectus
ensesque suos. 10.95
sat fuit indignum, Caesar,... /Pompeium
facinus meritumque fuisse Pothini.' 10.103
sed non uaesana Pothini / mens ...
uacabat / a scelerum motu: . . . 10.333
uixitque Pothini /munere Phoebeos
Caesar dilatus in ortus. . . . 10.432
non fatum meriti poenasque Pothini /
distulit ulterius. 10.515

POTIOR,-IRI. anfractu latuere uiae; quibus
hoste potito / faucibus emitti terrarum
in deuia Martem /inque feras gentes
Caesar uidet. 4.160
o quantum donata pace potitos / excussis
umquam ferrum uibrasse lacertis /
paenituit, ... 4.385
nam sedes Libyca tellure potito /haec
fuit. 4.658
tandemque potitus / pectore Cirrhaeo non
umquam plenior artus /Phoebados inrupit
Paean 5.165
tum Calabro portu te crede potitum 5.589
'non te funesta scelerum mercede potitum /
sed dubium fati, ... 7.610

POTIUS. quod potius sit nomen aquis. 3.259
uolnera miscebunt fratres bellumque
coacti /hoc potius ciuile gerent.' 3.355
Africa nos potius uincat sibi. 4.793
uel litora tangam /iussa, uel hoc potius
pelagus flatusque negabunt.' 5.559
quolibet infaustam potius deflecte
carinam: 5.789
sit Scaeua relicti /Caesaris exemplum
potius quam mortis honestae.' . . 6.235
a potius, nequid bello patiaris in isto,
/te Caesar putet esse suam.' . . 6.328
Cassius hoc potius feriet caput? 7.451
a potius pereant lacrimae pereantque
querellae: 7.555
sparsit potius Pharsalia nostras / quam
subuertit opes. 8.273
an liber in armis / occubuisse uelim
potius quam regna uidere? 9.567

POTO,-ARE. poturae te, Nile, grues, primoque
uolatu / effingunt uarias casu monstrante
figuras; 5.712
tandem fonte reperto / indiga
cogatur laticis spectare (potare) iuuentus,
var.9.592

PRAEBEO,-ERE. gentibus inuisis Latium praebere
cruorem / ... placuit 1.9
tum uires praebebat hiemps atque auxerat
undas 1.217
praebet securos intra tentoria somnos:
1.518
deposito uictum praebebat poplite collum.

PRAEBEO

obuia praebentur fatorum munere bella.
        1.613
non ulli frondem praebentibus aurae /
arboribus suus horror inest. . . . 3.361
at Romana ratis stabilem praebere carinam
/certior 3.410
obliquas et praebuit hostibus alnos.
        3.556
praebuit ille dies uarii miracula fati.
        3.562
iaculum letale reuolsum/.../oppressere
manu, ualidos dum praebeat ictus 3.634
at faciles praebere alimenta carinae /
nunc pice, ... 3.678
mobile neruis / conamen calidus praebet
cruor 3.683
hoc ferit et taciti praebet miracula
cursus, ... 4.287
praebebunt aequora testes, ... 4.425
testes,/ praebebunt terrae, summis dabit
insula saxis, ... 4.493
ad somnos non terga ferae praebere cubile/
adsuerunt, ... 4.494
ne cessa praebere deo tua fata uolenti
        4.603
haud dubitem praebere manus: . . . 5.536
Pompeium exhaustae praebenda ad gramina
terrae, ... 5.558
pronum erat, o iuuenis, quos uelles'
inquit 'in casus /inuitos praebere deos.
        6.81
si me praebente uideri /Eumenides possint
... / quis timor, ignaui, metuentis
cernere manes?' 6.607
inuoluit uoltus atque, indignatus
apertum / fortunae praebere, caput; 6.663
lucis maesta parum per densas Cynthia
nubes / praebebat, ... 8.615
nulloque herede relicto /totius fati
lacerandas praebuit urbes. 8.722

PRAECEDO,-ERE. iam coeperat ultima Virgo /
Phoebum laturas ortu praecedere Chelas,
        2.692
letum praecedere nati /festinantem
animam morti non credidit uni. 3.750
propera praecedere, miles, / quos sequeris;
        7.744
quos Lentulus omnis / uirtutis stimulis
... / praecessit 8.330
quicumque ... / uiderit,... /... equitem
peditum praecedere turmas / deficiat:
        9.400
praecedit anheli / militis ora pedes,
        9.587

PRAECEPS. urguent / praecipitem populum,
serieque haerentia longa / agmina
prorumpunt. 1.492
sic turba per urbem / praecipiti lymphata
gradu, ... / inconsulta ruit. . . .1.496
hic se praecipiti iaculatus pondere dura /
dissiluit percussus humo, ... 2.155
praecipites haesere rates, ... 2.212
praecipitique ruens Tiberina in flumina
riuo /haerentis adiuuit aquas; . . 2.216
praecipitem cohibete ducem: . . . 2.489
sed Caesar in omnia praeceps, . . 2.656
murisque recepti / praecipiti cursu flexi
per cornua portus / ora petunt 2.706
neque enim iam sufficit ulla /praecipiti
fortuna uiro, nec uincere tanti, / ut

bellum differret, erat. 3.51
iamque et praecipitis superauerat Anxuris
arces, ... 3.84
strata metu tenuit flagrantis in omnia
belli / praecipitem cursum, . . 3.391
tamen alta sub aequora tendit / praecipiti
saltu: 3.750
naualia paucae / praecipiti tenuere fuga.
        3.756
conuersus in iram / praecipitem timor est.
        4.268
fata sed in praeceps solitus demittere
Caesar 5.301
tantum nautae uidere trementes /fluctibus
e summis praeceps mare; 5.640
praecipites aderunt casus: . . . 5.746
per arua / Dyrrachii praeceps rapiendas
tendit ad arcis. 6.14
nam clausa profundo / undique praecipiti
        6.24
iam magis atque magis praeceps agit omnia
fatum, ... 6.98
torpuit et praeceps audito carmine mundus,
        6.463
illis et sidera primum / praecipiti
deducta polo, ... 6.500
in praeceps subsedit humus, . . . 6.643
taurus et Emathios praeceps se iecit in
agros, ... 7.166
si totidem Magni soceros ... /... locasses,
/ non tam praecipiti ruerent in proelia
cursu. 7.336
moeniaque in praeceps laturos plena
tremores / hi possunt explere uiri, 7.414
o praeceps rabies! 7.474
praecipiti cursu uaesanum Caesaris agmen
/in densos agitur cuneos, ... 7.496
praecipites fecere palam ciuilia bella /
non bene barbaricis umquam commissa
cateruis. 7.526
glomerataque nubes / in sua conuersis
praeceps ruit agmina frenis. . . . 7.531
praecipitesque dedi populos . . . 8.93
ibat in hostilem praeceps Cornelia puppem,
        8.577
aut mihi praecipitem, nautae, permittite
saltum, ... 8.654
praeceps facit omne timendum /uictor,
        9.47
numquam ueniemus ad enses / aut laqueos
aut praecipites per inania iactus: 9.107
medias praeceps tunc fertur in undas.
        9.122
cum lapsus abrupta uiarum /excepere tuos
et praecipites cataractae /... spuma
tunc astra lacessis, ... 10.318
Caesar semper feliciter usus /praecipiti
cursu bellorum, ... 10.508

PRAECEPTA v. PRAECIPIO.

PRAECIDO,-ERE. maturato praecidit uespere
lucem; 6.340

PRAECIPIO,-ERE. non senis extremum piguit
uergentibus annis / praecepisse diem,
        2.106
neu tuba praemonitos perducat ad aequora
nautas / praecepit sociis. . . . 2.691
idem, cum fortes animos praecepta
subissent, ... 4.524
hoc iter aequoreo praecepit limite Magnus,
        6.15

PRAECIPITO,-ARE. non senis extremum piguit

uergentibus annis /praecepisse
(praecipitasse) diem, ... var.2.106
atque hostis turba stipatus inermis /
praecipitat castris 4.209
at Genusum nunc sole niues nunc imbre
solutae / praecipitant. 5.466
sors ultima rerum / in dubios casus et
prona pericula morti /praecipitare solet:
5.694
praecipitantque suos luctus, neuterque
recedens / sustinuit dixisse uale, 5.795
Rhodanumque morantem / praecipitauit Arar.
6.476
sua quisque ac publica fata /praecipitare
cupit; 7.52
praecipitare meam fatis potuere senectam:
7.353
'praecipitate rates e sicco litore, nautae;
9.148
adde quod omne caput fluuii, quodcumque
soluta / praecipitat glacies, . . 10.224
PRAECLUDO,-ERE. tunc ausum classi praecludere
portus /inpulit ... Phycunta 9.39
PRAECONIUM. innumeras soluit falsa in
praeconia linguas. 1.472
digna damus, iuuenis, meritae praeconia
uitae. 4.813
PRAECORDIA. feruidus haec iterum circa
praecordia sanguis / incaluit; . . 2.557
carmine Thessalidum dura in praecordia
fluxit / non fatis adductus amor, 6.452
at tibi, Laeue miser, fixus praecordia
pressit / Niliaca serpente cruor, 9.815
PRAEDA. praedaque et hostiles luxum suasere
rapinae, ... 1.162
nos praeda furentum / prima castra sumus.
1.250
nam neque praeda meis neque regnum
quaeritur armis: 1.350
humani facilem uenturo Caesare praedam
/ignauae liquere manus. 1.513
quem dederat Perses, quem uicti praeda
Philippi, ... 3.158
celeresque carinas / continuit, cursu
crescat dum praeda secundo, . . . 4.435
praeda nescit latrare reperta . . 4.443
praedam ciuilibus armis / scit non esse
casas. 5.526
non magno hortamine miles / in praedam
ducendus erat. 7.737
cum spe Romanae promiserit omnia praedae,
/decipitur quod castra rapit. . . 7.759
PRAEDO. praedonem sequerere mari: . 2.727
illic Pellaei proles uaesana Philippi, /
felix praedo, iacet, ... 10.21
PRAEDUCO,-ERE. iubet ... / munitumque latus
laeuo praeducere gyro. 4.45
calido praeducunt nubila Phoebo, . 6.466
PRAEFERO,-RE. te, ... / ... praelati regia
caeli / excipiet gaudente polo: . 1.46
et nunc tonse Ligur, quondam per colla
decore / crinibus effusis toti praelate
Comatae, ... 1.443
nam praelata suis numquam diuersa dolebit
/castra ducis Magni. 2.275
tunc Orientis opes captorumque ultima
regum / quae Pompeianis praelata est gaza
triumphis /egeritur; 3.166
hostemque propinquum / orant Cecropiae
praelata fronde Mineruae. . . . 3.306
nunc transfuga uilis / cum duce praelato

terras atque aequora lustrat. 5.347
Cyproque citatas / inmisere rates, nullas
cui praetulit aras / undae diua memor
Paphiae, ... 8.457
letumque iuuat praeferre timori. 8.576
non ... petit ... /Pompeius ... /
praeferat ut ueteres feralis pompa
triumphos, ... 8.733
quem non tumuli ... saxum / et cinis ...
/auertet manesque tuos placare iubebit /
et Casio praeferre Ioui? . . . 8.858
praetulit arma togae, sed pacem armatus
amauit. 9.199
ille iacet quem paci praetulit orbis,
9.229
dum nobis omnia praefert, /... / laeta
dies rapta est populis, ... 9.1095
PRAEFICIO,-ERE. quem puer inbellis cunctis
praefecerat armis 10.351
PRAELABOR,-I. placidis praelabitur undis
/Hesperios inter Sicoris non ultimus
amnis, ... 4.13
quoque modo terrae praelapsus moenia
Thybris / in mare descendit, . . 6.76
quam iuxta Lethon tacitus praelabitur
amnis, ... 9.355
PRAEMATURUS,-A,-UM. ad praematuras segetum
ieiuna rapinas / agmina conpulimus, 7.98
PRAEMITTO,-ERE. pro, si remeasset in urbem,
/... / quam seriem rerum longa praemittere
pompa, ... 3.75
sed iam percusserat astra /aurorae
praemissa dies: 8.779
PRAEMIUM. his saltem longi non cum duce
praemia belli / reddantur; . . . 1.341
seruati ciuis referentem praemia quercum,
1.358
in fratrum ceciderunt praemia fratres.
2.151
non feret e nostro sceleratus praemia
miles: 3.130
seu, praemia miles / dum maiora petit,
5.246
uult praemia Martis amari; . . . 5.308
nobis uictoria turbam / non dabit, inpulsi
tantum quae praemia belli /auferat 5.330
unica belli / praemia ciuilis, uictis
donare salutem, / perdidimus. . 9.1067
PRAEMONEO,-ERE. neu tuba praemonitos perducat
ad aequora nautas 2.690
PRAEMORDEO,-ERE. linguam / praemordens
gelidis infudit murmura labris 6.568
frangit rabidos praemorso carcere dentes,
10.446
PRAENESTINUS,-A,-UM. uidit Fortuna colonos /
Praenestina suos cunctos simul ense
recepto /unius populum pereuntem tempore
mortis. 2.194
PRAENOSCO,-ERE. qui stimulante metu fati
praenoscere cursus, ... 6.423
sed, si praenoscere casus /contentus,
facilesque aditus multique patebunt / ad
uerum: 6.615
PRAEPARO,-ARE. praeparat innumeras puppes
Acherontis adusti / portitor; 3.16
PRAEPES,-ETIS. et subitus praepes Cyllenida
sustulit harpen, ... 9.662
quis enim non praepete tanto /aethera
respiceret? 9.688
PRAEPONDERO,-ARE. dignum, quod quaerere
cures / uel tibi, quo tanti praeponderet

PRAEPONDERO
 alea fati.' 6.603
PRAEPONO,-ERE. emptum minimo uolt sanguine
 quisquam / barbarus Hesperiis Magnum
 praeponere rebus? 7.283
PRAERUMPO,-ERE. tunc inopes undae praerupta
 cingere fossa / Caesar auet . . . 4.264
 conspexere procul praerupta in caute
 sedentem, ... 6.575
 quamuis fecerit omnis / stella senem,
 medios herbis abrumpimus (praerumpimus)
 annos, ...var.6.610
PRAESAGIUM. terruerant satis haec pauidam
 praesagia plebem, ... 1.673
 capiunt praesagia belli / calcatisque
 ruunt castris; 7.331
 tristis praesagia curas / exagitant, 8.43
 non ulli comitum sceleris praesagia derant:
 8.571
PRAESAGUS,-A,-UM. aut te, praesage malorum /
 Antoni, ... 2.121
 cunctos belli praesaga futuri / mens
 agitat, ... 6.414
 quid mirum populos ... / lymphato
 trepidasse metu, praesaga malorum / si
 data mens homini est? 7.186
 seu tonitrus ac tela Iouis praesaga
 notauit, ... 7.197
 tristis, ut in multo mens est praesaga
 timore, / aspexit patrios comites a litore
 Magnus / et fratrem; 9.120
PRAESCIUS,-A,-UM. legesque et foedera rerum /
 praescia monstrifero uertit natura tumultu
 2.3
PRAESENS. si me praebente (praesente) uideri
 /Eumenides possint var.6.663
 causa fugae uoltusque tui fetisque
 negatum / parte apsente (praesente) mori.
 var.7.677
PRAESEPE. aduectos cum plena ferant praesepia
 culmos, ... 6.85
PRAESES. coeperit inde nefas, iam iam me
 praeside Roma /supplicium poenamque petat.
 2.538
PRAESIDEO,-ERE. nec non Iliacae numen quod
 praesidet Albae, /... / uidit flammifera
 confectas nocte Latinas. 5.400
PRAESTO,-ARE. nec plus uictoria Sullae /
 praestitit inuisas penitus quam tollere
 partes: 2.229
 uincendum pariter Pharsalia praestitit
 orbem. 3.297
 qui praestat terris aufert tibi nomen
 Hiberus. 4.23
 subita circumdedit agmina fossa,/ dum
 primae perstant(praestant) acies, var.4.30
 non potes hoc causae, miles, praestare,
 senatus / adsertor uicto redeas ut Caesare?
 4.213
 spem uestram praestate deis, . . . 5.42
 tot mundi caruisse malis, praestare deorum
 /excepta quis Morte potest? . . . 5.229
 iugulos, non tantum praestitit ensis.
 5.370
 quod praestet Fortuna mihi.' . . . 5.593
 fulminibus me, saeue, iubes tantaeque
 ruinae / absentem praestare caput? 5.771
 hoc uestro praestate duci: 6.234
 ripamque sonantem /ignibus ostendam,
 si me praebente (praestante) uideri /
 Eumenides possint var.6.663
 nam uera locutum /inmunem toto mundi

PRAETEXO
praestabimus aeuo / artibus Haemoniis:
 6.764
iussa tenere diem densas nox praestitit
 umbras. 6.830
inspicit ... / quis contenta ferat, quis
 praestet bella iubenti, ... 7.563
socero spectare uolenti /praestandum
 est ubicumque caput. 7.675
saluaque uerendus /maiestate dolor,
 qualem te, Magne, decebat /Romanis
 praestare malis. 7.682
'uictori praestate fidem'. . . . 7.721
scelerique secundo / praestabis nondum
 siccos hoc sanguine campos. . . 7.854
nimium felix aeterno nomine Lesbos,/ siue
 ... / seu praestas mihi sola fidem. 8.141
crederet hoc Magnus, pacem cum praestitit
 undis, / et sibi consultum? . . . 8.256
ingentis praestate animos. 8.266
quid enim tibi laetius umquam /
 praestiterint superi, quam, ... /...
 tantam consumere gentem 8.323
cognatas praestate manus externaque
 monstra /pellite, ... 8.548
Phariamque ablatus in alnum (altum) /
 perdiderat iam iura sui. var.8.615
Pompeio praestare potest quod Caesaris
 armis /inputet. 8.657
cladesque omnis exegit in uno / saeua
 die quibus inmunes tot praestitit annos,
 8.704
bellum ciuile sepulchra /uix ducibus
 praestare potest. 9.236
sacris praestabitur umbris /summus honor;
 9.240
toto solus in orbe est / qui uelit ac
 possit uictis praestare salutem. 9.247
sola potest Libye turba praestare malorum
 /ut deceat fugisse uiros.' . . . 9.405
iugulus mihi Caesaris haustus / hoc
 praestare potest, ... 10.388
praestet Lagea iuuentus / hoc regi, Romana
 sibi. 10.394
illa duci geminos bellorum praestitit usus.
 10.512
PRAESTRINGO,-ERE. terruit obliqua
 praestringens lumina flamma: . . 1.154
PRAESUMO,-ERE. ad dubios pauci praesumpto
 robore casus / spemque metumque ferunt.
 6.418
sed tu quoque, coniunx, / causa fugae
 uoltusque tui fatisque negatum / parte
 apsente (te praesente) mori. var.7.677
PRAETEMPTO,-ARE. fatoque pericula uestra /
 praetemptate meo. 9.398
PRAETER. quod socero bellum praeter ciuile
 reliqui?' 2.595
his praeter Latias acies erat inpiger
 Astur 4.8
sit praeter gladios aliquod sub Caesare
 fatum. 5.283
nec quicquam nudis uitalibus obstat /
 iam praeter stantis in summis ossibus
 hastas. 6.195
PRAETEREO,-IRE. sic maesta senectus /
 praeteritique memor flebat metuensque
 futuri. 2.233
praetereunt frustra temptati litora Lissi
 5.719
PRAETEXO,-ERE. hinc densae praetexunt litora
 classes, ... 10.537

PRAETOR

PRAETOR. praetor adest, uacuaeque loco cessere
curules. 3.107

PRAETORIUS,-A,-UM. celsior at cunctis Bruti
praetoria puppis /uerberibus senis agitur
3.535

PRAEUEHO,-ERE. totumque per agmen /sublimi
praeuectus equo 7.342
Asiamque potentem /praeuehitur . 9.1003
inde plagas Phoebi damnum non passus
aquarum /praeueheris 10.308

PRAEUENIO,-IRE. dixit et ad montis tendentem
praeuenit hostem. 4.167
rapuit dubitantia fata / praeuenitque
metus; 9.640

PRAEUERTO,-ERE. nisi summa dies ... / ...
celeri praeuertit tristia leto, /dedecori
est fortuna prior. 8.30

PRECES v. PREX.

PRECOR,-ARI. dux etiam uotis hoc te, Fortuna,
precatur, ... 2.699
nobis haec summa precandi: . . . 3.329
seruata precanti / maiestas non fracta
malis, ... 4.340
populoque precanti /scilicet indulgens
summo dictator honori / contigit 5.382
fluctus nimiasque precari /uentorum uires,
5.451
hoc precor extremum: 5.787
omne nefas superi prima iam uoce precantis
/concedunt 6.527
te precor ut certum liceat mihi noscere
finem 6.592
si quisquis uestris caput extaque
lancibus infans /inposuit uicturus erat,
parete precanti. 6.711
ne parce, precor: da nomina rebus, 6.773
'hoc pro tot meritis solum te, Magne,
precatur / uti se Fortuna uelis, 7.68
precor gentes ut ius habeatis in omnes.
7.265
si Romano conpleri sanguine mauis,/istis
parce precor; 7.540
non regna precabor / quae feci. 8.313
Assyriae paci finem, Fortuna, precamur;
8.427
'remane, temeraria coniunx,/ et tu, nate,
precor, ... 8.580
quid tibi, saeua, precer pro tanto crimine,
tellus? 8.827

PREMO,-ERE. quas premit aspera classes /
Leucas 1.42
aetheris inmensi partem si presseris
unam, ... 1.56
curuato robore pressae / fit sonus aut
rursus redeuntis in aethera siluae. 1.390
cum pressus ab hoste / clauditur externis
miles Romanus in oris, ... 1.514
cornua succincti premerent cum torua
ministri, ... 1.612
si saeuum radiis Nemeaeum, Phoebe, Leonem
/nunc premeres, ... 1.656
nam mitis in alto / Iuppiter occasu
premitur, Venerisque salubre /sidus hebet,
1.661
sed maiora premunt. 1.674
sed cum membra premit fugiente rigentia
uita 2.25
hinc Dacus, premat inde Getes; . . 2.54
et Poenos pressit cineres. . . . 2.91
magna premit strages peraguntque cadauera
partem /caedes: 2.205

PREMO

deuotum hostiles Decium pressere
cateruae: 2.308
turritaque premens frontem matrona corona
2.358
nec tam patiente colono / arua premi quam
si ferro populetur et igni. . . 2.445
premit ille grauis interritus iras, 2.521
adsequitur generique premit uestigia
Caesar. 2.652
Aethiopumque solum, quod non premeretur
ab ulla / signiferi regione poli, 3.253
pressus ne cedat turribus agger. 3.398
frangit cuncta ruens, nec tantum corpora
pressa / exanimat, ... 3.472
remorumque sonus premitur clamore, 3.541
iamque polo pressae largos densantur in
imbres 4.76
quam zona niualis /perpetuaeque premunt
hiemes 4.107
puteusque cauati /montis ad inrigui
premitur fastigia campi. 4.296
siquos palmite crudo /arboris aut tenera
sucos pressere medulla. 4.318
nisi qui presso uestigia rostro /colligit
4.442
percussum est pectore ferrum / et iuguli
pressere manum. 4.562
haerebis pressis intra mea pectora
membris: 4.648
cum dira uoluptas /ense subit presso,
galeae texere pudorem, ... 4.706
non arma mouendi /iam locus est pressis,
stipataque membra teruntur; . . 4.782
cingere Pellaeo pressos diademate crinis
/permissum. 5.60
ultor ibi expulsae, premeret cum uiscera
partus,/matris adhuc rudibus Paean
Pythona sagittis /explicuit, . . 5.79
quod numen ab aethere pressum /dignatur
caecas inclusum habitare cauernas? 5.86
muto Parnasos hiatu /conticuit pressitque
deum, ... 5.132
haerentem dubiamque premens in templa
sacerdos /inpulit. 5.145
miserumque premunt tot saecula pectus,
5.178
numquam sic cura deorum / se premet,
5.341
non puppis nostrae labor est: hanc Caesare
pressam / a fluctu defendet onus. 5.585
ni superum rector pressisset nubibus
undas. 5.626
tutior omni /rege late, positamque procul
fortuna mariti /non tota te mole premat.
5.756
sitque mihi, si fata prement uictorque
cruentus, /quo fugisse uelim.' 5.758
portusque reliquit /Hesperios, saeui
premerent cum Caesaris arma. . . 5.803
illum tota premit moles, illum omnia tela,
6.189
nec uidit recto gladium mucrone tenentem
(prementem), ... var.6.237
inuenit inpulsos presso iam puluere muros,
6.280
Torquato ruit inde minax, qui Caesaris
arma / segnius haud uidit, quam molo
nauta tremente (premente)/ omnia subducit
Circaeae uela procellae. . . .var.6.286
nec Iuba Marmaricas nudus pressisset
harenas 6.309

uictor tibi, Roma, quietem / eripiam, qui,
ne premerent te proelia, fugi?   6.327
hos inter montis media qui ualle
premuntur, /perpetuis quondam latuere
paludibus agri, ...   6.343
mox Lelegum dextra pressum descendit
aratrum, ...   6.383
conceditur arti,/unam cum radiis
presserunt sidera mortem, /inseruisse
moras; 6.608
uixque reuolsa solo maiori pondere
pressum /signiferi mersere caput .../...
signa. 7.162
premit inde metus, totumque per agmen /
sublimi praeuectus equo 7.341
Sarmaticumque premat succinctus consul
aratrum, ...   7.430
inspicit ... / quae presso tremat ense
manus, quis languida tela, /... ferat,
                                      7.562
uolnera multorum totum fusura cruorem /
opposita premit ipse manu.   7.567
nondum attigit arcem,/ iuris et humani
columen, quo cuncta premuntur, . .   7.594
Eoasque premunt tentoria gazas. . .   7.742
stratumque cubile /regibus infandus
miles premit, ...   7.762
sua quemque premit terroris imago: 7.773
hunc omnes gladii ... /... /illa nocte
premunt, hunc infera monstra flagellant.
                                      7.783
numquam ... /... plures presserunt aera
pinnae. 7.835
Thessalia ... quo tantum scelere ... /
laesisti superos, ut te ... /tot scelerum
fatis premerent? 7.849
quid totum premitis, quid totum absoluitis
orbem? 7.870
Fortuna ... /... tanto pondere famae /
res premit aduersas fatisque prioribus
urguet. 8.23
notauit,/ deformem pallore ducem uoltusque
prementem / canitiem 8.56
nec sic mea fata premuntur /ut nequeam
releuare caput 8.267
dat poenas laudata fides, cum sustinet'
inquit / 'quos fortuna premit. . .   8.486
sic fata premunt ciuilia mundum?   8.544
tum lumina pressit / continuitque animam,
                                      8.615
nobile corpus /robora nulla premunt,
                                      8.757
quaecumque lcuatae /arboribus caesis
flatum effudere prementem, /abstulit has
... /aestus 9.332
premit orbita solis /exuritque solum;
                                      9.691
at tibi, Laeue miser, fixus praecordia
pressit /Niliaca serpente cruor,   9.815
premitur natura poli; 9.867
putres robore trunci /Assaraci pressere
domos 9.967
terrasque premamus /flagrantis post terga
Noti, ...   10.49
unda / frigore ab Arctoo ... reuocata ...
/cum Phoebus pressit Meroen . .   10.251
premit undique bellum, ...   10.478
PRENDO,-ERE. illa tamen nisu, quo prenderat,
haesit 3.612
explicat hinc tellus campos effusa
patentis /uix oculo prendente modum, 4.20

liceat uexata litora puppe /prendere,
ne longe nimium sit proxima tellus.'
                                      5.576
PRENSO,-ARE. robora cum uetitis prensarent
altius ulnis 3.664
PRESSURA(subst.). solet pariter totis se
fundere signis / Corycii pressura croci,
                                      9.809
PRESTER. oraque distendens auidus fumantia
prester, ...   9.722
Nasidium Marsi cultorem torridus agri
/ percussit prester. 9.791
PRETIOSUS,-A,-UM. pretiosaque uestis /hirtam
membra super Romani more Quiritis /
induxisse togam, ...   2.385
desertus Orontes /... / et Tyros
instabilis pretiosaque murice Sidon. 3.217
defuit ... / non ... innataque rubris /
aequoribus custos pretiosae uipera conchae
                                      6.678
'non pretiosa petit cumulato ture sepulchra
/Pompeius,   8.729
PRETIUM. nec pretium tanti tellus pontusque
furoris / tunc erat: 1.96
hinc rapti fasces pretio sectorque
fauoris /ipse sui populus   . . .   1.178
[par labor atque metus pretio maiore
petuntur.] 1.282
hoc solum longae pretium uirtutis habebis:
                                      2.258
mox, ubi conubii pretium mercesque soluta
est /tertia iam suboles, ...   2.330
numquam nostra salus pretium mercesque
nefandae /proditionis erit: . .   4.220
numinis aut poena est mors inmatura
recepti / aut pretium; 5.118
Trachin pretioque nefandae /lampados
Herculeis fortis Meliboea pharetris 6.353
quae fossa, quis agger /sustineat pretium
belli scelerumque petentis? . .   7.750
nondum uile sui pretium scit sanguinis
esse, ...   8.9
sciat ista iuuentus /ceruicis pretio bene
se mea signa secutam. 9.281
abstulit arboribus pretium nemorique
laborem /Alcides, ...   9.365
PREX. illum saepe minis Caesar precibusque
morantem /euocat. 5.480
desiste preces temptare: 5.744
exaudite preces. 6.706
credite qui nunc est populus populumque
futurum /permixtas adferre preces: 7.375
stetit anxia classis /... metuens... /
sed ne summissis precibus Pompeius adoret
/sceptra sua donata manu. . . .   8.594
frustra precibus Cornelia nautas /
priuignique fugam tenuit, ...   9.51
uoltus adest precibus faciesque incesta
perorat. 10.105
PRIDEM. tollite iam pridem uictricia tollite
signa: 1.347
quamquam firmissima pubes /his sedeat
castris, iam pridem Caesaris armis /
Parthorum seducta metu, ...   2.474
ceu pridem debita fatis /Assyriis trahitur
cladis captiua uetustae. 8.415
PRIMAEUUS,-A,-UM. illa genae florem primaeuo
corpore uolsit, ...   6.562
PRIMORDIUM. non neclecte deis, Phariae
primordia gentis /... edissere   10.177
PRIMUS,-A,-UM. fraterno primi maduerunt

sanguine muri. 1.95
et quamuis primo nutet casura sub Euro,
            1.141

primus in obliquum sonipes opponitur
amnem /excepturus aquas; 1.220
iamque dies primos belli uisura tumultus /
exoritur; 1.233
nos praeda furentum /primaque castra sumus.
            1.251
nos primi Senonum motus Cimbrumque ruentem
/uidimus   1.254
monstra iubet primum quae nullo semine
discors /protulerat natura rapi   1.589
primos me ducis in ortus, . . .   1.683
siue parens rerum, cum primum informia
regna /materiamque rudem flamma cedente
recepit, ...   2.7
sic funere primo /attonitae tacuere domus,
            2.21

primo qui caedis in actu /deriguit
ferrumque manu torpente remisit.   2.77
ut primum fortuna redit, seruilia soluit /
agmina, ...   2.94
nec primo in limine uitae /infantis
miseri nascentis rumpere fata. . . 2.106
in fluuium primi cecidere, in corpora
summi. 2.211
mutarim primas expulsa an tradita taedas.
            2.345
colla monile decens umerisque haerentia
primis /suppara nudatos cingunt angusta
lacertos. 2.363
(ut primum tolli feralia uiderat arma,
            2.374
hunc fabula primum /populea fluuium ripas
umbrasse corona, ...   2.410
quamquam primo terrore ruentis / cessurae
belli, ...   2.448
uictoria nobis / hic primum stans Caesar
erit.' 2.490
pulsus ut armentis primo certamine taurus
            2.601

primus in Epirum Boreas agat; . . 2.646
sufficerent aliis primo tot moenia cursu
/rapta, ...   2.653
hic primum rubuit ciuili sanguine Nereus,
            2.713
pauperiorque fuit tum primum Caesare Roma.
            3.168
inde lacessitum primo mare, ... 3.193
primaque cum uentis pelagique furentibus
undis /conposuit mortale genus,   3.195
(Phoenices primi, famae si crediter, ausi
            3.220
numquam felicibus armis / usa manus,
patriae primis a sedibus exul,   3.339
primus raptam librare bipennem /ausus et
aeriam ferro proscindere quercum   3.433
tum primum posuere comas et fronde
carentes /admisere diem, ...   3.443
ut primum rostris crepuerunt obuia rostra,
            3.544
at Brutus in aequore uictor /primus
Caesareis pelagi decus addidit armis.
            3.762
prima dies belli cessauit Marte cruento
            4.24
dum primae perstant acies,   4.30
Cynthia, quo primum cornu dubitanda
refulsit, ...   4.60
quidquid concrescere primus /sol patitur,

iamque comes semper magnorum prima
malorum /saeua fames aderat, . . .   4.93
primum cana salix madefacto uimine paruam
/ texitur in puppem   4.131
fluuiique ferocis / incrementa timens
non primis robora ripis /inposuit,   4.139
quo primum steterint campo, qua lancea
dextra /exierit. 4.201
et quamuis primo ferrum strinxere gementes,
            4.247
iamque inopes undae primum tellure refossa
/occultos latices abstrusaque flumina
quaerunt; 4.292
ut primum iustae placuerunt foedera pacis,
            4.365
ut primum aduersae socios in litore terrae
/et Basilum uidere ducem, . . .   4.415
insula deseritur ratibus, quo tempore
primas /inpedit ad noctem iam lux extrema
tenebras. 4.446
nec prima nec illam / quae sequitur
tardata ratis, sed tertia moles/haesit
            4.452
primus dux ipse carinae /Vulteius iugulo
poscens iam fata retecto 4.540
sed cum cui uolnera prima /debebat grato
moriens interficit ictu. 4.546
ipsaque inexpertis quod primum fecerat
herbis 4.555
primaque castra locat cano procul
aequore, ...   4.587
Alcides primo uoluit certamine totis,
            4.621
Romana hos primum tenuit uictoria
campos.' 4.660
mittitur, exigua qui proelia prima
lacessat / eliciatque manu, . . .   4.720
ipse sub aurorae primos excedere motus /
signa iubet castris, ...   4.734
ut primum patuere doli, Numidaeque
fugaces /undique conpletis clauserunt
montibus agmen, ...   4.746
at, uagus Afer equos ut primum emisit in
agmen, ...   4.765
quantum pede prima relato /constrinxit
gyros acies. 4.780
quique colit primus ducentem tempora
Ianum. 5.6
ut primum maestum tenuere silentia coetum,
            5.15
cunctaque iussuri primum hoc decernite,
patres, ...   5.21
in pace quietos / bellorum primus sparsit
furor: 5.36
illa pauens ... / fatidicum prima
templorum in parte resistit . . .   5.147
non prima dies,non ultima mundi, /non
modus Oceani, numerus non derat harenae.
            5.181
spumea tum primum rabies uaesana per ora
/effluit 5.190
tum maestus (primum) uastis ululatus in
antris var.5.192
haec primum repperit aetas / qua, sibi ne
ferri ius ullum, Caesar, abesset,   5.386
inde perit primum quondam ueneranda
potestas /iuris inops; 5.397
sidera prima poli Phoebo labente sub
undas /exierant 5.424
uix primum leuior propellere lintea uentus

/incipit 5.430
prima duces iunctis uidit consistere
castris /tellus, ... 5.461
primisque inuenit in undis /... carinam.
5.513
primus ab oceano caput exeris Atlanteo,
5.598
primoque uolatu /effingunt uarias casu
monstrante figuras; 5.712
cum primum redeunte die uiolentior aer /
puppibus incubuit. 5.717
uiduo tum primum frigida lecto 5.806
prima quidem surgens operum structura
fefellit /Pompeium, ... 6.64
ut primum uasto saeptas uidet aggere
terras, ... 6.69
ut primum libuit ruptis euadere claustris
/Pompeio 6.118
mouit tantum uox illa furorem,/ quantum
non primo succendunt classica cantu. 6.166
primumque cadauera plenis /turribus
euoluit 6.170
ut primum cumulo crescente cadauera
murum /admouere solo, ... 6.180
transierat primi Caesar munimina ualli,
6.290
prima Rhoeteia litora pinu / quoe tetigit,
Phylace 6.351
ut primum emissis patuerunt amnibus arua,
6.381
primus ab aequorea percussis cuspide
saxis /Thessalicus sonipes, .../exiluit,
6.396
Thessalicus sonipes,... / exiluit, primus
chalybem frenosque momordit . . . 6.398
prima fretum scindens Pagasaeo litore
pinus /terrenum ignotas hominem proiecit
in undas. 6.400
primus Thessalicae rector telluris Ionos
/ in formam calidae percussit pondera
massae /fudit 6.402
nec quaesisse libet primis quid frugibus
altrix / aere Iouis Dodona sonet, 6.426
illis et sidera primum /praecipiti deducta
polo, ... 6.499
omne nefas superi prima iam uoce precantis
/concedunt 6.527
nec cessant a caede manus, si sanguine
uiuo / est opus, erumpat iugulo qui primus
aperto, ... 6.555
at, simul a prima descendit origine mundi
/causarum series, ... 6.611
pectora tum primum feruenti sanguine
supplet 6.667
tum uox ... /... confundit murmura primum
/dissona 6.686
tum uox ... /... confundit murmura primum
/dissona et humanae multum (primum)
discordia linguae. var.6.687
primo pallentis hiatu /haeret adhuc Orci,
6.714
solum te, consul depulsis prime tyrannis
/Brute, pias inter gaudentem uidimus
umbras. 6.791
qualis erat populi facies ... / olim,
cum iuuenis primique aetate triumphi, /
... plaudente senatu /sedit adhuc
Romanus eques; 7.14
prima uelim caput hoc funesti lancea
belli, /... /... feriat; 7.117
cornus tibi cura sinistri,/Lentule, cum

prima, quae tum fuit optima bello, /
et quarta legione datur. 7.218
Scipio, miles in hoc, Libyco dux primus
in orbe. 7.223
et primo ferri motu prosternite mundum;
7.278
primo gentes oriente coactae /... /
exciuere manus. 7.360
uolturis ut primum laeuo fundata uolatu
/Romulus infami compleuit moenia luco,/
... seruisses, Roma, ruinas. . . 7.437
primaque Thessaliam Romano sanguine
tinxit. 7.473
ut primum toto diduxit cornua campo /
Pompeianus eques ... /... leuis armatura
... / insequitur 7.506
cum Caesar, metuens ne frons sibi prima
labaret /incursu, tenet obliquas post
signa cohortes, ... 7.521
ut primum sonipes transfixus pectora ferro
/... calcauit membra regentis,/ omnis
eques cessit campis, ... 7.528
inspicit et gladios,... / qui niteant
primo tantum mucrone cruenti, 7.561
uidit prima tuae testis Larisa ruinae /
nobile nec uictum fatis caput. 7.712
nuda atque ignota iaceres,/ si non prima
nefas belli sed sola tulisses. 7.868
semper prima uides uenientis uela carinae,
8.48
'nobile cur robur fortunae uolnere primo
/... / frangis? 8.72
primusque a litore Lesbi /occurrit gnatus,
8.204
nec se committere muris / ausus adhuc
ullis te primum, parua Phaseli, /Magnus
adit; 8.251
primi Pellaeas arcu fregere sarisas
8.298
nam Medos proelia prima /exarmant 8.386
non tibi, cum primum gelidum transibis
Araxen, /umbra senis maesti ... /ingeret
has uoces? 8.431
consilii uox prima fuit, ... 8.480
prima pendet tamen anxia puppe, 8.590
si saecula prima /uictoris timuere
minas, nunc excipe saltem / ossa tui
Magni, ... 8.837
prima ratem Cypros spumantibus accipit
undis; 9.117
ut primum in sociae peruenit litora
terrae, /collegit uestes... Magni 9.174
scire mori sors prima uiris, set proxima
cogi. 9.211
quisquis Magno uiuente secundus,/ hic mihi
primus erit. 9.240
credet ab Emathiis primos fugisse
Philippis. 9.271
primum litoreis miles lassatur harenis.
9.296
Syrtes uel, primam mundo natura figuram
/cum daret, in dubio pelagi terraeque
reliquit 9.303
ut primum remis actum mare propulit
omne /classis onus, densis fremuit niger
imbribus Auster. 9.319
Pallas ... patrio ... uertice nata /
terrarum primam Libyen ... /... tetigit,
9.351
dum primus harenas /ingrediar ... / me
calor aetherius feriat, ... 9.394

    primusque gradus in puluere ponam, 9.395
    nec enim plus litora Nili / quam Scythicus
    Tanais primis a Gadibus absunt,   9.414
    usque adeo mollis primisque caloribus
    inpar / sum uisus? 9.507
    fons unus ... /ille fuit de quo primus
    sibi posceret undam. 9.618
    hoc primum natura nocens in corpore
    saeuas / aduxit pestes; 9.629
    hic quae prima caput mouit de puluere
    tabes / aspida ... leuauit. . . . 9.700
    primum, quas ualli spatium conprendit,
    harenas / expurgat cantu 9.913
    nam primum tacta designat membra saliua,
        9.925
    quanta dedit miseris melioris gaudia
    terrae / cum primum saeuos contra uidere
    leones! 9.947
    non primo Caesar damnauit munera uisu
        9.1035
    ut primum terras Pompei colla secutus /
    attigit ... / pugnauit fortuna ducis
    fatumque nocentis /Aegypti, . . . 10.1
    hoc animi nox illa dedit quae prima
    cubili / miscuit incestam ducibus
    Ptolemaida nostris. 10.68
    non urbes prima tenebo / femina Niliacas:
        10.90
    sideribus,... /... diuersa potentia
    prima / mundi lege data est. . . 10.200
    adde quod omne caput fluuii ... /...
    ingresso uere tumescit / prima tabe niuis:
        10.225
    teque uident primi, quaerunt tamen hi
    quoque, Seres, ... 10.292
    terra potens primos sentit percussa
    tumultus / et scopuli, ... 10.324
    manifesta noui primum dant signa tumoris.
        10.326
    prima tibi campos permittit apertaque
    Memphis / rura 10.330
    Lucifer ... diemque / misit in Aegypton
    primo quoque sole calentem, . . . 10.435

PRIOR,-US. nec quemquam iam ferre potest
    Caesarue priorem 1.125
    nec reparare nouas uires, multumque
    priori /credere fortunae. 1.134
    non auro tectisue modus, mensasque priores
    /aspernata fames; 1.163
    cultus matrona priores / deposuit
    maestaeque tenent delubra cateruae: 2.28
    interruptus aquae fluxit prior amnis in
    aequor, ... 2.213
    quamuis icta nouo, uentum tenuere priorem
    /aequora, ... 2.458
    nam prior e campis ut conspicit amne
    soluto / rumpi Caesar iter calida
    proclamat ab ira 2.492
    di melius, belli tulimus quod damna
    priores: 2.537
    nec prius Hesperiam longinquis messibus
    ullae / nec Romana magis conplerunt horrea
    terrae. 3.66
    sed prius, ut totam, qua terra cingitur,
    urbem /clauderet, ... 3.383
    nam uicina operi belloque intacta priore
    /inter nudatos stabat densissima montis.
        3.427
    tecta subit uirtus, armisque innexa
    priores / arma ferunt, ... 3.475
    quae prius ex longo nocuerunt missa

    recessu / iam post terga cadunt. 3.477
    et rapto tumulum prior agmine cepit. 4.35
    maiestas non fracta malis, interque
    priorem /fortunam casusque nouos gerit
    omnia uicti /sed ducis, ... 4.341
    causaeque priori, /dum potuit, seruata
    fides. 4.350
    temptauere prius suspenso uincere bello
    /foederibus, ... 4.531
    bella gerat seruetque ducum sibi fata
    priorum, ... 4.662
    infidusque nouis ducibus dubiusque priori
    /fas utrumque putat. 4.698
    arma capessam /ipse prior. . . . 4.703
    tum torta priores /stringit uitta comas,
        5.142
    artus /Phoebados inrupit Paean mentemque
    priorem /expulit 5.167
    prior ipse per hostes /percussi medios
    alieni iuris harenas: 5.488
    quam prior adfatur Pompei ignaua propago.
        6.589
    cum Caesar tela teneret,/inuenta est
    prior ulla manus? 7.475
    Fortuna ... /... tanto pondere famae /
    res premit aduersas fatisque prioribus
    urguet. 8.23
    nisi summa dies cum fine bonorum /adfuit
    ... /... dedecori est fortuna prior. 8.31
    sed gessisse prius bellum ciuile pudebit.
        8.419
    et prior in Nili peruenit litora Caesar.
        8.641
    o famuli turpes, domini post fata prioris
    /itis ad heredem. 9.274
    morumque priorum / numen Romano templum
    defendit ab auro. 9.520
    uos in sede priore / rite uocat. 9.996
    sed prius orta dies nocturnam lampada
    texit / quam tutas intraret aquas. 9.1006
    ac prius infanda commendat crimina uoce.
        9.1013

PRISCUS,-A,-UM. iam nulli tradenda uiro. da
    foedera prisci /inlibata tori,   2.341
    nec foedera prisci /sunt temptata tori:
        2.378
    dispersus siluis Athaman et nomine prisco
    /Encheliae uersi testantes funera Cadmi,
        3.188
    'indole si dignum Latia, si sanguine
    prisco /robur inest animis, . . . 5.17
    'si foedera nobis / prisca manent mihi
    per Latium iurata Tonantem, /... inplete
    pharetras 8.219
    pone duces priscos et nomina pauperis
    aeui / Fabricios Curiosque graues, 10.151

PRIUATUS,-A,-UM v. PRIUO,-ARE.

PRIUIGNUS. precibus Cornelia nautas /
    priuignique fugam tenuit, ... 9.52

PRIUO,-ARE. nunc quoque, ne lassum teneat
    priuata senectus, ... 1.324
    duce priuato gesturus proelia consul
    /sollicitant proceresque alii;   2.278
    non priuata dedit, uotis deposcite pugnam.
        2.533
    non priuata cupis, Romana quisquis in
    urbe /Pompeium transire paras. 2.564
    non quia te superi patrio priuare
    sepulchro / maluerint 2.732
    priuatae curia uocis /testis adest. 3.108
    concidet et Caesar generum priuatus

amabit. 4.188
priuatae sed bella dabat Iuba concitus
irae. 4.688
unumque caput tam magna iuuentus /
priuatum factura timet, . . . 5.366
quamquam plebeio tectus amictu,/indocilis
priuata loqui. 5.539
conscia uotorum es, me, quamuis plenus
honorum /et dictator eam Stygias et
consul ad umbras,/ priuatum, Fortuna, mori.
5.668
ipse ego priuatae cupidus me reddere
uitae 7.266
neu nos sceptris priuauerit hospes /
pignora sunt propiora tibi: . . . 8.498
solus plebe parata /priuatus seruire
sibi, ... /... erat. . . . 9.194

PRIUUS,-A,-UM. nam priua procellis /aequora
rapta ferunt; 5.612

PRO(praep.). 1.615;2.281;3.92;3.349;3.370;
4.227;4.230;4.500;5.269;6.201;6.377;7.68;
7.138;7.261;7.544;7.738;8.11;8.781;8.827;
8.860;9.97;9.112;9.257;9.623;9.810;9.814;
9.850;9.1024;9.1070;9.1088;10.118

PRO(interiect.). 2.98;3.73;3.241;4.96;4.194;
4.231;5.57;6.305;7.411;8.597;10.47;
10.77;10.146;10.410

PROAUUS. hospitii fretus superis et munere
tanto / in proauos, cecidit donati
uictima regni. 9.132

PROBITAS. tanto deuinxit amore / hos pudor,
hos probitas castique modestia uoltus,
8.156

PROBO,-ARE. haec, fato quae teste probet, quis
iustius arma /sumpserit; 7.259
ora parentis / quis laceret nimiaque
probet spectantibus ira / quem iugulat
non esse patrem. 7.629
seque probat moriens atque haec in pectore
uoluit: 8.621
ignorant populi, si non in morte probaris,
/an scieris aduersa pati. 8.626
(nam proxima caelo est,/ut probat ipse
calor) 9.352

PROCEDO,-ERE. ultima curuati procederet ungula
Tauri, ... 3.255
tunc adoperta leui procedit uinea terra,
3.487
teque deis, ad quos alio procedere uoltu
/ ficta soles,... /ostendam . . 6.736
omnibus annis / te geminum Titan procedere
uidit in axem; 7.422

PROCELLA. medias perrumpe procellas /tutela
secure mea. 5.583
nam priua procellis / aequora rapta
ferunt; 5.612
aut quae nos uiles animas in fata
relinquens /inuitis spargenda dabas tua
membra procellis? 5.684
omnia subducit Circaeae uela procellae;
6.287
rursus uetitum sentire procellas /
conticuit turbante Noto; 6.470
sparsus ab Emathia fugit quicumque
procella, /adsequitur Magnum; . . 8.203
conposita in mortem iacuit fauitque
procellis. 9.116
iuuentus / ... nullasque timens tellure
procellas /aequoreos est passa metus.
9.446
auidusque urguente procella / Iliacas

pensare moras 9.1001

PROCER. duce priuato gesturus proelia consul /
sollicitant proceresque alii; 2.279
peregrina ac sordida sedes / Romanos cepit
proceres, ... 5.10
procerum motus haec cuncta secuntur;
5.342
proceresque tuorum / castrorum regesque
tui ... /adfusi uinci socerum patiare
rogamus. 7.69
procerum pars magna coibit /certa loci;
8.119
primusque a litore Lesbi /occurrit
gnatus, procerum mox turba fidelis. 8.205
in procerum coetu tandem maesta ora
resoluit / uocibus his Magnus: 8.261
Hesperiae cunctos proceres aciemque
senatus /... /non timuit 10.450

PROCLAMO,-ARE. nam prior e campis ut conspicit
amne soluto / rumpi Caesar iter calida
proclamat ab ira 2.493

PROCUL. 1.226;2.295;2.481;2.734;3.88;3.375;
4.1;4.741;5.19;5.516;5.726;5.755;5.775;
6.31;6.214;6.230;6.575;6.642;7.479;8.743;
8.755;9.45;9.491;9.501;9.542;9.822;9.944;
10.101;10.256;10.341;10.436;10.525
(c.abl.)
3.331;4.587;7.57;8.602;8.820;9.341

PROCUMBO,-ERE. uix caede peracta / procumbunt,
dubiaque labant ceruice, . . . 2.204
procumbunt nemora et spoliantur robore
siluae, ... 3.395
iam fama ferebat /... /et procumbentis
iterum consurgere taxos, ... 3.419
hanc iubet inmisso siluam procumbere
ferro; 3.426
procumbunt orni, nodosa inpellitur ilex,
3.440
procubuit maiorque iacens apparuit agger.
3.508
sed rudis et qualis procumbit montibus
arbor /conseritur, ... 3.512
rapturusque suam procumbit in aequora
dextram. 3.616
postquam cruor omnia rupit /uincula,
procurrunt (procumbunt) oculi; .var.3.713
adiuuitque suo procumbens pondere ferrum.
3.725
procumbite terra /infidumque caput
feriendaque tendite colla. 5.360
uiuat et, ut Bruti procumbat uictima,
regnet. 7.596
sed timuit, strato ... ne corpore Magni /
... supraque ducem procumberet orbis;
7.672
sic orbem torquente Noto Romana iuuentus
/ procubuit timuitque rapi; 9.482

PROCURRO,-ERE. nullasque uado qui Macra
moratus / alnos uicinae procurrit in
aequora Lunae). 2.427
procurrunt oculi; 3.713
neque enim licuit procurrere contra 4.772
ergo utrimque pari procurrunt agmina motu
/irarum; 7.385

PRODEO,-IRE. inde, truces Galli, solitum
prodistis in hostem, ... 7.231

PRODIGIUM. prodigiis terras inplerunt,
aethera, pontum. 1.525
illud in extrema forsan longeque remota
/ prodigium tellure fuit, ... 9.475

PRODIGUS,-A,-UM. toto censu non prodigus emit/

PRODIGUS

    exiguam Cererem. 4.95
    o prodiga rerum /luxuries numquam paruo
    contenta 4.373

PRODITIO. numquam nostra salus pretium
    mercesque nefandae /proditionis erit:
                        4.221

PRODO,-ERE. produntque suas omenta latebras.
                        1.625
    'uix fas, ... / prodere me populis; 1.632
    uocibus his prodens urguentem pectora
    Phoebum. 1.677
    cum turbato iam prodita uoltu /ira ducis
    tandem testata est uoce dolorem. 3.356
    si mollius aruum /prodidit umorem, 4.309
    par animi laus est et, quos speraueris,
    annos / perdere (prodere) . . var.4.483
    prodidit et gelidus fesso de corpore
    sudor. 4.623
    quid prodita iura senatus /et gener atque
    socer bello concurrere iussi? . 4.801
    securumque nemus ueritam se credere
    Phoebo /prodiderant. 5.157
    accipit et frenos, nec tantum prodere
    uati / quantum scire licet. . . . 5.176
    hic puluere nullo /proditus agmen agit
                        6.128
    uix proelia Caesar / senserat, elatus
    specula quae prodidit ignis: . 6.279
    nec quaesisse libet ... /... quis prodat
    aues, ... 6.428
    hanc ut fama loci Pompeio prodidit, alta
    /nocte poli,... /... deserta per arua /
    carpit iter. 6.570
    non tamen abstinuit uenturos prodere casus
    /per uarias Fortuna notas. . . . 7.151
    multi, Pharsalica castra /cum peterent
    nondum fama prodente ruinas, /occursu
    stupuere ducis 8.15
    noscique uolentes /prode deos. . . 10.181
    'fas mihi magnorum, Caesar, secreta
    parentum / edere (prodere) . . var.10.195
    tua flumina prodam, ... 10.285
    arcanum natura caput non prodidit ulli,
                        10.295
    inuasit Cleopatra domum, nec prodita
    tantum est /sed donata Pharos . . 10.355
    nec prodidit arma /ullius clangore tubae:
                        10.400

PRODUCO,-ERE. ceu morte parentem /natorum
    orbatum longum producere funus /ad tumulos
    iubet ipse dolor, ... 2.298
    hinc latus angustum iam se cogentis in
    artum /Hesperiae tenuem producit in
    aequora linguam, ... 2.614
    discite quam paruo liceat producere uitam
                        4.377
    productos, odere pares.' 4.710
    non tulit adflictis animam producere rebus
                        4.796
    longis Caesar producere noctem /inchoat
    adloquiis, ... 10.173

PROELIUM. ultima funesta concurrant proelia
    Munda, ... 1.40
    ecce, faces belli dubiaeque in proelia
    menti /urguentes addunt stimulos 1.262
    facili si proelia pauca /gesseris euentu,
                        1.284
    post Cilicasne uagos et lassi Pontica
    regis /proelia barbarico uix consummata
    ueneno / ultima Pompeio dabitur prouincia
    Caesar, ... 1.337

PROELIUM

tu quoque laetatus conuerti proelia,
Treuir, ... 1.441
humani generis maiore in proelia
damno. 2.226
quemque suae rapiunt scelerata in proelia
causae: 2.251
quam laetae Caesaris aures /accipient
tantum uenisse in proelia ciuem! 2.274
et duce priuato gesturus proelia consul /
sollicitant proceresque alii; . 2.278
proelia iusta decet, patriae sed
uindicis iram; 2.540
Parthorum utinam post proelia sospes
/et Scythicis Crassus uictor remeasset ab
oris, ... 2.552
Crassumque in bella secutae / saeua
tribuniciae uouerunt proelia dirae. 3.127
interea totum Magni fortuna per orbem /
secum casuras in proelia mouerat urbes.
                        3.170
accipe deuotas externa in proelia dextras.
                        3.311
at,si funestas acies, si dira paratis
/proelia discordes, ... 3.313
fata, nec haec alius committat proelia
miles. 3.325
plus nobilis irae / truncus habet fortique
instaurat proelia laeua 3.615
paretur, rapuitque ruens in proelia
miles / quod fugiens timuisset iter. 4.151
famulas scelerata ad proelia dextras /
excitat 4.207
addidit ira ferox moturas proelia uoces.
                        4.211
non proelia fessos /ulla uocant, 4.394
sic proelia soli /felices nullo spectant
ciuilia uoto. 4.400
frustra qui uincula ferro /rumpere conatus
poscit spe proelia nulla /incertus qua
terga daret, ... 4.467
tristia sed postquam superati proelia
Vari /sunt audita Iubae, ... 4.715
mittitur, exigua qui proelia prima
lacessat /eliciatque manu, . . . 4.720
non timidi petiere fugam, non proelia
fortes, ... 4.749
Caesaris attonitam miscenda ad proelia
mentem /ferre moras scelerum partes
iussere relictae. 5.476
dubium trepidumque ad proelia, Magne, /
te quoque fecit amor; 5.728
iam totus adest in proelia Caesar. 5.742
uix proelia Caesar / senserat, . 6.278
uictor tibi, Roma, quietem /eripiam,
qui, ne premerent te proelia, fugi? 6.327
discrimina ... / aduentare ducum
supremaque proelia uidit 7.243
spectate ... / Saeptorumque nefas et
clausi proelia Campi. 7.306
si totidem Magni soceros ... /... funesto
in Marte locasses,/ non tam praecipiti
ruerent in proelia cursu. . . . 7.336
innumeraeque urbes, quantas in proelia
numquam, /exciuere manus. . . . 7.361
credite ... / crinibus effusis hortari
in proelia matres; 7.370
illic quaeque suo miscet gens proelia
telo, ... 7.510
post proelia natis / si dominum, Fortuna,
dabas, et bella dedisses. 7.645
fuge proelia dira. 7.689

PROELIUM

uiuit post proelia Magnus /sed fortuna
perit. 8.84
nam Medos proelia prima / exarmant   8.386
media inter proelia semper /stellarum
caelique plagis ... uacaui, . . 10.185
ac multa secundo /proelia Marte gerunt.
10.532

PROFANUS,-A,-UM.   tenet ora profanae /foeda
situ macies, ... 6.515
caeloque tonante profanas /inseruisse
manus,... audes? 8.551
quidquid homo est, aperit pestis natura
profana: 9.779
'fas mihi ... secreta parentum / edere ad
hoc aeui populis ignota profanis. 10.195

PROFECTO(adv.).   sternere profecto /ut Catulo
iacuit Lepidus, nostrasque securis /
passus 2.546
sunt ista profecto /curae castra deis,
5.351
sunt nobis nulla profecto /numina: 7.445
sic illa profecto /sacrifico cecidere
Numae, ... 9.477
maiore profecto / quam metui poterat
discrimine gessimus arma: 9.1084

PROFERO,-RE.   monstra iubet primum quae nullo
semine discors / protulerat natura rapi
1.590
nam prior e campis ut conspicit amne
soluto /rumpi Caesar iter calida
proclamat (prolatus)ab ira . . var.2.493
non dest prolato ieiunus uenditor auro.
4.97
ac populis sese proferre paratus   5.90
tandem uox maestas potuit proferre
querellas. 5.761
hoc ferrum, quod fata iubent proferre,
paraui / non tibi, sed uicto; . .   8.520
Iouis uolucer, calido cum protulit ouo
/inplumis natos, solis conuertit ad ortus:
9.902
quodcumque uetustis / insculptum est
adytis profer, ... 10.180
se / protulit in medios audaci margine
fluctus / luxuriosa domus. . . . 10.487

PROFICIO,-ERE.   nec noxia tantum /pocula
proficiunt 6.455
nil proficis istic /Caesaris intentus
iugulo: 7.592

PROFOR,-ARI.   non aliter placitura uiro, sic
maesta profatur: 2.337
cernit cuncta metu nocturnaque munera
ualli / desolata fuga, trepida sic mente
profatur: 4.701
Lentulus e celsa sublimis sede profatur.
5.16
non metuens, atque haec ira dictante
profatur: 5.318
iustaque furens pietate profatur /
'praecipitate rates e sicco litore,
nautae; 9.147
sic ille profatus / insiluit puppi
iuuenum comitante tumultu. . . . 9.251
sic ille profatus /seruataque fide templi
discedit ab aris 9.584

PROFUGUS,-A,-UM.   idem per Scythici profugum
diuortia ponti /indomitum regem Romanaque
fata morantem /ad mortem Sulla felicior
ire coegi. 2.580
tradidit Hesperiam profugusque per Apula
rura 2.608

PROHIBEO

quos Creta profugos uexere per aequora
puppes /Cecropiae 2.611
erat inpiger Astur / Vettonesque leues
profugique a gente uetusta /Gallorum
Celtae 4.9
sequitur pars magna senatus /ad profugum
collecta ducem; 8.259

PROFUNDO,-ERE.   hoc noctes referunt Niloque
profundunt. 10.261

PROFUNDUM(subst.).   at, postquam gemino tellus
elisa profundo est, ... 2.437
Oceanumque uocans incerti stagna
profundi 2.571
sic ora profundi /artantur casu nemorum;
2.677
Pompeius tellure noua conpressa profundi
/ora uidens curis animum mordacibus angit,
2.680
propulit ut classem uelis cedentibus
Auster / incumbens mediumque rates mouere
profundum, ... 3.2
barbara Cone, / Sarmaticas ubi perdit
aquas sparsamque profundo /multifidi
Peucen unum caput adluit Histri,   3.201
uerberibus senis agitur molemque profundo
/inuehit 3.536
Brutus ait 'paterisne acies errare
profundo /artibus et certas pelagi? 3.559
semianimes alii uastum subiere profundum
3.576
mersus foret ille profundo, ...3.636
bracchia nec licuit uasto iactare profundo
3.651
missa ratis prono defertur lapsa profundo
/et geminae comites. 4.430
maestoque ignaua profundo /stagna iacentis
aquae; 5.442
grauis hinc languore profundi /obsessis
uentura fames. 5.448
numquid inexperto tua credimus arma
profundo. 5.486
nam clausa profundo /undique praecipiti
6.23
hinc uicina petens placido castella
profundo /incursu gemini Martis rapit,
6.268
quis rubri stagna profundi /... petet,
8.853
(nam neque subsedit penitus, quo stagna
profundi /acciperet,... tellus,   9.305
aequora fracta uadis abruptaque terra
profundo, ... 9.308
atque interrupta profundo /terra ferit
puppes, ... 9.335
tu sicca profundo /mergi Plaustra putas,
9.540

PROFUNDUS,-A,-UM.   non tacitas Erebi sedes
Ditisque profundi /pallida regna petunt:
1.455
spes uictis telluris abit, placuitque
profundo /fortunam temptare maris.   3.509

PROGENIES.   Venerisque hic unicus usus,/
progenies: urbi pater est urbique maritus,
2.388

PROHIBEO,-ERE.   Circius et tuta prohibet
statione Monoeci: 1.408
prohibensque rapina /uictorem clara
testatur uoce tribunus. 3.121
telaque diuersi prohibebunt spargere
fratres? 3.327
has prohibent iungi conferta cadauera

417

PROHIBEO
    puppes. 3.575
    sed prohibent socii suspensaque crura
    retentant. 3.637
    nec prohibere ualent obtritis ossibus
    artus 3.656
    'multa quidem prohibent nocturno credere
    ponto. 5.540
    quam si fraterna prohiberet imagine tellus
    6.503
    prohibe lamenta sonare, ... 7.706
    prohibet succumbere fatis /Magnus 8.70
    prohibent accersere mortem; . . . 8.660
PROICIO,-ERE. proieci uitam, comites, totusque
    futurae /mortis agor stimulis: . . 4.516
    ille Cleonaei proiecit terga leonis,
    /Antaeus Libyci; 4.612
    oraque proiecta squalent arentia lingua,
    4.755
    cum uacuis proiecta locis a Caesare
    possim / uel fugiente capi. . . . 5.783
    terrenum ignotas hominem proiecit in
    undas. 6.401
    hic ardor solusque labor, quid corpore
    Magni / proiecto rapiat, ... 6.588
    pererrat / corpora caesorum tumulis
    proiecta negatis. 6.626
    aspicit astantem proiecti corporis umbram,
    6.720
    obit latis proiecta cadauera campis;
    7.565
    saepe labor maestus curarum ... /proiecit
    fessos incerti pectoris aestus, 8.166
    si regna times proiecta sub Austro /...
    petimus Pharon 8.442
    non ... petit ... /Pompeius ... /... totus
    ut ignes / proiectis maerens exercitus
    ambiat armis, ... 8.735
    ignauis manibus proiectos reddidit enses,
    9.26
    post multa sonant proiecti litora fluctus:
    9.309
    quaecumque uagam Syrtim conplectitur ora /
    sub nimio proiecta die, uicina perusti /
    aetheris, exurit messes 9.432
    Caesar,... / cetera curarum proiecit
    pondera soli / intentus genero; 9.951
PROLABOR,-I. debuerant ... / imperii nudare
    latus, dum perfida Susa /in tumulos
    prolapsa ducum Babylonque iaceret. 8.426
PROLES. inpius hinc prolem superis inmisit
    Aloeus, ... 6.410
    turbae sed mixtus inerti /Sextus erat,
    Magno proles indigna parente, . 6.420
    non ultima turbae /pars ego Romanae,
    Magni clarissima proles, ... 6.594
    siquis post pignora tanta /Pompeio locus
    est, cum prole et coniuge supplex, /... /
    uoluerer ante pedes. 7.377
    namque memor generis Carthaginis inpia
    proles /inminet Hesperiae, . . . 8.284
    proles tam clara Metelli / stabit
    barbarico coniunx millesima lecto. 8.410
    ultima Lageae stirpis perituraque proles,
    /... /litora Pompeium feriunt, . . 8.692
    rapiatur in undas /infelix coniunx Magni
    prolesque Metelli, ... 9.277
    illic Pellaei proles uaesana Philippi,
    /felix praedo, iacet, ... 10.20
    'siqua est, o maxime Caesar,/nobilitas,
    Pharii proles clarissima Lagi, . . 10.86
    castra carentia rege /ut proles Lagea ·

    tenet, famulumque tyranni /... transegit
    Achillea ferro. 10.522
PROMITTO,-ERE. elatasque alte, ... /promisere
    manus. 1.388
    hunc quoque totius sibi ius promittere
    mundi /non bene conpertum est: 2.321
    nec matura petunt promissae classica
    pugnae. 2.597
    his uirtus ferrumque locum promittit, at
    illis /ipse locus. 4.36
    sollicitas reges, cum forsan foedere
    nostro / iam tibi sit promissa salus.'
    4.235
    promittant ueniam, iubeant sperare
    salutem, ... 4.510
    damnata iam luce ferox secura pugnae /
    promisso sibi fine manu, ... 4.535
    haec est illa dies mihi quam Rubiconis
    ad undas /promissam memini, . . 7.255
    promittunt munera flentes, . . . 7.715
    cum spe Romanae promiserit omnia praedae,
    /decipitur quod castra rapit. . . 7.759
    siquid Latiis fas est promittere Musis, /
    ... uenturi me teque legent; . . 9.983
    fatumque sibi promisit iniquum, 10.452
PROMOUEO,-ERE. finis et Hesperiae, promoto
    limite, Varus; 1.404
    promotus Latiam longo gerit ordine uitem,
    6.146
    hunc aries ferro ballistaque lumine
    portae /promoueat. 6.201
    promouet ipse acies, inpellit terga
    suorum, ... 7.576
PROMPTUS. habes nudum promptumque ad uolnera
    pectus. 5.320
    fortissimus ille est / qui, promptus
    metuenda pati, si comminus instent, / et
    differre potest. 7.106
    illa quoque in ferrum rabies promptissima
    paulum /languit, ... 7.245
    cuius morsus superauerit anguis /iam
    promptum Psyllis uel gustu nosse ueneni.
    9.937
PRONUBA. me pronuba ducit Erinys /Crassorumque
    umbrae, ... 8.90
PRONUS,-A,-UM. in bellum prono tantum tamen
    addidit irae 1.292
    inmineat foribus pronusque repagula
    laxet. 1.295
    Caesar, ut acceptum tam prono milite
    bellum / fataque ferre uidet, . . 1.392
    inde ruendi / in ferrum mens prona uiris
    animaeque capaces / mortis, . . 1.461
    nec tulit in caelum flammas sed uertice
    prono / ignis in Hesperium cecidit latus.
    1.546
    excutiens pronam flagranti uertice
    pinum 1.573
    cumque diem pronum transuerso limite
    ducens 2.412
    pronior in Magnum populus, pugnatque
    minaci /cum terrore fides, . . . 2.453
    Titan iam pronus in undas /ibat 3.40
    pronus in aduersos ictus, nullique
    perempti /in ratibus cecidere suis. 3.571
    incumbit prono lateri uacuamque relinquit,
    3.648
    prono cum Caesar Olympo / in noctem
    subita circumdedit agmina fossa, 4.28
    missa ratis prono defertur lapsa profundo
    4.430

PRONUS

      temeraria prono / expertus cessisse deo,
                5.501

      sors ultima rerum / in dubios casus et
      prona pericula morti /praecipitare solet:
                5.693

      pronus ad omne nefas 6.147

      amnisque cucurrit / non qua pronus erat.
                6.474

      pronum erat, o iuuenis, quos uelles'
      inquit 'in actus /inuitos praebere deos.
                6.606

      sed pronum, cum tanta nouae sit copia
      mortis, /Emathiis unum campis attollere
      corpus, ... 6.619

      in praeceps subsedit humus, quam pallida
      pronis /urguet silua comis . . . 6.643

PROPAGO. quam prior adfatur Pompei ignaua
      propago. 6.589

PROPE. et prope consertis obduxit castra
      maniplis. 4.31

      cum prope fatorum tantos per prospera
      cursus /auertere dei. 5.239

      inseruit celsis prope se cum Pelion astris
                6.411

      haud umquam uidi tam magna daturos / tam
      prope me superos; 7.298

      nunc patriae iugulos ensesque negatis, /
      cum prope libertas? 9.265

      iam prope semustae merguntur in aequora
      classes, ... 10.496

PROPIOR,-IUS. fulminibus propior terrae
      succenditur aer, ... 2.269

      sit ciuili propior Cornelia bello?' 2.349

      tellus / altius intumuit propiusque
      accessit Olympo. 2.398

      lux rubet et flammas propioribus eripit
      astris, ... 2.721

      non illum cultu populi propiore
      frequentant 3.422

      atque omnis propior mergenti sidera caelo
      /aruerat tellus hiberno dura sereno. 4.54

      te nisi Niliaca propius non uidit harena.
                5.475

      palam est, propius iam fata moueri. 6.416

      et patitur tantos cantu depressa labores /
      donec suppositas propior despumet in
      herbas 6.506

      quem postquam propius famulae uidere
      fideles, /non ultra gemitus tacitos
      incessere fatum /permisere sibi, 8.63

      quidquid descendet ab arbore summa /
      Arctophylax propiorque mari Cynosura
      feretur, /in Syriae portus tendit ratis.
                8.180

      Phoebi surgentis ab igne /iam propior
      quam Persis eram: 8.229

      neu nos sceptris priuauerit hospes /
      pignora sunt propiora tibi: . . . 8.499

      ille quidem pensabat iter propiusque
      secabat / aera, ... 9.685

      pro pudor, Eoi propius timuere sarisas /
      quam nunc pila timent populi. . . . 10.47

PROXIMUS,-A,-UM. non consule sacrae /
      fulserunt sedes, non, proxima lege
      potestas, /praetor adest, ... 3.106

      proxima uicino uires dat Graecia bello.
                3.171

      proxima pars urbis celsam consurgit in
      arcem 3.379

      at proxima rupes /signa tenet Magni, 4.16

      prendere, ne longe nimium sit proxima

PROPINQUUS

      tellus.' 5.576

      ne flecte manum, fuge proxima uelis /
      litora; 5.588

      quae nox tibi proxima uenit, /insomnis;
                5.805

      proxima quid suboles aut quid meruere
      nepotes /in regnum nasci? . . . 7.642

      scire mori sors prima uiris, set proxima
      cogi. 9.211

      proximus in muros et moenia Cyrenarum
      / est labor: 9.297

      (nam proxima caelo est,/ ut probat ipse
      calor) 9.351

      herbas,/... Nasamon, gens dura, legit,
      qui proxima ponto /nudus rura tenet; 9.439

      nam plagae proxima circum /fugit rupta
      cutis 9.767

      proxima Leptis erat, ... 9.948

      ibi fas ubi proxima merces: . . . 10.408

      insula ... /... at nunc est Pellaeis
      proxima muris. 10.511

PROPELLO,-ERE. propulit ut classem uelis
      cedentibus Auster /incumbens   3.1

      propulsaque robore denso /sustinuit se
      silua cadens. 3.444

      uix primum leuior propellere lintea uentus
      /incipit 5.430

      cernit propulsa cruore /flumina   7.789

      ut primum remis actum mare propulit
      omne /classis onus, densis fremuit niger
      imbribus Auster. 9.319

PROPERE(adv.). tumidumque per amnem /signa
      tulit propere: 1.205

      iussit signa rapi propere Cato: 9.761

PROPERO,-ARE. clademque futuram /intulit et
      uelox properantis nuntia belli /innumeras
      soluit falsa in praeconia linguas. 1.471

      equitum properate cateruae, . . 2.498

      uix operi cunctae dextra properante
      sorores 3.18

      quamuis Hesperium mundi properemus ad
      axem /Massiliam delere uacat. . . 3.359

      quodque uirum toti properans inponere
      mundo /hos perdit Fortuna dies! 3.393

      medios properat temptare furores. 5.304

      praecipites aderunt casus: properante
      ruina /summa cadunt. 5.746

      ire uel in clades properat dum gaudia
      turbet. 6.284

      properate mori, ... 6.807

      magnoque accensa tumultu /mortis uicinae
      properantis admouet horas. . . . 7.50

      propera, ne te tua classica linquant.
                7.83

      propera praecedere, miles, /quos sequeris;
                7.744

      quare agite Eoum, comites, properemus
      in orbem. 8.289

      properas atque ingeris ictus /qua
      uotum est uicto. 8.645

      o saeui, properantem in fata tenetis?
                8.658

PROPINQUUS,-A,-UM. hostemque propinquum
      /orant Cecropiae praelata fronde Mineruae.
                3.305

      leti fortuna propinqui /tradiderat fatis
      iuuenem, ... 4.737

      sed non tam remeans Caesar iam luce
      propinqua /quam tacita sua castra fuga
      comitesque fefellit. 5.678

      postquam castra duces pugnae iam mente

PROPINQUUS

propinquis /inposuere iugis 6.1

opportuna tamen ualli pars uisa propinqui,
6.125

tum puppe propinqua /prosiluit   8.54

PROPINQUUS(subst.). pignora nulla domus, nulli

colere propinqui: 2.370

hospitis ille ciet nomen, uocat ille

propinquum, ...   4.177

PROPIOR,-IUS v. PROPE.

PROPONO,-ERE. hoc placet, o superi, cum uobis

uertere cuncta /propositum, nostris

erroribus addere crimen? 7.59

PROPONTIS. Euxinumque ferens paruo ruat ore

Propontis. 9.960

PROPTER. haec propter placuit Tuscos de more

uetusto /accire uates. 1.584

PRORA. et iam diductis extendunt cornua

proris. 3.547

stantem sublimi Tyrrhenum culmine prorae
3.709

rumpite quae retinent felices uincula

proras: 5.422

hos dedit in proram, tenet hos in puppe

rudentes. 8.196

atque ultra proram tumuit sinus.   9.327

uertissem Latias a uestro litore proras:
9.1079

PRORUMPO,-ERE. urguent /praecipitem populum,

serieque haerentia longa /agmina

prorumpunt. 1.493

PRORUO,-ERE. saxa tulit penitus discussis

proruta muris 9.490

PROSCINDO,-ERE. quorumque labore /Thessalus

Haemoniam uomer proscindit Iolcon.   3.192

ausus et aeriam ferro proscindere quercum
3.434

PROSECO,-ARE. si pectora plena /saepe deo

laui calido prosecta cerebro, /... parete

precanti. 6.709

PROSEQUOR,-I. tuumque /nomen, Libertas, et

inanem persequar umbram. 2.303

uox faucis nulla solutas /prosequitur,
3.739

PROSERO,-ERE. non proserit ullam /flaua Ceres

segetem; 4.411

PROSILIO,-IRE. impactae cessere fores,

expulsaque templis /prosiluit;   5.210

ipsae sua signa reuellent /prosilientque

acies: 7.78

formidine mersa /prosilit hortando melior

fiducia uolgo. 7.249

tum puppe propinqua /prosiluit . .   8.55

prosiluit busto   9.3

PROSPERUS,-A,-UM. paenituit, tolerasse sitim

frustraque rogasse /prospera bella deos!
4.388

cum prope fatorum tantos per prospera

cursus /auertere dei. 5.239

summam rapti per prospera belli /te poscit

fortuna manum. 5.483

nec soluent audita metus mihi prospera

belli, ...   5.782

placet haec tam prospera rerum /tradere

fortunae, ...   7.107

quae latius orbem /possedit, citius per

prospera fata cucurrit? 7.420

nec te uidere superbum /prospera bellorum
7.684

tam mala Pompei quam prospera mundus

adoret. 7.708

fata tibi longae fluxerunt prospera uitae:

8.625

mutantur prospera uita, /non fit morte

miser. 8.631

hac Fortuna fide Magni tam prospera fata

/pertulit, ...   8.701

PROSPICIO,-ERE. mox ait 'o magnae qui moenia

prospicis urbis 1.195

prospiciens fluctus nutantia longe /

semper prima uides uenientis uela

carinae, ...   8.47

quisquis,... /... uel Caesaris irae /

uel tibi prospiciens, nescis, crudelis,

ubi ipsa /uiscera sint Magni: . .   8.644

iustas sibi nostra senectus /prospiciat

flammas: 9.235

Lucifer a Casia prospexit rupe   10.434

PROSTERNO,-ERE. sunt quos prosternas populi,

quae moenia dones. 3.131

campis prostrata iacere /agmina nostra

putes; 4.358

fertur ad aequoreas, ac se prosternit,

harenas, ...   5.800

primo ferri motu prosternite mundum;
7.278

credite grandaeuum uetitumque aetate

senatum /arma sequi sacros pedibus

prosternere canos 7.372

nec ualet haec acies tantum prosternere

quantum /inde perire potest. . .   7.534

in totum mundi prosternimur aeuum.   7.640

'parcite,' ait 'superi, cunctas

prosternere gentes. 7.659

PROSUM,-DESSE. superos quid prodest poscere

finem? 1.669

lubrica saxa madent. nulli sua profuit

altas: 2.104

quid tot durare per annos /profuit

inmunem corrupti moribus aeui?   2.257

non tamen auderet pietas humana uel armis

/uel uotis prodesse Ioui, ...   3.318

ut tandem auxilium tactae prodesse

parentis /Alcides sensit, ...   4.645

nec profuit ulli /cornipedis rupisse moras,
4.761

Romanam, superi, Libyca tellure

ruinam /Pompeio prodesse nefas uotisque

senatus. 4.792

quid nunc rostra tibi prosunt turbata

forumque 4.799

quando non proderit ista silere   4.811

uentorum saeuo dabitur mora: proderit

undis /ista ratis. 5.587

semperque dolebit /quod scelerum, Caesar,

prodest tibi summa tuorum, . . .   6.304

haec ... / siue aliquid magnis nostri

quoque cura laboris / nominibus prodesse

potest, ... /spesque metusque simul ...

mouebunt, ...   7.210

proderit hoc olim, quod non mansura

futuris /... surrexit ... moles.   8.865

clarum et uenerabile nomen /gentibus et

multum nostrae quod proderat urbi.   9.203

quid prodest miseri basiliscus cuspide

Murri / transactus? 9.828

profuit in mediis sedem posuisse uenenis.
9.897

credis ... / hoc castris prodesse tuis?
9.1051

tua profuit umbra, /Magne, . . .   10.6

uana fides ueterum, Nilo, quod crescat in

arua,/Aethiopum prodesse niues.   10.220

PROTEGO

PROTEGO,-ERE. numinis, ingenti superum
  protectus ab ira, ... 2.86
  arma ferunt, galeamque extensus protegit
  umbo, ... 3.476
  truncum uix protegit arbor, . . 9.529
  squalebant ... arua Medusae /non nemorum
  protecta coma, non mollia sulco, 9.627
  at Caesar moenibus urbis /diffisus
  foribus clausae se protegit aulae 10.440
PROTENDO,-ERE. defenduntque caput protenti
  crinibus hydri, ... 9.673
PROTEUS. insula quondam /in medio stetit
  illa mari sub tempore uatis /Proteos,
                                    10.511
PROTINUS. protinus abducto patuerunt
  templa Metello. 3.153
  protinus astrictus caluit cruor atraque
  fouit / uolnera 6.750
  protinus hostili statuit succedere uallo,
                                    7.733
  quam protinus ille retecto /ense ferit
                                    9.830
PROUEHO,-ERE. sed dira satelles /regis dona
  ferens medium prouectus in aequor 9.1011
PROUENTUS. prouentu scelerum quaerunt uter
  imperet urbi? 2.61
PROUIDEO,-ERE. haec ubi sunt prouisa duci,
  tunc agmina uictor /non armata trahens
                                    3.71
PROUIDUS,-A,-UM. prouidus antemnae suffixit
  lintea summae, ... 9.328
PROUINCIA. ultima Pompeio dabitur
  prouincia Caesar, ... 1.338
  Parthia ... /exiguae secura fuit
  prouincia Pellae. 10.52
PROUOCO,-ARE. uincitur haut gratis iugulo
  qui prouocat hostem. 4.275
  iratas incerta prouocat umbra . . 4.725
  nec placet incertus qui prouocat aequora
  delphin, ... 5.552
  omni fortunam prouocat hora. . . . 9.883
PROXIMUS,-A,-UM v. PROPE.
PRUINA. urebant montana niues camposque
  iacentis /non duraturae conspecto sole
  pruinae, ... 4.53
  omnis, in Arctois populus quicumque
  pruinis /nascitur, indomitus bellis 8.363
  et scytale sparsis etiamnunc sola pruinis
  /exuuias positura suas, ... 9.717
PRUINOSUS,-A,-UM. inque pruinoso coluber
  distenditur aruo; 6.489
PSYLLUS. gens unica terras /incolit a saeuo
  serpentum innoxia morsu,/Marmaridae
  Psylli. 9.893
  sic pignora gentis /Psyllus habet, siquis
  tactos non horruit angues, ... 9.907
  contraque nocentia monstra /Psyllus adest
  populis. 9.911
  Psyllorumque ingens et rapti pugna
  ueneni. 9.924
  cuius morsus superauerit anguis /iam
  promptum Psyllis uel gustu nosse
  ueneni. 9.937
PTELEOS. prima Rhoeteia litora pinu / quae
  tetigit, Phylace Pteleosque 6.352
PTOLEMAEUS,-A,-UM. fortunae, Ptolemaee, pudor
  crimenque deorum. 5.59
  sceptra puer Ptolemaeus habet tibi debita,
  Magne, ... 8.448
  'ius et fas multos faciunt, Ptolemaee,
  nocentes; 8.484

PUDET

  iustior in Magnum nobis, Ptolemaee,
  querellae /causa data est. 8.512
  tu, Ptolemaee, potes Magni fulcire
  ruinam, ... 8.528
  tanti, Ptolemaee, ruinam /nominis haut
  metuis, ... 8.550
  cum Ptolemaeorum manes seriemque pudendam
  /pyramides claudant... /litora Pompeium
  feriunt, ... 8.696
  ite, o degeneres, Ptolemaei munus et arma
  /spernite. 9.268
  ducite Pompeios, Ptolemaei uincite
  munus. 9.278
  te, Ptolemaee, feram? 9.1076
  poena fugae Ptolemaeus erat. . . 9.1087
  metuunt ... /ne caedes confusa manu ... /
  te, Ptolemaee, trahat. 10.427
  missurusque tuum, si non sint tela nec
  ignes,/in famulos, Ptolemaee, caput.
                                    10.464
PTOLEMAIS. nox illa ... cubili /miscuit
  incestam ducibus Ptolemaida nostris.
                                    10.69
PUBES. quamquam firmissima pubes /his
  sedeat castris, ... 2.473
  omnis /indiga seruitii feruebat litore
  plebes(pubes): var.9.254
PUBLICUS,-A,-UM. hae ducibus causae; suberant
  sed publica belli /semina, . . . 1.158
  inuenit insomni uoluentem publica cura
                                    2.239
  quin publica signa ducemque /Pompeium
  sequimur? 2.319
  sua quisque ac publica fata /praecipitare
  cupit; 7.51
  uixque reuolsa solo maiori pondere
  pressum /signiferi mersere caput rorantia
  fletu /usque ad Thessaliam Romana et
  publica signa. 7.164
  si publica iura, /si semper sequeris
  patriam, Cato, signa petamus /Romanus
  quae consul habet.' 9.249
PUDET,-ERE. rapuitque cruentus /uictor ab
  ignota uoltus ceruice recisos /dum uacua
  pudet ire manu. 2.113
  concessa pudet ire uia ciuemque uideri.
                                    2.446
  teque nihil, Fortuna, pudet. . . 2.568
  non pudet, heu, Caesar, soli tibi bella
  placere 5.310
  pudet heu! tibi causa petendae /haec
  fuit Hesperiae, ... 5.690
  securos cepisse pudet cum coniuge
  somnos, ... 5.750
  cumulo uos desse uirorum /non pudet 6.154
  pudeat uicisse coactum. 7.78
  ex populis qui regna ferunt sors ultima
  nostra est /quos seruire pudet. 7.445
  inpendisse pudet lacrimas in funere
  mundi /mortibus innumeris, . . . 7.617
  Pontica signa /delectum meminisse piget
  (pudet). var.8.27
  temptare pudendum /auxilium tanti est,
                                    8.390
  sed gessisse prius bellum ciuile pudebit.
                                    8.419
  nil pudet adsuetos sceptris: 8.452
  semper metuet quem saeua pudebunt. 8.495
  cum Ptolemaeorum manes seriemque pudendam
  /pyramides claudant... /litora Pompeium
  feriunt, ... 8.696

PUDET

teque pudet sparsis Pompei manibus uri.'
8.751

non iam regnare pudebit, ... 9.206

pudeat: plus regia Nili /contulit in
leges et Parthi militis arcus.   9.266

ecce parens uerus patriae,... /... per
quem numquam iurare pudebit . . 9.602

puduitque gementem /illo teste mori. 9.886

gessisse pudet genero cum paupere bellum
10.170

PUDOR. solusque pudor non uincere bello.
1.145

faces belli ... / urguentes addunt
stimulos cunctasque pudoris /rumpunt
fata moras: 1.263

non timidum nuptae leuiter tectura pudorem
/lutea demissos uelarunt flammea uoltus,
2.360

heu, quanto melius uel caede peracta /
parcere Romano potuit fortuna pudori!
2.518

heu pudor, exigua est fugiens uictoria
Magnus.   2.708

paruimus uicti; uenia est haec sola
pudoris   3.148

piguit sceleris; pudor arma furentum /
continuit, ...   4.26

huc hostem pariter terrorque pudorque /
inpulit, ...   4.34

pro dira pudoris /funera! . . .   4.231

cum dira uoluptas /ense subit presso,
galeae texere pudorem, ...   4.706

fortunae, Ptolemaee, pudor crimenque
deorum,   5.59

Magnus, nisi uincitis, exul /ludibrium
soceri, uester pudor, ...   7.380

inmemores pugnae nulloque pudore timendi /
praecipites 7.525

tanto deuinxit amore /hos pudor, hos
probitas castique modestia uoltus, 8.156

patimurne pudoris / hoc uolnus,   8.349

Romanus ... miles ... salutat /Septimius,
qui, pro superum pudor, arma satelles /
regia gestabat 8.597

uictoribus ipsis /dedecus et numquam
superum caritura pudore /fabula, Romanus
regi sic paruit ensis, ...   8.605

ne cede· pudori /auctoremque dole fati!
8.627

o summi fata pudoris! 8.678

(quis erit nobis lucri pudor?) . . . 9.706

quam magna remisit /crimina Romano
tristis fortuna pudori, ... 9.1060

pro pudor, Eoi propius timuere sarisas
/quam nunc pila timent populi.   10.47

pro pudor, oblitus Magni tibi, Iulia,
fratres /... dedit, ...   10.77

culpa tantoque pudore /solue domum, 10.97

PUER. saeuum in populos puer accipis ensem,
5.61

te mixto flesset luctu iuuenisque
senexque /iniussusque puer; . . . 7.38

nec puer aut senior letalis tendere
neruos /segnis, ... 8.296

sceptra puer Ptolemaeus habet tibi debita,
Magne,   8.448

laetatur honore /rex puer insueto, quod
iam sibi tanta iubere /permittant famuli.
8.537

nescis, puer inprobe, nescis /quo tua sit
fortuna loco: 8.557

Pellaeusque puer gladio tibi colla
recidit, /Magne, tuo. 8.607

inpius ut Magnum nosset puer, illa uerenda
/regibus hirta coma... /... conprensa
manu est, ...   8.679

aspicit ... /... / unde puer raptus
caelo, ...   9.972

rex puer inbellis populi sedauerat iras,
10.54

puer ipse sororem, /sit modo liber, amat;
10.94

quem puer inbellis cunctis praefecerat
armis   10.351

crede, miser, puero, quem nox si iunxerit
una /... / meque tuumque caput... illi /
... donabit.   10.361

ceu puer inbellis uel captis femina
muris, /quaerit tuta domos; . . 10.458

PUERILIS,-E. admonet hunc studiis consors
puerilibus aetas; 4.178

PUGNA. non priuata dedit, uotis deposcite
pugnam. 2.533

nec matura petunt promissae classica
pugnae.   2.597

placuitque referri /signa nec in tantae
discrimina mittere pugnae . . .   2.599

sed Grais habiles pugnamque lacessere
pinus 3.553

in pugnam fregere rates. 3.674

pugna fuit unus in illa. 3.696

iamque agmina summa /carpit eques,
dubiique fugae pugnaeque tenentur. 4.156

et faciem pugnae uoltusque inferte
minaces; 4.164

pugna fuit, non longa quidem; . .   4.472

damnata iam luce ferox securaque pugnae
/promisso sibi fine manu, nullique
tumultus excussere uiris mentes ad summa
paratas; 4.534

eripe consilium pugna: 4.705

ancipites steterunt casus, set tempora
pugnae /mors tenuit; 4.771

postquam castra duces pugnae iam mente
propinquis /inposuere iugis . .   6.1

explicuit turmas et signa minantia pugnam
6.9

ut uidet ad nullos exciri posse tumultus
/in pugnam generum 6.12

uires pugna dabat. 6.251

et ducibus tantum de funere pugna est.
6.811

cum mixto murmure turba /castrorum fremuit
... /signa petit pugnae. 7.47

belli pars magna peracta est /his, quibus
effectum est ne pugnam tiro paueret,
7.102

numen in aethere maestum /solis in
obscuro pugnam pallore notauit.   7.200

miles, adest totiens optatae copia
pugnae. 7.251

pugnae pars magna leuabit /his orbem
populis 7.275

inmemores pugnae nulloque pudore timendi /
praecipites 7.525

nulla secutast /pugna, sed hinc iugulis,
hinc ferro bella geruntur; . . .   7.533

non istas habuit pugnae Pharsalia partes
/quas aliae clades: 7.632

sic et Thessalicae post te pars maxima
pugnae /... /libertas et Caesar, erit;
7.693

somnique furentes / Thessalicam miseris
uersant in pectore pugnam. . . .   7.765
nec tota in pugna perfusus sanguine membra
/exiget aestiuum ... solem.   . .   8.375
pugna leuis bellumque fugax turmaeque
uagantes, ...   8.380
nam quis erit finis si nec Pharsalia
pugnae /nec Pompeius erit? . . .   9.232
Psyllorumque ingens et rapti pugna ueneni.
                                   9.924

PUGNAX,-ACIS.   castraque ... /pugnaces pictis
cohibebant Lingonas armis. . . .   1.398
at te Corfini ualidis circumdata muris
/tecta tenent, pugnax Domiti;   2.479
pugnaxque Metellus, /... ante fores nondum
reseratae constitit aedis   . . .   3.114
pugnaces dubium Parthi tenuere fauorem
                                   3.265
dum nimium pugnax unius turba carinae /
incumbit 3.647
detegit orta dies stantis in rupibus
Histros /pugnacesque mari Graia cum classe
Liburnos. 4.530
tibi, numine pugnax / aduerso Domiti,
dextri frons tradita Martis.   . .   7.219
illic pugnaces commouit Hiberia caetras.
                                   7.232
mors tamen eminuit clarorum in strage
uirorum /pugnacis Domiti,   . . .   7.600
infimaque Aegypti pugnaci litora uelo /
uix tetigit, ...   8.464

PUGNO,-ARE.   pronior in Magnum populus,
pugnatque minaci / cum terrore fides,
                                   2.453
pro qua pugnabitur urbe? 3.92
cuius dum pugnat ab alta /puppe Catus
                                   3.585
quod pro causa pugnantibus aequa /et
ueniam sperare licet. 4.230
incertoque pedum pugnat non stare tumultu:
                                   4.753
semperque dolebit /quod scelerum, Caesar,
prodest tibi summa tuorum,/cum genero
pugnasse pio. 6.305
Hesperiam potui ... tenere,/si uellem ...
aciem committere templis /ac medio
pugnare foro. 6.324
monstroque potenti /extractus Stygio
populus pugnasset Auerno. 6.636
pugnare ducem quam uincere malunt.   7.109
uincis apud superos uotis me, Caesar,
iniquis: / pugnatur. 7.114
nunc pugnate truces gladioque exsoluite
culpam: 7.262
inspicit ... / quem pugnare iuuet, quis
uoltum ciue perempto /mutet;   . . .   7.564
ostendit moriens sibi se pugnasse senatus.
                                   7.697
pro Caesare pugnant /dipsades   . .   9.850
pugnauit fortuna ducis fatumque nocentis
/Aegypti, ...   10.3

PULCHER,-A,-UM.   hi mihi sint comites,... / qui
me teste pati uel quae tristissima
pulchrum /Romanumque putant. . . .   9.391

PULMO.   hostili de parte uidet.   pulmonis
anheli / fibra latet, ...   1.622
at tumidus qua pulmo iacet, qua uiscera
feruent, ...   3.644
aeris alternos angustat pulmo meatus,
                                   4.327
pulmonis rigidi stantis sine uolnere

fibras /inuenit 6.630

PULSO,-ARE.   atria cognati pulsat non ampla
Catonis. 2.238
pulsatae sonuere fores,   . . .   2.327
Varus, ut admotae pulsarunt Auximon alae,
                                   2.466
aequora sulcis / eruta feruescunt litusque
frementia pulsant. 2.703a
atque in transtra cadunt et remis pectora
pulsant. 3.543
quid pectora pulsas? 4.182
quibus hoc contingere ... /... potuit
muris, nullo trepidare tumultu /Caesarea
pulsante manu? 5.531
a quotiens frustra pulsatos aequore
montis /obruit ille dies!   . .   5.615
laetus fragor aethera pulsat /uictorum:
                                   6.225
animique truces sua pectora pulsant /
ictibus incertis. 7.128
ast illi suffecit pectora pulsans /
spiritus in uocem 7.608
Pharioque ueruto,/dum ... in murmura
pulsant /singultus animae,.../suffixum
caput est, ...   8.682
pulsatur harenis, /carpitur in scopulis
hausto per uolnera fluctu,   . .   8.708
augustius aris /uictoris Libyco pulsatur
in aequore saxum. 8.862

PULSUS(subst.).   pars micat et celeri uenas
mouet inproba pulsu. 1.629
si rursus tellus pulsu laxata tridentis
                                   2.456
saxa quatit pulsu rigidos uexantia
frenos 4.751
defecta grauis longe trahit ilia pulsus
                                   4.757
pulsusque deorum /concutiunt fragiles
animas. 5.119
non aries uno moturus limina pulsu   10.480

PULUIS.   crudae putri fluxerunt puluere cautes.
                                   3.507
puluis / aera nube sua texit traxitque
tenebras. 4.767
et cernere tantas /permisit clades
conpressus sanguine puluis,   . .   4.795
hic puluere nullo / proditus agmen agit
                                   6.127
iam longinqua petit puluis sonitusque
ruinae, ...   6.162
altus /Caesareas puluis testatur adesse
cohortes. 6.247
inuenit inpulsos presso iam puluere muros,
                                   6.280
non sic ... horret / Enceladum ... /
Caesaris ut miles glomerato puluere uictus
/ante aciem... / hostibus occurrit fugiens
                                   6.296
Gabios Veiosque Coramque /puluere uix
tectae poterunt monstrare ruinae   7.393
notauit,/... uoltusque prementem /canitiem
atque atro squalentis puluere uestes.
                                   8.57
nec... / exiget aestiuum calido sub
puluere solem. 8.376
tu nostros, Aegypte, tenes in puluere
manes. 8.834
pulueris exigui sparget non longa
uetustas /congeriem, ...   8.867
eminet in tergo pelagi ... / inuiolatus
aqua sicci iam pulueris agger;   9.342

PULUIS

    primusque gradus in puluere ponam,   9.395
exurit messes et puluere Bacchum /
enectat 9.433
non imbriferam contorto puluere nubem /
in flexum uiolentus agit: 9.455
tantus tenet aera puluis. 9.462
uix tollere miles /membra ualet multo
congestu pulueris haerens. 9.487
conspecta est ... / unda procul uena,
quam uix e puluere miles / corripiens
patulum galeae confudit in orbem   9.501
squalebant puluere fauces/cunctorum, 9.503
nam quidquid puluere sicco /separat
audentem tepida Berenicida Lepti /ignorat
frondes: 9.523
mersitque hoc puluere uerum, . .   9.577
hic quae prima caput mouit de puluere
tabes /aspida ... leuauit. . . .   9.700
iamque illi magis atque magis durescere
puluis /coepit 9.942
inscius in sicco serpentem puluere
riuum /transierat, qui Xanthus erat. 9.974
tumulumque e puluere paruo /aspice Pompei
                             10.380

PUMEX. aut micuere noui percusso pumice fontes,
                             4.300

PUNGO,-ERE. quam paruis pictus (punctus)
maculis Thebanus ophites. . . .var.9.714

PUNICEUS,-A,-UM. puniceus Rubicon, cum feruida
canduit aestas, /perque imas serpit
ualles 1.214

PUNICUS. 'o miserae sortis, quod non in
Punica nati /tempora Cannarum fuimus
Trebiaeque iuuentus. 2.45
tum conditus imo /eruitur templo multis
non tactus ab annis /Romani census populi,
quem Punica bella, /quem dederat Perses,
                            3.157
multum frustraque rogatus /ut Libycas
metuat fraudes infectaque semper /Punica
bella dolis. 4.737

PUPPIS. desilit in fluctus deserta puppe
magister 1.501
quos Creta profugos uexere per aequora
puppes /Cecropiae 2.611
iussa gerunt soluntque cauas a litore
puppes. 2.649
angustus puppes mittebat in aequora limes
                             2.709
rapta puppe minor subducta est montibus
Argo 2.717
praeparat innumeras puppes Acherontis
adusti /portitor; 3.16
obtulit hospita tellus /puppibus accessus
faciles; 3.44
exiguae Phoebea tenent naualia puppes
                             3.182
Caesaris hinc puppes, hinc Graio remige
classis /tollitur: 3.526
crebraque sublimes conuellunt uerbera
puppes. 3.528
celsior at cunctis Bruti praetoria puppis
/uerberibus senis agitur 3.535
in puppem rediere rates, emissaque tela /
aera texerunt 3.545
huc abeunt fluctus, illo mare, sic,
ubi puppes /sulcato uarios duxerunt
gurgite tractus, ...   3.550
tunc in signifera residenti puppe magistro
/Brutus ait 3.558
stat quisque suae de robore puppis   3.570

has prohibent iungi conferta cadauera
puppes. 3.575
dum pugnat ab alta /puppe Catus Graiumque
audax aplustre retentat, . . .   3.586
derigit huc puppem miseri quoque dextra
Telonis, ...   3.592
dum cupit in sociam Gyareus erepere
puppem, ...   3.600
ausus Romanae Graia de puppe carinae /
iniectare manum; 3.610
non conditus ima /puppe 3.619
insiluit solo nociturus pondere puppem.
                             3.626
inque locum puppis cecidit mare.   3.633
ferrea dum puppi rapidos manus inserit
uncos /adfixit Lycidan. 3.635
congesto pondere puppis /uersa caua
texit pelagus nautasque carina,   3.649
postquam inhibent remis puppes ac
rostra reducunt, ...   3.659
puppis ad auxilium sociae concurrit; 3.663
bracchia linquentes Graia pendentia puppe
/ a manibus cecidere suis: . . .   3.667
puppibus occurrit tandemque sub aequore
mansit. 3.704
multus sua uolnera puppi /adfixit moriens.
                             3.707
peruenit ad puppim spirantisque inuenit
artus. 3.732
ast aliae mutato remige puppes / uictores
uexere suos; 3.754
primum cana salix madefacto uimine paruam
/texitur in puppem 4.132
neque enim de more carinas /extendunt
puppesque leuant, ...   4.418
hanc omni puppes statione solutae /
circumeunt, ...   4.463
Euripusque tranit,.../Chalcidicas puppes
ad iniquam classibus Aulin. . . .   5.236
non ualet ipsa sequi puppes quae uexerat
aura. 5.433
puppem dubius ferit undique pontus. 5.570
liceat uexata litora puppe/prendere, 5.575
non puppis nostrae labor est: . .   5.585
cum iam non poterit puppi nostraeque
saluti /altera terra dari. . . .   5.590
auolsit laceros percussa puppe rudentis
                             5.594
fluctusque euertere puppem /non ualet in
fluctum: 5.647
parua quem puppe sedentem /tam magno
petiere mari! 5.655
haec fatum decumus, dictu mirabile,
fluctus /inualida cum puppe leuat, 5.673
ut terrestre, coit consertis puppibus
agmen. 5.708
eripuit nautis excussitque ordine puppes.
                             5.710
uiolentior aer /puppibus incubuit Phoebeo
concitus ortu, ...   5.718
puppem quae fata feret tam laeta timebo.
                             5.781
puppemque ferentes /in uentum tumuere
sinus. 6.471
defuit ... / non puppem retinens Euro
tendente rudentis /in mediis echenais
aquis 6.674
nauita ... / dat regimen uentis ignauumque
arte relicta /puppis onus trahitur. 7.127
tum puppe propinqua /prosiluit . .   8.54
accipe, si terris, si puppibus ista

PUPPIS

iuuentus /aptior est; 8.122
non ulla in litora puppem /ante dedi
fugiens, ... 8.133
qui non mergitur undis /... /ille regit
puppes. 8.176
'hoc solum ... serua, /ut sit ab Emathiis
semper tua longius oris /puppis et
Hesperiam pelago caeloque relinquas: 8.189
et in laeuum puppim dedit, . . . 8.194
hos dedit in proram, tenet hos in puppe
rudentes. 8.196
Pamphylia puppi /occurrit tellus, 8.249
Cilicum per litora tutus /parua puppe
fugit. 8.258
mille meae Graio uoluuntur in aequore
puppes, ... 8.272
Magnoque patere /fingens regna Phari
celsae de puppe carinae /in paruam iubet
ire ratem, ... 8.564
ibat in hostilem praeceps Cornelia puppem,
8.577
poteras non flectere puppem, /... /
omnibus a terris si nos arcere parabas.
8.586
prima pendet tamen anxia puppe, 8.590
transire parantem /Romanus Pharia miles
de puppe salutat 8.596
hoc merui, coniunx, in tuta puppe
relinqui? 8.651
ast illae puppes luctus planctusque
ferebant 9.49
decreuitque pati tenebras puppisque
cauernis /delituit, ... 9.110
Cornelia puppe /egrediens, rursus
geminato uerbere plangunt. 9.172
insiluit puppi iuuenum comitante tumultu.
9.252
omnes /haud aliter medio reuocauit ab
aequore puppes 9.284
interrupta profundo /terra ferit puppes,
9.336
nec puppibus ignis / incubuit solis;
10.497

PURGO,-ARE. iubet ... / ambiri et festo
purgantes moenia lustro /longa per
extremos pomeria cingere fines 1.593
haud alios nondum Scythica purgatus in ara
/Eumenidum uidit uoltus Pelopeus Orestes,
7.777
iam crimen habemus /purgandum gladio.
8.518

PURPURA. nullos comitata est purpura fasces.
2.19
obsita funerea celatur purpura lana, 2.367
sicci sed plurima campi /tetrarchae
regesque tenent ... / atque omnis Latio
quae seruit purpura ferro. 7.228

PURPUREUS,-A,-UM. stabatque sibi non segnis
achates /purpureusque lapis, . . . 10.116

PURUS,-A,-UM. flexi iam plaustra Bootae / in
faciem puri redeunt languentia caeli,
2.723
non auro murraque bibunt, sed gurgite
puro /uita redit. 4.380
aut orbis medii puros exesa recessus,
5.547
ut uidere duces, purumque insurgere caelo
/ fracturum pelagus Borean, soluere
carinas. 5.704
purus in occasus, parui sed gurgitis,
Aeas /Ionio fluit inde mari, . . . 6.361

et flumine puro / inrigat Amphrysos
famulantis pascua Phoebi. 6.367
attraxit nubes, non pabula flammis /
sed ne Thessalico purus luceret in orbe.
7.6
pura uenerabilis aeque /quam currus
ornante toga, plaudente senatu /sedit
adhuc Romanus eques; 7.17
nulla manus, belli mutato iudice, pura
est. 7.263
optat, pars terrae figere tela /ac puras
seruare manus. 7.487
et Mutina et Leucas puros fecere
Philippos. 7.872
quippe, fides si pura foret, si regia
Magno /... pateret, /uenturum tota Pharium
cum classe tyrannum. 8.572
nullo glaebarum crimine pura /et penitus
terra est. 9.425

PUTEUS. puteusque cauati /montis ad inrigui
premitur fastigia campi. . . . 4.295

PUTO,-ARE. ne sibi se uicisse putet.' 2.323
uelle putant quodcumque potest. 3.101
damnumque putamus /armorum, nisi qui
uinci potuere rebellant. 3.365
quis enim laesos inpune putaret /esse
deos? 3.447
attonitus mortisque illas putat esse
tenebras. 3.714
campis prostrata iacere /agmina nostra
putes; 4.359
ne nos, ... / desperasse putent. 4.512
hoc bellum sceptri fructum putat esse
retenti. 4.693
infidusque nouis ducibus dubiusque priori
/fas utrumque putat. 4.699
seque putat solum regnorum iniusta grauari,
5.258
Caesaris an cursus uestrae sentire putatis
/damnum posse fugae? 5.335
an uos momenta putatis /ulla dedisse mihi?
5.339
an similem uestri segnemque ad fata
putatis? 6.244
nequid bello patiaris in isto, / te Caesar
putet esse suam.' 6.329
hoc scelus haud umquam fatis haerere
putauit, ... 7.35
Stygii quae numina regni /... et
mersos nocte furores /inpia tam saeue
gesturus bella litasti (putasti)?
var.7.171
mentisque tumultum /atque omen scelerum
subitos putat esse furores. . . . 7.184
uincat quicumque necesse / non putat in
uictos saeuum destringere ferrum 7.313
quod legit diues summis Arimaspus harenis,
/ut rapiant, paruo scelus hoc uenisse
putabunt. 7.757
ingemuisse putem campos, ... 7.768
cunctos mutare putares / tellurem
patriaeque solum: 8.147
te nec uictos arcere a litore nostro /
posse putat. 8.498
quis non, Fortuna, putasset /parcere te
populis, ... 8.600
litore Niliaco socerum iam stare putaui.
9.135
quis uestras ulla putet esse nocentes
/caede manus? 9.269
me teste pati uel quae tristissima

PUTO

    pulchrum / Romanumque putant.   9.392
    arma ... hominumque erepta lacertis /
    a superis demissa putant.   . . . 9.477
    'mene'...'degener unum /miles in hac turba
    uacuum uirtute putasti?   . . . 9.506
    tu sicca profundo / mergi Plaustra putas,
                          9.541
    sed putat esse sitim; 9.759
    quis fata putarit /scorpion aut uires
    maturae mortis habere? 9.833
    nec uile putaris /hoc meritum, . . 9.1026
    tutumque putauit /iam bonus esse socer,
                          9.1037
    gemitusque expressit pectore laeto, /
    non aliter manifesta potens (putans)
    abscondere mentis /gaudia quam lacrimis,
                   var.9.1040
    sunt qui spiramina terris / esse putent
    magnosque cauae conpagis hiatus.   10.248
    quis te ... /moturum totas uiolenti
    gurgite iras,/Nile, putet?   10.317
    Magno nihil ille perempto /iam putat
    esse nefas; 10.336
    paruaque regna putet Tyriis cum Gadibus
    Indos, ...   10.457
    nec satis hoc Fortuna putat. . .   10.525

PUTRIS,-E. hausit; dumque nimis iam putria
    membra recidit 2.141
    ipse situs putrique facit iam robore
    pallor /attonitos; 3.414
    et crudae putri fluxerunt puluere cautes.
                       3.507
    non aetas haec carpsit edax monimentaque
    rerum /putria destituit: 7.398
    stat tectis putris auitis /in nullos
    ruitura domus, ... 7.403
    putrisque effluxit ab alto /umor, 8.690
    totaque in Aethiopum putres soluaris
    harenas. 8.830
    et nulla putris radice tenetur.   9.434
    siluarum fons causa loco, qui putria
    terrae /alligat 9.526
    concipiunt ... de sanguine rores,/quos
    calor adiuuit putrique incoxit harenae.
                       9.699
    putrisque secuta medullas /nulla manere
    sinunt rapidi uestigia fati.   9.785
    iam siluae steriles et putres robore
    trunci /Assaraci pressere domos 9.966

PYRA. quique suas struxere pyras uiuique
    calentis /conscendere rogos.   3.240

PYRAMIS. cum Ptolemaeorum manes ... /
    pyramides claudant indignaque Mausolea,
    /litora Pompeium feriunt, ... 8.697
    non mihi pyramidum tumulis euolsus
    Amasis /atque alii reges Nilo torrente
    natabunt? 9.155

PYRENAEUS,-A,-UM. iamque Pyrenaeae, quas
    numquam soluere Titan /euualuit, fluxere
    niues, ... 4.83

PYRENE. nunc desuper Alpis /nubiferae colles
    atque aeriam Pyrenen /abripimur.   1.689

PYRRHUS. non tu, Pyrrhe ferox, nec tantis
    cladibus auctor 1.30
    quod tibi, Roma, fuga Gallus (Pyrrhus)
    trepidante reliquit, ... var.3.159

PYTHIUS,-A,-UM. unde et Thessalicae ueniunt
    ad Pythia laurus. 6.409
    non tripodas Deli, non Pythia consulit
    antra, ... 6.425

PYTHON(Delphi). seu, barbarica cum lampade

QUAERO

    Python / arsit, ... 5.134

PYTHON(serpens). ultor ibi expulsae, premeret
    cum uiscera partus, matris adhuc rudibus
    Paean Pythona sagittis 5.80
    hinc maxima serpens /descendit Python
    Cirrhaeaque fluxit in arua,   6.408
    spiculaque extenso Paean Pythone recoxit,
                      7.148
    et trabibus mixtis auidos typhonas
    (pythonas) aquarum / detulit   var.7.156

Q

QUA(adv.) v. QUI.

QUAERO,-ERE. nam neque praeda meis neque
    regnum quaeritur armis: 1.350
    quaerite, quos agitat mundi labor; 1.417
    atque iram superum raptis quaesiuit in
    extis. 1.617
    prouentu scelerum quaerunt uter imperet
    urbi? 2.61
    atque aliquis magno quaerens exempla
    timori 2.67
    trahit ipse furoris /impetus, et uisum
    lenti quaesisse nocentem. . . . 2.110
    memini,.../perque omnis truncos, cum
    qua ceruice recisum /conueniat, quaesisse,
    caput. 2.173
    nec dubium longo quaeratur in aeuo /
    mutarim primas expulsa an tradita taedas.
                      2.344
    'non satis est muris latebras quaesisse
    pauori? 2.494
    territa quaesitis ostendit terga
    Britannis? 2.572
    quaeritur indignae sedes longinqua ruinae.
                      2.731
    parati, /undarum raptos auersis fontibus
    haustus /quaerere et effossam sitientes
    lambere terram 3.346
    utque satis caesi nemoris, quaesita per
    agros /plaustra ferunt, . . . 3.450
    telluris inanis /concussisse sinus
    quaerentem erumpere uentum /credidit 3.460
    noti diffisus uiribus orbis /indomitos
    quaerit populos 4.146
    capere arma iubet nec quaerere pontem
                      4.149
    occultos latices abstrusaque flumina
    quaerunt; 4.293
    quoque minus possent siccos tolerare
    uapores /quaesitae fecistis aquae. 4.306
    sed morbus egens iam gurgite plenis /
    uisceribus sibi poscit (quaerit) aquas.
                   var.4.372
    quaesitorum terra pelagoque ciborum /
    ambitiosa fames et lautae gloria mensae,
                      4.375
    uita breuis nulli superest qui tempus
    in illa /quaerendae sibi mortis habet;
                      4.479
    inter fata diu quaerens tam magna latentem.
                      5.189
    quaeris terraque marique /his ferrum
    iugulis 5.262
    finis quis quaeritur armis? . . . 5.273

QUAERO

non ... liceat ... / atque oculos morti
clausuram quaerere dextram, . . . 5.280
quaerit pelagi caelique tumultu /quod
praestet Fortuna mihi' 5.592
litoribus quaerere meis.' 5.790
atque oblita fugae quaesiuit nocte
maritum! 5.810
latis exire ruinis /quaerit, . . . 6.123
hic ubi quaerentis socios iam Marte
relicto /tuta fugae cernit, . . . 6.149
cumulo uos desse uirorum /non pudet et
bustis interque cadauera quaeri? 6.154
pacem gladio si quaerit ab isto /
Magnus, adorato summittat Caesare signa.
6.242
nec quaesisse libet primis quid frugibus
altrix /aere Iouis Dodona sonet, 6.426
dignum, quod quaerere cures /uel tibi,
quo tanti praeponderet alea fati.' 6.602
pulmonis ... fibras /inuenit et uocem
defuncto in corpore quaerit. . . . 6.631
quem tumulum Nili, quem Thybridis adluat
unda /quaeritur. 6.811
tu fatum ne quaere tuum: 6.812
quaeri, Roma quid esset, /illo Marte,
palam est. 7.132
nam me secura manebit /sors quaesita manu:
7.309
finis ciuilibus armis /quem quaesistis,
adest. 7.344
qui subolem ac thalamos desertaque
pignora quaerit, /ense petat: . . 7.347
libertas ... / ac, totiens nobis iugulo
quaesita, uagatur 7.434
perque arma, per hostem /quaerit iter.
7.498
pudet ... /... quaerere letiferum per
cuius uiscera uolnus /exierit, . 7.619
nunc tibi uera fides quaesiti, Magne,
fauoris /contigit ac fructus: . . 7.726
quaerere nec quicquam de fato coniugis
audes. 8.49
nam quaerere certum est, /fas quibus in
terris, ubi sit scelus. 8.141
ne pigeat Magno quaerentem fata remotas
/Medorum penetrare domos 8.215
quamuis ... /... nullis circumdatus armis
/ ... nouis exordia quaeram, / ingentis
praestate animos. 8.265
auersosque polos alienaque sidera quaeris,
8.337
temptare pudendum /auxilium tanti est,...
ut.../... te parua tegant ac uilia busta,/
inuidiosa tamen Crasso quaerente
sepulchrum? 8.394
quaerit /cum qua gente cadat. . . 8.504
uictum pietate timorem /conpulit ut mediis
quaesitum corpus in undis / duceret ad
terram 8.719
ille ordine rupto /funeris attonitus
latebras in litore quaerit. . . 8.780
quaerat cineres uictura superstes. 9.72
haec fama est ... /... scelerisque fidem
quaesisse tyrannum. 9.140
o felix,... / et cui quaerendos Pharium
scelus obtulit enses. 9.209
bella fugis quaerisque iugum ceruice
uacanti / et nescis sine rege pati. 9.261
quaere quid est uirtus et posce exemplar
honesti.' 9.563
'quid quaeri, Labiene, iubes? . . . 9.566

QUAM

superos quid quaerimus ultra? 9.579
quaeremus forsitan istas /serpentum
terras: 9.869
magnaque Phoebei quaerit uestigia muri.
9.965
Thessalicas quaerens Magnus reparare
ruinas /ense iacet nostro. . . . 9.1019
accipe regna Phari nullo quaesita cruore,
9.1022
uestris quaesita licentia regnis? 9.1074
non sit licet ille nefando /Marte
paratus opes mundi quaesisse ruina;
10.150
infudere epulas auro,/../...quod luxus
inani / ambitione furens toto quaesiuit in
orbe 10.157
ubicumque uideris / quaereris, . . 10.284
teque uident primi, quaerunt tamen hi
quoque, Seres, ... 10.292
hic quaeritur ortus, /illic finis aquae.
10.301
ceu ...captis femina muris, / quaerit
tuta domus; 10.459

QUAESTOR. quaestor ab Icario Cinyreae litore
Cypri /infaustus Magni fuerat comes.
8.716

QUALIS. qualis frugifero quercus sublimis
in agro / exuuias ueteris populi
sacrataque gestans /dona ducum 1.136
nec qualem meminere uident: 1.479
qualis, cum turbidus Auster /reppulit
a Libycis inmensum Syrtibus aequor 1.498
qualem fugiente per ortus / sole Thyesteae
noctem duxere Mycenae. 1.543
excutiens .../stridentisque comas,
Thebanam qualis Agauen /inpulit... /
Eumenis, ... 1.574
qualem iussu Iunonis iniquae /horruit
Alcides uiso iam Dite Megaeram. 1.576
nam, qualis uertice Pindi /Edonis Orgygio
decurrit plena Lyaeo, ... 1.674
perdidit o qualem uincendo plura
triumphum! 3.79
qualis rupes quam uertice montis /abscidit
3.470
sed rudis et qualis procumbit montibus
arbor /conseritur, ... 3.512
qualis in Euboico uates Cumana recessu /
indignata suum multis seruire furorem
5.183
qualis erat populi facies clamorque
fauentis /olim, ... 7.13
non fletus erat,saluaque uerendus /
maiestate dolor, qualem te, Magne,
decebat /Romanis praestare malis. 7.681
inposuere orbes, quales ad Caesaris ora
/ nec capto uenere Iuba. 10.145
acies non sparsa maniplis /nec uaga
conspicitur, sed iustos qualis ad hostes
/recta fronte uenit: 10.437

QUALITER. qualiter undas / qui secat et
geminum gracilis mare separat Isthmos
1.100
qualiter expressum uentis per nubila
fulmen /aetheris inpulsi sonitu 1.151

QUAM. (a) interr.indir.
4.377;4.576;5.19;5.250;6.148;7.419;7.554;
9.102;9.826;9.827
(b) comp.
1.1;1.107;1.253;1.304;1.372;2.229;2.302;
2.433;2.444;2.445;2.541;2.577;3.112;3.372;

QUAM

3.681;4.476;4.785;4.803;4.809;5.112;5.152;
5.339;5.371;5.414;5.679;5.769;6.169;6.183;
6.235;6.246;6.265;6.286;6.503;7.1;7.18;
7.109;7.638;7.639;7.685;7.708;8.42;8.229;
8.254;8.274;8.323;8.351;8.381;8.412;8.638;
8.712;8.795;8.872;9.188;9.215;9.276;9.285;
9.414;9.448;9.555;9.567;9.599;9.600;9.714;
9.868;9.1007;9.1041;9.1043;9.1066;9.1078;
9.1085;10.48;10.190;10.218;10.260;10.279;
10.298;10.502

(c) exclam.

2.273;5.616;5.808;7.116;9.1059

QUAMQUAM. pietas patriique penates / quamquam
caede feras mentes animosque tumentes
/frangunt; 1.354
quamquam agitant grauiora metus,
multumque coitur 2.225
tempora quamquam /sint aliena toris iam
fato in bella uocante, ... 2.350
quamquam primo terrore ruentis /cessurae
belli, ... 2.448
quamquam firmissima pubes /his sedeat
castris, ... 2.473
quamquam, siqua fides, his te quoque
iungere, Caesar, /inuideo . . . 2.550
qui robore quamquam / confisus Latio
regis tamen undique uires /exciuit, 4.667
sic fatur, quamquam plebeio tectus amictu,
/indocilis priuata loqui. . . . 5.538
quamquam non ulli plus regia, Magne,
uacabat /saeuitia stimulata Venus 8.412
quamquam quis talia facta /aestimat in
numero scelerum ponenda tuorum, 10.472a

QUAMUIS. quamuis primo nutet casura sub Euro,
1.141
Caesar,' ait 'partes, quamuis nolente
senatu / traximus imperium, . . . 1.274
quamuis iam carcere clauso /inmineat
foribus pronusque repagula laxet. 1.294
toto quamuis in corpore caeso /nil animae
letale datum, moremque nefandae /dirum
saeuitiae, pereuntis parcere morti. 2.178
quis nolet in isto / ense mori, quamuis
alieno uolnere labens, /et scelus esse
tuum? 2.265
quamuis icto nouo, uentum tenuere
priorem /aequora, ... 2.458
instat atrox et adhuc, quamuis possederit
omnem /Italiam, ... 2.658
ille, dei quamuis cladem manesque
minentur, ... 3.36
exhausit totas quamuis dilectus Athenas,
3.181
quamuis Hesperium mundi properemus ad
axem /Massiliam delere uacat. 3.359
nec, quamuis uiridi luctetur robore,
lentas /ignis agit uires, . . . 3.503
sic fatus, quamuis capulum per uiscera
missi /polluerit gladii, ... 3.748
quamuis crebra micent: extinguunt fulgura
nimbi. 4.78
et quamuis nullo maculatus sanguine miles
4.181
quamuis primo ferrum strinxere gementes,
4.247
tu, Caesar, quamuis spoliatus milite
multo, / agnoscis superos; . . . 4.254
inuictus robore cunctis, / quamuis staret,
erat. 4.609
nec sic Inachiis, quamuis rudis esset, in
undis /desectam timuit reparatis anguibus

QUANTUS

hydram. 4.634
gradum ... / nec quamuis crebris iussi
calcaribus addunt: 4.760
conscia uotorum es, me, quamuis plenus
honorum / et dictator eam Stygias et
consul ad umbras,/priuatum, Fortuna,
mori. 5.666
nam quamuis flamma tacitas urente
medullas / non iuuat in toto corpus
iactare cubili: 5.811
quamuis natura negasset, ... 6.59
et, quamuis fecerit omnis /stella senem,
medios herbis abrumpimus annos. 6.609
nam, quamuis Thessala uates /uim faciat
fatis, dubium est, quod traxerit illuc /
aspiciat Stygias an quod descenderit
umbras. 6.651
iam uera reddetur uita figura,/ ut quamuis
pauidi possint audire loquentem. 6.661
properate mori, magnoque superbi / quamuis
e paruis animo descendite bustis 6.808
quamuis summo de culmine lapsus /nondum
uile sui pretium scit sanguinis esse,
8.8
quamuis in litore nudo, /... nullis
circumdatus armis / consultem ... /
ingentis praestate animos. . . . 8.263
oderat et Magnum, quamuis comes isset in
arma 9.21
quamuis elisus ab Austro, /saepe tamen
cumulos fluctus non uincit harenae. 9.339
quamuis Aethiopum populis Arabumque
beatis / gentibus ... unus sit Iuppiter
Hammon,/pauper adhuc deus est, 9.517
non Asiam ... disterminat ... / fluctus
ab Europa, quamuis Byzantion arto /
Pontus et ostriferam dirimat Calchedona
cursu, ... 9.958
quae quamuis arbore multa / frondeat
aestatem nulla sibi mitigat umbra, 10.304

QUANDO. quando non proderit ista silere /
a quibus omne aeui senium sua fama
repellit, ... 4.811
sic eat, o superi: quando pietasque
fidesque /destituunt 5.297
'quando' ait 'Emathiis amissus cladibus
orbis, /qua Romanus erat, superest,.../
Eoam temptare fidem 8.211

QUANTUS, -A, -UM. heu, quantum terrae potuit
pelagique parari 1.13
uox nulla dolori / credita, sed quantum,
uolucres cum bruma coercet, . . . 1.259
accenditque ducem, quantum clamore
iuuatur / Eleus sonipes, ... 1.293
quantus, piniferae Boreas cum Thracius
Ossae / rupibus incubuit, . . . 1.389
insonuere tubae et, quanto clamore
cohortes /miscentur, ... 1.578
ergo, ubi concipiunt quantis sit cladibus
orbi / constatura fides superum, 2.16
corripuit, quantoque gradu mors saeua
cucurrit! 2.100
heu, quanto melius uel caede peracta
/parcere Romano potuit fortuna pudori!
2.517
quantum desse solet lunae, seu plena
futura est / seu iam plena fuit: 3.42
pro, quanta est gloria genti /iniecisse
manum fatis 3.241
quantum est quod fata tenentur . . 3.392
quis in urbe parentum / fletus erat,

quanti matrum per litora planctus!   3.757
discite quam paruo liceat producere
uitam / et quantum natura petat.   4.378
o quantum donata pace potitos /excussis
umquam ferrum uibrasse lacertis /paenituit,
                                   4.385
hoc tamen in casu quantum deprensa ualebat
/effecit uirtus: 4.469
quantus Bistonio torquetur turbine, puluis
                                   4.767
quantum pede prima relato / constrinxit
gyros acies. 4.780
fortunaque tantos / det uobis animos
quantos fugientibus hostem / causa dabat.
                                    5.43
Hesperio tantum quantum summotus Eoo /
cardine Parnasos gemino petit aethera
colle, ...   5.71
accipit et frenos, nec tantum prodere
uati / quantum scire licet. . .   5.177
heu, quantum Fortuna umeris iam pondere
fessis / amolitur onus! 5.354
tum rector trepidae fatur ratis 'aspice
saeuum / quanta paret pelagus: . .   5.569
quantum Leucadio placidus de uertice
pontus / despicitur, ...   5.638
'quantusne euertere' dixit / 'me superis
labor est, ...   5.654
heu, quantum mentes dominatur in aequas
/iusta Venus! 5.727
en, quantum Tigris, quantum celer ambit
Orontes, ...   6.51(bis)
Assyriis quantum populis telluris
Eoae / sufficit in regnum, ...   6.52
parua Mycenaeae quantum sacrata Dianae /
distat ab excelsa nemoralis Aricia Roma,
                                    6.74
mouit tantum uox illa furorem,/ quantum
non primo succendunt classica cantu, 6.166
infelix, quanta dominum uirtute parasti!
                                   6.262
quantum scelerum quantumque malorum / in
populos lux ista feret! . . . 7.114(bis)
in manibus uestris, quantus sit Caesar,
habetis. 7.253
quanto satiauit sanguine ferrum!   7.317
innumeraeque urbes, quantas in proelia
numquam, / exciuere manus. . . .   7.361
cladis tamen huius habemus /uindictam,
quantam terris dare numina fas est: 7.456
nec ualet haec acies tantum prosternere
quantum / inde perire potest.   7.534
scire ruunt, quanta fuerint mercede
nocentes. 7.751
quantum poenae misero mens conscia donat,
/quod Styga,... / Pompeio uiuente
uidet! 7.784
seque,... tantae mercedis habere /credit
adhuc iugulum, quantam pro Caesaris ipse
/ auolsa ceruice daret.   8.11
tota, quantum ualet, utere Lesbo.   8.123
quanto igitur mundi dominis securius aeuum
/uerus pauper agit! 8.242
quantus Maeotida supra, ...   8.318
quantus apud Tanain toto conspectus
in ortu! 8.319
quantum, spes ultima rerum, /libertatis
habes! 8.454
exiguam, quantum potes, accipe flammam
                                   8.766
uidit quanta sub nocte iaceret /nostra

dies 9.13
sed me nec sanguis nec tantum uolnera
nostri /adfecere senis, quantum gestata
per urbem /ora ducis, ...   9.137
quantumque licet consurgere fumo /et
uiolare diem, tantus tenet aera puluis.
                                   9.461
quanto poena tu dignior ista es, / qui
populo sitiente bibas!' 9.508
quanto spirare ueneno / ora rear   9.679
quanto spirare ueneno / ora rear
quantum oculos effundere mortis!   9.680
nec, quantus toto de corpore debet, /
effluit in terras, ...   9.774
quanta dedit miseris melioris gaudia
terrae 9.946
quantum Zmyrnaei durabunt uatis honores,
/uenturi me teque legent; 9.984
quantum inpulit Argos /... facie
Spartana nocenti,/Hesperios auxit tantum
Cleopatra furores. 10.60
quantosne tumores /mente gerit famulus!
                                   10.99
non Pontus ... /... tantum ausus
scelerum, non Syrtis barbara, quantum /
deliciae fecere tuae. 10.477
QUARE. quare agite Eoum, comites, properemus
in orbem. 8.289
si .../et iuga tota uacant Bromio Nyseia,
quare / unus in Aegypto Magni lapis?
                                   8.801
QUARTUS,-A,-UM. cornus tibi cura sinistri,/
Lentule, cum prima,... / et quarta legione
datur. 7.219
QUASI. stantis adhuc fati uixit quasi
coniuge uicto. 8.158
QUASSABILIS,-E. sed munimen habet nullo
quassabile ferro   6.22
QUASSO,-ARE. haec Caesar bis terque manu
quassantia tectum /limina commouit. 5.519
inque domum iam tela cadunt quassantque
penates. 10.479
QUATER. quasque quater surgens extructi
remigis ordo /commouet   3.530
his terque quaterque /uocibus excitum
/postquam cessare uidebat, . . .   5.497
QUATIO,-ERE. credas ... / corripuisse faces
aut iam quatiente ruina /nutantes pendere
domos, ...   1.494
nec quatiunt ualidos, ne sibilet aura,
rudentes. 2.698
Eumenidas quaterent quas uestris lampadas
armis; 3.15
tum ceruix lassata quati, tum pectore
pectus /urgueri, ...   4.624
saxa quatit pulsu rigidos uexantia frenos
                                   4.751
summis etiam quae fixa tenentur /astra
polis sunt uisa quati. 5.564
pudet ... / eque tuo, quatiunt miserum
cum classica mundum, /surrexisse sinu.
                                   5.751
Ioniumque furens,... / templa domosque
quatit, ...   6.28
tum quassae nutant turres lapsumque
minantur, ...   6.136
quacumque uagatur,/ sanguineum ueluti
quatiens Bellona flagellum /... /
nox ingens scelerum est; 7.568
cuius adhuc remis quatitur Corcyra
sinusque /Leucadii,... / exiguam uector

QUATIO

    pauidus correpsit in alnum. . .   8.37
    trepida quatitur formidine somnus,   8.44

-QUE. 1.2(bis;1.4;1.6;1.10;1.11;1.13;1.16;
1.25;1.26;1.28;1.29;1.34;1.35;1.37;1.41;
1.49;1.51;1.59;1.61;1.65;1.68;1.70;1.71;
1.77;1.79;1.83;1.87;1.88;1.89;1.91;1.92;
1.96;1.99;1.109;1.117;1.119;1.123;1.124;
1.130;1.131;1.133;1.134;1.137;1.139;1.145;
1.146;1.150;1.152;1.153;1.155;1.156(bis);
1.157;1.162;1.163;1.166;1.174(bis)1.175;
1.178;1.179;1.181;1.184(bis);1.189;1.193;
1.196;1.199(bis);1.201(bis);1.204;1.209;
1.213;1.215;1.225;1.231;1.233;1.237;1.239;
1.242;1.244;1.251;1.252;1.253;1.254;1.255;
1.260;1.262;1.263;1.268;1.270;1.272;1.278;
1.288;1.293;1.295;1.297;1.298;1.302;1.306
(bis);1.308;1.310;1.312;1.313;1.314;1.327;
1.353;1.354;1.356;1.357;1.365;1.375;1.376;
1.377;1.379;1.387(bis);1.393;1.397;1.405;
1.409(bis);1.413;1.416;1.422;1.423;1.424;
1.427;1.428;1.431;1.445;1.447;1.450;
1.455;1.461;1.464;1.468;1.470(bis);1.477;
1.478;1.479(bis);1.480;1.481;1.482;1.483;
1.485;1.488;1.492;1.500;1.502;1.510;1.511;
1.524;1.527(bis);1.528;1.535;1.537;1.542
(bis);1.551;1.553;1.555;1.556;1.557;1.558;
1.559;1.562(bis);1.563;1.564;1.566;
1.569;1.571;1.574;1.582;1.587;1.590;1.597;
1.599;1.602(bis);1.605;1.608;1.610;1.611;
1.619;1.621;1.623;1.625;1.626;1.633;
1.638;1.639;1.641;1.644;1.646;1.654;1.657;
1.659;1.661;1.662;1.664;1.666;1.667;1.668;
1.671;1.680;1.681;1.682;1.687;1.691;1.692;
1.694;2.1(bis);2.2;2.4;2.8;2.13(bis);
2.20;2.26(bis);2.28;2.29;2.31;2.32;2.43;
2.46;2.59(bis);2.65;2.66;2.69;2.71;2.73;
2.76;2.78;2.80(bis);2.81;2.89;2.92(bis);
2.98;2.100;2.101;2.103;2.111;2.127;2.129;
2.133;2.136;2.137;2.141;2.142;2.145;2.152;
2.154;2.156;2.166;2.169;2.170;2.172;
2.177;2.179;2.181;2.185;2.192;2.199(bis);
2.200;2.204;2.205;2.215;2.216;2.218;
2.225;2.230;2.233(bis);2.240(bis);2.241
(bis);2.242;2.249;2.252;2.253;2.270(bis);
2.279;2.282;2.289;2.293;2.294;2.296;
2.300;2.302;2.306(bis);2.317;2.319;2.324;
2.330;2.335;2.336;2.340;2.346;2.347;2.352;
2.353;2.355;2.356(bis);2.358;2.363;
2.366;2.371;2.373;2.376;2.377;2.381;
2.382(bis);2.384;2.385;2.387;2.388;2.390;
2.391;2.397;2.398;2.400(bis);2.404;2.405;
2.406;2.407;2.408;2.410;2.412;2.422;2.423
(bis);2.425;2.426;2.429;2.430(bis);2.434;
2.436;2.441;2.442;2.446;2.447;2.451;
2.453;2.459;2.461;2.463;2.470(bis);
2.476;2.482;2.484;2.495;2.501;2.508;2.511
(bis);2.514;2.520;2.522;2.528;2.529;
2.531;2.539;2.542;2.543;2.545;2.546;
2.547;2.549;2.551;2.560;2.563;2.568;2.569;
2.571;2.579;2.581;2.588;2.591;2.593;2.594
(bis);2.598;2.602;2.608;2.618;2.620;2.626;
2.633;2.637;2.639;2.640;2.643;2.647;2.649;
2.650;2.652;2.664;2.671;2.674(bis);2.675;
2.676(bis);2.679;2.682;2.683;2.685;2.686;
2.695;2.697;2.703;2.703a;2.705;2.707;
2.711;2.712;2.718;2.720;2.724(bis);
2.729;2.735;3.2;3.6;3.12;3.13;3.21;3.27;
3.29;3.32;3.36;3.47;3.53;3.54;3.57;3.62;
3.64;3.74;3.77;3.84;3.87;3.90;3.95;3.100;
3.107;3.110;3.111;3.114;3.118;3.121;3.124;
3.126;3.149;3.154;3.163;3.165;3.168;3.172;

3.173;3.175;3.176(bis);3.179(bis);3.183;
3.185;3.191;3.195(bis);3.196;3.201;
3.203;3.205;3.208;3.209;3.211;3.213;
3.216;3.217;3.223(bis);3.224;3.225(bis);
3.226;3.228;3.235;3.237;3.240(bis);
3.242;3.245;3.250;3.253;3.256;3.262(bis);
3.264;3.268;3.270;3.274;3.277;3.279;
3.280;3.282;3.283;3.286;3.300;3.302;
3.304;3.305;3.314;3.318;3.327;3.330;
3.331;3.332;3.333(bis);3.348;3.351;3.354;
3.364;3.365;3.378;3.380;3.385;3.387;
3.389;3.391;3.393;3.396;3.402;3.403;
3.405;3.409;3.412;3.413;3.414;3.421;3.425;
3.427;3.429;3.441;3.444;3.450;3.451;3.454;
3.456;3.467(bis);3.475;3.476;3.495;3.498;
3.499;3.501;3.508;3.509;3.518;3.523;
3.525;3.528;3.529;3.530;3.536;3.541;3.545;
3.546;3.548;3.549;3.553;3.565(bis);
3.566;3.569;3.571;3.577;3.584;3.586;
3.590;3.591(bis);3.599;3.602;3.605;3.613;
3.615;3.616;3.618;3.619;3.621;3.624;3.627;
3.633(bis);3.637;3.640;3.645;3.648;3.650;
3.665;3.670;3.673;3.675;3.685;3.691;3.692;
3.696;3.698;3.704;3.714;3.725;3.729;3.732;
3.740;3.741;3.743;3.747;3.760;4.6;4.9
(bis);4.11;4.20;4.25(bis);4.27;4.30;4.34
(bis);4.36;4.38;4.42;4.44;4.45;4.46;
4.50;4.52;4.61;4.74;4.76;4.77;4.81(bis);
4.83;4.84;4.88;4.93;4.94;4.98;4.99;4.101;
4.105;4.107;4.115;4.118;4.122;4.126;
4.129;4.130(bis);4.132;4.134;4.138;4.148;
4.151;4.153;4.155;4.156(bis);4.162;4.163;
4.164;4.171;4.173;4.190;4.199;4.206;4.209;
4.215;4.216;4.217;4.218;4.220;4.233;4.236;
4.240(bis);4.241;4.245(bis);4.249;4.261;
4.269;4.273;4.284;4.286;4.287;4.289;4.292;
4.293;4.294;4.295;4.305;4.307;4.312;4.313;
4.316;4.321;4.325;4.326;4.328;4.329;4.332;
4.333;4.337;4.341;4.342;4.350;4.353;4.355;
4.360;4.363;4.364;4.367;4.370;4.375;4.380;
4.381(bis);4.384;4.387;4.396;4.418;4.428;
4.429;4.434;4.441;4.445;4.449;4.451;4.455;
4.457;4.458;4.459;4.473;4.474;4.492;4.498;
4.504;4.505;4.508;4.514;4.515;4.516;4.519;
4.523;4.530;4.534;4.535;4.537(ter);4.539;
4.543;4.548;4.550;4.555;4.557;4.558(bis);
4.563;4.567;4.569;4.571;4.579;4.587;4.589;
4.596(bis);4.604;4.607;4.610;4.619;4.620;
4.622;4.628;4.631;4.632;4.639;4.640;4.642;
4.644;4.647;4.653;4.655;4.662;4.665;4.669;
4.675;4.677(bis);4.680;4.685;4.689;4.691;
4.698(bis);4.700;4.713;4.718;4.721;4.726;
4.729;4.730;4.733;4.735;4.736;4.738;4.746;
4.748;4.752;4.753;4.755;4.758;4.759(bis);
4.763;4.766;4.768;4.780;4.782;4.786;4.792;
4.797;4.799;4.804;4.807;4.819;4.822;4.823;
5.4;5.5;5.6;5.10;5.19;5.21;5.22;5.24;5.27;
5.28;5.31(bis);5.32;5.35;5.42;5.46;5.48
(bis);5.49;5.50;5.51;5.53;5.54(bis);
5.56;5.59;5.63;5.64;5.65(bis);5.68;
5.69;5.73;5.76;5.78;5.81;5.83;5.85;5.89;
5.91(ter);5.98;5.102;5.105;5.106;5.115;
5.118;5.119;5.121;5.124;5.125;5.126;
5.127;5.132;5.133;5.137;5.141;5.143;
5.145;5.152;5.154;5.155;5.156;5.157;5.160;
5.162;5.165;5.167;5.170;5.172;5.173;5.175;
5.178;5.180;5.193;5.195;5.197;5.198;5.199
(bis);5.201;5.206;5.207;5.209;5.212;5.215;
5.219;5.224;5.235;5.245;5.247(bis);
5.251;5.252;5.258;5.262(bis);5.263;5.266;
5.268;5.272;5.275;5.281;5.296;5.297(bis);

5.298;5.302;5.305;5.306(bis);5.307;5.313
(bis);5.317;5.319;5.320;5.323;5.325;5.326;
5.333;5.341;5.361(bis);5.365;5.368;5.373;
5.376(bis);5.379;5.382;5.394;5.406;5.410;
5.413(bis);5.416;5.417;5.419;5.426;5.428;
5.431;5.432;5.438;5.440;5.442;5.444;5.451;
5.454(bis);5.456;5.457;5.459;5.469;5.472;
5.474;5.480;5.487;5.491;5.496(bis);5.497
(bis);5.502;5.509;5.513;5.515;5.517;5.519;
5.528;5.533;5.535;5.542;5.544;5.546;5.549;
5.553;5.555;5.559;5.560;5.566;5.578;5.584;
5.590;5.592;5.595;5.601;5.605;5.606;5.618;
5.619;5.622;5.628;5.629;5.633;5.635;
5.640;5.644;5.645;5.647;5.651;5.657;5.670;
5.671;5.675;5.677;5.679;5.680;5.685;5.696;
5.701;5.704;5.706;5.707;5.709;5.710;5.712;
5.720;5.725;5.728;5.730;5.732;5.737;5.741
(bis);5.748;5.751;5.755;5.758(bis);5.762;
5.765;5.770;5.776;5.778;5.785;5.791;5.794;
5.795(bis);5.796;5.798;5.799;5.801(bis);
5.802;5.805;5.807;6.2;6.3;6.4;6.13;6.16;
6.17;6.20;6.23;6.24;6.27;6.28(bis);
6.34;6.35(bis);6.38;6.39;6.40;6.41;6.42;
6.44;6.46;6.49;6.53;6.56;6.62;6.67;6.76;
6.78;6.82;6.92;6.93;6.95;6.96;6.97;6.99
(bis);6.100;6.104;6.105;6.112;6.115;6.116;
6.119;6.124;6.128;6.136;6.142(bis);
6.154;6.161;6.162;6.163;6.167;6.168;6.170;
6.171;6.172;6.173(bis);6.176;6.178(bis);
6.186;6.191;var.6.196;6.200;6.202;6.203;
6.205;6.211;6.219;6.222;6.238;6.244;6.245;
6.248;6.255;6.256;6.267;6.269;6.271;6.274;
6.281;6.282;6.288;6.292;6.298;6.302;6.303;
6.310;6.320;6.320;6.326;6.330;6.337;
6.346;6.348;6.352;6.353;6.358;6.373;6.374
(bis);6.376;6.380;6.384;6.389;6.391;6.393;
6.398;6.399;6.404;6.408;6.412;6.415;
6.417;6.419(bis);6.424(bis);6.433(bis);
6.434;6.435;6.438;6.439;6.446;6.447;6.449;
6.453;6.459;6.461;6.468;6.471;6.473;6.475;
6.484;6.485;6.489;6.491;6.492;6.493;6.500;
6.502;6.504;6.509;6.511;6.514;6.516;6.520;
6.528;6.533;6.534;6.535;6.536;6.541(bis);
6.543;6.545(bis);6.547;6.548;6.551;6.552
(bis);6.557;6.566(bis);6.567;6.569;6.573;
6.577;6.578;6.581;6.583;6.586(bis);6.587;
6.591;6.596;6.598;6.600;6.613;6.616(bis);
6.617(bis);6.618(bis);6.621;6.635;6.640;
6.646;6.655;6.657;6.662(bis);6.664;6.668;
6.675;6.676;6.677;6.688;6.690;6.692(bis);
6.694;6.695(bis);6.699;6.700;6.703;
6.704;6.707;6.710;6.713;6.719;6.721;6.723;
6.726;6.728;6.729;6.730;6.733;6.736;6.738;
6.747;6.750;6.751;6.756;6.757;6.759(bis);
6.761;6.770;6.772;6.781;6.785(bis);6.786;
6.793;6.794(bis);6.796;6.798;6.800;6.801;
6.803(bis);6.804;6.807;6.817(bis);6.821;
6.822;6.827;7.3;7.4(bis);7.11;7.13;7.14;
7.28;7.30(bis);7.37(bis);7.38;7.46;7.49;
7.52;7.55;7.56;7.57;7.60;7.63;7.65;7.69;
7.70;7.76;7.78;7.85;7.90;7.94;7.99;7.100;
7.103;7.114;7.118;7.124;7.126;7.128;7.130;
7.136;7.138;7.143;7.148;7.154;7.155(bis);
7.158;7.159;7.160;7.162;7.167;7.170;7.177;
7.178;7.179;7.183;7.188;7.190;7.199;7.207;
7.211(ter);7.212;7.227(bis);7.238;7.240;
7.243;7.257;7.261;7.262;7.267;7.271;7.276;
7.277;7.279;7.284;7.288;7.291(bis);7.293
(bis);7.300;7.305;7.306;7.312;7.314;7.326;
7.330;7.331;7.332;7.333;7.334;7.338;7.340;
7.341;7.345;7.346;7.347;7.352;7.354;7.357;

7.358;7.359;7.361;7.371;7.374;7.383;7.384;
7.392(bis);7.394(bis);7.396;7.397;7.404;
7.412;7.413(bis);7.414;7.417(bis);7.425;
7.430;7.432;7.433;7.435;7.442(bis);7.450
(bis);7.453;7.458;7.459;7.465;7.467;7.468;
7.473;7.476;7.478;7.481;7.482;7.483(bis);
7.489;7.494;7.495;7.497;7.499;7.500;7.507;
7.509;7.512;7.514(bis);7.520;7.523;7.525;
7.530;7.540(bis);7.541(bis);7.545;7.547;
7.549;7.552;7.553;7.555;7.557;7.573;7.575;
7.578;7.582;7.583;7.584(bis);7.585;7.587;
7.609;7.611;7.614(bis);7.616;7.626;7.629;
7.631;7.637;7.639;7.647;7.655;7.658;7.660;
7.663(bis);7.667;7.669;7.670;7.672;7.676
(bis);7.679;7.680;7.685;7.692;7.696;7.707;
7.710;7.711;7.718;7.719;7.724;7.725;7.729;
7.730;7.732;7.742;7.743;7.747;7.748;7.750;
7.761;7.762;7.763;7.764;7.766;7.767;7.768;
7.769;7.772;7.785;7.792;7.793;7.796;
7.798;7.804;7.811;7.824;7.826;7.828;7.830;
7.831;7.836;7.840;7.842;7.845(bis);7.853;
7.859;7.862;7.864;8.1;8.3;8.5;8.6;8.7;
8.10;8.17;8.23;8.25;8.37;8.38;8.45;8.46;
8.52;8.55;8.56;8.58;8.60;8.65;8.69;8.80;
8.91(bis);8.93(bis);8.99;8.104;8.105;
8.108;8.113;8.121;8.126;8.132;8.140;8.146;
8.148;8.150;8.156;8.164;8.165;8.167;8.180;
8.189;8.190;8.194;8.197;8.204;8.206;8.213;
8.216;8.217;8.221;8.226;8.231;8.237;8.239;
8.244;8.247;8.248;8.253(bis);8.255;8.259;
8.260(bis);8.262(bis);8.265;8.268;8.277
(bis);8.280;8.285;8.288;8.291;8.292(bis);
8.294;8.299(bis);8.301;8.305;8.308;8.310;
8.330;8.336;8.337(bis);8.343;8.344;8.345;
8.347;8.353;8.358;8.365;8.369;8.378;8.380
(bis);8.387;8.400;8.401;8.405;8.413;8.420
(bis);8.424;8.426;8.435;8.443(bis);8.450;
8.451;8.456;8.464;8.468;8.476;8.480(bis);
8.481;8.486;8.490;8.492;8.499(bis);
8.509;8.510;8.513;8.514;8.517;8.526;8.527;
8.529;8.530;8.541;8.546;8.548;8.551;8.554
(bis);8.555;8.563;8.565;8.566;8.568;8.575;
8.576;8.580;8.587;8.591;8.593;8.599;
8.602;8.607;8.611;8.616;8.620(bis);8.621;
8.623;8.624;8.628;8.629;8.630;8.633;8.634;
8.655;8.661;8.665;8.666;8.670;8.671;8.672
(bis);8.681;8.685;8.689;8.690;8.692;8.696;
8.697;8.698;8.703;8.705;8.710;8.720;8.725;
8.727;8.728;8.740;8.745;8.750;8.751;8.752;
8.762;8.770;8.784;8.786;8.788;8.791;8.796;
8.804;8.807;8.808;8.809;8.812;8.813;8.818;
8.826;8.830;8.832;8.843;8.849;8.850;8.857;
8.859;8.868(bis);9.3;9.4;9.6(bis);9.12;
9.14;9.19;9.22;9.37;9.43;9.49;9.52;9.54;
9.56;9.58;9.76;9.81;9.95;9.99;9.110(bis);
9.111;9.113;9.115;9.116;9.123;9.124;9.127;
9.129;9.140;9.141;9.146;9.147;9.153;9.161;
9.163;9.164;9.169;9.175;9.176;9.177;9.178;
9.188;9.194;9.196;9.201(bis);9.204;9.218;
9.225;9.228;9.230;9.231(bis);9.259;9.261;
9.264;9.276;9.277;9.289;9.294;9.295;9.299;
9.304;9.308;9.310;9.312;9.322;9.325;9.336;
9.338;9.343;9.345;9.346;9.352;9.353;9.361;
9.362;9.365;9.366;9.368;9.381;9.382;9.384;
9.385;9.389;9.392;9.393;9.395;9.397;9.408;
9.412;9.419;9.430(bis);9.446;9.450;9.452;
9.453;9.459(bis);9.461;9.464;9.466;9.470;
9.472;9.473;9.474;9.475;9.476;9.482;9.483;
9.491;9.493;9.497;9.498;9.499;9.503;9.504;
9.507;9.510;9.517;9.520;9.541;9.545;9.546;
9.552;9.553;9.555;9.557;9.560;9.569;9.570;

9.573;9.575;9.577;9.578;9.581;9.583;9.585;
9.590;9.598;9.616;9.621;9.635;9.637;9.640;
9.645;9.646(bis);9.647;9.648;9.652;9.655;
9.657;9.661;9.666;9.673;9.674;9.675;9.680;
9.681;9.683;9.685;9.690;9.691;9.692;9.693;
9.696;9.698;9.699;9.705;9.711;9.716;9.720;
9.722;9.723;9.724;9.730;9.736;9.739;
9.741;9.742;9.749;9.751(bis);9.752;9.753;
9.757;9.758(bis);9.759;9.763;9.765(bis);
9.768;9.769;9.773;9.777;9.780;9.781;9.785;
9.792;9.794;9.802;9.807;9.808;9.816;9.824
(bis);9.830;9.831;9.832;9.843;9.845;9.854;
9.857;9.872(bis);9.879;9.885;9.886;9.889;
9.894;9.902;9.910;9.914;9.916;9.917;9.919
(bis);9.920;9.924;9.926;9.932;9.935;9.941;
9.942;9.944;9.949;9.954;9.960;9.961;9.965;
9.970;9.985;9.989;9.991;9.993;9.999;
9.1001;9.1002;9.1003;9.1016;9.1024;9.1033;
9.1036;9.1037(bis);9.1039;9.1041;9.1049;
9.1052;9.1053;9.1054;9.1063;9.1070;9.1086
(bis);9.1088;9.1092;9.1094;9.1100;9.1101;
9.1107;10.3;10.6;10.13;10.18;10.28;10.29;
10.30;10.31;10.34;10.40(bis);10.41;10.44;
10.46;10.49(bis);10.61;10.66;10.72;10.76;
10.78;10.96;10.97;10.102(bis);10.103;
10.105;10.107;10.109;10.112;10.113;10.114;
10.115;10.116(bis);10.122a;10.127;10.132;
10.136;10.139(bis);10.140;10.152;10.156;
10.158(bis);10.159;10.160;10.165;10.168;
10.172;10.174;10.176;10.178(bis);10.179;
10.180;10.183;10.186(bis);10.191;10.193;
10.200;10.202;10.203;10.204;10.206;
10.213;10.217;10.222;10.233;10.234;10.241;
10.245;10.246;10.248;10.251;10.252(bis);
10.257;10.258(bis);10.261;10.269(bis);
10.270;10.273;10.276;10.278(bis);10.281;
10.289;10.292;10.293;10.297;10.300;10.308;
10.330;10.331;10.337;10.340;10.344;10.346;
10.353;10.358;10.359;10.364(bis);10.365;
10.371(bis);10.374;10.377;10.380;10.390;
10.392;10.396(bis);10.398;10.405;10.407;
10.408;10.409;10.415;10.417;10.423;10.424;
10.426;10.432;10.434;10.439;10.443(bis);
10.444;10.450;10.451;10.452;10.453;10.457;
10.463;10.465(bis);10.466;10.468;10.472;
10.475;10.479(bis);10.481;10.485;10.490;
10.493;10.495(bis);10.497;10.500;10.503;
10.515;10.522;10.542

QUEO,-ERE. extruitur ... inpellere ... /
quod non ulla queat uiolenti machina
belli. 6.37
quae mollire queunt flamma, . .   6.114
nec quaesisse libet ... /... quis
noscere fibra / fata queat, . .   6.428

QUERCUS. qualis frugifero quercus sublimis
in agro 1.136
seruati ciuis referentem praemia quercum,
1.358

Thesproti Dryopesque ruunt, quercusque
silentis Chaonio ueteres liquerunt uertice
Selloe. 3.179
ausus et aeriam ferro proscindere quercum
3.434

QUERELLA. effundunt iustas in numina saeua
querellas. 2.44
talis pietas peritura querellas / egerit.
2.63
circumfusa duci fleuit gemituque suorum /
et non ingratis incessit turba querellis.
5.681

tandem uox maestas potuit proferre

querellas. 5.761
a potius pereant lacrimae pereantque
querellae: 7.555
mors nulla querella / digna sua est, 7.630
uocibus his correpta uiri uix aegra
leuauit /membra solo talis gemitu rumpente
querellas: 8.87
iustior in Magnum nobis, Ptolemaee,
querellae / causa data est. . .   8.512

QUEROR,-I. iam nihil, o superi, querimur;
1.37
quid iam rura querar totum suppressa per
orbem   1.318
queritur quod tuta per aequor / terga
ferant hostes. 3.49
uigilum somno cedentia membra /transsiluit
questus tacite, quod fallere posset, 5.512
'nil mihi de fatis thalami superisque
relictum est,/Magne, queri: 5.763
questa quod hoc solum nato rapuisset
Agaue. 6.359
quod trepidus bubo, quod strix nocturna
queruntur, ...   6.689
uidi ... / et Curios, Sullam de te,
Fortuna, querentem; 6.787
miseri pars maxima uolgi /... tentoria
circum /ipsa ducis queritur . .   7.49
nec non et reges populique queruntur
Eoi / bella trahi   7.56
rus uacuum, quod non habitet nisi nocte
coacta / inuitus questusque Numam
iussisse senator. 7.396
de Brutis, Fortuna, queror. . . .   7.440
terraeque nocenti / non haerere queror;
9.82
seruata de parte queror.' 9.145
saepe querentes / 'reddite, di' clamant
'miseris quae fugimus arma, ...   9.847
nil, Africa, de te / nec de te, natura,
queror: 9.855
quererisque perisse / uindictam belli
9.1053
sentiat aduentum soceri uocesque
querentis / audiat umbra pias.   9.1094
nec turba querenti / credidit: 9.1105
sed fremitu uolgi fasces et iura querentis
/inferri Romana suis discordia sensit /
pectora 10.11

QUESTUS(subst.). et tacito mutos uoluunt in
pectore questus. 1.247
tum questus tenuere suos magnusque per
omnis / errauit sine uoce dolor.   2.20
sic dura suos patientia questus /exonerat.
9.880

QUI(relat.). 1.101;1.195;1.203;1.349;1.399;
1.420;1.473;1.585;1.658;1.686;2.77;2.97;
2.407;2.426;2.548;2.549;2.576;2.589;3.187;
3.230;3.730;4.23;4.33;4.179;4.216;4.275;
4.393;4.442;4.446;4.478;4.582;4.657;4.667;
4.720;5.5;5.6;5.215;5.253;5.319;5.552;
6.65;6.147;6.164;6.250;6.285;6.327;6.369;
6.393;6.421;6.423;6.498;6.555;6.702;6.746;
6.748;6.749;7.54;7.106;7.131;7.187;7.295;
7.310;7.314;7.319;7.347;7.374;7.516;9.690;
7.819;8.7;8.174;8.210;8.286;8.359;8.429;
8.494;8.497;8.560;8.567;8.597;8.705;8.753;
8.863;9.73;9.127;9.247;9.359;9.360;9.392;
9.439;9.485;9.509;9.526;9.638;9.690;9.710;
9.745;9.882;9.911;9.975;9.1043;9.1044;
9.1048;10.43;10.93;10.255;10.449;10.455
QUAE(f.). 1.110(ter);2.615;3.152;3.166;

QUICUMQUE

3.519;4.85;4.410;4.453;4.666;4.682;5.94;
5.222;5.256;5.330;5.433;5.459;5.665;5.781;
5.805;5.815;6.7;6.215;6.352;6.590;6.591;
6.806;7.182(bis);7.218;7.228;7.257(bis);
7.259;7.470;7.641;7.819;8.22;8.50;8.398;
8.491;8.648;8.737;9.330;9.350;9.374;9.539;
9.690;9.700;9.926;10.68;10.268;10.304;
10.376;10.521
QUOD(nom.). 1.626;2.140;var.2.232;3.243;
3.253;3.718;4.75;5.22;5.400;6.406;6.779;
7.546;7.634;7.640;8.556;9.6;9.203;9.420;
9.1017;10.34;10.166;10.393
CUIUS(m.). 2.122;4.542;6.748;7.63;7.472;
8.37;8.150;8.507;9.952
CUIUS(f.). 3.146;3.488;3.585;7.255;9.948
CUI(m.). 1.639;2.631;4.546;4.815;5.73;
5.151;6.724;7.299;7.820;8.186;8.409;8.163;
9.208;9.209;9.1025;10.213;10.456
CUI(f.). 1.598;8.457;9.632
CUI(n.). 9.192;10.162
QUEM. 1.14;1.171;1.172;1.373;1.640;3.145;
3.157;3.158(bis);4.15;4.185;4.711;5.211;
5.521;5.581;5.655;6.16;6.140;6.185;6.206;
6.593;6.640;6.697;7.342;7.344;7.536;7.600;
7.630;8.63;8.114;8.115;8.341;8.342;8.433;
8.495;8.511;8.562;8.833;8.855;9.81;9.125;
9.126;9.142;9.229;9.241;9.348;9.440;9.498;
9.564;9.602;9.603;9.608;9.764;10.82;10.272;
10.351;10.361;10.382;10.454;10.461
QUAM. 1.385;2.243;2.700;3.470;4.106;4.358;
5.462(bis);5.464;5.741;6.332;6.535;6.589;
6.643;6.700;7.247;7.254;7.256;7.443;7.739;
7.845;8.66;8.151;8.153;8.516;9.355;9.501;
9.591;9.671;9.830;10.323
QUOD(acc.). 1.173;1.409;var.2.541;3.159;
3.162;3.164;var.3.350;3.539;3.552;4.152;
4.203;4.424;4.555;4.622;5.92;5.164;5.501;
5.593;6.36;6.37;6.132;6.447;6.602;6.689
(bis);6.690(bis);6.763;7.122;7.501;7.638;
7.695;7.740;7.756;8.85;8.276;8.520;8.650;
8.657;8.821;8.822;9.511;9.536;9.637;9.1015;
9.1070;10.111;10.142;10.155(bis);10.156
(bis);10.176;10.189;10.260;10.370;10.415
QUO(m). 2.99;2.366;2.408;3.283;3.612;
4.689;5.582;5.730;6.76;6.133;6.745;7.31;
7.91;7.793;8.260;8.828;9.249;9.618;9.670;
10.55;10.339;10.370
QUA(abl.). 2.9;2.396;2.475;2.554;3.593;
3.690;5.219;5.387;5.643;6.126;6.333;6.774;
8.41;8.430;8.505;8.529;8.870;9.605;9.766;
9.840;10.43;10.516
QUO(n.). 1.167;3.160;4.60;4.446;5.362;
6.571;6.775;7.239;7.395;7.419;7.462;7.594;
8.467;8.684;8.782;8.794
QUI(pl.). 1.299;1.430;1.447;1.571;1.599;
2.190;2.559;2.645;3.191;3.205;3.237;
3.238;3.240;3.366;4.382;5.352;6.133;6.343;
7.44;7.400;7.444;7.586;8.144;8.610;8.667;
8.863;9.391;9.492;var.9.632;9.727;9.904;
9.906;10.247;10.328;10.407
QUAE(pl.f.). 3.205;3.531;7.651;7.832;
QUAE(nom.n.). 1.159;1.397;2.451;3.477;
5.422;5.563;6.676;7.355;9.391;10.199;
10.498
QUORUM(m.). 1.585;3.191;3.250;3.609;4.330;
5.45;5.505;5.561;7.43;7.205;7.206;7.286;
7.311;8.509;9.225;9.992;10.240
QUORUM(n.). 5.743;10.123
QUARUM. 2.36;4.421;6.437;9.324;9.427
QUIBUS(dat.m.). 1.444;1.595;2.279;2.532;
3.329;5.140;5.257;6.671;7.102;8.160;9.379;

QUIBUS(f.). 5.356;6.683
QUOS. 1.417;1.431;1.458;1.459;1.565;
2.611;3.131;3.174;3.257;3.267;3.342;3.417;
3.604;4.159;4.319;4.407;4.482;4.518;4.606;
5.33;5.159;5.290;5.337;5.414;6.156;6.458;
6.606;6.698;6.736;7.185;7.201;7.285;7.415;
7.418;7.445;7.488;7.745;7.764;7.781;8.328;
8.389;8.475;8.486;8.810;9.7;9.390;9.544;
9.699;9.991;10.325;10.328;10.406
QUAS. 1.42;1.328;1.348;2.327;2.634;2.640;
2.704;3.15;3.530;3.574;4.64(bis);4.83;
4.313;4.590;5.375;5.377;5.385;5.706;6.390;
6.436;6.442;6.728;7.15;7.279;7.633;8.98;
8.195(bis);8.275;8.508;8.775;9.30;9.176;
9.439;9.465;9.750;9.913;10.266
QUAE(acc.). 1.241;1.345;1.486;1.589;
2.132;2.133;2.726;3.131;3.350;4.182;4.202;
4.243;4.246;4.502;4.756;5.65;5.403;6.82;
6.114(bis);6.115;6.279;6.526;7.222;7.300;
8.33;8.314;8.436;8.532;9.138;9.196;9.478;
9.820;9.826;9.848;10.214
QUIBUS(abl.m.). 5.359;8.461
QUIBUS(abl.f.). 4.160;8.704;10.390
QUIBUS(abl.n.). 4.812;6.538
QUA(adv.). 1.16;1.17;1.54;1.405;1.409;
1.420;1.432;1.433;1.434;1.475;1.684;2.143;
2.396;2.428;2.468(bis);2.710;3.60;3.85;
3.86(bis);3.87;3.207;3.10;3.230;3.235;
3.256;3.271;3.272(bis);3.276;3.277;3.383;
3.644(bis);3.649;3.724;4.334;4.404;4.468;
(bis);4.587;4.671;4.674;4.708;5.24;5.232;
5.233;5.234;5.378;6.124;6.331;6.474;
6.558;6.576;7.498;7.523;8.212;8.227(bis);
8.465;8.539;8.646;8.797;9.5;9.383;9.531;
9.852;9.880;9.956;10.84;10.210;10.211;
10.286;10.312;10.314;10.486
QUO(adv.). 1.146;1.491;1.687;2.287;
2.562;2.633;3.335;5.759;6.650;6.681;
7.479;8.522;9.659
QUO(coni.). 3.657;4.305;4.332;4.509;
8.98;8.414;9.305
QUI(interr.) v. QUIS(interr.).
QUI(indef.) v. QUIS(indef.).
QUIA. non quia te superi patrio priuare
    sepulchro /maluerint 2.732
    sed, quia mobilibus facilis turbatur
    harenis, / nusquam luctando stabilis
    manet, ...   9.469
    imaque tellus / stat, quia summa fugit.
                                    9.471
QUICUMQUE. 3.624;6.241;7.312;8.18;8.203;8.363;
    9.398;9.399
QUAECUMQUE(f.). 1.418;3.309;3.563;8.385;
    8.746;9.143;9.431;9.538
QUODCUMQUE(nom.). 3.581;4.487;6.550;
    8.379;10.179
QUODCUMQUE(nom.). 2.14;3.101;9.580(bis);
    10.223
QUAMCUMQUE. 5.658
QUOCUMQUE(m.). 1.375;2.584;7.80;7.189;
    10.375
QUOCUMQUE(n.). 7.189
QUICUMQUE(pl.). 9.990
QUAECUMQUE(f.). 9.331
QUICUMQUE(nom.n.). 8.172
QUAECUMQUE(acc.). 1.387;1.631;4.497;
    7.16;9.811
QUOSCUMQUE. 1.383;4.113
QUASCUMQUE. 4.62;5.439;7.745
QUACUMQUE(adv.). 6.316;7.567;8.628
QUOCUMQUE(adv.). 7.815;9.884

QUIDAM   QUIS

QUIDAM. quasdam, Caesar, aquas post mundi
    sera peracti / saecula concussis
    terrarum erumpere uenis /... reor,   10.263
    quasdam conpage sub ipsa / cum toto
    coepisse reor, ...   10.265
QUIDEM. sit mens ista quidem cunctis, ut
    uestra recusent / fata, ...   3.324
    pugna fuit, non longa quidem;   4.472
    felix Roma quidem ciuisque habitura
    beatos, ...   4.807
    'multa quidem prohibent nocturno credere
    ponto. 5.540
    prima quidem surgens operum structura
    fefellit / Pompeium, ...   6.64
    inuenere quidem spoliato plurima mundo /
    ... congestae pondera massae, .   7.752
    ille quidem pensabat iter propiusque
    secabat / aera, ...   9.685
    saepe quidem pestis nigris inserta
    medullis / excantata fugit; . .   9.930
    fuit dubius ... casus,/ an mundum ne
    nostra quidem matrona teneret.   10.67
    fama quidem generi Pharias me duxit ad
    urbes, ...   10.184
QUIES. rupta quies populi, stratisque
    excita iuuentus 1.239
    pax alta per omnes / et tranquilla quies
    populos: 1.250
    mediusque tacet sine murmure pontus, /
    tanta quies. 1.261
    at numquam patiens pacis longaeque
    quietis / armorum, ...   2.650
    solusque quietem /Euboici uasta lateris
    conualle tenebis.' 5.195
    tam diri foederis ictu / parta quies,
    poenamque redit placata iuuentus.   5.373
    saeua quies pelagi, ...   5.442
    parua quies miseris, ...   5.505
    nocte sub extrema pulso torpore quietis
    . . . .   5.734
    uiduo tum primum frigida lecto / atque
    insueta quies uni, ...   5.807
    mouitque furorem /Pompeiana quies et
    uicto Caesare somnus. 6.283
    uictor tibi, Roma, quietem /eripiam,
    . . . .   6.326
    inpiaque infernam ruperunt arma quietem;
    . . . .   6.781
    uaticinata quies magni tulit omina
    planctus, ...   7.22
    crastina dira quies et imagine maesta
    diurna /undique funestas acies feret,
    . . . .   7.26
    sed,castra fugatos /ne reuocent pellatque
    quies nocturna pauorem, /protinus hostili
    statuit succedere uallo, ...   7.732
    quos agitat uaesana quies, ...   7.764
    iamque actu belli non doctas ferre
    quietem /constituit mentes... agitare
    . . . .   9.294
    quam sopor aeternam tracturus morte
    quietem / obruit haud totam: . .   9.671
    sic nec clara dies nec nox dabat atra
    quietem 9.839
QUIESCO,-ERE. lancea, ... / haut unum contenta
    latus transire quiescit, ...   3.466
    terribilis sed pallor inest; nec fessa
    quiescunt / corda, ...   5.216
    intra claustra piger dilato Marte
    quieuit, ...   6.264
    cum ... / et regum cineres extructo monte

    quiescant, /... / litora Pompeium feriunt,
    . . . .   8.695
    fortuna recursus / si det in Hesperiam,
    non hac in sede quiescent / tam sacri
    cineres, ...   8.768
QUIETUS,-A,-UM. ignaros scelerum longaque in
    pace quietos / bellorum primus sparsit
    furor: 5.35
    atque deum simulans sub pectore ficta
    quieto /uerba refert, ...   5.148
    quid sepositam semperque quietam /
    crimine bellorum maculas Pharon,   8.513
    portusque quietos / testatur Libye
    Phrygio placuisse magistro), . .   9.43
    stagnique quieta / uoltus uidit aqua
    . . . .   9.352
    proxima Leptis erat, cuius statione
    quieta / exegere hiemem 9.948
    in alta / it conualle tacens moribus
    (motibus) unda receptis (quietis).
    . . . . var.10.329
QUILIBET. miles sub quolibet iste triumphet.
    . . . .   1.342
    Hister casuros in quaelibet aequora
    fontes /accipit 2.419
    quoslibet in saltus comitantibus agmina
    tauris / inuito pastore trahit,   2.606
    animasque effundere uiles / quolibet
    hoste paras; 5.264
    quolibet infaustam potius deflecte
    carinam: 5.789
QUIN. quin publica signa ducemque /Pompeium
    sequimur? 2.319
    Thessala quin etiam tellus herbasque
    nocentes / rupibus ingenuit . .   6.438
    quin respicis orbem /Romanum? . .   8.441
    quin agite et magna meritum cum caede
    parate: 9.282
    ne (quin) spargere signa /auderet
    . . . . var.9.748
    neque ius mundi ualuit nec foedera
    sancta /gentibus,... / quin caderet
    ferro. 10.472a
QUIPPE. uni quippe uacat studiis odiisque
    carenti / humanum lugere genus),   2.377
    quippe ubi non sonipes motus clangore
    tubarum 4.750
    quippe stimulo fluctuque furoris /compages
    humana labat, ...   5.118
    quippe ipsa metus exsoluerat audax
    /turba suos: 5.259
    aeger quippe morae flagransque cupidine
    regni / coeperat ... ciuilia bella /...
    damnare 7.240
    ardua quippe fides robustos exigit annos.
    . . . .   8.282
    quippe, fides si pura foret, si regia
    Magno /... pateret,/uenturum tota Pharium
    cum classe tyrannum. 8.572
QUIRINUS. Phrygiique penates /gentis Iuleae
    et rapti secreta Quirini / et residens
    celsa Latiaris Iuppiter Alba . . .   1.197
QUIRIS. ius erat et dubios in te transferre
    Quirites. 1.276
    pretiosaque uestis /hirtam membra super
    Romani more Quiritis /induxisse togam,
    . . . .   2.386
    tradite nostra uiris ignaui signa
    Quirites. 5.358
QUIS(1)interr.subst.
    (a) orat.dir. quis. 1.319;2.264;2.289;

QUIS

```
    2.290;3.447;4.707(bis);5.12;5.86;5.230;
    5.786;7.134;7.135;8.233;8.449;8.600;8.840;
    8.841;8.851;8.853;9.34;9.35;9.269;9.596;
    9.597;9.638;9.688;9.833;9.837;10.70;
    10.237;10.315;10.472a
    QUID(n.).  5.274;7.185;7.720;9.69;
    CUI(m.).  2.118;3.326;4.823;9.554
    QUEM.  5.522;9.638;10.369
    QUID(acc.).  1.88;1.307;1.318;1.660;1.669;
    2.173;2.190;2.256;2.642;3.38;3.337;4.182;
    4.183(bis);4.799;4.801;5.130;5.268;5.284;
    5.315(bis);5.482;5.695;6.196;6.426;7.81;
    7.440;7.642(bis);7.665(bis);7.821(bis);
    7.870(bis);8.53;8.118;8.322;8.335;8.339;
    8.340;8.352;8.354;8.410;8.513;8.556;8.827;
    9.566;9.579;9.828;9.1029;9.1071;10.383;
    10.389;10.413
    QUOS.  5.271(bis)
    QUO(adv.).  1.190;1.191;1.343;1.678;1.683;
    5.682;6.150;7.75(bis);7.399;8.185;8.584
    (b).  orat.indir.  1.126;6.427;6.428(bis);
    6.428(bis);7.259;7.562;7.563(bis);7.564;
    7.620;7.621;7.622;7.623;7.626;7.629
    QUID(nom.).  1.68;1.69;5.591;7.132;7.689;
    9.563;10.380
    CUIUS(m.).  7.619
    CUI(m.).  2.150
    CUI(f.).  10.294
    QUEM.  6.633;7.564;9.20
    QUID(acc.).  2.133;6.587;6.783;7.191;8.51;
    9.620
    QUI(pl.).  7.560;7.561;7.623
    QUOS.  6.601;7.624
    QUO(adv.).  6.603;6.815;7.463;8.280;8.384
QUIS(a) interr.adi.
    (a).  orat.dir.  quis
    1.8;1.334;2.98;2.99;3.756;5.88;5.273;6.492;
    6.666;7.95;7.749;8.816;9.232;9.706;9.784;
    10.182
    QUAE(f.).  1.8;1.344;7.749;7.851;8.524
    QUOD(nom.).  5.86;7.849;8.420
    CUIUS(m.).  7.287
    CUIUS(n.).  6.493
    CUI(m.).  8.642
    QUEM.  1.333;5.300
    QUAM.  3.75;8.781
    QUOD(acc.).  1.649;2.595;7.587;9.887
    QUO(m.).  5.391;7.301;7.852;8.185
    QUO(n.).  2.108;7.301;7.701;7.847;8.609
    QUA(abl.).  1.649;1.678;3.92;8.608;9.873
    (bis)
    QUAE(nom.n.).  1.344;1.345;7.579
    QUIBUS(dat.n.).  5.529
    QUOS.  7.168;9.678
    QUAS.  3.76;7.168;8.320
    QUAE(acc.).  1.681;5.683;7.169
    (b).  orat. indir.  quis
    1.52;1.681;7.625;9.847
    QUI.  7.579
    QUAE.  7.562;8.168;9.846
    QUOD(nom.).  3.259
    CUIUS(m.).  7.281;9.936
    CUIUS(n.).  5.286
    CUI(m.).  5.602
    CUI(f.).  5.646
    QUEM.  6.810(bis)
    QUAM.  7.463
    QUOD(acc.) (nescio).  4.496
    QUO(m.).  3.54;4.201;4.394;7.289;7.581;
    8.558;9.972;10.470
    QUO(n.).  3.589;6.740;8.169;9.971
```

```
    QUA(abl.).  2.172;5.18
    QUAE(pl.f.).  6.739
    QUOS.  3.417;6.588
    QUAS.  6.816
    QUAE(acc.).  1.490(bis);5.284;6.741;6.816;
    7.464;8.191
    QUIBUS(abl.f.).  8.142
    QUA(adv.).  4.468(bis)
QUIS(indef.)
    (1).  subst.
    QUID(nom.).  2.657
    NE QUIS.  3.436
    NE QUID(acc.).  2.651;4.141;6.130;6.328
    SI QUIS.  4.778;7.323;8.772;9.327;9.922;
    10.448
    SI QUA(nom.f.).  9.78
    SI QUID(nom.).  6.430;8.749
    SI QUID(acc.).  3.698;9.983
    SI QUIBUS(dat.m.).  8.160;9.387;9.388
    SI QUOS.  3.151
    SI QUA(adv.).  6.274
    (a).  adi.
    NE QUA(nom.f.).  1.522;9.900
    NE QUO(abl.m.).  1.393
    NE QUA(abl.f.).  7.558
    NE QUO(n.).  8.603
    NE QUO(nom.n.).  8.423
    NE QUAS.  8.616
    SI QUIS.  var.6.710;7.376;9.907;9.908
    SI QUA(nom.f.).  1.20;2.550;3.406;9.83;
    9.1077;10.85
    SI QUOD(nom.).  8.143;9.931
    SI QUO(n.).  9.401
    SI QUOS.  3.310;4.317
    SI QUA(acc.n.).  5.116
QUISNAM, QUAENAM, QUIDNAM.
    'quisnam mea naufragus' inquit /tecta
    petit, . . . . . . . . . . . . .         5.521
    quemnam Romanis deceat succurrere rebus.
                                             8.278

QUISQUAM.  nec quemquam iam ferre potest
    Caesarue priorem . . . . . . . .         1.125
    nec limine quisquam / haesit  . .        1.507
    sterili non quicquam frigore gignit      4.108
    nec quemquam dextra fefellit / cum feriat
    moriente manu.  . . . . . . . . .        4.559
    ignorantque datos, ne quisquam seruiat,
    enses. . . . . . . . . . . . . .         4.579
    nec sciet hoc quisquam nisi tu, quae sola
    meorum / conscia uotorum es,  . .        5.665
    tibi causa petendae / haec fuit Hesperiae,
    uisum est quod mittere quemquam / tam
    saeuo crudele mari.  . . . . . . .        5.691
    nec quicquam nudis uitalibus obstat
                                             6.194
    omnia fata laborant / si quicquam mutare
    uelis, . . . . . . . . . . . . .         6.613
    uibrant tela manus, uix signa morantia
    quisquam /expectat: . . . . . . .        7.82
    emptum minimo uolt sanguine quisquam /
    barbarus Hesperiis Magnum praeponere
    rebus?  . . . . . . . . . . . . .        7.282
    uos tamen hoc oro, iuuenes, ne caedere
    quisquam /hostis terga uelit: . .        7.318
    nec terram quisquam mouisset arator, /
    Romani bustum populi, . . . . . .        7.861
    quisquamne secundis / tradere se fatis
    audet nisi morte parata? . . . .         8.31
    quaerere nec quicquam de fato coniugis
    audes. . . . . . . . . . . . . .         8.49
    si numina nasci / credimus aut quemquam
```

QUISQUAM

fas est coepisse deorum. 8.459
attonitoque metu nec quoquam auertere
uisus / nec Magnum spectare potest. 8.591
ne ponti belua quicquam, / ne fera,... /
audeat, exiguam,... accipe flammam 8.764
neque enim mihi fallere quemquam /est
animus 9.388
nec quicquam plaga minatur. . . 9.740

QUISQUE.
magno se iudice quisque tuetur; 1.127
totoque accersitur orbe / quo gens quaeque
perit; 1.167
gemitu sic quisque latenti, / non ausus
timuisse palam: 1.257
sic quisque pauendo / dat uires famae,
1.484
quo quemque fugae tulit urguent /
praecipitem populum, ... 1.491
et nondum sparsa conpage carinae /
naufragium sibi quisque facit, sic urbe
relicta 1.503
sed fecit sibi quisque nefas: . . 2.147
quemque suae rapiunt scelerata in proelia
causae: 2.251
quisque suam statione ratem, . . 3.525
stat quisque suae de robore puppis 3.570
dum quisque pauet, quibus ipse timori
est, ... 5.257
sua quisque ac publica fata / praecipitare
cupit; 7.51
sua quisque pericula nescit /attonitus
maiore metu. 7.133
uix cuncta locuto / Caesare quemque
suum munus trahit, ... 7.330
totque per arma / extremum est quod
quisque ferit. 7.501
illic quaeque suo miscet gens proelia
telo, ... 7.510
neque enim donare uocabo / quod sibi
quisque dabit. 7.740
sua quemque premit terroris imago: 7.773
sed sibi quaeque uolat nec iam degustat
amarum /desidiosa thymum, ... 9.287

QUISQUIS.
inpellens quidquid sibi summa
petenti / obstaret 1.149
quidquid ubique iacet. 2.162
quidquid Romani meruerunt pendere mores.
2.313
Romana quisquis in urbe /Pompeium
transire paras. 2.564
si quidquid iubeare uelis. . . . 3.147
quidquid parcorum mores seruastis
auorum, ... 3.161
quidquid ab occiduis Libye patet arida
Mauris / usque Paraetonias Eoa ad
litora Syrtis. 3.294
quidquid concrescere primus /sol patitur,
4.65
quidquid caeli fuscator Eoi / inpulerat
Corus, ... 4.66
quidquid defenderat Indos. . . . 4.67
ima petit quidquid pendebat aquarum.
4.127
quisquis inest terris in fessos spiritus
artus / egeritur, ... 4.643
ordine de tanto quisquis non exulat hic
est. 5.34
quidquid multis peccatur inultum est.
5.260
quidquid gerimus fortuna uocatur. 5.292
quisquis mea signa relinquens /non
Pompeianis tradit sua partibus arma, 5.349

QUISQUIS

et quisquis pelago per se non cognitus
amnis / Peneo donauit aquas: . . 6.371
uicinaque moenia castris / Haemonidum,
.../... quarum quidquid non creditur
ars est. 6.437
qui mundum cogere quidquid / cogitur
ipse potest? 6.498
huc quidquid fetu genuit natura sinistro /
miscetur: 6.670
herbas / addidit et quidquid mundo dedit
ipsa ueneni. 6.684
si quisquis uestris caput extaque lancibus
infans / inposuit uicturus erat,
parete precanti. 6.710
certus discedat, ab umbris / quisquis
uera petit 6.772
addidit et carmen, quo, quidquid consulit,
umbram / scire dedit. 6.775
quisquis patriam carosque penates, /...
quaerit,/ense petat: 7.346
quidquid signiferi conprensum limite
caeli / sub Noton et Borean hominum sumus,
arma mouemus. 7.363
hae facient dextrae, quidquid nona
explicat aetas, ... 7.387
quidquid in hac acie gessisti, Roma,
tacebo. 7.556
quidquid in ignotis solus regionibus
exul, /... patiere ... / crede deis, 7.703
quidquid sub Phario positus patiere
tyranno, /crede deis, ... 7.704
quidquid fodit Hiber, quidquid Tagus
expulit auri, /... / ut rapiant,
paruo scelus hoc uenisse putabunt.
7.755(bis)
tecta domosque / deseruere ... /
et quidquid nare sagaci /aera non sanum
motumque cadauere sentit. . . 7.829
quidquid descendet ab arbore summa /
Arctophylax ... /in Syriae portus tendit
ratis. 8.179
quidquid ad Eoos tractus mundique teporem
/ibitur, emollit gentes clementia caeli.
8.365
quidquid non fuerit Magni dum bella
geruntur, / nec uictoris erit. 8.502
sed, quisquis, in istud / a superis
inmisse caput, ... /... nescis,... ubi
ipsa /uiscera sint Magni: . . . 8.642
adde ... /... quidquid in Euro /regnorum
Boreaque iacet. 8.812
quidquid ab exstincto licuisset tollere
busto /in templis sparsura deum. 9.61
inueniet classes quisquis Pompeius in
undas /uenerit, ... 9.93
quisquis Magno uiuente secundus, /hic
mihi primus erit. 9.239
nostra quoque inuiso quisquis feret ora
tyranno / non parua mercede dabit: 9.279
nam quidquid puluere sicco / separat
ardentem tepida Berenicida Lepti /ignorat
frondes: 9.523
dixitque semel nascentibus auctor /
quidquid scire licet. 9.576
quidquid laudamus in ullo / maiorum,
fortuna fuit. 9.595
quidquid homo est, aperit pestis natura
profana: 9.779
accipe poenas / tu, quisquis superum
commercia nostra perosus 9.860
accipe quidquid /pro Magni ceruice dares;

QUISQUIS

9.1023
    quisquis te flere coegit /impetus, a uera
    longe pietate recessit. 9.1055
QUO(adv.) v. QUI(relat.)
QUO(coni) v. QUI(relat.)
QUOD. 1.24;1.28;1.45;1.339;1.361;2.45;2.440;
    2.519;2.537;2.551;2.570;2.573;2.659;3.49;
    3.93;3.97;3.111;3.321;3.389;3.392;3.393;
    3.745(bis);4.230;4.356;4.399;4.426;
    4.504;4.597;4.599;4.695;4.716;5.113;5.291;
    5.512;5.553(bis);5.555;5.637;5.691;5.697;
    5.729;5.776;6.25;6.304;6.359;6.652;6.653;
    7.181;7.314;7.431;7.432;7.760;7.785(bis);
    8.78;8.79(bis);8.157;8.421;8.518;8.537;
    8.579;8.601;8.739;8.748;8.865;9.187;9.258;
    9.259(bis);9.260;9.854;9.1027;9.1032;
    9.1061;10.219;10.223;10.242;10.244;10.326
    QUOD SI. 1.33;1.114;2.281;5.778;7.290;
    8.311;8.806;9.1068
    QUOD NISI. 8.568
    NISI QUOD. 2.418;9.622
    QUID QUOD. 8.118
QUOM. 2.541
QUOMINUS v. QUO MINUS
QUONDAM. quondam duro sulcata Camilli /
    uomere 1.168
    uox quondam populi libertatemque tueri
    /ausus 1.270
    quondam per colla decore / crinibus
    effusis toti praelate Comatae, 1.442
    quondam uirgo toris melioris iuncta
    mariti, ... 2.329
    tua classica seruat /oppositus quondam
    polluto tiro Miloni. 2.480
    inde perit primum quondam ueneranda
    potestas /iuris inops; 5.397
    perpetuis quondam latuere paludibus agri,
    6.344
    ubi nobile quondam /nunc super Argos
    arant, ... 6.355
    ubi quondam Pentheos exul /colla caputque
    ferens supremo tradidit igni /... Agaue.
    6.357
    atque, insopiti quondam tutela draconis,
    /Hesperidum ... hortus. 9.357
    insula quondam /in medio stetit illa
    mari 10.509
QUONIAM. sed tua sors leuior, quoniam mors
    ultima poena est /nec metuenda uiris.
    8.395

QUOQUE. Caesar, ubique tuus (liceat modo,
    nunc quoque) miles. 1.202
    nunc quoque, ne lassum teneat priuata
    senectus, ... 1.324
    tu quoque laetatus conuerti proelia,
    Treuir, ... 1.441
    uos quoque, ... /... /plurima securi
    fudistis carmina, ... 1.447
    uana quoque ad ueros accessit fama
    timores 1.469
    fixit in aeternum causas, qua cuncta
    coercet /se quoque lege tenens, et
    saecula iussa ferentem 2.10
    te quoque neclectum uiolatae, Scaeuola,
    Vestae 2.126
    Sulla quoque inmensis accessit cladibus
    ultor. 2.139
    hunc quoque totius sibi ius promittere
    mundi / non bene conpertum est: 2.321
    iusto quoque robur amore /restitit. 2.379
    tu quoque nudatam commissae deseris

arcem, /Scipio, Nuceriae, . . . 2.472
quamquam, siqua fides, his te quoque
iungere, Caesar, / inuideo . . . 2.550
te quoque si superi titulis accedere
nostris /iusserunt, ... 2.555
Iliacae quoque signa manus perituraque
castra /ominibus petiere suis, 3.211
derigit huc puppem miseri quoque dextra
Telonis, ... 3.592
haec quoque cum toto manus est abscisa
lacerto. 3.617
me quoque mittendis rectum conponite telis.
3.717
ducibus quoque uita petita est? 4.219
hoc quoque securis oneris fortuna remisit,
4.398
hoc quoque tam uastas cumulauit munere
uires /Terra sui fetus, ... 4.598
hunc quoque quo superos humanaque polluit
anno 4.689
tu quoque uix summam, ... rupem/
extuleras, ... 5.77
orbe quoque exhaustus medio languensque
recessit 5.544
tum quoque tanta maris moles creuisset in
astra 5.625
dubium trepidumque ad proelia, Magne,
/te quoque fecit amor; 5.729
ipse quoque a tuta deducens agmina Petra
/... spargit 6.70
terra quoque inmoti concussit ponderis
axes, ...6.481
ille quoque incertus quo te uocet, unde
repellat, ... 6.815
haud umquam ... putauit,/ sic se
dilecti tumulum quoque perdere Magni.
7.36
nunc quoque, tela licet paueant uictoris
iniqui, /... flebunt, ... 7.40
haec ... / siue aliquid magnis nostri
quoque cura laboris / nominibus prodesse
potest,... / spesque metusque ...
mouebunt, ... 7.209
illa quoque in ferrum rabies promptissima
paulum /languit, ... 7.245
hac quoque peruentum est ad uiscera,
7.500
sed tu quoque, coniunx, /causa fugae 7.675
quocumque tuam fortuna uocabit,/hae quoque
sunt animae: 7.816
sic quoque non omnis populus peruenit
ad ossa 7.841
tu quoque deuotos sacro tibi foedere
muros /oramus ... dignere uel una /nocte
8.112
illa quoque perge sinistra /trans Pharon,
8.183
ire per ista / si potes, in media socerum
quoque, Magne, sedentem /Thessalia placare
potes. 8.440
tu quoque, cum saeuo dederis iam templa
tyranno, /nondum Pompei cineres,...
petisti; 8.835
tu quoque pro dominis, et Pompeiana
fuisti /non Romana manus? . . . 9.257
nostra quoque inuiso quisquis feret ora
tyranno /non parua mercede dabit: 9.279
tum quoque Romanum solito uiolentior agmen
/adgreditur, ... 9.463
hic quoque nil obstat Phoebo, cum cardine
summo /stat librata dies; 9.528

QUOQUE

    uos quoque, qui cunctis innoxia numina
    terris /serpitis,... /letiferos ardens
    facit Africa: 9.727
    femorum quoque musculus omnis /liquitur,
                       9.771
    haec quoque discedunt, ... 9.785
    nobis quoque tale paratum /litoris
    hospitium; 9.1082
    Zephyros quoque uana uetustas /his
    ascripsit aquis, quorum stata tempora
    flatus 10.239
    teque uident primi, quaerunt tamen hi
    quoque, Seres, ... 10.292
    dignatur uiles isto quoque sanguine
    dextras 10.338
    nos quoque sublimes Magnus facit. 10.378
    Lucifer ... diemque /misit in Aegypton
    primo quoque sole calentem, . . 10.435
    uix spes quoque mortis honestae. 10.539

QUOT. iam quot apud Sacri cecidere cadauera
    Portum 2.134
    aut Collina tulit stratas quot porta
    cateruas, ... 2.135
    tot reddet Fortuna uiros quot tela
    uacabunt. 5.327
    quot regna iacebunt! 7.115

QUOTIENS. quotiens Romam fortuna lacessit,
                      1.256
    at saxum quotiens ingenti uerberis actu /
    excutitur, ... 3.469
    ut, quotiens aestus Zephyris Eurisque
    repugnat, ... 3.549
    adductum quotiens non senserat anchora
    funem. 3.700
    a quotiens frustra pulsatos aequore montis
    /obruit ille dies! 5.615
    et quotiens saeuis opus est ac fortibus
    umbris /ipsa facit manes. . . . 6.560
    Parthorum dominus quotiens sic sanguine
    mixto /nascitur Arsacides! . . . 8.408
    laetius est, quotiens magno sibi constat,
    honestum. 9.404

QUOTUS,-A,-UM. pars quota terrarum! . . 1.284
    set quota pars cladis iaculis ferroque
    uolanti /exacta est! 7.489
    consulit ... /aut quotus in Plaustro
    Libyam bene derigat ignis. . . . 8.170

QUOUSQUE. quo nominis usque /nostri fama
    uenit, ... 2.633

QUUM v. CUM

R

RABIDUS,-A,-UM. Ioniumque furens, rapido
    (rabido) cum tollitur Austro, /templa
    domosque quatit, ... var.6.27
    rabidum nescit latrare Pelorum, 6.66
    at medios ignes caeli rapidique (rabidique)
    Leonis /solstitiale caput nemorosus
    summouet Othrys. var.6.337
    non aliter Phlegra rabidos tollente
    gigantas /Martius incaluit Siculis
    incudibus ensis 7.145
    rapidos (rabidos) qua Sirius ignes /exerit
    ... / ... tunc Nilus fonte soluto,/
    exit var.10.211
    et frangit rabidos praemorso carcere

---

    dentes, ... 10.446

RABIES. inminet armorum rabies, 1.666
    Gallica per gelidas rabies ecfunditur
    Alpes, ... 2.535
    o rabies miseranda ducis! . . . 2.544
    si torrida paruos / uenit in ora cruor,
    redeunt rabiesque furorque . . . 4.240
    spumea tum primum rabies uaesana per ora
    /effluit 5.190
    prosiluit; perstat rabies, nec cuncta
    locutae /quem non emisit, superest deus.
                      5.210
    'liceat discedere, Caesar, /a rabie
    scelerum. 5.262
    quibus haec rabies auctoribus arsit,
                      5.359
    sed Scythici uicit rabies Aquilonis et
    undas / torsit 5.603
    aestuat angusta rabies ciuilis harena.
                      6.63
    antraque letiferi rabiem Typhonis
    anhelant. 6.92
    perdiderat uoltum rabies, . . . 6.224
    dira subit rabies: 7.51
    illa quoque in ferrum rabies promptissima
    paulum /languit, ... 7.245
    o praeceps rabies! 7.474
    hic furor, hic rabies, hic sunt tua
    crimina, Caesar. 7.551
    hic Caesar, rabies populis stimulusque
    furorum, /... agmina circum /it uagus
                      7.557
    liberque meatu /Aeoliam rabiem totis
    exercet harenis, ... 9.454
    et in media rabie medioque furore /...
    adulter/ admisit Venerem curis, 10.72
    sed non auctore furoris /sublato cecidit
    rabies; 10.530

RADIO,-ARE. ut aduerso Phoebi radiatus ab
    ictu /descendens totos perfudit lumine
    colles, ... 7.214

RADIUS. si saeuum radiis Nemeaeum, Phoebe,
    Leonem /nunc premeres, ... 1.655
    fregit aquis radios et liber nubibus
    aether 3.522
    concordesque tulit radios: . . . 5.542
    Pelion opponit radiis nascentibus umbras;
                      6.336
    conceditur arti,/unam cum radiis
    presserunt sidera mortem, /inseruisse
    moras; 6.608
    fulminibus manes radiisque ornabit et
    astris 7.458
    mox, ubi damnosum radios admouerit
    aeuum, / tellus Syrtis erit; . . 9.316
    tam breuis in medium radiis conpellitur
    umbra. 9.530
    qui potuere pati radios et lumine recto
    /sustinuere diem, caeli seruantur in
    usus, ... 9.904
    radiisque potentibus astra /ire uetat,
                     10.202
    Nilus neque suscitat undas / ante Canis
    radios 10.226

RADIX. dona ducum nec iam ualidis radicibus
    haerens 1.138
    cernit miserabile uolgus /... /uellere
    ab ignotis dubias radicibus herbas. 6.113
    uertamus ... licebit,/ et stantis tumulos
    et qui radice uetusta /effudere suas...
    urnas, ... 7.856

RADIX
    nulla putris radice tenetur.   9.434
    putres robore trunci ... /... templa
    deorum / iam lassa radice tenent,   9.968
RADO,-ERE. delabitur inde ... Liris per regna
    Maricae / Vestinis inpulsus aquis
    radensque Salerni /tesca Siler   2.425
    spumantia paruae / radit saxa Sami; 8.246
RAMUS,-I. nudosque per aera ramos /effundens
    trunco, non frondibus, efficit umbram,
                          1.139
    obscurum cingens conexis aera ramis 3.400
    illis et uolucres metuunt insistere ramis
                          3.407
    rore madentis / destringunt ramos et
    siquos palmite crudo / arboris aut tenera
    sucos pressere medulla.   4.317
    fuit aurea silua /diuitiisque graues et
    fuluo germine rami   9.361
    passusque inopes sine pondere ramos /
    rettulit ... poma tyranno.   9.366
RAPAX,-ACIS. cecidere ... /Grustumiumque
    rapax et iuncto Sapis Isauro   2.406
    camposque coerces, /Cinga rapax,   4.21
    auolsit laceros percussa puppe rudentis /
    turbo rapax fragilemque super uolitantia
    malum /uela tulit;   5.595
RAPIDUS,-A,-UM. douoluit rapidum nequiquam
    moenibus agmen.   2.491
    incessitque fretum rapidi super
    Hellesponti,   2.675
    quaque ferens rapidum diuiso gurgite
    fontem /uastis Indus aquis mixtum non
    sentit Hydaspen;   3.235
    quaque caput rapido tollit cum Tigride
    magnus /Euphrates,   3.256
    quid rapidum deflectis iter? 3.337
    ferrea dum puppi rapidos manus inserit
    uncos /adfixit Lycidan.   3.635
    sed inter /stagnantem Sicorim et rapidum
    deprensus Hiberum /spectat uicinos
    sitiens exercitus amnes.   4.335
    artatus rapido feruet qua gurgite pontus
                         5.234
    Ioniumque furens, rapido cum tollitur
    Austro,   6.27
    at medios ignes caeli rapidique Leonis /
    solstitiale caput nemorosus summouet
    Othrys.   6.337
    axibus et rapidis inpulsos Iuppiter
    urguens /miratur non ire polos. 6.464
    multis ... uisus ... /ire per Ossaeam
    rapidus Boebeida sanguis;   7.176
    ut rapido cursu fati suprema morantem /
    consumpsere locum,... / quo sum pila
    cadant ... /... spectant.   7.460
    qua rapidus Ganges et qua Nysaeus
    Hydaspes /accedunt pelago, ... /... eram:
                        8.227
    gurgite septeno rapidus mare summouet
    amnis.   8.445
    iam rapido speculator eques per litora
    cursu /hospitis aduentu pauidam
    conpleuerat aulam.   8.472
    quas ne per litora fusas /colligeret
    rapido uictoria Caesaris actu, / Corcyrae
    secreta petit   9.31
    sed rapidus Titan ponto sua lumina pascens
    /aequora subduxit   9.313
    nulla manere sinunt rapidi uestigia fati.
                        9.786
    hunc ubi pars caeli tenuit,... /...

    rapidos qua Sirius ignes /exerit ... /
    ... tunc Nilus fonte soluto, /... iussus
    adest,   10.211
    et frangit rabidos (rapidos) praemorso
    carcere dentes,   var.10.446
RAPINA. praedaque et hostiles luxum suasere
    rapinae,   1.162
    prohibensque rapina /uictorem clara
    testatur uoce tribunus.   3.121
    tristi spoliantur templa rapina,   3.167
    ad praematuras segetum ieiuna rapinas /
    agmina conpulimus,   7.98
    ac saeuas meritum Phycunta rapinas /
    sparsit,   9.40
  'o numquam pacate Cilix, iterumne rapinas /
    uadis in aequoreas?   9.222
RAPIO,-ERE. uix nuribus rapuere mores; 1.165
    hinc rapti fasces pretio sectorque fauoris
    /ipse sui populus   1.178
    gentis Iuleae et rapti secreta Quirini
                         1.197
    sic fatus noctis tenebris rapit agmina
    ductor   1.228
    ille semel raptos numquam dimittet
    honores?   1.317
    qua Rhodanus raptum uelocibus undis /
    in mare fert Ararim,   1.433
    iussamque feris a gentibus urbem /Romano
    spectante rapi.   1.484
    subitus rapti munimine caespitis agger
    /praebet securos intra tentoria somnos:
                         1.517
    fulmen et Arctois rapiens de partibus
    ignem   1.534
    Vestali raptus ab ara /ignis,   1.549
    monstra iubet primum quae nullo semine
    discors /protulerat natura rapi   1.590
    atque iram superum raptis quaesiuit in
    extis.   1.617
    et attonitam rapitur matrona per urbem
                         1.676
  'quo feror, o Paean? qua me super aethera
    raptam /constituis terra?   1.678
    rapuitque cruentus /uictor ab ignota
    uoltus ceruice recisos   2.111
    mortesque cruento /uictori rapuere suas;
                        2.157
    quemque suae rapiunt scelerata in proelia
    causae: 2.251
    gurgitibus raptis penitus tellure
    perusta,   2.414
    sufficerent aliis primo tot moenia cursu
    /rapta,   2.654
    rapta puppe minor subducta est montibus
    Argo   2.717
    Caesar, ut emissas uenti rapuere carinas,
    /absconditque fretum classes, 3.46
    namque ignibus atris /creditur, ut captae,
    rapturus moenia Romae /sparsurusque deos.
                        3.99
    rapit gressus et Caesaris agmina rumpens
                        3.116
    agmine nubiferam rapto super euolat
    Alpem;   3.299
    parati, /undarum raptos auersis fontibus
    haustus / quaerere   .3.345
    pectoribus rapti matrum frustraque
    trahentes /ubera sicca fame medios
    mittentur in ignis.   3.351
    raptisque a Caesare cunctis /uincitur una
    mora.   3.391

primus raptam librare bipennem /ausus et
aeriam ferro proscindere quercum   3.433
agricolae raptis annum fleuere iuuencis.
                                     3.452
sed tenso ballistae turbine rapta,   3.465
rapiensque incendia uentus /per Romana
tulit celeri munimina cursu.   3.501
taeda sed raptus ab omni /consequitur
nigri spatiosa uolumina fumi, . .   3.504
rapturusque suam procumbit in aequora
dextram. 3.616
nunc pice, nunc liquida rapuere incendia
cera. 3.684
stat lumine rapto 3.713
et rapto tumulum prior agmine cepit. 4.35
sed nimbos rapuere fuga. 4.70
Oceanumque bibit raptosque ad nubila
fluctus /pertulit 4.81
rapuitque ruens in proelia miles /quod
fugiens timuisset iter. 4.151
ait 'raptumque fuga conuertite bellum
                                     4.163
non derat fortis rapiendo dextera leto;
                                     4.345
latuisse sub alta /rupe ferunt, epulas
raptos habuisse leones; 4.602
rapit arida tellus /sudorem; . . . 4.629
laetus quod gloria belli /sit rebus
seruata suis, rapit agmina furtim,   4.717
quae raperet secreta deum. 5.222
iure sed incerto mundi subsidere regnum/
Chalcidos Euboicae uana spe rapte parabas.
                                     5.227
tot raptis truncus manibus gladioque
relictus /paene suo, ... ·. 5.252
uestri rapta mercede laboris /lauriferos
nullo comitetur uolnere currus? . . 5.331
nomen inane /imperii rapiens signauit
tempora digna /maesta nota; . . .   5.390
inde rapit cursus 5.403
turpe duci uisum rapiendi tempora belli /
in segnes exisse moras, ...   5.409
inde rapi coepere rates 5.458
summam rapti per prospera belli /te poscit
fortuna manum. 5.483
nam priua procellis /aequora rapta
fuerunt; 5.613
cum te raperet mare, ... 5.689
per arua / Dyrrachii praeceps rapiendas
tendit ad arcis.   6.14
hic auidam belli rapuit spes inproba
mentem 6.29
subitum bellique tumultu /raptum clausit
opus. 6.54
et raptum furto soceri cessantibus armis /
dedignatur iter: 6.121
illum / saltus ... iecit super arma ... /
quam per summa rapit celerem uenabula
pardum. 6.183
castella ... /incursu gemini Martis rapit,
                                     6.269
questa quod hoc solum nato rapuisset
Agaue. 6.359
it gurgite rapto /Apidanos 6.372
funereas aris inponere flammas / gaudet et
accenso rapuit quae tura sepulchro. 6.526
ardentiaque ossa / e mediis rapit illa
rogis 6.534
morsusque luporum /expectat siccis raptura
e faucibus artus. 6.553
hic ardor solusque labor, quid corpore

Magni / proiecto rapiat, ...   6.588
inpiaque infernam (aeternam) ruperunt
rapuerunt) arma quietem; var.6.781
cursumque polo rapiente retorsit,   7.3
defectusque pati uoluit raptaeque labores
/lucis, ...   7.4
donassent utinam superi ... /unum, Magne,
diem, quo ... /extremum tanti fructum
raperetis amoris. 7.32
cum caeco rapiantur saecula casu, /
mentimur regnare Iouem. 7.446
rapit omnia casus 7.487
raptum Hesperiis e gentibus aurum /hic
iacet 7.741
quascumque tuas Pharsalia fecit /a uictis
rapiuntur opes.' 7.746
quod legit diues summis Arimaspus harenis
/ut rapiant, paruo scelus hoc uenisse
putabunt. 7.757
decipitur quod castra rapit. . .   7.760
positisque insignibus aulae /egreditur
famulo raptos indutus amictus.   8.240
rapitur ciuilibus umbris. . . .   8.505
rapimur quo cuncta feruntur. . .   8.522
sic fata interque suorum /lapsa manus
rapitur trepida fugiente carina.   8.662
raptoque cerebro /adsiccata cutis,   8.689
inde rapit flammas semustaque robora
membris /subducit. 8.745
semusta rapit resolutaque nondum /ossa
satis neruis 8.786
oderat et Magnum, quamuis comes isset in
arma /auspiciis raptus patriae ductuque
senatus; 9.22
et classem saeuus rapiebat in undas;
                                     9.165
hunc rapta fugientem classe secutus /
litus in extremum tali Cato uoce notauit:
                                     9.220
rapiatur in undas /infelix coniunx Magni
                                     9.276
uolitantque a culmine raptae /detecto
Garamante casae. 9.459
non altius ignis /rapta uehit;   9.461
nullisque potest consistere miles /
instabilis, raptis etiam quas calcat,
harenis. 9.465
sic orbem torquente Noto Romana iuuentus
/procubuit timuitque rapi; . . .   9.482
et fuga signorum medio rapit omnia caelo.
                                     9.543
rapuit dubitantia fata /praeuenitque
metus; 9.639
aliger in caelum sic rapta Gorgone fugit.
                                     9.684
iussit signa rapi propere Cato: 9.761
nil ibi uirus agit: rapuit cum uolnere
fatum. 9.825
Psyllorumque ingens et rapti pugna ueneni.
                                     9.924
aspicit ... /... /unde puer raptus caelo,
                                     9.972
quereris ... /... raptumque e iure
superbi /uictoris generum. 9.1054
o bene rapta /arbitrio mors ista tuo!
                                     9.1058
laeta dies rapta est populis, . .9.1097
Magne, tui socerum rapuere a sanguine
manes, ...   10.7
illic Pellaei proles uaesana Philippi,/...
iacet, terrarum uindice fato /raptus:10.22

RAPIO

hunc, calidi tetigit cum bracchia Cancri, /sol rapit, ...	10.260
temere omnia saeui /instrumenta rapit belli.	10.402
tanta est fiducia ferri,/non rapuere nefas;	10.428
sed quae uicina fuere /tecta mari longis rapuere uaporibus ignem, ...	10.499
et tempore rapto /nunc claustrum pelagi cepit Pharon.	10.508
non cruce, non flammis rapuit, non dente ferarum:	10.517

RAPTIM.

armaque raptim /sumpta Ceresque uiris.	7.330
Pompeio raptim tumulum fortuna parauit,	8.713

RAPTO,-ARE. rapiatur (raptatur) in undas/ infelix coniunx Magni var.9.276

RAPTOR. nullasque feres nisi sanguine sacro / sparsas, raptor, opes. 3.125

RAPTUS(subst.).

non pecorum raptus faciles, non pabula mersi /ulla ferunt sulci;	4.90
restituit raptus tectum mare, . .	4.459
Caesar... / ad segetum raptus moturus signa repente / conspicit in planos hostem descendere campos, . . .	7.236

RARUS,-A,-UM.

rarus et antiquis habitator in urbibus errat, ...	1.27
nunc, rara datur si copia ferri,	3.693
iam rarior aer, ...	4.123
nam te metui uetat incola rarus	8.252
uadimus in ... exustaque mundi, /qua nimius Titan et rarae in fontibus undae,	9.383
Arctoos raris Aquilonibus imbres /accipit	9.422
hoc tam segne solum raras tamen exerit herbas, ...	9.438
et unda /rarior.	9.607
coepit ... / iamque procul rarae nemorum se tollere frondes, ...	9.944

RASTRUM.

nec solum rastris durisque ligonibus arua /sed gladiis fodere suis,	4.294
piger Apulus arua /deseruit rastris et inerti tradidit herbae, ...	5.404

RATIS.

praecipites haesere rates, . .	2.212
non Eurum Zephyrumque timens,cum uela ratisque /in medium deferret Athon.	2.676
ipsa maris per claustra rates fastigia molis /discussere	2.684
cum tacitas soluere rates. . . .	2.693
hic haesere rates geminae, . . .	2.711
ut, Pagasaea ratis peteret cum Phasidos undas, ...	2.715
propulit ut classem uelis cedentibus Auster /incumbens mediumque rates mouere profundum, ...	3.2
fatisque per illam /accessit mors una ratem.	3.197
has ad bella rates non flexo limite ponti /certior haud ullis duxit Cynosura carinis.	3.218
quisque suam statione ratem, . . .	3.525
multiplices cinxere rates.	3.532
in puppem rediere rates, emissaque tela /aera texerunt	3.545
diuersaeque rates laxata classe receptae.	3.548
quod tulit illa ratis remis, haec rettulit aequor.	3.552
at Romana ratis stabilem praebere carinam	

RATIS

	3.556
tum quaecumque ratis temptauit robora Bruti	3.563
in ratibus cecidere suis. . . .	3.572
fractarum subita ratium periere ruina.	3.579
Phocaicis Romana ratis uallata carinis /robore diducto dextrum laeuumque tuetur	3.583
auertitque ratem morientis dextra magistri.	3.599
adfixusque rati telo retinente pependit.	3.602
strage uirum cumulata ratis multoque cruore /plena per obliquum crebros latus accipit ictus	3.627
uacuamque relinquit, /qua caret hoste, ratem, ...	3.649
nutaretque ratis populo peritura recepto,	3.665
in pugnam fregere rates.	3.674
iam ratibus fragmenta ferus sibi uindicat ignis.	3.686
tela legunt deiecta mari ratibusque ministrant	3.691
et ratium tenuere fugam.	3.706
his ratibus traiecta manus festinat utrimque /succisum curuare nemus,	4.137
namque ratem uacuae sustentant undique cupae	4.420
missa ratis prono defertur lapsa profundo	4.430
noluit Illyricae custos Octauius undae /confestim temptare ratem, ...	4.434
insula deseritur ratibus, ...	4.446
nec prima nec illam /quae sequitur tardata ratis, ...	4.453
huc fractas Aquilone rates summersaque pontus /corpora saepe tulit caecisque abscondit in antris;	4.457
(dux erat ille ratis);	4.466
inter tot milia captae /circumfusa rati et plenam uix inde cohortem/ pugna fuit,	4.471
et gaudeat hostis /non plures haesisse rates.	4.507
iam strage cruenta /conspicitur cumulata ratis, ...	4.571
nullam maiore locuta est /ore ratem totum discurrens Fama per orbem.	4.574
namque rates audax Lilybaeo litore soluit	4.583
iubet ... /... /et cunctas reuocare rates quas auius Hydrus /... recipit . .	5.375
luna suas iam fecerat umbras, /cum pariter soluere rates, ...	5.426
lintea ... / ... reddita malo /in mediam cecidere ratem, ...	5.432
conprimit unda /deprendit quascumque rates, ...	5.439
inde rapi coepere rates	5.458
rectorem dominumque ratis secura tenebat /haud procul inde domus,	5.515
soluensque ratem dat carbasa uentis;	5.560
tum rector trepidae fatur ratis 'aspice saeuum / quanta paret pelagus:	5.568
nec ratis Hesperias tanget nec naufragus oras:	5.573
proderit undis /ista ratis. . . .	5.588
erigit, atque omni surgit ratis ardua	

RATIS

uento. 5.649
terribiles ratibus sustentant moenia
cautes, ... 6.26
tot potuere manus ... / et ratibus longae
flexus donare Maleae, ... 6.58
inde ratis trepidum uentis ac fluctibus
inpar, /... euexit in altum. . . 8.35
en ratis, ad uestros quae tendit carbasa
portus! 8.50
quid, quod iacet insula ponto,/Caesar
eget ratibus? 8.119
rectoremque ratis de cunctis consulit
astris, ... 8.167
in Syriae portus tendit ratis. . 8.181
in medio tanget ratis aequore Syrtim.
  8.184
paruisque Syhedris,/quo portu mittitque
rates recipitque Selinus,/... tandem
maesta ora resoluit /... Magnus: 8.260
Cyproque citatas /inmisere rates, 8.457
in paruam iubet ire ratem, . . . 8.565
aeuumque sequens speculatur ab omni /
orbe ratem Phariamque fidem: 8.624
quis ratibus tantis fugientia crederet
ire /agmina, ... 9.34
prima ratem Cypros spumantibus accipit
undis; 9.117
'praecipitate rates e sicco litore, nautae;
  9.148
dubioque obnoxia fato /pars sedet una
ratis, ... 9.337
pars ratium maior regimen clauumque secuta
est /tuta fuga, ... 9.345
dubiis ueritus se credere regnis /
abstinuit tellure rates. 9.1010
nec non et ratibus temptatur regia, 10.486

RAUCUS,-A,-UM. non pia concinuit cum rauco
classica cornu. 1.238
pectora rauca gemunt, quae creber
anhelitus urguet, ... 4.756
ut tumidus Boreae post flamina pontus /
rauca gemit, sic muta leuant suspiria
uatem. 5.218

REBELLIS,-E. gaudetque ... /... nimiumque
rebellis /Neruius 1.428
multisne rebellis /Gallia iam lustris
aetasque inpensa labori /dant animos?
  2.568

REBELLO,-ARE. damnumque putamus /armorum,
nisi qui uinci potuere rebellant. 3.366
damnumque putamus /armorum, nisi qui
uinci potuere rebellant (rebellent).
  var.3.366

RECEDO,-ERE. nec patitur conferre fretum, si
terra recedat, ... 1.102
lunata classe recedunt /ordine contentae
gemino creuisse Liburnae. . . . 3.533
postquam inhibent remis puppes ac rostra
reducunt (recedunt)/ deiectum in pelagus
...corpus / uolneribus transmisit aquas.
  var.3.659
cautus ab incursu belli, si sola recedat,
/expugnat quae tuta, fames. . . 4.409
orbe quoque exhaustus medio languensque
recessit 5.544
neuterque recedens /sustinuit dixisse
uale, ... 5.795
tantae molis onus percussum uoce recessit
  6.483
reditturaque numquam /libertas ultra Tigrim
Rhenumque recessit 7.433

RECIPIO

spes numquam inplenda recessit; 7.688
at, postquam trunco ceruix abscisa
recessit, /uindicat hoc Pharius, dextra
gestare, satelles. 8.674
Caesar, ut Emathia satiatus clade recessit,
/cetera curarum proiecit pondera 9.950
quisquis te flere coegit /impetus, a uera
longe pietate recessit. 9.1056

RECENS. dum dolor est ictusque recens 4.286
multumque madenti /infudere comae... /
aduectumque recens uicinae messis
amomon. 10.168

RECEPTO,-ARE. placido natura receptat /cuncta
sinu, ... 7.810

RECESSUS. et secum 'Romamne petes pacisque
recessus 2.522
'mundi iubeo temptare recessus: 2.632
mouit et Eoos bellorum fama recessus,
  3.229
quae prius ex longo nocuerunt missa
recessu /iam post terga cadunt. 3.477
dent fata recessum /emittantque licet,
uitare instantia nolim. 4.514
Castalios circum latices nemorumque
recessus /Phemonoen errore uagam curisque
uacantem /corripuit 5.125
qualis in Euboico uates Cumana recessu /
indignata suum multis seruire furorem
  5.183
aut orbis medii puros exesa recessus,
  5.547
non longos a me patiere recessus; 5.745
disponit castella iugis magnoque recessu
/amplexus fines... /... feras indagine
claudit. 6.40
una per aetherios exit uox illa recessus
  6.445
ne pigeat ... /Medorum penetrare domos
Scythicosque recessus 8.216
Caspiaque inmensos seducunt claustra
recessus, ... 8.291
per secreta tui bellum ciuile recessus
/uadit, ... 9.863

RECIDO,-ERE. rapuitque cruentus /uictor
ab ignota uoltus ceruice recisos 2.112
dumque nimis iam putria membra recidit
  2.141
memini,... / perque omnis truncos, cum
qua ceruice recisum /conueniat, quaesisse,
caput. 2.172
Pellaeusque puer gladio tibi colla
recidit, /Magne, tuo. 8.607
Pompei diro sacrum caput ense recidis,
  8.677
non deprecor hosti / seruari, dum me
seruet ceruice recisa.' 9.214

RECIPIO,-ERE. nullus semel ore receptus
/pollutas patitur sanguis mansuescere
fauces. 1.331
materiamque rudem flamma cedente recepit,
  2.8
uidit Fortuna colonos /Praenestina suos
cunctos simul ense recepto /unius populum
pereuntem tempore mortis. . . . 2.194
congesta recepit /omnia Tyrrhenus
Sullana cadauera gurges. 2.209
exulibus Mariis bellorum maxima merces /
Roma recepta fuit. 2.228
nec redit in pastus, nisi cum ceruice
recepta /excussi placuere tori, 2.604
murisque recepti /praecipiti cursu flexi

RECIPIO

    per cornua portus /ora petunt   2.705
    diuersaeque rates laxata classe receptae.
        3.548
    nutaretque ratis populo peritura recepto,
        3.665
    hic recipit fluctus, extinguat ut aequore
    flammas,   3.687
    sic pedes ex facili nulloque urguente
    receptus, ... 4.46
    sed postquam uernus calidum Titana recepit
        4.56
    congestumque aeris atri /uix recipit
    spatium quod separat aethere terram. 4.75
    mox uda receptis /membra fouent armis
        4.152
    miles moriensque recepit /quas nollet
    uicturus aquas; 4.312
    non deductos recipit sua terra colonos.
        4.397
    nec forti uelis Aquilone recepto   4.584
    quem blanda futuris /deceptura malis belli
    fortuna recepit. 4.712
    numinis aut poena est mors inmatura
    recepti 5.117
    quas recipit Salpina palus et subdita
    Sipus /montibus, ... 5.377
    fortunamque suam tacta tellure recepit.
        5.677
    ursa,/... se rotat in uolnus telumque
    irata receptum /inpetit 6.222
    agminaque interius muro breuiore recepit,
        6.288
    comitem pignusque recepi /depositum:
        8.190
    paruisque Syhedris,/quo portu mittitque
    rates recipitque Selinus, /... tandem
    maesta ora resoluit /... Magnus: 8.260
    nec sic mea fata premuntur /ut nequeam
    releuare caput cladesque receptas /
    excutere. 8.268
    Thessaliaeque reus nulla tellure receptus
    /sollicitat nostrum ... orbem. . . 8.510
    uictum, quod reges etiam timuere, recepi.
        8.650
    olim uera fides Sulla Marioque receptis/
    libertatis obit: 9.204
    bis positis Phoebe flammis, bis luce
    recepta /uidit hareniuagum... Catonem.
        9.940
    auctusque suos non ante coartat /quam nox
    aestiuas a sole receperit horas. 10.218
    quos inter in alta /it conualle tacens iam
    moribus unda receptis. 10.329
    quid plus te, Magne, recepto /ausa foret
    Lagea domus? 10.413
RECLUDO,-ERE. tunc rupes Torpeia sonat
    magnoque reclusas /testatur stridore fores;
        3.154
    tum poste recluso/dux ait 'expecta uotis
    maiora modestis 5.531
RECOLLIGO,-ERE. dat stragem late sparsosque
    recolligit ignes. 1.157
RECOQUO,-ERE. spiculaque extenso Paean Pythone
    recoxit, ... 7.148
RECTOR. 'si licet,' exclamat 'Romani maxime
    rector /nominis, ... 1.359
    gaudetque ... /et docilis rector monstrati
    Belga couinni, ... 1.426
    cur hanc tibi, rector Olympi, /sollicitis
    uisum mortalibus addere curam, . . 2.4
    iure pari rector castris Afranius illis

REDDO

    /ac Petreius erat; 4.4
    aequorei rector, facias, Neptune tridentis,
        4.111
    rectorem dominumque ratis secura tenebat
    /haud procul inde domus, ... 5.515
    tum rector trepidae fatur ratis 'aspice
    saeuum /quanta paret pelagus: 5.568
    sic rector Olympi /cuspide fraterna
    lassatum in saecula fulmen/adiuuit, 5.620
    ni superum rector pressisset nubibus undas.
        5.626
    hinc usus placuere deum, non rector ut
    orbis /nec dominus rerum, sed felix
    naufragus esses?' 5.698
    primus Thessalicae rector telluris Ionos
    /in formam calidae percussit pondera
    massae /fudit 6.402
    et rector terrae, quem longa in saecula
    torquet / mors dilata deum;... /
    exaudite preces. 6.697
    ingemuit rector sensitque deorum /esse
    dolos 7.85
    Cilicum dominus ... /exiguam uector
    (rector) pauidus correpsit in alnum.
        var.8.39
    rectoremque ratis de cunctis consulit
    astris, ... 8.167
    rectorque senatus, /sed regnantis, erat.
        9.194
RECTUS,-A,-UM v. REGO
RECUBO,-ARE. metuunt ... / et lustris
    recubare ferae; 3.408
RECUMBO,-ERE. nulla strue membra recumbunt:
        8.757
    hic ille recumbat /sordidus Etruscis
    abductus consul aratris: 10.152
RECURSUS. magnoque recessu (recursu)/
    amplexus fines saltus var.6.40
    fortuna recursus /si det in Hesperiam, non
    hac in sede quiescent /tam sacri cineres,
        8.767
RECURUUS,-A,-UM. gaudetque .../ ... Vangiones,
    Batauique truces, quos aere recuruo
    /stridentes acuere tubae; . . . 1.431
RECUSO,-ARE. sit mens ista quidem cunctis,
    ut uestra recusent /fata, ... 3.324
    Italiam si caelo auctore recusas /me pete.
        5.579
    Martemque secundum /iam nisi de genero
    fatis debere recusat. 6.5
    fessumque caput se ferre recusat. 6.97
    omnia dum uobis liceant, nihil esse recuso.
        7.268
REDDO,-ERE. his saltem longi non cum duce
    praemia belli /reddantur; 1.342
    cornu coacto /iam Phoebe toto fratrem
    cum redderet orbe 1.538
    omnibus hostes /reddite nos populis:
    ciuile auertite bellum. 2.53
    nec retinent ripae, redditque cadauera
    campo. 2.218
    at illi / arcano sacras reddit Cato
    pectore uoces. 2.285
    mox reddita uictor /quoslibet in saltus
    comitantibus agmina tauris /inuito pastore
    trahit, ... 2.605
    sparsos per rura colonos /redde mari
    Cilicas; 2.636
    et caelo defusum reddidit aequor. 4.82
    par animi laus est et, quos speraueris,
    annos /perdere (reddere) var.4.483

REDDO

tot reddet Fortuna uiros quot tela
uacabunt. 5.327
lintea ... /... reddita malo /in mediam
cecidere ratem, ... 5.431
instabat miserae, Magnum quae redderet,
hora. 5.815
'numquam me Caesaris'... / 'exemplo reddam
patriae, ... 6.320
si tollere totas /temptasset campis acies
et reddere bello, /cessissent leges Erebi,
6.634
iam noua, iam uera reddetur uita figura,
6.660
nequeunt animam sibi reddere fata /
consumpto iam iure semel. 6.823
[haec eadem est hodie quae pignora quaeque
penates /reddat 7.258
ipse ego priuatae cupidus me reddere uitae
7.266
an Libycae Marium potuere ruinae /erigere
in fasces et plenis reddere fastis, 8.270
nostra cadauera Tigris /detulit in terras
ac reddidit. 8.439
Nilumque Pharonque,/si regnare piget,
damnatae redde sorori. 8.500
siquis placare peremptum / forte uolet
plenos et reddere mortis honores,/inueniat
trunci cineres 8.773
ignauis manibus proiectos reddidit enses,
9.26
toto litore busta /surgunt Thessalicis
reddentia manibus ignem. 9.181
'reddite, di,' clamant 'miseris quae
fugimus arma, ... 9.848
reddite Thessaliam. 9.849
grata uice moenia reddent /Ausonidae
Phrygibus, ... 9.998
hospes auitus erat, depulso sceptra
parenti /reddiderat. 9.1029
quod si Phario germana tyranno / non
inuisa foret, potuissem reddere regi /
quod meruit, ... 9.1069
nam sibi libertas umquam si redderet
orbem /ludibrio seruatus erat, . . 10.25
quis causas reddere possit? . . . 10.237

REDEO,-IRE.
curuato robore pressae /fit sonus
aut rursus redeuntis in aethera siluae.
1.391
ignauum rediturae parcere uitae. 1.462
ut primum fortuna redit, seruilia soluit
/agmina, ... 2.94
uix saecula longa decorum /sic meruisse
uiris, nedum breue dedecus aeui /et
uitam dum Sulla redit. 2.118
nec redit in pastus, ... 2.604
omnes redeant in castra triumphi. 2.644
uanaque percussit pontum Symplegas inanem
/et statura redit. 2.719
flexi iam plaustra Bootae /in faciem puri
redeunt languentia caeli, ... 2.723
dum litora numquam /ad uisus reditura
suos tectumque cacumen /... cernit 3.6
in sua credebant redituras membra securis.
3.431
in puppem rediere rates, emissaque tela
/aera texerunt 3.545
sed paruo Fortuna uiri contenta pauore
/plena redit, ... 4.122
adsertor uicto redeas ut Caesare? 4.214
si torrida paruos /uenit in ora cruor,
redeunt rabiesque furorque 4.240

uires rediere uiris. 4.373
sed gurgite puro / uita redit. . . 4.381
omnia rursus /membra loco redeunt. 5.37
regnaque ad ultores iterum redeuntia
Brutos, /ut peragat fortuna, taces? 5.207
fugit et ad Phoebi tripodas rediere
futura, ... 5.223
tam diri foederis ictu /parta quies,
poenaque redit placata iuuentus. 5.373
rupisse uidentur / concordes elementa
moras rursusque redire / nox . . 5.635
cum primum redeunte die uiolentior aer
/puppibus incubuit 5.717
numquamque uidebit / me nisi dimisso
redeuntem milite Roma. 6.321
flagrantis portitor undae,/ iam lassate
senex ad me redeuntibus umbris, /exaudite
preces. 6.705
redituraque numquam /libertas ultra
Tigrim Rhenumque recessit 7.432
cunctas inpellere gentes /rursus in arma
potes rursusque in fata redire. 7.719
comitumque suorum / qui post terga redit
trepidum laterique timentem /exanimat.
8.7
aut unde redi maiore triumpho? 8.321
iam pelago pirata redis.' 9.224
nunc redit ad Syrtes et fluctus accipit
ore, ... 9.756
coepit et in terram Libye spissata
redire, ... 9.943
ignoto te, Nile, redit. 10.282

REDIGO,-ERE.
generis quo turba redacta est /
humani! 7.399

REDIMO,-ERE.
hic redimat sanguis populos,
2.312

REDUCO,-ERE.
postquam inhibent remis puppes
ac rostra reducunt. 3.659
sic fatur et omnis /concussit mentes
scelerumque reduxit amorem. . . . 4.236

REDUNDO,-ARE.
ora redundant /et patulae
nares; 9.812

REDUX.
si Curios his fata darent reducesque
Camillos /temporibus ... /hinc starent.
7.358

REFERO,-RE.
ambitus urbi / annua uenali
referens certamina Campo; . . . 1.180
seruati ciuis referentem praemia quercum,
1.358
fertque refertque uices et habet
mortalia casus, ... 2.13
quid sanguine manes /placatos Catuli
referam? 2.174
sensit et ipse metum Magnus, placuitque
referri /signa 2.598
Marsya ripis /errantem Maeandron adit
mixtusque refertur, ... 3.208
quod tulit illa ratis remis, . . 3.552
sed pelagi referantur aquis, . . 4.115
quantum pede prima relato /constrinxit
gyros acies. 4.780
Delphica Thebanae referunt trieterica
Bacchae. 5.74
deum simulans sub pectore ficta quieto
/uerba refert, ... 5.149
dumque a luce sacra, qua uidit fata,
refertur /ad uolgare iubar . . . 5.219
peruersa funera pompa /rettulit a tumulis,
6.532
refer haec solacia tecum, . . . 6.802
uocesque furoris /expauere sui tota

REFERO   REGNUM

REFERO
  tellure relatas. 7.484
  peruolat ad truncum, qui fluctu paene
  relatus /litore pendebat. . . . 8.753
  norit harenas /ad quas, Magne, tuum
  referat caput.' 8.775
  rettulit Argolico fulgentia poma tyranno.
              9.367
  hoc noctes referunt Niloque profundunt.
              10.261
REFERT. tabesne cadauera soluat / an rogus,
  haud refert; 7.810
  (quid refert?) 10.385
REFICIO,-ERE. uixque refecta cadit. 5.224
  incaluit uirtus, atque una caede refectus
  /'soluat' ait 'poenas, ... 6.240
  et nostris reficit sua rura serenis.
              9.423
REFLUUS,-A,-UM. aestus agat refluoque mari
  nudentur harenae. 4.428
REFODIO,-ERE. iamque inopes undae primum
  tellure refossa /occultos latices
  abstrusaque flumina quaerunt. . . 4.292
REFOUEO,-ERE. astrictos refouet conplexibus
  artus. 8.67
  populi trepidantia membra refouit, 9.25
REFUGIO,-ERE. mors ipsa refugit /saepe
  uirum, ... 2.75
  maioresque latent stellae, calidumque
  refugit /Lucifer ipse diem. . . 2.724
  sic fata refugit /umbra 3.34
  [nec refugit caedes, ... 6.556
  seu fine bonorum /anxia mens curis ad
  tempora laeta refugit, ... 7.20
  atque oculos lacrimarum uena refugit.
              9.746
REFUGUS,-A,-UM. Oceanus uel cum refugis se
  fluctibus aufert. 1.411
  moenia mirentur refugi Babylonia Parthi.
              6.50
  populum non cernis inermem /aruaque uix
  refugo fodientem mollia Nilo? . . 8.526
  pars sanguinis usti /torta caput
  refugosque gerens a fronte capillos;10.132
REFULGEO,-ERE. Cynthia, quo primum cornu
  dubitanda refulsit, ... 4.60
REFUNDO,-ERE. portus erat, si non
  uiolentos insula Coros / exciperet saxis
  lassasque refunderet undas. . . 2.618
  sic fata iterumque refusa /coniugis in
  gremium 8.105
  situs est qua terra extrema refuso /
  /pendet in Oceano; 8.797
  hoc noctes referunt Niloque profundunt
  (refundunt). var.10.261
REGIA(subst.). te,.../...praelati regia caeli/
  excipiet gaudente polo: 1.46
  atque utinam in populos! donata est
  regia Lagi, ... 5.62
  epulis uaesana meroque /regia non ullis
  exceptos legibus audet /concubitus:
              8.402
  quippe, fides si pura foret, si regia
  Magno /... pateret, / uenturum tota
  Pharium cum classe tyrannum. . . 8.572
  pudeat: plus regia Nili /contulit in leges
  et Parthi militis arcus. 9.266
  nec tota uacabat /regia conpresso: 10.442
  nec non et ratibus temptatur regia, 10.486
  non ipse tyrannus /sufficit in poenas,
  non omnis regia Lagi: 10.527
REGIMEN. uictus uiolento nauita Coro /dat

REGNUM
  regimen uentis ignauumque arte relicta
  /puppis onus trahitur. 7.126
  pars ratium maior regimen clauumque secuta
  est /tuta fuga, ... 9.345
REGINA. conplector regina pedes. . . . 10.89
  nullo discrimine sexus /reginam scit
  ferre Pharos. 10.92
REGIO. quod non premeretur ab ulla /
  signiferi regione poli, ... 3.254
  quidquid in ignotis solus regionibus
  exul, /... patiere ... /crede deis, 7.703
REGIUS,-A,-UM. quamquam non ulli plus regia,
  Magne, uacabit /saeuitia stimulata Venus
              8.412
  arma satelles /regia gestabat posito
  deformia pilo, ... 8.598
  tum stringere ferrum /regia monstra
  parant. 8.613
  poteratque cruor per regia fundi /
  pocula Caesareus 10.423
  missusque satelles /regius, ut saeuos
  absentis uoce tyranni /corriperet famulos,
             10.469
REGNO,-ARE. gentibus Hesperiis: post me
  regnare uolenti /non opus est bello.
              2.318
  sciret adhuc caelo solum regnare Tonantem.
              3.320
  inuidia regnate mea. 7.269
  cum caeco rapiantur saecula casu,/
  mentimur regnare Iouem. 7.447
  uiuat et, ut Bruti procumbat uictima,
  regnet. 7.596
  regnandi sola uoluptas. 8.294
  Nilumque Pharonque,/si regnare piget,
  damnatae redde sorori. 8.500
  nec umquam,/... / Caesaribus regnare
  uacet. 9.90
  rectorque senatus,/ sed regnantis, erat.
              9.195
  non iam regnare pudebit, ... 9.206
  et in uacua regnat basiliscus harena.
              9.726
  licet usque sub Arcton /regnemus
  Zephyrique domos 10.49
  et regem regnare iube. 10.99
REGNUM. rupto foedere regni /certatum totis
  concussi uiribus orbis /in commune nefas,
              1.4
  aeterna parantur /regna deis . . 1.35
  quis deus esse uelis, ubi regnum ponere
  mundi. 1.52
  in turbam missi feralia foedera regni.
              1.86
  nulla fides regni sociis, ... 1.92
  diuiditur ferro regnum, populique
  potentis, ... 1.109
  socerum depellere regno /decretum genero
  est: 1.289
  continuo per tot satiabunt tempora regno?
              1.315
  ex hoc iam te, inprobe, regno /ille tuus
  saltem doceat descendere Sulla. 1.334
  nam neque praeda meis neque regnum
  quaeritur armis: 1.350
  degenerem patiere togam regnumque senatus?
              1.365
  pallida regna petunt: 1.456
  uiderunt ... / crinemque timendi / sideris
  et terris mutantem regna cometen. 1.529
  siue parens rerum, cum primum informia

regna /materiamque rudem flamma cedente
recepit, ... 2.7
nuda triumphati iacuit per regna
Iugurthae 2.90
ad iuga cur faciles populi, cur saeua
uolentes /regna pati pereunt? . . 2.315
delabitur inde /... Sarnus et umbrosae
Liris per regna Maricae 2.424
ascendi, supraque nihil nisi regna reliqui.
2.563
qua sublime nemus, Scythicae qua regna
Dianae, ... 3.86
si regnum, si templa sibi iugulumque
senatus /exiliumque petat. . . . 3.110
'libertas' inquit 'populi quem regna
coercent /libertate perit; 3.145
quo te Fabricius regi (regni) non uendidit
auro, ... var.3.160
non, cum Memnoniis deducens agmina
regnis /Cyrus 3.284
sed regna timentur /ob ferrum 4.577
Antaei quas regna uocat non uana uetustas.
4.590
terra fuit domino: qua sunt longissima,
regna 4.671
at, qua lata iacet, uasti plaga feruida
regni /destinet Oceanum zonaeque exusta
calentis. 4.674
Curio temptarat,Libyamque auferre tyranno
/dum regnum te, Roma, facit. . . 4.692
ipse caua regni uires in ualle retentat:
4.723
quod regnis populisque liquet, nos esse
senatum. 5.22
et tibi, non fidae gentis dignissime regno,
5.58
accessit Magni iugulus, regnumque sorori
/ereptum est soceroque nefas. 5.63
explicuit, cum regna Themis tripodasque
teneret. 5.81
regnaque ad ultores iterum redeuntia
Brutos, /ut peragat fortuna, taces? 5.207
iure sed incerto mundi subsidere regnum/
Chalcidos Euboicae uana spe rapte parabas.
5.226
seque putat solum regnorum iniusta
grauari, ... 5.258
adiuuit, regnoque accessit terra secundo,
5.622
pariter tot regna, tot urbes /fortunamque
suam tacta tellure recepit. . . 5.676
quantum ... telluris Eoae /sufficit in
regnum, ... 6.53
tot potuere manus ... /aut Pelopis latis
Ephyren abrumpere regnis 6.57
Emathis aequorei regnum Pharsalos Achillis
/eminet 6.350
manibus inlatrat regnique silentia
rumpit. 6.729
regni possessor inertis /pallentis aperit
sedes, ... 6.799
refer haec solacia tecum,/... manes...
/... regnique in parte serena /Pompeis
seruare locum. 6.804
nimium patiens soceri Pompeius, et orbis/
indulgens regno, ... 7.54
quot regna iacebunt! 7.115
Stygii quae numina regni /... litasti?)
7.169
aeger quippe morae flagransque cupidine
regni /coeperat ... ciuilia bella /...

damnare 7.240
iter per ignauas gentes famosaque regna
7.277
si ... totidemque petentis /urbis regna
suae funesto in Marte locasses, /non tam
praecipiti ruerent in proelia cursu.
7.335
si socero dare regna meo mundumque
pararent, /praecipitare meam fatis
potuere senectam: 7.352
metus hos regni, spes excitat illos.
7.386
ex populis qui regna ferunt sors ultima
nostra est, ... 7.444
proxima quid suboles aut quid meruere
nepotes /in regnum nasci? . . . 7.643
aspice possessas urbes donataque regna, /
Aegypton Libyamque, ... 7.710
arua super Cyri Chaldaeique ultima
regni, /... eram: 8.226
uos pendite regna /uiribus atque fide,
8.276
multusque in pectore uano est /Hannibal,
obliquo maculat qui sanguine regnum 8.286
non regna precabor /quae feci. 8.313
si regna times proiecta sub Austro /...
petimus Pharon 8.442
mitissima sors est / regnorum sub rege
nouo.' 8.453
libertas scelerum est quae regna
inuisa tuetur 8.491
quae te nostri fiducia regni /huc agit,
infelix? 8.524
metiri sua regna decet uiresque fateri.
8.527
bustum cineresque mouere /Thessalicos
audes bellumque in regna uocare? 8.530
cecidit ciuilibus armis /qui tibi regna
dedit. 8.560
Magnoque patere /fingens regna Phari
celsae de puppe carinae /in paruam iubet
ire ratem, ... 8.564
adde ... /... quidquid in Euro /regnorum
Boreaque iacet. 8.813
nec regnum cupiens gessit ciuilia bella
9.27
rege sub inpuro Nilotica rura (regna)
tenente,/... / ... cecidit donati uictima
regni. var.9.130
cecidit donati uictima regni. 9.132
forsitan in soceri potuisses uiuere regno.
9.210
non barbara uictos /regna manent, 9.237
quod non in regna laboras,/... bella
fugis 9.258
inde peti placuit Libyci contermina Mauris
/regna Iubae, ... 9.301
in sua regna furens temptatum classibus
aequor /turbine defendit 9.321
regna uidet pauper Nasamon errantia uento
9.458
an liber in armis /occubuisse uelim potius
quam regna uidere? 9.567
Persea Phoebeos conuerti iussit ad ortus/
Gorgonos auerso sulcantem regna uolatu,
9.668
set longius istac /nulla iacet tellus,
quam ... /tristia regna Iubae. 9.869
ac dubiis ueritus se credere regnis /
abstinuit tellure rates. . . . 9.1009
accipe regna Phari nullo quaesita cruore,

uestris quaesita licentia regnis? 9.1074
regnum Lagi Romana sub arma /iret, an
eriperet mundo Memphiticus ensis/uictoris
uictique caput.   10.4
et regni durauit ad ultima fatum. 10.24
partesque fugatas /passus in extremis
Libyae coalescere regnis 10.79
lege summa perempti /uerba patris, qui
iura mihi communia regni /... dedit. 10.93
dirimunt Arabum populis Aegyptia rura /
regni claustra Philae. . . . 10.313
non sanguine clari /(quid refert?) nec
opes populorum et regna mouemus: 10.383
paruaque regna putet Tyriis cum Gadibus
Indos, ... 10.457
sic barbara Colchis /creditur ultorem
metuens regnique fugaeque /... /expectasse
patrem. 10.465
non Thessala tellus /uastaque regna Iubae,
non Pontus et inpia signa /Pharnacis...
/... tantum ausus scelerum, . . 10.475

REGO,-ERE. ille reget currus nondum
patientibus annis, ... 1.316
regit idem spiritus artus /orbe alio;
          1.456
uoltu tamen alta minaci /nobilitas recta
ferrum ceruice poposcit. . . 2.510
qua celer et rectis descendens Marsya
ripis 3.207
me quoque mittendis rectum conponite
telis. 3.717
excipiant recto fugientes pectore ferrum.'
          4.166
rexit magnanima Vulteius uoce cohortem:
          4.475
Curio laetatus, tamquam fortuna locorum
/bella gerat (regat) var.4.662
iuuentus /comminus obliquis et rectis
eminus hastis /obruitur, . . . 4.774
aut cui plus leges deberent recta sequenti;
          4.815
forsan terris inserta regendis /aere
libratum uacuo quae sustinet orbem, 5.93
sed recti fluctus soloque Aquilone
secandi. 5.417
ueluti deserta regente /aequora natura
cessant, ... 5.443
nec duxit recto tenuata cacumina cornu,
          5.548
nec uidit recto gladium mucrone tenentem,
          6.237
Aeolidae Dolopesque solum fregere(regere)
coloni var.6.384
uiuentis animas et adhuc sua membra
regentis /infodit busto, . . . 6.529
res mihi Romanas dederas, Fortuna,
regendas: 7.110
uidit ut hostiles in rectum exire cateruas
/Pompeius ... /... stat... /attonitus;
          7.337
ipsi tela regent per uiscera Caesaris,
          7.350
Medique Arabes ... / arcu turba minax,
nusquam rexere sagittas, . . . 7.515
sonipes ... / in caput effusi calcauit
membra regentis, ... 7.529
nondum attigit arcem, /iuris et humani
columen, quo cuncta premuntur (reguntur),
          var.7.594
qui non mergitur undis /... /ille regit

puppes. 8.176
te, quem Romana regentem /horruit auditu,
... /... humilem fractumque uidebit /rex
          8.341
sidera terra /ut distant et flamma mari,
sic utile recto. 8.488
haud procul est ima Pompei nomen harena /
depressum tumulo, quod non legat aduena
rectus, ... 8.821
quorum unus aperta /mente fugae tali
conpellat uoce regentem: . . . 9.226
tum, quarum recto deprendit carbasa malo,
/eripuit nautis 9.324
nec Tauro Scorpios exit /rectior 9.534
quem, qui recto se lumine uidit, /passa
Medusa mori est? 9.638
ipsa regit trepidum Pallas, . . 9.675
lunaeque meatibus obstat,/si flexus
oblita uagi per recta cucurrit / signa
          9.694
et semper recto lapsurus limite cenchris:
          9.712
ille minax nodis et recto uerbere saeuos
/teste tulit caelo uicti decus Orionis.
          9.835
qui potuere pati radios et lumine recto
/sustinuere diem, caeli seruantur in
usus, ... 9.904
non tuleram Magnum mecum Romana regentem:
          9.1075
in Borean is rectus aquis mediumque
Booten 10.289
linea tam rectum mundi ferit illa Leonem.
          10.306
acies non sparsa maniplis /nec uaga
conspicitur sed iustos qualis ad hostes /
recta fronte uenit: 10.438

RELABOR,-I. iamque relabenti crescebant
litora ponto: 4.429

RELEGO,-ARE. dum bella relegem, /extremum
Scythici transcendam frigoris orbem 6.324

RELEUO,-ARE. non sic mea fata premuntur /
ut nequeam releuare caput . . . 8.268

RELIGO,-ARE. placuit ... /roboraque inmensis
late religare catenis . . . 2.671
et laxe fluitare sinit, religatque catenas
          4.451
nullus ab Emathio religasset litore
funem /nauita, ... 7.860
nautaque ne bustum religato fune moueret
/inscripsit sacrum semusto stipite nomen:
          8.791

RELINQUO,-ERE. iurisque tui natura relinquet /
quis deus esse uelis, ... 1.51
'hic' ait 'hic pacem temerataque iura
relinquo; 1.225
solis Lucifero fugiebant astra relicto.
          1.232
ut uictum post terga relinqueret orbem,
          1.369
tum, quae tuta petant et quae metuenda
relinquant 1.490
et nondum sparsa conpage carinae /
naufragium sibi quisque facit, sic urbe
relicta 1.503
siluisque feras sub nocte relictis /
audaces media posuisse cubilia Roma.
          1.559
pulsatae sonuere fores, quas sancta
relicto /Hortensi maerens inrupit Marcia
busto. 2.327

RELINQUO

da mihi castra sequi: cur tuta in pace
relinquar 2.348
ascendi, supraque nihil nisi regna reliqui.
2.563
omne fretum metuens pelagi pirata reliquit
2.578
quod socero bellum praeter ciuile reliqui?'
2.595
ergo, ubi nulla fides rebus post terga
relictis 2.628
nec Pharnacis arma relinquas /admoneo
2.637
aut nihil est sensus animis a morte
relictum 3.39
te uindice tuta relicta est /libertas?
3.137
quod tibi, Roma, fuga Gallus trepidante
reliquit, ... 3.159
terribilis aquilas infestaque signa
relinquas 3.330
sed pandens perque arma uiam perque ossa
relicta /morte fugit: 3.467
unumque relictum /agnorunt miseri   3.605
incumbit prono lateri uacuamque relinquit,
3.648
dum scopulos stirpesque tenent atque hoste
relicto /caedunt ense uiam. . . . 4.42
tum sole relicto /Cynthia, quo primum
cornu dubitanda refulsit, ... 4.59
utque habuit ripas Sicoris camposque
reliquit 4.130
non se tam penitus, tam longe luce
relicta /merserit Astyrici scrutator
pallidus auri. 4.297
securumque orbis patimur post terga
relicti. 4.353
tunc arma relinquens /uictori miles
spoliato pectore tutus /innocuusque suas
curarum liber in urbes /spargitur.   4.382
dum colle relicto / effusam patulis aciem
committeret aruis. 4.742
tot raptis truncus manibus gladioque
relictus /paene suo, ... 5.252
quando pietasque fidesque /destituunt
moresque malos sperare relictum est, 5.298
hic fuge, si belli finis placet, ense
relicto. 5.321
uadite meque meis ad bella relinquite
fatis. 5.325
quisquis mea signa relinquens /non
Pompeianis tradit sua partibus arma, 5.349
terraque relicta /non ualet ipsa sequi
puppes quae uexerat aura. 5.432
Caesaris ... mentem /ferre moras scelerum
partes iussere relictae. 5.477
cunctisque relictis /sola placet Fortuna
comes. 5.509
aut quae nos uiles animas in fata
relinquens /inuitis spargenda dabas tua
membra procellis? 5.683
Styrmona sic gelidum bruma pellente
relinquunt 5.711
'nil mihi de fatis thalami superisque
relictum est, /Magne, queri: . . . 5.762
si nil tibi uicta relinquent /tutius arma
fuga, ... 5.787
sic fata relictis /exiluit stratis amens
tormentaque nulla /uult differre mora.
5.790
non sic infelix patriam portusque reliquit
5.802

REMEO

fida comes Magni uadit duce sola relicto
/Pompeiumque fugit. 5.804
hic ubi quaerentis socios iam Marte
relicto /tuta fugae cernit, . . . 6.149
sit Scaeua relicti /Caesaris exemplum
6.234
uictus uiolento nauita Coro /dat regimen
uentis ignauumque arte relicta /puppis
onus trahitur. 7.126
illo forte die Caesar statione relicta /
.../ conspicit in planos hostem descendere
campos. 7.235
hanc fuge, mens, partem belli tenebrisque
relinque, ... 7.552
omnia neruis /membra relicta labant,
8.60
'hoc solum ... serua,/ ut... /... Hesperiam
pelago caeloque relinquas: 8.189
ipse per Icariae scopulos, Ephesonque
relinquens /... spumantia paruae /radit
saxa Sami; 8.244
Cnidon inde fugit claramque relinquit /
sole Rhodon 8.247
solos tibi, Magne, reliquit /Parthorum
fortuna pedes? 8.334
sed cedit fatis classemque relinquere
iussus /obsequitur, ... 8.575
iterumne relinquor, ... 8.584
poteras non flectere puppem /cum fugeres
alto, latebrisque relinquere Lesbi, 8.587
hoc merui, coniunx, in tuta puppe
relinqui? 8.651
siquid sensus post fata relictumst,
/cedis et ipsa rogo paterisque haec damna
sepulchri, ... 8.749
semustaque membra relinquens /... sequitur
conuexa Tonantis. 9.3
namque haec mandata reliquit / Pompeius
uobis in nostra condita cura: . . 9.85
has uobis partes, haec arma relinquo.
9.92
unum fortuna reliquit /iam tribus e
dominis. 9.265
Syrtes uel,... natura ... /... in dubio
pelagi terraeque reliquit 9.304
discedit ab aris /non exploratum populis
Hammona relinquens. 9.586
ductor, ut aspexit perituros fonte
relicto,/ adloquitur. 9.611
qua te parte poli, qua te tellure reliqui,
/Africa? 9.873
pelagoque Rhodon spumante relinquit.
9.1003
nulloque herede relicto /totius fati
locerandas praebuit urbes. 10.44
spes sit mihi certa uidendi /Niliacos
fontes, bellum ciuile relinquam.'   10.192
quid nomina tanta / horremus uiresque
ducis, quibus ille relictis /miles erit?
10.390

REMANEO,-ERE. dum tamen emeriti remanet pars
ultima iuris 5.7
remanet pallorque rigorque, . . . 6.759
'remane, temeraria coniunx, ... 8.579

REMEO,-ARE. nunc neque te longi remeantem
pompa triumphi /excipit 1.286
patriae sedes remeamus in urbis,   1.690
et Scythicis Crassus uictor remeasset ab
oris, ... 2.553
si remeasset in urbem 3.73
uictor et incolumis summas remeabat

REMEO

 in undas; 3.702
 remeare uetes quoscumque emiseris
 aestus. 4.113
 interea domitis Caesar remeabat Hiberis
   5.237
 sed non tam remeans Caesar iam luce
 propinqua /quam tacita sua castra fuga
 comitesque fefellit. 5.678
 haec est illa dies... /... /in quam
 distulimus uetitos remeare triumphos,
   7.256
 nam Medos proelia prima /exarmant uacuaque
 iubent remeare pharetra. . . 8.387
 Cornelia nautas /priuignique fugam tenuit,
 ne forte repulsus /litoribus Phariis
 remearet in aequora truncus, . . . 9.53

REMEX. Caesaris hinc puppes, hinc Graio remige
 classis /tollitur: 3.526
 quasque quater surgens extructi remigis
 ordo /commouet 3.530
 auolsasque rotant expulso remige sedes.
   3.673
 mergitur, ast aliae mutato remige puppes
 /uictores uexere suos; 3.754
 classis in aduersos erumpat remige uentos.
   9.149

REMIGIUM. nec gerit expositum telis in fonte
 petenti /remigium, ... 4.424

REMITTO,-ERE. et qua bruma rigens ac nescia
 uere remitti 1.17
 deriguit ferrumque manu torpente remisit.
   2.78
 atque usus belli poenamque remittit. 4.364
 hoc quoque securis oneris fortuna remisit,
   4.398
 bustisque remittunt /corpora uictores,
   4.571
 dedecus hic belli Magno crimenque remisit,
   6.248
 flere ueta populos, lacrimas luctusque
 remitte. 7.707
 quam magna remisit /crimina Romano tristis
 fortuna pudori, ... 9.1059

REMOUEO,-ERE. nemora alta remotis /incolitis
 lucis; 1.453
 hinc illinc montes scopulosae rupis
 aperto /opposuit natura mari flatusque
 remouit, ... 2.620
 procul hoc et in orbe remoto /abscondat
 Fortuna nefas, ... 2.734
 incendere diem nubes oriente remotae
   4.68
 illa pauens adyti penetrale remoti /
 fatidicum prima templorum in porte
 resistit 5.146
 Lesboque remota / te procul a saeui
 strepitu, Cornelia, belli /occulere. 5.725
 feriat dum maesta remotas /fama procul
 terras, ... 5.774
 nam clausa profundo /undique praecipiti
 scopulisque uomentibus (remouentibus)
 aequor   var.6.24
 non ira saltem, iuuenes, pietate remota
 /stabitis? 6.155
 mitis et a uoltu penitus uirtute remota,
 /'parcite', ait 'ciues; 6.229
 uoltusque aperitur crine remoto, 6.655
 caedunt ... /... rerum /saepe duces
 summosque hominum te, Magne, remoto. 7.585
 exiguae clades sumus orbe remoto? 7.664
 tenebrisque remotis /rupis in abruptae

 scopulos ... curris /litora; 8.45
 ne pigeat Magno quaerentem fata remotas
 /Medorum penetrare domos 8.215
 Magnum fortuna remouit, ... 9.223
 illud in extrema forsan longeque remota /
 prodigium tellure fuit, ... 9.474
 si successu nuda remoto /inspicitur uirtus,
 quidquid laudamus in ullo /maiorum,
 fortuna fuit. 9.594
 remoue funesta satellitis arma . . 10.98
 nec tumet hibernus, cum longe sole remoto
 /officiis caret unda suis: 10.229

REMUS. haec manus,... / Oceani tumidas remo
 conpescuit undas 1.370
 posito remis petierunt litora malo. 3.45
 molemque profundo /inuehit et summis
 longe petit aequora remis. 3.537
 remorumque sonus premitur clamore, 3.541
 atque in transtra cadunt et remis pectora
 pulsant. 3.543
 quod tulit illa ratis remis, haec rettulit
 aequor. 3.552
 seque tenent remis: tecto stetit aequore
 bellum. 3.566
 quorum alter mixtis obliquo pectine
 remis /ausus ... /iniectare manum; 3.609
 postquam inhibent remis puppes ac rostra
 reducunt, ... 3.659
 inuenit arma furor: remum contorsit
 in hostem 3.671
 hi super hostiles iecerunt bracchia remos
   3.705
 Graia ad moenia perflet,/ne Pompeiani...
 /languida iactatis conprendant carbasa
 remis. 5.421
 solum fregere coloni /et Magnetes equis,
 Minyae gens cognita remis. 6.385
 cuius adhuc remis quatitur Corcyra
 sinusque /Leucadii, ... / exiguam uector
 pauidus correpsit in alnum. . . . 8.37
 Magnus et auxilio remorum infanda petebat
 /litora; 8.561
 ut primum remis actum mare propulit omne
 /classis onus, densis fremuit niger
 imbribus Auster. 9.319

REMUS(Galliae populus). gaudetque... /optimus
 excusso Leucus Remusque lacerto, 1.424

RENASCOR,-I. occultosque regit cursus
 rursusque renatum /fonte nouo flumen
 pelagi non abnegat undis. 3.262

RENOUO,-ARE. est miseris renouata fides,
 atque omne futurum /creuit amore nefas.
   4.204
 iam defecta uigent renouato robore membra,
   4.600
 et renouare parans hibernas Apulus herbas
 /igne fouet terras, ... 9.183

REOR,-ERI. temptandasque ratus moturi militis
 iras /adloquitur tacitas ueneranda uoce
 cohortes. 2.529
 illa rati semper de te sibi conscia
 uoti /hoc scelus haud umquam fatis
 haerere putauit, ... 7.34
 parcendum ferro manibusque suorum /iam
 ratus ut uiles animas perituraque frustra
 /agmina permisit uitae. 7.730
 cui fas inplere parentem,/quid rear esse
 nefas? 8.410
 quanto spirare ueneno /ora rear quantumque
 oculos effundere mortis! 9.680
 ast ego caelicolis gratum reor ire per

omnis /hoc opus 10.197
quasdam conpage sub ipsa /cum toto
coepisse reor, ... 10.266
REPAGULUM. inmineat foribus pronusque
repagula laxet. 1.295
REPARABILIS,-E. uisum famulis reparabile
damnum /illam mactandi dimittere Caesaris
horam. 10.429
REPARO,-ARE. nec reparare nouas uires, 1.134
desectam timuit reparatis anguibus
hydram. 4.635
[ulla nec humanum reparet genus omnibus
annis] 7.388
noto reparandum est litore fatum. 8.120
Thessalicas quaerens Magnus reparare
ruinas /ense iacet nostro. . . . 9.1019
REPELLO,-ERE. qualis, cum turbidus Auster/
reppulit a Libycis inmensum Syrtibus
aequor 1.499
solueret incumbens terrasque repelleret
aequor, ... 2.436
atque ipsas hausit, subitisque frementis/
uerticibus contorsit aquas et reppulit
aestus 4.102
a quibus omne aeui senium sua fama
repellit, ... 4.812
inuenient haec arma manus, uobisque
repulsis /tot reddet Fortuna uiros 5.326
non ualet in fluctum: uictum latus unda
repellens /erigit, ... 5.648
nec magis hac Magnus castrorum parte
repulsus / ... quieuit, ... 6.263
inpulsam sidere Tethyn / reppulit
Haemonium defenso litore carmen. 6.480
cadauer /... terraque repulsum est /
erectumque semel. 6.756
ille quoque incertus quo te uocet, unde
repellat, ... 6.815
Cornelia nautas / priuignique fugam
tenuit, ne forte repulsus /litoribus
Phariis remearet in aequora truncus, 9.52
scopulisque repulsum /dissipat . . 9.450
REPENDO,-ERE. noctique rependit /lux minor
hibernae uerni solacia damni. . . 8.468
REPENTE(adv.). Caesar ... / ad segetum raptus
moturus signa repente /conspicit in
planos hostem descendere campos, 7.236
REPERCUTIO,-ERE. Libycus ... elephans... /
omne repercussum squalenti missile tergo
/frangit 6.209
REPERIO,-IRE. et praeda nescit latrare
reperta 4.443
haec primum repperit aetas 5.386
ultimus haustor aquae quam, tandem
fonte reperto, / indiga cogatur laticis
spectare iuuentus, ... 9.591
REPETO,-ERE. antiquum repetens iterum chaos,
1.74
et uos barbaricos ritus moremque
sinistrum /sacrorum, Dryadae, positis
repetistis ab armis. 1.451
septimus haec sequitur repetitis fascibus
annus. 2.130
laborant /aequora ne rupti repetant
confinia montes. 3.63
labore / exhausto fessus repetit tentoria
miles. 3.496
emeritas repetunt naualibus alnos. 3.520
nequid Sicoris repetitis audeat undis,
4.141
et temere ingressos repetendum inuitat ad

aequor /pace maris. 4.436
pietas ferientibus una /non repetisse
fuit. 4.566
repetitaque fila sorores /tracturae,
... / exaudite preces. 6.703
dic semper ab armis /ciuilem repetisse
togam, ... 8.814
studiumque laboris / floriferi repetunt
et sparsi mellis amorem: 9.290
sic fatus repetit classes . . . 9.1000
REPLEO,-ERE. busta repleta fuga, permixtaque
uiua sepultis /corpora, ... 2.152
pro, quanta est gloria genti /iniecisse
manum fatis uitaque repletos /quod
superest donasse deis! 3.242
ad summos repleta foros descendit in
undas 3.630
nulloque frequentem /ciue suo Romam
sed mundi faece repletam /cladis eo
dedimus, ... 7.405
tua pectora sacra /uoce reple; 9.562
REPO,-ERE. sed per iter longum causa
repsere latenti. 3.458
REPOSCO,-ERE. stat uoltu maestus tacito
mortemque reposcit. 6.821
REPUGNO,-ARE. ut, quotiens aestus Zephyris
Eurisque repugnat, ... 3.549
et nunc pontus adhuc Phoebo siccante
repugnat, ... 9.315
elicitum iussumque exire repugnat, 9.932
REQUIES. pro numine fata sinistro /exigua
requie tantas augentia clades! 4.195
REQUIRO,-ERE. quid porro tumulis opus est
aut ulla requiris /instrumenta, dolor?
9.69
patriae non arua requiro 9.871
RES. quod tibi res acta est. . . . 1.45
fert animus causas tantarum expromere
rerum, ... 1.67
laetis hunc numina rebus /crescendi
posuere modum. 1.81
intulit et rebus mores cessere secundis
1.161
mecum rebus agat superique ad summa
uocantes, /temptamur. 1.310
uelut unica rebus /spes foret adflictis
patrios excedere muros, ... 1.496
signa dedit mundus legesque et foedera
rerum /praescia monstrifero uertit natura
tumultu 2.2
siue parens rerum, cum primum informia
regna / materiamque rudem flamma cedente
recepit, /fixit in aeternum causas, 2.7
tum cum paene caput mundi rerumque
potestas /mutauit translata locum, 2.136
hisne salus rerum, felix his Sulla uocari,
/his meruit 2.221
lege deum minimas rerum discordia turbat,
2.272
non me laetorum sociam rebusque secundis/
accipis: 2.346
ergo, ubi nulla fides rebus post terga
relictis 2.628
pro, si remeasset in urbem /... / quam
seriem rerum longa praemittere pompa,
3.75
amissae leges set, pars uilissima rerum,
3.120
tot rebus iniquis /paruimus uicti; 3.147
finis adest scelerum (rerum), si non
committitis ullis /arma quibus fas est.

var.3.328

non pondera rerum /nec momenta sumus,
                                               3.337
tunc res inmenso placuit statura labore,
/aggere diuersos uasto committere colles.
                                               3.381
rerum discrimina miscet /deformis caeli
facies iunctaeque tenebrae.   . . .   4.104
seruatoque loco rerum discessit ab astris
/umor, ...   4.126
o rerum mixtique salus Concordia mundi
                                               4.190
o prodiga rerum /luxuries numquam paruo
contenta 4.373
consulite extremis angusto in tempore
rebus. 4.477
laetus quod gloria belli /sit rebus
seruata suis, rapit agmina furtim,   4.717
non tulit adflictis animam producere rebus
                                               4.796
momentumque fuit mutatus Curio rerum
                                               4.819
secretaque rerum /hospes in externis
audiuit curia tectis. 5.10
si fortuna ferat, rerum nos summa sequetur
                                               5.26
Appius euentus, finemque expromere rerum
/sollicitat superos 5.68
tanta patet rerum series, ...   5.179
ac ducis inuicti rebus lassata secundis.
                                               5.324
sed, si magnarum poscunt discrimina rerum,
/haud dubitem praebere manus: 5.557
sors ultima rerum /in dubios casus et
prona pericula morti /praecipitare solet:
                                               5.692
nec dominus rerum, sed felix naufragus
esses?' 5.699
euentus rerum sciet ultima coniunx.   5.779
cessauere uices rerum, ...   6.461
uel dominus rerum uel tanti funeris
heres. 6.595
tot rerum uox una fuit. 6.693
ne parce, precor: da nomina rebus,   6.773
placet haec tam prospera rerum /tradere
fortunae, ...   7.107
res mihi Romanas dederas, Fortuna,
regendas: 7.110
prima uelim caput hoc funesti lancea
belli,/ si sine momento rerum partisque
ruina / casurum est, feriat; . . .   7.118
omne malum uicti, quod sors feret ultima
rerum, /omne nefas uictoris erit.'   7.122
aduenisse diem qui fatum rebus in aeuum
/conderet humanis,... /... palam est.
                                               7.131
quis ... cernens... /tot rerum finem,
timeat sibi? 7.137
'uenit summa dies, geritur res maxima,'
dixit 7.195
'o domitor mundi, rerum fortuna mearum, /
miles, adest totiens optatae copia
pugnae. 7.250
non mihi res agitur, sed, uos ut libera
sitis /turba, ...   7.264
emptum minimo uolt sanguine quisquam /
barbarus Hesperiis Magnum praeponere
rebus? 7.283
non aetas haec carpsit edax monimentaque
rerum / putria destituit: 7.397
nec Fortuna diu rerum tot pondera uertens

/abstulit ingentis fato torrente ruinas.
                                               7.504
scit cruor imperii qui sit, quae uiscera
rerum, ...   7.579
caedunt ... / Coruinosque simul
Torquataque nomina, rerum /saepe duces
summosque hominum 7.584
occursu stupuere ducis uertigine rerum /
attoniti, ...   8.16
Fortuna ... /... tanto pondere famae /
res premit aduersas fatisque prioribus
urguet. 8.23
quamuis ... /...nullis circumdatus armis /
... nouis exordia quaeram, / ingentis
praestate animos. 8.265
sed me uel sola tueri /fama potest rerum
toto quas gessimus orbe 8.275
uos pendite regna /uiribus atque fide ...
/quemnam Romanis deceat succurrere
rebus. 8.278
quantum, spes ultima rerum, /libertatis
habes! 8.454
postquam nulla manet rerum fiducia,
quaerit / cum qua gente cadat. . .   8.504
hac illum summo de culmine rerum/morte
petit 8.702
adde actus tantos monimentaque maxuma
rerum, ...   8.807
Pompeio rebus adempto /nunc et ficta
perit. 9.205
actum Romanis fuerat de rebus, . .   9.253
tertia pars rerum Libye, si credere
famae /cuncta uelis; 9.411
et nulla captus dulcedine rerum, /... /
effossum tumulis cupide descendit in
antrum. 10.17
excepere epulae tantarum gaudia rerum,
                                               10.108
at fecunda Venus cunctarum semina rerum
/possidet; 10.208
quas ille creator /atque opifex rerum
certo sub iure coercet. 10.267
cogunt tamen ultima rerum /spem pacis
temptare ducem, ...   10.467
RESCINDO,-ERE. rescissoque nocent suspiria
dura palato; 4.328
RESERO,-ARE. ecce, nefas belli, reseratis
agmina portis /captiuum traxere ducem,
                                               2.507
ut reseret pelagus spargatque per aequora
bellum. 2.682
ante fores nondum reseratae constitit
aedis 3.117
Delphica fatidici reserat penetralia
Phoebi. 5.70
Elysias resera sedes 6.600
RESIDEO,-ERE. et residens celsa Latiaris
Iuppiter Alba 1.198
tunc in signifera residenti puppe
magistro / Brutus ait 3.558
clauditur extrema residens Antonius ora
                                               4.408
et gens quae nudo residens Massylia dorso
                                               4.682
RESIDO,-ERE. iam flamma resedit, . . .   9.75
RESISTO,-ERE. iusto quoque robur amori /
restitit. 2.380
illa pauens ... / fatidicum prima
templorum in parte resistit 5.147
adsiduo feriunt coguntque resistere
fluctu: 10.245

RESOLUO

RESOLUO,-ERE. auxerat undas /... /et madidis
Euri resolutae flatibus Alpes.   1.219
tum data libertas odiis, resolutaque legum
/frenis ira ruit. 2.145
resoluit /aera tabificum. 5.110
morientiaque ora resoluit. . . . 7.609
quam sol nimbique diesque /longior
Emathiis resolutam miscuit aruis. 7.846
in procerum coetu tandem maesta ora
resoluit /uocibus his Magnus: . . . 8.261
semusta rapit resolutaque nondum /ossa
satis neruis 8.786
et numquam resoluto uertice pendet. 9.457
calido non ocius Austro /nix resoluta
cadit nec solem cera sequetur. . . 9.782

RESONO,-ARE. Mallos et extremae resonant
naualibus Aegae, ... 3.227
'non ... petit ... /Pompeius ... /ut
resonent tristi cantu fora, . . . 8.734

RESONUS,-A,-UM. excepit resonis clamorem
uallibus Haemus 7.480

RESPECTUS(subst.). ne iura fidemque /
respectumque deum ueteri speraueris aula;
8.451
euertitque arces respectus honesti. 8.490

RESPICIO,-ERE. sidera respiciens delapsae
portitor Helles, ... 4.57
iam respice canos /inualidasque manus
5.274
omni /uallatus bello uincit, quem respicit,
hostem. 6.185
fodientem uiscera cernet /me mea qui
nondum uicto respexerit hoste. 7.310
libertas ... /... uagatur /Germanum
Scythicumque bonum, nec respicit ultra
/Ausoniam, ... 7.435
nunc tempora laeta /respexisse uacat,
7.688
respice, turbatos incursu sanguinis amnes,
7.700
quin respicis orbem /Romanum?   8.441
respexitque nefas, seruatque inmobile
corpus, ... 8.620
tum respicit omnis / in coetu motuque
uiros; 9.224
quis enim non praepete tanto /aethera
respiceret? 9.689
'Herceas' monstrator ait 'non respicis
aras?' 9.979
dubiusque timeret /optaretne mori respexit
in agmine denso /Scaeuam 10.543

RESPONDEO,-ERE. uox illi linguaque tantum /
responsura datur. 6.762
'hoc solum toto' respondit 'in aequore
serua, / ut sit ab Emathiis semper tua
longius oris /puppis 8.187

RESPUO,-ERE. sic omnia tela /respuit; 3.484

RESTAGNO,-ARE. alto restagnant flumina uallo.
4.89

RESTINGUO,-ERE. ossa ... inustis plena
medullis / aequorea restinguit aqua 8.788

RESTITUO,-ARE. restituunt artus, donec
decresceret umbra 4.154
restituit raptus tectum mare, . . 4.459
restituam populos; 9.998
exul, in aeternum sceptris depulsa
paternis,/ ni tua restituit ueteri me
dextera fato, ... 10.88

RESTO,-ARE. ille quod exiguum restabat
sanguinis urbi / hausit; 2.140
tot dubiae restant acies, tot in orbe

RETINEO

labores; 4.389
haud multum terrae spatium restabat Eoae.
7.423
nil undique restat /auxilii: . . 10.366

RESULTO,-ARE. Pindus agit fremitus Pangaeaque
saxa resultant 7.482

RESUMO,-ERE. praebere ... / adsuerunt, non
silua torum, uiresque resumit/in nuda
tellure iacens. 4.604

RETE. aut dum dispositis attollat retia uaris,
4.439

RETEGO,-ERE. Vulteius iugulo poscens iam fata
retecto 4.541
postquam clara dies Pharsalica damna
retexit,/nulla loci facies reuocat
feralibus aruis /haerentis oculos. 7.787
ac retegit sacros scisso uelamine uoltus
8.669
tunc, ne leuis aura retectos /auferret
cineres, saxo conpressit harenam, 8.789
non ego Pellaeas arces adytisque retectum
/corpus Alexandri pigra Mareotide mergam?
9.153
fugit rupta cutis pallentiaque ossa
retexit; 9.768
quam protinus ille retecto / ense ferit
9.830

RETEMPTO,-ARE. uel, si libet, arma retempta,
/et nihil hac uenia, si uiceris, ipse
paciscor.' 2.514

RETENTO,-ARE. Catus Graiumque audax aplustre
retentat, ... 3.586
sed prohibent socii suspensaque crura
retentant. 3.637
ipse caua regni uires in ualle retentat:
4.723

RETICEO,-ERE. cognoscere Parcae /me reticente
dabunt; 6.813

RETINEO,-ERE. inde uirum poteras atque hinc
retinere parentem 1.116
nec retinent ripae, redditque cadauera
campo. 2.218
quam retinere uetas, liceat sibi perdere
saltem /Italiam. 2.700
adfixusque rati telo retinente pependit.
3.602
hoc bellum sceptri fructum putat esse
retenti. 4.693
haud retinet. 5.259
Brundisium decumis iubet hanc attingere
castris /et cunctas reuocare (retinere)
rates var.5.375
rumpite quae retinent felices uincula
proras: 5.422
cum glacie retinente fretum non inpulit
Hister, ... 5.437
ne retine dubium cupientis ire per aequor:
5.492
lacerum retinete cadauer 5.669
flumina dum campi retinent nec peruia
Tempe / dant aditus pelagi, . . . 6.345
neruo morsus retinente pependit.   6.549
defuit ... / non puppem retinens Euro
tendente rudentis /in mediis echenais
aquis 6.674
uertat aquas Nilus quo nascitur orbe
retentus, ... 8.828
inmodicas possedit opes, sed plura
retentis /intulit. 9.197
anima periere retenta /membra, . . 9.640
quae cohibet uirus retinetque in uolnere

RETINEO
    pestem; 9.926
    et dederat ferrum, nullo sibi iure retento,
    /in cunctos in seque simul. . . . 10.352
RETORQUEO,-ERE. cursumque polo rapiente
    retorsit, ... 7.3
RETRO. sed retro tua fata tulit par omnibus
    annis /Emathiae funesta dies. . . 7.426
    Aulum /torta caput retro dipsas calcata
    momordit. 9.738
RETRORSUS. ipsique retrorsum /effusi faciem
    uitabant Gorgonos angues. 9.652
RETUNDO,-ERE. occurrit gelidus Boreas
    pelagusque retundit, ... 5.601
    iugulisque retundite ferrum. . . . 6.161
REUELLO,-ERE. finibus Arctois patriaque a
    sede reuolsos 1.482
    non ante reuellar /exanimem quam te
    conplectar, Roma; 2.301
    ut uidet ingenti Saturnia templa reuelli
    /mole, ... 3.115
    multi inopes teli iaculum letale
    reuolsum /uolneribus traxere suis 3.676
    fugere reuolsis /unguibus inpastae
    uolucres, ... 6.627
    ipsae tua signa reuellent /prosilientque
    acies: 7.77
    uixque reuolsa solo maiori pondere pressum
    /signiferi mersere caput... /... signa.
                           7.162
    effundam populos alia tellure reuolsos
                            8.309
    nullaque manente figura /una nota est
    Magno capitis iactura reuolsi.   8.711
    satis o nimiumque beatus,/si mihi
    contingat manes transferre reuolsos/
    Ausoniam, ... 8.844
    ne forte repulsus (reuulsus)/ litoribus
    Phariis remearet in aequora truncus,
                        var.9.52
    generi mauolt lugere reuolsum /quam debere
    caput. 9.1042
    Magni ceruice reuolsa /iam tibi,...
    minatur. 10.100
REUERENTIA(subst.). 'ciuis obit'.../... in
    hoc tamen utilis aeuo,/cui non ulla fuit
    iusti reuerentia; 9.192
REUERTO,-ERE. materia magnamque cadens
    magnamque reuertens 1.156
    uisceribus lassis partuque exhausta
    reuertor 2.340
REUISO,-ERE. operumque ut summa reuisat   6.46
    fac, Magne, locum, quem cuncta reuisant /
    saecula, ... 8.114
    permitte penates / desertamque domum
    dulcesque reuisere natos. 9.231
REUOCO,-ARE. sed diro ferri reuocantur amore
                           1.355
    eualuit reuocare parens coniunxue maritum
                           1.505
    et lotam paruo reuocant Almone Cybeben,
                            1.600
    a nullo reuocatum pectore ferrum.   2.102
    Poenum qui Latiis reuocauit ab arcibus
    hostem 4.657
    iubet ... /et cunctas reuocare rates quas
    auius Hydrus /... recipit 5.375
    quem superis reuocasse uelit. . . 6.633
    eloquar ... /... Hennaea,.../... quae te
    contagia passam / noluerit reuocare
    Ceres. 6.742
    'tristia non equidem Parcarum stamina'dixit

    /'aspexi tacitae reuocatus ab aggere
    ripae; 6.778
    cateruas /circumit et reuocat matura in
    fata ruentis 7.668
    sed,castra fugatos /ne reuocent pellatque
    quies nocturna pauorem, /protinus
    hostili statuit succedere uallo,   7.732
    nulla loci facies reuocat feralibus aruis
    /haerentis oculos. 7.788
    coeperat in summum reuocato sanguine
    corpus /Pompei sentire manus   8.68
    adde ... / armaque Sertori reuocato
    consule uicta 8.809
    omnes /haud aliter medio reuocauit ab
    aequore puppes 9.284
    commeat hac ... unda /frigore ab Arctoo
    medium reuocata sub axem, ... 10.250
    rursus multifidas reuocat piger alueus
    undas, ... 10.311
    illa lues paulum clausa reuocauit ab aula
    /...populos. 10.504
REUOLUO,-ERE. sed, cuncta reuoluens/ uitae
    fata meae, semper uenerabilis illa /orbis
    parte fui. 8.316
REUOMO,-ERE. nam clausa profundo /undique
    praecipiti scopulisque uomentibus
    (reuomentibus) aequor/ exiguo debet,
                        var.6.24
REUS. Pompeiana reum clauserunt signa
    Milonem? 1.323
    Thessaliaeque reus nulla tellure receptus
    /sollicitat nostrum... orbem. . . 8.510
REX. post Cilicasne uagos et lassi Pontica
    regis /proelia barbarico uix consummata
    ueneno /ultima Pompeio dabitur prouincia
    Caesar, ... 1.336
    diductique fretis alio sub sidere reges,
                        2.294
    idem per Scythici profugum diuortia ponti
    /indomitum regem Romanaque fata morantem
    /ad mortem Sulla felicior ire coegi.
                        2.581
    Pharios hinc concute reges /Tigranemque
    meum; 2.636
    regesque silentum /permisere sequi.   3.29
    quo te Fabricius regi non uendidit auro,
                        3.160
    tunc Orientis opes captorumque ultima
    regum /quae Pompeianis praelata est gaza
    triumphis /egeritur; 3.165
    unum / tot reges habuere ducem, . . 3.288
    paras acies mundique extrema tenentis /
    sollicitas reges, ... 4.234
    regis tamen undique uires /exciuit, 4.668
    hac igitur regis trepidat iam Curio fama
                        4.694
    mittitur, exigua qui proelia prima
    lacessat /eliciatque manu, Numidis a rege
    secundus, ... 4.721
    tunc in reges populosque merentis /sparsus
    honor, ... 5.49
    quod siluit, postquam reges timuere
    futura 5.113
    caesosque duces et funera regum /... cur
    aperire times? 5.201
    tutior interea populis et tutior omni /
    rege late, ... 5.755
    felix ac libera regum, /Roma, fores
    iurisque tui, ... 6.301
    non ... Nilus /nobilius Phario gestasset
    rege cadauer, ... 6.308

caesorum truncare cadauera regum /sperat
           6.584
quo non metuant admittere manes /Tartarei
reges. 6.651
eloquar ... / ... Hennaea ... quo foedere
maestum regem noctis ames, . . 6.741
nec non et reges populique queruntur Eoi /
bella trahi 7.56
regesque tui cum supplice mundo /adfusi
uinci socerum patiare rogamus. 7.70
sicci sed plurima campi / tetrarchae
regesque tenent magnique tyranni 7.227
uideor ... spectare ... /calcatosque
simul reges sparsumque senatus /corpus
           7.293
ego sum cui Marte peracto /quae populi
regesque tenent donare licebit. 7.300
non illic regum auxiliis collecta iuuentus
/bella gerit 7.548
caedunt ... /... rerum (regum) /saepe
duces summosque hominum te, Magne, remoto.
          var.7.584
aspice securus uoltu non supplice reges,
           7.709
tot regum fortuna simul Magnique coacta
/expectat dominos: 7.743
stratumque cubile /regibus infandus miles
premit, ... 7.762
nunc sum tibi gloria maior,/ a me quod
fasces... / tantaque discessit regum
manus. 8.80
quo sit tibi ... / certa fides regum
totusque paratior orbis, /sparge mari
comitem. 8.99
nimium felix aeterno nomine Lesbos,/siue
doces populos regesque admittere Magnum,
           8.140
uigiles Pompei pectore curae /nunc ...
adeunt... /et uarias regum mentes, 8.163
neque ... /abstulerat Magno reges fortuna
ministros: 8.207
superest, fidissime regum, /Eoam temptare
fidem 8.212
solusque e numero regum telluris Eoae /
ex quo me Parthus adit. 8.231
regem parere iubenti /ardua non piguit,
           8.238
dimisso in litore rege/ipse ... /...
spumantia paruae /radit saxa Sami; 8.243
te... /... quem captos ducere reges /uidit
ab Hyrcanis ... siluis,/... humilem
fractumque uidebit /rex 8.342
rex tolletque animos Latium uaesanus in
orbem 8.345
solacia tanti /perdit Roma mali, nullos
admittere reges /sed ciui seruire suo?
           8.355
qui solus regum fato celante fauorem /
defuit Emathiae, ... 8.359
at non Cornelia letum /infando sub rege
timet. 8.397
iacuere sorores /in regum thalamis
sacrataque pignora matres. . . 8.405
non solum auxilium funesto ab rege
petisse /... pudebit. 8.418
mitissima sors est /regnorum sub rege
nouo.' 8.453
conperit ut regem Casio se monte tenere,
/flectit iter; 8.470
regesque timet quorum omnia mersit, 8.509
laetatur honore /rex puer insueto, quod

iam sibi tanta iubere /permittant
famuli. 8.537
non ... / ... regumque potens uindexque
senatus /... Romanus erat: . . . 8.554
Romanus regi sic paruit ensis, 8.606
uictum, quod reges etiam timuere, recepi.
           8.650
moriar, nec munere regis. . . . 8.653
uerenda / regibus hirta coma et generosa
fronte decora /caesaries conprensa manu
est, ... 8.680
cum ... / et regum cineres extructo monte
quiescant, /... /litora Pompeium feriunt,
           8.695
rege sub inpuro Nilotica rura tenente, /
hospitii fretus superis... / ... cecidit
           9.130
Amasis /atque alii reges Nilo torrente
natabunt? 9.156
et nescis sine rege pati. . . . 9.262
sed dira satelles /regis dona ferens
medium prouectus in aequor . . 9.1011
rex tibi Pellaeus belli pelagique labores
/donat 9.1016
'aufer ab aspectu nostro funesta, satelles,
/regis dona tui. 9.1065
quod si non Phario germana tyranno /non
inuisa foret, potuissem reddere regi /
quod meruit, ... 9.1069
naturaque solum /hunc potuit finem uaesano
ponere regi; 10.42
rex puer inbellis populi sedauerat iras,
           10.54
et regem regnare iube. 10.99
discubuere illic reges maiorque potestas
/Caesar; 10.136
summus Alexander regum, quem Memphis
adorat, /inuidit Nilo, ... 10.272
et Pharios currus regum ceruicibus egit;
           10.277
rex hinc coniunx, hinc Caesar adulter.
           10.367
praestet Lagea iuuentus /hoc regi,
Romana sibi. 10.395
non sine rege tamen, quem ducit in omnia
secum 10.461
neque ius mundi ualuit nec foedera sancta
/gentibus, orator regis pacisque sequester
/quin caderet ferro. 10.472
quae castra carentia rege /ut proles
Lagea tenet, famulumque tyranni/...
transegit Achillea ferro. . . . 10.521

RHAMNUS. et, tumidis infesta colit quae
   numina, Rhamnus, ... 5.233
RHASCYPOLIS. Deiotarum et gelidae dominum
   Rhascypolin orae /conlaudant, . . 5.55
RHENUS. fregit et Arctoo spumantem uertice
   Rhenum: 1.371
petitis Romam Rhenique feroces /... ripas
           1.464
hunc inter Rhenum populos Albimque
iacentes 1.481
fundat ab extremo flauos Aquilone Suebos
/Albis et indomitum Rheni caput; 2.52
me barbara telis /Rheni turba petat, 2.310
Rheni gelidis quod fugit ab undis 2.570
ut uincula Rheno/Oceanoque daret, 3.76
hos campos Rhenus inundet, ... 4.116
nec Rheni miles in undis /exploratus erat,
           4.696
terris fudisse cruorem /quid iuuat Arctois

RHENUS	**RIPA**

RHENUS
    Rhodano Rhenoque subactis? 5.268
    Rheni mihi Caesar in undis /dux erat,
               5.289
    redituraque numquam /libertas ultra
    Tigrim Rhenumque recessit . . 7.433
    debuerant ... nequa uacarent /arma, uel
    Arctoum Dacis Rhenique cateruis /
    imperii nudare latus, ... 8.424
    pars tam flauos gerit... crines / ut
    nullis Caesar Rheni se dicat in aruis /
    tam rutilas uidisse comas; 10.130
RHODANUS. gaudetque ... / gurgite, qua
    Rhodanus raptum uelocibus undis 1.433
    uenerat in fluctus Rhodani cum gurgite
    classis 3.515
    hos campos Rhenus inundet, /hos Rhodanus;
               4.117
    terris fudisse cruorem /quid iuuat Arctois
    Rhodano Rhenoque subactis? /ante feras 5.268
    castrorum in plebe merebat /ante feras
    Rhodani gentes; 6.145
    Rhodanumque morantem /praecipitauit Arar.
               6.475
    ille uel in Tanain missus Rhodanumque
    Padumque /arderet 9.751
    ante tamen uestros amnes, Rhodanumque
    Padumque, /ante Nilum de fonte bibit.
             10.278
RHODOPE. scilicet ipse petet ... ignibus ... /
    inmeritaeque nemus Rhodopes pinusque
    Mimantis, ... 7.450
RHODOPEUS,-A,-UM. nobis ... /aequoraque et
    campi Rhodopaeaque saxa loquentur. 6.618
RHODOS. pelagique potens Phoebeia donis /
    exornata Rhodos 5.51
    claramque relinquit /sole Rhodon 8.248
    pelagoque Rhodon spumante relinquit.
             9.1003
RHOETEIUS,-A,-UM. prima Rhoeteia litora pinu
    /quae tetigit, Phylace 6.351
RHOETION. petit famae mirator ... /Rhoetion
    et multum debentis uatibus umbras. 9.963
RHOETUS(Rhoecus). te ... torquentem ... uolsas,
    /Rhoece ferox, quas uix Boreas inuerteret
    ornos. 6.390
RICTUS. inque nouos ritus (rictus) pollutam
    duxerat artem. var.6.509
    distento lumina rictu /nudantur. 6.757
    nam rictus oraque monstri /quis timuit?
             9.637
    innocuosque diu rictus torpente ueneno
    /inter membra fouent. 9.845
RIDEO,-ERE. risitque sui ludibria trunci.
             9.14
RIGEO,-ERE(rigesco,-ere). qua bruma rigens ac
    nescia uere remitti 1.17
    riguere comae gressumque coercens 1.193
    sed cum membra premit fugiente rigentia
    uita 2.25
    distentis toto riguit sed corpore palmis.
             3.734
    postquam sicca rigens astrinxit uolnera
    sanguis. 4.291
    oraque sicca rigent squamosis aspera
    linguis; 4.325
    tot potuere manus aut iungere (rigere)
    Seston Abydo var.6.55
    iam riget arta cutis distentaque lumina
    rumpit, ... 6.95
    solibus et nullis Scythicae, cum bruma
    rigeret, /dimaduere niues. 6.478

riguerunt corda, ... 8.60
    Pharioque ueruto,/... dum lumina nuda
    rigescunt, /suffixum caput est, 8.683
    nec emissae riguere sub ossibus umbrae.
             9.641
    uicina colentes /Aethiopum totae
    riguerunt marmore gentes. . . . 9.651
    Cyrenis etiamnunc bruma rigebat: 9.874
RIGIDUS,-A,-UM. intonsos rigidam in frontem
    descendere canos /passus erat 2.375
    iustitiae cultor, rigidi seruator honesti,
             2.389
    saxa quatit pulsu rigidos uexantia frenos
             4.751
    pulmonis rigidi stantis sine uolnere
    fibras /inuenit 6.630
RIGO,-ARE. arma rigant lacrimis, singultibus
    oscula rumpunt, ... 4.180
    iam marcent uenae, nulloque umore rigatus
             4.326
RIGOR(subst.). remanet pallorque rigorque,
             6.759
RIMA. cor iacet, et saniem per hiantis
    uiscera rimas /emittunt, ... 1.624
    perque cauas terrae, quas egit carmine,
    rimas /manibus inlatrat 6.728
RIPA. languor in extrema tenuit uestigia ripa.
             1.194
    Caesar, ut aduersam superato gurgite
    ripam /attigit, ... 1.223
    castraque quae Vosegi curuam super ardua
    ripam /pugnaces pictis cohibebant Lingonas
    armis. 1.397
    qui tenet et ripas Atyri, . . . 1.420
    deseritis ripas et apertum gentibus orbem.
             1.465
    nec retinent ripae, redditque cadauera
    campo. 2.218
    hunc fabula primum /populea fluuium ripas
    umbrasse corona, ... 2.411
    'socii, decurrite' dixit / 'fluminis ad
    ripas undaeque inmergite pontem. 2.484
    hac hostis lentus terat otia ripa. 2.488
    trans ripam ualidi torserunt tela lacerti.
             2.502
    me non Lethaeae, coniunx, obliuia ripae
    /inmemorem fecere tui, ... 3.28
    qua celer et rectis descendens Marsya
    ripis /errantem Maeandron adit 3.207
    qua uertice lapsus /Riphaeo Tanais
    diuersi nomina mundi /inposuit ripis
    Asiaeque 3.274
    tam largas alueus omnis /a ripis accepit
    aquas. 4.87
    utque habuit ripas Sicoris camposque
    reliquit 4.130
    fluuiique ferocis / incrementa timens non
    primis robora ripis /inposuit, . . 4.139
    Caesar auet nec castra pati contingere
    ripas 4.265
    incumbit ripis permissaque flumina turbat.
             4.367
    tellus, quam uolucer Genusus, quam
    mollior Hapsus /circumeunt ripis. 5.463
    Padus... tumens... /excurrit ripas et
    totos concutit agros; 6.273
    si uero Stygiosque lacus ripamque
    sonantem /ignibus ostendam,... /quis
    timor, ignaui, metuentis cernere manes?'
             6.662
    'tristia non equidem Parcarum stamina'

RIPA

dixit / 'aspexi tacitae reuocatus ab
aggere ripae; 6.778
nunc Parthia ruptis /excedat claustris
uetitam per saecula ripam   . . .   8.236
cautum, ne Nili Pelusia tangeret ora /
Hesperius miles ripasque aestate tumentis.
                                     8.826
Nilus ... / ... nec ripis alligat amnem
/ante parem nocti Libra sub iudice Phoebum.
                                    10.226
ausus in ardentem ripas attollere Cancrum
                                    10.288
nunc uagus et spargens facilem tibi cedere
ripam. 10.310
modumque uetat crescendi ponere ripas'.
                                    10.331

RIPHAEUS,-A,-UM. relinquas /admoneo ...
Riphaeasque manus et quas tenet aequore
denso /pigra palus Scythici patiens
Maeotia plaustri 2.640
qua uertice lapsus /Riphaeo Tanais diuersi
nomina mundi / inposuit ripis . .   3.273
Riphaeas huc solue niues, ...   4.118

RITE. (at tu quos scelerum superos, quas
rite uocasti /Eumenidas, Caesar?   7.168
uos in sede priore /rite uocat.   9.997

RITUS. et uos barbaricos ritus moremque
sinistrum /sacrorum, Dryadae, positis
repetistis ab armis. 1.450
turba minor ritu sequitur succincta
Gabino, ...   1.596
hunc ... / Siluani Nymphaeque tenent, sed
barbara ritu / sacra deum; . . .   3.403
rituque ferarum /distentas siccant
pecudes, ...   4.313
hos scelerum ritus, haec dirae crimina
gentis /effera damnarat nimiae pietatis
Erictho 6.507
inque nouos ritus pollutam duxerat artem.
                                     6.509
non illum ... / conpellunt hominum ritus
ut seruet in hoste, ...   7.801
num barbara nobis /est ignota Venus, quae
ritu caeca ferarum /polluit innumeris
leges et foedera taedae /coniugibus?
                                     8.398
edissere ... /et ritus formasque deum;
                                    10.179

RIUUS. praecipitique ruens Tiberina in flumina
riuo 2.216
spargitur in sulcos et scisso gurgite
riuis /dat poenas maioris aquae.   4.142
inscius in sicco serpentem puluere riuum
/transierat, qui Xanthus erat.   9.974

ROBIGO v. RUBIGO

ROBUR. tot circum siluae firmo se robore
tollant, ...   1.142
dum trepidant nullo firmatae robore partes,
                                     1.280
curuato robore pressae /fit sonus aut
rursus redeuntis in aethera siluae.   1.390
Caesar, ut inmensae conlecto robore uires
/audendi maiora fidem fecere, . .   1.466
saeua tribunicio maduerunt robora tabo.
                                     2.125
hic robora busti /extruit ipse sui   2.157
derige me, dubium certo tu robore firma.
                                     2.245
iusto quoque robur amori /restitit.   2.379
Magnus, ut inmixto firmaret robore partis.
                                     2.527

placuit ... / roboraque inmensis late
religare catenis. 2.671
uentus ut amittit uires, nisi robore
densae /occurrunt siluae, . .   3.362
procumbunt nemora et spoliantur robore
siluae, ...   3.395
ipse situs putrique facit iam robore
pallor /attonitos; 3.414
iam fama ferebat /... /roboraque amplexos
circum fluxisse dracones. . .   3.421
si robora sacra ferirent, . .   3.430
effatur merso uiolata in robora ferro
                                 3.435
propulsaque robore denso /sustinuit se
silua cadens. 3.444
hae nullo fixerunt robore terram   3.457
et sudibus crebris et adusti roboris ictu
/percussae cedunt crates, . .   3.494
nec, quamuis uiridi luctetur robore,
lentas /ignis agit uires, . .   3.503
non robore picto /ornatas decuit fulgens
tutela carinas, ...   3.510
omne suum fatis uoluit committere robur
                                 3.517
hoc robur aperto /oppositum pelago: 3.532
tum quaecumque ratis temptauit robora
Bruti 3.563
stat quisque suae de robore puppis   3.570
robore diducto dextrum laeuumque tuetur
                                 3.584
et hostilem defectis robore neruis /
insiluit solo nociturus pondere puppem.
                                 3.625
robora cum uetitis prensarent altius ulnis
                                 3.664
uictum aeuo robur cecidit, . .   3.729
cana salix madefacto uimine (robore)
paruam /texitur in puppem . . .var.4.131
fluuiique ferocis /incrementa timens non
primis robora ripis /inposuit,   4.139
tum frigidus artus /alligat atque animum
subducto robore torpor, . . .   4.290
mox robora neruis /et uires rediere uiris.
                                 4.372
sed firma gerendis /molibus insolito
contexunt robora ductu. . . .   4.419
iam defecta uigent renouato robore
membra. 4.600
inuictus robore cunctis, / quamuis
staret, erat. 4.608
constitit Alcides stupefactus robore
tanto, ...   4.633
sponte cadit maiorque accepto robore
surgit. 4.642
qui robore quamquam confisus Latio   4.667
si sanguine prisco /robur inest animis,
                                  5.18
et tu, quo solo stabunt iam robore castra,
                                 5.362
expertis animos pelagi sic robore conplet:
                                 5.412
haud procul inde domus, non ullo robore
fulta 5.516
undique conlatis in robur Caesaris armis
                                 5.722
roboris inpacti crebros gemit agger ad
ictus. 6.137
roboraque et moles hosti seque ipse
minatur. 6.173
ad dubios pauci praesumpto robore casus
/spemque metumque ferunt. . .   6.418

ROBUR   ROMA

    tunc robore multo /extruit illa rogum;
                      6.824

    addidit inualidae robur facundia causae.
                      7.67

    at medii robur belli fortissima densant
    /agmina, ... 7.221
    uentum erat ad robur Magni mediasque
    cateruas. 7.545
    nec derat robur in enses /ire duci 7.669
    erige congestas Oetaeo robore siluas,
                      7.807

    'nobile cur robur fortunae uolnere primo /
    ... / frangis? 8.72
    robora non desint misero nec sordidus
    ustor. 8.738
    inde rapit flammas semustaque robora
    membris /subducit. 8.745
    nobile corpus /robora nulla premunt,
                      8.757

    fuit ... /... serpens / robora conplexus
    rutilo curuata metallo. . . . 9.364
    tantum Maurusia genti / robora diuitiae,
    quarum non nouerat usum, ... 9.427
    nec ruit in siluas annosaque robora
    torquens /lassatur: 9.452
    ecce, procul saeuos sterili se robore
    trunci /torsit ... serpens 9.822
    iam siluae sterile's et putres robore
    trunci / Assaraci pressere domos 9.966
    hebenus Mareotica uastos /non operit
    postes sed stat pro robore uili, 10.118

ROBUSTUS,-A,-UM. ardua quippe fides robustos
    exigit annos. 8.282

RODO,-ERE. et siccae pallida rodit/excrementa
    manus. 6.542

ROGO,-ARE. paenituit, tolerasse sitim
    frustraque rogasse /prospera bella deos!
                      4.387

    multum frustraque rogatus /ut Libycas
    metuat fraudes 4.735
    adfusi uinci socerum patiare rogamus.
                      7.71

    iuuentus / bella gerit ferrumque manus
    mouere rogatae: 7.549
    exiget ignorans Latiae commercia linguae
    /ut lacrimis se, Magne, roges. 8.349
    caruere deis mea uota secundis / ut ... /
    adfectus a te ueteres uitamque rogarem,
    /Magne, tuam 9.1100

ROGUS. flamma ... / Thebanos imitata rogos.
                      1.552

    meque ipsum memini, caesi deformia
    fratris /ora rogo cupidum uetitisque
    inponere flammis, ... 2.170
    quique suas struxere pyras uiuique
    calentis /conscendere rogos. . . . 3.241
    accensisque rogis miseri de corpore trunco
    /certauere patres. 3.760
    unique paratum /scire rogum; . . . 5.282
    desint mihi busta rogusque, . . . 5.670
    nostros non rumpit funus amores /nec diri
    fax summa rogi, ... 5.764
    ardentiaque ossa /e mediis rapit illa
    rogis 6.534
    tunc robore multo /extruit illa rogum;
                      6.825

    inuidet igne rogi miseris, ... 7.798
    petimus non singula busta /discretosque
    rogos: 7.804
    tabesne cadauera soluat /an rogus, haud
    refert; 7.810

    communis mundo superest rogus ossibus
    astra /mixturus. 7.814
    cedis et ipsa rogo paterisque haec damna
    sepulchri, ... 8.750
    si funere nullo /tristior iste rogus,
    manes animamque potentem /officiis auerte
    meis: 8.762
    semustaque membra relinquens /degeneremque
    rogum sequitur conuexa Tonantis. 9.4
    ostenditque rogum non iusti flamma
    sepulchri, ... 9.54
    'ergo indigna fui,' dixit 'Fortuna, marito
    /accendisse rogum 9.56
    sine funeris ullo /ardet honore rogus;
                      9.63

    sed quis rogus abstulit ossa? . . 9.784

ROMA. tum, si tantus amor belli tibi, Roma,
    nefandi, ... 1.21
    multum Roma tamen debet ciuilibus armis
                      1.44

    unde tuam uideas obliquo sidere Romam.
                      1.55
    nec se Roma ferens. 1.72
    facta tribus dominis communis, Roma, nec
    umquam 1.85
    Roma, faue coeptis. 1.200
    quotiens Romam fortuna lacessit, 1.256
    gesseris euentu, tibi Roma subegerit
    orbem. 1.285
    non secus ingenti bellorum Roma tumultu
    /concutitur, ... 1.303
    Roma sit.' 1.386
    euocat et Romam motis petit undique signis.
                      1.395

    petitis Romam Rhenique feroces /... ripas
                      1.464
    tu tantum audito bellorum nomine, Roma,
    /desereris; 1.519
    accipimus, siluisque feras sub nocte
    relictis /audaces media posuisse
    cubilia Roma. 1.560
    duc, Roma, malorum /continuam seriem
    clademque in tempora multa . . . 1.670
    nulla uacet tibi, Roma, manus. 2.56
    uir ferus et Romam cupienti perdere fato
    /sufficiens. 2.87
    concidit et miserae maculauit ouilia
    Romae. 2.197
    Roma recepta fuit, ... 2.228
    securo me Roma cadat. 2.297
    non ante reuellar /exanimem quam te
    conplectar, Roma; 2.302
    et secum 'Romamne petes pacisque recessus
    /degener? 2.522
    coeperit inde nefas, iam iam me praeside
    Roma /supplicium poenamque petat. 2.538
    his te quoque iungere, Caesar, /inuideo
    nostrasque manus quod Roma furenti 2.551
    nostri fama uenit, quas est uolgata per
    urbes /post me Roma ducem. . . . 2.635
    sufficerent aliis ... / Roma capi
    facilis; 2.656
    miratusque suae sic fatur moenia Romae:
                      3.90

    tam pauidum tibi, Roma, ducem fortuna
    pepercit, ... 3.96
    namque ignibus atris /creditur, ut captae,
    rapturus moenia Romae /sparsurusque deos.
                      3.99

    melius, quod plura iubere /erubuit quam
    Roma pati. 3.112

quod tibi, Roma, fuga Gallus trepidante
reliquit, ... 3.159
pauperiorque fuit tum primum Caesare Roma.
3.168
ille ubi deseruit trepidantis moenia Romae
3.298

Curio temptarat, Libyamque auferre
tyranno /dum regnum te, Roma, facit. 4.692
felix Roma quidem ciuisque habitura beatos,
4.807

haute alium tanta ciuem tulit indole
Roma 4.814
illic Roma fuit. 5.29
quid satis est, si Roma parum est? 5.274
ipse petit trepidam tutus sine milite
Romam 5.381
uidit Magnum mihi Roma secundum, 5.662
quantum ... / distat ab excelsa nemoralis
Aricia Roma, ... 6.75
felix ac libera regum,/Roma, fores
iurisque tui, ... 6.302
ultimus esse dies potuit tibi Roma malorum,
6.312

numquamque uidebit /me nisi dimisso
redeuntem milite Roma. 6.321
uictor tibi, Roma, quietem /eripiam, 6.326
seu uetito patrias ultra tibi cernere
sedes /sic Romam Fortuna dedit. 7.24
o felix, si te uel sic tua Roma uideret!
7.29

testor, Roma, tamen Magnum quo cuncta
perirent /accepisse diem. 7.91
et quaeri, Roma quid esset, /illo Marte,
palam est. 7.132
credite ... /... ipsam domini metuentem
occurrere Romam; 7.373
nulloque frequentem /ciue suo Romam sed
mundi faece repletam /cladis eo dedimus,
7.405
tempora signauit leuiorum Roma malorum,
7.410
per quos tibi, Roma, ruenti /ostendat quam
magna cadas. 7.418
usque ad Thessalicas seruisses, Roma,
ruinas. 7.439
inque deum templis iurabit Roma per umbras.
7.459
quidquid in hac acie gessisti, Roma,
tacebo. 7.556
scit ... /unde petat Romam, libertas
ultima mundi quo steterit ferienda loco.
7.580
illic per fata uirorum / per populos hic
Roma perit; 7.634
stante potest mundo Romaque superstite
Magnus /esse miser. 7.660
quo pectore Romam /intrabit factus campis
felicior istis? 7.701
hic mihi Roma fuit. 8.133
Pompeio uincite, Parthi,/uinci Roma
uolet."' 8.238
Roma, faue coeptis; 8.322
rex tolletque animos Latium uaesanus in
orbem /se simul et Romam Pompeio supplice
mensus? 8.346
patimurne pudoris /hoc uolnus, clades ut
Parthia uindicet ante /Hesperias, quam
Roma suas? 8.351
solacia tanti /perdit Roma mali, nullos
admittere reges /sed ciui seruire suo?
8.355

tu, Ptolemaee, potes Magni fulcire ruinam,
/sub qua Roma iacet? 8.529
nondum Pompei cineres, o Roma, petisti;
8.836
utinam ... uelit uti /nostro Roma sinu:
8.843
cum poscere finem / a superis aut Roma
uolet feralibus Austris /... /consilio
iussuque deum transibis in urbem, 8.847
ecce parens uerus patriae, dignissimus
aris,/Roma, tuis, ... 9.602
nunc forsitan ipsa est /sub pedibus iam
Roma meis. 9.878
exilium generique minas Romamque timebam:
9.1086
tunc pace fideli /fecissem ut uictus
posses ignoscere diuis,/fecisses ut Roma
mihi.' 9.1104
interque maritos /discurrens Aegypton
habet Romamque meretur. 10.359

ROMANUS,-A,-UM. tu satis ad uires Romana in
carmina dandas. 1.66
Parthica Romanos soluerunt damna
furores. 1.106
ut notae fulsere aquilae Romanaque signa
/... deriguere metu, ... 1.244
'si licet,' exclamat 'Romani maxime rector
/nominis, ... 1.359
clauditur externis miles Romanus in oris,
1.515
Romanae miscent acies bellumque sine hoste
est. 1.682
Romanaque Samnis /ultra Caudinas sperauit
/uolnera Furcas! 2.137
gentesne furorem /Hesperium ignotae
Romanaque bella sequentur . . . 2.293
sic eat: inmites Romana piacula diui /
plena ferunt, ... 2.304
quidquid Romani meruerunt pendere mores.
2.313
pretiosaque uestis /hirtam mombra super
Romani more Quiritis /induxisse togam,
2.386
donauit socero Romani sanguinis usum.
2.477
heu, quanto melius uel caede peracta /
parcere Romano potuit fortuna pudori!
2.518
o uere Romana manus, quibus arma senatus
/non priuata dedit, ... 2.532
non priuata cupis, Romana quisquis in urbe
/Pompeium transire paras. . . . 2.564
idem per Scythici profugum diuortia ponti
/indomitum regem Romanaque fata morantem
/ad mortem Sulla felicior ire coegi. 2.581
abscondat Fortuna nefas, Romanaque tellus
/inmaculata sui seruetur sanguine Magni.
2.735
nec Romana magis conplerunt horrea terrae.
3.67
tum conditus imo /eruitur templo multis
non tactus ab annis /Romani census populi,
quem Punica bella, /quem dederat
Perses, ... 3.157
tum furor extremos mouit Romanus Orestas
3.249
sed maior Graio Romana in corpora ferro /
uis inerat. 3.463
per Romana tulit celeri munimina cursu,
3.502
cornua Romanae classis ualidaeque triremes

/quasque quater surgens extructi remigis
ordo /commouet 3.529
at Romana ratis stabilem praebere carinam
  3.556
Phocaicis Romana ratis uallata carinis /
robore diducto dextrum laeuumque tuetur
/aequor Marte latus; 3.583
ausus Romanae Graia de puppe carinae /
iniectare manum; 3.610
credidit ora uiri Romanum amplexa cadauer,
  3.759
infundas aconita palam, Romana iuuentus
/non decepta bibet. 4.323
Romana hos primum tenuit uictoria
campos.' 4.660
omnis Romanis quae cesserat Africa signis
/tum Vari sub iure fuit; 4.666
Romanam, superi, Libyca tellure ruinam
/Pompeio prodesse nefas uotisque senatus.
  4.791
peregrina ac sordida sedes /Romanos cepit
proceres, ... 5.10
ex tanta fatorum strage superba /excerpsit
Romana manu, ... 5.186
uos despecta senes exhaustaque sanguine
turba /cernetis nostros iam plebs Romana
triumphos. 5.334
nulla meis aberit titulis Romana potestas,
  5.664
sub ictu /fortunae quo mundus erat
Romanaque fata, ... 5.730
non ultima turbae /pars ego Romanae, Magni
clarissima proles, ... 6.594
effera Romanos agitat discordia manes
  6.780
et Romanorum manes calcate deorum. 6.809
uisus sibi ... / innumeram effigiem
Romanae cernere plebis 7.10
plaudente senatu /sedit adhuc Romanus
eques; 7.19
cunctorum uoces Romani maximus auctor /
Tullius eloquii,... /... /pertulit iratus
bellis, ... 7.62
res mihi Romanas dederas, Fortuna,
regendas: 7.110
sanguine Romano quam turbidus ibit
Enipeus! 7.116
uixque reuolsa solo maiori pondere pressum
/signiferi mersere caput rorantia fletu
/ usque ad Thessaliam Romana et publica
signa. 7.164
pugnae pars magna leuabit /his orbem
populus Romanumque obteret hostem. 7.276
Armeniosne mouet Romana potentia cuius
/sit ducis, ... 7.281
di, quorum curas abduxit ab aethere
tellus /Romanusque labor, uincat 7.312
ipsi /Romanas sancire uolent hoc sanguine
leges. 7.351
Romanaque uirtus / erigitur, . . . 7.383
cedant feralia nomina Cannae /et damnata
diu Romanis Allia fastis. 7.409
haud multum terrae spatium restabat Eoae,
/ut ... / omniaque errantes stellae
Romanae uiderent. 7.425
primaque Thessaliam Romano sanguine
tinxit. 7.473
solus ... ensis / ... dextras Romana in
uiscera ducit. 7.491
Romanus cunctis petitur cruor; . . 7.511
aut, si Romano conpleri sanguine mauis,

istis parce precor; 7.539
nam post ciuilia bella /hic populus
Romanus erit. 7.543
cunctos haerere cruores /Romanus campisque
uetat consistere torrens. 7.637
iam Magnus transisse deos Romanaque fata
/senserat infelix, ... 7.647
saluaque uerendus /maiestate dolor, qualem
te, Magne, decebat /Romanis praestare
malis. 7.682
cum spe Romanae promiserit omnia praedae,
/ decipitur quod castra rapit. 7.759
quo non Romanos uiolabis uomere manes?
  7.852
nec terram quisquam mouisset arator,/
Romani bustum populi, ... 7.862
fac, Magne, locum ... /... quem ueniens
hospes Romanus adoret. 8.115
uigiles Pompei pectore curae / nunc socias
adeunt Romani foederis urbes . . . 8.162
'quando'...'Emathiis amissus cladibus
orbis,/qua Romanus erat, superest, ... /
Eoam temptare fidem 8.212
uos pendite regna /uiribus atque fide,... /
quemnam Romanis deceat succurrere rebus.
  8.278
iam supplice Varo /intumuit uiditque loco
Romana secundo. 8.288
te, quem Romana regentem /horruit auditu,
... /... humilem fractumque uidebit /rex
  8.341
iuuat ire per orbem /ducentem saeuas
Romana in moenia gentes 8.357
quin respicis orbem /Romanum? 8.442
sic Romana iacent? 8.545
transire parantem /Romanus Pharia miles
de puppe salutat 8.596
Romanus regi sic paruit ensis, . . 8.606
'saecula Romanos numquam tacitura labores
/attendunt, ... 8.622
degener atque operae miles Romane
secundae, /Pompei ... sacrum caput ...
recidis, ... 8.676
hac facie, Fortuna, tibi, Romana,
placebas. 8.686
'non ... petit ... /Pompeius,... /ut
Romana suum gestent pia colla parentem,
  8.732
exiguam, quantum potes, accipe flammam /
Romana succense manu. 8.767
Romanum nomen et omne /imperium Magno
tumuli est modus: 8.798
haud procul est ima Pompei nomen harena /
quod nisi monstratum Romanus transeat
hospes. 8.822
nos in templa tuam Romana accepimus Isim
  8.831
an occidimus Romanaque Magnus ad umbras
/abstulit? 9.124
uocibus his maior, quam si Romana sonarent
/rostra ducis laudes, generosam uenit ad
umbram /mortis honos. 9.215
signa petamus /Romanus quae consul habet.'
  9.251
actum Romanis fuerat de rebus, . . 9.253
tu quoque pro dominis,et Pompeiana fuisti
/non Romana manus? 9.258
me teste pati uel quae tristissima
pulchrum /Romanumque putant. . . . 9.392
tum quoque Romanum solito uiolentior
agmen /adgreditur, ...9.463

ROMANUS

sic orbem torquente Noto Romana iuuentus
/procubuit timuitque rapi; 9.481
numen Romano templum defendit ab auro.
9.521
qui tum Romana secutus /signa, . . 9.911
hoc igitur tandem leuior Romana iuuentus
/auxilio late squalentibus errat in
aruis. 9.938
Romanaque Pergama surgent.' . . . 9.999
'terrarum domitor, Romanae maxime gentis,
9.1014
quam magna remisit /crimina Romano
tristis fortuna pudori, . . . 9.1060
non tuleram Magnum mecum Romana regentem:
9.1075
pugnauit fortuna ducis fatumque nocentis
/Aegypti, regnum Lagi Romana sub arma
/iret, an eriperet mundo Memphiticus ensis
/uictoris uictique caput. 10.4
tui socerum rapuere a sanguine manes,/ne
populus post te Nilum Romanus amaret.
10.8
sed fremitu uolgi fasces et iura querentis
/inferri Romana suis discordia sensit /
pectora 10.12
Cleopatra ... /... Latii feralis Erinys,
/Romano non casta malo. 10.60
et Romana petit inbelli signa Canopo
10.64
expliciutque suos ... Cleopatra ... /
nondum translatos Romana in saecula luxus.
10.110
in scelus it Pharium Romani poena
tyranni, ... 10.343
iugulus mihi Caesaris haustus /hoc
praestare potest, Pompei caede nocentis
/ut populus Romanus amet. . . . 10.389
praestet Lagea iuuentus /hoc regi, Romana
sibi. 10.395
hic, cui Romani spatium non sufficit orbis,
/... /quaerit tuta domus; . . . 10.456

ROMANUS(subst.). iussamque feris a gentibus
urbem /Romano spectante rapi. 1.484
nec Romanus erat, qui non agnouerat
hostem. 4.179
'quid spes' ait inproba ueri /te, Romane,
trahit? 5.131
'effugis ingentes,... /bellorum, Romane,
minas, : 5.195
Armeniumque bibit Romanus Araxen, 7.188
Romanos odere omnes, dominosque grauantur,
7.284
Phario satis esse tyranno /quod poterat,
Romanus erat: 8.556
quae tibi noscendi Nilum, Romanae,
cupido est, /et Phariis Persisque fuit...
tyrannis, ... 10.268
nullique uacare /fas est Romano. 10.416
in partem Romani uenit Achillas; 10.419

ROMULUS,-A,-UM. Romulus infami conpleuit
moenia luco, ... 7.438

RORO,-ARE. Antoni, cuius laceris pendentia
canis /ora ferens miles festae rorantia
mensae /inposuit. 2.123
maiori pondere pressum /signiferi mersere
caput rorantia fletu /... signa. 7.163

ROS. antra nec exiguo stillant sudantia rore
4.301
tunc herbas frondesque terunt, et rore
madentis / destringunt ramos . . 4.316
quique nec umentis nebulas nec rore

madentem /aera nec tenues uentos
suspirat Anauros, ... 6.369
omnisque cruenta /alite sanguineis
stillauit roribus arbor. 7.837
uirus stillantis tabe Medusae /concipiunt
dirosque fero de sanguine rores, 9.698

ROSA. accipiunt sertas nardo florente coronas
/et numquam fugiente rosa, . . . 10.165

ROSTRUM. traximus imperium, tum cum mihi
rostra tenere /ius erat 1.275
inpulsum rostris sonuit mare, fluctuat
unda, ... 2.702
ut primum rostris crepuerunt obuia rostra,
3.544 (bis)
Phocaicis medias rostris oppone carinas.'
3.561
hic Latiae rostro conpagem ruperat alni,
3.597
diuersae rostris iuuenem fixere carinae.
3.654
postquam inhibent remis puppes ac rostra
reducunt, ... 3.659
multus sua uolnera puppi /adfixit moriens
et rostris abstulit ictus. 3.708
nisi qui presso uestigia rostro /colligit
4.442
quid nunc rostra tibi prosunt turbata
forumque 4.799
cum rostra forumque /optaret passus tam
longa silentia miles. 7.65
spectate ... /et caput hoc positum
rostris effusaque membra 7.305
aequora senserunt motus aliterque secante
/iam pelagus rostro ... /mutauere sonum.
8.198
hoc leges Campumque et rostra mouebat,
8.685
uocibus his maior, quam si Romana
sonarent /rostra ducis laudes, generosam
uenit ad umbram /mortis honos. ... 9.216
intactum uolucrum rostris epulasque
daturum /haud inpune feris... /...
cadauer. 9.802

ROTA. non sic moderator equorum,/dexteriore
rota laeuum cum circumit axem, 8.200

ROTO,-ARE. quos sectis Bellona lacertis /saeua
mouet, cecinere deos, crinemque rotantes /
sanguineum populis ulularunt tristia
Galli. 1.566
auolsasque rotant expulso remige sedes.
3.673
ancipiti ceruice rotat spargitque uaganti
/obstantis tripodas 5.172
ursa /... se rotat in uolnus . . 6.222
nondum artis erat caput ense rotare. 8.673
deprensum est, quae funda rotat quam lenta
uolarent, ... 9.826

RUBEO,-ERE. stat cruor in templis multaque
rubentia caede /lubrica saxa madent. 2.103
hic primum rubuit ciuili sanguine Nereus,
2.713
lux rubet et flammas proporioribus eripit
astris, ... 2.721
et noctes uentura luce rubebant, 4.125
uentorumque notam rubuit; 5.549
et rubuit flammis iterum Neptunia cuspis
7.147
Peneius amnis /Emathia iam clade rubens
exibat in aequor. 8.34
sustulit ... /harpen alterius monstri
iam caede rubentem 9.663

RUBEO

 sudor rubet; 9.813
 ire libet qua zona rubens atque axis
 inustus /solis equis; 9.852

RUBER,-BRA,-BRUM. defuit ... /non ...
 innataque rubris /aequoribus custos
 pretiosae uipera conchae 6.677
 quis rubri stagna profundi /... petet,
           8.853
 plena maris rubri spoliis, colloque
 comisque /diuitias Cleopatra gerit 10.139
 mox te deserta secantem /qua iungunt
 nostrum rubro commercia ponto, /mollis
 lapsus agit. 10.314

RUBICON. ut uentum est parui Rubiconis ad
 undas, ... 1.185
 puniceus Rubicon, cum feruida canduit
 aestas, /perque imas serpit ualles 1.214
 stabit iam flumine Caesar in ullo /post
 Rubiconis aquas. 2.498
 haec est illa dies mihi quam Rubiconis ad
 undas /promissam memini, ... 7.254

RUBICUNDUS,-A,-UM. illos rubicunda perusti
 /zona poli tenuit; 10.274

RUBIGO. inuadunt ... / et scabros nigrae morsu
 robiginis enses. 1.243

RUBOR. rubor igneus inficit ora /liuentisque
 genas; 5.214
 illi rubor igneus ora /succendit, 9.791

RUDENS(subst.). saepe Noto plenae tensisque
 rudentibus actae /... rates . . . 2.683
 nec quatiunt ualidos, ne sibilet aura,
 rudentes. 2.698
 legere rudentes /et posito remis patierunt
 litora malo. 3.44
 totosque rudentes /laxauere sinus 5.426
 auolsit laceros percussa puppe rudentis
           5.594
 defuit ... /non puppem retinens Euro
 tendente rudentis /in mediis echenais
 aquis 6.674
 hos dedit in proram, tenet hos in puppe
 rudentes. 8.196
 mihi ... permittite saltum,/aut laqueum
 collo tortosque aptare rudentes, 8.655
 illam non fluctus stridensque rudentibus
 Eurus /mouit 9.113
 frustraque rudentibus ausis /uela negare
 Noto spatium uicere carinae, . . . 9.325
 septima nox Zephyro numquam laxante
 rudentes /ostendit ... Aegyptia litora
           9.1004

RUDIS,-E. materiamque rudem flamma cedente
 recepit, ... 2.8
 inde lacessitum primo mare, cum rudis
 Argo /miscuit ignotas temerato litore
 gentes 3.193
 (Phoenices primi, famae si creditur, ausi /
 mansuram rudibus uocem signare figuris:
           3.221
 sed rudis et qualis procumbit montibus
 arbor /conseritur, ... 3.512
 iam coniunx natique rudes et sordida
 tecta /et non deductos recipit sua terra
 colonos. 4.396
 cognita per multos docuit rudis incola
 patres. 4.592
 nec sic Inachiis, quamuis rudis esset,
 in undis /desectam timuit reparatis
 anguibus hydram. 4.634
 ultor ibi expulsae, premeret cum uiscera
 partus, /matris adhuc rudibus Paean

RUINA

 Pythona sagittis 5.80
 tiro rudis, specta poenas et disce ferire,
           5.363

RUINA. obstaret gaudensque uiam fecisse ruina,
           1.150
 credas ... /corripuisse faces aut iam
 quatiente ruina /nutantes pendere domos,
           1.494
 sic mole ruinae /fracta sub ingenti
 miscentur pondere membra, ... 2.187
 tot simul infesto iuuenes occumbere leto
 /saepe fames pelagique furor subitaeque
 ruinae 2.199
 hos ferro fugienda fames mundique ruinae
 /permiscenda fides. 2.253
 quaeritur indignae sedes longinqua ruinae.
           2.731
 tristi spoliantur templa rapina(ruina),
         var.3.167
 tot inmensae comites missura ruinae /
 exciuit populos et dignas funere Magni
 /exequias Fortuna dedit. 3.290
 fractarum subita ratium periere
 ruina. 3.579
 uidit lapsura ruina /agmina dux 4.43
 felix qui potuit mundi nutante ruina
 /quo iaceat iam scire loco. . . 4.393
 Romanam, superi, Libyca tellure ruinam /
 Pompeio prodesse nefas uotisque senatus.
           4.791
 quod tanta mundi nondum periere ruina.
           5.637
 praecipites aderunt casus: properante
 ruina /summa cadunt. 5.746
 fulminibus me, saeue, iubes tantaeque
 ruinae /absentem praestare caput? 5.770
 testatus numquam Latiae se desse ruinae.
           6.10
 latis exire ruinis /quaerit, . . . 6.122
 iam longinqua petit puluis sonitusque
 ruinae, ... 6.162
 totaeque uiro dant tela ruinae, 6.172
 montis adest seramque sibi parat unda
 ruinam. 6.267
 frigidaque, ut ueteris, deprendit signa
 ruinae. 6.281
 subitaeque ruinam /sensit aquae Nereus,
           6.348
 inuoluat populos una fortuna ruina 7.89
 prima uelim caput hoc funesti lancea
 belli, /si sine momento rerum partisque
 ruina /casurum est, feriat; . . . 7.118
 uidit /casuram et fatis sensit nutare
 ruinam, ... 7.244
 sternite iam uallum fossasque inplete
 ruina, ... 7.326
 Gabios Veiosque Coramque /puluere uix
 tectae poterunt monstrare ruinae 7.393
 usque ad Thessalicas seruisses, Roma,
 ruinas. 7.439
 Fortuna ... / abstulit ingentis fato
 torrente ruinas. 7.505
 nec ... trahere omnia secum /mersa iuuat
 gentesque suae miscere ruinae: 7.655
 uidit prima tuae testis Larisa ruinae
 /nobile nec uictum fatis caput. 7.712
 multi, Pharsalica castra /cum peterent
 nondum fama prodente ruinas,/occursu
 stupuere ducis 8.15
 an Libycae Marium potuere ruinae /erigere
 in fasces 8.269

RUINA	**RUO**

RUINA
'sicine Thessalicae mentem fregere ruinae?
8.331
tu, Ptolemaee, potes Magni fulcire
ruinam, ... 8.528
tanti, Ptolemaee, ruinam /nominis haut
metuis, ... 8.550
abstulit Emathiae secum fragmenta ruinae.
9.33
saeuas meritum Phycunta rapinas (ruinas)/
sparsit, ... var.9.40
non Caesaris armis /occubuit dignoque
perit auctore ruinae. . . . 9.129
qui nullas uidere domos uidere ruinas.
9.492
tota teguntur /Pergama dumetis: etiam
periere ruinae. 9.969
di cinerum, Phrygias colitis quicumque
ruinas, /... gentis Iuleae uestris
clarissimus aris /dat pia tura nepos
9.990
Thessalicas quaerens Magnus reparare
ruinas /ense iacet nostro. . . . 9.1019
non sit licet ille nefando /Marte paratus
opes mundi quaesisse ruina; . . 10.150
RUMOR. et nunc tibi summa pauoris / nuntius
armorum tristis rumorque sinister. 8.52
rumor ab Oceano, qui terras alligat omnes,
/... erumpere Nilum 10.255
RUMPO,-ERE. cognatasque acies, et rupto
foedere regni 1.4
emicuit rupitque diem populosque pauentes
1.153
molli tum cetera rumpit /turba uado
faciles iam fracti fluminis undas. 1.221
rupta quies populi, stratisque excita
iuuentus 1.239
addunt stimulos cunctasque pudoris /
rumpunt fata moras: 1.264
non ... piguit ... /infantis miseri
nascentia rumpere fata. 2.107
nam prior e campis ut conspicit amne
soluto / rumpi Caesar iter calida
proclamat ab ira 2.493
lucis rumpe moras et Caesaris effuge munus
munus.' 2.525
lassant rumpentis stamina Parcas. 3.19
dum non securos liceat mihi rumpere somnos
3.25
laborant /aequora ne rupti repetant
confinia montes. 3.63
rapit gressus et Caesaris agmina rumpens
3.116
perpetuam rupit defesso milite cratem
3.485
hic Latiae rostro conpagem ruperat alni,
3.597
et, postquam ruptis pelagus conpagibus
hausit, ... 3.629
ruptis cadit undique uenis, . . . 3.639
sedibus expulsi, postquam cruor omnia
rupit /uincula, ... 3.712
patriaeque et ruptis legibus unum /
donauere diem; 4.27
rupit amor leges, audet transcendere
uallum 4.175
arma rigant lacrimis, singultibus
oscula rumpunt, ... 4.180
certos non rumpunt classica somnos. 4.395
frustra qui uincula ferro /rumpere conatus
poscit spe proelia nulla/incertus qua
terga daret, ... 4.467

nec profuit ulli /cornipedis rupisse
moras, ... 4.762
non rupta trementi /uerba sono 5.152
rumpite quae retinent felices uincula
proras, ... 5.422
non rupta uadosis /Syrtibus incerto
Libye nos diuidit aestu. . . . 5.484
rupisse uidentur /concordes elementa
moras 5.634
nostros non rumpit funus amores 5.763
hostis ad aduentum rumpamus foedera
taedae, ... 5.766
iam riget arta cutis distentaque lumina
rumpit, ... 6.95
ut primum libuit ruptis euadere claustris
/Pompeio 6.118
ille moras ferri neruorum et uincula
rumpit 6.217
Aeolidae Dolopesque solum fregere (rupere)
coloni var.6.384
laqueum nodosque nocentis /ore suo rupit,
6.544
pauet ire in pectus apertum/uisceraque
et ruptas letali uolnere fibras. 6.723
manibus inlatrat regnique silentia rumpit.
6.729
tibi, pessime mundi /arbiter, inmittam
ruptis Titana cauernis, ... 6.743
inpiaque infernam ruperunt arma quietem;
6.781
ne rumpite somnos, /castrorum uigiles,
7.24
uocibus his correpta uiri uix aegra
leuauit /membra solo talis gemitu
rumpente querellas: 8.87
nunc Parthia ruptis /excedat claustris
uetitam per saecula ripam . . . 8.235
ille ordine rupto /funeris attonitus
latebras... quaerit. 8.779
derigit harpen / lata colubriferi
rumpens confinia colli. 9.677
rumpitis ingentes amplexi uerbere tauros;
9.731
fugit rupta cutis pallentiaque ossa
retexit; 9.768
aquas totiens rumpentis litora Nili /
adsiduo feriunt ... fluctu: . . 10.244
late tibi gurgite rupto /ambitur...Meroe
10.302
nocturnas rumpamus funere taedas 10.373
RUO,-ERE. in se magna ruunt: 1.81
nos primi Senonum motus Cimbrumque
ruentem /uidimus 1.254
Marte sub aduerso ruerentque in terga
feroces /Gallorum populi? . . . 1.308
inde ruendi /in ferrum mens prona uiris
animaeque capaces /mortis, . . . 1.460
explicat audaces ruere in certamina
turmas 1.474
sic turba per urbem /... inconsulta ruit.
1.498
plenus abit uisu: ruit inreuocabile
uolgus. 1.509
resolutaque legum /frenis ira ruit. 2.146
praecipitique ruens Tiberina in flumina
riuo 2.216
quis, cum ruat arduus aether, . . 2.290
tunc urbes Latii dubiae uarioque fauore /
ancipites, quamquam primo terrore ruentis
/cessurae belli, ... 2.448
per diuersa ruens neclecto moenia tergo,

2.467
ite simul pedites, ruiturum ascendite
pontem.' 2.499
rue certus et omnis /lucis rumpe moras
2.524
maior in arma ruit certa cum mente malorum,
3.37
Thesproti Dryopesque ruunt, . . . 3.179
frangit cuncta ruens, nec tantum corpora
pressa /exanimat, ... 3.472
paretur, rapuitque ruens in proelia miles
/quod fugiens timuisset iter. . 4.151
ait 'ferrumque ruenti /subtrahe: 4.273
inpendent caua saxa mari, ruituraque
semper /stat, ... 4.455
tuque, potens ueri Paean nullumque futuri/
a superis celate diem, suprema ruentis
/imperii ... /cur aperire times? 5.200
ipse per omne /fasque nefasque rues?
5.313
inde ruunt toto concita pericula mundo.
5.597
cunctos solita de parte ruentis /
defendisse suas uiolento turbine terras,
5.610
ille ruenti /aggere consistit, 6.169
subducto qui Marte ruis; 6.250
siqua tellus cumuloque furentem /undarum
non passa ruit, ... 6.275
Torquato ruit inde minax, ... 6.285
inque ipsa pauendo /fata ruit. . . 6.299
hoc casibus eripe iuris,/ne subiti
caecique ruant. 6.598
capiunt praesagia belli /calcatisque
ruunt castris; 7.332
si totidem Magni soceros ... /... locasses,
/non tam praecipiti ruerent in proelia
cursu. 7.336
stat tectis putris auitis /in nullos
ruitura domus, ... 7.404
per quos tibi, Roma, ruenti /ostendat
quam magna cadas. 7.418
glomerataque nubes /in sua conuersis
praeceps ruit agmina frenis. . . . 7.531
ne rue per medios nimium temerarius hostis,
7.590
cateruas /circumit et reuocat matura in
fata ruentis 7.668
scire ruunt, quanta fuerint mercede
nocentes. 7.751
durum iter ad leges patriaeque ruentis
amorem. 9.385
nec ruit in siluas annosaque robora
torquens /lassatur: 9.452
Euxinumque ferens paruo ruat ore Propontis.
9.960
perque Asiae populos... /humana cum
strage ruit 10.31
passuri comminus arma /laturique ruunt.
10.439

RUPES. 'o magnae qui moenia prospicis urbis
/Tarpeia de rupe Tonans Phrygiique
penates 1.196
quantus, piniferae Boreas cum Thracius
Ossae /rupibus incubuit, . . . 1.390
urguet rupe caua pelagus: . . . 1.406
gens habitat cana pendentes rupe Cebennas.
1.435
uideo Pangaea niuosis /cana iugis latosque
Haemi sub rupe Philippos. . . . 1.680
uomere, piniferis amplexus rupibus omnis

indigenas Latii populos, ... 2.431
extenditque suas in templa Lacinia rupes,
2.434
hinc illinc montes scopulosae rupis
aperto /opposuit natura mari flatusque
remouit, ... 2.619
obstruit et latum deiectis rupibus aequor.
2.662
nullae tamen aequore rupes /emineant,
2.666
excelsa de rupe procul iam conspicit urbem
3.88
tunc rupes Tarpeia sonat 3.154
deseritur ... /Coryciumque patens exesis
rupibus antrum; 3.226
haec patiens longo munimine cingi /uisa
duci rupes tutisque aptissima castris.
3.378
excutitur, qualis rupes quam uertice
montis /abscidit 3.470
at proxima rupes /signa tenet Magni, 4.16
miles rupes oneratus in altas /nititur,
4.37
absorpsit penitus rupes ac tecta
ferarum /detulit 4.100
attollunt campo geminae iuga saxea
rupes /ualle caua media; 4.157
religatque catenas /rupis ab Illyricae
scopulis. 4.452
alii rupes ac litora conplent. . . 4.464
detegit orta dies stantis in rupibus
Histros 4.529
inde petit tumulos exesasque undique
rupes, ... 4.589
latuisse sub alta /rupe ferunt, epulas
raptos habuisse leones; 4.602
tu quoque uix summam, seductus ab aequore,
rupem /extuleras, ... 5.77
sic tempore longo /inmotos tripodas
uastaeque silentia rupis /Appius ...
sollicitat. 5.121
quod non exhaustae per tot iam saecula
rupis /spiritus ingessit uati; . . 5.164
primisque inuenit in undis /rupibus
exesis haerentem fune carinam. . . 5.514
sollicitam rupes iam te uictore tenebunt,
5.780
Thessaliam,... /... rupes Ossaea coercet;
6.334
Thessala quin etiam tellus herbasque
nocentes /rupibus ingenuit 6.439
de rupe pependit / abscisa fixus torrens,
6.472
montisque caui, quem tristis Erictho /
damnarat sacris, alta sub rupe locatur.
6.641
Oetaeaeque gemunt rupes, ... 7.483
tenebrisque remotis /rupis in abruptae
scopulos extremaque curris /litora; 8.46
Lucifer a Casia prospexit rupe . . 10.434
audax Thessalici nuper qui rupe sub Haemi
/Hesperiae cunctos proceres ... /non
timuit ... / expauit seruile nefas, 10.449
RURICOLA,-AE. hunc non ruricolae Panes
nemorumque potentes /Siluani Nymphaeque
tenent, ... 3.402
pluraque ruricolis feriuntur dentibus
ossa. 7.859
RURSUS. curuato robore pressae /fit sonus
aut rursus redeuntis in aethera siluae.
1.391

rursus eo. 1.693
haec rursus patienda manent, . .   2.223
si rursus tellus pulsu laxata tridentis
    2.456
nec rursus aperto /uult hostes errare
freto, ... 2.660
occultosque tegit cursus rursusque renatum
/fonte nouo flumen pelagi non abnegat
undis. 3.262
altaeque ad moenia rursus Ilerdae /
intendere fugam. 4.261
omnia rursus/membra loco redeunt.   5.36
rupisse uidentur / concordes elementa
moras rursusque redire / nox . . . 5.635
rursus hiant undae uix eminet aequore
malus. 5.641
inualida cum puppe leuat, nec rursus ab
alto /aggere deiecit pelagi . . . 5.673
aequor ... / ... rursus uetitum sentire
procellas /conticuit 6.470
mens dubiis perculsa pauet rursusque
parata est /certos ferre metus: 6.596
Peliacisque dedit rursus geminare cauernis,
    7.481
cunctas inpellere gentes /rursus in arma
potes rursusque in fata redire.
    7.719(bis)
tendens hinc carbasa rursus /iam Taurum...
uidet 8.254
ut uisa est ... /... Cornelia puppe /
egrediens, rursus geminato uerbere
plangunt. 9.173
rursus multifidas reuocat piger alueus
undas, ... 10.311
nam rursus in arma /auspiciis Ganymedis
eunt 10.530

RUS. longa sub ignotis extendere rura colonis.
    1.170
rura silent, mediusque tacet sine murmure
pontus, ... 1.260
quid iam rura querar totum suppressa per
orbem 1.318
quae rura dabuntur /quae noster ueteranus
aret, ... 1.344
sparsas per Gallica rura cohortes /euocat
    1.394
tum rura Nemetis /qui tenet et ripas Atyri,
    1.419
Gallica rura uidet deuexasque excipit
Alpes. 2.429
tradidit Hesperiam profugusque per Apula
rura 2.608
sparsos per rura colonos /redde mari
Cilicas; 2.635
Penei qui rura colunt, ... 3.191
Colchorum qua rura secat ditissima Phasis,
    3.271
o fortunati, fugiens quos barbarus hostis
/fontibus inmixto strauit per rura ueneno.
    4.320
his rura colonis /accedunt donante Pado.
    6.277
nam, Thessala rura /cum peterent, totus
uenientibus obstitit aether . . . 7.152
rus uacuum, quod non habitet nisi nocte
coacta /inuitus ... senator. . . . 7.395
stetit aggere campi,/eminus unde omnis
sparsas per Thessala rura /aspiceret
clades, ... 7.650
sed tibi tabentes populi Pharsalica rura
/eripiunt 7.823

Parthus per Medica rura, /... nulli
superabilis hosti est 8.368
omnia Lagi /arua (rura) tenere potest,
    var.8.803
rege sub inpuro Nilotica rura tenente,
/hospitii fretus superis ... /... cecidit
    9.130
et nostris reficit sua rura serenis.
    9.423
Nasamon, gens dura,... proxima ponto
/nudus rura tenet; 9.440
arderet Nilumque bibens per rura uagantem.
    9.752
dirimunt Arabum populis Aegyptia rura
/regni claustra Philae. 10.312
prima tibi campos permittit apertaque
Memphis /rura 10.331

RUTENI. soluuntur flaui longa statione Ruteni;
    1.402

RUTILO,-ARE. sic omnia membra /emisere simul
rutilum (rutilatum) pro sanguine uirus.
    var.9.810

RUTILUS,-A,-UM. diffusum rutilo dirum pro
sanguine uirus. 1.615
nam sol non rutilas deduxit in aequora
nubes 5.541
fuit ... /... serpens /robora conplexus
rutilo curuata metallo. 9.364
omnia membra /emisere simul rutilum pro
sanguine uirus. 9.810
pars tam flauos gerit ... crines /ut
nullis Caesar Rheni se dicat in aruis
/tam rutilas uidisse comas; . . . 10.131

RUTUBA. dexteriora petens montis decliuia
Thybrim /unda facit Rutubamque cauum.
    2.422

RUTUPINUS,-A,-UM. aut, uaga cum Tethys
Rutupinaque litora feruent, . . . 6.67

S

SABAEUS,-A,-UM. non ... ueloci corrumpunt
pocula leto /stipite quae diro uirgas
mentita Sabaeas /toxica fatilegi carpunt
matura Saitae. 9.820
SABBURA. mittitur,.../ut sibi commissi
simulator Sabbura belli; . . . 4.722
SABELLUS,-A,-UM. tunc Vmbris Marsisque ferax
domitusque Sabello /uomere, . . . 2.430
SABELLUS(miles Catonis). miserique in crure
Sabelli /seps stetit exiguus;   9.763
SABINAE. ut generos soceris mediae iunxere
Sabinae. 1.118
SABINUS,-A,-UM. non soliti lusere sales,
nec more Sabino /excepit tristis conuicia
festa maritus. 2.368
SACER,-CRA,-CRUM. deripuit sacris adfixa
penatibus arma 1.240
excipit aut sacras poscunt Capitolia
laurus: 1.287
sacris tunc admouet aris /electa ceruice
marem. 1.608
hae pectora duro / adflixere solo,
lacerasque in limine sacro /attonitae
fudere comas 2.31
at illi /arcano sacras reddit Cato
pectore uoces. 2.285

SACER

non consule sacrae /fulserunt sedes, 3.105
nullasque feres nisi sanguine sacro
/ sparsas, raptor, opes. 3.124
tractentur uolnera nulla /sacra manu.
3.315
si robora sacra ferirent,   . . .   3.430
o rerum mixtique salus Concordia mundi
/et sacer orbis amor: 4.191
mons Phoebo Bromioque sacer, cui numine
mixto /Delphica Thebanae referunt
trieterica Bacchae. 5.73
ut uidit Paean ... /exhalare solum, sacris
se condidit antris, ...   5.84
instinctam sacro mentem testata furore,
5.150
dumque·a luce sacra, qua uidit fata,
refertur /ad uolgare iubar   . .   5.219
igneaque in uoltus et sacro feruida morbo
/pestis abit, ...   6.96
subiere pericula clari /sponte uiri
sacraque antiquus imagine miles.   7.357
credite grandaeuum uetitumque aetate
senatum /arma sequi sacros pedibus
prosternere canos 7.372
tu quoque deuotos sacro tibi foedere muros
/oramus ... dignere uel una /nocte tua:
8.112
hic sacra domus carique penates, /hic
mihi Roma fuit. 8.132
sacraque defuncti iactauit pignora patris.
8.481
permansisse decus sacrae uenerabile formae
/... fatentur 8.664
ac retegit sacros·scisso uelamine uoltus
8.669
Pompei diro sacrum caput ense recidis,
8.677
non hac in sede quiescent /tam sacri
cineres, ...   8.769
inscripsit sacrum semusto stipite nomen:
8.792
quod si tam sacro dignaris nomine saxum
/adde actus tantos 8.806
[et sacer in Magni cineres mactabitur
Apis] 9.160
sacris praestabitur umbris /summus honor;
9.240
erupere ducis sacro de pectore uoces.
9.255
et sacrum paruo nomen clausura sepulchro
/inuasit Libye securi fata Catonis. 9.409
tua pectora sacra /uoce reple;   9.561
o sacer et magnus uatum labor!   9.980
inuidia sacrae, Caesar, ne tangere famae;
9.982
finierat, contraque sacer sic orsus
Acoreus: 10.193
ast ego caelicolis gratum reor ... /...
et sacras populis notescere leges. 10.198
sed non uaesana Pothini /mens inbuta semel
sacra iam caede uacabat /a scelerum motu:
10.334

SACERDOS. Vestalemque chorum ducit uittata
sacerdos 1.597
aut caelum nox atra tenet, pauet ipse
sacerdos /accessus 3.424
haerentem dubiamque premens in templa
sacerdos /inpulit 5.145
summusque feret tua busta sacerdos. 8.850

SACRAMENTUM. hostes nempe meos sceleri iurata
nefando /sacramenta tenent;   . .   4.229

SACRI PORTUS. iam quot apud Sacri cecidere
cadauera Portum 2.134
SACRIFICUS,-A,-UM. sic illa profecto /
sacrifico cecidere Numae, quae lecta
iuuentus /patricia ceruice mouet: 9.478
SACRO,-ARE. exuuias ueteris populi sacrataque
gestans /dona ducum 1.137
quaque sub Herculeo sacratus nomine
portus 1.405
non uolgatis sacrata figuris /numina sic
metuunt: 3.415
parua Mycenaeae quantum sacrata Dianae
/distat ab excelsa nemoralis Aricia Roma,
6.74
iacuere sorores /in regum thalamis
sacrataque pignora matres.   . . .   8.405
cum tibi sacrato Macedon seruetur in antro
/... /litora Pompeium feriunt,   8.694
sacratis totum spargenda per orbem /
membra uiri posuere adytis;   . . 10.22
SACRUM. et uos barbaricos ritus moremque
sinistrum /sacrorum, Dryadae, positis
repetistis ab armis. 1.451
pontifices, sacri quibus est permissa
potestas. 1.595
inpatiensque diu non grati uictima sacri,
1.611
palluit attonitus sacris feralibus Arruns
1.616
nec enim tibi, summe, litaui,/Iuppiter,
hoc sacrum, ...   1.633
foedera sola tamen uanaque carentia
pompa /iura placent sacrisque deos
admittere testes. 2.353
Cappadoces mea signa timent et dedita
sacris 2.592
hunc ... /Siluani Nymphaeque tenent,sed
barbara ritu /sacra deum;   . . .   3.404
Iliacae numen quod praesidet Albae,/
haud meritum Latio sollemnia sacra
subacto, /uidit flammifera confectas
nocte Latinas. 5.401
nouerat et tristis sacris feralibus aras,
6.432
[nec refugit caedes, uiuum si sacra
cruorem] 6.556
montisque caui, quem tristis Erictho /
damnarat sacris, alta sub rupe locatur.
6.641
nullaque funestis inuenta est uictima
sacris. 7.167
quid ... / auersosque polos alienaque
sidera quaeris,/Chaldaeos culture focos et
barbara sacra /Parthorum famulus?   8.338
(hunc genuit custos Nili crescentis in arua
/Memphis uana sacris; 8.478
quis sacris dignam mouisse uerebitur
umbram? 8.841
discussa iacebant /saxa nec ullius
faciem seruantia sacri: 9.978
'o sacris deuote senex, ... / ... Phariae
primordia gentis /... edissere   10.176
si Cecropium sua sacra Platona /maiores
docuere tui, quis dignior umquam /hoc
fuit auditu 10.181
SADALA. tum Sadalam fortemque Cotyn fidumque
per arma /Deiotarum ... /conlaudant,
5.54
SAECULUM. saecula tot mundi suprema coegerit
hora 1.73
saecula iussa ferentem /fatorum inmoto

SAECULUM
    diuisit limite mundum, ... 2.10
    degener o populus, uix saecula longa
    decorum /sic meruisse uiris, 2.116
    magnum nunc saecula nostra /uenturi
    discrimen habent. 4.191
    perdita tunc urbi nocuerunt saecula, 4.816
    non ullo saecula dono /nostra carent
    maiore deum, quam Delphica sedes 5.111
    quod non exhaustae per tot iam saecula
    rupis /spiritus ingessit uati; 5.164
    miserumque premunt tot saecula pectus,
    5.178
    menstruus in fastos distinguit saecula
    consul. 5.399
    sic rector Olympi /cuspide fraterna
    lassatum in saecula fulmen /adiuuit, 5.621
    et rector terrae, quem longa in saecula
    torquet / mors dilata deum;... /exaudite
    preces. 6.697
    haec ... / siue sua tantum uenient in
    saecula fama /... /spesque metusque ...
    mouebunt, 7.208
    cum caeco rapiantur saecula casu, /
    mentimur regnare Iouem. 7.446
    extremum tanti generis per saecula nomen,
    /ne rue per medios nimium temerarius
    hostis, 7.589
    maius ab hac acie quam quod sua saecula
    ferrent /uolnus habent populi; 7.638
    habes aditum mansurae in saecula famae.
    8.74
    fac, Magne, locum, quem cuncta reuisant
    /saecula, ... 8.115
    nunc Parthia ruptis /excedat claustris
    uetitam per saecula ripam . . . 8.236
    qua posteritas in saecula mittet /
    Septimium fama? 8.608
    'saecula Romanos numquam tacitura labores
    /attendunt, ... 8.622
    si saecula prima /uictoris timuere minas,
    nunc excipe saltem /ossa tui Magni, 8.837
    fabula pro uera decepit saecula causa.
    9.623
    explicuitque suos ... Cleopatra ... /
    nondum translatos Romana in saecula luxus.
    10.110
    nihil est quod noscere malim /quam fluuii
    causas per saecula tanta latentis 10.190
    quasdam ... aquas post mundi sera peracti
    /saecula concussis terrarum erumpere uenis
    / ... reor, ... 10.264
    potuit discrimine summo /Caesaris una
    dies in famam et saecula mitti. 10.533
SAEPE. mors ipsa refugit /saepe uirum, 2.76
    tot simul infesto iuuenes occumbere leto
    /saepe fames pelagique furor subitaeque
    ruinae 2.199
    saepe Noto plenae tensisque rudentibus
    actae /... rates 2.683
    iam fama ferebat /saepe cauas motu terrae
    mugire cauernas, 3.418
    saepe cadens longae senior per transtra
    carinae /peruenit ad puppim . . 3.731
    coniunx saepe sui confusis uoltibus unda
    /credidit ora uiri Romanum amplexa
    cadauer, ... 3.758
    huc fractas Aquilone rates summersaque
    pontus /corpora saepe tulit caecisque
    abscondit in antris; 4.458
    saepe dedit sedem totas mutantibus urbes,
    /ut Tyriis, ... 5.107

    illum saepe minis Caesar precibusque
    morantem /euocat. 5.480
    somno quam saepe grauata /deceptis uacuum
    manibus conplexa cubile est 5.808
    et fit saepe nefas iaculum temptante
    lacerto. 6.79
    saepe etiam caris cognato in funere dira
    / Thessalis incubuit membris 6.564
    si pectora plena /saepe deo laui calido
    prosecta cerebro, /... parete precanti.
    6.709
    caedunt ... / ... rerum /saepe duces
    summosque hominum te, Magne, remoto. 7.585
    saepe super uoltus uictoris et inpia
    signa /aut cruor aut alto defluxit ab
    aethere tabes 7.838
    saepe labor maestus curarum odiumque
    futuri /proiecit fessos incerti pectoris
    aestus, ... 8.165
    Tarpeis qui saepe deis sua tura negarunt
    /... uenerantur ... fulmen. . . 8.863
    tum magis inpactis breuius mare terraque
    saepe /obuia consurgens: 9.338
    saepe tamen cumulos fluctus non uincit
    harenae. 9.340
    saepe querentes /'reddite, di' clamant
    'miseris quae fugimus arma, . . 9.847
    saepe quidem pestis nigris inserta
    medullis /excantata fugit; . . . 9.930
SAEPIO,-ERE. sic undique saepta iuuentus /
    comminus obliquis et rectis eminus hastis
    /obruitur, ... 4.773
    ut primum uasto saeptas uidet aggere
    terras, ... 6.69
    ac tantum saepti uallo sibi uindicat
    agri, ... 6.73
SAEPTA. spectate ... /Saeptorumque nefas et
    clausi proelia Campi. 7.306
SAEUITIA. quod cladis genus, o superi, qua
    peste paratis /saeuitiam? . . . 1.650
    uidimus et toto quamuis in corpore
    caeso /nil animae letale datum, moremque
    nefandae /dirum saeuitiae, pereuntis
    parcere morti. 2.180
    saeuitia est uoluisse mori. . . 5.687
    non ulli plus regia, Magne, uacabit /
    saeuitia stimulata Venus titulisque
    uirorum; 8.413
SAEUUS,-A,-UM. caelumque suo seruire
    Tonanti /non nisi saeuorum potuit post
    bella gigantum, ... 1.36
    sic, ubi saeua /arma ducum dirimens
    miserando funere Crassus 1.103
    abstulit ad manes Parcarum Iulia saeua
    /intercepta manu. 1.113
    mox, ubi se saeuae stimulauit uerbere
    caudae 1.208
    barbaricas saeui discurrere Caesaris
    alas; 1.476
    flebile saeui latrauere canes. 1.548
    quos sectis Bellona lacertis / saeua mouet,
    1.566
    inpulit aut saeui contorsit tela
    Lycurgi /Eumenis, ... 1.575
    si saeuum radiis Nemeaeum, Phoebe, Leonem
    /nunc premeres, ... 1.655
    nec mater crine soluto /exigit ad saeuos
    famularum bracchia planctus, . 2.24
    effundunt iustas in numina saeua
    querellas. 2.44
    saeue parens, utrasque simul partesque

ducesque, /dum nondum meruere, feri. 2.59
conflato saeuas ergastula ferro /exeruere
manus. 2.95
corripuit, quantoque gradu mors saeua
cucurrit! 2.100
saeua tribunicio maduerunt robora tabo.
2.125
uix erit ulla fides tam saeui criminis,
unum /tot poenas cepisse caput. 2.186
ad iuga cur faciles populi, cur saeua
uolentes /regna pati pereunt? 2.314
ardent Hesperii saeuis populatibus agri,
2.534
Crassumque in bella secutae /saeua
tribuniciae uouerunt proelia dirae.
3.127
saeuos circumspicit enses /oblitus
simulare togam; 3.142
hinc Lacedaemonii, moto gens aspera
freno, / Heniochi saeuisque adfinis
Sarmata Moschis; 3.270
discreuit mors saeua uiros, . . 3.605
saeuus conplectitur hostem /hostis, 3.694
'non perdam tempora' dixit /'a saeuis
permissa deis, iugulumque senilem /
confodiam. 3.743
Martem saeuus agit non multa caede
nocentem 4.2
iamque comes semper magnorum prima malorum
/saeua fames aderat, ... 4.94
classica det bello, saeuos tu neclege
cantus; 4.186
ob ferrum et saeuis libertas uritur armis,
4.578
numquam saeuae sperare nouercae /plus
licuit: 4.637
saeuum in populos puer accipis ensem,
5.61
uult omnia certe / a se saeua peti,
uult praemia Martis amari; . . . 5.308
saeue, quid insequeris? 5.315
tremuit saeua sub uoce minantis / uolgus
iners, ... 5.364
uicit patientia saeui /spem ducis, 5.369
iam dudum nubes et saeuas perdimus undas.'
5.423
saeua quies pelagi, maestoque ignaua
profundo /stagna iacentis aquae; 5.442
tum rector trepidae fatur ratis 'aspice
saeuum /quanta paret pelagus: . . 5.568
uentorum saeuo dabitur mora: . . 5.587
tibi causa petendae /haec fuit Hesperiae,
uisum est quod mittere quemquam /tam saeuo
crudele mari. 5.692
sed nox saeua modum uenti uelique tenorem
/eripuit nautis 5.709
Lesboque remota /te procul a saeui
strepitu, Cornelia, belli . . . 5.726
fulminibus me, saeue, iubes tantaeque
ruinae /absentem praestare caput? 5.770
portusque reliquit /Hesperios, saeui
premerent cum Caesaris arma. . . 5.803
extruitur quod non aries inpellere saeuus,
/... queat 6.36
sed patitur saeuam,...arta/...famem. 6.108
Pannonis haud aliter post ictum saeuior
ursa,/.../se rotat in uolnus . . 6.220
ille supernis /detestanda deis saeuorum
arcana magorum / nouerat 6.431
uanum saeuumque furorem /adiuuat ipse
locus 6.434

et quotiens saeuis opus est ac fortibus
umbris /ipsa facit manes. . . . 6.560
ianitor et sedis laxae, qui uiscera
saeuo /spargis nostra cani,... /
exaudite preces. 6.702
non agitis saeuis Erebi per iane flagellis
/infelicem animam? 6.731
pacificas saeuos tremuit Catilina securis,
7.64
Stygii quae numina regni /... /inpia
tam saeue gesturus bella litasti?) 7.171
uincat quicumque necesse /non putat in
uictos saeuum destringere ferrum 7.313
hac luce cruenta /effectum,... / quod
semper saeuas debet tibi Parthia poenas,
7.431
leuis armatura ... /insequitur saeuasque
manus inmittit in hostem: . . . 7.509
quacumque uagatur,/... ueluti ... /
Bistonas aut Mauors agitans si uerbere
saeuo /... stimulet ... currus /nox
ingens scelerum est; 7.569
te, saeuo Marte subactum, /Pompeio ...
poenas ... daturum,/... sperare licet.'
7.613
gemitus lacrimaeque secuntur /plurimaque
in saeuos populi conuicia diuos. 7.725
inuigilat cunctis saeuum scelus, 7.766
saeui cum Caesaris iram /iam scirem
meritam ... Lesbon,/non ueritus tantam
ueniae committere uobis /materiam. 8.134
o utinam non tanta mihi fiducia saeuis /
esset in Arsacidis! 8.306
iuuat ire per orbem /ducentem saeuas
Romana in moenia gentes 8.357
facere omnia saeue /non inpune licet,
nisi cum facis. 8.492
semper metuet quem saeua pudebunt. 8.495
at non tam patiens Cornelia cernere
saeuum, /quam perferre, nefas 8.637
o saeui, properantem in fata tenetis?
8.658
nam saeuus in ipso /Septimius sceleris
maius scelus inuenit actu, . . . 8.667
cladesque omnis exegit in uno /saeua die
quibus inmunes tot praestitit annos, 8.704
ne fera, ne uolucres, ne saeui Caesaris
ira /audeat, exiguam ... accipe flammam
8.765
quid tibi, saeua, precer pro tanto
crimine, tellus? 8.827
tu quoque, cum saeuo dederis iam templa
tyranno, /nondum Pompei cineres ...
petisti; 8.835
saeuas meritum Phycunta rapinas /sparsit,
9.40
saeuumque arte conplexa dolorem /
perfruitur lacrimis 9.111
dixerat, et classem saeuus rapiebat in
undas; 9.165
non Armenium mihi saeua minatur /aut
Scythicum fortuna iugum: 9.237
ut neque sole uiam nec duro frigore saeuam
/inde polo Libyes, hinc bruma temperet
annus. 9.376
hoc primum natura nocens in corpore
saeuas /eduxit pestes; 9.629
saeuum sed membra uenenum /decoquit, 9.775
ecce, procul saeuos sterili se robore
trunci /torsit ... serpens . . . 9.822
ille minax nodis et recto uerbere saeuos

SAEUUS

/teste tulit caelo uicti decus Orionis.
9.835

gens unica terras /incolit a saeuo
serpentum innoxia morsu, ... 9.892
quanta dedit miseris melioris gaudia
terrae /cum primum saeuos contra uidere
leones! 9.947
fertur securus in urbem /pignore tam saeui
sceleris sua signa secutam. . . . 10.10
et sumus, ut fatear, tam saeua iudice
sontes: 10.368
temere omnia saeui /instrumenta rapit
belli. 10.401
missusque satelles /regius, ut saeuos
absentis uoce tyranni /corriperet famulos,
10.469

SAGAX,-ACIS. tecta domosque /deseruere ...
quidquid nare sagaci /aera non sanum
motumque cadauere sentit. . . . 7.829

SAGITTA. ocior et missa Parthi post terga
sagitta, ... 1.230
docta nec Eois peior Gortyna sagittis;
3.186
tinxere sagittas / errantes Scythiae
populi, ... 3.266
nox tum Thessalicas urguebat parua
sagittas. 4.528
Marmaridae uolucres, aequaturusque
sagitta 4.680
ultor ibi expulsae, premeret cum uiscera
partus, /matris adhuc rudibus Paean
Pythona sagittis /explicuit, . . 5.80
quid nunc, uaesani, iaculis leuibusue
sagittis /perditis ... ictus? . 6.196
tot facta sagittis, /... unam non explent
uolnera mortem. 6.212
uincula rumpit /adfixam uellens oculo
pendente sagittam /intrepidus, . 6.218
pretioque nefandae /lampados Herculeis
fortis Meliboea pharetris (sagittis)
var.6.354
teque, per amnem /inprobe Lernaeas uector
passure sagittas, ... 6.392
cura fuit lectis pharetras inplere
sagittis, ... 7.142
Ityraeis cursus fuit inde sagittis, 7.230
inde sagittae, /inde faces et saxa uolant
7.511
Medique Arabesque.../arcu turba minax,
nusquam rexere sagittas, ... 7.515
et a nulla mors est incerta sagitta. 8.297
Parthoque sequenti / murus erit
quodcumque potest opstare sagittae. 8.379
non tibi,... / umbra senis maesti
Scythicis confixa sagittis /ingeret has
uoces? 8.432

SAGUNTUM. nec pauet hic populus pro libertate
subire /obsessum Poeno gessit quae Marte
Saguntum. 3.350

SAITAE. toxica fatilegi carpunt matura Saitae.
9.821

SAL. non soliti lusere sales, . . . 2.368
rumor ab Oceano,... /... erumpere Nilum
/aequoreosque sales longo mitescere
tractu. 10.257

SALAMINIACUM MARE. ut Salaminiacum meminit
mare; 5.109

SALAMIS. tresque petunt ueram credi Salamina
carinae. 3.183

SALAPINA PALUS. iubet ... /et cunctas reuocare
rates ... / quas recipit Salpina

SALUS

(Salapina) palus var.5.377

SALERNUM. delabitur inde /... Liris per
regna Maricae /Vestinis inpulsus aquis
radensque Salerni /tesca Siler 2.425

SALIUA. nam primum tacta designat membra
saliua, ... 9.925

SALIUS. et Salius laeto portans ancilia collo
1.603

SALIX. primum cana salix madefacto uimine
paruam /texitur in puppem 4.131

SALONAE. qua maris Hadriaci longas ferit unda
Salonas 4.404

SALPINUS,-A,-UM. quas recipit Salpina palus
et subdita Sipus /montibus, . . 5.377

SALPUGA. quis calcare tuas metuat, salpuga,
latebras? 9.837

SALTEM. ille tuus saltem doceat descendere
Sulla. 1.335
his saltem longi non cum duce praemia
belli /reddantur; 1.341
spes saltem trepidas mentes leuet, 1.523
quam retinere uetas, liceat sibi perdere
saltem /Italiam. 2.700
non ira saltem, iuuenes, pietate remota
/stabitis? 6.155
nunc excipe saltem /ossa tui Magni, 8.838
durae saltem uirtutis amator /quaere quid
est uirtus 9.562

SALTUS(=actus saliendi). tamen alta sub
aequora tendit /praecipiti saltu: 3.750
non segnior extulit illum / saltus et
in medias iecit super arma cateruas, 6.182
aut mihi praecipitem, nautae, permittite
saltum, ... 8.654

SALTUS(=nemus). quoslibet in saltus
comitantibus agmina tauris /inuito pastore
trahit, ... 2.606
amplexus fines saltus nemorosaque tesqua
/... feras indagine claudit. . . 6.41
terraeque secutus / deuia, qua uastos
aperit Candauia saltus, / contigit
Emathiam, ... 6.331

SALUBER. nam mitis in alto /Iuppiter occasu
premitur, Venerisque salubre /sidus hebet,
1.661

SALUM. discussere salo spatiumque dedere
carinis 2.685

SALUS. eualuit reuocare parens coniunxue
maritum /fletibus, aut patrii, dubiae dum
uota salutis /conciperent, tenuere lares;
1.506
spes una salutis /oscula pollutae
fixisse trementia dextrae. . . . 2.113
hisne his salus rerum, felix his Sulla
uocari, /... meruit 2.221
o rerum mixtique salus Concordia mundi
4.190
numquam nostra salus pretium mercesque
nefandae /proditionis erit: . . 4.220
sollicitas reges, cum forsan foedere
nostro/iam tibi sit promissa salus.' 4.235
at nunc causa mihi est orandae sola
salutis /dignum donanda, Caesar, te
credere uita. 4.346
ille salutis /est auctor, dux ille fuit.
4.399
promittant ueniam, iubeant sperare
salutem, ... 4.510
se premet, ut uestrae morti uestraeque
saluti /fata uacent: 5.341
desperare uiam et uetitos conuertere

SALUS

    cursus / sola salus. 5.575
    cum iam non poterit puppi nostraeque
    saluti /altera terra dari. . . .   5.590
    nox manes mixtura deis: spes una salutis,
                                        5.636
    cum tot in hac anima populorum uita
    salusque, /pendeat 5.685
    plus est quam uita salusque /quod perit:
                                        7.639
    toto solus in orbe est / qui uelit ac
    possit uictis praestare salutem.   9.247
    'o quibus una salus placuit mea castra
    secutis /indomita ceruice mori,   9.379
    at, qui sponsore salutis /miles eget ...
    uadat /ad dominum meliore uia.   9.392
    ingens meritum maiusque salute /contulit,
    in letum uires; 9.885
    nec solum gens illa sua contenta salute /
    excubat hospitibus, ... 9.909
    unica belli / praemia ciuilis, uictis
    donare salutem, / perdidimus. . . 9.1067
    uia nulla salutis,/non fuga, non uirtus.
                                       10.538
SALUTO,-ARE. tantum nutu motoque salutant /
    ense suos. 4.173
    transire parantem / Romanus Pharia miles
    de puppe salutat 8.596
SALUUS,-A,-UM. imperii salua si maiestate
    liceret, /uoluerer ante pedes. . . 7.378
    uictus totiens a Caesare salua / libertate
    perit: 7.602
    non gemitus, non fletus erat, saluaque
    uerendus /maiestate dolor, ... 7.680
    salua /libertate potens,... /... erat.
                                        9.192
SAMNIS. Romanaque Samnis /ultra Caudinas
    sperauit uolnera Furcas! 2.137
SAMOS. spumantia paruae / radit saxa Sami;
                                        8.246
SANCIO,-ERE. pulsatae sonuere fores, quas
    sancta relicto /Hortensi maerens inrupit
    Marcia busto. 2.327
    ille nec horrificam sancto dimouit ab ore
    /caesariem 2.372
    nec sancto caruisset uita Catone. 6.311
    ipsi /Romanas sancire uolent hoc sanguine
    leges. 7.351
    et scelerum uindex in sancto pectore Bruti
    /sedit 9.17
    cui crediderim superos arcana daturos /
    dicturosque magis, quam sancto, uera,
    Catoni? 9.555
    sed neque ius mundi ualuit nec foedera
    sancta /gentibus,... /quin caderet ferro.
                                       10.471
SANGUINEUS,-A,-UM. atra Charybdis / sanguineum
    fundo torsit mare; 1.548
    crinemque rotantes / sanguineum populis
    ululuarunt tristia Galli. 1.567
    siccaque sanguineis durescit spuma lupatis.
                                        4.758
    quacumque uagatur,/sanguineum ueluti
    quatiens Bellona flagellum /... nox ingens
    scelerum est; 7.568
    omnisque cruenta /alite sanguineis
    stillauit roribus arbor. 7.837
SANGUIS. parari /hoc quem ciuiles hauserunt
    sanguine dextrae, ... 1.14
    inpleat et Poeni saturentur sanguine
    manes, ...   1.39
    fraterno primi maduerunt sanguine muri.

SANGUIS
                                        1.95
    Assyrias Latio maculauit sanguine Carrhas,
                                        1.105
    pignora iuncti /sanguinis et diro ferales
    omine taedas /abstulit ... Iulia   1.112
    nullus semel ore receptus /pollutas
    patitur sanguis mansuescere fauces. 1.332
    dum mouet haec calidus spirantia corpora
    sanguis 1.363
    ausi Latio se fingere fratres /sanguine
    ab Iliaco populi, ... 1.428
    caesi pollutus foedere (sanguine)
    Cottae, ...   var.1.429
    et quibus inmitis placatur sanguine diro
    /Teutates 1.444
    diffusum rutilo dirum pro sanguine uirus.
                                        1.615
    plurimus asperso uariabat sanguine liuor.
                                        1.620
    frustraque hosti concessa potestas /
    sanguinis inuisi, primo qui caedis in
    actu /deriguit ferrumque manu torpente
    remisit. 2.77
    paruom set fessa senectus / sanguinis
    effudit iugulo flammisque pepercit. 2.129
    ille quod exiguum restabat sanguinis
    urbi /hausit; 2.140
    nati maduere paterno /sanguine, certatum
    est cui ceruix caesa parentis   2.150
    hic robora busti /exstruit ipse sui
    necdum omni sanguine fuso /desilit in
    flammas 2.158
    quid sanguine manes, /placatos Catuli
    referam? 2.173
    iam sanguinis alti /uis sibi fecit iter
                                        2.214
    tandem Tyrrhenas uix eluctatus in undas
    /sanguine caeruleum torrenti diuidit
    aequor. 2.220
    inmites Romana piacula diui /plena ferant,
    nullo fraudemus sanguine bellum.   2.305
    hic redimat sanguis populos, hac caede
    luatur 2.312
    alios fecunda penates /inpletura datur
    geminas et sanguine matris /permixtura
    domos; 2.332
    'dum sanguis inerat, dum uis materna,
    peregi /iussa, ...   2.338
    Caesar in arma furens nullas nisi sanguine
    fuso /gaudet habere uias, ... 2.439
    donauit socero Romani sanguinis usum.
                                        2.477
    iam tetigit sanguis pollutos Caesaris
    enses. 2.536
    feruidus haec iterum circa praecordia
    sanguis /incaluit; 2.557
    hic primum rubuit ciuili sanguine Nereus,
                                        2.713
    Romanaque tellus /inmaculata sui seruetur
    sanguine Magni. 2.736
    nullasque feres nisi sanguine sacro /
    sparsas, raptor, opes. 3.124
    totos cum sanguine dissipat artus. 3.473
    spumat, et obducti concreto sanguine
    fluctus. 3.573
    hauseruntque suo permixtum sanguine
    pontum; 3.577
    et stetit incertus, flueret quo uolnere,
    sanguis, ...   3.589
    membraque contendit toto, quicumque
    manebat, / sanguine 3.625

SANGUIS

scinditur auolsus, nec, sicut uolnere,
sanguis / emicuit lentus: 3.638
eiectat saniem permixtus uiscere sanguis.
3.658
sanguis et, hostilem cum torserit, exeat,
hastam. 3.679
excipit haec iuuenis generosi sanguinis
Argus 3.723
nondum destituit calidus tua uolnera
sanguis, ... 3.746
et quamuis nullo maculatus sanguine miles
4.181
et multo disturbat sanguine pacem.   4.210
quique fluat multo non derit uolnere
sanguis, ... 4.216
admonitaeque tument gustato sanguine
fauces; 4.241
non ullo constet mihi sanguine bellum.
4.274
incumbet gladiis, gaudebit sanguine fuso.
4.278
postquam sicca rigens astrinxit uolnera
sanguis. 4.291
sordidus exhausto sorbetur ab ubere
sanguis. 4.315
cognato tantos inplerunt sanguine sulcos,
4.554
calido conplentur sanguine uenae,   4.630
iuuentus /.../obruitur, non uolneribus
nec sanguine solum, /telorum nimbo
peritura et pondere ferri. . . . 4.775
et cernere tantas /permisit clades
conpressus sanguine puluis, . . . 4.795
has urbi miserae uestro de sanguine poenas
/ferre datis, ... 4.805
'indole si dignum Latia, si sanguine
prisco /robur inest animis, . . . 5.17
et tot in Hesperio conlapsas sanguine
gentis / cur aperire times? . . . 5.202
per tot bella manus satiatae sanguine
tandem /destituere ducem, ... 5.243
hos ante pigebit /sanguinis? . . . 5.312
uos despecta senes exhaustaque sanguine
turba /cernetis nostros iam plebs Romana
triumphos. 5.333
socer post pignora tanta,/sanguinis
infausti subolem mortemque nepotum, /
te... propius non uidit harena.   5.474
hic alitur sanguis terras fluxurus in
omnis, ... 6.61
ibi sanguine multo /promotus Latiam longo
gerit ordine uitem, ... 6.145
non paruo sanguine Magni /iste dies ierit.
6.157
iamque hebes et crasso non asper sanguine
mucro /... /perdidit ensis opus,   6.186
maiora uiris e sanguine paruo /gaudia
non faceret conspectum in Caesare uolnus.
6.226
nam sanguine fuso /uires pugna dabat.
6.250
non ... / ... infando pollutus sanguine
Nilus /nobilius /Phario gestasset rege
cadauer, ... 6.307
Poenorumque umbras placasset sanguine
fuso / Scipio, ... 6.310
et Meleagream maculatus sanguine Nessi /
Euhenos Calydona secat. 6.365
nec cessant a caede manus, si sanguine
uiuo /est opus, ... 6.554
tot mortes habitura suas usuraque mundi /

SANGUIS
6.584
sanguine: . . . .
pectora tum primum feruenti sanguine
supplet 6.667
quid mundi gladios a sanguine Caesaris
arces? 7.81
ciuilia bella /gesturi metuunt ne non cum
sanguine uincant. 7.96
sanguine Romano quam turbidus ibit
Enipeus! 7.116
multis ... uisus ... / ire per Ossaeam
rapidus Boebeida sanguis; . . . 7.176
mirantur ... / defunctosque patres et
iuncti sanguinis umbras /ante oculos
uolitare suos. 7.179
eripe uictori gentis et sanguine mundi /
fuso, Magne, semel totos consume
triumphos. 7.233
nec sanguine multo /spem mundi petitis:.
7.269
emptum minimo uolt sanguine quisquam /
barbarus Hesperiis Magnum praeponere
rebus? 7.282
quanto satiauit sanguine ferrum!   7.317
ipsi /Romanas sancire uolent hoc sanguine
leges. 7.351
gelidusque in uiscera sanguis /percussa
pietate coit, ... 7.467
primaque Thessaliam Romano sanguine
tinxit. 7.473
calet omne (inde) nocens a Caesare
(sanguine) ferrum. var.7.503
non alio mutentur sanguine fontes; 7.537
si Romano conpleri sanguine mauis, /
istis parce precor; 7.539
inspicit et gladios, qui toti sanguine
manent, ... 7.560
uiderat in crasso uersantem sanguine
membra /Caesar, ... 7.605
sanguis ibi fluxit Achaeus, /Ponticus,
Assyrius; 7.635
ac se tam multo pereuntem sanguine uidit.
7.653
respice, turbatos incursu sanguinis
amnes, ... 7.700
Caesar, ut Hesperio uidit satis arua
natare /sanguine, parcendum ferro
manibusque suorum /iam ratus   7.729
'uictoria nobis /plena, uiri:'dixit
'superest pro sanguine merces,   7.738
fortunam superosque suos in sanguine
cernit. 7.796
scelerique secundo /praestabis nondum
siccos hoc sanguine campos. . . 7.854
nondum uile sui pretium scit sanguinis
esse, ... 8.9
coeperat in summum reuocato sanguine
corpus /Pompei sentire manus . . 8.68
multusque·in pectore uano est / Hannibal,
obliquo maculat qui sanguine regnum 8.286
uolnera parua nocent fatumque in sanguine
summo est. 8.305
nec tota in pugna perfusus sanguine
membra /exiget aestiuum ... solem. 8.375
Parthorum dominus quotiens sic sanguine
mixto /nascitur Arsacides! . . . 8.408
et metuit gentes quas uno in sanguine
mixtas /deseruit, ... 8.508
sed me nec sanguis nec tantum uolnera
nostri /adfecere senis, quantum gestata
per urbem /ora ducis, ... 9.136
ite, duces, mecum ... / sanguine semiuiri

Magnum satiare tyranni. 9.152
potuit uestro Pompeius abuti /sanguine:
9.264
quis tantum meruit populorum sanguine
nomen? 9.597
noxia serpentum est admixto sanguine
pestis; 9.614
uirus stillantis tabe Medusae /concipiunt
dirosque fero de sanguine rores, 9.698
plenior huc sanguis et crassi gutta ueneni
/decidit; 9.702
signiferum iuuenem Tyrrheni sanguinis
Aulum /... dipsas calcata momordit. 9.737
omnia membra /emisere simul rutilum pro
sanguine uirus. 9.810
sanguis erant lacrimae; 9.811
fiducia tanta est /sanguinis, 9.899
hoc tecum percussum est sanguine foedus.
9.1021
Magne, tui socerum rapuere a sanguine
manes, ... 10.7
ignotos miscuit amnes /Persarum Euphraten,
Indorum sanguine Gangen, ... 10.33
sanguine Thessalicae cladis perfusus
adulter /admisit Venerem curis, 10.74
discolor hos sanguis, alios distinxerat
aetas; 10.128
pars sanguinis usti /torta caput
refugosque.gerens a fronte capillos;
10.131
dignatur uiles isto quoque sanguine
dextras 10.338
perque ictum sanguine Magni /foedus, ades;
10.371
non sanguine clari /... nec opes populorum
et regna mouemus; 10.382
et nisi fata manus a sanguine Caesaris
arcent /hae uincent partes. . . 10.420
uincendus tum Caesar erat sed sanguine
nullo. 10.541
SANIES. cor iacet, et saniem per hiantis
uiscera rimas /emittunt, ... 1.624
eiectat saniem permixtus uiscere sanguis.
3.658
hos licet in fluuios saniem tabemque
ferarum, /... / infundas 4.321
obliquusque caput uanas serpentis in
auras /effusae tuto conprendit guttura
morsu /letiferam citra saniem; 4.728
mens hausti nulla sanie polluta ueneni /
excantata perit. 6.457
nigramque per artus / stillantis tabi
saniem uirusque coactum /sustulit 6.548
membra natant sanie, surae fluxere, 9.770
parua loquor, corpus sanie stillasse
perustum: 9.783
super omnia membra /efflatur sanies late
pollente ueneno; 9.795
SANTONUS. signa mouet, gaudetque amoto
Santonus hoste 1.422
SANUS,-A,-UM. militis indomiti tantum mens
sana timetur. 5.309
tecta domosque /deseruere ... quidquid
nare sagaci /aera non sanum motumque
cadauere sentit. 7.830
SAPIS. cecidere ... /Crustumiumque rapax et
iuncto Sapis Isauro 2.406
SARDOUS,-A,-UM. bellaque Sardoas etiam
sparguntur in oras. 3.64
SARISA. primi Pellaeas arcu fregere
sarisas 8.298

pro pudor, Eoi propius timuere sarisas
/quam nunc pila timent populi. 10.47
SARMATA. et qui te laxis imitantur, Sarmata,
bracis /Vangiones, ... 1.430
nunc furor incubuit nec iuncto Sarmata
uelox /Pannonio Dacisque Getes admixtus:
3.94
hinc Lacedaemonii, moto gens aspera
freno, /Heniochi saeuisque adfinis Sarmata
Moschis; 3.270
SARMATICUS,-A,-UM. et barbara Cone, /
Sarmaticas ubi perdit aquas sparsamque
profundo 3.201
longaque Sarmatici soluens ieiunia belli
3.282
hac luce cruenta /effectum, ut ... non ...
/.../Sarmaticumque premat succinctus
consul aratrum, ... 7.430
Parthus ... /Sarmaticos inter campos
effusaque plano /Tigridis arua solo,
nulli superabilis hosti est . . 8.369
SARNUS. delabitur inde /... /Sarnus et
umbrosae Liris per regna Maricae 2.424
SASINA. utque secaret / quas Asinae (Sasinae)
cautes ... asperat undas /hos dedit in
proram, tenet hos in puppe rudentes.
var.8.195
SASON. spumoso Calaber perfunditur aequore
Sason. 2.627
non humilem Sasona uadis [non litora
curuae /Thessaliae saxosa pauent] ...
nautae/ ... timent. 5.650
SAT. farique sat est arcana futuri /carmina
5.137
licet ingentis abruperit actus /festinata
dies fatis, sat magna peregi. 5.660
sat magna feram solacia mortis /orbe
iacens alio, ... 8.314
inuia temptent,/... /signibus ire sat
est. 9.388
sat fuit indignum, Caesar, mundoque
tibique 10.102
SATELLES. arma satelles /regia gestabat posito
deformia pilo, ... 8.597
uindicat hoc Pharius, dextra gestare,
satelles. 8.675
sed dira satelles /regis dona ferens
medium prouectus in aequor . . . 9.1010
'aufer ab aspectu nostro funesta, satelles,
/regis dona tui. 9.1064
remoue funesta satellitis arma 10.98
tanta obliuio mentis /cepit ... corrupto
milite ... /ut duce sub famulo iussuque
satellitis irent 10.405
ciuilia bella satelles /mouit, 10.418
missusque satelles /regius, ut saeuos
absentis uoce tyranni /corriperet
famulos, ... 10.468
SATIO,-ARE. continuo per tot satiabunt tempora
regno? 1.315
per tot bella manus satiatae sanguine
tandem /destituere ducem, . . . 5.243
quanto satiauit sanguine ferrum! 7.317
sed meminit nondum satiata caedibus ira
/ciues esse suos. 7.802
ite, duces, mecum ... / sanguine
semiuiri Magnum satiare tyranni. 9.152
Caesar, ut Emathia satiatus clade
recessit, /cetera curarum proiecit pondera
9.950
SATIS. tu satis ad uires Romana in carmina

SATIS

    dandas. 1.66
    credidimus satis his, utendum est iudice
    bello.' 1.227
    utque satis trepidum turba coeunte
    tumultum /conposuit uoltu 1.297
    terruerant satis haec pauidam praesagia
    plebem, ... 1.673
    sed satis est iam posse mori. . . 2.109
    'non satis est muris latebras quaesisse
    pauori? 2.494
    iam satis hoc Graiae memorandum contigit
    urbi /aeternumque decus. 3.388
    utque satis caesi nemoris, quaesita per
    agros /plaustra ferunt, ... 3.450
    satis est populis fluuiusque Ceresque.
                                     4.381
    utque satis bello uisum est fluxisse
    cruoris. 4.539
    quid satis est, si Roma parum est? 5.274
    satis est audisse pericula Magni; 5.747
    si uos satis ore nefando /pollutoque
    uoco, ... /... parete precanti. 6.706
    Caesar, ut Hesperio uidit satis arua
    natare /sanguine, parcendum ferro
    manibusque suorum /iam ratus 7.728
    sed iam satis est fecisse nocentis: 8.137
    Phario satis esse tyranno /quod poterat,
    Romanus erat: 8.555
    nec satis infando fuit hoc uidisse
    tyranno: 8.687
    sit satis, o superi, quod non Cornelia
    fuso /crine iacet 8.739
    semusta rapit resolutaque nondum /ossa
    satis neruis 8.787
    satis o nimiumque beatus, /si mihi
    contingat manes transferre reuolsos /
    Ausoniam, ... 8.843
    an ... laudanda ... uelle / sit satis et
    numquam successu crescat honestum? 9.571
    hoc satis est dixisse Iouem.' 9.584
    dignaque satis mercede laborum /contentus
    par esse tibi. 9.1101
    nec satis hoc Fortuna putat. . . 10.525

SATUR,-A,-UM. diripiens miles saturum tamen
    obsidet hostem. 6.117

SATURNIUS. ut uidet ingenti Saturnia templa
    reuelli /mole, ... 3.115

SATURNUS(sidus). summo si frigida caelo /
    stella nocens nigros Saturni accenderet
    ignis, ... 1.652
    frigida Saturno glacies et zona niualis
    /cessit; 10.205

SATURO,-ARE. inpleat et Poeni saturentur
    sanguine manes, ... 1.39
    infando saturatas carmine frondis /...
    /addidit 6.682
    stridula sed multo saturantur tela ueneno;
                                      8.304
    fugit ora senatus,/ cuius Thessalicas
    saturat pars magna uolucres, . . 8.507

SAUCIUS,-A,-UM. saucia maiores animos ut
    pectora gestant, ... 4.285

SAXEUS,-A,-UM. saxeus ingenti quem pons
    amplectitur arcu 4.15
    attollunt campo geminae iuga saxea rupes
    /ualle caua media; 4.157

SAXIFICUS,-A,-UM. in quo saxificam iussit
    spectare Medusam. 9.670

SAXOSUS,-A,-UM. qua maris angustat fauces
    saxosa Carystos 5.232
    [non litora curuae / Thessaliae saxosa

                                                  SAXUM

    pauent] 5.651

SAXUM. saxa iacent nulloque domus custode
    tenentur 1.26
    his aries actus disperget saxa lacertis,
                                      1.384
    lubrica saxa madent. 2.104
    saxorumque orbes et quae super eminus
    hostem /tela petant altis murorum turribus
    aptant. 2.451
    qua siluae, qua saxa, fugit. . . 2.468
    portus erat, si non uiolentos insula
    Coros / exciperet saxis lassasque
    refunderet undas. 2.618
    omnia pontus /haurit saxa uorax montesque
    inmiscet harenis, ... 2.664
    saxis tantum uolucresque feraeque /
    sculptaque seruabant magicas animalia
    linguas.) 3.223
    Armeniusque tenens uoluentem saxa
    Niphaten. 3.245
    at saxum quotiens ingenti uerberis actu /
    excutitur, ... 3.469
    sed pondere solo /contenti nudis euoluunt
    saxa lacertis. 3.481
    temptat et inpositis unum subducere saxis,
                                       3.492
    nec solum siluas sed saxa ingentia
    soluit, ... 3.506
    fluxere niues, fractoque madescunt /
    saxa gelu. 4.85
    pallida Dictaeis, Caesar, nascentia
    saxis /infundas aconita palam, 4.322
    inpendent caua saxa mari, . . . 4.455
    testes,/praebebunt terrae, summis dabit
    insula saxis. 4.494
    super ardua ducit /saxa, super cautes,
    abrupto limite signa; 4.740
    saxa quatit pulsu rigidos uexantia frenos
                                       4.751
    undat apex, Campana fremens ceu saxa
    uaporat /conditus Inarimes aeterna mole
    Typhoeus. 5.100
    nec perfert pontum Boreas ad saxa, 5.605
    Aeolii iacuisse Notum sub carcere saxi
                                       5.609
    scruposisque angusta uacant ubi litora
    saxis 5.675
    ingentis cautes auolsaque saxa metallis
    /... transfert. 6.34
    Nesis /emittit Stygium nebulosis aera
    saxis 6.91
    caput obterit ossaque saxo . . . 6.176
    obruat aut uasti muralia pondera saxi,
                                       6.199
    Centauros / feta ... nubes effudit ... /
    aspera te Pholoes frangentem, Monyche,
    saxa, ... 6.388
    primus ab aequorea percussis cuspide
    saxis /Thessalicus sonipes,... /exiluit,
                                       6.396
    sensuraque saxa canentes / arcanum ferale
    magos. 6.439
    ast, ubi seruantur saxis, quibus intimus
    umor /ducitur,.../... tunc omnis auide
    desaeuit in artus 6.538
    nobis ... / aequoraque et campi
    Rhodopaeaque saxa loquentur. . . 6.618
    per scopulos miserum trahitur per saxa
    cadauer. 6.639
    defuit ... /non ... / quaeque sonant
    feta tepefacta sub alite saxa, 6.676

SAXUM

    abruptaque saxa /asperat 6.800
    tunc omnis lancea saxo /erigitur, 7.140
    Pindus agit fremitus Pangaeaque saxa
    resultant   7.482
    inde faces et saxa uolant spatioque
    solutae / aeris ... glandes; . . 7.512
    spumantia paruae /radit saxa Sami; 8.246
    interea paruo signemus litora saxo, 8.771
    ne leuis aura retectos /auferret cineres,
    saxo conpressit harenam. . . . 8.790
    obrue saxa /crimine plena deum. 8.799
    quem non tumuli uenerabile saxum / et
    cinis ... /auertet manesque tuos placare
    iubebit   8.855
    augustius aris /uictoris Libyco pulsatur
    in aequore saxum. 8.862
    quod si tam sacro dignaris nomine saxum
    /adde actus tantos 8.806
    ueniet felicior aetas /qua sit nulla
    fides saxum monstrantibus illud; 8.870
    saxa tulit penitus discussis proruta
    muris   9.490
    squalebant ... arua Medusae,/... /sed
    dominae uoltu conspectis aspera saxis.
              9.628
    nullum est sine nomine saxum. 9.973
    discussa iacebant / saxa nec ullius
    faciem seruantia sacri: 9.978

SCABER,-BRA,-BRUM. inuadunt ... / et scabros
    nigrae morsu robiginis enses. 1.243

SCAEUA. Scaeua uiro nomen: 6.144
    [percussum Scaeuae frangit, non uolnerat,
    hostem;] 6.187
    Gortynis harundo /tenditur in Scaeuam,
              6.215
    sit Scaeua relicti /Caesaris exemplum
    potius quam mortis honestae.' . . 6.234
    'soluat' ait 'poenas, Scaeuam quicumque
    subactum /sperauit. 6.241
    ne solum totae fugerent te, Scaeua,
    cateruae. 6.249
    exornantque deos ..../armis, Scaeua, tuis:
              6.257
    respexit in agmine denso /Scaeuam
    perpetuae meritum iam nomina famae 10.544

SCAEUOLA. te quoque neclectum uiolatae,
    Scaeuola, Vestae 2.126

SCANDO,-ERE. hunc ego per Syrtes ... triumphum
    /ducere maluerim, quam ter Capitolia
    curru / scandere Pompei, ... 9.600

SCELERATUS,-A,-UM. quemque suae rapiunt
    scelerata in proelia causae: 2.251
    non feret e nostro sceleratus praemia
    miles: 3.130
    famulas scelerata ad proelia dextras
    /excitat 4.207
    illic, quod populos scelerata inpegit
    in arma,/diuitias numerare datum est.6.406
    quem contra non longa uecta biremi /
    appulerat scelerata manus; . . 8.563
    'o coniunx, ego te scelerata peremi: 8.639
    huncine tu, Caesar, scelerato Marte
    petisti /qui tibi flendus erat? 9.1047

SCELUS. iusque datum sceleri canimus, 1.2
    scelera ipsa nefasque /hac mercede
    placent. 1.37
    et docilis Sullam scelerum uicisse
    magistrum. 1.326
    quis scelerum modus est? 1.334
    scelerique nefando/nomen erit uirtus,1.667
    prouentu scelerum quaerunt uter imperet

SCELUS

    urbi? 2.61
    consul et euersa felix moriturus in urbe
    /poenas ante dabat scelerum. . . 2.75
    uiderat .../terribilisque deos scelerum
    Mariumque futurum, ... 2.80
    nisi qui scelerum iam fecerat usum 2.97
    scelerum non Thracia tantum /uidit
    Bistonii stabulis pendere tyranni, 2.162
    ut scelus hoc Sullae caedesque ostensa
    placeret 2.192
    intrepidus tanti sedit securus ab alto/
    spectator sceleris: 2.208
    an placuit ducibus scelerum populique
    furentis /cladibus inmixtum ciuile
    absoluere bellum? 2.249
    quis nolet in isto /ense mori,quamuis
    alieno uolnere labens, /et scelus esse
    tuum? 2.266
    'o scelerum ultores melioraque signa
    secuti,   2.531
    tibi turba uerenda est /spectatrix
    scelerum: deserta stamus in urbe. 3.129
    nec sic horret iners scelerum contagia
    mundus 3.322
    finis adest scelerum, si non committitis
    ullis /arma quibus fas est. . . 3.328
    sit locus exceptus sceleri, . . 3.333
    piguit sceleris; 4.26
    nec te sponte tua sceleri parere fateris?
              4.184
    periere latebrae / tot scelerum, populo
    uenia est erepta nocenti: . . . 4.193
    hostes nempe meos sceleri iurata nefando
    / sacramenta tenent; 4.228
    sic fatur et omnis /concussit mentes
    scelerumque reduxit amorem. 4.236
    ac, uelut occultum pereat scelus, omnia
    monstra / in facie posuere ducum: 4.252
    ignaros scelerum longaque in pace quietos
    /bellorum primus sparsit furor: 5.35
    intra castrorum timuit tentoria ductor
    /perdere successus scelerum, 5.242
    et scelere inbutos etiamnunc uenditat
    enses. 5.248
    'liceat discedere, Caesar, /a rabie
    scelerum. 5.262
    nescimus cuius sceleris sit maxima merces?
              5.286
    liceat scelerum tibi ponere finem. 5.314
    ipse pauet ne tela sibi dextraeque
    negentur / ad scelus hoc Caesar: 5.369
    nil magis adsuetas sceleri quam perdere
    mentis / atque perire tenet. 5.371
    Caesaris ... mentem / ferre moras scelerum
    partes iussere relictae. 5.477
    semperque dolebit / quod scelerum,
    Caesar, prodest tibi summa tuorum, 6.304
    hos scelerum ritus, haec dirae crimina
    gentis /effera damnarat nimiae pietatis
    Erictho   6.507
    fidi scelerum suetique ministri /
    ... / conspexere procul praerupta in caute
    sedentem, ... 6.573
    hoc scelus haud umquam fatis haerere
    putauit, ... 7.35
    quis furor, o caeci, scelerum? 7.95
    quantum scelerum quantumque malorum /in
    populos lux ista feret! 7.114
    (at tu quos scelerum superos, quas rite
    uocasti /Eumenidas, Caesar? 7.168
    mentisque tumultum /atque omen scelerum

SCELUS

subitos putat esse furores.   7.184
ignoti iugulum tamquam scelus inputet
hostis. 7.325
sceleris sed crimine nullo /externum
maculant chalybem: 7.517
Caesar ... / nequa parte sui pereat
scelus, agmina circum /it uagus   7.558
quacumque uagatur /... / nox ingens
scelerum est; 7.571
'non te funesta scelerum mercede potitum
/ ... /aspiciens ... liber ad umbras /...
eo: 7.610
quae fossa, quis agger /sustineat pretium
belli scelerumque petentis? . .   7.750
quod legit diues summis Arimaspus harenis,
/ut rapiant, paruo scelus hoc uenisse
putabunt. 7.757
inuigilat cunctis saeuum scelus,   7.766
ac, ne laeta furens scelerum spectacula
perdat, /inuidet igne rogi miseris,   7.797
Thessalia ... quo tantum crimine /
laesisti superos, ut te ... /tot scelerum
fatis premerent? 7.849
scelerique secundo /praestabis nondum
siccos hoc sanguine campos. . . .   7.853
nam quaerere certum est,/fas quibus in
terris, ubi sit scelus. 8.142
damnat apud gentes sceleris non sponte
peracti /Oedipodionias infelix fabula
Thebas: 8.406
libertas scelerum est quae regna inuisa
tuetur 8.491
adsensere omnes sceleri. 8.536
sceleri delectus Achillas, /... exiguam
sociis ... carinam /instruit. . .   8.538
non ulli comitum sceleris praesagia
derant: 8.571
scelus hoc quo nomine dicent / qui Bruti
dixere nefas? 8.609
nam cui ius alii sceleris? 8.642
nam saeuus in ipso /Septimius sceleris
maius scelus inuenit actu, . . 8.668(bis)
uolt sceleris superesse fidem.   8.688
imperet hoc nobis utinam scelus et uelit
uti /nostro Roma sinu: 8.842
et scelerum uindex in sancto pectore
Bruti / sedit 9.17
haec fama est ... /... scelerisque fidem
quaesisse tyrannum. 9.140
o felix,... / et cui quaerendos Pharium
scelus obtulit enses. 9.209
Pompeio scelus est bellum ciuile perempto,
                                       9.248
ignauum scelus est tantum fuga.'   9.283
si scelus est, plus te nobis debere
fateris, ...   9.1031
plus te nobis debere fateris,/quod scelus
hoc non ipse facis.' 9.1032
utque fidem uidit sceleris tutumque
putauit /iam bonus esse socer, lacrimas
... /effudit 9.1037
peius de Caesare uestrum / quam de
Pompeio meruit scelus; 9.1066
fertur securus in urbem /pignore tam
saeui sceleris sua signa secutam.   10.10
non uaesana Pothini /mens ... uacabat /
a scelerum motu: 10.335
in scelus it Pharium Romani poena tyranni,
                                       10.343
aspice litus,/spem nostri sceleris;   10.379
ad scelus ingentis fati sumus.   10.384

SCINDO

quamquam quis talia facta /aestimat in
numero scelerum ponenda tuorum,   10.473
non ... /... gelido circumfluus orbis
Hibero /tantum ausus scelerum, non
Syrtis barbara,   10.477
SCEPTRIFER,-FERA,-FERUM. Libyamque iubent
auctore senatu /sceptrifero parere
Iubae.   5.57
SCEPTRUM. seu sceptra tenere /... iuuet, 1.47
hoc bellum sceptri fructum putat esse
retenti.   4.693
terrarum dominos et sceptra Eoa tenentis
/exul habet comites.   8.208
sceptra puer Ptolemaeus habet tibi
debita, Magne,   8.448
nil pudet adsuetos sceptris: . .   8.452
sceptrorum uis tota perit, si pendere
iusta /incipit, ...   8.489
neu nos sceptris priuauerit hospes /
pignora sunt propiora tibi: . .   8.498
quod nobis sceptra senatus /te suadente
dedit, uotis tua fouimus arma.   8.518
iam iure sine ullo /Nili sceptra tenes;
                                       8.559
si regia Magno / sceptrorum auctori uera
pietate pateret, /uenturum tota Pharium
cum classe tyrannum. 8.573
stetit anxia classis /... metuens ... /
ne... Pompeius adoret /sceptra sua donata
manu.   8.595
degener incestae sceptris cessure sorori,
/... /litora Pompeium feriunt,   8.693
uel sceptra uel urbes /libertate sua
ualidas inpellite fama /nominis: 9.90
hospes auitus erat, depulso sceptra
parenti /reddiderat. 9.1028
exul in aeternum sceptris depulsa
paternis, ...   10.87
nec sceptris contenta suis nec fratre
marito, /... Cleopatra 10.138
SCILICET. scilicet extremi Pompeium emptique
clientes /continuo per tot satiabunt
tempora regno? 1.314
populoque precanti /scilicet indulgens
summo dictator honori /contigit   5.383
scilicet ipse petet Pholoen, petet ignibus
Oeten   7.449
scilicet inmenso superest ex nomine
multum,   7.717
scilicet hoc animo terras atque aequora
lustras, ...   9.1057
dat scilicet omnis /dextera quod debet
superis, ...   10.414
SCINDO,-ERE. ostendens confectas flamma
Latinas /scinditur in partes geminoque
cacumine surgit   1.551
quarum una madentis / scissa genas,
planctu liuentis atra lacertos,   2.37
aut scidit, et medias fecit sibi litora
terras: 3.61
scinditur auolsus, nec, sicut uolnere,
sanguis /emicuit lentus: 3.638
spargitur in sulcos et scisso gurgite
riuis/dat poenas maioris aquae.   4.142
orbita migrantis scindit Maeotida Bessi.
                                       5.441
prima fretum scindens Pagasaeo litore
pinus /terrenum ignotas hominem proiecit
in undas. 6.400
ac retegit sacros scisso uelamine uoltus
                                       8.669

SCINDO

pensabat iter propiusque secabat /aera,
si medias Europae scinderet urbes: 9.686
Latium sic scindere corpus /dis placitum:
10.416

SCINTILLA. scintillam tenuem commotos pauit
in ignes, /securus belli: 5.525

SCIO,-IRE. quis iustius induit arma /scire
nefas: 1.127
scit Caesar poenamque peti ueniamque
timeri. 2.511
sciret adhuc caelo solum regnare Tonantem.
3.320
felix qui potuit mundi nutante ruina /
quo iaceat iam scire loco. . . 4.394
namque suis pro te gladiis incumbere,
Caesar,/esse parum scimus; 4.501
indomitos sciat esse uiros 4.505
accipit et frenos, nec tantum prodere uati
/quantum scire licet. 5.177
scit non esse ducis strictos sed militis
enses. 5.254
unique paratum /scire rogum; liceat morbis
finire senectam; 5.282
nos fatum sciat esse suum. 5.293
praedam ciuilibus armis / scit non esse
casas. 5.527
nec sciet hoc quisquam nisi tu, quae sola
meorum /conscia uotorum es, . . . 5.665
euentus rerum sciet ultima coniunx. 5.779
audi spectare secuntur / scituri iuuenes,
numero deprensa locoque /an plus quam
mortem uirtus daret. 6.168
miseroque liquebat /scire parum superos.
6.434
addidit et carmen, quo, quidquid consulit,
umbram /scire dedit. 6.776
scire senatus auet, miles te, Magne,
sequatur /an comes.' 7.84
scit cruor imperii qui sit, quae uiscera
rerum, ... 7.579
quid fueris nunc scire licet. . . 7.689
scire ruunt, quanta fuerint mercede
nocentes. 7.751
nondum uile sui pretium scit sanguinis
esse, ... 8.9
saeui cum Caesaris iram /iam scirem
meritam seruata coniuge Lesbon, /non
ueritus tantam ueniae committere uobis
/materiam. 8.135
quo plura iuuent Parthum portenta, fuisse
/hanc sciet et Crassi: 8.415
ignorant populi,... / an scieris aduersa
pati. 8.627
scire mori sors prima uiris, set proxima
cogi. 9.211
sciat ista iuuentus / ... bene se mea
signa secutam. 9.280
scimus, et hoc nobis non altius inseret
Hammon. 9.572
dixitque semel nascentibus auctor /
quidquid scire licet. 9.576
non cura laborque /noster scire ualet,
9.622
sciat hac pro caede tyrannus /nil uenia
plus posse dari. 9.1088
nullo discrimine sexus /reginam scit
ferre Pharos. 10.92

SCIPIO(Africanus Maior). Poenum qui Latiis
reuocauit ab arcibus hostem /Scipio; 4.658
deplorat Libycis perituram Scipio terris
/infaustam subolem; 6.788

SCIPIO(Q. Caecilius). tu quoque nudatam
commissae deseris arcem, /Scipio,
Nuceriae, ... 2.473
Poenorumque umbras placasset sanguine
fuso /Scipio, ... 6.311
Scipio, miles in hoc, Libyco dux primus
in orbe. 7.223

SCISCO,-ERE. uis erat: hinc leges et plebis
scita coactae 1.176

SCOPULOSUS,-A,-UM. hinc illinc montes
scopulosae rupis aperto /opposuit natura
mari flatusque remouit, ... 2.619
Phocaicas Amphissa manus scopulosaque
Cirrha /Parnasosque iugo misit desertus
utroque. 3.172
oraeque malignos /Ambraciae portus,
scopulosa Ceraunia nautae /summa timent.
5.652
concuteret terras ... / si ... Libye... /
clauderet exesis Austrum scopulosa
cauernis; 9.468

SCOPULUS. dum scopulos stirpesque tenent atque
hoste relicto /caedunt ense uiam. 4.42
religatque catenas /rupis ab Illryicae
scopulis. 4.452
pontus et in scopulos totas erexerat
undas: 5.600
nam clausa profundo /undique praecipiti
scopulisque uomentibus aequor 6.24
nec.../...mare lassatur, cum se
tollentibus Euris /frangentem fluctus
scopulum ferit 6.266
per scopulos miserum trahitur per saxa
cadauer 6.639
tenebrisque remotis / rupis in abruptae
scopulos extremaque curris /litora; 8.46
ipse per Icariae scopulos, Ephesonque
relinquens /... spumantia paruae / radit
saxa Sami; 8.244
emensus Cypri scopulos quibus exit in
Austrum 8.461
carpitur in scopulis hausto per uolnera
fluctu, ... 8.709
scopulisque repulsum /dissipat 9.450
in scopulis haesere ferae, . . 9.650
aspicit Hesiones scopulos . . . 9.970
et scopuli, placuit fluuii quos dicere
uenas, ... 10.325

SCORPIOS. quis fata putarit /scorpion aut
uires maturae mortis habere? . . 9.834

SCORPIOS(sidus). Scorpion incendis cauda
chelasque peruris, /quid tantum, Gradiue,
paras? 1.659
inpetis Haemonio maiorem Scorpion arcu.
6.394
non obliqua meant, nec Tauro Scorpios exit
/rectior 9.533

SCRIBO,-ERE. liceat tumulo scripsisse
'Catonis Marcia', ... 2.343

SCROBIS. collecta procul lacerae fragmenta
carinae /exigua trepidus posuit scrobe.
8.756

SCRUPOSUS,-A,-UM. scruposisque angusta uacant
ubi litora saxis 5.675

SCRUTATOR. se ... / merserit Astyrici
scrutator pallidus auri. 4.298
silentia rupis /Appius Hesperii scrutator
ad ultima fati /sollicitat. . . 5.122

SCRUTOR,-ARI. scrutarique fretum, siquid
mersisset harenis, ... 3.698
nec quaesisse libet ... /... / quis...

SCRUTOR
        Assyria scrutetur sidera cura,   6.429
        Thessala uatem /eligit et gelidas leto
        scrutata medullas / pulmonis .. sine
        uolnere fibras /inuenit 6.629
        quid uiscera nostra /scrutaris gladio?
                                             8.557
        maximus hortator scrutandi uoce deorum
        / euentus Labienus erat. 9.549
        scrutatur uenas penitus squalentis harenae,
                                             9.755
SCULPO,-ERE. sculptaque seruabant magicas
        animalia linguas.)   3.224
SCUTUM. galeas et scuta uirorum /pilaque
        contorsit uiolento spiritus actu   9.471
SCYLLAEUS,-A,-UM. non deserit ante /Hesperiam,
        quam cum Scyllaeis clauditur undis, 2.433
        turbae sed mixtus inerti / Sextus erat,...
        /cui mox Scyllaeis exul grassatus in
        undis /polluit aequoreos Siculus pirata
        triumphos. 6.421
SCYTALE. et scytale sparsis etiamnunc sola
        pruinis / exuuias positura suas,   9.717
SCYTHA. quem non uiolasset ... / non Scytha,
        non fixo qui ludit in hospite Maurus,
        /... /quaerit tuta domus; . . .   10.455
SCYTHIA. duc age per Scythiae populos, per
        inhospita Syrtis /litora, . . .   1.367
        tinxere sagittas /errantes Scythiae
        populi, quos gurgite Bactros . .   3.267
        Bosporon et Scythiae curuantem litora
        Pontum /spectamus.   8.178
SCYTHICUS,-A,-UM. astringit Scythico glacialem
        frigore pontum! 1.18
        placatur sanguine diro/../et Taranis
        Scythicae non mitior ara Dianae.   1.446
        Massageten Scythicus non adliget Hister,
                                             2.50
        accipit et Scythicas exit non solus in
        undas. 2.420
        et Scythicis Crassus uictor remeasset ab
        oris, ...   2.553
        idem per Scythici profugum diuortia ponti
        /indomitum regem Romanaque fata morantem
        /ad mortem Sulla felicior ire coegi. 2.580
        relinquas /admoneo ... Riphaeasque manus
        et quas tenet aequore denso /pigra
        palus Scythici patiens Maeotia plaustri
                                             2.641
        qua sublime nemus, Scythicae qua regna
        Dianae, ...   3.86
        sic stat iners Scythicas astringens
        Bosporos undas, ...   5.436
        sed Scythici uicit rabies Aquilonis et
        undas /torsit 5.603
        extremum Scythici transcendam frigoris
        orbem 6.325
        solibus et nullis Scythicae, cum bruma
        rigeret, /dimaduere niues. 6.478
        libertas ... /... uagatur /Germanum
        Scythicumque bonum, nec respicit ultra
        /Ausoniam, ...   7.435
        haud alios nondum Scythica purgatus in ara
        /Eumenidum uidit uoltus Pelopeus Orestes,
                                             7.777
        ne pigeat ... /Medorum penetrare domos
        Scythicosque recessus 8.216
        audentque in bella uenire /experti
        Scythicas Crasso pereunte pharetras. 8.302
        quid uolnera nostra /in Scythicos spargis
        populos cladesque latentis? . .   8.353
        non tibi,... / umbra senis maesti

        Scythicis confixa sagittis / ingeret has
        uoces? 8.432
        non Armenium mihi saeua minatur /aut
        Scythicum fortuna iugum: . . .   9.238
        nec enim plus litora Nili /quam Scythicus
        Tanais primis a Gadibus absunt,   9.414
        deprensum est,/.../quam segnis Scythicae
        strideret harundinis aer. 9.827
SE v. SUI
SECERNO,-ERE. Cirrhaea uelim secreta mouentem
        / sollicitare deum 1.64
        gentis Iuleae et rapti secreta Quirini
                                             1.197
        tum, qui fata deum secretaque carmina
        seruant 1.599
        at Figulus, cui cura deos secretaque
        caeli /nosse fuit, ...   1.639
        siluarum secreta petit uacuosque per
        agros 2.602
        lacrimas ciuilibus armis /secretumque
        damus. 3.314
        secretaque rerum /hospes in externis
        audiuit curia tectis. 5.10
        omnia cursus /aeterni secreta tenens
                                             5.89
        quae raperet secreta deum. . . .   5.222
        secreta tenebis /litoris Euboici memorando
        condite busto, ...   5.230
        iubet ... / et cunctas reuocare rates ...
        /antiquosque Taras secretaque litora
        Leucae, /quas recipit 5.376
        tum, Babylon Persea licet secretaque
        Memphis /omne ... soluat penetrale
        magorum,/abducet superos alienis Thessalis
        aris. 6.449
        conscia curarum secretae in litora
        Lesbi /flectere uela iubet, . .   8.40
        thalamique patent secreta nefandi /
        inter mille nurus? 8.400
        Corcyrae secreta petit 9.32
        certe uita tibi semper derecta (secreta)
        supernas/ ad leges. var.9.556
        aut quid secreta nocenti /miscuerit natura
        solo. 9.620
        per secreta tui bellum ciuile recessus /
        uadit. 9.863
        secreta quid arma / mouit et inseruit
        nostro sua tela labori? 9.1071
        'fas mihi magnorum, Caesar, secreta
        parentum /edere 10.194
SECO,-ARE. qui secat et geminum gracilis mare
        separat Isthmos 1.101
        tum, quos sectis Bellona lacertis /saeua
        mouet, ...   1.565
        fibra latet, paruusque secat uitalia limes.
                                             1.623
        Pactolon, qua culta secat non uilior
        Hermus. 3.210
        Colchorum qua rura secat ditissima Phasis,
                                             3.271
        sed recti fluctus soloque Aquilone secandi.
                                             5.417
        et Meleagream maculatus sanguine Nessi /
        Euhenos Calydona secat. 6.366
        consulit ... /... quae sit mensura
        secandi /aequoris in caelo, . . .   8.168
        utque secaret / quas Asinae cautes et quas
        Chios asperat undas /hos dedit in
        proram,... rudentes. 8.194
        aequora senserunt motus aliterque secante
        /iam pelagus rostro ... /mutauere sonum.

SECO

tunc neruos uenasque secat nodosaque
frangit / ossa diu: 8.672
ille quidem pensabat iter propiusque
secabat / aera, ... 9.685
nec summis crustata domus sectisque
nitebat / marmoribus, ... 10.114
dentibus hic niueis sectos Atlantide
silua /inposuere orbes, ... 10.144
mox te deserta secantem, /... mollis
lapsus agit. 10.313
procul hoc auertite, fata,/crimen, ut haec
Bruto ceruix absente secetur. . . 10.342

SECRETUS v. SECERNO

SECTA(subst.). hi mores, haec duri inmota
Catonis /secta fuit, ... 2.381

SECTOR(subst.). hinc rapti fasces pretio
sectorque fauoris / ipse sui populus 1.178

SECUNDO,-ARE. di uisa secundent, /et fibris
sit nulla fides, ... 1.635

SECUNDUM(praep.). secundum /Emathiam lis
tanta datur? 8.332

SECUNDUS,-A,-UM.

(a) = ordine proximus
erigit inpatiensque loci fortuna secundi;
1.124
destituatque ferens, an sidere mota
secundo /Tethyos unda uagae lunaribus
aestuet horis, ... 1.413
sic, o summe parens mundi, sic, sorte
secunda /aequorei rector, facias,
Neptune tridentis, ... 4.110
celeresque carinas /continuit, cursu
crescat dum praeda secundo, . . . 4.435
mittitur, exigua qui proelia prima
lacessat / eliciatque manu, Numidis a rege
secundus, ... 4.721
tertia iam uigiles commouerat hora
secundos: 5.507
adiuuit, regnoque accessit terra secundo,
5.622
uidit Magnum mihi Roma secundum, 5.662
carmenque timent audire secundum. 6.528
permixta secundo /ordine nobilitas
uenerandaque corpora ferro / urguentur;
7.581
uenia gaudet caruisse secunda. . . 7.604
scelerique secundo /praestabis nondum
siccos hoc sanguine campos. . . . 7.853
iam supplice Varo /intumuit uiditque
loco Romana secundo. 8.288
degener atque operae miles Romanae
secundae, /Pompei ... sacrum caput ...
recidis, ... 8.676
quisquis Magno uiuente secundus, /hic mihi
primus erit. 9.239
placemus caede secunda /Hesperias gentes:
10.386

(b) = propitius
intulit et rebus mores cessere secundis
1.161
nunc, cum fortuna secundis /mecum
rebus agat 1.309
non me laetorum sociam rebusque secundis
/accipis: 2.346
solitoque, magis fauere secundi / et
ueniam meruere dei. 4.122
nempe usis Marte secundo /tot dubiae
restant acies, tot in orbe labores; 4.388
in Macetum terras miscens aduersa secundis
/seruauit fortuna pares. 5.2

SECURUS

ac ducis inuicti rebus lassata secundis.
5.324
coepere ... aequora classem /curua sequi,
quae iam uento fluctuque secundo /lapsa
Palaestinas uncis confixit harenas. 5.459
Martemque secundum /... fatis debere
recusat. 6.4
et casus audax spondere secundos / mens
stetit in dubio, ... 7.246
causa iubet melior superos sperare
secundos: 7.349
quisquamne secundis /tradere se fatis
audet nisi morte parata? 8.31
nec enim sperare secunda /fas mihi nec
liceat. 9.243
quis Marte secundo, /quis tantum meruit
populorum sanguine nomen? 9.596
hoc monstrum timuit genitor numenque
secundum /Phorcys aquis 9.645
et tota secundis /uela dedit Coris, 9.1000
caruere deis mea uota secundis, 9.1098
ac multa secundo /proelia Marte gerunt.
10.531

SECURIS. ut Catulo iacuit Lepidus, nostrasque
securis 2.547
in sua credebant redituras membra securis,
3.431
nam quis castra uocet tot strictas iure
securis, /tot fasces? 5.12
Ausoniam uoluit gladiis miscere secures
5.388
pacificas saeuos tremuit Catilina securis,
7.64
in nemus ignotum nostrae uenere secures,
9.429

SECURUS,-A,-UM. per ferrum tanti securus
uolneris exit. 1.212
plurima securi fudistis carmina, Bardi.
1.449
praebet securos intra tentoria somnes:
1.518
intrepidus tanti sedit securus ab alto
2.207
inuenit ... /securumque sui, farique his
uocibus orsus: 2.241
sed quo fata trahunt uirtus secura
sequetur. 2.287
securo me Roma cadat. 2.297
dum non securos liceat mihi rumpere
somnos 3.25
tum paruit omnis /imperiis non sublato
secura pauore /turba, ... 3.438
et ueniam securo pectore poscit. 4.343
securumque orbis patimur post terga
relicti. 4.353
hoc quoque securis oneris fortuna remisit,
4.398
damnata iam luce ferox securaque pugnae
/promisso sibi fine manu, nullique
tumultus /excussere uiris mentes ad summa
paratas; 4.534
securumque nemus ueritam se credere Phoebo
/prodiderant. 5.156
rectorem dominumque ratis secura tenebat
/haud procul inde domus, ... 5.515
scintillam tenuem commotos pauit in ignes,
/securus belli: 5.526
medias perrumpe procellas /tutela secure
mea. 5.584
securos cepisse pudet cum coniuge somnos,
5.750

SECURUS

secura uidetur / sors tibi, . . . 5.771
securasque fragor concussit Caesaris
aures. 6.163
'Tisiphone uocisque meae secura Megaera,
/non agitis saeuis Erebi per inane
flagellis /infelicem animam? 6.730
nam me secura manebit /sors quaesita manu:
7.308
Stygias Magno luce liber ad umbras /et
securus eo: 7.613
iam pondere fati /deposito securus abis;
7.687
aspice securus uoltu non supplice reges,
7.709
superest, fidissime regum,/ Eoam temptare
fidem populosque bibentis /Euphraten et
adhuc securum a Caesare Tigrim. 8.214
quanto igitur mundi dominis securius aeuum
/uerus pauper agit? 8.242
i modo securus ueniae fassusque sepulchrum
/posce caput. 8.784
uadite securi; 9.272
gaudet in Hyblaeo securus gramine pastor
9.291
inuasit Libye securi fata Catonis. 9.410
illic secura iuuentus /uentorum ... /
aequoreos est passa metus. 9.445
securus in alto / gramine ponebat gressus:
9.975
Romanae maxime gentis / et, quod adhuc
nescis, genero secure perempto, 9.1015
inde Paraetoniam fertur securus in urbem
10.9
Parthia ... / exiguae secura fuit
prouincia Pellae. 10.52
sic uelut in tuta securi pace trahebant
/noctis iter mediae. 10.332

SECUS. non secus ingenti bellorum Roma tumultu
/concutitur, ... 1.303
nec secus in Siculis fureret tua flamma
cauernis,. 10.447

SED. 1.53;1.63;1.128;1.143;1.144;1.158;1.234;
1.259;1.355;1.487;1.546;1.614;1.635;1.636;
1.674;2.12;2.25;var.2.27;2.109;2.128;
2.144;2.147;2.204;2.236;2.287;2.333;2.383;
2.460;2.540;2.583;2.656;2.661;3.27;3.72;
3.81;3.120;3.152;3.259;3.367;3.383;3.403;
3.423;3.429;3.439;3.446;3.458;3.463;3.465;
3.467;3.480;3.493;3.504;3.506;3.512;3.553;
3.598;3.611;3.619;3.637;3.652;3.703;3.722;
3.734;4.3;4.56;4.70;4.109;4.115;4.121;
4.150;4.295;4.334;4.343;4.371;4.380;4.403;
4.418;4.424;4.453;4.501;4.546;4.577;4.581;
4.656;4.688;4.699;4.715;4.771;5.14;5.20;
5.216;5.217;5.226;5.250;5.254;5.301;5.360;
5.417;5.455;5.467;5.517;5.551;5.557;5.563;
5.603;5.631;5.674;5.678;5.699;5.709;
5.740;5.764;5.773;5.814;6.12;6.22;6.100;
6.108;6.232;6.361;6.430;6.615;6.619;
6.760;7.6;7.42;7.180;7.226;7.264;7.285;
7.295;7.320;7.339;7.405;7.426;7.471;
7.489;7.516;7.517;7.533;7.611;7.671;7.675;
7.695;7.720;7.731;7.754;7.802;7.823;
7.868;8.21;8.85;8.98;8.137;8.174;8.185;
8.274;8.304;8.316;8.356;8.371;8.383;8.395;
8.419;8.482;8.521;8.534;8.575;8.582;8.594;
8.618;8.642;8.722;8.741;8.747;8.769;8.778;
9.118;9.136;9.166;9.171;9.189;9.191;9.195;
9.197;9.198;9.199;9.211;9.287;9.301;
9.307;9.313;9.370;9.416;9.421;9.428;9.469;
9.484;9.513;9.514;9.546;9.568;9.583;9.608;

9.628;9.706;9.757;9.759;9.762;9.766;
9.775;9.784;9.805;9.842;9.867;9.931;
9.1006;9.1010;9.1081;9.1087;9.1090;10.11;
10.46;10.95;10.101;10.118;10.161;10.162;
10.185;10.188;10.271;10.317;10.333;10.356;
10.403;10.425;10.437;10.471;10.482;10.488;
10.498;10.506;10.516;10.529;10.541

SEDEO,-ERE. alta sedent ciuilis uolnera
dextrae. 1.32
intrepidus tanti sedit securus ab alto
2.207
quamquam firmissima pubes /his sedeat
castris, ... 2.474
Italiam, extremo sedeat quod litore Magnus,
2.659
sedere patres censere parati, . . 3.109
par tumulo, mediisque sedent conuallibus
arua. 3.380
qua nudi Garamantes arant, sedere, sed
inter /stagnantem Sicorim et rapidum
deprensus Hiberum 4.334
quamque procul tectis captae sedeamus ab
urbis /cernite, ... 5.19
nam pelagus, qua parte sedet, non celat
harenas 5.643
'quantusne euertere' dixit / 'me
superis labor est, parua quem puppe
sedentem /tam magno petiere mari! 5.655
quodcumque iacet nuda tellure cadauer,/
ante feras uolucresque sedet; 6.551
conspexere procul praerupta in caute
sedentem, ... 6.575
non Taenariis sic faucibus aer /sedit
iners, ... 6.649
plaudente senatu / sedit adhuc Romanus
eques; 7.19
o miseri, quorum gemitus edere (sedere)
dolorem, var.7.43
Euganeo,... augur /colle sedens, Aponus
terris ubi fumifer exit /... / 'uenit
summa dies' ... dixit 7.193
alieni poena timoris /in nostra ceruice
sedet. 7.645
ire per ista / si potes, in media socerum
quoque, Magne, sedentem /Thessalia placare
potes. 8.440
postquam sicco iam litore sedit, /
incubuit Magno 8.726
ille sedens iuxta flammas 'o maxime'
dixit/'ductor ... /... si funere nullo /
tristior iste rogus, manes ... /
officiis auerte meis: 8.759
ossa ... nondum subruta fluctu /inuisa
tellure sedent. 8.840
scelerum uindex in sancto pectore Bruti /
sedit 9.18
dubioque obnoxia fato /pars sedet una
ratis, ... 9.337
nulla uehitur ceruice supinus /carpentoque
sedens; 9.590
aspicit ... /... quo iudex sederit antro,
9.971
foribus testudinis Indae /terga sedent,
crebro maculas distincta zmaragdo. 10.121

SEDES. sed neque in Arctoo sedem tibi legeris
orbe 1.53
melius, Fortuna, dedisses /orbe sub Eoo
sedem gelidaque sub Arcto / errantisque
domos, 1.252
quae sedes erit emeritis? 1.344
non tacitas Erebi sedes Ditisque profundi

SEDES	**SEGNIS**

/pallida regna petunt: 1.455
finibus Arctois patriaque a sede reuolsos
1.482
sedibus exiluere patres, ... 1.488
patriae sedes remeamus in urbis, 1.690
ille cauis euoluit sedibus orbes 2.184
haec placuit belli sedes, . . . 2.394
expulit armatam patriis e sedibus urbem?
2.574
angustaque domum terrarum in sede poposcit.
2.579
quaeritur indignae sedes longinqua
ruinae. 2.731
'sedibus Elysiis campoque expulsa piorum
3.12
'tene, deum sedes, non ullo Marte coacti /
deseruere uiri? 3.91
non consule sacrae / fulserunt sedes, non,
proxima lege potestas, /praetor adest,
3.106
numquam felicibus armis / usa manus,
patriae primis a sedibus exul, 3.339
auolsasque rotant expulso remige sedes.
3.673
sedibus expulsi, postquam cruor omnia
rupit /uincula, ... 3.712
nam sedes Libyca tellure potito /haec
fuit. 4.658
peregrina ac sordida sedes /Romanos cepit
proceres, ... 5.9
Lentulus e celsa sublimis sede profatur.
5.16
Tarpeia sede perusta /Gallorum facibus
Veiosque habitante Camillo /illic Roma
fuit. 5.27
saepe dedit sedem totas mutantibus urbes,/
ut Tyriis, ... 5.107
non ullo saecula dono /nostra carent
maiore deum,quam Delphica sedes 5.112
iussus sedes laxare uerendas 5.123
non illis urbes spoliandaque templa
negasset /Tarpeiamque Iouis sedem
matresque senatus /passurasque infanda
nurus. 5.306
sed munimen habet nullo quassabile ferro /
naturam sedemque loci; 6.23
deserit auerso possessam numine sedem
/Caesar 6.314
patrias sedes atque hoste carentem /
Ausoniam peteret. 6.318
Elysias resera sedes ipsamque uocatam,
6.600
ianitor et sedis laxae, qui uiscera
saeuo /spargis nostra cani ... /exaudite
preces. 6.702
Elysias Latii sedes ac Tartara maesta /
diuersi liquere duces. 6.782
regni possessor inertis /pallentis aperit
sedes, ... 6.800
nam Pompeiani uisus sibi sede theatri /
innumeram effigiem Romanae cernere plebis
7.9
seu uetito patrias ultra tibi cernere
sedes /sic Romam Fortuna dedit. 7.23
arcu fregere ... /Bactraque Medorum sedem
murisque superbam /Assyrias Babylona domos.
8.299
excitosque suis inmittam sedibus ortus.
8.310
fortuna recursus / si det in Hesperiam,
non hac in sede quiescent /tam sacri

cineres, ... 8.768
Eurus / in Libycas egit sedes et castra
Catonis. 9.119
ambigua sed lege loci iacet inuia
sedes, ... 9.307
concuteret terras orbemque a sede
moueret, / si ... Libye ... /clauderet ...
Austrum 9.466
estque dei sedes nisi terra et pontus
et aer / et caelum et uirtus? 9.578
profuit in mediis sedem posuisse uenenis.
9.897
Aeneaeque mei, quos nunc Laeuinia
sedes / seruat et Alba, lares, 9.991
et uos in sede priore /rite uocat. 9.996
intrepidus superum sedes et templa
uetusti /numinis ... /circumit, 10.15
summaque in sede iacentem /linigerum ...
compellat Acorea 10.174
SEDITIO. nil fortiter ausa /seditio tantumque
fugam meditata iuuentus 5.323
SEDO,-ARE. rex puer inbellis populi
sedauerat iras, ... 10.54
SEDUCO,-ERE. quamquam firmissima pubes/ his
sedeat castris, iam pridem Caesaris armis
/Parthorum seducta metu, ... 2.475
tu quoque uix summam, seductus ab aequore,
rupem /extuleras, ... 5.77
Caspiaque inmensos seducunt claustra
recessus, ... 8.291
SEGES. segetes tellus infida negabit, 1.647
non proserit ullam / flaua Ceres segetem;
4.412
nondum turgentibus altam /in segetem
culmis cernit miserabile uolgus / in
pecudum cecidisse cibos 6.110
semina fecundae segetis calcata perussit
6.521
ad praematuras segetum ieiuna rapinas
/agmina conpulimus, ... 7.98
Caesar ... / ad segetum raptus moturus
signa repente /conspicit in planos
hostem descendere campos, 7.236
uincto fossore coluntur/Hesperiae segetes,
7.403
quae seges infecta surget non decolor
herba? 7.851
SEGNIS,-E. at numquam patiens pacis (segnis)
longaeque quietis /armorum,... /adsequitur
... Caesar. var.2.650
sola fames,emiturque metus, cum segne
potentes /uolgus alunt: 3.57
nec segnis uergere ponto /tunc erat astra
polus; 4.525
non segnior illo /Marte fuit, 4.581
sed, postquam languido segni /cernit
cuncta metu 4.699
turpe duci uisum rapiendi tempora belli /
in segnes exisse moras, ... 5.410
cum te raperet mare, corpora segnis/nostra
sopor tenuit. 5.689
non segnior extulit illum /saltus 6.181
an similem uestri segnemque ad fata
putatis? 6.244
Caesaris arma / segnius haud uidit, quam
malo nauta tremente /omnia subducit
Circaeae uela procellae. 6.286
segnior, Oceano quam lex aeterna
uocabat, /luctificus Titan numquam magis
aethera contra / egit equos . . . 7.1
segnis pauidusque uocatur /ac nimium

SEGNIS

    patiens soceri Pompeius, ...   7.52
    nec puer aut senior letalis tendere
    neruos / segnis, ...   8.297
    hoc tam segne solum raras tamen exerit
    herbas, ...   9.438
    te segnis Cynosura subit, . . .   9.540
    deprensum est,... / quam segnis Scythicae
    strideret harundinis aer. . . .   9.827
    patimur cur segnia fata /in gladios iurata
    manus? 9.849
    stabatque sibi non segnis achates /
    purpureusque lapis, ...   10.115
    non lentus (segnis) Achillas /suadenti
    parere nefas var.10.398

SELINUS. paruisque Syhedris,/quo portu
    mittitque rates recipitque Selinus, /...
    tandem maesta ora resoluit /... Magnus:
                 8.260

SELLOE. quercusque silentis /Chaonio ueteres
    liquerunt uertice Selloe. 3.180

SEMEL. ille semel raptos numquam dimittet
    honores? 1.317
    nullus semel ore receptus /pollutas
    patitur sanguis mansuescere fauces.   1.331
    semel omnia uictor /iusserat. . .   2.147
    acciperet felix ne non semel omnia Caesar,
                 3.296
    quod semel excussis posset transcurrere
    tonsis, ...   3.539
    licet has exaudiat herbas,/ad manes
    uentura semel. 6.716
    cadauer /... terraque repulsum est /
    erectumque semel. 6.757
    nequeunt animam sibi reddere fata /
    consumpto iam iure semel. 6.824
    sanguine mundi /fuso, Magne, semel totos
    consume triumphos. 7.234
    semel ortus in omnis /it timor,   7.543
    nec munere Magni /stant semel Arsacidae;
                 8.233
    semel inpulit illum /dilata Fortuna manu.
                 8.707
    dixitque semel nascentibus auctor /
    quidquid scire licet. 9.575
    quam protinus ille retecto /ense ferit
    totoque semel demittit ab armo,   9.831
    non uaesana Pothini / mens inbuta semel
    sacra iam caede·uacabat /a scelerum motu:
                10.334
    et semel amplexus incesto pectore passus
    /... /meque tuumque caput ... illi /...
    donabit. 10.362

SEMEN. suberant sed publica belli / semina,
                 1.159
    monstra iubet primum quae nullo semine
    discors /protulerat natura rapi   1.589
    ocius auertat diri mala semina belli.
                 3.150
    sic semine Cadmi /emicuit Dircaea cohors
                 4.549
    hac tellure feri micuerunt semina Martis.
                 6.395
    semina fecundae segetis calcata perussit
                 6.521
    at fecunda Venus cunctarum semina rerum
    /possidet; 10.208

SEMIANIMIS,-E. semianimes alii uastum subiere
    profundum 3.576
    semianimisque iaces et adhuc potes esse
    superstes.' 3.747
    Afranius ... /semianimes in castra trahens

SENATUS

    hostilia turmas /uictoris stetit ante
    pedes. 4.339
    iam latis uiscera lapsa /semianimes
    traxere foris 4.567
    frustraque attollere terra /semianimem
    conantur eram; 8.66
    retegit sacros ... uoltus /semianimis
    Magni 8.670

SEMIDEUS,-A,-UM. nos in templa ... Romana
    accepimus ... /semideosque canes et
    sistra iubentia luctus 8.832
    qua niger astriferis conectitur axibus
    aer /... / semidei manes habitant,   9.7

SEMIFERUS,-FERA,-FERUM. illic semiferos
    Ixionidas Centauros /feta ... nubes
    effudit 6.386

SEMIRUTUS,-A,-UM. at nunc semirutis pendent
    quod moenia tectis 1.24
    inter semirutas magnae Carthaginis
    arces /et Clipeam tenuit stationis litora
    notae, ...   4.585

SEMIUIR. caeloque tonante profanas /inseruisse
    manus, inpure ac semiuir, audes?   8.552
    ite, duces, mecum ... / sanguine semiuiri
    Magnum satiare tyranni. 9.152

SEMIUSTUS,-A,-UM v. SEMUSTUS

SEMPER. 1.159;1.281;1.417;2.127;2.267;3.21;
    3.62;3.307;3.596;3.608;4.93;4.146;4.455;
    4.677;4.704;4.736;5.671;6.303;7.34;7.431;
    7.695;8.48;8.111;8.176;8.188;8.317;8.495;
    8.513;8.813;9.67;9.250;9.541;9.556;var.
    9.562;9.581;9.712;10.14;10.185;10.507

SEMUSTUS,-A,-UM. inde rapit flammas semustaque
    robora membris /subducit. . . .   8.745
    semusta rapit resolutaque nondum /ossa
    satis neruis 8.786
    inscripsit sacrum semusto stipite nomen:
                 8.792
    semustaque membra relinquens /...sequitur
    conuexa Tonantis. 9.3
    iam prope semustae merguntur in aequora
    classes. 10.496

SENA. Senaque et Hadriacas qui uerberat
    Aufidus undas; 2.407

SENATOR. rus uacuum, quod non habitet nisi
    nocte coacta / inuitus questusque Numam
    iussisse senator. 7.396

SENATUS. Caesar,' ait 'partes, quamuis
    nolente senatu /traximus imperium,   1.274
    degenerem patiere togam regnumque senatus?
                 1.365
    consulibus fugiens mandat decreta senatus.
                 1.489
    inpiaque in medio peraguntur bella senatu.
                 1.691
    pars magna senatus /et duce priuato
    gesturus proelia consul /sollicitant
    proceresque alii; 2.277
    sit patriae Magnumque ducem totumque
    senatum, /ignosci. 2.520
    o uere Romana manus, quibus arma senatus /
    non priuata dedit, ...   2.532
    Caesarne senatus /uictor erit?   2.566
    Phoebea Palatia complet /turba patrum
    nullo cogendi iure senatus . .   3.104
    si regnum, si templa sibi iugulumque
    senatus /exiliumque petat. . . .   3.110
    non potes hoc causae, miles, praestare,
    senatus /adsertor uicto redeos ut Caesare?
                 4.213
    Romanam, superi, Libyca tellure ruinam /

SENATUS

Pompeio prodesse nefas uotisque senatus. 4.792

quid prodita iura senatus /et gener atque socer bello concurrere iussi? 4.801
quod regnis populisque liquet, nos esse senatum. 5.22
Libyae squalentibus aruis /Curio Caesarei cecidit pars magna senatus. 5.40
laeto nomen clamore senatus /excipit 5.47
Libyamque iubent auctore senatu /sceptrifero parere Iubae. 5.56
cepimus expulso patriae cum tecta senatu, 5.270
non illis urbes spoliandaque templa negasset /Tarpeiamque Iouis sedem matresque senatus /passurasque infanda nurus. 5.306
Epirum Caesarque tenet totusque senatus, 5.496
Pompei uobis minor est causaeque senatus /quam mihi mortis amor.' 6.245
plaudente senatu /sedit adhuc Romanus eques; 7.18
causamque senatus /credere dis dubitas? 7.76
scire senatus auet, miles te, Magne, sequatur / an comes.' 7.84
uideor ... spectare ... / calcatosque simul reges sparsumque senatus /corpus 7.293
credite grandaeuum uetitumque aetate senatum /arma sequi sacros pedibus prosternere canos 7.371
in plebem uetat ire manus monstratque senatum: 7.578
o decus imperii, spes o suprema senatus, 7.588
ostendit moriens sibi se pugnasse senatus. 7.697
hunc omnes gladii, quos aut Pharsalia uidit / aut ultrix uisura dies stringente senatu, /illa nocte premunt, 7.782
nunc sum tibi gloria maior,/a me quod fasces et quod pia turba senatus /... discessit 8.79
sequitur pars magna senatus /ad profugum collecta ducem; 8.258
nec soceri tantum arma fugit: fugit ora senatus, 8.506
quod nobis sceptra senatus /te suadente dedit, uotis tua fouimus arma. 8.518
non ... / ...regumque potens uindexque senatus /... Romanus erat: 8.554
oderat et Magnum, quamuis comes isset in arma /auspiciis raptus patriae ductuque senatus; 9.22
rectorque senatus, /sed regnantis, erat. 9.194
nec color imperii nec frons erit ulla senatus. 9.207
qui duro membra senatus /calcarat uoltu, ... / ... uni tibi, Magne, negare / non audet gemitus. 9.1043
poenaque ciuilis belli, uindicta senatus /paene data est famulo. 10.340
Hesperiae cunctos proceres aciemque senatus /... / non timuit 10.450

SENECTA. oderuntque grauis uiuacia fata senectae 2.65
uictum aeuo robur cecidit, fessusque senecta /exemplum, 3.729

SENIUM

liceat morbis finire senectam; 5.282
pauperiem deflens inopem duxisse senectam. 5.535
praecipitare meam fatis potuere senectam: 7.353

SENECTUS. nunc quoque, ne lassum teneat priuata senectus, 1.324
conferet exanguis quo se post bella senectus? 1.343
paruom set fessa senectus /sanguinis effudit iugulo flammisque pepercit. 2.128
sic maesta senectus /praeteritique memor flebat metuensque futuri. 2.232
iustas sibi nostra senectus /prospiciat flammas: 9.234

SENEX. uincula ferri /exedere senem longusque in carcere paedor. 2.73
hunc, Cimbri, seruate senem. 2.85
non senis extremum piguit uergentibus annis /praecepisse diem, 2.105
dux sit in his castris senior, dum miles in illis. 2.561
grandaeuosque senes mixtis armauit ephebis. 3.518
saepe cadens longae senior per transtra carinae /peruenit ad puppim 3.731
ut torpore senex caruit uiresque cruentus /coepit habere dolor, 3.741
quod non cum senibus capti natisque tenemur. 4.504
ad mortem dimitte senes. 5.277
uos despecta senes exhaustaque sanguine turba /cernetis nostros iam plebs Romana triumphos. 5.333
teque, senex Chiron, gelido qui sidere fulgens /inpetis Haemonio maiorem Scorpion arcu. 6.393
flammisque seueri /inlicitis arsere senes. 6.454
quamuis fecerit omnis /stella senem, medios herbis abrumpimus annos. 6.610
flagrantis portitor undae,/iam lassate senex ad me redeuntibus umbris, /exaudite preces. 6.705
te mixto flesset luctu iuuenisque senexque /iniussusque puer; 7.37
ultima fata /deprecor ... /ne discam seruire senex.' 7.382
ille senum uoltus, iuuenum uidet ille figuras, 7.774
nec puer aut senior letalis tendere neruos /segnis, 8.296
non tibi,... /umbra senis maesti Scythicis confixa sagittis /ingeret has uoces? 8.432
sed me nec sanguis nec tantum uolnera nostri /adfecere senis, quantum gestata per urbem /ora ducis, 9.137
'o sacris deuote senex, /... Phariae primordia gentis /... edissere 10.176
expugnare senem potuit Cleopatra uenenis: 10.360

SENILIS,-E. 'non perdam tempora' dixit / 'a saeuis permissa deis, iugulumque senilem /confodiam. 3.743
SENIUM. in senium longoque togae tranquillior usu / dedidicit iam pace ducem, 1.130
a quibus omne aeui senium sua fama repellit, 4.812
quos inter Acoreus /iam placidus senio fractisque modestior annis 8.476
gemmaeque capaces /excepere merum,... /

SENIUM
nobile sed paucis senium cui contulit
annis /indomitum Meroe cogens spumare
Falernum. 10.162
SENONES. nos primi Senonum motus Cimbrumque
ruentem /uidimus 1.254
SENSIM. imaque sensim /concussit pelagi
mouitque Ceraunia nautis. . . . 5.456
SENSUS. aut nihil est sensus animis a morte
relictum 3.39
et attonito cesserunt pectore sensus.
5.760
sed sensum post fata tuae dent, Crastine,
morti, ... 7.471
siquid sensus post fata relictumst, /
cedis et ipsa rogo paterisque haec damna
sepulchri, ... 8.749
uix dolor aut sensus dentis fuit, 9.739
SENTENTIA. uicta est sententia Magni. 8.455
SENTIO,-IRE. sentiet axis onus. . . . 1.57
sensit et ipse metum Magnus, . . 2.598
uastis Indus aquis mixtum non sentit
Hydaspen; 3.236
adductum quotiens non senserat anchora
funem. 3.700
at postquam membris sensit constare
uigorem 3.715
et quas sentit Arabs et quas Gangetica
tellus /exhalat nebulas, ... 4.64
nec Phoebum surgere sentit /nox subtexta
polo: 4.103
non sentiet ictus, ... 4.277
Vulteius tacitas sensit sub gurgite
fraudes 4.465
et mortem sentire iuuat. 4.570
ut tandem auxilium tactae prodesse
parentis /Alcides sensit, 'standum est
tibi,' dixit 4.646
uos, quorum finem non est sensura potestas,
5.45
sensit tripodas cessare furensque
/Appius 5.157
heu demens, nullum belli sentire fragorem,
/ tot mundi caruisse malis, praestare
deorum /excepta quis Morte potest? ˙5.228
Caesaris an cursus uestrae sentire
putatis / damnum posse fugae? 5.335
uix proelia Caesar / senserat, elatus
specula quae prodidit ignis: 6.279
subitaeque ruinam /sensit aquae Nereus,
6.349
sensuraque saxa canentes /arcanum ferale
magos. 6.439
aequor ... / ... rursus uetitum sentire
procellas /conticuit 6.470
ingemuit rector sensitque deorum /esse
dolos 7.85
uidit / casuram et fatis sensit nutare
ruinam, ... 7.244
iam Magnus transisse deos Romanaque fata
/senserat infelix, ... 7.648
nec magis attonitos animi sensere
tumultus, /... Pentheus aut ... Agaue.
7.779
tecta domosque /deseruere ... quidquid
nare sagaci /aera non sanum motumque
cadauere sentit. 7.830
nunc festinatos nimium sibi sentit
honores 8.24
coeperat ... / Pompei sentire manus 8.69
aequora senserunt motus 8.197
sic fatus murmure sensit /consilium

SEPULCHRUM
damnasse uiros; 8.327
natura deside torpet /orbis et inmotis
annum non sentit harenis. . . . 9.437
illic secura iuuentus /uentorum nullasque
timens tellure (sentire) procellas /
aequoreos est passa metus. . . .var.9.446
nec sentit fatique genus mortemque ueneni,
9.759
sentiat aduentum soceri uocesque querentis
/ audiat umbra pias. 9.1094
discordia sensit /pectora et ancipites
animos, ... 10.12
terra potens primos sentit percussa
tumultus 10.324
SENUS,-A,-UM. uerberibus senis agitur
molemque profundo /inuehit . . . 3.536
SEPARO,-ARE. qui secat et geminum gracilis
mare separat Isthmos 1.101
congestumque aeris atri /uix recipit
spatium quod separat aethere terram. 4.75
iunctosque amplexibus ense /separat
4.210
quidquid puluere sicco /separat ardentem
tepida Berenicida Lepti /ignorat frondes:
9.524
SEPELIO,-IRE. busta repleta fuga,
permixtaque uiua sepultis /corpora, 2.152
templis auroque sepultus / uilior umbra
fores. 8.859
non illuc auro positi nec ture sepulti
/peruentunt. 9.10
SEPONO,-ERE. iam castris instare suis seponere
tutum /coniugii decreuit onus 5.724
quid sepositam semperque quietam /crimine
bellorum maculas Pharon, ... 8.513
SEPS. ossaque dissoluens cum corpore tabificus
seps; 9.723
miserique in crure Sabelli /seps stetit
exiguus; 9.764
SEPTEMUIR. septemuirque epulis festus
Titiique sodales 1.602
SEPTENUS,-A,-UM. gurgite septeno rapidus
mare summouet amnis. 8.445
SEPTIMIUS. Romanus ... miles ... salutat
/Septimius, qui, pro superum pudor,
arma satelles /regia gestabat . . 8.597
qua posteritas in saecula mittet /
Septimium fama? 8.609
nam saeuus in ipso /Septimius sceleris
maius scelus inuenit actu, . . . 8.668
SEPTIMUS,-A,-UM. septimus haec sequitur
repetitis fascibus annus. . . . 2.130
qua diuidui pars maxima Nili / in uada
decurrit Pelusia septimus amnis. 8.466
septima nox Zephyro numquam laxante
rudentes / ostendit ... Aegyptia litora
9.1004
SEPULCHRUM. agricolae fracto Marium fugere
sepulchro. 1.583
uerberibus crebris cineresque ingesta
sepulchri, ... 2.336
passus Sicanio tegitur qui Carbo sepulchro,
2.548
non quia te superi patrio priuare
sepulchro /maluerint 2.732
imago / ursa caput maestum per hiantis
Iulia terras /tollere et accenso furialis
stare sepulchro. 3.11
funereas aris inponere flammas /gaudet
et accenso rapuit quae tura sepulchro.
6.526

SEPULCHRUM

    tali tua membra sepulchro, /talibus exuram
    Stygio cum carmine siluis, ... 6.765
    temptare pudendum /auxilium tanti est,...
    ut.../...te parua tegant ac uilia busta,/
    inuidiosa tamen Crasso quaerente
    sepulchrum?   8.394
    Pompeio ... tumulum Fortuna parauit,
    /ne iaceat nullo uel ne meliore sepulchro.
                                         8.714
    'non pretiosa petit cumulato ture sepulchra
    /Pompeius,   8.729
    cedis et ipsa rogo paterisque haec
    damna sepulchri,   8.750
    i modo securus ueniae fassusque sepulchrum
    /posce caput, ...   8.784
    placet hoc, Fortuna, sepulchrum /dicere
    Pompei, ...   8.793
    satis o nimiumque beatus,/ si mihi
    contingat ... /... si tale ducis uiolare
    sepulchrum.   8.845
    ostenditque rogum non iusti flamma
    sepulchri, ...   9.54
    omnia dent poenas nudo tibi, Magne,
    sepulchra. 9.157
    bellum ciuile sepulchra /uix ducibus
    praestare potest. 9.235
    et sacrum paruo nomen clausura sepulchro
    /inuasit Libye securi fata Catonis. 9.409
    iusto date tura sepulchro . . .   9.1091
SEQUANA GENS. gaudetque ... / optima gens
    flexis in gyrum Sequana frenis,   1.425
SEQUESTER. necque ius mundi ualuit nec
    foedera sancta /gentibus, orator regis
    pacisque sequester / quin caderet ferro.
                                         10.472
SEQUOR,-I. noxque diem caelo totidem per signa
    sequetur, ...   1.91
    te, Fortuna, sequor. 1.226
    quas, nemore Hyrcano matrum dum lustra
    secuntur, ...   1.328
    iussa sequi tam posse mihi quam uelle
    necesse est. 1.372
    patriaque a sede reuolsos /pone sequi,
                                         1.483
    turba minor ritu sequitur succincta
    Gabino, ...   1.596
    aequaret uisu numerisque sequentibus
    astra, ...   1.641
    mille licet gladii mortis noua signa
    sequantur, ...   2.115
    septimus haec sequitur repetitis fascibus
    annus. 2.130
    excessit medicina modum, nimiumque secuta
    est, /qua morbi duxere, manus. . .   2.142
    ad molem stetit unda sequens. . .   2.214
    namque alii Magnum uel Caesaris arma
    sequantur, ...   2.246
    sed quo fata trahunt uirtus secura
    sequetur. 2.287
    gentesne furorem /Hesperium ignotae
    Romanaque bella sequentur 2.293
    quin publica signa ducemque /Pompeium
    sequimur? 2.320
    da mihi castra sequi: cur tuta in pace
    relinquar 2.348
    naturamque sequi patriaeque inpendere
    uitam 2.382
    ut, cum mare possidet Auster /flatibus
    horrisonis, hunc aequora tota secuntur,
                                         2.455
    quod castra secutus /sit patriae

SEQUOR

    Magnumque ducem totumque senatum,   2.519
    iamque secuturo iussurus classica Phoebo
                                         2.528
    'o scelerum ultores melioraque signa
    secuti, ...   2.531
    heu demens, non te fugiunt, me cuncta
    secuntur. 2.575
    uerba ducis nulla partes clamore secuntur
                                         2.596
    praedonem sequerere mari: . . .   2.727
    regesque silentum /permisere sequi. 3.30
    nobilis et flauis sequeretur mixta
    Britannis. 3.78
    Crassumque in bella secutae /saeua
    tribuniciae uouerunt proelia dirae. 3.126
    ausa est ... / et causas, non fata, sequi.
                                         3.303
    aduersoque acies in monte supina /
    haeret et in tergum casura umbone
    sequentis /erigitur.   4.39
    terras fundendus in omnis /est cruor et
    Caesar per tot sua fata sequendus.   4.392
    quae sequitur tardata ratis, sed tertia
    moles /haesit 4.453
    sed tertia moles /haesit et ad cautes
    adducto fune secuta est. 4.454
    sufficiunt spatio populi:tot castra
    secuntur, ...   4.676
    aut cui plus leges deberent recta
    sequenti; 4.815
    si fortuna ferat, rerum nos summa
    sequetur 5.26
    anne fugam Magni tanta cum classe
    secuntur /Hesperiae gentes,   5.328
    procerum motus haec cuncta secuntur; 5.342
    non ualet ipsa sequi puppes quae uexerat
    aura. 5.433
    coepere ... aequora classem /curua
    sequi, ...   5.459
    si iussa secutus / me uehis Hesperiam,
    non ultra cuncta carinae /debebis   5.533
    ut nolim seruire malis sed morte parata
    /te sequar ad manes, ...   5.774
    mirantesque uirum atque auidi spectare
    secuntur 6.167
    arma secuturum soceri, ... /temptauere
    ... comites deuertere Magnum /hortatu,
                                         6.316
    terraeque secutus / deuia,... /contigit
    Emathiam, ...   6.330
    quis labor hic superis cantus herbasque
    sequendi 6.492
    per busta sequar per funera custos, 6.734
    scire senatus auet, miles te, Magne,
    sequatur / an comes.' 7.84
    credite grandaeuum uetitumque astate
    senatum /arma sequi sacros pedibus
    prosternere canos 7.372
    ac nulla secutast / pugna, ...   7.532
    pudet ... /... ac singula fata
    sequentem / quaerere letiferum per cuius
    uiscera uolnus /exierit, ...   7.618
    gemitus lacrimaeque secuntur . . .   7.724
    propera praecedere, miles,/ quos sequeris;
                                         7.745
    iamque diu uolucres ciuilia castra
    secutae / conueniunt. 7.831
    deserta sequentem /non patitur tutis
    fatum celare latebris /clara uiri facies.
                                         8.12
    incipe Magnum / sola sequi. . . .   8.81

SEQUOR

ne nostram uideare fidem felixque secutus
/et damnasse miser.' 8.126
fallentia nautas,/sidera non sequimur,
                                     8.174
uos, o Parthi, cum ... / et sequerer duros
aeterni Martis Alanos, /passus Achaemeniis
late decurrere campis 8.223
sequitur pars magna senatus   . . . 8.258
iuuat ire per orbem /... /signaque ab
Euphrate cum Crassis capta sequentem?
                                     8.358
Parthoque sequenti /murus erit
quodcumque potest opstare sagittae. 8.378
aduersis non desse decet, sed laeta
secutos: 8.534
aeuumque sequens speculatur ab omni /
orbe ratem Phariamque fidem: /   8.623
semustaque membra relinquens /degeneremque
rogum sequitur conuexa Tonantis.   9.4
te ... per Tartara, coniunx,/ si sunt ulla,
sequar, ...   9.102
hunc rapta fugientem classe secutus /
litus in extremum tali Cato uoce notauit:
                                     9.220
te solum in bella secutus /post te fata
sequar; 9.242
te solum in bella secutus /post te fata
sequar; 9.243
si semper sequeris patriam, Cato, signa
petamus (sequamur) /Romanus quae consul
habet.' var.9.250
si semper sequeris patriam, Cato, signa
petamus /Romanus quae consul habet.'
                                     9.250
sciat ista iuuentus / ceruicis pretio bene
se mea signa secutam.   . . .   9.281
pars ratium maior regimen clauumque secuta
est / tuta fuga, ...   9.345
'o quibus una salus placuit mea castra
secutis /indomita ceruice mori,   9.379
at, si uentos caelumque sequaris, / pars
erit Europae. 9.412
sequerisque deum. 9.557
armentaque tota secuti / rumpitis ingentes
amplexi uerbere tauros; 9.730
calido non ocius Austro / nix resoluta
cadit nec solem cera sequetur.   9.782
putrisque secuta medullas /nulla manere
sinunt rapidi uestigia fati. . . . 9.785
ueniant hostes, Caesarque sequatur /qua
fugimus.' 9.879
qui tum Romana secutus /signa, . . 9.911
ut primum terras Pompei colla secutus/
attigit ... / pugnauit fortuna ducis
fatumque nocentis /Aegypti, . . . 10.1
fertur securus in urbem / pignore tam
saeui sceleris sua signa secutam.   10.10
isset in occasus mundi deuexa secutus
                                     10.39
nulla fides pietasque uiris qui castra
secuntur, ...   10.407
SERENUS,-A,-UM. pars aetheris illa sereni /
tota uacet 1.58
fulgura fallaci micuerunt crebra sereno,
                                     1.530
atque omnis propior mergenti sidera caelo
/ aruerat tellus hiberno dura sereno.
                                     4.55
dixerat; at Caesar facilis uoltuque
serenus /flectitur 4.363
talia iactantis discussa nocte **serenus** /

SERPENS

oppressit cum sole dies,   . . .   5.700
Phoebeque serena / non aliter diris
uerborum obsessa uenenis / palluit   6.500
caeloque ignota sereno / terribilis
Stygio facies pallore grauatur   6.516
refer haec solacia tecum,/... manes ...
/ ... regnique in parte serena /Pompeis
seruare locum. 6.804
et nostris reficit sua rura serenis.
                                     9.423
SERES. sub iuga iam Seres, iam barbarus isset
Araxes 1.19
perlucent pectora filo,/quod Nilotis acus
conpressum pectine Serum / soluit   10.142
teque uident primi, quaerunt tamen hi
quoque, Seres, ... 10.292
SERIES. inuida fatorum series summisque
negatum 1.70
te iam series ususque laborum /erigit
                                     1.123
urguent /praecipitem populum, serieque
haerentia longa / agmina prorumpunt. 1.492
duc, Roma, malorum /continuam seriem
clademque in tempora multa . . .   1.671
pro, si remeasset in urbem /... quam
seriem rerum longa praemittere pompa,
                                     3.75
dum fuit armorum series, ut grandine
tecta /innocua percussa sonant,   3.482
quarum porrectis series constricta catenis
/ordinibus geminis obliquas excipit alnos;
                                     4.421
ius licet in iugulos nostros sibi fecerit
ensis /... Caesareaeque domus series,
                                     4.823
tanta patet rerum series,   . . .   5.179
simul a prima descendit origine mundi /
causarum series, ...   6.612
Pompei ... acies ... / iunxerat in seriem
nexis umbonibus arma, ...   7.493
cum Ptolemaeorum manes seriemque pudendam
/pyramides claudant ... / litora Pompeium
feriunt, ...   8.696
actu belli non doctas ferre quietem /
constituit mentes serieque agitare
laborum. 9.295
SERMO. duramque uiri deflectere mentem /
pacifico sermone parant 3.305
SERO,-ERE. festa coronato non pendent limine
serta, ...   2.354
uittasque dei Phoebeaeque serta /erectis
discussa comis 5.170
et coma uipereis substringitur horrida
sertis. 6.656
flebunt,/ sed dum tura ferunt, dum laurea
serta Tonanti. 7.42
accipiunt sertas nardo florente coronas
                                     10.164
SERPENS(subst.). obliquusque caput uanas
serpentis in auras /effusae tuto
conprendit guttura morsu /letiferam citra
saniem; 4.726
hinc maxima serpens /descendit Python
                                     6.407
humanoque cadit serpens adflata ueneno.
                                     6.491
defuit et cerui pastae serpente medullae,
                                     6.673
defuit ... /non Arabum uolucer serpens
                                     6.677
irataque morti /uerberat inmotum uiuc

SERPENS

    serpente cadauer, ... 6.727
    fuit ... /et numquam somno damnatus
    lumina serpens 9.363
    siccaque letiferis squalent serpentibus
    arua. 9.384
    mihi plena ueneno /occurrat serpens, 9.397
    serpens, sitis, ardor harenae /dulcia
    uirtuti; 9.402
    inuentus ... fons ... /largus aquae, sed
    quem serpentum turba tenebat . . 9.608
    noxia serpentum est admixto sanguine
    pestis; 9.614
    caeloque timente /olim Phlegraeo stantis
    serpente gigantas /erexit montes, 9.656
    in nulla plus est serpente coactum. 9.703
    parua modo serpens, sed qua non ulla
    cruentae / tantum mortis habet. 9.766
    at tibi, Laeue miser, fixus praecordia
    pressit /Niliaca serpente cruor, 9.816
    se robore trunci /torsit et inmisit
    (iaculum uocat Africa) serpens 9.823
    gentibus ablatum dederas serpentibus
    orbem, ... 9.856
    in loca serpentum nos uenimus: 9.859
    quaeremus forsitan istas /serpentum
    terras: 9.870
    gens unica terras /incolit a saeuo
    serpentum innoxia morsu, ... 9.892
    natura locorum /iussit ut inmunes mixtis
    serpentibus essent. 9.896
    sic pignora gentis /Psyllus habet,... /
    siquis donatis lusit serpentibus infans.
                 9.908
    et larices fumoque grauem serpentibus
    urunt /habrotonum 9.920

SERPO,-ERE. puniceus Rubicon, ... /perque
    imas serpit ualles 1.215
    cunctis innoxia numina terris /serpitis,
    aurato nitidi fulgore dracones, . . 9.728
    inscius in sicco serpentem puluere riuum
    /transierat, qui Xanthus erat. . . 9.974

SERTORIUS. quique feros mouit Sertorius
    exul Hiberos. 2.549
    post domitas gentes quas torrens ambit
    Hiberus /et quaecumque fugax Sertorius
    inpulit arma, /... plaudente senatu /sedit
    adhuc Romanus eques; 7.16
    adde ... /armaque Sertori reuocato consule
    uicta 8.809

SERTUM v. SERO

SERUATOR. iustitiae cultor, rigidi seruator
    honesti, ... 2.389
    doctus ad haec fatur taciti seruator
    Olympi 8.171

SERUILIS,-E. ardenti seruilia bella sub Aetna,
                 1.43
    ut primum fortuna redit, seruilia soluit
    /agmina, ... 2.94
    expauit seruile nefas, ... 10.453

SERUIO,-IRE. regna deis caelumque suo seruire
    Tonanti /... potuit 1.35
    ac iussam seruire famem? 1.319
    detrahimus dominos urbi seruire paratae.'
                 1.351
    non sibi sed domino grauis est quae seruit
    egestas.' 3.152
    ignorantque datos, ne quisquam seruiat,
    enses. 4.579
    indignata suum multis seruire furorem
                 5.184
    ipse petit trepidam tutus sine milite

    Romam /iam doctam seruire togae, 5.382
    ut nolim seruire malis sed morte parata /
    te sequar ad manes, ... 5.773
    maior Carthaginis hostis /non seruituri
    maeret Cato fata nepotis: 6.790
    sicci sed plurima campi / tetrarchae
    regesque tenent ... /atque omnis Latio
    quae seruit purpura ferro. . . . 7.228
    ultima fata /deprecor ... / ne discam
    seruire senex.' 7.382
    usque ad Thessalicas seruisses, Roma,
    ruinas. 7.439
    ex populis qui regna ferunt sors ultima
    nostra est,/quos seruire pudet. 7.445
    uincitur his gladiis omnis quae seruiet
    aetas. 7.641
    miserum quid decipis orbem,/si seruire
    potes? 8.341
    solacia tanti /perdit Roma mali, nullos
    admittere reges /sed ciui seruire suo?
                 8.356
    nec regnum cupiens gessit ciuilia bella /
    nec seruire timens. 9.28
    solus plebe parata /priuatus seruire sibi,
    ... / ... erat. 9.194

SERUITIUM. non tamen ignauae ... /percipient
    gentes quam sit non ardua uirtus /
    seruitium fugisse manu, sed regna timentur
                 4.577
    omnis /indiga seruitii feruebat litore
    plebes: 9.254

SERUO,-ARE. seruati ciuis referentem praemia
    quercum, ... 1.358
    tum, qui fata deum secretaque carmina
    seruant 1.599
    et doctus uolucres augur seruare sinistras
                 1.601
    et summis seruate malis. 2.40
    oderuntque ... /seruatosque iterum bellis
    ciuilibus annos. 2.66
    hunc, Cimbri, seruate senem. . . . 2.85
    sicut erat, maesti seruat lugubria cultus
                 2.365
    secta fuit, seruare modum finemque tenere
                 2.381
    tua classica seruat /oppositus quondam
    polluto tiro Miloni. 2.479
    Romanaque tellus / inmaculata sui seruetur
    sanguine Magni. 2.736
    non usque adeo permiscuit imis /longus
    summa dies ut non, si uoce Metelli /
    seruantur leges, malint a Caesare tolli.'
                 3.140
    cuius seruaueris umbram, /si quidquid
    iubeare uelis. 3.146
    quidquid parcorum mores seruastis auorum,
                 3.161
    sculptaque seruabant magicas animalia
    linguas.) 3.224
    Phocais in dubiis ausa est seruare
    iuuentus /non Graia leuitate fidem
    signataque iura, ... 3.301
    seruat multos fortuna nocentis . . 3.448
    seruatum bello iacuit mare, . . . 3.524
    eximius Phoceus animam seruare sub undis
                 3.697
    nec seruant fulmina flammas . . . 4.77
    seruatoque loco rerum discessit ab astris
    /umor, ... 4.126
    seruata precanti /maiestas non fracta
    malis, ... 4.340

causaeque priori,/dum potuit, seruata
fides.   4.351
tum freta seruantur, dum se declinibus
undis /aestus agat 4.427
exhibuit monimenta fides seruataque
ferro /militiae pietas, ... 4.498
perfudit membra liquore /hospes Olympiacae
seruato more palaestrae, ... 4.614
bella gerat seruetque ducum sibi fata
priorum, ... 4.662
laetus quod gloria belli / sit rebus
seruata suis, rapit agmina furtim, 4.717
in Macetum terras miscens aduersa secundis
/ seruauit fortuna pares. 5.3
nec caelum seruare licet: 5.395
pontusque uetustas /oblitus seruare
uices non commeat aestu, ... 5.445
seruatur pars illa tori. 5.813
Ephyraeaeque moenia seruat 6.17
fama est ... amnem /... /... superumque
sibi seruare timorem. 6.380
nec quaesisse libet ... /... quis fulgura
caeli /seruet 6.429
ast, ubi seruantur saxis, quibus intimus
umor / ducitur,... /... tunc omnis auide
desaeuit in artus 6.538
refer haec solacia tecum,/... manes ... /
... regnique in parte serena /Pompeis
seruare locum. 6.805
non iratorum populis urbique deorum est
/Pompeio seruare ducem. / 7.355
optat,pars terrae figere tela / ac puras
seruare manus. 7.487
non illum ... / conpellunt hominum ritus
ut seruet in hoste, ... 7.801
maxima gloria nobis /semper erit tanti
pignus seruasse mariti, ... 8.111
saeui cum Caesaris iram /iam scirem
meritam seruata coniuge Lesbon, /non
ueritus tantam ueniae committere uobis /
materiam. 8.135
consulit ... / ... Syriam quo sidere
seruet 8.169
'hoc solum toto' respondit 'in aequore
serua, /ut sit ab Emathiis semper tua
longius oris /puppis 8.187
hanc certe seruate fidem, ... 8.547
respexitque nefas, seruatque inmobile
corpus, ... 8.620
seruor uictori.' 8.661
cum tibi sacrato Macedon seruetur in antro
/... /litora Pompeium feriunt,   . . 8.694
adeone molesta /totum cura fuit socero
seruare cadauer? 8.700
haec fama est oculis uictoris iniqui /
seruari, ... 9.140
seruata de parte queror.' 9.145
non deprecor hosti / seruari, dum me
seruet ceruice recisa.' 9.214
gaudet in Hyblaeo securus gramine pastor
/diuitias seruasse casae. 9.292
seruataque fide templi discedit ab aris
                              9.585
caeli seruantur in usus, ... 9.905
discussa iacebant /saxa nec ullius
faciem seruantia sacri: 9.978
Aeneaeque mei, quos nunc Lauinia sedes /
seruat et Alba, lares, ... 9.992
nam sibi libertas umquam si redderet
orbem /ludibrio seruatus erat,   . . 10.26
seruatur poenas in aperta luce daturus;
                              10.431

SERUS,-A,-UM.   astra petes serus,   . . . 1.46
seramque sibi parat unda ruinam.   6.267
haec et apud seras gentes populosque
nepotum, /... /spesque metusque simul ...
mouebunt, ... 7.207
ad mollem serius Austrum /istis, aues.
                              7.833
uix miseris serum tanto lassata periclo
/auxilium Fortuna dedit. 9.890
quasdam, Caesar, aquas post mundi sera
peracti / saecula concussis terrarum
erumpere uenis /... reor, ... 10.263
SESOSTRIS.   uenit ad occasus mundique extrema
Sesostris 10.276
SESTOS.   Europamque Asiae Sestonque admouit
Abydo 2.674
tot potuere manus aut iungere Seston
Abydo 6.55
SEU.   1.47;1.48;1.234;2.622;2.623;3.42;3.43;
      3.595(bis);5.92;5.132;5.134;5.136;5.139;
      5.244;5.246;7.19;7.23;7.197;7.198;7.199;
      7.324;8.141
SEUERUS,-A,-UM.   flammisque seueri /inlicitis
arsere senes 6.453
SEXTUS(Pompeius).   turbae sed mixtus inerti
/Sextus erat, Magno proles indigna parente,
                              6.420
Sextoque ad castra parentis /it comes;
                              6.827
signa per orbem, /Sexte, paterna moue;
                              9.85
SEXUS.   laudis in hoc sexu non legum iura
nec arma, ... 8.75
nullo discrimine sexus /reginam scit
ferre Pharos. 10.91
SI.   (a) condit.: c.ind.praes.
    1.20;1.63;1.191;1.192;1.359;1.457;1.644;
    2.57;2.84;2.277;2.281;2.514;3.151;3.220;
    3.310;3.312(bis);3.328;3.342;3.693;4.288;
    4.310;5.17(bis);5.321;5.348;5.533;5.557;
    5.571;5.579;5.656;5.749;5.778;6.242;6.518;
    6.554;6.556;6.706;6.707;6.718;7.79(bis);
    7.87(bis);7.103;7.290;7.376;7.539;7.661;
    7.663;7.806;7.822;8.122(bis);8.143;8.160;
    8.218;8.311;8.341;8.440;8.442;8.458;8.489;
    8.500;8.635;8.800;8.806;8.839;9.102;9.212;
    9.249;9.250;9.388;9.593;9.594;9.922;
    9.931;9.983;9.1031;9.1077;9.1078;10.85;
    10.262
    praes.periphr.
    7.118
    c.ind.fut.
    2.320;5.787;8.110;8.772;9.97;9.232
    c.ind.imperf.
    6.430;7.646;8.588
    imperf.periphr.
    6.710
    c.ind.perf.
    1.33;1.340;2.555;3.406;4.239;4.288;4.308;
    4.317;4.778;5.116;5.287;5.493;5.656;6.274;
    6.708;7.187;7.261;8.222;8.428;8.549;8.749;
    8.837;9.78;9.327;9.387;9.694;9.907;9.908;
    10.181
    perf.periphr.
    8.97;
    c.ind.fut.perf.
    1.56;1.284;2.515;5.756;7.812;8.626;8.803;
    9.401;9.603;10.361;10.366;
    c.subiunct.praes.
    1.102;1.210;1.376;1.379;1.381;1.512;2.445;

SI
    2.456;2.496;2.665;2.667;3.110(bis);3.139;
    3.147;3.258;3.334;3.335;3.347;3.367;4.409;
    5.26;5.336;5.758;6.77;6.613;6.662;7.106;
    7.144;7.569;8.323;8.768;8.844;8.845;9.411;
    9.412;10.463
    c.subiunct.imperf.
    1.307;1.651;1.655;2.416;2.617;3.316;3.430;
    4.227;4.808;6.323;6.503;6.605;6.663;7.29;
    7.352;7.358;7.378;7.384;8.42;8.153;8.572
    (bis);9.215;8.467;9.686;9.1068;10.25;
    10.448
    c.subiunct.perf.
    1.304
    c.subiunct. plusquamperf.
    1.114;3.73;3.315;3.698;4.344;6.258(bis);
    6.303;6.633;7.202;7.334;7.868;9.682
    c.uerb. subaudit.1.21;2.550;5.274;6.615;
    7.192;8.761(bis);9.83;10.63
    (b) final.: c. subiunct.praes.
    var.10.88
    imperf.
    4.532
SI QUIS,etc.
    1.20;2.550;3.151;3.310;3.406;3.698;4.317;
    4.778;6.274;6.430;7.376;8.143;8.160;8.749;
    8.772;9.78;9.83;9.327;9.387;9.388;9.401;
    9.907;9.908;9.922;9.931;9.983;9.1077;
    10.85;10.448
SI..SI(=SIUE...SIUE). var.8.122
SIBILO,-ARE. nec quatiunt ualidos, ne sibilet
    aura, rudentes. 2.698
    habet illa ... /quod strident ululantque
    ferae, quod sibilat anguis; . . 6.690
SIBILUS,-A,-UM. sibilaque et flammas infert
    sopor. 7.772
    illis e faucibus angues /stridula fuderunt
    uibratis sibila linguis. 9.631
    Cerberos Orpheo leniuit sibila cantu,
                     9.643
    sibilaque effundens cunctas terrentia
    pestes,/... basiliscus 9.724
SIBYLLA. Cirrha silet farique sat est
    arcana futuri /carmina longaeuae uobis
    conmissa Sibyllae, ... 5.138
SIC. 1.72;1.103;1.228;1.257;1.291;1.330;
    1.412;1.484;1.495;1.503;1.637;2.21;2.117;
    2.187;2.232;2.284;2.304;2.323;2.337;2.607;
    2.648;2.677;3.34;3.90;3.97;3.215;3.322;
    3.355;3.365;3.372;3.416;3.483;3.550;3.721;
    3.748;4.46;4.106;4.110(bis);4.134;4.135;
    4.235;4.237;4.280;4.400;4.437;4.474;4.520;
    4.549;4.556;4.634;4.649;4.701;4.710;4.773;
    4.806;5.1;5.120;5.186;5.218;5.297;5.340;
    5.412;5.436;5.523;5.538;5.612;5.620;5.711;
    5.767;5.790;5.802;6.207;6.208;6.272;6.293;
    6.329;6.558;6.648;6.820;7.24;7.29;7.36;
    7.123;7.340;7.666;7.693;7.841;8.27;8.105;
    8.148;8.192;8.199;8.267;8.327;8.408;8.488;
    8.544;8.545;8.606;8.661;8.743;8.752;9.109;
    9.182;9.251;9.292;9.310;9.344;9.378;9.406;
    9.443;9.477;9.481;9.484;9.509;var.9.528;
    9.584;9.684;9.798;9.809;9.839;9.880;9.906;
    9.922;9.1000;9.1032;9.1083;10.85;10.193;
    10.238;10.239;10.332;10.416;10.445;10.464
SICANIA. ueluti mediae qui tutus in aruis /
    Sicaniae rabidum nescit latrare Pelorum,
                     6.66
SICANIUS,-A,-UM. Sicanio tegitur qui Carbo
    sepulchro, ... 2.548
    Curio Sicanias transcendere iussus in
    urbes, ... 3.59

    Pisaeaeque manus populisque per aequora
    mittens /Sicaniis Alpheos aquas. 3.177
SICCO,-ARE. rituque ferarum /distentas
    siccant pecudes, ... 4.314
    et nunc pontus adhuc Phoebo siccante
    repugnat, ... 9.315
    pallentia uolnera lambit /ore uenena
    trahens et siccat dentibus artus, 9.934
SICCUS,-A,-UM. pectoribus rapti matrum
    frustraque trahentes /ubera sicca fame
    medios mittentur in ignis . . . 3.352
    pigro bruma gelu siccisque Aquilonibus
    haerens /aethere constricto pluuias in
    nube tenebat. 4.50
    et siccis inclusit collibus hostem. 4.263
    postquam sicca rigens astrinxit uolnera
    sanguis. 4.291
    quoque minus possent siccos tolerare
    uapores /quaesitae fecistis aquae. 4.305
    oraque sicca rigent squamosis aspera
    linguis; 4.325
    et siccis uoltus in nubibus haerent. 4.331
    miles et attonso miseris iam dentibus
    aruo /castrorum siccas de caespite
    uolserat herbas. 4.414
    qua se / Bagrada lentus agit siccae
    sulcator harenae.· 4.588
    uidet exhaustos sudoribus artus /
    ceruicemque uiri, siccam cum ferret
    Olympum. 4.639
    siccaque sanguineis durescit spuma lupatis.
                     4.758
    nec placet ... / aut siccum quod mergus
    amat, ... 5.553
    lapsusque superne /gurgite Penei pro
    siccis utitur aruis. 6.377
    et siccae pallida rodit /excrementa manus.
                     6.542
    morsusque luporum /expectat siccis
    raptura e faucibus artus. . . . 6.553
    siccoque haerentem gutture linguam /
    praemordens gelidis infudit murmura
    labris 6.567
    sicci sed plurima campi /tetrarchae
    regesque tenent 7.226
    scelerique secundo /praestabis nondum
    siccos hoc sanguine campos. . . 7.854
    siccaque Thessalia confudit lumina Lesbos.
                     8.108
    quam uix ... /... siccis dimittere matres
    /iam poterant oculis: 8.154
    postquam sicco iam litore sedit, /incubuit
    Magno 8.726
    da uilem Magno ... arcam /quae lacerum
    corpus siccos effundat in ignes; 8.737
    ibit et imbrifera siccas sub Pliade
    Thebas /spectator Nili, ... 8.852
    'praecipitate rates e sicco litore, nautae;
                     9.148
    eminet in tergo pelagi ... /inuiolatus
    aqua sicci iam pulueris agger; 9.342
    siccaque letiferis squalent serpentibus
    arua. 9.384
    nam litore sicco, /quam pelago, Syrtis
    uiolentius excipit Austrum, . . . 9.447
    nam quidquid puluere sicco / separat
    ardentem tepida Berenicida Lepti /ignorat
    frondes: 9.523
    tu,sicca profundo /mergi Plaustra putas,
                     9.540
    stabant in margine siccae /aspides, 9.609

SICCUS

has inter pestes duro Cato milite siccum
/emetitur iter, ... 9.734
et in sicco linguam torrere palato /
coepit; 9.744
inscius in sicco serpentem puluere riuum
/transierat, qui Xanthus erat. 9.974
qui sicco lumine campos / uiderat Emathios,
uni tibi, Magne, negare /non audet
gemitus, ... 9.1044

SICINE. 'sicine Thessalicae mentem fregere
ruinae? 8.331

SICORIS. placidis praelabitur undis /
Hesperios inter Sicoris non ultimus amnis,
4.14
utque habuit ripas Sicoris camposque
reliquit 4.130
ac, nequid Sicoris repetitis audeat undis,
4.141
sed inter /stagnantem Sicorim et rapidum
deprensus Hiberum /spectat uicinos sitiens
exercitus amnes. 4.335

SICULUS,-A,-UM. ora ferox Siculae laxauit
Mulciber Aetnae, ... 1.545
extremi colles Siculo cessere Peloro.
2.438
ceu Siculus flammis urguentibus Aetnam
/undat apex, ... 5.99
polluit aequoreos Siculus pirata triumphos.
6.422
omnia uates / ipse canet Siculis genitor
Pompeius in aruis, ... 6.814
Martius incaluit Siculis incudibus ensis
7.146
nec secus in Siculis fureret tua flamma
cauernis, ... 10.447

SICUT. 1.205;2.267;2.365;3.638;3.716;7.654

SIDO,-ERE. sidentia pessum / corpora caesa
tenent 3.674
sidentis in tabem spectat aceruos 7.791

SIDON. desertus Orontes /... /et Tyros
instabilis pretiosaque murice Sidon. 3.217

SIDONIUS. candida Sidonio perlucent pectora
filo, ... 10.141

SIDUS. unde uenit Titan et nox ubi sidera
condit 1.15
unde tuam uideas obliquo sidere Romam.
1.55
[omnia mixtis /sidera sideribus
concurrent,] 1.75
destituatque ferens, an sidere mota
secundo /Tethyos unda uagae lunaribus
aestuet horis, ... 1.413
erigat Oceanum fluctusque ad sidera ducat,
1.416
ignota obscurae uiderunt sidera noctes
1.526
uiderunt.../...crinemque timendi /sideris
et terris mutantem regna cometen. 1.529
et incerto discurrunt sidera motu, 1.643
Venerisque salubre / sidus hebet, motuque
celer Cyllenius haeret, ... 1.662
inconcussa suo uoluuntur sidera lapsu.
2.268
sidera quis mundumque uelit spectare
cadentem 2.289
diductique fretis alio sub sidere reges,
2.294
atque omnis propior mergenti sidera caelo
/aruerat tellus hiberno dura sereno. 4.54
sidera respiciens delapsae portitor
Helles, ... 4.57

non sidera caelo /ulla uidet, 4.107
cum sidera caeli /ante ducis uoces oculis
umentibus omnes /aspicerent 4.521
nam sol Ledaea tenebat /sidera, uicino
cum lux altissima Cancro est; 4.527
inuenit et pauidas hiberno sidere
classes. 5.408
sidera prima poli Phoebo labente sub
undas /exierant 5.424
lapsa per altum /aera dispersos traxere
cadentia sulcos /sidera, ... 5.563
teque, senex Chiron, gelido qui sidere
fulgens /inpetis Haemonio maiorem Scorpion
arcu. 6.393
sideribusque uias incurrens abstulit Ossa.
6.412
nec quaesisse libet ... /quis ... /
... Assyria scrutetur sidera cura, 6.429
infandum tetigit cum sidera murmur, /...
/abducet superos alienis Thessalis aris.
6.448
inpulsam sidere Tethyn /reppulit
Haemonium defenso litore carmen. 6.479
illis et sidera primum /praecipiti deducta
polo, ... 6.499
si ... atrae /sidera subducunt nubes,
tunc Thessala nudis /egreditur bustis
6.519
conceditur arti,/ unam cum radiis
presserunt sidera mortem, /inseruisse
moras; 6.608
ille quoque incertus ... /quas iubeat
uitare plagas, quae sidera mundi. 6.816
uisus sibi ... /attollique suum laetis
ad sidera nomen /uocibus 7.11
Romanus ... /sub quocumque die, quocumque
est sidere mundi, /maeret et ignorat
causas 7.189
quone poli motu, quo caeli sidere uerso
/Thessalicae tantum, superi, permittitis
orae? 7.301
consulit ... /... Syriam quo sidere seruet
8.169
fallentia nautas,/sidera non sequimur,
8.174
ostendit terras Titan et sidera texit.
8.202
auersosque polos alienaque sidera quaeris,
8.337
sidera terra /ut distant et flamma mari,
sic utile recto. 8.487
et ad superos obscuraque sidera fatur
8.728
sideribus nouere uiam; 9.495
nec sidera tota /ostendit Libycae finitor
circulus orae, ... 9.495
nullumque in uertice semper /sidus
habes inmune mari; 9.542
itque super Libyen, quae nullo consita
cultu /sideribus Phoeboque uacat: 9.691
et sidus iniquum /gentibus. 10.35
tu gentibus aequum /sidus ades nostris.
10.90
sideribus, quae sola fugam moderantur
Olympi /... diuersa potentia prima /mundi
lego data est. 10.199
hunc ubi pars caeli tenuit, qua mixta
Leonis / sidera sunt Cancro, ... /...
tunc Nilus fonte soluto, /... iussus
adest, ... 10.211

SIGEUS,-A,-UM. Sigeasque petit famae mirator

SIGEUS

    harenas 9.961

SIGNIFER,-FERA,-FERUM. quod non premeretur ab

    ulla /signiferi regione poli, . .   3.254

    tunc in signifera residenti puppe

    magistro /Brutus ait 3.558

    quidquid signiferi conprensum limite

    caeli /sub Noton et Borean hominum sumus,

    arma mouemus. 7.363

    'signifero quaecumque fluunt labentia

    caelo, /... fallentia nautas,/sidera non

    sequimur, ... 8.172

SIGNIFER(subst.). unde tribunicia plebeius

    signifer arce /arma dabas populis? 4.800

    maiori pondere pressum /signiferi mersere

    caput rorantia fletu /... signa. 7.163

    signiferum iuuenem Tyrrheni sanguinis

    Aulum /... dipsas calcata momordit. 9.737

SIGNO,-ARE. at uos, qui Latios signatis

    nomine fastos, ... 2.645

    (Phoenices primi, famae si creditur, ausi

    /mansuram rudibus uocem signare figuris;

                        3.221

    Phocais in dubiis ausa est seruare

    iuuentus /non Graia leuitate fidem

    signataque iura, ... 3.302

    hinc, aeui ueteris custos, famosa uetustas,

    /miratrixque sui, signauit nomine terras.

                        4.655

    nomen inane /imperii rapiens signauit

    tempora digna /maesta mota; . . .5.390

    tempora signauit leuiorum Roma malorum,

                        7.410

    interea paruo signemus litora saxo, 8.771

SIGNUM. infestisque obuia signis /signa,

                        1.6

    obuia signis / signa, pares aquilas et

    pila minantia pilis. 1.7

    noxque diem caelo totidem per signa

    sequetur, ... 1.91

    quo fertis mea signa, uiri? . . . 1.191

    tumidumque per amnem /signa tulit propere:

                        1.205

    constitit ut capto iussus deponere miles

    /signa foro, ... 1.237

    ut notae fulsere aquilae Romanaque signa

    /... deriguere metu, ... 1.244

    hos iam mota ducis uicinaque signa

    petentes / audax uenali comitatur Curio

    lingua, ... 1.268

    conuocat armatos extemplo ad signa

    maniplos, ... 1.296

    quid, si mihi signa iacerent /Marte

    sub aduerso 1.307

    Pompeiana reum clauserunt signa Milonem?

                        1.323

    tollite iam pridem uictricia tollite

    signa: 1.347

    per signa decem felicia castris /... iuro

                        1.374

    castra (signa) super Tusci si ponere

    Thybridis undas, /Hesperios audax ueniam

    metator in agros.   var.1.381

    euocat et Romam motis petit undique signis.

                        1.395

    signa mouet, gaudetque amoto Santonus

    hoste 1.422

    ipsum omnes aquilas conlataque signa

    ferentem 1.477

    cur signa meatus /deseruere suos mundoque

    obscura feruntur, ... 1.663

    manifestaque belli /signa dedit mundus 2.2

SIGNUM

    ad Eoas hic uertat signa pharetras; 2.55

    nulli gestanda dabantur /signa ducis, 2.97

    mille licet gladii mortis noua signa

    sequantur, ... 2.115

    quin publica signa ducemque /Pompeium

    sequimur? 2.319

    dux fugit et nullas ducentia signa

    cohortes. 2.471

    poenarum extremum ciui, quod castra

    (signa) secutus /sit patriae Magnumque

    ducem totumque senatum, /ignosci.var.2.519

    'o scelerum ultores melioraque signa

    secuti, ... 2.531

    qui cum signa tuli toto fulgentia ponto,

                        2.576

    Cappadoces mea signa timent et dedita

    sacris 2.592

    placuitque referri / signa nec in tantae

    discrimina mittere pugnae . . . 2.599

    haereat illa tuis per bella per aequora

    signis, ... 3.24

    Iliacae quoque signa manus perituraque

    castra /ominibus petiere suis,   3.211

    inter Caesareas acies diuersaque signa /

    pugnaces dubium Parthi tenuere fauorem

                        3.264

    terribilis aquilas infestaque signa

    relinquas /urbe procul 3.330

    peruigil alterno paret custodia signo.

                        4.7

    signa tenet Magni, ...4.17

    prima dies ... /spectandasque ducum

    uires numerosaque signa /exposuit. 4.25

    sed glacie medios signorum temperat ignes.

                        4.109

    signa ferat, cessa: 4.187

    'inmemor o patriae, signorum oblite

    tuorum, ... 4.212

    ibitis ad dominum damnataque signa feretis,

                        4.217

    omnis Romanis quae cesserat Africa signis

    /tum Vari sub iure fuit; 4.666

    exciuit, Libycas gentis extremaque

    mundi /signa suum comitata Iubam. 4.670

    ipse sub aurorae primos excedere

    motus / signa iubet castris, . . 4.735

    super ardua ducit /saxa, super cautes,

    abrupto limite signa; 4.740

    tollite signa, duces, fatorum inpellite

    cursum, ... 5.41

    quisquis mea signa relinquens /non

    Pompeianis tradit sua partibus arma, 5.349

    tradite nostra uiris ignaui signa

    Quirites. 5.358

    explicuit turmas et signa minantia pugnam

                        6.9

    signa mouet 6.13

    pacem gladio si quaerit ab isto /Magnus,

    adorato summittat Caesare signa. 6.243

    frigidaque, ut ueteris, deprendit signa

    ruinae. 6.281

    cum mixto murmure turba /castrorum

    fremuit ... / signa petit pugnae. 7.47

    ipsae tua signa reuellent /prosilientque

    acies: 7.77

    uibrant tela manus, uix signa morantia

    quisquam /expectat: 7.82

    belli pars magna peracta est /... /si

    modo uirtutis stimulis iraeque colore

    /signa petunt. 7.104

    [nec non innumero cooperta exanime signa]

SIGNUM

                                    7.161
uixque reuolsa solo maiori pondere pressum
/signiferi mersere caput rorantia fletu
/usque ad Thessaliam Romana et publica
signa. 7.164
si cuncta perito /augure mens hominum
caeli noua signa notasset, /spectari toto
potuit Pharsalia mundo. 7.203
o summos hominum, quorum fortuna per orbem
/signa dedit. 7.206
Caesar ... / ad segetum raptus moturus
signa repente /conspicit in planos hostem
descendere campos, ...   7.236
quod si, signa ducem numquam fallentia
uestrum, /conspicio ... / uicistis. 7.290
uincat ... / quique suos ciues, quod signa
aduersa tulerunt, /non credit fecisse
nefas. 7.314
tunc ausae dare signa tubae, . .   7.477
tenet obliquas post signa cohortes, 7.522
arma / signaque et adflictas omni iam
parte cateruas /circumit . . .   7.667
saepe super uoltus uictoris et inpia
signa / aut cruor aut alto defluxit ab
aethere tabes 7.838
nunc et Corycias classes et Pontica signa
/ delectum meminisse piget. . .   8.26
iuuat ire per orbem /... / signaque ab
Euphrate cum Crassis capta sequentem?
                                    8.358
hinc super Emathiae campos et signa
cruenti /Caesaris ... uolitauit   9.15
et signa per orbem, /Sexte, paterna moue;
                                    9.84
castrorum bellique piget ... /cum
Tarcondimotus linquendi signa Catonis
/sustulit. 9.219
si semper sequeris patriam, Cato, signa
petamus /Romanus quae consul habet.' 9.250
sciat ista iuuentus /ceruicis pretio bene
se mea signa secutam. 9.281
'o quibus una salus placuit mea castra
(signa) secutis /... conponite mentes /ad
magnum uirtutis opus var.9.379
circulus alti /solstitii medium signorum
percutit orbem. 9.532
et fuga signorum medio rapit omnia
caelo. 9.543
lunaeque meatibus obstat,/si flexus ob
oblita uagi per recta cucurrit /signa
                                    9.695
non maesti iura Catonis /ardentem
tenuere uirum, ne spargere signa /auderet
                                    9.748
iussit signa rapi propere Cato: 9.761
solet pariter totis se fundere signis /
Corycii pressura croci, ...   9.808
qui tum Romana secutus / signa,   9.912
fertur securus in urbem /pignore tam
saeui sceleris sua signa secutam.   10.10
et Romana petit inbelli signa Canopo 10.64
manifesta noui primum dant signa tumoris.
                                    10.326
haud clara mouendis,/ ut mos, signa dedit
castris 10.400
non Thessala tellus / uastaque regna
Iubae, non Pontus et inpia signa /
Pharnacis ... /... tantum ausus scelerum,
                                    10.475

SILENTIUM. conposuit uoltu dextraque silentia
iussit 1.298

SILUA

obscuratque suam per iussa silentia
famam, ...   4.718
ut primum maestum tenuere silentia
coetum, ...   5.15
sic tempore longo /inmotos tripodas
uastaeque silentia rupis /Appius ...
/sollicitat. 5.121
Caesar sollicito per uasta silentia
gressu / uix famulis audenda parat, 5.508
manibus inlatrat regnique silentia rumpit.
                                    6.729
cunctorum uoces ... / Tullius ... /
pertulit iratus bellis, cum rostra
forumque /optaret passus tam longa
silentia miles. 7.66

SILEO,-ERE. rura silent, mediusque tacet
sine murmure pontus, ...   1.260
at postquam leges bello siluere coactae
/ pellimur e patriis laribus   1.277
tantum nox atra silentibus auris /edidit.
                                    1.579
pauidi classis siluere magistri,   2.696
regesque silentum /permisere sequi. 3.29
Thesproti Dryopesque ruunt, quercusque
silentis /Chaonio ueteres liquerunt
uertice Selloe. 3.179
quando non proderit ista silere   4.811
Caesar habet uacuasque domos legesque
silentis 5.31
quod siluit, postquam reges timuere futura
                                    5.113
Cirrha silet farique sat est arcana
futuri / carmina longaeuae uobis conmissa
Sibyllae, ...   5.137
iam castra silebant, ...   5.506
coetus audire silentum, /... /non superi,
non uita uetat. 6.513
sit pietas aliis miracula tanta silere;
                                    10.196

SILER. delabitur inde /... radensque
Salerni / tesca Siler nullasque .   2.426
SILEX. iuuentus /extrahitur duris silicum
lassata metallis; 4.304
SILUA. tot circum siluae firmo se robore
tollant, ...   1.142
curuato robore pressae /fit sonus aut
rursus redeuntis in aethera siluae. 1.391
accipimus, siluisque feras sub nocte
relictis / audaces media posuisse cubilia
Roma. 1.559
Eridanus fractas deuoluit in aequora
siluas. 2.409
qua siluae, qua saxa, fugit. . .   2.468
siluarum secreta petit uacuosque per
agros 2.602
tunc placuit caesis innectere uincula
siluis 2.670
dispersus siluis Athaman et nomine prisco
/Encheliae uersi testantes funera Cadmi,
                                    3.188
aethera tangentis siluas liquere Choatrae.
                                    3.246
quos gurgite Bactros /includit gelido
uastisque Hyrcania siluis; . . .   3.268
uentus ut amittit uires, nisi robore
densae /occurrunt siluae, spatio diffusus
inani, ...   3.363
procumbunt nemora et spoliantur robore
siluae, ...   3.395
nec uentus in illas / incubuit siluas
excussaque nubibus atris /fulgura: 3.409

SILUA

iam fama ferebat /... / et non ardentis
fulgere incendia siluae, . . .   3.420
hanc iubet inmisso siluam procumbere
ferro; 3.426
'iam nequis uestrum dubitet subuertere
siluam   3.436
siluaque Dodones et fluctibus aptior
alnus /... tum primum posuere comas 3.441
sustinuit se silua cadens. . . .   3.445
nec solum siluas sed saxa ingentia soluit,
                                     3.506
tollere silua comas, stagnis emergere
colles /incipiunt 4.128
sic, ubi desuetae siluis in carcere
clauso / mansuevere ferae   4.237
nec creditur ulli / silua cani,   4.442
stat, mirum, moles et siluis aequor
inumbrat. 4.456
praebere ... / adsuerunt, non silua
torum, ...   4.604
magnoque recessu / amplexus ... tesqua /
et siluas uastaque feras indagine claudit.
                                      6.42
solus obit densamque ferens in pectore
siluam /... in quem cadat, eligit hostem.
                                     6.205
in praeceps subsedit humus, quam pallida
pronis / urguet silua comis 6.644
exprimit ... / siluarumque sonum
fractaeque tonitrua nubis: 6.692
tali tua membra sepulchro,/ talibus exuram
Stygio cum carmine siluis,   6.766
erige congestas Oetaeo robore siluas,
                                     7.807
Haemoniae deserta petens dispendia
siluae /cornipedem ... /Magnus agens
incerta fugae uestigia turbat . . .   8.2
te,... / ... captos ducere reges /uidit
ab Hyrcanis, Indoque a litore, siluis,
                                     8.343
fuit aurea silua 9.360
nec ruit in siluas annosaque robora
torquens /lassatur: 9.452
esse locis superos testatur silua per
omnem / sola uirens Libyen. . . .   9.522
siluarum fons causa loco, qui putria
terrae / alligat 9.526
iam siluae steriles et putres robore
trunci / Assaraci pressere domos   9.966
aspicit Hesiones scopulos siluaque
latentis / Anchisae thalamos; . . . 9.970
dentibus hic niueis sectos Atlantide silua
/inposuere orbes,   10.144

SILUANUS. hunc ... / Siluani Nymphaeque tenent,
                                     3.403

SIMILIS,-E. leuis totas accepit habenas /
in campum sonipes, crebroque simillima
nimbo 2.501
ut simili causa caderes, quoi Spartacus,
hosti. 2.554
at Romana ratis stabilem praebere
carinam /certior et terrae similem
bellantibus usum. 3.557
an similem uestri segnemque ad fata
putatis? 6.244
multorum pallor in ore / mortis uenturae
faciesque simillima fato. . . .   7.130
tot similis fratrum gladios patrumque
gerenti / Thessaliae dabit ille diem?
                                     7.453
da similis Lesbo populos, qui Marte

SIMULACRUM

subactum / non intrare suos ... portus,
/... uetent.'   8.144
similisne malorum /sors mihi semper erit?
                                      9.66
sed non aut fulmina uibrans /aut similis
nostro, sed tortis cornibus Hammon. 9.514

SIMOIS. petit famae mirator ... /et Simoentis
aquas et Graio nobile busto / Rhoetion
                                     9.962

SIMUL. his cunctae simul adsensere cohortes
                                     1.386
saeue parens, utrasque simul partesque
ducesque, / dum nondum meruere, feri.
                                      2.59
uidit Fortuna colonos / Praenestina suos
cunctos simul ense recepto / unius populum
pereuntem tempore mortis. . . .   2.194
tot simul infesto iuuenes occumbere leto
                                     2.198
ite simul pedites, ruiturum ascendite
pontem.' 2.499
terga simul pariter missis et pectora
telis / transigitur: 3.587
donec utrasque simul largus cruor expulit
hastas   3.590
innumerasque simul pauci terraque marique
/sustinuere manus: 4.537
uenator ferrique simul fiducia non est
                                     4.685
obstipuit dux ipse simul peritura que turba.
                                     4.748
tot simul e campis Latiae fulsere uolucres,
                                     6.129
quem non mille simul turmis nec Caesare
toto / auferret Fortuna locum . .   6.140
simul haec effatur, et altus /Caesareas
puluis testatur adesse cohortes.   6.246
at, simul a prima descendit origine mundi
/causarum series, ...   6.611
nec se tellure cadauer / paulatim per
membra leuat, terraque repulsum est /
erectumque semel (simul). . . . var.6.757
orbis / indulgens regno, qui tot simul
undique gentis / iuris habere sui uellet
                                      7.54
haec ... / spesque metusque simul
perituraque uota mouebunt, . . .   7.211
uideor ... spectare ... / calcatosque
simul reges sparsumque senatus /corpus
                                     7.293
toto simul utimur orbe. 7.362
caedunt ... / Coruinosque simul
Torquataque nomina, ...   7.584
tot regum fortuna simul Magnique coacta
/expectat dominos: 7.743
rex tolletque animos Latium uaesanus
in orbem / se simul et Romam Pompeio
supplice mensus? 8.346
simul et Garganus et arua / Volturis ...
lucent 9.184
simul effetas linquunt examina ceras 9.285
omnia membra / emisere simul rutilum
pro sanguine uirus. 9.810
simul iussit statui tentoria ductor, /
primum ... harenas / expurgat cantu 9.912
et dederat ferrum ... / in cunctos in
seque simul; 10.353
sic barbara Colchis /creditur ... /
ense suo fratrisque simul ceruice parata
/expectasse patrem. 10.466

SIMULACRUM. simulacraque maesta deorum /

491

SIMULACRUM

    arte carent 3.412

SIMULATOR. mittitur, ... / ut sibi commissi

    simulator Sabbura belli; 4.722

SIMULO,-ARE. non fictas laeto uoces simulare

    tumultu, / uix odisse uacat. . . 3.102

    oblitus simulare togam; 3.143

    ille fugam credens simulatae nescius

    artis, ... 4.744

    atque deum simulans sub pectore ficta

    quieto / uerba refert, ... 5.148

    credidit infelix simulatis uocibus

    Aulus 6.236

    in dubiis tutum est inopem simulare

    tyranno; 8.241

    adquiritque fidem simulati fronte doloris:

    9.1063

    quem ... Cleopatra sine ullis /tristis

    adit lacrimis, simulatum compta dolorem

    /qua decuit, ... 10.83

SINE. 1.260;1.533;1.642;2.21;2.266;

    4.162;5.313;5.381;6.188;6.630;7.93;7.118;

    7.601;7.607;8.558;8.584;9.62;9.262;9.366;

    9.769;9.770;9.973;10.82;10.461

SINGULTUS. arma rigant lacrimis, singultibus

    oscula rumpunt, ... 4.180

    Pharioque ueruto,/ dum ... os in murmura

    pulsant /singultus animae, ... / suffixum

    caput est, ... 8.683

SINGULUS,-A,-UM. singula continuis cesserunt

    ictibus arma. 3.486

    pudet ... / ... singula fata sequentem /

    quaerere letiferum per cuius uiscera

    uolnus / exierit, ... 7.618

    petimus non singula busta /discretosque

    rogos: 7.803

    meque tuumque caput per singula forsitan

    illi /oscula donabit. 10.364

SINISTER,-TRA,-TRUM. et uos barbaricos ritus

    moremque sinistrum /sacrorum, Dryadae,

    positis repetistis ab armis. . . 1.450

    et doctus uolucres augur seruare sinistras

    1.601

    umbras mirati nemorum non ire sinistras.

    3.248

    pro numine fata sinistro /exigua requie

    tantas augentia clades! 4.194

    et laetae iurantur aues bubone sinistro.

    5.396

    huc quiquid fetu genuit natura sinistro

    /miscetur: 6.670

    cornus tibi cura sinistri, /Lentule,

    cum prima ... /et quarta legione

    datur. 7.217

    et nunc tibi summa pauoris / nuntius

    armorum tristis rumorque sinister. 8.52

    illa quoque perge sinistra /trans Pharon,

    8.183

    Boreae latus illa sinistrum /contingens

    dextrumque Noti discedit in ortus 9.418

SINO,-ERE. uix fata sinunt; 2.701

    excludique sinas admisso Caesare bellum.

    3.332

    et laxe fluitare sinit, religatque

    catenas 4.451

    mens stetit in dubio, quam nec sua fata

    timere / nec Magni sperare sinunt. 7.248

    'hic situs est Magnus.' 8.793

    situs est qua 'terra extrema refuso /

    pendet in Oceano; 8.797

    nulla manere sinunt rapidi uestigia fati.

    9.786

SINUS. telluris inanis /concussisse sinus

    quaerentem erumpere uentum /credidit

    3.460

    totosque rudentes / laxauere sinus 5.427

    'pelagi uentoque furenti /trade sinum.

    5.579

    monstriferos agit unda sinus. 5.620

    pudet ... /eque tuo, quatiunt miserum

    cum classica mundum, /surrexisse sinu.

    5.752

    puppemque ferentes /in uentum tumuere

    sinus. 6.472

    refer haec solacia tecum, /o iuuenis,

    placido manes patremque domumque /

    expectare sinu 6.804

    placido natura receptat / cuncta sinu,

    7.811

    cuius adhuc remis quatitur Corcyra

    sinusque /Leucadii ... /exiguam uector

    pauidus correpsit in alnum. . . 8.37

    magnosque sinus Telmessidos undae /

    conpensat medio pelagi. 8.248

    sic fatus plenusque sinus ardente fauilla

    /peruolat ad truncum, ... 8.752

    utinam ... uelit uti /nostro Roma sinu:

    8.843

    atque ultra proram tumuit sinus. 9.327

    iamque sinu laxo nudum sine corpore

    uolnus. 9.769

    nec tantos carbasa Coro / curuauere

    sinus. 9.800

    amouitque sinus 10.297

SIPARUS,-A,-UM. summaque pandens /sipara

    uelorum perituras colligit auras. 5.429

SIPUS. quas recipit Salpina palus et subdita

    Sipus /montibus, ... 5.377

SIQUIDEM. 4.258

SIRIUS. hunc ubi pars caeli tenuit,... /...

    rapidos qua Sirius ignes /exerit ... /

    ... tunc Nilus fonte soluto,/... iussus

    adest, ... 10.211

SISTO,-ERE. quorum stata tempora flatus 10.240

SISTRUM. nos in templa ... Romana

    accepimus ... / semideosque canes et

    sistra iubentia luctus 8.832

    terruit illa suo, si fas, Capitolia sistro

    10.63

SITIO,-IRE. per calidas Libyae sitientis

    harenas: 1.368

    parati , /... / quaerere et effossam

    sitientes lambere terram 3.346

    spectat uicinos sitiens exercitus amnes.

    4.336

    sitiat quicumque bibentem / uiderit, 9.398

    quanto poena tu dignior ista es,/ qui

    populo sitiente bibas!' 9.509

    in mediis sitiebant dipsades undis. 9.610

    furens exquireret aruis / quas poscebat

    aquas sitiens in corde uenenum. 9.750

SITIS. sic et Sullanum solito tibi lambere

    ferrum / durat, Magne, sitis. . . 1.331

    paenituit, tolerasse sitim frustraque

    rogasse /prospera bella deos! . . 4.387

    serpens, sitis, ardor harenae / dulcia

    uirtuti; 9.402

    arent ora siti. 9.500

    sed putat esse sitim; 9.759

    discere nulli / permissum est hoc posse

    sitim. 9.762

SITUS(subst.). ipse situs putrique facit iam

    robore pallor /attonitos; . . . 3.414

SITUS

tenet ora profanae / foeda situ macies,
6.516

intus tenebrae pallensque sub antris /
longa nocte situs numquam nisi carmine
factum /lumen habet. 6.647
terrarumque situs uolgique edissere mores
10.178

SIUE. 2.7;2.12;5.92;7.21;7.208;7.209;7.323;
8.140

SOCER. ut generos soceris mediae iunxere
Sabinae. 1.118
socerum depellere regno / decretum genero
est: 1.289
donauit socero Romani sanguinis usum.
2.477
quod socero bellum praeter ciuile reliqui?'
2.595
quid prodita iura senatus /et gener atque
socer bello concurrere iussi? 4.802
regnumque sorori / ereptum est soceroque
nefas. 5.64
dilectus tibi, Magne, socer post pignora
tanta, / ... te ... propius non uidit
5.473
placemus socerum. 5.767
et raptum furto soceri cessantibus armis
/dedignatur iter: 6.121
arma secuturum soceri, ... / temptauere
... comites deuertere Magnum . . 6.316
segnis pauidusque uocatur / ac nimium
patiens soceri Pompeius, ... 7.53
adfusi uinci socerum patiare rogamus.
7.71
si totidem Magni soceros ... / ... funesto
in Marte locasses,/ non tam praecipiti
ruerent in proelia cursu. . . . 7.334
si socero dare regna meo mundumque
pararent, /praecipitare meam fatis
potuere senectam: 7.352
Magnus, nisi uincitis, exul /ludibrium
soceri, uester pudor, ... 7.380
socero spectare uolenti / praestandum est
ubicumque caput. 7.674
et soceri miserere tui. 7.701
sat magna feram solacia mortis /orbe
iacens alio, nihil haec in membra cruente,
/nil socerum fecisse pie. . . . 8.316
nam quod apud populos crimen socerique
tuumque / maius erit, ... 8.420
ire per ista / si potes, in media socerum
quoque, Magne, sedentem /Thessalia placare
potes. 8.440
nec soceri tantum arma fugit: . . 8.506
feriam tua uiscera, Magne, / malueram
soceri: 8.522
quacumque feriris,/ crede manum soceri.
8.629
adeone molesta /totum cura fuit socero
seruare cadauer? 8.700
condita laudabit Magni socer inpius ossa:
8.783
placet hoc, Fortuna, sepulchrum /dicere
Pompei, quo condi maluit illum / quam
terra caruisse socer? 8.795
litore Niliaco socerum iam stare putaui.
9.135
forsitan in soceri potuisses uiuere regno.
9.210
tutumque putauit / iam bonus esse socer,
9.1038
sentiat aduentum soceri uocesque querentis

SOL

audiat umbra pias. 9.1094
Magne, tui socerum rapuere a sanguine
manes, ... 10.7
tantum animi delicta dabant, ut colla
ferire /Caesaris et socerum iungi tibi,
Magne, iuberet; 10.348
non in soceri generique fauorem /discedunt
populi; 10.417

SOCIA(subst.). non me laetorum sociam
rebusque secundis / accipis: . . 2.346

SOCIUS, -A, -UM. dum cupit in sociam Gyareus
erepere puppem, ... 3.600
puppis ad auxilium sociae concurrit;
3.663
muros / oramus sociosque lares dignere
uel una /nocte tua: 8.113
uigiles Pompei pectore curae / nunc socias
adeunt Romani foederis urbes . . 8.162
ut primum in sociae peruenit litora terrae,
/collegit uestes ... Magni . . 9.174
et socias somno descendis ad umbras. 9.818

SOCIUS(subst.). nulla fides regni sociis,
1.92
'bellorum o socii, qui mille pericula
Martis / mecum' ait 'experti . . 1.299
'socii, decurrite' dixit 2.483
arsuras in tecta faces sociusque furoris
2.542
neu tuba praemonitos perducat ad aequora
nautas /praecepit sociis. . . . 2.691
sed prohibent socii suspensaque crura
retentant. 3.637
'uos', ait 'o socii, sicut tormenta
soletis, ... 3.716
ut primum aduersae socios in litore
terrae / et Basilum uidere ducem, 4.415
nos in conspicua sociis hostique carina
/constituere dei; 4.492
Rheni mihi Caesar in undis / dux erat,
hic socius; 5.290
hic ubi quaerentis socios iam Marte
relicto / tuta fugae cernit, . . 6.149
uincimus, o socii: 6.164
pandunt templa, domos, socios se cladibus
optant. 7.716
exiguam sociis monstri gladiisque
carinam /instruit. 8.541
classem (socios)-que relinquere iussus
/obsequitur, ... var.8.575
sociosne malorum /an ueherent hostes:
9.46
haec dicta monet famulos perferre fideles
/ad Pompeianae socium sibi caedis
Achillam, ... 10.350

SODALIS. septemuirque epulis festus Titiique
sodales 1.602

SOL. telluremque nihil mutato sole timentem
1.49
solis Lucifero fugiebant astra relicto.
1.232
qualem fugiente per ortus / sole Thyesteae
noctem duxere Mycenae. 1.544
ardentisque acies percussis sole
corusco /conspexit telis, . . . 2.482
sed tota tenetur /terra meis, quocumque
iacet sub sole, tropaeis: . . . 2.584
obscurum cingens conexis aera ramis /et
gelidas alte summotis solibus umbras.
3.401
urebant montana niues camposque iacentis
/non duraturae conspecto sole pruinae,

SOL

temporibus uicere dies, tum sole relicto
/Cynthia, quo primum cornu dubitanda
refulsit, ... 4.53

quidquid concrescere primus / sol
patitur, ... 4.59

nam sol Ledaea tenebat /sidera, 4.66

nec patitur noctes nec iniquos crescere
soles, ... 4.526

non horrore tremit, non solis imagine
uibrat. 5.25

at Genusum nunc sole niues nunc imbre
solutae /praecipitant. 5.446

nam sol non rutilas deduxit in aequora
nubes 5.465

oppressit cum sole dies, ... 5.541

solibus et nullis Scythicae, cum bruma
rigeret, /dimaduere niues. 5.701

uolsit et incoctas admisso sole medullas.
6.478

nec membris sole perustis /auribus
incertum feralis strideat umbra.' 6.546

quis ... cernens ... /aetheraque in terras
deiecto sole cadentem, /tot rerum finem,
timeat sibi? 6.622

numen in aethere maestum /solis in obscuro
pugnam pallore notauit. 7.136

quam sol nimbique diesque /longior
Emathiis resolutam miscuit aruis. 7.200

ac, uelut inpatiens hominum uel solis
iniqui /limite uel glacie, nuda atque
ignota iaceres, ... 7.845

uigiles Pompei pectore curae /... adeunt
... /... inuia mundi / arua super nimios
soles Austrumque iacentis. . . . 7.866

claramque relinquit / sole Rhodon 8.164

nec ... / exiget aestiuum calido sub
puluere solem. 8.248

Pompeiumque ferens uanescit solis ad
ortus / fumus, ... 8.376

ut neque sole uiam nec duro frigore saeuam
/inde polo Libyes, hinc bruma temperet
annus, ... 9.76

feruida tellus /accipit Oceanum demisso
sole calentem, ... 9.376

premit orbita solis /exuritque solum;
9.625

calido non ocius Austro / nix resoluta
cadit nec solem cera sequetur. . 9.691

ire libet qua zona rubens atque axis
inustus / solis equis; 9.782

patriae non arua requiro /Europamque
alios soles Asiamque uidentem: . 9.853

Iouis uolucer, calido cum protulit ouo
/inplumis natos, solis conuertit ad ortus:
9.872

sol tempora diuidit aeui, ... 9.903

auctusque suos non ante coartat /quam nox
aestiuas a sole receperit horas. 10.201

testis tibi sole perusti /ipse color
populi 10.218

nec tumet hibernus, cum longe sole remoto
/officiis caret unda suis: 10.221

hunc, calidi tetigit cum bracchia Cancri,
/sol rapit, ... 10.229

Lucifer... diemque / misit in Aegypton
primo quoque sole calentem. . . 10.260

SOLACIUM. solacia fati /Carthago Mariusque
tulit, pariterque iacentes /ignouere deis.
10.435

refer haec solacia tecum, ... 2.91

SOLIDUS

uouitque, sui solacia casus. . . . 7.658

sat magna feram solacia mortis /orbe
iacens alio, ... 8.314

solacia tanti /perdit Roma mali, 8.354

noctique rependit /lux minor hibernae
uerni solacia damni. 8.469

habet hoc solacia caelum: . . . 9.870

solacia fati / haec petimus: . . 9.878

SOLAMEN. sed mentibus unum / hoc solamen
erat, ... 7.181

SOLEO,-ERE. sic et Sullanum solito tibi
lambere ferrum / durat, Magne, sitis.
1.330

per uacuum solitae noctis decurrere
tempus 1.536

nec cruor emicuit solitus, . . . 1.614

non soliti lusere sales, ... 2.368

igniferi tantum demerserat orbis /
quantum desse solet lunae, . . . 3.42

'uos,' ait 'o socii, sicut tormenta soletis,
3.716

tum quae solitis e fontibus exit 4.85

solitoque magis fauere secundi /et ueniam
meruere dei. 4.122

et solitus uacuis errare mapalibus Afer
4.684

seu Paean solitus templis arcere nocentis.
5.139

nec, qui solet esse timenti,/terribilis
sed pallor inest; 5.215

nam quae dubias constringere mentes /
causa solet, dum quisque pauet, quibus
ipse timori est, ... 5.257

fata sed in praeceps solitus demittere
Caesar 5.301

crediderim; cunctos solita de parte
ruentis /defendisse suas uiolento turbine
terras, ... 5.610

sors ultima rerum /in dubios casus et
prona pericula morti /praecipitare solet:
5.694

teque deis, ad quos alio procedere uoltu
/ficta soles, Hecate pallenti tabida
forma, /ostendam 6.737

siue per ambages solitas contraria uisus /
uaticinata quies magni tulit omina
planctus, ... 7.21

inde, truces Galli, solitum prodistis
in hostem, ... 7.231

uos, quae Nilo mutare soletis /Threicias
hiemes... serius ... /istis, aues. 7.832

ultima Lageae stirpis perituraque proles,
/degener incestae sceptris cessure sorori
(soleri), ... var.8.693

solitumque legi super alta deorum /culmina
... /haud procul est ima Pompei nomen
harena /depressum tumulo, . . . 8.818

tum quoque Romanum solito uiolentior agmen
/adgreditur, ... 9.463

solet pariter totis se fundere signis /
Corycii pressura croci, ... 9.808

flamma / ... non alio motu per tecta
cucurrit / quam solet aetherio lampas
decurrere sulco 10.502

SOLIDO,-ARE. et infuso facies solidata ueneno
est. 8.691

SOLIDUS,-A,-UM. glande petens solido fregit
caua tempora plumbo. 3.711

concuteret terras ... / si solida Libye
conpage et pondere duro /clauderet ...
Austrum 9.467

SOLIUM

SOLIUM. hunc quoque.../lege tribunicia solio
    depellere auorum /Curio temptarat,   4.690
SOLLEMNIS,-E. fingit sollemnia Campus 5.392
    Iliacae numen quod praesidet Albae,/
    haud meritum Latio sollemnia sacra subacto,
    /uidit flammifera confectas nocte Latinas.
                         5.401
SOLLERS. aspidas ut Pharias cauda sollertior
    hostis / ludit 4.724
SOLLERTIA(subst.). hinc anceps dubii terret
    sollertia Mauri;   8.283
SOLLICITO,-ARE. uelim ... / sollicitare deum
    Bacchumque auertere Nysa: 1.65
    sollicitant proceresque alii; . . 2.279
    mundique extrema tenentis /sollicitas
    reges, ... 4.234
    sollicitatque feros non aequis uiribus
    hostis. 4.665
    Appius euentus, finemque expromere rerum
    /sollicitat superos 5.69
    sic tempore longo /inmotos tripodas
    uastaeque silentia rupis /Appius ... /
    sollicitat. 5.123
    nec gloria paruae /sollicitet uitae: 6.806
    sollicitat nostrum, quem nondum perdidit,
    orbem. 8.511
SOLLICITUS,-A,-UM. cur hanc tibi, rector
    Olympi, /sollicitis uisum mortalibus
    addere curam, ... 2.5
    sollicitus menti quod abest fauor: 4.399
    Caesar sollicito per uasta silentia
    gressu /uix famulis audenda parat, 5.508
    sollicitam rupes iam te uictore tenebunt,
                       5.780
    at nox ... / sollicitos uana decepit
    imagine somnos. 7.8
    uotaque sollicitis faciens contraria
    nautis / conposita in mortem iacuit 9.115
SOLSTITIALIS,-E. rapidique Leonis /solstitiale
    caput nemorosus summouet Othrys. 6.338
SOLSTITIUM. circulus alti /solstitii medium
    signorum percutit orbem. . . . 9.532
    consurgere in ipsis /ius tibi solstitiis,
                      10.299
SOLUM(subst.). hae pectora duro /adflixere
    solo, lacerasque in limine sacro /
    attonitae fudere comas uotisque uocari
                      2.31
    stagna auidi texere soli laxaeque paludes
    /depositum, Fortuna, tuum; 2.71
    Aethiopumque solum, quod non premeretur
    ab ulla /signiferi regione poli, 3.253
    curuoque soli cessantis aratro /agricolae
    raptis annum fleuere iuuencis. 3.451
    colle tumet modico lenique excreuit in
    altum /pingue solum tumulo; 4.12
    non credere solo, sternique uetabere terra.
                      4.647
    non umquam perdidit ordo /mutato sua iura
    solo. 5.30
    ut uidit Paean ... /exhalare solum, sacris
    se condidit antris, ... 5.84
    tot potuere manus ... /ingestoque solo
    Phrixeum elidere pontum, ... 6.56
    cumulo crescente cadauera murum /admouere
    solo, ... 6.181
    Aeolidae Dolopesque solum fregere coloni
                      6.384
    uixque reuolsa solo maiori pondere pressum
    /signiferi mersere caput ... /... signa.
                      7.162

pudet ... /quaerere ... /... quis fusa
solo uitalia calcet, ... 7.620
uocibus his correpta uiri uix aegra
leuauit /membra solo talis gemitu
rumpente querellas: 8.87
'nullum ... mihi'... /gratius esse solum
non paruo pignore uobis /ostendi: 8.130
cunctos mutare putares /tellurem
patriaeque solum: 8.148
Parthus ... /Sarmaticos inter campos
effusaque plano /Tigridis arua solo,
nulli superabilis hosti est . . 8.370
tum Cilicum liquere solum . . . 8.456
hoc tam segne solum raras tamen exerit
herbas, ... 9.438
patet omne solum, ... 9.453
quid secreta nocenti /miscuerit natura
solo, ... 9.621
premit orbita solis /exuritque solum;
                      9.692

inpatiensque solum Cereris cultore
negato / damnasti 9.857
SOLUO,-ERE. sic, cum conpage soluta /saecula
tot mundi suprema coegerit hora . . 1.72
Parthica Romanos soluerunt damna furores.
                      1.106

inde moras soluit belli tumidumque per
amnem /signa tulit propere: 1.204
tanta quies. noctis gelidas lux soluerat
umbras: 1.261
ueniat longa dux pace solutus /milite
cum subito 1.311
soluuntur flaui longa statione Ruteni;
                      1.402

innumeras soluit falsa in praeconia
linguas. 1.472
cum corpora nondum /conclamata iacent
nec mater crine soluto /exigit 2.23
ut primum fortuna redit, seruilia soluit
/agmina, ... 2.94
mox, ubi conubii pretium mercesque soluta
est /tertia iam suboles, ... 2.330
quoque magis nullum tellus se soluit in
amnem 2.408
solueret incumbens terrasque repelleret
aequor, ... 2.436
nam prior e campis ut conspicit amne
soluto /rumpi Caesar iter calida
proclamat ab ira 2.492
licet ille solutum /defectumque uocet,
                      2.559

iussa gerunt soluuntque cauas a litore
puppes. 2.649
cum tacitas soluere rates. . . . 2.693
ergo hostes portis, quas omnis soluerat
urbis / cum fato conuersa fides, murisque
recepti 2.704
ostia nascenti contraria soluere Phoebo
/audet 3.231
longaque Sarmatici soluens ieiunia belli
                      3.282

aries ... / incussus densi conpagem
soluere muri /temptat 3.491
nec solum siluas sed saxa ingentia soluit,
                      3.506

uox faucis nulla solutas /prosequitur,
                      3.738

iamque Pyrenaeae, quas numquam soluere
Titan / eualuit fluxere niues, 4.83
Riphaeas huc solue niues, huc stagna
lacusque / et pigras, ... 4.118

quoque magis miseros undae ieiunia
soluant 4.332
hanc omni puppes statione solutae /
circumeunt,   4.463
namque rates audax Lilybaeo litore soluit
4.583
tum campi tremuere sono, terraque soluta,
4.766
iam turba soluto / arma petit coetu;
5.64
oraque uatis / soluit, ...   5.99
ora quibus soluat, nostro non inuenit
aeuo.' 5.140
crinesque in terga solutos / candida
Phocaica conplectitur infula lauro. 5.143
luna suas iam fecerat umbras,/ cum pariter
soluere rates, ...   5.426
at Genusum nunc sole niues nunc imbre
solutae / praecipitant. 5.465
soluerat armorum fessas nox languida
curas, ...   5.504
haec fatur, soluensque ratem dat carbasa
uentis; 5.561
ut uidere duces, purumque insurgere
caelo / fracturum pelagus Borean, soluere
carinas. 5.705
nec soluent audita metus mihi prospera
belli, ...   5.782
corpora dum soluit tabes et digerit artus,
6.88
'soluat' ait 'poenas, Scaeuam quicumque
subactum /sperauit. 6.241
Memphis / omne uetustorum soluat penetrale
magorum, /abducet superos alienis
Thessalis aris. 6.450
uocibus isdem /umentis late nebulas
nimbosque solutis /excussere comis. 6.468
nec uerba nec herbae / audebunt longae
somnum tibi soluere Lethes 6.769
lacerasset crine soluto /pectore femineum
ceu Bruti funere uolgus. 7.38
capulosque solutis /perfudit gladiis 7.158
inde faces et saxa uolant spatioque
solutae /aeris ... glandes; 7.512
tunc et Ityraei Medique Arabesque soluti,
/ ... nusquam rexere sagittas, . .   7.514
tabesne cadauera soluat /an rogus, haud
refert; 7.809
iterumque refusa /coniugis in gremium.
cunctorum lumina soluit /in lacrimas.
8.106
totaque in Aethiopum putres soluaris
harenas. 8.830
corpus ... /... an furtiuus, quem uidimus,
ignis / soluerit, ignoro. 9.143
sed magis, ut uisa est lacrimis exhausta,
solutas /in uoltus effusa comas, Cornelia
puppe /egrediens, rursus geminato uerbere
plangunt. 9.171
sed et haec non fontibus ullis / soluitur:
9.422
liquidas e turbine soluit in auras, 9.451
utque calor soluit quem torserat aera
uentus, /... manant sudoribus artus, 9.498
et quem, si steteris umquam ceruice
soluta, /nunc, olim, factura deum es.
9.603
femineae cui more comae per terga solutae
/surgunt aduersa subrectae fronte colubrae
9.632
culpa tantoque pudore / solue domum, 10.98

perlucent pectora filo,/ quod Nilotis acus
conpressum pectine Serum / soluit 10.143
tunc Nilus fonte soluto, /... /iussus
adest, ...   10.215
adde quod omne caput fluuii, quodcumque
soluta /praecipitat glacies, . .   10.223
ast ego, si tantam ius est mihi soluere
litem, / quasdam ... aquas... /...
concussis terrarum erumpere uenis /...
reor, ...   10.262
SOLUS,-A,-UM. nam sola futuri /Crassus erat
belli medius mora. 1.99
tu sola furentem /inde uirum poteras
atque hinc retinere parentem . .   1.115
sola tamen colitur. 1.143
solusque pudor non uincere bello.   1.145
partiri non potes orbem, /solus habere
potes.' 1.291
ius habet aut Zephyrus, solus sua litora
turbat /Circius 1.407
solis nosse deos et caeli numina uobis
/ aut solis nescire datum; . . .   1.452
solis nosse deos et caeli numina uobis
/aut solis nescire datum; . . .   1.453
nec solum uolgus inani /percussum terrore
pauet, ...   1.486
Troianam soli cui fas uidisse Mineruam.
1.598
et caelum Mars solus habet. . .   1.663
periere nocentes, /sed cum iam soli
possent superesse nocentes. . .   2.144
tum flos Hesperiae, Latii iam sola
iuuentus, /concidit 2.196
uirtutis iam sola fides, quam turbine
nullo / excutiet fortuna tibi,   2.243
dux Bruto Cato solus erit. . . .   2.247
hoc solum longae pretium uirtutis habebis:
2.258
melius tranquilla sine armis /otia
solus ages, ...   2.267
toto iam liber in orbe /solus Caesar
erit. 2.281
otia solus agam? 2.295
me solum inuadite ferro, ...   2.315
foedera sola tamen uanaque carentia pompa
/iura placent sacrisque deos admittere
testes. 2.352
accipit et Scythicas exit non solus in
undas. 2.420
uictor cedentibus instat / deuertitque
acies, ...   2.470
solus ab Hesperia non flexit lumina terra
3.4
absconditque fretum classes, et litore
solus / dux stetit Hesperio, . .   3.47
namque adserit urbes / sola fames,
emiturque metus, ...   3.57
(usque adeo solus ferrum mortemque timere
/auri nescit amor, ...   3.118
uenia est haec sola pudoris /degenerisque
metus, ...   3.148
toto qui solus in orbe / ostia nascenti
contraria soluere Phoebo /audet   3.230
Oceanumque negant solas admittere Gadis;
3.279
sciret adhuc caelo solum regnare Tonantem.
3.320
inlustrat quos sola fides. . . .   3.342
sed, si solus eam dimissis degener armis,
3.367
neque enim solis excussa lacertis /

lancea, ... 3.464
sed pondere solo / contenti nudis euoluunt
saxa lacertis. 3.480
nec solum siluas sed saxa ingentis soluit,
3.506
accepit non sola uiros, quae stabat in
undis, /classis: 3.519
insiluit solo nociturus pondere puppem.
3.626
in solam Calpen fluit umidus aer.   4.71
et dum multa negant, quod solum fata
petebant, ... 4.203
hoc siquidem solo ciuilis crimine belli /
dux causae melioris eris. 4.258
nec solum rastris durisque ligonibus arua
/sed gladiis fodere suis, ... 4.294
at nunc causa mihi est orandae sola
salutis / dignum donanda, Caesar, te
credere uita. 4.346
sic proelia soli /felices nullo spectant
ciuilia uoto. 4.400
cautus ab incursu belli, si sola recedat,
/expugnat quae tuta, fames. . . . 4.409
agnoscere solis /permissum, ... felix
esse mori.' 4.517
sed uirtus te sola daret. . . . 4.581
nec solum studiis ciuilibus arma parabat
4.687
hoc solum incauto metuentis ab hoste,
timeri. 4.719
iuuentus/...obruitur, non uolneribus nec
sanguine solum, /telorum nimbo peritura et
pondere ferri. 4.775
curia solos /illa uidet patres plena quos
urbe fugauit: 5.32
solus in ancipites metuit descendere
Martis 5.67
hoc solum fluctu terras mergente
cacumen/eminuit 5.75
numen ab humani solum se labe furoris /
uindicat. 5.103
nec uerbere solo /uteris . . . 5.174
solusque quietem /Euboici uasta lateris
conualle tenebis'. 5.195
seque putat solum regnorum iniusta
grauari, ... 5.258
usque adeo soli ciuilibus armis /nescimus
cuius sceleris sit maxima merces? 5.285
non pudet, heu, Caesar, soli tibi bella
placere 5.310
et tu, quo solo stabunt iam robore
castra, ... 5.362
sed recti fluctus soloque Aquilone secandi.
5.417
Ausoniam tu solus habes.' 5.497
cunctisque relictis / sola placet Fortuna
comes. 5.510
ad quorum motus non solum lapsa per altum
/aera dispersos traxere cadentia sulcos
/sidera, ... 5.561
desperare uiam et uetitos conuertere
cursus / sola salus. 5.575
sola tibi causa est haec iusta timoris,
5.580
nec sciet hoc quisquam nisi tu, quae sola
meorum /conscia uotorum es, . . 5.665
coniunx sola fuit. 5.731
fida comes Magni uadit duce sole relicto
/Pompeiumque fugit. 5.804
moenia seruat / defendens tutam uel solis
turribus urbem. 6.18

quod solum ualuit uirtus, . . . 6.132
tot uolnera belli / solus obit   6.205
ne solum totae fugerent te, Scaeua,
cateruae. 6.249
questa quod hoc solum nato rapuisset
Agaue. 6.359
solus, in alterius nomen cum uenerit
undae, /defendit Titaresos aquas 6.375
hic ardor solusque labor, quid corpore
Magni /proiecto rapiat, . . . 6.587
solum te, consul depulsis prime tyrannis /
Brute, pias inter gaudentem uidimus
umbras. 6.791
'hoc pro tot meritis solum te, Magne,
precatur /... Fortuna 7.68
odiis solus ciuilibus ensis / sufficit,
7.490
sed petitur solus qui campis inminet aer;
7.516
quidquid in ignotis solus regionibus
exul, /... patiere ... /crede deis, 7.703
teque minor solo cunctas inpellere gentes
/rursus in arma potes 7.718
non solum Haemonii funesta ad pabula
belli /Bistonii uenere lupi . . . 7.825
nuda atque ignota iaceres,/si non prima
nefas belli sed sola tulisses. 7.868
incipe Magnum /sola sequi. . . . 8.81
hoc solum crimen meritae bene detrahe
terrae, ... 8.125
nimium felix aeterno nomine Lesbos,/
siue ... / seu praestas mihi sola
fidem. 8.141
'hoc solum toto' respondit 'in aequore
serua, /ut sit ab Emathiis semper tua
longius oris /puppis 8.187
solusque e numero regum telluris Eoae /
ex aequo me Parthus adit. . . . 8.231
sed me uel sola tueri / fama potest
rerum toto quas gessimus orbe   8.274
regnandi sola uoluptas. 8.294
spicula nec solo spargunt fidentia ferro,
8.303
solos tibi, Magne, reliquit /Parthorum
fortuna pedes? 8.334
qui solus regum fato celante fauorem /
defuit Emathiae, ... 8.359
non solum auxilium funesto ab rege
petisse /... pudebit. 8.418
in solo tanta est fiducia Nilo. 8.447
cur sola cadenti / haec placuit tellus;
8.515
haud ego culpa /libera bellorum, quae
matrum sola per undas /et per castra
comes 8.648
turpe mori post te solo non posse
dolore.' 9.108
solusque tenebis /Aegypton, genitor,
9.163
et solus plebe parata /priuatus seruire
sibi,... /... erat. 9.193
te solum in bella secutus /post te fata
sequar; 9.242
et toto solus in orbe est / qui uelit ac
possit uictis praestare salutem. 9.246
poenaque de uictis sola est uicisse
Catoni. 9.299
sola potest Libye turba praestare malorum
/ut deceat fugisse uiros.' . . . 9.405
discedit in ortus /Eurum sola tenens.
9.420

nec pondere solo /sed nisu iacuit,   9.483
esse locis superos testatur silua per
omnem /sola uirens Libyen. . . .   9.523
solus nemus abstulit Hammon.   9.525
Eumenidum crines solos mouere furores,
   9.642
et scytale sparsis etiamnunc sola pruinis
/ exuuias positura suas, ...   9.717
eripiunt omnes animam, tu sola cadauer.
   9.788
nec solum gens illa sua contenta salute
/excubat hospitibus, ...   9.909
Caesar ... /cetera curarum proiecit
pondera soli /intentus genero;   9.951
et Emathiis quod solum defuit armis /
exhibet. 9.1017
uos condite busto / tanti colla ducis, sed
non ut crimina solum /uestra tegat tellus:
   9.1090
naturaque solum /hunc potuit finem
uaesano ponere regi; 10.41
sideribus, quae sola fugam moderantur
Olympi /... diuersa potentia prima /mundi
lege data est. 10.199
solique uagari /concessum per utrosque
polos. 10.300
cessas accurrere solus /ad dominae
thalamos? 10.356
nec puppibus ignis /incubuit solis; 10.498
solet aetherio lampas decurrere sulco
/materiaque carens atque ardens aere solo.
   10.503
solus apertis / obsedit muris calcantem
moenia Magnum. 10.545

SOMINIFER,-ERA,-ERUM.   tabes /aspida somniferam
tumida ceruice leuauit. . .   9.701

SOMNUS.   praebet securos intra tentoria somnos:
   1.518
inde soporifero cesserunt languida
somno /membra ducis; 3.8
dum non securos liceat mihi rumpere
somnos 3.25
certos non rumpunt classica somnos.   4.395
ad somnos non terga ferae praebere
cubile /adsuerunt. 4.603
parua quies miseris, in quorum pectora
somno /dat uires fortuna minor;   5.505
tentoria postquam /egressus uigilum somno
cedentia membra /transsiluit questus
tacite, ...   5.511
securos cepisse pudet cum coniuge somnos,
   5.750
somno quam saepe grauata /deceptis uacuum
manibus complexa cubile est . . .   5.808
mouitque furorem /Pompeiana quies et uicto
Caesare somnus. 6.283
nec uerba nec herbae /audebunt longae
somnum tibi soluere Lethes 6.769
at nox ... / sollicitos uana decepit
imagine somnos. 7.8
ne rumpite somnos, /castrorum uigiles,
   7.24
unde pares somnos populis noctemque beatam?
   7.28
capit inpia plebes /caespite patricio
somnos, ...   7.761
somnique furentes /Thessalicam miseris
uersant in pectore pugnam. . . .   7.764
hunc agitant totis fraterna cadauera
somnis, ...   7.775
et quantum poenae misero mens conscia

donat,/ quod Styga, quod manes ingestaque
Tartara somnis /Pompeio uiuente uidet!
   7.785
trepida quatitur formidine somnus,   8.44
fuit ... / et numquam somno damnatus
lumina serpens 9.363
somni parcissimus ipse est; . . -   9.590
pars ... oculisque tenebras / offundit
clausis et somni duplicat umbras.   9.674a
et socias somno descendis ad umbras.
   9.818
'nunc incumbe toris et pinguis exige
somnos: 10.354
nec tempora cladis /perdidit in somnos,
   10.506

SONIPES,-PEDIS.   primus in obliquum sonipes
opponitur amnem 1.220
quantum clamore iuuatur /Eleus sonipes,
   1.294
leuis totas accepit habenas /in campum
sonipes, ...   2.501
non sonipes in bella ferox, non iret in
aequor 4.225
quippe ubi non sonipes motus clangore
tubarum 4.750
belliger attonsis sonipes defessus in
aruis, /... / ore nouas poscens
moribundus labitur herbas . . .   6.84
primus ... saxis /Thessalicus sonipes,
bellis feralibus omen, /exiluit,   6.397
ut primum sonipes transfixus pectora
ferro /... calcauit membra regentis,/
omnis eques cessit campis, . . .   7.528
tum Magnum concitus aufert / a bello
sonipes non tergo tela pauentem   7.678
auehit inde /Pompeium sonipes;   7.724
celsior in campo sonipes et fortior arcus,
   8.295

SONITUS.   aetheris inpulsi sonitu mundique
fragore 1.152
iam longinqua petit puluis sonitusque
ruinae, ...   6.162

SONO,-ARE.   fractaque ueliferi sonuerunt
pondera mali, ...   1.500
pulsatae sonuere fores, ...   2.327
inpulsum rostris sonuit mare, fluctuat
unda, ...   2.702
tunc rupes Tarpeia sonat 3.154
ut frandine tecta /innocua percussa
sonant, ...   3.483
quo minus aera sonent; 3.657
non tamen aut tectis sonuerunt cursibus
amnes 4.299
humanam feriens animam sonat oraque
uatis /soluit, ...   5.98
extremaeque sonant domita iam uirgine
uoces: 5.193
fluctuque latente sonantem /orbita
migrantis scindit Maeotida Bessi.   5.440
sonuit uictis conpagibus alnus.   5.596
sonat Ionio uagus Hadria ponto.   5.614
classica nulla sonant 6.78
fortis crebris sonat ictibus umbo,   6.192
nec quaesisse libet primis quid frugibus
altrix /aere Iouis Dodona sonet,   6.427
ut modo defuncti tepidique cadaueris
ora /plena uoce sonent, ...   6.622
si uero Stygiosque lacus ripamque sonantem
/ignibus ostendam,.... /quis timor, ignaui,
metuentis cernere manes?' 6.662
defuit ... / non ... / quaeque sonant feta

tepefacta sub alite saxa, ... 6.676
set murmure nullo /ora astricta sonant:
    6.761

uisus sibi ... attollitque suum lactis
ad sidera nomen /uocibus et plausu cuneos
certare sonantes, ... 7.12
pondere lapsi /pectoris arma sonant 7.573
prohibe lamenta sonare, ... 7.706
at, Magni cum terga sonent et pectora
ferro, /permansisse decus sacrae
uenerabile formae /... fatentur 8.663
litoribus sonuit percussus planctibus
aether, ... 9.168
uocibus his maior, quam si Romana sonarent
/ rostra ducis laudes, generosam uenit
ad umbram /mortis honos. 9.215
et post multa sonant proiecti litora
fluctus: 9.309
Thessala centaurea /peucedanonque sonant
flammis Erycinaque thapsos, . . . 9.919
SONS. et sumus, ut fatear, tam saeua iudice
sontes: 10.368
SONUS. curuato robore pressae /fit sonus aut
rursus redeuntis in aethera siluae. 1.391
remorumque sonus premitur clamore, 3.541
tum campi tremuere sono, terraque soluta,
    4.766
non rupta trementi /uerba sono nec uox
antri conplere capacis /sufficiens 5.153
seu maesto classica paulum /intermissa
sono claususque et frigidus ensis /
expulerat belli furias, ... 5.245
exprimit ... / siluarumque sonum
fractaeque tonitrua nubis: 6.692
aequora senserunt motus ... /... nec .
idem spectante carina /mutauere sonum.
    8.199
Phrygii sonus increpat aeris, . . 9.288
SOPHENE. incerti Iudaea dei mollisque
Sophene, ... 2.593
SOPOR. corpora segnis /nostra sopor tenuit.
    5.690
sibilaque et flammas infert sopor. 7.772
quam sopor aeternam tracturus morte
quietem / obruit haud totam: 9.671
SOPORIFER,-A,-UM. inde soporifero cesserunt
languida somno /membra ducis; 3.8
SOPORUS,-A,-UM. pars populi lugentis erat,
set nocte sopora, ... 2.236
SORBEO,-ERE. sordidus exhausto sorbetur ab
ubere sanguis. 4.315
non intima curant / uiscera nec totas
auidae sorbere medullas: 7.843
SORDIDUS,-A,-UM. sordidus exhausto sorbetur
ab ubere sanguis. 4.315
iam coniunx natique rudes et sordida
tecta /et non deductos recipit sua terra
colonos. 4.396
peregrina ac sordida sedes /Romanos cepit
proceres, ... 5.9
robora non desint misero nec sordidus
ustor. 8.738
hic ille recumbat /sordidus Etruscis
abductus consul aratris: 10.153
SOROR. uix operi cunctae dextra properante
sorores 3.18
accessit Magni iugulus, regnumque sorori
/ereptum est soceroque nefas. 5.63
repetitaque fila sorores /tracturae,... /
exaudite preces. 6.703
iacuere sorores /in regum thalamis 8.404

Nilumque Pharonque / si regnare piget,
damnatae redde sorori. 8.500
degener incestae sceptris cessure sorori,
/... /litora Pompeium feriunt, . 8.693
hoc monstrum timuit genitor ... /...
Cetoque parens ipsaeque sorores /Gorgones;
    9.646
et tibi dant Stygiae ius in sua fila
sorores. 9.838
puer ipse sororem, / sit modo liber,
amat; 10.94
nubit soror inpia fratri, . . . 10.357
crucibus flammisque luemus /si fuerit
formonsa soror. 10.366
SORS. 'o miserae sortis, quod non in Punica
nati /tempora Cannarum fuimus Trebiaeque
iuuentus. 2.45
sortisque deorum /ignarum mortale genus
per fulmina tantum /sciret adhuc caelo
solum regnare Tonantem. 3.318
sic, o summe parens mundi, sic, sorte
secunda / aequorei rector, facias, Neptune
tridentis, ... 4.110
abscidit nostrae multum fors (sors)
inuida laudi, ... var.4.503
cum sorte cruenta /fratribus incurrunt
fratres natusque parenti, . . 4.562
casibus incertis et caeca sorte pararent,
    5.66
nec te uicinia leti /territat ambiguis
frustratum sortibus, Appi; . . 5.225
sors ultima rerum /in dubios casus et
prona pericula morti /praecipitare solet:
    5.692
nostros non rumpit funus amores /nec diri
fax summa rogi, sed sorte frequenti 5.764
secura uidetur /sors tibi, cum facias
etiamnunc uota, perisse? . . . 5.772
tripodas uatesque deorum /sors obscura
decet: 6.771
omne malum uicti, quod sors feret ultima
rerum, /omne nefas uictoris erit.' 7.122
nam me secura manebit /sors quaesita
manu: 7.309
ex populis qui regna ferunt sors ultima
nostra est, ... 7.444
sed tua sors leuior, quoniam mors ultima
poena est /nec metuenda uiris. 8.395
haereat Eoae uolnus miserabile sortis,
    8.417
mitissima sors est /regnorum sub rege
nouo.' 8.452
similisne malorum /sors mihi semper erit?
    9.67
'o felix, quem sors alias dispersit in
oras 9.126
scire mori sors prima uiris, set proxima
cogi. 9.211
sors melior classi quae fluctibus incidit
altis 9.330
effuditque procul miranda sorte malorum:
    9.491
'sors obtulit' inquit /... tam magni
numinis ora /consiliumque . . . 9.550
o sors durissima fati! 9.1046
captus sorte loci pendet; . . . 10.542
SORTIGER. stat sortiger illic /Iuppiter,
ut memorant, ... 9.512
SORTILEGUS,-A,-UM. sortilegis egeant dubii
semperque futuris /casibus ancipites:
    9.581

SORTIOR   **SPARGO**

SORTIOR,-IRI. tuta fuga, nautasque loci
    sortita peritos /torpentem Tritonos
    adit inlaesa paludem. 9.346
SOSPES. Parthorum utinam post proelia sospes
    /et Scythicis Crassus uictor remeasset ab
    oris, ... 2.552
SPARGO,-ERE. dat stragem late sparsosque
    recolligit ignes. 1.157
    sparsas per Gallica rura cohortes /euocat
                      1.394

    per omnem /spargitur Italiam uicinaque
    moenia conplet. 1.468
    et nondum sparsa conpage carinae /
    naufragium sibi quisque facit, . . 1.502
    nunc iaculum longo, nunc sparso lumine
    lampas. 1.532
    hae lacrimis sparsere deos, . . . 2.30
    uix te sparsum per uiscera, Baebi, 2.119
    hostis in occursum sparsas extendere
    partis, ... 2.395
    fluminaque in gemini spargit diuortia
    ponti 2.404
    sparsos per rura colonos /redde mari
    Cilicas; 2.635
    ut reseret pelagus spargatque per aequora
    bellum. 2.682
    bellaque Sardoas etiam sparguntur in oras.
                      3.64
    namque ignibus atris /creditur, ut captae,
    rapturus moenia Romae /sparsurusque deos.
                      3.100
    nullasque feres nisi sanguine sacro /
    sparsas, raptor, opes. 3.125
    et barbara Cone,/Sarmaticas ubi perdit
    aquas sparsamque profundo /multifidi
    Peucen unum caput adluit Histri, 3.201
    sed sparsus in agros /fertilis Euphrates
    Phariae uice fungitur undae; . . 3.259
    telaque diuersi prohibebunt spargere
    fratres? 3.327
    ut matutinos spargens super aequora
    Phoebus /fregit aquis radios . . 3.521
    diuisitque animam sparsitque in uolnera
    letum. 3.591
    nam pinguibus ignis /adfixus taedis et
    tecto sulpure uiuax /spargitur, 3.683
    nec flammas superant undae, sparsisque per
    aequor /iam ratibus fragmenta ferus sibi
    uindicat ignis. 3.685
    fallitur occultis sparsus populator in
    agris. 4.92
    et par Phoebus aquis densas in uellera
    nubes /sparserat, et noctes uentura luce
    rubebant, ... 4.125
    spargitur in sulcos et scisso gurgite
    riuis /dat poenas maioris aquae. 4.142
    turrigeras classis pelago sparsura
    carinas, ... 4.226
    miles spoliato pectore tutus /innocuusque
    suas curarum liber in urbes /spargitur.
                      4.385
    ora terens spargitque iubas et subrigit
    auris 4.752
    iam sparserat Haemo /bruma niues 5.3
    in pace quietos /bellorum primus sparsit
    furor: 5.36
    tunc in reges populosque merentis /sparsus
    honor, ... 5.50
    ancipiti ceruice rotat spargitque uaganti
    /obstantis tripodas 5.172
    nec placet ... /... quodque caput spargens

    undis, uelut occupet imbrem, /instabili
    gressu metitur litora cornix. 5.555
    aut quae nos uiles animas in fata
    relinquens /inuitis spargenda dabas tua
    membra procellis? 5.684
    agmina ... / diuersis spargit tumulis,
                      6.71
    nam miseros ultra tentoria ciues /spargere
    funus erat. 6.103
    armaque late /spargit et effuso laxat
    tentoria campo, ... 6.270
    ianitor ... qui uiscera saeuo /spargis
    nostra cani, ... /exaudite preces. 6.703
    uideor ... spectare ... /calcatosque
    simul reges sparsumque senatus /corpus
                      7.293
    fossasque inplete ruina, /exeat ut plenis
    acies non sparsa maniplis. . . . 7.327
    spargitur innumerum diuersis missile uotis:
                      7.485

    sparsa per extremos leuis armatura
    maniplos /insequitur 7.508
    stetit aggere campi,/eminus unde omnis
    sparsas per Thessala rura /aspiceret
    clades, ... 7.650
    quo sit tibi mollius aequor,/... sparge
    mari comitem. 8.100
    sparsus ab Emathia fugit quicumque
    procella, /adsequitur Magnum; . . 8.203
    iubet ire in deuia mundi /Deiotarum, qui
    sparsa ducis uestigia legit. . . 8.210
    sparsit potius Pharsalia nostras /quam
    subuertit opes. 8.273
    spicula nec solo spargunt fidentia ferro,
                      8.303
    quid uolnera nostra /in Scythicos
    spargis populos cladesque latentis? 8.353
    spargant lacerentque licebit, /sum tamen
    ... felix, ... 8.629
    teque pudet sparsis Pompei manibus uri.'
                      8.751
    pulueris exigui sparget non longa
    uetustas /congeriem, ... 8.867
    super ... signa cruenti /Caesaris ac
    sparsas uolitauit in aequore classes,
                      9.16
    saeuas meritum Phycunta rapinas /sparsit,
                      9.41
    quidquid ab exstincto licuisset tollere
    busto /in templis sparsura deum. 9.62
    et tectum lino spargam per uolgus Osirim
                      9.159
    Emathium sparsit uictoria ferrum; 9.245
    studiumque laboris /floriferi repetunt et
    sparsi mellis amorem; 9.290
    uoltusque gelassent /Perseos auersi, si
    non Tritonia densos /sparsisset crines
    texissetque ora colubris. . . . 9.683
    et scytale sparsis etiamnunc sola pruinis
    /exuuias positura suas, ... 9.717
    non maesti iura Catonis /ardentem tenuere
    uirum, ne spargere signa /auderet 9.748
    cuius uestigia frustra /terris sparsa
    legens fama duce tendit in undas, 9.953
    unam sparsis date manibus urnam. 9.1093
    sacratis totum spargenda per orbem/membra
    uiri posuere adytis; 10.22
    nunc uagus et spargens facilem tibi cedere
    ripam. 10.310
    cum procul a muris acies non sparsa
    maniplis /nec uaga conspicitur, 10.436

SPARTACUS		SPERO

SPARTACUS. ut simili causa caderes, quoi
  Spartacus, hosti. 2.554
SPARTANUS,-A,-UM. Spartanos Cretasque ligat,
  nec creditur ulli 4.441
  quantum inpulit Argos /Iliacasque domos
  facie Spartana nocenti, /Hesperios auxit
  tantum Cleopatra furores. . . . 10.61
SPATIOSUS,-A,-UM. consequitur nigri spatiosa
  uolumina fumi, ... 3.505
  at liber terrae spatiosis collibus
  hostis /aere non pigro ... angitur 6.106
SPATIUM. discussere salo spatiumque dedere
  carinis 2.685
  uentus ut amittit uires, nisi robore
  densae /occurrunt siluae, spatio diffusus
  inani, ... 3.363
  congestumque aeris atri /uix recepit
  spatium quod separat aethere terram. 4.75
  postquam spatio languentia nullo /
  mutua conspicuos habuerunt lumina uoltus,
    4.169
  sufficiunt spatio populi: tot castra ·
  secuntur, ... 4.676
  et spatium iaculis oblato uolnere donat.
    4.764
  nec uox antri conplere capacis /sufficiens
  spatium 5.154
  haud multum terrae spatium restabat Eoae.
    7.423
  inde faces et saxa uolant spatioque
  solutae / aeris ... glandes; . . . 7.512
  frustraque rudentibus ausis /uela negare
  Noto spatium uicere carinae, . . . 9.326
  nec tutus spatio est elephans: 9.732
  primum, quas ualli spatium conprendit,
  harenas /expurgat cantu 9.913
  hic, cui Romani spatium non sufficit
  orbis, /... / quaerit tuta domus; 10.456
  molis in exiguae spatio stipantibus armis
  /... dux Latius ... subitus ... /cingitur:
    10.534
SPECIES. et uiuam magnae speciem Virtutis
  adorant; 6.254
  'uana specie conterrite leti, . . 9.612
SPECTACULUM. non tam laeta tulit uictor
  spectacula Maurus 4.784
  ac, ne laeta furens scelerum spectacula
  perdat, /inuidet igne rogi miseris, 7.797
  sed maiora parant Libycae spectacula
  pestes. 9.805
SPECTATOR. intrepidus tanti sedit securus ab
  alto /spectator sceleris: 2.208
  ibit et imbrifera siccas sub Pliade
  Thebas /spectator Nili, ... 8.853
  spectatorque docet magnos nil posse
  dolores. 9.889
SPECTATRIX. tibi turba uerenda est /spectatrix
  scelerum: deserta stamus in urbe. 3.129
SPECTO,-ARE. iussamque feris a gentibus urbem
  /Romano spectante rapi. 1.484
  ultimaque effodit spectatis lumina membris.
    2.185
  sidera quis mundumque uelit spectare
  cadentem 2.289
  omnis in Ionios spectabat nauita fluctus:
    3.3
  prima dies ... /spectandasque ducum uires
  numerosaque signa /exposuit. . . 4.25
  spectat uicinos sitiens exercitus amnes.
    4.336
  sic proelia soli /felices nullo spectant

ciuilia uoto. 4.401
spectabunt geminae diuerso litore partes.
    4.495
uictoresque suos uoltu spectare superbo
/... iuuat. 4.569
spectandumque tibi bellum ciuile negatum
est. 4.804
tiro rudis, specta poenas et disce ferire,
    5.363
languensque recessit /spectantis oculos
infirmo lumine passus. 5.545
ciuilia bella /si spectare potes. 5.749
mirantesque uirum atque auidi spectare
secuntur 6.167
spectari toto potuit Pharsalia mundo.
    7.204
uideor fluuios spectare cruoris 7.292
Caesareas spectate cruces, spectate
catenas, ... 7.304(bis)
spectabit ab alto /aethere Thessalicas
... caedes? 7.447
quam sibi fata minentur /inde manum,
spectant. 7.462
pudet ... / quaerere ... /... ora parentis
/ quis laceret nimiaque probet
spectantibus ira /quem iugulat non esse
patrem. 7.629
socero spectare uolenti /praestandum est
ubicumque caput. 7.674
sidentis in tabem spectat aceruos 7.791
Bosporon et Scythiae curuantem litora
Pontum /spectamus. 8.179
aequora senserunt motus ... /... nec
idem spectante carina / mutauere sonum.
    8.198
nec quoquam auertere uisus /nec Magnum
spectare potest. 8.592
oculos, germane, nocentis /spectato
genitore fero. 9.128
ultimus haustor aquae quam ... / indiga
cogatur laticis spectare iuuentus, 9.592
hoc habet infelix, cunctis inpune,
Medusa,/ quod spectare licet. . . 9.637
in quo saxificam iussit spectare Medusam.
    9.670
nec Pallas spectare potest, . . . 9.681
exemplarque sui spectans miserabile leti
/ stat tutus pereunte manu. . . . 9.832
hilaresque nefas spectare cruentum, /
... audent. 9.1107
SPECULA. uix proelia Caesar / senserat, elatus
  specula quae prodidit ignis: . . 6.279
SPECULATOR. iam rapido speculator eques per
  litora cursu /hospitis aduentu pauidam
  conpleuerat aulam. 8.472
SPECULOR,-ARI. aeuumque sequens speculatur ab
  omni /orbe ratem Phariamque fidem: 8.623
SPELUNCA. haec illi spelunca domus; 4.601
SPERCHEOS. ferit amne citato /Maliacas
  Spercheos aquas, ... 6.367
SPERNO,-ERE. auxilioque diu uirtus non usa
  cadendi / terrae spernit opes: . 4.608
  'sperne minas' inquit 5.578
  moenia Graiorum spernit 6.4
  quis labor hic superis cantus herbasque
  sequendi / spernendique timor? . 6.493
  Ptolemaei munus et arma /spernite. 9.269
SPERO,-ARE. liceat sperare timenti. 2.15
  ultra Caudinas sperauit uolnera Furcas.
    2.138
  et ueniam sperare licet. 4.231

SPERO

```
            par animi laus est et, quos speraueris,
            annos /perdere  . . . . . . . .    4.482
            promittant ueniam, iubeant sperare
            salutem,  . . . . . . . . . . .    4.510
            numquam saeuae sperare nouercae /plus
            licuit:  . . . . . . . . . . . .   4.637
            non tulit ... / aut sperare fugam,
            ceciditque in strage suorum  . .   4.797
            licet omne deorum /obsequium speres, irato
            milite, Caesar, / pax erit.'  . .  5.294
            quando pietasque fidesque /destituunt
            moresque malos sperare relictum est, 5.298
            sperantis omnia dextras /exarmare datur,
                                               5.355
            fluctusque uerendos /classibus exigua
            sperat superare carina.  . . . .   5.503
            quem nostrae fortuna coegit /auxilium
            sperare casae?'  . . . . . . . .   5.523
            'soluat' ait 'poenas, Scaeuam quicumque
            sub actum /sperauit.  . . . . . .  6.242
            caesorum truncare cadauera regum / sperat
            et Hesperiae cineres auertere gentis
                                               6.585
            hoc solamen erat, quod uoti turba nefandi
            /conscia, ... quae pectora fratrum /
            sperabat, gaudet monstris,  . . .  7.183
            casus audax spondere (sperare) secundos
            / mens stetit in dubio,  . . . .var.7.246
            mens stetit in dubio, quam nec sua fata
            timere / nec Magni sperare sinunt. 7.248
            causa iubet melior superos sperare
            secundos:  . . . . . . . . . . .   7.349
            te ... / Pompeio ... poenas ... daturum,
            /cum moriar, sperare licet.'  . .  7.615
            omnia uictoris possunt sperare fauorem,
                                               8.117
       'tu, quem ... / ultorem cinerum nudae
       sperauimus umbrae, /ad foedus pacemque
       uenis?'. . . . . . . . . . . . . .     8.434
            ne iura fidemque /respectumque deum ueteri
            speraueris aula;  . . . . . . . .  8.451
            nec enim sperare secunda / fas mihi nec
            liceat.  . . . . . . . . . . . .,  9.243
            hanc audax sperat sibi cedere uirtus.
                                               9.302
       Pompeiumque ducem causa sperare uetante
       /non timuit  . . . . . . . . . .       10.451
SPES.  acer et indomitus, quo spes quoque
       ira uocasset,  . . . . . . . . . .      1.146
            uelut unica rebus / spes foret adflictis
            patrios excedere muros,  . . . .   1.497
            spes saltem trepidas mentes leuet, 1.523
            spes una salutis /oscula pollutae fixisse
            trementia dextrae.  . . . . . . .  2.113
            uictis iam spes bona partibus esto /
            exemplumque mei.  . . . . . . . .  2.513
            his magnam uictor in iram / uocibus
            accensus 'uanam spem mortis honestae
            /concipis:  . . . . . . . . . . .  3.134
            spes uictis telluris abit,  . . .  3.509
            tandemque coactus / spe posita damnare
            fugam casurus in hostes /fertur.   4.270
            frustra qui uincula ferro / rumpere
            conatus poscit spe proelia nulla /
            incertus qua terga daret,  . . .   4.467
            spem uestram praestate deis,  . .  5.42
       'quid spes' ait 'inproba ueri / te, Romane,
       trahit? . . . . . . . . . . . . .      5.130
       iure sed incerto mundi subsidere regnum /
       Chalcidos Euboicae uana spe rapte
       parabas. . . . . . . . . . . . . .     5.227
```

SPIRO

```
            quid uelut ignaros ad quae portenta
            paremur /spe trahis?  . . . . . .  5.285
            uicit patientia saeui /spem ducis, et
            iugulos, non tantum praestitit ensis.
                                               5.370
            caelo languente fretoque /naufragii spes
            omnis abit.  . . . . . . . . . .   5.455
            miserique fuit spes inrita mundi.  5.469
            spesque tuas laxa, iuuenis:  . . . 5.533
            nox manes mixtura deis. spes una salutis,
                                               5.636
       hic auidam belli rapuit spes inproba
       mentem . . . . . . . . . . . . . .     6.29
            ad dubios pauci praesumpto robore
            casus /spemque metumque ferunt.    6.419
            haec ... / spesque metusque simul
            peritura que uota mouebunt,  . . . 7.211
            haec est illa dies mihi quam Rubiconis
            ad undas /promissam memini, cuius spe
            mouimus arma,  . . . . . . . . .   7.255
            nec sanguine multo /spem mundi petitis:
                                               7.270
            ueniam date bella trahenti: /spe trepido;
                                               7.297
            metus hos regni, spes excitat illos. 7.386
            o decus imperii, spes o suprema senatus,
                                               7.588
            spes numquam inplenda recessit;    7.688
            cum spe Romanae promiserit omnia praedae,
            decipitur quod castra rapit.       7.759
            diuque / spe mortis decepta iacet.
                                               8.61
            quantum, spes ultima rerum, / libertatis
            habes!  . . . . . . . . . . . . .  8.454
            et spes imber erat nimios metuentibus
            ignes,  . . . . . . . . . . . . .  9.375
            ossaque dissoluens cum corpore tabificus
            seps (spes);  . . . . . . . . . .var.9.723
            spes sit mihi certa uidendi /Niliacos
            fontes, bellum ciuile relinquam.'  10.191
            aspice litus,/spem nostri sceleris;
                                               10.379
            spem uitae in limine clauso /ponit, 10.459
            cogunt tamen ultima rerum /spem pacis
            temptare ducem,  . . . . . . . .   10.468
            uix spes quoque mortis honestae.   10.539
SPICULUM.  spiculaque extenso Paean Pythone
       recoxit,  . . . . . . . . . . . . .     7.148
            spicula nec solo spargunt fidentia ferro,
                                               8.303
SPINA.  spinaque uagi torquente cerastae,
                                               9.716
SPIRAMEN.  hic aures, alius spiramina naris
       aduncae / amputat,  . . . . . . . .     2.183
            tali spiramine Nesis /emittit Stygium
            nebulosis aera saxis  . . . . . .  6.90
            sunt qui spiramina terris /esse putent
                                               10.247
SPIRITUS.  regit idem spiritus artus /orbe
       alio;  . . . . . . . . . . . . . .      1.456
            quisquis inest terris in fessos spiritus
            artus /egeritur,  . . . . . . . .  4.643
            seu spiritus istas/destituit fauces 5.132
            quod non exhaustae per tot iam saecula
            rupis /spiritus ingessit uati;     5.165
            ast illi suffecit pectora pulsans /
            spiritus in uocem  . . . . . . .   7.609
            scuta uirorum / pilaque contorsit
            uiolento spiritus actu  . . . . .  9.472
SPIRO,-ARE.  dum mouet haec calidus spirantia
       corpora sanguis  . . . . . . . . .      1.363
```

SPIRO
    peruenit ad puppim spirantisque inuenit
    artus. 3.732
    ut uidit Paean uastos telluris hiatus /
    diuinam spirare fidem uentosque loquaces
    . . . . 5.83

    non sic Hennaeis habitans in uallibus
    horret / Enceladum spirante Noto, 6.294
    et non letiferas spirando perdidit auras.
    . . . . 6.522
    spirat de litore Coo / aura fluens; 8.246
    spirantiaque occupat ora 8.670
    quanto spirare ueneno / ora rear 9.679
SPISSO,-ARE. iamque polo pressae largos
    densantur in imbras /spissataeque fluunt;
    . . . . 4.77

    ergo acies tantae paruum spissantur in
    orbem, ... 4.777
    coepit et in terram Libye spissata redire,
    . . . . 9.943
SPISSUS,-A,-UM. dum spissis auellitur uncus
    harenis, ... 2.694
    iam spissior ignis, ... 9.604
SPLENDEO,-ERE. nec Eois splendent donaria
    gemmis: 9.516
SPOLIO,-ARE. cumque superba foret Babylon
    spolianda tropaeis 1.10
    iubeas ... / si spoliare deos ignemque
    inmittere templis, ... 1.379
    cetera classis abit summis spoliata
    carinis: 2.714
    tristi spoliantur templa rapina, 3.167
    procumbunt nemora et spoliantur robore
    siluae, ... 3.395
    corpora caesa tenent spoliantque cadauera
    ferro. 3.675
    tu, Caesar, quamuis spoliatus milite
    multo, /agnoscis superos; . . . 4.254
    miles spoliato pectore tutus /innocuusque
    suas curarum liber in urbes /spargitur
    . . . . 4.383
    spoliarat gramine campum /miles 4.412
    quos hominum uel quos licuit spoliare
    deorum? 5.271
    non illis urbes spoliandaque templa
    negasset 5.305
    cernit miserabile uolgus /... /et
    foliis spoliare nemus 6.112
    pudet ... / quaerere ... /... quis ...
    /... ut notum possit spoliare cadauer,
    /abscisum longe mittat caput, 7.627
    inuenere quidem spoliato plurima mundo /
    ... congestae pondera massae; . 7.752
    Hesperidum pauper spoliatis frondibus
    hortus. 9.358
    spoliauerat Auster / aut Boreas populos
    ancilia nostra ferentes. 9.479
    discit opes Caesar spoliati perdere mundi
    . . . . 10.169
SPOLIUM. pacis ad exutae spolium non cogit
    egestas; 3.132
    Gallorum captus spoliis et Caesaris auro.
    . . . . 4.820

    non tu bellorum spoliis ornare Tonantis
    /templa potes, ... 6.260
    solitumque legi super ... / ... extructos
    spoliis hostilibus arcus / haud procul est
    ima Pompei nomen harena / depressum
    tumulo, ... 8.819
    plena maris rubri spoliis, colloque
    comisque / diuitias Cleopatra gerit 10.139
SPONDEO,-ERE. et casus audax spondere secundos

/mens stetit in dubio, ... 7.246
SPONSOR. at, qui sponsore salutis /miles
    eget ... uadat /ad dominum meliore uia.
    . . . . 9.392
SPONTE. paxque fuit non sponte ducum; 1.99
    sed sponte deum, seu turbidus Auster /
    inpulerat, ... 1.234
    nec te sponte tua sceleri parere fateris?
    . . . . 4.184

    sponte cadit maiorque accepto robore
    surgit. 4.642
    et Phoebi tenuere uiam, seu sponte deorum
    /Cirrha silet 5.136
    sponte per incautas audet temptare
    tenebras 5.500
    subiere pericula clari /sponte uiri
    sacraque antiquus imagine miles. 7.357
    nunc accipe poenas,/ sed quas sponte luam:
    . . . . 8.98

    damnat apud gentes sceleris non sponte
    peracti /Oedipodionias infelix fabula
    Thebas: 8.406
    temploque tacente / nil facimus non sponte
    dei; 9.574
    ipsa caloris egens gelidum non transit in
    orbem /sponte sua, ... 9.705
    lacrimas non sponte cadentis /effudit
    . . . . 9.1038
SPUMA. siccaque sanguineis durescit spuma
    lupatis. 4.758
    non spuma canum quibus unda timori est,
    /... /defuit 6.671
    spuma tunc astra lacessis, . . . 10.320
SPUMEUS,-A,-UM. atque omnis trahe, gurges,
    aquas, ut spumeus alnos /discussa conpage
    feras. 2.486
    spumea tum primum rabies uaesana per ora
    /effluit 5.190
    spumeus accenso non sic exundat aeno /
    undarum cumulus, ... 9.798
    spumeus inuitis canescit fluctibus
    amnis. 10.322
SPUMO,-ARE. fregit et Arctoo spumantem
    uertice Rhenum: 1.371
    Colchis et Hadriaca spumans Apsyrtos in
    unda; 3.190
    obducti concreto sanguine fluctus. 3.573
    spumatque in culmina pontus. . . 6.28
    spumauitque nouis Lapithae domitoris
    habenis. 6.399
    haec ubi fata caput spumantiaque ora
    leuauit, / aspicit astantem ...
    umbram, ... 6.719
    spumantes caede cateruas / respice, 7.699
    ipse ... Ephesonque relinquens /et
    placidi Colophona maris, spumantia paruae
    /radit saxa Sami; 8.245
    prima ratem Cypros spumantibus accipit
    undis; 9.117
    oraque distendens auidus fumantia
    (spumantia) prester, ...var.9.722
    plurima tunc uoluit spumanti carmina
    lingua / murmure continuo, . . . 9.927
    pelagoque Rhodon spumante relinquit.
    . . . . 9.1003

    gemmaeque capaces /excepere merum ... /
    nobile ... paucis senium cui contulit
    annis / indomitum Meroe cogens spumare
    Falernum. 10.163
SPUMOSUS,-A,-UM. spumoso Calaber perfunditur
    aequore Sason. 2.627

503

SQUALEO,-ERE. sicut squalentibus aruis /
    aestiferae Libyes uiso leo comminus hoste
    /subsedit dubius, ...   1.205
    oraque proiecta squalent arentia lingua,
                                        4.755

    Libyae squalentibus aruis /Curio Caesarei
    cecidit pars magna senatus. . .   5.39
    Libycus ... elephans ... / omne
    repercussum squalenti missile tergo /
    frangit 6.209
    maestum tecta caput squalenti nube
    pererrat /corpora 6.625
    notauit,/ ... uoltusque prementem /
    canitiem atque atro squalentis puluere
    uestes. 8.57
    siccaque letiferis squalent serpentibus
    arua. 9.384
    squalebant puluere fauces /cunctorum,
                                        9.503
    squalebant late Phorcynidos arua Medusae,
                                        9.626
    scrutatur uenas penitus squalentis
    harenae, ...   9.755
    hoc igitur tandem leuior Romana iuuentus
    /auxilio late squalentibus errat in aruis.
                                        9.939

SQUAMIFER,-FERA,-FERUM. squamiferos ingens
    haemorrhois explicat orbes, . . . 9.709
SQUAMOSUS,-A,-UM. oraque sicca rigent
    squamosis aspera linguis; 4.325
STABILIS,-E. stabilis naualibus area bellis.
                                        3.513

    at Romana ratis stabilem praebere carinam
                                        3.556

    quam non e stabili tremulo sed culmine
    cuncta /despiceret 5.250
    nusquam luctando stabilis manet,   9.470
STABULUM. scelerum non Thracia tantum /uidit
    Bistonii stabulis pendere tyranni, 2.163
STAGNO,-ARE. Aegypti Libycas Nilus stagnaret
    harenas; 2.417
    si conuolso uertice Gaurus /decidat in
    fundum penitus stagnantis Auerni. . 2.668
    sic Venetus stagnante Pado fusoque
    Britannus / nauigat Oceano; . .   4.134
    sed inter / stagnantem Sicorim et rapidum
    deprensus Hiberum /spectat uicinos
    sitiens exercitus amnes. 4.335
STAGNUM. stagna auidi texere soli laxaeque
    paludes /depositum, Fortuna, tuum; 2.71
    Oceanumque uocans incerti stagna profundi
                                        2.571

    Riphaeas huc solue niues, huc stagna
    lacusque 4.118
    tollere silua comas, stagnis emergere
    colles /incipiunt 4.128
    maestoque ignaua profundo /stagna
    iacentis aquae; 5.443
    nimiasque precari /uentorum uires,dum
    se torpentibus unda /excutiat stagnis et
    sit mare. 5.453
    stagnumque inplentibus unum /crescere
    cursus erat. 6.346
    at iuxta fluuios et stagna undantis Enipei
    /Cappadocum montana cohors ... /... ibat
                                        7.224
    quis rubri stagna profundi /... petet,
                                        8.853
    (nam neque subsedit penitus, quo stagna
    profundi /acciperet, ... tellus,   9.305
    stagnique quieta /uoltus uidit aqua 9.352

STAMEN. lassant rumpentis stamina Parcas.
                                        3.19
    cadauer / 'tristia non equidem Parcarum
    stamina' dixit /'aspexi 6.777
    et extenso laxauit stamina uelo.   10.143
STATIO. te, cum statione peracta /astra
    petes serus, ...   1.45
    soluuntur flaui longa statione Ruteni;
                                        1.402
    Circius et tuta prohibet statione Monoeci:
                                        1.408
    ingreditur pulsa fluuium statione
    uacantem 2.503
    quisque suam statione ratem, . .   3.525
    hanc omni puppes statione solutae /
    circumeunt, ...   4.463
    tenuit stationis litora notae,   4.586
    fuit spes inrita ... /posse duces parua
    campi statione diremptos /admotum
    damnare nefas; 5.470
    illo forte die Caesar statione relicta
    /... /conspicit in planos hostem
    descendere campos, ...   7.235
    proxima Leptis erat, cuius statione quieta
    /exegere hiemem 9.948
    cursusque uagos statione moratur; 10.203
STATUO,-ERE. protinus hostili statuit
    succedere uallo, ...   7.733
    simul iussit statui tentoria ductor,
    /primum ... harenas /expurgat cantu 9.912
STATUS v. SISTO
STELLA. stellaeque minores /per uacuum
    solitae noctis decurrere tempus /in medium
    uenere diem, ...   1.535
    secretaque caeli / ... quem non stellarum
    Aegyptia Memphis / aequaret uisu   1.640
    summo si frigida caelo /stella nocens
    nigros Saturni accenderet ignis,   1.652
    maioresque latent stellae, . . .   2.724
    quamuis fecerit omnis /stella senem,
    medios herbis abrumpimus annos.   6.610
    omniaque errantes stellae Romana uiderent.
                                        7.425
    inde Canopos excipit,... /stella, timens
    Borean: 8.183
    stellasque uagas miratus et astra /
    fixa polis, ...   9.12
    stellarum caelique plagis superisque
    uacaui, ...   10.186
STELLO,-ARE. stellatis axibus agger /erigitur
                                        3.455
STERILIS,-E. monstra iubet primum quae nullo
    semine discors /protulerat natura rapi
    sterilique nefandos / ex utero fetus
    infaustis urere flammis. 1.590
    sterili non quicquam frigore gignit 4.108
    sustulit iras /telluris sterilis monstrato
    fine, ...   5.110
    haud procul inde domus,... /... sterili
    iunco cannaque intexta palustri   5.517
    et steriles egeant hibernis imbribus agri,
                                        8.829
    forsitan, aut sulco sterili cum poscere
    finem /a superis ... Roma uolet ... /
    ... consilio iussuque deum transibis in
    urbem, ...   8.846
    uadimus in campos steriles exustaque
    mundi, ...   9.382
    atque ingressurus steriles sic fatur
    harenas: 9.378
    sterilesne elegit harenas /ut caneret

STERILIS

paucis, ... 9.576
illa tamen sterilis tellus fecundaque
nulli /arua bono uirus... / concipiunt
9.696
ecce, procul saeuos sterili se robore
trunci / torsit ... serpens . . 9.822
iam siluae steriles et putres robore
trunci / Assaraci pressere domos 9.966
nec sterilis Libye nec Syrticus obstitit
Hammon. 10.38
sterilesque diu metiris harenas, 10.308

STERNO,-ERE. rupta quies populi, stratisque
excita iuuentus 1.239
aut Collina tulit stratas quot porta
cateruas, ... ,. . 2.135
sternere profecto /ut Catulo iacuit
Lepidus, nostrasque securis /passus 2.546
iam satis hoc Graiae memorandum contigit
urbi /aeternumque decus, quod non inpulsa
nec ipso /strata metu tenuit flagrantis
in omnia belli /praecipitem cursum, 3.390
o fortunati, fugiens quos barbarus hostis/
fontibus inmixto strauit per rura ueneno.
4.320
'si me degeneri strauissent fata sub hoste,
4.344
pariter sternuntque caduntque /uolnere
letali, ... 4.558
sternique uetabere terra. . . . 4.647
sic fata relictis / exiluit stratis
amens tormentaque nulla / uult differe
mora. 5.791
seque arma tenente / ac nondum strato
Magnum uicisse negauit. 6.143
uotumque effecimus hosti /ut mallet
sterni gladiis 7.100
sternite iam uallum fossasque inplete
ruina, ... 7.326
sed timuit, strato miles ne corpore Magni
/non fugeret, ... 7.671
stratumque cubile /regibus infandus miles
premit, ... 7.761
uariaque triclinia ueste /strata micant,
10.123

STILLO,-ARE. antra nec exiguo stillant
sudantia rore 4.301
nigramque per artus /stillantis tabi
saniem uirusque coactum /sustulit 6.548
omnisque cruenta /alite sanguineis
stillauit roribus arbor. 7.837
fecundaque nulli / arua bono uirus
stillantis tabe Medusae /concipiunt 9.697
parua loquor, corpus sanie stillasse
perustum: 9.783

STIMULO,-ARE. mox, ubi se saeuae stimulauit
uerbere caudae 1.208
qui stimulante metu fati praenoscere
cursus, ... 6.423
quacumque uagatur,/... ueluti ... /
Bistonas aut Mauors agitans si uerbere
saeuo /Palladia stimulet turbatos aegide
currus, / nox ingens scelerum est; 7.570
non ulli plus regia, Magne, uacabit /
saeuitia stimulata Venus titulisque
uirorum; 8.413

STIMULUS. stimulos dedit aemula uirtus. 1.120
faces belli ... / urguentes addunt
stimulos cunctasque pudoris . . 1.263
his se stimulis dolor ipse lacessit. 2.42
irarum mouit stimulos iuuenisque calorem
2.324

mox, ut stimulis maioribus ardens /
rupit amor leges, ... 4.174
mortis agor stimulis: furor est. 4.517
iamque gradum neque uerberibus stimulisque
coacti /... addunt: 4.759
quippe stimulo fluctuque furoris /
compages humana labat, ... 5.118
uteris et stimulis flammasque in uiscera
mergis: 5.175
belli pars magna peracta est /... si
modo uirtutis stimulis iraeque calore /
signa petunt. 7.103
auget eques stimulos frenorumque artat
habenas. 7.143
hic, Caesar, rabies populis stimulusque
furorum, /... agmina circum /it uagus
7.557
cornipedem exhaustum cursu stimulisque
negantem /Magnus agens incerta fugae
uestigia turbat 8.3
quos Lentulus omnis /uirtutis stimulis et
nobilitate dolendi /praecessit . . 8.329

STIPES. inscripsit sacrum semusto stipite
nomen: 8.792
non ... ueloci corrumpunt pocula leto /
stipite quae diro uirgas mentita Sabaeas
/toxica fatilegi carpunt matura Saitae.
9.820

STIPO,-ARE. atque hostis turba stipatus
inermis /praecipitat castris . . . 4.208
stipataque membra teruntur; . . . 4.782
Pompei densis acies stipata cateruis /
iunxerat ... arma, ... 7.492
molis in exiguae spatio stipantibus
armis /... dux Latius ... subitus ... /
cingitur: 10.534

STIRPS. dum scopulos stirpesque tenent atque
hoste relicto /caedunt ense uiam. 4.42
ultima Lageae stirpis perituraque proles,
/... / litora Pompeium feriunt, 8.692
nec umquam / dum terris aliquis nostra
de stirpe manebit, /Caesaribus regnare
uacet. 9.89

STO,-ARE. unoque sub ictu /stat genus humanum,
6.614
stare diu nimioque graues sub pondere
lapsus 1.71
stat magni nominis umbra, ... 1.135
nescia uirtus / stare loco, solusque
pudor non uincere bello. 1.145
stat cruor in templis multaque rubentia
caede /lubrica saxa madent. . . . 2.103
ad molem stetit unda sequens. . . 2.214
hic stabit ciuilibus exitus armis. 2.224
gradibusque adclinis eburnis /stat torus
et picto uestes discriminat auro, 2.357
uictoria nobis / hic primum stans Caesar
erit.' 2.490
non,si tumido me gurgite Ganges /
summoueat, stabit iam flumine Caesar in
ullo 2.497
hinc acies statura ducum est. . . 2.566
ut tremulo starent contentae fune carinae.
2.621
et statura redit. 2.719
imago / uisa caput maestum per hiantis
Iulia terras / tollere et accenso furialis
stare sepulchro. 3.11
litore solus / dux stetit Hesperio, 3.48
deserta stamus in urbe. 3.129
tunc res inmenso placuit statura labore,

/aggere diuersos uasto committere colles.
3.381
inter nudatos stabat densissima montis.
3.428
credidit et muros mirata est stare
iuuentus. 3.461
summa fuit Grais, starent ut moenia, uoti:
3.497
accepit non sola uiros, quae stabat in
undis, /classis: 3.519
seque tenent remis: tecto stetit aequore
bellum. 3.566
stat quisque suae de robore puppis 3.570
et stetit incertus, flueret quo uolnere,
sanguis, ... 3.589
stant gemini fratres, fecundae gloria
matris, ... 3.603
stantem sublimi Tyrrhenum culmine prorae
3.709
stat lumine rapto /attonitus . . . 3.713
stabat diuersa uictae iam parte carinae
/infelix Argi genitor, ... 3.726
quo primum steterint campo, qua lancea
dextra /exierit. 4.201
stat uictor tenuitque manus, . . . 4.289
uictoris stetit ante pedes. . . . 4.340
stat, mirum, moles et siluis aequor
inumbrat. 4.456
stant undique nostris intenti ciues
iugulis: 4.485
detegit orta dies stantis in rupibus
Histros 4.529
stabat deuota iuuentus / damnata iam luce
ferox 4.533
quamuis staret, erat. 4.609
'standum est tibi,' dixit 4.646
qua stetit inde fauet; 4.708
incertoque pedum pugnat non stare tumultu:
4.753
ancipites steterunt casus, ... 4.771
conpressum turba stetit omne cadauer.
4.787
stat numquam facies; rubor igneus inficit
ora 5.214
staretque super titubantia fultus. 5.251
stetit aggere fulti /caespitis 5.316
et tu, quo solo stabunt iam robore castra,
5.362
sic stat iners Scythicas astringens
Bosporos undas, ... 5.436
quod nolles stare sub ictu /fortunae 5.729
iacuere perempti /debuerant quo stare loco.
6.133
non ira saltem, iuuenes, pietate remota /
stabitis? 6.156
nec quicquam nudis uitalibus obstat /
iam praeter stantis in summis ossibus
hastas. 6.195
stat non fragilis pro Caesare murus 6.201
citraque cruorem /confixae stant tela
ferae: 6.212
stetit imbre cruento / informis facies.
6.224
pulmonis rigidi stantis sine uolnere
fibras /inuenit 6.630
stat uoltu maestus tacito mortemque
reposcit. 6.821
potuit tibi uolnere nullo /stare labor
belli; 7.93
stetit ordine certo /infelix acies. 7.216
casus audax spondere secundos / mens

stetit in dubio, ... 7.247
stant ordine nullo, /arte ducis nulla,
7.332
Pompeius ... / ... stat corde gelato /
attonitus; 7.339
si Curios his fata darent ... /temporibus
... / hinc starent. 7.360
stat tectis putris auitis /in nullos
ruitura domus. 7.403
frigidus inde /stat gladius, calet omne
nocens a Caesare ferrum. 7.503
stetit omne coactum /circa pila nefas.
7.518
scit ... /... libertas ultima mundi /
quo steterit ferienda loco. . . . 7.581
pudet ... / quaerere ... / quis steterit
dum membra cadunt, ... 7.623
stetit aggere campi, ... 7.649
stante potest mundo Romaque superstite
Magnus /esse miser. 7.660
uertamus ... licebit, / et stantis tumulos
et qui radice uetusta /effudere suas...
urnas, ... 7.856
qua tunc tellure latebas /maestior, in
mediis quam si, Cornelia, campis /
Emathiae stares. 8.43
stantis adhuc fati uixit quasi coniuge
uicto. 8.158
numquam stante polo miseros fallentia
nautas, /sidera non sequimur, . . . 8.173
nec munere Magni / stant semel Arsacidae;
8.233
proles tam clara Metelli /stabit barbarico
coniunx millesima lecto. 8.411
stetit anxia classis /ad ducis euentum,
8.592
stat summa caputque /orbis, . . . 9.123
litore Niliaco socerum iam stare putaui.
9.135
stant miseri nautae, ... 9.343
imaque tellus /stat, quia summa fugit.
9.471
alligat et stantis adfusae magnus harenae
/agger, ... 9.488
stat sortiger illic /Iuppiter, ut memorant,
9.512
hic quoque nil obstat Phoebo, cum cardine
summo / stat librata dies; . . . 9.529
stabant ante fores populi quos miserat Eos
9.544
stat dum lixa bibat. 9.593
et quem, si steteris umquam ceruice
soluta, /nunc, olim, factura deum es.
9.603
stabant in margine siccae /aspides, 9.609
illa sub Hesperiis stantem Titana
columnis /in cautes Atlanta dedit; 9.654
caeloque timente /olim Phlegraeo stantis
serpente gigantas /erexit montes, 9.656
at non stare suum miseris passura cruorem
/... ingens haemorrhois explicat orbes,
9.708
miserique in crure Sabelli /seps stetit
exiguus; 9.764
nondum stante modo crescens fugere
cadauer. 9.804
stat tutus pereunte manu. . . . 9.833
stabatque sibi non segnis achates /
purpureusque lapis, ... 10.115
hebenus Mareotica uastos /non operit
postes sed stat pro robore uili, 10.118

STO

iaspide fulua supellex /stat mensas
onerans, ... 10.122a
stat contra fortior aetas /uix ulla
fuscante tamen lanugine malas. 10.134
insula quondam / in medio stetit illa
mari sub tempore uatis /Proteos, 10.510
STOECHAS. Stoechados arua tenens. 3.516
STRAGES. dat stragem late sparsosque
recolligit ignes. 1.157
magna premit strages peraguntque cadauera
partem /caedes: 2.205
strage cruenta /interruptus aquae fluxit
prior amnis in aequor, . . . 2.212
strage uirum cumulata ratis multoque
cruore /plena per obliquum crebros latus
accipit ictus 3.627
iam strage cruenta /conspicitur cumulata
ratis, ... 4.570
ceciditque in strage suorum . . . 4.797
ex tanta fatorum strage superba /excerpsit
Romana manu, ... 5.185
quid tanta strage paretur /ignoras: 5.591
mors tamen eminuit clarorum in strage
uirorum / pugnacis Domiti, . . 7.599
perque Asiae populos ... / humana cum
strage ruit 10.31
non acie fusa nec magnae stragis aceruis
/uincendus tum Caesar erat . . . 10.540
STRATUM v. STERNO
STREPITUS. Lesboque remota /te procul a
saeui strepitu, Cornelia, belli 5.726
STRIDEO,-ERE. quos aere recuruo /stridentes
acuere tubae; 1.432
excutiens ... / stridentisque comas,
Thebanam qualis Agauen 1.574
strident oculis ardentibus ignes. 6.179
nec membris sole perustis /auribus
incertum feralis strideat umbra.' 6.623
habet illa ... / quod strident ululantque
ferae, quod sibilat anguis; . . . 6.690
illam non fluctus stridensque rudentibus
Eurus / mouit 9.113
deprensum est,... / quam segnis Scythicae
strideret harundinis aer. . . 9.827
coeunt ignes stridentibus undis 9.866
hic ebulum stridet peregrinaque galbana
sudant, ... 9.916
STRIDOR. stridor lituum clangorque tubarum
/non pia concinuit cum rauco classica
cornu. 1.237
testatur stridore fores; 3.155
STRIDULUS,-A,-UM. tum stridulus aer /elisus
lituis conceptaque classica cornu, 7.475
stridula sed multo saturantur tela
ueneno; 8.304
illis e faucibus angues /stridula fuderunt
uibratis sibila linguis. 9.631
STRINGO,-ERE. strictaque pendentes deducunt
carbasa nautae 2.697
deriguitque tenens strictis inmortua
neruis. 3.613
et quamuis primo ferrum strinxere gementes,
4.247
Alcides medio tenuit iam pectora pigro /
stricta gelu terrisque diu non credidit
hostem. 4.653
nam quis castra uocet tot strictas iure
securis, /tot fasces? 5.12
tum torta priores / stringit uitta comas,
5.143
scit non esse ducis strictos sed militis

STYGIUS

enses. 5.254
hunc omnes gladii, quos aut Pharsalia
uidit, / aut altrix uisura dies stringente
senatu, /illa nocte premunt, 7.782
tum stringere ferrum /regia monstra
parant. 8.612
dissiluit stringens uterum membrana,
9.773
STRIX. habet illa ... / quod trepidus bubo,
quod strix nocturna queruntur, 6.689
STRUCTURA(subst.). prima quidem surgens
operum structura fefellit /Pompeium,
6.64
STRUES. accensa iuuenem positum strue liquit
Erictho 6.826
nulla strue membra recumbunt: 8.757
STRUO,-ERE. quique suas struxere pyras
uiuique calentis /conscendere rogos. 3.240
structa laterum conpage ligatam /artet
humum. 3.397
structae diris altaribus arae / omnisque
humanis lustrata cruoribus arbor. 3.404
non opus hanc ueterum nec moles structa
tuetur 6.19
nam neque congestae struxere cubilia
frondes 9.841
struit audax inrita fatis . . . 10.344
STRYMON. deseritur Strymon tepido committere
Nilo /Bistonias consuetus aues 3.199
Strymona sic gelidum bruma pellente
relinquunt 5.711
STUDIUM. uni quippe uacat studiis odiisque
carenti / humanum lugere genus), 2.377
admonet hunc studiis consors puerilibus
aetas; 4.178
non partis studiis agimur nec sumpsimus
arma 4.348
nec solum studiis ciuilibus arma parabat
4.687
Grais delecta iuuentus /gymnasiis aderit
studioque ignaua palaestrae 7.271
post te pars maxima pugnae /.../nec
studium belli, sed par quod semper
habemus, /libertas et Caesar, erit; 7.695
studiumque laboris /floriferi repetunt
9.289
STUPEFACIO,-ERE. constitit Alcides stupefactus
robore tanto, ... 4.633
STUPEO,-ERE. et stupet inlatus mundo. 6.760
occursu stupuere ducis uertigine rerum
/attoniti, ... 8.16
STUPPEUS,-A,-UM. nec piger ignis erat per
stuppea uincula 10.493
STYGIUS. campoque expulsa piorum /ad Stygias'
inquit 'tenebras manesque nocentis /...
trahor. 3.13
inmisit Stygiam Paean in uiscera Lethen,
5.221
conscia uotorum es, me, quamuis plenus
honorum / et dictator eam Stygias et
consul ad umbras,/priuatum, Fortuna, mori,
5.667
Nesis / emittit Stygium nebulosis aera
saxis 6.91
hunc fama est Stygiis manare paludibus
amnem 6.378
nosse domos Stygias arcanaque Ditis operti
/non superi, non uita uetat. . . . 6.514
terribilis Stygio facies pallore grauatur
6.517
arcanumque nefas Stygias mandauit ad

umbras. 6.569
monstroque potenti / extractus Stygio
populus pugnasset Auerno. . . 6.636
dubium est, quod traxerit illuc /aspiciat
Stygias an quod descenderit umbras. 6.653
si uero Stygiosque lacus ripamque sonantem
/ignibus ostendam,... /quis timor, ignaui,
metuentis cernere manes? 6.662
'Eumenides Stygiumque nefas Poenaeque
nocentum /... /exaudite preces. 6.695
Stygiasque canes in luce superna /
destituam; 6.733
conpellandus erit,... /... cuius / uos
estis superi, Stygias qui perierat undas?'
6.749
tali tua membra sepulchro, /talibus
exuram Stygio cum carmine siluis, 6.766
Stygii quae numina regni /... litasti?'
7.169
te ... / sed dubium fati,... /aspiciens
Stygias Magno duce liber ad umbras / ...
eo: 7.612
putem ... / ... infectumque aera totum /
manibus et superam Stygia formidine noctem.
7.770
non meliore loco Stygia sub nocte iacebis.
7.817
socias (Stygias) somno descendis ad umbras.
var.9.818
et tibi dant Stygiae ius in sua fila
sorores. 9.838

STYX. Styx et quos nulla meretur /Thessalis
Elysios;... /exaudite preces. . . 6.698
et quantum poenae misero mens conscia
donat,/ quod Styga, quod manes ingestaque
Tartara somnis /Pompeio uiuente uidet!
7.785

SUADEO,-ERE. praedaque et hostiles luxum
suasere rapinae, ... 1.162
inde irae faciles et, quod suasisset
egestas, ... 1.173
sed melior suadere malis et nosse
tyrannos / ausus Pompeium leto damnare
Pothinus 8.482
quod nobis sceptra senatus /te suadente
dedit, uotis tua fouimus arma. 8.519
hoc eadem suadebat hiemps quae clauserat
aequor; 9.374
non lentus Achillas / suadenti parere
nefas 10.399

SUB. c.acc.
1.19;1.22;2.280;3.69;3.749;4.734;5.23;
5.116;5.424;5.550;7.364;9.238;10.4;10.250
c.abl. 1.43;1.71;1.141;1.170;1.252(bis);
1.302;1.308;1.342;1.405;1.559;1.680;2.188;
2.294;2.584;3.488;3.697;3.704;4.222;4.333;
4.344;4.465;4.601;4.667;5.148;5.283;5.344;
5.364;5.609;5.729;5.734;6.297;6.349;6.389;
6.572;6.613;6.641;6.646;6.676;6.739;6.752;
7.63;7.189;7.443;7.499;7.704;7.795;7.817;
8.376;8.397;8.442;8.453;8.529;8.852;9.13;
9.130;var.9.401;9.432;9.435;9.641;9.654;
9.878;10.27;10.48;10.66;10.95;10.188;
10.207;10.227;10.232;10.265;10.267;10.336;
10.405;10.449;10.510

SUBDO,-ERE. quas recipit Salpina palus et
subdita Sipus /montibus, ... 5.378
admotus Magnum, non subditus, accipit
ignis. 8.758
uarii mutator circuli anni /Aegoceron
Cancrumque tenet, cui subdita Nili /ora

latent, ... 10.213
SUBDUCO,-ERE. colligit et pauido subducit
cognita furto. 2.168
rapta puppe minor subducta est montibus
Argo 2.717
temptat et inpositis unum subducere saxis.
3.492
inritus et uictor subducto Marte pependit.
4.47
tum frigidus artus /alligat atque animum
subducto robore torpor, . . . 4.290
utinam pauidos uitae subducere nolles,
4.580
ueluti, si cuncta minentur /flumina quos
miscent pelago subducere fontes, 5.337
motaque possunt / aequora subductis etiam
concurrere uentis. 5.607
iuuat /... / indulgere morae et tempus
subducere fatis. 5.733
subducto qui Marte ruis; . . . 6.250
omnia subducit Circaeae uela procellae;
6.287
cum turgentia suco / frontis amaturae
subducunt pignora fetae: 6.456
si ... atrae / sidera subducunt nubes
tunc Thessala nudis /egreditur bustis
6.519
Caesaris aut oculis uoluit subducere
mortem. 7.673
semustaque robora membris /subducit. 8.746
rapidus Titan ... / aequora subduxit
zonae uicina perustae; 9.314
Thessaliae subducta acies in litore Nili /
more fuit patrio. 10.412

SUBEO,-IRE. haereat aut latum subeant
uenabula pectus, ... 1.211
sic fatur et urbem /attonitam terrore
subit. 3.98
nondum foribus cedente tribuno /acrior ira
subit: 3.142
nec pauet hic populus pro libertate subire
/obsessum Poeno gessit quae Marte
Saguntum. 3.349
tecta subit uirtus, armisque innexa
priores / arma ferunt, ... 3.475
semianimes alii uastum subiere profundum
3.576
nox subit atque oculos uastae obduxere
tenebrae, ... 3.735
idem, cum fortes animos praecepta
subissent, ... 4.524
cum dira uoluptas / ense subit presso,
galeae texere pudorem, ... 4.706
subeuntisque obruit hostis /corporibus,
6.171
fatis debentibus annos / mors inuita subit;
6.531
dira subit rabies: 7.51
subiere pericula clari /sponte uiri 7.356
nulla tibi subeunda magis sunt moenia
uicto: 8.116
te segnis Cynosura subit, ... 9.540
ecce, subit uirus tacitum, ... 9.741
ecce, subit facies leto diuersa fluenti.
9.789

SUBICIO,-ERE. nec Phoebum surgere sentit /
nox subtexta (subiecta) polo: .var.4.104
ipse manu subicit gladios ac tela
ministrat 7.574
subicique facem conplexa maritum /
imperat, ... 8.740

SUBIGO

SUBIGO,-ERE. namque, ut opes nimias mundo
    fortuna subacto /intulit 1.160
    gesseris euentu, tibi Roma subegerit
    orbem. 1.285
    liuor edax tibi cuncta negat, gentesque
    subactas /uix inpune feres. . .   1.288
    Armenios Cilicasque feros Taurumque subegi:
                            2.594
    pro, si remeasset in urbem /Gallorum
    tantum populis Arctoque subacta, /quam
    seriem rerum longa praemittere pompa,
                            3.74
    nullo nam Marte subactus 5.240
    terris fudisse cruorem /quid iuuat Arctois
    Rhodano Rhenoque subactis? . . .   5.268
    Iliacae numen quod praesidet Albae, /haud
    meritum Latio sollemnia sacra subacto,
    /uidit flammifera confectas nocte Latinas.
                            5.401
    Arctoas domui gentes, inimica subegi /arma
    metu, ...   5.661
    'soluat' ait 'poenas, Scaeuam quicumque
    subactum /sperauit. 6.241
    merito Pompeium uincere lente / gentibus
    indignum est a transcurrente subactis.
                            7.74
    potui sine caede subactum /captiuumque
    ducem uiolatae tradere paci. . .   7.93
    ipse manu subicit (subegit) gladios
                       var.7.574
    ipse manu subicit (subigit) gladios
                       var.7.574
    te, saeuo Marte subactum, /Pompeio ...
    poenas ... daturum,/... sperare licet.'
                          7.613
    non ueritus graue ne fessis aut Marte
    subactis /hoc foret imperium.   7.735
    da similis Lesbo populos, qui Marte
    subactum /non intrare suos ... portus,/
    ... uetent.' 8.144
    adde subactam /barbariem gentesque uagas
                          8.811
    meruistis iudice uitam /Caesare non armis,
    non obsidione subacti. 9.273
SUBITUS,-A,-UM. milite cum subito partesque
    in bella togatae 1.312
    et subitus rapti munimine caespitis agger
    /praebet securos intra tentoria somnos:
                            1.517
    terrarum subita percussa expalluit umbra.
                            1.539
    sit subitum quodcumque paras;   2.14
    tot simul infesto iuuenes occumbere leto
    /saepe fames pelagique furor subitaeque
    ruinae 2.199
    qua mare tellurem subitis aut obruit undis
                             3.60
    Tigrim subito tellus absorbet hiatu 3.261
    fractarum subita ratium periere ruina.
                            3.579
    prono cum Caesar Olympo /in noctem subita
    circumdedit agmina fossa, . . .   4.29
    luce noua collem subito conscendere cursu,
    /... / imperat. 4.32
    atque ipsas hausit, subitisque frementis /
    uerticibus contorsit aquas 4.101
    continuus multis subitarum tractus aquarum
    /aera non passus uacuis discurrere uenis /
    artauit 4.368
    ne cessa praebere deo tua fata uolenti /
    angustos opibus subitis inplere penates.'

                            5.537
    nec caespite tantum /contentus fragili
    subitos attollere muros 6.33
    subitum bellique tumultu /raptum clausit
    opus. 6.53
    subitusque in moenia uenit. . .   6.128
    subitaeque ruinam /sensit aquae Nereus,
                            6.348
    hoc casibus eripe iuris,/ ne subiti
    caecique ruant. 6.598
    et subito feriere die. 6.744
    mentisque tumultum /atque omen scelerum
    subitos putat esse furores. . .   7.184
    astra Thyestae / intulit et subitis
    damnauit noctibus Argos: 7.452
    emittit subitum non motis cornibus agmen.
                             7.524
    e caelo uolucres subito cum pondere
    lapsae, ...   9.649
    et subitus praepes Cyllenida sustulit
    harpen, ...   9.662
    nulloque dolore /testatus morsus subita
    caligine mortem / accipis .   9.817
    erexit subitas congestu caespitis aras
                            9.988
    subito bellum molire tumultu, /inrue;
                          10.372
    dux Latius tota subitus formidine belli
    /cingitur: 10.536
SUBLIMIS,-E. qualis frugifero quercus
    sublimis in agro 1.136
    qua sublime nemus, Scythicae qua regna
    Dianae, ...   3.86
    crebraque sublimes conuellunt uerbera
    puppes. 3.528
    stantem sublimi Tyrrhenum culmine prorae
                            3.709
    Lentulus e celsa sublimis sede profatur.
                            5.16
    ausa uolare /ardea sublimis pinnae confisa
    natanti, ...   5.554
    totumque per agmen /sublimi praeuectus
    equo 7.342
    me ... / adfecere ... gestata per urbem /
    ora ducis, quae transfixo sublimia pilo
    /uidimus: 9.138
    nos quoque sublimes Magnus facit.   10.378
SUBMERGO,-ERE v. SUMM-
SUBOLES. mox, ubi conubii pretium mercesque
    soluta est / tertia iam suboles,   2.331
    tum subole e tanta natum cui firmior
    aetas /adfatur. 2.631
    socer post pignora tanta,/sanguinis
    infausti subolem mortemque nepotum, /te
    ... propius non uidit 5.474
    deplorat Libycis perituram Scipio terris /
    infaustam subolem; 6.789
    qui subolem ac thalamos desertaque
    pignora quaerit, /ense petat: 7.347
    proxima quid suboles aut quid meruere
    nepotes /in regnum nasci? . . .   7.642
SUBREPO,-ERE. subrepsit partemque tulit sibi
    nata uoluptas. 2.391
    erigit, et mediis subrepit uinea muris:
                            2.506
    et noua desuetis subrepens uita medullis
    /miscetur morti. 6.753
SUBRIGO,-ERE. ora terens spargitque iubas et
    subrigit auris 4.752
    surgunt aduersa subrectae fronte colubrae
                            9.634

SUBRIPIO,-ERE. nec non subrepta paratis /
    a famulo Ganymede dolis peruenit ad hostis
    /Caesaris Arsinoe; 10.519
SUBRUO,-ERE. nunc excipe saltem /ossa tui
    Magni, si nondum subruta fluctu / inuisa
    tellure sedent. 8.839
SUBSIDO,-ERE. leo comminus hoste /subsedit
    dubius, totam dum colligit iram;   1.207
    tum cardine tellus /subsedit, . .   1.553
    subsidentque urbes, an tollet feruidus
    aer /temperiem? 1.646
    et inplicitis gaudent subsidere membris
                                         3.695
    iure sed incerto mundi subsidere regnum
    /Chalcidos Euboicae uana spe rapte
    parabas. 5.226
    in praeceps subsedit humus, . .   6.643
    (nam neque subsedit penitus, quo stagna
    profundi / acciperet ... tellus,   9.305
SUBSTITUO,-ERE. substituit merso dum nox sua
    lumina Phoebo. 4.283
SUBSTRINGO,-ERE. hinc Essedoniae gentes
    auroque ligatas /substringens Arimaspe
    comas; 3.281
    et coma uipereis substringitur horrida
    sertis. 6.656
SUBSUM,-ESSE. hae ducibus causae; suberant sed
    publica belli / semina, ...   1.158
SUBTEXO,-ERE. nec Phoebum surgere sentit /nox
    subtexta polo: rerum discrimina miscet
                                         4.104
    ferro subtexitur aether 7.519
SUBTRAHO,-ERE. 'ferrumque ruenti /subtrahe:
                                         4.274
SUBUERTO,-ERE. 'iam nequis uestrum dubitet
    subuertere siluam 3.436
    sparsit potius Pharsalia nostras /quam
    subuertit opes. 8.274
SUCCEDO,-ERE. dux equitemque iubet succedere
    bello 4.44
    nudas Aquilonibus undas / succedens Boreae
    iam portum fecerat Auster. 5.721
    protinus hostili statuit succedere uallo,
                                         7.733
SUCCENDO,-ERE. succensusque tuis flagrasset
    curribus aether. 1.657
    fulminibus propior terrae succenditur aer,
                                         2.269
    succendit Phaethon flagrantibus aethera
    loris, ...   2.413
    mouit tantum uox illa furorem /quantum
    non primo succendunt classica cantu, 6.166
    alterius flamma crinesque genasque /
    succendit, ...   6.179
    non illum Poenus humator /consulis et
    Libyca succensae lampade Cannae /
    conpellunt hominum ritus ut seruet in
    hoste, ...   7.800
    exiguam, quantum potes, accipe flammam /
    Romana succense manu. 8.767
    illi rubor igneus ora /succendit,   9.792
SUCCENSOR. 'iam Magni deseris arma, /successor
    (succensor) Domiti; var.7.607
SUCCESSOR. 'iam Magni deseris arma /successor
    Domiti; 7.607
SUCCESSUS. successus urguere suos, instare
    fauori /... numinis, ...   1.148
    ut numquam fortuna labet successibus
    anceps, ...   4.390
    intra castrorum timuit tentoria ductor
    /perdere successus scelerum, . .   5.242

    an ... laudanda ... uelle /sit satis
    et numquam successu crescat honestum?
                                         9.571
    et si successu nuda remoto /inspicitur
    uirtus, quidquid laudamus in ullo /
    maiorum, fortuna fuit. . . .   9.594
SUCCIDO,-ERE. his ratibus traiecta manus
    festinat utrimque /succisum curuare nemus,
                                         4.138
SUCCINGO,-ERE. turba minor ritu sequitur
    succincta Gabino, ...   1.596
    cornua succincti premerent cum torua
    ministri, ...   1.612
    hac luce cruenta /effectum, ut ... non
    ... /... Sarmaticumque premat succinctus
    consul aratrum, ...   7.430
SUCCUMBO,-ERE. succubuit siqua tellus
    cumuloque furentem /"undarum non passa
    ruit, ...   6.274
    nusquam Magni fortuna sine illo /succubuit.
                                         7.602
    prohibet succumbere fatis /Magnus   8.70
SUCCURRO,-ERE. discordia ponti / succurrit
    miseris, ...   5.647
    uos pendite regna / uiribus atque fide ...
    / quemnam Romanis deceat succurrere
    rebus. 8.278
SUCUS. quique bibunt tenera dulcis ab
    harundine sucos, ...   3.237
    siquos palmite crudo / arboris aut tenera
    sucos pressere medulla. 4.318
    cum turgentia suco /frontis amaturae
    subducunt pignora fetae: 6.455
    pollutos cantu dirisque uenefica sucis
    /conspersos uetuit transmittere bella
    Philippos, ...   6.581
    squalebant late Phorcynidos arua Medusae
    /... non mollia sulco (suco), var.9.627
SUDES. et sudibus crebris et adusti roboris
    ictu /percussae cedunt crates,   3.494
    nunc sude nunc duro contraria pectora
    conto /detrudit muris, ...   6.174
SUDO,-ARE. antra nec exiguo stillant sudantia
    rore 4.301
    hic ebulum stridet peregrinaque galbana
    sudant, ...   9.916
SUDOR. urbisque laborem /testatos sudore Lares,
    ... /... accipimus, ...   1.557
    tunc exhausta super multo sudore iuuentus
    /extrahitur 4.303
    prodidit et gelidus fesso de corpore
    sudor. 4.623
    rapit arida tellus / sudorem; . .   4.630
    uidet exhaustos sudoribus artus . .   4.638
    fessa iacet ceruix, fumant sudoribus artus
                                         4.754
    incensusque dies, manant sudoribus artus,
                                         9.499
    defessos iret qui sudor in artus / non
    fuit, ...   9.745
    sudor rubet; 9.813
SUEBI. fundat ab extremo flauos Aquilone
    Suebos /Albis et indomitum Rheni caput;
                                         2.51
SUESCO,-ERE. bella nefanda parat suetus
    ciuilibus armis 1.325
    fidi scelerum suetique ministri /... /
    conspexere procul praerupta in caute
    sedentem, ...   6.573
SUESSONES. gaudetque ... / et Biturix
    longisque leues Suessones in armis, 1.423

SUEUI

SUEUI v. SUEBI

SUFFERO,-RE. tum paruit omnis /imperiis non
sublato secura pauore / turba, . . 3.438

SUFFICIO,-ERE. uir ferus et Romam cupienti
perdere fato / sufficiens. 2.88
sufficerent aliis primo tot moenia cursu
/rapta, ... 2.653
sufficiunt, lassant rumpentis stamina
Parcas. 3.19
neque enim iam sufficit ulla /praecipiti
fortuna uiro, ... 3.50
sufficiunt spatio populi: tot castra
secuntur, ... 4.676
nec uox antri conplere capacis /sufficiens
spatium 5.154
quibus hic non sufficit orbis: 5.356
sufficit ad fatum belli fauor iste
laborque /Fortunae, ... 5.696
quantum ... telluris Eoae /sufficit in
regnum, ... 6.53
Caesar nostris non sufficit armis. 7.368
odiis solus ciuilibus ensis /sufficit,
7.491
utinam, Pharsalia, campis /sufficiat
cruor iste tuis, ... 7.536
ast illi suffecit pectora pulsans /
spiritus in uocem, ... 7.608
quod sufficit aeuum / inmemor ut donet
belli tibi damna uetustas? . . . 7.849
suffecitque omnibus unda. . . . 9.510
aequoreusque placet, sed non et sufficit,
umor. 9.757
et suffecta manu foribus testudinis
Indae / terga sedent, ... 10.120
hic, cui Romani spatium non sufficit
orbis, /... /quaerit tuta domus;   10.456
non ipse tyrannus /sufficit in poenas,
non omnis regia Lagi: 10.527

SUFFIGO,-ERE. Pharioque ueruto,/... /suffixum
caput est, ... 8.684
prouidus antemnae suffixit lintea summae,
9.328

SUFFRAGIUM. et non admissae dirimit suffragia
plebis 5.393

SUI. gen.(pron.reflex.). 2.241;2.463;4.655;
7.558;7.811;8.612;9.311
SIBI. 1.60;1.79;1.149;1.503;2.147;2.215;
2.222;2.321;2.323;2.383;2.391;2.700;3.61;
3.110;3.152;3.353;3.686;4.276;4.372;
4.479;4.535;4.662;4.722;4.793;4.821;5.168;
5.368;5.387;5.499;5.577;5.686;6.73;6.119;
6.267;6.276;6.380;6.823;7.9;7.34;7.137;
7.238;7.463;7.521;7.697;7.740;7.758;7.811;
8.24;8.65;8.257;8.537;9.194;9.196;9.234;
9.270;9.287;9.302;9.404;9.618;9.725;
10.14;10.25;10.81;10.115;10.305;10.350;
10.352;10.395;10.410;10.452
SE(acc.). 1.72;1.81;1.127;1.142;1.208;
1.343;1.411;1.427;1.473;2.10;2.42;2.155;
2.256;2.264;2.323;2.383;2.399;2.408;2.613;
3.83;3.135;3.213;3.234;3.445;3.566;3.703;
4.206;4.297;4.427;4.544;4.587;5.84;5.103;
5.156;5.258;5.341;5.452;5.466;5.499;5.800;
6.10;6.97;6.173;6.222;6.265;6.371;6.411;
6.755;7.36;7.166;7.523;7.653;7.656;7.669;
7.697;7.716;7.727;7.834;8.10;8.32;8.250;
8.346;8.349;8.470;8.621;9.11;9.18;9.281;
9.298;9.306;9.354;9.638;9.808;9.822;9.944;
9.1009;10.56;10.130;10.353;10.440;10.486
SESE. 5.90
SE(abl.). 5.308;5.384;6.142;7.69;7.138

SECUM.   SULLANUS
SECUM. 1.353;2.522;3.170;6.223;7.654;
9.33;10.43;10.461

SULCATOR. qua se / Bagrada lentus agit siccae
sulcator harenae. 4.588

SULCOR-ARE. et quondam duro sulcata Camilli /
uomere 1.168
sulcato uarios duxerunt gurgite tractus,
3.551
Persea Phoebeos conuerti iussit ad ortus
/Gorgonos auerso sulcantem regna uolatu,
9.668
et contentus iter cauda sulcare parias,
9.721

SULCUS. hinc latus angustum iam se cogentis
in artum /Hesperiae tenuem producit in
aequora linguam (sulcum), . . .var.2.614
totque carinarum permixtis aequora sulcis
/eruta 2.703
non pabula mersi /ulla ferunt sulci;
4.91
spargitur in sulcos et scisso gurgite
riuis /dat poenas maioris aquae. 4.142
cognato tantos inplerunt sanguine sulcos,
4.554
lapsa per altum / aera dispersos traxere
cadentia sulcos /sidera, ... 5.562
pinguis Bebrycio discessit uomere sulcus;
6.382
plus cinerum Haemoniae sulcis telluris
aratur 7.858
forsitan, aut sulco sterili cum poscere
finem / a superis ... Roma uolet ... /
... consilio iussuque deum transibis in
urbem, ...8.846
squalebant ... arua Medusae,/non nemorum
protecta coma, non mollia sulco,   9.627
flamma /... non alio motu per tecta
cucurrit / quam solet aetherio lampas
decurrere sulco 10.502

SULLA(dictator). et docilis Sullam scelerum
uicisse magistrum. 1.326
ille tuus saltem doceat descendere Sulla.
1.335
uix saecula longa decorum /sic meruisse
uiris, nedum breue dedecus aeui / et uitam
dum Sulla redit. 2.118
Sulla quoque inmensis accessit cladibus
ultor. 2.139
ut scelus hoc Sullae caedesque ostensa
placeret 2.192
hisne salus rerum, felix his Sulla uocari,
/his meruit 2.221
Roma recepta fuit, nec plus uictoria
Sullae / praestitit 2.228
contentus quo Sulla fuit.' . . . 2.232
ad mortem Sulla felicior ire coegi. 2.582
ius licet in iugulos nostros sibi
fecerit ensis / Sulla potens Mariusque
ferox et Cinna cruentus 4.822
felix ac libera regum,/Roma, fores...
uicisset in illo / si tibi Sulla loco.
6.303
uidi ... / et Curios, Sullam de te,
Fortuna, querentem; 6.787
olim uera fides Sulla Marioque receptis
/libertatis obit: 9.204

SULLA(filius dictatoris). Caesaris audito
conuersus nomine Sulla. 2.465

SULLANUS,-A,-UM. sic et Sullanum solito tibi
lambere ferrum / durat, Magne, sitis.
1.330

SULLANUS

    tristia Sullani cecinere oracula manes,
                                   1.581

    memini ... / omnia Sullanae lustrasse
    cadauera pacis 2.171
    congesta recepit / omnia Tyrrhenus Sullana
    cadauera gurges. 2.210
    cum duce Sullano gerimus ciuilia bella.
                                     7.307

    actaque lauriferae damnat Sullana
    iuuentae, ... 8.25

SULPHUR. nam pinguibus ignis /adfixus taedis
    et tecto sulpure uiuax /spargitur; 3.682
    aetherioque nocens fumauit sulpure ferrum;
                                     7.160

SUM,ESSE. 7.299;8.78(bis);8.630;9.508
    ES. 5.666;8.143;8.746;9.508;9.538;9.604
    EST. 1.29;1.45;1.107;1.139;1.185;1.227;
    1.257;1.290;1.334;1.340;1.348;1.360;1.366;
    1.372;1.373;1.458;1.473;1.521;1.595;1.682;
    2.12;2.19;2.27;2.42;2.81;2.109;2.142;2.150;
    2.319;2.322;2.330;2.366;2.388;2.437;2.494;
    2.541;2.566;2.610;2.634;2.708;3.21;
    3.39;3.42;3.65;3.87;3.128;3.137;3.148;
    3.152;3.166;3.234;3.241;3.301;3.309;3.329;
    3.357;3.392;3.423;3.461;3.479;3.594;3.617;
    3.642;3.653;3.689;4.172;4.193;4.204;4.219;
    4.229;4.257;4.268;4.283;4.286;4.346;4.381;
    4.392;4.400;4.403;4.454;4.482;4.487;4.488;
    4.512;4.517;4.527;4.538;4.539;4.542;4.561;
    4.573;4.646;4.685;4.704;4.782;4.804;
    4.824;5.34;5.45;5.62;5.64;5.97;5.117;
    5.137;5.249;5.257;5.260;5.274(bis);5.287;
    5.298;5.493;5.495;5.570;5.571;5.580;
    5.585;5.644;5.655;5.657;5.669;5.687;5.691;
    5.743;5.747;5.762;5.767;5.801;5.809;6.25;
    6.124;6.245;6.378;6.407;6.416;6.437;6.494;
    6.497;6.555;6.560;6.561;6.596;6.602;
    6.652;6.671;6.756;6.811;6.822;7.61;7.74;
    7.101;7.102;7.105;7.119;7.133;7.167;7.187;
    7.189;7.252;7.254;7.257;7.260;7.263;7.354;
    7.374;7.377;7.399;7.444;7.456;7.475;7.490;
    7.500;7.501;7.532;7.544;7.571;7.631;7.639;
    7.654;7.662;7.663;7.666;7.675;7.739;7.776;
    7.818;8.18;8.31;8.76;8.120;8.124;8.137;
    8.141;8.241;8.281;8.285;8.293;8.297;8.305;
    8.308;8.326;8.362;8.370;8.377;8.385;8.388;
    8.390;8.391;8.395;8.398;8.428;8.429;8.444;
    8.447;8.450;8.452;8.455;8.459;8.491;8.513;
    8.546;8.646;8.659;8.681;8.684;8.689;8.691;
    8.711;8.742;8.749;8.793;8.797;8.799;
    8.800;var.8.802;8.820;8.860;9.69;9.103;
    9.120;9.139;9.171;9.246;9.248;9.260;9.283;
    9.298;9.299;9.345;9.351;9.387;9.388;
    9.389;9.404;9.420;9.426;9.436;9.447;
    9.500;9.519;9.531;9.542;9.563;9.578;9.580;
    9.583;9.584;9.590;9.614;9.639;9.703;9.732;
    9.733;9.762;9.779;9.787;9.814;9.826;9.877;
    9.898(bis);9.973;9.983;9.1018;9.1021;
    9.1027;9.1031;9.1061;9.1077;9.1078;9.1097;
    10.85;10.107;10.126;10.180;10.189;10.201;
    10.209;10.239;10.262;10.268;10.283;10.341;
    10.355;10.358;10.416;10.427;10.429;10.432;
    10.463;10.481;10.490;10.511
    SUMUS. 1.251;3.338;6.157;7.364;7.664;
    10.368;10.384
    ESTIS. 6.749
    SUNT. 2.379;3.71;3.131;4.671;4.716;5.351;
    5.451;5.482;5.564;5.778;6.231;6.701;7.445;
    7.455;7.551;7.662;7.816;8.116;8.138;8.499;
    8.645;9.102;9.493;9.923;10.211;10.247
    ERIS. 4.259

ERIT. 1.31;1.93;1.203;1.344;1.668;
  2.186;2.247;2.281;2.288;2.490;2.567;4.219;
  4.221;5.295;5.312;5.392;5.744;6.745;
  7.73;7.112;7.121;7.123;7.392;7.543;7.696;
  8.111;8.379;8.421;8.503;8.871;9.67;9.163;
  9.207;9.232;9.233;9.240;9.317;9.413;9.706;
  10.391;10.529
ERAM. 8.191;8.229
ERAT. 1.97;1.100;1.144;1.171;1.176;
  1.276;2.193;2.236;2.365;2.376;2.461;2.617;
  3.52;3.108;3.399;3.730;3.753;3.757;4.5;
  4.8;4.179;4.196;4.466;4.526;4.609;4.697;
  5.255;5.290;5.346;5.478;5.730;6.103;6.347;
  6.420;6.430;6.474;6.606;6.711;6.759;6.785;
  7.13;7.181;7.341;7.545;7.635;7.680;7.706;
  7.737;8.18;8.161;8.212;8.467;8.474;8.556;
  8.636;8.673;9.24;9.170;9.195;9.312;9.375;
  9.505;9.511;9.550;9.763;9.771;9.948;9.975;
  9.1028;9.1048;9.1087;10.26;10.56;10.112;
  10.382;10.403;10.406;10.493;10.541
ERANT. 9.30;9.811
FUI. 8.97;8.318;8.653;9.55
FUISTI. 9.257
FUIT. 1.99;1.640;2.99;2.131;2.201;2.228;
  2.232;2.381;3.43;3.97;3.100;3.168;3.482;
  3.497;3.501;3.696;3.707;4.256;4.400;
  4.472;4.566;4.582;4.595;4.659;4.667;
  4.671;4.763;4.819;5.29;5.76;5.469;5.627;
  5.691;5.731;5.797;6.190;6.693;7.142;7.218;
  7.230;7.685;8.133;8.254;8.480;8.640;8.685;
  8.687;8.700;8.705;9.151;9.179;9.192;9.208;
  9.360;9.475;9.596;9.618;9.739;9.746;10.52;
  10.66;10.102;10.183;10.269;10.370
FUIMUS. 2.46
FUERE. 10.498
FUERIT. (fut.perf.). 8.502;9.401;10.366
FUERAT. 2.62;3.538;8.717;9.249;9.253;
  SIT. 1.386;1.636;2.14(bis);2.16;2.349;
  2.520;2.561;3.26;3.259;3.324;3.333;3.335;
  4.235;4.542;4.576;4.717;5.283;5.286;5.453;
  5.576;5.758;6.234;6.619;6.768;7.80;7.90;
  7.253;7.279;7.282;7.289;7.579;8.98;8.142;
  8.168;8.188;8.523;8.558;8.739;8.772;8.870;
  9.123;9.518;9.568;9.571;9.900;10.95;10.
  10.149;10.191;10.196;10.285;10.526
SITIS. 7.264
SINT. 2.351;9.390;10.463
ESSES. 5.699
ESSET. 4.634;6.148;7.132;8.307
ESSENT. 9.896
FORES. 6.302;8.860
FORET. 1.10;1.497;3.636;7.736;8.572;
  9.1069;10.414
FORENT. 7.464
FUERIS(sub.). 7.689
FUERINT. 7.751
EST. (2 pars.). 2.513
    (3)pers.). 7.319
SUNTO. 1.226
ESSE. 1.52;1.265;2.266;2.558;2.660;3.32;
  3.82;3.371;3.448;3.714;3.747;4.253;4.501;
  4.505;4.520;4.573;4.693;5.14;5.22;5.47;
  5.215;5.254;5.293;5.351;5.527;5.654;5.689;
  5.768;6.312;6.329;7.86;7.184;7.268;7.280;
  7.630;7.661;7.803;8.9;8.19;8.83;8.129;
  8.130;8.410;8.494;8.550;8.555;8.764;9.48;
  9.269;9.522;9.531;9.759;9.1038;9.1102;
  10.28;10.248;10.336
FUISSE. 8.414;10.103
FUTURA(nom.f.). 3.42
FUTURUM(nom.n.). 4.204;5.179;(acc.m.).

2.80;7.374; (acc.n.). 1.184
  FUTURI(gen.m.). 5.566; (n.). 1.99;1.522;
  2.14;2.233;5.89;5.137;5.199;6.414;8.165
  FUTURAE(gen.). 4.516
  FUTURAM. 1.470;
  FUTURA(nom.n.). 5.223; (acc.). 5.113;
  5.129
  FUTURIS(dat.m.). 8.865;10.270
  FUTURAS. 7.389
  FUTURIS(abl.m.). 9.581;(n.). 4.711
SUMMA(subst.). nobis haec summa precandi:3.329
  summa fuit Grais, starent ut moenia, uoti:
  3.497
  si fortuna ferat, rerum nos summa sequetur
  5.26
  semperque dolebit / quod scelerum, Caesar,
  prodest tibi summa tuorum, . . . 6.304
  et nunc tibi summa pauoris / nuntius
  armorum tristis rumorque sinister. 8.51
  stat summa caputque /orbis, . . . 9.123
  procul absit, ut ista / uindictae sit
  summa tuae. 10.526
SUMMERGO,-ERE. huc fractas Aquilone rates
  summersaque pontus /corpora saepe tulit
  caecisque abscondit in antris; 4.457
SUMMITTO,-ERE. non pabula tellus /pascendis
  summittit equis, ... 4.411
  pacem gladio si quaerit ab isto /Magnus,
  adorato summittat Caesare signa. 6.243
  summisso uertice montes / explicuere
  iugum, ... 6.476
  illi namque nefas urbis summittere tecto
  /aut laribus ferale caput, . . . 6.510
  tanto deuinxit amore / hos ..../ quod
  summissa animis, nulli grauis hospita
  turbae, /stantis adhuc fati uixit quasi
  coniuge uicto. 8.157
  stetit anxia classis / ... metuens ... /
  sed ne summissis precibus Pompeius adoret
  /sceptra sua donata manu. 8.594
  sic, ubi depastis summittere gramina
  campis /... parans ... Apulus ... /igne
  fouet terras, simul et Garganus et arua
  /Volturis ... lucent 9.182
SUMMOUEO,-ERE. magnique penates /summouisse
  hiemem tecto, ... 2.385
  non,si tumido me gurgite Ganges / summo
  summoueat, ... 2.497
  obscurum cingens conexis aera ramis /
  et gelidas alte summotis solibus umbras.
  3.401
  Hesperio tantum quantum summotus Eoo
  /cardine Parnasos gemino petit aethera
  colle, ... 5.71
  rapidique Leonis / solstitiale caput
  nemorosus summouet Othrys. . . . 6.338
  gurgite septeno rapidus mare summouet
  amnis. 8.445
  iterumne relinquor,/Thessalicis summota
  malis? 8.585
  tunc arte nefanda /summota est capiti
  tabes, ... 8.689
  late sibi summouet omne /uolgus ...
  basiliscus 9.725
SUMMUS,-A,-UM. inuida fatorum series summisque
  negatum 1.70
  numinis, inpellens quidquid sibi summa
  petenti / obstaret 1.149
  Vestalesque foci summique o numinis
  instar / Roma, faue coeptis. . . 1.199
  mecum rebus agat superique ad summa

uocantes, ... 1.310
summi tum munera pili /Laetius 1.356
in mare fert Ararim, qua montibus ardua
summis /gens habitat 1.434
o faciles dare summa deos eademque tueri
/difficiles! 1.510
Tethys maioribus undis /Hesperiam Calpen
summumque inpleuit Atlanta. . . 1.555
'uix fas, ... / prodere me populis; nec
enim tibi, summe, litaui, . . . 1.632
summo si frigida caelo /stella nocens
nigros Saturni accenderet ignis, 1.651
nec cunctae summi templo iacuere Tonantis:
2.34
et summis seruate malis. 2.40
in fluuium primi cecidere, in corpora
summi. 2.211
'summum, Brute, nefas ciuilia bella fatemur,
2.286
haec placuit belli sedes, hinc summa
mouentem / hostis in occursum sparsas
extendere partis, ... 2.394
cetera classis abit summis spoliata
carinis: 2.714
gnarus et irarum causas et summa fauoris
/annona momenta trahi. 3.55
quaque iter est Latiis ad summam fascibus
Albam; 3.87
non usque adeo permiscuit imis /longus
summa dies ut non, si uoce Metelli /
seruantur leges, malint a Caesare tolli.'
3.139
a summis perduxit ad aequora castris /
longum Caesar opus, ... 3.384
molemque profundo / ... et summis longe
petit aequora remis. 3.537
ad summos repleta foros descendit in
undas 3.630
sustinuere graues in summo gurgite truncos.
3.669
uictor et incolumis summas remeabat in
undas; 3.702
hic, ubi iam Zephyri fines, et summus
Olympi /cardo tenet Tethyn, . . . 4.72
sic, o summe parens mundi, sic, sorte
secunda / aequorei rector, facias,
Neptune tridentis, ... 4.110
iamque agmina summa /carpit eques, 4.155
passusque uacare / summa freti medio
suspendit uincula ponto 4.450
testes,/ praebebunt terrae, summis dabit
insula saxis, ... 4.494
excussere uiris mentes ad summa paratas;
4.536
cum procul e summis conspecti collibus
hostes 4.741
tu quoque uix summam, seductus ab aequore,
rupem /extuleras, ... 5.77
fortunamque suam per summa pericula
gaudens /exercere uenit; 5.302
populoque precanti / scilicet indulgens
summo dictator honori / contigit 5.383
hic utinam summi curuet carchesia mali
5.418
summaque pandens / sipara uelorum
perituras colligit auras. 5.428
summam rapti per prospera belli / te
poscit fortuna manum. 5.483
sed summis etiam quae fixa tenentur /
astra polis sunt uisa quati. . . . 5.563
tantum nautae uidere trementes /fluctibus

| SUMMUS | SUPERBUS |

e summis praeceps mare; 5.640
scopulosa Ceraunia nautae / summa timent.
5.653
mundi iam summa tenentem permisisse mari
tantum! 5.694
summa uidens duri Magnus discrimina Martis
5.723
properante ruina / summa cadunt. 5.747
nostros non rumpit funus amores /nec
diri fax summa rogi, ... 5.764
pandit fossas turritaque summis /disponit
castella iugis 6.39
operumque ut summa reuisat . . . 6.46
ualli summa tenentis /amputat ense manus;
6.175
illum /saltus ... iecit super arma ... /
quam per summa rapit celerem uenabula
pardum. 6.183
nec quicquam nudis uitalibus obstat / iam
praeter stantis in summis ossibus 6.195
cum per summa poli Phoebum trahit altior
aestas, ... 6.335
summique grauem discriminis horam /
aduentare palam est, ... 6.415
multos in summa pericula misit /uenturi
timor ipse mali. 7.104
quis summis cernens in montibus aequor
/ ... / tot rerum finem, timeat sibi?
7.135
'uenit summa dies, geritur res maxima,'
dixit 7.195
o summos hominum, quorum fortuna per orbem
/signa dedit, ... 7.205
credite pendentes e summis moenibus
urbis /... hortari in proelia matres;
7.369
caedunt ... / ... rerum /saepe duces
summosque hominum te, Magne, remoto. 7.585
quod legit diues summis Arimaspus harenis,
/ut rapiant, paruo scelus hoc uenisse
putabunt. 7.756
quamuis summo de culmine lapsus /nondum
uile sui pretium scit sanguinis esse, 8.8
nisi summa dies cum fine bonorum /
adfuit ... / dedecori est fortuna prior.
8.29
coeperat in summum reuocato sanguine
corpus /Pompei sentire manus . . . 8.68
deformis adhuc uiuente marito /summus et
augeri uetitus dolor: 8.82
hic cum mihi semper in altum /surget et
instabit summis minor Vrsa ceruchis, /
Bosporon... /spectamus. 8.177
quidquid descendet ab arbore summa /
Arctophylax ... / in Syriae portus tendit
ratis. 8.179
uolnera parua nocent fatumque in sanguine
summo est. 8.305
uirtus et summa potestas /non coeunt:
8.494
o summi fata pudoris! 8.678
hac illum summo de culmine rerum /morte
petit 8.702
summas dimouit harenas 8.754
summusque feret tua busta sacerdos. 8.850
quem non tumuli ... saxum / et cinis
in summis forsan turbatus harenis /
auertet manesque tuos placare iubebit
8.856
nunc est pro numine summo /hoc tumulo
Fortuna iacens; 8.860

illam non ... / mouit et exurgens ad
summa pericula clamor, ... 9.114
collegit ... / exuuias pictasque togas,
uelamina summo /ter conspecta Ioui, 9.177
o felix, cui summa dies fuit obuia uicto
9.208
sacris praestabitur umbris / summus honor;
9.241
prouidus antemnae suffixit lintea summae,
9.328
conponite mentes / ad magnum uirtutis opus
summosque labores. 9.381
imaque tellus / stat, quia summa fugit.
9.471
hic quoque nil obstat Phoebo, cum
cardine summo /stat librata dies; 9.528
nullumque in uertice semper (summo)/
sidus habes inmune mari; . . . var.9.541
cogit tantos tolerare labores /summa ducis
uirtus, ... 9.882
lege summa perempti /uerba patris, 10.92
nec summis crustata domus sectisque
nitebat /marmoribus, ... 10.114
summaque in sede iacentem /linigerum...
conpellat Acorea 10.174
summus Alexander regum, quem Memphis
adorat, /inuidit Nilo, ... 10.272
summi contempta facultas /est operis;
10.428
nec secus in Siculis fureret tua flamma
cauernis,/obstrueret summam siquis tibi,
Mulciber, Aetnam. 10.448
tempore eodem / transtraque nautarum
summique arsere ceruchi. 10.495
potuit discrimine summo /Caesaris una
dies in famam et saecula mitti. 10.532

SUMO,-ERE. non partis studiis agimur nec
sumpsimus arma /consiliis inimica tuis.
4.348
haec, fato quae teste probet, quis
iustius arma / sumpserit; . . . 7.260
armaque raptim /sumpta Ceresque uiris.
7.331
iuuit sumpta ducem, iuuit dimissa
potestas. 9.200
sumpturus poenas et grata piacula morti
10.462

SUMPTUS(subst.). inuenere quidem ... plurima
... / bellorum in sumptus congestae
pondera massae, ... 7.753

SUPELLEX. iaspide fulua supellex /stat
mensas onerans, ... 10.122

SUPER. praep.c.acc. 1.381;1.397;1.678;1.686;
2.386;2.672;2.675;2.679;2.726;3.164;
3.299;3.521;3.705;4.12;4.133;4.310;4.333;
4.431;4.739;4.740;5.251;5.595;6.138;6.182;
6.272;6.356;7.520;7.748;7.838;8.1;8.164;
8.226;8.818;9.15;9.690;9.794;
adv. 2.451;3.493;3.666;4.303;6.291;
9.485;9.933;

SUPERABILIS,-E. Parthus... /... nulli
superabilis hosti est 8.370

SUPERBUS,-A,-UM. cumque superba foret Babylon
spolianda tropaeis 1.10
ciuisque superbi /constitit ante pedes.
2.508
uictoresque suos uoltu spectare superbo
/... iuuat. 4.569
ex tanta fatorum strage superba /excerpsit
Romana manu, ... 5.185
properate mori, magnoque superbi /quamuis

SUPERBUS	**SUPERUS**

SUPERBUS

    e paruis animo descendite bustis   6.807
    nec te uidere superbum /prospera bellorum
                7.683

    ne pigeat ... / et totum mutare diem,
    uocesque superbo /Arsacidae perferre meas:
                8.217

    arcu fregere ... / Bactraque Medorum sedem
    murisque superbam /Assyrias Babylona domos
                8.299

    quereris ... / ... raptumque e iure
    superbi /uictoris generum. . . .   9.1054

SUPEREMICO,-ARE. caesoque inducta iuuenco /
    uectoris patiens tumidum super emicat
    (superemicat) amnem. var.4.133

SUPEREUOLO,-ARE. agmine nubiferam rapto super
    euolat (supereuolat) Alpem;   var.3.299

SUPERFUNDO,-ERE. nonne superfusis collectum
    cornibus hostem /in medium dabimus? 7.365

SUPERICIO,-ERE. quae cum dominus percussit
    aquarum / igne superiecto, tunc Nilus
    fonte soluto, /... /iussus adest, 10.215

SUPERINCUMBO,-ERE. tum super incumbens
    (superincumbens) pallentia uolnera lambit
                var.9.933

SUPERNUS,-A,-UM. lapsusque superne /gurgite
    Penei pro siccis utitur aruis. 6.376
    ille supernis /detestanda deis saeuorum
    arcana magorum /mouerat 6.430
    Stygiasque canes in luce superna /
    destituam; 6.733
    nam iam breuis unda superne /innatat 9.317
    certe uita tibi semper derecta supernas
    /ad leges, ... 9.556

SUPERO,-ARE. iam gelidas Caesar cursu
    superauerat Alpes 1.183
    Caesar, ut aduersam superato gurgite
    ripam / attigit, ... 1.223
    ubere uix glaebae superat, cessantibus
    Austris /... Libye 3.68
    iamque et praecipitis superauerat Anxuris
    arces, ... 3.84
    nec flammas superant undae, . . 3.685
    iubet ... / ... sed duris fluuium superare
    lacertis. 4.150
    tristia sed postquam superati proelia
    Vari / sunt audita Iubae, . . . 4.715
    fluctusque uerendos /classibus exigua
    sperat superare carina.   5.503
    et cuius morsus superauerit anguis / iam
    promptum Psyllis uel gustu nosse ueneni.
                9.936

SUPERSTES,-ITIS. semianimisque iaces et adhuc
    potes esse superstes.' 3.747
    nullusne tuorum / emeruit comitum fatis
    non posse superstes 5.688
    uiuam tibi nempe superstes. . . . 5.775
    stante potest mundo Romaque superstite
    Magnus / esse miser. 7.660
    longius aeuum /destruit ingentis animos
    et uita superstes /imperio. . . 8.28
    quaerat cineres uictura superstes. 9.72

SUPERSUM,-ESSE. periere nocentes, /sed cum
    iam soli possent superesse nocentes.
                2.144
    nil actum credens cum quid superesset
    agendum, ... 2.657
    quod superest donasse deis! . . . 3.243
    morte fugit: superest telo post uolnera
    cursus. 3.468
    egere quod superest animae, Tyrrhene, per
    omnis /bellorum casus. 3.718

SUPERUS

    uita breuis nulli superest qui tempus
    in illa /quaerendae sibi mortis habet;
                4.478

    esse parum scimus; sed non maiora
    supersunt /obsessis tanti quae pignora
    demus amoris. 4.501
    quem non emisit, superest deus. 5.211
    extremum ferri superest opus, 7.345
    scilicet inmenso superest ex nomine
    multum, ... 7.717
    'uictoria nobis / plena, uiri:' dixit
    'superest pro sanguine merces, 7.738
    communis mundo superest rogus ossibus
    astra /mixturus. 7.814
    superest, fidissime regum, /Eoam temptare
    fidem 8.212
    uolt sceleris superesse fidem. 8.688
    forsan maiora supersunt /ingressis: 9.865

SUPERUS,-A,-UM. iam nihil, o superi, querimur;
                1.37

    mecum rebus agat superique ad summa
    uocantes, /temptamur. 1.310
    tu ... / ut superi uoluere, late. 1.419
    spes saltem trepidas mentes leuet,
    addita fati /peioris manifesta fides,
    superique minaces /prodigiis terras
    inplerunt, ... 1.524
    atque iram superum raptis quaesiuit in
    extis. 1.617
    exclamat 'uix fas, superi, quaecumque
    mouetis, ... 1.631
    quod cladis genus, o superi, qua peste
    paratis / saeuitiam? 1.649
    et superos quid prodest poscere finem?
                1.669

    ubi concipiunt quantis sit cladibus orbi
    / constatura fides superum, ferale per
    urbem /iustitium;   2.17
    non pacem petimus, superi: date gentibus
    iras, ... 2.47
    perdere nomen /si placet Hesperium,
    superi, conlatus in ignes /plurimus ad
    terram per fulmina decidat aether. 2.57
    numinis, ingenti superum protectus ab
    ira, ... 2.86
    ne tantum, o superi, liceat feralibus
    armis, /has etiam mouisse manus. 2.260
    crimen erit superis et me fecisse
    nocentem. 2.288
    o superi, motura Dahas ut clade Getasque
    /securo me Roma cadat. 2.296
    mons inter geminas medius se porrigit
    undas /inferni superique maris, 2.400
    te quoque si superi titulis accedere
    nostris /iusserunt, ... 2.555
    non quia te superi patrio priuare
    sepulchro /maluerint 2.732
    siqua fidem meruit superos mirata
    uetustas, ... 3.406
    tum paruit omnis /imperiis non sublato
    secura pauore /turba, sed expensa
    superorum et Caesaris ira. 3.439
    uictor et incolumis summas (superas)
    remeabat in undas; var.3.702
    tu, Caesar, quamuis spoliatus milite
    multo, /agnoscis superos; . . . 4.255
    hunc quoque quo superos humanaque polluit
    anno   4.689
    superi, Libyca tellure ruinam /Pompeio
    prodesse nefas uotisque senatus. 4.791
    si libertatis superis tam cura placeret

4.808
en, totis uiribus orbis /Hesperiam pensant
superi: 5.38
Appius euentus, finemque expromere
rerum /sollicitat superos   . . .   5.69
quis latet hic superum? 5.86
et superos uetuere loqui. 5.114
'et nobis meritas dabis, impia, poenas /
et superis, quos fingis,' ait 'nisi
mergeris antris 5.159
tuque, potens ueri Paean nullumque futuri
/ a superis celate diem, suprema ruentis
/imperii ... cur aperire times?   5.200
sic eat, o superi: 5.297
quid superos et fata tenes? . .   5.482
ni superum rector pressisset nubibus
undas. 5.626
tum superum conuexa tremunt atque arduus
axis /intonuit 5.632
'quantusne euertere' dixit / 'me superis
labor est, ...   5.655
mihi funere nullo /est opus, o superi:
5.669
'nil mihi de fatis thalami superisque
relictum est, /Magne, queri: . .   5.762
sed non superi tam laeta parabant: 5.814
fama est ... amnem /... superumque sibi
seruare timorem. 6.380
inpius hinc prolem superis inmisit Aloeus,
6.410
miseroque liquebat / scire parum superos.
6.434
abducet superos alienis Thessalis aris.
6.451
quis labor hic superis cantus herbasque
sequendi 6.492
hoc iuris in omnis /est illis superos,
6.497
coetus audire silentum,/... / non superi,
non uita uetat. 6.515
nec superos orat nec cantu supplice numen
/auxiliare uocat 6.523
omne nefas superi prima iam uoce precantis
/concedunt 6.527
quem superis reuocasse uelit. . .   6.633
conpellandus erit ... /... cuius /uos
estis superi, Stygias qui perierat undas?'
6.749
donassent utinam superi patriaeque tibique
/unum, Magne, diem, ...   7.30
hoc placet, o superi, cum uobis uertere
cuncta /propositum, nostris erroribus
addere crimen? 7.58
de superis, ingrate, times . . .   7.76
uincis apud superos uotis me, Caesar,
iniquis: / pugnatur. 7.113
si liceat superis hominum conferre labores,
7.144
admotus superis discussa fugit ab ara /
taurus 7.165
(at tu quos scelerum superos, quas rite
uocasti / Eumenidas, Caesar? . . .   7.168
haud umquam uidi tam magna daturos / tam
prope me superos; 7.298
quo caeli sidere uerso /Thessalicae tantum,
superi, permittitis orae? 7.302
uidit ut ... /Pompeius ... /sed superis
placuisse diem, stat corde gelato /
attonitus: 7.339
causa iubet melior superos sperare
secundos: 7.349

bella pares superis facient ciuilia
diuos, ...   7.457
'parcite,' ait 'superi, cunctas prosternere
gentes. 7.659
putem.../... infectumque aer totum /
manibus et superam Stygia formidine noctem.
7.770
fortunam superosque suos in sanguine
cernit. 7.796
Thessalia, infelix, quo tantum crimine,
tellus,/laesisti superos, . . .   7.848
o superi, liceat terras odisse nocentis.
7.869
quid enim tibi laetius umquam /
praestiterint superi, quam, ... / ...
tantam consumere gentem 8.323
o superi, Nilusne et barbara Memphis /...
hos animos? 8.542
Romanus ... miles ... salutat /Septimius,
qui, pro superum pudor, arma satelles /
regia gestabat 8.597
uictoribus ipsis / dedecus et numquam
superum caritura pudore /fabula, Romanus
regi sic paruit ensis, ...   8.605
sum tamen, o superi, felix, nullique
potestas / hoc auferre deo. . .   8.630
quisquis, in istud / a superis inmisse
caput, uel Caesaris irae /uel tibi
prospiciens, nescis,... ubi ipsa /uiscera
sint Magni: 8.643
et ad superos obscuraque sidera fatur
8.728
sit satis, o superi, quod non Cornelia
fuso /crine iacet 8.739
cum poscere finem / o superis aut Roma
uolet feralibus Austris / ... / consilio
iussuque deum transibis in urbem,   8.847
hospitii fretus superis et munere tanto
/in proauos, cecidit donati uictima
regni. 9.131
superis haec crimina dono: . .   9.144
solusque tenebis / Aegypton, genitor,
populis superisque fugatis.' . .   9.164
non ... gratius ... / omne quod in superos
audet conuicia uolgus /... quam pauca
Catonis /uerba 9.187
arma ... hominum.... erepta lacertis /
a superis demissa putant. . . .   9.477
esse locis superos testatur silua per
omnem /sola uirens Libyen. . . .   9.522
nam cui crediderim superos arcana daturos
/... quam sancto ... Catoni? . .   9.554
haeremus cuncti superis, ...   9.573
superos quid quaerimus ultra? . .   9.579
et plaga, quam nullam superi mortalibus
ultra / a medio fecere die, calcatur,
9.605
accipe poenas / tu, quisquis superum
commercia nostra perosus 9.860
intrepidus superum sedes et templa
uetusti / numinis ... / circumit,   10.15
stellarum caelique plagis superisque
uacaui, ...   10.186
aude, superi tot uota Catonum /Brutorumque
tibi tribuent.' 10.397
dat scilicet omnis / dextera quod debet
superis, ...   10.415
SUPINUS, -A, -UM. aduersoque acies in monte
supina /haeret et in tergum casura
umbone sequentis /erigitur. . .   4.38
nulla uehitur ceruice supinus . .   9.589

SUPPARUM. suppara nudatos cingunt angusta
    lacertos. 2.364
    summaque pandens / sipara (suppara)
    uelorum perituras colligit auras.
                 var.5.429
SUPPLEO,-ERE. qua Gallica damna /suppleuit
    Magnus, dumque ipse ad bella uocaret 2.476
    pectora tum primum feruenti sanguine
    supplet 6.667
SUPPLEX. pacisque petendae /auctor damnatis
    supplex Afranius armis / semianimes in
    castra trahens hostilia turmas /uictoris
    stetit ante pedes. 4.338
    nec superos orat nec cantu supplice numen
    /auxiliare uocat 6.523
    regesque tui cum supplice mundo /adfusi
    uinci socerum patiare rogamus. 7.70
    siquis post pignora tanta /Pompeio locus
    est, cum prole et coniuge supplex, /... /
    uoluerer ante pedes. 7.377
    aspice securus uoltu non supplice reges,
                 7.709
    iam supplice Varo /intumuit . . 8.287
    rex tolletque animos Latium uaesanus in
    orbem / se simul et Romam Pompeio supplice
    mensus? 8.346
SUPPLICIUM. supplicium poenamque petat. 2.539
SUPPONO,-ERE. et patitur tantos cantu depressa
    labores /donec suppositas propior despumet
    in herbas. 6.506
    suppositisque deis uram caput. 9.161
SUPPRIMO,-ERE. quid iam rura querar totum
    suppressa per orbem 1.318
    cetera suppressit faucesque obstruxit
    Apollo. 5.197
    ille tegens alta suppressum mente furorem,
    /... / 'parcite,' ait, 'ciues; 6.228
    scilicet hoc animo terras atque aequora
    lustras,/necubi suppressus pereat gener.
                 9.1058
SUPRA. supraque nihil nisi regna reliqui.
                  2.563
    sed timuit, strato ... ne corpore Magni
    /... supraque ducem procumberet orbis;
                  7.672
    inpulit amentes ... / ire super gladios
    supraque cadauera patrum . . . 7.748
    uolgati supra commercia mundi /naufragium
    fortuna ferat: 8.312
    quantus Maeotida supra, ... 8.318
SUPREMUS,-A,-UM. saecula tot mundi suprema
    coegerit hora 1.73
    postquam condidit urna / supremos cineres,
                 2.334
    tuque,potens ueri Paean nullumque futuri
    /a superis celate diem, suprema ruentis /
    imperii 5.200
    ubi quondam Pentheos exul / colla
    caputque ferens supremo tradidit igni /
    ... Agaue. 6.358
    discrimina ... / aduentare ducum
    supremaque proelia uidit . . . 7.243
    ut rapido cursu fati suprema morantem /
    consumpsere locum,... / quo sua pila
    cadant ... /... spectant. . . . 7.460
    o decus imperii, spes o suprema senatus,
                 7.588
    occurrit suprema dies, . . . 10.41
SURA. membra natant sanie, surae fluxere,
                  9.770
SURDUS,-A,-UM. tonat augure surdo, 5.395

    inpia tot populis, tot surdas gentibus
    aures / caelicolum dirae conuertunt
    carmina gentis. 6.443
    sed surda uetanti / tendebat geminas
    amens Cornelia palmas. 8.582
SURGO,-ERE. ostendens confectas flamma
    Latinas / scinditur in partes geminoque
    cacumine surgit 1.551
    longior educto qua surgit in aera dorso,
                 2.428
    surgit opus longaeque tremunt super
    aequora turres. 2.679
    haut procul a muris tumulus surgentis in
    altum /telluris paruum diffuso uertice
    campum /explicat: 3.375
    quasque quater surgens extructi remigis
    ordo /commouet 3.530
    sed, se per uacuos credit dum surgere
    fluctus, ... 3.703
    super hunc fundata uetusta /surgit Ilerda
    manu; 4.13
    nec Phoebum surgere sentit /nox subtexta
    polo: 4.103
    donec decresceret umbra /in medium
    surgente die; 4.155
    sponte cadit maiorque accepto robore
    surgit. 4.642
    lunaque non gracili surrexit lucida cornu
                 5.546
    non ullo litore surgunt /tam ualidi
    fluctus, ... 5.617
    erigit, atque omni surgit ratis ardua
    uento. 5.649
    pudet ... / eque tuo, quatiunt miserum
    cum classica mundum, /surrexisse sinu.
                 5.752
    nam quamuis flamma tacitas urente (tacita
    surgente) medullas / non iuuat in toto
    corpus iactare cubili: var.5.811
    prima quidem surgens operum structura
    fefellit / Pompeium, ... 6.64
    nondum turgentibus (surgentibus) altam /
    in segetem culmis cernit miserabile
    uolgus /in pecudum cecidisse cibos
                 var.6.109
    Hesperiam potui motu surgente tenere,
                 6.322
    ibi plurima surgunt / uim factura deis,
                 6.440
    quae seges infecta surget non decolor
    herba? 7.851
    nullusque auderet pecori permittere
    pastor /uellere surgentem de nostris
    ossibus herbam, ... 7.865
    hic cum mihi semper in altum /surget et
    instabit summis minor Vrsa ceruchis, /
    Bosporon ... /spectamus. . . . 8.177
    Phoebi surgentis ab igne /iam propior quam
    Persis eram: 8.228
    surgit miserabile bustum /non ullis plenum
    titulis, ... 8.816
    ardua marmoreo surrexit pondere moles.
                 8.866
    ignis adhuc aliquid Phario de litore
    surgens /ostendit mihi, Magne, tui. 9.74
    toto litore busta /surgunt Thessalicis
    reddentia manibus ignem. . . . 9.181
    inmoti terra surgente tenentur. 9.489
    surgunt aduersa subrectae fronte colubrae
                 9.634
    uidit hareniuagum surgens fugiensque

SURGO

Catonem. 9.941
coepit ... / surgere congesto non culta
mapalia culmo. 9.945
Romanaque Pergama surgent.' . . 9.999
SUSA. Achaemeniis decurrant Medica Susis /
agmina,   2.49
debuerant ... / imperii nudare latus,
dum perfida Susa /... prolapsa ...
iaceret.   8.425
SUSCITO,-ARE. Nilus neque suscitat undas
/ante Canis radios 10.225
SUSPENSO,-ERE. cum terra leuis mediam
uirgultaque molem /suspendant,   3.397
nunc aries suspenso fortior ictu 3.490
excipit inmissum suspensa per ilia ferrum.
                                 3.601
sed prohibent socii suspensaque crura
retentant. 3.637
passusque uacare / summa freti medio
suspendit uincula ponto 4.450
temptauere prius suspenso uincere bello
/foederibus, ...   4.531
SUSPICIO. nubes suspexit Olympus, 6.477
nullo uertice caelum /suspiciens Phoebo
non peruia taxus opacat. 6.645
aetas Niliaci nobis suspecta tyranni est,
                                 8.281
quid ... / ... aruaque nostra /uictori
suspecta facis? 8.515
nec clara dies nec nox dabat atra quietem
/suspecta miseris in qua tellure iacebant.
                                 9.840
SUSPIRIUM. rescissoque nocent suspiria dura
palato; 4.328
sic muta leuant suspiria uatem.   5.218
nec dat suspiria cursus /uolneris 9.928
SUSPIRO,-ARE. nec rore madentem /aera nec
tenues uentos suspirat Anauros,   6.370
SUSTENTO,-ARE. nec languida fessi /corpora
sustentant epulis, mensasque perosi 4.307
namque ratem uacuae sustentant undique
cupae 4.420
terribiles ratibus sustentant moenia
cautes, ...   6.26
SUSTINEO,-ERE. sustinuit se silua cadens.
                                 3.445
sustinuere graues in summo gurgite truncos.
                                 3.669
innumerasque simul pauci terraque marique
/sustinuere manus: 4.538
aere libratum uacuo quae sustinet orbem,
                                 5.94
sustinet amplexu dulci, non colla tenere,
                                 5.793
sustinuit dixisse uale, ...   5.796
sustinuit dignos etiamnunc credere uotis
/ caelicolas, ...   7.657
quae fossa, quis agger /sustineat pretium
belli scelerumque petentis? . . 7.750
tamen omnia uincens /sustinui nostris
uos tantum desse triumphis, . . 8.230
dat poenas laudata fides, cum sustinet'
inquit / 'quos fortuna premit. . 8.485
ferroque aperire tumentis /sustinuit
uenas atque os inplere cruore. . 9.760
lumine recto / sustinuere diem, caeli
seruantur in usus, ...   9.905
SUSURRUS. haud illic tacito mala uota susurro
/ concipiunt, ... 5.104
SUUS,-A,-UM. 1.563;3.411;8.294
SUA(nom.f.). 1.172;2.64;2.104;4.397;4.812;

7.773
SUUM (nom.). 7.330
SUI(gen.m.). 1.179;2.736;3.758;4.599;
7.484;7.626;7.658;8.9;9.14; (n.). 1.133;
2.158;7.55;8.660;9.832
SUAE(gen.). 3.90;3.570;7.335;8.17;8.479
SUO(dat.m.). 1.35;5.253;8.356
SUAE(dat.). 5.53;7.86;7.655;10.82
SUUM(acc.m.). 4.670;4.739;5.184;7.274;
8.732;9.708; (n.). 3.517;5.48;5.293;
5.605;6.3;7.11
SUAM. 1.84;2.83;3.525;3.616;4.718;5.302;
5.677;6.329;7.649;8.152;10.234
SUO(abl.m.). 1.400;1.459;2.268;3.564;
3.577;var.4.22;4.62;6.317;6.591;7.405;
10.285;10.466; (n.). 1.139;3.725;6.219;
6.544;7.510;9.560;10.63
SUA(abl.). 1.175;4.742;4.768;6.204;
7.208;7.631;8.595;9.29;9.91;9.705;9.909;
10.46
SUAE(pl.). 2.251
SUA(nom.n.). 3.151;7.247;7.463;7.638
SUORUM(m.). 8.6
SUIS(dat.f.). 4.717; (n.). 2.275;5.724;
10.12
SUOS. 1.148;1.664;2.20;2.194;3.6;3.755;
4.171;4.569;4.779;5.260;5.795;6.46;7.180;
7.314;7.495;7.796;7.803;8.145;9.880;10.96;
10.109;10.217
SUAS. 1.625;2.157;2.434;3.240;3.580;
4.384;5.425;5.611;6.504;6.583;7.857;8.351;
9.718;10.148;
SUA(acc.). 1.3;1.155;1.407;2.669;3.431;
3.707;4.206;4.282;4.361;4.392;4.489;5.30;
5.350;5.679;6.529;7.51;7.128;7.133;7.531;
7.652;8.527;8.863;9.313;9.321;9.423;9.534;
9.587;9.838;9.1072;10.10;10.181
SUIS(abl.m.). 4.295;4.500; (f.). 3.105;
3.572;3.668;4.637;var.5.311;6.552;8.310;
10.204; (n.). 1.558;3.212;3.677;5.654;
6.747;8.446;10.138;10.230
SUI(= subst.): SUORUM. 3.621;4.550;4.797;
5.680;5.799;6.251;7.100;7.576;7.729;8.661;
9.735;10.28;10.281
SUIS(dat.). 8.744
SUOS. 4.174;4.194;4.249
SYENE. calida medius mihi cognitus axis /
Argypto atque umbras nusquam flectente
Syene, ...   2.587
nam quis ad exustam Cancro torrente
Syenen / ibit 8.851
Cancroque suam torrente Syene /inploratus
adest, ...   10.234
SYHEDRA. paruisque Syhedris, /... /... tandem
maesta ora resoluit / ... Magnus: 8.259
SYMPLEGAS. uanaque percussit pontum Symplegas
inanem 2.718
SYRIA. accedunt Syriae populi; . . . 3.214
consulit ... /... Syriam quo sidere seruet
                                 8.169
in Syriae portus tendit ratis.   8.181
SYRTICUS,-A,-UM. nec sterilis Libye nec
Syrticus obstitit Hammon. . . . 10.38
SYRTIS. duc age per Scythiae populos, per
inhospita Syrtis /litora,   1.367
cum turbidus Auster /reppulit a Libycis
inmensum Syrtibus aequor 1.499
dubiam super aequora Syrtim /arentemque
feror Libyen, quo tristis Enyo /transtulit
Emathias acies. 1.686
quidquid ab occiduis Libye patet arida

SYRTIS

Mauris / usque Paraetonias Eoa ad Syrtis.
3.295

regna /.../terminat, a medio confinis
Syrtibus Hammon; 4.673
non rupta uadosis /Syrtibus incerto Libye
nos diuidit aestu. 5.485
in medio tanget ratis aequore Syrtim.
8.184

Syrtibus hinc Libyçis tuta est Aegyptos,
8.444
et uada testantur iunctas Aegyptia Syrtes,
8.540

sed iter mediis natura uetabat /Syrtibus:
9.302

Syrtes uel, primam mundo natura
figuram / cum daret, in dubio pelagi
terraeque reliquit 9.303
uel plenior alto /olim Syrtis erat pelago
penitusque natabat, ...   9.312
mox, ubi damnosum radios admouerit
aeuum,/ tellus Syrtis erit; . . .   9.317
longeque a Syrtibus undas /egit   9.322
electaque classis / Syrtibus haut ultra
Garamantidas attigit undas, . . .   9.369
audet in ignotas agmen committere gentes
/armorum fidens et terra cingere Syrtim.
9.373
at, quaecumque uagam Syrtim conplectitur
ora /... exurit messes 9.431
quem mundi barbara damnis /Syrtis alit.
9.441

nam litore sicco,/ quam pelago, Syrtis
uiolentius excipit Austrum, . . .   9.448
tanto duce possumus uti /per Syrtes, 9.553
hunc ego per Syrtes Libyaeque extrema
triumphum / ducere maluerim, . .   9.598
natus et ambiguae coleret qui Syrtidos
arua / chersydros, ...   9.710
nunc redit ad Syrtes et fluctus accipit
ore, ...   9.756
hinc torrente plaga, dubiis hinc Syrtibus
orbem /abrumpens medio posuisti limite
mortes. 9.861
non ... /... gelido circumfluus orbis
Hibero /tantum ausus scelerum, non Syrtis
barbara, quantum /deliciae fecere tuae.
10.477
SYRUS. uiuant Galataeque Syrique,   7.540

T

TABEO,-ERE. sed tibi tabentes populi
Pharsalica rura /eripiunt . . .   7.823
TABES. cernit tabe iecur madidum,   1.621
cum iam tabe fluunt confusaque tempore
multo / amisere notas,. 2.166
pro lucri pallida tabes! 4.96
hos licet in fluuios saniem tabemque
ferarum,/.../infundas aconita palam, 4.321
corpora dum soluit tabes et digerit
artus, ...   6.88
et tracta durescunt tabe medullae /corpora,
6.539
sidentis in tabem spectat aceruos   7.791
tabesne cadauera soluat /an rogus, haud
refert; 7.809
tabemque cruentae / caedis odorati Pholoen
liquere leones. 7.826

TACITUS

aut cruor aut alto defluxit ab aethere
tabes 7.839
tunc arte nefanda /summota est capiti
tabes, ...   8.689
lentum Magnus destillat in ignem /tabe
fouens bustum. 8.778
fecundaque nulli /arua bono uirus
stillantis tabe Medusae /concipiunt 9.697
hic quae prima caput mouit de puluere
tabes / aspida ... leuauit. . .   9.700
carpitque medullas /ignis edax calidaque
incendit uiscera tabe.. . . . .   9.742
et nigra destillant inguina tabe.   9.772
adde quod omne caput fluuii,... /...
ingresso uere tumescit /prima tabe niuis:
10.225
TABIDUS,-A,-UM. teque deis... /... Hecate
pallenti tabida forma, /ostendam   6.737
TABIFICUS,-A,-UM. resoluit /aera tabificum.
5.111
ossaque dissoluens cum corpore tabificus
seps; 9.723
TABULA. hi, ne mergantur, tabulis ardentibus
haerent. 3.688
nec piger ignis erat ... perque /
manantis cera tabulas, ...   10.494
TABULATUM. ardua turris /eminet et tremulis
tabulata minantia pinnis. . . .   4.432
TABUM. saeua tribunicio maduerunt robora tabo.
2.125

nigramque per artus /stillantis tabi
saniem uirusque coactum /sustulit   6.548
taboque medullas /abluit . . .   6.668
TACEO,-ERE. mediusque tacet sine murmure
pontus, ...   1.260
attonitae tacuere domus, ...   2.22
regnaque ad ultores iterum redeuntia
Brutos,/ut peragat fortuna, taces? 5.208
saeua quies pelagi, maestoque ignaua
profundo /stagna iacentis (tacentis)
aquae; var.5.443
quidquid in hac acie gessisti, Roma,
tacebo. 7.556
'saecula Romanos numquam tacitura labores
/attendunt, ...   8.622
temploque tacente / nil facimus non
sponte dei; 9.573
aut minimum patiuntur fata tacere. 9.929
quos inter in alta /it conualle tacens iam
moribus unda receptis. 10.329
TACITUS. tacito mutos uoluunt in pectore
questus. 1.247
non tacitas Erebi sedes Ditisque profundi
/pallida regna petunt: 1.455
emicuit caelo tacitum sine nubibus ullis /
fulmen 1.533
iunguntur taciti contentique auspice
Bruto. 2.371
adloquitur tacitas ueneranda uoce cohortes.
2.530
cum tacitas soluere rates. . . .   2.693
urbes / sed tacitae uidere metu, nec
constitit usquam /obuia turba ducis. 3.81
tacito tantum petit oscula uoltu   3.739
hoc ferit et taciti praebet miracula
cursus, ...   4.425
Vulteius tacitas sensit sub gurgite
fraudes 4.465
ut tandem auxilium tactae (tacitae)
prodesse parentis /Alcides sensit,
'standum est tibi,' dixit var.4.645

TACITUS

haud illic tacito mala uota susurro /
concipiunt, ...   5.104
uigilum somno cedentia membra /transsiluit
questus tacite, quod fallere posset, 5.512
sed non tam remeans Caesar iam luce
propinqua /quam tacita sua castra fuga
comitesque fefellit. 5.679
nam quamuis flamma tacitas urente medullas
/non iuuat in toto corpus iactare cubili:
.   5.811
nam quamuis flamma tacitas urente (tacita
surgent) medullas / non iuuat in toto
corpus iactare cubili: var.5.811
nec quaesisse libet ... / aut siquid
tacitum sed fas erat. 6.430
an tacitis ualuere minis? . . .   6.496
Hecates ... per quam /manibus et mihi
sunt tacitae commercia linguae, /... /
exaudite preces. 6.701
tristia non equidem Parcarum stamina'
dixit / 'aspexi tacitae reuocatus ab
aggere ripae; 6.778
stat uoltu maestus tacito mortemque
reposcit. 6.821
non ultra gemitus tacitos incessere
fatum / permisere sibi, ...   8.64
doctus ad haec fatur taciti seruator
Olympi   8.171
quam iuxta Lethon tacitus praelabitur
amnis, ...   9.355
ille deo plenus tacita quem mente gerebat
/ effudit dignas... uoces. . . .   9.564
ecce, subit uirus tacitum, . . .   9.741
commeat hac penitus tacitis discursibus
unda 10.249
trahitur Gangesque Padusque /per tacitum
mundi: 10.253

TAEDA. sanguinis et diro ferales omine taedas
/abstulit ... Iulia 1.112
mutarim primas expulsa an tradita taedas.
                                     2.345
ignis agit uires, taeda sed raptus ab
omni /consequitur nigri spatiosa uolumina
fumi, ...   3.504
nam pinguibus ignis /adfixus taedis et
tecto sulpure uiuax /spargitur;   3.682
hostis ad aduentum rumpamus foedera
taedae, ...   5.766
barbara ..: /... Venus ... /polluit
innumeris leges et foedera taedae /
coniugibus 8.399
nocturnas rumpamus funere taedas 10.373

TAEDET, -ERE. 'cum taedet uitae, laeto sed
tempore, coniunx, ...   5.740

TAENARIUS,-A,-UM. non Taenariis sic faucibus
aer / sedit iners, ...   6.648

TAENAROS. Dorida tum Malean et apertam
Taenaron umbris, /... petit, .   9.36

TAETER,-TRA,-TRUM. terruit ipse color uatem;
nam pallida taetris /uiscera tincta
notis gelidoque infecta cruore   1.618

TAGES. sed conditor artis /finxerit ista
Tages.' 1.637

TAGUS. quidquid fodit Hiber, quidquid Tagus
expulit auri, /... / ut rapiant, paruo
scelus hoc uenisse putabunt. . .   7.755

TALIS,-E. talis et attonitam rapitur matrona
per urbem   1.676
talis pietas peritura querellas /egerit.
                                     2.63
talis fama canit tumidum super aequora

TANAIS

Persen /construxisse uias, . . .   2.672
qualis (talis) in Euboico uates Cumana
recessu /indignata var.5.183
talia iactantis discussa nocte serenus
/oppressit cum sole dies, . .   5.700
tali spiramine Nesis /emittit Stygium
nebulosis aera saxis   6.90
tali tua membra sepulchro, /talibus
exuram Stygio cum carmine siluis, 6.765
tali tua membra sepulchro /talibus exuram
Stygio cum carmine siluis,   6.766
uocibus his correpta uiri uix aegra
leuauit /membra solo talis gemitu
rumpente querellas: 8.87
tali pietate uirorum / laetus in aduersis
... /... nullum ... dixit ... / gratius
esse solum ... uobis /ostendi   8.127
talis custodia Magno /mentis erat, 8.635
satis o nimiumque beatus,/ si mihi
contingat /... / ... tale ducis uiolare
sepulchrum. 8.845
haec fatur; quem contra talia frater.
                                     9.125
cum talia Magnus /audisset ... /...
iustaque furens pietate profatur /
'praecipitate rates ... nautae;   9.145
et mihi ... / fac talem, Fortuna, Iubam;
                                     9.213
hunc ... secutus / litus in extremum
tali Cato uoce notauit: 9.221
quorum unus aperta /mente fugae tali
conpellat uoce regentem: 9.226
fratrique tuum pro munere tali / misissem,
Cleopatra, caput. 9.1070
nobis quoque tale paratum /litoris
hospitium; 9.1082
nec talia fatus /inuenit fletus comitem
                                     9.1104
optabit patriae talem duxisse triumphum.
                                    10.154
quamquam quis talia facta /aestimat in
numero scelerum ponenda tuorum, 10.472a

TAM. 1.333;1.361;1.372;1.392;1.400;1.418;
var.2.165;2.186;2.443;2.444;2.567;3.83;
3.96;3.289(bis);3.655;4.86;4.297(bis);
4.595;4.598;4.784;4.790;4.808;5.189;5.365;
5.372;5.618;5.656;5.678;5.692;5.781;5.794;
5.797;5.814;6.580;7.66;7.72;7.107;7.171;
7.297;7.298;7.336;7.382;7.595;7.653;
7.686;7.708;8.410;8.543;8.549;8.602;8.637;
8.701;8.769;8.806;8.872;9.438;9.530;9.548;
9.551;9.819;10.10;10.129;10.131;10.306;
10.315;10.368

TAMARIX. et tamarix non laeta comas Eoaque
costos /... sonant flammis . . .   9.917

TAMEN. 1.44;1.143;1.292;1.333;1.378;1.521;
2.352;2.449;2.509;2.616;2.660;2.666;3.82;
3.112;3.251;3.303;3.317;3.453;3.474;
3.612;3.680;3.722;3.749;4.299;4.329;
4.469;4.488;4.564;4.575;4.668;5.7;5.102;
6.103;6.117;6.125;6.779;7.91;7.151;7.318;
7.455;7.466;7.599;7.786;8.229;8.394;
8.474;8.590;8.630;8.712;9.73;9.186;9.191;
9.340;9.438;9.696;10.135;10.185;10.278;
10.292;10.461;10.467

TAMQUAM. Curio laetatus, tamquam fortuna
locorum /bella gerat 4.661
ignoti iugulum tamquam scelus inputet
hostis. 7.325

TANAIS. qua uertice lapsus / Riphaeo Tanais
diuersi nomina mundi /inposuit ripis 3.273

quantus apud Tanain toto conspectus in
ortu! 8.319
nec enim plus litora Nili / quam Scythicus
Tanais primis a Gadibus absunt,   9.414
ille uel in Tanain missus Rhodanumque
Padumque /arderet   9.751
TANDEM. 2.219;2.687;3.357;3.704;4.269;4.609;
    4.645;5.161;5.165;5.243;5.761;5.801;6.637;
    6.827;8.261;9.591;9.938
TANGO,-ERE. iam tetigit sanguis pollutos
Caesaris enses.   2.536
tum conditus imo / eruitur templo multis
non tactus ab annis   3.156
aethera tangentis siluas liquere Choatrae.
                                   3.246
agnoscere solis /permissum, quos iam
tangit uicinia fati,/.../ felix esse
mori.' 4.518
cum tetigere parentem, ...   4.599
ut tandem auxilium tactae prodesse
parentis /Alcides sensit, . . .   4.645
uel litora tangam /iussa, uel hoc potius
pelagus flatusque negabunt.' . .   5.558
nec ratis Hesperias tanget nec naufragus
oras: 5.573
nubila tanguntur uelis et terra carina.
                                   5.642
fortunamque suam tacta tellure recepit.
                                   5.677
prima Rhoeteia litora pinu /quae tetigit,
Phylace Pteleosque 6.352
infandum tetigit cum sidera murmur, /...
/ abducet superos alienis Thessalis aris.
                                   6.448
'aspexi tacitae (tactae) reuocatus ab
aggere ripae;   var.6.778
in medio tanget ratis aequore Syrtim.
                                   8.184
infimaque Aegypti pugnaci litora uelo /uix
tetigit, ...   8.465
ante tamen Pharias uictor quam tangat
harenas /Pompeio raptim tumulum fortuna
parauit, ...   8.712
cautum, ne Nili Pelusia tangeret ora /
Hesperius miles 8.825
Pallas ... patrio ... uertice nata /
terrarum primam Libyen ... /... tetigit,
                                   9.352
et nulla portus tangente carina / nouit
opes: 9.442
sic pignora gentis /Psyllus habet, siquis
tactos non horruit angues, . . .   9.907
nam primum tacta designat membra saliua,
                                   9.925
inuidia sacrae, Caesar, ne tangere famae;
                                   9.982
nunc mixti foedera tangunt /te generis?
                                   9.1048
fortasse tyranni / tangeris inuidia,
                                   9.1052
hunc, calidi tetigit cum bracchia Cancri,
/sol rapit, ... 10.259
tangunt animos iraeque metusque, 10.443
TANTUS,-A,-UM. quis furor, o ciues, quae
tanta licentia ferri?   1.8
tum, si tantus amor belli tibi, Roma,
nefandi, ...   1.21
non tu, Pyrrhe ferox, nec tantis cladibus
auctor /Poenus erit: 1.30
fert animus causas tantarum expromere
rerum, ...   1.67

nec pretium tanti tellus pontusque furoris
/tunc erat: 1.96
sed non in Caesare tantum /nomen erat
nec fama ducis, ...   1.143
per ferrum tanti securus uolneris exit.
                                   1.212
rura silent, mediusque tacet sine murmure
pontus, / tanta quies. 1.261
in bellum prono tantum tamen addidit
irae 1.292
it tantus ad aethera clamor, . .   1.388
tu tantum audito bellorum nomine, Roma,
/ desereris; 1.519
danda tamen uenia est tantorum danda
pauorum: 1.521
tantum nox atra silentibus auris /edidit.
                                   1.579
quid tantum, Gradiue, paras? . .   1.660
extrahe ciuili tantum iam libera bello.'
                                   1.672
tantone nouorum /prouentu scelerum
quaerunt uter imperet urbi? . .   2.60
uix tanti fuerat ciuilia bella mouere
/ut neuter.' 2.62
scelerum non Thracia tantum /uidit
Bistonii stabulis pendere tyranni, 2.162
intrepidus tanti sedit securus ab alto
                                   2.207
et in tanta pauidi formidine motus /
pars populi lugentis erat, . . .   2.235
ne tantum, o superi, liceat feralibus
armis, /has etiam mouisse manus.   2.260
ne tanta in cassum uirtus eat, ingeret
omnis /se belli fortuna tibi. . . 2.263
quam laetae Caesaris aures /accipient
tantum uenisse in proelia ciuem!   2.274
da tantum nomen inane /conubii;   2.342
solusque ex agmine tanto /dux fugit 2.470
placuitque referri / signa nec in tantae
discrimina mittere pugnae . . .   2.599
tum subole e tanta natum cui firmior
aetas /adfatur.   2.631
Titan ... / ibat et igniferi tantum
demerserat orbis / quantum desse solet
lunae, ...   3.41
neque enim iam sufficit ulla /praecipiti
fortuna uiro, nec uincere tanti, /ut
bellum differret, erat. 3.51
pro, si remeasset in urbem /Gallorum
tantum populis Arctoque subacta, / quam
seriem rerum longa praemittere pompa, 3.74
saxis tantum uolucresque feraeque
/sculptaque seruabant magicas animalia
linguas.) 3.223
aequora cum tantis percussit classibus,
                                   3.287
ignarum mortale genus per fulmina tantum
/ sciret adhuc caelo solum regnare
Tonantem. 3.319
uel, cum tanta uocent discrimina Martis
Hiberi, ...   3.336
tunc mihi tecta patent. iam non excludere
tantum, / inclussisse uolunt. . . 3.368
tantum terroribus addit, ...   3.416
tantum miseris irasci numina possunt.
                                   3.449
cum tantum nutaret onus, ...   3.459
frangit cuncta ruens, nec tantum corpora
pressa /exanimat, ...   3.472
ut tantum medii fuerat maris, utraque
classis / quod semel excussis posset

```
transcurrere tonsis, . . . . . .   3.538
est tanta dimissa uia. . . . . .   3.642
tacito tantum petit oscula uoltu   3.739
tantum nutu motoque salutant /ense suos.
                                   4.173
pro numine fata sinistro / exigua requie
tantas augentia clades!  . . . .   4.195
Massiliae, Phario nec tantum est aequore
gestum,  . . . . . . . . . . . .   4.257
sed non maiora supersunt / obsessis tanti
quae pignora demus amoris.  . . .  4.502
tanta est fiducia mortis.  . . .   4.538
cognato tantos inplerunt sanguine sulcos,
                                   4.554
ducibus mirantibus ulli /esse ducem tanti.
                                   4.573
constitit Alcides stupefactus robore tanto,
                                   4.633
tantum perfertur ad hostis /et spatium
iaculis oblato uolnere donat.      4.763
ergo acies tantae paruum spissantur in
orbem, . . . . . . . . . . . . .   4.777
et cernere tantas /permisit clades
conpressus sanguine puluis, . . .  4.794
haut alium tanta ciuem tulit indole Roma
                                   4.814
cui tanta potestas /concessa est?  4.823
ordine de tanto quisquis non exulat hic
est. . . . . . . . . . . . . . .   5.34
spem uestram praestate deis, fortunaque
tantos / det uobis animos quantos
fugientibus hostem /causa dabat.  ˙5.42
Hesperio tantum quantum summotus Eoo
/cardine Parnasos gemino petit aethera
colle, . . . . . . . . . . . . .   5.71
deque orbis trepidi tanto consulta tumultu
/desinis ipsa loqui'. . . . . .    5.160
nec tantum prodere uati /quantum scire
licet. . . . . . . . . . . . . .   5.176
tanta patet rerum series, . . .   5.179
ex tanta fatorum strage superba /excerpsit
Romana manu, . . . . . . . . . .   5.185
'effugis ingentes, tanti discriminis
expers, /bellorum, Romane, minas,  5.194
an nondum numina tantum /decreuere nefas
                                   5.203
cum prope fatorum tantos per prospera
cursus / auertere dei. . . . . .   5.239
militis indomiti tantum mens sana timetur,
                                   5.309
tantumque fugam meditata iuuentus  5.323
anne fugam Magni tanta cum classe
secuntur /Hesperiae gentes, . . .  5.328
nobis uictoria turbam /non dabit, inpulsi
tantum quae praemia belli /auferat 5.330
qui me committere tantis / non nisi
mutato uoluerunt milite bellis.    5.352
iugulos, non tantum praestitit ensis.
                                   5.370
namque omnis uoces, per quas iam tempore
tanto /mentimur dominis, haec primum
repperit aetas . . . . . . . . .   5.385
tantum careat ne nomine tempus /menstruus
in fastos distinguit saecula consul. 5.398
hoc fortuna loco tantae duo nomina famae
/conposuit, . . . . . . . . . .    5.468
dilectus tibi, Magne, socer post pignora
tanta /... te ... propius non uidit 5.473
'o mundi tantorum causa laborum,   5.481
gurgite tanto / nec ratis Hesperias
tanget nec naufragus oras: . . . . 5.572
```

```
quid tanta strage paretur . . . .  5.591
tum quoque tanta maris moles creuisset in
astra . . . . . . . . . . . . .    5.625
quod tanta mundi nondum periere ruina.
                                   5.637
quantum Leucadio placidus de uertice
pontus / despicitur, tantum nautae uidere
trementes . . . . . . . . . . .    5.639
'quantusne (tantusne) euertere' dixit /
'me superis labor est. . . . .     var.5.654
tantus caput hoc sibi fecerit orbis, 5.686
mundi iam summa tenentem / permisisse
mari tantum! . . . . . . . . . .   5.695
uix tantum infirma dolorem /cepit, 5.759
fulminibus me, saeue, iubes tantaeque
ruinae / absentem praestare caput? 5.770
adde quod adsuescis fatis tantumque
dolorem, /crudelis, me ferre doces. 5.776
nec caespite tantum /contentus fragili
                                   6.32
tanti periere labores. . . . . .   6.54
ac tantum saepti uallo sibi uindicat agri,
                                   6.73
mouit tantum uox illa fuorem,      6.165
nec noxia tantum /pocula proficiunt 6.454
tantae molis onus percussum uoce recessit
                                   6.483
ignota tantum pietate merentur,    6.495
et patitur tantos cantu depressa labores
                                   6.505
sperat ... auertere ... /ossaque nobilium
tantosque adquirere manes. . . .   6.586
uel 'dominus rerum uel tanti funeris
heres. . . . . . . . . . . . . .   6.595
dignum, quod quaerere cures /uel tibi,
quo tanti praeponderet alea fati.' 6.603
sed pronum, cum tanta nouae sit copia
mortis, /Emathiis unum campis attollere
corpus, . . . . . . . . . . . .    6.619
uox illi linguaque tantum /responsura
datur. . . . . . . . . . . . . .   6.761
sit tanti uixisse iterum: . . .    6.768
et ducibus tantum de funere pugna est.
                                   6.811
donassent utinam superi ... / unum,
Magne,diem, quo ... / extremum tanti
fructum raperetis amoris. . . . .  7.32
haec ... / siue sua tantum uenient in
saecula fama /... /spesque metusque ...
mouebunt, . . . . . . . . . . .    7.208
quo caeli sidere uerso / Thessalicae
tantum, superi, permittitis orae? 7.302
tantoque duci sic arma timere / omen
erat. . . . . . . . . . . . . .    7.340
at plures tantum clamore cateruae /bella
gerent: . . . . . . . . . . . .    7.367
siquis post pignora tanta /Pompeio locus
est ... / uoluerer ante pedes.     7.376
Romam ... mundi faece repletam / cladis
eo dedimus, ne tanto in corpore bellum /
iam possit ciuile geri. . . . .    7.406
Pharsalia tanti / causa mali. . .  7.407
nec ualet haec acies tantum prosternere
quantum / inde perire potest. . .  7.534
nullaque tantorum discat me uate malorum,
/ ... aetas. . . . . . . . . . .   7.553
inspicit et gladios ... / qui niteant
primo tantum mucrone cruenti, . .  7.561
extremum tanti generis per saecula nomen,
/ ne rue per medios nimium temerarius
hostis, . . . . . . . . . . . .    7.589
```

reuocat matura in fata ruentis / seque
negat tanti. 7.669
numquam tanto se uolture caelum /induit
                  7.834

Thessalia, infelix, quo tantum crimine,
tellus, / laesisti superos, . . 7.847
seque, memor fati, tantae mercedis habere
/credit adhuc iugulum, quantam pro
Caesaris ipse / auolsa ceruice daret.
                  8.10
poenas ... Fortuna ... / exigit a misero,
quae tanto pondere famae / res premit
aduersas 8.22
'nobile cur robur fortunae uolnere primo
/femina tantorum titulis insignis auorum
/frangis? 8.73
nunc sum tibi gloria maior,/ a me quod
fasces ... / tantaque discessit regum
manus. 8.80
hoc iuris habebat / in tantum fortuna
caput? 8.96
maxima gloria nobis / semper erit tanti
pignus seruasse mariti, ... 8.111
non ueritus tantam ueniae committere
uobis / materiam. 8.136
tanto deuinxit amore / hos pudor, 8.155
tamen omnia uincens /sustinui nostris uos
tantum desse triumphis, ... 8.230
o utinam non tanta mihi fiducia saeuis
/esset in Arsacidis! 8.306
quid enim tibi laetius umquam /
praestiterint superi, quam ... /...
tantam consumere gentem 8.324
secundum / Emathiam lis tanta datur? 8.333
solacia tanti / perdit Roma mali, 8.354
nunc tantas ille lacesset / auditi
uictoris opes 8.360
temptare pudendum / auxilium tanti est,
                  8.391
ubi nomina tanta / obruit Euphrates 8.437
in solo tanta est fiducia Nilo. 8.447
nec soceri tantum arma fugit: 8.506
laetatur honore / rex puer insueto, quod
iam sibi tanta iubere /permittant famuli.
                  8.537
tanti, Ptolemaee, ruinam / nominis haut
metuis, ... 8.550
an tantum in fluctus placeo comes?' 8.589
tanto patientius, oro, /claude, dolor,
gemitus: 8.633
tunc uictus pondere tanto /expectat
fluctus 8.724
adde actus tantos monimentaque maxuma
rerum, ... 8.807
surgit miserabile bustum /non ullis
plenum titulis, non ordine tanto /
fastorum; 8.817
quid tibi, saeua, precer pro tanto crimine,
tellus? 8.827
nec cinis exiguus tantam conpescuit
umbram; 9.2
quis ratibus tantis fugientia crederet
ire /agmina, ... 9.34
(neque enim aequore tantum /Ausonio
monimenta tenes, ... 9.42
tantum indomitos memoresque paterni /iuris
habete animos. 9.95
hospitii fretus superis et munere tanto
/ in proauos, cecidit donati uictima
regni. 9.131
nec credens Pharium tantum potuisse

tyrannum /litore Niliaco socerum iam
stare putaui. 9.134
sed me nec sanguis nec tantum uolnera
nostri /adfecere senis, quantum gestata
per urbem / ora ducis, ... 9.136
(nusquam ciuilibus armis / tanta fuit
merces) 9.151
ignauum scelus est tantum fuga.' 9.283
tantum Maurusia genti / robora diuitiae,
                  9.426
tantus tenet aera puluis. . .. 9.462
tanto duce possumus uti /per Syrtes, 9.552
quis tantum meruit populorum sanguine
nomen? 9.597
cur Libycus tantis exundet pestibus aer
/fertilis in mortes, ... 9.619
quis enim non praepete tanto /aethera
respiceret? 9.688
parua modo serpens, sed qua non ulla
cruentae /tantum mortis habet. 9.767
nec tantos carbasa Coro / curuauere sinus.
                  9.799
cogit tantos tolerare labores /summa
ducis uirtus, ... 9.881
uix miseris serum tanto lassata periclo
/auxilium Fortuna dedit. 9.890
fiducia tanta est /sanguinis, 9.898
tanto te pignore, Caesar, /eminus; 9.1020
dignumque clientem / castris crede tuis
cui tantum fata licere /in generum
uoluere tuum. 9.1025
tu nomina tanto / inuenies operi, 9.1029
uos condite busto / tanti colla ducis,
sed non ut crimina solum /uestra tegat
tellus: 9.1090
uos condite busto /tanti colla ducis,
sed non ut crimina solum (tantum)/ uestra
tegat tellus: var.9.1090
Hesperios auxit tantum Cleopatra furores.
                  10.62
culpa tantoque pudore /solue domum,
                  10.97
excepere epulae tantarum gaudia rerum,
                  10.108
sed, cum tanta meo uiuat sub pectore
uirtus, /... nihil est quod noscere
malim / quam fluuii causas . . . 10.188
cum ... meo uiuat sub pectore ... / tantus
amor ueri, nihil est quod noscere malim /
quam fluuii causas 10.189
nihil est quod noscere malim /quam fluuii
causas per saecula tanta latentis 10.190
sit pietas aliis miracula tanta silere;
                  10.196
ast ego, si tantam ius est mihi soluere
litem, / quasdam ... aquas ... /...
concussis terrarum erumpere uenis/... reor,
                  10.262
tantum animi delicta dabant, ut colla
ferire /Caesaris ... iuberet; 10.347
inuasit Cleopatra domum, nec prodita
tantum est /sed donata Pharos. 10.355
quid nomina tanta /horremus uiresque
ducis, ... 10.389
sed tanta obliuio mentis /cepit in
externos corrupto milite mores /ut duce
sub famulo ... irent 10.403
tanta est fiducia ferri, /non rapuere
nefas; 10.427
non ... /... gelido circumfluus orbis
Hibero /tantum ausus scelerum, non Syrtis

TANTUS
    barbara, ... 10.477
    obsessusque gerit, tanta est constantia
    mentis, / expugnantis opus. . . . 10.490
TARANIS. placatur sanguine diro/.../et Taranis
    Scythicae non mitior ara Dianae. 1.446
TARAS. iubet ... / et cunctas reuocare rates
    ... / antiquosque Taras secretaque litora
    Leucae, /quas recipit 5.376
TARBELLICUS,-A,-UM. molliter admissum claudit
    Tarbellicus aequor, ... 1.421
TARCONDIMOTUS. castrorum bellique piget ...
    /cum Tarcondimotus linquendi signa
    Catonis /sustulit. 9.219
TARDO,-ARE. nec prima nec illam /quae sequitur
    tardata ratis, sed tertia moles /haesit
                            4.453
TARDUS,-A,-UM. habiles ... /et temptare ... /
    cursum nec tarde flectenti cedere clauo;
                            3.555
    illum /saltus et in medias iecit super
    arma cateruas, /quam per summa rapit
    celerem uenabula pardum (tardum).var.6.183
    sed, siquod tardius audit /uirus...
    tum ... pallentia uolnera lambit 9.931
TARPEIUS,-A,-UM. Tarpeia de rupe Tonans
    Phrygiique penates 1.196
    tunc rupes Tarpeia sonat 3.154
    Tarpeia sede perusta /Gallorum facibus
    Veiosque habitante Camillo /illic Roma
    fuit. 5.27
    non illis urbes spoliandaque templa
    negasset /Tarpeiamque Iouis sedem
    matresque senatus /passurasque infanda
    nurus. 5.306
    cum sibi Tarpeias uictor desponderit
    arces, /... /decipitur quod castra rapit.
                            7.758
    Tarpeis qui saepe deis sua tura negarunt
    /... uenerantur ... fulmen. . . 8.863
TARSOS. deseritur Taurique nemus Perseaque
    Tarsos 3.225
TARTARA. in multas laxantur Tartara poenas;
                            3.17
    mox cetera cantu /explicat Haemonio
    penetratque in Tartara lingua. . . 6.694
    conpellandus erit ... / indespecta tenet
    uobis qui Tartara, ... 6.748
    Elysias Latii sedes ac Tartara maesta
    /diuersi liquere duces. 6.782
    et quantum poenae misero mens conscia
    donat,/quod Styga, quod manes ingestaque
    Tartara somnis /Pompeio uiuente uidet!
                            7.785
    iam nunc te per inane chaos, per Tartara,
    coniunx, /... sequar, ... 9.101
TARTAREUS,-A,-UM. quo non metuant admittere
    manes /Tartarei reges. 6.651
    non in Tartareo latitantem poscimus
    antro /... animam; 6.712
TAULANTIUS,-A,-UM. quemque uocat collem
    Taulantius incola Petram /insedit castris
                            6.16
TAURI (Scythica gens). Armenios Cilicasque
    feros Taurumque (Taurosque) subegi:
                      var.2.594
TAURIFER,-FERA,-FERUM. est qui tauriferis
    ubi se Meuania campis /explicat 1.473
TAUROMENITANUS,-A,-UM. cumque cauernae /
    euomuere fretum contorti uerticis
    undae /Tauromenitanam uincunt feruore
    Charybdim. 4.461

TAURUS. caesique in pectora tauri /inferni
    uenere dei. 1.633
    pulsus ut armentis primo certamine
    taurus 2.601
    quoslibet in saltus comitantibus agmina
    tauris /inuito pastore trahit, 2.606
    taurus et Emathios praeceps se iecit in
    agros, ... 7.166
    rumpitis ingentes amplexi uerbere tauros;
                         9.731
TAURUS(signum zodiaci). deseritur Taurique
    nemus Perseaque Tarsos . . . 3.225
    non obliqua meant, nec Tauro Scorpios
    exit / rectior 9.533
TAURUS(mons). Armenios Cilicasque feros
    Taurumque subegi: 2.594
    ultima curuati procederet ungula Tauri,
                           3.255
    iam Taurum Tauroque uidet Dipsunta
    cadentem. 8.255
TAXUS. iam fama ferebat /... /et procumbentis
    iterum consurgere taxos, . . . 3.419
    nullo uertice caelum /suspiciens Phoebo
    non peruia taxus opacat. . . . 6.645
TAYGETUS. exornata Rhodos gelidique inculta
    iuuentus /Taygeti, fama ueteres laudantur
    Athenae, ... 5.52
TECTUM. nunc semirutis pendent quod moenia
    tectis 1.24
    non auro tectisue modus, mensasque priores
    /aspernata fames; 1.163
    credas aut tecta nefandas /corripuisse
    faces 1.493
    magnique penates /summouisse hiemem tecto,
                          2.385
    at te Corfini ualidis circumdata muris
    /tecta tenent, pugnax Domiti; . . 2.479
    arsuras in tecta faces sociusque furoris
    / Lentulus 2.542
    tecta petit patriae. 3.73
    excepisse faces tectis et tela parati,
                          3.344
    tunc mihi tecta patent. . . . 3.368
    dum fuit armorum series, ut grandine
    tecta /innocua percussa sonant, 3.482
    absorpsit penitus rupes ac tecta ferarum /
    detulit atque ipsas hausit, . . 4.100
    iam coniunx natique rudes et sordida tecta
    / et non deductos recipit sua terra
    colonos. 4.396
    hospes in externis audiuit curia tectis.
                          5.11
    quamque procul tectis captae sedeamus
    ab urbis /cernite, ... 5.19
    maerentia tecta /Caesar habet . . 5.30
    cepimus expulso patriae cum tecta senatu,
                          5.270
    curuique tenens Minoia tecta /Brundisii
    clausas ... undas / inuenit . . 5.406
    haec Caesar bis terque manu quassantia
    tectum /limina commouit. 5.519
    'quisquam mea naufragus' inquit / 'tecta
    petit, ... 5.522
    illi namque nefas urbis summittere tecto
    /aut laribus ferale caput, . . . 6.510
    stat tectis putris auitis /in nullos
    ruitura domus, ... 7.403
    tunc ursae latebras, obscaeni tecta
    domosque /deseruere canes, . . . 7.828
    cum poscere finem /... Roma uolet ... /
    ignibus aut nimiis aut terrae tecta

TECTUM

mouenti, /consilio iussuque deum,
transibis in urbem, ... 8.848
se ... Cleopatra ... / intulit Emathiis
ignaro Caesare tectis, ... 10.58
laqueataque tecta ferebant /diuitias
10.112
sed quae uicina fuere /teca mari longis
rapuere uaporibus ignem, ...10.499
percussaque flamma /turbine non alio
motu per tecta cucurrit /quam solet
lampas decurrere 10.501

TEGMEN. qua torta ... lorica ... / ... tutoque
latet sub tegmine pectus, / hac quoque
peruentum est ad uiscera, ... 7.499
sine ullo /tegmine poples erat, . . 9.771

TEGO,-ERE. inuoluens multaque tegens ambage
canebat. 1.638
latuit plebeio tectus amictu /omnis honos,
2.18
stagna auidi texere soli laxaeque paludes
/depositum, Fortuna, tuum; 2.71
non timidum nuptae leuiter tectura
pudorem /lutea demissos uelarunt flammea
uoltus, ... 2.360
delabitur inde /... radensque Salerni
/tesca (tecta) Siler var.2.426
Sicanio tegitur qui Carbo sepulchro, 2.548
dum litora numquam / ad uisus reditura
suos tectumque cacumen /... cernit   3.6
occultosque tegit cursus rursusque renatum
3.262
tecta subit uirtus, armisque innexa
priores /arma ferunt, ... 3.475
sub cuius pluteis et tecta fronte latentes
/ moliri nunc ima parant 3.488
nocturni texere faces, ... 3.499
emissaque tela / aera texerunt uacuumque
cadentia pontum. 3.546
seque tenent remis: tecto stetit aequore
bellum. 3.566
fraternaque pectore nudo /arma tegens,
crebra confixus cuspide perstat   3.620
uersa caua texit pelagus nautasque carina,
3.650
nam pinguibus ignis /adfixus taedis et
tecto sulpure uiuax /spargitur;   3.682
tectarum errore uiarum /fallitur   4.91
non tamen aut tectis sonuerunt cursibus
amnes 4.299
restituit raptus tectum mare, . . 4.459
'audendo magnus tegitur timor;   4.702
cum dira uoluptas /ense subit presso,
galeae texere pudorem, ... 4.706
puluis /aera nube sua texit traxitque
tenebras. 4.768
non pauidum iam murmur erat nec pectore
tecto / ira latens; 5.255
inmensumque gelu tegitur mare; . . 5.438
sic fatur, quamquam plebeio tectus amictu,
indocilis priuata loqui. 5.538
tectusque uia dumosa per arua /Dyrrachii
... tendit 6.13
confraga densis /arboribus dumeta tegunt.
6.127
iam pectora non tegit armis, . . . 6.202
ille tegens alta suppressum mente furorem,
/ ... /'parcite', ait 'ciues; . . 6.228
maestum tecta caput squalenti nube
pererrat /corpora 6.625
teque deis, ad quos alio procedere uoltu
/ficta (tecta) soles,.../ostendam

TELLUS
var.6.737
Gabios Veiosque Coramque /puluere uix
tectae poterunt monstrare ruinae   7.393
pauide num gessimus arma /teximus aut
iugulos? 7.644
caelo tegitur qui non habet urnam. 7.819
ostendit terras Titan et sidera texit.
8.202
temptare pudendum /auxilium tanti est ...
ut ... /... te parua tegant ac uilia
busta, ... 8.393
et tectum lino spargam per uolgus Osirim
·9.159
neque ... mihi fallere quemquam /est
animus tectoque metu perducere uolgus.
9.389
uoltusque gelassent /Perseos auersi, si
non Tritonia densos /sparsisset crines
texissetque ora colubris. 9.683
tota teguntur /Pergama dumetis: 9.968
sed prius orta dies nocturnam lampada
texit/quam tutas intraret aquas. 9.1006
colla gerit Magni Phario uelamine tecta
9.1012
uos condite busto /tanti colla ducis,
sed non ut crimina solum / uestra tegat
tellus: 9.1091
abscondunt gemitus et pectora laeta /
fronte tegunt, ... 9.1107
tumulum ... / aspice Pompei non omnia
membra tegentem. 10.381

TELA. ut mos est Phariis miscendi licia telis.
10.126

TELLUS. telluremque nihil mutato sole timentem
/... lustrare iuuet, ... 1.49
tellus extendere litora nolet . . . 1.76
nec pretium tanti tellus pontusque furoris
/tunc erat: 1.96
tum cardine tellus /subsedit, . . 1.552
segetes tellus infida negabit,   1.647
totaque diffuso latuisset in aequore
tellus. 1.654
noua da mihi cernere litora ponti /
telluremque nouam: uidi iam, Phoebe,
Philippos.' 1.694
imaque telluris uentos tractusque
coruscos /flammarum accipiunt;   2.270
nulloque a uertice tellus /altius intumuit
2.397
quoque magis nullum tellus se soluit in
amnem 2.408
gurgitibus raptis penitus tellure
perusta, ... 2.414
at, postquam gemino tellus elisa profundo
est, ... 2.437
si rursus tellus pulsu laxata tridentis
2.456
Pompeius tellure noua conpressa profundi
/ora uidens curis animum mordacibus angit,
2.680
Cyaneas tellus emisit in aequora cautes;
2.716
abscondat Fortuna nefas, Romanaque tellus
/inmaculata sui seruetur sanguine Magni.
2.735
seu iam plena fuit: tunc obtulit hospita
tellus /puppibus accessus faciles;   3.43
qua mare tellurem subitis aut obruit undis
3.60
deseritur ... /Mysiaque et gelido tellus
perfusa Caico 3.203

TELLUS

passaque ab auriferis tellus exire
metallis /Pactolon, ...   3.209
Euphrates,quos non diuersis fontibus
edit /Persis, et incertum, tellus si
misceat amnes, ...   3.258
at Tigrim subito tellus absorbet hiatu
                                     3.261
haut procul a muris tumulus surgentis in
altum /telluris paruum diffuso uertice
campum /explicat: 3.376
telluris inanis /concussisse sinus
quaerentem erumpere uentum /credidit 3.459
spes uictis telluris abit, placuitque
profundo 3.509
explicat hinc tellus campos effusa
patentis 4.19
atque omnis propior mergenti sidera caelo
/aruerat tellus hiberno dura sereno. 4.55
et quas sentit Arabs et quas Gangetica
tellus /exhalat nebulas, ...   4.64
concussaque tellus /laxet iter fluuiis:
                                     4.115
tellus hinc ardua celsos /continuat colles,
                                     4.158
iamque inopes undae primum tellure refossa
/occultos latices abstrusaque flumina
quaerunt; 4.292
quos alit Hadriaco tellus circumflua
ponto, ...   4.407
non pabula tellus /pascendis summittit
equis, ...   4.410
'nondum post genitos Tellus ecfeta
gigantas 4.593
uiresque resumit /in nuda tellure iacens.
                                     4.605
rapit arida tellus / sudorem; . . . 4.629
conflixere pares, Telluris uiribus ille,
/ille suis. 4.636
Tellusque uiro luctante laborat.   4.644
morientis in artus /non potuit nati
Tellus permittere uires: 4.651
nam sedes Libyca tellure potito /haec fuit.
                                     4.658
Romanam, superi, Libyca tellure ruinam /
Pompeio prodesse nefas uotisque senatus.
                                     4.791
non qua tellure coacti /quamque procul
tectis captae sedeamus ab urbis /cernite,
                                     5.18
ut uidit Paean uastos telluris hiatus
                                     5.82
sustulit iras /telluris sterilis monstrato
fine, ...   5.110
dum te, consultor operti /Castalia tellure
dei, uix inuenit, Appi, ...   5.188
prima duces iunctis uidit consistere
castris / tellus, ...   5.462
prendere, ne longe nimium sit proxima
tellus.' 5.576
quam celsa cacumina pessum /tellus uicta
dedit!. 5.617
fortunamque suam tacta tellure recepit.
                                     5.677
Assyriis quantum populis telluris Eoae
/sufficit in regnum, ...   6.52
succubuit siqua tellus cumuloque furentem
/undarum non passa ruit, ...   6.274
hac tellure feri micuerunt semina Martis.
                                     6.395
primus Thessalicae rector telluris Ionos
/in formam calidae percussit pondera

massae 6.402
hac ubi damnata fatis tellure locarunt
/castra duces, ...   6.413
Thessala quin etiam tellus herbasque
nocentes / rupibus ingenuit . .   6.438
Phoebeque serena /... /palluit ... / quam
si fraterna prohiberet imagine tellus
                                     6.503
et, quodcumque iacet nuda tellure cadauer,
/ante feras uolucresque sedet;   6.550
Titan medium quo tempore ducit /sub nostra
tellure diem, deserta per arua /carpit
iter. 6.572
timens,ne ... / Emathis et tellus tam
multa caede careret, / ... /... uetuit
transmittere bella Philippos,   6.580
tellus nobis aetherque chaosque /...
loquentur. 6.617
nec se tellure cadauer Eoi /paulatim per
membra leuat, ...   6.755
reges populique queruntur /bella trahi
patriaque procul tellure teneri.   7.57
di, quorum curas abduxit ab aethere tellus
/Romanusque labor, uincat . . .   7.311
felices Arabes Medique Eoaque tellus,
                                     7.442
rapido cursu fati suprema morantem /
consumpsere locum, parua tellure dirempti,
                                     7.461
uocesque furoris /expauere sui tota
tellure relatas. 7.484
capit omnia tellus /quae genuit;   7.818
Thessalia, infelix, quo tantum crimine,
tellus, /laesisti superos, . . .   7.847
plus cinerum Haemoniae sulcis telluris
aratur 7.858
qua tunc tellure latebas /maestior, in
mediis quam si, Cornelia, campis /Emathiae
stares. 8.41
cunctos mutare putares /tellurem
patriaeque solum: 8.148
solusque e numero regum telluris Eoae
/ex aequo me Parthus adit. . . .   8.231
Pamphylia puppi /occurrit tellus,   8.250
effundam populos alia tellure reuolsos
                                     8.309
temptare pudendum /auxilium tanti est ...
ut ... /... tibi barbara tellus   8.392
Thessaliaeque reus nulla tellure receptus
/sollicitat nostrum... orbem.   8.510
cur sola cadenti /haec placuit tellus,
                                     8.516
perfida qua tellus Casiis excurrit harenis
/... exiguam sociis ... carinam /instruit.
                                     8.539
noxia ciuili tellus Aegyptia fato,   8.823
quid tibi, saeua, precer pro tanto
crimine, tellus? 8.827
ossa ... nondum subruta fluctu /inuisa
tellure sedent. 8.840
non mihi nunc tellus Pompeio siqua
triumphos /uicta dedit ... /gratior; 9.78
nec se defendit ab aequore tellus,   9.306
mox, ubi damnosum radios admouerit
aeuum,/tellus Syrtis erit; . . .   9.317
iuuentus /... nullasque timens tellure
procellas /aequoreos est passa metus.
                                     9.446
imaque tellus /stat, quia summa fugit.
                                     9.470
illud in extrema forsan longeque remota

TELLUS

/ prodigium tellure fuit, . . . 9.475
atque operit tellure uiros. . . . 9.486
ubi feruida tellus /accipit Oceanum
demisso sole calentem,/squalebant late...
arua Medusae, ... 9.624
illa tamen sterilis tellus fecundaque
nulli /arua bono uirus .../concipiunt
9.696
nec clara dies nec nox dabat atra quietem
/suspecta miseris in qua tellure iacebant.
9.840
set longius istac /nulla iacet tellus,
quam fama cognita nobis /tristia regna
Iubae. 9.868
qua te parte poli, qua te tellure reliqui,
/Africa? 9.873
dubiis ueritus se credere regnis /
abstinuit tellure rates. 9.1010
frustra ciuilibus armis /miscuimus gentes,
... /... si tellus ulla duorum est. 9.1078
uos condite busto / tanti colla ducis,
sed non ut crimina solum /uestra tegat
tellus: 9.1091
tellusque perusta /illuc duxit aquas:
10.251
non Thessala tellus /... non Pontus ...
/... tantum ausus scelerum, . . . 10.474
TELMESSIS,-IDES. magnosque sinus Telmessidos
undae /conpensat medio pelagi. . . 8.248
TELO. derigit huc puppem miseri quoque dextra
Telonis, ... 3.592
TELUM. inpulit aut saeui contorsit tela
Lycurgi /Eumenis, ... 1.575
quis furor hic, o Phoebe, doce, quo tela
manusque /Romanae miscent acies bellumque
sine hoste est. 1.681
nec pila lacertis /missa tuis caeca
telorum in nube ferentur: 2.262
me barbara telis /Rheni turba petat, 2.309
saxorumque orbes et quae super eminus
hostem /tela petant altis murorum turribus
aptant. 2.452
ardentisque acies percussis sole
corusco /conspexit telis, 'socii,
decurrite' dixit 2.483
trans ripam ualidi torserunt tela
lacerti. 2.502
Cyrus et effusis numerato milite telis /
descendit Perses, ... 3.285
telaque diuersi prohibebunt spargere
fratres? 3.327
excepisse faces tectis et tela parati,
3.344
illinc tela cadunt excelsas urbis in arces.
3.462
superest telo post uolnera cursus. 3.468
aut facilis labor est longinqua ad tela
parati /tormenti mutare modum; 3.479
innocua percussa sonant, sic omnia tela
/respuit; 3.483
non hasta uiris, non letifer arcus, /
telum flamma fuit, ...3.501
in puppem rediere rates, emissaque tela
/aera texerunt 3.545
iam non excussis torquentur tela lacertis
3.567
inrita tela suas peragunt in gurgite
caedes, ... 3.580
terga simul pariter missis et pectora
telis /transigitur: 3.587
pila (tela) sed in medium uenere

TELUM

trementia pectus var.3.598
adfixusque rati telo retinente pependit.
3.602
iam clipeo telisque carens, 3.618
telaque multorum leto casura suorum
/emerita iam morte tenet. . . . 3.621
iamque omni fusis nudato milite telis /
inuenit arma furor: 3.670
multi inopes teli iaculum letale reuolsum
/uolneribus traxere suis 3.676
tela legunt deiecta mari ratibusque
ministrant 3.691
me quoque mittendis rectum conponite telis.
3.717
caeca tela manu sed non tamen inrita
mittit. 3.722
nulli telum uibrare uacauit, . . . 4.40
'tela tene iam, miles', ait 4.273
nec gerit expositum telis in fronte
patenti /remigium, ... 4.423
aut cum permixtas acies sua tela tenebris
/inuoluent. 4.489
iuuentus/.../obruitur, non uolneribus nec
sanguine solum,/telorum nimbo peritura
et pondere ferri. 4.776
tot reddet Fortuna uiros quot tela
uacabunt. 5.327
ipse pauet ne tela sibi dextraeque
negentur 5.368
iniussaque tela uagantur 6.78
nimbus agens tot tela peribat. . . 6.134
confringite tela / pectoris inpulsu 6.160
totaeque uiro dant tela ruinae, . . 6.172
illum tota premit moles, illum omnia tela,
6.189
citraque cruorem /confixae stant tela
ferae: 6.212
telumque suo cum lumine calcat. . . 6.219
ursa /... se rotat in uolnus telumque
irata receptum /inpetit 6.222
non eget ingestis sed uolsis pectore telis.
6.232
telaque confixis certant euellere membris,
6.255
nunc quoque, tela licet paueant uictoris
iniqui, / ... flebunt, ... 7.40
uibrant tela manus, uix signa morantia
quisquam /expectat: 7.82
seu tonitrus ac tela Iouis praesaga
notauit, ... 7.197
sed mea fata moror, qui uos in tela
furentis /uocibus his teneo. . . 7.295
sed, dum tela micant, non uos pietatis
imago /ulla nec ... conspecti ... parentes
/ commoueant; 7.320
ipsi tela regent per uiscera Caesaris,
7.350
cum Caesar tela teneret, /inuenta est
prior ulla manus? 7.474
uolnera pars optat, pars terrae figere
tela /ac puras seruare manus. . . 7.486
uixque habitura locum dextras ac tela
mouendi /constiterat 7.494
illic quaeque suo miscet gens proelia
telo, ... 7.510
noxque super campos telis conserta
pependit. 7.520
inspicit ... /... quis languida tela, /
... ferat, ... 7.562
ipse manu subicit gladios ac tela
ministrat 7.574

TELUM

    pudet ... /quaerere ... /qui pectore tela
    / transmittant 7.623
    tot telis sua fata peti, tot corpora fusa
    /... uidit. 7.652
    tum Magnum concitus aufert /a bello
    sonipes non tergo tela pauentem   7.678
    stridula sed multo saturantur tela ueneno;
                                      8.304
    inlita tela dolis, ...   8.382
    quis non, Fortuna, putasset /parcere
    te populis ... / Thessaliaque procul tam
    noxia tela fugasses? 8.602
    uelox currit per tela uenenum /inuaditque
    manum; 9.829
    secreta quid arma /mouit et inseruit
    nostro sua tela labori? 9.1072
    pars ignea cocco,/ut mos est Phariis
    miscendi licia telis. 10.126
    intraque penates /obruitur telis.   10.454
    missurusque tuum, si non sint tela nec
    ignes, /in famulos, Ptolemaee, caput.
                                      10.463
    inque domum iam tela cadunt quassantque
    penates. 10.479
    iamque hostes et tela natant. . . 10.497
TEMERARIUS,-A,-UM. temeraria prono /expertus
    cessisse deo, ...   5.501
    'quo te, dure, tulit uirtus temeraria,
    Caesar, ...   5.682
    ne rue per medios nimium temerarius
    hostis, ...   7.590
    'remane, temeraria coniunx, . . .   8.579
    temeraria dextra, / cur obicis Magno
    tumulum 8.795
TEMERE. et temere ingressos repetendum
    inuitat ad aequor /pace maris. . .   4.436
    confusos temere inmixtae glomerantur in
    orbes, ...   5.715
    miles,... /descendens totos perfudit
    lumine colles /non temere inmissus campis:
                                      7.216
    temere omnia saeui /instrumenta rapit
    belli. 10.401
TEMERO,-ARE. ferre manum et numquam temerando
    parcere ferro, ...   1.147
    'hic' ait 'hic pacem temerataque iura
    relinquo; 1.225
    cum rudis Argo /miscuit ignotas temerato
    litore gentes 3.194
TEMO. cum sidera caeli/.../aspicerent flexoque
    Vrsae temone pauerent, ...   4.523
TEMPE. nec peruia Tempe /dant aditus pelagi,
                                      6.345
    iam super Herculeas fauces nemorosaque
    Tempe / ... / cornipedem ... /Magnus
    agens incerta fugae uestigia turbat   8.1
TEMPERIES. an tollet feruidus aer /temperiem?
                                      1.647
    temperies uitalis abest, et nulla sub
    illa /cura Iouis terra est; . . .   9.435
    sub Ioue temperies et numquam turbidus aer;
                                      10.207
    dare iussus iniquo / temperiem caelo
    mediis aestatibus exit 10.231
TEMPERO,-ARE. sed glacie medios signorum
    temperat ignes. 4.109
    uiam ... saeuam /inde polo Libyes, hinc
    bruma temperet annus. 9.377
TEMPLUM. in sua templa furit, nullaque exire
    uetante 1.155
    iubeas ... / si spoliare deos ignemque

TEMPLUM

    inmittere templis, ...   1.379
    testatos sudore Lares, delapsaque templis
    /dona suis, ... /... accepimus,   1.557
    nec cunctae summi templo iacuere Tonantis:
                                      2.34
    stat cruor in templis multaque rubentia
    caede / lubrica saxa madent.   2.103
    extenditque suas in templa Lacinia rupes,
                                      2.434
    si regnum, si templa sibi iugulumque
    senatus /exiliumque petat. . . .   3.110
    ut uidet ingenti Saturnia templa reuelli
    / mole, ...   3.115
    'non nisi per nostrum uobis percussa
    patebunt /templa latus, nullasque feres
    nisi sanguine sacro / sparsas, raptor,
    opes. 3.124
    protinus abducto patuerunt templa Metello.
                                      3.153
    tum conditus imo / eruitur templo multis
    non tactus ab annis /Romani census
    populi, ...   3.156
    tristi spoliantur templa rapina,   3.167
    templique fruuntur /iustitio.   5.115
    Phemonoen ... /corripuit cogitque fores
    inrumpere templi. 5.127
    seu Paean solitus templis arcere
    nocentis, ...   5.139
    haerentem dubiamque premens in templa
    sacerdos /inpulit. 5.145
    illa pauens ... / fatidicum prima
    templorum in parte resistit . . .   5.147
    inmotaque limina templi /securumque nemus
    ueritam se credere Phoebo /prodiderant.
                                      5.155
    per inania templi /ancipiti ceruice rotat
                                      5.171
    inpactae cessere feres, expulsaque
    templis /prosiluit; 5.209
    non illis urbes spoliandaque templa
    negasset 5.305
    quibus hoc contingere templis /aut potuit
    muris, nullo trepidare tumultu /Caesarea
    pulsante manu? 5.529
    Ioniumque furens,... / templa domosque
    quatit, ...   6.28
    non tu bellorum spoliis ornare Tonantis
    /templa potes, ...   6.261
    Hesperiam potui ... tenere,/ si uellem
    patriis aciem committere templis   6.323
    inque deum templis iurabit Roma per
    umbras. 7.459
    pandunt templa, domos, socios se cladibus
    optant. 7.716
    accipe templorum cultus aurumque deorum;
                                      8.121
    nos in templa tuam Romana accepimus
    Isim 8.831
    tu quoque, cum saeuo dederis iam templa
    tyranno, /nondum Pompei cineres ...
    petisti; 8.835
    templis auroque sepultus / uilior umbra
    fores. 8.859
    quidquid ab exstincto licuisset tollere
    busto /in templis sparsura deum.   9.62
    uentum erat ad templum 9.511
    non illic Libycae posuerunt ditia gentes
    / templa, ...   9.516
    numen Romano templum defendit ab auro.
                                      9.521
    temploque tacente / nil facimus non sponte

TEMPLUM
 dei; 9.573
 seruataque fide templi discedit ab aris
          9.585

 putres robore trunci ... / ... templa
 deorum / iam lassa radice tenent, 9.967
 nullique aspecta uirorum / Pallas, in
 abstruso pignus memorabile templo, 9.994
 intrepidus superum sedes et templa
 uetusti / numinis ... /circumit, 10.15
 ipse locus templi, ... /... instar erat,
          10.111

TEMPTO,-ARE. mecum rebus agat superique ad
 summa uocantes, /temptamur. . . . 1.311
 nec foedera prisci /sunt temptata tori:
          2.379

 temptandasque ratus moturi militis
 iras /adloquitur tacitas ueneranda uoce
 cohortes. 2.529
 'mundi iubeo temptare recessus: 2.632
 aut si terrigenae temptarent astra
 gigantes, ... 3.316
 conpagem soluere muri /temptat et
 inpositis unum subducere saxis. 3.492
 placuitque profundo /fortunam temptare
 maris. 3.510
 habiles ... / et temptare fugam nec longo
 frangere gyro 3.554
 tum quaecumque ratis temptauit robora
 Bruti 3.563
 noluit Illyricae custos Octauius undae
 /confestim temptare ratem, . . . 4.434
 temptare parabunt /foederibus 4.507
 temptauere prius suspenso uincere bello
 /foederibus, ... 4.531
 colla diu grauibus frustra temptata
 lacertis, ... 4.618
 Curio temptarat, Libyamque auferre
 tyranno /dum regnum te, Roma, facit. 4.691
 medios properat temptare furores. 5.304
 sponte per incautas audet temptare
 tenebras 5.500
 praetereunt frustra temptati litora Lissi
          5.719
 desiste preces temptare: 5.744
 fit saepe nefas iaculum temptante lacerto.
          6.79

 arma secuturum soceri ... /temptauere
 suo comites deuertere Magnum /hortatu,
          6.317

 illa magis magicisque deis incognita
 uerba /temptabat 6.578
 si tollere totas /temptasset campis acies
 et reddere bello, /cessissent leges Erebi,
          6.634

 superest, fidissime regum,/Eoam temptare
 fidem populosque bibentis /Euphraten 8.213
 temptare pudendum /auxilium tanti est,
          8.390
 in sua regna furens temptatum classibus
 aequor /turbine defendit 9.321
 per mediam Libyen ueniant atque inuia
 temptent, ... 9.386
 nequiquam duras temptasset Caesaris aures:
          10.104
 cogunt tamen ultima rerum /spem pacis
 temptare ducem, ... 10.468
 nec non et ratibus temptatur regia, 10.486
TEMPUS. temporis angusti mansit concordia
 discors 1.98
 hinc usura uorax auidumque in tempora
 fenus 1.181

TEMPUS
continuo per tot satiabunt tempora regno?
          1.315
per uacuum solitae noctis decurrere
tempus 1.536
extremi multorum tempus in unum /conuenere
dies. 1.650
duc,Roma, malorum /continuam seriem
clademque in tempora multa . . . 1.671
'o miserae sortis, quod non Punica nati /
tempora Cannarum fuimus Trebiaeque
iuuentus. 2.46
cum iam tabe fluunt confusaque tempore
multo 2.166
uidit Fortuna colonos /Praenestina suos
cunctos simul ense recepto /unius populum
pereuntem tempore mortis. 2.195
tempora quamquam /sint aliena toris iam
fato in bella uocante, ... 2.350
dum paci dat tempus hiemps.' 2.648
ut tempora tandem /fortiuae placuere
fugae, ... 2.687
et nullum uestro uacuum sit tempus amori
          3.26

conspicit urbem /Arctoi toto non uisam
tempore belli 3.89
non ille iuuentae /tempore Phocaicis ulli
cessurus in armis: 3.728
uiresque cruentus /coepit habere dolor,
'non perdam tempora' dixit 3.742
atque iterum aequatis ad iustae pondera
Librae /temporibus uicere dies, 4.59
insula deseritur ratibus, quo tempore
primas /inpedit ad noctem iam lux extrema
tenebras. 4.446
consulite extremis angusto in tempore
rebus. 4.477
uita breuis nulli superest qui tempus in
illa /quaerendae sibi mortis habet; 4.478
omnibus incerto uenturae tempore uitae
          4.481
ancipites steterunt casus, set tempora
pugnae /mors tenuit; 4.771
quique colit primus ducentem tempora
Ianum. 5.6
sic tempore longo /inmotos tripodas 5.120
per quas iam tempore tanto /mentimur
dominis, haec primum repperit aetas 5.385
nomen inane /imperii rapiens signauit
tempora digna /maesta nota; . . . 5.390
tantum careat ne nomine tempus /menstruus
in fastos distinguit saecula consul. 5.398
turpe duci uisum rapiendi tempora belli /
in segnes exisse moras, ... 5.409
pereuntia tempora fati /conqueror, 5.490
iuuat ... /indulgere morae et tempus
subducere fatis. 5.733
'cum taedet uitae, laeto sed tempore,
coniunx, ... 5.740
non obscura petit latebrosae tempora
noctis, ... 6.120
alta /nocte poli, Titan medium quo tempore
ducit /... diem, deserta per arua /carpit
iter. 6.571
seu fine bonorum / anxia mens curis ad
tempora laeta refugit, ... 7.20
humani generis tam longo tempore bellum
/Caesar erit? 7.72
si milite Magno, /non duce tempus eget,
nil ultra fata morabor: 7.88
oblatumque uidet uotis sibi mille petitum
/tempus, in extremos quo mitteret omnia

TEMPUS

```
casus. . . . . . . . . . . . .    7.239
si Curios his fata darent ... /temporibus
Deciosque caput fatale uouentis, /
hinc starent. . . . . . . . . .   7.359
Romam sed mundi faece repletam /cladis
eo dedimus, ne tanto in corpore (tempore)
bellum / iam possit ciuile geri. var.7.406
tempora signauit leuiorum Roma malorum,
                                  7.410
quid tempora legum /egimus aut annos a
consule nomen habentis? . . . .   7.440
uultus (tempus), quo noscere possent /
facturi quae monstra forent, uidere
parentum /frontibus aduersis . .var.7.462
nunc tempora laeta / respexisse uacat,
                                  7.687
quid perdis tempora luctus? . .    8.53
ast illam, quam toto tempore belli /ut
ciuem uidere suam, discedere cernens /
ingemuit populus; . . . . . . .   8.151
tempus erat quo Libra pares examinat horas,
                                  8.467
consilii uix tempus erat; . . .   8.474
perierunt tempora uitae, . . . .  9.233
aut Aries donat sua tempora Librae 9.534
tempora Niliaco turpis dependit amori,
                                  10.80
sol tempora diuidit aeui, . . .   10.201
Zephyros quoque uana uetustas /his
ascripsit aquis, quorum stata tempora
flatus . . . . . . . . . . . . .  10.240
et tempore eodem /transtraque nautarum
summique arsere ceruchi. . . . .  10.494
nec tempora cladis /perdidit in somnos,
                                  10.505
et tempore rapto /nunc claustrum pelagi
cepit Pharon. . . . . . . . . .   10.508
insula quondam /in medio stetit illa
mari sub tempore uatis /Proteos,  10.510
```

TEMPUS(pars capitis, 'templi'). glande petens
```
solida fregit caua tempora plumbo.  3.711
galeae fragmenta cauae conpressa perurunt
/tempora, . . . . . . . . . . .   6.194
perque caput Pauli transactaque tempora
fugit. . . . . . . . . . . . . .  9.824
```

TENAX,-ACIS. quem flexo dente tenacem /
```
auolsitque manu . . . . . . . .   9.764
```

TENDO,-ERE. et gemitu permixta loqui: 'quo
```
tenditis ultra? . . . . . . . .   1.190
uarias ignis denso (tenso) dedit aere
formas, . . . . . . . . . . . .var.1.531
saepe Noto plenae tensisque rudentibus·
actae /... rates . . . . . . . .  2.683
lancea, sed tenso ballistae turbine
rapta, . . . . . . . . . . . . .  3.465
tamen alta sub aequora tendit /praecipiti
saltu: . . . . . . . . . . . . .  3.749
et tendit in ultima mundi. . . .  4.147
dixit et ad montis tendentem praeuenit
hostem. . . . . . . . . . . . .   4.167
audet transcendere uallum /miles, in
amplexus effusas tendere palmas.  4.176
uidit et ad certam deuotos tendere mortem,
                                  4.272
infidumque caput feriendaque tendite
colla. . . . . . . . . . . . . .  5.361
mox, ubi percussit tensas Notus altior
alas, . . . . . . . . . . . . .   5.714
per arua / Dyrrachii praeceps rapiendas
tendit ad arcis. . . . . . . . .  6.14
agmina ... / ... spargit ... ut Caesaris
```

TENEBRAE

```
arma / laxet et effuso claudentem
milite tendat; . . . . . . . .      6.72
Gortynis harundo /tenditur in Scaeuam,
                                   6.215
defuit ... / non puppem retinens Euro
tendente rudentis /in mediis echenais
aquis . . . . . . . . . . . . .    6.674
tunc omnis palpitat artus, /tenduntur
nerui; . . . . . . . . . . . .     6.755
tendunt neruis melioribus arcus,   7.141
uallo tendetis in illo /unde acies
peritura uenit.' . . . . . . . .   7.328
totaeque cohortes /pila parata diu tensis
tenuere lacertis. . . . . . . .    7.469
tunc ausae dare signa tubae, tunc aethera
tendit /... fragor . . . . . . .   7.477
en ratis, ad uestros quae tendit carbasa
portus! . . . . . . . . . . . .    8.50
infestae tenduntur in aethera dextrae.
                                   8.149
in Syriae portus tendit ratis. .   8.181
sed quo uela dari, quo nunc pede carbasa
tendi / nostra iubes?' . . . . .   8.185
tendens hinc carbasa rursus /iam Taurum
... uidet . . . . . . . . . . .    8.254
nec puer aut senior letalis tendere
neruos /signis, . . . . . . . .    8.296
nec Martem comminus usquam /ausa pati
uirtus, sed longe tendere neruos   8.383
tendebat geminas amens Cornelia palmas.
                                   8.583
cum procul ex alto tendentes uela carinae
/ancipites tenuere animos, . . .   9.45
et inuisi tendunt mihi carbasa uenti.
                                   9.77
tenditque cutem pereunte figura /miscens
cuncta tumor; . . . . . . . . .    9.792
cuius uestigia frustra / terris sparsa
legens fama duce tendit in undas,  9.953
```

TENEBRAE. sic fatus noctis tenebris rapit
```
agmina ductor . . . . . . . . .    1.228
inuoluitque orbem tenebris gentesque
coegit /desperare diem; . . . .    1.542
interea Phoebo gelidas pellente tenebras
                                   2.326
tortaque per tenebras ualidis ballista
lacertis . . . . . . . . . . . .   2.686
campoque expulsa piorum / ad Stygias'
inquit 'tenebras manesque nocentis /
... trahor. . . . . . . . . . .    3.13
attonitus mortisque illas putat esse
tenebras. . . . . . . . . . . .    3.714
nox subit atque oculos uastae obduxere
tenebrae, . . . . . . . . . . .    3.735
rerum discrimina miscet /deformis caeli
facies iunctaeque tenebrae. . .    4.105
inpedit ad noctem iam lux extrema tenebras.
                                   4.447
pacemque habuere tenebrae. . . .   4.473
aut cum permixtas acies sua tela tenebris
/inuoluent. . . . . . . . . . .    4.489
puluis / aera nube sua texit traxitque
tenebras. . . . . . . . . . . .    4.768
refertur / ad uolgare iubar mediae
uenere tenebrae. . . . . . . . .   5.220
sponte per incautas audet temptare
tenebras . . . . . . . . . . . .   5.500
dixerat, et noctis geminatis arte tenbris
/maestum tecta caput squalenti nube
pererrat / corpora . . . . . . .   6.624
marcentes intus tenebrae pallensque
```

TENEBRAE

    sub antris /longa nocte situs numquam
nisi carmine factum /lumen habet.   6.646
non in Tartareo latitantem poscimus antro
/ adsuetamque diu tenebris, . . 6.713
inque uicem uoltus tenebris mirantur
opertos 7.177
hanc fuge, mens, partem belli tenebrisque
relinque, ... 7.552
densaeque oculos uertere tenebrae. 7.616
tenebrisque remotis /rupis in abruptae
scopulos ... curris 8.45
obuia nox miserae caelum lucemque
tenebris /abstulit 8.58
nec per opacas /bella geret tenebras
incerto debilis arcu, ... 8.373
decreuitque pati tenebras puppisque
cauernis / delituit, ... 9.110
pars iacet in medios uoltus oculisque
tenebras /offundit clausis . . . 9.674
Pharsalia nostra / uiuet, et a nullo
tenebris damnabimur aeuo.   9.986

TENEBROSUS,-A,-UM. uiderat inmensam tenebroso
in carcere lucem 2.79

TENEO,-ERE. saxa iacent nulloque domus custode
tenentur 1.26
seu sceptra tenere /... iuuet,   1.47
librati pondera caeli / orbe tene medio;
    1.58
quid miscere iuuat uires orbemque tenere
/ in medio? 1.88
languor in extrema tenuit uestigia ripa.
    1.194
maestam tenuerunt nubila lucem. 1.235
traximus imperium, tum cum mihi rostra
tenere /ius erat 1.275
bellantem geminis tenuit te Gallia lustris,
    1.283
nunc quoque, ne lassum teneat priuata
senectus, ... 1.324
arma tenenti / omnia dat, qui iusta negat.
    1.348
quod tam lenta tuas tenuit patientia uires
/ conquerimur. 1.361
qui tenet et ripas Atyri, qua litore curuo
    1.420
tenuere lares; 1.507
fixit in aeternum causas, qua cuncta
coercet / se quoque lege tenens, 2.10
tum questus tenuere suos magnusque per
omnis / errauit sine uoce dolor. 2.20
cultus matrona priores /deposuit
maestaeque tenent delubra cateruae: 2.29
pacemne tueris / inconcussa tenens dubio
uestigia mundo, ... 2.248
pacem magna tenent. 2.273
uelit ... quis ... / complossas tenuisse
manus? 2.292
iuuat ignibus atris /inseruisse manus
constructoque aggere busti /ipsum atras
tenuisse faces, ... 2.301
secta fuit, seruare modum finemque tenere
    2.381
moenia Dardanii tenuit Campana coloni.
    2.393
quamuis icta nouo, uentum tenuere priorem
/aequora, ... 2.458
at te Corfini ualidis circumdata muris /
tecta tenent, pugnax Domiti; . . . 2.479
scit Caesar poenamque peti ueniamque
timeri (tenere). var.2.511
pars mundi mihi nulla uacat, sed tota

tenetur /terra meis, ... 2.583
relinquas /admoneo ... / Riphaeasque manus
et quas tenet aequore denso / pigra palus
Scythici patiens Maeotia plaustri 2.640
ergo, ubi nulla uado tenuit sua pondera
moles, ... 2.669
pelagus iam, Magne, tenebas . . 2.725
mediumque rates mouere (tenuere)profundum,
    var.3.2
uidi ipsa tenentis / Eumenidas   3.14
sed teneat Caesarque dies et Iulia noctes.
    3.27
exiguae Phoebea tenent naualia puppes
    3.182
tunc qui Dardaniam tenet Oricon   3.187
Armeniusque tenens uoluentem saxa
Niphaten. 3.245
pugnaces dubium Parthi tenuere fauorem
    3.265
iam satis hoc Graiae memorandum contigit
urbi /aeternumque decus, quod non
inpulsa nec ipso /strata metu tenuit
flagrantis in omnia belli / praecipitem
cursum, ... 3.390
quantum est quod fata tenentur 3.392
hunc ... / Siluani Nymphaeque tenent,
    3.403
aut caelum nox atra tenet, pauet ipse
sacerdos 3.424
Stoechados arua tenens. 3.516
et posito Borea pacemque tenentibus
Austris / seruatum bello iacuit mare,
    3.523
seque tenent remis: tecto stetit aequore
bellum. 3.566
aeternis causam lacrimis; tenet ille
dolorem 3.607
deriguitque tenens strictis inmortua
neruis. 3.613
telaque multorum leto casura suorum /
emerita iam morte tenet. 3.622
membraque contendit toto, quicumque
manebat (tenebat),/ sanguine var.3.624
corpora caesa tenent spoliantque cadauera
ferro. 3.675
et ratium tenuere fugam. 3.706
naualia paucae / praecipiti tenuere fuga.
    3.756
at proxima rupes / signa tenet Magni,
    4.17
dum scopulos stirpesque tenent atque hoste
relicto / caedunt ense uiam. . . . 4.42
pigro bruma gelu siccisque Aquilonibus
haerens /aethere constricto pluuias in
nube tenebat. 4.51
et summus Olympi /cardo tenet Tethyn,
    4.73
sic, cum tenet omnia Nilus, . . . 4.135
iamque agmina summa /carpit eques,
dubiique fugae pugnaeque tenentur. 4.156
tenuere parumper /ora metu, . . . 4.172
hostes nempe meos sceleri iurata nefando
/sacramenta tenent; 4.229
Magne, paras acies mundique extrema
tenentis /sollicitas reges, . . . 4.233
'tela tene iam, miles', ait . . . 4.273
stat uictor tenuitque manus, . . . 4.289
uenator tenet ora leuis clamosa Molossi,
    4.440
quod non cum senibus capti natisque
tenemur. 4.504

nam sol Ledaea tenebat / sidera,   4.526
tenuit stationis litora notae,   4.586
inmotumque caput fixa cum fronte tenetur,
   4.619
Alcides medio tenuit iam pectora pigro
/stricta gelu 4.652
Romana hos primum tenuit uictoria
campos.' 4.660
non sonipes ... /saxa quatit pulsu rigidos
uexantia frenos / ora terens(tenens)
   var.4.752
set tempora pugnae /mors tenuit;   4.772
ut primum maestum tenuere silentia coetum,
   5.15
explicuit, cum regna Themis tripodasque
teneret. 5.81
omnia cursus / aeterni secreta tenens
   5.89
et Phoebi tenuere uiam, ...   5.136
solusque quietem / Euboici uasta lateris
conualle tenebis'. 5.196
et adhuc dubitantibus astris /Pompei
damnare caput tot fata tenentur?   5.205
secreta tenebis / litoris Euboici
memorando condite busto, ...   5.230
at paucos, quibus haec rabies auctoribus
arsit,/non Caesar sed poena tenet.   5.360
nil magis adsuetas sceleri quam perdere
mentis /atque perire tenet. . .   5.372
curuique tenens Minoia tecta /Brundisii
clausas ... undas /inuenit . .   5.406
turpe duci uisum ... /... portuque teneri
/dum pateat tutum uel non felicibus
aequor. 5.410
'fortius hiberni flatus caelumque fretumque
/cum cepere, tenent, quam quos incumbere
certos /perfida nubiferi uetat
inconstantia ueris. 5.414
quid superos et fata tenes? . .   5.482
Epirum Caesarque tenet totusque senatus,
   5.496
rectorem dominumque ratis secura tenebat
/haud procul inde domus, ...   5.515
summis etiam quae fixa tenentur /astra
polis sunt uisa quati. 5.563
cum litora Tethys /noluit ulla pati caelo
contenta teneri. 5.624
corpora segnis / nostra sapor tenuit
   5.690
mundi iam summa tenentem /permisisse mari
tantum! 5.694
Nymphaeumque tenent: 5.720
sollicitam rupes iam te uictore tenebunt,
   5.780
sustinet amplexu dulci, non colla tenere,
   5.793
litoraque ipsa tenet, tandemque inlata
carinaest. 5.801
hic et Thessalicae clades Libycaeque
tenentur; 6.62
seque arma tenente /... Magnum uicisse
negauit. 6.142
ualli summa tenentis /amputat ense manus;
   6.175
stat non fragilis pro Caesare murus /
Pompeiumque tenet. 6.202
nec uidit recto gladium mucrone tenentem,
   6.237
ipse furentis /dux tenuit gladios.   6.301
Hesperiam potui motu surgente tenere,
   6.322

tenet ora profanae /foeda situ macies,
   6.515
ardentiaque ossa/e mediis rupit illa rogis
ipsamque parentes /quam tenuere facem,
   6.535
conpellandus erit ... /indespecta tenet
uobis qui Tartara, ...   6.748
iussa tenere diem densas nox praestitit
umbras. 6.830
reges populique queruntur Eoi /bella trahi
patriaque procul tellure teneri.   7.57
at medii robur belli fortissima densant /
agmina, quae Cilicum terris deducta
tenebat /Scipio, ...   7.222
sicci sed plurima campi / tetrarchae
regesque tenent magnique tyranni   7.227
sed mea fata moror, qui uos in tela
furentis /uocibus his teneo. . .   7.296
ego sum cui Marte peracto /quae populi
regesque tenent donare licebit.   7.300
Pompeius in arto /agmina uestra loco ...
/cum tenuit, quanto satiauit sanguine
ferrum! 7.317
felices Arabes ... Eoaque tellus,/quam
sub perpetuis tenuerunt fata tyrannis.
   7.443
spectabit ab alto /aethere Thessalicas,
teneat cum fulmina, caedes? 7.448
totaeque cohortes /pila parata diu
tensis tenuere lacertis. 7.469
cum Caesar tela teneret, /inuenta est
prior ulla manus? 7.474
tenet obliquas post signa cohortes,   7.522
ignotusque hosti quod ferrum, Brute,
tenebas! 7.587
camposque tenent uictore fugato.   7.824
tenuit nostros hac obside Lesbos /
adfectus; 8.131
hos dedit in proram, tenet hos in puppe
rudentes. 8.196
terrarum dominos et sceptra Eoa
tenentis /exul habet comites. .   8.208
me pulsum leuiore manu fortuna tenebit?
   8.271
nec tenuit gratum nocturno lumine
montem, ...   8.463
conperit ut regem Casio se monte tenere,
/flectit iter; 8.470
iam iure sine ullo /Nili sceptra tenes;
   8.559
o saeui, properantem in fata tenetis?
   8.658
tenet ille ducem conplexibus artis /
rupiente mari; 8.723
omnia Lagi / arua tenere potest,   8.803
tu nostros, Aegypte, tenes in puluere
manes. 8.834
(neque enim aequore tantum /Ausonio
monimenta tenes, ...   9.43
procul ex alto tendentes uela carinae /
ancipites tenuere animos, . . .   9.46
precibus Cornelia nautas /priuignique
fugam tenuit, ne forte repulsus   9.52
inde tenens pelagus, sed iam moderatior,
Eurus / in Libycas egit sedes . .   9.118
rege sub inpuro Nilotica rura tenente,/
hospitii fretus superis..√...cecidit 9.130
solusque tenebis /Aegypton, genitor,
   9.163
fortuna cuncta tenentur /Caesaris,   9.244
discedit in ortus /Eurum sola tenens.9.420

nulla putris radice tenetur. . .   9.434
Nasamon, gens dura ... proxima ponto /
nudus rura tenet; • • 9.440
tantus tenet aera puluis. • • • 9.462
et inmoti terra surgente tenentur. 9.489
minimumque tenens dux ipse liquoris /
inuidiosus erat. • • • • • 9.504
pauper adhuc deus est, nullis uiolata
per aeuum /diuitiis delubra tenens, 9.520
inuentus ... fons ... /largus aquae, sed
quem serpentum turba tenebat • • 9.608
non maesti iura Catonis /ardentem tenuere
uirum, • • • • • • • 9.748
nec lorica tenet distenti pectoris
auctum. • • • • • • • • • 9.797
extractamque potens (tenens) gelido de
corpore mortem /expuit; var.9.935
putres robore trunci ... /... templa
deorum /iam lassa radice tenent, 9.968
sic fatus opertum /detexit tenuitque caput.
  9.1033
fuit dubius ... casus,/an mundum ne nostra
quidem matrona teneret. • • • • • 10.67
non urbes prima tenebo femina Niliacas:
  10.90
hunc ubi pars caeli tenuit, qua mixta
Leonis /sidera sunt Cancro,... /... tunc
Nilus fonte soluto,/... /iussus adest,
  10.210
uarii mutator circulus anni /Aegoceron
Cancrumque tenet, • • • • • • • 10.213
illos rubicunda perusti /zona poli tenuit;
  10.275
castra carentia rege /ut proles Lagea
tenet, famulumque tyranni /... transegit
Achillea ferro. 10.522
TENER,-ERA,-ERUM. quique bibunt tenera dulcis
ab harundine sucos, • • • • • • 3.237
siquos palmite crudo /arboris aut tenera
sucos pressere medulla. •. • • • 4.318
TENOR. sed nox saeua modum uenti uelique
tenorem /eripuit • • • • • • • 5.709
TENTO,-ARE v. TEMPTO,-ARE
TENTORIUM. deseruere cauo tentoria fixa
Lemanno • • • • • • • • • • 1.396
praebet securos intra tentoria somnos:
  1.518
labore /exhausto fessus repetit tentoria
miles. • • • • • • • • • • • 3.496
medius dirimit tentoria gurges. 4.18
felici non fausta loco tentoria ponens
  4.663
intra castrorum timuit tentoria ductor
/perdere successus scelerum, •5.241
tentoria postquam /egressus uigilum
somno cedentia membra /transsiluit 5.510
nam miseros ultra tentoria ciues /spargere
funus erat. • • 6.102
effuso laxat tentoria campo, • • • 6.270
dum ferrent tutos intra tentoria gressus,
/iussa tenere diem densas nox praestitit
umbras. • • • • • • • • 6.829
miseri pars maxima uolgi /non totum uisura
diem tentoria circum /ipsa ducis
queritur • • • • • 7.48
Eoasque premunt tentoria gazas. 7.742
simul iussit statui tentoria ductor,/
primum ... harenas /expurgat cantu 9.912
TENUIS,-E. hinc latus angustum iam se cogentis
in artum /Hesperiae tenuem producit in
aequora linguam, • • • • • • • 2.614

scintillam tenuem commotos pauit in
ignes, /securus belli: • • • • • 5.525
nec rore madentem /aera nec tenues uentos
suspirat Anauros, • • • • • • • 6.370
TENUO,-ARE. nec duxit recto tenuata
cacumina cornu, • • • • • • 5.548
TENUS. Niloque tenus metitur harenas; 9.705
TEPEFACIO,-ERE. defuit ... / non ... /quaeque
sonant feta tepefacta sub alite saxa,
  6.676
TEPESCO,-ERE. paulatim cadit ira ferox
mentesque tepescunt. • • • • • • 4.284
TEPIDUS,-A,-UM. innupsit tepido paelex
Cornelia busto. 3.23
deseritur Strymon tepido committere Nilo /
Bistonias consuetus aues • • • • 3.199
et tepidum in molles Zephyros excurrit
Iader, • • • • • • • • • 4.405
sic fatus ab alto /aggere iam tepidae
sublato fune fauillae /scintillam tenuem
commotos pauit in ignes, 5.524
ut modo defuncti tepidique cadaueris ora
/ plena uoce sonent, • • • • • • 6.621
'ergo indigna fui,'... /ossibus et tepida
uestes inplere fauilla, • • • • • 9.60
quidquid puluere sicco /separat ardentem
tepida Berenicida Lepti /ignorat frondes:
  9.524
TEPOR. quidquid ad Eoos tractus mundique
teporem /ibitur, emollit gentes clementia
caeli. • • • • • • • • 8.365
TER. his terque quaterque /uocibus excitum
  5.497
haec Caesar bis terque manu quassantia
tectum /limina commouit. • • • • 5.519
ter collibus omnis /explicuit turmas 6.8
non domitor mundi nec ter Capitolia curru
/inuectus ... /... Romanus erat: 8.553
dic ... /... ter curribus actis /
contentum multos patriae donasse triumphos.
  8.814
collegit ... /...uelamina summo /
ter conspecta Ioui, funestoque intulit
igni. • • • • • • • • 9.178
hunc ego per Syrtes ... triumphum /ducere
maluerim, quam ter Capitolia curru /
scandere Pompei, • • • • • • 9.599
TERES,-ETIS. ast alias manicaeque ligant
teretesque catenae, • • • • • • 3.565
TERGUM. ocior et missa Parthi post terga
sagitta, • • • • • • • • • 1.230
Marte sub aduerso ruerentque in terga
feroces • • • • • • • 1.308
ut uictum post terga relinqueret orbem,
  1.369
per diuersa ruens neclecto moenia tergo,
  2.467
territa quaesitis ostendit terga
Britannis? • • • • • • • • • 2.572
ergo, ubi nulla fides rebus post terga
relictis • • • • • • • 2.628
terga ferant hostes. • • • • • • • 3.50
iam post terga cadunt. • • • • • • 3.478
terga simul pariter missis et pectora
telis /transigitur: • • • • • • • 3.587
aduersoque acies in monte supina /haeret
et in tergum casura umbone sequentis /
erigitur. 4.39
securumque orbis patimur post terga
relicti. • • • • • • • • • 4.353
poscit spe proelia nulla /incertus qua

TERGUM

```
    terga daret, qua pectora bello.        4.468
 ad somnos non terga rerae praebere cubile
adsuerunt, . . . . . . . . . . .           4.603
 ille Cleonaei proiecit terga leonis,
 /Antaeus Libyci; . . . . . . . .          4.612
 iam terga uiri cedentia uictor /alligat
                                           4.626

 nudataque foeda /terga fuga, donec
 uetuerunt castra, cecidit. . . .          4.714
 crinesque in terga solutos /candida
 Phocaica conplectitur infula lauro.       5.143
 niger inficit horror /terga maris,        5.565
 tamen hos minuere labores /a tergo
 pelagus pulsusque Aquilonibus aer         6.104
 terga datis morti? . . . . . .            6.153
 Libycus ... elephans ... /omne repercussum
 squalenti missile tergo /frangit          6.209
 felix hoc nomine famae, /si tibi durus
 Hiber aut si tibi terga dedisset /
 Cantaber . . . . . . . . . . .            6.258
 si me praebente uideri /... possint ...
 /... et uincti terga gigantes, / quis
 timor, ignaui, metuentis cernere manes?'
                                           6.665

 uos tamen hoc oro, iuuenes, ne caedere
 quisquam / hostis terga uelit;            7.319
 promouet ipse acies, inpellit terga
 suorum, . . . . . . . . . .               7.576
 tum Magnum concitus aufert /a bello
 sonipes non tergo tela pauentem           7.678
 comitumque suorum /qui post terga redit
 trepidum laterique timentem /exanimat.
                                           8.7

 at, Magni cum terga sonent et pectora
 ferro, /permansisse decus sacrae
 uenerabile formae /... fatentur           8.663
 credet faciles sibi terga dedisse,        9.270
 eminet in tergo pelagi procul omnibus
 aruis /... sicci iam pulueris agger;      9.341
 femineae cui more comae per terga
 solutae / surgunt aduersa subrectae
 fronte colubrae . . . . . . . .           9.632
 terga damus ferienda Noto; . . . .        9.877
 terrasque premamus / flagrantis post terga
 Noti,  . . . . . . . . . . . .            10.50
 foribus testudinis Indae /terga sedent,
 crebro maculas distincta zonaragdo. 10.121
 hinc tergo insultant pedites. . . 10.538
```

TERMINO,-ARE. regna/.../terminat, a medio
    confinis Syrtibus Hammon; . . .   4.673

TERMINUS. inposuit ripis Asiaeque et terminus
    idem /Europae, ...   3.274
    iam uenerat horae /terminus extremae,
                                           8.611

TERO,-ERE. gaudet habere uias, quod non terat
    hoste uacantis /Hesperiae fines   2.440
    hac hostis lentus terat otia ripa.   2.488
    tunc herbas frondesque terunt,   4.316
    ora terens spargitque.iubas et subrigit
    auris 4.752
    stipataque membra teruntur; . . .   4.782
    non alta terens Capitolia currus /gratior;
                                           9.79

TERRA. heu, quantum terrae potuit pelagique
    parari. 1.13
    commodat in populum terrae pelagique
    potentem /inuidiam Fortuna suam.   1.83
    dum terra fretum terramque leuabit /aer
                                           1.89
    nec patitur conferre fretum, si terra
    recedat, ...   1.102

TERRA

```
 populique potentis, / quae mare, quae
 terras, quae totum possidet orbem, /
 non cepit fortuna duos.  . . . .          1.110
 en, adsum uictor terraque marique         1.201
 pars quota terrarum! . . . . . .          1.284
 in classem cadit omne nemus, terraque
 marique /iussus Caesar agi. . .           1.306
 quaque iacet litus dubium quod terra
 fretumque /uindicat alternis uicibus,
                                           1.409

 prodigiis terras inplerunt, aethera,
 pontum, . . . . . . . . . . .             1.525
 uiderunt.../...crinemque timendi /sideris
 et terris mutantem regna cometen.         1.529
 terrarum subita percussa expalluit umbra.
                                           1.539
 Arruns dispersos fulminis ignes / colligit
 et terrae maesto cum murmure condit
 /datque locis numen; . . . . . .          1.607
 terraene dehiscent /subsidentque urbes,
                                           1.645
 qua me super aethera raptam /constituis
 terra? . . . . . . . . . . . .            1.679
 plurimus ad terram per fulmina decidat
 aether. . . . . . . . . . . .             2.58
 hostilem in terram uacuisque mapalibus
 actus . . . . . . . . . . . .             2.89
 tot simul infesto iuuenes occumbere leto
 /.../aut terrae caelique lues aut bellica
 clades, . . . . . . . . . . .             2.200
 'omnibus expulsae terris olimque fugatae
                                           2.242
 fulminibus propior terrae succenditur aer,
                                           2.269
 terra labet mixto coeuntis pondere
 mundi, . . . . . . . . . . . . .          2.291
 solueret incumbens terrasque repelleret
 aequor, . . . . . . . . . . .             2.436
 angustaque domum terrarum in sede poposcit.
                                           2.579
 sed tota tenetur /terra meis, quocumque
 iacet sub sole, tropaeis: . . . .         2.584
 solus ab Hesperia non flexit lumina terra
                                           3.4
 uisa caput maestum per hiantis Iulia
 terras /tollere . . . . . . . .           3.10
 aut scidit, et medias fecit sibi litora
 terras: . . . . . . . . . . .             3.61
 nec Romana magis conplerunt horrea terrae.
                                           3.67
 et terminus idem / Europae, mediae
 dirimens confinia terrae, . . . .         3.275
 parati, ... / quaerere et effossam
 sitientes lambere terram . . . .          3.346
 sed prius, ut totam, qua terra cingitur,
 urbem /clauderet, . . . . . . .           3.383
 caespitibus crudaque extruxit bracchia
 terra. . . . . . . . . . . .              3.387
 ut, cum terra leuis mediam uirgultaque
 molem /suspendant, . . . . . .            3.396
 iam fama ferebat /saepe cauas motu terrae
 mugire cauernas, . . . . . . .            3.418
 hae nullo fixerunt robore terram          3.457
 tunc adoperta leui procedit uinea terra,
                                           3.487
 at Romana ratis stabilem praebere carinam
 /certior et terrae similem bellantibus
 usum. . . . . . . . . . . . .             3.557
 at procul extremis terrarum Caesar in oris
 /Martem saeuus agit non multa caede
 nocentem . . . . . . . . . .              4.1
```

qui praestat terris aufert tibi nomen
Hiberus. 4.23
congestumque aeris atri /uix recipit
spatium quod separat aethere terram.   4.75
et miseras bellis ciuilibus eripe terras.
                                       4.120

quibus hoste potito /faucibus emitti
terrarum in deuia Martem /inque feras
gentes Caesar uidet.   4.161
o prodiga rerum / luxuries numquam paruo
contenta paratis / et quaesitorum terra
pelagoque ciborum / ambitiosa fames 4.375
terras fundendus in omnis /est cruor 4.391
non deductos recipit sua terra colonos.
                                       4.397

ut primum aduersae socios in litore
terrae / et Basilum uidere ducem,   4.415
testes,/praebebunt terrae, summis dabit
insula saxis,   4.494
innumerasque simul pauci terraque marique
/sustinuere manus: 4.537
nec tam iusta fuit terrarum gloria Typhon
                                       4.595

hoc quoque tam uastas, cumulauit munere
uires / Terra sui fetus, quod, cum
tetigere parentem, ...   4.599
auxilioque diu uirtus non usa cadendi /
terrae spernit opes: 4.608
tandem uolgata cruenti /fama mali terras
monstris aequorque leuantem /magnanimum
Alciden Libycas exciuit in oras.   4.610
quisquis inest terris in fessos spiritus
artus /egeritur, ...   4.643
non credere solo, sternique uetabere
terra. 4.647
sic fatus sustulit alte /nitentem in
terras iuuenem. 4.650
terrisque diu non credidit hostem.   4.653
hinc, aeui ueteris custos, famosa
uetustas,/miratrixque sui, signauit
nomine terras, ...   4.655
non fusior ulli /terra fuit domino: 4.671
tum campi tremuere sono, terraque soluta,
                                       4.766

membrorumque uidet lapsum et ferientia
terram /corpora: 4.786
in Macetum terras miscens aduersa secundis
/seruauit fortuna pares. 5.2
hoc solum fluctu terras mergente cacumen
/eminuit 5.75
quis terram caeli patitur deus,   5.88
fit fatum forsan, terris inserta regendis
/aere libratum uacuo quae sustinet orbem,
                                       5.93

quaeris terraque marique /his ferrum
iugulis 5.262
terris fudisse cruorem /quid iuuat Arctois
                                       5.267
nunc transfuga uilis / cum duce praelato
terras atque aequora lustrat.   5.347
procumbite terra /infidumque caput
feriendaque tendita colla. 5.360
terraque relicta / non ualet ipsa sequi
puppes quae uexerat aura. 5.432
sed minimum terrae uicino litore nouit.
                                       5.467

cum iam non poterit puppi nostraeque
saluti / altera terra dari. . . .   5.591
crediderim; ... / defendisse suas
uiolento turbine terras, ... 5.611
regnoque accessit terra secundo,   5.622

nubila tanguntur uelis et terra carina.
                                       5.642
dum metuar semper terraque expecter ab
omni.' 5.671
inposuit terrae. 5.676
feriat dum maesta remotas / fama procul
terras, uiuam tibi nempe superstes. 5.775
metatur terras oculis, ...   6.32
hic alitur sanguis terras fluxurus in
omnis, ...   6.61
ut primum uasto saeptas uidet aggere
terras, ...   6.69
quoque modo terrae praelapsus moenia
Thybris / in mare descendit, . .   6.76
Pompeium exhaustae praebenda ad gramina
terrae, ...   6.81
at liber terrae spatiosis collibus
hostis / aere non pigro ... angitur 6.106
ut primum libuit ... / Pompeio cunctasque
sibi permittere terras, ...   6.119
[par pelagi monstris Libycae sic belua
terrae] 6.207
mutandaeque iuuat permissa licentia
terrae. 6.271
illos terra fugit dominos, . . .   6.277
Caesar et Emathias lacero petit agmine
terras, ...   6.315
terraeque secutus / deuia,... / contigit
Emathiam, ...   6.330
et terris hospita Colchis /legit in
Haemoniis ... herbas. 6.441
terra quoque inmoti concussit ponderis
axes, ...   6.481
et rector terrae, quem longa in saecula
torquet / mors dilata deum ;... /exaudite
preces. 6.697
perque cauas terrae, quas egit carmine,
rimas / manibus inlatrat . . .   6.728
eloquar inmenso terrae sub pondere quae
te / contineant, Hennaea, dapes,   6.739
paretis, an ille / conpellandus erit,
quo numquam terra uocato / non concussa
tremit, ...   6.745
cadauer / ... terraque repulsum est /
erectumque semel. 6.756
deplorat Libycis perituram Scipio terris
/infaustam subolem; 6.788
abstulimus terras, exclusimus aequore
toto, ...   7.97
quis ... cernens ... / aetheraque in
terras deiecto sole cadentem, /tot
rerum finem, timeat sibi? . . .   7.136
Euganeo ... augur / colle sedens,
Aponus terris ubi fumifer exit / ... /
'uenit summa dies' ... dixit . .   7.193
at medii robur belli fortissima densant /
agmina, quae Cilicum terris deducta
tenebat / Scipio, ...   7.222
haud multum terrae spatium restabat Eoae.
                                       7.423

cladis tamen huius habemus /uindictam,
quantam terris dare numina fas est: 7.456
uolnera pars optat, pars terrae figere
tela / ac puras seruare manus.   7.486
aspice ... donataque regna /Aegypton
Libyamque, et terras elige morti.   7.711
ingemuisse putem campos, terramque
nocentem / inspirasse animas,   7.768
iuuat Emathiam non cernere terram   7.794
hos,... populos... ignis,/ uret cum
terris, uret cum gurgite ponti.   7.813

nec terram quisquam mouisset arator,
    7.861

o superi, liceat terras odisse nocentis.
    7.869

Cilicum dominus terraeque Liburnae /
exiguam uector pauidus correpsit in
alnum. 8.38

frustraque attollere terra / semianimem
conantur eram; 8.65

accipe, si terris, si puppibus ista
iuuentus / aptior est; 8.122

hoc solum crimen meritae bene detrahe
terrae, ... 8.125

nam quaerere certum est,/ fas quibus in
terris, ubi sit scelus. 8.142

rectorem ... de cunctis consulit astris,/
unde notet terras, ... 8.168

ostendit terras Titan et sidera texit.
    8.202

terrarum dominos et sceptra Eoa tenentis
/exul habet comites. 8.208

quamuis ... / in Cilicum terra, nullis
circumdatus armis/consultem ... /
ingentis praestate animos. . . . 8.264

quas magis in terras nostrum felicibus
actis / nomen abit, ... 8.320

quid transfuga mundi,/terrarum totos
tractus caelumque perosus, /auersosque
polos alienaque sidera quaeris, 8.336

sed non, ubi terra tumebit, /aspera
conscendet montis iuga, ... 8.371

temptare pudendum /auxilium tanti est,
toto diuisus ut orbe / a terra moriare
tua, ... 8.392

nostra cadauera Tigris / detulit in terras
ac reddidit. 8.439

terra suis contenta bonis, non indiga
mercis / aut Iouis: 8.446

sidera terra / ut distant et flamma mari,
sic utile recto. 8.487

incusat bimaremque uadis frangentibus
aestum,/qui uetet externas terris
adpellere classes. 8.567

poteras ... / ... latebris ... relinquere
Lesbi / omnibus a terris si nos arcere
parabas. 8.588

uictum pietate timorem /conpulit ut ...
corpus ... / duceret ad terram traheretque
in litora Magnum. 8.720

placet hoc, Fortuna, sepulchrum / dicere
Pompei, quo condi maluit illum /quam terra
caruisse socer? 8.795

situs est qua terra extrema refuso /
pendet in Oceano; 8.797

cum poscere finem /... Roma uolet ... /
ignibus aut nimiis aut terrae tecta
mouenti, /consilio iussuque deum transibis
in urbem, ... 8.848

quodque patet terras inter lunaeque
meatus, ... 9.6

terraeque nocenti / non haerere queror;
    9.81

nec umquam,/dum terris aliquis nostra de
stirpe manebit, /Caesaribus regnare uacet.
    9.89

has mihi poenas /terra dabit: 9.162

ut primum in sociae peruenit litora terrae,
/ collegit uestes ... Magni . . . 9.174

renouare parans hibernas Apulus herbas /
igne fouet terras, ... 9.184

Syrtes uel,... natura ... /... in dubio

pelagi terraeque reliquit . . . 9.304

aequora fracta uadis abruptaque terra
profundo, ... 9.308

interrupta profundo / terra ferit puppes,
    9.336

tum magis inpactis breuius mare terraque
saepe / obuia consurgens: . . . 9.338

terraeque haerente carina /litora nulla
uident. 9.343

Pallas ... patrio ... uertice nota /
terrarum primam Libyen ... /... tetigit,
    9.351

audet in ignotas agmen committere gentes
/armorum fidens et terra cingere Syrtim.
    9.373

Libycae quod fertile terraest /uergit
in occasus; 9.420

nullo glaebarum crimine pura / et penitus
terra est. 9.426

nulla sub illa / cura Iouis terra est;
    9.436

nam litore sicco,/... Syrtis uiolentius
excipit Austrum,/et terrae magis ille
nocens. 9.449

pars plurima terrae /tollitur 9.456

concuteret terras orbemque a sede
moueret, / si ... Libye ... /clauderet
... Austrum 9.466

inseruitque manus terrae . . . 9.483

et inmoti terra surgente tenentur. 9.489

iamque iter omne latet nec sunt discrimina
terrae: 9.493

multaque deuexo terrarum margine celat.
    9.497

siluarum fons causa loco, qui putria
terrae /alligat 9.526

estque dei sedes nisi terra et pontus et
aer / et caelum et uirtus? . . . 9.578

hoc potuit caelo pelagoque minari /
torporem insolitum mundoque obducere
terram. 9.648

terraeque in fine Libyssae / Persea
Phoebeos conuerti iussit ad ortus 9.666

Pallas frugiferas iussit non laedere
terras 9.687

nec terra celsior ulla / nox cadit in
caelum 9.692

uos quoque, qui cunctis innoxia numina
terris / serpitis,... dracones,/letiferos
ardens facit Africa: 9.727

fatique minorem / famam dipsas habet
terris adiuta perustis. 9.754

nec, quantus toto de corpore debet,/
effluit in terras, ... 9.775

quaeremus forsitan istas /serpentum
terras: 9.870

gens unica terras / incolit a saeuo
serpentum innoxia morsu, ... 9.891

in terras paruus cum decidit infans, /...
/ letifica dubios explorant aspide partus.
    9.899

coepit et in terram Libye spissata
redire, ... 9.943

quanta dedit miseris melioris gaudia
terrae 9.946

cuius uestigia frustra /terris sparsa
legens fama duce tendit in undas, 9.953

terrarum domitor, Romanae maxime gentis,
    9.1014

scilicet hoc animo terras atque aequora
lustras, ... 9.1057

TERRA

    ut primum terras Pompei colla secutus /
    attigit ... /pugnauit fortuna ducis
    fatumque nocentis /Aegypti,   10.1
    illic Pellaei proles uaesana Philippi,/
    felix praedo, iacet, terrarum uindice
    fato / raptus: 10.21
    non utile mundo /editus exemplum, terras
    tot posse sub uno /esse uiro.   10.27
    terrarum fatale malum 10.34
    terrasque premamus /flagrantis post terga
    Noti,   10.49
    infudere epulas auro, quod terra, quod
    aer, /... dedit, ...   10.155
    nondum euanuit aura /cinnamon externa
    nec perdidit aera terrae, ...   10.167
    terrarumque situs uolgique edissere mores
    10.178
    neu terras dissipet ignis /Nilus adest
    mundo   10.232
    sunt qui spiramina terris /esse putent
    10.247
    rumor ab Oceano, qui terras alligat
    omnes, / ... erumpere Nilum   . . .   10.255
    quasdam,... aquas ... /... concussis
    terrarum erumpere uenis /... reor,   10.264
    misitque per ultima terrae /Aethiopum
    lectos: 10.273
    et te terrarum nescit cui debeat orbis.
    10.294
    terra potens primos sentit percussa
    tumultus 10.324

TERRENUS,-A,-UM. terrenum ignotas hominem
    proiecit in undas. 6.401
    Phoebeque serena /... / palluit et nigris
    terrenisque ignibus arsit, . . .   6.502
    luna suis uicibus Tethyn terrenaque miscet;
    10.204

TERREO,-ERE. populosque pauentes /terruit
    obliqua praestringens lumina flamma: 1.154
    terruit ipse color uatem;   . . .   1.618
    terruerant satis haec pauidam praesagia
    plebem, ...   1.673
    defectumque uocet, ne uos mea terreat
    aetas: 2.560
    territa quaesitis ostendit terga
    Britannis? 2.572
    et 'quid' ait 'uani terremur imagine
    uisus? 3.38
    quem non ille ducem potuit terrere
    tumultus? 5.300
    hinc anceps dubii terret sollertia Mauri;
    8.283
    sibilaque effundens cunctas terrentia
    pestes, /... basiliscus 9.724
    terruit illa suo, si fas, Capitolia sistro
    10.63

TERRESTRIS,-E. ut terrestre, coit consertis
    puppibus agmen. 5.708

TERRIBILIS,-E. uiderat ... / terribilisque
    deos scelerum Mariumque futurum,   2.80
    terribilis aquilas infestaque signa
    relinquas 3.330
    terribilem Libycis partum concepit in
    antris. 4.594
    terribilis sed pallor inest;   5.216
    terribiles ratibus sustentant moenia
    cautes, ...   6.26
    terribilis Stygio facies pallore grauatur
    6.517
    terribilem iusto transegit Achillea ferro.
    10.523

TESTOR

TERRIFICUS,-A,-UM. limine terrifico metuens
    consistere Phoebas 5.128

TERRIGENA. aut si terrigenae temptarent
    astra gigantes, ...   3.316
    terrigenae missa magicis e cantibus ira
    4.553

TERRITO,-ARE. nec te uicinia leti /territat
    ambiguis frustratum sortibus, Appi;   5.225

TERROR. nec solum uolgus inani /percussum
    terrore pauet, ...   1.487
    at non magnanimi percussit pectora Bruti
    /terror 2.235
    tunc urbes Latii dubiae uarioque fauore /
    ancipites, quamquam primo terrore ruentis
    /cessurae belli, ...   2.448
    pugnatque minaci / cum terrore fides,
    2.454
    sic fatur et urbem /attonitam terrore
    subit. 3.98
    cumque alii famae populi terrore pauerent
    3.300
    tantum terroribus addit, ...   3.416
    facilis sed uertere mentes /terror erat,
    dubiamque fidem fortuna ferebat.   3.461
    huc hostem pariter terrorque pudorque
    /inpulit, ...   4.34
    protinus hostili statuit succedere uallo,
    /... dum conficit omnia terror,   7.734
    sua quemque premit terroris imago: 7.773

TERTIUS,-A,-UM. auxerat undas /tertia iam
    grauido pluuialis Cynthia cornu   1.218
    mox, ubi conubii pretium mercesque soluta
    est /tertia iam suboles, ...   2.331
    quae sequitur tardata ratis, sed tertia
    moles /haesit 4.453
    tertia iam uigiles commouerat hora
    secundos 5.507
    tertia pars rerum Libye, si credere famae
    / cuncta uelis; 9.411

TESQUA. delabitur inde / ... radensque
    Salerni / tesca Siler 2.426
    amplexus fines saltus nemorosaque tesqua
    /... feras indagine claudit. .   6.41

TESTA. fragili circumdata testa /moenia
    mirentur refugi Babylonia Parthi.   6.49

TESTIS. foedera sola tamen uanaque carentia
    pompa / iura placent sacrisque deos
    admittere testes. 2.353
    testis adest. 3.109
    praebebunt aequora testes, ...   4.493
    testem hunc fortuna negauit: . . .   6.159
    haec, fato quae teste probet, quis iustius
    arma / sumpserit; 7.259
    me fortuna meorum / commisit manibus,
    quarum me Gallia testem /tot fecit bellis.
    7.286
    uidit prima tuae testis Larisa ruinae /
    nobile nec uictum fatis caput.   7.712
    grauis est Magno quicumque malorum /
    testis adest. 8.19
    qui me teste pati uel quae tristissima
    pulchrum /Romanumque putant.   9.391
    recto uerbere saeuos / teste tulit
    caelo uicti decus Orionis. . . .   9.836
    puduitque gementem /illo teste mori. 9.887
    testis tibi sole perusti /ipse   10.221

TESTOR,-ARI. urbisque laborem /testatos sudore
    Lares, ... / ... accipimus, . .   1.557
    uictorem clara testatur uoce tribunus.
    3.122
    testatur stridore fores; 3.155

TESTOR

> dispersus siluis Athaman et nomine prisco
> /Encheliae uersi testantes funera Cadmi,
>   3.189

> Massiliam bellis testatur fata tulisse
>   3.308

> cum turbato iam prodita uoltu /ira ducis
> tandem testata est uoce dolorem.   3.357
> et non plebeios luctus testata cupressus
> /tum primum posuere comas 3.442
> 'ecquis' ait ... / testetur se uelle mori?'
>   4.544

> instinctam sacro mentem testata furore,
>   5.150

> turbida testantur conceptos aequora uentos.
>   5.567

> ter collibus omnis /explicuit turmas...
> /testatus numquam Latiae se desse ruinae.
>   6.10

> Caesareas puluis testatur adesse cohortes.
>   6.247

> testor, Roma, tamen Magnum quo cuncta
> perirent /accepisse diem. 7.91
> ac testare deos nullum, qui perstet in
> armis, /iam tibi, Magne, mori. . . 7.690
> et uada testantur iunctas Aegyptia Syrtes,
>   8.540
> in templa ... Romana accepimus ... / et
> quem tu plangens hominem testaris Osirim;
>   8.833

> portusque quietos /testatur Libye
> Phrygio placuisse magistro), . . . 9.44
> esse locis superos testatur silua per
> omnem /sola uirens Libyen. 9.522
> nulloque dolore /testatus morsus subita
> caligine mortem /accipis 9.817
> templa uetusti / numinis antiquas Macetum
> testantia uires / circumit, . . . 10.16

TESTUDO. ut tamen hostiles densa testudine
> muros / tecta subit uirtus, . . . 3.474
> et suffecta manu foribus testudinis
> Indae /terga sedent, ... 10.120

TETHYS. Tethyos unda uagae lunaribus aestuet
> horis, ... 1.414
> Tethys maioribus undis /Hesperiam Calpen
> summumque inpleuit Atlanta. . . . 1.554
> occasus mea iura timent Tethynque fugacem
>   2.588

> hic ubi Pellaeus post Tethyos aequora
> ductor /constitit 3.233
> et summus Olympi /cardo tenet Tethyn,
>   4.73

> cum mare conuoluit gentes, cum litora
> Tethys /noluit ulla pati caelo
> contenta teneri. 5.623
> aut, uaga cum Tethys Rutupinaque litora
> feruent, ... 6.67
> inpulsam sidere Tethyn /reppulit Haemonium
> defenso litore carmen. 6.479
> luna suis uicibus Tethyn terrenaque
> miscet; 10.204

TETRARCHA. sicci sed plurima campi /tetrarchae
> regesque tenent magnique tyranni 7.227

TEUTATES. placatur sanguine duro / Teutates
> horrensque feris altaribus Esus   1.445

TEUTONICUS,-A,-UM. uidimus et Martem Libyes
> cursumque furoris / Teutonici: 1.256
> cum post Teutonicos uictor Libycosque
> triumphos 2.69

TEUTONUS. felix hoc nomine famae,/... si tibi
> terga dedisset /Cantaber exiguis aut
> longis Teutonus armis. 6.259

TEXO,-ERE. primum cana salix madefacto
> uimine paruam /texitur in puppem caesoque
> inducta iuuenco 4.132

TEXTURA(subst.). uincula neruorum et laterum
> textura cauumque /pectus ... /morte
> patet. 9.777

THALAMUS. 'nil mihi de fatis thalami
> superisque relictum est, /Magne, queri:
>   5.762
> qui subolem ac thalamos desertaque pignora
> quaerit, /ense petat: 7.347
> 'o utinam in thalamos inuisi Caesaris
> issem 8.88
> o thalamis indigne meis, hoc iuris habebat
> /in tantum fortuna caput? . . .   8.95
> thalamique patent secreta nefandi /
> inter mille nurus? 8.400
> iacuere sorores /in regum thalamis
> sacrataque pignora matres. . .   8.405
> aspicit Hesiones scopulos siluaque
> latentis /Anchisae thalamos; . . 9.971
> et thalamos cum fratre dedit. . . 10.94
> cessas accurrere solus / ad dominae
> thalamos? 10.357

THAPSOS. Thessala centaurea /peucedanonque
> sonant flammis Erycinaque thapsos, 9.919

THEATRUM. inpelli plausuque sui gaudere
> theatri, ...   1.133
> nam Pompeiani uisus sibi sede theatri
> /innumeram effigiem Romanae cernere
> plebis 7.9
> o miseri,... / qui te non pleno pariter
> planxere theatro. 7.44

THEBAE(Boeoticae). ueteres ubi fabula Thebas
> / monstrat Echionias, ... 6.356
> damnat apud gentes ... /Oedipodionias
> infelix fabula Thebas: 8.407

THEBAE(Aegyptiae). ibit et imbrifera siccas
> sub Pliade Thebas /spectator Nili, 8.852

THEBANUS,-A,-UM. flamma.../ Thebanos imitata
> rogos. 1.552
> excutiens.../stridentisque comas, Thebanam
> qualis Agauen/inpulit .../Eumenis, 1.574
> dirum Thebanis fratribus omen;   4.551
> Delphica Thebanae referunt trieterica
> Bacchae. 5.74
> pluribus ille notis uariatam tinguitur
> aluum /quam paruis pictus maculis
> Thebanus ophites. 9.714

THEMIS. explicuit, cum regna Themis
> tripodasque teneret. 5.81

THERMUS(Q. Minucius). iusque sui pulso iam
> perdidit Vmbria Thermo. 2.463

THESEUS. quos Creta profugos uexere per
> aequora puppes /Cecropiae uictum mentitis
> Thesea uelis. 2.612

THESPROTI. Thesproti Dryopesque ruunt, 3.179

THESSALA(maga). tunc Thessala nudis /egreditur
> bustis 6.519
> fugere reuolsis /unguibus inpastae
> uolucres, dum Thessala uatem /eligit
>   6.628
> 'dic' inquit Thessala 'magna, /quod iubeo,
> mercede mihi; 6.762

THESSALIA. [non litora curuae /Thessaliae
> saxosa pauent] 5.651
> Thessaliam,.../...rupes Ossaea coercet;
>   6.333
> uixque reuolsa solo maiori pondere pressum
> /signiferi mersere caput rorantia fletu
> /usque ad Thessaliam Romana et publica

THESSALIA

```
    signa. . . . . . . . . . .    7.164
    tot similis fratrum gladios patrumque
    gerenti /Thessaliae dabit ille diem? 7.454
    primaque Thessaliam Romano sanguine tinxit.
                                        7.473
    nec tibi fatales admoueris ante Philippos,
    /Thessalia periture tua. . . . .  7.592
    Thessalia, infelix, quo tantum crimine,
    tellus, /laesisti superos, . . .  7.847
    Thessaliam nox omnis habet; . .   8.45
    siccaque Thessalia confudit lumina Lesbos.
                                        8.108
    et, si Thessalia bellum ciuile peractum
    est, / ad Parthos qui uicit eat.  8.428
    in media socerum quoque, Magne, sedentem
    /Thessalia placare potes. . . . . 8.441
    Thessaliaeque reus nulla tellure receptus
    /sollicitat nostrum, ... orbem.   8.510
    quis non, Fortuna, putasset /parcere te
    populis,... / Thessaliaque procul tam
    noxia tela fugasses? . . . . . .  8.602
    reddite Thessaliam. . . . . . . . 9.849
    ne sic mea colla gerantur / Thessaliae
    fortuna facit. . . . . . . . .  9.1084
    Thessaliae subducta acies in litore Nili
    /more furit patrio. . . . . . . 10.412
```

THESSALICUS,-A,-UM. nox tum Thessalicas

```
    urguebat parua sagittas. . . . .  4.528
    hic et Thessalicae clades Libycaeque
    tenentur; . . . . . . . . . .     6.62
    primus ... saxis / Thessalicus sonipes,
    bellis feralibus omen, /exiluit,  6.397
    primus Thessalicae rector telluris Ionos
    / in formam calidae percussit pondera
    massae . . . . . . . . . . . .    6.402
    unde et Thessalicae ueniunt ad Pythia
    laurus. . . . . . . . . . . .     6.409
    attraxit nubes, non pabula flammis /
    sed ne Thessalico purus luceret in orbe.
                                        7.6
    dissimilem certe cunctis quos explicat
    egit /Thessalicum natura diem:    7.202
    quo caeli sidere uerso /Thessalicae
    tantum, superi, permittitis orae? 7.302
    usque ad Thessalicas seruisses, Roma,
    ruinas. . . . . . . . . . . . .   7.439
    spectabit ab alto /aethere Thessalicas,
    teneat cum fulmina, caedes? . .   7.448
    sic et Thessalicae post te pars maxima
    pugnae /... /libertas et Caesar, erit;
                                        7.693
    somnique furentes /Thessalicam miseris
    uersant in pectore pugnam. . . .  7.765
    Thessalicam uideat Pompeius ab aequore
    flammam. . . . . . . . . . . .    7.808
    Thessalia (Thessalica), infelix, quo
    tantum crimine, tellus, ... var.7.847
    'sicine Thessalicae mentem fregere ruinae?
                                        8.331
    fugit ora senatus,/cuius Thessalicas,
    saturat pars magna uolucres, . .  8.507
    bustum cineresque mouere /Thessalicos
    audes bellumque in regna uocare?  8.530
    iterumne relinquor,/Thessalicis summota
    malis? . . . . . . . . . . . .    8.585
    at post Thessalicas clades iam pectore
    toto /Pompeianus erat. . . . . .  9.23
    toto litore busta /surgunt Thessalicis
    reddentia manibus ignem. . . . .  9.181
    Thessalicas quaerens Magnus reparare
    ruinas / ense iacet nostro. . .  9.1019
```

```
    ergo in Thessalicis Pellaeo fecimus
    aruis /ius gladio? . . . . .     9.1073
    sanguine Thessalicae cladis perfusus
    adulter /admisit Venerem curis,   10.74
    audax Thessalici nuper qui rupe sub Haemi
    /Hesperiae cunctos proceres ... /non
    timuit ... /expauit seruile nefas, 10.449
```

THESSALIS,-IDIS. carmine Thessalidum dura

```
    in praecordia fluxit / non fatis
    adductus amor, . . . . . . . .    6.452
    saepe etiam caris cognato in funere dira
    / Thessalis incubuit membris      6.565
    inpia laetatur uulgato nomine famae /
    Thessalis, . . . . . . . . . .    6.605
    Styx et quos nulla meretur / Thessalis
    Elysios; ... /exaudite preces. .  6.699
```

THESSALUS,-A,-UM. quorumque labore /Thessalus

```
    Haemoniam uomer proscindit Iolcon. 3.192
    Thessala quin etiam tellus herbasque
    nocentes / rupibus ingenuit . .   6.438
    abducet superos alienis Thessalis aris.
                                        6.451
    tum, Thessala turba fatemur, /plus
    Fortuna potest. . . . . . . . .   6.614
    nam, quamuis Thessala uates /uim faciat
    fatis, dubium est, quod traxerit illuc /
    aspiciat Stygias an quod descenderit
    umbras, . . . . . . . . . . . .   6.651
    nam, Thessala rura / cum peterent, totus
    uenientibus obstitit aether . .   7.152
    stetit aggere campi,/eminus unde omnis
    sparsas per Thessala rura /aspiceret
    clades, . . . . . . . . . . . .   7.650
    et panacea potens et Thessala centaurea
    /... sonant flammis . . . . . .   9.918
    non Thessala tellus /... non Pontus ...
    /... tantum ausus scelerum, . . 10.474
```

THRACIA. scelerum non Thracia tantum /uidit

```
    Bistonii stabulis pendere tyranni,  2.162
```

THRACIUS,-A,-UM. quantus, piniferae Boreas

```
    cum Thracius Ossae /rupibus incubuit,
                                        1.389
    tum linquitur Haemus /Thracius et populum
    Pholoe mentita biformem. . . . .  3.198
```

THREICIUS,-A,-UM. uos, quae Nilo mutare

```
    soletis /Threicias hiemes,ad mollem
    serius Austrum /istis, aues. . .  7.833
    Threiciasque legit fauces . . . .  9.954
```

THYBRIS. castra super Tusci si ponere

```
    Thybridis undas, . . . . . . . .  1.381
    dexteriora petens montis decliuia Thybrim
    /unda facit Rutubamque cauum.     2.421
    quoque modo terrae praelapsus moenia
    Thybris / in mare descendit, . .   6.76
    quem tumulum Nili, quem Thybridis adluat
    unda /quaeritur, . . . . . . . .  6.810
```

THYESTES. astra Thyestae /intulit . . 7.451

THYESTEUS,-A,-UM. qualem fugiente per ortus

```
    /sole Thyesteae noctem duxere Mycenae.
                                        1.544
```

THYMUM. nec iam degustat amarum /desidiosa

```
    thymum, . . . . . . . . . . . .   9.288
```

TIBERINUS,-A,-UM. qua Nar Tiberino inlabitur

```
    amni . . . . . . . . . . . . .    1.475
    praecipitique ruens Tiberina in flumina
    riuo . . . . . . . . . . . . .    2.216
```

TIGRANES. Pharios hinc concute reges /

```
    Tigranemque meum; . . . . . . .   2.637
```

TIGRIS. utque ferae tigres numquam posuere

```
    furorem, . . . . . . . . . . .    1.327
    arua /... / ocior et caeli flammis et
```

TIGRIS

 tigride feta / transcurrit, ... 5.405
 has auidae tigres et nobilis ira leonum
 / ore fouent blando; 6.487

TIGRIS. quaque caput rapido tollit cum
 Tigride magnus /Euphrates, . . . 3.256
 at Tigrim subito tellus absorbet hiatu
       3.261
 en, quantum Tigris, quantum celer ambit
 Orontes, ... 6.51
 redituraque numquam / libertas ultra
 Tigrim Rhenumque recessit . . . 7.433
 superest, fidissime regum,/Eoam temptare
 fidem populosque bibentis /Euphraten et
 adhuc securum a Caesare Tigrim. 8.214
 Parthus ... / Sarmaticos inter campos
 effusaque plano /Tigridis arua solo, 8.370
 et nostra cadauera Tigris /detulit in
 terras ac reddidit. 8.438

TIMAUUS. atque Antenorei dispergitur unda
 Timaui, ... 7.194

TIMEO,-ERE. telluremque nihil mutato sole
 timentem / ... lustrare iuuet, 1.49
 Magne,times; 1.123
 non ausus timuisse palam: . . . 1.258
 quis castra timenti / nescit mixta foro,
       1.319
 quae finxere timent. 1.486
 Pompeio fugiente timent. 1.522
 uiderunt ... / obliquas per inane faces
 crinemque timendi /sideris . . . 1.528
 non fanda timemus, ... 1.634
 liceat sperare timenti. 2.15
 non timuit iussisse mori. . . . 2.209
 inuenit ... / fata uirum casusque urbis
 cunctisque timentem 2.240
 hos polluta domus legesque in pace
 timendae, ... 2.252
 scit Caesar poenamque peti ueniamque
 timeri. 2.511
 occasus mea iura timent Tethynque fugacem
       2.588
 Cappadoces mea signa timent et dedita
 sacris 2.592
 non Eurum Zephyrumque timens, cum uela
 ratisque / in medium deferret Athon. 2.676
 nescit plebes ieiuna timere. . . 3.58
 (usque adeo solus ferrum mortemque
 timere / auri nescit amor, . . . 3.118
 tantum terroribus addit, / quos timeant,
 non nosse, deos. 3.417
 dominumque timet deprendere luci. 3.425
 fluuiique ferocis /incrementa timens
 non primis robora ripis /inposuit, 4.139
 quod fugiens timuisset iter. . . 4.152
 quae potuit fecisse timet. quid pectora
 pulsas? 4.182
 quid, uaesane, gemis (times)? . .var.4.183
 usque adeone times quem tu facis ipse
 timendum? . . . . 4.185(bis)
 timeatque furentis / et morti faciles
 animos 4.505
 sed regna timentur 4.577
 desectam timuit reparatis anguibus hydram.
       4.635
 hoc solum incauto metuentis ab hoste,
 timeri. 4.719
 quod siluit, postquam reges timuere
 futura 5.113
 et tot in Hesperio conlapsus sanguine
 gentis / cur aperire times? . . 5.203
 nec, qui solet esse timenti, /terribilis

 sed pallor inest; 5.215
 intra castrorum timuit tentoria ductor
 /perdere successus scelerum, . . 5.241
 militis indomiti tantum mens sana timetur.
       5.309
 caespitis intrepidus uoltu meruitque
 timeri 5.317
 unumque caput tam magna iuuentus /
 priuatum factura timet, . . . 5.366
 nil magis adsuetas sceleri quam perdere
 mentis / atque perire tenet (timet).
      var.5.372
 tu mea castra times? 5.490
 sponte ... audet temptare ... / quod
 iussi timuere fretum, ... 5.501
 scopulosa Ceraunia nautae / summa timent.
       5.653
 ignosce fatenti, / posse pati timeo.
       5.778
 et puppem quae fata feret tam laeta
 timebo. 5.781
 caruisse timebat / Pompeio; . . . 5.813
 carmenque timent audire secundum. 6.528
 namque timens, ne Mars alium uagus iret
 in orbem /... / ... uetuit transmittere
 bella Philippos, ... 6.579
 aspicit astantem ... umbram,/ exanimis
 artus inuisaque claustra timentem /
 carceris antiqui. 6.721
 Europam, miseri, Libyamque Asiamque
 timete: 6.817
 orbis / indulgens regno, qui tot simul
 undique gentis / iuris habere sui uellet
 pacemque timeret. 7.55
 de superis, ingrate, times . . . 7.76
 quis ... cernens ... / tot rerum finem,
 timeat sibi? 7.137
 urbi Magnoque timetur. 7.138
 mens stetit in dubio, quam nec sua fata
 timere / nec Magni sperare sinunt. 7.247
 tantoque duci sic arma timere /omen erat.
       7.340
 Romanaque uirtus /erigitur, placuitque
 mori, si uera timeret. 7.384
 gladiosque suos conpressa timebat. 7.495
 inmemores pugnae nulloque pudore timendi
 /praecipites 7.525
 sed timuit, strato miles ne corpore
 Magni / non fugeret, ... 7.671
 comitumque suorum / qui post terga redit
 trepidum laterique timentem / exanimat.
       8.7
 cum possis iam flere times. . . 8.54
 inde Canopos / excipit,... / stella,
 timens Borean: 8.183
 nec pila timentur /nostra nimis Parthis,
       8.300
 at non Cornelia letum /infando sub rege
 timet. 8.397
 si regna times proiecta sub Austro /...
 petimus Pharon 8.442
 regesque timet quorum omnia mersit, 8.509
 uictum, quod reges etiam timuere,
 recepi. 8.650
 si saecula prima / uictoris timuere minas,
 nunc excipe saltem / ossa tui Magni, 8.838
 quis busta timebit? 8.840
 nec regnum cupiens gessit ciuilia bella
 / nec seruire timens. 9.28
 praeceps facit omne timendum /uictor,
       9.47

TIMEO	**TITAN**

iuuentus /... nullasque timens tellure
procellas /aequoreos est passa metus.
9.446

delapsaque caelo / arma timent gentes
9.476

sic orbem torquente Noto Romana iuuentus
/ procubuit timuitque rapi;   9.482
nam rictus oraque monstri / quis timuit?
9.638

hoc monstrum timuit genitor numenque
secundum /Phorcys aquis 9.645
caeloque timente / olim Phlegraeo stantis
serpente gigantas / erexit montes, 9.655
nequa sit externae Veneris mixtura
timentes / letifica dubios explorant
aspide partus. 9.900
famae cura uetat, ne non damnasse cruentam
/ sed uidear timuisse Pharon. . . 9.1081
exilium generique minas Romamque timebam:
9.1086
pro pudor, Eoi propius timuere sarisas
/ quam nunc pila timent populi.   10.47
Eoi propius timuere sarisas / quam nunc
pila timent populi. 10.48
et timet incursus indignaturque timere.
10.444
Pompeiumque ducem causa sperare
uetante / non timuit 10.452
dubiusque timeret / optaretne mori 10.542

TIMIDUS,-A,-UM. non timidum nuptae leuiter
tectura pudorem / lutea demissos uelarunt
flammea uoltus, ...   2.360
non timidi petiere fugam, non proelia
fortes, ...   4.749

TIMOR. felices errore suo, quos ille timorum
/maximus haut urguet leti metus.   1.459
uana quoque ad ueros accessit fama
timores 1.469
atque aliquis magno quaerens exempla
timori 2.67
gaudet tamen esse timori / tam magno
populis 3.82
fuit haec mensura timoris: . . .   3.100
mille modos inter leti mors una timori
est 3.689
conuersus in iram /praecipitem timor est.
4.268
'audendo magnus tegitur timor;   4.702
dum quisque pauet, quibus ipse timori est,
5.257
noua uota timori / sunt inuenta nouo,
5.450
sola tibi causa est haec iusta timoris,
5.580
miles ...../...caeci trepidus sub nube
timoris / hostibus occurrit fugiens 6.297
fama est ... amnem /... superumque sibi
seruare timorem. 6.380
quis labor hic superis cantus herbasque
sequendi / spernendique timor?   6.493
'ponite' ait 'trepida conceptos mente
timores: 6.659
quis timor, ignaui, metuentis cernere
manes?' 6.666
non spuma canum quibus unda timori est,
/... / defuit 6.671
multos in summa pericula misit / uenturi
timor ipse mali. 7.105
moeniaque in praeceps laturos plena
tremores (timores) / hi possent explere
uiri, ...   var.7.414

semel ortus in omnis / it timor,   7.544
alieni poena timoris / in nostra ceruice
sedet. 7.644
letumque iuuat praeferre timori.   8.576
uictum pietate timorem / conpulit ut ...
quaesitum corpus ... / duceret ad terram
8.718
tristis, ut in multo mens est praesaga
timore, / aspexit patrios comites a litore
Magnus 9.120
tum uoltu semper celante pauorem
(timorem) /intrepidus superum sedes ...
/circumit, ...   var.10.14

TINGUO,-ERE. uiscera tincta notis gelidoque
infecta cruore 1.619
et qui tinguentes croceo medicamine
crinem 3.238
tinxere sagittas / errantes Scythiae
populi, ...   3.266
primaque Thessaliam Romano sanguine tinxit.
7.473
pluribus ille notis uariatam tinguitur
aluum / quam ... Thebanus ophites. 9.713
pluribus ille notis uariatam tinguitur
aluum / quam paruis pictus (tinctus)
maculis Thebanus ophites. . . var.9.714
piceo iubet unguine tinctas /lampadas
inmitti iunctis in uela carinis;   10.491

TIRO. inplentur ualidae tirone cohortes, 1.305
tua classica seruat / oppositus quondam
polluto tiro Miloni. 2.480
tiro rudis, specta poenas et disce ferire,
5.362
belli pars magna peracta est / his,
quibus effectum est ne pugnam tiro
paueret, ...   7.102

TISIPHONE. 'Tisiphone uocisque meae secura
Megaera, / non agitis saeuis Erebi per
inane flagellis / infelicem animam? 6.730

TITAN(Phoebus). unde uenit Titan et nox ubi
sidera condit 1.15
aer et longi uoluent Titana labores 1.90
flammiger an Titan, ut alentes hauriat
undas, ...   1.415
ipse caput medio Titan cum ferret Olympo
1.540
Titan iam pronus in undas /ibat   3.40
sed postquam uernus calidum Titana recepit
4.56
iamque Pyrenaeae, quas numquam soluere
Titan / eualuit,fluxere niues,   4.83
Thessaliam, qua parte diem brumalibus
horis /attollit Titan, rupes Ossaea
coercet; 6.334
alta / nocte poli, Titan medium quo
tempore ducit /... diem, deserta per arua
/carpit iter. 6.571
tibi, pessime mundi /arbiter, inmittam
ruptis Titana cauernis, ...   6.743
luctificus Titan numquam magis aethera
contra / egit equos 7.2
omnibus annis /te geminum Titan procedere
uidit in axem; 7.422
iam pelago medios Titan demissus ad ignes
8.159
ostendit terras Titan et sidera texit.
8.202
sed rapidus Titan ponto sua lumina pascens
/aequora subduxit 9.313
uadimus in ... exustaque mundi,/ qua
nimius Titan et rarae in fontibus undae,

TITAN
                                    9.383
TITAN(Atlas). illa sub Hesperiis stantem
     Titana columnis / in cautes Atlanta dedit;
                                    9.654
TITARESOS. solus,.../defendit Titaresos
     aquas 6.376
TITII(sodales). septemuirque epulis festus
     Titiique sodales 1.602
TITUBO,-ARE. despiceret staretque super
     titubantia fultus. 5.251
     et medium uergens titubauit nisus in
     orbem. 6.482
TITULUS. te quoque si superi titulis
     accedere nostris /iusserunt, . . 2.555
     nulla meis aberit titulis Romana
     potestas, ... 5.664
     'nobile cur robur fortunae uolnere primo
     /femina tantorum titulis insignis
     auorum /frangis? 8.73
     non ulli plus regia, Magne, uacabit /
     saeuitia stimulata Venus titulisque
     uirorum; 8.413
     surgit miserabile bustum / non ullis
     plenum titulis, ... 8.817
     hauserit obscaenum titulo pietatis amorem,
                                    10.363
TITYOS. nec tam iusta fuit terrarum gloria
     Typhon /aut Tityos Briareusque ferox;
                                    4.596
TOGA. in senium longoque togae tranquillior
     usu 1.130
     degenerem patiere togam regnumque
     senatus? 1.365
     pretiosaque uestis /hirtam membra super
     Romani more Quiritis /induxisse togam,
                                     2.387
     oblitus simulare togam; 3.143
     ipse petit trepidam tutus sine milite
     Romam / iam doctam seruire togae, 5.382
     pura uenerabilis aeque / quam currus
     ornante toga, plaudente senatu /sedit
     adhuc Romanus eques; 7.18
     Romani maximus auctor / Tullius eloquii,
     cuius sub iure togaque /pacificas saeuos
     tremuit Catilina securis, . . . 7.63
     ipse ego ... cupidus ... / plebeiaque
     toga modicum conponere ciuem, . 7.267
     dic semper ab armis /ciuilem repetisse
     togam, ... 8.814
     collegit ... /... exuuias pietasque
     togas, uelamina summo / ter conspecta
     Ioui, ... 9.177
     praetulit arma togae, sed pacem armatus
     amauit. 9.199
TOGATUS. milite cum subito partesque in
     bella togatae 1.312
     sub iura togati /ciuis eo. . . . 9.238
TOLERO,-ARE. quoque minus possent siccos
     tolerare uapores /quaesitae fecistis aquae.
                                     4.305
     paenituit, tolerasse sitim frustraque
     rogasse /prospera bella deos! . 4.387
     monstrat tolerare labores, . . . 9.588
     cogit tantos tolerare labores /summa ducis
     uirtus, ... 9.881
TOLLO,-ERE. tot circum siluae firmo se robore
     tollant, ... 1.142
     tolle moras: semper nocuit differre
     paratis. 1.281
     tollite iam pridem uictricia tollite
     signa: . . . . 1.347(bis)

TOLLO
     illa licet, penitus tolli quam iusseris
     urbem, ... 1.385
     fluctusque ad sidera ducat(tollat),
                                var.1.416
     tollentemque caput gelidas Anienis ad
     undas 1.582
     et tollens apicem generoso uertice
     flamen. 1.604
     subsidentque urbes, an tollet feruidus
     aer /temperiem? 1.646
     his meruit tumulum medio sibi tollere
     Campo? 2.222
     nec plus uictoria Sullae /praestitit
     inuisas penitus quam tollere partes:
                                     2.229
     (ut primum tolli feralia uiderat arma,
                                     2.374
     imago / uisa caput maestum per hiantis
     Iulia terras /tollere et accenso
     furialis stare sepulchro. . . . 3.11
     non usque adeo permiscuit imis / longus
     summa dies ut non, si uoce Metelli /
     seruantur leges, malint'a Caesare tolli.'
                                     3.140
     quaque caput rapido tollit cum Tigride
     magnus /Euphrates, ... 3.256
     amplexus fossa densas tollentia pinnas
     /caespitibus crudaque extruxit bracchia
     terra. 3.386
     tum paruit omnis /imperiis non sublato
     secura pauore /turba, ... 3.438
     Caesaris hinc puppes, hinc Graio remige
     classis /tollitur: 3.527
     unumque relictum /agnorunt miseri sublato
     errore parentes, ... 3.606
     tollere silua comas, stagnis emergere
     colles /incipiunt 4.128
     sic cunctas sustulit ardor /mobilium
     mentes iuuenum. 4.520
     quod non Phlegraeis Antaeum sustulit aruis
                                     4.597
     sic fatus sustulit alte / nitentem in
     terras iuuenem. 4.649
     tollite signa, duces, fatorum inpellite
     cursum, ... 5.41
     sustulit iras / telluris sterilis
     monstrato fine, ... 5.109
     sic fatus ab alto /aggere iam tepidae
     sublato fune fauillae /scintillam tenuem
     commotos pauit in ignes, . . . 5.524
     iam te tollente furebat 5.599
     humanusque labor facilis, licet ardua
     tollat, /cedere uel bellis . . . 6.20
     Ioniumque furens, rapido cum tollitur
     Austro, ... 6.27
     tollite et in Magni uiuentem ponite
     castris. 6.233
     nec ... / ... mare lassatur, cum se
     tollentibus Euris /... scopulum ferit
                                     6.265
     uirusque coactum /sustulit et neruo
     morsus retinente pependit. . . 6.549
     si tollere totas /temptasset campis acies
     ... /cessissent leges Erebi, . . 6.633
     non aliter Phlegra rabidos tollente
     gigantas /Martius incaluit Siculis
     incudibus ensis 7.145
     rex tolletque animos Latium uaesanus
     in orbem 8.345
     libertas scelerum est quae regna inuisa
     tuetur / sublatusque modus gladiis. 8.492

TOLLO

quidquid ab exstincto licuisset tollere
busto /in templis sparsura deum.   9.61
Tarcondimotus linquendi signa Catonis /
sustulit. 9.220
pars plurima terrae /tollitur   9.457
uix tollere miles /membra ualet multo
congestu pulueris haerens. . . . 9.486
nec plus Leo tollitur Vrna. . . 9.537
et subitus praepes Cyllenida sustulit
harpen, ... 9.662
coepit ... / iamque procul rarae nemorum
se tollere frondes, ... 9.944
undae plus quam quod digerat aer /
tollitur;   10.261
nec nos deterreat ausis /Hesperii fortuna
ducis, quae sustulit illum /imposuitque
orbi: 10.376
sed non auctore furoris /sublato cecidit
rabies;   10.530

TONANS(Iuppiter).

regna deis caelumque suo
seruire Tonanti /... potuit . . 1.35
'o magnae qui moenia prospicis urbis /
Tarpeia de rupe Tonans Phrygiique penates
   1.196
nec cunctae summi templo iacuere Tonantis:
   2.34
sciret adhuc caelo solum regnare
Tonantem.   3.320
aetherio trahitur conexa Tonanti. 5.96
non tu bellorum spoliis ornare Tonantis,
/templa potes, ... 6.260
flebunt,/ sed dum tura ferunt, dum laurea
serta Tonanti. 7.42
'si foedera nobis /prisca manent mihi per
Latium iurata Tonantem, /... inplete
pharetras 8.219
erit Aegyptus populis fortasse nepotum /
tam mendax Magni tumulo quam Creta
Tonantis. 8.872
semustaque membra relinquens /degeneremque
rogum sequitur conuexa Tonantis. 9.4

TONDEO,-ERE.

et nunc tonse Ligur, quondam per
colla decore /crinibus effusis toti
praelate Comatae, ... 1.442

TONITRUS.

seu tonitrus ac tela Iouis praesaga
notauit, ... 7.197

TONITRUUM.

exprimit ... / siluarumque sonum
fractaeque tonitrua nubis: . . . 6.692
fragor conuexa inrumpit Olympi,/unde
procul nubes, quo nulla tonitrua durant.
   7.479

TONO,-ARE.

et tonat ignaro coelum Ioue: 6.467
caeloque tonante profanas /inseruisse
manus ... audes? 8.551

TONSA(subst.).

inpulsae tonsis tremuere
carinae 3.527
quod semel excussis posset transcurrere
tonsis, ... 3.539
illinc infestae classes et inertia
tonsis /aequora moturae, . . . 5.448

TORMENTUM.

aut facilis labor est longinqua ad
tela parati /tormenti mutare modum; 3.480
'uos', ait 'o socii, sicut tormenta soletis,
   3.716
sic fata relictis /exiluit stratis
amens tormentaque nulla /uult differre
mora. 5.791

TORPEO,-ERE.

deriguit ferrumque manu torpente
remisit. 2.78
nimiasque precari /uentorum uires, dum se
torpentibus unda /excutiat stagnis et sit

mare. 5.452
torpuit et praeceps audito carmine
mundus, ... 6.463
nautasque loci sortita peritos /
torpentem Tritonos adit inlaesa paludem.
   9.347
natura deside torpet /orbis et inmotis
annum non sentit harenis. . . . 9.436
innocuosque diu rictus torpente ueneno
/inter membra fouent. 9.845

TORPOR.

inplicitas magno Caesar torpore
cohortes / ut uidit, ... 3.432
ut torpore senex caruit uiresque
cruentus /coepit habere dolor, 3.741
tum frigidus artus /alligat atque animum
subducto robore torpor, ... 4.290
alto torpore ligatae /pigrius inmotis
haesere paludibus undae. 5.434
nocte sub extrema pulso torpore quietis
   5.734
tamen omnia torpor /pectora constrinxit,
   7.466
hoc potuit caelo pelagoque minari /
torporem insolitum mundoque obducere
terram. 9.648

TORQUATUS(L.Manilius).

Torquato ruit inde
minax, ... 6.285

TORQUATUS,-A,-UM.

caedunt ... /Coruinosque
simul Torquataque nomina, 7.584

TORQUEO,-ERE.

infremuit, tum torta leuis si
lancea Mauri /haereat 1.210
inpiger, et torto Balearis uerbere
fundae /ocior 1.229
et dum pila ualent fortes torquere
lacerti, ... 1.364
atra Charybdis /sanguineum fundo torsit
mare; 1.548
trans ripam ualidi torserunt tela
lacerti. 2.502
ualet, en, torquendo dextera pilo, 2.556
tortaque per tenebras ualidis ballista
lacertis 2.686
iam non excussis torquentur tela
lacertis 3.567
at hi totum (tortum) ualidis aplustre
lacertis /... rotant var.3.672
sanguis et, hostilem cum torserit, exeat,
hastam. 3.679
torsit in occiduum Nabataeis flatibus
orbem, ... 4.63
Medorum, tremulum cum torsit missile,
Mazax, ... 4.681
quantus Bistonio torquetur turbine, puluis
   4.767
tum torta priores /stringit uitta comas,
   5.142
illa feroces /torquet adhuc oculos totoque
uagantia caelo /lumina, ... 5.212
Ausoniam qua torquens frugifer oram 5.378
undas / torsit et abstrusas penitus
uada fecit harenas, ... 5.604
quoque modo ... Thybris /in mare descendit,
si nusquam torqueat amnem. . . . 6.77
hunc aries ferro ballistaque limine portae
(torta) /promoueat. var.6.200
Centauros /feta ... nubes effudit ... /
teque sub Oetaeo torquentem uertice
uolsas, /Rhoece ferox, ... ornos, 6.389
quos non concordia mixti /alligat ulla
tori ... / traxerunt torti magica
uertigine fili. 6.460

uel numina torque 6.598
et rector terrae, quem longa in saecula
torquet / mors dilata deum;... / exaudite
preces. 6.697
cuius torta manu commisit lancea bellum
                                  7.472
qua torta graues lorica catenas /opponit
... / hac quoque peruentum est ad uiscera,
                                  7.498
iusto uela modo pendentia cornibus aequis
/torsit 8.194
mihi ... permittite saltum,/aut laqueum
collo tortosque aptare rudentes, 8.655
nec ruit in siluas annosaque robora
torquens /lassatur: 9.452
sic orbem torquente Noto Romana iuuentus
/procubuit timuitque rapi; . . . 9.481
utque calor soluit quem torserat aera
uentus, /... manant sudoribus artus, 9.498
sed non aut fulmina uibrans /aut similis
nostro, sed tortis cornibus Hammon. 9.514
spinaque uagi torquente cerastae, 9.716
Aulum / torta caput retro dipsas calcata
momordit. 9.738
procul saeuos sterili se robore trunci /
torsit 9.823
pars sanguinis usti /torta caput
refugosque gerens a fronte capillos;
                                  10.132
(cursus in occasus flexu torquetur et
ortus, ... 10.290

TORRENS(subst.). postquam / ambitus et luxus
et opum metuenda facultas /transuerso
mentem dubiam torrente tulerunt, 4.818
de rupe pependit / abscisa fixus torrens,
                                  6.473
cunctos haerere cruores /Romanus campisque
uetat consistere torrens. . . . 7.637

TORREO,-ERE. tandem Tyrrhenas uix eluctatus
in undas /sanguine caeruleum torrenti
diuidit aequor. 2.220
quaque, fretum torrens, Maeotidos egerit
undas /Pontus, ... 3.277
torrentur uiscera flamma 4.324
uel plaga qua torrens claususque uaporibus
axis /nec patitur noctes nec iniquos
crescere soles, ... 5.24
torrens in campos defluit Aetna, 6.295
cum iuuenis primique aetate triumphi,/
post domitas gentes quas torrens ambit
Hiberus / ... plaudente senatu / sedit
adhuc Romanus eques; 7.15
Fortuna ... /abstulit ingentis fato
torrente ruinas. 7.505
nam quis ad exustam Cancro torrente Syenen
/ibit 8.851
Amasis /atque alii reges Nil torrente
natabunt? 9.156
et in sicco linguam torrere palato /
coepit; 9.744
hinc torrente plaga, dubiis hinc Syrtibus
orbem /abrumpens medio posuisti limite
mortes. 9.861
pars sanguinis usti /torta (tosta) caput
refugosque gerens a fronte capillos;
                           var.10.132
mediis aestatibus exit /sub torrente
plaga, ... 10.232
Cancroque suam torrente Syenen /inploratus
adest, ... 10.234

TORRIDUS,-A,-UM. atque hominem didicere pati,

si torrida paruos /uenit in ora cruor,
                                  4.239
exuuias positura suas, et torrida dipsas,
                                  9.718
Nasidium Marsi cultorem torridus agri
/ percussit prester. 9.790

TORTILIS,-E. hunc aut tortilibus uibrata
falarica neruis /obruat 6.198

TORTOR. Lygdamus excussa Balearis tortor
habenae / glande petens solido fregit
caua tempora plumbo. 3.710

TORUS. quondam uirgo toris melioris iuncta
mariti, ... 2.329
da foedera prisci /inlibata tori, 2.342
tempora quamquam /sint aliena toris iam
fato in bella uocante, ... 2.351
gradibusque adclinis eburnis /stat torus
et picto uestes discriminat auro, 2.357
nec foedera prisci /sunt temptata tori:
                                  2.379
nec redit in pastus, nisi cum ceruice
recepta / excussi placuere tori, mox
reddita uictor 2.605
fortuna est mutata toris, . . . 3.21
inter mensasque torosque /quae modo
conplexu fouerunt pectora caedunt; 4.245
praebere ... /adsuerunt, non silua torum,
                                  4.604
intumuere tori, totosque induruit artus
                                  4.631
molli consurgit Amyclas / quem dabat alga
toro. 5.521
seruatur pars illa tori. . . . 5.813
quos non concordia mixti / alligat ulla
tori blandaeque potentia formae 6.459
feralis fragmenta tori uestesque fluentis
/colligit in cineres 6.536
inque parentum /inque toris fratrum
posuerunt membra nocentes. . . . 7.763
nostros ulta toros, ades huc atque exige
poenas, /Iulia crudelis, ... 8.103
nunc uictoris (toris) opes et cognita
fata lacessis? var.8.533
nec culmis creuere tori, . . . 9.842
adulter ... /... miscuit armis /
inlicitosque toros et non ex coniuge
partus. 10.76
fulget gemma toris, et iaspide fulua
supellex /stat mensas onerans, 10.122
'nunc incumbe toris et pinguis exige
somnos: 10.354
crudelemque toris dominam mactemus in
ipsis 10.374

TORUUS,-A,-UM. cornua succincti premerent cum
torua ministri, ... 1.612
nunc uoltu pauido, nunc torua minaci; /
stat numquam facies; 5.213

TOT. 1.73;1.142;1.315;2.165;2.187;2.198;2.208;
2.256;2.653;2.654;2.703;3.147;3.288;
3.290;4.193;4.389(bis);4.392;4.470;4.513;
4.676;5.12;5.13;5.164;5.178;5.202;5.205;
5.229;5.243;5.252;5.253;5.269;5.327;5.676
(bis);5.685;6.45;6.55;6.129;6.130;6.134;
6.204;6.212;6.213;6.443(bis);6.583;6.693;
7.54;7.68;7.137;7.279;7.287;7.399;7.453;
7.500;7.504;7.652(bis);7.662;7.743;7.848;
7.849;8.235;8.403;8.704;9.735;9.855;10.27;
10.397;10.474

TOTIDEM. noxque diem caelo totidem per signa
sequetur, ... 1.91
si totidem Magni soceros totidemque

```
        petentis /urbis regna suae funesto in
        Marte locasses / non tam praecipiti
        ruerent in proelia cursu.       7.334(bis)
TOTIENS.  uincendum totiens; terras fundendus
        in omnis /est cruor  . . . . .     4.391
        miles, adest totiens optatae copia pugnae.
                                            7.251
        libertas ... / ac, totiens nobis iugulo
        quaesita, uagatur  . . . . . . .   7.434
        uictus totiens a Caesare salua /libertate
        perit:  . . . . . . . . . . . .    7.602
        aquas totiens rumpentis litora Nili /
        adsiduo feriunt ... fluctu:  . .  10.244
TOTUS,-A,-UM.  certatum totis concussi
        uiribus orbis  . . . . . . . . .     1.5
        totum sub Latias leges cum miseris orbem,
                                            1.22
        tota uacet nullaeque obstent a Caesare
        nubes. . . . . . . . . . . . . .    1.59
        totaque discors / machina diuolsi turbabit
        foedera mundi. . . . . . . . . .   1.79
        populique potentis, /quae mare, quae
        terras, quae totum possidet orbem, /
        non cepit fortuna duos.  . . . .   1.110
        totus popularibus auris /inpelli plausuque
        sui gaudere theatri,  . . . . .   1.132
        paupertas fugitur totoque accersitur orbe
        / quo gens quaeque perit;  . . .  1.166
        quid iam rura querar totum suppressa
        per orbem . . . . . . . . . . .   1.318
        et nunc tonse Ligur, quondam per colla
        decore / crinibus effusis toti praelate
        Comatae,  . . . . . . . . . . .   1.443
        cornuque coacto / iam Phoebe toto fratrem
        cum redderet orbe  . . . . . .   1.538
        mox iubet et totam pauidis a ciuibus urbem
        / ambiri  . . . . . . . . . . .   1.592
        totaque diffuso latuisset in aequore
        tellus. . . . . . . . . . . . .   1.654
        toto fluerent incendia mundo  . . 1.656
        consurgunt partes iterum, totumque per
        orbem / rursus eo. . . . . . . .  1.692
        uidimus et toto quamuis in corpore caeso
        /nil animae letale datum, moremque
        nefandae / dirum saeuitiae, pereuntis
        parcere morti.  . . . . . . . .   2.178
        sub iuga Pompei, toto iam liber in orbe
        /solus Caesar erit.  . . . . . .  2.280
        excipiam medius totius uolnera belli.
                                            2.311
        hunc quoque totius sibi ius promittere
        mundi / non bene conpertum est:   2.321
        nec sibi sed toti genitum se credere
        mundo. . . . . . . . . . . . . .  2.383
        ut, cum mare possidet Auster / flatibus
        horrisonis, hunc aequora tota secuntur,
                                            2.455
        et tu montanis totus nunc fontibus exi
                                            2.485
        leuis totas accepit habenas / in campum
        sonipes,  . . . . . . . . . . .   2.500
        sit patriae Magnumque ducem totumque
        senatum, / ignosci.  . . . . . .  2.520
        qui cum signa tuli toto fulgentia ponto,
                                            2.576
        sed tota tenetur / terra meis,    2.583
        hoc fuga nautarum, cum totas Hadria uires
        mouit  . . . . . . . . . . . . .  2.625
        quid plura moror? totos mea, nate, per
        ortus / bella feres  . . . . . .  2.642
        bella feres totoque urbes agitabis in
```

```
        orbe  . . . . . . . . . . . . .   2.643
        pelagus iam, Magne, tenebas / non ea fata
        ferens quae cum super aequora toto /
        praedonem sequerere mari:  . .    2.726
        et natis totosque trahens in bella
        penates  . . . . . . . . . . .    2.729
        conspicit urbem /Arctoi toto non uisam
        tempore belli  . . . . . . . .     3.89
        interea totum Magni fortuna per orbem /
        secum casuras in proelia mouerat urbes.
                                            3.169
        exhausit totas quamuis dilectus Athenas,
                                            3.181
        toto qui solus in orbe / ostia nascenti
        contraria soluere Phoebo / audet  3.230
        aether non totam mergi tamen aspicit
        Arcton . . . . . . . . . . . .    3.251
        sed prius, ut totam, qua terra cingitur,
        urbem / clauderet,  . . . . . .   3.383
        quodque uirum toti properans inponere
        mundo / hos perdit Fortuna dies!  3.393
        totos cum sanguine dissipat artus. 3.473
        haec quoque cum toto manus est abscisa
        lacerto. . . . . . . . . . . .    3.617
        membraque contendit toto, quicumque
        manebat, /sanguine  . . . . . .   3.624
        at hi totum ualidis aplustre lacertis /
        auolsasque rotant expulso remige sedes.
                                            3.672
        distentis toto riguit sed corpore palmis.
                                            3.734
        toto censu non prodigus emit / exiguam
        Cererem. . . . . . . . . . . .     4.95
        nunc toto fatorum ignarus in orbe, 4.232
        non eadem belli totum fortuna per orbem
        /constitit,  . . . . . . . . .    4.402
        proieci uitam, comites, totusque futurae
        / mortis agor stimulis:  . . .    4.516
        concurrunt alii totumque in partibus unis
        /bellorum fecere nefas.  . . .    4.548
        haud trepidante tamen toto cum pondere
        dextra /exegere enses.  . . . .   4.564
        nullam maiore locuta est / ore ratem
        totum discurrens Fama per orbem.  4.574
        Alcides primo uoluit certamine totis,
                                            4.621
        intumuere tori, totosque induruit artus
                                            4.631
        en, totis uiribus orbis /Hesperiam pensant
        superi:  . . . . . . . . . . .     5.37
        totius pars magna Iouis Cirrhaea per antra
        /exit  . . . . . . . . . . . .     5.95
        saepe dedit sedem totas mutantibus urbes,
        /ut Tyriis,  . . . . . . . . .    5.107
        mentemque priorem / expulit atque hominem
        toto sibi cedere iussit /pectore. 5.168
        illa feroces / torquet adhuc oculos
        totoque uagantia caelo /lumina,   5.212
        pars iacet Hesperia, totoque exercitus
        orbe /te uincente perit.  . . .   5.266
        haec fatus totis discurrere castris /
        coeperat  . . . . . . . . . . .   5.295
        Graia ad moenia perflet,/ ne Pompeiani
        Phaeacum e litore toto / ... conprendant
        carbasa  . . . . . . . . . . .    5.420
        totosque rudentes / laxauere sinus 5.426
        Epirum Caesarque tenet totusque senatus,
                                            5.496
        inde ruunt toto concita pericula mundo.
                                            5.597
        pontus et in scopulos totas erexerat
```

undas: 5.600
iam totus adest in proelia Caesar. 5.742
tutior omni / rege late, positamque
procul fortuna mariti / non tota te
mole premat. 5.756
non iuuat in toto corpus iactare cubili:
        5.812
quem non mille simul turmis nec Caesare
toto / auferret Fortuna locum 6.140
totaeque uiro dant tela ruinae, 6.172
illum tota premit moles, illum omnia
tela, ... 6.189
ne solum totae fugerent te, Scaeua,
cateruae. 6.249
Padus ... tumens ... / excurrit ripas et
totos concutit agros; 6.273
tum flumine toto / transit . . . 6.275
transierat ... Caesar munimina ... /
cum super e totis inmisit collibus arma
        6.291
non sic Hennaeis habitans in uallibus
horret / Enceladum ... cum tota cauernas
/egerit ... Aetna, ... 6.294
totus mitti ciuilibus armis / ... potuit
cruor: 6.299
lucentem totis ignorat noctibus Arcton.
        6.342
si tollere totas / temptasset campis
acies ... cessissent leges Erebi, 6.633
nam uera locutum / inmunem toto mundi
praestabimus aeuo /artibus Haemoniis:
        6.764
o miseranda domus, toto nil orbe uidebis /
tutius Emathia.' 6.819
miseri pars maxima uolgi / non totum
uisura diem tentoria circum / ipsa ducis
queritur 7.48
abstulimus terras, exclusimus aequore
toto, ... 7.97
nam Thessala rura / cum peterent, totus
uenientibus obstitit aether . . . 7.153
aethera seu totum discordi obsistere
caelo / perspexitque polos, . . . 7.198
spectari toto potuit Pharsalia mundo.7.204
descendens totos perfudit lumine colles,
        7.215
sanguine mundi / fuso, Magne, semel totos
consume triumphos. 7.234
premit inde metus, totumque per agmen /
sublimi praeuectus equo 7.341
totas effundite uires: 7.344
toto simul utimur orbe. 7.362
toto populi qui nascimur orbe / nec muros
inplere uiris nec possumus egros: 7.400
haud multum terrae spatium restabat Eoae,/
ut tibi nox, tibi tota dies, tibi curreret
aether, ... 7.424
totaeque cohortes / pila parata diu tensis
tenuere lacertis. 7.468
uocesque furoris / expauere sui tota
tellure relatas. 7.484
ut primum toto diduxit cornua campo /
Pompeianus eques ... / ... leuis armatura
... / insequitur 7.506
hic numerus totos tibi uestiat ossibus
agros. 7.538
quod totos errore uago perfuderat agros
/constitit hic bellum, ... 7.546
inspicit et gladios, qui toti sanguine
manent, ... 7.560
uolnera multorum totum fusura cruorem /

opposita premit ipse manu. 7.566
in totum mundi prosternimur aeuum. 7.640
tota uix clade coactus / fortunam damnare
suam 7.648
omnibus illa / ciuibus effudit totas per
moenia uires / obuia ceu laeto: 7.714
armaque tota / mente agitant, . . 7.766
putem ... /... infectumque aera totum
/manibus 7.769
hunc agitant totis fraterna cadauera
somnis, ... 7.775
non intima curant / uiscera nec totas
auidae sorbere medullas: 7.843
quid totum premitis, quid totum absoluitis
orbem? . . . . 7.870(bis)
quo sit tibi ... / certa fides regum
totusque paratior orbis, /sparge mari
comitem. 8.99
tota, quantum ualet, utere Lesbo. 8.123
mundi nomine gaudens / esse fidem 'nullum
toto mihi' dixit 'in orbe / gratius esse
solum ... uobis / ostendi: . . . 8.129
fata mihi totum mea sunt agitanda per
orbem. 8.138
sic litore toto / plangitur, . . 8.148
ast illam, quam toto tempore belli / ut
ciuem uidere suam, discedere cernens /
ingemuit populus; 8.151
nec quibus abscondit nec siquibus exerit
orbem / totus erat. 8.161
'hoc solum toto' respondit 'in aequore
serua, / ut sit ab Emathiis semper tua
longius oris /puppis 8.187
ne pigeat ... / Medorum penetrare domos
... / et totum mutare diem, . . 8.217
sed me uel sola tueri / fama potest rerum
toto quas gessimus orbe 8.275
quantus apud Tanain toto conspectus in
ortu! 8.319
quid transfuga mundi / terrarum totos
tractus caelumque perosus, /auersosque
polos alienaque sidera quaeris, 8.336
nec tota in pugna perfusus sanguine membra
/ exiget aestiuum ... solem. 8.375
nulla manus illis, fiducia tota ueneni est.
        8.388
temptare pudendum / auxilium tanti
est, toto diuisus ut orbe / a terra
moriare tua, ... 8.391
tot femineis conplexibus unum / non
lassat nox tota marem. 8.404
haec ubi deseruit Pompeius litora, totos
emensus Cypri scopulos 8.460
sceptrorum uis tota perit, si pendere
iusta / incipit, ... 8.489
toto iam pulsus ab orbe, /... quaerit /
cum qua gente cadat. 8.503
uenturum tota Pharium cum classe tyrannum.
        8.574
adeone molesta / totum cura fuit socero
seruare cadauer? 8.700
'non ... petit ... / Pompeius,... /...
totus ut ignes /... maerens exercitus
ambiat 8.734
si tota est Herculis Oete /... quare /
unus in Aegypto Magni lapis? . . 8.800
si ... / et iuga tota uacant Bromio Nyseia,
quare / unus in Aegypto Magni lapis?
        8.801
totaque in Aethiopum putres soluaris
harenas. 8.830

TOTUS

    at post Thessalicas clades iam pectore
toto / Pompeianus erat. 9.23
totae post Magni funera partes /liberatis
erant. 9.29
non toto in pectore portas, /inpia,
Pompeium? 9.70
interea totis audito funere Magni /
litoribus sonuit percussus planctibus
aether, ... 9.167
et toto litore busta / surgunt Thessalicis
reddentia manibus ignem. 9.180
et toto solus in orbe est / qui uelit ac
possit uictis praestare salutem. 9.246
hanc, ut fama, deus quem toto litore
pontus / audit uentosa perflantem marmora
concha,/... amat, ... 9.348
sic cum toto commercia mundo /naufragiis
Nasamones habent. 9.443
liberque meatu /Aeoliam rabiem totis
exercet harenis, ... 9.454
nec sidera tota /ostendit Libycae finitor
circulus orae, ... 9.495
in tota Libyae fons unus harena / ille
fuit de quo primus sibi posceret undam.
9.617
uicina colentes /Aethiopum totae riguerunt
marmore gentes. 9.651
quam sopor aeternam tracturus morte
quietem / obruit haud totam: . . 9.672
armentaque tota secuti / rumpitis ingentes
amplexi uerbere tauros; 9.730
totisque furens exquireret aruis / quas
poscebat aquas sitiens in corde uenenum.
9.749
nec, quantus toto de corpore debet,/
effluit in terras, ... 9.774
toto iam corpore maior / ... super omnia
membra /efflatur sanies late pollente
ueneno; 9.793
solet pariter totis se fundere signis /
Corycii pressura croci, ... 9.808
totum est pro uolnere corpus. 9.814
quam protinus ille retecto / ense ferit
totoque semel demittit ab armo, 9.831
tota teguntur / Pergama dumetis: 9.968
tota secundis / uela dedit Coris, 9.1000
sacratis totum spargenda per orbem /
membra uiri posuere adytis; 10.22
qui secum inuidia, quo totum ceperat
orbem, /abstulit imperium, . . . 10.43
nulloque herede relicto /totius fati
lacerandas praebuit urbes. . . . 10.45
totaque effusus in aula /calcabatur
onyx; 10.116
infudere epulas auro ... /... quod luxus
inani / ambitione furens toto quaesiuit in
orbe 10.157
quasdam conpage sub ipsa / cum toto
coepisse reor, ... 10.266
quis te ... / moturum totas uiolenti
furgitis iras, / Nile, putet? 10.316
nec tota uacabat / regia conpresso: 10.441
et nusquam totis incursat uiribus agmen.
10.484
dux Latius tota subitus formidine belli
/ cingitur: 10.536

TOXICUM. toxica fatilegi carpunt matura Saitae.
9.821

TRABS. quod trabibus circumdedit aequor, 4.424
aether / ... / et trabibus mixtis auidos
typhonas aquarum /detulit . . . 7.156

crassumque trabes absconderat aurum.
10.113

TRACHIN. Trachin pretioque nefandae /lampados
Herculeis fortis Meliboea pharetris 6.353

TRACHINIUS,-A,-UM. tum Maenala liquit /Arcas
et Herculeam miles Trachinius Oeten. 3.178

TRACTO,-ARE. tractentur uolnera nulla /sacra
manu. 3.314

TRACTUS(subst.). imaque telluris uentos
tractusque coruscos /flammarum accipiunt;
2.270
cum mediae iaceant inmensis tractibus
Alpes, ... 2.630
sulcato uarios duxerunt gurgite tractus,
3.551
continuus multis subitarum tractus aquarum
/ aera non passus uacuis discurrere uenis
4.368
longo per multa uolumina tractu /aestuat
unda minax, ... 5.565
coeperat exiguo tractu ciuilia bella /
... damnare 7.241
aera pestiferum tractu morbosque fluentis
/... / hi possunt explere uiri, 7.412
quid transfuga mundi,/ terrarum totos
tractus caelumque perosus, / auersosque
polos alienaque sidera quaeris, 8.336
quidquid ad Eoos tractus mundique teporem
/ ibitur, emollit gentes clementia caeli.
8.365
rumor ab Oceano,... / ... erumpere Nilum
/ aequoreosque sales longo mitescere
tractu. 10.257

TRADO,-ERE. iam nulli tradenda uiro. 2.341
mutarim primas expulsa an tradita taedas.
2.345
tradidit Hesperiam profugusque per
Apula rura 2.608
pars ultima trunci / tradidit in letum
uacuos uitalibus artus; 3.643
seque et sua tradita uenum /castra uidet,
4.206
tradimus Hesperias gentes, aperimus Eoas,
4.352
leti fortuna propinqui / tradiderat fatis
iuuenem, ... 4.738
non Pompeianis tradit sua partibus arma,
5.350
tradite nostra uiris ignaui signa Quirites.
5.358
piger Apulus arua /deseruit rastris et
inerti tradidit herbae, ... 5.404
'pelagi uestoque furenti /trade sinum.
5.579
ubi quondam Pentheos exul / colla caputque
ferens supremo tradidit igni /... Agaue.
6.358
potui sine caede sub actum /captiuumque
ducem uiolatae tradere paci. 7.94
placet haec tam prospera rerum /tradere
fortuna, ... 7.108
tibi, numine pugnax, /aduerso Domiti,
dextri frons tradita Martis. 7.220
quisquamne secundis / tradere se fatis
audet nisi morte parata? . . . 8.32
te ... coniunx / ... sequar, quam longo
tradita leto/ incertum est: . . 9.102
non ausi tradere busto / nondum stante
modo crescens fugere cadauer. 9.803

TRAHO,-ERE. traximus imperium, tum cum mihi
rostra tenere 1.275

trahit ipse furoris / impetus, et
uisum lenti quaesisse nocentem.   2.109
sed quo fata trahunt uirtus secura
sequetur. 2.287
atque omnis trahe, gurges, aquas, ut
spumeus alnos /discussa conpage feras.
                                     2.486
reseratis agmina portis / captiuum traxere
ducem,   2.508
non tam caeco trahis omnia cursu /teque
nihil, Fortuna, pudet. 2.567
quoslibet in saltus comitantibus agmina
tauris / inuito pastore trahit,   2.607
tractoque in litora bello / hic primum
rubuit ciuili sanguine Nereus,   2.712
et natis totosque trahens in bella penates
                                     2.729
ad Stygias'... / post bellum ciuile trahor.
                                     3.14
gnarus et irarum causas et summa fauoris
/annona momenta trahi. 3.56
agmina uictor / non armata trahens sed
pacis habentia uoltum   3.72
pectoribus rapti matrum frustraque
trahentes / ubera sicca fame medios
mittentur in ignis 3.351
et, quas inmissi traxerunt uincula ferri,
                                     3.574
hi luctantem animam lenta cum morte
trahentes 3.578
iaculum letale reuolsum /uolneribus
traxere suis   3.677
trahimur sub nomine pacis. . . .   4.222
Afranius ... / semianimes in castra
trahens hostilia turmas / uictoria stetit
ante pedes. 4.339
iam latis uiscera lapsa / semianimes
traxere foris 4.567
bellumque trahebat /auctorem ciuile suum.
                                     4.738
et defecta grauis longe trahit ilia pulsus
                                     4.757
puluis / aera nube sua texit traxitque
tenebras. 4.768
et aetherio trahitur conexa Tonanti. 5.96
'quid spes' ait 'inproba ueri te,
Romane, trahit? 5.131
artatus rapido feruet qua gurgite
pontus /Euripusque trahit, . . .   5.235
qui tot gentis in bella trahebat,   5.253
quid uelut ignaros ad quae portenta
paremur /spe trahis? 5.285
inque nouos traheris casus? . .   5.487
lapsa per altum /aera dispersos traxere
cadentia sulcos /sidera, ...   5.562
blandaeque iuuat uentura trahentem   5.732
traxit iners caelum fluuidae contagia
pestis /obscuram in nubem. . . .   6.89
cum per summa poli Phoebum trahit altior
aestas, ...   6.335
quos non concordia mixti /alligat ulla
tori ... / traxerunt torti magica
uertigine fili. 6.460
et tracta durescunt tabe medullae /
corpora, ...   6.539
per scopulos miserum trahitur per saxa
cadauer 6.639
dubium est, quod traxerit illuc /aspiciat
Stygias an quod descenderit umbras. 6.652
repetitaque fila sorores /tracturae,
... /... exaudite preces. . . .   6.704

turba / castrorum fremuit fatisque
trahentibus orbem /signa petit pugnae.
                                     7.46
reges populique queruntur Eoi / bella
trahi patriaeque procul tellure teneri.
                                     7.57
nauita ... / dat regimen uentis
ignauumque arte relicta /puppis onus
trahitur.   7.127
ueniam date bella trahenti: . .   7.296
uix cuncta locuto /Caesare quemque suum
munus trahit, . . .   7.330
unaque gentis / hora trahit. . .   7.346
tremores / hi possunt explere uiri, quos
undique traxit / in miseram Fortuna necem,
                                     7.415
nec, sicut mos est miseris, trahere omnia
secum / mersa iuuat 7.654
has trahe, Caesar, aquas, hoc, si potes,
utere caelo. 7.822
ceu pridem debita fatis /Assyriis
trahitur cladis captiua uetustae.   8.416
damnatum leto traherent ad litora Magnum,
                                     8.570
uictum pietate timorem /conpulit ut ...
corpus ... / duceret ad terram traheretque
in litora Magnum. 8.720
Lethon tacitus praelabitur amnis,/infernis,
ut fama, trahens obliuia uenis,   9.356
quam sopor aeternam tracturus morte
quietem /obruit haud totam: . .   9.671
tractique uia fumante chelydri,   9.711
at, siquis peste diurnas / fata
trahit, tunc sunt magica miracula gentis
                                     9.923
pallentia uolnera lambit / ore uenena
trahens et siccat dentibus artus,   9.934
trahitur Gangesque Padusque /per tacitum
mundi: . . .   10.252
sic uelut in tuta securi pace trahebant
/ noctis iter mediae. 10.332
metuunt ... / ne caedes confusa manu ...
/ te, Ptolemaee, trahat. . . .   10.427

TRAICIO,-ERE. his ratibus traiecta manus
festinat utrimque /succisum curuare
nemus, ...   4.137
electum tandem traiecto gutture corpus
/ducit, ...   6.637
TRANQUILLUS,-A,-UM. in senium longoque togae
tranquillior usu 1.130
non erat is populus quem pax tranquilla
iuuaret, ...   1.171
pax alta per omnes /et tranquilla quies
populos: 1.250
melius tranquilla sine armis / otia solus
ages, ...   2.266
TRANS. trans ripam ualidi torserunt tela
lacerti. 2.502
illa quoque perge sinistra / trans
Pharon, ...   8.184
ab occiduo depellunt nubila caelo /trans
Noton 10.243
TRANSCENDO,-ERE. non secus ingenti bellorum
Roma tumultu /concutitur, quam si Poenus
transcenderit Alpes 1.304
Curio Sicanias transcendere iussus
in urbes, ...   3.59
audet transcendere uallum /miles,   4.175
extremum Scythici transcendam frigoris
orbem 6.325
TRANSCURRO,-ERE. quod semel excussis posset

TRANSCURRO

transcurrere tonsis, ... 3.539
nubes ... / cardo tenet Tethyn, uetitae
transcurrere densos / inuoluere globos,
4.73
quae piger Apulus arua / deseruit
rastris/...transcurrit, ... 5.406
merito Pompeium uincere lente /gentibus
indignum est a transcurrente subactis
7.74

TRANSEO,-IRE. non priuata cupis, Romana
quisquis in urbe / Pompeium transire paras.
2.565
lancea,... / haut unum contenta latus
transire quiescit, ... 3.466
exhibuit monimenta fides seruataque ferro
/ militiae pietas, transisset nostra
iuuentus. 4.499
Aegaeas transit in undas /Tyrrhenum, 5.613
flumine toto / transit et ignotos
operit sibi gurgite campos: . . 6.276
transierat primi Caesar munimina ualli,
6.290
uicinaque moenia castris /Haemonidum,
ficti quas nulla licentia monstri /
transierit, ... 6.437
caelumque tremens cum lancea transit /
dicere non fallar quo sit uibrata lacerto.
7.288
iam Magnus transisse deos Romanaque fata
/ senserat infelix, ... 7.647
mallet et obscuro tutus transire per urbes
/nomine; 8.20
quid Parthos transire doces? . . 8.354
non tibi, cum primum gelidum transibis
Araxen, / umbra senis maesti ... /
ingeret has uoces? 8.431
transire parantem /Romanus Pharia miles
de puppe salutat /Septimius, . . 8.595
haud procul est ima Pompei nomen harena/..
/ quod nisi monstratum Romanus transeat
hospes. 8.822
consilio iussuque deum transibis in
urbem, ... 8.849
ipsa caloris egens gelidum non transit in
orbem 9.704
inscius in sicco serpentem puluere
riuum /transierat, qui Xanthus erat. 9.975

TRANSFERO,-FERRE. ius erat et dubios in te
transferre Quirites. 1.276
dubiam super aequora Syrtim /arentemque
feror Lybien, quo tristis Enyo /transtulit
Emathias acies. 1.688
mutauit translata locum, Romanaque Samnis
2.137
matrona ... / translata uitat contingere
limina planta; 2.359
et post translatas exustae Phocidos arces
3.340
Graiorumque domos direptaque moenia
transfert. 6.35
satis o nimiumque beatus,/ si mihi
contingat manes transferre reuolsos /
Ausoniam, ... 8.844
explicuitque suos ... Cleopatra .../nondum
translatos Romana in saecula luxus. 10.110
dum parat in uacuas Martem transferre
carinas, /dux Latius ... subitus ... /
cingitur: 10.535

TRANSFIGO,-ERE. ut primum sonipes transfixus
pectora ferro / ... calcauit membra
regentis, /omnis eques cessit campis,

7.528
me ... / adfecere ... gestata per urbem
/ ora ducis, quae transfixo sublimia
pilo /uidimus: 9.138

TRANSFUGA. nunc transfuga uilis / cum duce
praelato terras atque aequora lustrat.
5.346
quid transfuga mundi, /... /auersosque
polos alienaque sidera quaeris, 8.335

TRANSFUNDO,-ERE. te Cornelia, Magne, /accipiet
nostraque manu transfundet in urnam. 8.770

TRANSIGO,-ERE. transigitur: medio concurrit
corpore ferrum, ... 3.588
uiscera non unus iam dudum transigit ensis.
4.545
perque caput Pauli transactaque tempora
fugit. 9.824
quid prodest miseri basiliscus cuspide
Murri / transactus? 9.829
terribilem iusto transegit Achillea ferro.
10.523

TRANSMITTO,-ERE. deiectum in pelagus perfosso
pectore corpus /uolneribus transmisit
aquas. 3.661
dirisque uenefica sucis /conspersos uetuit
transmittere bella Philippos, . . 6.582
attonitique omnes ueluti uenientia fata,
/non transmissa, legent et adhuc tibi,
Magne, fauebunt. 7.213
pudet ... / quaerere ... /... qui pectore
tela / transmittant 7.624

TRANSSILIO,-IRE. uigilum somno cedentia membra
/ transsiluit questus tacite, quod fallere
posset, ... 5.512

TRANSTRUM. atque in transtra cadunt et remis
pectora pulsant. 3.543
saepe cadens longae senior per transtra
carinae / peruenit ad puppim 3.731
collaque in obliquo ponit languentia
transtro. 8.671
tempore eodem / transtraque nautarum
summique arsere ceruchi. 10.495

TRANSUERTO,-ERE. cumque diem pronum transuerso
limite ducens 2.412
postquam /ambitus et luxus et opum
metuenda facultas / transuerso mentem
dubiam torrente tulerunt, . . . 4.818
inde maris uasti transuerso uertitur
aestu; 8.462

TREBIA. 'o miserae sortis, quod non in Punica
nati / tempora Cannarum fuimus Trebiaeque
iuuentus. 2.46

TREMO,-ERE. spes una salutis / oscula pollutae
fixisse trementia dextrae. . . . 2.114
surgit opus longaeque tremunt super
aequora turres. 2.679
sed fortes tremuere manus, . . . 3.429
inpulsae tonsis tremuere carinae 3.527
pila sed in medium uenere trementia
pectus 3.598
tum campi tremuere sono, terraque soluta,
4.766
non rupta trementi uerba sono 5.152
tremuit saeua sub uoce minantis / uolgus
iners, ... 5.364
non horrore tremit, non solis imagine
uibrat. 5.446
tum superum conuexa tremunt atque arduus
axis /intonuit 5.632
tantum nautae uidere trementes / fluctibus
e summis praeceps mare; 5.639

TREMO

```
        nec uidit recto gladium mucrone tenentem
        (trementem), . . . . . . .      var.6.237
        Caesaris arma / segnius haud uidit, quam
        malo nauta tremente / omnia subducit
        Circaeae uela procellae;  . . .      6.286
        ut pauidos iuuenis comites ipsumque
        trementem / conspicit ... /'ponite'ait
        ... timores;  . . . . . . . . .      6.657
        compellandus erit, quo numquam terra
        uocato / non concussa tremit,        6.746
        pacificas saeuos tremuit Catilina securis,
                                             7.64
        caelumque tremens cum lancea transit
        / dicere non fallar quo sit uibrata
        lacerto.  . . . . . . . . . .        7.288
        inspicit ... / quae presso tremat ense
        manus,  . . . . . . . . . .          7.562
        dextraque trementem /Perseos auersi
        Cyllenida derigit harpen . . . .     9.675
```

TREMOR.
```
        moeniaque in praeceps laturos plena
        tremores / hi possunt explere uiri,  7.414
```

TREMULUS,-A,-UM.
```
                     ut tremulo starent contentae
        fune carinae.  . . . . . . .         2.621
        ardua turris / eminet et tremulis tabulata
        minantia pinnis.  . . . . . . .      4.432
        contentus tremulo monstrasse cubilia loro.
                                             4.444
        Medorum, tremulum cum torsit missile,
        Mazax,  . . . . . . . . . .          4.681
        quam non e stabili tremulo sed culmine
        cuncta / despiceret  . . . . .       5.250
        et tremulo medios abrumpit poplite gyros.
                                             6.87
```

TREPIDO,-ARE.
```
                    ingens uisa duci patriae
        trepidantis imago  . . . . . . .     1.186
        dum trepidant nullo firmatae robore
        partes,  . . . . . . . . . . .       1.280
        quod tibi, Roma, fuga Gallus trepidante
        reliquit,  . . . . . . . . .         3.159
        ille ubi deseruit trepidantis moenia Romae
                                             3.298
        haud trepidante tamen toto cum
        pondere dextra /exegere enses.       4.564
        hac igitur regis trepidat iam Curio fama
                                             4.694
        quibus hoc contingere templis / aut potuit
        muris, nullo trepidare tumultu /Caesarea
        pulsante manu?  . . . . . . . .      5.530
        degeneres trepidant animi peioraque
        uersant;  . . . . . . . . . .        6.417
        extaque funereae poscunt trepidantia
        mensae.  . . . . . . . . . . .       6.557
        percussae gelido trepidant sub pectore
        fibrae,  . . . . . . . . . .         6.752
        quid mirum populos quas lux extrema
        manebat /lymphato trepidasse metu,   7.186
        ueniam date bella trahenti: spe trepido;
                                             7.297
        populi trepidantia membra refouit,   9.25
```

TREPIDUS,-A,-UM.
```
                      utque satis trepidum turba
        coeunte tumultum/conposuit uoltu     1.297
        iudicium insolita trepidum cinxere corona
                                             1.321
        spes saltem trepidas mentes leuet,   1.523
        colla ducum pilo trepidam gestata per
        urbem  . . . . . . . . . . .         2.160
        interea trepido discedens agmine Magnus
                                             2.392
        gens Etrusca fuga trepidi nudata Libonis,
                                             2.462
        refugit / umbra per amplexus trepidi
```

```
        dilapsa mariti.  . . . . . . .       3.35
        sic postquam fatus, ad urbem /haud
        trepidam conuertit iter;  . . .      3.373
        feruet et a trepido uix abstinet ira
        magistro.  . . . . . . . . .         4.242
        cernit cuncta metu nocturnaque munera
        ualli / desolata fuga, trepida sic mente
        profatur:  . . . . . . . . .         4.701
        deque orbis trepidi tanto consulta tumultu
        /desinis ipsa loqui.'  . . . . .     5.160
        ipse petit trepidam tutus sine milite
        Romam  . . . . . . . . . . .         5.381
        tum rector trepidae fatur ratis 'aspice
        saeuum / quanta paret pelagus:       5.568
        dubium trepidumque ad proelia, Magne, /
        te quoque fecit amor;  . . . .       5.728
        miles ... / ... caeci trepidus sub nube
        timoris / hostibus occurrit fugiens  6.297
        'ponite' ait 'trepida conceptos mente
        timores:  . . . . . . . . . .        6.659
        habet illa ... / quod trepidus bubo,
        quod strix nocturna queruntur,       6.689
        uerberibusque suis trepidam castigat
        Erinyn,  . . . . . . . . . .         6.747
        trepido confusa tumultu /castra fremunt,
                                             7.127
        comitumque suorum / qui post terga redit
        trepidum laterique timentem / exanimat.
                                             8.7
        inde ratis trepidum uentis ac fluctibus
        inpar, / ... euexit in altum.        8.35
        trepida quatitur formidine somnus,   8.44
        in tutam trepidos numquam Babylona coegi.
                                             8.225
        sic fata interque suorum / lapsa manus
        rapitur trepida fugiente carina.     8.662
        collecta procul lacerae fragmenta carinae
        / exigua trepidus posuit scrobe.     8.756
        ipsa regit trepidum Pallas,          9.675
        sed metuunt belli trepidos in nocte
        tumultus,  . . . . . . . . .         10.425
```

TRES, TRIA.
```
                    tu causa malorum /facta tribus
        dominis communis, Roma,  . . . .     1.85
        tresque petunt ueram credi Salamina
        carinae.  . . . . . . . . . .        3.183
        quamque fuit laeto per tres infida
        triumphos / tam misero Fortuna minor.
                                             7.685
        unum fortuna reliquit / iam tribus e
        dominis.  . . . . . . . . . .        9.266
```

TREUIR.
```
                  tu quoque laetatus conuerti proelia,
        Treuir,  . . . . . . . . . .         1.441
```

TRIBUNICIUS,-A,-UM.
```
                         saeua tribunicio maduerunt
        robora tabo.  . . . . . . . .        2.125
        Crassumque in bella secutae / saeua
        tribuniciae uouerunt proelia dirae.  3.127
        hunc quoque .../ lege tribunicia solio
        depellere auorum / Curio temptarat,
                                             4.690
        unde tribunicia plebeius signifer arce
        / arma dabas populis?  . . . . .     4.800
```

TRIBUNUS.
```
              et cum consulibus turbantes iura
        tribuni;  . . . . . . . . . .        1.177
        expulit ancipiti discordes urbe tribunos
                                             1.266
        uictorem clara testatur uoce tribunus.
                                             3.122
        dixerat, et nondum foribus cedente tribuno
        /acrior ira subit:  . . . . . .      3.141
```

TRIBUO,-ERE.
```
                     otia des fessis, uitam patiaris
        inermis /degere quam tribuis.        4.358
```

TRIBUO	**TRIUMPHUS**

TRIBUO
 aude, superi tot uota Catonum /Brutorumque
 tibi tribuent.' 10.398
TRIBUS. decantatque tribus et uana uersat in
 urna. 5.394
TRIBUTUM. quod dites Asiae populi misere
 tributum. 3.162
TRICLINIUM. uariaque triclinia ueste / strata
 micant, ... 10.122a
TRIDENS. si rursus tellus pulsu laxata
 tridentis 2.456
 aequorei rector, facias, Neptune tridentis,
          4.111
TRIETERICA(sc.sacra). Delphica Thebanae
 referunt trieterica Bacchae. . . 5.74
TRIPUS. explicuit, cum regna Themis
 tripodasque teneret. 5.81
 sic tempore longo / inmotos tripodas
 uastaeque silentia rupis / ... /
 sollicitat. 5.121
 haud aeque laesura ducem cui falsa
 canebat / quam tripodas Phoebique fidem.
          5.152
 sensit tripodas cessare furensque Appius
          5.157
 confugit ad tripodas uastisque adducta
 cauernis / haesit 5.162
 spargitque uaganti /obstantis tripodas
 magnoque exaestuat igne 5.173
 custodes tripodes fatorum arcanaque mundi
 / ... suprema ruentis /imperii ... / cur
 aperire times? 5.198
 fugit et ad Phoebi tripodas rediere
 futura, ... 5.223
 non tripodas Deli, non Pythia consulit
 antra, ... 6.425
 tripodas uatesque deorum /sors obscura
 decet. 6.770
TRIREMIS. cornua Romanae classis ualidaeque
 triremes / quasque quater surgens extructi
 remigis ordo / commouet 3.529
TRISTIS,-E. o tristi damnata loco! 1.249
 gladii cum triste micantes / iudicium
 insolita trepidum cinxere corona 1.320
 crinemque rotantes /sanguineum populis
 ululdrunt tristia Galli. 1.567
 tristia Sullani cecinere oracula manes,
          1.581
 dubiam super aequora Syrtim / arentemque
 feror Libyen, quo tristis Enyo /
 transtulit Emathias acies. . . . 1.687
 cum uictima tristis / inferias Marius
 forsan nolentibus umbris /pendit inexpleto
 non fanda piacula busto, ... 2.174
 nec more Sabino / excepit tristis conuicia
 festa maritus. 2.369
 tristi spoliantur templa rapina, 3.167
 tristia sed postquam superati proelia
 Vari / sunt audita Iubae, . . . 4.715
 Caesar habet ... / clausaque iustitio
 tristi fora; 5.32
 pro tristia fata! 5.57
 tum lurida pallens /ora tulit uoltu
 sub nubem tristis ituro. 5.550
 uereor ciuilibus armis /Pompeium nullo
 tristem committere damno. . . . 5.753
 pro tristia fata! 6.305
 nouerat et tristis sacris feralibus aras,
          6.432
 montisque caui, quem tristis Erictho /
 damnarat sacris, alta sub rupe locatur.
          6.640

cadauer / 'tristia non equidem Parcarum
 stamina' dixit / 'aspexi . . . 6.777
tristis felicibus umbris /uoltus erat:
          6.784
pro tristia fata! 7.411
exigit a meritis tristes uictoria
 poenas, ... 7.771
nisi summa dies ... /... celeri
 praeuertit tristia leto, /dedecori est
 fortuna prior. 8.30
tristis praesagia curas /exagitant, 8.43
et nunc tibi summa pauoris /nuntius
 armorum tristis rumorque sinister. 8.52
'non ... petit ... /Pompeius,... / ut
 resonent tristi cantu fora, . . 8.734
si funere nullo / tristior iste rogus,
 manes animamque potentem /officiis
 auerte meis: 8.762
tristis, ut in multo mens est praesaga
 timore, /aspexit patrios comites a litore
 Magnus / et fratrem; 9.120
hi mihi sint comites,... / qui me teste
 pati uel quae tristissima pulchrum /
 Romanumque putant. 9.391
Cato ... / emetitur iter, tot tristia fata
 suorum /... uidens 9.735
sed tristior illo / mors erat ante oculos,
          9.762
set longius istac / nulla iacet tellus,
 quam ... / tristia regna Iubae. 9.869
quam magna remisit / crimina Romano
 tristis fortuna pudori, ... 9.1060
quem formae confisa suae Cleopatra sine
 ullis / tristis adit lacrimis, 10.83
TRITON. nautasque loci sortita peritos /
 torpentem Tritonos adit inlaesa paludem.
          9.347
TRITONIA. uoltusque gelassent / Perseos
 auersi, si non Tritonia densos /sparsisset
 crines texissetque ora colubris. 9.682
TRITONIS. et se dilecta Tritonida dixit ab
 unda. 9.354
TRIUMPHO,-ARE. miles sub quolibet iste
 triumphet. 1.342
 nuda triumphati iacuit per regna Iugurthae
          2.90
TRIUMPHUS. bella geri placuit nullos habitura
 triumphos? 1.12
 tu, noua ne ueteres obscurent acta
 triumphos 1.121
 nunc neque te longi remeantem pompa
 triumphi / excipit 1.286
 perque tuos iuro quocumque ex hoste
 triumphos, ... 1.375
 cum post Teutonicos uictor Libycosque
 triumphos 2.69
 omnes redeant in castra triumphi. 2.644
 lassata triumphis /desciuit Fortuna tuis.
          2.727
 coniuge me laetos duxisti, Magne,
 triumphos: 3.20
 perdidit o qualem uincendo plura
 triumphum! 3.79
 tunc Orientis opes captorumque ultima
 regum / quae Pompeianis praelata est gaza
 triumphis /egeritur; 3.166
 et nunc, ignoto siquos petis orbe
 triumphos, ... 3.310
 partemque triumphi /captos ferre tui:
          4.360
 uos despecta senes exhaustaque sanguine

TRIUMPHUS

turba / cernetis nostros iam plebs Romana
triumphos. 5.334
non tu laetis ululare triumphis. 6.261
polluit aequoreos Siculus pirata triumphos.
6.422
distribuit tumulos uestris fortuna
triumphis. 6.818
qualis erat populi facies ... / olim, cum
iuuenis primique aetate triumphi, /...
plaudente senatu /sedit adhuc Romanus
eques; 7.14
sanguine mundi / fuso, Magne, semel totos
consume triumphos. 7.234
haec est illa dies ... / in quam
distulimus uetitos remeare triumphos,
7.256
sitque palam, quas tot duxit Pompeius in
urbem / curribus, unius gentes non esse
triumphi. 7.280
quamque fuit laeto per tres infida
triumphos / tam misero Fortuna minor.
7.685
tamen omnia uincens / sustinui nostri uos
tantum desse triumphis, ... 8.230
aut unde redi maiore triumpho? . 8.321
gens unica mundi est / de qua Caesareis
possim gaudere triumphis. . . . 8.430
'non ... petit ... /Pompeius,... /praeferat
ut ueteres feralis pompa triumphos, 8.733
dic ... / ... ter curribus actis /
contentum multos patriae donasse triumphos.
8.815
non mihi nunc tellus Pompeio signa
triumphos / uicta dedit, ... /gratior;
9.78
hunc ego per Syrtes Libyaeque extrema
triumphum /ducere maluerim, . . . 9.598
Cleopatra ... / Caesare captiuo Pharios
ductura triumphos; 10.65
optabit patriae talem duxisse triumphum.
10.154

TROIA. nec fabula Troiae /continuit 3.212
circumit exustae nomen memorabile Troiae
9.964

TROIANUS,-A,-UM. Troianam soli cui fas uidisse
Mineruam. 1.598

TROPAEUM. cumque superba foret Babylon
spolianda tropaeis 1.10
sed tota tenetur / terra meis, quocumque
iacet sub sole, tropaeis: . . . 2.584

TRUNCO,-ARE. oscula figens /truncauitque caput
6.566
caesorum truncare cadauera regum / sperat
6.584

TRUNCUS,-A,-UM. truncos lacerauit Fimbria
Crassos; 2.124
plus nobilis irae / truncus habet fortique
instaurat proelia laeua 3.615
accensisque rogis miseri de corpore trunco
/certauere patres. 3.760
tot raptis truncus manibus gladioque
relictus / paene suo, ... 5.252
quae moenia trunci / lustrarunt ceruice
duces, ... 8.436

TRUNCUS(subst.). nudosque per aera ramos /
effundens trunco, non frondibus, efficit
umbram, ... 1.140
hunc ego, fluminea deformis truncus harena
/qui iacet agnosco. 1.685
memini,... / perque omnis truncos, cum
qua ceruice recisum / conueniat, quaesisse,

caput. 2.172
nec magis informes ueniunt ad litora
trunci / qui medio periere freto. 2.189
uiua graues elidunt corpora trunci. 2.206
exul in aduersis explorat cornua truncis
2.603
arte carent caesisque extant informia
truncis. 3.413
pars ultima trunci / tradidit in letum
uacuos uitalibus artus; 3.642
sustinuere graues in summo gurgite truncos.
3.669
at, postquam trunco ceruix abscisa
recessit, / uindicat hoc Pharius,
dextra gestare, satelles. . . . 8.674
truncusque uadosis / huc illuc iactatur
aquis. 8.698
cano sed discolor aequore truncus /
conspicitur. 8.722
peruolat ad truncum, qui fluctu paene
relatus / litore pendebat. . . . 8.753
inueniat trunci cineres et norit harenas
/ ad quas, Magne, tuum referat caput.'
8.774
risitque sui ludibria trunci. 9.14
Cornelia nautas / priuignique fugam tenuit,
ne forte repulsus / litoribus Phariis
remearet in aequora truncus, . . 9.53
truncum uix protegit arbor, . . 9.529
tumidos iam non capit artus /informis
globus et confuso pondere truncus 9.801
ecce, procul saeuos sterili se robore
trunci / torsit ... serpens . . 9.822
iam siluae steriles et putres robore
trunci /Assaraci pressere domos 9.966

TRUX, -UCIS. Vangiones, Batauique truces,
quos aere recuruo /stridentes acuere
tubae; 1.431
Catilina minax ... / exultat Mariique
truces nudique Cethegi; 6.794
animique truces sua pectora pulsant /
ictibus incertis. 7.128
inde, truces Galli, solitum prodistis in
hostem, ... 7.231
nunc pugnate truces gladioque exsoluite
culpam: 7.262
quod si,... / conspicio faciesque truces
oculosque minaces, / uicistis. 7.291
adde trucis Lepidi motus Alpinaque bella
8.808

TU, TUI. 1.30;1.66;1.84;1.115;1.121;1.383;
1.418;1.441;1.519;1.658;2.56;2.244;2.245;
2.472;2.485;2.638;4.112;4.113;4.185;
4.186;4.254;5.77;5.199;5.362;5.490;5.497;
5.665;6.260;6.261;6.599;6.704;6.812;7.33;
7.168;7.675;7.721;7.820;8.83;8.112;8.433;
8.528;8.580;8.833;8.834;8.835;9.84;9.257;
9.508;9.540;9.788;9.860;9.1029;9.1047;
10.89;10.353;10.395
TUI. 3.29;9.75
TIBI. 1.21;1.23;1.45;1.50;1.53;1.114;
1.203;1.285;1.288;1.330;1.362;1.632;2.4;
2.82;2.244;2.255;2.264;3.31;3.96;3.128;
3.159;3.333;4.23;4.235;4.255;4.354;4.646;
4.799;4.804;4.811;5.58;5.264;5.310;5.314;
5.473;5.580;5.690;5.743;5.767;5.769;5.772;
5.775;5.787;5.805;6.258(bis);6.303;6.304;
6.312;6.326;6.603;6.742;6.769;6.813;7.23;
7.30;7.75;7.92;7.213;7.217;7.219;7.418;
7.421;7.424(ter);7.431;7.470;7.538;7.591;
7.691;7.723;7.726;7.823;7.850;8.51;8.78;

TU

```
8.98;8.112;8.116;8.322;8.334;8.392;8.431;
8.436;8.448;8.499;8.521;8.560;8.604;8.607;
8.625;8.640;8.644;8.686;8.694;8.761;8.827;
9.98;9.157;9.259;9.260;9.538;9.556;9.787;
9.815;9.838;9.864;9.1016;9.1045;9.1048;
9.1102;10.70:10.77;10.101;10.102;10.221;
10.268;10.299;10.302;10.310;10.330;10.348;
10.398;10.448
```

TE(acc.).
```
1.23;1.45;1.48;1.63;1.123;1.200;
1.226;1.276;1.283;1.286;1.334;1.430;2.119;
2.121;2.126;2.259;2.302;2.478;2.545;2.550;
2.555;2.568;2.575;2.699;2.732;3.34;3.91;
3.136;3.160;3.331;4.184;4.347;4.581;4.692;
5.131;5.187;5.224;5.316;5.475;5.484;
5.488;5.589;5.682;5.689;5.697;5.712;5.726;
5.729;5.756;5.774;5.788;6.249;6.327;6.329;
6.388;6.389;6.391;6.393;6.592;var.6.601;
6.736;6.739;6.741;6.791;6.815;7.29;7.37;
7.44;7.68;7.83;7.84;7.422;7.610;7.613;
7.681;7.683;7.693;7.848;8.251;8.252;8.341;
8.352;8.393;8.497;8.523;8.524;8.601;8.639;
8.751;8.769;8.782;9.101;9.108;9.242;9.243;
9.540;9.873(bis);9.985;9.1020;9.1031;
9.1049;9.1055;9.1061;9.1076;9.1099;10.8;
10.287;10.292;10.294;10.296;10.313;10.315;
10.328;10.370;10.427
```

TE(abl.).
```
3.30;3.137;4.500;5.267;5.599;
5.780;6.787;7.34;7.79;7.585;7.607;var.7.
677;7.696;7.718;8.519;8.652;9.854;9.855;
10.1100;10.282;10.413
```

TECUM.   4.362;6.802;8.362;9.1021

TUBA.   stridor lituum clangorque tubarum /
non pia concinuit cum rauco classica cornu.
1.237

quos aere recuruo / stridentes acuere
tubae; 1.432
insonuere tubae et, quanto clamore
cohortes /miscentur, ...   1.578
neu tuba praemonitos perducat ad aequora
nautas 2.690
audiri potuere tubae. 3.542
quippe ubi non sonipes motus clangore
tubarum 4.750
tot cecinere tubae. 6.130
castrorum uigiles, nullas tuba uerberet
aures. 7.25
barbaries, non illa tubas, non agmine
moto / clamorem latura suum. . .   7.273
tunc ausae dare signa tubae, . .   7.477
nec prodidit arma / ullius clangore tubae:
10.401

TUEOR,-ERI.   magno se iudice quisque tuetur;
1.127

melius, Fortuna, dedisses /... /
errantisque domos, Latii quam claustra
tueri. 1.253
uox quondam populi libertatemque tueri /
ausus 1.270
o faciles dare summa deos eademque tueri /
difficiles! 1.510
pacemne tueris /inconcussa tenens dubio
uestigia mundo, ...   2.247
ferre iuuat patriis libertatemque tueri
2.282
me frustra leges et inania iura tuentem.
2.316
damna mouent populos siquos sua iura
tuentur: 3.151
robore diducto dextrum laeuumque tuetur
3.584
non opus hanc ueterum nec moles structa

tuetur 6.19
accipe maiores et caeco in Marte tuere.
7.111
sed me uel sola tueri / fama potest
rerum toto quas gessimus orbe   8.274
libertas scelerum est quae regna inuisa
tuetur 8.491
Aegypton certe Latiis tueamur ab armis.
8.501
fata uetant, murique uicem Fortuna tuetur.
10.485

TULLIUS(Cicero).   cunctorum uoces Romani
maximus auctor /Tullius eloquii, ... /
pertulit iratus bellis, . . .   7.63

TULLUS.   inpressit dentes haemorrhois aspera
Tullo, ...   9.806

TUM.
```
1.21;1.60;1.167;1.192;1.210;1.217;1.221;
1.275;1.356;1.419;1.490;1.522;1.552;1.561;
1.565;1.569;1.599;2.20;2.68;2.136;2.145;
2.196;2.631;3.9;3.52;var.3.143;3.155;
3.168;3.177;3.197;3.249;3.411;3.437;3.443;
3.542;3.563;3.622;4.59;4.85;4.289;4.427;
4.474;4.528;4.582;4.624;4.667;4.678;
4.766;5.142;5.190;5.192;5.208;5.222;5.479;
5.531;5.539;5.549;5.568;5.589;5.625;
5.632;5.806;6.135;6.136;6.275;6.449;6.614;
6.667;6.685;7.218;7.475;7.677;8.54;8.191;
8.435;8.456;8.612;8.615;9.36;9.224;9.324;
9.338;9.463;9.911;9.933;10.14;10.127;
10.541
```

TUMEO,-ERE(TUMESCO).   pietas patriique penates
/quamquam caede feras mentes animosque
tumentes,/frangunt; 1.354
an uanae tumuere minae 2.573
colle tumet modico leni que excreuit in
altum / pingue solum tumulo; . .   4.11
admonitaeque tument gustato sanguine
fauces; 4.241
uix primum leuior propellere lintea uentus
/incipit exiguumque tument, . .   5.431
tantum nautae uidere trementes /fluctibus
e summis praeceps mare; 5.640
fessumque tumentis / conposuit pelagus
uentis patientibus undas. . . .   5.701
sic pleno Padus ore tumens super aggere
tutas / excurrit ripas 6.272
puppemque ferentes / in uentum tumuere
sinus. 6.472
sed non, ubi terra tumebit, / aspera
conscendet montis iuga, ...   8.371
cautum, ne Nili Pelusia tangeret ora /
Hesperius miles ripasque aestate
tumentis. 8.826
atque ultra proram tumuit sinus.   9.327
ferroque aperire tumentis /sustinuit
uenas 9.759
adde quod omne caput fluuii,... /...
ingresso uere tumescit 10.224
inde etiam leges aliarum nescit aquarum/
nec tumet hibernus, ...   10.229
contraque incensa Leonis / ora tumet
10.234

TUMIDUS,-A,-UM.   inde moras soluit belli
tumidumque per amnem / signa tulit propere:
1.204

haec manus,... / Oceani tumidas remo
conpescuit undas 1.370
si rursus tellus pulsu laxata tridentis
/Aeolii tumidis inmittat fluctibus Eurum,
2.457
non, si tumido me gurgite Ganges /

TUMIDUS

summoueat, ... 2.496
talis fama canit tumidum super aequora
Persen / construxisse uias, . . 2.672
at tumidus qua pulmo iacet, qua uiscera
feruent, ... 3.644
uectoris patiens tumidum super emicat
amnem. 4.133
sed, ut tumidus Boreae post flamina pontus
/rauca gemit, ... 5.217
et, tumidis infesta colit quae numina,
Rhamnus, ... 5.233
tabes / aspida somniferam tumida ceruice
leuauit. 9.701
tumidos iam non capit artus / informis
globus 9.800

TUMOR. tenditque cutem pereunte figura /
miscens cuncta tumor; 9.793
quantosne tumores / mente gerit famulus!
10.99
manifesta noui primum dant signa tumoris.
10.326

TUMULTUS. iamque dies primos belli uisura
tumultus / exoritur; 1.233
utque satis trepidum turba coeunte
tumultum / conposuit uoltu 1.297
non secus ingenti bellorum Roma tumultu
/ concutitur, ... 1.303
legesque et foedera rerum / praescia
monstrifero uertit natura tumultu   2.3
non fictas laeto uoces simulare tumultu,
/uix odisse uacat. 3.102
feruent iam castra tumultu, . . . 4.250
damnata iam luce ferox securaque pugnae
/promisso sibi fine manu, nullique
tumultus / excussere uiris mentes ad summa
paratas; 4.535
incertoque pedum pugnat non stare tumultu:
4.753
deque orbis trepidi tanto consulta
tumultu / desinis ipsa loqui.' . . 5.160
quem non ille ducem potuit terrere
tumultus? 5.300
quibus hoc contingere templis / aut potuit
muris, nullo trepidare tumultu / Caesarea
pulsante manu? 5.530
quaerit pelagi caelique tumultu / quod
praestet Fortuna mihi.' 5.592
ut uidet ad nullos exciri posse tumultus
6.11
subitum bellique tumultu / raptum clausit
opus. 6.53
magnoque accensa tumultu / mortis uicinae
properantis admouet horas. . . . 7.49
trepido confusa tumultu / castra fremunt,
7.127
mentisque tumultum / atque omen scelerum
subitos putat esse furores. . . 7.183
nec magis attonitos animi sensere
tumultus, / ... Pentheus aut ... Agaue.
7.779
insiluit puppi iuuenum comitante tumultu.
9.252
ibi plena tumultu / litora ... /accipit,
9.1007
expicuitque suos magno Cleopatra tumultu
/... luxus. 10.109
terra potens primos sentit percussa
tumultus / et scopuli, ... 10.324
subito bellum molire tumultu, / inrue;
10.372
sed metuunt belli trepidos in.nocte

TUMULUS

tumultus, ... 10.425

TUMULUS. his meruit tumulum medio sibi tollere
Campo? 2.222
ceu morte parentem / natorum orbatum
longum producere funus / ad tumulos iubet
ipse dolor, ... 2.299
liceat tumulo scripsisse 'Catonis/
Marcia', ... 2.343
haut procul a muris tumulus surgentis in
altum /telluris parum diffuso uertice
campum /explicat: 3.375
par tumulo, mediisque sedent conuallibus
arua. 3.380
colle tumet modico lenique excreuit in
altum / pingue solum tumulo;   4.12
et rapto tumulum prior agmine cepit.
4.35
iam tumuli collesque latent, . .   4.98
inde petit tumulos exesasque undique
rupes, ... 4.589
agmina ... / diuersis spargit tumulis,
6.71
desertaque busta / incolit et tumulos
expulsis obtinet umbris 6.512
peruersa funera pompa /rettulit a tumulis,
6.532
effractos circum tumulos ac busta uagati
/conspexere procul praerupta in caute
sedentem, ... 6.574
pererrat / corpora caesorum tumulis
proiecta negatis. 6.626
expellam tumulis, abigam uos omnibus urnis.
6.735
quem tumulum Nili, quem Thybridis adluat
unda / quaeritur, ... 6.810
distribuit tumulos uestris fortuna
triumphis. 6.818
haud umquam ... putauit,/ sic se dilecti
tumulum quoque perdere Magni.   7.36
uertamus ... licebit,/ et stantis tumulos
et qui radice uetusta / effudere suas ...
urnas, ... 7.856
debuerant ... / imperii nudare latus, dum
perfida Susa / in tumulos prolapsa ducum
Babylonque iaceret. 8.426
Pompeio raptim tumulum fortuna parauit,
8.713
cur obicis Magno tumulum manesque uagantis
/ includis? 8.796
Romanum nomen et omne /imperium Magno
tumuli est modus: 8.799
quis capit haec tumulus? 8.816
haud procul est ima Pompei nomen harena /
depressum tumulo, quod non legat aduena
rectus, ... 8.821
quem non tumuli uenerabile saxum / et
cinis ... / auertet manesque tuos placare
iubebit 8.855
nunc est pro numine summo / hoc tumulo
Fortuna iacens; 8.861
erit Aegyptus populis fortasse nepotum /
tam mendax Magni tumulo quam Creta
Tonantis. 8.872
quid porro tumulis opus est aut ulla
requiris / instrumenta, dolor?   9.69
non mihi pyramidum tumulis euolsus Amasis
/atque alii reges Nilo torrente natabunt?
9.155
qui super ingentis cumulos (tumulos)
inuoluit harenae /atque operit tellure
uiros. var.9.485

TUMULUS

effossum tumulis cupide descendit in
antrum. 10.19
tumulumque e puluere paruo /aspice Pompei
10.380

TUNC. var.1.21;var.1.60;1.97;var.1.167;var.
1.217;var.1.419;var.1.481;var.1.490;1.508;
var.1.569;var.1.599;1.608;var.2.68;var.
2.136;var.2.145;2.430;2.447;var.2.631;
2.670;2.678;3.43;3.71;3.154;var.3.155;
3.165;var.3.168;var.3.177;3.187;var.3.197;
3.347;3.368;var.3.373;3.381;3.394;var.
3.411;var.3.437;var.3.443;3.487;var.3.542;
3.558;var.3.563;3.652;var.4.59;4.264;
4.303;4.316;4.382;var.4.427;var.4.474;
4.526;var.4.624(bis);4.625;var.4.667;
var.4.678;4.728;var.4.746;var.4.766;
4.816;5.49;5.54;var.5.190;var.5.192;var.
5.208;var.5.568;5.582;var.5.589;var.5.625;
var.5.632;6.184;var.6.449;6.519;6.540;
var.6.614;var.6.667;6.754;6.824;7.140;
7.391;var.7.475;7.477(bis);7.514;7.603;
var.7.677;7.828;8.41;var.8.54;8.109;var.
8.191;var.8.435;var.8.615;8.672;8.688;
8.724;8.789;var.9.36;9.39;9.122;var.9.338;
var.9.911;9.923;9.927;var.9.933;9.1102;
var.10.14;var.10.127;10.215;10.253;10.320;
var.10.541

TUNDO,-ERE. non lacrimae cecidere genis, non
pectora tundit, ... 3.733

TURBA. in turbam missi feralia foedera regni.
1.86

molli tum cetera rumpit / turba uado
faciles iam fracti fluminis undas.
1.222

utque satis trepidum turba coeunte
tumultum / conposuit uoltu
1.297

sic turba per urbem / ... / inconsulta
ruit. 1.495
gentibus et generis, coeat si turba,
capacem 1.512
turba minor ritu sequitur succincta
Gabino, ... 1.596
me barbara telis / Rheni turba petat,
2.310
nec constitit usquam / obuia turba duci.
3.82

Phoebea Palatia complet / turba patrum
nullo cogendi iure senatus . . . 3.104
detege iam ferrum; neque enim tibi turba
uerenda est 3.128
tum paruit omnis / imperiis non sublato
secura pauore / turba, sed expensa
superorum et Caesaris ira. . . . 3.439
dum nimium pugnax unius turba carinae /
incumbit 3.647
pars maxima turbae /.../puppis ad
auxilium sociae concurrit; . . . 3.661
inpia turba super medios ferit ense
lacertos. 3.666
atque hostis turba stipatus inermis /
praecipitat castris 4.208
turba haec sua fata peregit. . . . 4.361
obstipuit dux ipse simul perituraque
turba. 4.748
conpressum turba stetit omne cadauer.
4.787
cernite, sed uestrae faciem cognoscite
turbae, ... 5.20
iam turba soluto / arma petit coetu;
5.64

quippe ipsa metus exsoluerat audax /
turba suos: 5.260
nobis uictoria turbam / non dabit, 5.329
uos despecta senes exhaustaque sanguine
turba / cernetis nostros iam plebs Romana
triumphos. 5.333
circumfusa duci fleuit gemituque suorum
/ et non ingratis incessit turba querellis,
5.681
turbaque cadentum / aucta lues, 6.100
labentem turba suorum /excipit 6.251
turbae sed mixtus inerti /Sextus erat,
6.419
non ultima turbae /pars ego Romanae,
6.593
tum, Thessala turba fatemur, /plus
Fortuna potest. 6.614
camposque piorum /poscit turba nocens.
6.799
uicerat astra iubar, cum mixto murmure
turba / castrorum fremuit . . . 7.45
hoc solamen erat, quod uoti turba
nefandi / conscia,... /... gaudet monstris,
7.181
non mihi res agitur, sed, uos ut libera
sitis / turba, ... 7.265
Grais delecta iuuentus / gymnasiis aderit
... /... aut mixtae dissona turbae /
barbaries, ... 7.272
haec libera nasci,/ haec uolt turba
mori. 7.376
generis quo turba redacta est / humani!
7.399
Medique Arabes ... / arcu turba minax,
nusquam rexere sagittas, ... 7.515
ut Latiae post se uiuat pars maxima
turbae,/ sustinuit dignos etiamnunc
credere uotis / caelicolas, 7.656
sic et Thessalicae post te pars maxima
pugnae (turbae)/ ... /libertas et
Caesar, erit; 7.693
Latiae pars maxima turbae / fastidita
iacet; 7.844
nunc sum tibi gloria maior,/ a me quod
fasces et quod pia turba senatus /...
discessit 8.79
tanto deuinxit amore / hos ... / quod
summissa animis, nulli grauis hospita
turbae, /stantis adhuc fati uixit quasi
coniuge uicto. 8.157
primusque a litore Lesbi / occurrit gnatus,
procerum mox turba fidelis. . . 8.205
maiorque carinae/ quam tua turba fuit.
8.254
o superi, Nilusne ... / et Pelusiaci tam
mollis turba Canopi / hos animos? 8.543
sola potest Libye turba praestare malorum
/ ut deceat fugisse uiros.' . . . 9.405
'mene'...'degener unum /miles in hac
turba uacuum uirtute putasti? 9.506
inuentus ... fons ... / largus aquae,
sed quem serpentum turba tenebat 9.608
nec turba querenti / credidit: 9.1105
tum famulae numerus turbae populusque
minister. 10.127
pars maxima turbae / plebis erat Latiae,
10.402

TURBIDUS,-A,-UM. sed sponte deum, seu turbidus
Auster / inpulerat, ... 1.234
qualis, cum turbidus Auster /reppulit
a Libycis inmensum Syrtibus aequor 1.498

TURBIDUS

  nigro si turbida limo / conluuies inmota
  iacet, ... 4.310
  turbida testantur conceptos aequora uentos.
           5.567

  sanguine Romano quam turbidus ibit
  Enipeus! 7.116
  sub Ioue temperies et numquam turbidus
  aer; 10.207

TURBO,-ARE. totaque discors / machina
  diuolsi turbabit foedera mundi.   1.80
  et cum consulibus turbantes iura tribuni;
           1.177
  ius habet aut Zephyrus, solus sua litora
  turbat / Circius 1.407
  lege deum minimas rerum discordia turbat,
           2.272

  sic Graia iuuentus / finierat, cum turbato
  iam prodita uoltu / ira ducis tandem testa
  est uoce dolorem. 3.356
  qua nullam melius pelago turbante carinae
           3.593
  aut inpulsa leui turbatur glarea uena.
           4.302
  incumbit ripis permissaque flumina turbat.
           4.367
  quid nunc rostra tibi prosunt turbata
  forumque 4.799
  et turbata perit dispersis littera pinnis.
           5.716
  unda Caledonios fallit turbata Britannos.
           6.68

  ire uel in clades properat dum gaudia
  turbet. 6.284
  rursus uetitum sentire procellas /
  conticuit turbante Noto; 6.471
  uoltus gladio turbate uerendos. 7.322
  quacumque uagatur /... ueluti ... /
  Bistonas aut Mauors agitans si uerbere
  saeuo / Palladia stimulet turbatos aegide
  currus, / nox ingens scelerum est; 7.570
  respice,turbatos incursu sanguinis amnes,
           7.700

  cornipedem ... / Magnus agens incerta
  fugae uestigia turbat 8.4
  Pompeius ... fuit ... /... felix nullo
  turbante deorum 8.706
  quem non tumuli ... saxum / et cinis
  in summis forsan turbatus harenis /
  auertet manesque tuos placare iubebit
           8.856

  sed, quia mobilibus facilis turbatur
  harenis, / nusquam luctando stabilis
  manet, ... 9.469
  et incerto turbatas murmure uoces /
  accipit, ... 9.1008

TURBO(subst.). uirtutis iam sola fides, quam
  turbine nullo / excutiet fortuna tibi,
           2.243
  sed tenso ballistae turbine rapta, 3.465
  quantus Bistonio torquetur turbine, puluis
           4.767

  auolsit laceros percussa puppe rudentis
  /turbo rapax fragilemque super uolitantia
  malum / uela tulit; 5.595
  crediderim; ... / defendisse suas
  uiolento turbine terras, ... 5.611
  temptatum classibus aequor /turbine
  defendit 9.322
  et liquidas e turbine soluit in auras,
           9.451
  percussaque flamma / turbine non alio motu

TUS

  per tecta cucurrit / quam solet ...
  lampas decurrere 10.501
TURGEO,-ERE. nondum turgentibus altam / in
  segetem culmis cernit miserabile uolgus
  / in pecudum cecidisse cibos 6.109
  cum turgentia suco /frontis amaturae
  subducunt pignora fetae: 6.455
TURICREMUS,-A,-UM. uotaque turicremos non
  inrita fudit in ignes. 9.989
TURMA. explicat audaces ruere in certamina
  turmas 1.474
  Afranius ... / semianimes in castra
  trahens hostilia turmas /uictoris stetit
  ante pedes. 4.339
  explicuit turmas et signa minantia pugnam
           6.9

  quem non mille simul turmis nec Caesare
  toto / auferret Fortuna locum 6.140
  pugna leuis bellumque fugax turmaeque
  uagantes, ... 8.380
  quicumque ... / uiderit,.../...equitem
  peditum praecedere turmas / deficiat:
           9.400

TURPIS,-E. temptare parabunt / foederibus
  turpique uolent corrumpere uita. 4.508
  turpe duci uisum rapiendi tempora belli
  / in segnes exisse moras, . . . 5.409
  ultima fata / deprecor ac turpes extremi
  cardinis annos, ... 7.381
  turpe mori post te solo non posse
  dolore.' 9.108
  o famuli turpes, domini post fata
  prioris / itis ad heredem. . . . 9.274
  tempora Niliaco turpis dependit amori,
           10.80

TURRIGER,-GERA,-GERUM. imago ... /turrigero
  canos effundens uertice crines 1.188
  et iam turrigeram Bruti comitata carinam
  /uenerat ... classis   3.514
  turrigeras classis pelago sparsura
  carinas, ... 4.226
TURRIS. saxorumque orbes et quae super
  eminus hostem / tela petant altis murorum
  turribus aptant. 2.452
  et iam moturas ingentia pondera turris /
  erigit, ... 2.505
  surgit opus longaeque tremunt super
  aequora turres. 2.679
  artet humum, pressus ne cedat turribus
  agger. 3.398
  erigitur geminasque aequantis moenia
  turris / accipit; 3.456
  et geminae comites. cunctas super ardua
  turris / eminet 4.431
  moenia seruat / defendens tutam uel solis
  turribus urbem. 6.18
  et inpulso turres confringere uallo, 6.123
  tum quassae nutant turres lapsumque
  minantur, ... 6.136
  primumque cadauera plenis /turribus
  euoluit 6.171
  legit ... /... Heroas lacrimoso litore
  turres, ... 9.955
TURRITUS,-A,-UM. turritaque premens frontem
  matrona corona 2.358
  pandit fossas turritaque summis / disponit
  castella iugis 6.39
TUS. funereas aris inponere flammas / gaudet
  et accenso rapuit quae tura sepulchro.
           6.526

  flebunt,/ sed dum tura ferunt, dum laurea

serta Tonanti. 7.42
'non pretiosa petit cumulato ture sepulchra
/Pompeius, ...   8.729
Tarpeis qui saepe deis sua tura negarunt /
... uenerantur ... fulmen. 8.863
non illuc auro positi nec ture sepulti
/perueniunt. 9.10
gentis Iuleae uestris clarissimus aris /
dat pia tura nepos 9.996
iusto date tura sepulchro 9.1091

TUSCUS. flexa sic omina Tuscus /... canebat.
1.637

TUSCUS,-A,-UM. castra super Tusci si ponere
Thybridis undas, ...   1.381
haec propter placuit Tuscos de more
uetusto / acciri uates. 1.584
inclusum Tusco uenerantur caespite fulmen.
8.864

TUTELA. non robore picto / ornatas decuit
fulgens tutela carinas, ...   3.511
imperium commune uices, tutelaque ualli /
peruigil alterno paret custodia signo.
4.6
medias perrumpe procellas / tutela secure
mea. 5.584
sceptra puer ... habet tibi debita, Magne,
/tutelae commissa tuae. 8.449
atque, insopiti quondam tutela draconis,
/Hesperidum ... hortus. 9.357

TUTOR. patriam tutore carentem /excepit, 9.24

TUTUS,-A,-UM. Circius et tuta prohibet
statione Monoeci: 1.408
tum, quae tuta petant et quae metuenda
relinquant 1.490
da mihi castra sequi: cur tuta in pace
relinquar 2.348
Caesar, et ad tutas hostis conpellitur
arces. 2.504
Brundisii tutas concessit Magnus in arces.
2.609
laetificat Magni: queritur quod tuta per
aequor / terga ferant hostes.   3.49
te uindice tuta relicta est /libertas?
3.137
sit locus exceptus sceleri,Magnoque
tibique/tutus, ut, inuictae fatum si
consulat urbi, ...   3.334
moenibus exiguis alieno in litore tuti,
3.341
et nihil esse meo discetis tutius aeuo /
quam duce me bellum.' 3.371
haec patiens longo munimine cingi / uisa
duci rupes tutisque aptissima castris.
3.378
qui medius tutam castris dirimebat
Ilerdam, ...   4.33
tutae quos inter opaco / anfractu latuere
uiae; 4.159
spoliato pectore tutus / innocuusque suas
curarum liber in urbes /spargitur.   4.383
cautus ab incursu belli, si sola recedat,
/expugnat quae tuta, fames. . .   4.410
obliquusque caput uanas serpentis in
auras / effusae tuto conprendit guttura
morsu / letiferam citra saniem;   4.727
ipse petit trepidam tutus sine milite
Romam 5.381
turpe duci uisum ... / ... portuque
teneri / dum pateat tutum uel non
felicibus aequor. 5.411
o uitae tuta facultas / pauperis

angustique lares! 5.527
iam castris instare suis seponere tutum /
coniugii decreuit onus 5.724
cedendum est bellis, quorum tibi tuta
latebra / Lesbos erit. 5.743
tutior interea populis et tutior omni /
rege late, ...   5.754(bis)
credisne aliquid mihi tutius esse / quam
tibi? 5.768
si nil tibi uicta relinquent / tutius
arma fuga, ...   5.788
moenia seruat / defendens tutam uel solis
turribus urbem. 6.18
ueluti mediae qui tutus in aruis /
Sicaniae rabidum nescit latrare Pelorum,
6.65
ipse quoque a tuta deducens agmina Petra
/... spargit 6.70
hic ubi quaerentis socios ... / tuta
fugae cernit, ...   6.150
uiscera tuta latent penitus, . .   6.211
sic pleno Padus ore tumens super aggere
tutas / excurrit ripas 6.272
o miseranda domus, toto nil orbe uidebis
/tutius Emathia.' 6.820
dum ferrent tutos intra tentoria gressus,
/iussa tenere diem densas nox praestitit
umbras. 6.829
qua torta ... lorica ... / ... tutoque
latet sub tegmine pectus, / hac quoque
peruentum est ad uiscera, . . .   7.499
non patitur tutis fatum celare latebris
/clare uiri facies. 8.13
mallet et obscuro tutus transire per
urbes / nomine; 8.20
inde ratis trepidum ... / flumineis uix
tuta uadis, euexit in altum. . .   8.36
in tutam trepidos numquam Babylona coegi.
8.225
in dubiis tutum est inopem simulare
tyranno; 8.241
Cilicum per litora tutus /parua puppe
fugit. 8.257
Syrtibus hinc Libycis tuta est Aegyptos,
8.444
hoc merui, coniunx, in tuta puppe
relinqui? 8.651
adde ... /... commercia tuta /gentibus
8.810
mors eat in tutum; 9.234
quod iam tibi uincere tutum est, /bella
fugis 9.260
pars ratium maior regimen clauumque secuta
est / tuta fuga, ...   9.346
ne dubita, miles, tutos haurire liquores.
9.613
nec tutus spatio est elephans: 9.732
stat tutus pereunte manu. . . .   9.833
ipse cruor tutus nullumque admittere uirus
/uel cantu cessante potens. . .   9.894
sic nox tuta uiris. 9.922
sed prius orta dies nocturnam lampada
texit / quam tutas intraret aquas. 9.1007
tutumque putauit / iam bonus esse socer,
9.1037
obside quo pacis Pellaea tutus in aula
/Caesar erat, ...   10.55
sic uelut in tuta securi pace trahebant
/noctis iter mediae. 10.332
ceu ... captis femina muris, /quaerit tuta
domus; 10.459

TUUS

TUUS,-A,-UM. 1.202;1.335;5.748;6.363;8.730
    TUA(nom.f.). 1.279;7.29;8.77;8.188;8.254;
    8.395;8.558;10.6;10.88;10.447
    TUUM(nom.). 8.420
    TUI(gen.m.). 4.361;7.701;8.839;9.863;
    9.1065; (n.). 1.51;6.302
    TUAE(gen.). 7.712;8.869;10.526; (dat.).
    7.471;8.449;8.859
    TUO(dat.m.). 8.105;8.747; (n.). 9.1059
    TUUM(acc.m.). 5.581;9.1026; (n.). 2.72;
    2.266;2.302;6.812;8.775;9.42;9.1070;10.364;
    10.463
    TUAM. 1.55;7.815;8.831;8.850;9.1101
    TUO(abl.m.). 4.22;5.751;8.608;10.283
    TUA(abl.). 1.119;4.184;7.592;8.114;8.392
    TUI(pl.). 7.70;7.676;10.7;10.182
    TUAE(pl.). 1.273;9.99;10.478
    TUA(nom.pl.). 7.83;7.551
    TUORUM(m.). 5.687;8.804; (n.). 4.212;
    6.304;7.69;8.804;10.473
    TUARUM. 10.286
    TUIS(dat.m.). 1.520;4.356;7.536; (f.).
    10.524; (n.). 3.24;4.349;5.689;9.1051
    TUOS. 1.375;2.623;8.496;8.857;10.298;
    10.318;10.545
    TUAS. 1.361;5.533;7.745;8.102;8.517;9.837;
    10.300
    TUA(acc.). 1.373;2.479;3.33;3.205;3.746;
    5.486;5.536;5.684;6.765;7.41;7.77;7.426;
    8.519;8.521;8.850;9.104;9.561;10.285
    TUIS(abl.m.). 1.657;2.262;2.728;(f.).5.311;
    9.602; (n.). 6.257;8.347;9.1025

TYPHOEUS. Campana fremens ceu saxa uaporat
  /conditus Inarimes aeterna mole Typhoeus.
                    5.101

TYPHON. nec tam iusta fuit terrarum gloria
  Typhon. 4.595
  antraque letiferi rabiem Typhonis
  anhelant. 6.92

TYPHON. aether / ... et trabibus mixtis auidos
  typhonas aquarum / detulit . . . 7.156

TYRANNUS. scelerum non Thracia tantum /
  uidit Bistonii stabulis pendere tyranni,
                    2.163

  Curio temptarat, Libyamque auferre
  tyranno / dum regnum te, Roma, facit.
                    4.691

  consul depulsis prime tyrannis / Brute,
  pias inter gaudentem uidimus umbras.
                    6.791

  sicci sed plurima campi / tetrarchae
  regesque tenent magnique tyranni 7.227
  felices Arabes ... Eoaque tellus,/ quam
  sub perpetuis tenuerunt fata tyrannis.
                    7.443

  quidquid sub Phario positus patiere
  tyranno, /crede deis, ... 7.704
  in dubiis tutum est inopem simulare
  tyranno; 8.241
  aetas Niliaci nobis suspecta tyranni est,
                    8.281

  sed melior suadere malis et nosse tyrannos
  / ausus Pompeium leto damnare Pothinus
                    8.482

  Phario satis esse tyranno / quod poterat,
  Romanus erat: 8.555
  uenturum tota Pharium cum classe tyrannum,
                    8.574

  in hac ceruice tyranni /explorate fidem·
  dixit. 8.581
  nec satis infando fuit hoc uidisse

---

  tyranno: 8.687
  tu quoque, cum saeuo dederis iam templa
  tyranno, /nondum Pompei cineres,...
  petisti; 8.835
  nec credens Pharium tantum potuisse
  tyrannum / litore Niliaco socerum iam
  stare putaui. 9.134
  haec fama est ... /... scelerisque fidem
  quaesisse tyrannum. 9.140
  ite, duces, mecum ... / sanguine semiuiri
  Magnum satiare tyranni. 9.152
  nostra quoque inuiso quisquis feret ora
  tyranno / non parua mercede dabit: 9.279
  rettulit Argolico fulgentia poma tyranno.
                    9.367
  meritumque inmane tyranni /destruit 9.1041
  fortasse tyranni / tangeris inuidia,
                    9.1051

  quod si Phario germana tyranno / non
  inuisa foret, potuissem reddere regi /
  quod meruit, ... 9.1068
  sciat hac pro caede tyrannus / nil uenia
  plus posse dari. 9.1088
  quae tibi noscendi Nilum ... cupido est,
  /et Phariis Persisque fuit Macetumque
  tyrannis, ... 10.269
  in scelus it Pharium Romani poena tyranni,
                    10.343

  tanta obliuio mentis / cepit ... / ut
  ... irent / quos erat indignum Phario
  parere tyranno. 10.406
  missusque satelles / regius, ut saeuos
  absentis uoce tyranni /corriperet famulos,
                    10.469

  famulumque tyranni / terribilem iusto
  transegit Achillea ferro. 10.522
  non ipse tyrannus / sufficit in poenas.
                    10.526

TYRII. saepe dedit sedem totas mutantibus
  urbes, / ut Tyriis, ... 5.108
TYRIUS,-A,-UM. Tyriis qui Gadibus hospes /
  adiacet ... Romanus ... /maeret et ignorat
  causas 7.187
  Tyrio cuius pars maxima fuco / cocta diu
  uirus non uno duxit aeno, . . . 10.123
  paruaque regna putet Tyriis cum Gadibus
  Indos, ... 10.457
TYROS. desertus Orontes /... / et Tyros
  instabilis pretiosaque murice Sidon. 3.217
TYRRHENUS(miles Caesarianus). stantem sublimi
  Tyrrhenum culmine prorae 3.709
  egere quod superest animae, Tyrrhene, per
  omnis /bellorum casus. 3.718
TYRRHENUS,-A,-UM. congesta recepit / omnia
  Tyrrhenus Sullana cadauera gurges. 2.210
  tandem Tyrrhenas uix eluctatus in undas
  /sanguine caeruleum torrenti diuidit
  aequor. 2.219
  collesque coercent / hinc Tyrrhena uado
  frangentes aequora Pisae, . . . 2.401
  Aegaeas transit in undas / Tyrrhenum,
  sonat Ionio uagus Hadria ponto. 5.614
  terrenum (Tyrrenum) ignotas hominem
  proiecit in undas. var.6.401
  signiferum iuuenem Tyrrheni sanguinis
  Aulum /... dipsas calcata momordit. 9.737

U

UACO,-ARE. tota uacet nullaeque obstent a
    Caesare nubes. 1.59
  nulla uacet tibi, Roma, manus. . . 2.56
  cui funera uolgi / flere uacet? . . 2.119
  uni quippe uacat studiis odiisque carenti
    / humanum lugere genus), ... 2.377
  gaudet habere uias, quod non terat hoste
    uacantis / Hesperiae fines ; . . 2.440
  dumque ipse ad bella uocaret (uacaret) /
    donauit socero Romani sanguinis usum.
                                  var.2.476
  ingreditur pulsa fluuium statione uacantem
                                      2.503
  pars mundi mihi nulla uacat, sed tota
    tenetur 2.583
  non fictas laeto uoces simulare tumultu,
    /uix odisse uacat. 3.103
  quamuis Hesperium mundi properemus ad
    axem / Massiliam delere uacat. 3.360
  nulli telum uibrare uacauit, . . 4.40
  uacat imbribus Arctos / et Notos, 4.70
  passusque uacare / summa freti medio
    suspendit uincula ponto 4.449
  Phemonoen errore uagam curisque uacantem
    /corripuit 5.126
  tot reddet Fortuna uiros quot tela
    uacabunt. 5.327
  ut uestrae morti uestraeque saluti /
    fata uacant: 5.342
  scruposisque angusta uacant ubi litora
    saxis 5.675
  opportuna tamen ualli pars uisa ... /
    qua Minici castella uacant, . . 6.126
  ac ueritus credi clipeo laeuaque uacasse
    /... tot uolnera belli / solus obit 6.203
  non uacat ullos / pro se ferre metus:
                                      7.137
  o summos hominum,... /... quorum fatis
    caelum omne uacauit! 7.206
  hae facient dextrae, quidquid nona
    explicat aetas,/...ut uacet a ferro.7.389
  nullosque hominum lugere uacamus. 7.631
  nunc tempora laeta / respexisse uacat,
                                      7.688
  quamquam non ulli plus regia, Magne,
    uacabit / saeuitia stimulata Venus 8.412
  debuerant ... nequa uacarent /arma, uel
    Arctoum Dacis Rhenique cateruis /imperii
    nudare latus, ... 8.423
  quis non, Fortuna, putasset / parcere te
    populis, quod bello haec dextra uacaret
                                      8.601
  si ... / et iuga tot uacant Bromio Nyseia,
    quare / unus in Aegypto Magni lapis? 8.801
  nec umquam / ... Caesaribus regnare uacet.
                                      9.90
  bella fugis quaerisque iugum ceruice
    uacanti / et nescis sine rege pati. 9.261
  quae nullo consita cultu /sideribus
    Phoeboque uacat: 9.691
  stellarum caelique plagis superisque
    uacaui, ... 10.186
  non uaesana Pothini / mens inbuta semel
    sacra iam caede uacabat / a scelerum
    motu: 10.334
  nullique uacare / fas est Romano. 10.415

  nec tota uacabat / regia conpresso: 10.441
UACUUS,-A,-UM. per uacuum solitae noctis
    decurrere tempus 1.536
  hostilem in terram uacuisque mapalibus
    actus 2.89
  rapuitque cruentus /uictor ab ignota
    uoltus ceruice recisos / dum uacua pudet
    ire manu. 2.113
  auolsae cecidere manus exsectaque lingua /
    palpitat et muto uacuum ferit aera motu.
                                      2.182
  Hesperiae fines uacuosque inrumpat in
    agros 2.441
  siluarum secreta petit uacuosque per agros
                                      2.602
  et nullum uestro uacuum sit tempus amori
                                      3.26
  praetor adest, uacuaeque loco cessere
    curules. 3.107
  emissaque tela / aera texerunt uacuumque
    cadentia pontum. 3.546
  tradidit in letum uacuos uitalibus artus;
                                      3.643
  incumbit prono lateri uacuamque relinquit,
                                      3.648
  sed, se per uacuos credit dum surgere
    fluctus, ... 3.703
  aera non passus uacuis discurrere uenis
                                      4.369
  namque ratem uacuae sustentant undique
    cupae 4.420
  et solitus uacuis errare mapalibus Afer
                                      4.684
  Caesar habet uacuasque domos legesque
    silentis 5.31
  aere libratum uacuo quae sustinet orbem,
                                      5.94
  cum uacuis proiecta locis a Caesare
    possim / uel fugiente capi. . . . 5.783
  somno quam saepe grauata / deceptis
    uacuum manibus conplexa cubile est 5.809
  rus uacuum, quod non habitet nisi nocte
    coacta / inuitus ... senator. 7.395
  crimen ciuile uidemus / tot uacuas urbes.
                                      7.399
  litoribus lustrat uacuas Pompeius harenae.
                                      8.62
  nam Medos proelia prima / exarmant
    uacuaque iubent remeare pharetra. 8.387
  terra dabit: linquam uacuos cultoribus
    agros, ... 9.162
  'mene'... 'degener unum / miles in hac turba
    uacuum uirtute putasti? 9.506
  in uacua regnat basiliscus harena. 9.726
  dum parat in uacuas Martem transferre
    carinas, / dux Latius ... subitus ... /
    cingitur: 10.535
UADO,-ERE. uadis adhuc ingens populis
    comitantibus exul. 2.730
  non illum laetis uadentem coetibus urbes
    /sed tacitae uidere metu, . . 3.80
  uadite meque meis ad bella relinquite
    fatis. 5.325
  fida comes Magni uadit duce sola relicto
    /Pompeiumque fugit. 5.804
  tu uelut Ausonia uadis moriturus in urbe,
                                      7.33
  tu, Caesar, in alto / caedis adhuc cumulo
    patriae per uiscera uadis, . . . 7.722
  iterumne rapinas / uadis in aequoreas?
                                      9.223

UADO
    uadite securi; 9.272
    uadimus in campos steriles exustaque
    mundi,   9.382
    uadat / ad dominum meliore uia.   9.393
    per secreta tui bellum ciuile recessus /
    uadit,   9.864
UADOSUS,-A,-UM. non rupta uadosis /Syrtibus
    incerto Libye nos diuidit aestu.   5.484
    truncusque uadosis / huc illuc iactatur
    aquis. 8.698
UADUM. molli tum cetera rumpit / turba uado
    faciles iam fracti fluminis undas.   1.222
    hi uada liquerunt Isarae, qui, gurgite
    ductus   1.399
    collesque coercent / hinc Tyrrhena uado
    frangentes aequora Pisae, . . .   2.401
    nullasque uado qui Macra moratus / alnos
    uicinae procurrit in aequora Lunae). 2.426
    ergo, ubi nulla uado tenuit sua pondera
    moles, ...   2.669
    iubet nec quaerere pontem / nec uada, sed
    duris fluuium superare lacertis.   4.150
    et abstrusas penitus uada fecit harenas.
    5.604
    non humilem Sasona uadis [non litora
    curuae / Thessaliae saxosa pauent] ...
    nautae / ... timent.   5.650
    inde ratis trepidum ... /flumineis
    uix tuta uadis, euexit in altum.   8.36
    in uada decurrit Pelusia septimus amnis.
    8.466
    et uada testantur iunctas Aegyptia Syrtes,
    8.540
    litusque malignum / incusat bimaremque
    uadis frangentibus aestum, . . .   8.566
    aequora fracta uadis abruptaque terra
    profundo, ...   9.308
    has uada destituunt, ...   9.335
UAESANUS. Lentulus exertique manus uaesana
    Cethegi. 2.543
    quid, uaesane, gemis? 4.183
    spumea tum primum rabies uaesana per ora
    /effluit 5.190
    quid nunc, uaesani, iaculis leuibusue
    sagittis / perditis ... ictus?   6.196
    praecipiti cursu uaesanum Caesaris agmen /
    in densos agitur cuneos, ...   7.496
    quos agitat uaesana quies, . . .   7.764
    rex tolletque animos Latium uaesanus in
    orbem 8.345
    epulis uaesana meroque / regia non ullis
    exceptos legibus audet / concubitus: 8.401
    illic Pellaei proles uaesana Philippi,
    /felix praedo, iacet, ...   10.20
    naturaque solum / hunc potuit finem
    uaesano ponere regi; 10.42
    quis tibi uaesani ueniam non donet amoris,/
    Antoni, ...   10.70
    uaesanus in ortus / Cambyses longi populos
    peruenit ad aeui, ...   10.279
    sed non uaesana Pothini / mens ... uacabat
    / a scelerum motu: 10.333
UAGOR. siue nihil positum est, sed fors
    incerta uagatur 2.12
    nobilitas cum plebe perit, lateque
    uagatus / ensis 2.101
    relinquas / admoneo nec tu populos
    utraque uagantis /Armenia   2.638
    ancipiti ceruice rotat spargitque uaganti
    /obstantis tripodas 5.172
    illa feroces /torquet adhuc oculos

UAGUS
    totoque uagantia caelo /lumina,   5.212
    scruposisque angusta uacant (uagant)
    ubi litora saxis /inposuit terrae.
    var.5.675
    iniussaque tela uagantur   6.78
    effractos circum tumulos ac busta uagati
    /conspexere procul praerupta in caute
    sedentem, ...   6.574
    ac, totiens nobis iugulo quaesita, uagatur
    /Germanum Scythicumque bonum,   7.434
    quacumque uagatur, /... / nox ingens
    scelerum est;   7.567
    inde Canopos / excipit, Australi caelo
    contenta uagari / stella, . . .   8.182
    pugna leuis bellumque fugax turmaeque
    uagantes, ...   8.380
    cur obicis Magno tumulum manesque uagantis
    / includis.' 8.796
    arderet Nilumque bibens per rura uagantem.
    9.752
    solique uagari / concessum per utrosque
    polos. 10.300
UAGUS,-A,-UM. telluremque ... / igne uago
    lustrare iuuet, tibi numine ab omni 1.50
    post Cilicasne uagos et lassi Pontica
    regis / proelia barbarico uix consummata
    ueneno / ultima Pompeio dabitur prouincia
    Caesar, ...   1.336
    Tethyos unda uagae lunaribus aestuet
    horis, ...   1.414
    tunc qui Dardaniam tenet Oricon et uagus
    altis / dispersus siluis Athaman   3.187
    Autololes Numidaeque uagi semperque
    paratus 4.677
    at, uagus Afer equos ut primum emisit in
    agmen, ...   4.765
    consul uterque uagos belli per munia
    patres / elicit Epirum. 5.8
    Phemonoen errore uagam curisque uacantem
    /corripuit 5.126
    Tyrrhenum, sonat Ionio uagus Hadria ponto.
    5.614
    aut, uaga cum Tethys Rutupinaque litora
    feruent, ...   6.67
    namque timens, ne Mars alium uagus iret
    in orbem /... / ... uetuit transmittere
    bella Philippos, ...   6.579
    inque latus belli, qua se uagus hostis
    agebat, / emittit subitum ... agmen. 7.523
    quod totos errore uago perfuderat agros
    / constitit hic bellum, ...   7.546
    Caesar ... / ... agmina circum / it
    uagus atque ignes animis flagrantibus
    addit. 7.559
    adde subactam / barbariem gentesque uagas
    8.812
    stellasque uagas miratus et astra /
    fixa polis, ...   9.12
    at, quaecumque uagam Syrtim conplectitur
    ora / ... exurit messes 9.431
    lunaeque meatibus obstat,/ si flexus
    oblita uagi per recta cucurrit / signa
    9.694
    spinaque uagi torquente cerastae,   9.716
    cursusque uagos statione moratur;   10.203
    nunc uagus et spargens facilem tibi
    cedere ripam. 10.310
    hinc montes natura uagis circumdedit
    undis, ...   10.327
    acies non sparsa maniplis / nec uaga
    conspicitur, ...   10.437

ponit, et incerto lustrat uagus atria
cursu, ... 10.460
UALEO,-ERE. et dum pila ualent fortes torquere
lacerti, ... 1.364
sidera quis mundumque uelit (ualet)
spectare cadentem / expers ipse metus?
var.2.289
ualet, en, torquendo dextera pilo, 2.556
nec prohibere ualent obtritis ossibus
artus 3.656
hoc tamen in casu quantum deprensa
ualebat / effecit uirtus: . . 4.469
non ualet ipsa sequi puppes quae uexerat
aura. 5.433
non ualet in fluctum: 5.648
sustinuit dixisse uale, ... 5.796
quod solum ualuit uirtus, iacuere perempti
6.132
an tacitis ualuere minis? 6.496
nec ualet haec acies tantum prosternere
quantum / inde perire potest. . . 7.534
tota, quantum ualet, utere Lesbo. 8.123
Pompeio uincite, Parthi, /uinci Roma
uolet (ualet)."' var.8.238
aut fossas inplere ualent, . . . 8.378
insidiae ualuere tuae, deceptaque uixi
9.99
uix tollere miles / membra ualet multo
congestu pululeris haerens. . . . 9.487
non cura laborque / noster scire ualet,
9.622
sed neque ius mundi ualuit nec foedera
sancta / gentibus, ... / quin caderet
ferro. 10.471
UALIDUS,-A,-UM. dona ducum nec iam ualidis
radicibus haerens 1.138
inplentur ualidae tirone cohortes, 1.305
at te Corfini ualidis circumdata muris /
tecta tenent, pugnax Domiti; . . 2.478
trans ripam ualidi torserunt tela lacerti.
2.502
tortaque per tenebras ualidis ballista
lacertis 2.686
nec quatiunt ualidos, ne sibilet aura,
rudentes. 2.698
cornua Romanae classis ualidaeque triremes
/quasque quater surgens extructi remigis
ordo / commouet 3.529
at hi totum ualidis aplustre lacertis /
auolsasque rotant expulso remige sedes.
3.672
iaculum letale reuolsum/.../oppressere
manu, ualidos dum praebeat ictus 3.678
non ullo litore surgunt / tam ualidi
fluctus, ... 5.618
uel sceptra uel urbes /libertate sua
ualidas inpellite fama / nominis: 9.91
UALLIS. puniceus Rubicon, ... / perque imas
serpit ualles 1.215
incipiunt uisoque die durescere ualles.
4.129
attollunt campo geminae iuga saxea rupes /
ualle caua media; 4.158
ipse caua regni uires in ualle retentat:
4.723
non sic Hennaeis habitans in uallibus
horret / Enceladum 6.293
hos inter montis media qui ualle
premuntur, / perpetuis quondam latuere
paludibus agri, ... 6.343
excepit resonis clamorem uallibus Haemus

UALLO,-ARE. cum moenia clausa / conspicit et
densa iuuenum uallata corona. 3.374
Phocaicis Romana ratis uallata carinis
/robore diducto dextrum laeuumque tuetur
3.583
eruerent, nulli uallarent oppida muri,
4.224
omni / uallatus bello uincit, quem
respicit, hostem. 6.185
UALLUM. effugit exiguo nocturna pericula
uallo, ... 1.516
denso tamen aggere firmant / moenia et
abrupto circumdant undique uallo, 2.450
tutelaque ualli / peruigil alterno paret
custodia signo. 4.6
alto restagnant flumina uallo. 4.89
illic exiguo paulum distantia uallo /
castra locant. 4.168
rupit amor leges, audet transcendere
uallum / miles, ... 4.175
en, ueteris cernis uestigia ualli. 4.659
sed postquam languida segni / cernit
cuncta metu nocturnaque munera ualli /
desolata fuga, ... 4.700
ut uidet ad nullos exciri posse tumultus
/ in pugnam generum sed clauso fidere
uallo, ... 6.12
ut ... hostem / cingeret ignarum ducto
procul aggere ualli. 6.31
ac tantum saepti uallo sibi uindicat agri,
6.73
quaerit, et inpulso turres confringere
uallo, ... 6.123
opportuna tamen ualli pars uisa propinqui,
6.125
iam Pompeianae celsi super ardua ualli /
exierant aquilae, ... 6.138
ualli summa tenentis / amputat ense manus;
6.175
transierat primi Caesar munimina ualli,
6.290
sternite iam uallum fossasque inplete
ruina, ... 7.326
uallo tendetis in illo / unde acies
peritura uenit.' 7.328
protinus hostili statuit succedere uallo,
7.733
primum, quas ualli spatium conprendit,
harenas / expurgat cantu . . . 9.913
UANESCO,-ERE. dubios cernit uanescere montis.
3.7
Pompeiumque ferens uanescit solis ad ortus
/fumus, ... 9.76
VANGIONES. qui te laxis imitantur, Sarmata,
bracis / Vangiones, Bataui̇que truces,
1.431
UANUS,-A,-UM. Marcellusque loquax et nomina
uana Catones. 1.313
uana quodque ad ueros accessit fama
timores 1.469
uanum depone furorem.' 2.83
foedera sola tamen uanaque carentia pompa
/iura placent sacrisque deos admittere
testes. 2.352
an uanae tumuere minae 2.573
uanaque percussit pontum Symplegas inanem
2.718
et 'quid' ait 'uani terremur imagine
uisus? 3.38
quoque modo uanos populi conciret amores,

UANUS

3.54

his magnam uictor in iram / uocibus
accensus 'uanam spem mortis honestae
/concipis: 3.134
'uana mouet Graios nostri fiducia cursus.
3.358
Antaei quas regna uocat non uana uetustas.
4.590
obliquusque caput uanas serpentis in
auras / effusae tuto conprendit guttura
morsu /letiferam citra saniem;   4.726
iure sed incerto mundi subsidere regnum /
Chalcidos Euboicae uana spe rapte parabas.
5.227
decantatque tribus et uana uersat in urna.
5.394
uanum saeuumque furorem / adiuuat ipse
locus 6.434
at nox ... / sollicitos uana decepit
imagine somnos. 7.8
multusque in pectore uano est /Hannibal,
8.285
(hunc genuit custos Nili crescentis in arua
/ Memphis uana sacris; 8.478
'uana specie conterrite leti, . .   9.612
uana fides ueterum, Nilo, quod crescat in
arua, /Aethiopum prodesse niues.   10.219
Zephyros quoque uana uetustas / his
ascripsit aquis, quorum stata tempora
flatus 10.239

UAPOR. quoque minus possent siccos tolerare
uapores /quaesitae fecistis aquae.   4.305
uel plaga qua torrens claususque uaporibus
axis / nec patitur noctes nec iniquos
crescere soles, ...   5.24
monstrat tolerare labores (uapores),
var.9.588
calidoque uapore /adliciunt gelidas
nocturno frigore pestes. 9.843
testis tibi sole perusti /ipse color
populi calidique uaporibus Austri.   10.222
sed quae uicina fuere /tecta mari longis
rapuere uaporibus ignem, ... 10.499

UAPORO,-ARE. undat apex, Campana fremens ceu
saxa uaporat / conditus Inarimes aeterna
mole Typhoeus, ...   5.100

UARA(subst.). aut dum dispositis attollat
retia uaris,   4.439

UARIO,-ARE. plurimus asperso uariabat
sanguine liuor. 1.620
arcus uix ulla uariatus luce colorem
4.80
pluribus ille notis uariatam tinguitur
aluum / quam ... Thebanus ophites.   9.713

UARIUS,-A,-UM. utque ducem uarias uoluentem
pectore curas / conspexit 1.272
et uarias ignis denso dedit aere formas,
1.531
tum fragor armorum magnaeque (uariaeque)
per auia uoces / auditae nemorum
var.1.569
tunc urbes Latii dubiae uarioque fauore /
ancipites, ...   2.447
coiere nec umquam /tam uariae cultu
gentes, tam dissona uolgi / ora.   3.289
sulcato uarios duxerunt gurgite tractus,
3.551
quos eadem uariis genuerunt uiscera fatis:
3.604
praebuit ille dies uarii miracula fati.
3.634

cetera bello / fata dedit uariis incertus
motibus aer. 4.49
uariam semper dant otia mentem.   4.704
effingunt uarias casu monstrante figuras;
5.713
discolor et uario furialis cultus amictu
/induitur, ...   6.654
non tamen abstinuit uenturos prodere casus
/per uarias Fortuna notas. . . .   7.152
uigiles Pompei pectore curae /nunc ...
adeunt ... / et uarias regum mentes, 8.163
uariaque triclinia ueste /strata micant,
10.122a
hunc ubi pars caeli tenuit, qua ... / ...
uarii mutator circulus anni /Aegoceron
Cancrumque tenet, ... / ... tunc Nilus
fonte soluto, / ... / iussus adest, 10.212

VARUS(P. Attius). Varus, ut admotae pulsarunt
Auximon alae, ...   2.466
tum Vari sub iure fuit; . . .   4.667
nam pepulit Varum campo . . .   4.713
tristia sed postquam superati proelia
Vari / sunt audita Iubae, . . .   4.715
iam supplice Varo /intumuit . .   8.287

VARUS(fluuius). finis et Hesperiae, promoto
limite, Varus; 1.404

UASTUS,-A,-UM. erexitque iubam et uasto graue
murmur hiatu 1.209
fontibus hic uastis inmensos concipit
amnes 2.403
nam murmure uasto / inpulsum rostris
sonuit mare, ...   2.701
uastis Indus aquis mixtum non sentit
Hydaspen; 3.236
quos gurgite Bactros / includit gelido
uastisque Hyrcania siluis; . . .   3.268
tunc res inmenso placuit statura labore,
/aggere diuersos uasto committere colles.
3.382
innumerae uasto miscentur in aethere uoces,
3.540
semianimes alii uastum subiere profundum
3.576
bracchia nec licuit uasto iactare profundo
3.651
discessit medium tam uastos pectus ad
ictus, ...   3.655
nox subit atque oculos uastae obduxere
tenebrae, ...   3.735
iam flumina cuncta / condidit una palus
uastaque uoragine mersit, . . .   4.99
uastos obliquent flumina fontes.   4.117
hoc quoque tam uastas cumulauit munere
uires /Terra sui fetus, ...   4.598
at, qua lata iacet, uasti plaga feruida
regni /distinet Oceanum zonaeque exusta
calentis. 4.674
ut uidit Paean uastos telluris hiatus
5.82
sic tempore longo / inmotos tripodas
uastaeque silentia rupis /Appius ...
/sollicitat. 5.121
confugit ad tripodas uastisque adducta
cauernis 5.162
murmura, tum maestus uastis ululatus in
antris 5.192
solusque quietem / Euboici uasta lateris
conualle tenebis'. 5.196
Caesar sollicito per uasta silentia
gressu / uix famulis audenda parat, 5.508
ut uastis diffusum collibus hostem /

cingeret 6.30
magnoque recessu/amplexus ...tesqua/ et
siluas uastaque feras indagine claudit.
6.42
ut primum uasto saeptas uidet aggere
terras, ... 6.69
obruat aut uasti muralia pondera saxi.
6.199
terraeque secutus / deuia, qua uastos
aperit Candauia saltus,/ contigit Emathiam,
6.331
inde maris uasti transuerso uertitur
aestu; . . . . . , ... 8.462
hebenus Mareotica uastos / non operit
postes 10.117
non Thessala tellus / uastaque regna.
Iubae, non Pontus et inpia signa /
Pharnacis ... / ... tantum ausus scelerum,
10.475
sed caeca iuuentus / consilii uastos ambit
diuisa penates, ... 10.483

UATES. sed mihi iam numen; nec, si te pectore
uates / accipio, ... 1.63
uos quoque, qui fortes animas belloque
peremptas / laudibus in longum uates
dimittitis aeuum, ... 1.448
diraque per populum Cumanae carmina uatis
/uolgantur. 1.564
haec propter placuit Tuscos de more
uetusto / acciri uates. 1.585
terruit ipse color uatem; . . . 1.618
incubuitque adyto uates ibi factus Apollo.
5.85
humanam feriens animam sonat oraque uatis
/soluit, ... 5.98
nec uoce negata / Cirrhaeae maerent uates,
5.115
iussus ... / antistes pauidamque deis
inmittere uatem 5.124
spiritus ingessit uati; 5.165
accipit et frenos, nec tantum prodere uati
/quantum scire licet. 5.176
qualis in Euboico uates Cumana recessu
/indignata suum multis seruire furorem
5.183
tum pectore uatis / impactae cessere fores,
5.208
sic muta leuant suspiria uatem. 5.218
fugere reuolsis / unguibus inpastae
uolucres, dum Thessala uatem /eligit 6.628
nam, quamuis Thessala uates / uim faciat
fatis, dubium est, quod traxerit illic /
aspiciat Stygias an quod descenderit
umbras. 6.651
tripodas uatesque deorum / sors obscura
decet: 6.770
tibi certior omnia uates / ipse canet
Siculis genitor Pompeius in aruis, 6.813
nullaque tantorum discat me uate malorum,
/... aetas. 7.553
haud equidem inmerito Cumanae carmine
uatis / cautum, ne Nili Pelusia tangeret
ora / Hesperius miles 8.824
inuidus,... / qui uates ad uera uocat.
9:360
petit famae mirator ... /Rhoetion et
multum debentis uatibus umbras. 9.963
o sacer et magnus uatum labor! 9.980
quantum Zmyrnaei durabunt uatis honores,
/uenturi me teque legent; . . . 9.984
insula quondam / in medio stetit illa

mari sub tempore uatis /Proteos, 10.510
UATICINOR,-ARI. uaticinata quies magni tulit
omina planctus, ... 7.22
UBER(subst.). ubere uix glaebae superat,
cessantibus Austris /... Libye 3.68
pectoribus rapti matrum frustraque
trahentes / ubera sicca fame medios
mittentur in ignis 3.352
sordidus exhausto sorbetur ab ubere
sanguis. 4.315
UBI. (a) interr. direct. 10.410
indirect. 1.52;8.142;8.644;9.123
(b) rel. de loco. 1.15;1.473;3.201;
3.233;4.72;5.675;6.355;6.356;6.357;7.193;
8.371;8.437;9.624;10.408
quippe ubi. 4.750;
(c) rel. de temp. 1.103;1.208;1.630;
2.16;2.330;2.500;2.628;2.669;3.71;3.298;
3.550;3.701;4.237;4.283;5.97;5.714;6.149;
6.413;6.538;6.719;8.460;8.589;8.775;9.19;
9.109;9.182;9.316;10.107;10.210;10.545
UBICUMQUE. et pigras, ubicumque iacent,
effunde paludes 4.119
socero spectare uolenti /praestandum
est ubicumque caput. 7.675
ubicumque iaces ciuilibus armis /nostros
ulta toros, ades huc 8.102
ubicumque uideris /quaereris, 10.283
UBIQUE. Caesar, ubique tuus (liceat modo,
nunc quoque) miles. 1.202
quidquid ubique iacet. 2.162
sed adest defensor ubique /Caesar 10.488
UDUS,-A,-UM. et qua Pomptinas uia diuidit
uda paludes, ... 3.85
mox uda receptis / membra fouent armis
4.152
-UE. 1.125;1.126;1.163;1.505;6.196;9.847
UECTOR. uectoris patiens tumidum super
emicat amnem. 4.133
uectorem non nosse tuum, quem numina
numquam / destituunt, ... 5.581
teque, per amnem / inprobe Lernaeas
uector passure sagittas, . . . 6.392
exiguam uector pauidus correpsit in alnum.
8.39
UEHO,-ERE. quos Creta profugos uexere per
aequora puppes / Cecropiae . . . 2.611
quod Cato longinqua uexit super aequora
Cypro. 3.164
ast aliae mutato remige puppes / uictores
uexere suos; 3.755
non ualet ipsa sequi puppes quae uexerat
aura. 5.433
si iussa secutus / me uehis Hesperiam,
non ultra cuncta carinae /debebis 5.534
quem contra non longa uecta biremi /
appulerat scelerata manus, . . 8.562
sociosne malorum / an ueherent hostes:
9.47
non altius ignis / rapta uehit; 9.461
non iubet, et nulla uehitur ceruice
supinus 9.589
Parrhasiae uexerunt Persea pinnae /Arcados
auctoris citharae liquidaeque palaestrae,
9.660
VEII. Tarpeia sede perusta /Gallorum facibus
Veiosque habitante Camillo /illic Roma
fuit. 5.28
Gabios Veiosque Coramque /puluere uix
tectae poterunt monstrare ruinae 7.392
UEL. (a) concess. 2.517;5.411;5.784;6.18;

UEL
    6.284;6.300;6.603;7.29;8.113;8.274;8.424;
    8.714;9.50;9.391;9.751;9.895;9.937;
    (b) disiunct. 1.411;2.56;2.246;2.514;
    2.667;3.317;3.318;3.336;5.23;5.24;5.271;
    5.558;5.559;6.21(bis);6.595(bis);6.598;
    6.599;7.670;7.866;7.867;8.643;8.644;9.90
    (bis);9.303;9.311;9.1030;10.242;10.244;
    10.458

UELAMEN. ac retegit sacros scisso uelamine
    uoltus 8.669
    collegit ... /... exuuias pictasque togas,
    uelamina summo / ter conspecta Ioui, 9.177
    colla gerit Magni Phario uelamine tecta
    9.1012

UELAMENTUM. illic et laxas uestes et fluxa
    uirorum / uelamenta uides. . . . 8.368

UELIFER,-A,-UM. fractaque ueliferi sonuerunt
    pondera mali, ... 1.500

UELLO,-ERE. miles et attonso miseris iam
    dentibus aruo / castrorum siccas de
    caespite uolserat herbas. . . . 4.414
    cernit miserabile uolgus /.../uellere
    ab ignotis dubias radicibus herbas. 6.113
    uincula rumpit / adfixam uellens oculo
    pendente sagittam / intrepidus, 6.218
    non eget ingestis sed uolsis pectore telis.
    6.232
    Centauros / feta ...nubes effudit ... /
    teque sub Oetaeo torquentem uertice
    uolsas, /Rhoece ferox,... ornos, 6.389
    percussaque uiscera nimbis / uolsit et
    incoctas admisso sole medullas. 6.546
    illa genae florem primaeuo corpore uolsit,
    6.562
    nullusque auderet pecori permittere pastor
    /uellere surgentem de nostris ossibus
    herbam, ... 7.865

UELLUS. me domitus cognouit Arabs, me Marte
    feroces / Heniochi notique erepto uellere
    Colchi, ... 2.591
    et par Phoebus aquis densas in uellera
    nubes /sparserat, ... 4.124

UELO,-ARE. lutea demissos uelarunt flammea
    uoltus, ... 2.361

UELOX,-OCIS. gaudetque ... / gurgite, qua
    Rhodanus raptum uelocibus undis 1.433
    clademque futuram / intulit et uelox
    properantis nuntia belli /innumeras soluit
    falsa in praeconia linguas. . . 1.471
    (in laeuum cecidere latus ueloxque
    Metaurus 2.405
    nunc furor incubuit nec iuncto Sarmata
    uelox / Pannonio Dacisque Getes admixtus:
    3.94
    lucet et exigua uelox ibi nocte Bootes,
    3.252
    non tam ueloci corrumpunt pocula leto /...
    toxica ... matura 9.819
    uelox currit per tela uenenum /inuadituqe
    inuaditque manum; 9.829

UELUM. quos Creta profugos uexere per aequora
    puppes /Cecropiae uictum mentitis Thesea
    uelis. 2.612
    hinc late patet omne fretum, seu uela
    ferantur 2.622
    non Eurum Zephyrumque timens, cum uela
    ratisque / in medium deferret Athon. 2.676
    propulit ut classem uelis cedentibus
    Auster /incumbens 3.1
    quod nec uela ferat nec apertas
    uerberet undas. 4.426

    Curio, nec forti uelis Aquilone recepto
    4.584
    summaque pandens / sipara uelorum
    perituras colligit auras. . . 5.429
    nec peruia uelis / aequora frangit eques,
    5.439
    ne flecte manum, fuge proxima uelis /
    litora; 5.588
    turbo rapax fragilemque super uolitantia
    malum / uela tulit; 5.596
    nubila tanguntur uelis et terra carina.
    5.642
    sed nox saeua modum uenti uelique tenorem
    /eripuit nautis 5.709
    omnia subducit Circaeae uela procellae;
    6.287
    in litora Lesbi / flectere uela iubet,
    8.41
    semper prima uides uenientis uela carinae,
    8.48
    sed quo uela dari, quo nunc pede carbasa
    tendi / nostra iubes?' 8.185
    iusto uela modo pendentia cornibus
    aequis / torsit 8.193
    infimaque Aegypti pugnaci litora uelo
    /uix tetigit, ... 8.464
    iam uento uela negarat / Magnus 8.560
    cum procul ex alto tendentes uela carinae
    /ancipites tenuere animos, . . 9.45
    frustraque rudentibus ausis /uela
    negare Noto spatium uicere carinae. 9.326
    tota secundis / uela dedit Coris, 9.1001
    extenso laxauit stamina uelo. 10.143
    iubet ... / lampadas inmitti iunctis in
    uela carinis; 10.492

UELUT. uelut unica rebus / spes foret
    adflictis patrios excedere muros, 1.496
    ac, uelut occultum pereat scelus, omnia
    monstra / in facie posuere ducum: 4.252
    ueluti fatalis harenae / muneribus non ira
    uetus concurrere cogit /productos, 4.708
    quid uelut ignaros ad quae portenta
    paremur / spe trahis? 5.284
    ueluti, si cuncta minentur / flumina
    quos miscent pelago subducere fontes,
    5.336
    uelut ensibus ipsis / imperet inuito
    moturus milite ferrum. 5.366
    ueluti deserta regente / aequora natura
    cessant, ... 5.443
    nec placet ... / quodque caput spargens
    undis, uelut occupet imbrem, /instabili
    gressu metitur litora cornix. 5.555
    ueluti mediae qui tutus in aruis /Sicaniae
    rabidum nescit latrare Pelorum, 6.65
    sed patitur saeuam, ueluti circumdatus
    arta / opsidione, famem. 6.108
    ac uelut inclusum perfosso in pectore
    numen / ... adorant; 6.253
    tu uelut Ausonia uadis moriturus in urbe,
    7.33
    attonitique omnes ueluti uenientia fata,
    /non transmissa, legent 7.212
    quacumque uagatur / sanguineum ueluti
    quatiens Bellona flagellum /.../nox
    ingens scelerum est; 7.568
    ac, uelut inpatiens hominum uel solis
    iniqui / limite uel glacie, nuda atque
    ignota iaceres, ... 7.866
    [ulla nisi aetheriae medio uelut aequore
    flammae] /sideribus nouere uiam; 9.494

quem ... Cleopatra sine ullis / tristis
adit lacrimis, simulatum compta dolorem
/qua decuit, ueluti laceros dispersa
capillos, ... 10.84
sic uelut in tuta securi pace trahebant /
noctis iter mediae. 10.332

UENA. fulminis edoctus motus uenasque calentis
/fibrarum 1.587
cernit tabe iecur madidum, uenasque
minaces 1.621
pars micat et celeri uenas mouet inproba
pulsu. 1.629
ruptis cadit undique uenis, . . . 3.639
aut inpulsa leui turbatur glarea uena.
                                   4.302
iam marcent uenae, nulloque umore rigatus
                                   4.326
aera non passus uacuis discurrere uenis
                                   4.369
calido conplentur sanguine uenae, 4.630
atraque fouit / ... in uenas extremaque
membra cucurrit. 6.751
pudet ... / quaerere ... / quis cruor
emissis perruperit aera uenis   7.625
tunc neruos uenasque secat nodosaque
frangit / ossa diu: 8.672
Lethon tacitus praelabitur amnis,/infernis,
ut fama, trahens obliuia uenis,   9.356
conspecta est parua maligna / unda procul
uena, ... 9.501
atque oculos lacrimarum uena refugit.
                                   9.746
scrutatur uenas penitus squalentis harenae,
                                   9.755
ferroque aperire tumentis / sustinuit
uenas atque os inplere cruore.   9.760
omnia plenis / membra fluunt uenis; 9.814
quasdam ... aquas ... /... concussis
terrarum erumpere uenis / ... reor, 10.264
scopuli, placuit fluuii quos dicere uenas,
                                   10.325
UENABULUM. haereat aut latum subeant uenabula
pectus, ... 1.211
illum / saltus ... iecit per arma ... /
quam super summa rapit celerem uenabula
pardum. 6.183
UENALIS,-E. ambitus urbi / annua uenali
referens certamina Campo; . . 1.180
audax uenali comitatur Curio lingua, 1.269
nulla fides ... uiris qui castra secuntur,
/uenalesque manus; 10.408
UENATOR. uenator tenet ora leuis clamosa
Molossi, ... 4.440
uenator ferrique simul fiducia non est
                                   4.685
UENDITO,-ARE. et scelere inbutos etiamnunc
uenditat enses. 5.248
UENDITOR(subst.). non dest prolato ieiunus
uenditor auro. 4.97
UENDO,-ERE. quo te Fabricius regi non uendidit
auro, ... 3.160
emere omnes, hic uendidit urbem. 4.824
UENEFICA(subst.). pollutos cantu dirisque
uenifica sucis / conspersos uetuit
transmittere bella Philippos,   6.581
UENENUM. post Cilicasne uagos et lassi Pontica
regis / proelia barbarico uix consummata
ueneno / ultima Pompeio dabitur prouincia
Caesar, ... 1.337
omnis an infusis miscebitur unda uenenis?
                                   1.648

o fortunati,fugiens quos barbarus hostis
/ fontibus inmixto strauit per rura
ueneno. 4.320
tunc inrita pestis / exprimitur faucesque
fluunt pereunte ueneno. 4.729
mens hausti nulla sanie polluta ueneni
/ excantata perit. 6.457
humanoque cadit serpens adflata ueneno.
                                   6.491
Phoebeque serena / non aliter diris
uerborum obsessa uenenis / palluit 6.501
herbas / addidit et quidquid mundo dedit
ipsa ueneni. 6.684
stridula sed multo saturantur tela
ueneno; 8.304
nulla manus illis, fiducia tota ueneni
est. 8.388
infuso facies solidata ueneno est. 8.691
mihi plena ueneno / occurrat serpens,
                                   9.396
dixit, dubiumque uenenum /hausit; 9.616
uipereumque fluit depexo crine uenenum,
                                   9.635
quanto spirare ueneno / ora rear 9.679
plenior huc sanguis et crassi gutta
ueneni / decidit; 9.702
ante uenena nocens, late sibi summouet
omne / uolgus ... basiliscus   9.725
nec uobis opus est ad noxia fata ueneno.
                                   9.733
furens exquireret aruis / quas poscebat
aquas sitiens in corde uenenum.   9.750
nec sentit fatique genus mortemque ueneni,
                                   9.758
sustinuit ... os inplere cruore (ueneno).
                                   var.9.760
saeuum· sed membra uenenum / decoquit,
                                   9.775
super omnia membra / efflatur sanies late
pollente·ueneno; 9.795
uelox currit per tela uenenum / inuaditque
manum; 9.829
innocuosque diu rictus torpente ueneno
/inter membra fouent. 9.845
homines uoluisti desse uenenis.   9.858
profuit in mediis sedem posuisse uenenis.
                                   9.897
Psyllorumque ingens et rapti pugna ueneni.
                                   9.924
pallentia uolnera lambit / ore uenena
trahens et siccat dentibus artus, 9.934
cuius morsus superauerit anguis / iam
promptum Psyllis uel gustu nosse ueneni.
                                   9.937
expugnare senem potuit Cleopatra uenenis:
                                   10.360
UENEO,-ERE. quod legit diues summis Arimaspus
harenis,/ ut rapiant, paruo scelus hoc
uenisse putabunt. 7.757
UENERABILIS,-E. docuit populos uenerabilis
ordo 5.13
pura uenerabilis aeque / quam currus
ornante toga, plaudente senatu / sedit
adhuc Romanus eques; 7.17
semper uenerabilis illa / orbis parte fui,
                                   8.317
permansisse decus sacrae uenerabile formae
/... fatentur 8.664
quem non tumuli uenerabile saxum / et
cinis ... / auertet manesque tuos placare
iubebit 8.855

UENERABILIS

    clarum et uenerabile nomen / gentibus
                      9.202

UENEROR,-ARI. adloquitur tacitas ueneranda
    uoce cohortes. 2.530
    inde perit primum quondam ueneranda
    potestas / iuris inops; 5.397
    permixta secundo / ordine nobilitas
    uenerandaque corpora ferro /urguentur;
                      7.582
    inclusum Tusco uenerantur caespite fulmen.
                      8.864
    ut ducis inpleuit uisus ueneranda uetustas,
    /erexit ... aras 9.987
    Abaton quam nostra uocat ueneranda
    uetustas, /terra potens 10.323

VENETUS. sic Venetus stagnante Pado fusoque
    Britannus / nauigat Oceano; . . 4.134

UENIA. danda tamen uenia est tantorum danda
    pauorum: 1.521
    scit Caesar poenamque peti ueniamque
    timeri. 2.511
    nihil hac uenia, si uiceris, ipse
    paciscor.' 2.515
    uenia est haec sola pudoris . . 3.148
    ueniam misero concede parenti, . 3.744
    et ueniam meruere dei. 4.123
    periere latebrae / tot scelerum, populo
    uenia est erepta nocenti: . . . 4.193
    et ueniam sperare licet. 4.231
    et ueniam securo pectore poscit. 4.343
    promittant ueniam, iubeant sperare
    salutem, ... 4.510
    uenia date bella trahenti: . . 7.296
    uenia gaudet caruisse secunda. . 7.604
    non ueritus tantam ueniae committere uobis
    /materiam. 8.136
    quod iam conpositum uiolat manus hospita
    bustum,/ da ueniam: 8.749
    i modo securus ueniae fassusque sepulchrum
    /posce caput. 8.784
    'nos, Cato, da ueniam, Pompei duxit in
    arma, / ... amor, ... 9.227
    cur non maiora mereri / quam uitam
    ueniamque libet? 9.276
    sciat hac pro caede tyrannus / nil uenia
    plus posse dari. 9.1089
    quis tibi uaesani ueniam non donet amoris,
    /Antoni, ... 10.70

UENIO,-IRE. unde uenit Titan et nox ubi sidera
    condit 1.15
    quod si non aliam uenturo fata Neroni /
    inuenere uiam 1.33
    ut uentum est parui Rubiconis ad undas.
                      1.185
    si iure uenitis, ... 1.191
    ueniat longa dux pace solutus . . 1.311
    Hesperios audax ueniam metator in agros.
                      1.382
    humani facilem uenturo Caesare praedam
                      1.513
    in medium uenere diem, ... 1.537
    magnaeque per auia uoces / audiere nemorum
    et uenientes comminus umbrae. . . 1.570
    caesique in pectora tauri / inferni
    uenere dei. 1.634
    sed uenient maiora metu. 1.635
    cum domino pax ista uenit. . . . 1.670
    noscant uenturas ut dira per omina clades?
                      2.6
    nec magis informes ueniunt ad litora
    trunci / qui medio periere freto. 2.189

UENIO

    quam laetae Caesaris aures /accipient
    tantum uenisse in proelia ciuem! 2.274
    in curas uenio partemque laborum. 2.347
    ad Cinnas Mariosque uenis. . . . 2.546
    nostri fama uenit, quas est uolgata per
    urbes 2.634
    ueniam te bella gerente / in medias acies.
                      3.30
    iam dilecta Ioui centenis uenit in arma /
    Creta uetus populis 3.184
    uenere feroces / Cappadoces, . . 3.243
    ignotum uobis, Arabes, uenistis in orbem
                      3.247
    foedera si placeant, sit quo ueniatis
    inermes. 3.335
    uenerat in fluctus Rhodani cum gurgite
    classis 3.515
    semper uenturis conponere carbasa uentis.
                      3.596
    pila sed in medium uenere trementia
    pectus 3.598
    noctes uentura luce rubebant, . . 4.125
    magnum nunc saecula nostra / uenturi
    discrimen habent. 4.192
    si torrida paruos / uenit in ora cruor,
                      4.240
    tum sic attonitam uenturaque fata
    pauentem / rexit magnanima Vulteius uoce
    cohortem: 4.474
    omnibus incerto uenturae tempore
    uitae / par animi laus est . . . 4.481
    nam, siqua deus sub pectora uenit, 5.116
    uenit aetas omnis in unam /congeriem,
                      5.177
    refertur /ad uolgare iubar mediae uenere
    tenebrae. 5.220
    fortunamque suam per summa pericula
    gaudens /exercere uenit; 5.303
    grauis hinc languore profundi /obsessis
    uentura fames. 5.450
    ignaue, uenire / te Caesar, non ire iubet.
                      5.487
    ad Caesaris arma iuuentus / naufragio
    uenisse uolet. 5.494
    si murmura ponti / consulimus, Cori ueniet
    mare. 5.572
    cum post uota uenit. 5.583
    alioque ex orbe uoluti / a magno uenere
    mari, ... 5.619
    blandaeque iuuat uentura trahentem /
    indulgere morae 5.732
    uenit maesta dies et quam nimiumque
    parumque / distulimus; 5.741
    quae nox tibi proxima uenit, insomnis;
                      5.805
    sed languor cum morte uenit; . . 6.100
    subitusque in moenia uenit. . . 6.128
    ueniet qui uindicet arces / dum morimur.'
                      6.164
    solus, in alterius nomen cum uenerit
    undae, /defendit Titaresos aquas 6.375
    unde et Thessalicae ueniunt ad Pythia
    laurus. 6.409
    inpatiensque morae uenturisque omnibus
    aeger, ... 6.424
    'o decus Haemonidum,... / quaeque suo
    uentura potes deuertere cursu, /te precor
    ut certum liceat mihi noscere finem 6.591
    licet has exaudiat herbas,/ ad manes
    uentura semel. 6.716
    ueniet quae misceat omnis / hora duces.

	6.806
uenit defunctus ad ignes. . . .	6.825
multos in summa pericula misit /uenturi	
timor ipse mali.	7.105
multorum pallor in ore / mortis uenturae	
faciesque simillima fato. . . .	7.130
non tamen abstinuit uenturos prodere	
casus / per uarias Fortuna notas.	7.151
nam,Thessala rura / cum peterent, totus	
uenientibus obstitit aether . .	7.153
'uenit summa dies, geritur res maxima,'	
dixit	7.195
haec ... / siue sua tantum uenient in	
saecula fama /... /spesque metusque	
... mouebunt, ...	7.208
attonitique omnes ueluti uenientia	
fata, / non transmissa, legent	7.212
uallo tendetis in illo / unde acies	
peritura uenit.'	7.329
Mars iste ... /... populos aeui uenientis	
in orbem / erepto natale feret.	7.390
uentum erat ad robur Magni mediasque	
cateruas.	7.545
funesta ad pabula belli /Bistonii uenere	
lupi	7.826
ante nouae uenient acies, scelerique	
secundo / praestabis ... campos.	7.853
semper prima uides uenientis uela carinae,	
	8.48
fac, Magne, locum ... /... quem ueniens	
hospes Romanus adoret.	8.115
audentque in bella uenire . . .	8.301
credis, Magne, uiros quos in discrimina	
belli / cum ferro misisse (uenisse)	
parum est? var.8.390
ad foedus pacemque uenis?' . .	8.435
uenturum tota Pharium cum classe tyrannum.	
	8.574
iam uenerat horae / terminus extremae,	
	8.610
ueniet felicior aetas	8.869
inueniet classes quisquis Pompeius in	
undas / uenerit, ...	9.94
numquam ueniemus ad enses . . .	9.106
pauca Catonis / uerba sed a pleno	
uenientia pectore ueri.	9.189
et mihi, si fatis aliena in iura	
uenimus, / fac talem, Fortuna, Iubam;	
	9.212
uocibus his maior ... /... generosam uenit	
ad umbram / mortis honos. . . .	9.216
per mediam Libyen ueniant atque inuia	
temptent, ...	9.386
in nemus ignotum nostrae uenere secures,	
	9.429
uentum erat ad templum Libycis	9.511
et patriae uenturos excute mores.	9.559
in loca serpentum nos uenimus:	9.859
ueniant hostes, Caesarque sequatur / qua	
fugimus.'	9.879
uenturi me teque legent;	9.985
iam Pelusiaco ueniens a gurgite Nili	
/rex puer inbellis populi sedauerat iras,	
	10.53
inposuere orbes, quales ad Caesaris ora /	
nec capto uenere Iuba.	10.146
uenit ad occasus mundique extrema	
Sesostris	10.276
en, altera uenit / uictima nobilior.	
	10.385
et in partem Romani uenit Achillas; 10.419

acies non sparsa maniplis / nec uaga	
conspicitur, sed ... / recta fronte	
uenit:	10.438
dum patrii ueniant in uiscera Caesaris	
enses / Magnus inultus erit.	10.528
UENTER. eliso uentre per ora / eiectat saniem	
permixtus uiscere sanguis. . .	3.657
qua iam non medius descendit in ilia	
uenter, ...	3.724
uolnere sic uentris, non qua natura	
uocabat, / extrahitur partus calidis	
ponendus in aris;	6.558
UENTOSUS,-A,-UM. desertus Orontes / et felix,	
sic fama, Ninos, uentosa Damascos	3.215
deus quem toto litore pontus /audit	
uentosa perflantem marmora concha,	9.349
UENTUS. qualiter expressum uentis per nubila	
fulmen	1.151
uentus ab extremo pelagus sic axe uolutet	
	1.412
imaque telluris uentos tractusque coruscos	
/flammarum accipiunt;	2.270
quamuis icta nouo, uentum tenuere priorem	
/aequora, ...	2.458
Caesar, ut emissas uenti rapuere carinas,	
/absconditque fretum classes,	3.46
primaque cum uentis pelagique	
furentibus undis / conposuit mortale	
genus, ...	3.195
uentus ut amittit uires, nisi robore	
densae / occurrunt siluae, . . .	3.362
nec uentus in illas / incubuit siluas	
	3.408
telluris inanis / concussisse sinus	
quaerentem erumpere uentum /credidit 3.460
abscidit inpulsu uentorum adiuta uetustas,	
	3.471
non hasta uiris, non letifer arcus, /	
telum flamma fuit, ...	3.501
semper uenturis conponere carbasa uentis.	
	3.596
ut uidit Paean uastos telluris hiatus /	
diuinam spirare fidem uentosque loquaces	
	5.83
Brundisii clausas uentis brumalibus undas	
/ inuenit	5.407
uix primum leuior propellere lintea	
uentus / incipit	5.430
fluctus nimiasque precari / uentorum	
uires, ...	5.452
coepere ... aequora classem / curua	
sequi, quae iam uento fluctuque secundo	
/lapsa Palaestinas uncis confixit harenas.	
	5.459
in uentos inpendo uota fretumque.	5.491
uentorumque notam rubuit; . . .	5.549
haec fatur, soluensque ratem dat carbasa	
uentis;	5.560
turbida testantur conceptos aequora	
uentos.	5.567
'sperne minas' inquit 'pelagi uentoque	
furenti / trade sinum.	5.578
uentorum saeuo dabitur mora: . .	5.587
et dubium pendet, uento cui concidat,	
aequor.	5.602
motaque possunt / aequora subductis etiam	
concurrere uentis.	5.607
erigit atque omni surgit ratis ardua	
uento.	5.649
fessumque tumentis / conposuit pelagus	
uentis patientibus undas. . . .	5.702

UENTUS

quas uentus doctaeque pari moderamine
dextrae / permixtas habuere diu,   5.706
sed nox saeua modum uenti uelique tenorem
/eripuit 5.709
nec rore madentem / aera nec tenues uentos
suspirat Anauros, ... 6.370
uentis cessantibus aequor / intumuit,
   6.469
puppemque ferentes / in uentum tumuere
sinus. 6.472
uictus uiolento nauita Coro / dat regimen
uentis ignauumque arte relicta /puppis
onus trahitur. 7.126
pauet ille fragorem / motorum uentis
nemorum, ... 8.6
inde ratis trepidum uentis ac fluctibus
inpar, / ...euexit in altum. . . 8.35
cetera da uentis. 8.190
et quo ferre uelint permittere uolnera
uentis. 8.384
iam uento uela negarat /Magnus   8.560
inuisi tendunt mihi carbasa uenti. 9.77
classis in aduersos erumpat remige uentos.
   9.149
abstulit has liber uentis contraria
uoluens / aestus 9.333
at, si uentos caelumque sequaris, /pars
erit Europae. 9.412
illic secura iuuentus / uentorum ...
/aequoreos est passa metus. . . 9.446
regna uidet pauper Nasamon errantia uento
   9.458
utque calor soluit quem torserat aera
uentus, / ... manant sudoribus artus,
   9.498
cessit; habet uentos incertaque fulmina
Mauors; 10.206

UENUM. cognita Petreio, seque et sua tradita
uenum /castra uidet, ... 4.206

VENUS. Venerisque hic unicus usus, progenies:
   2.387
heu,quantum mentes dominantur in aequas
/iusta Venus! 5.728
num barbara nobis / est ignota Venus,
   8.398
non ulli plus regia,Magne, uacabit /
saeuitia stimulata Venus titulisque
uirorum; 8.413
nequa sit externae Veneris mixtura
timentes /letifica dubios explorant
aspide partus. 9.900
adulter / admisit Venerem curis, et
miscuit armis / inlicitosque toros 10.75
plenum epulis madidumque mero Venerique
paratum /inuenies: 10.396

VENUS(sidus). nam mitis in alto / Iuppiter
occasu premitur, Venerisque salubre/sidus
hebet, ... 1.661
at fecunda Venus cunctarum semina rerum
/possidet; 10.208

UER. et qua bruma rigens ac nescia uere
remitti 1.17
'fortius hiberni flatus ... /... tenent,
quam quos incumbere certos /perfida
nubiferi uetat inconstantia ueris. 5.415
ingresso uere tumescit / prima tabe niuis:
   10.224

UERBER. mox, ubi se saeuae stimulauit
uerbere caudae 1.208
torto Balearis uerbere fundae /ocior 1.229
uerberibus crebris cineresque ingesta

sepulchri, ... 2.336
at saxum quotiens ingenti uerberis actu /
excutitur, ... 3.469
crebraque sublimes conuellunt uerbera
puppes. 3.528
uerberibus senis agitur molemque profundo
/inuehit 3.536
iamque gradum neque uerberibus stimulisque
coacti /... addunt: 4.759
nec uerbere solo /uteris . . . 5.174
uerberibusque suis trepidam castigat
Erinyn, ... 6.747
quacumque uagatur,/... ueluti ... /
Bistonas aut Mauors agitans si uerbere
saeuo /... stimulet ... currus,/ nox
ingens scelerum est; 7.569
uerbere conuersae cessantis excitat hastae,
   7.577
ut uisa est ... /... Cornelia puppe /
egrediens, rursus geminato uerbere
plangunt. 9.173
rumpitis ingentes amplexi uerbere
tauros; 9.731
ille minax nodis et recto uerbere saeuos
/ teste tulit caelo uicti decus Orionis.
   9.835

UERBERO,-ARE. Senaque et Hadriacas qui
uerberat Aufidus undas; . . . 2.407
artior Euboica, qua Chalcida uerberat,
unda. 2.710
quod nec uela ferat nec apertas uerberet
undas. 4.426
irataque morti / uerberat inmotum uiuo
serpente cadauer, ... 6.727
castrorum uigiles, nullas tuba uerberet
aures. 7.25

UERBUM. uerba ducis nullo partes clamore
secuntur 2.596
uerba refert, nullo confusae murmure uocis
   5.149
non rupta trementi / uerba sono nec
uox antri conplere capacis /sufficiens
spatium 5.153
mentem iam uerba paratam/destituunt, 5.731
uerbaque ad inuitum perfert cogentia
numen, ... 6.446
Phoebeque serena / non aliter diris
uerborum obsessa uenenis / palluit 6.501
illa magis magicisque deis incognita
uerba / temptabat 6.577
nec uerba nec herbae / audebunt longae
somnum tibi soluere Lethes . . . 6.768
non tamen ad Magni peruenit gratius
umbras / omne ... /... quam pauca Catonis
/uerba sed a pleno uenientia pectore ueri.
   9.189
harenas / expurgat cantu uerbisque
fugantibus angues. 9.914
lege summa perempti / uerba patris, 10.93

UEREOR,-ERI. neque enim tibi turba uerenda
est 3.128
sed fortes tremuere manus, motique uerenda
/maiestate loci, ... 3.429
iussus sedes laxare uerendas . . 5.123
securumque nemus ueritam se credere Phoebo
/prodiderant. 5.156
fluctusque uerendos / classibus exigua
sperat superare carina. . . . 5.502
uereor ciuilibus armis /Pompeium nullo
tristem committere damno. . . 5.752
ac ueritus credi clipeo laeuaque uacasse

UEREOR

/... tot uolnera belli / solus obit   6.203
uoltus gladio turbate uerendos.   7.322
non gemitus, non fletus erat, saluaque
uerendus /maiestate dolor,   7.680
non ueritus graue ne fessis aut Marte
subactis / hoc foret imperium.   7.735
non ueritus tantam ueniae committere
uobis / materiam. 8.136
inpius ut Magnum nosset puer, illa
uerenda / regibus hirta coma ... /...
conprensa manu est, ...   8.679
quis sacris dignam mouisse uerebitur
umbram? 8.841
ac dubiis ueritus se credere regnis /
abstinuit tellure rates. 9.1009
sed cecidit Babylone sua Parthoque
uerendus. 10.46

UERGO,-ERE.   nec polus auersi calidus qua
uergitur Austri, ...   1.54
alter uergentibus annis / in senium
longoque togae tranquillior unus   1.129
non senis extremum piguit uergentibus
annis / praecepisse diem,   . . .   2.105
Illyris Ioniæ uergens Epidamnos in undas.
2.624
nec segnis uergere ponto / tunc erat
astra polus; 4.525
et medium uergens titubauit nisus in
orbem. 6.482
curarum uobis arcana mearum /expromam
mentisque meae quo pondera uergant.   8.280
Libycae quod fertile terraest /uergit in
occasus; 9.421
et grauis in geminum uergens caput
amphisbaena, ...   9.719

UERNUS,-A,-UM.   sed postquam uernus calidum
Titana recepit 4.56
noctique rependit / lux minor hibernae
uerni solacia damni. 8.469

UERO v. UERUS

UERRO,-ERE.   tum carula uerrunt /atque in
transtra cadunt 3.542
si murmura ponti / consulimus, Cori
ueniet mare var.5.572

UERSO,-ARE.   decantatque tribus et uana uersat
in urna. 5.394
degeneres trepidant animi peioraque
uersant; 6.417
uiderat in crasso uersantem sanguine
membra /Caesar, ...   7.605
somnique furentes / Thessalicam miseris
uersant in pectore pugnam.   . . .   7.765

UERTEX.   turrigero canos effundens uertice
crines 1.188
fregit et Arctoo spumantem uertice Rhenum:
1.371
nec tulit in caelum flammas sed uertice
prono / ignis in Hesperium cecidit latus.
1.546
excutiens pronam flagranti uertice pinum
1.573
tollens apicem generoso uertice flamen.
1.604
nam, qualis uertice Pindi / Edonis Ogygio
decurrit plena Lyaeo, ...   1.674
nulloque a uertice tellus /altius intumuit
2.397
uel si conuolso uertice Gaurus / decidat
2.667
quercusque silentis / Chaonio ueteres
liquerunt uertice Selloe. 3.180

qua Croeso fatalis Halys, qua uertice
lapsus /Riphaeo Tanais 3.272
haut procul a muris tumulus surgentis in
altum /telluris paruum diffuso uertice
campum /explicat: 3.376
qualis rupes quam uertice montis /abscidit
3.470
uicinum inuoluens contorto uertice pontum.
3.631
atque ipsas hausit, subitisque frementis
/ uerticibus contorsit aquas et reppulit
aestus 4.102
cumque cauernae / euomuere fretum contorti
uerticis undae / Tauromenitanam uincunt
feruore Charybdim. 4.460
quantum Leucadio placidus de uertice
pontus / despicitur, ...   5.638
Centauros / feta ... nubes effudit ... /
teque sub Oetaeo torquentem uertice uolsas,
/ Rhoece ferox, ... ornos,   . . .   6.389
summisque uertice montes /explicuere
iugum, ...   6.476
nullo uertice caelum /suspiciens Phoebo
non peruia taxus opacat. 6.644
nec franget nando uiolenti uerticis
amnem, ...   8.374
hanc et Pallas amat, patrio quae uertice
nata / terrarum primam Libyen ... /...
tetigit, ...   9.350
et numquam resoluto uertice pendet.   9.457
nullumque in uertice semper / sidus habes
inmune mari; 9.541
aspicit ... /... quo uertice Nais /luxerit
Oenone: 9.972

UERTIGO,   quos non concordia mixti/alligat
ulla tori.../traxerunt torti magica
uertigine fili. 6.460
occursu stupuere ducis uertigine rerum
/attoniti, ...   8.16

UERTO,-ERE.   in te uerte manus: 1.23
legesque et foedera rerum /praescia
monstrifero uertit natura tumultu   2.3
ad Eoas hic uertat signa pharetras;   2.55
set nocte sopora, /Parrhasis obliquos
Helice cum uerteret axes, ...   2.237
facilis sed uertere mentes /terror erat,
2.460
dispersus siluis Athaman et nomine prisco
/Encheliae uersi testantes funera Cadmi,
3.189
uersus ad Hispanas acies extremaque mundi
/iussit bella geri. 3.454
moliri nunc ima parant et uertere ferro /
moenia; 3.489
uersa caua texit pelagus nautasque carina,
3.650
uersus ab hoste furor. 4.540
mundique in deuia uersum /duxit iter,
5.133
hoc placet, o superi, cum uobis uertere
cuncta /propositum, nostris erroribus
addere crimen? 7.58
quone poli motu, quo caeli sidere uerso /
Thessalicae tantum, superi, permittitis
orae? 7.301
nec Fortuna diu rerum tot pondera uertens
/ abstulit ingentis fato torrente ruinas.
7.504
densaeque oculos uertere tenebrae.   7.616
omnia maiorum uertamus busta licebit,
7.855

UERTO

        et polus Assyrias alter noctesque
        diesque /uertit, ... 8.293
        inde maris uasti transuerso uertitur
        aestu; 8.462
        uertat aquas Nilus quo nascitur orbe
        retentus, ... 8.828
        uertissem Latias a uestro litore proras:
                                              9.1079

UERUS,-A,-UM. et ius est ueras expromere uoces,
                                              1.360
        uana quoque ad ueros accessit fama timores
                                              1.469
        o uere Romana manus, quibus arma senatus
        /non priuata dedit, ... 2.532
        tresque petunt ueram credi Salamina
        carinae. 3.183
        ut uero in pedites fatum miserabile belli
        /incubuit, ... 4.769
        'quid spes' ait 'inproba ueri /te, Romane,
        trahit? 5.130
        potens ueri Paean nullumque futuri / a
        superis celate diem, suprema ruentis /
        imperii ... cur aperire times? . . 5.199
        tum pectore uerum /fugit 5.222
        uel tu parce deis et manibus exprime uerum.
                                              6.599
        facilesque aditus multique patebunt /ad
        uerum: 6.617
        iam noua, iam uera reddetur uita figura,
                                              6.660
        si uero Stygiosque lacus ripamque sonantem
        / ignibus ostendam, ... / quis timor,
        ignaui, metuentis cernere manes?' 6.662
        iam uos ego nomine uero / eliciam   6.732
        nam uera locutum / inmunem toto mundi
        praestabimus aeuo / artibus Haemoniis:
                                              6.763
        certus discedat, ab umbris / quisquis
        uera petit 6.772
        Euganeo, si uera fides memorantibus,
        augur / colle sedens,... / 'uenit summa
        dies, ... dixit 7.192
        Romanaque uirtus, / erigitur, placuitque
        mori, si uera timeret. 7.384
        nunc tibi uera fides quaesiti, Magne,
        fauoris / contigit ac fructus: . . 7.726
        quanto igitur mundi dominis securius
        aeuum / uerus pauper agit! 8.243
        si regia Magno / sceptrorum auctori uera
        pietate pateret, / uenturum tota Pharium
        cum classe tyrannum, ... 8.573
        illic postquam se lumine uero / inpleuit,
        ... /... uidit quanta sub nocte iaceret /
        nostra dies 9.11
        pauca Catonis / uerba sed a pleno
        uenientia pectore ueri. 9.189
        olim uera fides Sulla Marioque receptis /
        libertatis obit: 9.204
        inuidus,... / qui uates ad uera uocat.
                                              9.360
        cui crediderim superos arcana daturos /
        dicturosque magis, quam sancto, uera,
        Catoni? 9.555
        mersitque hoc puluere uerum,   9.577
        si ueris magna paratur / fama bonis ... /
        ... quidquid laudamus in ullo / maiorum,
        fortuna fuit. 9.593
        ecce parens uerus patriae, dignissimus
        aris, Roma, tuis, ... 9.601
        fabula pro uera decepit saecula causa.
                                              9.623

UESTIS

        quisquis te flere coegit / impetus, a uera
        longe pietate recessit. 9.1056
        cum ... meo uiuat sub pectore ... /tantus
        amor ueri, nihil est quod noscere malim
        / quam fluuii causas 10.189

UERUTUM. Pharioque ueruto, / dum uiuunt
        uoltus ... / ... suffixum caput est, 8.681

UESPER. et maturato praecidit uespere lucem;
                                              6.340
        Vespere pacato,.../ ... plaudente senatu
        / sedit adhuc Romanus eques; . . 7.17

VESTA. te quoque neclectum uiolatae, Scaeuola,
        Vestae 2.126

VESTALIS,-E. Vestalesque foci summique o
        numinis instar /Roma, faue coeptis. 1.199
        Vestali raptus ab ara/ignis, . . 1.549
        Vestalemque chorum ducit uittata sacerdos
                                              1.597

UESTER,-RA,-RUM. 7.380
        UESTRA(nom.f.). 4.230;5.348;7.343;9.1091
        UESTRUM(nom.). 9.1065
        UESTRI(gen.m.). 5.331
        UESTRAE(gen.). 5.20;5.335; (dat.). 5.341
        (bis)
        UESTRO(dat.m.). 3.26;3.307;6.234
        UESTRUM(m.). 7.290
        UESTRAM. 5.42
        UESTRO(abl.m.). 4.805;9.263; (n.). 9.1079
        UESTRIS(dat.f.). 6.710;9.995; (n.). 3.15;
        (abl.f.). 7.253; (n.). 6.818;9.1074
        UESTROS. 8.50;8.220;10.278
        UESTRAS. 9.269
        UESTRA(acc.). 3.324;7.316;9.397

UESTIGIUM. languor in extrema tenuit uestigia
        ripa. 1.194
        pacemne tueris / inconcussa tenens dubio
        uestigia mundo, ... 2.248
        adsequitur generique premit uestigia
        Caesar. 2.652
        dum labat et fixo firmat uestigia pilo,
                                              4.41
        nisi qui presso uestigia rostro /colligit
                                              4.442
        en, ueteris cernis uestigia ualli. 4.659
        cornipedem ... / Magnus agens incerta
        fugae uestigia turbat 8.4
        iubet ire in deuia mundi /Deiotarum, qui
        sparsa ducis uestigia legit. . . 8.210
        nulla manere sinunt rapidi uestigia fati.
                                              9.786
        cuius uestigia frustra / terris sparsa
        legens fama duce tendit in undas, 9.952
        magnaque Phoebei quaerit uestigia muri.
                                              9.965

VESTINUS,-A,-UM. delabitur inde /... Liris per
        regna Maricae / Vestinis inpulsus aquis
        radensque Salerni /tesca Siler 2.425

UESTIO,-IRE. hic numerus totos tibi uestiat
        ossibus agros. 7.538
        ebur atria uestit, ... 10.119

UESTIS. stat torus et picto uestes discriminat
        auro, ... 2.357
        pretiosaque uestis / hirtam membra super
        Romani more Quiritis /induxisse togam,
                                              2.385
        uestibus iratos laxis operire leones.
                                              4.686
        feralis fragmenta tori uestesque fluentis
        /colligit in cineres 6.536
        notauit,... uoltusque prementem /canitiem
        atque atro squalentis puluere uestes. 8.57

UESTIS   UETUS

illic et laxas uestes et fluxa uirorum
/uelamenta uides. 8.367
'ergo indigna fui,'... / ossibus et tepida
uestes inplere fauilla, ... 9.60
collegit uestes miserique insignia Magni
9.175
uariaque triclinia ueste /strata micant,
10.122a

UETERANUS,-A,-UM. quae noster ueteranus aret,
quae moenia fessis? 1.345

UETO,-ARE. in sua templa furit, nullaque exire
uetante / materia 1.155
attigit, Hesperiae uetitis et constitit
aruis, ... 1.224
meque ipsum memini,caesi deformia fratris
/ora rogo cupidum uetitisque inponere
flammis, ... 2.170
turritaque premens frontem matrona corona
/translata uitat (uetat) contingere limina
planta; var.2.359
quam retinere uetas, liceat sibi perdere
saltem / Italiam. 2.700
robora cum uetitis prensarent altius
ulnis 3.664
Cinga rapax, uetitus fluctus et litora
cursu / Oceani pepulisse tuo; . . 4.21
nubes ... / ... uetitae transcurrere
densos / inuoluere globos, . . . 4.73
tu remeare uetes quoscumque emiseris
aestus. 4.113
in cassum et uetito passus languescere
bello, ... 4.281
non credere solo, sternique uetabere terra.
4.647
nudataque foeda /terga fuga, donec
uetuerunt castra, cecidit. . . . 4.714
mortales optare uetat; 5.106
et superos uetuere loqui. . . . 5.114
nec fas nec uincula iuris / hoc audere
uetant: 5.289
'fortius hiberni flatus ... /... tenent,
quam quos incumbere certos / perfida
nubiferi uetat inconstantia ueris. 5.415
desperare uiam et uetitos conuertere
cursus / sola salus. 5.574
locum uictoribus unus / eripuit uetuitque
capi, ... 6.142
aequor ... / ... rursus uetitum sentire
procellas / conticuit turbante Noto; 6.470
coetus audire silentum,/... / non superi,
non uita uetat. 6.515
dirisque uenefica sucis / conspersos
uetuit transmittere bella Philippos, 6.582
teque deis, .../...Hecate ... /ostendam
faciemque Erebi mutare uetabo. . 6.738
seu uetito patrias ultra tibi cernere
sedes /sic Romam Fortuna dedit. . 7.23
haec est illa dies ... / in quam
distulimus uetitos remeare triumphos,
7.256
Pompeius in arto / agmina uestra loco
uetita uirtute moueri / cum tenuit, quanto
satiauit sanguine ferrum! . . . 7.316
credite grandaeuum uetitumque aetate
senatum / arma sequi sacros pedibus
prosternere canos 7.371
hac luce cruenta /effectum ut ... /
nec uetitos errare Dahas in moenia ducat /
... consul 7.429
in plebem uetat ire manus monstratque
senatum: 7.578

cunctos haerere curores / Romanus
campisque uetat consistere torrens. 7.637
flere ueta populos, lacrimas luctusque
remitte. 7.707
deformis adhuc uiuente marito / summus
et augeri uetitus dolor: 8.82
da similis Lesbo populos, qui Marte
subactum / non intrare suos ... portus,/
non exire uetent.' 8.146
nunc Parthia ruptis / excedat claustris
uetitam per saecula ripam . . . 8.236
nam te metui uetat incola rarus 8.252
incusat bimaremque uadis frangentibus
aestum,/ qui uetet externas terris
adpellere classes. 8.567
sed surda uetanti / tendebat geminas
amens Cornelia palmas. 8.582
sed surda uetanti (uetata)/ tendebat
geminas amens Cornelia palmas. .var.8.582
sed iter mediis natura uetabat / Syrtibus:
9.301
Phryx incola manes / Hectoreos calcare
uetat. 9.977
famae cura uetat, ne non damnasse
cruentam / sed uidear timuisse Pharon.
9.1080
radiisque potentibus astra /ire uetat
10.203
ac nusquam uetitis ullas obsistere
cautes / indignaris aquis, . . . 10.319
modumque uetat crescendi ponere ripas.'
10.331
Pompeiumque ducem causa sperare uetante
/non timuit 10.451
fata uetant, murique uicem Fortuna tuetur.
10.485

VETTONES. erat inpiger Astur /Vettonesque
leues profugique a gente uetusta /Gallorum
Celtae 4.9

UETUS. tu, noua ne ueteres obscurent acta
triumphos 1.121
exuuias ueteris populi sacrataque gestans
/dona ducum 1.137
ueteremque iugis nutantibus Alpes /
discussere niuem. 1.553
quercusque silentis / Chaonio ueteres
liquerunt uertice Selloe. . . . 3.180
iam dilecta Ioui centenis uenit in arma /
Creta uetus populis Cnososque agitare
pharetras 3.185
hinc, aeui ueteris custos, famosa uetustas,
/miratrixque sui, signauit nomine terras.
4.654
en, ueteris cernis uestigia ualli. 4.659
ueluti fatalis harenae /muneribus non ira
uetus concurrere cogit 4.709
Taygeti, fama ueteres laudantur Athenae,
5.52
non opus hanc ueterum nec moles structa
tuetur 6.19
nunc uetus Iliacos attollat fabula muros
6.48
frigidaque, ut ueteris, deprendit signa
ruinae. 6.281
ueteres ubi fabula Thebas /monstrat
Echionias, ... 6.356
ne iura fidemque /respectumque deum
ueteri speraueris aula; 8.451
'non ... petit ... /Pompeius,... /praeferat
ut ueteres feralis pompa triumphos, 8.733
caruere deis mea uota secundis,/ ut ... /

UETUS

    adfectus a te ueteres uitamque rogarem,
    /Magne, tuam 9.1100
    exul in aeternum sceptris depulsa
    paternis,/ ni tua restituit ueteri me
    dextera fato, ... 10.88
    uana fides ueterum, Nilo, quod crescat
    in arua, /Aethiopum prodesse niues. 10.219

UETUSTAS(subst.). siqua fidem meruit superos
    mirata uetustas, ... 3.406
    abscidit inpulsu uentorum adiuta uetustas,
                           3.471
    Antaei quas regna uocat non uana
    uetustas. 4.590
    hinc, aeui ueteris custos, famosa uetustas,
    /miratrixque sui, signauit nomine terras.
                           4.654
    quod sufficit aeuum / inmemor ut donet
    belli tibi damna uetustas? . . . 7.850
    pulueris exigui sparget non longa
    uetustas / congeriem, ... 8.867
    ut ducis inpleuit uisus ueneranda
    uetustas, / erexit ... aras . . 9.987
    Zephyros quoque uana uetustas / his
    ascripsit aquis, ... 10.239
    hinc, Abaton quam nostra uocat ueneranda
    uetustas, /terra potens 10.323

UETUSTUS,-A,-UM. haec propter placuit Tuscos
    de more uetusto /acciri uates. . 1.584
    erat inpiger Astur /Vettonesque leues
    profugique a gente uetusta / Gallorum
    Celtae 4.9
    super hunc fundata uetusta / surgit Ilerda
    manu; 4.12
    pontusque uetustas /oblitus seruare uices
    non commeat aestu, ... 5.444
    Memphis / omne uetustorum soluat penetrale
    magorum, /abducet superos alienis
    Thessalis aris. 6.450
    uertamus ... licebit,/ et stantis tumulos
    et qui radice uetusta /effudere suas ...
    urnas, ... 7.856
    ceu pridem debita fatis / Assyriis
    trahitur cladis captiua uetustae. 8.416
    intrepidus superum sedes et templa
    uetusti / numinis ... /circumit, 10.15
    quodcumque uetustis /insculptum est
    adytis profer, ... 10.179

UEXO,-ARE. saxa quatit pulsu rigidos uexantia
    frenos 4.751
    liceat uexata litora puppe /prendere,
                           5.575

UIA. fata ... / inuenere uiam magnoque aeterna
    parantur 1.34
    obstaret gaudensque uiam fecisse ruina,
                           1.150
    Caesar in arma furens nullas nisi sanguine
    fuso / gaudet habere uias, quod non terat
    hoste uacantis 2.440
    concessa pudet ire uia ciuemque uideri.
                           2.446
    talis fama canit tumidum super aequora
    Persen /construxisse uias, . . . 2.673
    et qua Pomptinas uia diuidit uda paludes,
                           3.85
    sed pandens perque arma uiam perque ossa
    relicta / morte fugit: 3.467
    est tanta dimissa uia. 3.642
    dum scopulos stirpesque tenent atque hoste
    relicto /caedunt ense uiam. . . . 4.43
    non habet unda uias, ... 4.86
    tectarum errore uiarum /fallitur 4.91

UICINUS

    tutae quos inter opaco / anfractu
    latuere uiae; 4.160
    ut leti uidere uiam, conuersus in iram
    /praecipitem timor est. . . . 4.267
    et Phoebi tenuere uiam, ... 5.136
    desperare uiam et uetitos conuertere
    cursus / sola salus. 5.574
    tectusque uia dumosa per arua /Dyrrachii
    ... tendit 6.13
    quaerit,... / perque omnis gladios et
    qua uia caede paranda est. . . 6.124
    sideribusque uias incurrens abstulit
    Ossa. 6.412
    cornipedem .../Magnus agens incerta fugae
    uestigia turbat / inplicitasque errore
    uias. 8.5
    ut neque sole uiam nec duro frigore
    saeuam / inde polo Libyes, hinc bruma
    temperet annus. 9.376
    uadat / ad dominum meliore uia. 9.394
    inreducemque uiam deserto limite carpit;
                           9.408
    sideribus nouere uiam; 9.495
    'sors obtulit'... /'et fortuna uiae tam
    magni numinis ora / consiliumque dei:
                           9.551
    tractique uia fumante chelydri, 9.711
    nec, quae mensura uiarum / quisue modus,
    norunt caelo duce: 9.846
    exiguane uia legem conuertimus anni? 9.875
    sed, cum lapsus abrupta uiarum /excepere
    tuos ... / ... spuma tunc astra lacessis,
                          10.317
    uia nulla salutis, /non fuga, non uirtus;
                          10.538

UIBRO,-ARE. primus raptam librare (uibrare,
    uiprare) bipennem /ausus . . . var.3.433
    nulli telum uibrare uacauit, . . 4.40
    o quantum donata pace potitos / excussis
    umquam ferrum uibrasse lacertis /
    paenituit, ... 4.386
    non horrore tremit, non solis imagine
    uibrat. 5.446
    hunc aut tortilibus uibrata falarica
    neruis / obruat 6.198
    uibrant tela manus, uix signa morantia
    quisquam /expectat: 7.82
    caelumque tremens cum lancea transit /
    dicere non fallar quo sit uibrata lacerto.
                           7.289
    sed non aut fulmina uibrans /aut similis
    nostro, sed tortis cornibus Hammon. 9.513
    illis e faucibus angues /stridula
    fuderunt uibratis sibila linguis. 9.631

UICE etc. v. [UICIS]
UICINIA. agnoscere solis /permissum, quos iam
    tangit uicinia fati, / ... felix esse
    mori.' 4.518
    nec te uicinia leti /territat ambiguis
    frustratum sortibus, Appi; . . . 5.224
    quod nisi ... intentaque iussu /ordinis
    aeterni miserae uicinia mortis /damnatum
    leto traherent ad litora Magnum, /non ulli
    comitum sceleris praesagia derant: 8.569
UICINUS,-A,-UM. uicinumque minax inuadit
    Ariminum, ... 1.231
    'o male uicinis haec moenia condita Gallis,
                           1.248
    hos iam mota ducis uicinaque signa
    petentes / audax uenali comitatur Curio
    lingua, ... 1.268

UICINUS

per omnem /spargitur Italiam uicinaque
moenia conplet. 1.468
nullasque uado qui Macra moratus /alnos
uicinae procurrit in aequora Lunae).
                                    2.427
proxima uicino uires dat Graecia bello.
                                    3.171
nam uicina operi belloque intacta priore
/inter nudatos stabat densissima montis.
                                    3.427
uicinum inuoluens contorto uertice pontum.
                                    3.631
spectat uicinos sitiens exercitus amnes.
                                    4.336
uicino cum lux altissima Cancro est; 4.527
regna / cardine ab occiduo uicinus Gadibus
Atlans /terminat, ... 4.672
sed minimum terrae uicino litore nouit.
                                    5.467
hinc uicina petens placido castella
profundo /incursu gemini Martis rapit,
                                    6.268
uicinaque moenia castris / Haemonidum,
                                    6.435
magnoque accensa tumultu /mortis uicinae
properantis admouet horas. . . .   7.50
rapidus Titan ... / aequora subduxit zonae
uicina perustae; 9.314
quaecumque uagam Syrtim conplectitur ora /
sub nimio proiecta die, uicina perusti /
aetheris, exurit messes 9.432
uicina colentes /Aethiopum totae riguerunt
marmore gentes. 9.650
multumque madenti / infudere comae ...
/aduectumque recens uicinae messis amomon.
                                   10.168
sed quae uicina fuere /tecta mari longis
rapuere uaporibus ignem, ... 10.498

[UICIS]. inque uicem gens•omnis amet; 1.61
quod terra fretumque / uindicat alternis
uicibus, cum funditur ingens /Oceanus
                                    1.410
fertque refertque uices et habet mortalia
casus, ...   2.13
fertilis Euphrates Phariae uice fungitur
undae; 3.260
concordia duxit in aequas / imperium
commune uices, ...   4.6
pontusque uetustas /oblitus seruare uices
non commeat aestu, ...   5.445
cessauere uices rerum, ...   6.461
inque uicem uoltus tenebris mirantur
opertos 7.177
grata uice moenia reddent / Ausonidae
Phrygibus, ...   9.998
luna suis uicibus Tethyn terrenaque miscet;
                                   10.204
fata uetant, murique uicem Fortuna tuetur.
                                   10.485

UICTIMA.   inpatiensque diu non grati uictima
sacri, ...   1.611
cum uictima tristis / inferias Marius
forsan nolentibus umbris /pendit inexpleto
non fanda piacula busto, ...   2.174
nullaque funestis inuenta est uictima
sacris. 7.167
uiuat et, ut Bruti procumbat uictima,
regnet. 7.596
in proauos, cecidit donati uictima regni.
                                    9.132
en, altera uenit /uictima nobilior. 10.386

altera, Magne, tuis iam uictima
mittitur umbris; 10.524
UICTOR. en, adsum uictor terraque marique 1.201
cum post Teutonicos uictor Libycosque
triumphos 2.69
quis fuit ille dies, Marius quo moenia
uictor /corripuit, ...   2.99
rapuitque cruentus /uictor ab ignota
uoltus ceruice recisos 2.112
sed fecit sibi quisque nefas: semel omnia
uictor / iusserat. 2.147
mortesque cruento / uictori rapuere suas;
                                    2.157
densi uix agmina uolgi /inter et exangues
inmissa morte cateruas /uictores mouere
manus; 2.203
nunc neque Pompei Brutum neque Caesaris
hostem, /post bellum uictoris habes.'2.284
uictor cedentibus instat 2.469
et Scythicis Crassus uictor remeasset ab
oris, ...   2.553
Caesarne senatus / uictor erit?   2.567
hinc me uictorem gelidas ad Phasidos
undas /Arctos habet, ...   2.585
mox reddita uictor / quoslibet in saltus
comitantibus agmina tauris / inuito
pastore trahit, ...   2.605
haec ubi sunt prouisa duci, tunc agmina
uictor / non armata trahens . .   3.71
uictorem clara testatur uoce tribunus.
                                    3.122
his magnam uictor in iram /uocibus
accensus 3.133
uictorique dedit Minoia Creta Metello,
                                    3.163
lugent damnatae Phoebo uictore Celaenae,
                                    3.206
uictor et incolumis summas remeabat in
undas; 3.702
ast aliae mutato remige puppes /uictores
uexere suos; 3.755
at Brutus in aequore uictor /primus
Caesareis pelagi decus addidit armis.3.761
inritus et uictor subducto Marte pependit.
                                    4.47
stat uictor tenuitque manus, . .   4.289
uictoris stetit ante pedes. . .   4.340
tunc arma relinquens /uictori miles
spoliato pectore tutus /innocuusque suas
curarum liber in urbes /spargitur. 4.383
uicturos- (uictores)-que dei celant, ut
uiuere durent, /felix esse mori.'var.4.519
uictoresque suos uoltu spectare superbo /
... iuuat. 4.569
bustisque remittunt /corpora uictores,
                                    4.572
iam terga uiri cedentia uictor /alligat
                                    4.626
ut uictor, mersos aciem deiecit in agros.
                                    4.745
non tam laeta tulit uictor spectacula
Maurus 4.784
sitque mihi, si fata prement uictorque
cruentus, /quo fugisse uelim.'   5.758
sollicitam rupes iam te uictore tenebunt,
                                    5.780
quem non ... / auferret Fortuna locum
uictoribus unus /eripuit 6.141
laetus fragor aethera pulsat /uictorum:
                                    6.226
uictor tibi, Roma, quietem /eripiam, 6.326

UICTOR

            paratque /poenam uictori. . . .   6.802
            nunc quoque, tela licet paueant uictoris
            iniqui, /... flebunt, ...   7.40
            omne malum uicti,... /omne nefas uictoris
            erit.' 7.123
            eripe uictori gentis et sanguine mundi /
            fuso, Magne, semel totos consume triumphos.
                                                 7.233
            'uictori praestate fidem'. . . .   7.721
            cum sibi Tarpeias uictor desponderit arces,
            /... / decipitur quod castra rapit. 7.758
            camposque tenent uictore fugato.   7.824
            saepe super uoltus uictoris et inpia signa
            /aut cruor aut alto defluxit ab aethere
            tabes 7.838
            Cilicum dominus ... /exiguam uector
            (uictor) pauidus correpsit in alnum.
                                                 var.8.39
            omnia uictoris possunt sperare fauorem,
                                                 8.117
            quam uix, si castra mariti /uictoris
            peteret, siccis dimittere matres /iam
            poterant oculis: 8.154
            nunc tantas ille lacesset /auditi uictoris
            opes 8.361
            quidquid non fuerit Magni dum bella
            geruntur, /nec uictoris erit. . .   8.503
            quid ... / ... aruaque nostra /uictori
            suspecta facis? 8.515
            nunc uictoris opes et cognita fata
            lacessis? 8.533
            non ... /... uindexque senatus /
            uictorisque gener, Phario satis esse
            tyranno /quod poterat, Romanus erat: 8.555
            uictoribus ipsis /dedecus ... /...
            Romanus regi sic paruit ensis,   8.604
            seruor uictori.' 8.661
            ante tamen Pharias uictor quam tangat
            harenas /Pompeio raptim tumulum fortuna
            parauit, ...   8.712
            si saecula prima /uictoris timuere minas,
            nunc excipe saltem /ossa tui Magni, 8.838
            augustius aris /uictoris Libyco pulsatur
            in aequore saxum. 8.862
            praeceps facit omne timendum /uictor,
                                                 9.48
            haec fama est oculis uictoris iniqui /
            seruari, ...   9.139
            obnixum uictor detrusit in Austrum. 9.334
            quereris ... / ... raptum ... e iure
            superbi /uictoris generum. . . .   9.1055
            nec fallere uosmet /credite uictorem:
                                                 9.1082
            an eriperet mundo Memphiticus ensis /
            uictoris uictique caput. 10.6

UICTORIA. tua nos faciet uictoria ciues.

                                                 1.279
            Roma recepta fuit, nec plus uictoria
            Sullae /praestitit 2.228
            uictoria nobis /hic primum stans Caesar
            erit.' 2.489
            heu pudor, exigua est fugiens uictoria
            Magnus. 2.708
            Romana hos primum tenuit uictoria
            campos.' 4.660
            nobis uictoria turbam /non dabit,   5.329
            nequid uictoria ferro /deberet, pauor
            attonitos confecerat hostes. . .   6.130
            neque enim uictoria Magno / laetior. 7.119
            paucas uictoria dextras /exigit,   7.366
            'uictoria nobis /plena, uiri:' dixit 7.737

            exigit a meritis tristes uictoria poenas,
                                                 7.771
            quas ne per litora fusas / colligeret
            rapido uictoria Caesaris actu, /Corcyrae
            secreta petit 9.31
            Emathium sparsit uictoria ferrum;   9.245

UICTRIX. in sua uictrici conuersum uiscera

            dextra 1.3
            uictrix causa deis placuit sed uicta
            Catoni.   1.128
            quod non uictrices aquilas deponere iussus
            /paruerim? 1.339
            tollite iam pridem uictricia tollite
            signa: 1.347
            uictrices aquilas alium laturus in orbem,
                                                 5.238
            hunc omnes gladii, quos aut Pharsalia
            uidit / aut ultrix (uictrix) uisura dies
            stringente senatu, /illa nocte premunt,
                                                 var.7.782

UIDEO,-ERE. unde tuam uideas obliquo sidere

            Romam. 1.55
            ingens uisa duci patriae trepidantis
            imago   1.186
            aestiferae Libyes uiso leo comminus hoste
                                                 1.206
            iamque dies primos belli uisura tumultus
            /exoritur; 1.233
            uidimus et Martem Libyes cursumque furoris
                                                 1.255
            ut acceptum tam prono milite bellum /
            fataque ferre uidet, ...   1.393
            nec qualem meminere uident: 1.479
            ignota obscurae uiderunt sidera noctes
                                                 1.526
            Eumenis, ... / horruit Alcides uiso iam
            Dite Megaeram. 1.577
            e medio uisi consurgere Campo / tristia
            Sullani cecinere oracula manes,   1.580
            Troianam soli cui fas uidisse Mineruam.
                                                 1.598
            hostili de parte uidet. 1.622
            ecce, uidet capiti fibrarum increscere
            molem 1.627
            uideo Pangaea niuosis / cana iugis
            latosque Haemi sub rupe Philippos.   1.679
            uidi iam, Phoebe, Philippos.'   1.694
            cur hanc tibi, rector Olympi, /
            sollicitis uisum mortalibus addere curam,
                                                 2.5
            uiderat inmensam tenebroso in carcere
            lucem 2.79
            trahit ipse furoris /impetus, et uisum
            lenti quaesisse nocentem. . . .   2.110
            scelerum non Thracia tantum /uidit
            Bistonii stabulis pendere tyranni,   2.163
            uidimus et toto quamuis in corpore caeso /
            nil animae letale datum, moremque nefandae
            /dirum saeuitiae, pereuntis parcere
            morti. 2.178
            uidit Fortuna colonos /Praestina suos
            cunctos 2.193
            (ut primum tolli feralia uiderat arma,
                                                 2.374
            Gallica rura uidet deuexasque excipit
            Alpes. 2.429
            concessa pudet ire uia ciuemque uideri.
                                                 2.446
            iam uictum fama non uisi Caesaris agmen.
                                                 2.600
            Pompeius tellure noua conpressa profundi/

ora uidens curis animum mordacibus angit,
    2.681
uisa caput maestum per hiantis Iulia
terras 3.10
uidi ipsa tenentis /Eumenidas   3.14
non illum laetis uadentem coetibus urbes
/sed tacitae uidere metu, . . . 3.81
conspicit urbem /Arctoi toto non uisam
tempore belli   3.89
ut uidet ingenti Saturnia templa reuelli /
mole, ... 3.115
haec patiens longo munimine cingi / uisa
duci rupes tutisque aptissima castris.
    3.378
implicitas magno Caesar torpore cohortes
/ut uidit, ... 3.433
gemuere uidentes / Gallorum populi, 3.445
seu Phoebum uideat seu cornua lunae, 3.595
qui funere uiso / saepe cadens longae
senior per transtra carinae / peruenit
ad puppim 3.730
ille caput labens et iam languentia colla
/uiso patre leuat; 3.738
uidit lapsura ruina / agmina dux   4.43
non sidera caelo / ulla uidet,   4.108
incipiunt uisoque die durescere ualles.
    4.129
postquam omnia fatis /Caesaris ire uidet,
    4.144
quibus hoste potito /faucibus emitti
terrarum in deuia Martem / inque feras
gentes Caesar uidet. 4.162
[hic fratres natosque suos uidere patresque]
    4.171
seque et sua tradita uenum /castra uidet,
    4.207
ut leti uidere uiam, conuersus in iram /
praecipitem timor est. 4.267
uidit et ad certam deuotos tendere mortem,
    4.272
et Basilum uidere ducem, noua furta per
aequor /exquisita fugae. 4.416
utque satis bello uisum est fluxisse
cruoris 4.539
uidet exhaustos sudoribus artus   4.638
obscuratque suam per iussa silentia famam
/hoc solum incauto metuentis ab hoste,
timeri (uideri). var.4.719
membrorumque uidet lapsum et ferientia
terram /corpora: 4.786
Curio,fusas /ut uidit campis acies et
cernere tantas 4.794
illa uidet patres plena quos urbe fugauit:
    5.33
ut uidit Paean uastos telluris hiatus 5.82
dumque a luce sacra, qua uidit fata,
refertur /ad uolgare iubar . . 5.219
uidit flammifera confectas nocte Latinas.
    5.402
turpe duci uisum rapiendi tempora belli
/in segnes exisse moras, ... 5.409
prima duces iunctis uidit consistere
castris / tellus, ... 5.461
te nisi Niliaca propius non uidit harena.
    5.475
his terque quaterque /uocibus excitum
postquam cessare uidebat, . . . 5.498
summis etiam quae fixa tenentur /astra
polis sunt uisa quati. 5.564
extimuit natura chaos; rupisse uidentur
/concordes elementa moras . . . 5.634

quantum Leucadio placidus de uertice
pontus / despicitur, tantum nautae uidere
trementes 5.639
uidit Magnum mihi Roma secundum, 5.662
tibi causa petendae /haec fuit Hesperiae,
uisum est quod mittere quemquam /tam saeuo
crudele mari. 5.691
ut uidere duces, purumque insurgere
caelo fracturum pelagus Borean,soluere
carinas. 5.704
summa uidens duri Magnus discrimina Martis
    5.723
secura uidetur /sors tibi, . . 5.771
parque suum uidere dei, . . . 6.3
ut uidet ad nullos exciri posse tumultus
/in pugnam generum 6.11
ut primum uasto saeptas uidet aggere
terras, ... 6.69
opportuna tamen ualli pars uisa propinqui,
    6.125
parque nouum Fortuna uidet concurrere,
bellum /atque uirum. 6.191
nec uidit recto gladium mucrone tenentem,
    6.237
Caesaris arma /segnius haud uidit,
quam malo nauta tremente /omnia subducit
Circaeae uela procellae; 6.286
numquamque uidebit / me nisi dimisso
redeuntem milite Roma.   6.320
si me praebente uideri /Eumenides
possint ... / quis timor, ignaui,
metuentis cernere manes?' . . . 6.663
iam uos ego nomine uero (uiso)/ eliciam
    var.6.732
uidi Decios natumque patremque, 6.785
solum te,... / Brute, pias inter gaudentem
uidimus umbras. 6.792
uidi ego laetantis, popularia nomina,
Drusos / legibus inmodicos . . . 6.795
o miseranda domus, toto nil orbe uidebis
/tutius Emathia' 6.819
nam Pompeiani uisus sibi sede theatri
/innumeram effigiem Romanae cernere
plebis 7.9
o felix, si te uel sic tua Roma uideret!
    7.29
miseri pars maxima uolgi /non totum uisura
diem tentoria circum /ipsa ducis queritur
    7.48
multis concurrere uisus Olympo /Pindus
    7.173
oblatumque uidet uotis sibi mille
petitum /tempus, ... 7.238
discrimina ... / aduentare ducum
supremaque proelia uidit 7.243
uideor fluuios spectare cruoris 7.292
haud umquam uidi tam magna daturos /
tam prope me superos; 7.297
uidit ut hostiles in rectum exire cateruas
/Pompeius ... / ... stat ... /attonitus;
    7.337
crimen ciuile uidemus / tot uacuas urbes.
    7.398
omnibus annis / te geminum Titan procedere
uidit in axem; 7.422
haud multum terrae spatium restabat Eoae,
/ ut ... / omniaque errantes stellae
Romana uiderent.   7.425
uidere parentum / frontibus aduersis
fraternaque comminus arma, . . . 7.464
uiderat in crasso uersantem sanguine

UIGIL

membra /Caesar, ... 7.605
ac se tam multo pereuntem sanguine uidit.
7.653
nec te uidere superbum /prospera bellorum
7.683
te ... /... nec fractum aduersa uidebunt;
7.684
uidit prima tuae testis Larisa ruinae /
nobile nec uictum fatis caput. 7.712
Caesar, ut Hesperio uidit satis arua
natare / sanguine, parcendum ferro
manibusque suorum / iam ratus 7.728
ille senum uoltus, iuuenum uidet ille
figuras, ... 7.774
Eumenidum uidit uoltus Pelopeus Orestes,
7.778
hunc omnes gladii, quos aut Pharsalia
uidit /... / illa nocte premunt, 7.781
hunc omnes gladii, quos aut Pharsalia
uidit / aut ultrix uisura dies stringente
senatu, / illa nocte premunt, . . 7.782
et quantum poenae misero mens conscia
donat,/ quod Styga,... /Pompeio uiuente
uidet! 7.786
Thessalicam uideat Pompeius ab aequore
flammam. 7.808
semper prima uides uenientis uela carinae,
8.48
quem postquam propius famulae uidere
fideles,/ non ultra gemitus tacitos
incessere fatum /permisere sibi, 8.63
ne nostram uideare fidem felixque
secutus / et damnasse miser.' . . 8.126
ast illam, quam toto tempore belli / ut
ciuem uidere suam, discedere cernens /
ingemuit populus; 8.152
iam Taurum Tauroque uidet Dipsunta
cadentem. 8.255
iam supplice Varo /intumuit uiditque loco
Romana secundo. 8.288
te ... /... captos ducere reges / uidit
ab Hyrcanis, Indoque a litore, siluis,
8.343
te ... / deiectum fatis, humilem
fractumque uidebit 8.344
illic et laxas uestes et fluxa uirorum /
uelamenta uides. 8.368
ut uidit comminus ensis, /inuoluit uoltus
atque ... /... caput; 8.613
uidet hanc Cornelia caedem /Pompeiusque
meus: 8.632
poenas non morte minores /pendat et ante
meum uideat caput. 8.647
nil ultima mortis /ex habitu uoltuque uiri
mutasse fatentur / qui lacerum uidere
caput. 8.667
nec satis infando fuit hoc uidisse
tyranno? 8.687
Pompeiusque fuit qui numquam mixta uideret
/laeta malis, ... 8.705
quis sacris dignam mouisse uerebitur
(uidebitur) umbram? var.8.841
uidit quanta sub nocte iaceret /nostra
dies 9.13
uidi ego magnanimi lacerantes pectora
patris, ... 9.133
me ... / adfecere ... gestata per urbem /
ora ducis, quae transfixo sublimia pilo
/uidimus: 9.139
corpus Phariaene canes ... / distulerint,
an furtiuus, quem uidimus, ignis /soluerit,

ignoro. 9.142
sed magis, ut uisa est lacrimis exhausta,
... / ... Cornelia puppe /egrediens,
rursus geminato uerbere plangunt. 9.171
terraeque haerente carina /litora nulla
uident. 9.344
stagnique quieta /uoltus uidit aqua
9.353
sitiat quicumque bibentem /uiderit, 9.399
regna uidet pauper Nasamon errantia uento
9.458
qui nullas uidere domos uidere ruinas.
9.492(bis)
usque adeo mollis primisque caloribus
inpar / sum uisus? 9.508
an liber in armis / occubuisse uelim
potius quam regna uidere? . . . 9.567
Iuppiter est quodcumque uides, quodcumque
moueris. 9.580
quem, qui recto se lumine uidit, /passa
Medusa mori est? 9.638
Amphitryoniades uidit, cum uinceret,
hydram: 9.644
Cato ... / emetitur iter, tot ... fata
suorum /insolitasque uidens paruo cum
uolnere mortes. 9.736
patriae non arua requiro /Europamque
alios soles Asiamque uidentem: 9.872
uidit hareniuagum surgens fugiensque
Catonem. 9.941
quanta dedit miseris melioris gaudia
terrae / cum primum saeuos contra uidere
leones! 9.947
utque fidem uidit sceleris tutumque
putauit / iam bonus esse socer, lacrimas
... /effudit 9.1037
qui sicco lumine campos /uiderat Emathios,
uni tibi, Magne, negare /non audet gemitus.
9.1045
famae cura uetat, ne non damnasse
cruentam /sed uidear timuisse Pharon.
9.1081
pars tam flauos gerit ... crines / ut
nullis Caesar Rheni se dicat in aruis /
tam rutilas uidisse comas; 10.131
spes sit mihi certa uidendi /Niliacos
fontes, bellum ciuile relinquam.' 10.191
Nilum uidere calentem. 10.275
ubicumque uideris / quaereris, 10.283
teque uident primi, quaerunt tamen hi
quoque, Seres, ... 10.292
nec licuit populis paruum te, Nile, uidere,
10.296
uisum famulis reparabile damnum /illam
mactandi dimittere Caesaris horam. 10.429
Caesar et auxiliis ut uidit libera ponti
/ ostia, non fatum ... Pothini /distulit
ulterius. 10.514

UIDUUS, -A, -UM. uiduo tum primum frigida lecto
5.806

UIGEO, -ERE. iam defecta uigent renouato
robore membra. 4.600

UIGIL(adj.). uigiles Pompei pectore curae /
nunc socias adeunt Romani foederis urbes
8.161

UIGIL(subst.). tertia iam uigiles commouerat
hora secundos: 5.507
tentoria postquam /gressus uigilum somno
cedentia membra /transsiluit questus
tacite, ... 5.511
castrorum uigiles, nullas tuba uerberet

UIGIL
    aures. 7.25
UIGILO,-ARE. uigilat pars magna comarum 9.672
UIGOR. at postquam membris sensit constare
    uigorem 3.715
UILIS,-E. quod suasisset egestas, /uile nefas,
    . 1.174
    quid perdere fructum / iuuit et, ut uilem,
    Marii confundere uoltum? 2.191
    amissae leges set, pars uilissima rerum,
    3.120
    Pactolon, qua culta secat non uilior
    Hermus. 3.210
    at uobis uilior hoc est /uestra fides,
    4.229
    en, sibi uilis adest inuisa luce iuuentus
    4.276
    animasque effundere uiles /quolibet hoste
    paras; 5.263
    nunc transfuga uilis /cum duce praelato
    terras atque aequora lustrat. 5.346
    aut quae nos uiles animas in fata
    relinquens /inuitis spargenda dabas tua
    membra procellis? 5.683
    fama est ... amnem /et capitis memorem
    fluuii contagia uilis /nolle pati 6.379
    quo postquam uiles et habentis nomina
    pestis /contulit, infando saturatas
    carmine frondis /... addidit . . . 6.681
    uiles animas perituraque frustra /agmina
    permisit uitae. 7.730
    nondum uile sui pretium scit sanguinis
    esse, ... 8.9
    temptare pudendum /auxilium tanti est,
    ... ut ... / ... te parua tegant ac uilia
    busta, ... 8.393
    da uilem Magno plebei funeris arcam 8.736
    iuuenis procul aspicit ignes /corpus
    uile suis nullo custode cremantis. 8.744
    templis auroque sepultus /uilior umbra
    fores. 8.860
    nec uile putaris /hoc meritum, 9.1026
    hebenus Mareotica uastos / non operit
    postes sed stat pro robore uili, 10.118
    dignatur uiles isto quoque sanguine
    dextras 10.338
UILLOSUS,-A,-UM. si me praebente uideri /
    Eumenides possint uillosaque colla
    colubris / Cerberus excutiens ... / quis
    timor, ignaui, metuentis cernere manes?'
    6.664
UIMEN. primum cana salix madefacto uimine
    paruam /texitur in puppem 4.131
UINCIO,-IRE. si me praebente uideri/...possint
    .../...uincti terga gigantes, /quis timor,
    ignaui, metuentis cernere manes?' 6.665
    uincto fossore coluntur /Hesperiae
    segetes, ... 7.402
UINCO,-ERE. Arsacidae: bellum uictis ciuile
    dedistis. 1.108
    et uictis cedat piratica laurea Gallis,
    1.122
    uictrix causa deis placuit sed uicta
    Catoni. 1.128
    solusque pudor non uincere bello. 1.145
    uicto iure minax iactatis curia Gracchis.
    1.267
    pericula Martis / mecum' ait 'experti
    decimo iam uincitis anno, 1.300
    et docilis Sullam scelerum uicisse
    magistrum. 1.326
    usque adeo miserum est ciuili uincere

    bello? 1.366
    ut uictum post terga relinqueret orbem,
    1.369
    maiorque ferusque / mentibus occurrit
    uictoque inmanior hoste. . . . 1.480
    urbem populis uictisque frequentem /
    gentibus et generis, ... 1.511
    deposito uictum praebebat poplite collum.
    1.613
    dum pendet fortuna ducum: cum uicerit
    alter /gaudendum est.' 2.41
    castra petunt magna uicti mercede: 2.255
    non bene conpertum est: ideo me milite
    uincat 2.322
    ne sibi se uicisse putet.' . . 2.323
    huic epulae uicisse famem, magnique
    penates 2.384
    uictis iam spes bona partibus esto /
    exemplumque mei. 2.513
    nihil hac uenia, si uiceris, ipse
    paciscor.' 2.515
    iam uictum fama non uisi Caesaris agmen.
    2.600
    quos Creta profugos uexere per aequora
    puppes / Cecropiae uictum mentitis Thesea
    uelis. 2.612
    neque enim iam sufficit ulla /praecipiti
    fortuna uiro, nec uincere tanti, /ut
    bellum differret,erat. 3.51
    perdidit o qualem uincendo plura
    triumphum! 3.79
    paruimus uicti; uenia est haec sola
    pudoris 3.148
    quem dederat Perses, quem uicti praeda
    Philippi, ... 3.158
    constitit et magno uinci se fassus ab orbe
    est; 3.234
    uincendum pariter Pharsalia praestitit
    orbem. 3.297
    damnumque putamus /armorum, nisi qui
    uinci potuere rebellant. 3.366
    raptisque a Caesare cunctis /uincitur una
    mora. 3.392
    spes uictis telluris abit, ... 3.509
    ictu uicta suo percussae capta cohaesit;
    3.564
    stabat diuersa uictae iam parte carinae
    /infelix Argi genitor, ... 3.726
    uictum aeuo robur cecidit, . . . 3.729
    atque iterum aequatis ad iustae pondera
    Librae /temporibus uicere dies, 4.59
    adsertor uicto redeas ut Caesare? 4.214
    certe, / ut uincare, potes. . . 4.215
    uincitur haut gratis iugulo qui prouocat
    hostem. 4.275
    interque priorem /fortunam casusque nouos
    gerit omnia uicti,/sed ducis, 4.342
    hoc hostibus unum,/quod uincas, ignosce
    tuis. 4.356
    otia des fessis (uictis), . ..var.4.357
    hoc petimus, uictos ne tecum uincere
    cogas.' 4.362
    ut numquam fortuna labet successibus
    anceps, / uincendum totiens; . . 4.391
    cumque cauernae / euomuere fretum contorti
    uerticis undae /Tauromenitanam uincunt
    feruore Charybdim. 4.461
    temptauere prius suspenso uincere bello
    /foederibus, ... 4.531
    Africa nos potius uincat sibi. 4.793
    totoque exercitus orbe / te uincente

perit. 5.267
uicit patientia saeui /spem ducis, 5.369
sonuit uictis conpagibus alnus. 5.596
sed Scythici uicit rabies Aquilonis
et undas /torsit 5.603
quam celsa cacumina pessum /tellus uicta
dedit! 5.617
artis opem uicere metus, nescitque
magister / quam frangat, cui cedat aquae.
5.645
non ualet in fluctum: uictum latus unda
repellens /erigit, ... 5.648
si nil tibi uicta relinquent /tutius arma
fuga, ... 5.787
seque arma tenente /ac nondum strato
Magnum uicisse negauit. 6.143
uincimus, o socii: 6.164
omni / uallatus bello uincit, quem
respicit, hostem. 6.185
mouitque furorem / Pompeiana quies et
uicto Caesare somnus. 6.283
non sic ... horret /Enceladum ... /
Caesaris ut miles glomerato puluere
uictus / ante aciem ... /hostibus occurrit
fugiens 6.296
felix ac libera regum,/ Roma, fores
iurisque tui, uicisset in illo /si tibi
Sulla loco. 6.302
uicerat astra iubar, cum mixto murmure
turba /castrorum fremuit 7.45
adfusi uinci socerum patiare rogamus.
7.71
merito Pompeium uincere lente /gentibus
indignum est a transcurrente subactis.
7.73
pudeat uicisse coactum. 7.78
ciuilia bella /gesturi metuunt ne non
cum sanguine uincant. 7.96
pugnare ducem quam uincere malunt. 7.109
uincis apud superos uotis me, Caesar,
iniquis: /pugnatur. 7.113
omne malum uicti, quod sors feret ultima
rerum, / omne nefas uictoris erit.' 7.122
frenosque furentibus ira /laxat et ut
uictus uiolento nauita Coro /dat regimen
uentis 7.125
uictus uiolento nauita Coro /dat regimen
uentis (uictis) var.7.126
haec acies uictum factura nocentem est.
7.260
quod si, signa ducem numquam fallentia
uestrum, /conspicio ... / uicistis. 7.292
fodientem uiscera cernet / me mea qui
nondum uicto respexerit hoste. 7.310
uincat quicumque necesse /non putat in
uictos saeuum destringere ferrum 7.312
uincat quicumque necesse / non putat in
uictos saeuum destringere ferrum 7.313
quae uincere possent / omnia contulimus.
7.355
Magnus, nisi uincitis, exul, /ludibrium
soceri, ... 7.379
uincto (uicto) fossore coluntur /Hesperiae
segetes, ... var.7.402
uictus totiens a Caesare salua /libertate
perit: 7.602
uincitur his gladiis omnis quae seruiet
aetas. 7.641
uincere peius erat. 7.706
uidit prima ... Larisa ... / nobile nec
uictum fatis caput. 7.713

sed 'quid opus uicto populis aut
urbibus?' inquit 7.720
quascumque tuas Pharsalia fecit / a
uictis rapiuntur opes.' . . . 7.746
effudere suas uictis conpagibus urnas,
7.857
uictus adest coniunx. 8.53
ipsum /quod sum uictus ama. . . 8.78
nulla tibi subeunda magis sunt moenia
uicto: 8.116
stantis adhuc fati uixit quasi coniuge
uicto. 8.158
tamen omnia uincens /sustinui nostris
uos tantum desse triumphis, . . 8.229
Pompeio uincite, Parthi, / uinci Roma
uolet."'. 8.237
Pompeio uincite, Parthi,/ uinci Roma
uolet."' 8.238
ad Parthos qui uicit eat. 8.429
uicta est sententia Magni. . . . 8.455
qui te nec uictos arcere a litore nostro
/posse putat. 8.497
hoc ferrum ... paraui /non tibi, sed
uicto; 8.521
properas atque ingeris ictus / qua uotum
est uicto. 8.646
uictum, quod reges etiam timuere, recepi.
8.650
uictum pietate timorem / conpulit ut ...
quaesitum corpus ... /duceret ad terram
8.718
tunc uictus pondere tanto /expectat
fluctus 8.724
adde ... / armaque Sertori reuocato
consule uicta 8.809
quis ... fugientia crederet ire /agmina,
quis pelagus uictas artasse carinas?
9.35
non mihi nunc tellus Pompeio siqua
triumphos / uicta dedit, ... / gratior;
9.79
o felix, cui summa dies fuit obuia uicto
9.208
non barbara uictos /regna manent, 9.236
toto solus in orbe est / qui uelit ac
possit uictis praestare salutem. 9.247
quod iam tibi uincere tutum est, /bella
fugis 9.260
ducite Pompeios, Ptolemaei uincite munus.
9.278
poenaque de uictis sola est uicisse Catoni.
9.299(bis)
frustraque rudentibus ausis /uela
negare Noto spatium uicere carinae, 9.326
uincitur et nudis auertitur armamentis.
9.329
saepe tamen cumulos fluctus non uincit
harenae. 9.340
Amphitryoniades uidit, cum uinceret,
hydram: 9.644
recto uerbere saeuos /teste tulit caelo
uicti decus Orionis. 9.836
casus alieno in pectore uincit. 9.888
unica belli / praemia ciuilis, uictis
donare salutem, /perdidimus. 9.1067
tunc pace fideli /fecissem ut uictus
posses ignoscere diuis, 9.1103
an eriperet mundo Memphiticus ensis /
uictoris uictique caput. 10.6
uictasque patri despexit Athenas, 10.29
tempora Niliaco turpis dependit amori,

UINCO

/... dum non sibi uincere mauolt.   10.81
nec meus Eudoxi uincetur fastibus annus.
    10.187
sed uincit adhuc natura latendi.   10.271
dignatur uiles ... sanguine dextras /
quo Fortuna parat uictos perfundere
patres, ...   10.339
nisi fata manus a sanguine Caesaris
arcent / hae uincent partes. . .   10.421
uincendus tum Caesar erat sed sanguine
nullo. 10.541

UINCULUM.

mox uincula ferri / exedere senem
longusque in carcere paedor. . .   2.72
fatur et astrictis laxari uincula palmis
/imperat. 2.516
tunc placuit caesis innectere uincula
siluis 2.670
ut uincula Rheno /Oceanoque daret,   3.76
et, quas inmissi traxerunt uincula ferri,
    3.574
sedibus expulsi, postquam cruor omnia
rupit /uincula, ...   3.713
passusque uacare / summa freti medio
suspendit uincula ponto 4.450
frustra qui uincula ferro /rumpere conatus
    4.466
nec fas nec uincula iuris /hoc audere
uetant: 5.288
rumpite quae retinent felices uincula
proras: 5.422
ille moras ferri neruorum et uincula
rumpit 6.217
abruptaque saxa /asperat et durum uinclis
adamanta, ...   6.801
uincula neruorum et laterum textura
cauumque /pectus ... /morte patet.   9.777
nec piger ignis erat per stuppea uincula
    10.493

UINDEX.

proelia iusta decet, patriae sed
uindicis iram; 2.540
te uindice tuta relicta est /libertas?
    3-137
uindicis an gladii facinus poenasque
furorum/../ut peragat fortuna,taces? 5.206
non ... / ... regumque potens uindexque
senatus /... Romanus erat: . .   8.554
et scelerum uindex in sancto pectore
Bruti / sedit 9.17
illic Pellaei proles uaesana Philippi, /
felix praedo, iacet, terrarum uindice fato
/raptus: 10.21

UINDICO,-ARE.

quod terra fretumque /uindicat
alternis uicibus, cum funditur ingens /
Oceanus 1.410
uindicat unda Notum. 2.460
iam ratibus fragmenta ferus sibi uindicat
ignis. 3.686
numen ab humani solum se labe furoris
/uindicat. 5.104
ac tantum saepti uallo sibi uindicat
agri, ...   6.73
ueniet qui uindicet arces   . . .   6.164
aut me fortuna necesse est /uindicet aut
Crassos.' 8.327
patimurne pudoris /hoc uolnus, clades ut
Parthia uindicet ante /Hesperias, quam
Roma suas? 8.350
uindicat hoc Pharius, dextra gestare,
satelles. 8.675
exclusus nulla se uindicat ira, .   9.298

UINDICTA.

si libertatis superis tam cura

placeret / quam uindicta placet.   4.809
cladis tamen huius habemus /uindictam,
quantam terris dare numina fas est: 7.456
quod ... crimen ... / maius erit, quam
quod ... /Crassorum uindicta perit? 8.422
quererisque perisse / uindictam belli
    9.1054
poenaque ciuilis belli, uindicta
senatus / paene data est famulo.   10.340
procul absit ut ista / uindictae sit
summa tuae. 10.526

UINEA.

erigit, et mediis subrepit uinea muris:
    2.506
tunc adoperta leui procedit uinea terra,
    3.487

UIOLATOR.

et natrix uiolator aquae, iaculique
uolucres, ...   9.720

UIOLENTUS,-A,-UM.

portus erat, si non
uiolentos insula Coros / exciperet saxis
lassasque refunderet undas. . . .   2.617
crediderim; ... / defendisse suas
uiolento turbine terras,   . . .   5.611
cum primum redeunte die uiolentior aer
/puppibus incubuit 5.717
extruitur ... inpellere ... / quod non
ulla queat uiolenti machina belli.   6.37
frenosque furentibus ira / laxat et ut
uictus uiolento nauita Coro /dat regimen
uentis 7.125
nec franget nando uiolenti uerticis amnem,
    8.374
Septimius,... / inmanis uiolentus atrox
nullaque ferarum /mitior in caedes.   8.599
nam litore sicco,/ quam pelago, Syrtis
uiolentius excipit Austrum,   . .   9.448
nubem / in flexum uiolentus agit: 9.456
tum quoque Romanum solito uiolentior
agmen /adgreditur, ...   9.463
scuta uirorum /pilaque contorsit uiolento
spiritus actu 9.472
rumor ab Oceano ... / exundante procul
uiolentum erumpere Nilum 10.256
quis te ... / moturum totas uiolenti
gurgitis iras, / Nile, putet?   10.316

UIOLO,-ARE.

te quoque neclectum uiolatae,
Scaeuola, Vestae 2.126
certe uiolata potestas / inuenit ista
deos; 3.125
lucus erat longo numquam uiolatus ab
aeuo 3.399
effatur merso uiolata in robora ferro
    3.435
potui sine caede subactum /captiuumque
ducem uiolatae tradere paci. . .   7.94
seu nullum uiolarit uolnere pignus,
/ignoti iugulum tamquam scelus inputet
hostis. 7.324
quo non Romanos uiolabis uomere manes?
    7.852
tene mihi dubitas an sit uiolare necesse,
    8.523
quod iam conpositum uiolat manus hospita
bustum, / da ueniam: 8.748
satis nimiumque beatus,/ si mihi contingat
... / ... tale ducis uiolare sepulchrum.
    8.845
quantumque licet consurgere fumo /et
uiolare diem, tantus tenet aera puluis.
    9.462
pauper adhuc deus est, nullis uiolata per
aeuum /diuitiis delubra tenens,   9.519

UIOLO

    quem non uiolasset Alanus,/... / quaerit
    tuta domus; 10.454
UIPERA. defuit ... / non ... innataque rubris
    /aequoribus custos pretiosae uipera
    conchae 6.678
UIPEREUS,-A,-UM. uiperei coeunt abrupto
    corpore nodi, ... 6.490
    et coma uipereis substringitur horrida
    sertis. 6.656
    uipereumque fluit depexo crine uenenum.
                                       9.635
UIPRO,-ARE. primus raptam librare (uiprare,
    uibrare) bipennem / ausus . . .var.3.433
UIR. inde uirum poteras atque hinc retinere
    parentem 1.116
    fecunda uirorum /paupertas fugitur 1.165
    quo fertis mea signa, uiri? . . 1.191
    inde ruendi /in ferrum mens prona uiris
    animaeque capaces /mortis, . . . 1.461
    nec non bella uiri diuersaque castra
    petentes /effundunt iustas in numina saeua
    querellas. 2.43
    mors ipsa refugit / saepe uirum, 2.76
    uir ferus et Romam cupienti perdere fato /
    sufficiens. 2.87
    uix saecula longa decorum / sic meruisse
    uiris, nedum breue dedecus aeui / et uitam
    dum Sulla redit. 2.117
    inuenit ... / fata uirum casusque urbis
    cunctisque timentem 2.240
    non aliter placitura uiro, sic maesta
    profatur: 2.337
    iam nulli tradenda uiro. 2.341
    hae flexere uirum uoces, ... 2.350
    neque enim iam sufficit ulla / praecipiti
    fortuna uiro, nec uincere tanti, / ut
    bellum differret, erat. 3.51
    'tene, deum sedes, non ullo Marte coacti /
    deseruere uiri? 3.92
    uiribus an possint obsistere iura,per
    unum /Libertas experta uirum; . . 3.114
    tamen ante furorem /indomitum duramque
    uiri deflectere mentem /pacifico sermone
    parant 3.304
    quodque uirum toti properans inponere
    mundo /hos perdit Fortuna dies! 3.393
    at postquam uirtus incerta uirorum /
    perpetuam rupit defesso milite cratem
                                       3.484
    non hasta uiris, non letifer arcus, /
    telum flamma fuit, ... 3.500
    accepit non sola uiros, quae stabat in
    undis, /classis: 3.519
    discreuit mors saeua uiros, . . . 3.605
    strage uirum cumulata ratis multoque
    cruore / plena per obliquum crebros latus
    accipit ictus 3.627
    hac cum parte uiri uix omnia membra
    tulerunt. 3.646
    credidit ora uiri Romanum amplexa cadauer,
                                       3.759
    sed paruo Fortuna uiri contenta pauore
    /plena redit, ... 4.121
    et uires rediere uiris. 4.373
    indomitos sciat esse uiros . . . 4.505
    damnata iam luce ferox securaque pugnae
    /promisso sibi fine manu, nullique
    tumultus /excussere uiris mentes ad summa
    paratas; 4.536
    minimumque in morte uirorum /mors uirtutis
    habet. 4.557

UIR

    non tamen ignauae post haec exempla
    uirorum /percipient gentes   4.575
    exhausitque uirum, ...   4.622
    iam terga uiri cedentia uictor / alligat
                                     4.626
    explicuit per membra uirum. . . 4.629
    uidet exhaustos sudoribus artus /
    ceruicemque uiri, siccam cum ferret
    Olympum. 4.639
    Tellusque uiro luctante laborat. 4.644
    quem non ille ducem (uirum) potuit terrere
    tumultus? var.5.300
    tot reddet Fortuna uiros quot tela
    uacabunt. 5.327
    tradite nostra uiris ignaui signa Quirites.
                                     5.358
    Scaeua uiro nomen: 6.144
    cumulo uos desse uirorum /non pudet 6.153
    mirantesque uirum atque auidi spectare
    secuntur 6.167
    totaeque uiro dant tela ruinae, 6.172
    parque nouum Fortuna uidet concurrere,
    bellum /atque uirum. 6.192
    maiora uiris e sanguine paruo /gaudia
    non faceret conspectum in Caesare uolnus.
                                     6.226
    fata peremptorum pendent iam multa
    uirorum, ...   6.632
    iam uos ego nomine uero (uiro)/ eliciam
                                 var.6.732
    armaque raptim / sumpta Ceresque uiris.
                                     7.331
    subiere pericula clari / sponte uiri
    sacraque antiquus imagine miles. 7.357
    toto populi qui nascimur orbe / nec muros
    inplere uiris nec possumus agros: 7.401
    moeniaque in praeceps laturos plena
    tremores / hi possunt explere uiri, quos
    undique traxit / in miseram Fortuna necem,
                                     7.415
    mors tamen eminuit clarorum in strage
    uirorum / pugnacis Domiti, . . . 7.599
    illic per fata uirorum, / per populos hic
    Roma perit; 7.633
    'uictoria nobis / plena, uiri:' dixit
    'superest pro sanguine merces,   7.738
    non patitur tutis fatum celare latebris
    /clara uiri facies. 8.14
    ultima debet / esse fides lugere uirum.
                                     8.83
    uocibus his correpta uiri uix aegra
    leuauit / membra solo 8.86
    tali pietate uirorum / laetus in aduersis
    ... / ... nullum ... dixit ... /gratius
    esse solum ... uobis /ostendi: 8.127
    sic fatus murmure sensit / consilium
    damnasse uiros; 8.328
    illic et laxas uestes et fluxa uirorum
    /uelamenta uides. 8.367
    ensis habet uires, et gens quaecumque
    uirorum est /bella gerit gladiis. 8.385
    credis, Magne, uiros, quos in discrimina
    belli / cum ferro misisse parum est? 8.389
    sed tua sors leuior, quoniam mors ultima
    poena est / nec metuenda uiris. 8.396
    non ulli plus regia, Magne, uacabit /
    saeuitia stimulata Venus titulisque
    uirorum; 8.413
    nil ultima mortis / ex habitu uoltuque
    uiri mutasse fatentur 8.666
    'ergo indigna fui,'... / ... gelidosque

effusa per artus /incubuisse uiro,   9.57
scire mori sors prima uiris, set proxima
cogi. 9.211
tum respicit omnis / in coetu motuque
uiros; 9.225
nunc causa pericli /digna uiris.   9.263
sic uoce Catonis / inculcata uiris iusti
patientia Martis.   9.293
sola potest Libye turba praestare malorum
/ut deceat fugisse uiros.' . . .   9.406
galeas et scuta uirorum / pilaque
contorsit uiolento spiritus actu   9.471
atque operit tellure uiros.   9.486
non maesti iura Catonis / ardentem tenuere
uirum,   9.748
sic nox tuta uiris. 9.922
nullique aspecta uirorum / Pallas,   9.993
sacratis totum spargenda per orbem /membra
uiri posuere adytis; 10.23
non utile mundo /editus exemplum,terras
tot posse sub uno / esse uiro.   10.28
nec non infelix ferro mollita iuuentus
/atque exsecta uirum: 10.134
crudelemque toris dominam mactemus in
ipsis / cum quocumque uiro. . . .   10.375
nulla fides pietasque uiris qui castra
secuntur, ...   10.407
UIREO,-ERE. esse locis superos testatur silua
per omnem /sola uirens Libyen.   9.523
UIRGA. ora leui flectit frenorum nescia
uirga, ...   4.683
non ... ueloci corrumpunt pocula leto /
stipite quae diro uirgas mentita Sabaeas
/toxica fatilegi carpunt matura Saitae.
                                        9.820
UIRGINEUS,-A,-UM. hoc ubi uirgineo conceptum
est pectore numen, ...   5.97
uirginei patuere doli, fecitque negatis
/numinibus metus ipse fidem. . .   5.141
fuit ... / uirgineusque chorus, nitidi
custodia luci, ...   9.362
UIRGO. quondam uirgo toris melioris iuncta
mariti, ...   2.329
tandem conterrita uirgo / confugit ad
tripodas 5.161
extremaeque sonant domita iam uirgine
uoces: 5.193
VIRGO(sidus). iam coeperat ultima Virgo /
Phoebum laturas ortu praecedere Chelas,
                                        2.691
UIRGULTUM. ut, cum terra leuis mediam
uirgultaque molem / suspendant,   3.396
UIRIDIS,-E. nec, quamuis uiridi luctetur
robore, lentas / ignis agit uires,   3.503
UIRTUS. stimulos dedit aemula uirtus. 1.120
nomen erat nec fama ducis, sed nescia
uirtus / stare loco, ...   1.144
scelerique nefando / nomen erit uirtus,
multosque exibit in annos / hic furor.
                                        1.668
uirtutis iam sola fides, quam turbine
nullo / excutiet fortuna tibi,   2.243
hoc solum longae pretium uirtutis habebis:
                                        2.258
ne tanta in cassum uirtus eat, ingeret
omnis / se belli fortuna tibi.   2.263
sed quo fata trahunt uirtus secura
sequetur. 2.287
tecta subit uirtus, armisque innexa
priores / arma ferunt, ...   3.475
at postquam uirtus incerta uirorum /

perpetuam rupit defesso milite cratem
                                        3.484
creuit in aduersis uirtus: . . .   3.614
nec cessat naufraga uirtus: . . .   3.690
his uirtus ferrumque locum promittit, at
illis /ipse locus. 4.36
hoc tamen in casu quantum deprensa
ualebat / effecit uirtus: 4.470
in medium mors omnis abit, perit obruta
uirtus: 4.491
magna uirtute merendum est, . . .   4.512
minimumque in morte uirorum / mors
uirtutis habet. 4.558
non tamen ignauae post haec exempla
uirorum / percipient gentes quam sit non
ardua uirtus / seruitium fugisse manu,
                                        4.576
sed uirtus te sola daret. 4.581
auxilioque diu uirtus non usa cadendi /
terrae spernit opes: 4.607
ceciditque in strage suorum /inpiger
ad letum et fortis uirtute coacta.   4.798
adde quod ingrato meritorum iudice uirtus
/nostra perit: 5.291
'quo te, dure, tulit uirtus temeraria,
Caesar, ...   5.682
quod solum ualuit uirtus, . . .   6.132
qui nesciret in armis / quam magnum uirtus
crimen ciuilibus esset. 6.148
auidi spectare secuntur / scituri
iuuenes ... / an plus quam mortem uirtus
daret. 6.169
mitis et a uoltu penitus uirtute remota,/
'parcite,'ait,'ciues; 6.229
incaluit uirtus, atque una caede
refectus /'soluat' ait 'poenas,   6.240
et uiuam magnae speciem Virtutis adorant;
                                        6.254
infelix, quanta dominum uirtute parasti!
                                        6.262
belli pars magna peracta est / ... si modo
uirtutis stimulis iraeque calore /signa
petunt. 7.103
Pompeius in arto / agmina uestra loco
uetita uirtute moueri / cum tenuit, quanto
satiauit sanguine ferrum!   7.316
'quem flagitat' inquit /'uestra diem
uirtus, finis ciuilibus armis,/ ...
adest. 7.343
Romanaque uirtus / erigitur, . .   7.383
quos Lentulus omnis / uirtutis stimulis
et nobilitate dolendi /praecessit   8.329
nec Martem comminus usquam /ausa pati
uirtus, ...   8.383
uirtus et summa potestas / non coeunt;
                                        8.494
semidei manes habitant, quos ignea uirtus
/innocuos uita patientes aetheris imi /
fecit 9.7
hanc audax sperat sibi cedere uirtus.
                                        9.302
at inpatiens uirtus haerere Catonis /
audet in ignotas agmen committere gentes
                                        9.371
conponite mentes / ad magnum uirtutis
opus summosque labores. 9.381
serpens, sitis, ardor harenae / dulcia
uirtuti; 9.403
ille pauentis / incendit uirtute animos
et amore laborum, ...   9.407
hac ire Catonem / dura iubet uirtus.   9.445

UIRTUS

    'mene'...'degener unum /miles in hac turba
uacuum uirtute putasti? 9.506
durae saltem uirtutis amator / quaere
quid est uirtus 9.562
quaere quid est uirtus et posce exemplar
honesti.' 9.563
an ... fortuna ... perdat / opposita
uirtute minas, ... 9.570
estque dei sedes nisi terra ... / et
caelum et uirtus? 9.579
si successu nuda remoto / inspicitur
uirtus, quidquid laudamus in ullo /maiorum,
fortuna fuit. 9.595
cogit tantos tolerare labores / summa
ducis uirtus, ... 9.882
sed, cum tanta meo uiuat sub pectore
uirtus, /... nihil est quod noscere malim
/quam fluuii causas. 10.188
uia nulla salutis / non fuga, non uirtus;
                               10.539

UIRUS. diffusum rutilo dirum pro sanguine
uirus. 1.615
caeloque paratior unda / omne pati uirus
durauit uiscera caeno. 6.94
nigramque per artus / stillantis tabi
saniem uirusque coactum /sustulit 6.548
uirus large lunare ministrat. . . 6.669
morsu uirus habent et fatum dente minantur,
                              9.615
fecundaque nulli / arua bono uirus
stillantis tabe Medusae / concipiunt 9.697
ecce, subit uirus tacitum, ... 9.741
in minimum mors contrahit omnia uirus.
                              9.776
omnia membra /emisere simul rutilum pro
sanguine uirus. 9.810
nil ibi uirus agit: rapuit cum uolnere
fatum. 9.825
ipse cruor tutus nullumque admittere
uirus 9.894
quae cohibet uirus retinetque in uolnere
pestem; 9.926
sed, siquod tardius audit / uirus ... /
tum ... pallentia uolnera lambit 9.932
Tyrio cuius pars maxima fuco / cocta diu
uirus non uno duxit aeno, ... 10.124

UIS. certatum totis concussi uiribus orbis
                              1.5
tu satis ad uires Romana in carmina dandas.
                              1.66
quid miscere iuuat uires orbemque tenere
                              1.88
nec reparare nouas uires, . . . 1.134
mensuraque iuris / uis erat: . . 1.176
tum uires praebebat hiemps atque auxerat
undas 1.217
uiribus utendum est quas fecimus. 1.348
quod tam lenta tuas tenuit patientia uires
/conquerimur. 1.361
Caesar, ut inmensae conlecto robore uires
/ audendi maiora fidem fecere, . 1.466
sic quisque pauendo / dat uires famae,
                              1.485
uis sibi fecit iter campumque effusa per
omnem 2.215
'dum sanguis inerat, dum uis materna,
peregi /iussa, ... 2.338
sic uiribus inpar / tradidit Hesperiam
profugusque per Apula rura . . . 2.607
hoc fuga nautarum, cum totas Hadria uires
/mouit 2.625

UIS

inde per arua / Graiorum Macetumque nouas
adquirite uires 2.647
uis illic ingens pelagi, semperque
laborant / aequora 3.62
uiribus an possint obsistere iura, per
unum /Libertas experta uirum; 3.113
proxima uicino uires dat Graecia bello.
                              3.171
si claudere muros / obsidione paras et ui
perfringere portas, ... 3.343
uentus ut amittit uires, nisi robore
densae / occurrunt siluae, . . . 3.362
sed maior Graio Romana in corpora ferro /
uis inerat. 3.464
ignis agit uires, ... 3.504
ut torpore senex caruit uiresque cruentus
/ coepit habere dolor, ... 3.741
prima dies ... / spectandasque ducum uires
numerosaque signa /exposuit. . . 4.25
deserit et noti diffisus uiribus orbis
/ indomitos quaerit populos . . . 4.145
et uires rediere uiris. 4.373
hoc quoque tam uastas cumulauit munere
uires / Terra sui fetus, ... 4.598
praebere ... / adsuerunt, non silua
torum, uiresque resumit / in nuda tellure
iacens. 4.604
nec uiribus uti / Alcides primo uoluit
certamine totis, ... 4.620
conflixere pares, Telluris uiribus ille,
ille suis. 4.636
non expectatis Antaeus uiribus hostis /
sponte cadit maiorque accepto robore
surgit. 4.641
morientis in artus / non potuit nati
Tellus permittere uires; 4.651
sollicitatque feros non aequis uiribus
hostis. 4.665
regis tamen undique uires / exciuit, 4.668
ipse caua regni uires in ualle retentat:
                              4.723
non exploratis occulti uiribus hostis
                              4.731
en, totis uiribus orbis / Hesperiam
pensant superi: 5.37
fluctus nimiasque precari /uentorum uires,
                              5.452
somno /dat uires fortuna minor; 5.506
uires pugna dabat. 6.251
ibi plurima surgunt / uim factura deis,
                              6.441
quamuis Thessala uates / uim faciat fatis,
dubium est, quod traxerit illuc /aspiciat
Stygias an quod descenderit umbras. 6.652
totas effundite uires: 7.344
omnibus illa / ciuibus effudit totas per
moenia uires / obuia ceu laeto: 7.714
uos pendite regna /uiribus atque fide,
Libyam Parthosque Pharonque, . . 8.277
ensis habet uires, et gens quaecumque
uirorum est /bella gerit gladiis. 8.385
sceptrorum uis tota perit, si pendere
iusta / incipit, ... 8.489
metiri sua regna decet uiresque fateri.
                              8.527
an noceat uis nulla bono fortunaque perdat
/opposita uirtute minas, ... 9.569
quis fata putarit / scorpion aut uires
maturae mortis habere? 9.834
ingens meritum maiusque salute / contulit,
in letum uires; 9.886

UIS

templa uetusti / numinis antiquas
Macetum testantia uires /circumit,   10.16
nunc omnes unum uires collectus in amnem,
                                      10.309
quid nomina tanta / horremus uiresque
ducis, ...   10.390
et nusquam totis incursat uiribus agmen.
                                      10.484

UISCUS. in sua uictrici conuersum uiscera
dextra 1.3
gladium ... / condere me iubeas plenaeque
in uiscera partu 1.377
uiscera tincta notis gelidoque infecta
cruore 1.619
saniem per hiantis uiscera rimas /emittunt,
                                      1.624
caesique in pectora (uiscera) tauri /
inferni uenere dei. var.1.633
uix te sparsum per uiscera, Baebi,   2.119
infandum domini per uiscera ferrum /
exegit famulus. 2.148
uisceribus lassis partuque exhausta
reuertor 2.340
quos eadem uariis genuerunt uiscera fatis:
                                      3.604
at tumidus qua pulmo iacet, qua uiscera
feruont, ...   3.644
eiectat saniem permixtus uiscere sanguis.
                                      3.658
iaculum letale reuolsum /uolneribus
traxere suis et uiscera laeua /oppressere
manu, ...   3.677
sic fatus, quamuis capulum per uiscera
missi / polluerit gladii,   . . .   3.748
torrentur uiscera flamma   . . .   4.324
sed morbus egens iam gurgite plenis /
uisceribus sibi poscit aquas.   .   4.372
cum calido fodiemus uiscera ferro,   4.511
uiscera non unus iam dudum transigit
ensis. 4.545
iam latis uiscera lapsa /semianimes
traxere foris 4.566
ultor ibi expulsae, premeret cum uiscera
partus,/matris adhuc rudibus Paean Pythona
sagittis / explicuit, ...   5.79
uteris et stimulis flammasque in uiscera
mergis: 5.175
inmisit Stygiam Paean in uiscera Lethen,
                                      5.221
caeloque paratior unda / omne pati uirus
durauit uiscera caeno. 6.94
uiscera tuta latent penitus,   . .   6.211
percussaque uiscera nimbis /uolsit   6.545
uiscera non lyncis, non durae nodus
hyaenae / defuit 6.672
ianitor et sedis laxae, qui uiscera saeuo
/spargis nostra cani, ... /exaudite
preces. 6.702
pauet ire in pectus apertum / uisceraque
et ruptas letali uolnere fibras.   6.723
fodientem uiscera cernet / me mea qui
nondum uicto respexerit hoste.   7.309
ipsi tela regent per uiscera Caesaris,
                                      7.350
gelidusque in uiscera sanguis /percussa
pietate coit, ...   7.467
solus ... ensis / ... dextras Romana in
uiscera ducit. 7.491
hac quoque peruentum est ad uiscera,   7.500
scit cruor imperii qui sit, quae uiscera
rerum, ...   7.579

UITA

pudet ... /... quaerere letiferum per
cuius uiscera uolnus /exierit,   7.619
tu, Caesar, in alto / caedis adhuc
cumulo patriae per uiscera uadis,   7.722
non intima curant / uiscera nec totas
auidae sorbere medullas: 7.843
feriam tua uiscera, Magne,   . . .   8.521
quid uiscera nostra / scrutaris gladio?
                                      8.556
nescis, crudelis, ubi ipsa /uiscera sint
Magni: 8.645
non imis haeret imago / uisceribus?   9.72
carpitque medullas / ignis edax calidaque
incendit uiscera tabe. 9.742
dissiluit stringens uterum membrana,
fluuntque/uiscera; 9.774
captique in uiscera Magni / hoc alii
licuisse doles, ...   9.1052
dum patrii ueniant in uiscera Caesaris
enses / Magnus inultus erit. . .   10.528

UISUM(subst.). di uisa secundent, /et fibris
sit nulla fides, ...   1.635
siue per ambages solitas contraria uisis
/uaticinata quies magni tulit omina
planctus, ...   7.21

UISUS(subst.). nec limine quisquam /haesit et
extremo tunc forsitan urbis amatae /
plenus abit uisu: 1.509
aequaret uisu numerisque sequentibus
astra, ...   1.641
dum litora numquam /ad uisus reditura
suos tectumque cacumen /... cernit   3.6
et 'quid' ait 'uani terremur imagine
uisus? 3.38
attonitoque metu nec quoquam auertere
uisus / nec Magnum spectare potest.   8.591
nullum animal uisus patiens,   . .   9.652
ut ducis inpleuit uisus ueneranda
uetustas, /erexit ... aras   . .   9.987
non primo Caesar damnauit munera uisu
                                      9.1035

UITA. orbe alio; longae, canitis si cognita,
uitae / mors media est. 1.457
ignauum rediturae parcere uitae.   1.462
sed cum membra premit fugiente rigentia
uita 2.25
piguit ... /... nec primo in limine
uitae / infantis miseri nascentia rumpere
fata. 2.106
uix saecula longa decorum /sic meruisse
uiris, nedum breue dedecus aeui /et uitam
dum Sulla redit. 2.118
ille fuit uitae Mario modus,   . .   2.131
naturamque sequi patriaeque inpendere
uitam 2.382
pro, quanta est gloria genti / iniecisse
manum fatis uitaque repletos /quos
superest donasse deis! 3.242
nullius uita perempti / est tanta dimissa
uia. 3.641
ducibus quoque uita petita est?   4.219
et nunc causa mihi est orandae sola
salutis / dignum donanda, Caesar, te
credere uita. 4.347
otia des fessis, uitam patiaris inermis
/degere quam tribuis. 4.357
discite quam paruo liceat producere uitam
                                      4.377
sed gurgite puro / uita redit.   4.381
omnibus incerto uenturae tempore uitae
/par animi laus est 4.481

uita breuis nulli superest qui tempus in
illa / quaerendae sibi mortis habet;
                                      4.478

temptare parabunt / foederibus turpique
uolent corrumpere uita. 4.508
proieci uitam, comites, totusque futurae
/mortis agor stimulis: 4.516
fieret captis si dulcior ipsa / mortis
uita mora. 4.533
mors, utinam pauidos uitae subducere
nolles, ...   4.580
digna damus, iuuenis, meritae praeconia
uitae. 4.813
tum torta priores / stringit uitta (uita)
comas, ...   var.5.143
uittasque (uitasque) dei Phoebeaque serta
/erectis discussa comis per inania templi
/ancipiti ceruice rotat   . . . var.5.170
usus abit uitae, bellis consumpsimus
aeuum: 5.276
o uitae tuta facultas / pauperis
angustique lares! 5.527
cum tot in hac anima populorum uita
salusque / pendeat 5.685
ille gemens 'non nunc uita mihi
dulcior,' inquit 5.739
'cum taedet uitae, laeto sed tempore,
coniunx,   5.740
sustinuit dixisse uale, uitamque per
omnem /nulla fuit tam maesta dies;   5.796
nec medii dirimunt morbi uitamque
necemque, ...   6.99
nec sancto caruisset uita Catone.   6.311
coetus audire silentum,/... /non superi,
non uita uetat. 6.515
iam noua, iam uera reddetur uita figura,
                                      6.660
et noua desuetis subrepens uita medullis
/miscetur morti.   6.753
nec gloria paruae / sollicitet uitae:
                                      6.806
at nox felicis Magno pars ultima uitae /
sollicitos uana decepit imagine somnos.
                                      7.7
ipse ego priuatae cupidus me reddere uitae
                                      7.266
non plura locutum /uita fugit,   7.616
plus est quam uita salusque /quod perit:
                                      7.639
uiles animas perituraque frustra /
agmina permisit uitae. 7.731
longius aeuum /destruit ingentis
animos et uita superstes /imperio.   8.28
ubicumque iaces ciuilibus armis /nostros
ulta (uita) toros, ades huc   var.8.103
sed, cuncta reuoluens /uitae fata meae,
semper uenerabilis illa /orbis parte fui,
                                      8.317
fata tibi longae fluxerunt prospera uitae:
                                      8.625
mutantur prospera uita, /non fit morte
miser. 8.631
te fata extrema petente /uita digna fui?
                                      8.653
quos ignea uirtus /innocuos uita
patientes aetheris imi /fecit   9.8
perierunt tempora uitae, ...   9.233
meruistis iudice uitam /Caesare non armis,
non obsidione subacti.   9.272
cur non maiora mereri / quam uitam
ueniamque libet? 9.276

certe uita tibi semper derecta supernas
/ad leges, ...   9.556
an sit uita nihil sed longa an differat
aetas? 9.568
dum uitam Phario mauolt debere clienti,
/laeta dies rapta est populis,   9.1096
caruere deis mea uota secundis,/ ut .
/adfectus a te ueteres uitamque rogarem,
/Magne, tuam 9.1100
spem uitae in limine clauso / ponit,
                                      10.459

UITALIS,-E. fibra latet, paruusque secat
uitalia limes. 1.623
tradidit in letum uacuos uitalibus artus;
                                      3.643

nec quicquam nudis uitalibus obstat
                                      6.194

quid ... / perditis haesuros numquam
uitalibus ictus? 6.197
pudet ... / quaerere ... / ... quis fusa
solo uitalia calcet, ...   7.620
temperies uitalis abest, et nulla sub
illa / cura Iouis terra est; . .   9.435
ebibit umorem circum uitalia fusum /
pestis 9.743
cauumque patet / pectus et abstrusum
fibris uitalibus omne /morte.   9.778
UITIO,-ARE. in nullas uitiatur opes; 9.424
UITIS. promotus Latiam longo gerit ordine
uitem, ...   6.146
UITO,-ARE. matrona ... /translata uitat
contingere limina planta; . .   2.359
dent fata recessum /emittantque licet,
uitare instantia nolim. . . .   4.515
ille quoque incertus ... / quas iubeat
uitare plagas, quae sidera mundi.   6.816
ipsaue retrorsum /effusi faciem
uitabant Gorgonos angues. . .   9.653
UITTA. tum torta priores /stringit uitta
comas, crinesque in terga solutos /candida
Phocaica complectitur infula lauro. 5.143
uittasque dei Phoebeaque serta /erectis
discussa comis 5.170
UITTATUS,-A,-UM. Vestalemque chorum ducit
uittata sacerdos 1.597
UIUAX. oderuntque grauis uiuacia fata
senectae   2.65
nam pinguibus ignis /adfixus taedis et
tecto sulpure uiuax /spargitur;   3.682
poenas animae uiuacis ab ipsa /ante feram.
                                      9.103

UIUO,-ERE. 'uiue, licet nolis, et nostro
munere' dixit   2.512
uiuentis feriere loco.'   3.721
non hoc ciuilia bella, / ut uiuamus,
agunt.   4.222
quas nollet uicturus aquas; . .   4.313
uicturosque dei celant, ut uiuere durent,
                                      4.519
humanum paucis uiuit genus. . . .   5.343
uiuam tibi nempe superstes. . .   5.775
ueritus credi ... / aut culpa uixisse sua
tot uolnera belli /solus obit   6.204
tollite et in Magni uiuentem ponite
castris. 6.233
uiuentis animas et adhuc sua membra
regentis / infodit busto, ...   6.529
per scopulos miserum trahitur . .
cadauer / uicturum,   6.640
defuit ... / non ... / aut uiuentis adhuc
Libyci membrana cerastae 6.679

UIUO

si quisquis uestris caput extaque
lancibus infans /inposuit uicturus erat,
parete precanti. 6.711
nondum facies uiuentis in illo, /iam
morientis erat: 6.758
sit tanti uixisse iterum: . . 6.768
uiuant Galataeque Syrique, . . 7.540
uiuat et, ut Bruti procumbat uictima,
regnet. 7.596
ut Latiae post se uiuat pars maxima turbae,
/sustinuit dignos etiamnunc credere uotis
/caelicolas, ... 7.656
et quantum poenae misero mens conscia
donat,/ quod Styga,... / Pompeio uiuente
uidet! 7.786
deformis adhuc uiuente marito / summus
et augeri uetitus dolor: . . . 8.81
uiuit post proelia Magnus /sed fortuna
perit. 8.84
stantis adhuc fati uixit quasi coniuge
uicto. 8.158
illo cultore deorum / lustra suae Phoebes
non unus uixerat Apis) 8.479
uiuis adhuc, coniunx, et iam Cornelia non
est / iuris, Magne, sui: . . . 8.659
Pharioque ueruto,/ dum uiuunt uoltus ...
/ suffixum caput est, ... 8.682
quaerat cineres uictura superstes. 9.72
insidiae ualuere tuae, deceptaque uixi
                                    9.99
forsitan in soceri potuisses uiuere regno.
                                    9.210
quisquis Magno uiuente secundus, /hic mihi
primus erit. 9.239
Pompeio scelus est bellum ciuile perempto,
/quo fuerat uiuente fides. . . 9.249
quod tibi, non ducibus, uiuis
morerisque, ... / bella fugis . . 9.259
sed citri contenta comis uiuebat et umbra.
                                    9.428
uiuit adhuc aliquid. 9.871
Pharsalia nostra / uiuet, et a nullo
tenebris damnabimur aeuo. . . . 9.986
fortuna ... / ... te non passa est
misereri, perfide, Magni / uiuentis!
                                    9.1062
sed, cum tanta meo uiuat sub pectore
uirtus, /... nihil est quod noscere malim
/quam fluuii causas 10.188
uiuitque Pothini / munere Phoebeos Caesar
dilatus in ortus 10.432

UIUUS,-A,-UM. busta repleta fuga, permixtaque
uiua sepultis / corpora, . . . 2.152
uiua graues elidunt corpora trunci. 2.206
quique suas struxere pyras uiuique
calentis / conscendere rogos. . 3.240
aucta lues, dum mixta iacent incondita
uiuis / corpora; 6.101
et uiuam magnae speciem Virtutis adorant;
                                    6.254
nec cessant a caede manus, si sanguine
uiuo / est opus, ... 6.554
[nec refugit caedes, uiuum si sacra
cruorem] 6.556
irataque morti /uerberat inmotum uiuo
serpente cadauer, ... 6.727

UIX. 1.165;1.289;1.337;1.631;2.62;2.116;
2.119;2.186;2.201;2.203;2.219;2.701;3.18;
3.68;3.103;3.646;4.20;4.75;4.80;4.242;
4.471;4.779;5.77;5.188;5.224;5.430;5.509;
5.641;5.759;6.278;6.390;7.82;7.162;7.272;

ULTIMUS

7.329;7.393;7.494;7.648;8.17;8.36;8.86;
8.153;8.465;8.474;8.526;9.236;9.484;9.486;
9.501;9.529;9.609;9.739;9.890;10.111;
10.135;10.539
ULCISCOR,-I. si libet ulcisci deletae funera
gentis, ... 2.84
nostros ulta toros, ades huc atque
exige poenas, /Iulia crudelis, 8.103
ULLUS,-A,-UM. 1.82;1.93;1.533;2.186;2.497;
3.50;3.66;3.91;3.219;3.253;3.328;3.410;
3.541;3.594;3.728;var.3.752;4.80;4.91;
4.108;4.162;4.274;4.395;4.411;4.441;4.484;
4.572;4.670;4.761;5.111;5.249;5.340;5.387;
5.516;5.617;5.624;6.37;6.459;7.137;7.321;
7.388;7.475;8.133;8.251;8.377;8.402;
8.412;8.545;8.558;8.571;8.746;8.817;9.62;
9.69;9.102;9.192;9.207;9.269;9.421;9.494;
9.569;9.574;9.595;9.692;9.766;9.770;9.888;
9.978;9.1078;10.82;10.135;10.295;10.319;
10.401;var.10.430;10.481
ULNA. robora cum uetitis prensarent altius
ulnis 3.664
ULTIMUS,-A,-UM. ultima funesta concurrant
proelia Munda, ... 1.40
ultima Pompeio dabitur prouincia Caesar,
                                    1.338
ultimaque effodit spectatis lumina
membris. 2.185
iam coeperat ultima Virgo /Phoebum
laturas ortu praecedere Chelas, 2.691
tunc Orientis opes captorumque ultima
regum / quae Pompeianis praelata est
gaza triumphis /egeritur; . . . 3.165
ultima curuati procederet ungula Tauri,
                                    3.255
pars ultima trunci /tradidit in letum
uacuos uitalibus artus; 3.642
placidis praelabitur undis /Hesperios
inter Sicoris non ultimus amnis, 4.14
tendit in ultima mundi. 4.147
dum tamen emeriti remanet pars ultima
iuris 5.7
silentia rupis /Appius Hesperii scrutator
ad ultima fati /sollicitat. . . 5.122
non prima dies, non ultima mundi, / non
modus Oceani, numerus non derat harenae.
                                    5.181
sors ultima rerum /in dubios casus et
prona pericula morti /praecipitare solet.
                                    5.692
euentus rerum sciet ultima coniunx. 5.779
ultimus esse dies potuit tibi Roma malorum,
                                    6.312
non ultima turbae /pars ego Romanae, 6.593
nostraeque Hecates pars ultima, per quam
/manibus et mihi sunt tacitae commercia
linguae,/... /exaudite preces. 6.700
at nox felicis Magno pars ultima uitae /
sollicitos uana decepit imagine somnos.
                                    7.7
omne malum uicti, quod sors feret ultima
rerum, / omne nefas uictoris erit.' 7.122
ultima fata / deprecor ac turpes extremi
cardinis annos, ... 7.380
ex populis qui regna ferunt sors ultima
nostra est, ... 7.444
ut primum ... diduxit cornua ... /
Pompeianus eques bellique per ultima fudit,
/... leuis armatura ... / insequitur 7.507
scit ... / unde petat Romam, libertas
ultima mundi / quo steterit ferunda loco.

7.580
    ultima debet /esse fides lugere uirum.
8.82
    arua super Cyri Chaldaeique ultima regni,
    /... eram: 8.226
    sed tua sors leuior, quoniam mors ultima
    poena est / nec metuenda uiris. 8.395
    quantum, spes ultima rerum, /libertatis
    habes! 8.454
    nil ultima mortis / ex habitu uoltuque
    uiri mutasse fatentur 8.665
    ultima Lageae stirpis perituraque proles,
    /... litora Pompeium feriunt, 8.692
    ultimus haustor aquae quam, tandem fonte
    reperto, /indiga cogatur laticis spectare
    iuuentus, ... 9.591
    ultima castrorum medicatus circumit ignis.
9.915
    regni durauit ad ultima fatum. 10.24
    misitque per ultima terrae /Aethiopum
    lectos: 10.273
    cogunt tamen ultima rerum /spem pacis
    temptare ducem, ... 10.467

ULTOR. Sulla quoque inmensis accessit cladibus
    ultor. 2.139
    'o scelerum ultores melioraque signa
    secuti, ... 2.531
    descendit Perses, fraternique ultor amoris
3.286
    ultor ibi expulsae, premeret cum uiscera
    partus, /matris adhuc rudibus Paean
    Pythona sagittis /explicuit, 5.79
    regnaque ad ultores iterum redeuntia
    Brutos, / ut peragat fortuna, taces? 5.207
    'tu,quem,... / ultorem cinerum nudae
    sperauimus,umbrae, / ad foedus pacemque
    uenis?' 8.434
    sic barbara Colchis /creditur ultorem
    metuens regnique fugaeque /... /expectasse
    patrem. 10.465

ULTRA(praep.). 2.138;6.102;7.433;8.64;9.327;
    (adv.). 1.190;4.476;4.646;5.534;7.23;
    7.88;7.435;var.8.103;9.369;9.579;9.605;
    10.516

ULTRIX. ultricesque deae dant in noua monstra
    furorem. 10.337

ULTRO. ultro acies inferre parant, 3.498

ULUA. exul limosa Marius caput abdidit ulua.
2.70

ULULATUS(subst.). uotisque uocari / adsuetas
    crebris feriunt ululatibus aures. 2.33
    tum maestus uastis ululatus in antris.
5.192

ULULO,-ARE. crinemque rotantes /sanguineum
    populis ulularunt tristia Galli. 1.567
    templa potes, non tu laetis ululare
    triumphis. 6.261
    habet illa ... / quod strident ululantque
    ferae, quod sibilat anguis; . . 6.690
    mirantur ... / ... iuncti sanguinis umbras
    /ante oculos uolitare (ululare) suos.
var.7.180

UMBO. arma ferunt, galeamque extensus protegit
    umbo, ... 3.476
    aduersoque acies in monte supina /
    haeret et in tergum casura umbone
    sequentis / erigitur. 4.39
    fortis crebris sonat ictibus umbo, 6.192
    Pompei ... acies ... / iunxerat in seriem
    nexis umbonibus arma, ... 7.493

UMBRA. Ausoniis umbraque erraret Crassus

---

    inulta 1.11
    stat magni nominis umbra, . . 1.135
    effundens trunco, non frondibus, efficit
    umbram, ... 1.140
    noctis gelidas lux soluerat umbras: 1.261
    uobis auctoribus umbrae /... pallida
    regna petunt: 1.454
    terrarum subita percussa expalluit umbra.
1.539
    magnaeque per auia uoces /auditae nemorum
    et uenientes comminus umbrae. 1.570
    tantum nox atra silentibus auris (umbris)
    /edidit. var.1.579
    cum uictima tristis /inferias Marius
    forsan nolentibus umbris /pendit inexpleto
    non fanda piacula busto. 2.175
    tuumque /nomen, Libertas, et inanem
    persequar umbram. 2.303
    calida medius mihi cognitus axis /Aegypto
    atque umbras nusquam flectente Syene,
2.587
    numquam tibi, Magne, per umbras /perque
    meos manes genero non esse licebit; 3.31
    refugit / umbra per amplexus trepidi
    dilapsa mariti. 3.35
    libertate perit; cuius seruaueris
    umbram, /si quidquid iubeare uelis. 3.146
    umbras mirati nemorum non ire sinistras.
3.248
    obscurum cingens conexis aera ramis /
    et gelidas alte summotis solibus umbras.
3.401
    restituunt artus, donec decresceret umbra
4.154
    nam condidit umbra /nox lucem dubiam
4.472
    et iratas incerta prouocat umbra 4.725
    excitet inuisas dirae Carthaginis umbras
4.788
    luna suas iam fecerat umbras, 5.425
    conscia uotorum es, me, quamuis plenus
    honorum /et dictator eam Stygias et
    consul ad umbras, / priuatum, Fortuna,
    mori. 5.667
    peterem felicior umbras /Caesaris in
    uoltu: 6.158
    Poenorumque umbras placasset sanguine
    fuso /Scipio, ... 6.310
    Pelion opponit radiis nascentibus umbras;
6.336
    nouerat ... / umbrarum Ditisque fidem,
6.433
    Phoebeque serena /... / palluit ... /quam
    si ... tellus /insereretque suas flammis
    caelestibus umbras; 6.504
    desertaque busta /incolit et tumulos
    expulsis obtinet umbris 6.512
    et quotiens saeuis opus est ac fortibus
    umbris /ipsa facit manes. . . 6.560
    arcanumque nefas Stygias mandauit ad
    umbras. 6.569
    nec membris sole perustis /auribus
    incertum feralis strideat umbra! 6.623
    dubium est, quod traxerit illuc /aspiciat
    Stygias an quod descenderit umbras. 6.653
    flagrantis portitor undae,/ iam lassate
    senex ad me redeuntibus umbris, /exaudite
    preces. 6.705
    ducis omnia nato /Pompeiana canat nostri
    modo militis umbra, ... 6.717
    aspicit astantem proiecti corporis

UMBRA

umbram, ...	6.720

tali tua membra sepulchro,/... exuram
Stygio cum carmine ... / ut nullos cantata
magos exaudiat umbra. 6.767
certus discedat, ab umbris / quisquis uera
petit 6.771
addidit et carmen, quo, quidquid consulit,
umbram / scire dedit. 6.775
quod tamen e cunctis mihi noscere contigit
umbris /effera Romanos agitat discordia
manes 6.779
tristis felicibus umbris /uoltus erat:
6.784
solum te,... / Brute, pias inter gaudentem
uidimus umbras. 6.792
iussa tenere diem densas nox praestitit
umbras. 6.830
mirantur ... / defunctosque patres et
iuncti sanguinis umbras /ante oculos
uolitare suos. 7.179
inque deum templis iurabit Roma per umbras.
7.459
te ... / ... dubium fati ... /aspiciens
Stygias Magno duce liber ad umbras / et
securus eo: 7.612
umbra perempti / ciuis adest; 7.772
fugerentque coloni /umbrarum campos, 7.863
me pronuba ducit Erinys /Crassorumque
umbrae, ... 8.91
non tibi ... / umbra senis maesti
Scythicis confixa sagittis /ingeret has
uoces? 8.432
'tu, quem ... / ultorem cinerum nudae
sperauimus umbrae, / ad foedus pacemque
uenis?' 8.434
quis nominis umbram /horreat? 8.449
rapitur ciuilibus umbris. 8.505
ille per umbras / ausus ferre gradum
uictum pietate timorem / conpulit 8.717
'quaecumque es'... nec ulli / cara tuo
sed Pompeio felicior umbra, /... / da
ueniam: 8.747
exul adhuc iacet umbra ducis. 8.837
quis sacris dignam mouisse uerebitur
umbram? 8.841
templis auroque sepultus / uilior umbra
fores. 8.860
nec cinis exiguus tantam conpescuit
umbram; 9.2
Dorida tum Malean et apertam Taenaron
umbris, /... petit, ... 9.36
an occidimus Romanaque Magnus ad umbras /
abstulit?' 9.124
non tamen ad Magni peruenit gratius umbras
/omne ... / ... quam pauca Catonis /uerba
9.186
uocibus his maior ... /... generosam
uenit ad umbram / mortis honos. 9.216
sacris praestabitur umbris / summus honor;
9.240
umbras nemorum quicumque petentem/aestuet,
9.399
sed citri contenta comis uiuebat et umbra.
9.428
tam breuis in medium radiis conpellitur
umbra. 9.530
at tibi ... / in Noton umbra cadit, quae
nobis exit in Arcton. 9.539
et plaga, quam nullam superi mortalibus
ultra (umbra)/ a medio fecere die,
calcatur, ... var.9.605

nec emissae riguere sub ossibus umbrae.
9.641
pars ... oculis ... tenebras / offundit
clausis et somni duplicat umbras. 9.674a
nec in Borean aut in Noton effugit
umbram. 9.695
socias somno descendis ad umbras. 9.818
petit famae mirator ... /Rhoetion et
multum debentis uatibus umbras. 9.963
uocesque querentis / audiat umbra pias.
9.1095
tua profuit umbra, /Magne, . . . 10.6
nec campos liberat undis / donec in
autumnum declinet Phoebus et umbras /
extendat Meroe. 10.236
aestatem nulla sibi mitigat umbra, 10.305
ultricesque deae (umbrae) dant in noua
monstra furorem. var.10.337
inferiasque dabit populis et mittet ad
umbras /... caput. 10.392
altera, Magne, tuis iam uictima mittitur
umbris; 10.524

UMBRI.
tunc Umbris Marisque ferax domitusque
Sabello /uomere, ... 2.430

UMBRIA.
iusque sui pulso iam perdidit Vmbria
Thermo. 2.463

UMBRO,-ARE.
hunc fabula primum /populea
fluuium ripas umbrasse corona, 2.411

UMBROSUS,-A,-UM.
umbrosis mediam qua collibus
Appenninus / erigit Italiam 2.396
delabitur inde /... / Sarnus et umbrosae
Liris per regna Maricae 2.424

UMEO,-ERE.
cum sidera caeli / ante ducis uoces
oculis umentibus omnes /aspicerent 4.522
umentis mirata genas percussaque caeco
/uolnere non audet flentem deprendere
Magnum, ... 5.737
quique nec umentis nebulas nec rore
madentem / aera nec tenues uentos suspirat
Anauros, ... 6.369
uocibus isdem / umentis late nebulas
nimbosque solutis /excussere comis. 6.468

UMERUS.
colla monile decens umerisque
haerentia primis 2.363
heu, quantum Fortuna umeris iam pondere
fessis / amolitur onus! 5.354
umeris defectum inponere gaudet; 6.252
manant umeri fortesque lacerti, 9.780

UMIDUS,-A,-UM.
et Notos, in solam Calpen
fluit umidus aer. 4.71
et idem, quod Carcinos ardens,/ umidus
Aegoceros nec plus Leo tollitur Vrna.
9.537

UMOR.
seruatoque loco rerum discessit ab
astris / umor, ... 4.127
si mollius aruum / prodidit umorem, 4.309
nulloque umore rigatus / aeris alternos
angustat pulmo meatus, ... 4.326
ast, ubi seruantur saxis, quibus intimus
umor / ducitur ... /... tunc omnis auide
desaeuit in artus 6.538
inmemores pugnae (regnae) nulloque pudore
(umore) timendi /praecipites fecere palam
ciuilia bella var.7.525
putrisque effluxit ab alto / umor, 8.691
ebibit umorem circum uitalia fusum /pestis
9.743
aequoreusque placet, sed non et sufficit,
umor. 9.757
quacumque foramina nouit / umor, ab his
largus manat cruor; 9.812

UMQUAM

UMQUAM. 1.85;3.288;4.227;4.386;5.29;5.166;
    5.338;6.447;7.35;7.297;7.527;8.322;8.535;
    9.88;9.603;10.25;10.182
UNA(adv.). per te quod fecimus una./... /
    ... ades; 10.370
UNCUS(subst.). dum spissis auellitur uncus
    harenis; 2.694
    ferrea dum puppi rapidos manus inserit
    uncos,/adfixit Lycidan. 3.635
    et nimis adfixos unci conuellere morsus,
                                         3.699
    uento fluctuque secundo / lapsa
    Palaestinas uncis confixit harenas. 5.460
    inserto laqueis feralibus unco / per
    scopulos miserum trahitur ... cadauer
                                         6.638
UNDA. qualiter undas / qui secat et geminum
    gracilis mare separat Isthmos   1.100
    ut uentum est parui Rubiconis ad undas,
                                         1.185
    fonte cadit modico paruisque impellitur
    undis / puniceus Rubicon, . . .   1.213
    tum uires praebebat hiemps atque auxerat
    undas 1.217
    molli tum cetera rumpit/turba uado faciles
    iam fracti fluminis undas. . . .   1.222
    haec manus ... / Oceani tumidas remo
    conpescuit undas 1.370
    castra super Tusci si ponere Thybridis
    undas, ... 1.381
    famae maioris in amnem / lapsus ad
    aequoreas nomen non pertulit undas. 1.401
    Tethyos unda uagae lunaribus aestuet
    horis, ... 1.414
    flammiger an Titan, ut alentes hauriat
    undas, ... 1.415
    qua Rhodanus raptum uelocibus undis /in
    mare fert Ararim, ...   1.433
    Tethys maioribus undis /Hesperiam Calpen
    summumque inpleuit Atlanta. . .   1.554
    tollentemque caput gelidas Anienis ad
    undas 1.582
    omnis an infusis miscebitur unda uenenis?
                                         1.648
    ad molem stetit unda sequens.   2.214
    tandem Tyrrhenas uix eluctatus in undas
    /sanguine caeruleo torrenti diuidit
    aequor. 2.219
    mons inter geminas medius se porrigit
    undas 2.399
    Senaque et Hadriacas qui uerberat Aufidus
    undas; 2.407
    hunc habuisse pares Phoebeis ignibus undas.
                                         2.415
    accipit et Scythicas exit non solus in
    undas. 2.420
    dexteriora petens montis decliuia Thybrim
    / unda facit Rutubamque cauum.   2.422
    non deserit ante / Hesperiam, quam cum
    Scyllaeis clauditur undis, . . . 2.433
    uindicat unda Notum. 2.460
    'socii, decurrite' dixit / 'fluminis ad
    ripas undaeque inmergite pontem.   2.484
    Rheni gelidis quod fugit ab undis 2.570
    hinc me uictorem gelidas ad Phasidos
    undas /Arctos habet, ... 2.585
    Hadriacas flexis claudit quae cornibus
    undas. 2.615
    portus erat, si non uiolentos insula Coros
    /exciperet saxis lassasque refunderet
    undas. 2.618

UNDA

Illyris Ionias uergens Epidamnos in undas.
                                         2.624
uult hostes errare freto, sed molibus
undas /obstruit 2.661
ut, maris Aeolii medias si celsus in
undas /depellatur Eryx, ...   2.665
impulsum rostris sonuit mare, fluctuat
unda, ...   2.702
artior Euboica, qua Chalcida uerberat,
unda. 2.710
ut, Pagasaea ratis peteret cum Phasidos
undas, ...   2.715
Titan iam pronus in undas /ibat   3.40
qua mare tellurem subitis aut obruit undis
                                         3.60
Colchis et Hadriaca spumans Apsyrtos in
unda; 3.190
primaque cum uentis pelagique furentibus
undis / conposuit mortale genus,   3.195
fertilis Euphrates Phariae uice fungitur
undae; 3.260
fonte nouo flumen pelagi non abnegat
undis. 3.263
quaque, fretum torrens, Maeotidos egerit
undas /Pontus, ...   3.277
parati, / undarum raptos auersis fontibus
haustus / quaerere 3.345
tum plurima nigris / fontibus unda cadit,
                                         3.412
accepit non sola uiros, quae stabat in
undis, /classis: 3.519
cruor altus in unda / spumat, . .   3.572
exceptum mediis inuenit uolnus in undis.
                                         3.582
ad summos repleta foros descendit in
undas 3.630
non amplius undae / sustinere graues in
summo gurgite truncos. 3.668
nec flammas superant undae, . .   3.685
tela legunt deiecta mari ratibusque
ministrant / incertasque manus ictu
languente per undas / exercent;   3.692
eximius Phoceus animam seruare sub undis
                                         3.697
uictor et incolumis summas remeabat in
undas; 3.702
coniunx saepe sui confusis uoltibus unda
/ credidit ora uiri Romanum amplexa
cadauer, ...   3.758
placidis praelabitur undis /Hesperios
inter Sicoris non ultimus amnis,   4.13
non habet unda uias, ...   4.86
ac, nequid Sicoris repetitis audeat undis,
                                         4.141
neque enim tibi maior in aruis /Emathiis
fortuna fuit nec Phocidos undis /
Massiliae, ...   4.256
tunc inopes undae praerupta cingere fossa
/Caesar auet 4.264
iamque inopes undae primum tellure
refossa / occultos latices abstrusaque
flumina quaerunt; 4.292
quoque magis miseros undae ieiunia soluant
                                         4.332
qua maris Hadriaci longas ferit unda
Salonas 4.404
quod nec uela ferat nec apertas uerberet
undas. 4.426
tum freta seruantur, dum se declinibus
undis / aestus agat 4.427
noluit Illyricae custos Octauius undae

/confestim temptare ratem,   . . .   4.433
cumque cauernae / euomuere fretum contorti
uerticis undae / Tauromenitanam uincunt
feruore Charybdim. 4.460
nec sic Inachiis, quamuis rudis esset, in
undis / desectam timuit reparatis
anguibus hydram. 4.634
nec Rheni miles in undis / exploratus erat,
  4.696
iacet hostis in undis / obrutus Illyricis,
  5.38

Euripusque trahit, cursum mutantibus
undis, / Chalcidicas puppes   . .   5.235
Rheni mihi Caesar in undis / dux erat,
  5.289
Apulus Hadriacas exit Garganus in undas.
  5.380
Brundisii clausas uentis brumalibus undas
/inuenit 5.407
iam dudum nubes et saeuas perdimus undas.'
  5.423
sidera prima poli Phoebo labente sub
undas / exierant 5.424
alto torpore ligatae / pigrius inmotis
haesere paludibus undae. 5.435
sic stat iners Scythicas astringens
Bosporos undas, ...   5.436
conprimit unda / deprendit quascumque
rates, ...   5.438
nimiasque precari / ... dum se torpentibus
unda / excutiat stagnis et sit mare. 5.452
nubila nusquam/ undarumque minae;   5.454
Hapso gestare carinas / causa palus, leni
quam fallens egerit unda; 5.464
primisque inuenit in undis /... carinam.
  5.513
nec placet ... / ... quodque caput
spargens undis, uelut occupet imbrem, /
instabili gressu metitur litora cornix.
  5.555
longo per multa uolumina tractu / aestuat
unda minax, ...   5.566
uentorum saeuo dabitur mora:proderit
undis / ista ratis. 5.587
pontus et in scopulos totas erexerat undas:
  5.600
sed Scythici uicit rabies Aquilonis et
undas / torsit 5.603
Aegaeas transit in undas /Tyrrhenum, 5.613
monstriferos agit unda sinus.   5.620
ni superum rector pressisset nubibus undas.
  5.626
rursus hiant undae uix eminet aequore
malus. 5.641
nam pelagus, qua parte sedet, non celat
harenas / exhaustum in cumulos, omnisque
in fluctibus unda est. 5.644
non ualet in fluctum; uictum latus unda
repellens / erigit, ...   5.648
aggere deiecit pelagi sed pertulit unda
  5.674
fessumque tumentis / conposuit pelagus
uentis patientibus undas.   . . .   5.702
nudas Aquilonibus undas / succedens Boreae
iam portum fecerat Auster.   . . .   5.720
cum te commiseris undis, ...   5.788
unda Caledonios fallit turbata Britannos.
  6.68
caeloque paratior unda / omne pati uirus
durauit uiscera caeno. 6.93
hostis / aere non pigro nec inertibus

angitur undis, ...   6.107
seramque sibi parat unda ruinam   6.267
siqua tellus cumuloque furentem / undarum
non passa ruit, ...   6.275
melius mansura sub undis /Emathis aequorei
regnum Pharsalos Achillis / eminet 6.349
nec fortior undis /labitur auectae pater
Isidis, ...   6.362
et tuus, Oeneu, /paene gener crassis
oblimat Echinadas undis, ...   6.364
solus, in alterius nomen cum uenerit
undae, /defendit Titaresos aquas   6.375
terrenum ignotas hominem proiecit in
undas. 6.401
turbae sed mixtus inerti / Sextus erat ...
/ cui mox Scyllaeis exul grassatus in
undis / polluit aequoreos Siculus
pirata triumphos. 6.421
non spuma canum quibus unda timori est,
/... / defuit 6.671
exprimit et planctus inlisae cautibus
undae 6.691
tuque o flagrantis portitor undae, /...
/ exaudite preces. 6.704
conpellandus erit ... /... cuius / uos
estis superi, Stygias qui perierat undas?'
  6.749
quem tumulum Nili, quem Thybridis
adluat unda /quaeritur,   6.810
atque Antenorei dispergitur unda Timaui,
  7.194
haec est illa dies mihi quam Rubiconis
ad undas /promissam memini,   . .   7.254
Hesperiae clades et flebilis unda Pachyni
/... puros fecere Philippos.   7.871
qui non mergitur undis /... / ille regit
puppes. 8.174
utque secaret / quas Asinae cautes et
quas Chios asperat undas / hos dedit in
proram, ... rudentes. 8.195
magnosque sinus Telmessidos undae /
conpensat medio pelagi. 8.248
crederet hoc Magnus, pacem cum
praestitit undis, / et sibi consultum?
  8.256
et abruptum est nostro mare discolor
unda /Oceanusque suus. 8.293
Cyproque citatas /inmisere rates, nullas
cui praetulit aras / undae diua memor
Paphiae, ...   8.458
haud ego culpa /libera bellorum, quae
matrum sola per undas /et per castra comes
  8.648
uictum pietate timorem / conpulit ut
mediis quaesitum corpus in undis /duceret
ad terram 8.719
Dictaea legit cedentibus undis /
litora. 9.38
inueniet classes quisquis Pompeius in
undas / uenerit, ...   9.93
prima ratem Cypros spumantibus accipit
undis; 9.117
medias praeceps tunc fertur in undas.
  9.122
dixerat, et classem saeuus rapiebat in
undas; 9.165
rapiatur in undas / infelix coniunx
Magni 9.276
nam iam breuis unda superne /innatat
  9.317
longeque a Syrtibus undas / egit   9.322

UNDA

pars altera pendet in undis.   . . .9.337
et se dilecta Tritonida dixit ab unda.
                                      9.354
eiectaque classis /Syrtibus haut ultra
Garamantidas attigit undas,   . . . 9.369
uadimus in ... exustaque mundi, /qua
nimius Titan et rarae in fontibus undae,
                                      9.383
conspecta est parua maligna /unda procul
uena, ...   9.501
suffecitque omnibus unda. . . . 9.510
et domitas unda conectit harenas. 9.527
plaga ... / ... et unda / rarior. 9.606
in mediis sitiebant dipsades undis. 9.610
fons unus ... / ille fuit de quo primus
sibi posceret undam. 9.618
spumeus accenso non sic exundat aeno /
undarum cumulus, ... 9.799
coeunt ignes stridentibus undis   9.866
cuius uestigia frustra / terris sparsa
legens fama duce tendit in undas, 9.953
non illi flamma nec undae /... obstitit
                                     10.37
inmensae Cyllenius arbiter undaest. 10.209
Nilus neque suscitat undas /ante Canis
radios 10.225
nec tumet hibernus, cum longe sole remoto
/officiis caret unda suis: . . . 10.230
nec campos liberat undis / donec in
autumnum declinet Phoebus   . . . 10.235
commeat hac penitus tacitis discursibus
unda 10.249
undae plus quam quod digerat aer /tollitur;
                                     10.260
tua flumina prodam,/ qua deus undarum
celator, Nile, tuarum /te mihi nosse
dedit. 10.286
rursus multifidas reuocat piger alueus
undas, ... 10.311
cuncta fremunt undis, ac multo murmure
montis 10.321
hinc montes natura uagis circumdedit undis,
                                     10.327
quos inter in alta / it conualle tacens
iam moribus unda receptis. . . . 10.329
UNDE. 1.15;1.55;4.800;6.409;6.815;7.28;7.329;
       7.479;7.580;7.650;8.168;8.321;9.415;9.972
UNDIQUE. 1.395;2.450;3.321.3.639;4.420;4.485;
       4.589;4.688;4.747;4.773;5.570;5.722;
       6.24;7.27(bis);7.54;7.415;10.366;10.478
UNDO,-ARE. ceu Siculus flammis urguentibus
Aetnam /undat apex, Campana fremens
ceu saxa uaporat 5.100
at iuxta fluuios et stagna undantis Enipei
/Cappadocum montana cohors .../... ibat
                                      7.224
UNGUEN. piceo iubet unguine tinctas /lampadas
inmitti iunctis in uela carinis; 10.491
UNGUIS. fugere reuolsis /unguibus inpastae
uolucres, ... 6.628
membraque deiecit iam lassis unguibus ales.
                                      7.840
UNGULA. ultima curuati procederet ungula
Tauri, ... 3.255
ungula fondentem discussit cornea campum.
                                       6.83
UNGUO,-ERE. axibus et rapidis inpulsos
Iuppiter urguens (unguens)/ miratur non
ire polos. var.6.464
UNICUS,-A,-UM. uelut unica rebus /spes foret
adflictis patrios excedere muros, 1.496

UNUS

Venerisque hic unicus usus, /progenies:
                                      2.387
tunc unica diri / conspecta est leti
facies, ... 3.652
o utinam, quo plus habeat mors unica
famae, ... 4.509
unica materia est coniunx miser. 8.76
gens unica mundi est / de qua Caesareis
possim gaudere triumphis. . . . 8.429
gens unica terras / incolit a saeuo
serpentum innoxia morsu, ... 9.891
unica belli /praemia ciuilis, uictis
donare salutem,/ perdidimus. 9.1066
UNQUAM v. UMQUAM
UNUS,-A,-UM. aetheris inmensi partem si
presseris unam, ... 1.56
agmine non uno densisque incedere castris.
                                      1.478
nox una tuis non credita muris. 1.520
extremi multorum tempus in unum /conuenere
dies. 1.650
quarum una madentis / scissa genas,
planctu liuentis atra lacertos,   2.36
spes una salutis /oscula pollutae fixisse
trementia dextrae. 2.113
non uni cuncta dabantur . . . 2.146
uix erit ulla fides tam saeui criminis,
unum /tot poenas cepisse caput. 2.186
uidit Fortuna, colonos /Praenestina suos
cunctos simul ense recepto /unius
populum pereuntem tempore mortis. 2.195
tibi uni /per se bella placent? 2.255
uni quippe uacat studiis odiisque carenti
/humanum lugore genus), ... 2.377
uiribus an possint obsistere iura, per
unum /Libertas experta uirum; 3.113
fatisque per illam /accessit mors una
ratem. 3.197
sparsamque profundo /multifidi Peucen
unum caput adluit Histri, . . . 3.202
aequora cum tantis percussit classibus,
unum /tot reges habuere ducem, 3.287
uincitur una mora. 3.392
lancea, ... / haut unum contenta latus
transire quiescit, ... 3.466
temptat et inpositis unum subducere
saxis. 3.492
unumque relictum /agnorunt miseri 3.605
dum nimium pugnax unius turba carinae /
incumbit 3.647
mille modos inter leti mors una timori
est 3.689
pugna fuit unus in illa 3.696
letum praecedere nati / festinantem animam
morti non credidit uni. 3.751
patriaeque et ruptis legibus unum /
donauere diem; 4.27
iam flumina cuncta / condidit una palus
uastaque uoragine mersit, . . . 4.99
hoc hostibus unum, / quod uincas, ignosce
tuis. 4.355
uiscera non unus iam dudum transigit
ensis. 4.545
concurrunt alii totumque in partibus
unis / bellorum fecere nefas. . 4.548
pietas ferientibus una /non repetisse
fuit. 4.565
unoque iugo, Parnase, latebas. 5.78
uenit aetas omnis in unam congeriem, 5.177
coniugis inlabi lacrimis, unique paratum
/scire rogum; 5.281

unumque caput tam magna iuuentus /priuatum
factura timet, ... 5.365
nox manes mixtura deis. spes una salutis,
5.636
non olim casu pendemus ab uno? 5.769
insomnis; uiduo tum primum frigida lecto
/atque insueta quies uni, nudumque marito
/non haerente latus. 5.807
quem non ... / auferret Fortuna locum
uictoribus unus /eripuit . . 6.141
tot iaculis unam non explent uolnera
mortem. 6.213
incaluit uirtus, atque una caede refectus
/'soluat' ait 'poenas, ... 6.240
stagnumque inplentibus unum /crescere
cursus erat. 6.346
una per aetherios exit uox illa recessus
6.445
conceditur arti,/ unam cum radiis
presserunt sidera mortem, /inseruisse
moras; 6.608
unoque sub ictu / stat genus humanum,
6.613
pronum ... / Emathiis unum campis
attollere corpus, ... 6.620
tot rerum uox una fuit. 6.693
donassent utinam superi patriaeque tibique
/unum, Magne, diem, ... 7.31
inuoluat populos una fortuna ruina 7.89
sed mentibus unum /hoc solamen erat, 7.180
sitque palam, quas tot duxit Pompeius
in urbem /curribus, unius gentes non
esse triumphi. 7.280
unaque gentis /hora trahit. . . . 7.345
urbs nos una capit. 7.402
ciuilia bella / una acies patitur, gerit
altera; 7.502
unum da gentibus ignem, ... 7.804
Thessalia, ... quo tantum crimine ... /
laesisti superos, ut te tot mortibus unam,
/... premerent? 7.848
muros / oramus sociosque lares dignere
uel una /nocte tua; 8.113
una dies mundi damnauit fata? . . 8.332
tot femineis conplexibus unum /non lassat
nox tota marem. 8.403
Libra pares examinat horas,/ non uno
plus aequa die, ... 8.468
illo cultore deorum /lustra suae Phoebes
non unus uixerat Apis) 8.479
et metuit gentes quas uno in sanguine
mixtas / deseruit, ... 8.508
cladesque omnis exegit in uno / saeua
die quibus inmunes tot praestitit annos,
8.703
nullaque manente figura / una nota est
Magno capitis iactura reuolsi. 8.711
o maxime ... / 'ductor et Hesperii
maiestas nominis una, /... si funere nullo
/tristior iste rogus, manes ... /officiis
auerte meis: 8.760
ossa ... / ... congestaque in unum /
parua clausit humo. 8.788
quare / unus in Aegypto Magni lapis?
8.802
uni parere decebit, /... Catoni.' 9.96
quorum unus aperta /mente fugae tali
conpellat uoce regentem: . . . 9.225
unum fortuna reliquit / iam tribus e
dominis. 9.265
dubioque obnoxia fato / pars sedet una

ratis, ... 9.337
'o quibus una salus placuit mea castra
secutis / indomita ceruice mori, 9.379
sed maior in unam /orbis abit Asiam.
9.416
'mene' inquit 'degener unum /miles in
hac turba uacuum uirtute putasti? 9.505
uentum erat ad templum Libycis quod
gentibus unum /inculti Garamantes habent.
9.511
quamuis ... / ... Indis unus sit Iuppiter
Hammon, / pauper adhuc deus est, 9.518
iuuentus mediis fons unus harenis /
largus aquae, ... 9.607
et in tota Libyae fons unus harena /ille
fuit de quo primus sibi posceret undam.
9.617
omnibus unus adest fatis; 9.884
uni tibi, Magne, negare /non audet gemitus.
9.1045
unam sparsis date manibus urnam. 9.1093
non utile mundo /editus exemplum, terras
tot posse sub uno /esse uiro. 10.27
Tyrio cuius pars maxima fuco / cocta
diu uirus non uno duxit aeno, 10.124
tunc omnia flumina Nilus / uno fonte
uomens non uno gurgite perfert.
10.254(bis)
nunc omnes unum uires collectus in
amnem, ... 10.309
crede, miser, puero, quem nox si iunxerit
una /... / meque tuumque caput ... illi /
... donabit. 10.361
per te quod fecimus una /perdidimusque
nefas, ... 10.370
donata est nox una duci, 10.432
non aries uno moturus limina pulsu 10.480
potuit discrimine summo /Caesaris una
dies in famam et saecula mitti. 10.533
UOCO, -ARE. quo spes quoque in uocasset, 1.146
mecum rebus agat superique ad summa
uocantes, /temptamur. 1.310
quaecumque ad bella uocaret, /promisere
manus. 1.387
uotisque uocari /adsuetas crebris
feriunt ululatibus aures. . . . 2.32
hisne salus rerum, felix his Sulla
uocari, /his meruit 2.221
hos alio, Fortuna, uocas, olimque
potentes / concurrunt. 2.230
tempora quamquam / sint aliena toris
iam fato in bella uocante, . . 2.351
suppleuit Magnus, dumque ipse ad bella
uocaret 2.476
neque enim ista uocari /proelia iusta
decet, ... 2.539
defectumque uocet, ne uos mea terreat
aetas: 2.560
Oceanumque uocans incerti stagna profundi
2.571
uel, cum tanta uocent discrimina Martis
Hiberi, ... 3.336
hospitis ille ciet nomen, uocat ille
propinquum, ... 4.177
non proelia fessos / ulla uocant,
certos non rumpunt classica somnos. 4.395
hoc damnum clademque uocet. . . 4.514
Antaei quas regna uocat non uana
uetustas. 4.590
nam quis castra uocet tot strictas iure
securis, /tot fasces? 5.12

quidquid gerimus fortuna uocatur.   5.292
Noton altera Phoebi,/altera pars Borean
diducta luce uocabat. 5.543
quemque uocat collem Taulantius incola
Petram /insedit castris 6.16
opportuna tamen ualli pars uisa propinqui,
/qua (quam) Minici castella uacant(uocant),
                                      var.6.126
nec cantu supplice numen /auxiliare uocat
                                        6.524
non qua natura uocabat, /extrahitur
partus calidis ponendus in aris;   6.558
ipsamque uocatam, /quos petat e nobis,
Mortem mihi coge fateri. . . .   6.600
si uos satis ore nefando /pollutoque uoco,
... fibris ... / ... parete precanti.
                                        6.707
paretis, an ille /conpellandus erit, quo
numquam terra uocato /non concussa tremit,
                                        6.745
ille quoque incertus quo te uocet, unde
repellat, ...   6.815
segnior, Oceano quam lex aeterna uocabat,
/luctificus Titan numquam magis aethera
contra / egit equos 7.1
segnis pauidusque uocatur / ac nimium
patiens soceri Pompeius,   . . .   7.52
(at tu quos scelerum superos, quas rite
uocasti / Eumenidas, Caesar? . .   7.168
neque enim donare uocabo /quod sibi
quisque dabit. 7.739
quocumque tuam fortuna uocabit, /hae
quoque sunt animae: 7.815
bustum cineresque mouere / Thessalicos
audes bellumque in regna uocare?   8.530
inuidus ... / qui uates ad uera uocat.
                                        9.360
se robore trunci / torsit et inmisit
(iaculum uocat Africa) serpens   9.823
quocumque uocatus /aduolat   9.884
uos in sede priore / rite uocat.   9.997
hinc, Abaton quam nostra uocat ueneranda
uetustas, / terra potens 10.323

UOLATUS. poturae te, Nile, grues, primoque
uolatu / effingunt uarias casu monstrante
figuras; 5.712
uolturis ut primum laeuo fundata uolatu
/Romulus infami conpleuit moenia luco,
/... seruisses, Roma, ...   7.437
Persea Phoebeos conuerti iussit ad ortus
/Gorgonos auerso sulcantem regna uolatu,
                                        9.668

UOLGARIS,-E. refertur / ad uolgare iubar
mediae uenere tenebrae. 5.220

UOLGO,-ARE. diraeque per populum Cumanae
carmina uatis / uolgantur. . . .   1.565
quas est uolgata per urbes /post me Roma
ducem. 2.634
non uolgatis sacrata figuris /numina
sic metuunt: 3.415
tandem uolgata cruenti / fama mali terras
monstris aequorque leuantem /magnanimum
Alciden Libycas exciuit in oras.   4.609
inpia laetatur uulgato nomine famae /
Thessalis, ...   6.604
quod si nos Eoa fides et barbara fallent
/foedera, uolgati supra commercia mundi
/naufragium fortuna ferat: . . .   8.312
non cura ... / noster scire ualet, nisi
quod uolgata per orbem /fabula pro uera
decepit saecula causa. 9.622

UOLGUS. famaeque petitor / multa dare in
uolgus, ...   1.132
dixerat; at dubium non claro murmure
uolgus / secum incerta fremit.   1.352
nec solum uolgus inani /percussum
terrore pauet, ...   1.486
plenus abit uisu: ruit inreuocabile
uolgus. 1.509
cui funera uolgi /flere uacet?   2.118
densi uix agmina uolgi /inter et exangues
inmissa morte cateruas /uictores mouere
manus; 2.201
miseri tot milia uolgi / non timuit
iussisse mori. 2.208
cum segne potentes / uoltus alunt;
nescit plebes ieiuna timere.   3.58
coiere nec umquam / tam uariae cultu
gentes, tam dissona uolgi / ora.   3.289
tremuit saeua sub uoce minantis /uolgus
iners, ...   5.365
cernit miserabile uolgus /in pecudum
cecidisse cibos 6.110
lacerasset crine soluto /pectora femineum
ceu Bruti funere uolgus. . . .   7.39
miseri pars maxima uolgi /... tentoria
circum /ipsa ducis queritur . .   7.47
formidine mersa /prosilit hortando melior
fiducia uolgo. 7.249
tunc Mytilenaeum pleno iam litore uolgus
/adfatur Magnum. 8.109
et tectum lino spargam per uolgus Osirim
                                        9.159
non ... gratius ... / omne quod in
superos audet conuicia uolgus /... quam
pauca Catonis / uerba 9.187
fremit interea discordia uolgi,   9.217
neque ... mihi fallere quemquam /est
animus tectoque metu perducere uolgus.
                                        9.389
late sibi summouet omne /uolgus et in
uacua regnat basiliscus harena.   9.726
sed fremitu uolgi fasces et iura querentis
/inferri Romana suis discordia sensit /
pectora 10.11
terrarumque situs uolgique edissere
mores 10.178

UOLITO,-ARE. Arruns incoluit desertae moenia
Lucae,/ fulminis edoctus.../...monitus
errantis (uolitantis) in aere pinnae,
                                      var.1.588
auolsit laceros percussa puppe rudentes
/turbo rapax fragilemque super uolitantia
malum /uela tulit; 5.595
mirantur ... /defunctosque patres et
iuncti sanguinis umbras /ante oculos
uolitare suos. 7.180
super ... signa cruenti /Caesaris ac
sparsas uolitauit in aequore classes,
                                        9.16
uolitantque a culmine raptae /detecto
Garamante casae. 9.459

UOLNERO,-ARE. [percussum Scaeuae frangit, non
uolnerat, hostem;] 6.187

UOLNUS. alta sedent ciuilis uolnera dextrae.
                                        1.32
per ferrum tanti securus uolneris exit.
                                        1.212
uolneraque et mortes hiemesque sub
Alpibus actae? 1.302
nec cruor emicuit solitus, sed uolnere
laxo /diffusum rutilo dirum pro sanguine

uirus. 1.614
ultra Caudinas sperauit uolnera Furcas!
                       2.138
cum laceros artus aequataque uolnera
membris /uidimus 2.177
quis nolet in isto / ense mori, quamuis
alieno uolnere labens, /et scelus esse
tuum? 2.265
excipiam medius totius uolnera belli.
                       2.311
tractentur uolnera nulla /sacra manu.
                       3.314
uolnera miscebunt fratres bellumque coacti
/hoc potius ciuile gerent.' . . . 3.354
morte fugit: superest telo post uolnera
cursus. 3.468
nec longinqua cadunt iaculato uolnera
ferro. 3.568
exceptum mediis inuenit uolnus in undis.
                       3.582
et stetit incertus, flueret quo uolnere,
sanguis, ... 3.589
diuisitque animam sparsitque in uolnera
letum. 3.591
tum uolnere multo /effugientem animam
lassos collegit in artus 3.622
scinditur auolsus, nec, sicut uolnere,
sanguis / emicuit lentus: 3.638
deiectum in pelagus perfosso pectore
corpus / uolneribus transmisit aquas.
                       3.661
iaculum letale reuolsum / uolneribus
traxere suis 3.677
multus sua uolnera puppi /adfixit moriens
                       3.707
nondum destituit calidus tua uolnera
sanguis, ... 3.746
quique fluat multo non derit uolnere
sanguis, ... 4.216
postquam sicca rigens astrinxit uolnera
sanguis. 4.291
'ecquis' ait ... certaque fide per uolnera
nostra / testetur se uelle mori?' 4.543
sed eum cui uolnera prima /debebat
grato moriens interficit ictu. 4.546
emicuit Dircaea cohors ceciditque suorum
/ uolneribus, dirum Thebanis fratribus
omen; 4.551
pariter sternuntque caduntque /uolnere
letali, ... 4.559
nec uolnus adactis /debetur gladiis:
                       4.560
uolneribus coguntur equi; 4.761
et spatium iaculis oblato uolnere donat.
                       4.764
iuuentus /... / obruitur, non uolneribus
nec sanguine solum, /telorum nimbo
peritura et pondere ferri. . . . 4.775
sic alterna duces bellorum uolnera passos
                       5.1
habes nudum promptumque ad uolnera pectus.
                       5.320
nobis uictoria turbam /... quae ... /
laruiferos nullo comitetur uolnere currus?
                       5.332
uolnere non audet flentem deprendere
Magnum. 5.738
qui uolnera ferrent / iam derant, 6.133
perdidit ensis opus, frangit sine uolnere
membra. 6.188
ueritus credi ... / aut culpa uixisse

sua tot uolnera belli / solus obit 6.204
tot iaculis unam non explent uolnera /
mortem. 6.213
ursa,/... / se rotat in uolnus 6.222
maiora uiris ... / gaudia non faceret
conspectum in Caesare uolnus. 6.227
conlatura meae nil sunt iam uolnera
morti? 6.231
uolnere sic uentris, non qua natura
uocabat, / extrahitur partus calidis
ponendus in aris; 6.558
pulmonis rigidi stantis sine uolnere
fibras / inuenit 6.630
pectora tum primum feruenti sanguine
supplet / uolneribus laxata nouis 6.668
pauet ire in pectus apertum /uisceraque
et ruptas letali uolnere fibras. 6.723
atraque fouit / uolnera et in uenas
extremaque membra cucurrit. . . . 6.751
potuit tibi uolnere nullo /stare labor
belli; 7.92
seu nullum uiolarit uolnere pignus, /
ignoti iugulum tamquam scelus inputet
hostis. 7.324
uolnera pars optat, pars terrae figere
tela / ac puras seruare manus. 7.486
uolnera multorum totum fusura cruorem /
opposita premit ipse manu. 7.566
tunc mille in uolnera laetus /labitur
                       7.603
pudet ... /quaerere letiferum per cuius
uiscera uolnus /exierit, ... 7.619
maius ab hac acie quam quod sua saecula
ferrent /uolnus habent populi; 7.639
si plura iuuant mea uolnera, coniunx /est
mihi, sunt nati: 7.661
'nobile cur robur fortunae uolnere primo
/... / frangis? 8.72
quis enim post uolnera cladis /Assyriae
iustas Latii conpescuit iras? 8.233
uolnera parua nocent fatumque in sanguine
summo est. 8.305
iacet omne cruenti / uolneris auxilium?
                       8.334
patimurne pudoris / hoc uolnus, clades ut
Parthia uindicet ante /Hesperias quam
Roma suas? 8.350
quid uolnera nostra /in Scythicos spargis
populos 8.352
et quo ferre uelint permittere uolnera
uentis. 8.384
haereat Eoae uolnus miserabile sortis,
                       8.417
carpitur in scopulis hausto per uolnera
fluctu, ... 8.709
incubuit Magno lacrimasque effudit in
omne /uolnus, ... 8.728
'ergo indigna fui,'... / uolneribus cunctis
largos infundere fletus, ... 9.59
potuit cernens tua funera (uulnera) Magne,
/non fugere in mortem: var.9.104
sed me nec sanguis nec tantum uolnera
nostri / adfecere senis, quantum gestata
per urbem / ora ducis, 9.136
quos habuit uoltus hamati uolnere ferri /
caesa caput Gorgon! 9.678
Cato ... / emetitur iter, tot ... fata
suorum / insolitasque uidens paruo cum
uolnere mortes. 9.736
iamque sinu laxo nudum sine corpore
uolnus. 9.769

UOLNUS

totum est pro uolnere corpus.   9.814
nil ibi uirus agit: rapuit cum uolnere
fatum. 9.825
quae cohibet uirus retinetque in uolnere
pestem; 9.926
nec dat suspiria cursus /uolneris   9.929
tum super incumbens pallentia uolnera
lambit 9.933

UOLO,-ARE. nec placet ... / ... quodque ausa
uolare /ardea sublimis pinnae confisa
natanti, ...   5.553
nigroque uolantia fumo / feralis fragmenta
tori ... / colligit in cineres   6.535
set quota pars cladis iaculis ferroque
uolanti / exacta est! . . .   7.489
inde faces et saxa uolant spatioque
solutae / aeris ... glandes; . .   7.512
sed sibi quaeque uolat nec iam degustat
amarum / desidiosa thymum, . . .   9.287
se ... /torsit et inmisit (iaculum uocat
[uolat] Africa) serpens /perque caput
Pauli var.9.823
deprensum est, quae funda rotat quam lenta
uolarent, ...   9.826

UOLO, VELLE. quis deus esse uelis, ubi regnum
ponere mundi. 1.52
Cirrhaea uelim secreta mouentem /
sollicitare deum 1.64
pellimur e patriis laribus patimurque
uolentes /exilium: 1.278
iussa sequi tam posse mihi quam uelle
necesse est. 1.372
tu quoscumque uoles in planum effundere
muros, ...   1.383
tu,... / ut superi uoluere, late.   1.419
sidera quis mundumque uelit spectare
cadentem 2.289
ad iuga cur faciles populi, cur saeua
uolentes / regna pati pereunt?   2.314
post me regnare uolenti /non opus est
bello. 2.318
te, Caesar, magnisque uelint miscere
Metellis, ...   2.545
uult hostes errare freto, . . .   2.660
uelle putant quodcumque potest.   3.101
si quidquid iubeare uelis. . .   3.147
nostrisque uelis te credere muris   3.331
iam non excludere tantum / inclusisse
uolunt. 3.369
omne suum fatis uoluit committere robur
   3.517
deserat hic feruor mentes, cadat impetus
amens, /perdant uelle mori.' . .   4.280
non cogitur ullus / uelle mori.   4.485
temptare parabunt /foederibus turpique
uolent corrumpere uita. . .   4.508
'ecquis' ait ... / testetur se uelle mori?'
   4.544
Alcides primo uoluit certamine totis,
   4.621
uult omnia certe / a se saeua peti,   5.307
uult praemia Martis amari; . .   5.308
hic numquam uult esse meus. .   5.351
qui me committere tantis / non nisi
mutato uoluerunt milite bellis.   5.353
Ausonias uoluit gladiis miscere secures
   5.388
ad Caesaris arma iuuentus /naufragio
uenisse uolet. 5.494
ne cessa praebere deo tua fata uolenti
   5.536

saeuitia est uoluisse mori. . . .   5.687
quo fugisse uelim.' 5.759
sic fata relictis /exiluit stratis amens
tormentaque nulla/ uult differre mora.
   5.792
Hesperiam potui ... tenere,/si uellem
patriis aciem committere templis   6.323
nec carpere membra /uolt ferro manibusque
suis,   6.552
pronum erat, o iuuenis, quos uelles'
inquit 'in actus /inuitos praebere deos.
   6.606
omnia fata laborant / si quicquam mutare
uelis, ...   6.613
quem superis reuocasse uelit. .   6.633
defectusque pati uoluit raptaeque
labores /lucis, ...   7.4
orbis /indulgens regno, qui tot simul
undique gentis /iuris habere sui uellet
pacemque timeret. 7.55
hoc ... solum te, Magne, precatur /uti
se Fortuna uelis, ...   7.69
sit iuris, quocumque uelint, concurrere
campo. 7.80
prima uelim caput hoc funesti lancea belli,
/... /... feriat; 7.117
emptum minimo uolt sanguine quisquam /
barbarus Hesperiis Magnum praeponere
rebus? 7.282
uos tamen hoc oro, iuuenes, ne caedere
quisquam /hostis terga uelit: 7.319
ipsi / Romanas sancire uolent hoc sanguine
leges. 7.351
haec libera nasci,/haec uolt turba mori.
   7.376
hunc uoluit nescire diem. . . .   7.411
uellem populis incognita nostris.   7.436
rapit omnia casus /atque incerta facit
quos uolt fortuna nocentes. .   7.488
Caesaris aut oculis uoluit subducere
mortem. 7.673
socero spectare uolenti /praestandum est
ubicumque caput. 7.674
scire ruunt (uolunt), quanta fuerint
mercede nocentes. var.7.751
tum certus eram quae litora uellem,
   8.191
Pompeio uincite, Parthi,/ uinci Roma
uolet."' 8.238
iungere fata /tecum, Magne, uolet?   8.362
et quo ferre uelint permittere uentis.
   8.384
exeat aula /qui uolt esse pius.   8.494
continuitque animam, nequas effundere
uoces /uellet et aeternam fletu corrumpere
famam,   8.617
uolt sceleris superesse fidem.   8.688
siquis placare peremptum /forte uolet
plenos et reddere mortis honores,/inueniat
trunci cineres 8.773
imperet hoc nobis utinam scelus et uelit
uti / nostra Roma sinu: . . .   8.842
cum poscere finem /a superis aut Roma
uolet feralibus Austris / ... /consilio
iussuque deum transibis in urbem,   8.847
hunc uolumus quem Nilus habet,   9.81
quaeque dari uoluit uoluit sibi posse
negari. . . . .   9.196(bis)
toto solus in orbe est /qui uelit ac
possit uictis praestare salutem.   9.247
tertia pars rerum Libye, si credere famae

UOLO
 /cuncta uelis; 9.412
 an liber in armis /occubuisse uelim potius
 quam regna uidere? 9.567
 an ... / ... laudandaque uelle /sit satis
   9.570
 homines uoluisti desse uenenis. 9.858
 dignumque clientem /castris crede tuis
 cui tantum fata licere /in generum uoluere
 tuum. 9.1026
 noscique uolentes /prode deos. 10.180
 nullaque non aetas uoluit conferre futuris
 /notitiam; 10.270
UOLTUR. uolturis ut primum laeuo fundata
 uolatu,/Romulus infami conpleuit moenia
 luco / ... seruisses, Roma, . . . 7.437
 numquam tanto se uolture caelum /induit
   7.834
UOLTUR. arua /Volturis et calidi lucent
 buceta Matini. 9.185
UOLTUS. clara per obscuram uoltu maestissima
 noctem 1.187
 tumultum /conposuit uoltu dextraque
 silentia iussit 1.298
 sed cum membra premit fugiente rigentia
 uita / uoltusque exanimes oculosque
 in morte minaces, ... 2.26
 rapuitque cruentus /uictor ab ignota
 uoltus ceruice recisos 2.112
 quid perdere fructum / iuuit,et, ut
 uilem, Marii confundere uoltum? 2.191
 postquam condidit urna /supremos cineres,
 miserando concita uoltu, ... 2.334
 lutea demissos uelarunt flammea uoltus,
   2.361
 duroque admisit gaudia uoltu . . 2.373
 uoltu tamen alta minaci /nobilitas recta
 ferrum ceruice poposcit. . . . 2.509
 agmina uictor / non armata trahens sed
 pacis habentia uoltum 3.72
 cum turbato iam prodita uoltu /ira ducis
 tandem testata est uoce dolorem. 3.356
 tacito tantum petit oscula uoltu 3.739
 coniunx saepe sui confusis uoltibus unda
 /credidit ora uiri Romanum amplexa cadauer,
   3.758
 et faciem pugnae uoltusque inferte
 minaces; 4.164
 mutua conspicuos habuerunt lumina uoltus,
   4.170
 sic,ubi desuetae siluis in carcere clauso
 /mansueuere ferae et uoltus posuere
 minaces 4.238
 et siccis uoltus in nubibus haerent. 4.331
 at Caesar facilis uoltuque serenus
 /flectitur 4.363
 uictoresque suos uoltu spectare superbo
 /... iuuat. 4.569
 nunc uoltu pauido, nunc torua minaci;
 /stat numquam facies; 5.213
 coeperat infestoque ducem deposcere uoltu.
   5.296
 caespitis intrepidus uoltu meruitque
 timeri 5.317
 'qui modo in absentem uoltu dextraque
 furebas, ... 5.319
 nam cernere uoltus / et uoces audire
 datur, ... 5.471
 tum lurida pallens / ora tulit uoltu sub
 nubem tristis ituro. 5.550
 igneaque in uoltus ... /pestis abit, 6.96
 peterem felicior umbras /Caesaris in

UOLTUS
 uoltu: 6.159
 perdiderat uoltum rabies, . . . 6.224
 mitis et a uoltu penitus uirtute remota,
 /'parcite', ait ' ciues; . . . 6.229
 uoltusque aperitur crine remoto, 6.655
 ut ... ipsumque trementem / conspicit
 exanimi defixum lumina uoltu, / 'ponite'
 ait ... timores: 6.658
 teque deis, ad quos alio procedere
 uoltu / ficta soles ... /ostendam 6.736
 tristis felicibus umbris / uoltus erat:
   6.785
 stat uoltu maestus tacito mortemque
 reposcit. 6.821
 inque uicem uoltus tenebris mirantur
 opertos 7.177
 uoltus gladio turbate uerendos. 7.322
 uultus, quo noscere possent /facturi
 quae monstra forent, uidere parentum 7.462
 inspicit ... / quem pugnare iuuet,
 quis uoltum ciue perempto / mutet; 7.564
 aduersosque iubet ferro confundere uoltus,
   7.575
 illic plebeia contectus casside uoltus
 / ... quod ferrum, Brute, tenebas! 7.586
 sed tu quoque, coniunx,/ causa fugae
 uoltusque tui 7.676
 non inpare uoltu /aspicis Emathiam: 7.682
 aspice securus uoltu non supplice reges,
   7.709
 .ille senum uoltus, iuuenum uidet ille
 figuras, ... 7.774
 Eumenidum uidit uoltus Pelopeus Orestes,
   7.778
 epulisque paratur ille locus, uoltus ex
 quo faciesque iacentum /agnoscat. 7.793
 saepe super uoltus uictoris et inpia
 signa / aut cruor aut alto defluxit ab
 aethere tabes 7.838
 notauit,/ deformem pallore ducem uoltusque
 prementem / canitiem 8.56
 tanto deuinxit amore / hos pudor, hos
 probitas castique modestia uoltus, 8.156
 inuoluit uoltus atque, indignatus apertum
 /fortunae praebere, caput; . . . 8.614
 nil ultima mortis / ex habitu uoltuque
 uiri mutasse fatentur 8.666
 ac retegit sacros scisso uelamine uoltus
   8.669
 Pharioque ueruto,/ dum uiuunt uoltus
 ... / suffixum caput est, . . . 8.682
 ut uisa est ... solutas /in uoltus
 effusa comas, Cornelia puppe /egrediens,
 rursus geminato uerbere plangunt. 9.172
 stagnique quieta / uoltus uidit aqua
   9.353
 squalebant ... arua Medusae,/... / sed
 dominae uoltu conspectis aspera saxis.
   9.628
 pars iacet in medios uoltus 9.674
 quos habuit uoltus hamati uolnere ferri /
 caesa caput Gorgon! 9.678
 uoltusque gelassent / Perseos auersi,
   9.681
 uoltus, dum crederet, haesit; 9.1036
 qui duro membra senatus / calcarat uoltu,
 ... / ... uni tibi, Magne, negare / non
 audet gemitus. 9.1044
 tum uoltu semper celante pauorem /
 intrepidus superum sedes ... /...
 circumit, ... 10.14

595

UOLTUS

uoltus adest precibus faciesque incesta
perorat. 10.105

UOLUBILIS,-E. uerbaque ad inuitum perfert
cogentia numen,/quod non cura poli
caelique uolubilis umquam /auocat.   6.447

UOLUCER,-CRIS,-CRE. Massagetes, quo fugit,
equo uolucresque Geloni. 3.283
mixti Garamante perusto / Marmaridae
uolucres, aequaturusque sagittas /Medorum,
4.680
tellus, quam uolucer Genusus, quam mollior
Hapsus /circumeunt ripis. . . .   5.462
defuit ... / non Arabum uolucer serpens
6.677
auxilium uolucri Pallas tulit innuba
fratri 9.665
et natrix uiolator aquae, iaculique
uolucres,   9.720

UOLUCER(subst.). Iouis uolucer, calido cum
protulit ouo /inplumis natos, solis
conuertit ad ortus: 9.902

UOLUCRIS(subst.). uox nulla dolori /credita,
sed quantum, uolucres cum bruma coercet,
1.259
dirasque diem foedasse uolucres /...
accepimus, ...   1.558
et doctus uolucres augur seruare sinistras
1.601
nouerat, et saxis tantum uolucresque
feraeque / sculptaque seruabant magicas
animalia linguas.) 3.223
illis et uolucres metuunt insistere ramis
3.407
tot simul e campis Latiae fulsere uolucres,
6.129
quodcumque iacet nuda tellure cadauer,/
ante feras uolucresque sedet;   6.551
fugere reuolsis / unguibus inpastae
uolucres, ...   6.628
iamque diu uolucres ciuilia castra
secutae / conueniunt. 7.831
omne nemus misit uolucres 7.836
fugit ora senatus,/ cuius Thessalicas
saturat pars magna uolucres, . .   8.507
ne fera, ne uolucres, ne saeui Caesaris
ira / audeat, exiguam, ... accipe flammam
8.765
nam corpus Phariaene canes auidaeque
uolucres / distulerint, an furtiuus ...
ignis / soluerit, ignoro. . . .   9.141
e caelo uolucres subito cum pondere
lapsae, ...   9.649
intactum uolucrum rostris epulasque
daturum / haud inpune feris ... /...
cadauer. 9.802
multas uolucresque ferasque /Aegypti
posuere deos, ...   10.158

UOLUMEN. consequitur nigri spatiosa uolumina
fumi, ...   3.505
longo per multa uolumina tracti /aestuat
unda minax, ...   5.565

UOLUNTAS. cum dira uoluptas (uoluntas)/ ense
subit presso, ... / quis conferre duces
meminit, ...   var.4.705

UOLUO,-ERE. aer et longi uoluent Titana
labores 1.90
et tacito mutos uoluunt in pectore questus.
1.247
utque ducem uarias uoluentem pectore
curas / conspexit 1.272
inuenit insomni uoluentem publica cura

UOS

2.239
inconcussa suo uoluuntur sidera lapsu.
2.268
Armeniusque tenens uoluentem saxa Niphaten.
3.245
alioque ex orbe uoluti / a magno uenere
mari, ...   5.618
tum piceos uoluunt inmissae lampades
ignes, ...   6.135
imperii salua si maiestate liceret,/
uoluerer ante pedes. 7.379
uiderat in crasso uersantem (uoluentem)
sanguine membra /Caesar, ...var.7.605
mille meae Graio uoluuntur in aequore
puppes, ...   8.272
seque probat moriens atque haec in pectore
uoluit: 8.621
abstulit has liber uentis contraria
uoluens / aestus 9.333
sed corpora fatis / expositi uoluuntur
humo, calidoque uapore 9.843
plurima tunc uoluit spumanti carmina
lingua / murmure continuo, . . .   9.927

UOLUPTAS. subrepsit partemque tulit sibi nata
uoluptas. 2.391
eripe consilium pugna: cum dira uoluptas
/ense subit presso, galeae texere
pudorem, ...   4.705
regnandi sola uoluptas. 8.294
postquam epulis Bacchoque modum lassata
uoluptas /inposuit,... Caesar producere
noctem / inchoat 10.172

UOLUTO,-ARE. uentus ab extremo pelagus sic axe
uolutet 1.412
mirantur ... / ... iuncti sanguinis
umbras / ante oculos uolitare (uolutare)
suos. var.7.180

UOMER. et quondam duro sulcata Camilli /
uomere et antiquos Curiorum passa ligones
1.169
tunc Umbris Marsisque ferax domitusque
Sabello /uomere, ...   2.431
quorumque labore /Thessalus Haemoniam
uomer proscindit Iolcon. 3.192
pinguis Bebrycio discessit uomere sulcus;
6.382
quo non Romanos uiolabis uomere manes?
7.852

UOMO,-ERE. nam clausa profundo / ...
scopulisque uomentibus aequor   6.24
roboris inpacti crebros gemit (uomit)
agger ad ictus. var.6.137
tunc omnia flumina Nilus / uno fonte
uomens non uno gurgite perfert.   10.254

UORAGO. iam flumina cuncta / condidit una
palus uastaque uoragine mersit,   4.99

UORAX. hinc usura uorax auidumque in tempora
fenus 1.181
omnia pontus / haurit saxa uorax montesque
inmiscet harenis, ...   2.664

UOS. 1.447;1.450;1.463;3.716;5.45;5.333;
6.749;7.264;7.832;8.276;9.1089
UESTRI. 6.244;7.308;10.185
UESTRUM. 3.436;
UOBIS(dat.). ;1.107;1.452;3.123;3.247;
4.229;5.43;5.138;6.245;6.748;7.58;7.268;
8.130;8.136;8.279;9.86;9.92;9.733;
UOS(acc.). 2.560;2.645;5.339;6.150;6.152;
6.706;6.732;6.735;7.258;7.295;7.318;
7.320;8.222;8.230;9.727;9.996;
UOSMET. 9.1081

UOBIS. 1.454;5.326;6.718;8.421
UOSEGUS. castraque quae Vosegi curuam super
   ardua ripam 1.397
UOTUM. eualuit reuocare parens coniunxue
   maritum / fletibus, aut patrii, dubiae dum
   uota salutis / conciperent, tenuere lares;
                     1.506
   uotisque uocari / adsuetas crebris feriunt
   ululatibus aures. 2.32
   non priuata dedit, uotis deposcite
   pugnam. 2.533
   dux etiam uotis hoc te, Fortuna, precatur,
                    2.699
   non tamen auderet pietas humana uel armis
   / uel uotis prodesse Ioui, ... 3.318
   summa fuit Grais, starent ut moenia, uoti:
                    3.497
   sic proelia soli / felices nullo spectant
   ciuilia uoto. 4.401
   Romanam, superi, Libyca tellure ruinam
   /Pompeio prodesse nefas uotisque senatus.
                    4.792
   haud illic tacito mala uota susurro /
   concipiunt, ... 5.104
   en inproba uota:/non duro liceat morientia
   caespite membra / ponere, ... 5.277
   noua uota timori / sunt inuenta nouo,
                    5.450
   in uentos inpendo uota fretumque. 5.491
   dux ait 'expecta uotis maiora modestia
                    5.532
   cum post uota uenit. 5.583
   conscia uotorum es, ... 5.666
   secura uidetur / sors tibi, cum facias
   etiamnunc uota, perisse? 5.772
   quod si sunt uota, deisque /audior. 5.778
   funestam mundo uotis petit omnibus horam
                    6.6
   Gortynis harundo / tenditur in Scaeuam,
   quae uoto certior omni / in caput ...
   descendit 6.215
   illa rati semper de te sibi conscia uoti
   /hoc scelus haud umquam fatis haerere
   putauit, ... 7.34
   in Pompeianis uotum est Pharsalia
   castris. 7.61
   uotumque effecimus hosti / ut mallet
   sterni gladiis. 7.99
   uincis apud superos uotis me, Caesar,
   iniquis: / pugnatur. 7.113
   hoc solamen erat, quod uoti turba
   nefandi / conscia ... /... gaudet monstris,
                    7.181
   haec ... / spesque metusque simul
   perituraque uota mouebunt, . . . 7.211
   oblatumque uidet uotis sibi mille
   petitum / tempus, ... 7.238
   nil opus est uotis, iam fatum accersite
   ferro. 7.252
   camporum limite paruo / absumus a uotis.
                    7.299
   spargitur innumerum diuersis missile uotis:
                    7.485
   sustinuit dignos etiamnunc credere uotis
   /caelicolas, ... 7.657
   accipe, numen / siquod adhuc mecum es,
   uotorum extrema meorum: 8.143
   uotis tua fouimus arma. 8.519
   properas atque ingeris ictus / qua uotum
   est uicto. 8.646
   uotaque sollicitis faciens contraria

   nautis / conposita in mortem iacuit 9.115
   'ergo pari uoto gessisti bella,
   iuuentus, ... 9.256
   inuia temptent,/ siquibus in nullo
   positum est euadere uoto, . . . 9.387
   uotaque turicremos non inrita fudit in
   ignes. 9.989
   caruere deis mea uota secundis, 9.1098
   aude, superi tot uota Catonum /
   Brutorumque tibi tribuent.' . . 10.397
UOUEO,-ERE. Crassumque in bella secutae /
   saeua tribuniciae uouerunt proelia dirae.
                    3.127
   si Curios his fata darent ... /temporibus
   Deciosque caput fatale uouentis, /hinc
   starent. 7.359
   uouitque, sui solacia casus. . . 7.658
UOX. uox nulla dolori /credita, 1.258
   uox quondam populi libertatemque tueri
   /ausus 1.270
   conspexit 'dum uoce tuae potuere iuuari,
                    1.273
   ius est ueras expromere uoces, 1.360
   tum fragor armorum magnaeque per auia
   uoces / auditae nemorum 1.569
   uocibus his prodens urguentem pectora
   Phoebum: 1.677
   errauit sine uoce dolor. . . . 2.21
   inuenit ... / securumque sui, farique
   his uocibus orsus: 2.241
   at illi / arcano sacras reddit Cato
   pectore uoces. 2.285
   hae flexere uirum uoces, . . . 2.350
   adloquitur tacitas ueneranda uoce cohortes.
                    2.530
   non anchora uoces / mouit, . . 2.693
   non fictas laeto uoces simulare tumultu,
   /uix odisse uacat. 3.102
   priuatae curia uocis / testis adest. 3.108
   uictorem clara testatur uoce tribunus.
                    3.122
   his magnam uictor in iram / uocibus
   accensus 'uanam spem mortis honestae /
   concipis: 3.134
   non usque adeo permiscuit imis / longus
   summa dies ut non, si uoce Metelli /
   seruantur leges, malint a Caesare tolli.'
                    3.139
   (Phoenices primi, famas si creditur, ausi
   /mansuram rudibus uocem signare figuris:
                    3.221
   cum turbato iam prodita uoltu / ira ducis
   tandem testata est uoce dolorem. 3.357
   innumerae uasto miscentur in aethere
   uoces, ... 3.540
   uox faucis nulla solutas / prosequitur,
                    3.738
   addidit ira ferox moturas proelia uoces.
                    4.211
   cum sidera caeli / ante ducis uoces oculis
   umentibus omnes / aspicerent 4.522
   rexit magnanima Vulteius uoce cohortem:
                   4.475
   nec uoce negata/Cirrhaeae maerent uates,
                   5.114
   uerba refert, nullo confusae murmure
   uocis 5.149
   non rupta trementi / uerba sono nec uox
   antri conplere capacis /sufficiens
   spatium 5.153
   uocemque petentia fata / luctantur; 5.180

UOX

extremaeque sonant domita iam uirgine
uoces: 5.193
tremuit saeua sub uoce minantis /uolgus
iners, ...   5.364
namque omnis uoces, per quas iam tempore
tanto / mentimur dominis, haec primum
repperit aetas 5.385
nam cernere uoltus / et uoces audire datur,
                                   5.472
iam uoce doloris / utendum est: 5.494
his terque quaterque / uocibus excitum
postquam cessare uidebat, . . .   5.498
tandem uox maestas potuit proferre
querellas. 5.761
mouit tantum uox illa furorem,   6.165
credidit infelix simulatis uocibus Aulus
                                   6.236
una per aetherios exit uox illa recessus
                                   6.445
uocibus isdem / umentis late nebulas ...
/excussere 6.467
tantae molis onus percussum uoce res
recessit 6.483
omne nefas superi prima iam uoce precantis
/concedunt 6.527
ut modo defuncti tepidique cadaueris ora
/ plena uoce sonent, ...   6.622
pulmonis ... fibras / inuenit et uocem
defuncto in corpore quaerit. . .   6.631
tum uox Lethaeos cunctis pollentior
herbis / excantare deos confundit murmura
primum /dissona 6.685
tot rerum uox una fuit. 6.693
'Tisiphone uocisque meae secura Megaera,
/non agitis saeuis Erebi per inane
flagellis /infelicem animam?   6.730
uox illi linguaque tantum /responsura
datur. 6.761
da uocem qua mecum fata loquantur.' 6.774
uisus sibi ... / attollique suum laetis ad
sidera nomen /uocibus et plausu cuneos
certare sonantes; 7.12
cunctorum uoces Romani maximus auctor
/Tullius eloquii ... /... /pertulit
iratus bellis, ...   7.62
multis ... uisus ... / edere nocturnas
belli Pharsalia uoces, ...   7.175
sed mea fata moror, qui uos in tela
furentis / uocibus his teneo.   7.296
tam maesta locuti / uoce ducis flagrant
animi, ...   7.383
uocesque furoris /expauere sui tota
tellure relatas. 7.483
caedes oriuntur et instar /inmensae uocis
gemitus, ...   7.572
ast illi suffecit pectora pulsans /
spiritus in uocem 7.609
Magnus et inmodicos castigat uoce dolores.
                                   8.71
uocibus his correpta uiri uix aegra
leuauit / membra solo 8.86
ne pigeat ... / et totum mutare diem,
uocesque superbo /Arsacidae perferre meas:
                                   8.217
in procerum coetu tandem maesta ora
resoluit / uocibus his Magnus: 8.262
dignasque tulit modo consule uoces. 8.330
non tibi ... /umbra senis maesti ... /
ingeret has uoces? 8.433
consilii uox prima fuit, ...   8.480
continuitque animam, nequas effundere

URBS

uoces / uellet 8.616
miserandis aethera conplet /uocibus.
                                   8.639
deceptaque uixi / ne mihi commissas
auferrem perfida uoces. 9.100
uocibus his maior, quam si Romana
sonarent / rostra ducis laudes, generosam
uenit ad umbram /mortis honos.   9.215
hunc ... secutus / litus in extremum
tali Cato uoce notauit: 9.221
quorum unus aperta /mente fugae tali
conpellat uoce regentem: 9.226
erupere ducis sacro de pectore uoces.
                                   9.255
sic uoce Catonis / inculcata uiris iusti
patientia Martis. 9.292
maximus hortator scrutandi uoce deorum
/euentus Labienus erat. 9.549
tua pectora sacra /uoce reple;   9.562
effudit dignas adytis e pectore uoces.
                                   9.565
nec uocibus ullis / numen eget,   9.574
et incerto turbatas murmure uoces /
accipit, ...   9.1008
ac prius infanda commendat crimina uoce.
                                   9.1013
nec non his fallere uocibus audet 9.1062
sentiat aduentum soceri uocesque querentis
/audiat umbra pias. 9.1094
missusque satelles / regius, ut saeuos
absentis uoce tyranni / corriperet
famulos, ...   10.469

URBS. urbibus Italiae lapsisque ingentia muris
                                   1.25
rarus et antiquis habitator in urbibus
errat, ...   1.27
ipse sui populus letalisque ambitus urbi
/annua uenali referens certamina Campo;
                                   1.179
mox ait 'o magnae qui moenia prospicis
urbis 1.195
expulit ancipiti discordes urbe tribunos
                                   1.266
detrahimus dominos urbi seruire paratae.'
                                   1.351
illa licet, penitus tolli quam iusseris
urbem, ...   1.385
pone sequi, iussamque feris a gentibus
urbem /Romano spectante rapi. . . 1.483
nutantes pendere domos, sic turba per
urbem /... / inconsulta ruit.   1.495
sic urbe relicta / in bellum fugitur.
                                   1.503
nec limine quisquam / haesit et extremo
tunc forsitan urbis amatae /plenus abit
uisu: 1.508
urbem populis uictisque frequentem /
gentibus et generis, ...   1.511
urbisque laborem / testatos sudore
Lares, ... /... accipimus, . . .   1.556
ingens urbem cingebat Erinys /excutiens
pronam flagranti uertice pinum   1.572
mox iubet et totam pauidis a ciuibus urbem
/ambiri 1.592
dumque illi effusam longis anfractibus
urbem /circumeunt 1.605
aut, si fata mouent, urbi generique
paratur /humano matura lues. . .   1.644
subsidentque urbes, an tollet feruidus aer
/ temperiem? 1.646
talis et attonitam rapitur matrona per

urbem 1.676
patriae sedes remeamus in urbis,   1.690
ubi concipiunt quantis sit cladibus orbi /
constatura fides superum, ferale per
urbem / iustitium;   2.17
date gentibus iras, /nunc urbes excite
feras; 2.48
tantone nouorum /prouentu scelerum
quaerunt uter imperet urbi? . . . 2.61
consul et euersa felix moriturus in urbe /
poenas ante dabat scelerum. . . .   2.74
ille quod exiguum restabat sanguinis urbi /
/hausit; 2.140
colla ducum pilo trepidam gestata per
urbem 2.160
inuenit ... / fata uirum casusque urbis
cunctisque timentem /securumque sui, 2.240
urbi pater est urbique maritus,
                             2.388(bis)
tunc urbes Latii dubiae uarioque fauore
/ancipites,   2.447
non priuata cupis, Romana quisquis in
urbe /Pompeium transire paras.   2.564
expulit armatam patriis e sedibus urbem?
                             2.574
urbs est Dictaeis olim possessa colonis,
                             2.610
quas est uolgata per urbes /post me Roma
ducem.   2.634
bella feres totoque urbes agitabis in orbe
                             2.643
ergo hostes portis, quas omnis soluerat
urbis / cum fato conuersa fides,   2.704
namque adserit urbes /sola fames,   3.56
Curio Sicanias transcendere iussus in
urbes,   3.59
pro, si remeasset in urbem /Gallorum
tantum populis Arctoque subacta,   3.73
non illum laetis uadentem coetibus urbes
/sed tacitae uidere metu, ...   3.80
excelsa de rupe procul iam conspicit urbem
                             3.88
pro qua pugnabitur urbe? 3.92
sic fatur et urbem /attonitam terrore
subit. 3.97
deserta stamus in urbe. 3.129
interea totum Magni fortuna per orbem /
secum casuras in proelia mouerat urbes.
                             3.170
signa relinquas /urbe procul nostrisque
uelis te credere muris 3.331
tutus, ut, inuictae fatum si consulat
urbi, ...   3.334
sic postquam fatus, ad urbem /haud
trepidam conuertit iter; 3.372
proxima pars urbis celsam consurgit in
arcem 3.379
sed prius, ut totam, qua terra cingitur,
urbem /clauderet, ...   3.383
iam satis hoc Graiae memorandum contigit
urbi /aeternumque decus, ...   3.388
illinc tela cadunt excelsas urbis in
arces. 3.462
quis in urbe parentum /fletus erat, 3.756
miles spoliato pectore tutus /innocuusque
suas curarum liber in urbes /spargitur.
                             4.384
has urbi miserae uestro de sanguine poenas
/ferre datis,   4.805
perdita tunc urbi nocuerunt saecula, 4.816
emere omnes, hic uendidit urbem.   4.824

quamque procul tectis captae sedeamus ab
urbis / cernite, ...   5.19
illa uidet patres plena quos urbe fugauit:
                             5.33
saepe dedit sedem totas mutantibus urbes,/
ut Tyriis, ...   5.107
non illis urbes spoliandaque templa
negasset 5.305
pariter tot regna, tot urbes /fortunamque
suam tacta tellure recepit. . .   5.676
moenia seruat / defendens tutam uel solis
turribus urbem. 6.18
illi namquam nefas urbis summittere tecto
/aut laribus ferale caput, . . .   6.510
tu uelut Ausonia uadis moriturus in urbe,
                             7.33
urbi Magnoque timetur. 7.138
sitque palam, quas tot duxit Pompeius
in urbem /curribus, unius gentes non
esse triumphi. 7.279
si ... totidemque petentis /urbis regna
suae funesto in Marte locasses, /non tam
praecipiti ruerent in proelia cursu. 7.335
non iratorum populis urbique deorum est /
Pompeium seruare ducem. 7.354
primo gentes oriente coactae /innumeraeque
urbes, ... / exciuere manus. . . . 7.361
credite pendentes e summis moenibus urbis
/... hortari in proelia matres;   7.369
crimen ciuile uidemus /tot uacuas urbes.
                             7.399
urbs nos una capit. 7.402
insanamque famem permissasque ignibus
urbes /... / hi possunt explere uiri,
                             7.413
aspice possessas urbes donataque regna, /
Aegypton Libyamque, ...   7.710
sed 'quid opus uicto populis aut urbibus?'
inquit 7.720
mallet et obscuro tutus transire per
urbes /nomine; 8.20
uigiles Pompei pectore curae /nunc socias
adeunt Romani foederis urbes . .   8.162
consilio iussuque deum transibis in
urbem,   8.849
uel sceptra uel urbes /libertate sua
ualidas inpellite fama /nominis: 9.90
sed me nec sanguis nec tantum uolnera
nostri / adfecere senis, quantum gestata
per urbem / ora ducis, ...   9.137
clarum et uenerabile nomen /gentibus et
multum nostrae quod proderat urbi. 9.203
pensabat iter propiusque secabat / aera,
si medias Europae scinderet urbes: 9.686
inde Paraetoniam fertur securus in urbem
                             10.9
nulla captus dulcedine rerum, /non auro
cultuque deum, non moenibus urbis. 10.18
nulloque herede relicto /totius fati
lacerandas praebuit urbes. . . .   10.45
non urbes prima tenebo /femina Niliacas:
                             10.90
fama quidem generi Pharias me duxit ad
urbes, ...   10.184
at Caesar moenibus urbis /diffisus foribus
clausae se protegit aulae . . .   10.439
illa lues ... reuocauit ab aula /urbis
in auxilium populos. 10.505
URGUEO,-ERE. successus urguere suos, instare
fauori /numinis, ...   1.148
faces belli dubiasque in proelia

599

menti /urguentes addunt stimulos   1.263
portus /urguet rupe caua pelagus: 1.406
quos ille timorum /maximus haut urguet
leti metus. 1.460
quo quemque fugae tulit impetus urguent
                                      1.491
uocibus his prodens urguentem pectora
Phoebum: 1.677
iam Phoebum urguere monebat / non idem
Eoi color aetheris, ...   2.719
sic pedes ex facili nulloque urguente
receptus, ...   4.46
nox tum Thessalicas urguebat parua
sagittas. 4.528
tum pectore pectus / urgueri, tunc obliqua
percussa labare /crura manu.   . . 4.625
pectora rauca gemunt, quae creber
anhelitus urguet, ...   4.756
ceu Siculus flammis urguentibus Aetnam
/undat apex,   5.99
axibus et rapidis inpulsos Iuppiter
urguens /miratur non ire polos.   6.464
in praeceps subsedit humus, quam pallida
pronis /urguet silua comis   . .   6.644
uenerandaque corpora ferro /urguentur;
                                      7.583
Fortuna ... /... tanto pondere famae /
res premit aduersas fatisque prioribus
urguet. 8.23
Boreaque urguente carinas /Graia fugit,
                                      9.37
auidusque urguente procella / Iliacas
pensare moras 9.1001
perque Asiae populos fatis urguentibus
actus /humana cum strage ruit   10.30

URNA. conpositis plenae gemuerunt ossibus
urnae. 1.568
sed, postquam condidit urna /supremos
cineres, ...   2.333
decantatque tribus et uana uersat in urna.
                                      5.394
expellam tumulis, abigam uos omnibus urnis.
                                      6.735
caelo tegitur qui non habet urnam.   7.819
effudere suas uictis conpagibus urnas,
                                      7.857
te Cornelia, Magne, /accipiet nostraque
manu transfundet in urnam.   . . . 8.770
numquam plenas plangemus ad urnas?   9.68
unam sparsis date manibus urnam.   9.1093

URNA(sidus). nec plus Leo tollitur Vrna. 9.537

URO,-ERE. monstra iubet ... /... rapi
sterilique nefandos /ex utero fetus
infaustis urere flammis. 1.591
urebant montana niues 4.52
ob ferrum et saeuis libertas uritur armis,
                                      4.578
nam quamuis flamma tacitas urente
medullas 5.811
non interpositis urantur corpora flammis;
                                      7.805
hos, Caesar, populos si nunc non usserit
ignis, /uret cum terris,   . . .   7.812
hos ... populos ... ignis,/uret cum
terris, uret cum gurgite ponti. 7.813(bis)
teque pudet sparsis Pompei manibus uri.'
                                      8.751
suppositisque deis uram caput.   9.161
et larices fumoque grauem serpentibus
urunt /habrotonum 9.920
pars sanguinis usti / torta caput

refugosque gerens a fronte capillos;
                                      10.131

URSA. Pannonis haud aliter post ictum saeuior
ursa,/.../se rotat in uolnus   . . 6.220
tunc ursae latebras, obscaeni tecta
domosque /deseruere canes,   . . . 7.828

URSA(sidus). cum sidera caeli /.../aspicerent
flexoque Vrsae temone pauerent,   4.523
nam uel Hyperboreae plaustrum glaciale
sub Vrsae 5.23
hic cum mihi semper in altum /surget
et instabit summis minor Vrsa ceruchis, /
Bosporon ... /spectamus.   8.177

USQUAM. urbes / sed tacitae uidere metu, nec
constitit usquam /obuia turba duci.   3.81
nec Martem comminus usquam /ausa pati
uirtus, ...   8.382
non Asiam breuioris aquae disterminat
usquam /fluctus ab Europa,   . . . 9.957

USQUE. si ciues, huc usque licet.'   1.192
usque adeo miserum est ciuili uincere
bello? 1.366
quo nominis usque /nostri fama uenit,
                                      2.633
(usque adeo solus ferrum mortemque timere
/auri nescit amor, ...   3.118
non usque adeo permiscuit imis /longus
summa dies ut non, si uoce Metelli
/seruantur leges, malint a Caesare tolli.'
                                      3.138
quidquid ab occiduis Libye patet arida
Mauris /usque Paraetonias Eoa ad litora
Syrtis. 3.295
usque adeone times quem tu facis ipse
timendum? 4.185
usque adeo soli ciuilibus armis /nescimus
cuius sceleris sit maxima merces?   5.285
totus mitti ciuilibus armis /usque uel
in pacem potuit cruor: 6.300
uixque reuolsa solo maiori pondere
pressum /signiferi mersere caput rorantia
fletu / usque ad Thessaliam Romana et
publica signa. 7.164
usque ad Thessalicas seruisses, Roma,
ruinas. 7.439
usque adeo mollis primisque caloribus
inpar / sum uisus? 9.507
licet usque sub Arcton /regnemus
Zephyrique domos 10.48

USTOR. robora non desint misero nec sordidus
ustor. 8.738

USURA(subst.). hinc usura uorax auidumque
in tempora fenus 1.181

USUS(subst.). te iam series ususque laborum
/erigit 1.123
in senium longoque togae tranquillior usu
                                      1.130
nisi qui scelerum iam fecerat usum   2.97
Venerisque hic unicus usus,   . .   2.387
donauit socero Romani sanguinis usum.
                                      2.477
at Romana ratis stabilem praebere carinam
/certior et terrae similem bellantibus
usum. 3.557
ingentem militis usum /hoc habet ex magna
defunctum parte cadauer: . . .   3.719
atque usus belli poenamque remittit. 4.364
usus abit uitae, bellis consumpsimus
aeuum: 5.276
hinc usus placuere deum,   . . .   5.698
hominum mors omnis in usu est.   . 6.561

USUS

carmenque nouos fingebat in usus. 6.578
sic male deseruit nullosque exegit in
usus / hanc partem natura sui); 9.310·
tantum Maurusia genti / robora diuitiae,
quarum non nouerat usum, ... 9.427
caeli seruantur in usus, ... 9.905
illa duci geminos bellorum praestitit
usus. 10.512

UT. (a) = eo modo quo. 1.118;1.327;1.419;
2.191;2.454;2.547;2.601;2.665;2.715;3.99;
3.362;3.364;3.482;3.549;4.285;4.724;4.745;
5.109;5.217;5.708;6.296;7.125;7.242;7.730;
8.152;8.488;9.348;9.352;9.356;9.513;9.808;
9.902;10.126;10.216;10.400
(b) = quasi. 4.722
(c) = temp. 1.160;1.185;1.223;1.236;1.244;
1.272;1.297;1.392;1.466;2.466;2.481;2.492;
2.687;3.1;3.46;3.115;3.433;3.450;3.474;
3.521;3.538;3.741;4.130;4.174;4.248;
4.267;4.271;4.539;4.640;4.645;4.769;4.794;
5.82;5.704;6.11;6.281;6.570;6.657;7.214;
7.337;7.460;7.728;8.470;8.613;9.171;
9.498;9.611;9.950;9.987;9.1037;10.514
UT PRIMUM. 2.94;2.374;3.544;4.365;4.415;
4.746;4.765;5.15;6.69;6.118;6.180;6.381;
7.437;7.506;7.528;9.174;9.319;10.1
(d) = final. et consecut. 1.369;1.415;
2.63;2.192;2.486;2.527;2.554;2.621;2.682;
3.52;3.139;3.323;3.334;3.383;3.396;3.687;
4.218;4.222;4.513;4.519;4.736;5.208;5.341;
5.698;6.30;6.46;6.71;6.289;6.592;6.621;
6.661;6.767;6.823;7.264;7.265;7.327;7.424;
7.428;7.596;7.627;7.656;7.801;7.848;7.850;
8.194;8.268;8.349;8.391;8.678;8.679;8.719;
8.731;8.732;8.733;8.734(bis);8.772;9.376;
9.406;9.577;9.896;9.1090;9.1103;9.1104;
10.130;10.285;10.347;10.368;10.405;10.469
(e) = explan. 2.6;2.296;3.324;3.497;
4.214;4.215;7.100;8.188;8.350;9.1099;
10.389;10.525
(f) = concess. 4.390;5.773;7.389;7.757
(g) = exclam. 3.76;3.77
(g) = causal. 9.120;10.522
(i) = exempli causa. 5.108

UTER. prouentu scelerum quaerunt uter imperet
urbi? 2.61

UTERQUE, UTRAQUE, UTRUMQUE. saeue parens,
utrasque simul partesque ducesque, /
dum nondum meruere, feri. . . . 2.59
hinc consul uterque,/ hinc acies
statura ducum est. 2.565
relinquas / admoneo nec tu populos utraque
uagantis / Armenia 2.638
utraque frugiferis est insula nobilis
aruis, ... 3.65
Phocaicas Amphissa manus scopulosaque
Cirrha / Parnasosque iugo misit desertus
utroque. 3.173
ut tantum medii fuerat maris, utraque
classis / quod semel excussis posset
transcurrere tonsis, ... 3.538
donec utrasque simul largus cruor expulit
hastas 3.590
pax erat, et castris miles permixtus
utrisque /errabat; 4.196
si mollius aruum /prodidit umorem, pinguis
manus utraque glaebas / exprimit ora
super; 4.309
infidusque nouis ducibus dubiusque
priori / fas utrumque putat. . . 4.699
consul uterque uagos belli per munia

UTOR

patres /elicit Epirum. 5.8
donassent utinam superi patriaeque
tibique / unum, Magne, diem, quo fati
certus uterque / extremum tanti fructum
raperetis amoris. 7.31
procul axis uterque est, ... 9.542
solique uagari / concessum per utrosque
polos. 10.301
aderat maturus uterque, ... 10.421

UTERUS. monstra iubet ... /... rapi sterilique
nefandos /ex utero fetus infaustis urere
flammis. 1.591
quaeque per abrasas utero demittere fauces,
/... / deripiens miles saturum tamen
obsidet hostem. 6.115
dissiluit stringens uterum membrana,
9.773

UTICA. non Vticae Libye clades, Hispania
Mundae / flesset 6.306

UTILIS,-E. hinc ... / et concussa fides et
multis utile bellum. 1.182
miles non utile clausis / auxilium
mactauit equos, ... 4.268
sidera terra / ut distant et flamma
mari, sic utile recto. 8.488
'ciuis obit'...'multum maioribus inpar /
nosse modum iuris, sed in hoc tamen
utilis aeuo. 9.191
non utile mundo / editus exemplum, 10.26

UTINAM. o utinam caelique deis Erebique
liceret 2.306
Parthorum utinam post proelia sospes /
et Scythicis Crassus uictor remeasset ab
oris, ... 2.552
o utinam, quo plus habeat mors unica
famae, ... 4.509
mors, utinam pauidos uitae subducere
nolles, ... 4.580
atque utinam in populos! 5.62
hic utinam summi curuet carchesia mali
5.418
donassent utinam superi patriaeque
tibique / unum, Magne, diem, . . 7.30
utinam, Pharsalia, campis / sufficiat
cruor iste tuis, ... 7.535
'o utinam in thalamos inuisi Caesaris
issem 8.88
o utinam non tanta mihi fiducia saeuis
/ esset in Arsacidis! 8.306
imperet hoc nobis utinam scelus ... /
Roma 8.842

UTOR,-I. credidimus satis his, utendum est
iudice bello.' 1.227
uiribus utendum est quas fecimus. 1.348
ille fuit uitae Mario modus,.../ quae
peior fortuna potest, atque omnibus uso /
quae melior, ... 2.132
numquam felicibus armis / usa manus,
patriae primis a sedibus exul, 3.339
nunc, rara datur si copia ferri, /
utuntur pelago: 3.694
nempe usis Marte secundo / tot dubiae
restant acies, tot in orbe labores; 4.388
auxilioque diu uirtus non usa cadendi /
terrae spernit opes: 4.607
nec uiribus uti / Alcides primo uoluit
certamine totis, ... 4.620
uteris et stimulis flammasque in uiscera
mergis: 5.175
iam uoce doloris / utendum est: 5.495
lapsusque superne / gurgite Penei pro

UTOR

siccis utitur aruis. 6.377
tot mortes habitura suas usuraque mundi
/ sanguine: 6.583
'hoc .. solum te, Magne, precatur /uti
se Fortuna uelis, ... 7.69
toto simul utimur orbe. 7.362
has trahe, Caesar, aquas, hoc, si potes,
utere caelo. 7.822
tota, quantum ualet, utere Lesbo. 8.123
imperet hoc nobis utinam scelus et uelit
uti / nostro Roma sinu: 8.842
tanto duce possumus uti / per Syrtes,
9.552
iure suo populis uti legumque licebit,
9.560
carinis /insiluit Caesar semper feliciter
usus / praecipiti cursu bellorum, 10.507
UTRIMQUE. his ratibus traiecta manus festinat
utrimque /succisum curuare nemus, 4.137
ergo utrimque pari procurrunt agmina motu
/ irarum; 7.385
UUA. gemmaeque capaces /excepere merum, sed
non Mareotidos uuae, ... 10.161
UULGUS, UULNUS, UULTUS, etc. v. UOL-
VULTEIUS. Vulteius tacitas sensit sub gurgite
fraudes 4.465
rexit magnanima Vulteius uoce cohortem:
4.475
Vulteius iugulo poscens iam fata retecto
4.541
VULTURNUS. delabitur inde / Vulturnusque celer
nocturnaeque editor aurae /Sarnus 2.423
UXOR. uxor et a caro poscet sibi fata marito,
3.353

X

XANTHUS. inscius in sicco serpentem puluere
riuum /transierat, qui Xanthus erat. 9.975

Z

ZEPHYRUS. ius habet aut Zephyrus, solus sua

ZONA

litora turbat /Circius . . . 1.407
non Eurum Zephyrumque timens, cum uela
ratisque / in medium deferret Athon. 2.676
ut, quotiens aestus Zephyris Eurisque
repugnat, ... 3.549
hic, ubi iam Zephyri fines, et summus
Olympi /cardo tenet Tethyn, . . . 4.72
et tepidum in molles Zephyros excurrit
Iader, ... 4.405
Zephyros intendat an Austros /incertum est;
5.569
excipit aduersos Zephyros et Iapyga Pindus
6.339.
nam, cum communiter istae /effundant
Zephyrum, ... / ... discedit in ortus /
Eurim sola tenens. 9.418
Zephyro conuertitur ales / itque super
Libyen, ... 9.689
septima nox Zephyro numquam laxante
rudentes /ostendit ... Aegyptia litora
9.1004
licet usque sub Arcton / regnemus
Zephyrique domos 10.49
Zephyros quoque uana uetustas / his
ascripsit aquis, quorum stata tempora
flatus 10.239
ZEUGMA. nunc Parthia ruptis /excedat claustris
uetitam per saecula ripam /Zeugmaque
Pellaeum. 8.237
ZMARAGDUS. foribus testudinis Indae /terga
sedent, crebro maculas distincta zmaragdo.
10.121
ZMYRNAEUS,-A,-UM. quantum Zmyrnaei durabunt
uatis honores, /uenturi me teque legent;
9.984
ZONA. sic mundi pars ima iacet, quam zona
niualis/perpetuaeque premunt hiemes: 4.106
distinet Oceanum zonaeque exusta calentis.
4.675
rapidus Titan ... / aequora subduxit
zonae uicina perustae; 9.314
ire libet qua zona rubens atque axis
inustus /solis equis; 9.852
frigida Saturno glacies et zona niualis
/cessit; 10.205
illos rubicunda perusti /zona poli tenuit;
10.275

LAUS DEO